R.N. Champlin, Ph.D.

O ANTIGO TESTAMENTO INTERPRETADO

Versículo por Versículo

VOLUME 4

Nova edição
revisada – 2018
Inclui hebraico

SALMOS / PROVÉRBIOS
ECLESIASTES / CANTARES

Av. Jacinto Júlio, 27 • São Paulo, SP
Cep 04815-160 • Tel: (11) 5668-5668
WWW.HAGNOS.COM.BR | EDITORIAL@HAGNOS.COM.BR

hagnos

Copyright © 2001, 2018 por Editora Hagnos

Copyright do texto hebraico: *Biblia Hebraica Stuttgartensia*, editada por Karl Elliger e Wilhelm Rudolph, primeira edição revisada, editada por Adrian Scheker © 1977 e 1977 por Deutsche Bibelgesellschaft, Stutgard. Usado com permissão.

2ª edição: maio de 2018
2ª reimpressão: janeiro de 2024

REVISÃO
Andrea Filatro
Ângela Maria Stanchi Sinézio
Priscila Porcher
Caio Peres

DIAGRAMAÇÃO
Sonia Peticov

CAPA
Maquinaria Studio

Editor
Aldo Menezes

COORDENADOR DE PRODUÇÃO
Mauro Terrengui

IMPRESSÃO E ACABAMENTO
Imprensa da Fé

As opiniões, as interpretações e os conceitos emitidos nesta obra são de responsabilidade do autor e não refletem necessariamente o ponto de vista da Hagnos.

Todos os direitos desta edição reservados à

EDITORA HAGNOS LTDA.
Rua Geraldo Flausino Gomes, 42, conj. 41
CEP 04575-060 — São Paulo, SP
Tel.: (11) 5990-3308

E-mail: hagnos@hagnos.com.br
Home page: www.hagnos.com.br

Editora associada à:

Dados Internacionais de Catalogação na Publicação (CIP)
(Câmara Brasileira do Livro, SP, Brasil)

Champlin, Russell Norman, 1933-2018

O Antigo Testamento interpretado versículo por versículo. Volume 4: Salmos, Provérbios, Eclesiastes, Cantares / Russell Norman Champlin. 2 ed. — São Paulo: Hagnos, 2018.

Bibliografia

ISBN 85-88234-18-1

1. Bíblia AT - Crítica e interpretação
I Título.

00-2010   CDD-221.6

Índice para catálogo sistemático:
1. Antigo Testamento: Interpretação e crítica 221.6

SALMOS

O HINÁRIO DE ISRAEL

> *Bem-aventurado o homem que não anda no conselho dos ímpios, não se detém no caminho dos pecadores, nem se assenta na roda dos escarnecedores. Antes o seu prazer está na lei do Senhor.*
>
> SALMO 1.1,2

150	Capítulos
2.461	Versículos

INTRODUÇÃO

ESBOÇO:
- I. O Título e Vários Nomes
- II. Caracterização Geral
- III. Ideias dos Críticos e Refutações
- IV. Autoria e Datas
- V. Várias Compilações e Fontes Informativas
- VI. Conteúdo e Tipos
- VII. A Esperança Messiânica
- VIII. Usos dos Salmos
- IX. A Poesia dos Hebreus
- X. Pontos de Vista e Ideias Religiosas
- XI. Canonicidade
- XII. Os Salmos no Novo Testamento
- XIII. Bibliografia

I. O TÍTULO E VÁRIOS NOMES

1. O moderno título desse livro do Antigo Testamento vem do grego *psalmós*, que indica um cântico para ser cantado com o acompanhamento de algum instrumento de cordas, como a harpa. O verbo grego *psallein* significa "tanger". A Septuaginta diz *Psalmoi* como o título do livro. E é da Septuaginta que se deriva nosso título moderno do livro. A Vulgata Latina diz, como título, *Liber Psalmorum*.

2. O título hebraico antigo do livro era *Tehillim*, "cânticos de louvor". Esse título refletia o principal conteúdo dessa coletânea em geral. Mas vários outros vocábulos hebraicos introduzem salmos específicos, a saber:

Shir, "cântico" (29 salmos). *Mizmor*, "melodia", "salmo" (57 salmos); essa palavra subentende o tanger de algum instrumento de cordas, pelo que é similar ao termo grego *psalmós*. *Sir Hammolot*, "cânticos dos degraus" (Sl 120 a 134)," que eram cânticos entoados por peregrinos que subiam a Jerusalém para celebrar as festividades religiosas. *Miktam*, cujo sentido exato se perdeu, embora haja nas composições envolvidas a ideia de lamentações e expiação (Sl 16, 56-60). *Maskil*, "instrução", que são salmos didáticos (Sl 74, 78 e 79). *Siggayon*, também de significado duvidoso, mas talvez uma palavra relacionada ao termo hebraico *saga*, "dar uma guinada", "girar", referindo-se a um tipo de música agitada (Sl 7). *Tepilla*, "oração", referindo-se a alguma composição poética entoada como uma oração ou petição (Sl 142). *Toda*, "agradecimento", *Le annot*, "aflição". *Hazkir*, "comemorar" ou "lembrança", referindo-se no caso de um pecado cometido (Sl 38 e 70). *Yedutum*, "confissão" (Sl 39, 62 e 77). *Lammed*, "ensinar" (Sl 60). *Menasseah*, "diretor musical" (55 salmos). *Yonat elem rehoqim*, que diz respeito a alguma "pomba" (deve estar em foco algum tipo de sacrifício). *Ayyelet hassahar*, "corça do alvorecer" (estando em foco algum sacrifício). *Sosannim*, "lírios" (Sl 60, 65 e 69), talvez uma referência ao uso de flores em cortejos nos quais eram entoados salmos. *Neginot*, uma referência a instrumentos musicais que sem dúvida acompanhavam o cântico de salmos (Sl 6, 54, 55 e 67). *Sela*, "elevar", talvez uma direção para que se elevasse a voz, em algum tipo de bênção ou vozes responsivas (39 salmos). *Nehilot*, "flautas", uma referência ao acompanhamento do cântico de salmos por meio desse instrumento de sopro.

A complexidade desses títulos reflete tanto a própria complexidade da coletânea quanto o seu variegado uso em conexão com a devoção privada e com a adoração pública, especialmente aquele tipo que era acompanhado por música.

II. CARACTERIZAÇÃO GERAL

"O livro de "Salmos, tradicionalmente atribuído a Davi, é uma antologia de cânticos e poemas sagrados dos hebreus. Aparece na terceira seção do Antigo Testamento, chamada os Escritos (no hebraico, *Ketubim*). A palavra *salmos* é de origem grega e denota o som de algum instrumento de cordas. Seu nome, em hebraico, é *tehillim*, 'louvores'. Os temas dos salmos envolvem não somente louvores ao Senhor, mas também alegria e tristeza pessoais, redenção nacional, festividades e eventos históricos. O seu fervor religioso e poder literário têm conferido a essa coletânea uma profunda influência através dos séculos, e não menos no mundo cristão".

"Tem havido intensa disputa entre os eruditos acerca da antiguidade e autoria desses salmos, e acerca de sua conexão com o rei Davi. Provavelmente foram compostos durante um período bíblico de mil anos ou mesmo mais. Dentre os 150 salmos, 73 têm, no seu título, as palavras "de Davi"; e muitos deles foram compostos na primeira pessoa do singular. Alguns desses, ou porções dos mesmos, parecem ser de data posterior à do reinado de Davi. Entretanto, o cotejo com outras peças poéticas religiosas do Oriente Próximo e Médio da mesma época geral sugere que alguns dos poemas atribuídos a Davi datam, realmente, do tempo dele. Sem importar o que os especialistas digam, é apenas natural que a crença popular tenha atribuído a obra inteira ao maior dos reis de Israel, um poeta e músico que se sentia em íntima comunhão com Deus" (WW).

Os salmos reverberam as mais profundas experiências e necessidades do coração humano, e assim exercem uma atração permanente sobre as pessoas de todas as religiões. Incorporaram o que havia de melhor nas formas poéticas dos hebreus, tendo-as desenvolvido, e eram acompanhados por um surpreendente desenvolvimento musical, com frequência usado para acompanhar a recitação dos salmos na adoração formal de Israel.

Tem-se tornado comum aos eruditos liberais aludirem aos salmos como "o hinário do segundo templo", o que serve de uma boa descrição. Contudo, não há nenhuma razão constrangedora que nos force a duvidar de que pelo menos muitos dos salmos, bem como a música que os acompanhava, já faziam parte da liturgia do primeiro templo de Jerusalém. Ver a terceira seção, intitulada *Ideias dos Críticos e Refutações*, quanto aos argumentos pró e contra acerca da data e da compilação dessa coletânea de hinos e poemas. Esse hinário do segundo templo contém muitos elementos antigos que correspondem ao que se conhece sobre a poesia antiga de outras culturas, e não somente da cultura hebreia; e isso favorece a antiguidade pelos menos de uma parcela razoável da coletânea.

Seja como for, a fé religiosa viva resplandece através desses hinos e poemas. O Saltério é o hinário do antigo povo de Israel; e, posteriormente, veio a ser o livro veterotestamentário mais constantemente citado no Novo Testamento. Os primeiros hinários cristãos, em vários idiomas, incorporaram muitos dos salmos, que então foram musicados. Sob o primeiro ponto, temos dado indicações sobre os muitos tipos de salmos que compõem a coletânea, e, nas seções quinta e sexta, ilustramos essa questão um pouco mais. Os principais tipos de salmos são os de louvor, lamentação, confissão, júbilo, triunfo, agradecimento, salmos reais, imprecações contra os inimigos, história sagrada, sabedoria, liturgias, cânticos festivos. O livro de Salmos reflete muitos aspectos da vida religiosa e das aspirações do antigo povo de Israel, e é dotado de profunda beleza e percepção espiritual, o que tem feito do livro uma parte imortal da literatura religiosa.

III. IDEIAS DOS CRÍTICOS E REFUTAÇÕES

Apesar de todos os homens louvarem os salmos, nem todos pensam que eles foram autenticamente compostos por Davi e produzidos naquele antigo período da história. Talvez a maioria dos eruditos modernos veja os salmos como uma série de coletâneas que terminou unida em uma única grande coletânea, embora a totalidade tivesse sido composta e desenvolvida no processo de um longo tempo.

Alistamos os principais pontos de vista dos críticos, juntamente com as refutações às suas críticas:

1. O uso do termo hebraico *le* levanta uma questão de interpretação. Essa palavra pode significar "por", envolvendo assim a ideia de autoria. Porém, também pode ter o sentido de "pertencente a", não requerendo assim a ideia de que determinados salmos foram compostos pelo indivíduo que aparece no título. Onze salmos presumivelmente são atribuídos aos filhos de Coré, mas essa palavra hebraica aparece nos títulos introdutórios. No entanto, o trecho de 2Cr 20.19 mostra-nos que esses homens formavam uma guilda de cantores do templo, após o exílio. Não

é provável que eles tenham, verdadeiramente, composto os salmos que lhes são atribuídos; antes, esse grupo de salmos foi selecionado por eles (provavelmente procedentes de diferentes autores), e os cantores os usavam em seu trabalho.

Resposta. Apesar de ser verdade que o vocábulo hebraico em questão pode envolver o sentido de "pertencente a", e que, de fato, em certos casos assim deve ser entendido, também é verdade que tal termo pode significar "por", indicando a autoria. E se havia uma guilda musical dos filhos de Coré, que existiu depois do exílio babilônico, é também provável que essa guilda já existisse desde tempos mais antigos, e que os seus descendentes é que foram mencionados em 2Cr. Ver no *Dicionário* sobre *Coré*; *Coate e Coatitas*. A passagem de 1Cr 6.31 ss. fornece-nos os nomes daqueles que *Davi* nomeou para ocuparem-se da música sacra, e os filhos de Coré estavam entre eles. Ver o vs. 38. "Quando da reorganização instituída por Davi, os coatitas ocuparam certa variedade de ofícios, incluindo um papel na música executada no templo" (ND).

2. *Os títulos dos salmos* não eram originais, e sem dúvida contêm muitos desejos piedosos, não informações históricas autênticas.

Resposta. É verdade que as tradições tendem por adicionar toda espécie de material não histórico, mas também podemos estar tratando com anotações e observações verdadeiramente antigas dotadas de valor histórico, pelo menos no que se aplica à maioria dos salmos. A baixa crítica (estudo do texto dos manuscritos antigos) arma-nos de um constante testemunho em favor desses títulos. Todavia, este último argumento não é muito definitivo, visto que todos os manuscritos que temos dos Salmos são tão posteriores que se torna impossível fazer qualquer afirmação quanto ao valor histórico dos títulos, meramente por se encontrarem em todos os manuscritos conhecidos. *Todos os manuscritos conhecidos do livro de Salmos são de data relativamente recente*.

3. *Setenta e quatro salmos são atribuídos a Davi,* mas entre eles manifesta-se uma grande variedade de estilo, expressão e sintaxe, mostrando que dificilmente eles foram compostos por um único autor.

Resposta. Esse tipo de argumento só pode ter peso se também detalhar exatamente quais problemas estão envolvidos. Argumenta-se que são achados aramaísmos nos salmos de Davi. Os eruditos conservadores dizem que isso poderia ter ocorrido durante o processo de transmissão dos textos. Questões assim só podem ser tentativamente resolvidas por eruditos no hebraico. Entretanto, todos os autores são, parcialmente, compiladores, pelo que é possível que Davi, embora poeta de alto gabarito, algumas vezes tenha incorporado composições de outros autores, em seus poemas. Além disso, é possível que vários dos chamados salmos de Davi não fossem de sua autoria, embora esse reparo não caiba à grande massa deles. Salmos anônimos provavelmente também foram atribuídos a Davi, visto que ele foi o principal autor da coletânea. No Novo Testamento, certos salmos são atribuídos a Davi, embora os títulos do Antigo Testamento não digam tais coisas. Isso pode ter sido instância do que acabamos de asseverar. Não há necessidade de nos empenharmos pela autoria davídica desses salmos. Mas precisamos defender o conjunto dos salmos de Davi. Quanto a observações neotestamentárias, ver At 4.25 e Hb 4.7. O trecho de 1Cr 16.8-36 contém porções dos Salmos 96, 105 e 106, e parece atribuí-los a Davi, ao passo que, no próprio livro de Salmos, eles figuram como anônimos. E no tocante a Hb 4.7, alguns estudiosos argumentam que esse versículo não precisa ser interpretado com o sentido de que a autoria davídica está em pauta, pois estariam em foco apenas as questões do uso de ideias e o cuidado na prestação de ações de graças.

4. *Muitas coletâneas,* incorporadas naquilo que finalmente veio a ser o Saltério, provavelmente indicam um processo muito prolongado. Assim, apesar de alguns dos salmos terem sido de autoria davídica, a maior parte não o é, e a compilação final ocorreu após o exílio babilônico.

Resposta. Na primeira seção, acima, ficou demonstrado que, de fato, muitos dos títulos dos salmos sugerem fontes múltiplas, muito mais complexas do que se dizer que Davi e alguns outros, como Asafe, Salomão, os filhos de Coré etc., nos legaram os salmos. Todos os bons hinários são como antologias de hinos adicionados através dos séculos. Porém, o reconhecimento desse fato não anula a ideia de que Davi foi o principal e mais volumoso contribuinte, e que outros salmos, como os de Asafe, também pertencem, autenticamente, à época de Davi. Ver a quinta seção, abaixo, quanto à complexidade de fontes que aparentemente estão por trás do livro de Salmos. Parece que precisamos admitir que o livro de Salmos recebeu contribuições da parte de muitos, ao longo de um prolongado tempo. Contudo, isso não anula o antigo âmago do livro, especialmente aquela porção que pertence autenticamente a Davi.

5. *Os títulos davídicos* relacionam os salmos a certos eventos da vida de Davi, mas a leitura desses salmos envolvidos revela-nos que o seu conteúdo nada tem a ver com o que aqueles títulos dizem.

Resposta. É admirável que as mesmas evidências possam ser interpretadas de modos diferentes, tudo dependendo de como os intérpretes aparentemente queiram distorcer a questão. Alguns eruditos liberais admitem nada menos de dezoito salmos como de autoria autenticamente davídica; mas outros desses mesmos eruditos não podem achar um único salmo que seja tão antigo que possa ser atribuído a Davi. Na quarta seção, *Autoria e Datas*, apresentamos um estudo sobre esses salmos que parecem refletir circunstâncias verdadeiras da vida de Davi. E consideramos isso adequado para demonstrar a presença de genuínos salmos davídicos no livro de Salmos, mesmo que isso não possa ser aplicado a todos os 74 salmos a ele atribuídos.

6. Apesar de poder ser demonstrado que alguns dos salmos contêm elementos antiquíssimos, que mostram afinidade com a poesia norte-cananeia (como aquela que foi encontrada em Ras Shamra; ver no *Dicionário* a respeito) ou com os antigos textos babilônicos, pode-se interpretar melhor esse ponto supondo-se que antigos elementos tivessem sido incorporados, e não que todos os salmos fossem verdadeiramente antigos. Por outra parte, pode-se mostrar que material literário semelhante aos salmos era bastante comum em tempos pré-exílicos, segundo se vê em Os 6.1-3; Is 2.2-4; 38.10-20; Jr 14.7-9; Hc 3.1 ss.; 1Cr 16.8-36. O mesmo sucedeu em tempos pós-exílicos, conforme se vê em Ed 9.5-15 e Ne 9.6-39. Com base nas evidências, podemos afirmar que essa forma de composição escrita era encontrada em várias colunas antigas, e isso cobrindo um período de tempo muito longo.

7. O *guerreiro Davi* poderia ter sido o autor desses monumentos de espiritualidade? Infelizmente é verdade que, em muitas ocasiões, Davi agiu como um puro selvagem. Mas ele viveu em tempos extremamente violentos, e precisou usar da violência a fim de sobreviver. Ficamos desconsolados ao ler os relatos de matanças insensatas que ocorreram em seus dias. Davi desejou construir o templo de Jerusalém; e o profeta Natã encorajou-o a fazê-lo. Mas, pouco depois, o Espírito de Deus mostrou a Natã que Davi não era a pessoa indicada para a obra, devido à sua trajetória sanguinária. E assim a tarefa foi transferida para Salomão, um dos filhos de Davi. O relato acha-se no sétimo capítulo de 2Samuel. O trecho de 1Sm 27.8 ss. registra o incrível incidente no qual Davi e seus homens executaram todos os homens, mulheres, crianças e até animais, meramente a fim de engodarem a Aquis, fazendo-o pensar que era contra Judá que Davi tinha agido. Isso Davi fez a fim de fortalecer a sua posição diante daquele monarca pagão, quando exilado no território dele. Davi queria que Aquis pensasse que a sua inimizade contra seu próprio povo israelita era tão grande que ele nunca mais seria uma ameaça para os vizinhos de Israel. Ora, um homem assim tão brutal poderia ter composto uma poesia tão sublime? Diante dessa indagação, relembramos o leitor de que os poemas homéricos, uma literatura de insuperável beleza e técnica, foram escritos dentro do contexto de matanças e ameaças de morte. Tem havido grandes poemas de fundo belicoso, com também soberba prosa. De fato, as guerras têm inspirado muitas grandiosas peças de literatura, além de notáveis produções teatrais. Também devemos considerar que Davi, embora tivesse vivido em tempos selvagens, também tinha outro lado em sua personalidade, o lado de uma profunda devoção ao Senhor. Isso fica claro nos livros de 1 e 2Samuel, 1 e 2Reis, além de várias outras referências a Davi, espalhadas pela Bíblia. Outrossim, a habilidade de Davi como poeta e músico já

era proverbial em seus próprios dias. Os trechos de 1Cr 6.31 ss. e 16.8-36 fornecem-nos indicações a esse respeito. Finalmente, cumpre-nos considerar a natureza do próprio ser humano, um misto de nobreza e vileza, em uma mesma criatura. O sétimo capítulo da epístola aos Romanos elabora esse ponto. Até Adolfo Hitler gostava de cães! A passagem de Am 6.5 mostra quão grande era a reputação de Davi como músico e poeta (ver também 2Sm 1.17 ss.; 3.33 ss.), a qual continuou a ser notória mesmo séculos depois de sua morte. A Bíblia chega a revelar que Davi inventou instrumentos musicais. O cântico de Moisés (Êx 15) e o cântico de Débora (Jz 5) mostram que a poesia dos hebreus era muito antiga e muito bem desenvolvida. Não há nenhuma razão em supormos que o templo original de Jerusalém não contasse com música e poesia dessa qualidade altamente desenvolvida. Não há nenhuma dúvida razoável acerca do papel desempenhado por Davi em tudo isso, a despeito de sua natureza belicosa, e, com frequência, violenta.

8. Pode-se explicar melhor os salmos como composições que giraram em torno de tempos pós-exílicos e isso por várias razões, algumas das quais foram descritas acima. A música e a liturgia elaborada servem de outro fator de uma data posterior.

Porém, contra isso, além dos argumentos que já foram expostos, deveríamos observar que os *Manuscritos do Mar Morto* (ver a respeito no *Dicionário*) já continham muito material proveniente dos Salmos, e isso evidencia que os Salmos já haviam sido escritos em um período histórico anterior ao daquele em que foram produzidos os rolos do mar Morto. Todavia, essa resposta não nos faria retroceder até os dias de Davi, mas somente até um tempo anterior ao tempo dos Macabeus. No entanto, o argumento é sugestivo, mesmo que não conclusivo.

9. A esperança messiânica é por demais pronunciada no livro de Salmos para que essas composições sejam consideradas saídas da pena de Davi. Historicamente, essa esperança ajusta-se melhor ao período dos Macabeus, sendo similar ao material dos livros pseudepígrafos, no tocante aos anseios dos judeus pelo aparecimento de um Libertador. Uma posição mais radical é aquela que diz que nada semelhante ao Messias cristão está em foco, mas tão somente a figura de um Rei-Salvador, como aquela que foi concebida no tempo dos Macabeus.

Resposta. Contra essa ideia, deve-se observar que desde tempos bem antigos na história de Israel esperava-se um Messias (ver Dt 18.15). Isaías (750 a.C.) também reflete essa forte ênfase messiânica, conforme é claro para todos os que estudam a Bíblia, e isso certamente é anterior, e em muito, ao período pós-exílico. Ademais, afirmar que os antigos hebreus não poderiam ter tido a esperança messiânica é apenas uma opinião subjetiva. Podemos opinar subjetivamente que os hebreus poderiam ter tido tal esperança. Além disso, há indicações, extraídas da própria história da literatura bíblica, que mostram que o tipo de esperança messiânica davídica é mais antigo que a esperança refletida nos livros pseudepígrafos. O fato é que o livro de 1Enoque contém uma esperança messiânica muito mais refinada e muito mais parecida com a do Novo Testamento do que aquela que transparece no livro de Salmos, refletindo um estágio posterior desse ensino. O artigo sobre 1Enoque no *Dicionário* certamente demonstra que, quanto a esse aspecto, 1Enoque está mais próximo do Novo Testamento do que o livro de Salmos. Quanto a pormenores sobre a esperança messiânica no livro de Salmos, ver a seção VII abaixo, que se dedica a esse assunto. Finalmente, no tocante a essa questão, precisamos relembrar dois itens incomuns e místicos que sempre acompanham as culturas humanas, antigas e modernas: o poder de curar e o de prever o futuro. Visto que o Messias brotou dentre o povo de Israel, não há nenhuma razão em supormos que a sua vinda não pudesse ter sido percebida com muita antecedência. Mas o contra-argumento mais definitivo aqui é que o próprio Jesus Cristo ensinou a natureza messiânica dos Salmos; "...importava se cumprisse tudo o que de mim está escrito na lei de Moisés, nos Profetas e nos Salmos" (Lc 24.44).

10. A música e a liturgia elaborada, refletidas no livro de Salmos, falam sobre uma época posterior à de Davi, ou seja, à época do segundo templo, terminado o exílio babilônico.

Resposta. Não há razão para crer que uma elaborada situação músico-litúrgica não se caracterizava no primeiro templo. O trecho de 1Cr 6.31 ss. certamente ensina que, desde bem cedo, o aspecto musical de fé religiosa ocupava um largo espaço na religião dos hebreus. As observações musicais, existentes nos títulos dos salmos, referem-se a três elementos: instrumentos musicais, melodias utilizadas, vozes e efeitos musicais. Nada há nesses elementos que necessariamente pertença a tempos posteriores aos de Davi, embora, como é óbvio e como ninguém pretende negar, tudo isso tenha sido sujeitado a um progressivo desenvolvimento e elaboração. Nos tempos pós-exílicos havia guildas de músicos, como a dos filhos de Coré (ver 2Cr 20.19); mas esse trecho mostra que essa família formava uma antiga guilda musical, desde os tempos do primeiro templo de Jerusalém.

Observações Gerais sobre o Conflito: Críticos Versus Conservadores. Temos dado um sumário bastante detalhado do debate que ruge entre estas duas facções de estudiosos. Opino que não há como solucionar todos os problemas envolvidos, visto que cada teoria tem sua contrateoria. Parece-me que a solução desses problemas só poderia partir de especialistas no idioma e na cultura dos hebreus, os quais, além disso, fossem técnicos no estudo dos próprios Salmos. E isso, como é óbvio, está acima da maioria dos eruditos do Antigo Testamento, para nada dizer sobre os leitores comuns. Controvérsias dessa natureza têm alguns elementos positivos, especialmente se forçam pessoas interessadas a estudar os livros da Bíblia em profundidade. Quanto ao seu lado negativo, essas controvérsias podem ser prejudiciais ao espírito da fé religiosa, dando maior ênfase à contenda do que à espiritualidade. A fim de ilustrar essa declaração, o leitor pode meditar sobre o fato de que uma de minhas fontes informativas (uma respeitável enciclopédia) desperdiça espaço desproporcionalmente grande sobre estas questões controvertidas, ao mesmo tempo que dedica muito pouco espaço à mensagem e ao valor dos salmos, como uma colêtanea sagrada. Certas pessoas (em sentido positivo ou em sentido negativo) gostam de debate, e acima de todas as coisas, elas debatem. É óbvio que isso é um exagero, que só pode ser prejudicial para a espiritualidade. Assim sendo, que debatamos, mas que o façamos sem hostilidade e exageros. Quando o amor transforma-se em ódio teológico, então eu me despeço e vou-me embora.

IV. AUTORIA E DATAS

Quanto a esta particularidade, precisamos depender essencialmente dos informes dados nos títulos de introdução aos Salmos. Se dependermos somente desses títulos, obteremos o seguinte quadro:

Setenta e quatro salmos são atribuídos a Davi; dois a Salomão (Sl 72 e 127); um a um sábio de nome Hemã (Sl 88); um a um sábio chamado Etã (Sl 89; quanto a esse, Ver 1Rs 4.31); um a Moisés (Sl 90); 23 aos cantores levíticos de Asafe (Sl 50; 73-83); vários aos filhos de Coré (Sl 42, 43, 44-49, 84, 85, 87). Os 49 salmos restantes são anônimos.

Os informes existentes nos salmos subentendem que várias guildas musicais ou escreveram ou utilizaram os salmos. Quanto a uma exposição mais completa a respeito, ver a quinta seção da Introdução.

Várias Compilações e Fontes Informativas. Os eruditos conservadores contentam-se em confiar no valor histórico desses informes. Os eruditos liberais, por outra parte, têm achado pouco ou nenhum valor nessas informações. R. H. Pfeiffer considera-os "totalmente irrelevantes". Mas, se os estudiosos conservadores estão com a razão, então a maior parte dos salmos foi composta nos dias de Davi. E, se os liberais estão certos, podemos pensar em um desenvolvimento gradual da coletânea, a começar por Davi, com uma compilação final nos tempos pós-exílicos. Na terceira seção, ventilamos os argumentos e os contra-argumentos que circundam a questão. Não se pode duvidar que desde antes de Davi havia uma literatura similar à dos salmos, que tem paralelo em várias culturas da época. Penso que nada de fatal pode ser dito acerca do possível valor dos pontos dos salmos, mesmo que não cheguemos a ponto de canonizar esses títulos juntamente com o texto, dependendo estupidamente de qualquer coisa que esses títulos digam.

Os argumentos que cercam a palavra hebraica *le* ("por" ou "pertencente a"?) não podem anular a antiga autoria davídica, mas, em alguns casos, podem apontar para os processos de seleção e compilação, e não exatamente autoria. Ver III.1. A baixa crítica (que trata do texto dos manuscritos) favorece uma data definitiva, pois todos os manuscritos que chegaram até nós são de origem relativamente recente, e não se sabe quando foram acrescentadas as composições poéticas. Podemos conjecturar com segurança, porém, que esses títulos são posteriores à época de Davi, embora possam estar alicerçados sobre sólidas tradições históricas. Em caso negativo, precisamos depender do conteúdo dos salmos que refletem situações diversas na vida de Davi, e não dos títulos propriamente ditos. Muitos eruditos conservadores têm preferido esse argumento, apresentando assim um caso que merece respeito.

Salmos que Parecem Redefinir Situações Genuínas na Vida de Davi: Catorze dos salmos refletem motivos específicos de sua composição. Depoendo aqui das informações supridas por Z. A ordem de apresentação é cronológica, e não numérica.

O Salmo 59 foi ocasionado pelo incidente registrado em 1Sm 19.11, e projeta luz sobre o caráter de certos associados invejosos de Davi (59.12).

O Salmo 56 mostra como o temor que Davi sentiu em Gate (ver 1Sm: 21.10), acabou transmutando-se em fé (56.12).

O Salmo 38 ilumina as demonstrações de bondade subsequentes, da parte do Senhor Deus (38.6-8, cf. 1Sm 21.13).

O Salmo 142, à luz da perseguição descrita em seu sexto versículo, sugere as experiências de Davi na caverna de Adulão (cf. 1Sm 22.1), e não em En-Gedi (ver sobre o Salmo 57, mais adiante).

O Salmo 52 (cf. o vs. 3) enfatiza a iniquidade de Saul, como superior de Doegue, que foi o carrasco executor dos sacerdotes (cf. 1Sm 22.9).

O Salmo 54 (cf. o vs. 3) impreca julgamento contra os zifeus (cf. 1Sm 23.13).

O Salmo 57 envolve a caverna de En-Gedi, quando Saul foi apanhado na própria armadilha que havia armado (57.6; cf. 1Sm 24.1).

O Salmo 7 apresenta-nos Cuxe, o caluniador benjamita (7.3), ao mesmo tempo em que o oitavo versículo desse mesmo salmo corresponde a 1Sm 24.11,12.

O Salmo 18 é repetido na íntegra em 2Sm 22; cronologicamente, deveria ter sido posto em 2Sm 7.1.

O Salmo 60 (cf. o vs. 10) ilumina a perigosa campanha militar contra os idumeus (ver 2Sm 3.13,14; 1Cr 18.12), também referida em 1Rs 11.15.

O Salmo 51 elabora o pecado de Davi com Bate-Seba e contra Urias (ver 2Sm 12.13,14).

O Salmo 3 retrata (cf. o vs. 5) a fé que Davi demonstrou ter, ao tempo da revolta de Absalão (cf. 2Sm 15.16).

O Salmo 63 lança luz sobre a fuga de Davi para o Oriente nessa ocasião (cf. 2Sm 16.2), pois, em suas fugas anteriores, ele ainda não subira ao trono de Israel (ver Sl 63.11).

O Salmo 30 alude ao pecado de orgulho de Davi, devido ao poder do seu exército (ver os vss. 5, 6; cf. 2Sm 24.2), antes da perturbação que perdurou pouco tempo (cf. 2Sm 24.13-17; 1Cr 21.11-17). A isso seguiu-se o seu arrependimento e a dedicação do altar e da *casa* (a área sagrada do templo; 1Cr 22.1) de *Yahweh*.

Entre os salmos restantes cujos títulos determinam a sua autoria, os 23 salmos compostos pelos cantores de Israel exibem panos de fundo inteiramente diferentes uns dos outros, visto que aqueles clãs levíticos continuaram em atividade durante e após os tempos do exílio babilônico (ver Ed 2.41). A maior parte desses 23 salmos pertence aos dias de Davi ou de Salomão. Todavia, o Salmo 83 ajusta-se dentro do ministério do asafita Jaaziel, ou seja, em torno do 852 a.C. (cf. os vss. 5-8 com 2Cr 20.1,2,14), ao passo que os Salmos 74, 79 e as estrofes finais dos Salmos 88 e 89 foram compostos por descendentes de Asafe e de Coré que, ao que tudo indica, sobreviveram à destruição de Jerusalém, em 586 a.C. (ver Sl 74.3,8,9; 79.1; 89.44). Entre os salmos sem títulos ou anônimos, alguns poucos são oriundos do tempo do exílio babilônico (Sl 137), do tempo do retorno dos judeus a Judá, em 537 a.C. (Sl 107.2,3 e 126.1), ou da reconstrução das muralhas, sob a liderança de Neemias, em 444 a.C. (Sl 147.13). Outros salmos, que refletem momentos trágicos, facilmente poderiam estar vinculados às desordens provocadas pela revolta de Absalão, ou então a certas calamidades que se abateram sobre Davi (cf. Sl 102.13,22; 106.41-47). R. Laird Harris recomenda que se use de grande cautela na crítica a respeito das datas de determinados salmos, escrevendo: "É de regular interesse que as alusões históricas dos salmos não ultrapassam os tempos de Davi, excetuando o Salmo 137, um salmo anônimo que versa sobre o cativeiro. Vários salmos dizem respeito, em termos gerais, aos tempos do cativeiro e às dificuldades enfrentadas em períodos de desolação do templo (por exemplo, Sl 80; 85 e 129). Entretanto, essas são descrições poéticas bastante gerais, e não deveríamos esquecer que Jerusalém foi saqueada por mais de uma vez. O próprio Davi enfrentou duas conspirações em seu palácio. Nenhum dos salmos acima referidos é atribuído a Davi, embora alguns deles pudessem ter sido compostos em seus dias, ou pouco mais tarde" (Cf. F. H. Henry, editor, *The Biblical Expositor*, II, pág. 49).

Após termos suprido tais informações, nem por isso temos demonstrado que todos os 74 salmos atribuídos a Davi foram, na realidade, escritos por ele. Porém, temos dado motivos para crer que a contribuição de Davi foi real e vital. A posição radical que diz que os Salmos, como uma coletânea, foram compostos em tempos pós-exílicos, pelo menos em sua maioria, não resiste à investigação. Podemos concluir, portanto, que a maior parte dos salmos foi composta mais ou menos na época do primeiro templo de Jerusalém, ou seja, 1000 a.C., ou ligeiramente mais tarde.

V. VÁRIAS COMPILAÇÕES E FONTES INFORMATIVAS

Já apresentamos o essencial desta questão, conforme aparecem diversos informes nos títulos dos salmos, no segundo parágrafo da quarta seção da Introdução. Se esses títulos estão essencialmente corretos historicamente falando, então outras fontes informativas devem ser rebuscadas entre os 49 salmos anônimos. Sempre que um título não for de caráter histórico, teremos o aumento no número de salmos anônimos.

Diversas coletâneas secundárias (envolvendo assim autores e datas diferentes) podem estar indicadas nos títulos hebraicos *shir*, *miktam*, *maskil* etc. Uma de minhas fontes informativas conjectura que pode ter havido um mínimo de dez coletâneas menores de salmos, antes da compilação final do Saltério. Temos o *Saltério Eloísta* como exemplo de uma coletânea distinta. Esses são salmos onde o nome divino predominante é Elohim. Tratam-se dos Salmos 42 a 83. Curiosamente, o Sl 53 é uma recensão eloísta do Sl 14; e o Sl 70, de Sl 40.13-17. Além disso, temos os *Cânticos dos Degraus*, um grupo distinto de salmos (120 a 134) que, provavelmente, eram usados pelos peregrinos, quando subiam para celebrar festividades religiosas em Jerusalém. O trecho de Sl 135.21 tem uma doxologia que pode ter assinalado o fim de uma dessas coletâneas secundárias. As doxologias finais do quarto livro podem ter encerrado originalmente uma pequena coletânea, que acabou fazendo parte do todo. Ver Sl 106.48. As coletâneas secundárias refletem crescimento e a ideia de crescimento implica diferentes datas para diferentes segmentos do livro de Salmos.

VI. CONTEÚDO E TIPOS

A. Quatro Tipos Principais:

1. *Os Salmos de Davi.* O livro I (Sl 1 - 41) é essencialmente atribuído a Davi, exceto o Salmo 1, que é a introdução a esse livro I, e o Sl 33, que não tem título. Parece que foi Davi quem primeiro coligiu o primeiro grande bloco de material que, finalmente, veio a fazer parte da coletânea total, no livro de Salmos. Um total de 74 salmos lhe são atribuídos; e, como é óbvio, eles não ficam todos no livro I.

2. *Os Salmos de Salomão.* Os livros II e III exibem um maior interesse nacional que o livro I. Esses livros incluem os Sl 42 a 89. O rei Salomão foi o responsável pela doxologia de 72.18-20, e pode ter sido o compilador (embora não o autor) do livro II. Porém, os Sl 42 a 49 são produção do clã cantante dos filhos de Coré. O Sl 50 é de autoria de Asafe.

3. *Os Salmos Exílicos.* O livro III contém os Salmos 32, 52, 74, 79, e 89, que aludem à história posterior de Israel, já distante do período de Davi, mencionando a destruição de Jerusalém, em 586 a.C., e certas condições próprias do exílio. Porém, esse livro mostra certa variedade de composições, da parte de vários autores. De Davi (como o Sl 86), de Asafe (Sl 73—83), dos filhos de Coré (Sl 84, 85 e 87).

4. *Os Salmos da Restauração, Pós-exílicos e Macabeus.* Nestes salmos predomina o interesse litúrgico. Os Salmos 107 e 127

devem ter provindo do tempo após o retorno dos exilados, em 537 a.C., e talvez existissem em uma coletânea separada, que foi então adicionada. Um inspirado escriba pode ter trazido o livro V (Sl 107—150) à existência, unindo-o aos livros I — IV, ao adicionar a sua própria composição (Sl 146—150) como uma espécie de grande aleluia! relativo ao Saltério inteiro. E isso pode ter ocorrido em cerca de 444 a.C. (Sl 147.13), quando Esdras proclamou a renovação da adoração de Israel no segundo templo de Jerusalém. Alguns estudiosos pensam que o próprio Esdras pode ter sido o responsável pela compilação final (Ed 7.10). Outros eruditos têm pensado que o período dos Macabeus foi o tempo da produção de muitos salmos, a começar por 168 a.C. Porém, naquele período, o aramaico já havia sobrepujado quase inteiramente o hebraico, e os salmos não foram compostos em aramaico. Ademais, o material dos Manuscritos do Mar Morto contém os salmos, fazendo a data de sua composição retroceder para antes do período dos Macabeus. Por conseguinte, é improvável que um grande número de salmos se tenha originado no tempo dos Macabeus.

B. Os Cinco Livros:
O livro de Salmos divide-se em cinco livros, cada um dos quais termina com uma doxologia. São os seguintes: Livro I (Sl 1—41); Livro II (Sl 42—72); Livro III (Sl 73—89); Livro IV (Sl 90—106); Livro V (Sl 107—150).

C. Temas Principais:
1. *O tema messiânico*. Preservei este assunto para ser ventilado na seção oitava, onde ele é descrito pormenorizadamente.
2. *Louvor*. Alguns exemplos são Sl 47; 63; 104; 145—150.
3. *Pedidos de bênção e proteção*. Sl 86; 91 e 102.
4. *Pedidos de intervenção divina*. Sl 38 e 137.
5. *Confissão de fé*, especialmente no tocante aos poderes e ofícios do Senhor. Sl 33; 94; 97; 136 e 145.
6. *Penitência pelo pecado*. Sl 6; 32; 38; 51; 102; 130 e 143. Em algum destes salmos, o perdão recebido é o assunto principal.
7. *Intercessão* em favor do rei, da nação, do povo etc. Sl 21; 67; 89 e 122.
8. *Imprecações*. Queixas contra os adversários e o pedido para que Deus proteja, faça justiça e vingue. Sl 35; 59; 109.
9. *Sabedoria, homilias espirituais,* com o oferecimento de instruções (salmos pedagógicos). Sl 37; 45; 49; 78; 104; 105—107; 122.
10. O *governo e a providência divina*. Como Deus trata com todas as classes de homens, incluindo os ímpios. Sl 16; 17; 49; 73 e 94.
11. *Exaltação à lei de Deus*. Sl 19 e 119.
12. *O reino milenar do Messias*. Sl 72.
13. *Apreciação pela natureza*. Temos aqui um reflexo da bondade, da glória e da beleza de Deus. Sl 19; 29; 33; 50; 65; 74; 75; 104; 147 e 148.
14. *Salmos históricos e nacionais*, onde é elogiada a condição de Israel. Sl 14; 44; 46-48; 53; 66; 68; 74; 76; 78—81; 83; 85; 87; 105; 108; 122; 124—129. São passados em revista muitos incidentes da história de Israel, e a providência divina é celebrada. O futuro de Israel é projetado de forma esperançosa.
15. *A humilde natureza humana e sua grandeza*. Sl 8; 31; 41; 78; 100; 103 e 104.
16. *A existência da alma e sua sobrevivência*. Sl 16.10,11; 17.15; 31.5; 41.12; 49.9,14,15. Historicamente, essa crença entrou no judaísmo mediante os Salmos e os livros dos profetas, e mostra-se ausente no Pentateuco.
17. *Liturgia*. Sl 4; 5; 15; 24; 26; 30; 66; 92; 113—118; 120—134.

VII. A ESPERANÇA MESSIÂNICA

Ver a décima segunda seção quanto a uma lista completa de citações extraídas do livro de Salmos e contidas no Novo Testamento. Muitas dessas citações são de natureza messiânica. O próprio Senhor Jesus referiu-se aos Salmos, que prediziam a seu respeito (ver Lc 24.44). Billy Graham chegou a asseverar que todos os Salmos são messiânicos. Certamente isso é um exagero, mas o fato de que esse livro do Antigo Testamento foi o mais constantemente citado pelos autores do Novo Testamento mostra que ali o elemento messiânico certamente é fortíssimo. Por esse motivo, destaquei essa questão do restante do conteúdo deste verbete, para efeito de ênfase.

1. *Sl 2.1-11*. O poderoso Filho de Deus, exaltado pelo Pai contra os seus adversários, triunfa sobre tudo e todos. Este trecho é citado em At 4.25-28; 13.33; Hb 1.13 e 5.5; onde recebe uma interpretação messiânica.
2. *Sl 8.4-8*. A exaltação do Filho de Deus. Todas as coisas foram postas debaixo de seus pés, o que sob hipótese nenhuma pode aplicar-se a um mero ser humano. Esta passagem é citada em Hb 2.50-10 e 1Co 15.27, dentro de contextos messiânicos.
3. *Sl 16.10*. A incorrupção do Filho de Deus em sua morte; sua divina e miraculosa preservação; sua segurança no Pai. Este salmo é citado em At 2.24-31 e 13.35-37, sendo aplicado à ressurreição de Cristo, bem como à sua autoridade e exaltação gerais.

Há seis salmos da paixão: Sl 16; 22; 40; 69; 102 e 109.

4. *Sl 22*. Um dos salmos da paixão que fornecem detalhes sobre a crucificação e descrevem os sofrimentos do Messias. Este salmo é citado em Mt 26.35-46; Jo 19.23-25 e Hb 2.12. O Sl 22.24 prediz a glorificação de Cristo; o vs. 26 fala sobre a festa escatológica e o futuro trabalho de ensino do Messias (vss. 22, 23, 25; Hb 2.12).
5. *Sl 40.6-8*. A encarnação. A citação acha-se em Hb 10.5-10.
6. *Sl 46.6,7*. O trono eterno do Messias. Sua natureza divina (vs. 6), embora distinta do Pai (vs. 7). O trecho de Hb 1.8,9 cita esta passagem.
7. *Sl 79.25*. A maldição sobre Judas Iscariotes, citada em At 1.16-20.
8. *Sl 72.6-17*. O governo do Messias. Seu reino será eterno (vs. 7); seu território será vastíssimo (vs. 8); todos virão para adorá-lo (vss. 9-11).
9. *Sl 89.3,4,28,29,34-36*. O Messias como o Filho de Davi; sua descendência será eterna (vss. 4, 29, 36, 37). Este salmo é citado em At 2.30.
10. *Sl 102.25-27*. A eternidade do Filho-Messias. Uma invocação a Yahweh (vss. 1-22) e a El (vs. 24) é aplicada a Jesus Cristo.
11. *Sl 109.6-19*. Judas Iscariotes é amaldiçoado. O Messias teria muitos adversários, mas havia um maior de todos. O plural aparece nos vss. 4,5 e muda para o singular no vs. 6, sendo reiniciado no vs. 20. Este salmo é citado em At 1.16-20.
12. *Sl 110.1-7*. A ascensão e o sacerdócio do Messias. Ele é o Senhor de Davi (vs. 1), e é sacerdote eternamente (vs. 4). Este salmo é citado em Mt 22.43-45; At 2.33-35; Hb 1.11; 5.6-10; 6.20; 7.24.
13. *Sl 132.11,12*. Ele, o Filho de Davi, é a semente real e eterna. Este salmo é citado em At 2.30.
14. *Ofício de Profeta, Sacerdote e Rei*. Que o Messias pudesse ocupar esses três ofícios, foi profetizado antes mesmo do tempo de Davi. O Messias é visto como profeta (Dt 18.15), como sacerdote (Lv 16.32) e como rei (Nm 24.17). Ora, nos Salmos há indicações acerca de todos esses três ofícios. Ele é profeta em Sl 22.22, 23, 25; Sl 23. Ele é sacerdote, divino e humano em Sl 110.2. Ele é rei em Sl 2; 6; 12; 24 e 72. Essas três ideias são combinadas em Sl 22.12 e 110.2.

Quanto a completos detalhes sobre a questão dos ofícios de Cristo como profeta, sacerdote e rei, ver no *Dicionário* o artigo intitulado *Ofícios de Cristo*. Ver a tradição profética em geral sobre o Messias, com referências cruzadas com o Novo Testamento, no artigo chamado *Profecias Messiânicas Cumpridas em Jesus*.

VIII. USOS DOS SALMOS

1. Todos os estudiosos concordam que os Salmos eram o *hinário* do segundo templo de Israel. No entanto, essa restrição não é imperiosa. O trecho de 1Co 6.31 ss. demonstra o uso de música elaborada no culto divino, nos próprios dias de Davi. Portanto, o uso litúrgico dos salmos foi importante desde o começo. E isso

teve prosseguimento na Igreja cristã, onde muitos salmos foram musicados e usados no culto de adoração. Além disso, muitos versículos, porções de salmos ou ideias ali contidas foram incorporados nos hinos cristãos.

2. Os salmos prestam-se muito bem a *devoções particulares,* sendo extremamente ricos em conceitos espirituais, além de excelentes como consolo e inspiração para o louvor ao Senhor. Muitos salmos são obras-primas literárias em miniatura, conforme se vê nos Salmos 1; 2; 8; 19; 22; 23 e 91. Qualquer seleção será forçosamente defeituosa, mas essa seleção ilustra o ponto.

3. Os Salmos são uma Bíblia em miniatura dentro da Bíblia, conforme Lutero afirmou, repletos de ideias religiosas e de fervor. Não foi por acidente que os autores do Novo Testamento citaram mais os Salmos do que de qualquer outro livro do Antigo Testamento. Ver a décima segunda seção quanto a uma demonstração desse fato. O próprio Senhor Jesus muito se utilizou dos salmos. Ele e os seus discípulos entoaram o *Hallel* (Sl 113—118), por ocasião da Última Ceia.

4. *Textos de prova acerca do messiado de Jesus* são abundantes nos Salmos, conforme é demonstrado na sétima seção da Introdução.

5. *Uso dos Salmos em Ocasiões Especiais.* Os títulos dos salmos dizem-nos que muitos deles eram usados em certas ocasiões, como o sábado, as festividades religiosas etc. Para exemplificar, o Sl 92 era usado no sábado, e talvez igualmente o Sl 136. Os Sl 120—134 são conhecidos como "Salmos dos Degraus", porquanto eram entoados pelos peregrinos quando subiam a Jerusalém, para celebrar as principais festas dos judeus.

Alguns eruditos pensam que vários salmos eram usados na festa anual da entronização de Yahweh, como Rei de Israel, um costume que tinha paralelos no paganismo. Os Sl 47; 93; 95—99 são designados como tais. E alguns estudiosos supõem que essa prática se alicerçasse sobre a festa do Ano Novo na Babilônia, o *akitu,* quando o deus Marduque era carregado pelas ruas da cidade de Babilônia. Depois de um elaborado ritual, era-lhe conferido mais um ano de autoridade no país, como um rei divino. Presumivelmente, as palavras de Sl 24.7,8: "Levantai, ó portas, as vossas cabeças; levantai-vos, ó portais eternos, para que entre o Rei da Glória... o Senhor poderoso nas batalhas", refletem aquele costume, que teria sido copiado pelos israelitas. Mas a maior parte dos eruditos conservadores assevera que salmos que supostamente aludem a essa festa podem ser explicados melhor de outras maneiras. Talvez aquelas assertivas do Sl 24 reverberem o transporte da arca da aliança para Jerusalém. Além disso, os salmos que exaltam ao Rei, de modo geral, fazem-no Rei sobre todas as coisas e sobre todos os povos, e não meramente sobre Israel. E isso pode ser um argumento contra a interpretação que fala em uma entronização específica do Rei divino sobre a nação de Israel. Essa universalidade pode ser vista em Sl 93; 95—100. Com base em raciocínios subjetivos, alguns eruditos opinam que Israel jamais haveria de emular uma festividade pagã, e argumentam que não há nenhuma evidência convincente e direta de que havia tal festividade em Israel. Outrossim, de que adiantaria ao homem entronizar a Deus? Em sociedades idólatras, ideias assim podem parecer razoáveis; mas não nas comunidades onde Deus aparece como todo-poderoso e transcendental.

6. *Crítica de Forma: Formas Literárias.* Hermann Gunkel, em sua obra *Awrewahlte Psalmen,* 1905, procurou demonstrar, no livro de Salmos, cinco distintas formas literárias que, por sua vez, implicariam usos específicos dos Salmos. Essas formas literárias seriam: a. hinos para cultos de adoração pública; b. lamentações e intercessões coletivas, em tempos de desastre nacional; c. salmos reais, cuja função prática era a de confirmar a autoridade do rei, como cabeça da teocracia em Israel; d. salmos de ação de graças; e. lamentações, intercessões e confissões individuais, além de pedidos para que fossem supridas necessidades pessoais. Não parece haver nenhuma razão para duvidarmos da exatidão geral dessas observações. Pois podemos estar certos de que havia um uso coletivo e comunal dos salmos, embora também houvesse um uso individual e privado.

7. *Magia e Contra-Encantamentos.* Alguns estudiosos têm sugerido que trechos do livro de Salmos, como 6.6-8; 64.2-4; 69; 91; 93.3-7 e 109 talvez fossem usados como fórmulas mágicas, para neutralizar as forças demoníacas. Isso poderia envolver uma prática coletiva e de culto, ou então uma prática individual. Argumentos em favor e contra essas práticas (mormente no caso do uso dos salmos) estão baseados em sentimentos e raciocínios subjetivos, porquanto é extremamente difícil determinar quanta verdade pode haver nesse parecer. Seja como for, sabemos que tais práticas eram e continuam sendo comuns em muitas culturas. Sempre haverá muitas forças malignas ao nosso redor, que precisarão ser exorcizadas.

IX. A POESIA DOS HEBREUS

Como é evidente, os Salmos são a grande coletânea de composições poéticas da Bíblia. Quedamo-nos admirados diante da qualidade de muitas dessas antigas peças literárias, algumas das quais são obras-primas em miniatura. A poesia teve uma antiga e longa tradição na literatura dos hebreus. Ver no *Dicionário* sobre *Pentateuco,* primeira seção, décimo ponto, quanto a ilustrações a respeito, extraídas da porção mais antiga do Antigo Testamento. Ver também sobre *Poeta, Poesia,* especialmente em sua segunda seção, *Poesia no Antigo Testamento.*

X. PONTOS DE VISTA E IDEIAS RELIGIOSAS

1. Apesar de os Salmos serem composições líricas, expressões emocionais e de fervor religioso, também transmitem muitos pensamentos, e, indiretamente, apresentam muitas doutrinas. A teologia hebreia geral faz-se presente, com algumas adições, como a crença na existência da alma e sua sobrevivência diante da morte biológica, e um fortíssimo tema messiânico. O estudo sobre os temas, na sexta seção, onde os principais temas são alistados, dá uma ideia sobre a multiplicidade de ideias apresentadas nesse livro da Bíblia.

2. A existência da alma e sua sobrevivência diante da morte física foi uma doutrina que só passou a ser expressa mais tarde, no judaísmo. No Pentateuco não há nenhuma referência clara e indisputável a esse fato. Muitas leis nunca são associadas a alguma recompensa ou punição após-túmulo. Não faltamos com a verdade ao afirmar que a maior parte dos ensinamentos do judaísmo sobre essa questão foi tomada por empréstimo. Tendo começado a ser expressa nos Salmos e nos livros dos profetas, foi nos livros apócrifos e pseudepígrafos, porém, que esse assunto encontrou seu maior desenvolvimento, antes do começo do Novo Testamento. O relato sobre Saul e a feiticeira de En-Dor demonstra a crença na existência da alma ao tempo de Davi. Ver 1Sm 28.3 ss., quanto à interessante narração do encontro de Saul com o espírito de Samuel. Indicações existentes no livro de Salmos, acerca da crença na existência da alma são: 16.10,11; 17.15; 31.5; 41.12; 49.9,14,15.

3. Os salmos imprecatórios, de fervorosa invocação a Deus para que mate os inimigos, podem ser facilmente entendidos dentro do contexto histórico, quando o povo de Israel quase sempre via-se sob a ameaça de um punhado de inimigos mortais; e o próprio Davi, como indivíduo, sempre teve de enfrentar tais dificuldades. Naturalmente, a atitude desses salmos não é a mesma que a de Jesus, o qual exortou os homens para que amassem seus inimigos. As imprecações fazem parte da natureza humana, e não nos deveríamos surpreender em encontrá-las nas páginas da Bíblia. Porém, é ridículo defender a espiritualidade das imprecações propriamente ditas. Muitos estudiosos conservadores têm tentado fazer precisamente isso. Talvez o comentário de C. I. Scofield seja a sua introdução ao livro de Salmos, seja o mais sugestivo que podemos achar: "Os salmos imprecatórios são um grito dos oprimidos, em Israel, pedindo justiça, um clamor apropriado e correto da parte do povo terreno de Deus, e alicerçado sobre promessas distintas do pacto abraâmico (ver Gn 15.18); porém, um clamor impróprio para a Igreja, um povo celeste que já tomou seu lugar junto com um rejeitado e crucificado Cristo (ver Lc 9.52-55)". Exemplos de salmos imprecatórios são os de números 35, 59 e 109.

4. O ensino sobre o Messias, apesar de não tão avançado quanto no livro de 1Enoque (se comparados aos conceitos que figuram no Novo Testamento), é surpreendentemente extenso. Dediquei a sétima seção da Introdução ao assunto.

5. Apesar de que muitos dos salmos foram designados para um uso litúrgico, neles aparecem muitas indicações de uma apropriada atitude individual espiritual, bem como da correta espiritualidade pessoal. Quanto a esse aspecto, os salmos concordam, grosso modo, com os livros dos profetas. Ver Sl 15.1 ss.; 19.14; 50.14,23; 51.16 ss.
6. Há uma exaltada doutrina de Deus nos salmos tão generalizada que aparece praticamente em todos os salmos.
7. A importância da experiência religiosa pessoal é uma ênfase constante no livro de Salmos. Deus é retratado como quem está à disposição dos seres humanos, refletindo assim o ensino do *teísmo*, e não do *deísmo* (ver a respeito no *Dicionário*). O teísmo ensina que Deus não somente criou, mas também permanece interessado na sua criação, intervindo, recompensando e castigando. Mas o deísmo alega que Deus, ou alguma força divina criadora, após ter criado tudo, abandonou o mundo, deixando-o à mercê de forças naturais.
8. São ressaltados os deveres do homem para com Deus, como o arrependimento, a vida santificada, a adoração, o louvor, a obediência através do serviço e o amor ao próximo.
9. A adoração pública é uma questão obviamente frisada no livro de Salmos, visto que muitas dessas composições eram usadas exatamente nesse contexto. Precisamos pesquisar pessoalmente as questões religiosas; mas também precisamos fazê-lo coletivamente. A participação na adoração pública é encarecida em trechos como Sl 6.5; 20.3; 51.19; 66.13-15.
10. A adoração não-ritual não é desprezada, devendo fazer parte integrante da busca espiritual dos homens. Ver Sl 40.6 e 50.9.

XI. CANONICIDADE

Ver no *Dicionário* o artigo sobre *Cânon*, no que se aplica ao Antigo Testamento. Para os saduceus, somente o Pentateuco era considerado digno de ser chamado de Escrituras santas e autoritárias. Para os judeus palestinos, como era o caso dos fariseus, as três grandes seções de livros sagrados aceitos eram: o Pentateuco, os Escritos (que incluíam os Salmos) e os Profetas. Na ordem da arrumação judaica, os Escritos formavam a terceira seção. Entre os judeus da dispersão, vários livros apócrifos eram aceitos. E não é inexato falar sobre o Cânon Alexandrino. Além disso, havia as obras pseudepígrafas, revestidas de prestígio suficiente para que muitas ideias ali contidas fossem aproveitadas pelos escritores do Novo Testamento, embora, como uma coletânea, os livros pseudepígrafos nunca tivessem obtido condição canônica. É que a canonicidade origina-se, essencialmente, do valor interno de uma obra escrita, que se torna óbvio para todos quantos a leem, além de originar-se da consagração da antiguidade, o que é uma espécie de processo histórico religioso, e, finalmente, de originar-se de pronunciamentos oficiais da parte de líderes religiosos, pronunciamentos esses que formam a base tradicional acerca dos livros sacros. Os estudiosos conservadores, ademais, pensam que o poder e a presença do Espírito Santo estão envolvidos nesses vários aspectos da questão. Mas os eruditos liberais mais radicais são da opinião de que o processo inteiro depende da mera seleção natural (uma espécie de seleção do leitor, aplicada às questões religiosas); mas, assim pensando, esses eruditos olvidam-se totalmente do elemento sobrenatural e dos poderes divinos por trás desse processo. Ver no *Dicionário* sobre *Inspiração*.

Se a coletânea dos Salmos foi-se formando através de um longo período de tempo, chegando a ser compilada somente após o cativeiro, então nenhuma canonização final poderia ter ocorrido até estar completa a coletânea. Porém, coletâneas preliminares (como aquelas de Davi, de outras antigas personagens e de clãs de músicos) tiveram suas próprias canonizações preliminares, o que explica a sua preocupação no decorrer de muitos séculos.

"No caso dos livros I, II e IV do Saltério, a canonização deve ter ocorrido com considerável presteza. O Sl 18 foi incluído no livro canônico de Samuel, dentro de meio século após a morte de Davi... Os Salmos 96—105 e 106 foram *designados* por Davi como um padrão para a adoração pública, bem no início de seu governo sobre todo o Israel (ver 1Cr 16.7-36). A designação de muitos outros salmos, para que os músicos os preparassem para a adoração prestada por Israel, serve de evidência de uma similar canonização consciente dos poemas de Davi. E o fato de que Davi e Salomão compilaram intencionalmente os livros I, II e IV, quando ainda viviam, fornece-nos testemunho extra do reconhecimento da autoridade espiritual pelo menos daqueles 89 salmos pelos contemporâneos desses dois monarcas". (Z)

O livro III, portanto, que contém as porções pós-exílicas do livro de Salmos, foi acrescentado. Talvez muitos dos salmos ali envolvidos fossem pré-exílicos e já fizessem parte da coletânea. Há pouco ou mesmo nenhum testemunho externo quanto à aceitação canônica do livro de Salmos, até o período intertestamentário. Somente então obtemos algumas declarações acerca do uso desses poemas. Por exemplo, o trecho de 2Macabeus 2.13 refere-se aos livros de Davi, juntamente com os escritos de outros reis e de profetas. A passagem de Sl 79.2 é citada como Escritura. Os Salmos já faziam parte da versão da Septuaginta do século III a.C., o que significa que o recolhimento e a autoridade desses poemas devem ter sido cristalizados antes do preparo daquela versão. O material das cavernas de Qumran, do século II a.C., também exibe os Salmos, o que serve de outro índice da aceitação da coletânea desde tempos mais remotos do que alguns estudiosos têm pensado. O rolo principal dos Salmos, encontrado na caverna II (além de cinco outros fragmentos), apresenta amplo material extraído dos livros IV e V dos Salmos. Esse material, porém, apresenta alguma variação na ordem sucessiva dos salmos, sugerindo que havia certa fluidez no arranjo dos salmos, e que o livro de Salmos ainda não havia chegado à sua forma final, conforme o conhecemos atualmente. Entretanto, alguns especialistas pensam que os salmos achados na caverna II formavam uma espécie de lecionário, e não uma completa coletânea dos salmos, em sua ordem normal. Porém, é impossível determinar a verdade por trás dessa questão.

Seja como for, de acordo com o arranjo final dos escritos do Antigo Testamento, encontramos a Lei, os Profetas e os Escritos. E o livro de Salmos fazia parte dessa terceira porção, os Escritos. Josefo referiu-se ao Antigo Testamento como uma coletânea de 22 livros: Pentateuco, cinco; Profetas, treze, e os Hinos de Deus e Conselhos dos Homens (Apion, 1.8), que incluíam os Salmos, Provérbios, Eclesiastes e Cântico dos Cânticos.

Outrossim, temos as próprias declarações canônicas do Senhor Jesus, em Mt 23.35 e Lc 24.44.

Os Salmos são o segundo livro mais volumoso da Bíblia, perdendo somente para as profecias de Jeremias, mas o livro de Salmos é o mais constantemente citado no Novo Testamento. É dificílimo pôr em dúvida sua posição no cânon da Bíblia e sua autoridade espiritual.

XII. OS SALMOS NO NOVO TESTAMENTO

Os Salmos são citados no Novo Testamento por cerca de oitenta vezes, o que significa que, dentre todos os livros do Antigo Testamento, esse foi o mais constantemente utilizado pelos autores neotestamentários. A muitas dessas citações foi dada uma interpretação messiânica, sobre o que comentei com pormenores na sétima seção e no artigo separado intitulado *Profecias Messiânicas Cumpridas em Jesus*.

SALMOS	NOVO TESTAMENTO
2.1,2	At 4.25,26
2.7	At 13.33; Hb 1.5 e 5.5
4.4	Ef 4.26
5.9	Rm 3.13
8.3 LXX	Mt 21.16
8.4-6 LXX	Hb 2.6-8
8.6	1Co 15.27
10.7	Rm 3.14
14.1-3	Rm 3.10-12
16.8-11	At 2.25-28
16.10	At 2.31
16.10 LXX	At 13.35
18.49	Rm 15.9

19.4	Rm 10.18
22.1	Mt 27.46; Mc 15.34
22.18	Jo 19.24
22.22	Hb 2.12
24.1	1Co 10.26
31.5	Lc 23.46
32.1,2	Rm 4.7,8
34.12-16	1Pe 3.10-12
35.19	Jo 15.25
36.1	Rm 3.18
40.6-8	Hb 10.5-7
41.9	Jo 13.18
44.22	Rm 8.36
45.6,7	Hb 1.8,9
51.4	Rm 3.4
53.1-3	Rm 3.10-12
68.18	Ef 4.8
69.4	Jo 15.25
69.9	Jo 2.17; Rm 15.3
69.22,23	Rm 11.9,10
69.25	At 1.20
78.2	Mt 13.35
78.24	Jo 6.31
82.6	Jo 10.34
89.20	At 13.22
91.11,12	Mt 4.6; Lc 4.10,11
94.11	1Co 3.20
95.7,8	Hb 3.15; 4.7
95.7-11	Hb 3.7-11
95.11	Hb 4.3; 5
102.25-27	Hb 1.10-12
104.4	Hb 1.7
109.8	At 1.20
110.1	Mt 22.44; 26.64
	Mc 12.36; 14.62
	Lc 20.42,43 e 22.69
	At 2.34,35
	Hb 1.13
110.4	Hb 5.6,10 e 7.17,21
112.9	2Co 9.9
116.10	2Co 4.13
117.1	Rm 15.11
118.6	Hb 13.6
118.22	Lc 20.17
	At 4.11
	1Pe 2.7
118.22,23	Mt 21.42
	Mc 12.10,11
118.25,26	Mt 21.9
	Mc 11.9,10
118.26	Jo 12.13
	Mt 23.39
	Lc 13.35; 19.38
132.11	At 2.30
140.3	Rm 3.13

XIII. BIBLIOGRAFIA
AM NET BA E I IB IOT ND WBC WES YO Z

Ao Leitor

1. Uma Introdução Elaborada
Provi uma introdução elaborada que apresenta ao leitor questões como: título e vários nomes; caracterização geral; ideias dos críticos e refutações; autoria e data; várias compilações e fontes informativas; conteúdo e tipos; a esperança messiânica; usos dos salmos; a poesia dos hebreus; pontos de vista e ideias religiosas; canonicidade; e os salmos no Novo Testamento. O leitor deve familiarizar-se com esses itens, pois sem eles dificilmente poderá compreender o livro. Contudo, mesmo sem compreender essas coisas, o leitor poderá tirar vantagem de passagens inspiradoras em suas devoções pessoais e para ensinar lições e pregar sermões.

2. Os Livros Poéticos do Antigo Testamento
Os livros bíblicos que foram escritos em forma poética, e não em forma de prosa, são: Jó, Salmos, Provérbios, Eclesiastes, Cantares de Salomão e Lamentações de Jeremias.

3. Literatura de Sabedoria
No Antigo Testamento, os livros geralmente classificados como parte da literatura de Sabedoria são: Jó, Salmos (especialmente os Salmos 19, 37, 104, 107, 147 e 148), Provérbios, Eclesiastes e Sabedoria de Salomão. Nas páginas do Novo Testamento, a epístola de Tiago é a que mais se aproxima desse tipo de literatura religiosa. Quanto a um tratamento completo, ver as introduções àqueles livros, bem como, no *Dicionário*, o artigo que versa sobre *Sabedoria*.

4. Títulos do Livro
As traduções modernas seguem o título da Septuaginta, que estampa a palavra *salmos* (*psalmos*), como tradução à palavra hebraica *mizmor*, a qual se refere à música executada mediante instrumentos de cordas em acompanhamento às recitações de 57 dos 150 salmos; por causa desse uso frequente, o livro todo finalmente veio a ser assim chamado na Septuaginta e, dali, nas traduções modernas. O título hebraico do livro é *Tehillim*, "cânticos de louvor".

5. Salmos Messiânicos
Certo famoso pregador afirmou que "todos os salmos são messiânicos"; mas isso por certo é um exagero. Entretanto, há diversos salmos que são definidamente proféticos e messiânicos. Os salmos usualmente considerados messiânicos são os de número 2, 8, 16, 22, 23, 24, 40, 41, 45, 68, 69, 72, 89, 102, 110 e 118. Outros salmos têm reflexos messiânicos.

6. Salmos Reais
Estão intimamente relacionados aos salmos messiânicos, e alguns deles realmente são também messiânicos, ao passo que outros apenas contêm alguns reflexos: Salmos 2, 18, 20, 21, 45, 72, 89, 93, 96, 97, 98, 101, 110, 132 e 144.

7. A Fé e a Vida Religiosa
Dentre todos os livros do Antigo Testamento, Salmos é o que mais vividamente retrata a vida espiritual e a fé dos indivíduos em todas as circunstâncias, boas e más, jubilosas e trágicas. "A mais simples descrição dos Cinco Livros dos Salmos é que eles formam o livro das orações e dos louvores inspirados de Israel. São revelações da

verdade, não de forma abstrata, mas em termos da experiência humana. As verdades assim reveladas estão carregadas de emoções, desejos e sofrimentos do povo de Deus, pelas circunstâncias através das quais esse povo passará" (*Scofield Reference Bible,* Introdução).

"O espírito vivo de qualquer religião brilha mais esplendoroso por meio de seus hinos. O *saltério* é o hinário da antiga nação de Israel, compilado a partir de composições líricas mais antigas, para ser usado no templo de Zorobabel (Ed 5.2; Ag 1.14). A maioria dos salmos provavelmente foi composta para acompanhar atos de adoração no templo de Jerusalém" (*Oxford Annotated Bible,* Introdução).

8. *Classificações dos Salmos*
 1. *Lamentação,* o maior grupo, com mais de 60 dos 150 salmos.
 2. *Ações de graças e louvor,* mais de 30.
 3. *Hinos,* cerca de 18.
 4. *Salmos reais,* cerca de 17.
 5. *Salmos messiânicos,* cerca de 15.
 6. *Litúrgicos,* cerca de 11.
 7. *De sabedoria,* cerca de 11.
 8. *De história sagrada,* cerca de 9.
 9. *De chamamento à adoração,* cerca de 8.
 10. *De confiança,* cerca de 5.
 11. *Cânticos de Sião,* cerca de 3.
 12. *De louvor à lei,* cerca de 3.
 13. *De proteção,* cerca de 91 (outros exprimem sentimentos similares).
 14. *De tipos mistos,* nos quais nenhum tema é dominante, mas vários temas se fazem presentes.
 15. *De oração pela vitória na batalha,* Salmo 20 e partes de muitos outros.
 16. *Didáticos,* partes de muitos salmos, sendo o Salmo 15 um bom exemplo.
 17. *De doxologia,* o Salmo 150, que encerra a coletânea.

Quanto a detalhes sobre essa classificação, ver o gráfico no início do comentário do livro. Ali identifico os salmos pertencentes a cada classe. Muitos salmos identificam-se com mais de uma classificação, e há salmos que contêm uma mistura de temas.

9. Cinco Livros
Em imitação ao Pentateuco, o saltério divide-se em cinco livros, cada qual com a sua própria doxologia.

10. Salmos de Davi
Cerca de metade dos salmos é atribuída a Davi, embora essa cifra não seja exata. Ver o ponto abaixo, intitulado *Subtítulos.* Davi foi o grande *cantor* de Israel (2Sm 23.1).

11. Subtítulos
Essas composições não pertencem originalmente aos autores dos salmos, mas foram adicionadas por editores muito tempo após as composições terem sido originalmente redigidas. Tentam identificar os autores envolvidos e ligam certos salmos a circunstâncias históricas do Antigo Testamento. Mas a maioria das identificações é mera conjectura. Ocasionalmente, contudo, alguma informação útil pode ser encontrada.

12. Um Monumento Literário
Reconhece-se universalmente que o livro de Salmos é uma das mais refinadas composições poéticas de todos os tempos. O fato de que o Novo Testamento cita o livro de Salmos mais do que qualquer outro livro do Antigo Testamento serve de confirmação espiritual dessa avaliação.

13. Salmos e Versículos
Há 150 salmos, num total de 2.461 versículos. Este livro, portanto, ocupa cerca da décima parte de todo o Antigo Testamento.

14. Citações no Novo Testamento
O saltério é o livro mais frequentemente citado do Antigo Testamento. Ver uma lista completa de citações na seção XII da *Introdução* ao livro.

CLASSIFICAÇÃO DOS SALMOS	
1. Salmos de lamentação	3,4,5,6,7,9,10,12,13,14,17,22,25,26,28,30,31,35,36,38,39,41,42,43,44,51,53,54, 55,56,57,58,59,60,61,64, 69,70,71,74,77,79,80,83,85,86,88,90,94,102,109,120, 123,125,126,129,130,137,139,140,141,142,143,144. A maioria destes salmos é imprecatória. Subdivisões podem ser alistadas: contra acusações falsas (3,4,5,7,17,26); contra inimigos do corpo, isto é, doenças (6,22,28,30,31.9-12). A maioria termina com um grito de vitória, mas alguns em desespero (como 31.9-12; 38; 88; 123). A categoria de lamentação é, por muito, a maior.
2. Salmos de ação de graça e louvor	18,19,21,30,32,40,46,48,65,66,67,75,76,84,89,100,103,104,107,111,116,136,138, 146,147,148,149.
3. Hinos majestáticos	8,36,46,65,66,76,93,95,96,97,98,99,100,103,104,111,113,115,135,145,146,147, 148,149,150. Alisto uma representação de salmos musicados de qualidade excepcional.
4. Salmos reais	2,18,20,21,45,47,72,89,93,96,97,98,99,101,110,132,144.
5. Salmos messiânicos	2,8,16,22,23,24,40,45,68,69,72,89,102,110,118.
6. Salmos litúrgicos	24,50,68,81,82,95,108,115,121,132,134,135,136,145,146,147,148,149,150. Estes salmos e, sem dúvida, outros, foram musicados e utilizados nos ritos e cerimônias da adoração pública do templo.
7. Salmos de sabedoria	1,19,36,37,49,73,91,96,97,112,119,127,128,133. Porções de outros refletem esta categoria: 34 e 36 servem de exemplo.
8. Salmos de história sagrada	78,105,106,124,126,135,136. Estes salmos provavelmente eram utilizados em festas de celebração.
9. Chamada à adoração	29,33,46,89,97,98,113,135. Tais salmos são associados, intimamente, aos salmos litúrgicos e podem ser assim classificados.
10. Salmos de confiança	4,11,16,23,27,62,131. Muitos outros salmos têm elementos de confiança, embora não pertençam a esta categoria como unidades.
11. Cânticos de Sião	48,76,84,87,122,125.
12. Louvor à lei	1,19,119 e porções de muitos outros.
13. Salmos implorando proteção e dando louvor	31,39 e muitos versículos de outros salmos que não são especificamente desta classificação.
14. Tipos mistos	Diversas classificações podem ser dadas a partes de salmos em que nenhuma classificação única domina.
15. Oração implorando vitórias em batalhas	20 e partes de muitos outros. A guerra inspirava receio, e o receio inspirava gritos (orações), implorando ajuda.
16. Salmos didáticos	1,15,32,78,105,106,135,136. Estes salmos servem para ensinar lições importantes.
17. Doxologia de louvor	117,150 e versículos individuais de outros salmos.
18. Salmos penitenciais	Na liturgia da igreja cristã, vários salmos são utilizados para expressar remorso ou tristeza por causa de certos pecados cometidos. O cristão sincero se arrepende de tais atos e condições. Os sete salmos penitenciais são: a) ira: Salmo 6; b) orgulho: Salmo 32; c) glutonaria: Salmo 39; d) sensualidade: Sl 51; e) avareza: Salmo 102; f) inveja: Salmo 130; g) preguiça: Salmo 143.

EXPOSIÇÃO

SALMO UM

"Este salmo serve de prólogo para o saltério inteiro. Ao terminar a obra de compilação que reuniu os diferentes componentes dos Salmos, uma feliz inspiração levou os editores a escolher o Salmo 1 como introdução ao livro inteiro. Apesar de ser um salmo breve, seu conteúdo retrata vividamente o *tipo de homem* que se alimentará das palavras dos salmistas: "Os teus decretos são motivo dos meus cânticos, na casa da minha peregrinação" (Sl 119.54). Toda a variação de interesses religiosos está refletida nesse hino; as orações e as meditações do saltério estão relacionadas, direta ou indiretamente, às ordenanças da lei. Portanto, o saltério é um manual apropriado para os indivíduos piedosos. Mas a lealdade de todo o coração à lei e à fé em suas promessas (ver Dt 28.1-14) foi submetida a severos testes nos eventos da história. Os observadores da lei pareciam frequentemente sofrer sob a má sorte, ao passo que os ímpios prosperavam. Por conseguinte, entre as muitas vozes que se fazem ouvir no saltério, ouvimos expressões de dúvida e desespero da parte de homens cuja alma, perplexa diante dos caminhos de Deus no mundo, estava 'abatida' (ver Sl 42.9-11 e 73.2-14). O salmista sabia bem que os fatos da história e da experiência individual com frequência parecem falhar diante das expectativas dos fiéis. Mas ele afirmou que, a despeito de todas as aparências, é verdade permanente que Deus cuida de todos quantos o temem e, portanto, tudo vai bem com os que amam a sua lei, e tudo vai mal com aqueles que a desprezam" (William R. Taylor, *in loc.*).

Quanto a *informações gerais* que se aplicam a todos os salmos, ver a introdução ao Salmo 4, onde apresento *sete* comentários que elucidam a natureza deste livro.

Classificação dos Salmos. Ver o gráfico no início do comentário sobre o livro de Salmos, que funciona como uma espécie de introdução aos Salmos. Dou ali classificações e listo os salmos pertencentes a cada uma das classes.

Os Salmos de Davi. Os Salmos 1—41 são essencialmente atribuídos a Davi, com exceção do primeiro deles, que funciona como uma introdução ao primeiro livro de Salmos, e dos Salmos 2 e 33, que não têm título. Ver sobre *Autoria* e *Datas*, na seção IV da Introdução. Ver também a seção VI quanto a informações sobre os principais tipos de salmos e seus arranjos. A seção B enumera os cinco livros dos Salmos.

Este primeiro salmo é um *salmo de sabedoria.* Cf. Jr 17.5-8.

Duas Seções no Salmo Primeiro:
1. *Vss. 1-5:* O homem justo é, inicialmente, descrito de forma negativa. Há certas coisas que ele não pratica: não tem comunhão com os ímpios e suas obras. Então o justo é descrito positivamente: ele se dedica, dia e noite, à meditação e à observância da lei, a qual lhe serve de código de ética e de manual para a vida diária. Tal homem, de acordo com o autor sagrado, terá uma vida estável e próspera.
2. *Vss. 4-6:* A sorte do ímpio é descrita. Podemos deduzir o caráter do ímpio a partir do vs. 1. Esse caráter mostra o que o justo deve evitar. Os ímpios não são como uma árvore saudável, plantada ao lado de águas abundantes, mas, antes, parecem-se com a palha que é soprada pelo vento. Essas pessoas ímpias desaparecem através do julgamento de Deus contra todos os que negligenciam a lei e a ela desobedecem. É óbvio, pois, que todos os homens prestarão contas ao Senhor. O *teísmo* (ver a respeito na *Enciclopédia de Bíblia, Teologia e Filosofia*) ensina que Deus não é somente o Criador. Ele também se faz presente entre nós, intervém na história humana, recompensa e pune. Isso deve ser contrastado com o *deísmo* (ver também na *Enciclopédia*), que supõe que a força criadora (pessoal ou impessoal) abandonou a criação e deixou as leis naturais no controle das coisas. Os salmos e, de fato, a Bíblia inteira, são altamente *teístas.*

■ 1.1

אַשְׁרֵי־הָאִישׁ אֲשֶׁר לֹא הָלַךְ בַּעֲצַת רְשָׁעִים וּבְדֶרֶךְ חַטָּאִים לֹא עָמָד וּבְמוֹשַׁב לֵצִים לֹא יָשָׁב׃

Bem-aventurado. O hebraico diz aqui, literalmente, "oh, felicidade de" ou, simplesmente, "feliz". O justo tem tanto alegria interior como felicidade exterior. Ver na *Enciclopédia de Bíblia, Teologia e Filosofia* o artigo chamado *Bem-aventuranças de Jesus.* Compreendemos que a alegria aqui mencionada é dada por Deus, como recompensa aos piedosos que a merecem por terem observado a lei. Presume-se que o *guardador da lei* seja um homem espiritual, inspirado pelo Espírito a ser bom e a praticar o bem.

Anda. Ver no *Dicionário* o artigo sob o título *Andar, Metáfora do.*
A Trilogia Negativa. Há três coisas que o homem bom não faz:
1. Ele não *participa* dos conselhos dos ímpios nem aceita seus conselhos; ele não adota seus planos nem seu padrão de vida. Cf. Jó 10.3 e Jr 7.24.
2. Ele não imita os caminhos dos ímpios nem age como eles. Ele não *se detém* no caminho dos pecadores nem é companheiro deles.
3. Ele não se assenta junto aos zombadores. Em outras palavras, não acompanha os ímpios nos lugares onde eles se reúnem para planejar, promover e praticar atos pecaminosos e rebeldes. Ninguém encontra um homem bom em companhia de tais indivíduos. Cf. Sl 26.4,5.

Notem-se as *trilogias poéticas:* andar, ficar de pé e assentar-se (para descrever os *caminhos* dos pecadores). Além disso, fala-se em ímpios, pecadores e escarnecedores, termos que descrevem a *natureza* dos ímpios.

Ver no *Dicionário* o detalhado artigo intitulado *Vícios,* quanto às diversas maneiras pelas quais os pecadores se expressam. O homem bom luta e ganha a vitória contra essas tendências viciosas, mas os ímpios se submetem voluntariamente a elas.

Não me tenho assentado com homens falsos, e com os dissimuladores não me associo. Aborreço a súcia de malfeitores e com os ímpios não me assento.

Salmo 26.4,5

■ 1.2

כִּי אִם בְּתוֹרַת יְהוָה חֶפְצוֹ וּבְתוֹרָתוֹ יֶהְגֶּה יוֹמָם וָלָיְלָה׃

Antes o seu prazer está na lei do Senhor. O vs. 1 deste salmo declara negativamente qual é o comportamento do homem bom: ele não imita os ímpios nem desfruta de sua companhia. Quanto ao lado *positivo*, o piedoso deleita-se na lei do Senhor, o código mosaico, que é o seu manual de fé e conduta. O deleite de tal homem é a sua *ocupação*, conforme se lê no hebraico posterior. Ver Pv 31.13; Ec 3.1,17; 8.6. O *principal interesse* de estudo do homem piedoso é seguir a lei mosaica. O conteúdo dessa lei, conforme visto nos salmos, é indicado em Sl 19.7-10. Cf. Pv 3.1-3. Ver também Sl 119.

Medita. Esta palavra traduz um termo hebraico que indica proferir sons baixos, inarticulados, como aqueles que uma pessoa faz ao ler para si mesma, mas não em voz alta. A palavra também é usada com o sentido de *murmurar,* como faz uma pomba (ver Is 27.14), ou como lamentam os homens (ver Is 16.7), ou como faz um leão ao rugir baixo (ver Is 31.4), ou como encantamentos sussurrados (ver Is 8.19). Ver no *Dicionário* o verbete chamado *Meditação.*

"Não se trata de um estudo ocasional para o homem piedoso. Antes, trata-se de seu trabalho *dia e noite.* Seu coração dedica-se a esse mister. É o seu *emprego.* Seu estudo é frequente e, de fato, *perpétuo*" (Adam Clarke, *in loc.*). "Tal meditação necessariamente envolve estudo e retenção da matéria estudada" (Allen P. Ross, *in loc.*)

Josué foi orientado a dar esse tipo de atenção à lei (ver Js 1.8). Ver também Sl 119.97. "Isso deve ser compreendido com diligente leitura e consideração da lei, com o emprego do raciocínio e um estudo profundo... diariamente" (John Gill, *in loc.*). O versículo, naturalmente, exalta o lado intelectual como uma ajuda ao crescimento espiritual. As experiências místicas não representam tudo, nem são a única forma de desenvolvimento espiritual. Ver no *Dicionário* o artigo chamado *Desenvolvimento Espiritual, Meios do.* E ver também o verbete denominado *Misticismo.*

A Lei de Moisés — Ideias dos Hebreus:
1. *A lei transmite vida.* Originalmente, isso significava longa e próspera vida *física* (teologia patriarcal), mas nos Salmos e nos

Profetas surge em cena a ideia de uma vida além-túmulo, visto que a doutrina da imortalidade da alma emergiu nessa época. Ver as notas em Dt 4.1; 5.33; 6.2; 22.6,7; 25.15 e Ez 20.1.

2. *Israel tornou-se uma nação distintiva* mediante a possessão e o uso da lei de Moisés. Ver Dt 4.4-8. A lei era a marca distintiva de Israel, o que fazia a nação ser o que era, em contraste com os povos destituídos da lei.
3. *A lei compunha-se de estatutos eternos.* Não havia no judaísmo a expectativa de que algum outro sistema substituiria a lei mosaica como medida justificadora e santificadora. Ver Êx 29.42; 31.16; Lv 3.17 e 16.29.
4. *A tríplice designação* revela algo de seu caráter. Ver Dt 6.1.
5. *A possessão da lei* era o âmago do pacto mosaico. Ver as notas introdutórias em Êx 19. A guarda do sábado era o *sinal* desse pacto.
6. *A desobediência conduz à morte.* Na teologia patriarcal, isso significava a morte física, especialmente a morte física *prematura*. Porém, de acordo com o pensamento posterior dos hebreus, surgiu a noção de uma espécie de segunda morte, envolvendo a alma, embora não houvesse nenhuma doutrina acerca de recompensas para os bons e castigo para os maus. Essas doutrinas só se desenvolveram nos livros do período entre o Antigo e o Novo Testamento, ou seja, nos livros apócrifos e pseudepígrafos. As chamas do inferno foram acesas no livro de 1Enoque, e não no Antigo Testamento. Ver as muitas ameaças de morte em Êx 20, onde ameaças de sérias infrações foram lançadas. Ver também a morte pelos próprios pecados, em Dt 25.16 e Ez 18.20. Ver a morte pelos pecados dos pais, em Êx 20.5.
7. Artigos a serem consultados no Dicionário, para um estudo mais detalhado: *Lei no Antigo Testamento;* e *Lei, Função da.* E, na *Enciclopédia de Bíblia, Teologia e Filosofia,* ver os artigos: *Lei e Jesus, A; Lei e o Evangelho, A; Lei no Novo Testamento, A; e Lei e a Graça, Conflito, A.*

Caros leitores, o sistema hebreu de fé religiosa era o da justificação *mediante a observância da lei,* uma vez que a doutrina da alma começou a fazer parte da fé hebreia. Embora a fé fizesse parte do ensino veterotestamentário, e possamos ilustrar a graça divina a partir de certas passagens, é inútil e anacrônico forçar a justificação pela fé a entrar naquele documento. Essa foi uma contribuição do apóstolo Paulo, e, de fato, tratava-se uma *nova doutrina.* Até no Novo Testamento a antiga posição persistiu, como se vê no livro de Tiago, onde temos fé e obras (da lei) combinadas como a base da justificação. Ver Tg 2.14 ss., e a controvérsia sobre o legalismo em At 15. Ver na *Enciclopédia de Bíblia, Teologia e Filosofia* o artigo chamado *Legalismo.*

A ÁRVORE FRUTÍFERA
Ele é como árvore plantada junto a corrente de águas, que, no devido tempo, dá o seu fruto, e cuja folhagem não murcha; e tudo quanto faz será bem-sucedido.

Salmo 1.3

FRUTO DO ESPÍRITO
O fruto do Espírito é: Amor, alegria, paz, longanimidade, benignidade, bondade, fidelidade, mansidão, domínio próprio.

Gálatas 5.22

O PARAÍSO DE DEUS
Bendigo-te, Senhor, porque cresço entre as árvores, que em fileira devem a ti fruto e ordem. Que força franca ou encantamento oculto pode destruir-me o fruto, ou fazer-me mal, enquanto a cerca protetora for teu braço?

O clima diversificado da Palestina, devido aos desníveis totpográficos, naturalmente permite a produção de grande variedade de frutas. As mais comuns são: banana, laranja e outras frutas cítricas, tâmaras, rosáceas em geral, dióspiro, jujuba, uvas, figos, azeitonas, romãs, amoras pretas, vários tipos de melão, amêndoas e ameixas. Os frutos plantados em jardins podem ser colhidos durante quase todos os meses do ano.

■ 1.3

וְהָיָה כְּעֵץ שָׁתוּל עַל־פַּלְגֵי מָיִם אֲשֶׁר פִּרְיוֹ יִתֵּן בְּעִתּוֹ וְעָלֵהוּ לֹא־יִבּוֹל וְכֹל אֲשֶׁר־יַעֲשֶׂה יַצְלִיחַ:

Ele é como árvore. *Prosperidade Espiritual e Econômica.* O homem piedoso, que já prosperava espiritualmente, pelo decreto de Deus também deve prosperar economicamente. Essa era a fé constante dos hebreus, que eles mantinham mesmo quando a adversidade parecia ensinar o contrário. Portanto, o homem bom é como uma árvore que conta com um suprimento de água abundante infalível, a saber, o rio da vida que passa próximo. Alguns estudiosos pensam que este versículo significa *valetas da irrigação* (ver Dt 11.10,11), uma prática empregada pelos egípcios e babilônios, mas não muito usada na Palestina. A lei de Deus controlava o que um homem fazia (Sl 1.2) e então dava a ele bom suprimento, acima de suas expectações. Há o plantio, o cultivo e a colheita de bons frutos. Ver no *Dicionário* o artigo chamado *Agricultura, Metáfora da,* quanto a um desenvolvimento detalhado das ideias deste versículo.

Correntes de águas. No hebraico temos a expressão *palgey mayim,* correntes ou divisões de águas, em alusão ao costume de preparar irrigação nos países do Oriente, onde as correntes de águas são construídas pela mão humana, com base em rios e correntes de águas naturais referidas em Dt 11.10 como a "rega da terra". A figura é a de um lugar desértico que conta com pouca ou mesmo nenhuma água. Apesar disso, a provisão adequada contribui para a frutificação nas estações do ano apropriadas. O fruto é algo a ser esperado e produzido no tempo devido, por haver permanente provisão de água. Ver no *Dicionário* o artigo chamado *Água,* que inclui informações acerca de usos metafóricos.

Para outras comparações entre o homem bom e uma árvore, ver Sl 52.8 (a oliveira), Sl 128.3 (a videira); Os 14.6 (a oliveira e o cedro). Apresento vários artigos no *Dicionário* sobre *Árvore.*

Cf. Jr 17.8. Ver Gl 5.22,23, quanto ao *fruto do Espírito,* o que aponta para o cultivo de virtudes por parte do crente, pelo poder de Deus. Ver também Ez 31.4 nessa conexão. "... o rio do amor de Deus... a fonte das águas vivas chegadas do Líbano, para reavivar, refrescar, suprir e consolar o povo de Deus... as graças do Espírito" (John Gill, *in loc.*).

■ 1.4

לֹא־כֵן הָרְשָׁעִים כִּי אִם־כַּמֹּץ אֲשֶׁר־תִּדְּפֶנּוּ רוּחַ:

Os ímpios não são assim. Os *ímpios,* em contraste, não são comparados nas Escrituras com uma árvore bem regada e frutífera. Antes, são como a palha inútil dos campos, que o vento dispersa. O julgamento de Deus cai sobre eles, em lugar das bênçãos abundantes. Visto serem estéreis, serão eliminados. A figura, neste versículo, é o ato de trilhar as sementes. As espigas produzem seu grão, e o que resta é inútil. O vento dispersa parte da palha inútil, e os homens queimam o restante. Os homens lançam ao ar a palha, para que o grão dela se separe, e o que sobra, sendo de menor peso, é soprado pelo vento. O que cai de volta ao chão é então queimado, no tempo apropriado.

As versões da Vulgata, o etíope e o árabe duplicam aqui a negativa, como um reforço: "Não são assim os ímpios, não são". "O ímpio nunca se mostra constante. Seus propósitos são abortados. Sua conversação é leviana, emocional e tola. Suas profissões e amizades são insignificantes, ocas e insinceras. Tanto ele quanto suas obras são levados para a destruição, pelo vento dos julgamentos de Deus" (Adam Clarke, *in loc.*).

Cf. Jó 21.28; Is 17.13; Os 13.3 e Mt 3.12. "No Oriente, existem eiras em lugares altos. O grão trilhado é lançado ao vento para ser levado e tangido como se fosse palha" (Fausset, *in loc.*).

A figura simbólica denota "a ruína fácil dos ímpios, que se precipita sobre eles em um único instante. Eles não podem evitar as lufadas de ar, nem podem resistir diante de Deus. Como a palha, são soprados para longe" (John Gill, *in loc.*).

■ 1.5

עַל־כֵּן לֹא־יָקֻמוּ רְשָׁעִים בַּמִּשְׁפָּט וְחַטָּאִים בַּעֲדַת צַדִּיקִים:

Por isso os perversos não prevalecerão no juízo. A palavra *juízo,* aqui usada, não indica o julgamento para além-túmulo, em algum sentido cristão. A própria doutrina do *seol* (ver a respeito no *Dicionário*) ainda não estava bem desenvolvida quando os salmos foram escritos. Antes, o autor sagrado nos deu uma ideia geral e deixou os detalhes nas mãos de Deus. Os ímpios terminam muito mal, tanto física quanto espiritualmente. Eles não podem suportar, temporal ou espiritualmente, os julgamentos de Deus (cf. Sl 10.3; 37.9,13,15,17,35,36). Estamos falando sobre os julgamentos divinos, prontos a cair sobre qualquer indivíduo, e não sobre determinado dia escatológico de julgamento. Os livros pseudepígrafos e apócrifos (pertencentes ao período entre o Antigo e o Novo Testamentos) é que desenvolveram a ideia do "julgamento escatológico". O Novo Testamento levou avante o processo. As chamas do inferno foram acesas no livro de 1Enoque. O julgamento escatológico será terrível, mas também remediador e não somente retributivo (ver 1Pe 4.6). Ver, na *Enciclopédia de Bíblia, Teologia e Filosofia*, o artigo intitulado *Julgamento de Deus dos Homens Perdidos*. Ver somente retribuição no julgamento é condescender diante de uma teologia inferior.

No ato de trilhar o grão, o trigo e a palha eram separados; e os juízos de Deus exercem esse efeito separador. Ver em Mt 13.25 ss. como o trigo e o joio são separados um do outro, e como o joio é queimado.

Na congregação dos justos. Há um grande exagero aqui em ver o "céu" onde os justos se reúnem, mas de onde os ímpios são separados. A palavra "congregação", no livro de Salmos, refere-se a "Israel", em contraste com os pagãos. Ou então, pode referir-se aos homens fiéis que se reuniam para adorar no templo. A congregação devia ser santa (ver Nm 16.3). Os ímpios serão excluídos dos lugares de reunião dos bons. A ideia é de "separação" para os bons. Seja onde for que os bons estiverem, os maus não estarão, quando Deus tiver julgado os homens.

1.6

כִּי־יוֹדֵעַ יְהוָה דֶּרֶךְ צַדִּיקִים וְדֶרֶךְ רְשָׁעִים תֹּאבֵד׃

Pois o Senhor conhece o caminho dos justos. O conhecimento especial de Yahweh (o nome divino usado neste versículo) mantém os piedosos separados dos ímpios. Yahweh sabe com o que se parecem os homens e ameaça-os de acordo com esse conhecimento. Ele conhece o caminho dos bons e o caminho pervertido dos ímpios. O caminho dos justos conduz à vida, mas o caminho dos ímpios leva à destruição. Ver o uso que Jesus fez da metáfora dos "dois caminhos", em Mt 7.13,14. "... os ímpios terminam em nada, mas o Senhor recompensa os justos" (William R. Taylor, *in loc.*). Ver no *Dicionário* os artigos *Caminho* e *Caminho de Deus*, que ilustram este versículo. Ver na *Enciclopédia de Bíblia, Teologia e Filosofia* o artigo intitulado *Caminho, Cristo como*. Quanto aos nomes divinos, ver no *Dicionário* o verbete intitulado *Deus, Nomes Bíblicos de*, bem como o artigo separado chamado *Yahweh*.

Conhece. Isto é, reconhece com um discernimento cheio de discriminação e apreciação (cf. Sl 31.7; 144.3; Êx 2.25; Jo 10.14). Assim disse Shakespeare, em seu livro intitulado *As You Like It*: "Sei que és meu irmão mais velho, e, na gentil condição de sangue, você deveria conhecer-me" (Ellicott, *in loc.*).

O justo atenta para a vida dos seus animais, mas o coração dos perversos é cruel.

Provérbios 12.10

Essa declaração ilustra a noção de que Deus conhece os que lhe pertencem. Cf. Sl 112.10, quanto ao conhecimento negativo de Deus. O termo "caminho" significa a atitude geral e as ações da vida de uma pessoa, o que ela é e o que ela faz. Deus tem consciência de tais coisas e age em conformidade. O vs. 6 é a conclusão do vs. 1, formando um paralelo entre a ideia de dois caminhos distintos para os bons e os ímpios, e mostrando como cada qual tem sua própria conclusão natural, de acordo com a *Lei Moral da Colheita segundo a Semeadura* (ver no *Dicionário*).

SALMO DOIS

Este segundo salmo do saltério não tem subtítulo no texto massorético da Bíblia em hebraico. Ver no *Dicionário* o artigo chamado *Massora (Massorah): Texto Massorético*. Por conseguinte, nenhum nome é vinculado a ele, mas muitos supõem que seu autor tenha sido Davi. O mesmo se declara em relação ao primeiro salmo.

Este é um salmo real, de coroamento. Está em vista o Rei Ideal, e muitos supõem que se trate de um salmo messiânico que faz referência ao Rei dos reis. Talvez esse salmo fosse empregado para encabeçar os salmos de Davi, tal como o primeiro salmo tornou-se a habilidosa introdução ao livro inteiro. Ver na Introdução a seção denominada *Cinco Livros* e também o título anterior chamado *Ao Leitor,* sob o subtítulo *A Fé e a Vida Religiosa* (segundo parágrafo), quanto aos tipos ou categorias de salmos que compõem o livro de Salmos. Muitos dos salmos reais são também considerados messiânicos. Quanto aos principais temas dos salmos, ver a Introdução, seção VI.C.

Davi era considerado o *rei ideal* de Israel. Ver 1Rs 15.3 e também Dt 17.14 ss. O Messias, como é óbvio, era o verdadeiro Rei Ideal, que Davi previu com antecedência.

"O segundo salmo apresenta a ordem de estabelecimento do reino dividida em seis partes: 1. O enfurecimento dos gentios (vss. 1-3) e as vãs imaginações do 'povo', isto é, os judeus. Ver a inspirada interpretação de At 4.25-28. 2. A derrisão de Yahweh (vs. 4), contra os homens que se opõem ao seu pacto. 3. O vexame (vs. 5) cumprido na destruição de Jerusalém, em 70 d.C., e na dispersão romana, em 138 a.C. 4. O estabelecimento do Rei rejeitado sobre Sião (vs. 6). 5. A sujeição da terra ao governo do Rei (vss. 7-9). 6. O apelo presente das potências mundiais (vss. 10-13). Outros salmos messiânicos óbvios são os de números 8, 16, 22, 23, 24, 40, 41, 45, 68, 69, 72, 89, 102, 110 e 118, enquanto outros poderão sê-lo" (*Scofield Reference Bible*, com alguma condensação e adaptação).

"Outros salmos reais são os de números 18, 20, 21, 45, 72, 101, 110, 132 e 144. O conteúdo do Salmo 2 descreve uma celebração de coroamento, a despeito da oposição por parte de pessoas rebeldes, em territórios circundantes. Em uma palavra, o salmista exortou as nações pagãs a abandonar seus planos rebeldes contra o Senhor e contra o Rei Ungido, submetendo-se à autoridade do Filho, a quem Deus determinou que governasse as nações com cetro de ferro (conforme indicado em At 4.25)" (Allen P. Ross, *in loc.*).

2.1

לָמָּה רָגְשׁוּ גוֹיִם וּלְאֻמִּים יֶהְגּוּ־רִיק׃

Por que se enfurecem os gentios...? A primeira dentre seis seções deste salmo diz respeito à fúria das nações contra o Ungido do Senhor (o Rei de Israel e, profeticamente, o Rei dos reis). Seu reino seria estabelecido no meio da hostilidade e contra toda a oposição. Ver a introdução ao primeiro salmo. No Oriente, a morte de um rei e a apresentação de seu substituto eram, com frequência, seguidas por um tempo de levantes e assassinatos. Usualmente, a família do antigo rei era eliminada para impedir que qualquer pretendente ao trono se opusesse à coroação do novo rei e ao governo subsequente. Nações vizinhas, como Moabe, Amom e Edom, por muitas vezes estiveram em sujeição a Israel e poderiam aproveitar da transição para iniciar uma revolta. Tais condições e circunstâncias históricas provavelmente emprestaram colorido ao segundo salmo. A questão aqui retratada, entretanto, é mais profunda. Os planos traçados eram contra Yahweh e seu Ungido, uma linguagem que quase certamente aponta para algo além de uma sucessão ordinária de reis em Israel — porquanto falava do Messias. Os críticos não têm sido capazes de identificar com exatidão as circunstâncias históricas do salmo segundo. Portanto, provavelmente faremos bem relatando a questão do Rei Ideal da casa de Davi (ver Sl 17.23,24), isto é, Jesus (ver At 4.25, 26; 13.33; Hb 1.5; 5.5; Ap 2.27 e 19.18).

O vs. 1 é uma espécie de expressão retórica que indica *admiração*. Como poderia algum homem ou nação opor-se ao Rei Ideal de Israel? Os homens deveriam apoiar os planos de Deus, que são sempre beneficentes. Mas homens rebeldes surpreendem-nos com seus atos.

Imaginam. A palavra hebraica correspondente significa "resmungar" (ver Sl 1.2, quanto ao termo), falando de planos que estão sendo formados na mente maligna dos homens, com um resmungo acompanhante. Daí temos "traições sussurradas", que passam de um lado para outro entre as nações circunvizinhas, incluindo a própria nação de Israel. Ou seja, trata-se de uma insurreição para tentar deter a cerimônia de coroamento do novo rei. Referir-se isso à ameaça dos filisteus, quando Davi subiu ao trono de Israel, parece uma interpretação um tanto exagerada. Josefo, contudo, contou-nos que os filisteus planejaram uma ação não somente contra Davi, mas também contra toda a Síria, a Fenícia e outras cidades-estados (*Antiq.* VII.c.4).

"Povos" (no singular na *King James Version*) é expressão interpretada por alguns como referência a *Israel*, em oposição ao Messias; mas a *Revised Standard Version* (provavelmente de forma correta), no que é acompanhada por nossa versão portuguesa, traz o plural, fazendo a palavra referir-se às nações pagãs.

■ 2.2

יִתְיַצְּבוּ מַלְכֵי־אֶרֶץ וְרוֹזְנִים נוֹסְדוּ־יָחַד עַל־יְהוָה וְעַל־מְשִׁיחוֹ:

Os reis da terra se levantam... Ver o penúltimo parágrafo dos comentários sobre o vs. 1. Profeticamente, entretanto, a questão é mais profunda. O Messias subirá ao seu trono em tempo de tribulação, e seu governo será imposto. Pelo menos, é isso o que supõem os que acreditam na aparição literal do Messias na terra, durante o tempo do milênio. A *King James Version* apresenta a letra A em maiúsculo, indicando o Messias, com o intuito de tornar o Salmo 2 um salmo messiânico. Mas a *Revised Standard Version* e a maioria das traduções (incluindo a nossa versão portuguesa) deixam-nos *interpretar* o salmo como messiânico, mesmo sem a palavra *Ungido*. Profetas, sacerdotes e reis eram ungidos para seus ofícios. Ver no *Dicionário* o verbete intitulado *Unção*. A palavra *Ungido* é tradução do vocábulo hebraico *messiah*. O termo grego equivalente é *Xristós*. Ver no *Dicionário* o verbete chamado *Messias*, e na *Enciclopédia de Bíblia, Teologia e Filosofia* o verbete intitulado *Cristo*. Davi, na qualidade de *rei ideal* de Israel (ver 1Rs 15.3), agia como uma profecia acerca do Rei dos reis.

... se levantam. Com o intuito hostil de impedir a coroação do Messias. Os reis conspiraram para impedir um plano de ação que poderia mostrar-se eficaz. Eles se revoltaram porque não queriam que o Messias governasse sobre eles. Jesus, em sua encarnação, recebeu oposição de todos os envolvidos, tanto da parte dos governantes civis pagãos como da parte do próprio povo de Israel. Condições como essa são antecipadas quanto à coroação futura, até que o Poder divino endireite todas as coisas.

■ 2.3

נְנַתְּקָה אֶת־מוֹסְרוֹתֵימוֹ וְנַשְׁלִיכָה מִמֶּנּוּ עֲבֹתֵימוֹ:

Rompamos os seus laços. *As nações rebeldes* não aceitavam nenhuma restrição à sua liberdade e maneira de viver rebelde. Será preciso o poder de Deus para alinhar as nações ao plano divino. "O vs. 3 registra a resolução das nações: elas desejavam estar livres do controle político desse rei. Suas expressões descrevem a *servidão* a esse rei, como se elas estivessem *amarradas*. E não podiam tolerar esse aprisionamento" (Allen P. Ross, *in loc.*). Os povos pagãos não queriam ter nada a ver com a lei divina e suas restrições ao deboche. Cf. Sl 1.1,6. Ver a natureza geral da lei e suas funções, descritas em Sl 1.2.

Isto posto, os homens preferem as cadeias do pecado ao jugo suave de Jesus. Para os ímpios, porém, o jugo de Jesus é uma insuportável escravidão (ver Jr 5.5). Ver Mt 11.29,30.

Porque este é o amor de Deus, que guardemos os seus mandamentos; ora, os seus mandamentos não são pesados.

1João 5.3

■ 2.4

יוֹשֵׁב בַּשָּׁמַיִם יִשְׂחָק אֲדֹנָי יִלְעַג־לָמוֹ:

Ri-se aquele que habita nos céus. Inicia-se aqui a *segunda* parte do salmo: a derrisão de Yahweh, que zomba dos escarnecedores e rebeldes. O *riso divino*, naturalmente, leva-nos à ideia antropomórfica de Deus, na qual as emoções humanas são atribuídas ao Deus Todo-poderoso. A *personalização* (mormente a humana) torna Deus menor do que ele realmente é, mas temos imensas dificuldades para falar sobre Deus sem usar expressões humanas. Ver no *Dicionário* o verbete chamado *Antropomorfismo*. Seja como for, este versículo é claro: será muito difícil para os rebeldes lutar contra Deus. Eles terão de enfrentar a ira divina. Ver no *Dicionário* o artigo chamado *Ira de Deus*.

"Em aterrorizante ira, Deus resolveu mostrar que o Rei que ele estabeleceu em Sião é inviolável: 'Eu, eu instalei meu Rei em Sião' (Moffatt)" (William R. Taylor, *in loc.*).

"Estamos agora nas cortes do céu. As palavras de abertura do vs. 4 contrastam terrivelmente com a implícita auto-importância dos conspiradores à face da terra. Eles levam extremamente a sério a si mesmos e aos seus planos rebeldes. Mas sua real significação é medida pelo riso zombeteiro de Deus e por sua derrisão de desprezo. Aquilo de que Deus zomba, ele visita, e com amargo desprazer (vs. 5)" (J.R.P. Sclater, *in loc.*).

"Costumamos falar sobre a ironia dos acontecimentos. O hebraico atribui ironia a Deus, que controla os eventos" (Ellicott, *in loc.*).

Quanto à figura de Deus entronizado em seu céu, cf. Sl 9.11; 22.3; 29.10; 55.19; 102.12; 113.5 e Is 6.1. O poder no alto reduz o poder cá de baixo ao nada. O grande Rei controla os fracos reis da terra. O Rei dos reis deverá governar o mundo.

*Também eu me rirei na vossa desventura,
e, em vindo o vosso terror, eu zombarei.*

Provérbios 1.26

■ 2.5

אָז יְדַבֵּר אֵלֵימוֹ בְאַפּוֹ וּבַחֲרוֹנוֹ יְבַהֲלֵמוֹ:

Na sua ira, a seu tempo. O ato de Deus que zomba dos ímpios consiste em lançar-lhes voz de julgamento e cumprir suas ameaças mediante grande variedade de desastres. O original hebraico diz literalmente: Deus "os aterrorizará grandemente". Cf. Dt 29.24. Tal é a sorte dos que negligenciarem a lei ou desobedecerem a seus preceitos, o que é uma das características dos ímpios (ver Sl 1.1).

Este versículo assinala a *terceira* parte do salmo. Os *estudiosos dispensacionalistas* referem-se à ira envolvida para falar na destruição de Jerusalém, pelos romanos, em 70 d.C., na subsequente dispersão romana dos judeus, em 138 d.C., e então na grande tribulação dos últimos dias, contra as nações pagãs do mundo inteiro. Essa interpretação, entretanto, provavelmente vê acontecimentos demais no versículo simples que está à nossa frente.

■ 2.6

וַאֲנִי נָסַכְתִּי מַלְכִּי עַל־צִיּוֹן הַר־קָדְשִׁי:

Eu, porém, constituí o meu Rei. Temos aqui a quarta porção do salmo. A despeito dos planos e rebeliões das nações ímpias, o propósito de Deus se cumprirá na entronização do rei, e também do Rei, no aspecto profético do segundo salmo. O Rei é levado a reinar em *Sião* (ver no *Dicionário* detalhes completos). Esse ato porá fim à rebeldia. Sião é mencionada quarenta vezes no livro de Salmos. Originalmente, Sião era uma fortaleza cananeia que Davi capturou, subjugando assim os jebuseus (ver 2Sm 5.7). O templo de Jerusalém foi erguido no lugar da antiga fortaleza, e a cidade de Jerusalém cresceu em redor. Cf. Lm 1.4 e Zc 8.3. Esse monte é chamado "colina santa", um sinônimo de *monte do templo*, o lugar elevado onde a lei era supremamente honrada e o culto dos hebreus era efetuado. Cf. Sl 3.4; 15.1; 24.3; 78.54; Dn 9.16,20; Ob 16 e Sf 3.11. A colina santa finalmente tornou-se o centro do império israelita (Sl 43.1,2; Is 31.4; Jr 3.16,17). O Messias, assumindo a liderança e tendo como pioneiro a pessoa de Davi, reinará sobre a terra inteira (ver Sl 132.13; Ez 43.7; Lc 1.32,33). Então Israel não mais rejeitará o seu Rei (ver Mt 23.38,39; Sl 21.5 e Ap 11.25,26).

■ 2.7

אֲסַפְּרָה אֶל חֹק יְהוָה אָמַר אֵלַי בְּנִי אַתָּה אֲנִי הַיּוֹם יְלִדְתִּיךָ:

Proclamarei o decreto do Senhor. A quinta porção do salmo (vss. 7-9) — um domínio universal. O Rei também é, supremamente, o Filho, por eterna geração, conforme afirmam os intérpretes. Ver na *Enciclopédia de Bíblia, Teologia e Filosofia* o verbete chamado *Geração Eterna*. Esse é o corolário necessário à doutrina da Trindade e diz-nos que nunca houve tempo em que o Filho não existisse. Ele não foi criado, ele não se tornou um Filho. Pelo contrário, sempre foi o Filho; o "elemento tempo" deve ser visto como uma "sequência lógica", não uma real designação temporal. *Esse dia é*, assim sendo, o Dia Eterno. Mas não é provável que o autor do salmo tenha antecipado tão pesada teologia cristã. Assim, na aplicação histórica do versículo, o *rei* tornou-se filho especial quando se tornou o rei ungido. A declaração "tu és meu filho" é citada dentre o pacto davídico (2Sm 7.14). Ver sobre o *Pacto Davídico* em 2Sm 7.4. Ver também Sl 89.26,27. Ver o artigo geral sobre *Pactos*, no *Dicionário*. Este versículo é citado em At 13.33 e em Hb 1.5 e 5.5, onde lhe é dada uma aplicação cristã. Ver a exposição sobre esses versículos no *Novo Testamento Interpretado*.

As mesmas palavras, "tu és meu filho, hoje eu te gerei" encontram-se no código de Hamurabi, 170-171, para indicar uma adoção legal. No Antigo Testamento, essas palavras retratam uma relação especial de Deus com o rei, similar à de um pai com seu filho. No Egito, o Faraó era deificado e passava a ser considerado filho especial de Deus; e uma idêntica noção se encontrava na Babilônia e, antes disso, na Assíria. De alguma maneira, os reis eram considerados proles da deidade. O Antigo Testamento jamais deificaria um monarca, mas o relacionamento entre pai e filho se aplicava aos reis em um sentido metafórico. Rm 1.4 mostra que a ressurreição declara o poder que anunciava a filiação especial de Cristo, mas mesmo nesse caso não precisamos pensar em um começo como tal, mas antes, como uma observação que já era verdadeira, mas que agora tornava-se mais evidente ainda. Naturalmente, o cristianismo abriga a ideia da divindade do Filho na expressão, tal como acontecia no caso das nações acima mencionadas. Ver na *Enciclopédia de Bíblia, Teologia e Filosofia* o artigo denominado *Divindade de Cristo*. Cf. o versículo com Is 43.13. Na qualidade de Filho Especial de Deus, o Rei tem um reinado universal.

■ **2.8**

שְׁאַל מִמֶּנִּי וְאֶתְּנָה גוֹיִם נַחֲלָתֶךָ וַאֲחֻזָּתְךָ אַפְסֵי־אָרֶץ:

Pede-me, e eu te darei as nações por herança. O rei, exaltado em Jerusalém, de súbito tornou-se *rei universal*, e não meramente o potentado de Israel. As nações pagãs se tornarão dele; ele será o único poder sobre elas. Os estudiosos dispensacionalistas veem aqui o governo do Messias durante o *milênio* (ver a respeito no *Dicionário*). Se o sentido messiânico for negligenciado aqui, então só podemos dizer que o versículo promete a algum grande futuro rei israelense o domínio do mundo conhecido, naquele tempo, que circundava o mar Mediterrâneo. Isso nunca aconteceu. Israel nunca se tornou uma potência universal como a Babilônia ou Roma, mas essa pode ter sido a *esperança*.

A figura de um *príncipe ideal*, que sempre estaria prestes a aparecer, jamais se cumpriu, pelo tempo em que este salmo foi composto, em algum sucessor real de Davi. Essa esperança tornou-se parte de tradição profética da nação de Israel e, finalmente, veio a referir-se ao Messias.

■ **2.9**

תְּרֹעֵם בְּשֵׁבֶט בַּרְזֶל כִּכְלִי יוֹצֵר תְּנַפְּצֵם:

Com vara de ferro as regerás. *Um Governo Severíssimo*. As nações tinham-se mostrado rebeldes e seriam subjugadas. O reino teve de ser *imposto* pelo poder de Deus e não se instalou graças a uma evolução geral de bons poderes e condições favoráveis. Por conseguinte, o cetro de ferro do príncipe universal teve de esmagar todos os oponentes, a ponto de *despedaçá-los*, como um oleiro despedaça os vasos que não o agradam ou que considera dotados de defeitos fatais em sua fabricação. "O quadro provavelmente é tirado dos costumes de execração dos egípcios, nos quais o Faraó usava seu *cetro* para quebrar jarras votivas (peças de cerâmica) que representavam cidades e nações rebeldes" (Allen P. Ross, *in loc.*). Cabia ao exército egípcio cumprir os desejos destruidores do Faraó. No começo de seu governo, um novo rei devia impor sua autoridade por eliminar os rebeldes. Quanto ao sentido messiânico, ver Mt 20.44, que fala da *pedra esmagadora*, o Messias.

Cf. Is 30.14 e Jr 19.11, onde é empregada a mesma figura. Ver também Ap 2.26,27, que fala o mesmo tipo de coisa sobre o Messias, quando ele receber seu poder universal.

■ **2.10**

וְעַתָּה מְלָכִים הַשְׂכִּילוּ הִוָּסְרוּ שֹׁפְטֵי אָרֶץ:

Agora, pois, ó reis, sede prudentes. Os vss. 10-12 assinalam a *sexta porção* do salmo. Às nações rebeldes foi feito o apelo de que se sujeitassem ao príncipe universal de Israel. "Na estrofe de conclusão,

nossa atenção volta-se aos conspiradores. Um *ultimato* é dirigido a eles. Aquilo que tinham ouvido teria de modificar seus conselhos. Caso contrário, a fúria do Senhor irromperia contra eles. Eles deviam prestar obediência a ele, isto é, ao Pai, por meio do Filho. A revolta contra o Rei é a mesma coisa que a revolta contra Deus" (William R. Taylor, *in loc.*). Os rebeldes que derem ouvidos às advertências serão *sábios*, portanto o que fizerem pode salvar sua vida e sua alma. "A sabedoria envolve a capacidade de *aprender*, particularmente por parte dos líderes, a disposição de pôr todas as faculdades próprias à disposição de Deus" (J. R. P. Sclater, *in loc.*). Se os homens não possuíssem livre-arbítrio, não se lhes fariam apelos. Ver no *Dicionário* o artigo chamado *Livre-arbítrio*. Sem livre-arbítrio, não haveria responsabilidade moral.

"Algumas vezes, Deus reprova os reis e os príncipes da terra por causa de seus pecados e por causa de seu povo, para que aprendam a justiça. Ver Sl 105.14,15 e Is 26.9" (John Gill, *in loc.*).

■ **2.11**

עִבְדוּ אֶת־יְהוָה בְּיִרְאָה וְגִילוּ בִּרְעָדָה:

Servi ao Senhor com temor. O princípio da sabedoria é o *temor do Senhor*, conforme diz Sl 111.10. Ver no *Dicionário* o artigo chamado *Temor*, especialmente I.1, *O Temor de Deus*. Há um temor real, e então, como resultado, uma *confiança reverente*. Tendo sido humilhados e espiritualizados até certo ponto, eles podiam, subsequentemente, servir ao Senhor com regozijo, mas mesmo assim não sem tremor. Alguns estudiosos, contudo, põem o tremor no vs. 12, ou seja, "beijai o Filho com tremor" (pelo menos assim diz a *Revised Standard Version*).

"*Servir, regozijar-se, temer e tremer* descrevem as reações religiosas dos justos na adoração. Eles são levados a viver na submissão; vidas caracterizadas muito mais pelo temor que pela arrogância; vidas cheias de exultação, e não da melancolia da opressão. A imagem é a de sujeição a um monarca supremo" (Allen P. Ross, *in loc.*).

■ **2.12**

נַשְּׁקוּ־בַר פֶּן־יֶאֱנַף וְתֹאבְדוּ דֶרֶךְ כִּי־יִבְעַר כִּמְעַט אַפּוֹ אַשְׁרֵי כָּל־חוֹסֵי בוֹ:

Beijai o Filho para que se não irrite. Aqui se recomenda a *obediência* ao Filho, pelo que "com tremor, beijai o Filho". O hebraico dos vss. 11 e 12 é incerto, pelo que a *Revised Standard Version* diz "beijai os pés do Filho", como uma tradução possível, que se adapta ao espírito desses versículos. "Beijar os pés era um ato de reverência requerida da parte dos príncipes subjugados a seus senhores (cf. Sl 72.9; Is 49.23 e Mq 7.17)" (William R. Taylor, *in loc.*).

Os que eram antes rebeldes podem tornar-se *abençoados*, se forem obedientes. "*Confiança* é uma palavra característica do Novo Testamento para 'fé' ou 'crença'. Ocorre 152 vezes no Antigo Testamento e traduz um vocábulo veterotestamentário que significa *refugiar-se* (Rt 2.12); *apoiar-se em* (Sl 56.3); *depender de* (Sl 22.8); *permanecer* (Jó 35.14)" (*Scofield Reference Bible*, comentando este versículo).

No sentido cristão, o direito de julgar foi entregue ao Filho de Deus (ver Jo 5.22), pelo que a obediência a ele é essencial para evitar o julgamento e desfrutar a bênção. "Os rebeldes contra o reino de Deus devem ser conquistados da maneira *mais nobre*, sendo por ele atraídos" (Ellicott, *in loc.*). Cf. Sl 118.9 e 146.3.

SALMO TRÊS

Cerca de metade dos salmos é atribuída a Davi pelos editores que compilaram os subtítulos. O primeiro livro (Salmos 1 a 41) presumivelmente é de sua autoria. Desse primeiro livro, 37 salmos são declaradamente pertencentes a Davi, segundo os editores do livro. Mas os Salmos 1, 2, 10 e 33 não têm essa designação. Os subtítulos não faziam parte do original, e é provável que a maioria deles seja derivada de meras suposições. Para alguns, os eventos históricos parecem confirmar tal informação. O terceiro salmo, para exemplificar, parece ter sido composto por Davi quando ele fugia de Absalão e, presumivelmente, podemos encontrar indicações disso no próprio salmo. A maior parte das identificações, entretanto, vem dos tempos pós-exílicos, e coisa alguma nos inspira confiança. É provável que algumas informações sejam verdadeiras, mas a maior parte é simples conjectura. Cf. os Salmos 7, 8, 30 e 51, em que certos incidentes da vida de Davi se relacionam aos materiais desses salmos. Seja como for, o Salmo 3 é um apelo ao livramento divino em uma situação de crise, o que poderia ajustar-se a muitos incidentes da vida de Davi, ou de algum outro indivíduo não identificado. O Salmo 3 é também um dos mais de sessenta salmos de *lamentação* que encontramos nesse livro.

Quanto à fuga de Davi de Absalão, ver 2Sm 15—18. "Apesar de inúmeros adversários que estavam convencidos de que não havia esperança para Davi, esse eleito de Deus descobriu a segurança e proteção de Deus, durante a noite e, assim sendo, adquiriu confiança em seu livramento final" (Allen P. Ross, *in loc.*). Este é um salmo não somente de lamentação, mas também de ação de graças do autor pela segurança que lhe foi conferida em uma situação de crise.

Quanto a *informações gerais* que se aplicam a todos os salmos, ver a introdução ao Salmo 4, onde apresento *sete* comentários que elucidam a natureza do livro.

Quanto aos *cinco livros* dos Salmos, ver a *Introdução* ao livro, em sua seção VI.B. Quanto aos *temas principais* dos Salmos, ver a seção VI.C. Ver a *classificação* dos salmos sob o título geral *Ao Leitor*, oitavo ponto. Ver também o gráfico no início do comentário do livro. Quanto à lei mosaica, que funciona como manual de fé e conduta do homem piedoso, ver as notas no Salmo. 1.

Salmos messiânicos *óbvios* são os de números 2, 8, 16, 22, 23, 24, 40, 41, 45, 68, 69, 72, 89, 102, 110 e 118. Mas outros salmos também têm reflexos messiânicos.

■ **3.1** (na Bíblia hebraica corresponde ao **3.1,2**)

מִזְמוֹר לְדָוִד בְּבָרְחוֹ מִפְּנֵי אַבְשָׁלוֹם בְּנוֹ׃

יְהוָה מָה־רַבּוּ צָרָי רַבִּים קָמִים עָלָי׃

Senhor, como tem crescido o número. O *subtítulo* relaciona este salmo à fuga de Davi, quando Absalão tentou usurpar o trono de Israel. Ver 2Sm 15—18. Mas os subtítulos são, em sua maioria, meras suposições, conforme se reflete na autoria e nas circunstâncias históricas, não fazendo parte das composições originais, mas sendo devidas a editores subsequentes, de tempos muito posteriores. A situação referida reflete desespero tamanho que faria um homem perecer, não fosse a proteção divina. Muitos inimigos faziam ameaças, sedentos por matar. Eles confiavam que o pobre homem em fuga não tinha chance de escapar e caçaram-no como se fosse um animal. Vários salmos falam de inimigos avassaladores que ameaçavam matar e ferir a outros. Cf. Sl 6.10; 17.9; 25.2,19. Homens ímpios que oprimem e atacam são chamados "perseguidores" (ver Sl 7.1); "odiadores" (35.19); "os que buscam matar" (40.14); "malfeitores" (64.2). O vs. 6 deste salmo quase certamente identifica os homens malignos envolvidos como pertencentes ao próprio povo do salmista. Nesse caso, não eram inimigos estrangeiros. O próprio salmo não revela a *razão* dessa aflição, pelo que a referência à perseguição movida por Absalão é apenas uma suposição.

Cf. os momentos de perseguição sofridos por Jesus antes de sua crucificação, em Lc 22.53. Ver também Sl 41.9. Um amigo ergueu o calcanhar contra o Messias. Ver também Mt 26.30. É por isso que alguns estudiosos imaginam que este salmo seja messiânico.

■ **3.2** (na Bíblia hebraica corresponde ao **3.3**)

רַבִּים אֹמְרִים לְנַפְשִׁי אֵין יְשׁוּעָתָה לּוֹ בֵאלֹהִים סֶלָה׃

São muitos os que dizem de mim. Muitos inimigos tinham certeza de que seriam os executores de Davi, porquanto viam sua vítima tão impotente perante eles e sem chance de receber ajuda divina. *Muitos* contra um *só* provocaram total desespero. A Septuaginta diz "em seu Deus". O siríaco diz "não há ajuda para ti em teu Deus". Os inimigos ignoravam qualquer poder divino que pudesse salvar Davi. É que eles eram *ateus práticos*, se não mesmo teóricos; e assim são todos os que se entregam à prática de atos de violência, especialmente os que o fazem no nome de Deus, o que é uma blasfêmia.

(Selá). Os tradutores dos tempos antigos ficavam perplexos diante dessa palavra, seu significado e função nos vários salmos onde ela aparece. A *Oxford Annotated Bible*, no vs. 2 deste salmo, diz-nos que se tratava de uma orientação litúrgica, talvez para relembrar que os salmos, nesse ponto, deveriam ter um interlúdio musical. Devemos lembrar que os salmos deviam ser musicados. Essa suposição provavelmente é tão boa quanto outra qualquer. Talvez esta palavra venha de *salah*, "elevar-se", e poderia significar "elevar o tempo da música para cantar, neste ponto". No Sl 9.16, a palavra é associada ao vocábulo hebraico *higgaion*, uma referência ao som de instrumentos musicais. Outros estudiosos identificam a palavra como derivada de um termo que significa "fazer silêncio". Nesse caso, *selá* indica que os cantores deveriam manter silêncio, enfatizando alguma declaração ou pensamento. Essa palavra acha-se por 73 vezes nos salmos. Seja como for, permanecemos em dúvida se ela nos convoca a fazer silêncio e meditar no que acaba de ser dito, ou se devemos levantar grande ruído, cantando e tocando instrumentos musicais. Aben Ezra conjecturou que sua força fosse a de um "Amém!" Certo autor tentou mostrar que era um nome divino. "Muita coisa tem sido dita sobre o significado dessa palavra, mas nada temos além de conjecturas para guiar-nos. A Septuaginta sempre a traduz pelo termo grego *diapsalma*, ou seja, uma 'pausa' no salmo que estivesse sendo entoado" (Adam Clarke, *in loc.*). Perplexas, algumas traduções simplesmente a deixam sem tradução.

■ **3.3** (na Bíblia hebraica corresponde ao **3.4**)

וְאַתָּה יְהוָה מָגֵן בַּעֲדִי כְּבוֹדִי וּמֵרִים רֹאשִׁי׃

Porém, tu, Senhor, és o meu escudo. Embora perseguido pelos homens, Davi confiou em Deus, em seu desespero, e invocou-o como *escudo* e proteção contra os opressores. Deus seria a sua *glória*, conferindo-lhe triunfo e alegria, ou seja, exultação em seu livramento. A cabeça de Davi, pendida em temor e tristeza, erguer-se-ia em triunfo. "A frase, 'o que exaltas a minha cabeça' é evangelicamente sugestiva e faz-nos pensar sobre o poder da cruz para restaurar a esperança através do perdão. No batistério de Florença há uma maravilhosa estátua de Maria Madalena. Ela é ali retratada como uma mulher aos trapos, *mas* sua cabeça está erguida, e, em seus olhos, o artista conseguiu colocar uma esperança extraordinária, embora desesperada. Foi o momento em que ela descobriu o Salvador... George Matheson falava sobre a cruz que ergue a cabeça, talvez uma reminiscência deste salmo" (J. R. P. Sclater, *in loc.*).

Escudo. Quanto à proteção divina, simbolizada como um escudo, ver as notas expositivas em Sl 5.12 e 91.14. Cf. Ef 6.13, especialmente o vs. 16, onde o escudo simboliza a *fé* que detém qualquer dardo inflamado do Maligno.

"A significação dessa sublime confiança destaca-se quando lemos, em 2Sm 15.30, como o monarca humilhado subiu descalço até o monte das Oliveiras, de cabeça pendida e enrolado em seu manto, sem nenhuma glória ou dignidade restante. Ele estava mudo e humilhado, sob os insultos e maldições de Simei" (Ellicott, *in loc.*).

Pois ele, quando ultrajado, não revidava com ultraje, quando maltratado não fazia ameaças, mas entregava-se àquele que julga retamente.

1Pedro 2.23

■ **3.4,5** (na Bíblia hebraica corresponde ao **3.5,6**)

קוֹלִי אֶל־יְהוָה אֶקְרָא וַיַּעֲנֵנִי מֵהַר קָדְשׁוֹ סֶלָה׃

אֲנִי שָׁכַבְתִּי וָאִישָׁנָה הֱקִיצוֹתִי כִּי יְהוָה יִסְמְכֵנִי׃

Com a minha voz clamo ao Senhor. Conforme diz certo hino evangélico, "Senhor, ajuda-me a passar a noite", Davi passou uma noite cheia de terríveis acontecimentos, por ocasião de sua fuga de Absalão. Mas Yahweh conduziu-o através das trevas até o raiar de um novo dia. Davi estava abatido, mas não vencido. Quando ele atravessava o deserto, subindo pela colina santa de Sião, invocou Yahweh para que o Senhor visse sua triste situação e o livrasse. Então ele deitou-se para dormir naquela primeira noite, enquanto seus inimigos, em Jerusalém, regozijavam-se diante de sua derrota.

"A razão da explosão de confiança de Davi (vs. 3) é expressa nos vss. 4 e 5. Deus o sustentou através daquela noite, no meio de seus inimigos, e *essa proteção* foi para ele um sinal do completo livramento que viria... deitei-me para dormir; despertei porque *o Senhor* me susteve" (Allen P. Ross, *in loc.*).

O nome divino usado neste versículo é *Yahweh* (o Eterno). Ver no *Dicionário* os artigos denominados *Deus, Nomes Bíblicos de* e *Yahweh*.

"O conselho de Aitofel foi derrotado, e Davi sentiu-se seguro (2Sm 17.1,16,22,24). Assim também Jesus se preparou para dormir no meio da tempestade, no mar da Galileia (ver Mc 4.38,40), antecipando seu sono no túmulo. Ele também foi capaz de exclamar: "Pai, nas tuas mãos entrego o meu espírito" (Lc 23.46; Sl 23)" (Fausset, *in loc.*).

Simbolicamente, alguns eruditos veem a morte (sono) e a ressurreição (novo dia) de Jesus, nestes versículos. Se isso é mais que um símbolo que pode ser empregado, então temos ainda mais evidências de que este salmo é messiânico. Devemos ter cuidado para não super-cristianizar os salmos. Certamente nem todos os salmos são messiânicos, conforme asseverou um famoso pregador.

Selá. Quanto a notas expositivas completas sobre esta palavra, ver Sl 3.2.

■ **3.6** (na Bíblia hebraica corresponde ao **3.7**)

לֹא־אִירָא מֵרִבְבוֹת עָם אֲשֶׁר סָבִיב שָׁתוּ עָלָי׃

Não tenho medo de milhares do povo. A rebeldia de Absalão foi apoiada por muitos dentre o povo, de tal modo que, apesar de as palavras "milhares do povo" poderem significar simplesmente "muitos", não representam nenhum exagero. Havia, no coração deles, o intuito assassino. Eles queriam livrar-se de Davi e de seus conselheiros. Naturalmente, somos lembrados da fuga de Jesus quando seus inimigos se preparavam para matá-lo. Davi, tendo passado uma noite pacífica, símbolo do livramento final que viria, não temia aquela grande multidão de inimigos. E isso, em si mesmo, não foi uma pequena realização.

> *O Senhor é a minha luz e a minha salvação; de quem terei medo?*
>
> Salmo 27.1

"Força e números nada são contra o Deus onipotente" (Adam Clarke, *in loc.*). Em vez de refugiar-se no ateísmo quando estava em aflição, Davi correu para o Senhor. A confiança no Senhor é o único bem satisfatório (Sl 2.12). Cf. este versículo em 1Rs 20.12.

■ **3.7** (na Bíblia hebraica corresponde ao **3.8**)

קוּמָה יְהוָה׀ הוֹשִׁיעֵנִי אֱלֹהַי כִּי־הִכִּיתָ אֶת־כָּל־אֹיְבַי לֶחִי שִׁנֵּי רְשָׁעִים שִׁבַּרְתָּ׃

Levanta-te, Senhor! Deus tinha a reputação de desferir golpes poderosos nos maxilares de homens rebeldes, e de quebrar seus dentes nesse processo. Davi implorou que Deus agisse em seu favor, naquela hora de necessidade, quando ele não tinha defesa nem forças. Os inimigos eram como feras vorazes que perseguiam ou atacavam para apanhar as suas presas. A derrota deles foi descrita, apropriadamente, como a quebra e o esmagamento de suas queixadas, que se abriam para despedaçar e matar. Seus dentes temíveis foram quebrados, e os atacantes foram inutilizados. Tal é a experiência humana. Muitos de nós têm passado pela experiência de ver quebrados os dentes dos opressores. Muitos de nós têm visto seus antigos inimigos derrotados. E então podemos olhar para trás e sorrir diante de toda a confusão; mas, no meio de tudo, tememos e ficamos amargurados.

> *Desperta! Por que dormes, Senhor? Desperta, não nos rejeites para sempre. Por que escondes a tua face, e te esqueces da nossa miséria e da nossa confusão?*
>
> Salmo 44.23,24

■ **3.8** (na Bíblia hebraica corresponde ao **3.9**)

לַיהוָה הַיְשׁוּעָה עַל־עַמְּךָ בִרְכָתֶךָ סֶּלָה׃

Do Senhor é a salvação. *A Salvação Vem do Senhor.* Sem dúvida a *Revised Standard Version* está correta ao dizer, em lugar de "salvação", *livramento*, de maneira que não cristianizamos este versículo, fazendo-o referir-se à salvação da alma. Davi estava falando sobre o *livramento* de seus opressores. Absalão exibiu-se com arrogância ao ter seu muito breve dia. Joabe, entretanto, pôs fim à história (ver 2Sm 18.7-17). Os ímpios asseveraram que Deus não defenderia Davi. Eles pensavam que sua morte seria inevitável e simples de efetuar (vs. 2). Mas sofreram uma grande surpresa. Davi saiu daquela experiência mais forte do que nunca. Quando alguém tinha ao lado um homem temível como Joabe, não precisava de muito mais ajuda!

Uma vez libertado, Davi prosperou e viu novas dimensões da bênção do Senhor. Ele era um bem-aventurado (Sl 1.1), porque andava de acordo com a lei, e não segundo os planos maus dos ímpios. Ver sobre *Lei de Moisés, Ideias dos Hebreus*, na exposição de Sl 1.2.

Adam Clarke, cristianizando o versículo, disse: "Somente Deus salva. Ele é a fonte da qual nos chegam ajuda e salvação, e é ele o merecedor dos louvores de todas as almas salvas. Sua bênção está sobre seu povo".

"Note o leitor como é usual terminar em uma nota de confiança e de ação de graças" (J. R. P. Sclater, *in loc.*).

"... reconciliação e paz pelo sangue de Cristo, adoção e vida eterna: as bênçãos de graça e as bênçãos de glória" (John Gill, *in loc.*).

SALMO QUATRO

Informações Gerais que se Aplicam a Todos os Salmos:

1. Quanto aos *cinco livros* dos salmos, ver a Introdução ao livro, seção VI.B.
2. Quanto aos *principais temas* dos salmos, ver VI.C.
3. Quanto à classificação dos salmos, ver o gráfico no início do comentário sobre o livro. Esse gráfico age como uma espécie de introdução ao saltério e lista os salmos pertencentes às diferentes classes. Há dezessete classes; porém, maior número poderia ser criado.
4. Quanto à lei como o *manual* de fé e conduta do homem bom, ver Sl 1.2.
5. Os salmos messiânicos óbvios são os de números 2, 8, 16, 22, 23, 24, 40, 41, 45, 68, 72, 89, 102, 110 e 118. Outros contêm referências ou reflexos messiânicos.
6. Os *subtítulos* dos salmos não faziam parte dos documentos originais, mas foram adicionados pelos editores, muito tempo após a composição original. Esses subtítulos tentam identificar os autores envolvidos e ligam certos salmos a circunstâncias históricas conhecidas do Antigo Testamento. A maioria dos informes dos subtítulos consiste em conjecturas. Os subtítulos atribuem cerca de *metade* dos salmos a Davi.
7. Dentre todos os livros das Escrituras, Salmos é o mais citado no Novo Testamento. Provi uma lista de comentários na seção XII na Introdução ao livro. As maciças citações dos salmos nos livros do Novo Testamento confirmam seu valor espiritual e literário.

O Salmo 4, como é óbvio, está intimamente relacionado ao Salmo 3 (um salmo de *lamentações*), e alguns estudiosos supõem que eles representam uma única composição. O subtítulo atribui esse salmo a Davi, endereçando-o ao mestre de canto. Era uma composição que devia ser acompanhada por instrumentos de cordas. No primeiro Livro, os Salmos 1 a 41 são declarados como de autoria davídica, embora não se afirme abertamente que os Salmos 1, 2, 10 e 33 tenham sido escritos por ele.

Neginoth é a palavra hebraica usada para indicar *instrumentos de corda*, a qual não é traduzida por algumas versões. Esses instrumentos de corda são mencionados em conexão com os Salmos 3, 5, 53, 60, 66 e 75. Orientações musicais aparecem nos subtítulos dos Salmos 4, 6, 54, 55, 61, 67 e 76. Ver no *Dicionário* o verbete chamado *Música e Instrumentos Musicais*.

No Salmo 3, Davi buscou ajuda da parte de Yahweh em uma situação desesperadora, quando sua própria vida estava sob ameaça. Ele chegou com toda a confiança, pois o Senhor o libertou. O Salmo 4, então, começa com uma nota de otimismo. Davi foi libertado e orou para que isso continuasse. Ele tinha recebido a misericórdia e a graça divina necessária.

"A Davi foi assegurada a ajuda do Senhor. A cerimônia durante a qual este salmo era usado evidentemente incluía sacrifícios (vs. 5), e talvez as pessoas passassem a noite no templo (vs. 8). Cf. Sl 3.5" (*Oxford Annotated Bible, in loc.*).

■ **4.1** (na Bíblia hebraica corresponde ao **4.1,2**)

לַמְנַצֵּחַ בִּנְגִינוֹת מִזְמוֹר לְדָוִד׃
בְּקָרְאִי עֲנֵנִי אֱלֹהֵי צִדְקִי בַּצָּר הִרְחַבְתָּ לִּי חָנֵּנִי וּשְׁמַע תְּפִלָּתִי׃

Responde-me quando clamo. *Davi continuava invocando a Deus*, que responde às nossas orações, e vivia frequentemente necessitado de livramento de seus inimigos (tema do terceiro salmo). Cf. Sl 3.4. Não há aqui o mesmo "clamor de desespero", pois aqui o clamor é de urgência. As orações de Davi tinham sido respondidas. Ele foi livrado de uma crise fatal. Saiu dessa crise mais forte do que estava antes da rebeldia de Absalão, mas continuou a orar, porquanto sempre tinha necessidades e aflições das quais precisava ser libertado.

Deus da minha justiça. A referência primária aqui é ao fato de que Davi tinha uma *causa justa*, pelo que Deus o livrou de suas aflições. Mas a referência também é geral. Davi era obediente à lei mosaica e nem por uma vez sequer tocou na idolatria, em sentido algum. Esse era um de seus principais sinais distintivos, embora, ocasionalmente, ele caísse em pecados graves. Ver Sl 1.2 sobre como a lei devia ser o manual de fé e conduta do judeu piedoso. "O conceito de um Deus supremamente justo e aquele que estabelece a justiça é um dos mais nobres legados da fé dos hebreus ao mundo. O espírito disso é sumariado nesta indagação: 'Não fará justiça o Juiz de toda a terra?'. A força dos inocentes, diante da calúnia ou da opressão, jaz no apelo à fonte eterna da retidão" (Ellicott, *in loc.*).

A versão siríaca diz aqui "vindicador de minha retidão". Nesse caso, Deus interveio em favor de Davi contra Absalão, porquanto a causa de Davi era justa, e a causa de Absalão era pervertida.

> *Não fará justiça o Juiz de toda a terra?*
>
> Gênesis 18.25

... me tens aliviado. A aflição é como um lugar apertado que nos ameaça esmagar. O livramento divinamente conferido proveu *amplo espaço* onde não havia nenhuma ameaça. Naquele amplo lugar, o homem bom era abençoado, ou seja, *bem-aventurado*. Os *lugares apertados*, entretanto, acabam voltando, pois o homem nasceu para as tribulações, tal como as faíscas sobem no ar e não sabem voar de outra maneira. Ver Jó 5.7.

"Nenhum indivíduo tem o direito de esperar que Deus o ouça, se ele não clamar" (Adam Clarke, *in loc.*).

■ **4.2** (na Bíblia hebraica corresponde ao **4.3**)

בְּנֵי אִישׁ עַד־מֶה כְבוֹדִי לִכְלִמָּה תֶּאֱהָבוּן רִיק תְּבַקְשׁוּ כָזָב סֶלָה׃

Ó homens, até quando...? O salmista estava em perigo iminente. As acusações dos ímpios transformaram sua honra em desgraça. Os que tinham poder para tanto queriam terminar com ele. Tinham por hábito dizer mentiras e cometer perjúrio. Eles procuravam destruir um homem inocente, conseguir a sua ruína e matá-lo. Jeremias também sofreu por causa de homens dotados de posição e poder. Ele estava, definitivamente, *fora do seu círculo*. Somente um rei destronizado, como Davi, que fugia de Absalão, poderia falar daquela maneira. Talvez um profeta ou sacerdote tenha proferido tais palavras, alguém que criticava as classes sociais superiores corruptas que perseguiam homens bons por causa de suas ameaçadoras palavras de reprimenda.

Ó homens. *Filhos dos homens* é a tradução literal de uma frase hebraica geralmente entendida como "homens de alta posição" (Ellicott, *in loc.*).

> Amar, buscar, valorizar as coisas falsas e vãs e nada, senão mentiras.
>
> Milton

Antigos intérpretes hebreus interpretaram "homens" como a multidão que deu apoio à causa de Absalão. Eram os príncipes que queriam ver Davi morto, e Absalão reinando no lugar de seu pai. O paralelo com a vida de Jesus é óbvio. Quem foram os que provocaram a morte de Jesus, por meio de acusações falsas, se não a classe dominante?

Selá. Quanto a esta palavra misteriosa, ver as notas expositivas sobre Sl 3.2.

■ **4.3**

וּדְעוּ כִּי־הִפְלָה יְהוָה חָסִיד לוֹ יְהוָה יִשְׁמַע בְּקָרְאִי אֵלָיו׃

Sabei, porém, que o Senhor distingue. Talvez haja aqui uma referência ao pacto davídico, no qual Davi foi escolhido, como rei especial, e em quem estaria investida a esperança messiânica. Ver sobre esse pacto em 2Sm 7.4. O homem *separado* para um propósito especial seria alguém cujas orações Deus ouviria e responderia. Em consequência, não se poderia brincar com ele. Davi descreveu a si mesmo como *piedoso* porque aceitava a lei como seu código de ética e conduta (ver notas expositivas em Sl 1.2). Ademais, ele era o objeto do amor que circundava o pacto estabelecido por Yahweh. *Sob os cuidados de Deus*, Davi estava seguro, e, finalmente, sua causa seria vindicada. Davi tinha consciência de ter sido escolhido por decreto divino para honra real e um pacto eterno, pelo que tinha especial confiança nos atos de Deus em seu favor. "É privilégio das naturezas verdadeiras e heroicas elevar-se a uma consciência de força e dignidade, nas horas de perigo" (Ellicott, *in loc.*).

Conta-se uma história acerca de George Patton, um dos principais generais americanos durante a Segunda Guerra Mundial. Em certa oportunidade, o avião no qual ele viajava ameaçou cair. Ele se mostrou ansioso diante do perigo, mas então se lembrou de sua missão. Sua ansiedade desapareceu imediatamente. Coisa alguma poderia prejudicá-lo, e coisa alguma o prejudicou. Mas quando sua missão terminou, e a guerra se acabou, ele morreu em um estúpido acidente de automóvel, na Alemanha. Tinha chegado a sua hora, sem dúvida.

■ **4.4** (na Bíblia hebraica corresponde ao **4.5**)

רִגְזוּ וְאַל־תֶּחֱטָאוּ אִמְרוּ בִלְבַבְכֶם עַל־מִשְׁכַּבְכֶם וְדֹמּוּ סֶלָה׃

Irai-vos, e não pequeis. Os homens rebeldes e ímpios são advertidos a reconsiderar o seu curso. Embora estivessem irados, não deveriam pecar. Não deveriam perder o controle próprio. Para evitar a catástrofe, aqueles homens de alta posição social tinham de restringir a própria ira, comungando com sua consciência (coração) para se certificar de que não cometeriam erros precipitados e fatais. Quando descansavam à noite, distantes da confusão e do rebuliço da vida diária, deveriam aproveitar os momentos de solidão e tranquilidade para reexaminar motivações e atitudes. Eles estavam atacando um homem bom a fim de agradar e servir a um homem ímpio. Tais atos não podiam deixar de ser percebidos pelo olhar divino. Eles estavam brincando com fogo. Se aqueles homens endireitassem seus caminhos com Deus, estariam em boas relações com Davi, abandonando suas intenções assassinas.

Irai-vos. A palavra hebraica é *rigzu*, a qual significa, basicamente, *tremer* (Sl 18.7), embora também possa significar *estar irado* (ver Is 28.21). Uma pessoa trêmula estaria *admirada diante de Deus*, e daria apoio a Davi.

Eles se estavam arriscando diante do Vingador. A revolta deles só poderia terminar em desastre. Ver Ef 4.26, onde temos a mesma palavra grega que aparece na Septuaginta, quanto a este versículo. A *ira* pode acender-se, mas os homens não devem permitir que o sol se ponha sobre essa ira, ou seja, a ira deve passar antes do anoitecer. A ira de longa duração transforma-se em atos de violência e crimes. À noite, em seus dormitórios, opressores, ímpios e homens irados devem ficar tranquilos e mudar de ideia quanto a planos violentos. O paralelo com a vida de Jesus é óbvio.

Selá. Ver sobre esta palavra nas notas expositivas de Sl 3.2.

■ **4.5** (na Bíblia hebraica corresponde ao **4.6**)

זִבְחוּ זִבְחֵי־צֶדֶק וּבִטְחוּ אֶל־יְהוָה׃

Oferecei sacrifícios de justiça. *Homens arrependidos*, que naturalmente tinham pecado em atitudes e atos, deviam oferecer os sacrifícios apropriados como expiação. Assim perdoados, podiam pôr sua confiança em Deus. Ver Sl 2.12, quanto a essa *confiança*. "Não sacrifícios hipócritas conforme Absalão oferecera (ver 2Sm 15.7-9), mas sacrifícios de expiação por suas más ações, em consonância com o princípio da justiça (ver Dt 33.19), acompanhados por uma *renúncia de todo o coração*, e resguardando-se de ira contra o rei escolhido por Deus (ver Sl 56.18; Pv 15.8)" (Fausset, *in loc.*). O *sacrifício* pressupõe uma mudança de coração. "Nenhum sacrifício, nenhuma realização de dever religioso valerá coisa alguma para homem algum se seu coração não estiver correto com Deus" (Adam Clarke, *in loc.*).

"A cerimônia na qual este salmo era usado evidentemente incluía sacrifício (vs. 5) e talvez até passar a noite no templo (vs. 8). Cf. Sl 3.5" (*Oxford Annotated Bible*, comentando este versículo). "Sacrifícios de *justiça* significam sacrifícios requeridos pela lei mosaica, que é santa." Cf. Sl 51.19 e ver Dt 33.19. Ver também Is 41.8. "Os sacrifícios de justiça eram aqueles oferecidos de acordo com a lei, da maneira correta, contanto que os animais oferecidos não apresentassem aleijão nem tivessem mácula alguma" (Ml 1.13,14) (John Gill, *in loc.*, que prosseguiu a fim de cristianizar o versículo e falar do sacrifício final de Cristo).

■ **4.6** (na Bíblia hebraica corresponde ao **4.7**)

רַבִּים אֹמְרִים מִי־יַרְאֵנוּ טוֹב נְסָה־עָלֵינוּ אוֹר פָּנֶיךָ יְהוָה׃

Há muitos que dizem. *As amargas experiências da vida* levam muitos a clamar em alta voz, algumas vezes desesperadamente: "Quem nos mostrará o bem?" Em seguida, pedem que Yahweh, sua única esperança, faça brilhar sobre eles o resplendor de sua luz. Nessa iluminação, o bem é trazido sobre a face deles. Oh, Senhor, concede-nos tal graça! Os gregos, quando em desespero, entregavam as coisas "aos deuses e à oração". Faz parte de uma boa teoria dizer: "Deus está no trono, e tudo está bem no mundo". Algumas vezes, entretanto, precisamos de *demonstrações específicas* desse princípio. Ver no *Dicionário* o artigo intitulado *Providência de Deus*. A oração, naturalmente, é o instrumento desse apelo, e o Espírito é o agente dessa *iluminação*. Isso nos ensina o *teísmo* (ver a respeito no *Dicionário*). O Criador continua presente em sua criação, intervindo na história humana, recompensando piedosos e castigando ímpios. Isso deve ser contrastado com o *deísmo* (ver também no *Dicionário*), o qual ensina que Deus abandonou sua criação e a deixou entregue aos cuidados das leis naturais. Mas a lei natural, apesar de algo admirável, tem muitos lapsos e defeitos. Algumas vezes, precisamos ver a face de Deus para saber melhor o que fazer. Esse é o *misticismo* corretamente compreendido. Ver sobre esse termo no *Dicionário*.

Se uma pessoa nos saúda com um rosto brilhante e alegre, ela ganha nossa confiança. Temos então certeza de que coisas boas podem acontecer. Quando recebemos a iluminação do Senhor, somente o bem pode decorrer daí. Essas palavras sobre a *fisionomia* de Deus (cf. Sl 67.1) nos fazem lembrar da bênção sacerdotal de Nm 6.24-26:

> *O Senhor te abençoe e te guarde; o Senhor faça resplandecer o seu rosto sobre ti, e tenha misericórdia de ti; o Senhor sobre ti levante o seu rosto, e te dê a paz.*

■ **4.7** (na Bíblia hebraica corresponde ao **4.8**)

נָתַתָּה שִׂמְחָה בְלִבִּי מֵעֵת דְּגָנָם וְתִירוֹשָׁם רָבּוּ׃

Mais alegria me puseste no coração. *A colheita* é um tempo de regozijo, por ser a culminância de muito trabalho, e apresenta a continuação da vida. Maior que a alegria da época, foi a alegria do coração de Davi quando ele viu o livramento com que Yahweh o salvou de seus inimigos. Sua alegria excedia à corriqueira alegria humana. Houve nessa alegria algo do Ser *divino*, porquanto Davi sabia que Deus tinha intervindo em seu favor, que a presença de Deus se havia manifestado. Havia certa grandeza na alegria de Davi. No versículo não há menção alguma de que houvera uma má colheita, mas, antes, que, de alguma maneira, Deus a havia providenciado. Este, porém, não é o assunto do versículo. A figura da colheita foi escolhida porque esta representava o episódio mais feliz da comunidade. Todavia, havia uma alegria ainda maior do que essa.

> *Quem sai andando e chorando enquanto semeia, voltará com júbilo, trazendo os seus feixes.*
>
> Salmo 126.6

> *... alegram-se eles diante de ti, como se alegram na ceifa...*
>
> Isaías 9.3

■ **4.8** (na Bíblia hebraica corresponde ao **4.9**)

בְּשָׁלוֹם יַחְדָּו אֶשְׁכְּבָה וְאִישָׁן כִּי־אַתָּה יְהוָה לְבָדָד לָבֶטַח תּוֹשִׁיבֵנִי׃

Em paz me deito e logo pego no sono. Cf. Sl 3.5. A alma perturbada tem dificuldades para dormir, mas o sono torna-se fácil para o homem que está contente e seguro. Em meio a inimigos ferozes que lhe ameaçavam a vida, Davi foi capaz de descansar em paz, como se estivesse "seguro nos braços de Jesus", conforme diz certo hino evangélico. "Verdadeira alegria e paz dependem não das circunstâncias, mas da proteção e das provisões de Deus. Cf. Sl 5.22 e Rm 14.17" (Allen P. Ross, *in loc.*). A *alegria* é um dos aspectos do fruto do Espírito, conforme assevera a Epístola aos Gálatas. Trata-se de um cultivo do Espírito e é algo essencialmente espiritual, e não circunstancial.

"Ele pode ter sido um grande estadista, mas naquela noite era uma criança, um filho confiante de Deus, um dos entes amados a quem Deus deu por fim em seu sono" (J. R. P. Sclater, *in loc.*). Martinho Lutero tinha um amor especial pela parte final do Salmo 4 e pediu que Ludviz Teuffel o musicasse, para servir de réquiem na ocasião de sua morte.

"Quão poucos se deitam em paz com sua consciência e com Deus. Davi gozava de duas grandes bênçãos: descanso no sono e paz na alma" (Adam Clarke, *in loc.*). "... cercado pelo favor de Deus, rodeado por seu poder. Ver Dt 33.28" (John Gill, *in loc.*).

Assim que se deitou, Davi foi capaz de pegar no sono. O Senhor havia preparado para ele tanto segurança quanto alegria, enquanto seus inimigos rugiam "lá fora".

> *Israel, pois, habitará seguro,*
> *a fonte de Jacó habitará a sós,*
> *numa terra de grão e vinho;*
> *e os céus destilarão orvalho.*
> *Feliz és tu, ó Israel!*
>
> Deuteronômio 33.28,29a

SALMO CINCO

Quanto a *informações gerais* que se aplicam a todos os salmos, ver a introdução ao Salmo 4. Provi *sete* comentários que são úteis para a compreensão do livro de Salmos.

Este *quinto salmo* representa uma oração oferecida durante os sacrifícios matinais. Ver no *Dicionário* o detalhado artigo intitulado *Sacrifícios e Ofertas*. Ver também o verbete *Sacrifício Vespertino*, onde discuto os sacrifícios matinais e vespertinos. Ver o vs. 3. Esse versículo deixa claro que o cantar ou recitar de tais salmos estava incluído na adoração do templo de Jerusalém. O ministério da música era parte importante da adoração do antigo Israel. Sua introdução foi atribuída a Davi, que desenvolveu tanto hinos para serem cantados, como instrumentos musicais a serem empregados para acompanhar os cânticos. Ver 1Cr 25, quanto às ordens de levitas apontados para o ministério da música sacra.

As orações de Davi, de manhã e à tarde, incorporavam apelos de livramento dos inimigos, o principal tema dos Salmos 3 e 4. Cinco estrofes incorporam as orações. Os bons têm de ser abençoados; os ímpios têm de ser destruídos. Devemos relembrar que os tempos eram de grande brutalidade, e sobreviver diariamente era uma preocupação constante. Davi tinha adversários dentro e fora do território de Israel. Ele conseguiu derrotar *oito* inimigos de Israel (ver as notas em 2Sm 10.19), mas muitos inimigos pessoais, dentro do acampamento, levantaram-se para tomar seu lugar. A verdadeira paz só ocorreu na época de Salomão. Portanto, suas orações, naturalmente, clamavam por segurança, bem como pela derrota de seus inimigos.

Classificações dos Salmos: Ver o gráfico no início do comentário do livro, que atua como uma espécie de introdução aos salmos. Dou ali dezessete classificações, e listo os salmos que pertencem a cada uma delas.

Este é um salmo de *lamentação*, dos quais há cerca de sessenta, dentre a coletânea de 150 hinos.

O *subtítulo* diz-nos que este salmo pertencia a Davi e era dirigido ao chefe do cântico. Quanto a informações sobre os subtítulos, ver o ponto sexto das *informações gerais* sobre todos os salmos providos na introdução ao Salmo 4. O significado do termo *Neheloth,* no subtítulo do Salmo 5, é controverso. Alguns estudiosos dizem que não estão em foco instrumentos musicais, afirmando que essa palavra significa *herança,* em referência ao caráter do salmo. Outros eruditos veem vários tipos de instrumentos. Mas a Septuaginta retém a ideia de herança. Esse salmo deveria ser musicado em "favor daquele que obtiver a herança". A Vulgata concorda com isso. De fato, *nachal* significa "herdar". Israel obteve herança na terra santa, enquanto a nossa herança está em Cristo (ver Rm 8.16,17). A nossa versão portuguesa da Bíblia, entretanto, dá *flautas* como o significado da palavra. Concordando com isso, John Gill (*in loc.*) afirmou que estão em vista instrumentos de sopro, em lugar de instrumentos de corda, as *Neginoth* (ver a introdução ao Salmo 4). Mas Gill adicionou que aquilo que está em foco "cabe a cada um conjecturar".

■ **5.1** (na Bíblia hebraica corresponde ao **5.1,2**)

לַמְנַצֵּחַ אֶל־הַנְּחִילוֹת מִזְמוֹר לְדָוִד׃
אֲמָרַי הַאֲזִינָה יְהוָה בִּינָה הֲגִיגִי׃

Dá ouvidos, Senhor. Este salmo, como muitos outros, começa com um apelo urgente, e aqui o salmista se expressa por meio de gemidos. Cedo pela manhã, ele tinha de solicitar a proteção contra os ímpios que o assediavam. O salmista prostrou-se no templo, com o coração pesado e a mente perturbada. Ele orou na direção do Lugar Santo (vs. 7), o local da arca sagrada onde a presença de Deus se manifestava.

Também o Espírito, semelhantemente, nos assiste em nossa fraqueza; porque não sabemos orar como convém, mas o mesmo Espírito intercede por nós sobremaneira com gemidos inexprimíveis.

Romanos 8.26

■ **5.2** (na Bíblia hebraica corresponde ao **5.3**)

הַקְשִׁיבָה לְקוֹל שַׁוְעִי מַלְכִּי וֵאלֹהָי כִּי־אֵלֶיךָ אֶתְפַּלָּל׃

Escuta, Rei meu e Deus meu. A oração era uma "petição de ajuda", dirigida a Yahweh, Deus e Rei de Davi. Cf. Sl 44.4; 68.24; 74.12 e 84.3. Davi voltou-se à "mais alta autoridade", porquanto precisava de uma intervenção divina em sua vida.

"Quando tenho poder para orar e pedir as coisas de que preciso, então, ó Senhor, dá ouvidos às minhas *palavras*. Mas a verdade é que não tenho poder para pleitear diante de ti, e o temor apossa-se de meu coração. Portanto, ó Senhor, considera os meus *gemidos*" (Jarchi).

Ele, Jesus, nos dias de sua carne, tendo oferecido, com forte clamor e lágrimas, orações e súplicas a quem o podia livrar da morte, e tendo sido ouvido por causa da sua piedade, embora sendo Filho, aprendeu a obediência pelas cousas que sofreu.

Hebreus 5.7,8

Davi foi o *rei* de Israel (ver 1Rs 15.3), mas em sua aflição pleiteou diante do Rei dos reis, o Poder da corte celeste. Isso é correto, pois nele vivemos e nos movemos, e temos o nosso ser (ver At 17.28).

■ **5.3** (na Bíblia hebraica corresponde ao **5.4**)

יְהוָה בֹּקֶר תִּשְׁמַע קוֹלִי בֹּקֶר אֶעֱרָךְ־לְךָ וַאֲצַפֶּה׃

De manhã, Senhor, ouves a minha voz. Davi começava seus dias com uma oração, um excelente hábito. Ele participava dos sacrifícios matinais, e aproveitava esse momento sagrado para enviar seu apelo à corte celeste. Ver no *Dicionário* o artigo chamado *Sacrifício Vespertino,* que presta informações sobre os sacrifícios matinais e vespertinos. Ver também o artigo geral denominado *Sacrifícios e Ofertas.* Além disso, ver o verbete chamado *Orações.* Homens espirituais têm experimentado o poder da oração. Verdadeiramente, em certas ocasiões, ocorrem grandes coisas através da oração. Deus intervém. Quando isso não acontece, devemos continuar orando. As circunstâncias podem mostrar-nos o caminho, mas algumas vezes precisamos de uma intervenção divina. "Se não nos for dada uma resposta imediata, que o coração do homem reto não suponha que sua oração não tenha sido ouvida. Pois a oração encontrou seu caminho até o trono da graça e ficou ali registrada" (Adam Clarke, *in loc.*). É conforme diz certo hino evangélico: "Acredito que a menor oração pode ser ouvida acima do temporal".

"A oração é a oblação espiritual que o crente apresenta pela manhã, a *primeira coisa* que ele faz a cada dia. Esse era o costume dos hebreus. As duas outras ocasiões em que se ofereciam orações eram ao meio-dia e no fim do dia (ver Sl 55.17)" (Fausset, *in loc.*).

■ **5.4** (na Bíblia hebraica corresponde ao **5.5**)

כִּי לֹא אֵל־חָפֵץ רֶשַׁע אָתָּה לֹא יְגֻרְךָ רָע׃

Pois tu não és Deus que se agrade com a iniquidade. Homens *iníquos* planejavam contra a vida do rei; mas Deus sabia de tudo e não permitiria que algum evento inesperado ocorresse. Por sua vez, Davi sabia que só a intervenção divina salvaria a sua vida, porquanto os inimigos eram muitos, brutais, e estavam resolvidos a matar. Davi tinha a convicção instintiva de que um homem reto pode *raciocinar com o Senhor,* como faz com um amigo (cf. Gn 18.23-33; Jó 13.17-28). Além disso, Deus odeia aqueles que realizam atos ímpios e destruidores, e automaticamente estaria contra os adversários de Davi (vss. 5 e 6). Seu papel seria reduzi-los a nada (vs. 6). "As pessoas presunçosas e cheias de si, que não evitam nem o assassinato nem o engano, são odiadas e destruídas por Deus. Tais pessoas são inteiramente detestáveis a Deus" (Allen P. Ross, *in loc.*).

Seis palavras exprimem a natureza dos ímpios nesta passagem: arrogância; iniquidade; insensatez; sanguinolência; engano; mentiras. O Todo-poderoso Deus é inimigo natural desses homens, dotados de tão nefastos atributos. Eles não podem habitar com Deus em seu lugar santo, e não há paz para eles na terra, que é o estrado dos pés divinos. Mas Deus habita com os piedosos (ver Is 57.15).

■ **5.5** (na Bíblia hebraica corresponde ao **5.6**)

לֹא־יִתְיַצְּבוּ הוֹלְלִים לְנֶגֶד עֵינֶיךָ שָׂנֵאתָ כָּל־פֹּעֲלֵי אָוֶן׃

Os arrogantes não permanecerão à tua vista. Das *seis palavras* usadas para caracterizar os pecadores, este versículo contém duas: eles são arrogantes e praticam a iniquidade. Deus os destruirá, porquanto os *odeia*. Está em pauta a *ira de Deus* (ver no *Dicionário*). Ver Rm 9.13. Ver também no *Dicionário* o artigo chamado *Lei Moral da Colheita segundo a Semeadura.*

Semeai um hábito, e colhereis um caráter.
Semeai um caráter, e colhereis um destino.
Semeai um destino, e colhereis... Deus.

Prof. Huston Smith

"É um tolo e um louco aquele que perde o fôlego atrás de nenhum prêmio, em sua luta contra o Todo-poderoso. Isso é o que fazem todos os ímpios. Portanto, todo homem iníquo é um tolo e um louco" (Adam Clarke, *in loc.*).

Diz o insensato no seu coração: Não há Deus. Corrompem-se e praticam abominação.

Salmo 14.1

■ **5.6** (na Bíblia hebraica corresponde ao **5.7**)

תְּאַבֵּד דֹּבְרֵי כָזָב אִישׁ־דָּמִים וּמִרְמָה יְתָעֵב יְהוָה׃

Tu destróis os que proferem mentira. A *ira de Deus* destruirá prontamente os ímpios, embora, de acordo com a nossa maneira de computar o tempo, isso possa parecer muito demorado. Os *mentirosos* não sobreviverão aos açoites de Deus. Os sanguinolentos, que aleijam e matam, serão aleijados e mortos. Os *enganadores* não serão capazes de ocultar seu jogo pervertido. Antes, serão desmascarados e executados. Das *seis palavras* que descrevem os pecadores, este versículo contém *três*. Ver as notas no vs. 4 para uma lista dessas palavras. Homens ímpios e desarrazoados vão piorando cada vez mais. Eles acumulam atributos profanos e tornam-se culpados de inúmeros crimes.

Um estudo sobre a criminalidade nos Estados Unidos da América revelou que os chamados "ofensores primários", quando são finalmente apanhados, já cometeram crimes suficientes para serem enviados à prisão por cem anos!

> Vivem,
> Pensam que vivem,
> Embora não tenham conhecido a vida.
> Fazem suposições,
> Querem dominar tudo,
> Mas esquecem de dar o primeiro passo
> Para o domínio do mundo interior.
> Eu penso que um dia
> Todos se voltarão
> Para a própria alma.
> Por enquanto não passam de estátuas,
> Que querem ser colocadas no alto
> Para serem adoradas.
> Pobre humanidade ausente!
>
> Maria Cristina Magalhães

■ **5.7** (na Bíblia hebraica corresponde ao **5.8**)

וַאֲנִי בְּרֹב חַסְדְּךָ אָבוֹא בֵיתֶךָ אֶשְׁתַּחֲוֶה אֶל־הֵיכַל־קָדְשְׁךָ בְּיִרְאָתֶךָ:

Porém eu, pela riqueza da tua misericórdia. *Em violento contraste* com os ímpios, estava Davi, que entrava humildemente no tabernáculo, a casa de Deus, inclinando a cabeça em súplica ao Poder supremo, para que fosse protegido de poderes malignos nas suas portas. Na casa de Deus, ele encontraria misericórdia em seu tempo de crise. Temendo a Deus, mas não ao homem, ele adoraria o Todo-poderoso, que controla todas as coisas com as próprias mãos, e cuja providência era sua porção diária. Ver sobre a *Providência de Deus* no *Dicionário*. Davi não exaltou suas próprias virtudes, para contrastá-las com os maus atributos dos ímpios. Ele se gloriava em Deus, e não em si mesmo. Sua suficiência estava no Todo-poderoso. Davi vivia cheio com a suficiência de Deus.

> Tal como os rios buscam um mar que não podem encher,
> Mas eles mesmos são cheios no abraço do mesmo,
> Absorvidos, em descanso, cada rio é regado,
> Concede-nos essa graça.
>
> Cristiana G. Rossetti

E me prostrarei. No hebraico original temos uma palavra que significa "adorar", no sentido de "prostrar-se". Isso simboliza a atitude certa de um homem ao buscar a presença de Deus. Entrementes, os ímpios vangloriam-se como um bando de loucos e arrogantes.

■ **5.8** (na Bíblia hebraica corresponde ao **5.9**)

יְהוָה נְחֵנִי בְצִדְקָתֶךָ לְמַעַן שׁוֹרְרָי הוֹשַׁר לְפָנַי דַּרְכֶּךָ:

Senhor, guia-me na tua justiça. *Davi, homem assediado*, ameaçado por inimigos poderosos, necessitava da *liderança* especial e protetora do Deus que dirige os destinos dos homens. Nisso residia a sua esperança, para que ele não morresse de forma estúpida e prematura, somente porque assim desejavam os ímpios. Deus teve de revelar a Davi como agir e viver, conservando seus inimigos à distância. Davi precisava da iluminação divina para saber o que deveria fazer.

O poeta podia agora voltar-se com toda a confiança para os seus inimigos. Ele tinha uma proteção que faria estancar todos os seus ataques. Seria capaz de evitar planos astutos e continuar a caminhar pelas veredas da justiça, em obediência à lei (ver Sl 1.2, quanto à natureza e ao uso da lei). Ele teria uma longa e próspera vida, enquanto Deus poria fim a seus adversários. Ele cumpriria a sua missão, mas a vida de seus inimigos seria cortada prematuramente.

Uma Metáfora. Podemos entender este versículo metaforicamente. O homem piedoso tem muitos inimigos, por dentro e por fora, que podem perturbar sua vida e tentar levá-lo por caminhos errôneos.

"Davi era muito sensível ao fato de que o caminho do homem não está em si mesmo, e de que ele não era capaz de dirigir os próprios passos. Por conseguinte, desejava ser guiado pelo Senhor, conduzido pela mão direita de Deus, em retidão, e mantido em *seus caminhos*" (John Gill, *in loc.*).

■ **5.9** (na Bíblia hebraica corresponde ao **5.10**)

כִּי אֵין בְּפִיהוּ נְכוֹנָה קִרְבָּם הַוּוֹת קֶבֶר־פָּתוּחַ גְּרֹנָם לְשׁוֹנָם יַחֲלִיקוּן:

Pois não têm eles sinceridade nos seus lábios. Os ímpios são totalmente *pragmáticos* ao decidir o que é mais vantajoso para eles, desconsiderando qualquer padrão de verdade. Além disso, suas mentiras são propositadamente destruidoras: eles dizem mentiras para ferir e matar. São verdadeiros filhos do diabo, o pai dos mentirosos e assassinos (ver Jo 8.44). Note-se como esse versículo combina a mentira com o assassinato. Os pecadores "se professam amigos, mas tudo é oco e enganador" (Adam Clarke, *in loc.*). Até suas lisonjas são apenas meios de obter vantagens pessoais, procurando prejudicar seus semelhantes.

O *coração* deles promovem a destruição. Eles não têm escrúpulos e são traidores. Brutais e insensíveis, são desavergonhadamente depravados.

A sua garganta é sepulcro aberto. Na Palestina, os sepulcros eram feitos escavando-se um buraco na rocha ou no chão. Quando, por negligência, ficavam descobertos, podiam causar morte ou ferimentos aos que se aproximassem sem saber de sua existência. No Antigo Testamento, não são poucas as referências aos efeitos mortíferos da calúnia, do falso testemunho e da mentira. Cf. Sl 7.4; 52.2; 64.3; Pv 18.21 e Jr 9.8. A garganta aparece aqui como o instrumento da fala que se torna como um sepulcro devorador, a consumir suas vítimas. Paulo cita essa parte do versículo em Rm 3.13, onde as palavras são associadas a mentiras destruidoras e venenosas.

> Senhor, disse eu:
> Jamais eu poderia matar um meu semelhante;
> Crime de tal grandeza cabe a um selvagem somente,
> É o crescimento venenoso de mente maligna,
> Ato alienado do mais indigno.
> Senhor, disse eu:
> Jamais eu poderia matar um meu semelhante;
> Um ato horrível de raiva sem misericórdia,
> Punhalada irreversível de inclinações perversas,
> Ato não imaginável de plano ímpio.
>
> Disse o Senhor a mim:
> Uma palavra sem afeto, lançada contra vítima que odeias,
> É um dardo abrindo feridas de dores cruéis,
> Bisbilhotice corta o homem pelas costas,
> Um ato covarde que não podes retirar.
> Ódio no teu coração, ou inveja levantando sua horrível cabeça,
> é um desejo secreto de ver alguém morto.
>
> Russell Champlin

Com a língua lisonjeiam. Ver a expressão em Sl 12.1, onde há notas expositivas sobre os "lábios suaves" dos ímpios. Literalmente, seus lábios eram "suaves".

■ **5.10** (na Bíblia hebraica corresponde ao **5.11**)

הַאֲשִׁימֵם אֱלֹהִים יִפְּלוּ מִמֹּעֲצוֹתֵיהֶם בְּרֹב פִּשְׁעֵיהֶם הַדִּיחֵמוֹ כִּי־מָרוּ בָךְ:

Declara-os culpados, ó Deus. Os homens cortam-se e queimam-se e promovem violência uns contra os outros de tal modo que precisam pagar por seus crimes, por serem, eles mesmos, vítimas da violência, mas violência da parte do Senhor, que julga os seres humanos. Davi pediu ao Senhor que seus opressores não conseguissem escapar com seus crimes, enquanto o olho divino não estivesse olhando para eles. Os ímpios precisam "carregar a própria culpa", isto é, receber o que merecem, tal como a *lex talionis* (ver a respeito no *Dicionário*). Ver também no *Dicionário* o artigo chamado *Lei Moral da Colheita segundo a Semeadura*.

Aqueles que preparavam armadilhas para outros (tomando conselho contra eles) haveriam de cair no laço, tanto o laço armado por eles mesmos, como por outras pessoas. Seriam apanhados de surpresa e terminariam vítimas do ódio e da violência. Esses tinham enchido a taça da iniquidade, e sua queda ocorreria em breve. Ver as notas expositivas em Gn 15.16.

Os chamados *salmos imprecatórios* enfatizam a lei da colheita segundo a semeadura, impondo essa colheita em termos semelhantes e, algumas vezes, impondo os mesmos modos de sofrimento. O *pacto abraâmico* (ver as notas expositivas em Gn 15.18) envolvia maldição da parte de não participantes. Mas o clamor de imprecação não é apropriado para o crente do Novo Testamento. Ver Rm 12.19, que diz:

> Não vos vingueis a vós mesmos, amados, mas dai lugar à ira; porque está escrito: A mim me pertence a vingança; eu retribuirei, diz o Senhor.

Jesus recomendou que amássemos nossos "inimigos" (ver Mt 5.44), mas quem conseguiu amar os próprios inimigos senão o Senhor Jesus?

Ver outros exemplos de *imprecações* nos Salmos 35, 59 e 109.

■ **5.11** (na Bíblia hebraica corresponde ao **5.12**)

וְיִשְׂמְחוּ כָל־חוֹסֵי בָךְ לְעוֹלָם יְרַנֵּנוּ וְתָסֵךְ עָלֵימוֹ וְיַעְלְצוּ בְךָ אֹהֲבֵי שְׁמֶךָ׃

Mas regozijem-se todos os que confiam em ti. Regozijar-se com gritos de alegria é característica daqueles que *confiam* em Deus. Ver Sl 2.12, quanto a notas sobre o significado dessa *confiança*. Os santos que se regozijam estabelecem violento contraste com o mal que espera pelos ímpios. Parte da *alegria* do homem bom ocorre porque Deus julgou os seus opressores. Essa é uma boa doutrina veterotestamentária, embora não seja tão boa à luz do Novo Testamento. Seja como for, a vindicação dos justos é algo bom em si mesmo, tanto quanto uma razão para os justos agradecerem a Deus. "A vindicação do salmista seria uma nova demonstração da bondade de Deus a seus servos fiéis, visto que a força da fé apoia-se no fato de que Deus abençoa os justos e os defende 'como se fosse um escudo'" (William R. Taylor, *in loc.*).

Folguem de júbilo para sempre. A *Revised Standard Version* mostra-se correta aqui na tradução, embora a maior parte das versões não mencione o ato de "cantar". Mas esse ato é referido por mais de setenta vezes no livro de Salmos. Trata-se de uma maneira natural de expressar *alegria*. Este versículo é a primeira referência ao ato de cantar no livro de Salmos.

Em ti. O nome do Senhor é mencionado nada menos de cem vezes nos Salmos. A palavra "nome" refere-se à pessoa do Senhor, ao seu caráter intrínseco e aos seus atributos externos, revelados à humanidade. Precisamos amar o Ser divino, bem como as realidades divinas.

Os que amam o teu nome. As pessoas realmente piedosas amam o nome de Deus, mas homens menores não experimentam esse estado ou emoção. Guardar a lei (ver Sl 1.2) ou nela *deleitar-se* é a maneira veterotestamentária de amar a Deus, o Doador da lei. Ver notas expositivas em Sl 1.2.

Os *homens ímpios* amam vãs palavras e atos de violência e depravação e também muitos *vícios* (ver o artigo no *Dicionário*). O amor a Deus consiste em guardar os seus mandamentos (ver 1Jo 5.3), e o indivíduo realmente nascido de Deus ama as outras pessoas (ver 1Jo 4.7) e, através delas, ama a Deus. Alguns místicos elevam-se em êxtase ao lugar onde podem louvar diretamente a Deus, mas essa experiência é estranha à maioria dos homens. Alguns cristãos, entretanto, conseguem amar a Jesus, o Cristo, e isso também é amor a Deus. Ver no *Dicionário* o artigo geral intitulado *Amor*.

> Eu tencionava chegar até Deus
> E para Deus eu me apressei deveras;
> Pois no seio de Deus, meu próprio lar,
> Chegaram multidões em glória ofuscante,
> E por fim fiz ali descansar o eu espírito.
>
> Johannas Agrícola

■ **5.12** (na Bíblia hebraica corresponde ao **5.13**)

כִּי־אַתָּה תְּבָרֵךְ צַדִּיק יְהוָה כַּצִּנָּה רָצוֹן תַּעְטְרֶנּוּ׃

Pois tu, Senhor, abençoas o justo. Parte da *bênção geral* dos justos consiste em contarem eles com a proteção de Deus.

> Porque a mim se apegou com amor, eu o livrarei; pô-lo-ei a salvo, porque conhece o meu nome.
>
> Salmo 91.14

> Porque aos seus anjos dará ordens a teu respeito, para que te guardem em todos os teus caminhos.
>
> Salmo 91.11

Como escudo. No hebraico temos a palavra *tsinnah*, escudo grande e longo, apropriado para o uso por parte de uma pessoa de estatura gigantesca (1Sm 17.7,14). Esse escudo visava proteger o corpo inteiro do soldado, pelo que é devidamente referido como símbolo da completa proteção oferecida aos homens bons. Lutero, quando enfrentava tribulações em Augsburgo, onde recebia a proteção de seu patrono, o eleitor da Saxônia, ao ser indagado sobre quem o protegeria se o eleitor o abandonasse, replicou: "O escudo do céu".

> Tende bom ânimo. Sou eu. Não temais!
>
> Mateus 14.27

Este versículo deve ser comparado a Sl 3.3, onde a imagem do escudo também é empregada. Ver Ef 6.12 ss., especialmente o vs. 16, onde o escudo simboliza a *fé*, capaz de deter todos os dardos inflamados do maligno. Cf. também Zc 3.17 e Rm 8.38,39. A vida cristã é comparada a uma guerra, e os inimigos são entidades espirituais do mal, e não meramente tiranos físicos.

SALMO SEIS

Quanto a *informações gerais* que se aplicam a todos os salmos, ver a introdução ao Salmo 4. Provi *sete* comentários úteis para a compreensão do livro.

Muitos dos salmos são *pedidos desesperados de ajuda*, usualmente solicitando livramento de atos praticados por homens iníquos que tinham o intuito de ferir e matar. O Salmo 6 é igualmente um pedido de ajuda, em oração; mas agora o matador potencial revelava-se em forma de uma *enfermidade* física. Os hebreus temiam os fenômenos psíquicos, porquanto pensavam que algo de diabólico poderia estar nessas manifestações (ver Dt 18.9-12). Mas também temiam e até desprezavam os médicos e a medicina natural. Em primeiro lugar, pensavam que apelar para a cura natural era uma afronta ao Curador sobrenatural, Yahweh, o verdadeiro Médico do corpo: "Ele é quem perdoa todas as tuas iniquidades; quem sara todas as tuas enfermidades" (Sl 103.3). Naturalmente, os antigos médicos frequentemente apelavam para encantamentos mágicos em suas curas, e não meramente para a medicina natural, baseada em ervas. Isso era razão suficiente para os hebreus rejeitarem os médicos e suas práticas; mas o apelo à medicina *natural*, de acordo com a mente dos hebreus, era motivado pela ausência de fé. Algumas pessoas continuam a compartilhar essa atitude ridícula até hoje. Ademais, as forças psíquicas são forças naturais. Ver na *Enciclopédia de Bíblia, Teologia e Filosofia* o verbete intitulado *Parapsicologia*. Naturalmente, afirmar que essa forma de cura é natural, em muitos casos, não equivale a negar que existem forças psíquicas malignas. Seja como for, quando se tratava de cura do corpo físico, os hebreus supunham que ao homem bom bastava invocar Deus e deixar os médicos fora da questão.

Conforme se vê em Sl 103.3, de acordo com a mente dos hebreus, os *pecados* estavam intimamente associados às enfermidades. O salmo diante de nós reflete essa atitude, uma vez que os enfermos indagam por que Yahweh os estaria repreendendo (vs. 1). As enfermidades eram consideradas resultado da *ira* de Deus. Esse salmo tem sido interpretado por algumas almas sofredoras, e por certas pessoas avessas à questão, como um salmo espiritual, e talvez até demoníaco; mas esse não parece ser o seu intuito. Como é lógico, podemos fazer esse tipo de *aplicação* sem abandonar a interpretação principal.

De acordo com o antigo pensamento dos hebreus, Deus era a *única causa,* pelo que, mesmo que alguma agência física fosse considerada a força por trás da enfermidade em pauta, a causa final era o próprio Deus. A teologia dos hebreus era fraca quanto a *causas secundárias,* mas até hoje alguns cristãos continuam a perpetrar essa teologia inferior. Para exemplificar, os hipercalvinistas fazem tudo da predestinação, e os curadores psíquicos dizem que todas as enfermidades têm causas espirituais. Ambas as teologias são, obviamente, deficientes e exageradas. O livre-arbítrio do homem é uma bendita realidade, e sem ele não pode haver *responsabilidade.* Mas também é bom tomar uma injeção de antibiótico, se ela vai curar uma infecção no corpo. É uma estupidez ver demônios em tudo. Meus amigos, já vi uma injeção de penicilina fazer efeito, quando a oração nada pôde, pelo que louvemos Deus pela penicilina. Deus ilumina a mente dos cientistas, e não apenas a mente de certos indivíduos religiosos.

Quanto a outros salmos relacionados à cura física, ver os Salmos 30, 32, 88, 103 e 116.

O *subtítulo* faz deste um dos salmos de Davi e diz-nos que ele foi musicado para ser acompanhado por *instrumentos de cordas,* sendo endereçado ao mestre do canto. O termo hebraico *shiminith* sugere um instrumento com *oito* cordas. A maioria dos autores hebreus sugere que se trate de uma harpa com oito cordas. Cf. 1Cr 15.21. Existem outras interpretações dessa palavra, como, literalmente, "oitava". Alguns pensam que se refere a um poema com oito estrofes; ou então que deveria ser entoado no oitavo dia, presumivelmente no dia da circuncisão. Alguns cristãos antigos referiam-se à *oitava era,* ou milênio, antecipada como um poema, e pensavam que esse salmo tinha valor místico nessa referência. Mas o mais provável é que esteja mesmo em foco a harpa de oito cordas.

Não podemos encontrar nenhum acontecimento específico na vida de Davi que possa ter provocado a composição desse salmo, mas Davi, provavelmente, passou por algumas enfermidades ameaçadoras que o Antigo Testamento não registrou. Por outra parte, os subtítulos, inseridos por editores muito tempo depois de os salmos terem sido compostos, usualmente são apenas suposições no que diz respeito à autoria ou às circunstâncias históricas que cercam determinado salmo. Por certo nada há de autoritário em torno dessas suposições, embora, sem dúvida, algumas vezes elas contenham informações válidas.

Alguns intérpretes cristãos relacionam este salmo com o Salmo 51 (Davi estava espiritualmente enfermo e solicitava a cura divina), mas tal conexão provavelmente não é verdadeira.

Classificação dos Salmos. Ver o gráfico existente no início do comentário sobre o livro de Salmos, que atua como uma espécie de frontispício. Dou ali dezessete classes e listo os salmos que pertencem a cada uma delas. O Salmo 6 é um dos salmos de lamentação, dos quais há mais de sessenta na coletânea de 150 salmos.

■ **6.1** (na Bíblia hebraica corresponde ao **6.1,2**)

לַמְנַצֵּחַ בִּנְגִינוֹת עַל־הַשְּׁמִינִית מִזְמוֹר לְדָוִד׃

יְהוָה אַל־בְּאַפְּךָ תוֹכִיחֵנִי וְאַל־בַּחֲמָתְךָ תְיַסְּרֵנִי׃

Senhor, não me repreendas na tua ira. *O salmista estava enfermo, à beira da morte,* e lançou a culpa dessa enfermidade nos seus *pecados,* devido aos quais estava sendo castigado. Havia íntima conexão entre as enfermidades físicas e os pecados, dentro do pensamento dos hebreus.

> *Quem perdoa todas as tuas iniquidades,*
> *quem sara todas as tuas enfermidades.*
> Salmo 103.3

Algumas enfermidades ocorrem como *resultado natural* do pecado, e outras, sem dúvida, decorrem da operação da *Lei Moral da Colheita segundo a Semeadura* (ver a respeito no *Dicionário*). O assunto, porém, tem sido submetido a exageros, embora pareça não haver dúvida de que essa questão estivesse presente na mente dos hebreus. A mesma atitude mental impedia que as pessoas vissem curas naturais perpetradas pelos médicos, quando elas dependiam exclusivamente da cura divina. Falei sobre a questão, detalhadamente, na introdução a este salmo. Ver no *Dicionário* o verbete chamado *Cura,* quanto a uma detalhada descrição sobre esse tema.

Não sabemos dizer se o autor do Salmo 6 foi Davi ou não. O subtítulo o identifica assim, mas nessas notas expositivas temos, em sua maior parte, conjectura e fantasia. Usualmente os inimigos estavam do "lado de fora", ou homens iníquos dentre as nações pagãs (inimigas de Israel), ou homens rebeldes e facciosos dentre o povo de Israel. Aqui, porém, o inimigo é interno e físico. Seja como for, se a ira de Deus continuasse por mais tempo, a enfermidade de Davi seria fatal, pelo que o pedido de socorro era cercado de urgência.

Cf. Sl 38.1, que tem as mesmas palavras de introdução. A dor e a tristeza podem ser providências divinas disciplinares, e não punição. Ver Sl 94.12; Pv 3.11,12; Jr 10.24; Hb 12.3,11 e Ap 3.19.

No teu furor. Ou seja, "aceso desprazer". O salmista estava, realmente, enfermo. O Oleiro divino estava prestes a quebrar o vaso.

■ **6.2** (na Bíblia hebraica corresponde ao **6.3**)

חָנֵּנִי יְהוָה כִּי אֻמְלַל אָנִי רְפָאֵנִי יְהוָה כִּי נִבְהֲלוּ עֲצָמָי׃

Tem compaixão de mim, Senhor. A *enfermidade* tinha produzido a fraqueza física, e o corpo alquebrado estava prestes a expirar. Isto posto, o salmista invocou o poder divino para que interviesse em *misericórdia,* ou seja, em provisão desmerecida, que terminasse em "cura". Os *ossos* do homem estavam abalados, pois aqui "ossos" é palavra usada como expressão idiomática para o corpo inteiro, porquanto são os ossos o arcabouço do corpo humano. Ver no *Dicionário* o verbete denominado *Misericórdia.*

"Temos aqui uma oração feita em circunstâncias familiares. Um homem honesto e humilde estava enfermo, e orava pedindo ajuda e cura. Aparentemente, segundo as evidências do vs. 1, a enfermidade era física, e ele temia não recuperar mais a saúde. No vs. 5, entretanto, o tom se modifica. Dali por diante o salmista fala como quem estava cercado por inimigos ativos, de cujos planos ele conseguira escapar. Aqui o sujeito bem pode ser a *nação,* talvez olhando para o fim do exílio" (J. R. P. Sclater, *in loc.*). Ou então os inimigos do corpo foram *personalizados,* em um sentido metafórico. A enfermidade era como um exército opressor que ameaçasse esmigalhar cada um de seus ossos. "De maneira diferente do que fizera Jó, o salmista aceitou o veredicto de seus contemporâneos, de que, quando a aflição chegava, deveria haver pecado ali" (William R. Taylor, *in loc.*). Ver no *Dicionário* o verbete chamado *Problema do Mal,* e, na seção V do livro de Jó, na *introdução,* ver como o livro manuseia a questão. Por que os homens sofrem e por que sofrem como sofrem? Uma resposta comum e geralmente verdadeira é que a colheita corresponde à semeadura; mas também há outras respostas, e também um *enigma* na questão, que nossas filosofias e teologias ainda não foram capazes de esclarecer.

Liturgia Eclesiástica. Dentro dessa classificação, o Salmo 6 é o primeiro dos sete salmos penitenciais. Os outros são os de número 32, 38, 51, 102, 130 e 143.

■ **6.3** (na Bíblia hebraica corresponde ao **6.4**)

וְנַפְשִׁי נִבְהֲלָה מְאֹד וְאַתָּ יְהוָה עַד־מָתָי׃

Também a minha alma está profundamente perturbada. A *própria alma* do salmista estava perturbada, e ele implorou para saber por "quanto tempo" o severo teste perduraria. Haveria esperança de recuperação? Na teologia patriarcal não havia nenhum ensino sobre a existência e sobrevivência de uma alma imaterial, nem visão sobre uma vida pós-túmulo, onde os bons seriam recompensados e os maus seriam punidos. Nos Salmos e nos Profetas temos o começo da doutrina da alma imaterial e da sobrevivência da alma diante da morte, o que, ato contínuo, foi desenvolvido nos livros apócrifos e pseudepígrafos, e, posteriormente, ainda mais, nas páginas do Novo Testamento. Contudo, não sabemos dizer aqui se a referência à alma é à verdadeira parte imaterial que se preocupava por habitar em um corpo físico enfermo. Seja como for, era uma situação crítica, que ameaçava a própria vida.

Até quando? Hoje em dia vemos os homens tomando as coisas em suas próprias mãos, na *eutanásia* (ver a respeito na *Enciclopédia de Bíblia, Teologia e Filosofia*). Minha mãe, que sofreu por quatro anos e meio de agonia com câncer, embora fosse uma mulher devota, pensou em suicidar-se. Adverti-a a respeito, mas não tenho nenhuma resposta para esse problema. Será o suicídio com a ajuda de outras pessoas uma solução justa para casos desesperados de dor e sofrimento? Ainda recentemente li um artigo no qual o articulista exaltava o dia no qual deveria morrer como *o maior dia* de sua vida, o dia em que seria livrado da dor. Os homens chegam a esse extremo quando o sofrimento é difícil e longo. Esse é um assunto acerca do qual precisamos de luz para compreender as implicações morais envolvidas na questão.

Até Quando? A sentença está interrompida, assinalando a agitação de espírito, em que o indivíduo parece nunca obter alívio de seu sofrimento. Minha mãe fez a mesma pergunta quando falava comigo um dia: "Quanto tempo é preciso para esta enfermidade matar uma pessoa?", perguntou ela. A resposta "Espere!" é duríssima. É fácil dizer a outra pessoa que espere, mas também é duro quando chega a nossa vez de sofrer. Cf. outros "por quanto tempo?" (ver Sl 13.1,2; 35.17; 74.10; 79.5; 80.2; 89.46; 94.3 e 119.84).

■ **6.4** (na Bíblia hebraica corresponde ao **6.5**)

שׁוּבָה יְהוָה חַלְּצָה נַפְשִׁי הוֹשִׁיעֵנִי לְמַעַן חַסְדֶּךָ:

Volta-te, Senhor, e livra a minha alma. *Volta-te,* disse o salmista ao "Deus ausente" que estava em algum lugar, aparentemente sem consciência dos sofrimentos de Davi. Jó tinha-se queixado de como Deus negligenciava as suas orações, parecendo agir de maneira arbitrária. Não dispomos de respostas fáceis para tais questões. Confiamos, mas algumas vezes temos a sensação de que somos negligenciados. Por conseguinte, conservamo-nos confiantes e orando pela intervenção divina. Ver no *Dicionário* o verbete denominado *Oração*.

Nada prometo: amigos se separarão;
Todas as coisas podem terminar, pois tudo começou;
E a verdade e a singeleza de coração.
São mortais, tal como o é o homem.

A. E. Housman

Minha alma. Não há aqui menção alguma à alma imaterial. É a pessoa do salmista que está em pauta. Ele estava prestes a desaparecer da cena da vida mortal.

Por tua graça. Isso porque o salmista pensava estar sendo punido por causa de seu pecado. Mas até um pecador pode receber uma livre dispensação graciosa, se clamar por misericórdia! Adam Clarke, *in loc.*, supunha que o crente desviado tem de pedir a Deus que "retorne"; mas a vida nos ensina que a questão não é assim tão simples. Os *inocentes* sofrem, conforme mostra o livro de Jó (ver Jó 2.3). Talvez o *caos* (ver a respeito no *Dicionário*) tenha participação na questão, pelo que devemos orar a respeito disso todos os dias. Em meio à discussão sobre o problema do mal (que investiga por que os homens sofrem, e por que sofrem como sofrem), o livro de Jó inclui dois capítulos que tratam da questão do caos (Jó 40 e 41). Ver Rm 8.20 e a exposição desse versículo no *Novo Testamento Interpretado*.

■ **6.5** (na Bíblia hebraica corresponde ao **6.6**)

כִּי אֵין בַּמָּוֶת זִכְרֶךָ בִּשְׁאוֹל מִי יוֹדֶה־לָּךְ:

Pois na morte não há recordação de ti. Temos aqui uma declaração que faz parte característica da teologia patriarcal, pois nesse tempo ainda não se tinha desenvolvido uma doutrina da alma imortal e de sua sobrevivência diante da morte biológica. É difícil enxergar a questão de outra maneira. A declaração é clara e dogmática: a morte é o fim. O livro de Jó também deixa a questão nesse ponto e não inclui uma bendita vida pós-túmulo ao debater as *razões* do sofrimento. Em Jó 19.25,26, Jó elevou-se a uma esperança superior, mas mesmo assim ali estava a sua *inocência*, pela qual ele queria vindicar em uma existência pós-túmulo, e não a solução para o problema do sofrimento. Quanto a este versículo, simplesmente temos de confessar que ainda não havia na consciência e no espírito dos hebreus nenhuma noção da *sobrevivência da alma*. Há versículos nos salmos, entretanto, que atingem esse ponto. Ver no *Dicionário* o artigo chamado *Alma* IV. 7, quanto a versículos bíblicos que falam da alma. Ofereci a passagem de Sl 86.1 entre esses versículos. Quanto a vários artigos sobre a sobrevivência da alma e a esperança no outro lado da existência, ver na *Enciclopédia de Bíblia, Teologia e Filosofia* os vários artigos sobre *Imortalidade* e *Experiência Perto da Morte*. Em nossos dias, as investigações científicas se estão aproximando do assunto, e isso com resultados surpreendentes. Pessoalmente, acredito que talvez dentro de cinquenta anos a ciência terá fortes e conclusivas evidências em favor da existência da alma e de sua sobrevivência diante da morte biológica. Neste Salmo 6, entretanto, ainda não atingimos essa esperança.

Na morte não há recordação de ti. O salmista não quis dar a entender meramente que nunca mais compareceria no templo para louvar a Deus. Mas o que ele queria dizer é que ele nunca mais louvaria, porquanto haveria de transformar-se em nada. Portanto, se Deus quisesse ser louvado, teria de salvar o corpo de Davi!

No sepulcro. A doutrina do mundo inferior precisou de um longo tempo para desenvolver-se. Essa doutrina apontava, no começo, simplesmente para o *sepulcro*. Em seguida, tornou-se uma espécie de vida no nada, para entidades vazias que esvoaçariam sem autoconsciência. Finalmente, as *almas* eram consideradas pessoas reais. Ato contínuo, as almas boas foram separadas das más, e é então que temos o início da doutrina das recompensas e punições. Mas é evidente, com base neste versículo, que a doutrina da alma ainda não havia progredido muito. Ver no *Dicionário* o artigo chamado *Sheol*, quanto a uma completa descrição. Ver também sobre *Hades*, o equivalente grego do termo hebraico *sheol* (ou *seol*). Essa palavra parece derivar-se de um termo que significa "pedir" ou "buscar"; mas é difícil ver como isso se relaciona ao *sepulcro*. Talvez esteja em foco a ideia de os mortos *serem consultados* por médiuns. Contudo, alguns eruditos veem nessa palavra hebraica uma ligação com a ideia de "oco". O seol era compreendido como algo que ficava debaixo da terra, em um lugar oco, mas a derivação real do vocábulo permanece em dúvida.

No seol imperava o silêncio (ver Sl 94.17; 115.17). Cf. Jó 14.21: "Os mortos nada sabem". E, naturalmente, Ec 9.5,10 contém declarações enfáticas sobre o nada que impera no seol:

... *os mortos não sabem coisa alguma, nem tão pouco terão eles recompensa... no além, para onde tu vais, não há obras, nem projetos, nem conhecimentos, nem sabedoria alguma.*

Mas isso é contradito claramente por Ec 12.7:

... *e o pó volte à terra, como o era, e o espírito volte a Deus, que o deu.*

Os críticos talvez estejam corretos ao supor que *diferentes* autores estejam envolvidos, expressando pontos de vista opostos. Talvez um único autor tenha alcançado mais fé, ou vacilado no tocante à questão, algumas vezes negando e outras afirmando a imortalidade da alma.

O leitor deveria contrastar isso com a esperança apresentada no cristianismo. Em 1Pe 3.18—4.6 temos Cristo levando o seu evangelho a almas condenadas no hades e dando-lhes oportunidade para a salvação ou para o aperfeiçoamento de suas condições. Por isso é que encontramos no Credo dos Apóstolos: "Cristo desceu ao inferno". Isto acrescenta outra dimensão à missão de Cristo, que foi tridimensional: na terra, no céu e no hades. Ver na *Enciclopédia de Bíblia, Teologia e Filosofia* o artigo chamado *Descida de Cristo ao Hades*, quanto a descrições completas.

■ **6.6** (na Bíblia hebraica corresponde ao **6.7**)

יָגַעְתִּי בְּאַנְחָתִי אַשְׂחֶה בְכָל־לַיְלָה מִטָּתִי בְּדִמְעָתִי עַרְשִׂי אַמְסֶה:

Estou cansado de tanto gemer. Com uma expressão hiperbólica tipicamente oriental, o salmista fala sobre suas lágrimas, que eram tão abundantes que inundavam sua cama! Eram lágrimas que acompanhavam pedidos para que Deus salvasse a sua vida e restaurasse o seu corpo. Ele estava *cansado* de tanto pedir, visto que Deus ignorava as suas súplicas. "Ele gemia e chorava, de tal maneira que ensopava seu travesseiro e, pela manhã, seus olhos, desgastados de tanto chorar e por falta de sono, ficavam embaçados" (William B. Taylor, *in loc.*). Verdadeiramente, o homem enfermo não queria morrer, e lutou como se a morte fosse um tigre! Mas um corpo desgastado tem uma maneira de tirar da pessoa a vontade de lutar. Muitos acabam aceitando a morte com um suspiro de alívio, dizendo que, finalmente, a luta terminou. "Os orientais dão-se a licença de chorar e expressar outros sinais de emoção, que as nações ocidentais, ou, pelo menos, as raças teutônicas, tentam suprimir ou esconder" (Ellicott, *in loc.*, com uma anotação intitulada *quão verdadeiro!*). Cf. Sl 42.3:

As minhas lágrimas têm sido o meu alimento, dia e noite.

Ver também Sl 119.136; Lm 3.48,49 e Jó 7.3,4.

■ **6.7** (na Bíblia hebraica corresponde ao **6.8**)

עָשְׁשָׁה מִכַּעַס עֵינִי עָתְקָה בְּכָל־צוֹרְרָי׃

Meus olhos de mágoa se acham amortecidos. *A Enfermidade Envelhece*. Esta é a mensagem do salmista neste ponto. Algumas vezes, a velocidade do envelhecimento torna-se realmente notável. Em meio aos sofrimentos, o salmista disse: "Estou envelhecendo". E em seguida temos a declaração de quem provocava tudo: seus muitos "inimigos". Isso parece mudar a causa dos sofrimentos, de algo corpóreo para todos aqueles ímpios, os quais queriam prejudicá-lo e matá-lo. Ou então os inimigos externos foram usados metaforicamente para indicar a enfermidade, como um exército atacante. Ou seus inimigos, ao ouvir falar de sua enfermidade, alegravam-se e esperavam que ele se acabasse logo. Dessa maneira, adicionavam o peso deles à aflição de Davi.

Rapidamente os mortais envelhecem quando caem em tribulação.

Homero, *Odisseia*, xix, 360

"A tristeza tinha trazido sinais de idade avançada prematura (cf. Jó 17.7; Sl 31.9) (Ellicott, *in loc.*).

■ **6.8** (na Bíblia hebraica corresponde ao **6.9**)

סוּרוּ מִמֶּנִּי כָּל־פֹּעֲלֵי אָוֶן כִּי־שָׁמַע יְהוָה קוֹל בִּכְיִי׃

Apartai-vos de mim. O salmista solicitou aos inimigos que mantivessem distância. Talvez eles atacassem o homem enfermo em seu leito, quando ele estava indefeso. Talvez ele tivesse apelado para que não adicionassem o peso deles aos seus sofrimentos físicos. Mas alguns veem uma mudança no curso dos acontecimentos, ou seja, o clamor de enfermidade física reverteu-se para o apelo de proteção contra os inimigos, conforme encontramos nos Salmos 3 a 5. Todavia, o apelo era por ambas as coisas: Davi precisava de cura para o corpo e livramento dos inimigos, que nunca lhe davam descanso, sem importar se ele estava enfermo ou são. A cura é ajudada por amigos que oram; ao passo que a enfermidade pode piorar por causa dos que desejam o mal do doente. Existem poderes em favor dos bons e dos maus, e esses poderes passam de uma pessoa para outra.

O Senhor ouviu a voz do meu lamento. O enfermo se sentia melhor e, assim sendo, disse aos inimigos que se mantivessem distantes. Ele estaria pronto para combater em seu corpo renovado. Tinham-se mostrado *eficazes* o choro e os apelos de Davi.

Algumas vezes Deus faz o seu povo chegar-se chorando ao trono da graça e dali por diante passa a liderá-lo, de acordo com as súplicas. Ele ouve o seu clamor e responde. Cf. Jr 31.9. O sofrimento pode servir de *disciplina*.

"No vs. 8, a nota de angústia subitamente transforma-se em uma nota de exultante confiança" (William R. Taylor, *in loc.*).

■ **6.9** (na Bíblia hebraica corresponde ao **6.10**)

שָׁמַע יְהוָה תְּחִנָּתִי יְהוָה תְּפִלָּתִי יִקָּח׃

O Senhor ouviu a minha súplica. *Deus é um Deus que Responde às Orações*. Este é o motivo pelo qual continuamos a orar, a despeito de alguns lapsos nessa bênção. *Yahweh* (o Eterno) tem consciência dos sofrimentos dos mortais, e sai em nossa ajuda. Temos visto evidências em favor disso. O Deus distante pode tornar-se repentinamente o Deus presente. Então ele ouve nossas orações e concede favores aos homens. A oração consiste, essencialmente, em dar e receber, embora isso possa ser temperado pelo louvor. A súplica do salmista foi apresentada em meio à angústia (vss. 1,2 e 4). O terrível desprazer de Deus tornou-se vexatório. A oração muda as coisas, pelo que tudo se tornou causa de exultação. A *cura* foi concedida e, juntamente com a cura, veio também a libertação de inimigos atormentadores.

"Oh, Deus, se eu tivesse certeza de que morreria esta noite, me arrependeria imediatamente". Essa é a mais comum das orações, em todos os idiomas.

James M. Barrie

Que Deus me conceda a serenidade para aceitar as coisas que não posso mudar; coragem para alterar as coisas que posso mudar; e sabedoria para reconhecer a diferença.

Reinhold Niebuhr

■ **6.10** (na Bíblia hebraica corresponde ao **6.11**)

יֵבֹשׁוּ וְיִבָּהֲלוּ מְאֹד כָּל־אֹיְבָי יָשֻׁבוּ יֵבֹשׁוּ רָגַע׃

Envergonhem-se e sejam sobremodo perturbados. Os inimigos do salmista estavam preparados para atacar o homem enfermo. Então Deus interveio, e o autor teve coragem de dizer-lhes para "se perderem", conforme falamos em uma expressão moderna. Portanto, Davi teve *livramento duplo*: da enfermidade e de seus inimigos, que nunca desistiram de sua causa destrutiva. O salmista sofrera a vergonha de sua enfermidade, a qual era um julgamento da parte de Deus. Agora chegará a vez de seus inimigos sofrerem vergonha. Sua causa nefanda havia sido derrotada e, de cabeça baixa, eles se retiraram da presença do homem bom. Mas voltariam algum outro dia para assediá-lo. Os que vinham avançando para atacá-lo, entretanto, de súbito retrocederam aterrorizados, porquanto Deus havia respondido à oração do enfermo. Assim sendo, Yahweh *retornou* (ver o vs. 4) quando o homem clamou a ele, em sua aflição. Deus deixou de ser um Deus indiferente. Ele agiu, curou o pobre homem e despediu os seus inimigos. Essa meia-volta dos inimigos dificilmente pode ter acontecido "em meio ao arrependimento e à conversão", conforme comentam alguns eruditos, cheios de esperança. Aben Ezra e Kimchi tomaram esse ponto de vista otimista do versículo. O original hebraico poderia ser interpretado dessa maneira, mas dificilmente era isso que estava na mente do salmista. E por certo a *vergonha* aqui referida não acontecerá no "mundo do porvir", ou seja, um *julgamento* na existência pós-túmulo, conforme alguns antigos intérpretes hebreus chegaram a imaginar.

Meus inimigos todos estarão anulados e derrotados. Com grande confusão todos se retirarão e corarão de vergonha. Eles voltarão apressadamente pelo caminho através do qual chegaram. Em um único momento eles serão abatidos.

Milton

SALMO SETE

Quanto a *informações gerais* que se aplicam a todos os salmos, ver a introdução ao Salmo 4. Provi ali *sete* úteis comentários para compreender o livro de Salmos.

Neste sétimo salmo, temos outro grito pedindo ajuda, tal como nos Salmos 3 a 5. O salmista atravessava profunda tribulação e sua vida estava sendo ameaçada, pelo que ele clamou a Deus pedindo livramento das amargas perseguições daqueles inimigos que nunca lhe concediam um único momento de repouso. Vemos muito dessa situação no livro de Salmos, metade dos quais é atribuída a Davi nos subtítulos. Os intérpretes sempre se esforçam por encontrar na vida de Davi evidências históricas, que expliquem seus salmos, usualmente com pouco sucesso. Na maior parte de sua vida, Davi esteve em tribulações enquanto vagueava pela terra, lutando contra este ou aquele inimigo. Ver 2Sm 10.19, quanto aos *oito* povos que ele aniquilou ou fez escravizar por parte de Israel. Mesmo depois de tornar-se rei de Israel, Davi sofreu debaixo de revoltas, como aquela encabeçada por seu próprio filho, Absalão. As tribulações de Davi não foram poucas, e é difícil identificar qual tribulação o teria inspirado a compor o salmo presente.

O subtítulo sugere que as palavras tenham sido inspiradas pela experiência de Davi com o benjamita Cuxe, o que alguns entendem como uma referência a Simei, que vergastou Davi quando este partiu de Jerusalém, enquanto Absalão procurava tirar-lhe a vida (ver 1Sm

16.5-11). Alguns eruditos, entretanto, preferem pensar em Husai, conselheiro de Absalão. Outros falam em Saul, um benjamita. Mas Cuxe refere-se a um etíope, mencionado somente aqui em toda a Bíblia, pelo que a citação está perdida na história, sendo inútil tentar recuperar o que se passou. E mesmo que a história pudesse ser recuperada, isso não significa que o Salmo 7 foi realmente escrito por causa de algum dos inimigos mencionados. Os subtítulos não foram originalmente escritos, mas adicionados muito tempo depois por editores que tentavam preencher espaços vazios em nosso conhecimento.

Em tom de oitava. No subtítulo, pode significar "louvor", e isso descreve a natureza deste salmo: louvor por causa do triunfo obtido. Mas alguns estudiosos pensam que essa palavra se refere a algum instrumento musical específico, que achamos impossível identificar. Outros dizem que a palavra significa "errado", como se estivesse descrevendo o modo errático de tocar a música. A Septuaginta diz *dithyrambic*, referência a um hino selvagem, apaixonado, em honra a Dionísio. Isso concordaria com a presumível natureza errática da música. Mas a nossa versão portuguesa parece dar a impressão de que a música deveria ser entoada mediante o uso de vozes femininas, naturalmente, uma oitava acima das vozes masculinas.

Classificação dos Salmos. Ver o gráfico no início do comentário sobre o livro, que age como uma espécie de frontispício. Dou ali dezessete classes e listo os salmos que pertencem a cada uma delas. O Salmo 7 é um dos salmos de *lamentação*, dos quais há mais de sessenta.

"Ao orar pedindo livramento de seus amigos caluniadores, o salmista afirmou solenemente sua *inocência* e apelou ao Justo Juiz de toda a terra, para vindicá-lo, julgando os ímpios" (Allen P. Ross, *in loc.*).

■ **7.1** (na Bíblia hebraica corresponde ao **7.1,2**)

שִׁגָּיוֹן לְדָוִד אֲשֶׁר־שָׁר לַיהוָה עַל־דִּבְרֵי־כוּשׁ בֶּן־יְמִינִי:

יְהוָה אֱלֹהַי בְּךָ חָסִיתִי הוֹשִׁיעֵנִי מִכָּל־רֹדְפַי וְהַצִּילֵנִי:

Senhor, Deus meu. "Senhor", no hebraico original, é *Yahweh*, enquanto "Deus" é *Elohim*. O Deus Eterno, Todo-poderoso, foi invocado pelo aterrorizado salmista. Ver no *Dicionário* o artigo chamado *Deus, Nomes Bíblicos de*, bem como artigos separados sobre cada nome. Os inimigos de Davi estavam aproximando-se rapidamente e com intuitos assassinos. Somente Deus podia salvar o pobre Davi dessa crise. Seus ferozes inimigos estavam prestes a despedaçá-lo, como se fossem leões a perseguir algum pobre mortal (vs. 2). Algumas vezes, orações de desespero como essa eram respondidas, e livramentos miraculosos eram concedidos. Mas de outras vezes isso não acontecia. Portanto, Senhor, leva-nos a receber sempre respostas "positivas"! Os vss. 2 e 5 têm o singular, pelo que talvez esteja em vista um único perseguidor, tal como Saul ou Absalão. Naturalmente, os inimigos de Davi sempre eram acompanhados de uma multidão (o plural, no vs. 1), para assegurar o sucesso em seus atos de destruição. Davi (ou alguma outra pessoa) tinha sido acusado de algum malfeito (vss. 3 e 4), e assim o perseguidor tinha saído para *vingar-se* ou *efetuar justiça*. *Protestos de inocência* não deteriam o perseguidor.

■ **7.2** (na Bíblia hebraica corresponde ao **7.3**)

פֶּן־יִטְרֹף כְּאַרְיֵה נַפְשִׁי פֹּרֵק וְאֵין מַצִּיל:

Para que ninguém, como leão, me arrebate. Os animais ferozes eram abundantes na Palestina antiga e representavam uma ameaça constante às populações humanas, para nada falarmos sobre o gado. Por conseguinte, as feras são comparadas a inimigos humanos, uma reminiscência do leão e do urso da juventude de Davi. Ver Sl 3.7; 10.9; 17.12; 22.13; 35.17 e 57.4. Somente Deus podia livrar o homem bom de inimigos brutais e traiçoeiros, naquela sociedade de selvagens primitivos. A palavra "livrar" aparece aqui pela primeira vez, dentre as muitas ocorrências desse vocábulo nos salmos. O ponto de ataque deste salmo evidentemente era alguma espécie de acusação formal de criminalidade ou má ação. Homero (*Odisseia* 9.v.292,293) comparou o feroz leão da montanha a um certo Polifemo, homem especialmente brutal. Essa fera devorava inteiramente qualquer outro animal que capturasse, incluindo os seus ossos.

■ **7.3,4** (na Bíblia hebraica corresponde ao **7.4,5**)

יְהוָה אֱלֹהַי אִם־עָשִׂיתִי זֹאת אִם־יֶשׁ־עָוֶל בְּכַפָּי:

אִם־גָּמַלְתִּי שׁוֹלְמִי רָע וָאֲחַלְּצָה צוֹרְרִי רֵיקָם:

Senhor, meu Deus, se eu fiz o de que me culpam. Alguma acusação específica está em foco neste versículo, embora não saibamos de que tipo de acusação se tratava. Alguns estudiosos conjecturam que fosse a suposta deslealdade e traição potencial contra Saul. Mas nem o próprio Saul jamais lançou tal acusação contra ele. Ele simplesmente estava tentando realizar uma execução particular. Contudo, este versículo está vinculado a 1Sm 24.12,13 e 26.18, para mostrar quão magnânimo Davi se mostrou para com o sanguinário Saul. Seja como for, o salmista jurou por Yahweh-Elohim (o Deus Eterno e Todo-poderoso) que era inocente e estava sendo perseguido injustamente. A seriedade dessa alegação foi agravada pelo "fato" de que ele havia enganado um amigo (vs. 4). Cf. este ponto com Sl 41.9 e Jr 38.22. Um apelo de inocência podia ser feito no templo, onde um voto era tomado, ou um juramento era proferido em concordância com o modo de proceder indicado em 1Rs 8.31,32. Tal traidor perderia a própria vida (vs. 5). A Septuaginta, a Vulgata e a versão siríaca dão uma tradução diferente: "Se eu retaliei com mal àquele que me fez o mal". Nesse caso, o significado seria que Deus se abstivera de tomar vingança, embora tivesse sido prejudicado. Aí, a questão concernente a Saul, mencionada anteriormente, poderia ser o pano de fundo do sétimo salmo. Ver no *Dicionário* os artigos chamados *Juramentos* e *Vingança*.

■ **7.5** (na Bíblia hebraica corresponde ao **7.6**)

יִרַדֹּף אוֹיֵב נַפְשִׁי וְיַשֵּׂג וְיִרְמֹס לָאָרֶץ חַיָּי וּכְבוֹדִי לֶעָפָר יַשְׁכֵּן סֶלָה:

Persiga o inimigo a minha alma e alcance-a. A intenção de matar era o motivo que animava aquele que perseguia o salmista. Essa execução estaria justificada *se* (ver o vs. 4) Davi fosse culpado de qualquer coisa de que estivesse sendo acusado. O vs. 5 faz parte do *juramento*. Yahweh-Elohim (vs. 3) seria a *causa* da execução, *se* Davi fosse culpado. As palavras "minha glória" referem-se à própria *vida* de Davi, sendo equivalentes ao termo *alma* (vss. 2 e 5). "Pó" aponta para a terra que enchia o sepulcro, dando a subentender, naturalmente, que nem todos os sepultamentos ocorriam na rocha. É provável que somente os ricos pudessem ser sepultados na rocha. *Pó*, neste caso, é usado como um eufemismo para *sepultura*. Cf. Is 26.19; Jó 7.21 e Dn 12.2. Ver no *Dicionário* os verbetes chamados *Sepultamento, Costumes de; Túmulo* e *Juramentos*.

"Honra deve ser a mesma coisa que alma ou vida, conforme fica claro em Sl 16.9 e 57.8... o paralelismo no vs. 5 favorece essa interpretação" (Ellicott, *in loc.*). Naturalmente, não está em foco aqui nenhuma ideia de alma imaterial e imortal, que uma pessoa não possa tocar, pois a sua autoridade não desce a tanto. Cf. este pensamento com Mt 10.28, onde o corpo é contrastado com a alma, segundo a doutrina da sobrevivência da alma diante da morte biológica que já se tinha tornado parte integrante de teologia dos judeus.

Selá. Quanto a notas expositivas sobre esta palavra misteriosa, ver as explicações detalhadas em Sl 3.2.

■ **7.6** (na Bíblia hebraica corresponde ao **7.7**)

קוּמָה יְהוָה בְּאַפֶּךָ הִנָּשֵׂא בְּעַבְרוֹת צוֹרְרָי וְעוּרָה אֵלַי מִשְׁפָּט צִוִּיתָ:

Levanta-te, Senhor, na tua indignação. Deus já determinou o *julgamento dos ímpios* e toma decisões justas sobre casos que estejam sendo disputados. Portanto, o salmista invocou a justiça divina para que fizesse o que era certo. *Yahweh*, "em sua ira", castigaria os que perseguissem o inocente Davi. A *ira* dos homens seria arrancada por eles estarem sujeitos à ira de Deus. Este versículo torna-nos parte do *juramento* (vs. 3). O homem buscava *vindicação*. Deus executaria os que queriam ser executores. Ver no *Dicionário* o artigo intitulado *Justiça*. Não há aqui nenhuma ideia de punição para além do sepulcro, embora alguns intérpretes cristianizem a questão, fazendo a passagem ensinar tal coisa. Ver no *Dicionário* o artigo chamado *Julgamento de Deus dos Homens Perdidos*.

"Dois pontos destacam-se aqui com clareza: 1. Deus realmente julgará os ímpios, e o homem moderno precisa ser relembrado desse fato. 2. É razoável orar que Deus possa efetuar uma vívida e sombria realidade desse julgamento, aqui e agora" (J. R. P. Sclater, *in loc.*). Yahweh foi convocado a *levantar-se,* e ele fez exatamente isso (vs. 6). Ademais, sua ira era justificada.

"Deus, aquele que guardava Israel, nunca dorme nem dormita... embora, algumas vezes, em sua providência, ele pareça estar dormente e inativo, *como se* desconsiderasse o que acontece no mundo. Portanto, seu povo se dirigia a ele *como se* ele estivesse dormindo" (John Gill, *in loc.*). Ver Sl 121.3,4, quanto à referência de John Gill.

As misericórdias do Senhor são a causa de não sermos consumidos, porque as suas misericórdias não têm fim.
Lamentações 3.22

"A ti entrego a minha causa. Levanta-te e assenta-te no trono de teu julgamento, a meu favor" (Adam Clarke, *in loc.*). Cf. Sl 9.19.

■ **7.7** (na Bíblia hebraica corresponde ao **7.8**)

וַעֲדַת לְאֻמִּים תְּסוֹבְבֶךָּ וְעָלֶיהָ לַמָּרוֹם שׁוּבָה:

Reúnam-se ao redor de ti os povos. "Yahweh convocará e arranjará as nações diante de seu tribunal, e então retornará ao seu trono elevado a fim de presidir. Essa explicação está mais em consonância com o contexto (ver o versículo seguinte) do que supor que o julgamento tivesse ocorrido entre as duas cláusulas do versículo e a partida de Deus para as alturas, como uma vitória terminada à sua batalha... O quadro de arranjo das nações certamente é favorecido do ponto de vista que fez deste salmo a expressão dos sentimentos da comunidade, e não dos sentimentos de um indivíduo" (Ellicott, *in loc.*).

Nos países do Oriente, a fim de proferir seu julgamento sobre um caso, o rei assentava-se em seu trono, e as pessoas reuniam-se para ver o que aconteceria e ouvir a sentença. O homem perseguido apresentaria o caso contra os seus perseguidores, e seria determinado se ele era inocente ou não das acusações, e todas as pessoas tomariam conhecimento do caso. A comunidade tinha de participar e ver claramente que ele não era culpado. Uma intervenção divina tinha de ocorrer, para que o salmista fosse completamente libertado de seus inimigos e de suas acusações.

■ **7.8** (na Bíblia hebraica corresponde ao **7.9**)

יְהוָה יָדִין עַמִּים שָׁפְטֵנִי יְהוָה כְּצִדְקִי וּכְתֻמִּי עָלָי:

O Senhor julga os povos. O próprio Deus seria o Juiz. Ele interviria e testaria o caso. A justiça certamente seria feita, o que nem sempre acontece quando os homens são os juízes. O salmista tinha certeza de ser inocentado, porque era um homem honesto e *íntegro*. Deus é o Juiz universal; ele julga Israel e as nações, mas até um *caso isolado* pode atrair a sua atenção. O livro de Jó mostra-nos que era lugar comum, dentro do pensamento da época, que o caso de um solicitador comum fosse trazido à presença do Deus eterno. Talvez *seres celestiais,* e não meramente homens, estejam sendo vistos aqui como quem participava do julgamento (Sl 82.1). Essa é opinião de alguns estudiosos, mas há outros que discordam.

Retribuiu-me o Senhor segundo a minha justiça, recompensou-me conforme a pureza das minhas mãos, pois tenho guardado os caminhos do Senhor, e não me apartei perversamente do meu Deus.
Salmo 18.20,21

Deus, o Juiz, Torna-se o Escudo do Homem Bom (Sl 7.9,10)

■ **7.9** (na Bíblia hebraica corresponde ao **7.10**)

יִגְמָר־נָא רַע רְשָׁעִים וּתְכוֹנֵן צַדִּיק וּבֹחֵן לִבּוֹת וּכְלָיוֹת אֱלֹהִים צַדִּיק:

Cesse a malícia dos ímpios. Visto que Deus é um Poder justo e todo-conhecedor, e tem a autoridade para intervir, o salmista confiava que o veredicto resultante seria em seu favor, visto que era um homem inocente. Os *maus planos* arquitetados contra o salmista chegariam ao fim devido à intervenção divina.

Em Deus foi formada a minha defesa.
E nele jaz a minha causa;
nele, que tanto é justo quanto sábio,
ele salva o reto no coração, pelo menos.
Milton

Cf. Sl 62.7, onde lemos: "Deus, minha salvação".

Sondas a mente e o coração. O penetrante olhar de Deus vê tudo e separa os bons dos maus, tratando com eles segundo o caráter de cada um. Quanto ao sentido da palavra "coração", ver os comentários em Sl 16.7 (segundo parágrafo até o fim), onde ofereço detalhada nota expositiva. Ver o artigo intitulado *Coração,* no *Dicionário.*

Deus como o Escudo do Homem Bom (Sl 7.10)

■ **7.10** (na Bíblia hebraica corresponde ao **7.11**)

מָגִנִּי עַל־אֱלֹהִים מוֹשִׁיעַ יִשְׁרֵי־לֵב:

Deus é o meu escudo. Lê-se no hebraico, literalmente, "meu escudo está em Deus". Deus serve como escudo do homem inocente, protegendo-o de todo ataque, ou então vai à batalha com ele, como seu "escudeiro". Quanto ao conceito de Deus como escudo de um homem, ver também Sl 3.3; 5.12; 18.35; 28.7; 33.20; 59.11; 84.8,11; 91.4; 115.9,10; 119.114 e 144.2. Cf. a *metáfora militar* de Ef 6.12 ss. No vs. 16, é destacado o escudo da *fé,* capaz de proteger um homem de todos os dardos inflamados do maligno. Estão em vista a *proteção* e a *Providência de Deus.*

"Agora deixo a minha causa nas mãos do Juiz. Não tenho nenhuma apreensão incômoda ou temerosa, porque sei que Deus salvará o homem de coração reto" (Adam Clarke, *in loc.*).

Estamos informados de que, quando a Inglaterra enfrentava os ataques de Hitler, e bombas explodiam por toda parte, Winston Churchill foi capaz de dizer: "Nosso coração está em paz". Corria o ano de 1940, e muitas provas de sangue ainda se seguiriam, mas a confiança era plena, porquanto a causa da Inglaterra era justa.

■ **7.11** (na Bíblia hebraica corresponde ao **7.12**)

אֱלֹהִים שׁוֹפֵט צַדִּיק וְאֵל זֹעֵם בְּכָל־יוֹם:

Deus é justo juiz. O *julgamento de Deus* pode ocorrer de uma entre duas formas: pode vindicar o homem justo com bênçãos que se seguirão; e também pode condenar o ímpio com punições que se seguirão. Deus intervém na história humana e na vida dos indivíduos. Isso reflete o *teísmo* (ver a respeito no *Dicionário*). O Criador não abandonou a sua criação, mas sempre que necessário intervém. Ele recompensa os bons e castiga os maus. Contraste-se o *deísmo* (ver também no *Dicionário*). De acordo com o deísmo, Deus abandonou o universo, entregando-o ao governo das leis naturais, as quais, embora impressionantes, estão cheias de defeitos e deficiências. A Septuaginta diz: "Deus é um Juiz justo, forte e longânimo, não deixando manifestar sua ira todos os dias". Mas o sentido mais correto provavelmente é o que aparece na *Revised Standard Version:* "Deus... tem indignação todos os dias". E a nossa versão portuguesa concorda com isso. Note o leitor, igualmente, as expressões antropomórficas: emoções tipicamente humanas são atribuídas a Deus. A personalização de Deus diminui deveras a sua estatura, tornando-o menor do que ele realmente é. Mas é difícil falar sobre Deus sem empregar expressões comuns da linguagem humana. Ver no *Dicionário* o verbete chamado *Antropomorfismo.*

Apesar de Deus ter indignação todos os dias contra os pecadores, devemos lembrar que o juízo é um dedo da amorosa mão de Deus. Não devemos condescender diante de uma teologia inferior, fazendo o julgamento divino ter somente um aspecto retributivo. Pois esse julgamento também é remediador. Ver 1Pe 4.6, no *Novo Testamento Interpretado.* Naturalmente, o julgamento final não está em pauta neste versículo; antes, enfatiza-se a destruição no mundo que os ímpios devem sofrer. Eles colherão o que tiverem semeado.

■ **7.12** (na Bíblia hebraica corresponde ao **7.13**)

אִם־לֹא יָשׁוּב חַרְבּוֹ יִלְטוֹשׁ קַשְׁתּוֹ דָרַךְ וַיְכוֹנְנֶהָ:

Se o homem não se converter. Deus prepara as suas armas para ferir o indivíduo que não se arrepende. Temos de considerar sua *espada*, recentemente afiada, e também as *flechas* que em breve serão atiradas por seu arco. Os impenitentes sofrerão *toda a espécie* de desastres e finalmente virá a morte, o golpe derradeiro.

Metáforas sobre as Armas de Deus. Temos a *espada* e as *flechas de Deus* (vs. 12); e também uma *cova*, na qual o pecador cairá por acidente (vs. 15), sendo esse o truque favorito do caçador para capturar algum pobre animal que de nada suspeita. Na verdade, porém, é o inimigo que determina a própria destruição, mediante seus atos violentos e pecaminosos (ver 1Rs 8.32). Os ímpios sofrem os efeitos da *Lei Moral da Colheita segundo a Semeadura* (ver a respeito no *Dicionário*).

"Como se fosse um guerreiro, Deus prepara armas mortíferas contra os ímpios. Espadas, arcos e setas com frequência proveem o quadro do decreto de julgamento divino, que destruirá os ímpios" (Allen P. Ross, *in loc.*).

Naquele dia o Senhor castigará com a sua dura espada...

Isaías 27.1

*Entesou o seu arco qual inimigo;
ficou a sua destra como adversário,
e destruiu tudo...*

Lamentações 2.4

■ **7.13** (na Bíblia hebraica corresponde ao **7.14**)

וְלוֹ הֵכִין כְּלֵי־מָוֶת חִצָּיו לְדֹלְקִים יִפְעָל׃

Para ele preparou já instrumentos de morte. Este versículo amplia o vs. 12. Ver ali sobre *Metáforas sobre as Armas de Deus.* As setas eram matadoras, mesmo a considerável distância, quando empregadas por guerreiros aptos que desde há muito vinham praticando a arte de matar. Deus é o principal arqueiro, que mata a longa distância, estando ele no céu. Deus nunca erra o alvo. A justiça divina sempre se impõe. O homem que persegue injustamente a outro pode olhar para cima, pois em breve uma flecha divina o atingirá. Justiça é o nome desse jogo.

Já vem dum país remoto, desde a extremidade do céu, o Senhor, e os instrumentos da sua indignação, para destruir toda a terra.

Isaías 13.5

Deus desfere contra eles uma seta; de súbito se acharão feridos.

Salmo 64.7

O *ímpio Saul*, que por tanto tempo perseguiu o inocente Davi, finalmente foi derrubado mediante uma flecha divina. Foi quando ele caiu sobre sua própria espada aguçada, e esse foi o fim de sua história (ver 1Sm 31).

■ **7.14** (na Bíblia hebraica corresponde ao **7.15**)

הִנֵּה יְחַבֶּל־אָוֶן וְהָרָה עָמָל וְיָלַד שָׁקֶר׃

Eis o ímpio está com dores de iniquidade. *A Metáfora da Gravidez.* Os ímpios concebem o mal e ficam grávidos com o tumulto. Então eles produzem mentiras. Eles apelam a todos esses males para dar à luz coisas destrutivas, e então destroem a si mesmos, pois, por assim dizer, eles se matam na hora do parto. É assim que as coisas funcionam no caso do pecado e dos pecadores. "Descrevendo o curso *laborioso* do pecador na senda do mal, desde o início de sua concepção até a sua maturidade, empregando a imagem de uma mulher que está em dores de parto (cf. Tg 1.14,15)..., sua maldade nele ricocheteará" (Fausset, *in loc.*).

Concebem a malícia e dão à luz a iniquidade.

Jó 15.35

■ **7.15** (na Bíblia hebraica corresponde ao **7.16**)

בּוֹר כָּרָה וַיַּחְפְּרֵהוּ וַיִּפֹּל בְּשַׁחַת יִפְעָל׃

Abre e aprofunda uma cova. O *Grande Caçador* prepara uma armadilha para apanhar o ímpio, que de nada suspeita. De súbito esse homem cai na cova preparada para ele e sua história termina. As armadilhas antigas para apanhar animais normalmente eram buracos profundos, escavados na terra, para impedir que um animal que ali caísse escapasse. Por sobre o topo do buraco, ramos e folhagem eram espalhados para ocultar o perigo. O método era bastante rude, mas eficaz, especialmente na Palestina, onde havia abundância de animais selvagens. A metáfora da cova refere-se à *subitaneidade* da queda dos ímpios e sua *impotência* para livrar-se da dolorosa queda. Mesmo na Segunda Guerra Mundial covas eram escavadas para soldados que de nada suspeitavam.

*Afundam-se as nações na cova que fizeram,
no laço que esconderam prendeu-se-lhes o pé.*

Salmo 9.15

■ **7.16** (na Bíblia hebraica corresponde ao **7.17**)

יָשׁוּב עֲמָלוֹ בְרֹאשׁוֹ וְעַל קָדְקֳדוֹ חֲמָסוֹ יֵרֵד׃

A sua malícia lhe recai sobre a cabeça. *A Lei Moral da Colheita segundo a Semeadura* (ver no *Dicionário*) é a essência deste versículo, que deve ser comparado a Gl 6.7,8. Ver sobre *Lex Talionis*, no *Dicionário*, ou seja, o castigo em consonância com o crime cometido. Pense o leitor sobre o iníquo Saul, que perseguiu o inocente Davi a fim de matá-lo meramente para garantir o próprio poder e por causa de ciúmes pessoais. Saul chegou ao final de sua vida bem no meio daquela cena onde matar ou ser morto era a ordem do dia (ver 1Sm 31). Pense o leitor sobre Hitler, cujas ordens provocaram a morte de milhões de seres humanos, e que cometeu suicídio (tirando a própria vida!) por causa do avanço temível das tropas russas. "Essa é a retribuição de Deus. O castigo diz respeito à gravidade do crime, olho por olho e dente por dente (ver Êx 21.24,25). Jesus declarou que 'aqueles que usam da espada, à espada serão mortos' (Mt 26.52)" (Allen P. Roses, *in loc.*). "O mal que ele concebeu e planejou em sua mente, e tentou fazer cair contra a cabeça de outras pessoas, caiu sobre ele mesmo, como um *justo julgamento do céu*" (John Gill, *in loc.*).

Sobre a própria mioleira desce a sua violência. Isso porque é bastante fácil matar um homem com uma pancada na cabeça, e esse mesmo método é usado na matança de animais. Os criminosos, algumas vezes, eram assim executados. Além disso, ocasionalmente alguns eram projetados de um local alto na frente de exércitos que avançavam, um método cru mas eficaz.

■ **7.17** (na Bíblia hebraica corresponde ao **7.18**)

אוֹדֶה יְהוָה כְּצִדְקוֹ וַאֲזַמְּרָה שֵׁם־יְהוָה עֶלְיוֹן׃

Eu, porém, renderei graças ao Senhor. Enquanto os iníquos são mortos, por terem matado a outros, enquanto outros colhem uma sorte amarga por terem semeado a destruição, o homem justo é livrado, pelo que levanta a sua voz em louvor, e *entoa* um cântico de livramento. Ele exalta o Deus que o abençoa. Deus julga em *retidão*, certificando-se de que tanto os ímpios quanto os retos colham em consonância como o que tiverem semeado. Ver o desenvolvimento dessa ideia no versículo anterior. É provável que tenhamos aqui um *voto* formal de agradecimento. O homem justo mostrará liturgicamente sua gratidão mediante sacrifícios apropriados e oferendas de ação de graças no templo.

Quanto ao *cântico* como uma maneira de prestar ação de graças e louvor, ver também, por exemplo, Sl 9.2,11; 13.6; 18.49; 21.13; 17.6; 30.4,12; 33.2; 51.14; 57.7; 66.2,4,32; 75.9; 96.1; 101.1; 144.9 e 149.1,3,5. Existem cerca de setenta dessas referências. O livro de Salmos consistia em *louvores cantados*, nos quais instrumentos musicais desempenhavam importante papel. Ver no *Dicionário* o verbete intitulado *Música e Instrumentos Musicais*.

Cantarei louvores ao nome do Senhor Altíssimo. Temos aqui um título especial de Deus, que fala de sua elevada posição nos céus, bem como de sua autoridade suprema na terra; e fala também de seus altos atributos e poder supremo, por ser ele soberano nos céus e na terra. Cf. também outros salmos onde essa expressão pode ser encontrada: 9.2; 21.7; 46.4; 47.2; 73.11; 77.10; 78.17,56; 82.6; 91.1,9 e 107.11. Ver no *Dicionário* o artigo *Altíssimo*, quanto a detalhes.

O Deus Altíssimo garante que a justiça será feita e que os homens colherão o que tiverem semeado. O poder de Deus será teisticamente aplicado à vida dos homens.

O Deus Altíssimo mostrou estar acima de todos os adversários de Davi. Ele efetuou e pronunciou seu julgamento de Davi. E o julgamento divino saiu em favor do salmista; e Deus então retornou aos seus altos céus, uma vez que a justiça estava feita.

SALMO OITO

Quanto a *informações gerais* que se aplicam a todos os salmos, ver a introdução ao Salmo 4. Provi *sete* úteis comentários à compreensão do livro de Salmos.

Este oitavo salmo é um "hino que celebra a glória de Deus, bem como dignidade humana, outorgada por Deus" *(Oxford Reference Bible,* comentando este versículo). O Salmo 8 tem sido corretamente chamado de messiânico, visto que as palavras atinentes ao homem (vs. 5) certamente também apontam para o Filho, o irmão dos outros homens que buscam retornar ao Pai celeste.

Salmos Messiânicos. Os salmos que são obviamente messiânicos são os de número 2, 8, 16, 22, 23, 40, 41, 45, 68, 69, 72, 89, 102, 110 e 118. Além desses, temos de considerar os *salmos reais,* intimamente relacionados aos salmos messiânicos, pois o Messias é, igualmente, o Rei dos reis. Ver os Salmos 2, 18, 20, 21, 45, 72, 89, 101, 132 e 144. Também existem referências e alusões em outros salmos, que falam tanto sobre o Messias, ou sobre a missão messiânica, quanto sobre a obra realizada do Messias.

"Neste salmo oitavo, Davi maravilhou-se de que o glorioso Senhor dos céus, cujo nome é excelente, viesse a usar pessoas de modo gracioso, no domínio da terra. A passagem considera a *dignidade dos homens* como representantes de Deus sobre a terra, sem enfatizar as consequências da queda, sob a forma de caos e rebeldia" (Allen P. Ross. *in loc.*).

Classificações dos Salmos. Ver o gráfico no início do comentário sobre o livro, que atua como uma espécie de frontispício. Dou ali dezessete classes e listo os salmos pertencentes a cada uma delas.

"O autor sagrado foi impelido ao louvor, ao contemplar a glória de Deus, conforme esta se manifesta nas maravilhas da criação, o que, por sua vez, excitou reflexões sobre o papel do homem no esquema das coisas. O hino é assinalado por sua originalidade, sua imaginação e elevação de pensamentos. O caráter artístico da composição deste salmo tem conferido a ele um lugar especial no saltério, cercado de elogios de antigos e modernos intérpretes. Cf. Sl 144.3; Jó 7.17; Mt 21.16; 1Co 15.25; Hb 2.6,7" (William R. Taylor, *in loc.*). As referências mostram que este salmo é citado por diversas vezes no Novo Testamento.

Subtítulos. O Salmo 8 foi atribuído a Davi. Endereçado ao mestre do coro, era entoado em honra à colheita. A palavra hebraica *gitite* tem sido interpretada como uma referência à colheita ou, mais especificamente, aos "lagares", exatamente conforme se lê no subtítulo deste salmo, o que é uma referência à vindima, ou seja, à colheita de uva. Mas alguns estudiosos veem um sentido metafórico nesta palavra, como se dissesse respeito aos julgamentos divinos. As uvas, sendo pisadas, podem ter esse significado. Ver Ap 14.19. Essa aplicação, entretanto, parece fora de ordem, considerando o tom elevado do salmo. Ainda outros intérpretes pensam que está em vista alguma característica musical não identificada. Seja como for, os subtítulos foram escritos muito tempo depois que os salmos foram compostos, e usualmente contêm apenas conjecturas quanto à autoria e às circunstâncias históricas que os acompanham.

■ **8.1** (na Bíblia hebraica corresponde ao **8.1,2**)

לַמְנַצֵּחַ עַל־הַגִּתִּית מִזְמוֹר לְדָוִד׃
יְהוָה אֲדֹנֵינוּ מָה־אַדִּיר שִׁמְךָ בְּכָל־הָאָרֶץ אֲשֶׁר תְּנָה הוֹדְךָ עַל־הַשָּׁמָיִם׃

Ó Senhor, Senhor nosso. O caráter *impressionante* da criação é ilustrado no artigo sobre *Astronomia,* no *Dicionário.* Bilhões de galáxias, com seus bilhões de estrelas, realmente deixam nossa mente ofuscada. Naturalmente, um homem que saia à noite só pode ver alguns poucos milhares de estrelas com os olhos desarmados. Mas até mesmo *essa* minúscula porção da glória celestial é estonteante. Nós, os modernos, sabemos muito mais sobre os céus do que os antigos sabiam, e nossa ciência nos tem ajudado a descartar teorias cosmológicas errôneas. No artigo chamado *Astronomia,* ilustro com um gráfico aquilo em que os hebreus realmente acreditavam. No entanto, não temos razão para mostrar-nos orgulhosos, pois o nosso conhecimento ainda representa uma pequena parcela do que poderia ser conhecido. Mistérios de proporções gigantescas esperam ser-nos revelados, provavelmente incluindo o fato de que há, "lá fora", muitos planetas habitados, onde vivem seres de maior ou menor inteligência do que nós, seres com formas de vida similares à nossa, e seres cujas formas de vida são diferentes da nossa.

A glória de Deus é a inteligência.

Joseph Smith

Aquilo que sabemos sobre a criação fala claramente, para nós, dos dois principais atributos divinos: inteligência e poder. Ver no *Dicionário* o verbete intitulado *Atributos de Deus.* Os filósofos baseiam vários argumentos em prol da existência de Deus sobre as maravilhas da criação. Ver na *Enciclopédia de Bíblia, Teologia e Filosofia,* os seguintes verbetes: *Argumento Cosmológico; Argumento Teleológico* e *Argumento Axiológico.* Ver também os *Cinco Argumentos de Tomás de Aquino;* e ver o verbete chamado *Deus,* seção IV, onde apresento discussões detalhadas. Esses argumentos estão alicerçados sobre a observação e a experimentação. Além disso, há muitos argumentos baseados na *razão,* os quais apresento no artigo sobre *Deus,* seção IV.

A Bíblia, naturalmente, não se envolve em especulações teológicas e filosóficas sobre a questão, mas simplesmente exerce fé nessa crença, como autoevidente. Sem embargo, esses argumentos são medidas válidas para edificação da fé. A glória de Deus se evidencia na natureza. Suas pegadas são claras ali. Sua grandeza está ali. Seu poder está ali. Sua inteligência está ali. Sua majestade está ali. Somente os seres humanos calejados pelo ateísmo e pelo ceticismo deixam de sentir o impacto do que podemos perceber todos os dias, com nossa própria mente.

"Contempla a criação de Deus e deixa que a cena te atinja a mente. Serás forçado a admitir que o Criador é alguém que a humanidade deve exaltar e reconhecer como grande, maior que toda a nossa imaginação... Que tua visão te leve ao pensamento sobre o caráter *esmagador* de Deus... Aquele que é elevado e exaltado, que habita na eternidade (ver Is 57.15); o Deus que se oculta (ver Is 45.15)... o Pai das luzes (Tg 1.17), no qual não há variação, nem sombra de mudança. Aqui se exibe a atitude mental essencial de toda verdadeira adoração" (J. R. P. Sclater, *in loc.*).

Note o leitor como a palavra "magnífico" começa e encerra este oitavo salmo. O nome de Deus é assim denominado.

A ti, Alma eterna, seja o louvor!
O qual, desde a antiguidade até os nossos dias,
Por meio de almas de santos e profetas,
Tens enviado tua luz, teu amor, tua Palavra.

Richard W. Gilder

Os céus proclamam a glória de Deus, e o firmamento anuncia as obras das suas mãos.

Salmo 19.1

Não há Deus, senão Deus.

O Alcorão

■ **8.2** (na Bíblia hebraica corresponde ao **8.3**)

מִפִּי עוֹלְלִים וְיֹנְקִים יִסַּדְתָּ עֹז לְמַעַן צוֹרְרֶיךָ
לְהַשְׁבִּית אוֹיֵב וּמִתְנַקֵּם׃

Da boca de pequeninos e crianças de peito. Deus usa a força das crianças para silenciar seus inimigos, isto é, louvor para alcançar a força de Deus. Cf. Mt 21.15,16, onde Jesus usou as palavras deste versículo para justificar o louvor que ele recebe da parte das crianças. O poder de Deus move-se por toda a criação. Isso pode ser vital nos céus; esta é uma cena nas obras de Deus sobre a terra, onde ele vindica os

ASSUNTOS DE DESTAQUE NOS SALMOS

Imediatamente antes do começo da exposição deste livro de Salmos, apresento um gráfico que ilustra as dezoito classificações das composições. Além de ter muitos gêneros, os salmos também discursam sobre um grande número de assuntos. Aqui ofereço uma lista mostrando onde estes assuntos especiais são comentados com mais detalhes do que ideias de menor eminência.

Assuntos de Destaque	Referências
Abençoado (o homem justo)	1.1
Ação de graças	Salmos 18,19,21,30,32 et al.
Acorda, Deus!	35.23; 44.23; 59.4
Acrósticos (salmos)	Introdução ao Salmo 34
Adoração	Salmos 29,33,46,89,97 et al.
Ajuda divina	115.9
Altíssimo	7.17
Amar a lei	119.47
Amor constante	136.1
Amor fiel	119.47
Asas de proteção	17.8; 36.7; 61.4
Avareza	Salmo 102 (um dos salmos de penitência)
Bênção	1.1
Benignidade (amor constante)	136.1
Braço do Senhor	77.15; 89.10; 98.1
Caminho	1.6; 37.5
Confiança	Os salmos de confiança são: 4,11,16,23,27,62,131 e muitos versículos de outros salmos
Corações, fé de	119.112
Coré, autor de alguns salmos	84,85,87,88 et al. (doze no total)
Cova	143.7
Cura divina; cura natural	31.9; 103.3
Dá ouvidos	143.1
Degraus, salmos de	Introdução ao Salmo 120
Deleitar na lei	119.47
Destruição, alegria na	52.6-9; 64.10
Deus adormecido	78.65
Deus como escudo	3.3; 7.9,10; 89.18;1.4
Deus como fortaleza	91.2
Deus como professor	20.4 (Pv 2.6)
Deus como refúgio	46.1
Deus como rocha	42.9
Deus como salvação	3.8; 9.14; 18.46; 50.23; 62.2 (nota de sumário); 79.9; 85.4; 119.74; 140.7; 149.4
Deus como torre forte	61.3
Deus é santo, portanto seja santo	99.9; 111.9 (Lv 19.2)
Deus, olho de	34.15
Deus, temor de	34.9; 36.1; 89.7; 119.38 (Pv 1.7)
Deuses (Elohim)	82.1
Didáticos, salmos	1,15,32,78, 105,106,135,136: ensino de lições cardinais
Doenças, salmos de	6,22,28,30,88,102,116. Estes salmos fazem parte dos salmos de lamentações: procuram o poder divino para curar os inimigos do corpo
Doxologia de louvor	117,150 e versículos individuais de outros salmos
Elohim (deuses)	82.1
Ensino de Deus	109.28
Ensino divino	119.68
Entendimento	119.73
Envergonhado	25.1; 35.26; 37.19; 69.6; 74.21; 78.66; 83.16; 86.17; 109.28; 119.31; 127.5
Esconder	69.17. Não esconder o rosto divino.
Escudo, Deus como	3.3; 7.9,10; 84.8; 89.8; 91.4; 115.9; 119.114; 144.2
Escuta	64.1
Espadas, palavras como	55.21; 57.4; 59.7; 64.3
Esperança na lei	119.147
Fidelidade	143.1
Flechas de Deus	64.7 (referências)
Flechas dos iníquos	57.4; 58.7; 64.3; 120.4
Fome	37.19; 38.19
Fortaleza, Deus como	91.2
Generosidade	41.1; 112.9
Glória	66.2
Hallel, salmos de	Introdução ao Salmo 113
Herança	37.9,11,22,29,34; 106.40
Herança, Israel como	33.12
Higaiom	9.16
Implorando vitória em batalhas	20 e partes de muitos outros salmos
Imprecações	38.4 A maioria dos salmos de lamentação é ou tem elementos de imprecações. Ver *classificações dos salmos* antes do começo da exposição (1.1)
Inabalável	21.7; 52.22; 66.9
Indiferença divina	10,11; 28.1; 59.4; 82.1; 143.7.

Justiça (retidão) da lei	119.142
Leão, metáfora de	22.13
Lei, a verdade	119.151
Lei, louvor à	119 (completo), ver também Salmos 1 e 19
Levantar os olhos	121.1
Liberalidade	41.1—112.19
Liturgia, salmos de	24,50,68,81,95 et al. Ver *Classificações dos Salmos* antes do começo da exposição (1.1)
Lombos	66.11
Louvor	119.171
Louvor à lei	119.119
Mão do Senhor	81.14
Mão direita do Senhor	20.6
Meditar	119.97
Messiânicos, salmos	2,8,16,22,23,24,40,45,68, 69,72,89,102,110. Outros salmos têm reflexos messiânicos
Moisés, salmo de	90
Nome do Senhor	31.3
Nome santo do Senhor	30.4; 33.21
Observando (guardando) a lei	119.44
Ódio	25.19
Olho de Deus	34.15
Órfãos, salmos	Os salmos que não têm subtítulo são assim chamados. Ver a introdução ao Salmo 91
Ossos, símbolo	6.2; 32.3; 34.20; 35.10; 102.3
Ouve	42.9; 64.1
Ouvido divino	35.15
Palavras (lábios) como espadas	55.21; 57.4; 59.7; 64.3
Pecado, palavras para expressar	32.1
Penitência, salmos de	6,32,39,51,102,130,143
Piscar dos olhos	35.19
Providência de Deus	75.6,7; 121.4; 127.1,2; 145.9,10
Reais, salmos	Ver a introdução ao Salmo 8
Rede	35.7; 66.11
Redenção	31.5; 71.23; 107.2
Refúgio, Deus como	46.1
Relva, metáfora da	37.2
Rins	16.7
Rocha, Deus como	18.2; 28.1
Romagem a Jerusalém	Salmo 122
Rosto brilhante do Senhor	84.9; 119.135
Rosto do Senhor	31.16; 34.16; 41.12; 119.135
Santo porque ele é santo	99.9; 111.9 (Lv 19.2)
Santos	97.10
Selá	3.2
Seol	6.5; 9.13,17; 88.10
Temor do Senhor	34.9; 36.1; 119.38 (Pv 1.7)
Torre forte, Deus como	61.3
Universalidade de Elohim	66.1
Uso apropriado da língua	5.9; 12.2; 15.3; 34.12; 35.28; 36.6 et al.
Verdade	119.51
Vingança	58.10
Votos do Senhor	76.11

seus santos e acerta as contas com os ímpios. Quando Deus se move, até as mais fracas entidades, como os infantes, podem confundir os fortes (cf. 1Co 1.27). "A humanidade, até as fracas crianças e até os infantes, representa a força de Deus na terra" (Allen P. Ross, *in loc.*).

Os Salmos Messiânicos. Este salmo tem parte nessa nobre classificação. Ver a introdução a este salmo, terceiro parágrafo, quanto às notas expositivas.

"As alegres bocas balbuciantes dos bebês proveem defesa do Criador contra todas as calúnias do inimigo" (Ewald). Por isso diz certo hino evangélico:

Quando ouço chorar um bebê recém-nascido,
Então sei por que creio.

"Não há aqui exagero algum. Até as criancinhas ficam de boca aberta diante da grandeza da natureza. Não se pode esquecer o olhar de admiração nos olhos de um menino de dezoito meses, quando ele viu o mar pela primeira vez, nem o seu choro amargurado quando um ramo de laburno, que estava em período de inflorescência plena, foi quebrado da planta para ser dado a ele. 'Oh! Estava bom onde estava', chorou ele. Lembramos como criancinhas se juntaram em louvor a nosso Senhor, quando ele, como um Rei, entrou em Jerusalém, e como elas aceitaram de bom grado o abrigo de seus braços. Elas saudaram o Rei e aceitaram a sua defesa, 'seguras nos braços de Jesus'" (H. R. P. Sclater, *in loc.*).

Um objeto de beleza é uma alegria para sempre;
Nosso amor por esse objeto aumenta. Ele nunca
se transformará em nada.

John Keats

Canto ao grande poder de Deus,
Que fez as montanhas se elevarem;
Isso espalhou os mares inundantes,
E edificou os altíssimos céus.
Canto à Sabedoria que ordenou
Que o sol governasse o dia;
A lua fica cheia por sua ordem,
E todas as estrelas obedecem.

Joseph Parker

■ **8.3** (na Bíblia hebraica corresponde ao **8.4**)

כִּי־אֶרְאֶה שָׁמֶיךָ מַעֲשֵׂי אֶצְבְּעֹתֶיךָ יָרֵחַ וְכוֹכָבִים אֲשֶׁר כּוֹנָנְתָּה:

Quando contemplo os teus céus. O salmista, ao contemplar os céus à noite, maravilhou-se diante dos grandes luminares: o céu para governar o dia, e a lua para brilhar à noite, por sua ordem. Ele não percebeu nenhum acidente nesses corpos luminosos, que foram determinados por Deus. Nesses corpos luminosos, ele sentiu a grandeza e a soberania de Deus.

> Senhor de todos os seres, entronizado ao longe,
> tua glória flameja do sol e das estrelas.
> Centro e alma de toda esfera.
> E, no entanto, tão próximo de todo coração amoroso.
> — Oliver Wendell Holmes

Nosso conhecimento é pequeno demais para descrever as maravilhas da natureza, e a nossa mente é pequena demais para raciocinar sobre elas. Todavia, *sentimos* o poder delas, bem como o poder e inteligência de Deus nelas. Nem todas as coisas podem ser definidas pela razão; nem todas as coisas se sujeitam à investigação experimental. Colombo descobriu um mundo, mas ele não tinha mapa, salvo aquele decifrado no firmamento. Ordena, pois, que a luz terna da fé rebrilhe. Esse é o mapa que nos conduz a pensar sobre as realidades divinas.

> Se quando a fé tivesse dormido
> Eu ouvisse ser dito: 'Não mais creias'
> ...
>
> Um calor no peito dissolveria
> A parte mais fria da razão enregelada,
> E qual homem iracundo, o coração
> Erguer-se-ia e diria: 'Eu senti'.
> — Alfred Lord Tennyson

■ **8.4** (na Bíblia hebraica corresponde ao **8.5**)

מָה־אֱנוֹשׁ כִּי־תִזְכְּרֶנּוּ וּבֶן־אָדָם כִּי תִפְקְדֶנּוּ:

Que é o homem...? O ser humano é tão insignificante e, no entanto, tão grande; tão pequeno, mas tão importante; tão tolo, mas tão sábio.

> Depois de eu ter olhado para aquelas estrelas, tendo elas olhado sem piedade para mim, como olhos que brilham com lágrimas celestes, sob a pequena sorte do homem.
> — Carlyle

> Sentimos que nada somos, pois tudo és tu e em ti,
> Sentimos que algo somos, isso também vem de ti;
> Sabemos que nada somos — mas tu nos ajudas a ser algo.
> Bendito seja o teu nome.
> — Alfred, Lord Tennyson

Note o leitor o *toque teísta* deste versículo. O Altíssimo Deus, entronizado em seu céu, Criador de todas as maravilhas da natureza que observamos, tem contudo um sentimento especial por aquela criatura humilde, o homem. Deus "pensa" no homem. Ele sente a dor do homem; conhece as necessidades do homem; responde às orações do homem, mesmo quando ele chora como uma criança tola em sua ignorância. Ver no *Dicionário* o verbete chamado *Teísmo*, bem como seu contraste com o *Deísmo*.

> Oh, a grandeza e a pequenez;
> a excelência e a corrupção;
> a majestade e a maldade do homem.
> — Pascal

"Davi ficou profundamente admirado de que o Senhor do universo ao menos tivesse pensado sobre o homem" (Allen P. Ross, *in loc.*). Considere o leitor a mensagem de João 3.16, que costumamos citar tão descuidadamente!

■ **8.5,6** (na Bíblia hebraica corresponde ao **8.6,7**)

וַתְּחַסְּרֵהוּ מְּעַט מֵאֱלֹהִים וְכָבוֹד וְהָדָר תְּעַטְּרֵהוּ:

תַּמְשִׁילֵהוּ בְּמַעֲשֵׂי יָדֶיךָ כֹּל שַׁתָּה תַחַת־רַגְלָיו:

Sob seus pés tudo lhe puseste. Essas palavras foram ditas acerca do homem que exerce domínio sobre toda a terra, conforme descrito nos vss. 7 e 8. Mas também há uma referência messiânica ao domínio universal do *Logos*, que veio a chamar-se Cristo, em sua encarnação.

Ver Hb 2.6-9. Cf. esse pensamento com Ef 1.9,10, onde, finalmente, todas as coisas são vistas *recapituladas* no Logos. Ver Ef 4.10. Ele deverá "preencher todas as coisas" e ser "tudo para todos". Além disso, ver Fp 2.9-11, onde o Senhorio universal de Cristo é referido com detalhes.

■ **8.7,8** (na Bíblia hebraica corresponde ao **8.8,9**)

צֹנֶה וַאֲלָפִים כֻּלָּם וְגַם בַּהֲמוֹת שָׂדָי:

צִפּוֹר שָׁמַיִם וּדְגֵי הַיָּם עֹבֵר אָרְחוֹת יַמִּים:

Ovelhas e bois, todos. *O domínio do homem é descrito* em dois versículos que falam especialmente sobre como o reino animal foi sujeitado ao homem, em harmonia com a promessa e a instituição de Deus (ver Gn 1.26 e 2.19,20). O homem tornou-se o *vice-regente* de Deus. Ademais, cabe aos homens remidos compartilhar da imagem do Filho e ser elevados seus vice-regentes nos céus (ver Rm 8.29; 1Jo 2.2; 2Co 3.18). Essa é nossa mais excelente doutrina, ou seja, como o homem pode vir a compartilhar da natureza divina (ver 2Pe 1.4). Quanto a esse importantíssimo assunto, que contém a própria essência do evangelho, ver na *Enciclopédia de Bíblia, Teologia e Filosofia* os artigos denominados *Imagem de Deus, o Homem como* e *Transformação segundo a Imagem de Cristo*.

> De harmonia em harmonia celeste,
> Teve início este arcabouço universal:
> De harmonia em harmonia
> Soou, por toda a gama das notas
> O diapasão, apontando para o Homem.

"Deus deu ao homem uma partilha em sua própria dignidade, conferindo-lhe *domínio* sobre o resto da criação" (*Oxford Annotated Bible,* comentando o vs. 7). Este versículo refere-se diretamente à passagem de Gn 9.2.

As sendas dos mares. As inúmeras espécies de peixes e animais marinhos têm suas sendas nos mares e, de alguma maneira, sabem aonde estão indo e o que estão fazendo ali. Até mesmo sobre aquelas criaturas, o homem estabeleceu seu domínio. *O Targum* fala aqui sobre o *leviatã,* aquele temível animal que aparece no capítulo 41 do livro de Jó. Alguns estudiosos pensam aqui em *navios* feitos pelos homens. É do reino animal que o homem extrai seu alimento e suas vestes e encontra pleno emprego para esses elementos. Os homens têm exercido domínio sobre todas as esferas: o ar, a terra e o mar. Pela graça de Deus, a glória divina é confirmada no quarto lugar: os céus.

> Foi grande revelar Deus a seres angelicais;
> Foi maior estimar o homem humilde.
> Foi grande habitar no exaltado favor divino;
> Foi maior ser Salvador do homem quebrantado.
> — Russell Champlin

■ **8.9** (na Bíblia hebraica corresponde ao **8.10**)

יְהוָה אֲדֹנֵינוּ מָה־אַדִּיר שִׁמְךָ בְּכָל־הָאָרֶץ:

Ó Senhor, Senhor nosso. "A fim de que o homem não se absorvesse na contemplação de sua própria grandeza, o versículo concludente lembra ao homem sua posição subordinada. Majestade e domínio são prerrogativas de Deus" (William R. Taylor, *in loc.*).

"A explosão de louvor no vs. 1 é a linguagem da *esperança do crente.* No vs. 9, está em foco o louvor, ao contemplar o homem a consumação de redenção. Todos os remidos por Deus juntar-se-ão na execução desse cântico (ver Ap 19.1,4-6)" (Fausset, *in loc.*).

Este salmo termina com as mesmas palavras com as quais começou, o que mostra que o senso de respeito que afetava o autor sagrado permanecia com ele e, sem dúvida, até tinha aumentado" (John Gill, *in loc.*). Ver a exposição do vs. 1.

SALMO NOVE

Quanto às *informações gerais* que se aplicam a todos os salmos, ver a introdução ao Salmo 4, onde apresento *sete* comentários que elucidam a natureza do livro. Quanto à *classificação* dos salmos, ver o gráfico no início do comentário sobre o livro de Salmos, que atua como um frontispício. Dou ali, igualmente, dezessete classes e listo os salmos que pertencem a cada uma delas.

Este é um salmo de *lamentação*. Há, dentre os 150 salmos, nada menos de sessenta assim classificados. Os salmos de lamentação tipicamente começam com um grito desesperado por ajuda, a fim de o salmista ser libertado de algum inimigo: de potências estrangeiras, de inimigos dentro de Israel, ou do corpo (alguma enfermidade que ameaçasse a vida do corpo físico).

Talvez os Salmos 9 e 10 fossem originalmente uma única composição, conforme existem até hoje dentro da versão da Septuaginta. Na Bíblia hebraica, entretanto, esses dois salmos são ligados, visto que quase cada estrofe (uma sim, uma não) começa com uma letra sucessiva do alfabeto hebraico, tornando-os *salmos acrósticos* (ver comentários abaixo). Os Salmos 9 e 10 têm certo número de expressões similares; ambos se encerram com uma declaração enfática sobre a *mortalidade* do homem, que deveria inspirar os homens a uma conduta apropriada; ambos se referem às *nações* (ver Sl 9.5,15,17,19,20 e 10.16).

Todavia, há algumas diferenças entre os Salmos 9 e 10. O Salmo 9 é um cântico de triunfo, dando especial agradecimento após a lamentação, enquanto o Salmo 10 é essencialmente uma queixa contra inimigos pessoais. O Salmo 10 não tem subtítulo, e o subtítulo que há na introdução ao Salmo 9 pode ter servido originalmente a ambos os salmos. O Salmo 9 contém a misteriosa palavra hebraica *Selá* no final, assinalando uma divisão natural, se não mesmo uma composição originalmente diferente. Foram editores subsequentes que supriram essas notas introdutórias. Usualmente trata-se apenas de conjecturas quanto à autoria e às circunstâncias históricas que podem ter inspirado a composição. Isso não pertence às composições originais.

Subtítulos. A palavra hebraica *mutelabem* não parece ser o nome de um instrumento musical, mas pode significar a expressão *morte para o filho* (conforme diz nossa versão portuguesa); e isso poderia ligar esses salmos a 2Sm 12.20 ss. Entretanto, mediante leve alteração do hebraico original, o título poderia ser "morte do campeão", e isso apontaria para a morte de *Golias*. Todavia, alguns estudiosos dizem que está em vista a morte de Saul. A versão árabe, porém, diz "os mistérios no filho". É inútil multiplicar as conjecturas. Na realidade, não sabemos dizer o que os editores subsequentes quiseram afirmar com seu subtítulo. Cerca de metade dos 150 salmos é atribuída a Davi, o que, sem dúvida, é um exagero. Mas pelo menos parte deles é de autoria davídica, visto ter sido ele o *suave salmista de Israel* (ver 2Sm 23.1).

Salmos Acrósticos. Um salmo acróstico é aquele em que cada linha ou segunda linha começa com uma letra sucessiva do alfabeto hebraico. Esse estilo literário bastante artificial fez com que os salmos assim escritos se tornassem um tanto desconjuntados, pois as ideias ficavam frouxamente vinculadas. A palavra *acróstico* vem do grego *akros* (fim ou ponta) + *stixos* (linha de um versículo). Nas composições em hebraico, essas letras especiais figuram no começo das linhas, mas nas composições em outros idiomas podem figurar em qualquer lugar.

■ **9.1** (na Bíblia hebraica corresponde ao 9.1,2)

לַמְנַצֵּחַ עַל־מוּת לַבֵּן מִזְמוֹר לְדָוִד׃

אוֹדֶה יְהוָה בְּכָל־לִבִּי אֲסַפְּרָה כָּל־נִפְלְאוֹתֶיךָ׃

Louvar-te-ei, Senhor, de todo o meu coração. O salmista começou com um cântico de louvor e ação de graças. Ele expressou alegria, louvor e triunfo. Não há palavras capazes de exprimir, de maneira adequada, a gratidão pelo que o Senhor fizera por ele. O efeito de suas exclamações foi acentuado pela letra hebraica *álefe*, que inicia a estrofe. O coração inteiro foi vazado sob a forma de um cântico exaltando as obras maravilhosas de benefício realizadas por Deus, que tinham tocado a vida do salmista.

A primeira porção do salmo (vss. 1-12) fala de Deus como o verdadeiro Juiz e esperança dos aflitos. Em vista disso, Davi resolveu louvar o Senhor de todo o seu coração e falar de suas maravilhas, mostrando-se jubiloso em comunhão com Deus e *cantando* sobre seus feitos *extraordinários* e suas obras *inigualáveis*. Essa é uma expressão usada com frequência para falar das *obras* de Deus.

"É isso que, nas páginas do Novo Testamento, é chamado de 'fazer melodia no coração' bem como 'com graça no coração' (Ef 5.19 e Cl 3.16)" (John Gill, *in loc.*). Devemos lembrar que os salmos eram musicados, cantados e acompanhados por instrumentos musicais.

As tuas maravilhas. Incluindo a obra de criação (ver Sl 8.1), mas também as maravilhas que Deus tinha feito na vida pessoal do salmista.

Haverá chuvas de bênçãos,
Essa é a promessa de amor;
Haverá períodos de refrigério,
Enviados do Salvador acima.
De chuvas de bênçãos precisamos:
Misericórdias estão caindo sobre nós,
Mas pedimos mais chuvas.

El Nathan

■ **9.2** (na Bíblia hebraica corresponde ao 9.3)

אֶשְׂמְחָה וְאֶעֶלְצָה בָךְ אֲזַמְּרָה שִׁמְךָ עֶלְיוֹן׃

Alegrar-me-ei e exultarei em ti. Falando em termos gerais, o salmista ficava transportado de júbilo com tudo quanto tinha visto Deus fazer na natureza e na sua própria vida; por isso entoou louvores a Yahweh, o Deus Altíssimo. Ver no *Dicionário* o artigo chamado *Altíssimo*. Ver também Sl 7.17, quanto a uma lista de referências onde aparece esse título de Deus. O poder do alto havia tocado a vida de Davi, e esse era o segredo de seu sucesso e alegria.

"Ele tinha um vívido senso das múltiplas implicações da *intervenção divina* em seu favor (cf. os vss. 13 e 14)" (William R. Taylor).

Várias *razões* para os louvores do salmista são registradas nos vss. 3-6.

■ **9.3** (na Bíblia hebraica corresponde ao 9.4)

בְּשׁוּב־אוֹיְבַי אָחוֹר יִכָּשְׁלוּ וְיֹאבְדוּ מִפָּנֶיךָ׃

Pois ao retrocederem os meus inimigos. Eis algumas razões pelas quais o autor do salmo agradeceu a Deus:

1. O salmista teve a vitória sobre os inimigos por meio da intervenção divina (vs. 3).
2. Yahweh tinha vindicado sua causa contra os inimigos. Sua causa era justa, e os inimigos eram iníquos (vs. 4).
3. seus inimigos foram repreendidos e retrocederam, e então foram destruídos (vs. 5).
4. O nome de nações ímpias, e não de meros indivíduos, foi esquecido completamente da memória (vs. 5).
5. Até a memória daqueles pecadores se perdeu, ilustrando o fato de seu total aniquilamento (vs. 6).

Este salmo, tal como tantos outros, preocupa-se com a derrota dos inimigos. Devemos lembrar que os povos daquele tempo eram *selvagens brutais*, quando a sobrevivência diária dependia de defender-se violentamente. Eis a razão pela qual Saul e Davi foram tão louvados: as muitas pessoas que foram capazes de matar. Ver 1Sm 18.17. Além disso, Sansão foi louvado porque conseguiu matar mais adversários, em sua morte, do que havia feito em toda a vida (ver Jz 16.30)! Até hoje, é uma glória matar, na estimativa de algumas pessoas, se essa morte presumivelmente promove o bem de outrem. Que o leitor considere o que está acontecendo no Oriente Próximo, atualmente, entre árabes e judeus!

O salmista deu graças a Deus, que manifestou a sua *presença* para libertá-lo dos inimigos. Foi assim que Deus se tornou o General do *exército*, e o nome do jogo era *matança*. Ou, algumas vezes, Deus era o defensor *pessoal* de algum homem, *executando* um único inimigo que o assediava.

■ **9.4** (na Bíblia hebraica corresponde ao 9.5)

כִּי־עָשִׂיתָ מִשְׁפָּטִי וְדִינִי יָשַׁבְתָּ לְכִסֵּא שׁוֹפֵט צֶדֶק׃

Porque sustentas o meu direito e a minha causa. A causa do salmista foi *vindicada*. Seus adversários eram homens ímpios e violentos. Eles ganharam o que mereciam, quando foram executados com a ajuda do poder divino. Deus, em seu trono, enviou o decreto mortífero de execução e arranjou as circunstâncias através das quais isso se tornou possível! Cf. Sl 7.6-8; 43.1 e Jr 11.20. Naturalmente, os hebreus não eram os únicos que misturavam Deus em suas matanças. O deus-sol da Babilônia era pintado como Juiz de toda a humanidade, que aplicava duríssimos golpes contra os injustos.

O céu continua acima de todos.
Ali está sentado um Rei que
Nenhum rei pode corromper.

Shakespeare, *Henrique VIII*

■ **9.5** (na Bíblia hebraica corresponde ao **9.6**)

נָעַרְתָּ גוֹיִם אִבַּדְתָּ רָשָׁע שְׁמָם מָחִיתָ לְעוֹלָם וָעֶד׃

Repreendes as nações, destróis o ímpio. *Os julgamentos de Deus* voltam-se contra indivíduos, mas também contra as nações. Ver as notas sobre as *oito* nações que Davi conseguiu obliterar ou sujeitar à escravidão, com a ajuda de Yahweh (ver 2Sm 10.19). Israel foi libertado para tornar-se uma nação distintiva e poderosa. Sem isso, provavelmente teria permanecido tribos errantes de nômades, em uma terra hostil. Salomão também aproveitou a paz que Davi trouxe, na era dourada de Israel.

... lhes apagas o nome. Deus apagava assim o nome de um indivíduo do livro da vida, garantindo sua retirada da lista dos vivos para sempre. O ideal era o aniquilamento. Não era considerado vantajoso tomar prisioneiros de guerra. O genocídio era a melhor forma de matar, porquanto não permitia que um inimigo lutasse por outro dia. Cf. o versículo com Êx 17.14; Dt 25.19 e Nm 24.20. Ver sobre *guerra santa*, em Dt 7.1-5; 20.10-18. O povo aniquilado era apresentado como oferenda queimada a Yahweh, pelo que a matança se tornava um ato religioso! Nenhuma criatura viva era poupada, seja homem, mulher, criança ou animal. E não era permitido tomar despojos.

A memória do justo é abençoada, mas o nome dos perversos cai em podridão.

Provérbios 10.7

■ **9.6** (na Bíblia hebraica corresponde ao **9.7**)

הָאוֹיֵב תַּמּוּ חֳרָבוֹת לָנֶצַח וְעָרִים נָתַשְׁתָּ אָבַד זִכְרָם הֵמָּה׃

Quanto aos inimigos, estão consumados. *Os inimigos de Israel* foram obliterados de tal modo que se *desvaneceram em ruínas eternas* (conforme diz a *Revised Standard Version*). Suas cidades foram arrasadas ou reconstruídas e ocupadas pelos hebreus. A memória das cidades destruídas se perdeu para a humanidade, juntamente com os seus habitantes. Este versículo fala da guerra em seu pior aspecto, mas para os homens era a guerra em seu melhor aspecto. Ver sobre *Guerra*, no *Dicionário*. A violência humana é bizarra e continua sem abatimento. A violência é glorificada e transformada em obra de Deus. A consciência do homem tem sido envenenada com profunda iniquidade. O amor de Deus brilha através das páginas do Novo Testamento e ajuda a contrabalançar a violência que transparece no Antigo Testamento. Graças a Deus, no Antigo Testamento, muitos textos majestáticos erguem-se como picos acima da fumaça, e neles vemos a glória de Deus.

Não é ruim. Que brinquem.
Que os canhões ladrem, e que o avião bombardeiro
Fale suas prodigiosas blasfêmias.
...
Quem se lembraria do rosto de Helena,
Se lhe faltasse o terrível halo de lanças?
...
Nunca chores. Deixa-os brincar.
A antiga violência não é muito antiga,
A ponto de não poder gerar novos valores.

Robinson Jeffers

"Multidões das cidades dos cananeus pereceram tão completamente que nem nome nem vestígio resta delas" (Adam Clarke, *in loc.*).

■ **9.7** (na Bíblia hebraica corresponde ao **9.8**)

וַיהוָה לְעוֹלָם יֵשֵׁב כּוֹנֵן לַמִּשְׁפָּט כִּסְאוֹ׃

Mas o Senhor permanece no seu trono eternamente. Em contraste com as "nações perdidas" e com os "nomes apagados", *Yahweh* perdurará para sempre. E isso, por sua vez, confere-nos a esperança de um destino final decente. Mas ele está ali, em seu trono, para continuar e julgar os iníquos, assim que eles erguerem suas feias cabeças. Ele sabe quem tem a razão. E também sabe quem está errado, e passará julgamento de acordo com o seu conhecimento. O salmista repousou o seu caso no Ser divino.

"Davi passou a falar sobre a perpetuidade do reino de Deus, em contraste com o 'breve tempo de usurpação' do inimigo (ver Ap 12.12)" (Fausset, *in loc.*).

"*Sic transit gloria mundi.* Estes versículos (6 e 7) nos oferecem, com muita dignidade, o contraste entre a natureza transitória dos poderes do mundo e a permanência daquilo que é imutável. O memorial perecerá juntamente com eles, mas o Senhor permanecerá para sempre" (J. R. P. Sclater, *in loc.*).

"Todas as coisas chegam ao fim, mas Deus e os espíritos santos permanecem para sempre" (Adam Clarke, *in loc.*). "Todo triunfo do direito sobre o erro que ocorra agora é uma garantia do justo julgamento final" (Fausset, *in loc.*).

■ **9.8** (na Bíblia hebraica corresponde ao **9.9**)

וְהוּא יִשְׁפֹּט־תֵּבֵל בְּצֶדֶק יָדִין לְאֻמִּים בְּמֵישָׁרִים׃

Ele mesmo julga o mundo com justiça. O salmista, estando com a razão, ansiava pela *intervenção divina*, a qual endireita as coisas, no que diz respeito tanto aos inimigos pessoais quanto aos inimigos do Estado. Todas as dispensações de Deus, às nações ou aos indivíduos, estão baseadas na justiça. Contrastar essa ideia com a dos gregos, que faziam de seus deuses ampliações deles mesmos, em seus vícios e injustiças. Eis a razão pela qual homens como Platão tinham melhores crenças religiosas, em suas filosofias, do que as crenças comuns das religiões populares.

■ **9.9** (na Bíblia hebraica corresponde ao **9.10**)

וִיהִי יְהוָה מִשְׂגָּב לַדָּךְ מִשְׂגָּב לְעִתּוֹת בַּצָּרָה׃

O Senhor é também alto refúgio para o oprimido. Deus é aqui retratado como o "alto refúgio" do homem bom, um lugar onde ele pode abrigar-se da opressão dos iníquos, quando estes perseguem e criam tribulações para seus semelhantes. Naturalmente, essa declaração também é verdadeira em um sentido geral, porquanto há muitas tribulações que assediam um homem e não são causadas por outros homens. Mas neste exemplo os opressores são as causas da dor. A fortaleza é uma *cidadela* para onde os perseguidos podem retirar-se, para ali encontrarem o poder de sobreviver e então revidar.

Quanto a Deus como *alto refúgio* (no hebraico, *misgob*) e *fortaleza*, ver também Sl 18.2; 46.7-11; 48.3; 59.9,16,17; 62.2,6; 94.22 e 144.2. Além disso, temos uma palavra similar, igualmente traduzida por "refúgio" (no hebraico, *mahseh*), em Sl 14.6; 46.1; 61.3; 62.7,8; 71.7; 73.2 e 91.2,9. Ademais, há um termo hebraico traduzido por "alto refúgio" (no hebraico, *manos*), em Sl 59.16 e 142.5. As ideias envolvidas são de segurança, proteção, reversão de perigo e potencial para ferir os perseguidores, diante da assistência divina.

Porque foste a fortaleza do pobre, e a fortaleza do necessitado na sua angústia; refúgio contra a tempestade e sombra contra o calor; porque dos tiranos o bufo é como a tempestade contra o muro.

Isaías 25.4

■ **9.10** (na Bíblia hebraica corresponde ao **9.11**)

וְיִבְטְחוּ בְךָ יוֹדְעֵי שְׁמֶךָ כִּי לֹא־עָזַבְתָּ דֹרְשֶׁיךָ יְהוָה׃

Em ti, pois, confiam os que conhecem o teu nome. "Encontramos aqui uma declaração significativa. Saber a verdade acerca de Deus produz confiança interior de que as provações não podem abalar-nos. 'E a vida eterna é esta: que te conheçam a ti, o único Deus verdadeiro, e a Jesus Cristo, a quem enviaste' (Jo 17.3). Ademais, nenhum de nós vive inteiramente sem *evidência* do abrigo divino dado à alma. Talvez até mártires tivessem sido capazes de declarar, juntamente com o salmista: 'Tu, Senhor, não tens esquecido aqueles que te buscam'. Foi quando ele estava sendo apedrejado que o rosto de Estêvão brilhou como o de um anjo" (J. R. P. Sclater, *in loc.*).

Os que conhecem o teu nome. Esses têm uma familiaridade com a misericórdia de Deus, pelo que nele depositam sua confiança. Eles estão convictos de que o Ser divino nunca os abandonará, pois ele nunca se esquece daqueles que estão em tribulação mas nele confiam.

■ **9.11** (na Bíblia hebraica corresponde ao **9.12**)

זַמְּרוּ לַיהוָה יֹשֵׁב צִיּוֹן הַגִּידוּ בָעַמִּים עֲלִילוֹתָיו׃

Cantai louvores ao Senhor. O *coro continuava* o hino de louvor a Yahweh, que habita na Sião celestial, mas também visita a Sião terrestre e cuida de seu povo. Ver no *Dicionário* o verbete chamado *Sião*. Ali foi construído o templo, e seu principal ambiente fechado era o Santo dos Santos, onde se manifestava a presença divina. Deus sempre intervinha potencialmente em favor de seu povo. Ver no *Dicionário* o verbete chamado *Teísmo*, em contraste com o *Deísmo*. Personalizar Deus é reduzi-lo a um ser menor do que ele realmente é. No entanto, existe a *graça interventora* mediante a qual ele se torna pessoal para aqueles que o buscam. Existem evidências que comprovam o seu interesse por nós, porquanto temos uma história universal e pessoal de seus *feitos*. O autor sagrado de nada sabia sobre o método científico, mas sabia de *experiências repetidas* com o poder de Deus e seus resultados beneficentes. Assim sendo, ele foi inspirado a ter fé na continuidade da situação. Ver notas expositivas sobre o senso de *confiança*, em Sl 2.12. Aqueles que confiam são os *bem-aventurados*. Ver no *Dicionário* o verbete intitulado *Providência de Deus*.

"Os vss. 11 e 12 formam o *sumário* de conclusão da primeira porção do salmo, onde o autor estabeleceu tanto o que Deus tinha feito quanto o que Deus é. Muito apropriadamente, isso toma a forma de um cântico de ação de graças" (Fausset, *in loc.*).

■ **9.12** (na Bíblia hebraica corresponde ao **9.13**)

כִּי־דֹרֵשׁ דָּמִים אוֹתָם זָכָר לֹא־שָׁכַח צַעֲקַת עֲנָוִים

Pois aquele que requer o sangue lembra-se deles. O Deus justo abençoava aqueles que nele confiam e estava sempre pronto a defendê-los de seus brutais inimigos, os quais pretendiam prejudicá-los e matá-los. Ele acertaria as contas de sangue. Lembraria dos clamores dos justos, quando prejudicados e mortos, e não esqueceria o clamor dos humildes. Ele feriria os opressores. Assim sendo, uma vez mais, conforme é tão frequente nos salmos, Deus ou é *louvado* por defender a causa dos perseguidos, ou é invocado a fazê-lo. Naquele meio ambiente brutal e hostil, a sobrevivência diária aos abusos e ao derramamento de sangue era um problema constante. A sobrevivência era atribuída a Deus, e a segurança física contínua era sempre motivo de petição. Deus é "o vingador do sangue, lembrando-se sempre dos inocentes" (Duhm). Consideremos "Deus, aquele que se lembra" do "homem, que se esquece". Esquecer a injustiça é uma das armas do diabo. As pessoas esquecem prontamente! Porém, há aquele que se lembra e, sendo ele o Juiz de toda a terra, fará o que é certo (ver Gn 18.25).

"Isso não se aplica aos cananeus, aos moabitas, aos amonitas e aos filisteus, os quais derramaram injustamente o sangue do povo de Deus, mas a todas as nações da terra, as quais, para ampliar seu território, aumentar as suas riquezas ou estender o seu comércio, faziam guerras destruidoras. Quanto ao sangue que tais nações derramaram, seu sangue também seria derramado... Deus se lembra" (Adam Clarke, *in loc.*).

Aquele que requer o sangue. O termo hebraico por trás desta expressão é *qual*, uma alusão ao vingador do sangue que procurava e matava quem tivesse matado um seu ente querido. Ver no *Dicionário* os verbetes chamados *Vingador do Sangue* e *Goel (Remidor)*.

O leitor deve comparar este versículo com Ap 6.9,10, que diz algo similar: "Quando ele abriu o quinto selo, vi debaixo do altar as almas daqueles que tinham sido mortos por causa da palavra de Deus e por causa do testemunho que sustentavam. Clamaram em grande voz, dizendo: Até quando, ó Soberano Senhor, santo, e verdadeiro, não julgas nem vingas o nosso sangue dos que habitam sobre a terra?"

■ **9.13** (na Bíblia hebraica corresponde ao **9.14**)

חָנְנֵנִי יְהוָה רְאֵה עָנְיִי מִשֹּׂנְאָי מְרוֹמְמִי מִשַּׁעֲרֵי מָוֶת׃

Compadece-te de mim, Senhor. Uma vez mais, o grito pedindo ajuda foi para que Yahweh anulasse os adversários do salmista, fizesse-os retroceder e derrotasse seus desígnios sanguinários. É o Deus *gracioso* que ouve e replica favoravelmente ao apelo do justo.

Portas da morte. A referência aqui é ao *seol*, e neste caso a palavra é um simples sinônimo de *sepultura* ou morte. O conceito do submundo passou por uma evolução a ponto de tornar-se a habitação dos espíritos reais, dos mortos saídos deste mundo, bons ou maus. Em seguida, o seol foi dividido em compartimentos para os santos e para os pecadores, antes de haver-se desenvolvido a doutrina do céu, no mundo dos espíritos, destinado aos bons. O artigo sobre essa palavra, no *Dicionário*, ilustra a questão. Pensava-se que o seol ficava sob a superfície da terra. Ver no *Dicionário* o artigo chamado *Astronomia*, onde há um gráfico que ilustra a cosmologia dos hebreus antigos, incluindo o *seol*. Dizia-se, ocasionalmente, que o seol teria *portões*, porquanto seria uma espécie de fortaleza do mal que era trancada com portões, que impediam a saída de quem ali ingressasse. Também havia altas muralhas. A mitologia babilônica e a egípcia emprestavam ao submundo elevadas muralhas e portões. Cf. essa ideia com as passagens de Sl 107.18; Is 38.10; Mt 16.18 e Ap 1.18. Agora falamos sobre metáforas poéticas, mas os antigos levavam todas essas coisas muito a sério. Ver também Sl 6.5, onde ofereço notas adicionais que se aplicam aqui. Ver também Jó 38.17.

■ **9.14** (na Bíblia hebraica corresponde ao **9.15**)

לְמַעַן אֲסַפְּרָה כָּל־תְּהִלָּתֶיךָ בְּשַׁעֲרֵי בַת־צִיּוֹן אָגִילָה בִּישׁוּעָתֶךָ׃

Às portas da filha de Sião. Os portões de *Sião* (ver a respeito no *Dicionário*) são contrastados com os do *seol* (vs. 13), e os alegres louvores são contrastados ali com a melancolia do sepulcro. O seol era considerado um lugar de completo *silêncio* (ver Sl 88.10-12), até que homens como Dante fizeram os ímpios gritar de dor ali. As chamas do seol foram acesas no livro de 1Enoque, e nenhum desenvolvimento de uma doutrina do inferno ocorreu durante os dias do Antigo Testamento. Isso teve de esperar pelo aparecimento dos livros apócrifos e pseudepígrafos. E, quase em seguida, houve os embelezamentos do Novo Testamento. Sião geralmente aparece como sinônimo de Jerusalém, pelo que as muralhas aqui em foco são as da cidade, e não da colina chamada Sião, onde também foi construído o templo. Jerusalém é retratada como a *mãe dos bons* (Sl 87.5; Is 37.22; Lm 1.5), pelo que a população dessa cidade é chamada de *filha* de Jerusalém (ver Is 1.8; 10.32; Mq 4.8). Comparar as expressões similares de "filha de Tiro", em Sl 45.12 e "filha de Babilônia", em Sl 137.8.

Se fosse libertado, o salmista iria ao tabernáculo (ou templo), para oferecer os sacrifícios apropriados de ação de graças e entoar hinos de louvor ao Libertador celestial.

■ **9.15** (na Bíblia hebraica corresponde ao **9.16**)

טָבְעוּ גוֹיִם בְּשַׁחַת עָשׂוּ בְּרֶשֶׁת־זוּ טָמָנוּ נִלְכְּדָה רַגְלָם׃

Afundam-se as nações na cova que fizeram. Encontramos aqui outro versículo, semelhante a Sl 7.16, no qual os ímpios são punidos de acordo com a gravidade de seus crimes, mediante a *Lex Talionis* (lei da retribuição de acordo com o crime cometido, quando o julgamento aplicado correspondia ao que os ímpios praticaram contra os bons). Ver no *Dicionário* sobre essa expressão. Ver também *Lei Moral da Colheita segundo a Semeadura*. As notas em Sl 7.16 ampliam o tema. Examinar também Gl 6.7,8, no *Novo Testamento Interpretado*, onde há detalhes abundantes.

Os ímpios — que haviam preparado *covas* onde os bons, sem nada suspeitar, haveriam de cair — cairiam, eles mesmos, nesses buracos, sofrendo assim o mesmo que tinham planejado para seus semelhantes. O simbolismo, naturalmente, é a de um caçador que apanhou um pobre animal em sua cova e matou-o sem misericórdia, estando este impotente na armadilha. Já tivemos ocasião de examinar esse simbolismo em Sl 7.15, onde comento a questão com algum detalhe.

Ademais, temos de considerar as *redes* de caçador, que apanhavam pássaros e animais. Cf. Sl 35.8 e 57.6. A justiça divina, entretanto, lançaria no rosto dos pecadores aquilo que eles planejaram contra os bons. A traição dos planejadores e a *impotência* dos que foram apanhados nos planos maus são enfatizadas juntamente com as tragédias *súbitas e inesperadas* daí resultantes.

Neste versículo, Yahweh torna-se o *Caçador celeste,* que surpreende os ímpios em sua armadilha e em suas redes, e liberta os justos dos atos de traição. Indivíduos maldosos e espertos são assim derrotados pela sabedoria divina.

Salvou-se a nossa alma, como um pássaro do laço dos passarinheiros; quebrou-se o laço, e nós nos vimos livres.
Salmo 124.7

■ **9.16** (na Bíblia hebraica corresponde ao **9.17**)

נוֹדַע יְהוָה מִשְׁפָּט עָשָׂה בְּפֹעַל כַּפָּיו נוֹקֵשׁ רָשָׁע הִגָּיוֹן סֶלָה:

Faz-se conhecido o Senhor. O Senhor, ou seja, Yahweh, o *Deus eterno,* tem a reputação de punir os ímpios conforme a gravidade de seus pecados, ao mesmo tempo que liberta os homens bons. O símbolo do caçador continua desde o vs. 15. Isso enfatiza a lei da colheita segundo a semeadura; e quem faz essa lei operar é Deus. Por conseguinte, sua operação é firme e exata.

Os moinhos de Deus moem devagar, mas seguramente.
Provérbio grego

Embora os moinhos de Deus moam lentamente,
Contudo moem excessivamente fino,
Embora, com paciência, ele fique esperando,
Com exatidão ele mói a tudo.
Henry Wadsworth Longfellow

Ao assim dizer, o poeta exclamou: *Higaion. Selá.* O sentido da primeira palavra é desconhecido; e, quanto à segunda palavra, comento sobre ela em Sl 3.2. Alguns interpretam a primeira delas como *meditação;* e isso daria a seguinte tradução: "Medite-se sobre isto!" ou talvez: "Aumentai a intensidade da música. Selá". *Higaiom* é palavra que ocorre somente aqui nos Salmos. Contudo, alguns intérpretes dizem acerca dela *som solene.* Mas tanto uma quanto a outra palavra provavelmente transmitiam ordens aos músicos para que tocassem de determinada maneira. "Alguns estudiosos pensam que essas palavras são reações aos músicos, algo como as palavras italianas usadas nas composições musicais: *presto, largo vivace, allegro*" (Adam Clarke, *in loc.*).

■ **9.17** (na Bíblia hebraica corresponde ao **9.18**)

יָשׁוּבוּ רְשָׁעִים לִשְׁאוֹלָה כָּל־גּוֹיִם שְׁכֵחֵי אֱלֹהִים:

Os perversos serão lançados no inferno. Os ímpios são *aqui ameaçados com a sepultura, a morte ou o seol* (ver a respeito no *Dicionário,* bem como as notas expositivas em Sl 9.13). Não há razão para supormos que essas palavras signifiquem ir para o lamentável submundo do sofrimento das almas. A doutrina da retribuição e do julgamento, para além da morte biológica, ainda não se tinha desenvolvido. Quando este salmo foi escrito, a pena máxima que um ser humano podia sofrer era a morte prematura, e é isso que está em vista no salmo à nossa frente. Tanto os indivíduos quanto as nações podem *morrer* prematuramente. Davi conseguiu aniquilar, essencialmente, *oito* nações (ver em 2Sm 10.19), o que significa, de acordo com este versículo, que Davi as enviou para o *seol.* Os iníquos esquecem-se de Deus. Esses homens podem ser ateus históricos (existe uma divindade em algum lugar), mas ateus práticos (a existência de um deus ou de um Deus não tem nenhuma aplicação em sua vida). Esses se conduzem *como se* Deus não existisse.

Os vss. 17 e 18 contêm *duas promessas* que sumariam os resultados morais dos atos humanos. Os ímpios são enviados ao sepulcro, mas os homens pobres e bons, os oprimidos, alcançam a bênção de Yahweh. Os ímpios, por sua vez, em breve serão esquecidos, mas a memória dos bons prossegue continuamente. Ver Is 14.9-20, quanto a um excelente e dramático escrito literário a respeito do *seol.* "Is 14.9-20 é uma das maiores passagens literárias da Bíblia" (J. R. P. Sclater, *in loc.*). Nessa passagem temos um estágio mais avançado do desenvolvimento da doutrina do seol, como também a sobrevivência da alma e o julgamento no outro lado da vida estão certamente em vista, pelo menos em alguma forma preliminar. Cf. Lc 16.19 e ss. Até mesmo ali temos um estágio do desenvolvimento da doutrina no seol, onde os bons e os maus estão em *compartimentos* separados no hades, pois os bons ainda não eram vistos em um céu, nas dimensões celestiais.

■ **9.18** (na Bíblia hebraica corresponde ao **9.19**)

כִּי לֹא לָנֶצַח יִשָּׁכַח אֶבְיוֹן תִּקְוַת עֲנָוִים תֹּאבַד לָעַד:

Pois o necessitado não será para sempre esquecido. Se Deus lança os ímpios na sepultura, onde são esquecidos por ele ou pelos homens, o mesmo não ocorre aos *necessitados* que agora invocam o nome de Deus, pois são homens justos. Esses não são lançados no *seol,* nem são esquecidos. O resultado moral dos atos humanos fez uma diferença em seus destinos. A *esperança* do homem pobre não perece. Deus ouve suas orações e julga seus opressores. Alguns estudiosos veem aqui a "esperança do céu", cristianizando o versículo; mas dificilmente isso pode ser verdadeiro no estágio do desenvolvimento da teologia hebreia refletida no livro de Salmos. Não estamos tratando de um conceito em que os ímpios não têm nenhuma esperança, mas os justos têm (ver 1Co 15.18). Ver no *Dicionário* o verbete denominado *Esperança. Parte da esperança* que aqui transparece consiste em *vindicação:* os justos são demonstrados quanto ao que são, e os injustos são punidos como ímpios que são. Há certa vingança na justiça, e os homens bons esperam que ela ocorra. Ver o vs. 5, quanto ao *apagar* o nome dos ímpios.

■ **9.19** (na Bíblia hebraica corresponde ao **9.20**)

קוּמָה יְהוָה אַל־יָעֹז אֱנוֹשׁ יִשָּׁפְטוּ גוֹיִם עַל־פָּנֶיךָ:

Levanta-te Senhor; não prevaleça o mortal. Yahweh foi convidado a levantar-se do trono e agir contra os pecadores em favor dos santos. Se Yahweh não se levantasse, então os ímpios prevaleceriam contra toda a justiça. Deus precisa efetuar a justiça. Emanuel Kant baseou sobre a justiça um argumento em favor da existência de Deus. Neste mundo, é óbvio que a justiça não é feita. Portanto, deve haver um mundo para além do sepulcro onde a justiça possa ser servida. Para que a justiça seja efetuada, deve haver um Juiz sábio e suficientemente poderoso que garanta a recompensa e a punição de acordo com o que cada indivíduo tiver semeado durante sua vida terrena. Ademais, a alma tem de sobreviver, a fim de receber a justiça, a saber, a recompensa e/ou a punição de que se tiver tornado merecedora. Por isso, dissemos: *Deus* terá de efetuar a justiça, ou ela nunca será efetuada.

"Este salmo termina com um apelo pela *ação divina,* para que o ímpio não prevaleça... Como os salmos martelam quanto a esse ponto! Os poetas e novelistas que possuem um conhecimento similar são um grande dom ao século XX. O pregador e o professor muito devem esforçar-se para aprender deles" (J. R. P. Sclater, *in loc.*).

Este versículo deve ser comparado a Sl 7.6, onde Yahweh também é chamado para levantar-se, para 'erguer-se' de seu trono e começar a agir.

■ **9.20** (na Bíblia hebraica corresponde ao **9.21**)

שִׁיתָה יְהוָה מוֹרָה לָהֶם יֵדְעוּ גוֹיִם אֱנוֹשׁ הֵמָּה סֶּלָה:

Infunde-lhes, Senhor, o medo. Com grande pavor, os homens percebem sua debilidade e seu caráter temporal. O "medo" referido neste versículo é o receio da força destruidora celestial. A morte os ameaça e eles temem o nada que os está tomando, por meio das dores preliminares. Então esses indivíduos entendem com toda a clareza que são seres mortais, sujeitos à lei divina que aniquila os ímpios.

"Por mais numerosas, ricas e aguerridas que sejam as nações contrárias a Deus, a sua natureza permanece a mesma. Eles são apenas seres mortais moribundos, e não Deus!" (Fausset, *in loc.*).

Selá. Ver Sl 3.2, quanto a esta palavra e seus vários significados e usos possíveis.

SALMO DEZ

Quanto a *informações gerais* que se aplicam a todos os salmos, ver a introdução ao Salmo 4. Provi sete úteis comentários para compreender o livro de Salmos.

Este é um salmo de lamentação.

Os Salmos 9 e 10 formam uma unidade, pelo que, na Septuaginta, apresentam-se em uma única composição. Portanto, a introdução que supri ao Salmo 9 aplica-se igualmente aqui.

O Salmo 10 também não tem subtítulo, outra indicação de que forma uma unidade com o salmo anterior, e de que o subtítulo existente no início do Salmo 9 aplica-se também a este.

Classificação dos Salmos. Ver o gráfico no início do comentário sobre o livro de Salmos, que atua como uma espécie de frontispício. Ali apresento dezessete classes e listo os salmos pertencentes a cada uma delas.

A ideia de *louvor* pela vindicação dos justos torna-se claramente evidente no Salmo 9, porém menos evidente no Salmo 10. Temos aqui uma oração para que Deus não adie a ajuda prestada aos aflitos. Os ímpios sempre têm grande poder que utilizam para prejudicar e matar. Somente Deus pode detê-los. Deus parecia estar oculto, indiferente ao sofrimento dos justos (vs. 1), e o salmista invocou o Senhor para logo vir em ajuda dos justos perseguidos, pois, de outro modo, seria tarde demais. O mal ganharia o dia. Havia muitos ais originados pelos homens na terra. O povo de Deus foi preso na tirania dos pecadores.

Este salmo continua o modo de encabeçar versículos com letras de alfabeto em sequência, um método de composição chamado *acróstico*. Este método é citado e descrito na introdução ao Salmo 9.

O Salmo 10 é um lamento, e seu tema é o clamor à ajuda contra os opressores. Este é o tema mais comum e mais repetido no livro de Salmos. Foi escrito em um tempo em que era necessária a ajuda divina diária para que os justos sobrevivessem diante de atos de violência, pois, a qualquer tempo, tribos hostis podiam atacar e matar. A brutalidade da época provocava então muitos clamores em busca de socorro, os quais são registrados no livro de Salmos.

■ 10.1

לָמָה יְהוָה תַּעֲמֹד בְּרָחוֹק תַּעְלִים לְעִתּוֹת בַּצָּרָה׃

Por que, Senhor, te conservas longe? Deus mantinha-se aparentemente indiferente, enquanto homens ímpios e injustificáveis atacavam os inocentes a fim de matá-los. Deus se escondia, enquanto os pecadores faziam o que bem queriam. Por isso o salmista clamou pedindo ajuda. Somente a intervenção divina serviria naquele momento de crise. A aparente indiferença de Deus é algo contrário ao conceito do *Teísmo* (ver a respeito no *Dicionário*), que defende que Deus não somente criou o mundo mas também nele intervém a fim de punir os pecadores e recompensar os bons. Essa noção de indiferença divina concorda com a posição do *Deísmo* (ver também a respeito no *Dicionário*), que supõe que o Criador abandonou o universo criado e o deixou entregue às leis naturais, para ser governado e regulamentado. As leis naturais são forças maravilhosas, estando em óbvia operação neste mundo; mas também são forças cheias de deficiências e defeitos. Somente com a presença de Deus a vida humana pode ter algum cumprimento ou destino decente. Por esse motivo o salmista invocou o "Deus deísta" para que se tornasse, prontamente, um "Deus teísta". De outra maneira, os ímpios teriam caminho livre.

Os salmistas com frequência profeririam suas queixas, lamentações e clamores de ajuda, com palavras concernentes à aparente indiferença de Deus. Cf. Sl 13.1; 33.22; 42.9 e 43.2.

Deus meu. Deus meu,
por que me desamparaste?
Por que se acham longe de meu salvamento
as palavras de meu bramido?

Salmo 22.1

■ 10.2

בְּגַאֲוַת רָשָׁע יִדְלַק עָנִי יִתָּפְשׂוּ בִּמְזִמּוֹת זוּ חָשָׁבוּ׃

Com arrogância os ímpios perseguem o pobre. Os ímpios são perseguidores dos homens pobres e justos, pelo que merecem cair na armadilha que eles mesmos prepararam. Uma vez mais, temos aqui a colheita em consonância com o que foi semeado, o que corresponde à *Lei Moral da Colheita segundo a Semeadura*. O salmo invoca o uso da *Lex Talionis*. Ver no *Dicionário* os artigos sobre esses temas. Cf. Sl 7.16 e 9.15,16, onde as notas expositivas também se aplicam, pelo que não entro aqui em detalhes.

Arrogância. Os homens, de modo geral, caracterizam-se por esse atributo negativo, mas especialmente os ímpios, destituídos de toda espiritualidade. Eles se transformam em pequenos deuses e se esquecem de sua mortalidade (ver Sl 9.20). O julgamento de Deus pode trazê-los de volta a uma estimativa ponderada sobre as coisas.

Os vss. 2-11 listam uma série de características dos pecadores que oprimem os pobres e os justos.

A Diatribe contra os Ímpios. Os ímpios são arrogantes; perseguidores dos pobres (vs. 2) e jactanciosos. A glória deles está na sua vergonha; são gananciosos; eles renunciaram ao Senhor e aos seus caminhos (vs. 3); são orgulhosos; não buscam a Deus; são ateus práticos, se não mesmo teóricos (vs. 4). Seus caminhos são ofensivos e espalham destruição; eles são soberbos e resistem à justiça e ao julgamento de Deus (vs. 5); pensam que nem Deus nem os homens podem impedi-los de continuar em seus caminhos de destruição; supõem que nunca se levantará adversário que os faça parar (vs. 6). A boca deles é cheia de maldição, engano e opressão; eles falam o que é errado e o que é iníquo e põem por obras o erro e a iniquidade. Preparam armadilhas para apanhar os que de nada suspeitam; armam embustes e esperam, ocultos, para assassinar (vs. 8); escondem-se em lugares secretos como o leão esperando por uma vítima, e assim apanham o pobre para tirar-lhe a vida (vs. 9); esmagam vítimas inocentes (vs. 10). Pensam que Deus não vê nem se lembra da iniquidade deles; acreditam que Deus está escondido, ou se mostra indiferente para com o que eles fazem; e, de fato, estão certos de que a retribuição divina nunca ocorrerá (vs. 11).

Contra todos esses atos, o salmista invoca a ajuda e a intervenção divina.

■ 10.3

כִּי־הִלֵּל רָשָׁע עַל־תַּאֲוַת נַפְשׁוֹ וּבֹצֵעַ בֵּרֵךְ נִאֵץ יְהוָה׃

Pois o perverso se gloria da cobiça de sua alma. Os ímpios são jactanciosos. Eles se vangloriam do mal que praticam e de como têm poder de fazer o que querem. Eles transformam-se em pequenos deuses e acreditam ser independentes de Deus e dos homens. Esquecem-se de sua mortalidade (ver Sl 9.20). São cobiçosos e falam bem do homem ganancioso. Proferem maldições e renunciam ao Senhor. Desfizeram-se de todos os escrúpulos e atiraram-se à pilhagem e à matança. "... o espírito ganancioso, altivo, irreligioso e tirânico dos inimigos do salmista..." (*Oxford Annotated Bible*, comentando este versículo).

"A descrição dos ímpios é terrível. Eles não têm freios quanto à sua concupiscência pelas possessões; desfizeram-se das restrições próprias da religião, porquanto não somente blasfemam de Deus, mas até negam a sua existência; deixam-se impressionar por seu sucesso. ... e ignoram todas as advertências acerca dos atos de julgamento divino... acreditam na permanência de sua segurança e violam todos os códigos de conduta humana" (William R. Taylor, *in loc.*).

Eles são tudo quanto o Senhor abomina, e elogiam aqueles que, como eles, são abominados por Yahweh.

Cf. a diatribe deste salmo com algo similar dado pelo apóstolo Paulo, em Rm 1.18-32. Ver no *Dicionário* o verbete chamado *Vícios*. A imaginação humana é extremamente fértil e, quando os homens se voltam para o mal, continuam a imaginar novas maneiras de pecar. Tantos homens são *cheios de vícios*. Eles se tornam especialistas no vício.

Ora, conhecendo eles a sentença de Deus, de que são passíveis
de morte o que tais coisas praticam, não somente as fazem
mas também aprovam os que assim procedem.

Romanos 1.32

■ 10.4

רָשָׁע כְּגֹבַהּ אַפּוֹ בַּל־יִדְרֹשׁ אֵין אֱלֹהִים כָּל־מְזִמּוֹתָיו׃

O perverso na sua soberba não investiga. Os *ímpios mostram-se arrogantes* aos homens e a Deus. São uma lei para si mesmos, como pequenos deuses, e vangloriaram-se no palco da vida. O homem mau é por demais orgulhoso para buscar a Deus. Ele pensa que a oração é uma piada, e a vida de retidão é um enfado. Diz ele: "Não há Deus". Talvez o ímpio acredite que exista um deus em algum lugar, mas isso nada significa para ele. Ele é um ateu prático, se não mesmo teórico. Deus não tem lugar em sua vida; Deus não o motiva a coisa alguma. Ele é um indivíduo autodeterminado, e todas as suas motivações são perversas. "O ímpio não pode aceitar uma posição teísta do universo" (J. R. P. Sclater, *in loc.*).

Quando muito, ele é como um de meus professores de filosofia, um agnóstico com algumas tendências teístas. Esse é o homem cego acerca de quem Jesus falou com tanta tristeza (ver Mt 15.44). Cf. Sl 14.1 e 53.1.

Na sua soberba. Diz aqui o hebraico, literalmente, na altura do seu nariz, referindo-se a um gesto comum e universal dos homens orgulhosos que empinam o nariz, por desprezarem outras pessoas. O ímpio até empina o nariz na presença de Deus.

■ 10.5

יָחִילוּ דְרָכָו בְּכָל־עֵת מָרוֹם מִשְׁפָּטֶיךָ מִנֶּגְדּוֹ
כָּל־צוֹרְרָיו יָפִיחַ בָּהֶם׃

São prósperos os seus caminhos em todo tempo. O pecador continua a prosperar, e pensa que assim continuará em sua vida. Ele não prevê surpresa de nenhuma espécie. "Seus caminhos sempre alcançam sucesso", para a consternação do justo, que não obtém sucesso. Ver Jó 20.21. Coisa alguma escapa à sua ganância, pelo que ele sempre anda endinheirado, pensando que isso durará para sempre. Ele prossegue em seu caminho ousado e precipitado, crendo que aí está a sua vitória, enquanto outras pessoas têm receio e temor de arriscar-se. Entrementes, os julgamentos de Deus estão "fora de seu ângulo de visão". Esses julgamentos estão esperando a hora de manifestar-se, mas o ímpio não consegue enxergá-los. Definitivamente, ele é um homem "deste mundo" e um homem "daqui desta vida". Coisa alguma sobre a eternidade jamais influenciou sua conduta. Os ímpios têm sua partilha de inimigos, mas eles a "desprezam". Se tal homem não tem medo de Deus, como algum homem poderia perturbar a sua paz? Esse homem vive de nariz empinado (vs. 4) e continua a torcer o nariz daqueles a quem considera inferior.

O perverso insulta a Deus e despreza os homens. Mas Deus destrói tal indivíduo com o seu sopro; basta que ele dê uma ordem e essa pessoa será destruída. "Traga-me a cabeça daquele homem, Giaffer!", disse um tirano asiático. E prontamente a cabeça foi trazida ao tirano! Não houve julgamento, nem objeção feita por quem quer que fosse. Havia apenas a vontade de um homem, que foi obedecida sem discussão.

Certa ocasião, um pregador começou um sermão dizendo: "O diabo é um tático inferior". Esse pregador deve ter vivido em um mundo diferente daquele em que vivemos, ou então nunca deixou seu escritório para ver o que está acontecendo por aqui.

■ 10.6

אָמַר בְּלִבּוֹ בַּל־אֶמּוֹט לְדֹר וָדֹר אֲשֶׁר לֹא־בְרָע׃

Pois diz lá no seu íntimo. Continua a diatribe contra os ímpios. Quais outras coisas o perverso pensa em fazer?

O homem comunga com seu coração maligno e indaga sobre qualquer mudança que poderia prejudicá-lo. Mas o homem interior, sendo mau, diz: "Nada poderá prejudicar-te". Ele acredita messa palavra e continua piorando cada vez mais. E crê que nenhuma adversidade pode atingi-lo. Ele se julga imortal e invencível, esquecendo que é apenas um pobre mortal, com os dias de vida já contados (ver Sl 9.20).

> Quer alguém durma, ande ou esteja à vontade,
> A justiça, invisível e muda, lhe segue os passos.
> Ferindo sua vereda, à direita e à esquerda.
> Pois todo o erro nem a noite esconderá!
> O que fizeres, de algum lugar, Deus te vê.
> E pensas que a retribuição jaz remota, longe dos mortais.
> Bem perto, invisível, sabe muito bem a quem deve ferir.
> Mas tu não sabes a hora quando, rápida e repentinamente,
> ele virá e varrerá da terra os iníquos.
>
> Ésquilo

■ 10.7

אָלָה פִּיהוּ מָלֵא וּמִרְמוֹת וָתֹךְ תַּחַת לְשׁוֹנוֹ עָמָל וָאָוֶן׃

A boca ele a tem cheia de maldição, enganos e opressão. O ímpio tem a boca suja. Ele nunca para em suas maldições. Ele jamais deixa de enganar as pessoas com suas mentiras. Sua língua é o instrumento de seus enganos que promove causas ímpias. Ela o livra de suas tribulações e faz outras pessoas entrar em dificuldades. "A cláusula 'enganos e opressão' significa que as palavras ditas por ele provocam calamidades" (Allen P. Ross, *in loc.*).

"Falar é uma atividade barata. Palavras, palavras, palavras, nada mais que palavras. Ele somente fala!" Essa declaração ilustra uma depreciação comum da importância da fala. Mas haverá algo no mundo mais poderoso para o bem ou para o mal do que as palavras? A fala é a faculdade que mais diferencia os homens dos animais. É um sinal de personalidade. A autoconsciência manifesta-se através da fala. O pensamento é quase impossível sem as palavras, que são o veículo das ideias. As ações são antecedidas pelos pensamentos, e do pensamento procedem os atos, como o relâmpago antecede o trovão. Mas o pensamento é impulsionado pela sugestão verbal. Porque a boca fala do que está cheio o coração (Lc 6.45). Portanto, Tiago (no terceiro capítulo de sua epístola) estava muito perto da verdade quando pôs tamanha ênfase sobre a língua" (Eston, comentando Tg 3.2).

> *A língua fala soberbamente,*
> *pois dizem: Com a língua prevaleceremos,*
> *os lábios são nossos.*
> *Quem é senhor sobre nós?*
>
> Salmo 12.4

Debaixo da língua. A metáfora envolve uma serpente, que os antigos pensavam ter o veneno debaixo da língua. Eles não sabiam da existência de um saco de veneno. O ímpio é como uma cascavel que transmite veneno por meio da língua, matando a outros mediante calúnia e perjúrio. Kimchi, de modo um tanto exagerado, afirmou que o coração está abaixo da língua, pois, afinal, está "lá embaixo", e assim emitiu a metáfora em que a língua arrasta o veneno do coração mau.

> *Aguçam a língua como a serpente;*
> *sob lábios têm venenos de áspide.*
> *Selá.*
>
> Salmo 140.3

■ 10.8

יֵשֵׁב בְּמַאְרַב חֲצֵרִים בַּמִּסְתָּרִים יַהֲרֹג נָקִי עֵינָיו
לְחֵלְכָה יִצְפֹּנוּ׃

Põe-se de tocaia nas vilas. O ímpio pratica toda a espécie de vícios e até mata os inocentes, o pináculo de seus crimes. Faz isso mediante traição, emboscadas e ações furtivas. Ele mantém os olhos fixos no pobre, para ver quando poderá prejudicá-lo, tomando as suas propriedades e matando-o para ficar com seus bens, se isso for possível. "Os ladrões árabes se postam como lobos entre os montes de areia, e com frequência saltam de júbilo sobre o viajante solitário; em um instante tomam-lhe os bens e então voltam a internar-se no deserto" (Thompson, *The Land and the Book*). Esse homem é como um predador que sobrevive matando outros animais. Por isso, no versículo seguinte, é empregada a figura simbólica de um leão.

"É nas vilas que ladrões e assaltantes se ocultam e onde se preparam para roubar viajantes ao longo do caminho. A palavra pode significar cortes ou palácios (conforme se lê na versão siríaca) e, nesse caso, a alusão seria a alguma pessoa notável que comete crimes secretos" (John Gill, *in loc.*).

■ 10.9

יֶאֱרֹב בַּמִּסְתָּר כְּאַרְיֵה בְסֻכֹּה יֶאֱרֹב לַחֲטוֹף עָנִי
יַחְטֹף עָנִי בְּמָשְׁכוֹ בְרִשְׁתּוֹ׃

Está ele de emboscada como o leão na sua caverna. Agora a metáfora passa do ladrão escondido para o leão que pratica métodos similares, escondendo-se para atacar a vítima e saltando de súbito para despedaçar a presa. "Os orgulhosos ímpios são comparados a bandidos, feras e caçadores que consideram os pobres suas vítimas, e não seres humanos como eles" (J. R. P. Sclater, *in loc.*). Na antiguidade, a Palestina era infestada de animais selvagens, alguns deles muito perigosos, como o leão e o urso, para nada dizer sobre o (comparativamente) humilde lobo que vagueava pelos campos. Havia muitas perdas de gado, e muitos incidentes em que seres humanos eram mortos.

Acha-se a minha alma entre leões ávidos de devorar os filhos dos homens.

Salmo 57.4

Na sua rede. A figura simbólica agora muda para o caçador. Assim também temos ladrões, leões, caçadores (e pescadores) usados como figuras simbólicas. Os peixes eram apanhados por meio de redes e ficavam totalmente impotentes diante dos pescadores. Outros animais terrestres eram apanhados em covas (ver Sl 7.15 e 9.15). Matar é o nome do jogo, no qual as vítimas são exploradas por seus algozes. Os pecadores vivem para matar e matam para viver. As figuras simbólicas empregadas sugerem tanto esperteza quanto brutalidade. São os pobres e os incapacitados que se tornam vítimas, como o indivíduo pobre que se torna almoço de um tubarão.

■ **10.10**

וְדָכָה יָשֹׁחַ וְנָפַל בַּעֲצוּמָיו חֵלְכָּאִים

Abaixa-se, rasteja. As vítimas são impotentes. Esmagadas, afundam no chão sob o poder do ataque. "Eis aqui a figura patética da sorte dos fracos e desafortunados. Note o leitor as expressões verbais que dão ideia de descida: abaixa-se, rasteja, caem. Isso conta a história de tanto desperdício humano, especialmente entre as mulheres e as crianças, sempre vítimas da violência" (J. R. P. Sclater, *in loc.*).

Abaixa-se. O termo da *King James Version*, bem como da nossa versão portuguesa, pode também ser traduzido como "esmaga", o que aparece na versão siríaca e em várias traduções modernas.

■ **10.11**

אָמַר בְּלִבּוֹ שָׁכַח אֵל הִסְתִּיר פָּנָיו בַּל־רָאָה לָנֶצַח:

Diz ele, no seu íntimo. Os impotentes, os assediados e os que vivem sob ameaça de morte perguntam: "Onde está Deus em tudo isso? Será ele indiferente? Terá havido uma falha em sua vigilância ou em sua memória? Será que o deísmo está correto, em comparação ao teísmo?" Ver comentários sobre o vs. 1 deste salmo, que é similar a este. Mas no vs. 1, é o homem bom que pergunta sobre o "Deus tão distante e indiferente", e aqui temos o ímpio que espera que Deus "se mantenha sempre distante" e não interfira em seu destino. O perverso acredita que Deus não vê ou não se importa com o que vê, pelo que também não julga os atos malignos. "Visto que Deus não o castiga imediatamente, o ímpio fica convencido de que Deus não se importa com os justos em seus sofrimentos" (Allen P. Ross, *in loc.*).

"A longa impunidade do pecador fomenta a sua ideia de que Deus não toma conhecimento dos erros praticados na face da terra. Isso nos inspira a um urgente clamor pela imediata interposição de Deus, sendo a base da oração do próximo versículo" (Fausset, *in loc.*).

*Jurou o Senhor pela glória de Jacó:
Eu não me esquecerei de todas as suas obras,
para sempre.*

Amós 8.7

Cf. Sl 94.5-9, um trecho bastante parecido com esta passagem.

■ **10.12**

קוּמָה יְהוָה אֵל נְשָׂא יָדֶךָ אַל־תִּשְׁכַּח עֲנָוִים

Levanta-te, Senhor! Cf. Sl 3.7; 7.6 e 9.19, onde temos clamores similares, pedindo que Deus desperte, saia de seu trono e golpeie os opressores. O Deus deísta foi invocado para tornar-se um Poder teísta, exterminando a injustiça. "De modo característico, a queixa do salmista é seguida por um apelo para que o Senhor se ponha a agir. O apelo, por sua vez, é seguido por uma série de argumentos cujo propósito é fortalecer o apelo: a sorte dos pobres na terra (vs. 12); a impiedade dos opressores (vs. 13); a miséria que o próprio Senhor tinha testemunhado (vs. 14); a confiança dos pobres e impotentes no Senhor, por causa do que ele havia feito no passado (vs. 14); e a soberania do Senhor nos negócios dos homens (vs. 16)" (William R. Taylor, *in loc.*). Cf. Mq 5.9; Êx 7.5 e Is 5.25.

A tua mão se exaltará sobre os teus adversários; e todos os teus inimigos serão eliminados.

Amós 5.9

Levante-te, Senhor! Salva-me, Deus meu, pois feres nos queixos a todos os meus inimigos, e aos ímpios quebras os dentes.

Salmo 3.7

■ **10.13**

עַל־מֶה נִאֵץ רָשָׁע אֱלֹהִים אָמַר בְּלִבּוֹ לֹא תִּדְרֹשׁ:

Por que razão despreza o ímpio a Deus? O homem iníquo renuncia a Deus (*Revised Standard Version*). Ele é totalmente depravado. É um ateu teórico ou um ateu prático, ou mesmo ambas as coisas. Ele comunga com seu coração ímpio e ali encontra a certeza de que Deus (se é que existe um Deus) não julgará suas más ações. O ímpio nega a existência de uma lei tal como a lei da colheita segundo a semeadura (ver Gl 6.7,8). Ele acredita no caos, vive em um mundo caótico para o qual contribui por meio de sua violência, e aposta que o caos continuará. Portanto, para que ter qualquer código moral? Ele sabe que um dia morrerá, mas não espera nenhuma vida pós-túmulo. Assim sendo, por que desempenhar o papel do homem justo mas ignorante, que nada tem para esperar e nada possui nesta vida?

Note o leitor a qualidade ética do ateísmo. Um dos assuntos discutidos na filosofia é a ética sem o teísmo. Alguns podem atingir esse ponto. Conheci um ateu que era muito consciente quanto aos pobres e aflitos, e cheio de boas obras. Sem dúvida esse fenômeno existe, mas, para cada exemplo positivo, temos milhares de casos contrários. Além disso, um bom ateu pode ser somente um ateu consciente, ao passo que é um teísta inconsciente. Em outras palavras, superficialmente, ele diz "Não há Deus", mas nas profundezas de sua alma ele comunga com Deus. Será possível? Sim, penso que sim. Existem formas de piedade que "não frequentam a igreja", mas, apesar disso, são reais.

Cf. o vs. 4, que tem algo similar e onde dou comentários adicionais.

■ **10.14**

רָאִתָה כִּי־אַתָּה עָמָל וָכַעַס תַּבִּיט לָתֵת בְּיָדֶךָ עָלֶיךָ יַעֲזֹב חֵלְכָה יָתוֹם אַתָּה הָיִיתָ עוֹזֵר:

Tu, porém, o tens visto. No passado, Deus se mostrara forte em favor dos órfãos, pelo que o homem fraco e perseguido toma coragem e pede a Deus que repita as realizações passadas tanto pela justiça quanto pela misericórdia. Verdadeiramente, há circunstâncias em que somente uma intervenção divina tem valor. Existem ocasiões em que os homens são reduzidos a nada — desesperançados e empobrecidos em si mesmos. É conforme diz certo hino evangélico:

*Estarei perdido, Senhor,
se tirares a mão de sobre mim.*

Por várias vezes encontramos essa expressão quando os gregos estavam em condição de desespero em alguma batalha: "Eles se lançaram nos braços dos deuses e da oração".

"A experiência parece dar-nos muita evidência de um Deus que está dormindo. No entanto, também há evidências de um Deus que 'não dormita nem dorme' (Sl 121.4). Essa evidência torna-se mais forte quando assumimos a visão mais longa" (J. R. P. Sclater, *in loc.*). Deus está escrevendo o atual capítulo sobre a vida. E é exatamente ao que vemos muitas dificuldades, talvez até a desesperança total. E é exatamente aí que Deus se mostra aparentemente indiferente. Mas o capítulo não foi concluído. Folheando a Bíblia apenas algumas poucas páginas, podemos ver algo que nos levará a dizer:

*Isto procede do Senhor,
e é maravilhoso aos nossos olhos.*

Salmo 118.23

Oh, Senhor, concede-nos tal graça!

O adiamento atual pode ser um fato irritante, mas é apenas parcial. O grande Artista ainda não terminou a sua pintura. Quando assim fizer, ele provará que não errou um único toque dos seus pincéis. O tecelão está trabalhando em seu tapete. Vemos as cores escuras e nos admiramos como elas poderão adaptar-se ao esquema geral das coisas. Mas quando o tapete estiver terminado, reconheceremos a necessidade das cores escuras, para emprestar ao tapete uma beleza singular. Uma pesada chuva cai e isso perturba nossa mente. Mas o agricultor está em sua fazenda, regozijando-se.

■ 10.15

שְׁבֹר זְרוֹעַ רָשָׁע וָרָע תִּדְרוֹשׁ־רִשְׁעוֹ בַל־תִּמְצָא׃

Quebranta o braço do perverso e do malvado. O braço é o instrumento de ação e força. O pobre homem perseguido pede que Deus quebre o braço do perverso, para que termine a opressão e seja anulado o poder do tirano. A longo prazo, há somente um braço, o de Deus, somente um poder, o poder de Deus.

Filho do homem, eu quebrei o braço de Faraó, rei do Egito, e eis que não foi atado, nem tratado com remédios, nem lhe porão ligaduras, para formar-se forte e pegar da espada.
Ezequiel 30.21

Até nada mais achares. *A Busca Completa.* Deus é invocado a fazer completa investigação de todas as obras do pecador opressivo, rebuscando até que nada mais possa ser encontrado. Esse choque inspiraria Deus a julgar o pecador e libertar o homem justo de seus planos mortíferos. Se todas as vilanias do perverso fossem trazidas à luz, Deus nada poderia fazer senão remediar a situação, com algum julgamento difícil. Talvez Deus não julgasse porque não estivesse percebendo o que acontece. Se ele visse, entraria em ação. Portanto, com uma linguagem antropomórfica, o salmista faz seu apelo. Personalizar Deus torna-o menor do que ele realmente é. Mas nossos "dilemas de linguagem" levam-nos a pensar dessa maneira e usar tal linguagem. Ver no *Dicionário* o verbete intitulado *Antropomorfismo.*

■ 10.16

יְהוָה מֶלֶךְ עוֹלָם וָעֶד אָבְדוּ גוֹיִם מֵאַרְצוֹ׃

O Senhor é rei eterno. A soberania de Deus garante um fim justo. Ver no *Dicionário* o artigo chamado *Soberania de Deus.* O Deus Supremo é Rei sobre toda a terra. Deus tem poder, em seus decretos, para endireitar todas as coisas e em consonância com a lei da colheita segundo a semeadura. Ele é forçado a fazer assim. Ele se obriga a si mesmo, porque combina o poder com a justiça, algo que as divindades gregas nunca faziam. O que elas faziam era correto meramente porque o faziam, e porque nenhum poder menor poderia intervir. Isso reflete o *Voluntarismo* (ver a respeito na *Enciclopédia de Bíblia, Teologia e Filosofia*). Dentro desse sistema, a vontade é suprema, e a razão é desconsiderada. Mas o Deus da Bíblia não é um Deus voluntarista, exceto em algumas passagens, como o capítulo 9 de Romanos. Por conseguinte, acreditamos na graça divina, no amor e na retribuição justa, temperados pelo amor.

O oposto da injustiça não é a justiça — é o amor.

Da sua terra somem as nações. Israel conseguiu expelir nações suficientes para tomar possessão da terra de Canaã. Em seguida, Davi aniquilou ou confinou a oito nações, o que comento em 2Sm 10.19. O salmista provavelmente estava pensando naquela circunstância quando escreveu este versículo. Ele queria que Deus "continuasse a agir como estava fazendo", a fim de livrá-lo de sua aflição.

■ 10.17

תַּאֲוַת עֲנָוִים שָׁמַעְתָּ יְהוָה תָּכִין לִבָּם תַּקְשִׁיב אָזְנֶךָ׃

Tens ouvindo, Senhor, o desejo dos humildes. O poeta tinha confiança de que sua oração havia sido ouvida e a resposta estava a caminho.

Creio que o Senhor ouviu-me a orar.
Creio que a resposta está a caminho.
Não lances fora nossa confiança
No Senhor, nosso Deus.

"Este salmo termina com um tom de confiança. A linguagem obtém um ritmo mais nobre e mais alegre. Os vss. 17 e 18 facilmente poderiam ser usados no templo como um hino de louvor" (J. R. P. Sclater, *in loc.*). "O salmista estava tão confiante em uma resposta favorável ao seu apelo que viu a vitória para os oprimidos como algo ao alcance da mão" (William R. Taylor, *in loc.*).

A Economia Divina. "Deus 1. prepara o coração; 2. sugere a oração; 3. ouve o que é criado; 4. responde à petição" (Adam Clarke, *in loc.*). Assim, por igual modo, o compositor de hinos estava certo de que a menor oração pode ser ouvida acima do rugir da tempestade.

"A fé, neste caso, toma como certo que aquilo que é pedido, mediante a fé, será obtido de forma efetiva. "Abençoada será para sempre" (1Cr 17.27). Não somente devemos considerar o poder da vontade, mas também que o querer é devido à graça proveniente de Deus (Fp 2.13). Deus prepara o coração de tal modo que seu povo tem somente as coisas que são agradáveis diante dele (Rm 8.26)" (Fausset, *in loc.*).

O coração do homem pode fazer planos,
mas a resposta certa dos lábios vem do Senhor.
Provérbios 16.1

■ 10.18

לִשְׁפֹּט יָתוֹם וָדָךְ בַּל־יוֹסִיף עוֹד לַעֲרֹץ אֱנוֹשׁ מִן־הָאָרֶץ׃

Para fazeres justiça ao órfão e ao oprimido. A oração respondida garante que se fará justiça ao órfão e ao oprimido. Então o ímpio aprenderá a não mais oprimir, porque algum terrível desastre o atingirá e, finalmente, ele será reduzido a nada, no sepulcro, sua moradia final.

"Os terroristas são aterrorizados; os assassinos são mortos; aquele que causa sofrimento, sofrerá. As contas são fechadas. A fé de que Deus defende os aflitos e os necessitados contra a tirania dos ímpios era um conforto para o salmista, bem como a base de sua oração" (Allen P. Ross, *in loc.*).

Exultai sobre ela, ó céu, e vós, santos, apóstolos e profetas,
porque Deus contra ela julgou a vossa causa.
Apocalipse 18.20

Então os homens se meterão nas cavernas das rochas, e nos buracos da terra, ante o terror do Senhor, e a glória da sua majestade, quando ele se levantar para espantar a terra.
Isaías 2.19

SALMO ONZE

Quanto a *informações gerais* que se aplicam a todos os salmos, ver a introdução ao Salmo 4. Provi sete úteis comentários para compreender o livro de Salmos.

Este é um dos salmos de confiança.

"Salmo 11; confiança no interesse de Deus pela justiça. Este tipo de salmo (um cântico de confiança) provavelmente é um desenvolvimento da expressão de confiança que é uma característica comum das lamentações (ver Sl 5.3-7; 7.10-16; 9.3-12)" (*Oxford Annotated Bible*, Introdução).

O salmista estava prestes a cair nas mãos de inimigos cruéis e traiçoeiros, algo muito comum na antiga Palestina, onde tribos brutais atacavam e eram atacadas, matavam e eram mortas quase em base diária. O herói era o homem que mais matava, com um efeito salvador para o próprio povo. Ver sobre esse conceito em 1Sm 18.7. Os salmos têm certo número de temas e classificações (ver o terceiro ponto das informações gerais apresentadas na introdução ao livro de Salmos). Mas o tema principal é o clamor pedindo justiça contra os opressores. Trata-se, pois, de um salmo de confiança. Muitos dos salmos são essencialmente isso, e a maioria deles termina em um cântico de louvor, pelo livramento dado ou já a caminho. Este salmo, pois, segue o padrão familiar.

Classificação dos Salmos. Quanto a informações detalhadas, ver o gráfico no início do comentário ao livro de Salmos, o qual atua como uma espécie de frontispício. Dou ali dezessete classes e listo os salmos que pertencem a cada uma delas.

Subtítulos. Um ou mais editores, longo tempo após os salmos terem sido escritos, tentaram identificar os autores e salientar circunstâncias históricas que podem ter impulsionado os compositores originais. As notas existentes nesses subtítulos são pouco mais que conjecturas, embora, algumas vezes, possam ter acertado em cheio o alvo. O Salmo 11 aparece como composto por Davi (o que é verdade quanto a cerca de metade dos salmos), mas nenhuma circunstância histórica é sugerida. A maioria dos salmos é dirigida ao mestre do coro, e algumas vezes são mencionados instrumentos musicais que, presume-se, acompanhavam os cânticos. Ou então, em alguns casos, são mencionados os temas principais. O subtítulo do Salmo 11 menciona apenas a autoria e a apresentação da composição ao mestre do coro.

■ 11.1

לַמְנַצֵּחַ לְדָוִד בַּיהוָה חָסִיתִי אֵיךְ תֹּאמְרוּ לְנַפְשִׁי
נוּדוּ הַרְכֶם צִפּוֹר:

No Senhor me refugio. O homem perseguido pode ter sido um soldado em batalha que teve de enfrentar a morte quase certa, pelo que um soldado colega ou o seu próprio coração lhe disse: "Foge como se fosses um pássaro". Ele, porém, lutava por seu país e por seus amigos. Outros dependiam dele. Por isso mesmo, ele respondeu ao camarada ou ao coração temente: "No Senhor deposito minha confiança. Como me podes fazer uma sugestão como essa?" Algumas vezes enfrentamos situações que achamos impossíveis de enfrentar. Fugir, abandonar o projeto, buscar uma mudança de atmosfera, são ideias que sobem à nossa mente. Em seguida devemos fazer a pergunta sóbria quanto ao que nosso destino requer. Fugir pode ser, algumas vezes, a solução correta, mas não com tanta frequência assim. É conforme Sêneca disse: "Você precisa não de uma mudança de ares, mas, sim, de uma mudança de coração". "Mudança de ares" equivale a "mudar-se para outro lugar". O homem fraco logo desiste, mas é como alguém já disse: "Sempre é cedo demais para desistir".

As forças do mal prevalecem com muita frequência. São homens armados de pistola, e homens com pistolas usualmente prevalecem; mas também existe o fator divino que não devemos negligenciar. Que podemos fazer exceto o que nós mesmos fazemos, à base da misericórdia e do poder de Deus? Foi isso que o salmista fez. O clamor abrupto, sem prefácio, implica a urgência desesperada do perigo. Quais homens não invocam a Deus, quando se acham em uma situação desesperadora?

Algumas versões dizem aqui "no Senhor confio". Mais literalmente, entretanto, essas palavras podem ser traduzidas conforme lemos em nossa versão portuguesa: "No Senhor me refugio", tal como lemos também em Sl 7.1.

Diz ao Senhor: Meu refúgio e meu baluarte, Deus meu, em quem confio.

Salmo 91.2

Um pássaro se expõe ao perigo nas planícies abertas, como um soldado que se engaja em batalha em um lugar aberto. Um pássaro foge para as montanhas, onde há pouco acesso e abundância de lugares onde se esconder. Algumas vezes era sábio que os soldados se refugiassem nos montes e vivessem para lutar por mais um dia. Mas o poeta, que havia experimentado uma situação difícil, em meio à batalha, decidiu permanecer firme e continuar combatendo, entregando o resultado final a Deus.

■ 11.2

כִּי הִנֵּה הָרְשָׁעִים יִדְרְכוּן קֶשֶׁת כּוֹנְנוּ חִצָּם עַל־יֶתֶר
לִירוֹת בְּמוֹ־אֹפֶל לְיִשְׁרֵי־לֵב:

Porque eis aí os ímpios. Os inimigos, em tão grande número, eram de outras nações, porquanto Israel vivia em quase constante guerra; e também estavam dentro das fronteiras de Israel, porque havia oposição interna. Mas esses inimigos também podiam manifestar-se "no corpo", como enfermidades (tal como no Salmo 6). A maioria dos salmos é composta por gritos pedindo ajuda contra essa variedade de inimigos. Há certo número de classes de salmos, tocando certa variedade de temas. Quanto a isso, ver a introdução ao Salmo 4, sob *informações gerais*, terceiro ponto. O tema mais proeminente é exatamente o deste salmo, um grito pedindo ajuda contra inimigos de guerra, ou então o vs. 2 deveria ser considerado metaforicamente, um clamor pedindo ajuda contra inimigos no campo de batalha, que eram parecidos com soldados inimigos. Provavelmente, o uso litúrgico do salmo era suficiente para incluir ambas essas ideias.

A flecha serve de símbolo de qualquer arma usada contra os justos. Uma flecha pode ser atirada secretamente, de certa distância, de algum lugar escondido. A flecha era um matador versátil, tal como eram os adversários do salmista. Ver no *Dicionário* os artigos intitulados *Armas, Armaduras; Guerra e Flecha* Cf. Sl 10.8,9, onde temos algo similar, mas sob metáforas diferentes.

■ 11.3

כִּי הַשָּׁתוֹת יֵהָרֵסוּן צַדִּיק מַה־פָּעָל:

Ora, destruídos os fundamentos, que poderá fazer o justo? A metáfora muda para a ideia de edificação. Uma estrutura depende de seus alicerces para continuar a existir. Um ato de destruição que fere o alicerce derrubará todo o edifício. Assim sendo, as armas, reais ou figuradas, podem derrotar o homem justo. Até mesmo palavras caluniosas podem aniquilar fatalmente. O alicerce, neste caso, pode ser "aquilo em que um homem deposita sua confiança", a saber, o poder interventor de Deus. Deus tem de responder às nossas orações. Ele não pode mostrar-se indiferente. Se ele for indiferente, o homem bom fracassará. Talvez a imagem simbólica seja a de um terremoto que despedaça uma casa em um único momento, solapa seus alicerces e produz confusão geral.

Eles nada sabem, nem entendem; vagueiam em trevas; vacilam todos os fundamentos da terra.

Salmo 82.5

Alguns estudiosos veem aqui os alicerces da sociedade, especialmente em suas leis e qualidades espirituais (assim pensavam Símaco e Jerônimo). A Septuaginta faz isso referir-se ao que Deus edificou, de modo geral. Entre as coisas edificadas por Deus, estão o direito dos justos e a correta ordenação da sociedade sob a lei divina.

■ 11.4

יְהוָה בְּהֵיכַל קָדְשׁוֹ יְהוָה בַּשָּׁמַיִם כִּסְאוֹ עֵינָיו יֶחֱזוּ
עַפְעַפָּיו יִבְחֲנוּ בְּנֵי אָדָם:

O Senhor está no seu santo templo. O salmista consola-se diante da ideia de que Deus, lá no alto, é sempre o mesmo. Ele não se abala, continua no seu trono; e assim, finalmente, tudo estará bem no mundo. Sua soberania pode parecer demorada para agir, mas é eficaz e segura. Ver no *Dicionário* o artigo chamado *Soberania*. A justiça está sendo servida. Nenhum homem escapa ao escrutínio do Deus Altíssimo. Seus olhos veem tudo. Ele não está dormindo. Os filhos dos homens nada podem ocultar. Estão sujeitos às suas leis e aos seus julgamentos. O templo é o lugar de habitação de Deus. Talvez a referência seja ao Santo dos Santos, onde a presença de Deus se manifestava. Nesse caso a ideia é: "Deus está aqui, conosco!" Ou então a palavra é metafórica, referindo ao templo dos céus, de onde Deus olha para a terra. Cf. Sl 9.4-6. Deus não é arbitrário ou indiferente.

... o Senhor do alto do seu santuário, desde os céus, baixou vistas à terra, para ouvir o gemido dos cativos, e libertar os condenados à morte.

Salmo 102.19,20

Cf. o ato de Deus ver tudo, com Sl 33.13,14. A onipotência é uma virtude divina, assim como a onisciência. Esses dois atributos unem-se quando Deus governa os homens. Ver no *Dicionário* o verbete chamado *Atributos de Deus*.

■ 11.5

יְהוָה צַדִּיק יִבְחָן וְרָשָׁע וְאֹהֵב חָמָס שָׂנְאָה נַפְשׁוֹ:

O Senhor põe à prova ao justo e ao ímpio. O Deus onipotente, que tudo sabe, "prova os homens", tanto os bons quanto os maus. Deus não é arbitrário em seus julgamentos. Seu julgamento é certo, mas também é reto e proporcional aos crimes cometidos pelos indivíduos julgados. Mas uma coisa é certa: a sua alma abomina ao que ama a violência. A própria vida e o ser de Deus voltam-se contra aqueles que prejudicam e matam outros injustamente. Esse tratamento injusto, Deus não deixará passar sem a justa retribuição. Aquilo que os violentos amam, Deus odeia. "Essas palavras relembram a terrível e final destruição que aniquilou Sodoma (Gn 19.24)" (William R. Taylor, *in loc.*).

> *Ouvindo Deus o seu gemido, lembrou-se de sua aliança com Abraão, com Isaque e com Jacó. E viu Deus os filhos de Israel, e atentou para a sua condição.*
>
> Êxodo 2.24,25

■ 11.6

יַמְטֵר עַל־רְשָׁעִים פַּחִים אֵשׁ וְגָפְרִית וְרוּחַ זִלְעָפוֹת מְנָת כּוֹסָם׃

Fará chover sobre os perversos brasas de fogo e enxofre. Talvez esteja em pauta o que aconteceu a Sodoma e Gomorra, o que mencionei no vs. 5. Isso serviu de exemplo do que pode acontecer quando os homens se esquecem de Deus e distorcem as suas leis. Deus faz chover brasas de fogo e enxofre sobre os que pervertem a justiça, homens violentos e completamente debochados em seus pecados. O que sucede aqui é muito pior do que aquele feroz vento oriental, o siroco. Antes, o que aconteceu foi um terrível sopro divino contra os ímpios, o qual não pode ser explicado por termos menores que esse. O fogo e a fumaça que aplicam a morte espalham-se por sobre as cidades da planície. Ver no *Dicionário* o artigo chamado *Vento Oriental*, o qual é, com frequência, usado metaforicamente para indicar os julgamentos de Deus. Mas os efeitos do vulcão eram como os do vento, por mais ameaçador que fosse este último. O espírito do versículo pode ser vindicativo, conforme dizem alguns, mas os assédios constantes dos inimigos davam a Israel uma visão pessimista de suas reformas ou de qualquer mudança sem a intervenção da violência, humana ou divina.

> *Elevamos nossa querela à vontade dos céus,*
> *a qual, quando ele vê que a hora está madura na terra,*
> *Fará chover uma quente vingança sobre as cabeças dos ofensores.*
>
> Shakespeare, *Ricardo II*, 1.2

■ 11.7

כִּי־צַדִּיק יְהוָה צְדָקוֹת אָהֵב יָשָׁר יֶחֱזוּ פָנֵימוֹ׃

Porque o Senhor é justo, ele ama a justiça. Yahweh (nome divino que aparece no texto original hebraico) é justo. Por essa razão, ele espera que os homens sejam justos.

> *Eu sou o Senhor vosso Deus: portanto vós vos consagrareis, e sereis santos, porque eu sou santo.*
>
> Levítico 11.44

Yahweh ama a retidão e recompensa o homem que a pratica. Ele faz brilhar o seu rosto sobre aquele homem. "Os retos contemplarão o seu rosto", esta é a promessa da *visão beatífica*. Ver sobre esse tema no *Dicionário*. É possível que, pela visão de Deus, o poeta hebreu indicasse o triunfo da retidão e o reconhecimento da inocência do homem bom. A luz e a paz vêm depois das trevas e das tribulações, conforme se vê em Jó 33.26. Na teologia, entretanto, muito mais do que isso é antecipado.

"Eles amam as coisas que Deus também ama e terão liberdade de acesso à sua presença e, ali, o aprazimento de seu favor (ver Sl 17.15; Gn 33.10; 43.3,5), ou em uma abordagem especial ao culto do templo, ou no curso geral de vida (Sl 4.6; 42.4; 89.15-17)" (William R. Taylor). Naturalmente, distante das páginas do Antigo Testamento, temos muito mais da visão beatífica, o que explico no artigo.

Este versículo, pois, contrasta com a maneira pela qual Deus trata os homens profanos.

"Deus ama os que se parecem com ele. Sua fisionomia (seu rosto) está sempre aberta e descoberta de nuvens para os retos" (Adam Clarke, *in loc.*).

Tipicamente, os salmos de lamentações e de clamor por ajuda terminam em alguma elevada nota de triunfo, porque as orações são ouvidas ou porque há uma fé firme de que assim acontecerá. Cf. Sl 8.9; 9.20 e 10.18, quanto a outros exemplos dessa questão.

SALMO DOZE

Quanto a *informações gerais* que se aplicam a todos os salmos, ver a introdução ao Salmo 4, onde apresento sete comentários que elucidam a natureza do livro de Salmos.

Este é um dos salmos de lamentações, que inclui um grito pedindo livramento da opressão exercida por inimigos. (Ver o terceiro ponto do tópico *informações gerais* quanto às classes dos salmos.) Esse é o tema principal do livro de Salmos, embora, como é óbvio, haja muitos outros temas importantes. Devemos lembrar que os hebreus do Antigo Testamento viveram tempos de guerras brutais, com destruição quase diária, efetuada contra eles e, com bastante frequência, impetrada por eles a outrem. Sempre haveria algum inimigo espiando pelos portões. Davi conseguiu confinar ou aniquilar oito nações inimigas, o que comento em 2Sm 10.19. Salomão, pois, teve um tempo de paz e levou Israel à sua época áurea. Mas isso não durou por muito tempo. De fato, a nação de Israel já tinha começado a desintegrar-se no governo de Salomão; após a morte deste, a nação dos hebreus foi dividida em dois reinos, o do norte (Israel) e o do sul (Judá-Benjamim), e em breve mergulharia novamente em grande confusão.

Há uma lamentação especial neste salmo, pois parece que os ímpios tinham tomado conta de tudo, e até os que eram retos haviam abandonado seus caminhos e caído no deboche. Seja como for, o salmista estava amargurado por causa da vitória avassaladora da iniquidade e da deserção de homens de natureza nobre. Alguns estudiosos pensam que este salmo foi escrito quando Doegue e os zifeus traíram Davi para Saul. Ver 1Sm 22 e 23. Outros eruditos supõem que este salmo não seja de autoria davídica, mas, antes, foi escrito durante o cativeiro babilônico.

Classificação dos Salmos. Quanto a informações detalhadas, ver o gráfico no início do comentário sobre o livro de Salmos, que age como uma espécie de frontispício. Dou ali dezessete classes e listo os salmos que pertencem a cada uma delas.

Subtítulos. Editores, muito tempo depois da composição dos salmos, tentaram atribuir a eles algum autor, e, algumas vezes, identificar circunstâncias históricas que teriam inspirado a composição. Em sua maior parte, eles conjecturaram sobre a questão, mas é provável que haja algum material válido nessas introduções.

Este salmo, como a maioria, é endereçado ao mestre do coro e declarado como pertencente a Davi. No hebraico temos a palavra *sheminith*, que nossa versão portuguesa traduz, literalmente, por *oitava*. A mesma palavra aparece no subtítulo do Salmo 6, onde dou informações. Cerca de metade dos 150 salmos é atribuída a Davi, mas por certo isso é um grande exagero. Não há, contudo, razão alguma em duvidarmos de que um bom número dos salmos seja de autêntica autoria davídica.

■ 12.1 (na Bíblia hebraica corresponde ao 12.1,2)

לַמְנַצֵּחַ עַל־הַשְּׁמִינִית מִזְמוֹר לְדָוִד׃
הוֹשִׁיעָה יְהוָה כִּי־גָמַר חָסִיד כִּי־פַסּוּ אֱמוּנִים מִבְּנֵי אָדָם׃

Socorro, Senhor! Assim exclamou o salmista, ilustrando a urgência de sua necessidade de ajuda da parte do Senhor. Os ímpios tinham-se apossado de tudo. Se houvesse ainda homens retos, eles eram grandemente dominados pelo número dos injustos e/ou lhes faltava convicção. A sociedade se tornara ímpia. Os mentirosos eram o governo (vs. 2), e a opressão (uma das principais características dos ímpios) era o caminho do dia (vs. 5). Este salmo é um protesto contra os modos lassos de uma geração que pouco valorizava as virtudes comuns da honestidade e da sinceridade na fala e nas atitudes. Por conseguinte, o salmo preocupa-se com certos aspectos de conduta social, que caracterizavam o judaísmo posterior, contra o que fala a literatura de sabedoria. Cf. Sl 73.4-20; Pv 6.16-19; 8.6-9; Eclesiástico 4.20-23 e Salmos de Salomão 12.5.

Este salmo é um grito autêntico de *religião deprimida*. O ponto a observar é que esse lamento é, algumas vezes, um clamor desculpável, mas dificilmente totalmente verdadeiro. Deus nunca fica sem testemunha. O que os piedosos com frequência precisam fazer, em tempos de deboche, é que alguma voz clame a Deus, que algum líder se levante para guiar os poucos que têm sido marginalizados. Naturalmente, somos lembrados acerca de Elias e dos sacerdotes de Baal. Ver 1Rs 19.18. Sete mil israelitas que não tinham dobrado os joelhos diante de Baal permaneciam na nação, o que, sem dúvida, ultrapassava em muito qualquer estimativa que Elias havia feito. Na época em que foi composto o Salmo 12, existia uma geração desprezível que tomara conta da nação, homens vis que se jactavam arrogantemente (vss. 7 e 8), situação que provocou o pedido desesperado por ajuda.

Cf. o clamor do homem que, cansado da vida, não podia mais tolerar a injustiça e considerava suicidar-se.

Não há ninguém que seja justo.
A terra foi entregue aos obreiros da iniquidade.
A morte está diante de mim como o
    odor da mirra.

Da antiga literatura egípcia

■ **12.2** (na Bíblia hebraica corresponde ao **12.3**)

שָׁוְא ׀ יְדַבְּרוּ אִישׁ אֶת־רֵעֵהוּ שְׂפַת חֲלָקוֹת בְּלֵב וָלֵב יְדַבֵּרוּ׃

Falam com falsidade uns aos outros. Mentirosos, lisonjeadores e enganadores tinham tomado conta de tudo. O coração dúplice era o estilo da época. Os homens nunca falavam o que realmente sentiam. Estavam procurando vantagens pessoais ou propositadamente queriam prejudicar os outros com suas palavras de falsidade. Eles oprimiam com palavras e atos como uma expressão natural de sua depravação (vs. 5). Quanto ao uso apropriado da linguagem, ver as notas expositivas sobre Sl 10.7, que podem ser usadas para iluminar o versículo atual. Ver no *Dicionário* o verbete chamado *Linguagem, Uso Apropriado da*.

Lábios bajuladores. Literalmente, "lábios suaves". Cf. Sl 5.9, onde encontramos idêntica expressão e também outros trechos que abusam da linguagem. O homem de "lábios suaves" é um indivíduo sem sinceridade. Ele fala suavemente para agradar os outros, a fim de obter alguma vantagem ou honra, e suas palavras suaves podem prejudicar ou mesmo matar.

Coração fingido. Literalmente, diz o hebraico original, "com coração de diversos tipos", o que aponta para um coração (expressão do ser) que pensa ou faz uma coisa agora, mas algo diferente pouco depois. Cf. os pesos de diferentes tamanhos que podem ser empregados para enganar os que de nada suspeitam (ver Dt 25.13).

"Um homem sem coração é uma maravilha, mas um homem com dois corações é um monstro" (Thomas Adams).

■ **12.3** (na Bíblia hebraica corresponde ao **12.4**)

יַכְרֵת יְהוָה כָּל־שִׂפְתֵי חֲלָקוֹת לָשׁוֹן מְדַבֶּרֶת גְּדֹלוֹת׃

Corte o Senhor todos os lábios bajuladores. O Senhor (isto é, Yahweh, o nome de Deus no texto, o Deus eterno) é contra os que falam com bajulação e mentiras. Deus tem um julgamento especial preparado para esses. São orgulhosos os que não dão espaço para Deus em sua vida. Eles serão "cortados", isto é, sofrerão a execução divina. Ver no *Dicionário* o verbete denominado *Ira de Deus*. Na época de composição deste salmo, não havia ainda, na teologia dos hebreus, nenhuma doutrina desenvolvida de retribuição do outro lado da sepultura. Os primeiros sinais dessa doutrina apareceram em Dn 12.2. Mas foi nos livros apócrifos e pseudepígrafos, escritos no período entre o Antigo e o Novo Testamento, que essas doutrinas se desenvolveram. De fato, as chamas do inferno foram acesas em 1Enoque. O Novo Testamento levou avante a doutrina. Portanto, versículos como Sl 12.3 estão falando de um julgamento temporal, em que a morte prematura era o tipo de julgamento mais temido. Seja como for, Yahweh responde aos orgulhosos, aos que falam suavemente e corrompem a sociedade.

Alguns intérpretes pensam que os vss. 5 e 6 são similares a Is 33.10-13, porquanto constituem uma espécie de oráculo dos tempos pós-exílicos. De qualquer maneira, esses versículos parecem ser um oráculo citado de uma época anterior, que pronunciou a condenação sobre os corruptores de massas. Cf. Sl 105.42; 119.140; 130.3; Hb 4.12. A *Oxford Annotated Bible* não tenta localizar os versículos na história, mas supõe que eles provavelmente tenham sido proferidos por algum sacerdote do templo ou profeta, sob a forma oracular.

Seja como for, ver a conexão. Os bajuladores logo se transformam em opressores francos, visto que o coração deles fica pútrido. Eles pensam que podem prevalecer através de uma linguagem abusiva e falsa (vs. 4). Se isso falhar, passam a perseguir abertamente os bons. Em contraste, as palavras do Senhor são puras e verazes (vs. 6).

■ **12.4** (na Bíblia hebraica corresponde ao **12.5**)

אֲשֶׁר אָמְרוּ לִלְשֹׁנֵנוּ נַגְבִּיר שְׂפָתֵינוּ אִתָּנוּ מִי אָדוֹן לָנוּ׃

Pois dizem: Com a língua prevaleceremos. Os que falam com falsidade são orgulhosos (vs. 3) e acreditam não ter nenhum inimigo real. Ninguém prevaleceria contra eles. Estes ignoram a Deus como se ele não se importasse com o que está acontecendo. Não reconhecem senhores, nem homem, nem Deus. Conseguem contaminar toda a sociedade com sua perversidade. É óbvio que eles ganharam tal força que somente uma intervenção divina pode endireitar as coisas, justamente o objeto de oração do salmista (ver o vs. 1).

■ **12.5** (na Bíblia hebraica corresponde ao **12.6**)

מִשֹּׁד עֲנִיִּים מֵאֶנְקַת אֶבְיוֹנִים עַתָּה אָקוּם יֹאמַר יְהוָה אָשִׁית בְּיֵשַׁע יָפִיחַ לוֹ׃

Por causa da opressão dos pobres e do gemido dos necessitados. Ver as notas expositivas relativas aos vss. 3 e 4, que continuam até os vss. 5 e 6, considerados a citação de algum oráculo que o salmista incorporou em seu hino. A opressão contra os pobres é um tema constante dos salmos. Cf. Sl 9.18 e 10.2,8. O pobre é o justo perseguido pelo homem rico e maldoso. Naturalmente, a condição de pobreza não torna as pessoas boas e, algumas vezes, dá-se exatamente o contrário. Mas é uma observação verdadeira que o dinheiro torna as pessoas orgulhosas, e elas se tornam opressoras dos pobres. Aqueles que enganam e usam de trapaças (vss. 2 e 3) com frequência são os que conseguem ajuntar dinheiro e poder. Este salmo queixa-se de que tais homens tinham tomado conta da sociedade. Era difícil, se não mesmo impossível, encontrar uma alma nobre em toda a nação. Portanto, Yahweh levanta-se de seu trono e prepara seus temidos raios para projetá-los contra os ímpios. O tempo do julgamento deles é chegado. O homem bom, portanto, será seguramente separado do merecedor do fogo. Aqueles que se tiverem inflamado contra os justos, entretanto, não escaparão de receber vergastadas da parte do Senhor. O hebraico original não é claro, motivo pelo qual alguns estudiosos pensam que Deus é quem sopra, destruindo os ímpios com seu hálito de fogo. Outros veem o gentil sopro de Deus refrigerando o homem perseguido, como se fosse uma brisa suave enviada do céu. Outros ainda imaginam o homem piedoso a suspirar por segurança, que somente Yahweh pode dar, abençoando-o naquele lugar.

■ **12.6** (na Bíblia hebraica corresponde ao **12.7**)

אִמְרוֹת יְהוָה אֲמָרוֹת טְהֹרוֹת כֶּסֶף צָרוּף בַּעֲלִיל לָאָרֶץ מְזֻקָּק שִׁבְעָתָיִם׃

As palavras do Senhor são palavras puras. As palavras de Yahweh são boas e refinadas, sem nenhuma falsidade, em contraste com as palavras enganadoras dos ímpios (vss. 2-4). Elas proferem bênçãos para os bons e julgamento condenatório para os perversos, e renderão resultados apropriados para cada caso. A prata era purificada por repetidas passagens pelo fogo, e assim as palavras de Deus são "absolutamente puras e fiéis". A palavra aqui traduzida por "cadinho" é um *hapax legomenon*, uma palavra usada somente uma vez em toda a Bíblia. Neste caso, o seu sentido é disputado. O Targum conjecturou "fornalha" e os eruditos têm seguido essa suposição, por falta de melhor tradução. Seja como for, as palavras são *sem defeito e eficazes*.

Sete vezes. Vezes suficientes para garantir a pureza. Mas sete é, igualmente, o número completo e perfeito, o número divino, sem dúvida selecionado pelo salmista tendo em mente essa ideia metafórica.

> *Puríssima é a tua palavra,*
> *por isso o teu servo a estima.*
>
> Salmo 119.140

■ **12.7** (na Bíblia hebraica corresponde ao **12.8**)

אַתָּה־יְהוָה תִּשְׁמְרֵם תִּצְּרֶנּוּ מִן־הַדּוֹר זוּ לְעוֹלָם׃

Sim, Senhor, tu nos guardarás. Como resposta à oração do homem reto, os poucos justos, em meio a uma sociedade totalmente corrupta e violenta, não seriam prejudicados, nem espiritual nem fisicamente. Conforme é típico nos salmos de lamentação, que abrigam o clamor dos perseguidos para serem libertados daqueles que os ameaçam, este salmo termina com uma nota *otimista*, declarando com a certeza da ajuda divina. A sociedade corrupta em nada mudará. Isso seria esperar demais. Mas o homem bom será preservado no meio dessa corrupção. A Septuaginta, seguida por algumas traduções, como a *Revised Standard Version*, repete aqui o pedido do vs. 1, em lugar de afirmar a resposta à oração do salmista.

A corrupção era tão universal (vs. 1) que os ímpios aparecem como o espírito da época, algo do que o Senhor tinha de preservar os piedosos.

> *Sabemos que somos de Deus, e que o mundo inteiro jaz no maligno.*
>
> 1João 5.19

Os bons não são seus próprios guardadores. Deus tem de protegê-los, guardá-los e fazê-los prosperar, ou essas coisas não poderiam acontecer em uma era ímpia, completamente impregnada de corrupção. Em uma era ímpia, os injustos é que prosperam.

■ **12.8** (na Bíblia hebraica corresponde ao **12.9**)

סָבִיב רְשָׁעִים יִתְהַלָּכוּן כְּרֻם זֻלּוּת לִבְנֵי אָדָם׃

Por todos os lugares andam os perversos. Os pervertidos andam por toda a parte, como um bando de animais selvagens. Quão parecida é essa situação com as circunstâncias das metrópoles atuais! Diz literalmente o hebraico original: "Vão de um lado para o outro". Mas o que está em vista é o simples desassossego. Eles percorrem todos os lugares procurando vítimas, como os animais que se põem à espreita de suas presas.

Os desregrados buscam suas vítimas sem haver quem os impeça. Há leis, mas eles as desconsideram impunemente. E quando, finalmente, são punidos, isso acontece com tal leniência que eles não são impedidos de prosseguir com a sua violência.

"Eles se exaltaram como deuses, acima de todos os objetos de adoração (2Ts 2.4), pelo que, por conseguinte, terão de ser humilhados abaixo de todas as coisas, tornando-se mais vis que o barro. Por isso diz Sl 92.6,7: Sois deuses... Todavia, como homens, morrereis" (Fausset, *in loc.*).

> *Quando se multiplicam os justos, o povo se alegra. Quando, porém, domina o perverso, o povo suspira.*
>
> Provérbios 29.2

SALMO TREZE

Quanto a *informações gerais* que se aplicam a todo o livro de Salmos, ver a introdução ao Salmo 4, onde apresento sete comentários que elucidam a natureza do livro. O terceiro ponto desses comentários discute a classificação dos salmos. O tipo mais comum é o salmo de lamentações, que contém um clamor dos justos para serem livrados dos seus inimigos, usualmente os que ameaçam a segurança do corpo físico. Os salmos foram escritos durante tempos brutais e sanguinários, quando a sobrevivência diária era uma questão entregue às orações, porquanto os homens malignos eram violentos e impiedosos, e faziam vítimas quase todos os dias. Havia aqueles inimigos "externos", como as nações que Israel teve de expulsar da Terra Prometida, mas os remanescentes continuavam pressionando os filhos de Israel. Davi aniquilou ou isolou oito nações (ver 2Sm 10.19), e isso trouxe paz por tempo suficiente para Salomão edificar a época áurea de Israel. Mas em breve as coisas desintegraram-se de novo, e a violência retornou. Foi aí que Israel se tornou também uma nação violenta, pois, quando terminaram os inimigos externos, eles asseguraram que houvesse conflitos internos acompanhados de muito derramamento de sangue. Foi assim que na Terra Prometida jamais houve descanso, e período de paz eram ali exceções.

Classificação dos Salmos. Ver o gráfico no início do comentário sobre o livro de Salmos, que atua como uma espécie de frontispício. Dou ali dezessete classes e listo os salmos que pertencem a cada uma delas.

Este é um dentre os muitos salmos de lamentação. Embora breve, é um peça especial de poesia, como a expressão pungente das emoções de uma alma perturbada. Ele abriga certa simplicidade e beleza e é recomendado na liturgia cristã. João Calvino escolheu-o, juntamente com outros dezessete salmos, para ser musicado e usado para adoração pública, em 1539. Marcus Dods falou de sua natureza estranha. Tal como se dá com quase todos os hinos de lamento, este salmo começa com um apelo desesperado, mas termina com um alto tom de confiança e alegria. A fé precisa ser recompensada, e é exatamente isso que acontece. Os inocentes são libertados. A justiça prevalece.

"Neste salmo Davi tinha confiança plena no amor leal de Yahweh (vs. 5), embora não tivesse obtido livramento imediato da opressão do adversário, inimigo de Deus" (Allen P. Ross, *in loc.*).

Subtítulo. As notas de introdução aos salmos não faziam parte original deles, mas foram produto de editores de tempos subsequentes. Eles conjecturaram sobre a autoria e, algumas vezes, tentaram identificar circunstâncias históricas sobre as quais as composições poéticas poderiam ter sido fundadas. Temos aqui somente que Davi foi o alegado autor do salmo e que a composição foi dirigida ao mestre do canto. Cerca de metade dos salmos tem sido atribuída a Davi, um claro exagero; mas não há por que duvidar de que pelo menos parte dos salmos foi composta por Davi. Além disso, alguns de seus salmos, desde os tempos mais antigos, foram transformados em hinos de louvor e usados no culto do tempo, e, em tempos posteriores, essa função foi conferida a muitos outros salmos. O ministério de música sempre foi importante no culto dos hebreus. Ver 1Cr 25.

■ **13.1** (na Bíblia hebraica corresponde ao **13.1,2**)

לַמְנַצֵּחַ מִזְמוֹר לְדָוִד׃

עַד־אָנָה יְהוָה תִּשְׁכָּחֵנִי נֶצַח עַד־אָנָה תַּסְתִּיר
אֶת־פָּנֶיךָ מִמֶּנִּי׃

Até quando, Senhor? Estes dois versículos apresentam quatro perguntas, cada qual encabeçada pelas palavras *até quando?*.

1. *Até quando, Senhor? Esquecer-te-ás de mim para sempre?* A morte é iminente. O inimigo é forte; a batalha não está correndo conforme se esperava; e parece que não há nenhuma ajuda. Uma intervenção divina se faz necessária para impedir a morte prematura, a morte violenta às mãos de um inimigo temido. O versículo não identifica o inimigo, quer se trate de um inimigo pessoal, como Saul, o perseguidor, quer um dos muitos molestadores de Israel.

2. *Até quando ocultarás de mim o teu rosto?* O pobre homem estava sob perigo iminente e apenas uma intervenção divina poderia impedir a desgraça. Não obstante, Deus (Yahweh, o Deus eterno) mostrava-se indiferente diante da cena, e nada fazia. Ele lembrava o Deus deísta, divorciado de seu universo, e em nada parecia com o Deus teísta, o qual intervém, recompensando os bons e punindo os maus. Ver no *Dicionário* os artigos chamados *Teísmo* e *Deísmo*. "Deus não somente deixou de tomar a iniciativa em favor próprio, mas também parecia indisposto a ouvir os apelos do salmista, porquanto ocultava seu rosto" (William R. Taylor, *in loc.*).

3. *Até quando estarei eu relutando dentro em minha alma?* (vs. 2). O pobre homem estava sofrendo o máximo de ansiedade e temia perder a própria vida. Mas prosseguiu, dia após dia; seus dias, contudo, estavam contados, e qualquer um deles poderia ser o último de sua vida. Yahweh permitia que ele sofresse a dolorosa

antecipação do extermínio, enquanto (aparentemente) olhava em outra direção. Essa total indiferença de Deus deixava o homem desesperado, e a "cada dia" (conforme diz a Septuaginta) ele não encontrava alívio.

4. *Até quando se erguerá contra mim o meu inimigo?* Outro agravante era que, enquanto Deus permanecia distante, o inimigo assassino estava por perto, esperando apenas o momento certo de aplicar o golpe mortífero.

O clamor melancólico é evidente no caso do homem bom, enquanto este continuasse sendo um homem que buscava a Deus. "Vale a pena observar que a amargura expressa no vs. 1 não impediu que o autor recebesse das mãos de Deus experiências que levavam a águas tranquilas e a cânticos de louvor (vs. 6)" (J. R. P. Sclater, *in loc.*).

Até quando, ó Deus, o adversário nos afrontará? Acaso blasfemará o inimigo incessantemente o teu nome?

Salmo 74.10

Cf. também Sl 79.5 e 89.46.
"*Até quando*, por quatro vezes, referidos por causa de um profundo abatimento e ansiedade da alma" (Ellicott, *in loc.*).

"Uma *perplexidade da desesperança* foi descrita, na qual o crente agora pensa em um plano, mais tarde em outro e, finalmente, desiste de tudo, como algo sem solução" (Fausset, *in loc.*).

Por todos os lugares andam os perversos, quando, entre os filhos dos homens, a vileza é exaltada.

Salmo 12.8

■ **13.2** (na Bíblia hebraica corresponde ao **13.3**)

עַד־אָנָה אָשִׁית עֵצוֹת בְּנַפְשִׁי יָגוֹן בִּלְבָבִי יוֹמָם
עַד־אָנָה יָרוּם אֹיְבִי עָלָי׃

Atenta para mim, responde-me, Senhor. A ameaça de morte iminente foi a causa da ansiedade do salmista, conforme demonstra o versículo. O homem precisava ter os olhos iluminados, o que possivelmente significa que ele necessitava da "sabedoria divina" para saber como escapar do perigo. Mas alguns eruditos veem uma restauração de energias vitais conforme requerido pela situação. O salmista estava fraquíssimo e impotente diante do inimigo, pois sua resistência se encontrava quase no fim. Nesse caso, os olhos têm de representar as energias vitais do corpo físico, ou suas forças, uma metáfora estranha, para dizer a verdade, se é que isso é indicado no versículo. Contudo, talvez William R. Taylor (*in loc.*) esteja correto quando concorda com esse modo de pensar: "Os efeitos das lutas mentais e espirituais sobre o seu corpo estavam registrados no embaçamento dos olhos (cf. Sl 6.7; 38.10; Lm 5.17)", o qual prosseguiu para afirmar que certamente não está em pauta aqui uma visão física enfraquecida.

Para que eu não durma o sono da morte. Não haveria luz, pois os olhos semicerrados poderiam fechar-se permanentemente. Está em vista a morte física, e não há esperança expressa acerca de uma existência pós-túmulo, doutrina que não fazia parte da teologia patriarcal e só muito lentamente começou a manifestar-se nos profetas. Essa doutrina foi, essencialmente, um desenvolvimento do período entre o Antigo e o Novo Testamento, nos livros apócrifos e pseudepígrafos. Naturalmente, fazia séculos que esse era um dos principais temas da filosofia grega e das religiões orientais. Ver no *Dicionário* o verbete intitulado *Alma*, e na *Enciclopédia de Bíblia, Teologia e Filosofia* o artigo chamado *Imortalidade*, onde apresento vários artigos sob esse título. O que o salmista temia era uma morte violenta, prematura e insensata, às mãos de homens ímpios, e foi com base nisso que enviou seu pedido urgente a Yahweh.

Cf. Sl 6.5 e 1Sm 14.27-29.

Pois, na morte, não há lembrança de ti;
no sepulcro quem te dará louvor?

Salmo 6.5

Ver as notas expositivas sobre esse versículo que reforçam o que foi dito anteriormente.

■ **13.3** (na Bíblia hebraica corresponde ao **13.4**)

הַבִּיטָה עֲנֵנִי יְהוָה אֱלֹהָי הָאִירָה עֵינַי פֶּן־אִישַׁן
הַמָּוֶת׃

Prevaleci contra ele. A ideia de que o assassino ímpio exultaria sobre a sua morte era intolerável, levando o homem perseguido a clamar ainda mais pela intervenção divina. Que os inimigos de Deus tivessem permissão de regozijar-se porque um homem bom fora executado, era uma situação ridícula demais para ser tolerada.

Vindo eu a vacilar. O versículo prossegue na ideia da morte prematura, violenta e insensata do homem bom. Este confiava em Deus, obedecia à sua lei e, no entanto, estava abalado diante de tudo quanto acontecia, e fora lançado em uma cova. O homem pensava que receberia uma vida longa porque obedecia à lei, visto ser essa a promessa constante das Escrituras (ver Dt 5.16; 22.6,7; 25.15). Mas, ao contrário, ele fora completamente abalado e estava condenado a uma morte miserável.

Ele é quem perdoa todas as tuas iniquidades; quem sara todas as tuas enfermidades; quem da cova redime a tua vida.

Salmo 103.3,4

■ **13.4** (na Bíblia hebraica corresponde ao **13.5**)

פֶּן־יֹאמַר אֹיְבִי יְכָלְתִּיו צָרַי יָגִילוּ כִּי אֶמּוֹט׃

No tocante a mim, confio na tua graça. Conforme é comum nos salmos de lamentação que incorporam um grito pedindo socorro, o salmista retorna aqui à esperança e à fé. Ele confiava na misericórdia de Deus.

Quanto ao significado da palavra "confiar" nos salmos, ver as notas expositivas em Sl 2.12.

A *salvação*, neste caso, não deve ser cristianizada. Não está em pauta a salvação da alma; antes, está em foco o livramento de uma morte insensata, prematura, às mãos de homens ímpios. "O salmista foi um dos muitos homens de fé que, no Antigo Testamento, acreditava no sol, quando a noite estava na maior negridão. O alvorecer justificou a sua fé" (William R. Taylor, *in loc.*).

Teu salvamento. O poeta teve o cuidado de dar o crédito a Deus. Sua situação era desesperadora, além do poder humano de corrigir. Somente uma intervenção divina funcionaria, e ela foi providenciada. Portanto, o livramento era de Deus, e não do homem. A ocasião de desespero foi transformada em regozijo. Quão importante é conseguir uma notável vitória!

■ **13.5,6** (na Bíblia hebraica corresponde ao **13.6**)

וַאֲנִי בְּחַסְדְּךָ בָטַחְתִּי יָגֵל לִבִּי בִּישׁוּעָתֶךָ אָשִׁירָה
לַיהוָה כִּי גָמַל עָלָי׃

Cantarei ao Senhor. O regozijo (vs. 5) era expresso por meio de cânticos, um modo comum de exprimir júbilo. Note o leitor que Yahweh tanto era o assunto como o objeto dessa feliz canção. O poeta cantou para Deus, e Deus era a essência do cântico. O Senhor havia tratado com ele abundantemente, e sua vida fora salva. Foi-lhe devolvido pleno vigor; ele continuou vivo, com seus propósitos e suas esperanças, aos quais o ímpio assassino poderia ter eliminado para sempre.

"Minhas tristezas eram profundas, de grande direção e opressivas, mas em teus favores há vida. Um único momento dessa alegria espiritual vale por um ano de tristezas!" (Adam Clarke, *in loc.*, com uma nota expositiva ímpar).

Sê generoso para com o teu servo, para que eu viva e observe a tua palavra.

Salmo 119.17

Voltai à fortaleza, ó presos de esperança; também hoje vos anuncio que tudo vos restituirei em dobro.

Zacarias 9.12

Ver no *Dicionário* o artigo chamado *Providência de Deus*. "... tudo o que é generoso e abundante e fornece uma justa ocasião de louvores e ação de graças. Ver Sl 16.7 e 103.1-5" (John Gill, *in loc.*).

Mediante a fé, o coração é encorajado. Na vitória, o coração prorrompe em uma canção. No cântico, mais fé é gerada, e assim o homem bom caminha de uma vitória a outra. Mas nada disso seria possível se Deus decidisse não intervir nesse caso desesperado.

SALMO QUATORZE

Quanto a *informações gerais* que se aplicam a todos os salmos, ver a introdução ao Salmo 4, onde apresento sete comentários que elucidam a natureza de todo o livro.

Os Salmos 14 e 53 (ambos de lamentação) são virtualmente iguais; apresento a exposição geral no último deles. Faço aqui apenas alguns comentários adicionais. "Os salmos são idênticos, com a exceção de alguma leve variante textual, mas em sua maior parte o texto está mais preservado no Salmo 53. Uma comparação entre os salmos, particularmente no tocante aos textos de Sl 14.5,6 e Sl 53.5, fornece-nos excelente exemplo das mudanças de transmissão textual e evidência do que devemos permitir, em numerosas instâncias, onde não somos favorecidos com o testemunho das duplicatas" (William R. Taylor, *in loc.*). Fausset (*in loc.*), por outra parte, pensa que o Salmo 14 foi uma alteração propositada do Salmo 53, tornando-o útil para a liturgia do santuário de Jerusalém. "Por conseguinte, ele omitiu qualquer elemento, no Salmo 53, que fosse mais apropriado ao uso particular do que ao uso público. Em lugar do nome geral *Elohim*, o Criador, ele introduziu o nome especial *Yahweh*, o cumpridor do pacto com o seu povo". Esse comentário, entretanto, parece bastante fantasioso, e também menos provável do que simplesmente supor que meras variantes textuais expliquem a diferença. A verdade é que não sabemos por que o nome *Elohim*, no Salmo 53, foi mudado para *Yahweh*, no Salmo 14. O primeiro desses nomes fala sobre o poder de Deus: ele é o Todo-poderoso. O segundo fala de sua eternidade: ele é o Deus eterno.

Classificação dos Salmos. Ver o gráfico no início do comentário sobre o livro de Salmos, que atua como uma espécie de frontispício. Dou ali dezessete classes e listo os salmos que pertencem a cada uma delas.

Subtítulos. O subtítulo do Salmo 53 é mais elaborado do que o do Salmo 14, e convido o leitor a examinar as notas correspondentes. O subtítulo do Salmo 14, por sua vez, é extremamente simples, atribuindo o salmo a Davi e dizendo-nos que a composição foi apresentada ao mestre do canto. Essas anotações de introdução foram providas por editores posteriores e não apareciam originalmente no início dos salmos; usualmente eram meras conjecturas quanto a questões de autoria e circunstâncias históricas que podem ter inspirado as composições.

J. R. P. Sclater oferece-nos outra conjectura sobre a razão pela qual o Salmo 53 foi colocado em outro lugar no saltério: "Os Salmos 14 e 53 são um só. Evidentemente, o salmo original foi inserido em uma coletânea mais antiga e, posteriormente, no saltério eloísta (Salmos 42 a 83). Na primeira versão, o nome *Yahweh* foi usado do começo ao fim. E, na segunda, foi usado o nome divino *Elohim*. Existem pequenas variações, mas os poemas são essencialmente idênticos". Se o raciocínio do dr. Sclater está correto, então o salmo original continha o nome divino *Yahweh*, o qual foi substituído por *Elohim*, no Salmo 53. Se o Salmo 53 é mais primitivo que o Salmo 14, então ao menos em uma particularidade o Salmo 14 está mais em acordo com a composição original, quanto ao nome divino empregado. Então o dr. Sclater estaria correto ao dizer que os Salmos 14 e 53 são cópias de um salmo original, cuja forma exata, nos mínimos detalhes, permanece em dúvida. Em ambos os salmos, porém, estão presentes os elementos essenciais. Duas coletâneas independentes dos salmos tinham, cada qual, uma versão do salmo original, pelo que, quando foram reunidos em uma única coletânea (formando o nosso saltério), a duplicação foi preservada e tornou-se evidente.

14.1-7

1 לַמְנַצֵּחַ לְדָוִד אָמַר נָבָל בְּלִבּוֹ אֵין אֱלֹהִים
הִשְׁחִיתוּ הִתְעִיבוּ עֲלִילָה אֵין עֹשֵׂה־טוֹב׃

2 יְהוָה מִשָּׁמַיִם הִשְׁקִיף עַל־בְּנֵי־אָדָם לִרְאוֹת הֲיֵשׁ
מַשְׂכִּיל דֹּרֵשׁ אֶת־אֱלֹהִים׃

3 הַכֹּל סָר יַחְדָּו נֶאֱלָחוּ אֵין עֹשֵׂה־טוֹב אֵין גַּם־אֶחָד׃

4 הֲלֹא יָדְעוּ כָּל־פֹּעֲלֵי אָוֶן אֹכְלֵי עַמִּי אָכְלוּ לֶחֶם
יְהוָה לֹא קָרָאוּ׃

5 שָׁם פָּחֲדוּ פָחַד כִּי־אֱלֹהִים בְּדוֹר צַדִּיק׃

6 עֲצַת־עָנִי תָבִישׁוּ כִּי יְהוָה מַחְסֵהוּ׃

7 מִי יִתֵּן מִצִּיּוֹן יְשׁוּעַת יִשְׂרָאֵל בְּשׁוּב יְהוָה שְׁבוּת
עַמּוֹ יָגֵל יַעֲקֹב יִשְׂמַח יִשְׂרָאֵל׃

Conteúdo Geral. "O conteúdo é claro. Nos vss. 1-6, encontramos a condenação dos judeus ateus, tal como já havíamos visto nos Salmos 10 e 12. No vs. 7, que alguns consideram uma edição litúrgica, o escritor respira seus anseios por um dia melhor, quando aqueles que estão cansados diante da impiedade opinam sobre o ateu prático e sua inevitável história de futilidade e temor. Isso recebe uma forma dramática que é digna de ser notada" (J. R. P. Sclater, *in loc.*).

Seja como for, encontramos neste salmo (e em sua versão quase idêntica do Salmo 53) uma denúncia do ateu prático, em suas variações ética e (possivelmente) teórica. Ver no *Dicionário* o verbete chamado *Ateísmo*, quanto a um tratamento completo sobre o assunto.

O ATEU TOLO

Diz o insensato no seu coração; Não há Deus! Corrompem-se e praticam abominação; Já não há quem faça o bem.
Salmo 14.1

O *ateu* chega à conclusão de que não há um Deus através de evidências negativas, especialmente a presença e o poder do mal e dos sofrimentos no mundo.

O *ateu prático* acredita teoricamente que existe um Deus, mas conduz sua vida como se ele não existisse. Este tolo *acredita* como um teísta, mas *age* como um ateu. Todo pecado é um ateísmo prático.

O ATEU, UM HOMEM VAZIO

Se pudesse esvaziar-te de ti mesmo.
Como uma concha desabitada.
Então ele poderia achar-te no leito do oceano e dizer:
"Este não está morto", enchendo-te dele mesmo.
Mas estás tão repleto com o teu próprio eu que ele diz:
"Este homem é cheio de si mesmo. Melhor deixá-lo como está. É tão pequeno e cheio que não há espaço para mim."
T. E. Brown

SALMO QUINZE

Quanto a *informações gerais* que se aplicam a todos os salmos, ver a introdução ao Salmo 4, onde apresento sete comentários que elucidam a natureza do livro. O terceiro ponto das informações gerais descreve as várias classes de composição.

Este é um salmo didático, com o intuito de fornecer instruções espirituais ao leitor. Provavelmente foi preparado para ser usado no templo como peça da liturgia dos hebreus. A grande pergunta era: "Quem deve ser admitido à adoração no lugar da adoração, o templo de Jerusalém?" Em outras palavras, está em vista a adoração pública. Ela precisava ser regulamentada. Nem todo homem que se aproximava do tabernáculo (e, posteriormente, do templo) tinha o direito de entrar e participar dos ritos e cerimônias ou do ministério de música. Todas as espécies de leis, tanto as morais quanto as cerimoniais, resguardavam a pureza da adoração. Instruções baseadas na lei eram necessárias para salvaguardar a questão. Os vss. 2-5 oferecem as qualidades necessárias, isto é, as qualificações morais. O vs. 5 faz uma declaração simples quanto às recompensas que o indivíduo adequadamente preparado poderia esperar. Ele não havia corrompido o templo.

Este salmo não menciona os requisitos cerimoniais de participação no templo, mas podemos estar certos de que eles nunca foram negligenciados em período algum da história de Israel. A mente dos hebreus não distinguia claramente os aspectos cerimoniais e morais da lei, conforme fazemos na teologia atual. Para os hebreus, a lei cerimonial também fazia parte da ética.

"A data pós-exílica deste salmo é demonstrada pelo conhecimento do salmista dos livros de Deuteronômio e Levítico (cf. Dt 23.20 e Lv 5.4; 25.26), os quais, para ele, tinham autoridade quase canônica. Além disso, o caráter catequético... do salmo aponta para um período pós-exílico posterior" (William R. Taylor, *in loc.*), cujas ideias sobre a data deste salmo são bastante disputadas).

"Este salmo delineia o caráter sem jaça daquele que estava realmente *apto* a adorar no santuário do Senhor" (Allen P. Ross, *in loc.*). Isso significa que ele teria de se atualizar quanto a ritos, cerimônias, sacrifícios etc. ... da lei cerimonial.

Subtítulo. Nenhuma elaboração é dada pelos editores subsequentes que prepararam as notas de introdução. O Salmo 15 foi simplesmente atribuído a Davi. As notas de introdução, entretanto, não faziam parte dos salmos originais e usualmente não passavam de conjecturas sobre a autoria e as circunstâncias históricas que poderiam ter inspirado a composição.

■ 15.1

מִזְמוֹר לְדָוִד יְהוָה מִי־יָגוּר בְּאָהֳלֶךָ מִי־יִשְׁכֹּן בְּהַר קָדְשֶׁךָ:

Quem, Senhor, habitará no teu tabernáculo? O assunto tratado aqui não é viver de forma permanente no templo, conforme faziam os sacerdotes, em cabines laterais. O que está em pauta é qual indivíduo poderia chegar ao lugar do culto e ser admitido na adoração santa. Ele precisava ter certas qualificações morais para entrar naquele lugar (vss. 2-5) e receberia um galardão da parte de Deus se estivesse devidamente qualificado e obedecesse às leis (vs. 5). Ver as notas expositivas de introdução acima, quanto a uma elaboração desse tema.

Este salmo explica quem é digno de ser um convidado do Senhor. Em um sentido metafórico, o indivíduo qualificado "reside com o Senhor", de tal forma que, onde ele estiver, aí estaria o templo, no seu coração. Mas a aplicação específica é aos adoradores no templo.

Habitará. A palavra hebraica correspondente seria mais bem traduzida por "residente temporário", como se fosse um hóspede. Assim é que temos a palavra "tabernáculo" para corresponder a essa ideia, e não a palavra templo, embora o salmo tenha sido escrito definitivamente quando o templo já existia, ou mesmo depois que o primeiro templo havia sido destruído, e o segundo templo já estava construído.

Morar...? Esta palavra, no original hebraico, significa "residir de forma permanente", mas isso era verdade somente em sentido metafórico. O homem bom mora com Deus; esse é seu direito permanente. Talvez a palavra *tabernáculo* tenha sido usada para lembrar ao adorador seu papel de peregrino neste mundo. Mas no tabernáculo de Deus, os adoradores adoram e permanecem, em um sentido figurado.

Santo monte. Onde esteve por algum tempo o tabernáculo e também onde o templo foi mais tarde construído. Somente um homem santo poderia ingressar ali para adorar, e os vss. 2 ss. mostram como um indivíduo qualquer se qualificava.

■ 15.2,3

הוֹלֵךְ תָּמִים וּפֹעֵל צֶדֶק וְדֹבֵר אֱמֶת בִּלְבָבוֹ:
לֹא־רָגַל עַל־לְשֹׁנוֹ לֹא־עָשָׂה לְרֵעֵהוּ רָעָה וְחֶרְפָּה לֹא־נָשָׂא עַל־קְרֹבוֹ:

Qualificações dos Adoradores:

1. *Vive (anda) com integridade.* Ver no *Dicionário* o verbete chamado *Andar, Metáfora do*, quanto a informações detalhadas sobre a questão. De acordo com a teologia hebraica, o andar do homem santo era obedecer à lei de Moisés. Ver sobre o *estatuto eterno* em Êx 29.42; 31.16; Lv 3.17; 16.29. Quanto à designação tripla da lei, ver Dt 6.1. Quanto à vida através da lei, ver Dt 4.1; 5.33 e Ez 20.1. Quanto a Israel como nação distinta entre as nações, porque tinha a lei, ver Dt 4.4-8.

O que anda em integridade será salvo, mas o perverso em seus caminhos cairá logo.
Provérbios 28.18

Assim é o homem que é o oposto daquele que tem coração dúplice (ver Sl 12.2).

2. *Pratica a justiça.* Isso aponta positivamente para as boas obras, em consonância com os ditames da lei, especialmente no amor a Deus e ao próximo, a maior de todas as leis (ver Dt 6.3 ss.). E também fala negativamente, evitando as coisas condenadas pela lei, sobretudo os atos de perversidade contra outros seres humanos. Ver o capítulo 31 de Jó quanto a todas as coisas que o homem justo não faz, o que lhe empresta reputação inculpável. Ver também Jó 30.25 e Mt 23.23.

3. *Não difama com sua língua.* Já podemos observar (ver Sl 5.9; 10.7 e 13.19) que o homem bom controla a língua, falando coisas que beneficiam, além de evitar coisas que prejudicam a outros. Se o coração de um homem estiver correto, também estarão corretas as suas palavras.

Isto acima de tudo: sê veraz para contigo mesmo.
E seguir-se-á, tal como a noite segue-se ao dia,
Que não poderás ser falso para com qualquer homem.
Shakespeare, *Hamlet*

Ver no *Dicionário* o artigo chamado *Linguagem, Uso Apropriado da*.

Faz tudo passar através de três portas de ouro:
As portas estreitas são:
Primeira: É verdade.
Em seguida: É necessário. Em sua mente
Fornece uma resposta veraz.
E a próxima é a última e mais estreita:
É gentil?
E se tudo chegar, afinal, aos teus lábios.
Então poderás relatar o caso, sem temores,
Qual seja o resultado de tuas palavras.
Beth Day

Disse-me o Senhor: Uma palavra sem afeto, lançada contra a vítima que odeias, é um dardo abrindo feridas de dores cruéis. A bisbilhotice corta o homem pelas costas. Um ato covarde que não podes retirar. Ódio no teu coração, ou inveja levantando a sua horrível cabeça, é um desejo de ver alguém morto.
Russell Champlin,
meditando sobre Mt 5.21,22

4. *Não faz mal ao próximo.* Isso porque a segunda maior lei da legislação mosaica, na qual todas as outras se cumprem, consiste em amar ao próximo e fazer-lhe o bem (Mt 22.39; Rm 13.8 ss.).

5. *Nem lança injúria contra o seu vizinho.* O homem bom não fere o próximo mediante palavras ou atos, nem participa de campanhas de malefícios. Ele mesmo não é detrator nem caluniador, e não participa de maledicências. As calúnias assacadas pelo homem mau desnudam o homem bom de seu verdadeiro caráter e vestem-no de vilanias. Dessa forma, o homem reto é transformado no que não é. Aqueles que se alimentam de calúnia são como as moscas que depositam ovos nojentos nas feridas abertas. O homem bom não encoraja o caluniador, envolvendo um ouvido simpático na sua direção. Antes, vê a questão conforme ela realmente é: um jogo doentio. Por isso mesmo notou Adam Clarke, *in loc.*: "O receptador é tão mau quanto o ladrão".

15.4,5

נִבְזֶה ׀ בְּעֵינָיו נִמְאָס וְאֶת־יִרְאֵי יְהוָה יְכַבֵּד נִשְׁבַּע
לְהָרַע וְלֹא יָמִר׃

כַּסְפּוֹ ׀ לֹא־נָתַן בְּנֶשֶׁךְ וְשֹׁחַד עַל־נָקִי לֹא לָקָח
עֹשֵׂה־אֵלֶּה לֹא יִמּוֹט לְעוֹלָם׃

Continua aqui a lista das qualificações do indivíduo que pode participar corretamente da adoração no templo:

6. *Tem por desprezível ao réprobo*. O homem reto tem senso espiritual suficiente para distinguir entre o homem bom e o mau. Ele conhece a vida do hipócrita que vem ao templo com um rosto de piedade, e um coração imundo. Ele também reconhece quem tem cometido crimes, grandes e pequenos, contra outras pessoas. Não respeita o poder ou o dinheiro desse homem vil, que é uma criatura ímpia, libertina, alguém cujas boas obras são réprobas. E, algumas vezes, esses indivíduos são encontrados em lugares importantes (ver Sl 12.8 e Dn 11.21) e grandemente apoiados e estimados pelos homens do mundo. No entanto, para Deus, são uma abominação" (John Gill, *in loc.*).

> *Por todos os lugares andam os perversos, quando entre os filhos dos homens a vileza é exaltada.*
> Salmo 12.8

7. *Mas honra aos que temem ao Senhor*. Pelo lado positivo, o homem bom é qualificado para adorar no templo, é homem conhecido por seu temor a Deus. Ver no *Dicionário* o artigo chamado *Temor*, primeiro ponto, *Temores Benéficos*, quanto a detalhes sobre essa virtude fundamental. O homem bom é, ele mesmo, alguém que teme a Deus e honra os dotados de genuína espiritualidade.

8. *O que jura com dano próprio, e não se retrata*. "O homem correto leva a sério seus compromissos solenes, embora as circunstâncias se tenham alterado, desde que ele fez o juramento, para sua desvantagem (ver Lv 5.4)" (William B. Taylor, *in loc.*). Ver no *Dicionário* os artigos chamados *Juramentos* e *Votos*. "Uma pessoa reta também guarda os seus juramentos, mesmo que para isso seja prejudicada. E mesmo que ela faça um juramento precipitado, conscientemente guardará a sua palavra" (Allen P. Ross. *in loc.*). Esse texto, naturalmente, não dá margem a juramentos pecaminosos, como aquele de Jefté, um dos juízes de Israel, que causou a morte de sua própria filha. Ver sobre essa história em Jz 11.29 ss. Aquele homem teria agido corretamente se tivesse encontrado uma alternativa para seu juramento, e até teria satisfeito sua consciência com essa alternativa. Não obstante, continuou com uma vontade de ferro, apesar de ter ficado muito chocado.

9. *O que não empresta o seu dinheiro com usura* (vs. 5). Um hebreu não podia emprestar dinheiro a um irmão hebreu e esperar juros de empréstimo. Ver Êx 22.25. Alguns intérpretes garantem que era permitido praticar a usura nos empréstimos a dinheiro, em negócios normais, mas não no caso de um homem necessitado. Aí a misericórdia precisava ser observada, em lugar de sua ganância para enriquecer. Entretanto, conjecturo que Allen P. Ross (*in loc.*) esteja correto, ao afirmar: "Cobrar juros de um colega israelita era algo proibido como quebra da fraternidade (ver Êx 22.25; Lv 25.36)". Sabemos, entretanto, que os hebreus podiam cobrar juros dos povos gentílicos. Taxas de juros, na antiguidade, variavam de 20 a 50%, menos do que a taxa média que se verifica nos negócios de empréstimos de dinheiro em São Paulo! Embora Fausset (*in loc.*) tenha afirmado corretamente que tal versículo não pode aplicar-se às negociações modernas, teríamos de aplicar a lei da moderação. Contudo, a exploração é o nome do jogo no mundo dos negócios, visto que ali a ganância atua como deus. Cf. também o versículo com Dt 23.30.

Usura. A palavra hebraica correspondente significa "mordida". Por isso, talvez até hoje tenhamos a expressão idiomática moderna "dar uma mordida", para indicar cobranças exageradas.

Quanto a detalhes, ver no *Dicionário* o verbete intitulado *Juros*.

10. *Nem aceita suborno contra o inocente*. Qualquer homem que se deixasse subornar tornava-se impossibilitado de adorar no templo. Nessa questão, por igual modo, ele respeitava a legislação mosaica que proibia esse ato. Ver Êx 23.8 e Dt 27.25. Apesar disso, tais males eram perpetrados e a justiça era corrompida. Ver Pv 25.18; Is 1.23; Ez 22.13; Am 2.6 e Lc 12.57-59.

Conclusão. O homem que fazia todas as coisas listadas nos vss. 2-5 era considerado justo e digno de participar da adoração no templo de Jerusalém. Ele não podia ser arrastado para fora de suas convicções interiores e de sua integridade, e também ninguém podia tirá-lo de seu legítimo lugar de adoração, o templo. O indivíduo capaz de enfrentar esse teste é, realmente, um homem inabalável. Ele é abençoado com segurança e resistirá a qualquer assalto, pois é inabalável como uma rocha (ver Mt 7.24,25).

Não deixarás a minha alma na morte, nem permitirás que o teu Santo veja corrupção.
Salmo 16.10

MORTE, NÃO TE ORGULHES

Morte, não te orgulhes, embora alguns te tenham chamado
De poderosa e espantosa, pois não és tal;
Pois aqueles que pensas teres vencido,
Não morrem, pobre morte; e nem podes matar-me.
Do descanso e do sono, que são apenas tuas figuras,
Vêm muito prazer; então de ti muito mais deve vir;
E logo nossos melhores homens contigo se vão
— Mas isso é repouso para seus ossos, e livramento da alma!
És escrava da sorte, da chance, de reis e homens
desesperados, e habitas com o veneno, a guerra e a
enfermidade;
Papoula e encantamentos podem fazer-nos dormir também
E são melhores que teu golpe.
Por que te inchas, pois?
Passando um breve sono, e despertamos eternamente,
E a morte já não existirá: morte, tu morrerás.
John Donne

NÃO ESTOU EM LUTA CONTRA A MORTE

Não estou em luta contra a morte
Sobre mudanças na forma e no rosto;
Nenhuma vida inferior desta terra
Pode assustar jamais a minha fé.

Um processo eterno tem prosseguimento;
De estado em estado avança o espírito;
Mas isso não passa de cascas despedaçadas
Ou de crisálidas arruinadas de alguém.

Também não culpo a Morte, por ter tirado
Desta terra o uso bom da virtude;
Sei que transplantado em valor humano
Florescerei com proveito, algures.

Só por isso me saciou na Morte,
O laurel que ornará meu coração:
Ela separa de tal modo as nossas vidas
Que não ouvimos mais a voz um do outro.
Alfred Lord Tennyson

SALMO DEZESSEIS

Quanto a *informações gerais* aplicáveis a todos os salmos, ver a introdução ao Salmo 4, onde apresento *sete* comentários que elucidam a natureza do livro. O terceiro ponto das informações gerais descreve as várias *classes* dos salmos.

Este salmo é chamado de *salmo de confiança*, juntamente com os Salmos 4, 11, 23, 27, 62 e 131. Quanto a notas expositivas sobre o que significa a palavra *confiança* nos salmos, ver as notas em Sl 2.12. Os intérpretes diferem quanto à maneira como os salmos devem ser classificados, com seus diferentes títulos e classes mais ou menos determinadas. Além disso, existem salmos que pertencem a mais de uma classe.

Parece que alguns dos *salmos de confiança* surgiram dentre os *salmos de lamentação*, o que sem dúvida ocorre com este salmo. Talvez o grito pedindo ajuda contra inimigos atacantes simplesmente se tenha tornado um grito de confiança, em alguns salmos. Tipicamente, os salmos de lamentação começam com um grito pedindo socorro e terminam com ações de graças pela resposta divina à oração. Assim sendo, um salmista prestes a escrever uma lamentação simplesmente passa por cima da ação de graças. E, finalmente, como é natural, alguns salmos de confiança são expressões de fé e confiança em Yahweh, em termos gerais, inteiramente à parte de qualquer necessidade imediata pela intervenção divina.

"Este salmo é uma celebração da alegria de comunhão que Davi recebeu ao aproximar-se do Senhor, impelido pela fé. Ele pode ter sido escrito quando Davi enfrentava grande perigo no deserto ou a opressão contra o seu governo. Sem importar qual era a ocasião exata, Davi estava convencido de que, por conhecer e confiar no Senhor como sua porção da vida, também podia confiar nele diante da morte" (Allen P. Ross, *in loc.*).

Classificação dos Salmos. Ver o gráfico no início do comentário sobre o livro de Salmos, que age como uma espécie de frontispício. Dou ali dezessete classes e listo os salmos que pertencem a cada uma delas.

Subtítulos. Não sabemos o que significa a palavra *mictã* (que também aparece nos Salmos 56 a 60); mas uma boa conjectura é "oração" ou "meditação". A Septuaginta, no entanto, traduz essa palavra por "sobre uma *coluna* de Davi", uma inscrição de confiança que foi gravada de maneira permanente em uma pedra, como lembrete. O Targum fala de um "direito de gravação", ou seja, algo que mereça ser gravado em uma peça de bronze, possivelmente. Outros veem nisso a palavra "ouro" e, finalmente, temos a expressão "um salmo de ouro de Davi". As versões siríaca e árabe ignoram o sentido dessa palavra e falam da *ressurreição de Cristo*, considerando este salmo como messiânico. Pedro e Paulo citam-no nessa conexão. Ver At 2.25-31 e 13.35-37. O vs. 10 certamente é uma profecia sobre Cristo. Os salmos usualmente considerados messiânicos são os de número 2, 8, 16, 22 a 24, 40, 41, 45, 68, 69, 72, 89, 102, 110 e 118. Outros salmos provavelmente contêm reflexões messiânicas.

Os *salmos reais* estão intimamente relacionados aos salmos messiânicos e a outros salmos com reflexões messiânicas. Ver os Salmos 18, 20, 21, 45, 72, 89, 101, 110, 132 e 144. Ver a seção VII da *Introdução, A Esperança Messiânica*.

16.1

מִכְתָּ֥ם לְדָוִ֑ד שָֽׁמְרֵ֥נִי אֵ֝֗ל כִּֽי־חָסִ֥יתִי בָֽךְ׃

Guarda-me, ó Deus. O salmista confiava que Deus o manteria em segurança. O poeta pode ter assim começado a produzir outro salmo de lamentação (a classificação mais comum), mas em seguida começou a *confiar*, sem ter descrito o perigo no qual se encontrava. Seja como for, este salmo termina como um salmo de *confiança* (ver as notas expositivas sobre Sl 2.12). Ver as observações de introdução a este salmo, quanto a detalhes sobre a questão.

Este salmo é uma "meditação regada pela oração de que o salmista desfrutava em sua comunhão com Deus. Gunkel classificou-o como um dos *salmos de confiança*, que incluem os Salmos 4, 11, 23, 27, 62 e 131. A característica dominante desses salmos é uma expressão de confiança em Deus como a fonte das mais elevada satisfação da vida" (William R. Taylor, *in loc.*).

Em ti me refugio. A *Revised Standard Version* diz aqui "em ti confio". Ver as notas expositivas sobre esse conceito, em Sl 2.12. Os vss. 1-8 oferecem uma espécie de revisão de como o poeta tinha chegado a conhecer e a confiar em Yahweh. O vs. 1 parece sintetizar o salmo inteiro.

> *Guarda a minha alma e livra-me; não seja eu envergonhado, porque em ti me refugio.*
>
> Salmo 25.20

16.2

אָמַ֣רְתְּ לַֽ֭יהוָה אֲדֹנָ֣י אָ֑תָּה ט֝וֹבָתִ֗י בַּל־עָלֶֽיךָ׃

Digo ao Senhor: Tu és o meu Senhor. *A espiritualidade de um homem não pertence, realmente, a ele. É desenvolvida pelo Ser divino no homem.* Portanto, para os judeus, Yahweh era o Senhor: "Não tenho bem à parte de ti" (*Revised Standard Version*). O significado do original hebraico é incerto, e a *Revised Standard Version* segue a interpretação de Jerônimo e do Targum dos judeus. Outra ideia é a que diz que a bondade do homem não chega ao nível da bondade divina, pois lhe é inferior (*King James Version*). E também existem outras ideias, como: "Outro bem não possuo, senão a ti somente" (Atualizada); "além de ti não tenho outro bem" (tradução da Imprensa Bíblica Brasileira); "À parte de ti não tenho outro bem" (Allen P. Ross, *in loc.*).

> *Os leõezinhos sofrem necessidade e passam fome, porém aos que buscam o Senhor bem nenhum lhes faltará.*
>
> Salmo 34.10

16.3

לִ֭קְדוֹשִׁים אֲשֶׁר־בָּאָ֣רֶץ הֵ֑מָּה וְ֝אַדִּירֵ֗י כָּל־חֶפְצִי־בָֽם׃

Quanto aos santos que há na terra. *Além de deleitar-se em Yahweh, o homem bom também se deleita nos irmãos, homens piedosos.* É com eles que o crente comunga e encontra benefício mútuo. Os santos são "nobres" ou "excelentes", e isso por terem sido transformados pelo princípio divino. Contraste o leitor essa declaração com Sl 1.1, onde os ímpios se deleitam nos *caminhos poluídos* e nas *veredas pecaminosas*, bem como em seus pares. O hebraico deste versículo também é incerto, pelo que os intérpretes tomam certas liberdades para arrancar dele algum sentido. Seja como for, não existe bondade à parte de Deus (vs. 2), que a transmite aos santos; e o poeta encontrava o seu deleite em ambas as manifestações dessa bondade, a celestial e a terrena. Todo indivíduo tem uma sociedade de amigos e conhecidos com a qual se identifica, e podemos determinar muito sobre um homem pelo grupo humano com o qual ele se identifica.

> *Um homem é conhecido pela companhia com a qual mantém comunhão.*
>
> Provérbio do século XVII

> *Melhor sozinho do que mal acompanhado.*
>
> Provérbio do século XV

16.4

יִרְבּ֥וּ עַצְּבוֹתָם֮ אַחֵ֪ר מָ֫הָ֥רוּ בַּל־אַסִּ֣יךְ נִסְכֵּיהֶ֣ם מִדָּ֑ם וּֽבַל־אֶשָּׂ֥א אֶת־שְׁ֝מוֹתָ֗ם עַל־שְׂפָתָֽי׃

Muitas serão as penas. *Contra a Idolatria.* Os indivíduos ímpios são, algumas vezes, religiosos, tendo uma espiritualidade substituta que é contrária ao yahwismo. Alguns preferem "outro deus" a quem prestam lealdade. Nesse caso, eles "multiplicam" suas dores, porque a pesada mão de Deus é contra a idolatria. Os que praticam ritos do paganismo podem esperar tribulação da parte do verdadeiro Deus, o qual vigia a estupidez deles. Por conseguinte, o homem bom não participará das *libações* nem de outros aspectos do culto idólatra. A *idolatria* (ver a respeito no *Dicionário*) era uma ofensa capital proibida nos Dez Mandamentos (ver a respeito no *Dicionário*). Ver Êx 20.3,4 e Dt 17.2-5. A morte por *apedrejamento* era o método comum de execução dos idólatras. O homem espiritual tem uma lealdade estrita para com Yahweh, e essa lealdade governa seu modo de falar e agir. Contraste o leitor as ameaças constantes neste versículo e as bênçãos prometidas aos justos nos vss. 5 e 6.

As suas libações de sangue. Entre os pagãos, as libações incluíam até sacrifícios humanos, uma das características mais repelentes do paganismo (ver no *Dicionário* os artigos intitulados *Moleque, Moloque* e *Deuses Falsos*).

A Yahweh eram oferecidas, com exclusividade, *libações de vinho* (ver Nm 28.7,8 e Êx 29.40), embora obviamente houvesse sacrifícios cruentos.

Essas tristezas multiplicadas podem atingir o *corpo físico* (ver Pv 10.10) ou o *coração* (ver Pv 15.13).

No parecer do poeta sagrado, tão detestáveis eram os idólatras que ele se recusava até mesmo a proferir seus nomes e os de seus ídolos horríveis, *deuses falsos* nos quais somente os tolos confiam. Isso ocorria em obediência às instruções do Pentateuco. Ver Êx 23.13 e cf. Os 2.17.

■ 16.5

יְהוָה מְנָת־חֶלְקִי וְכוֹסִי אַתָּה תּוֹמִיךְ גּוֹרָלִי׃

O Senhor é a porção da minha herança. Em contraste com os idólatras, que corriam atrás de deuses estrangeiros, o salmista achava seu prazer e sua esperança exclusiva no yahwismo. Era ali que ele encontrava sua *porção escolhida* e seu *cálice* de abundância. O poeta refere-se aqui a todas as coisas que lhe eram importantes, e isso compunha a substância e a alegria de sua vida. Parte dessa *porção* era a partilha do homem na terra e nos benefícios por ela produzidos. O *cálice* pode referir-se à prática de passar o cálice de vinho de convidado a convidado, em uma festa de banquete, e isso fala sobre o aprazimento e o destino na comunhão com pessoas associadas. Cf. Mt 26.27,39. Além disso, encontramos a expressão "tu és o arrimo da minha sorte", o que significa que sua boa sorte não pode ser perdida ou diminuída, porque é Deus quem a garante, para benefício do crente. Está em pauta a participação de um homem no *pacto*, pois é assim que ele se junta aos piedosos, na sua herança. Ver sobre *Pacto Abraâmico,* em Gn 15.18, onde ofereço detalhada nota expositiva. Ver também sobre *Pacto Mosaico,* na introdução a Êx 19, e ver sobre *Pacto Palestino,* na introdução a Dt 29. Ver o artigo geral sobre *Pactos,* no *Dicionário.*

"*Tu, Senhor, és a porção da minha herança.* Isso foi dito em alusão aos sacerdotes levitas, que não tinham herança na terra de Canaã... pois o Senhor era a herança deles (ver Nm 18.20; Dt 18.1,2)" (John Gill, *in loc.*).

■ 16.6

חֲבָלִים נָפְלוּ־לִי בַּנְּעִמִים אַף־נַחֲלָת שָׁפְרָה עָלָי׃

Caem-me as divisas em lugares amenos. Temos aqui uma alusão à divisão do território conquistado da Palestina entre as tribos e as famílias de Israel, em que cada família e homem tinha a sua porção. Nem todos os que receberam terras ficaram felizes com a localização e os recursos, mas, *metaforicamente,* o texto indica que todos estavam felizes com a herança espiritual no yahwismo. As heranças eram medidas por meio de fios e alocadas pelo lançamento de sortes, que se pensava ser controlado pela vontade de Deus. Por conseguinte, cada tribo e família recebia exatamente o que fora determinado pela vontade divina. Ver a divisão das terras mediante uma linha de medir (Am 7.17). Ver também Js 17.5 e Mq 2.5. Quanto à distribuição do território por meio de sortes, ver Js 14.

É mui linda a minha herança. O autor sacro fala aqui da herança literal do território de Canaã e também de sua herança espiritual na fé dos hebreus. Este versículo tem sido cristianizado para apontar a recompensa de uma pessoa no mundo celeste, ou seja, a herança de Cristo. Ver Rm 8.16,17. Ver no *Dicionário* o artigo chamado *Herança,* especialmente em sua seção III, *Co-herdeiros com Cristo.* Em 1Pe 5.3, o povo de Deus é chamado de *herança de Deus.*

■ 16.7

אֲבָרֵךְ אֶת־יְהוָה אֲשֶׁר יְעָצָנִי אַף־לֵילוֹת יִסְּרוּנִי כִלְיוֹתָי׃

Bendito o Senhor, que me aconselha. O *homem bom* também é conduzido pelo Espírito de Deus em sua vida diária. A ele Deus confere sabedoria e iluminação. Tais coisas fazem parte de sua herança espiritual. *À noite* seu coração comunga com Deus, mediante sonhos, visões e experiências intuitivas. Ele se torna um "conhecedor" de Deus porque anda perto do Espírito de Deus. Ver no *Dicionário* os artigos chamados *Iluminação* e *Misticismo.* "A noite é um tempo favorável para receber as comunicações divinas. Cf. 1Rs 3.5; 2Cr 1.7; Dn 7.2 e At 27.23" (William R. Taylor, *in loc.*).

O meu coração me ensina. Nossa versão portuguesa e outras assim dizem, de modo compatível com uma expressão moderna. Mas o hebraico fala aqui, literalmente, em "rins". Os rins eram tidos, pelos hebreus antigos, como a sede dos afetos e impulsos da vontade. Portanto, no "ser mais interior", à noite, Deus instrui os homens, mostrando-lhes a sua vontade, inspirando-os a atos de bondade, levando-os ao longo do caminho e ensinando-lhes o certo e o errado. O *remoer* da consciência faz parte de tudo isso, mas por certo muito mais está envolvido, visto que a comunhão com o Ser divino faz parte da questão. "A consciência reverbera a voz de Deus" (Ellicott, *in loc.*), embora essa voz, em nosso interior, envolva ainda mais que isso.

Espírito de Deus, desce sobre meu coração;
Desmama-o da terra, move-te a cada novo pulsar;
Tolera minha fraqueza, poderoso como tu és,
e faz-me amar-te, como devo te amar.

George Croly)

"Os rins e a gordura deviam sempre queimar em sacrifício, para indicar que os mais secretos propósitos e afetos da alma fossem devotados a Deus" (Adam Clarke, *in loc.*).

Cesse a malícia dos ímpios, mas estabelece tu o justo; pois sondas a mente e os rins, ó justo Deus.

Salmo 7.9

Ver no *Dicionário* o artigo detalhado chamado *Rins.*

■ 16.8

שִׁוִּיתִי יְהוָה לְנֶגְדִּי תָמִיד כִּי מִימִינִי בַּל־אֶמּוֹט׃

O Senhor, tenho-o sempre à minha presença. *Yahweh* atraía toda a atenção do autor sagrado. Deus era seu instrutor e Juiz, a fonte de sua espiritualidade e bênçãos temporais. O salmista estudava a lei do Senhor, para que pudesse conhecer e seguir suas instruções. Ele sempre tinha Yahweh "perante os seus olhos" e "em seu coração".

"Aquele que tem Deus sempre diante dos olhos recebe um coração tão destemido que até a cruz e os sofrimentos são aceitos com bom ânimo" (Martinho Lutero).

Estando ele à minha direita não serei abalado. Em outras palavras, Deus está na posição de poder e proteção, e torna-se o poder na vida da pessoa, bem como seu protetor. O poeta sabia que não podia ser abalado. Cf. Sl 15.5, onde anoto esse pensamento (ver sob o título *Conclusão*). O poeta não deixava *abalar* suas convicções íntimas; ele não era perturbado em sua vida; mostrava-se firme na fé; era protegido de acontecimentos perturbadores e tragédias. Ver Sl 109.31 e 110.5, quanto ao Senhor à nossa mão direita. "É simplesmente impossível que aquele que tem Deus sempre à direita sofra qualquer dano real" (Fausset, *in loc.*). O Targum dos judeus fala da glória *shekinah* como perto do homem, pelo que esse homem é invencível. O simbolismo pode ser uma *metáfora militar.* O guerreiro é protegido por seu companheiro e escudeiro.

Não serei abalado. Quanto a notas expositivas completas sobre este conceito, ver Sl 21.7.

Referências Messiânicas. Os vss. 8-11 deste salmo foram citados por Pedro no dia de Pentecoste (ver At 2.25-28), e o Sl 16.10 foi citado por Paulo em Antioquia (At 13.35-37). Ambos aplicaram este salmo à ressurreição de Cristo. Quanto aos salmos considerados messiânicos, ver notas sob *Subtítulo,* na introdução a este salmo. Ver também, na Introdução ao livro de Salmos, seção VII, a parte intitulada *A Esperança Messiânica.*

■ 16.9,10

לָכֵן שָׂמַח לִבִּי וַיָּגֶל כְּבוֹדִי אַף־בְּשָׂרִי יִשְׁכֹּן לָבֶטַח׃
כִּי לֹא־תַעֲזֹב נַפְשִׁי לִשְׁאוֹל לֹא־תִתֵּן חֲסִידְךָ לִרְאוֹת שָׁחַת׃

Alegra-se, pois, o meu coração. Visto que o Senhor era seu protetor, o corpo do poeta repousava seguro, a salvo de todos os ataques. *Livramento da morte* é a referência primária. Mas, de acordo com o *olho profético,* está em vista a ressurreição, a saber, a ressurreição de Jesus, o Cristo. O vs. 10 traz a *alma* para dentro da questão, o que, na época em que este salmo foi escrito, só pode ter significado que o *homem inteiro* seria livrado de uma morte prematura, ou seja, o corpo físico não sofreria decomposição no seio da terra. Mas, aos *olhos do profeta*, a *ressurreição* de Jesus dentre os mortos está em evidência, pelo que o seu corpo não experimentou corrupção. Portanto, para o poeta e para Jesus, a morte não representava ameaça, porquanto havia uma intervenção divina que anularia toda a possibilidade de dano. Por semelhante modo, "Deus não permitirá que a morte destrua aquela plenitude de comunhão de que os crentes desfrutam com o Senhor (ver 2Co 5.8; Fp 1.23). Essa expressão de fé só se tornou possível porque Cristo chegou a conquistar a morte (ver Lc 24.6) e então ressuscitou para tornar-se o primogênito de todos quantos dormem" (1Co 15.20)" (Allen P. Ross, *in loc.*).

O salmista esperava viver todos os anos de vida determinados para ele, evitando morrer violenta e prematuramente e ser entregue ao insaciável monstro *Seol* (ver Is 5.14), sempre pronto a devorar os homens (ver Sl 116.3). Este é o significado primário da declaração do salmista. Portanto, em seu estado original, o *indivíduo piedoso* receberia uma vida longa, porque observava a lei mosaica (ver Dt 5.16; 22.6,7). Mas, aos *olhos do profeta*, quem está em pauta é o Santo, o Cristo ressurrecto. Sua alma não permaneceu no hades, ao qual desceu para realizar um ministério de misericórdia (ver 1Pe 3.18—4.6). Ver na *Enciclopédia de Bíblia, Teologia e Filosofia* o artigo detalhado chamado *Descida de Cristo ao Hades*. Naturalmente, a palavra hebraica *seol* equivale ao termo grego *hades*. Há artigos detalhados sobre *seol* e sobre *hades*, no *Dicionário* e na *Enciclopédia de Bíblia, Teologia e Filosofia*.

A Questão que Resta. Porventura o salmista obteve aqui um vislumbre da imortalidade da alma como o homem imaterial, distinto de seu corpo? Há intérpretes que respondem afirmativamente; e outros respondem com um sonoro "não". Sabemos que a teologia patriarcal não incluía nenhuma doutrina sobre uma alma imortal, nem visão de recompensas e punições para além do sepulcro. Mas nos Salmos e nos Profetas essas doutrinas começaram a aparecer. O maior desenvolvimento dessa doutrina, entretanto, ocorreu nos livros pseudepígrafos e apócrifos, e o Novo Testamento ampliou a ideia. Estou apenas supondo, por conseguinte, que tenhamos aqui um *indício* da imortalidade, mesmo que não haja uma declaração dogmática em seu favor. Naturalmente, na aplicação profética, temos aqui a noção da *Imortalidade*. Ver sobre esse título na *Enciclopédia de Bíblia, Teologia e Filosofia*, onde há vários artigos sobre o assunto. Ver também o artigo intitulado *Experiências Perto da Morte*, quanto a uma abordagem científica da questão.

"É quase impossível acreditar que um homem tão religiosamente sensível como este poeta não tenha olhado para além da morte com uma curiosa indagação de esperança. Seja como for, é perfeitamente óbvio que, se o Espírito inspirou os salmos, então estamos livres para entender essas frases amáveis à luz do Deus a quem Cristo revelou... O tema do salmo bem poderia ser 'o fim da viagem': Deus vai à frente e a alma o segue. Deus está ao meu lado, e minha alma está protegida por seus cuidados. Minha alma está à mão direita de Deus, honrada e tendo recebido liberdade na plenitude de sua alegria" (J. R. P. Sclater, *in loc.*).

Outra indagação, um corolário da primeira questão, é: até que estágio já se tinha desenvolvido a doutrina do seol na época em que este salmo foi escrito? Originalmente, o seol apontava somente para a *sepultura*. Em seguida, tornou-se um lugar onde ficavam presos, a vaguear, espíritos sem autoconsciência, algo semelhante aos fantasmas das histórias populares. Posteriormente, concebeu-se o seol como habitado por entidades reais, almas inteligentes. O seol, mais tarde ainda, foi separado em compartimentos para os bons e para os maus. Ato contínuo, o lugar tornou-se uma localização de tormentos. As chamas do inferno foram acesas no livro de 1Enoque, conforme sabem os eruditos. E, finalmente, Jesus, o Cristo, reverteu o terror que ali predominava, com a sua descida ao hades, a palavra grega correspondente ao seol dos hebreus. Os artigos intitulados *Seol* e *Hades* (sobretudo este último) contam a história desse desenvolvimento. Estou conjecturando que, pelo tempo em que o salmo presente foi escrito, o *seol* se estivesse tornando um lugar de almas genuínas, mas não sabemos até que altura esse desenvolvimento chegou quando este salmo foi escrito. O *significado profético* desse vocábulo, contudo, é claro, afinal de contas.

■ **16.11**

תּוֹדִיעֵנִי אֹרַח חַיִּים שֹׂבַע שְׂמָחוֹת אֶת־פָּנֶיךָ נְעִמוֹת בִּימִינְךָ נֶצַח׃

Tu me farás ver os caminhos da vida. A *vereda da vida* é, no âmbito deste salmo, uma vida próspera e longa, vivida em concordância com os requisitos da lei. Os benefícios são diversas bênçãos divinas, que nos conferem "plenitude de alegria" e "prazeres", alguns físicos, mas, especialmente, espirituais. É como dizia Epicuro: "Os prazeres mentais são superiores aos prazeres físicos". Porém, de acordo com o que a Bíblia diz, há prazeres espirituais que são dados ao homem bom. Dentro do *meio ambiente profético*, encontramos as bênçãos do homem espiritual, o qual participa da vida ressurrecta de Jesus, sendo transformado à sua imagem, de glória em glória (ver 2Co 3.18; Rm 8.29). A partir desse estado, atualmente e entrando nas eras da eternidade, fluem bênçãos divinas com uma alegria acompanhante.

Em lugar da morte, foi conferida *vida abundante*, porquanto os efeitos da morte foram anulados:

> Onde está, ó morte, a tua vitória?
> Onde está, ó morte, o teu aguilhão?
> O aguilhão da morte é o pecado,
> E a força do pecado é a lei.
> Graças a Deus que nos dá a vitória
> Por intermédio de nosso Senhor Jesus Cristo.
>
> 1Coríntios 15.55,56

> Morte, não te orgulhes, embora alguns te tenham chamado de poderosa e temível, pois não és tal coisa. Pois aqueles sobre quem pensas que tu derrubas, não morrem, ó pobre Morte.
>
> John Donne

Na tua destra. Ou seja, na posição favorecida perto do poder de Deus, a fonte de todas as bênçãos.

> Toda boa dádiva e todo dom perfeito é lá do alto, descendo do Pai das luzes, em quem não pode existir variação ou sombra de mudança.
>
> Tiago 1.17

Cf. At 2.33. Na aplicação neotestamentária, estão em vista as bênçãos de Cristo, sendo ele quem as dispensa. A destra ou mão direita é o lugar de honra, ou seja, a fonte de todas as provisões e benefícios. Cf. Sl 45.9; Mt 25.33,34. Da mesma maneira que Cristo está atualmente à mão direita do Pai, também os homens redimidos estarão à mão direita de Cristo. Ver Hb 1.3.

SALMO DEZESSETE

Quanto a *informações gerais* que se aplicam a todos os salmos, ver a introdução ao Salmo 4, onde apresento sete comentários que elucidam a natureza do livro. O terceiro ponto das informações gerais descreve as várias classes dessas composições.

Este é outro salmo de *lamentação*, o tipo mais comum. Caracteristicamente, esses salmos começam com um grito pedindo ajuda contra uma variedade de inimigos, externos e internos, ou do corpo (alguma enfermidade), e então terminam com um tom de fé e louvor, uma vez que a oração da pessoa tenha sido respondida, ou que se espere que será em breve respondida.

Este salmo fala de inimigos externos que ameaçavam a vida física (vss. 10-12). Podiam ser inimigos de guerra, ou inimigos pessoais, dentro do acampamento de Israel. Mas o vs. 1 parece fazer desses adversários os que levantaram falsas acusações contra o poeta, e isso apontaria para inimigos internos. O salmista leva sua causa a Deus, para ser decidida no templo (vs. 2). Ele pleiteava por vindicação (cf. 1Rs 8.31,32). Talvez algum oráculo tenha dado a resposta e a vindicação. Como todos os salmos de lamentação, este lança luz sobre a violência e a traição dos tempos em que a sobrevivência diária diante da morte era um desafio constante. Tornava-se necessário uma *intervenção divina* para salvar os piedosos da destruição nas mãos de homens cruéis e desarrazoados.

Classificações dos Salmos. Ver o gráfico no início do comentário sobre o livro de Salmos, que age como uma espécie de frontispício. Ofereço ali dezessete classes de salmos e listo os que pertencem a cada uma delas.

Subtítulos. Temos aqui uma simples "oração de Davi". Editores posteriores supriram as notas expositivas de introdução aos salmos.

Elas não faziam parte das composições originais e usualmente são apenas conjecturas quanto à autoria e às possíveis condições históricas que inspiraram as composições. Cerca de metade dos salmos é atribuída a Davi, sem dúvida um exagero. Mas pelo menos parte disso pertence a ele, embora seja bastante difícil afirmar o número exato.

Três salmos têm o simples subtítulo de "uma oração de Davi": os de números 17, 86 e 142. A importância da oração é assim enfatizada. Ver no *Dicionário* o verbete denominado *Oração*. Alguns estudiosos veem 1Sm 23.26 e 24.11 como indicações das circunstâncias históricas de Davi, seu desespero e então a defesa de sua integridade. Mas essas coisas são apenas conjecturas, sem nenhuma evidência real.

■ 17.1

תְּפִלָּה לְדָוִד שִׁמְעָה יְהוָה צֶדֶק הַקְשִׁיבָה רִנָּתִי
הַאֲזִינָה תְפִלָּתִי בְּלֹא שִׂפְתֵי מִרְמָה:

Ouve, Senhor, a causa justa. Davi (ou algum outro poeta) tinha ciência da própria integridade, ameaçada então por um ou mais inimigos que apresentavam falsas acusações contra ele. A gravidade do caso evidencia-se pelo desesperado grito do poema. O poeta precisava de livramento da opressão que poderia terminar em sua execução, legal ou ilegalmente. O vs. 1 é um apelo, e o vs. 2 é uma petição. A urgência do clamor é provada pelo *tríplice chamamento*. "Ouve... atende ao meu clamor... dá ouvidos". A oração foi uma petição em altos brados, e não um apelo silencioso, dito no coração.

"O escritor deste salmo dramático foi, como é claro, um judeu piedoso, que observava a lei e os caminhos dos seus antepassados e, por consequência, tinha atraído a hostilidade ativa dos judeus mundanos. Assim sendo, ele se tornou o representante da classe de homens que, desdenhando de seguir a manada e sem medo de expressar seus pensamentos, encontram-se em perigo" (J. R. P. Sclater, *in loc.*).

Alguns fazem deste texto um salmo messiânico, e o clamor seria o do Justo Jesus perante seus perseguidores (ver 1Pe 2.23). Mas a maioria dos estudiosos não classifica assim este salmo. Ver a introdução ao salmo anterior, sob *Subtítulo*, quanto a uma lista de salmos considerados messiânicos, bem como de *salmos reais* intimamente relacionados aos salmos messiânicos.

■ 17.2

מִלְּפָנֶיךָ מִשְׁפָּטִי יֵצֵא עֵינֶיךָ תֶּחֱזֶינָה מֵישָׁרִים:

Baixe de tua presença o julgamento a meu respeito. A *vindicação* era o principal objeto desta oração. O caso seria julgado. Falsas acusações se seguiriam. Deus precisou intervir para salvar o pobre homem de sofrer injustamente, talvez até de ser executado. Uma decisão justa só poderia descer da parte de Deus, e talvez tenha chegado mediante um oráculo no templo (vs. 2; cf. Sl 61.5). Na *presença* de Deus, no Santo dos Santos, o homem justo goza de segurança, e uma oração proferida com a pessoa voltada para aquele lugar, embora ela não pudesse entrar ali, seria eficaz.

"Que a minha causa seja testada diante do teu tribunal, onde o julgamento certamente obterá o sucesso, visto que sou inocente e tu és justo" (Ellicott, *in loc.*). O olho divino, que vê todas as coisas, não teria dúvidas sobre o decreto final.

■ 17.3

בָּחַנְתָּ לִבִּי פָּקַדְתָּ לַּיְלָה צְרַפְתַּנִי בַל־תִּמְצָא זַמֹּתִי בַּל־יַעֲבָר־פִּי:

Sondas-me o coração. A *integridade do autor sagrado* foi divinamente confirmada. Ele não carecia de uma decisão de tribunal para deixar isso claro, embora, aparentemente, estivesse sendo forçado a isso. Deus já o havia julgado e o considerara inocente de todas as acusações, mas homens ímpios não estão interessados em coisas como essa. Pois os piedosos intervêm em seus caminhos e impedem suas operações ímpias. Nos *períodos noturnos*, quando os sonhos e a meditação examinavam a vida do salmista e sua conduta, a sentença era dada. A presença divina fez-se presente para guiar os sonhos e as intuições. O poeta sabia, em tais momentos de sóbria tranquilidade, que não era culpado do que seus inimigos diziam. "... à noite, quando a alma está especialmente aberta para o escrutínio divino (cf. Sl 16.7)" (William R. Taylor, *in loc.*). Os estudos sobre sonhos têm demonstrado, além de qualquer sombra de dúvida, que os sonhos são nosso juiz e nosso corpo de jurados, *se* tivermos aprendido a interpretá-los. É verdade que alguns sonhos são apenas *cumprimento da vontade*, conforme afirmava Freud, mas muitos deles são *exames* morais e espirituais de nossa vida. São uma herança espiritual. Ver no *Dicionário* o verbete intitulado *Sonhos*.

> Tens testado o meu coração.
> Tens-me visitado durante a noite.
> Não tens encontrado malícia em mim.
> Minha boca não tem transgredido.
> A malícia não se manifesta em meus lábios.

O poeta sacro não havia ofendido em pensamento, palavra ou ação. Ver Sl 12.2, quanto a comentários sobre o uso apropriado da linguagem, e ver também no *Dicionário* o artigo chamado *Linguagem, Uso Apropriado da*.

Note o leitor as palavras de teste: "sondas-me", "provas-me". A natureza *completa* do exame divino é assim enfatizada.

■ 17.4

לִפְעֻלּוֹת אָדָם בִּדְבַר שְׂפָתֶיךָ אֲנִי שָׁמַרְתִּי אָרְחוֹת פָּרִיץ:

Quanto às ações dos homens. Deus confirmara que o poeta sagrado tinha *evitado* as veredas dos ímpios. Ver Sl 1.2, quanto a uma elaboração desse pensamento. O autor falava aqui de ladrões e assassinos, e não meramente de pecadores comuns. Cf. Ez 7.22; 18.10; Jr 7.11. Este versículo chama-os de *violentos*. Enquanto estes percorriam veredas de destruição, o poeta sagrado tinha certeza de caminhar exclusivamente pelos caminhos abençoados de Deus (vs. 5). Cf. Jó 31.33 e Os 6.7.

"... Ele identificava os ímpios, evitava-os e, como um príncipe fiel, proibia seus súditos de tornar-se companheiros dos ímpios, restringindo os bondosos de seguir maus exemplos; antes, ele fizera da Palavra de Deus a regra de sua conduta" (John Gill, *in loc.*).

■ 17.5

תָּמֹךְ אֲשֻׁרַי בְּמַעְגְּלוֹתֶיךָ בַּל־נָמוֹטּוּ פְעָמָי:

Os meus passos se afizeram às tuas veredas. Os passos do poeta foram fixados nos caminhos de Deus mediante o poder do Ser divino. Ele não era um homem qualquer. Era dotado de uma espiritualidade superior e derivava seu poder da Fonte de toda bondade. Por essa razão, seus pés não *escorregavam*. Ele não era culpado de ofensas e equívocos. Andava com segurança pelo caminho da retidão. Ele era um homem *constantemente* espiritual, e não apenas ocasionalmente espiritual. Naturalmente, entendemos que o poeta era bem versado na lei mosaica; conhecia o seu conteúdo e mostrava-se seguidor conscioncioso dos preceitos, com fiel rigidez. Era a lei de Moisés que dava a Israel sua *característica mais distintiva* (ver Dt 4.4-8). Mas os ímpios não se importavam com essa espécie de distinção. O que distinguia os ímpios eram o deboche e a violência. Cf. Sl 73.2 e Jr 10.23. Ver também Is 42.1.

Quanto a mim, tu me sustens na minha integridade, e me pões à tua presença para sempre.

Salmo 41.12

Os homens podem ocasionalmente andar nos caminhos do Ser divino; mas, sem a ajuda divina, eles não podem conseguir isso *constantemente*, conforme demonstra abundantemente a experiência humana.

■ 17.6

אֲנִי־קְרָאתִיךָ כִי־תַעֲנֵנִי אֵל הַט־אָזְנְךָ לִי שְׁמַע אִמְרָתִי:

Eu te invoco, ó Deus. O homem perseguido invoca a Deus, sua única esperança, aguardando uma resposta e uma intervenção que o vindicaria das acusações contra ele assacadas. Ele acreditava que Deus intervinha na vida humana (*teísmo*, ver no *Dicionário*). Ele não acreditava que os homens estavam abandonados às suas próprias forças e recursos. Existem os recursos divinos. E ele agora apelava para esse fator. Tinha confiança na oração e utilizava-se dela com entusiasmo. O "eu" inicial dessa frase é enfático. O salmista se contrastava com aqueles *homens violentos*, que só queriam prejudicá-lo. Ver o vs. 4. Este versículo é uma espécie de renovação do pedido, um fortalecimento, porquanto agora o poeta sacro declararia petições específicas. Os elementos dessa petição estendem-se do vs. 7 ao vs. 14, e então o vs. 15 fornece a esperançosa conclusão de toda a questão.

■ 17.7

הַפְלֵה חֲסָדֶיךָ מוֹשִׁיעַ חוֹסִים מִמִּתְקוֹמְמִים בִּימִינֶךָ׃

Mostra as maravilhas da tua bondade.

1. A *expectação do poeta* encontra um objeto na "bondade" de Deus ("amor constante", *Revised Standard Version*). Há maravilhas nesse amor, do qual o solicitador carecia naquela hora de crise. Do grande acúmulo do amor e da bondade celeste, o poeta extrairia tudo de que precisava para reverter a situação, prosseguindo em paz e prosperidade. "Sua oração estava baseada no amor leal de Deus por ele" (Allen P. Ross, *in loc.*).
2. Deus é um Salvador cuja *mão direita* agiria em favor do homem bom. A mão direita é um lugar de honra quando alguém está "próximo de Yahweh", mas é também um agente de poder para efetuar o que é certo e fazer o que está *além da capacidade do indivíduo*. Note o leitor o nome divino no versículo anterior: *Elohim*. *El* (um nome semita comum para Deus) significa "o Poder". Por conseguinte, o poeta convocou esse elevadíssimo poder para ajudá-lo. Ver no *Dicionário* o verbete chamado *Deus, Nomes Bíblicos de*. Ver também o artigo intitulado *Providência de Deus*. "... mão direita... poder irresistível" (Fausset, *in loc.*).
3. Aqueles que recebiam *favores* do poder divino tinham de *confiar* nele. Ver Sl 2.12 e suas notas expositivas quanto ao significado da palavra *confiança* nos Salmos. Confiar é crer, mas também aponta para o ato de agir. Sobre bases veterotestamentárias, consiste em obedecer à lei para obter o favor divino. Deus responde às orações daqueles que nele confiam, porquanto eles se acham no "terreno da oração".
4. O homem bom é *defendido* das astúcias dos homens ímpios, violentos e réprobos, e era disso que o poeta mais precisava naquela hora. Os *adversários* teriam de chegar ao fim. Eles se mostravam ousados e cruéis. Já haviam feito muitas vítimas inocentes.

■ 17.8

שָׁמְרֵנִי כְּאִישׁוֹן בַּת־עָיִן בְּצֵל כְּנָפֶיךָ תַּסְתִּירֵנִי׃

Guarda-me como a menina dos olhos.

5. São recomendadas aqui *proteção especial* e *bênção*. Deus é solicitado a cuidar do homem bom como ao "homenzinho de seus olhos" (conforme diz, literalmente, o original hebraico), com base no fato de que a pupila reflete o que vê e dá ao indivíduo a imagem daquilo que contempla. A ideia é que os *olhos divinos* continuam olhando para o homem bom com favor, refletindo a sua imagem. Nesse olhar há cuidado e proteção, tudo baseado no *amor constante* sobre o qual repousam as bênçãos divinas (vs. 7). A palavra *menina* (que aparece em nossa versão portuguesa) mostra que a imagem do homem contemplado é reduzida a uma pequena imagem, como se fosse uma criança refletida na pupila dos olhos. Está em foco o *olhar divino*, aquilo que vê e protege o homem bom. Este é o *objeto* da contemplação divina, e nele Deus se deleita, porquanto ama aquilo que vê.

... rodeou-o e cuidou dele,
guardou-o como a menina dos seus olhos.

Deuteronômio 32.10

6. É-nos dada outra metáfora que fala em *proteção;* mas vemos amor nessa espécie de salvaguarda. Muitas espécies de aves recolhem os filhotes *debaixo de suas asas*, a fim de prover-lhes segurança, e podemos presumir que até um pássaro sente alguma espécie de amor nesse momento. Talvez as asas dos querubins que se estendiam por sobre a arca, no Santo dos Santos, tenha inspirado esta metáfora. O deus-sol do Egito era pintado com asas estendidas, em um gesto de proteção. Além disso, temos a *águia*-mãe, que também deve ter provido inspiração para esta metá*fora*. Ver o uso que Jesus fez desta figura simbólica, em Mt 23.37. Ver também Sl 36.7; 57.1; 61.4; 63.7; 91.4.

Como a águia desperta a sua ninhada e voeja sobre os seus
filhos, estendendo as suas asas, e, tomando-os, os leva sobre
elas, assim só o Senhor o guiou.

Deuteronômio 32.11,12

■ 17.9

מִפְּנֵי רְשָׁעִים זוּ שַׁדּוּנִי אֹיְבַי בְּנֶפֶשׁ יַקִּיפוּ עָלָי׃

Dos perversos que me oprimem.

7. *Proteção e livramento* são assim providos, diante de inimigos mortíferos, a saber, aqueles que cercam um homem bom, como se ele fosse uma presa a ser morta. Esta é uma metáfora extraída da ação de caçadores que se espalham por todo o largo trecho de terreno e apertam o veado, por todos os lados, limitando-oa uma pequena circunferência. Em seguida, o veado é forçado a entrar nas redes e armadilhas colocadas dentro de uma área restrita. Ato contínuo, há as terríveis flechas que matam o impotente animal. Ou a alusão pode ser a um pobre soldado apanhado em emboscada ou que fica no centro do fogo cruzado do inimigo. Tal soldado enfrenta morte certa. Somente Deus pode salvar a sua vida.

■ 17.10

חֶלְבָּמוֹ סָגְרוּ פִּימוֹ דִּבְּרוּ בְגֵאוּת׃

Insensíveis cerram o coração.

8. *Os ímpios prosperam e ficam nédios* (símbolo de superabundância e lazer). O hebraico diz, literalmente, "a gordura deles se fechou", ou seja, "eles se cobriram inteiramente de gordura, isto é, com uma capa espiritual" (Fausset, *in loc.*). Existe aquela obesidade espiritual dos pecadores orgulhosos, que ficam à vontade à custa dos bons. Ver Dt 32.15; Jó 15.27; Sl 73.7; e 119.70.

Engordou-se, engrossou-se, ficou nédio, e abandonou a Deus,
que o fez, desprezou a Rocha da sua salvação.

Deuteronômio 32.15

Os gordos são geralmente orgulhosos e arrogantes, e assim abusam de sua faculdade da fala. Ver Sl 12.2 e 17.3, quanto ao uso apropriado da linguagem. Homens ímpios são cruéis e zombam de suas vítimas. Não respeitam nem a Deus nem aos homens. A boca deles está repleta de maldições e amargura, como o veneno de serpentes (Rm 3.13; Sl 140.3).

■ 17.11,12

אַשֻּׁרֵינוּ עַתָּה סְבָבוּנִי עֵינֵיהֶם יָשִׁיתוּ לִנְטוֹת בָּאָרֶץ׃

דִּמְיֹנוֹ כְּאַרְיֵה יִכְסוֹף לִטְרוֹף וְכִכְפִיר יֹשֵׁב בְּמִסְתָּרִים׃

Andam agora cercando os nossos passos. O *leão*, como se fosse um caçador, observa a sua vítima, cerca-a, por assim dizer, e ataca para matá-la. O leão "segue" o homem (conforme diz a *Revised Standard Version*). Cobiçoso e faminto (vs. 12), esse animal anseia por derramar o sangue de sua vítima inocente e por esmagar os seus ossos. O leão persegue *incansavelmente* a sua presa. Cf. Sl 7.2, onde ofereço amplas notas expositivas sobre esta metáfora. A *metáfora do leão* fala de um poder superior e cruel que põe fim doloroso a algum poder que lhe é inferior e não consegue resistir aos seus ataques. Além disso, há aquele elemento de perseguição, bem como a *incapacidade* da vítima de livrar-se. Por conseguinte, o poder de Deus tem de estar presente para livrar a vítima. O poeta sagrado precisava da intervenção divina contra uma força superior, cujo propósito era matar. Animais selvagens eram abundantes na Palestina antiga, e vários deles eram matadores temíveis, como o urso e o leão. O gado sempre sofria diante deles, e muitas pessoas eram mortas. Tal como o leão, os indivíduos ímpios não têm piedade; são brutais, irracionais, e cuidam somente dos próprios interesses. As pessoas são vistas por eles como *vítimas*, e não como outros seres humanos.

Os leões ocultam-se em *lugares secretos,* de onde saltam repentinamente a fim de matar. Um leão velho é temível, mas os *leões jovens* são ainda piores. Homens ímpios, por igual modo, encontram todas as maneiras de ferir a outros. Cf. Jó 22.14 e Lm 3.44.

■ 17.13

קוּמָה יְהוָה קַדְּמָה פָנָיו הַכְרִיעֵהוּ פַּלְּטָה נַפְשִׁי מֵרָשָׁע חַרְבֶּךָ׃

Levanta-te, Senhor, defronta-os, arrasa-os. Está em foco a *vingança por meios violentos,* diretamente da parte de Deus ou através de algum intermediário humano.

A expectativa do assassino é matar, e podemos ter certeza, conforme alguns afirmam, que os assassinos *gostam* de matar. Portanto, a esperança de matar, se não tiver cumprimento, gera *desapontamento,* conforme declara o poeta. No caso dele, somente Deus poderia assegurar que o atacante saísse desapontado. Antes que o assassino pudesse matar, como implorou o salmista, que Deus "o derrubasse com a sua espada", conforme diz a *Revised Standard Version,* seguida de perto pela nossa versão portuguesa. O atacante ímpio seria, de repente, cortado em dois pela espada divina, e esse seria o seu fim. E assim o atacante sairia tão surpreendido quanto desapontado, ao mesmo tempo que a *vida* do indivíduo inocente seria livrada de todas as suas tribulações. "A petição final do salmo (vss. 13 e 14) é uma oração apaixonada pedindo *vingança*" (William R. Taylor, *in loc.*). "Que a tua mão lhes tire a vida, que ela os despache para fora do mundo, da porção deles entre os vivos" (A. E. Cowley, com uma paráfrase). O poeta esperava que houvesse violenta derrubada de seus inimigos. Os tiranos só compreendem a violência, e, algumas vezes, a violência é mesmo o único remédio. A ira de Deus pode operar diretamente através de alguma praga divina. Mais frequentemente, é efetuada através de instrumentos humanos.

Ai da Assíria, cetro da minha ira! A vara em sua mão é o instrumento do meu furor. Envio-o contra uma nação ímpia e contra o povo da minha indignação.

Isaías 10.5,6

■ 17.14

מְמְתִים יָדְךָ יְהוָה מִמְתִים מֵחֶלֶד חֶלְקָם בַּחַיִּים וּצְפוּנְךָ תְּמַלֵּא בִטְנָם יִשְׂבְּעוּ בָנִים וְהִנִּיחוּ יִתְרָם לְעוֹלְלֵיהֶם׃

Com a tua mão, Senhor.
9. A *morte prematura* foi solicitada aos ímpios, embora seus filhos pudessem escapar e até prosperar.

Homens ímpios têm sua "porção" (ou herança) somente neste mundo, em contraste com os piedosos (ver Sl 16.5). Ao serem cortados prematuramente, porém, eles perdem até isso, mas seus filhos podem prosseguir e prosperar. O ventre dos ímpios será cheio de sua prosperidade, mas isso não os ajudará quando a morte os atingir subitamente. Mas eles, passando as riquezas aos filhos, garantem assim o bem-estar de sua prole. Alguns intérpretes, pensando ser estranho esse pedido da parte de um homem que ora por vingança, supõem que os filhos, neste caso, sejam dos indivíduos justos. O homem justo, libertado de homens violentos, prosseguiria para a prosperidade, assim como seus filhos. Mas isso parece requerer uma repentina guinada de pensamento no meio de uma frase. Além do mais, há ainda outra interpretação, que diz que os "ventres serão cheios" de violência e perda, algo ironicamente mencionado; e então essa mesma fórmula, "o enchimento com o mal" passaria de geração em geração, nas famílias dos ímpios. Este sentido concorda com o horrendo pedido feito pelo salmista, mas não há certeza se esse é o sentido da frase.

Seja como for, é indiscutível que o ímpio tem sua porção somente nesta vida, e nada restará se houver uma existência pós-túmulo. Portanto, este versículo pode dar a entender que a porção dos justos perdura para além do sepulcro, embora esse ensino, por mais precioso que seja, não fique claro na presente passagem.

Adam Clarke oferece-nos outra explicação sobre este versículo. É um *fato,* embora *indesejável,* que os ímpios deixam seus bens materiais aos filhos, os quais, com toda a probabilidade, prosseguirão nos caminhos pecaminosos dos pais. Por isso, o poeta sacro registrou uma *queixa* que acontece com frequência. A despeito disso, ele queria que os *ofensores originais* fossem cortados de modo violento. Deus pode cuidar desses filhos, em sua justiça, numa ocasião futura. Talvez esses filhos ajam corretamente, talvez não. Provavelmente, não.

■ 17.15

אֲנִי בְּצֶדֶק אֶחֱזֶה פָנֶיךָ אֶשְׂבְּעָה בְהָקִיץ תְּמוּנָתֶךָ׃

Eu, porém, na justiça contemplarei a tua face. *Conclusão.* Conforme usualmente acontece com os salmos de lamentação, as observações finais infundem esperança. Se seguirmos aqui a *King James Version,* então temos uma esperança verdadeiramente esplêndida, mas a *Revised Standard Version* apresenta uma distorção diferente. O versículo parece transferir-nos para o terreno do Novo Testamento. O homem piedoso despertará do sepulcro e contemplará a face de Deus, a visão beatífica! Não somente isso, mas também assumirá a semelhança (a forma) de Deus. Essas doutrinas são encontradas em versículos neotestamentários como Rm 8.29; 2Co 3.18 e 1Jo 3.2. Este versículo, se é que tem mesmo este significado, é, para todos os efeitos práticos, um versículo gêmeo de 1Jo 3.2, que diz:

Amados, agora somos filhos de Deus, e ainda não se manifestou o que havemos de ser. Sabemos que, quando ele se manifestar, seremos semelhantes a ele, porque havemos de vê-lo como ele é.

Quanto a esses ensinos, ver os artigos da *Enciclopédia de Bíblia, Teologia e Filosofia* denominados *Transformação segundo a Imagem de Cristo* e *Visão Beatífica.* Mediante essas doutrinas, o crente chega a participar da natureza divina, um conceito ousadíssimo, e também nossa mais excelente verdade espiritual. Temos a natureza divina de maneira finita, para dizermos a verdade, mas uma natureza divina *real* e *sempre crescente,* por toda a eternidade. Ver sobre os versículos acima mencionados no *Novo Testamento Interpretado.* A glorificação, por conseguinte, é um processo eterno, e não um acontecimento único, com resultados fixos. Esse é o tipo de programa que deveríamos esperar do Deus para o qual *a estagnação é impossível.*

É possível, porém, que a *King James Version* e outras versões tenham cristianizado este versículo. A *Revised Standard Version* diz: "Contemplarei tua face em retidão; quando eu despertar, ficarei satisfeito ao contemplar a tua forma". Isso só pode significar que o poeta, como adorador no templo de Jerusalém, entraria em contato com a presença de Deus de uma maneira incomum, e, nesse caso, estaria olhando para "além", para uma vida futura. Talvez "ver a Deus" signifique apenas uma notável *bênção espiritual* para o homem que foi salvo da morte prematura pela intervenção divina. Deus sorrirá então para ele? O poeta passaria por sua "noite de testes". Depois dessa noite, haveria um *novo dia* (enquanto o salmista ainda vivesse) e, nesse novo dia, uma bênção especial acompanharia o seu caminho. O salmista assim usufruiria de "uma relação mais íntima com Deus". Cf. Sl 11.7 e Nm 12.8.

"O salmista não estava antecipando a morte, ou o despertar da ressurreição, depois de haver morrido. Pelo contrário, contrastava a destruição dos ímpios (que vivem sem Deus) com *a sua própria* vida, que era vivida na graça de Deus" (Allen P. Ross, *in loc.*). Esse intérprete provavelmente capturou o sentido do versículo, e podemos lamentar que a visão do poeta sacro não tenha sido uma previsão da mais elevada doutrina do Novo Testamento. Estas palavras são uma excelente descrição do que um ser humano pode esperar na presença de Deus, mas ficou ao Novo Testamento a tarefa de apreender essa verdade superior. Como é apenas natural, intérpretes judeus posteriores usaram este versículo como texto de prova em favor da ressurreição, e os intérpretes cristãos o têm chamado de *messiânico.* Calculo que ambas as interpretações sejam exageros do sentido tencionado, embora tais palavras por certo nos façam lembrar doutrinas superiores.

SALMO DEZOITO

Quanto a *informações gerais* que se aplicam a todos os salmos, ver a introdução ao Salmo 4, onde apresento *sete* comentários que elucidam a natureza do livro. O terceiro ponto das informações gerais descrevem as *classes* dessas composições poéticas.

Este é um salmo de *ação de graças*. Usualmente esses salmos consistem no ato de agradecer pelo livramento das mãos de inimigos, o que certamente é verdadeiro neste caso.

2Samuel 22 e o Salmo 18 são essencialmente idênticos, e ofereço a exposição na passagem de 2Samuel. A seguir, adiciono apenas alguns poucos detalhes, incluindo estes pontos: *diferenças* nas duas versões do hino de ação de graças; *paralelos*, onde identifico os versículos, em 2Sm 22, paralelos de cada versículo deste salmo; e, finalmente, algumas *adições ilustrativas*.

Classificação dos Salmos. Ver o gráfico no início do comentário sobre o livro de Salmos, que age como uma espécie de frontispício. Dou ali dezessete classes e listo os salmos que pertencem a cada uma delas.

Subtítulos. A passagem de 2Sm 22.1 é idêntica ao subtítulo do Salmo 18. Tais adições de introdução não faziam parte dos salmos originais, mas foram compiladas por editores subsequentes que tentaram identificar os autores dos salmos, e também os ambientes históricos que podem ter inspirado tais composições poéticas. A maior parte do material assim provido é apenas fruto de conjecturas, embora ocasionalmente forneça algo válido. Cerca de metade dos salmos é atribuída a Davi, o que certamente é um exagero, mas pelo menos parte disso é, realmente, de autoria davídica.

Os *eruditos disputam* sobre qual das duas versões deste salmo é a original. Teria o compilador do saltério porventura incluído um poema escrito originalmente como parte de 2Samuel, ou o autor de Samuel teria tomado um salmo por empréstimo para ilustrar a sua história? Talvez a segunda ideia seja a correta. Entretanto, é possível que o hino original tenha surgido independentemente de ambos os livros, e tenha sido copiado pelos dois autores, que o incluíram, cada qual, em seus respectivos livros. Seja como for, houve um poema original que foi modificado na cópia, pelo que as duas versões contêm poucas e notáveis diferenças. Alguns estudiosos sugerem que tenham sido feitas mudanças no poema, quando este foi introduzido no saltério, tornando-o mais apropriado a propósitos litúrgicos.

■ **18.1** (na Bíblia hebraica corresponde ao **18.1,2**)

לַמְנַצֵּחַ לְעֶבֶד יְהוָה לְדָוִד אֲשֶׁר דִּבֶּר לַיהוָה
אֶת־דִּבְרֵי הַשִּׁירָה הַזֹּאת בְּיוֹם הִצִּיל־יְהוָה אוֹתוֹ
מִכַּף כָּל־אֹיְבָיו וּמִיַּד שָׁאוּל׃

וַיֹּאמַר אֶרְחָמְךָ יְהוָה חִזְקִי׃

Eu te amo, ó Senhor. Este *comentário de introdução* ao Salmo não está presente em 2Samuel 22. O amor a Deus é o principal mandamento do Decálogo, bem como um princípio orientador de todos os atos. Ver Dt 6.5. Jesus aproveitou o mesmo tema, e com idêntica ênfase (ver Mt 22.37). Em seguida, o apóstolo Paulo reconheceu plenamente a validade da doutrina e fez do amor ao próximo a essência da lei (ver Rm 13.8-10). O apóstolo João mostrou que o amor é a essência da espiritualidade, bem como a prova do novo nascimento (ver 1Jo 4.7 ss.). No artigo do *Dicionário*, chamado *Amor*, dou detalhes completos a respeito do maior de todos os princípios espirituais e forneço poesia ilustrativa.

> O oposto da injustiça não é a justiça — é o amor.

> Pois limites de pedra não podem conter o amor, e o que o amor pode fazer, isso ele ousa tentar.
> Shakespeare, *Romeu e Julieta*

As duas grandes colunas da espiritualidade são o *amor* e o *conhecimento*.

Força minha. Através do poder e da força de Deus, Davi foi libertado de todos os seus inimigos. "Isso faz soar a nota-chave do poema. O Deus forte e poderoso é objeto do pensamento de Davi, do começo ao fim. É o cântico de um guerreiro, e seu conceito de Yahweh é o conceito de um guerreiro" (Ellicott, *in loc.*). Somente pela *força* do Senhor, Davi foi capaz de derrotar os *oito* inimigos de Israel, aniquilando-os ou confinando-os. Ver sobre isso em 2Sm 10.19. A força se faz necessária para evitar o mal e fazer o bem, conforme Adam Clarke, *in loc.*, nos relembrou.

> A minha mão será firme com ele,
> o meu braço o fortalecerá.
> O inimigo jamais o surpreenderá.
> Salmo 89.21,22

■ **18.2** (na Bíblia hebraica corresponde ao **18.3**)

יְהוָה סַלְעִי וּמְצוּדָתִי וּמְפַלְטִי אֵלִי צוּרִי אֶחֱסֶה־בּוֹ
מָגִנִּי וְקֶרֶן־יִשְׁעִי מִשְׂגַּבִּי׃

O Senhor é a minha rocha. Este versículo (em sua primeira parte) é idêntico a 2Sm 22.2, onde são oferecidas notas expositivas.

A divisão dos versículos é, em alguns pontos, diferente na versão dos Salmos e de 2Samuel, pelo que o vs. 2 deste salmo incorpora dois versículos de 2Samuel 22.

A segunda parte do versículo é paralela a 2Sm 22.3, mas o paralelo tem uma pequena adição no fim: "Ó Deus, da violência tu me salvas".

■ **18.3** (na Bíblia hebraica corresponde ao **18.4**)

מְהֻלָּל אֶקְרָא יְהוָה וּמִן־אֹיְבַי אִוָּשֵׁעַ׃

Invoco o Senhor, digno de ser louvado. Este versículo é paralelo a 2Sm 22.4, onde ofereço a exposição.

■ **18.4** (na Bíblia hebraica corresponde ao **18.5**)

אֲפָפוּנִי חֶבְלֵי־מָוֶת וְנַחֲלֵי בְלִיַּעַל יְבַעֲתוּנִי׃

Laços de morte me cercaram. Este versículo é quase idêntico a 2Sm 22.5, onde ofereço as notas expositivas e anoto as diferenças.

■ **18.5** (na Bíblia hebraica corresponde ao **18.6**)

חֶבְלֵי שְׁאוֹל סְבָבוּנִי קִדְּמוּנִי מוֹקְשֵׁי מָוֶת׃

Cadeias infernais me cingiram. Este versículo é idêntico a 2Sm 22.6. Ver as notas expositivas ali.

■ **18.6** (na Bíblia hebraica corresponde ao **18.7**)

בַּצַּר־לִי אֶקְרָא יְהוָה וְאֶל־אֱלֹהַי אֲשַׁוֵּעַ יִשְׁמַע
מֵהֵיכָלוֹ קוֹלִי וְשַׁוְעָתִי לְפָנָיו תָּבוֹא בְאָזְנָיו׃

Na minha angústia invoquei o Senhor. Este versículo é idêntico a 2Sm 22.7, onde ofereço as notas expositivas.

■ **18.7** (na Bíblia hebraica corresponde ao **18.8**)

וַתִּגְעַשׁ וַתִּרְעַשׁ הָאָרֶץ וּמוֹסְדֵי הָרִים יִרְגָּזוּ וַיִּתְגָּעֲשׁוּ
כִּי־חָרָה לוֹ׃

Então a terra se abalou e tremeu. Este versículo é essencialmente igual a 2Sm 22.8, com alguma leve diferença de expressão. Comento as diferenças nas notas sobre o original.

■ **18.8** (na Bíblia hebraica corresponde ao **18.9**)

עָלָה עָשָׁן בְּאַפּוֹ וְאֵשׁ־מִפִּיו תֹּאכֵל גֶּחָלִים בָּעֲרוּ
מִמֶּנּוּ׃

Das suas narinas subiu fumaça. Este versículo é quase igual ao trecho paralelo de 2Sm 22.9, embora ali tenhamos uma pequena adição, que diz: "dele saíram carvões, em chama". É provável que essas adições tenham sido feitas pelos editores, que as incorporaram aos hinos para ilustrar as vitórias de Davi sobre os inimigos. Também é provável que o poema original não apresentasse as grandes diferenças que 2Samuel 22 contém. A versão dos salmos provavelmente está mais próxima ao poema original, ou talvez seja mesmo o original.

Mas a versão do livro de Salmos algumas vezes é mais longa (ver os vss. 12 e 13). O editor de 2Samuel aparentemente, pelo menos em algumas ocasiões, condensou o texto.

■ **18.9** (na Bíblia hebraica corresponde ao **18.10**)

וַיֵּ֣ט שָׁ֭מַיִם וַיֵּרַ֑ד וַ֝עֲרָפֶ֗ל תַּ֣חַת רַגְלָֽיו׃

Baixou ele os céus e desceu. Ver o paralelo, em 2Sm 22.10.

■ **18.10** (na Bíblia hebraica corresponde ao **18.11**)

וַיִּרְכַּ֣ב עַל־כְּ֭רוּב וַיָּעֹ֑ף וַ֝יֵּ֗דֶא עַל־כַּנְפֵי־רֽוּחַ׃

Cavalgava um querubim, e voou. Ver o paralelo em 2Sm 22.11.

■ **18.11** (na Bíblia hebraica corresponde ao **18.12**)

יָ֤שֶׁת חֹ֨שֶׁךְ ׀ סִתְר֗וֹ סְבִֽיבוֹתָ֥יו סֻכָּת֑וֹ חֶשְׁכַת־מַ֝֗יִם עָבֵ֥י שְׁחָקִֽים׃

Das trevas fez um manto em que se ocultou. O trecho paralelo, em 2Sm 22.12, parece ser uma leve nova redação do hino original, o que produziu algumas pequenas diferenças. Anoto sobre essa questão nas notas de 2Samuel. Algumas vezes, eventuais diferenças na tradução de um mesmo texto hebraico explicam as discrepâncias em duas versões de uma passagem qualquer. As traduções não se têm dado ao trabalho de harmonizar essas discrepâncias, pois tradutores diferentes talvez traduziram livros diferentes.

■ **18.12** (na Bíblia hebraica corresponde ao **18.13**)

מִנֹּ֗גַהּ נֶ֫גְדּ֥וֹ עָבָ֥יו עָבְר֑וּ בָּ֝רָ֗ד וְגַֽחֲלֵי־אֵֽשׁ׃

Do resplendor que diante dele havia. Este versículo é mais longo que o trecho paralelo, 2Sm 22.13, adicionando as pedras de granizo e repetindo a menção às *nuvens espessas* (vs. 11), o que o editor de 2Samuel omitiu por ser uma declaração supérflua. Comento sobre as diferenças na exposição de 2Sm 22.13.

■ **18.13** (na Bíblia hebraica corresponde ao **18.14**)

וַיַּרְעֵ֬ם בַּשָּׁמַ֨יִם ׀ יְֽהוָ֗ה וְ֭עֶלְיוֹן יִתֵּ֣ן קֹל֑וֹ בָּ֝רָ֗ד וְגַֽחֲלֵי־אֵֽשׁ׃

Trovejou, então, o Senhor, nos céus. Novamente, este versículo é mais longo do que a sua versão em 2Sm 22.14. A tradução mais breve omite a repetição sobre o "granizo", além de não fazer menção às "brasas de fogo", que já haviam sido citadas em 2Sm 22.1. O editor, como é evidente, *aparou* o texto mais longo, eliminando as referências repetidas.

■ **18.14** (na Bíblia hebraica corresponde ao **18.15**)

וַיִּשְׁלַ֣ח חִ֭צָּיו וַיְפִיצֵ֑ם וּבְרָקִ֥ים רָ֝ב וַיְהֻמֵּֽם׃

Despediu as suas setas. Ver o trecho paralelo de 2Sm 22.15, quanto à exposição.

■ **18.15** (na Bíblia hebraica corresponde ao **18.16**)

וַיֵּ֤רָא֨וּ ׀ אֲפִ֥יקֵי מַ֗יִם וַֽיִּגָּלוּ֮ מוֹסְד֪וֹת תֵּ֫בֵ֥ל מִגַּעֲרָ֣תְךָ֣ יְהוָ֑ה מִ֝נִּשְׁמַ֗ת ר֣וּחַ אַפֶּֽךָ׃

Então se viu o leito das águas. Ver o trecho paralelo de 2Sm 22.16, quanto à exposição.

■ **18.16** (na Bíblia hebraica corresponde ao **18.17**)

יִשְׁלַ֣ח מִ֭מָּרוֹם יִקָּחֵ֑נִי יַֽ֝מְשֵׁ֗נִי מִמַּ֥יִם רַבִּֽים׃

Do alto me estendeu ele a mão. Ver o paralelo, 2Sm 22.1, quanto às notas expositivas.

■ **18.17** (na Bíblia hebraica corresponde ao **18.18**)

יַצִּילֵ֗נִי מֵאֹיְבִ֥י עָ֑ז וּ֝מִשֹּׂנְאַ֗י כִּֽי־אָמְצ֥וּ מִמֶּֽנִּי׃

Livrou-me de forte inimigo. Ver o paralelo, 2Sm 22.18, quanto às notas expositivas.

■ **18.18** (na Bíblia hebraica corresponde ao **18.19**)

יְקַדְּמ֥וּנִי בְיוֹם־אֵידִ֑י וַֽיְהִי־יְהוָ֖ה לְמִשְׁעָ֣ן לִֽי׃

Assaltaram-me no dia da minha calamidade. Ver o paralelo, 2Sm 22.19.

■ **18.19** (na Bíblia hebraica corresponde ao **18.20**)

וַיּוֹצִיאֵ֥נִי לַמֶּרְחָ֑ב יְ֝חַלְּצֵ֗נִי כִּ֘י חָ֥פֵֽץ בִּֽי׃

Trouxe-me para um lugar espaçoso. Ver o paralelo, 2Sm 22.20.

■ **18.20** (na Bíblia hebraica corresponde ao **18.21**)

יִגְמְלֵ֣נִי יְהוָ֣ה כְּצִדְקִ֑י כְּבֹ֥ר יָ֝דַ֗י יָשִׁ֥יב לִֽי׃

Retribuiu-me o Senhor. Ver o paralelo, 2Sm 22.21.

■ **18.21** (na Bíblia hebraica corresponde ao **18.22**)

כִּֽי־שָׁ֭מַרְתִּי דַּרְכֵ֣י יְהוָ֑ה וְלֹֽא־רָ֝שַׁ֗עְתִּי מֵאֱלֹהָֽי׃

Pois tenho guardado os caminhos do Senhor. Ver o paralelo, 2Sm 22.22.

■ **18.22** (na Bíblia hebraica corresponde ao **18.23**)

כִּ֣י כָל־מִשְׁפָּטָ֣יו לְנֶגְדִּ֑י וְ֝חֻקֹּתָ֗יו לֹא־אָסִ֥יר מֶֽנִּי׃

Porque todos os seus juízos me estão presentes. Ver o paralelo, 2Sm 22.23.

■ **18.23** (na Bíblia hebraica corresponde ao **18.24**)

וָאֱהִ֣י תָמִ֣ים עִמּ֑וֹ וָ֝אֶשְׁתַּמֵּ֗ר מֵעֲוֺנִֽי׃

Também fui íntegro para com ele. Ver o paralelo, 2Sm 22.24.

■ **18.24** (na Bíblia hebraica corresponde ao **18.25**)

וַיָּֽשֶׁב־יְהוָ֣ה לִ֣י כְצִדְקִ֑י כְּבֹ֥ר יָ֝דַ֗י לְנֶ֣גֶד עֵינָֽיו׃

Daí retribuir-me o Senhor. Este versículo é idêntico ao trecho paralelo de 2Sm 22.25, exceto pelo fato de que aqui temos "a pureza das minhas mãos", ao passo que o editor de 2Samuel eliminou a referência às "mãos".

■ **18.25** (na Bíblia hebraica corresponde ao **18.26**)

עִם־חָסִ֥יד תִּתְחַסָּ֑ד עִם־גְּבַ֥ר תָּ֝מִ֗ים תִּתַּמָּֽם׃

Para com o benigno, benigno te mostras. Ver o trecho paralelo, 2Sm 22.26.

■ **18.26** (na Bíblia hebraica corresponde ao **18.27**)

עִם־נָבָ֥ר תִּתְבָּרָ֑ר וְעִם־עִ֝קֵּ֗שׁ תִּתְפַּתָּֽל׃

Com o puro, puro te mostras. Ver o paralelo, 2Sm 22.27.

■ **18.27** (na Bíblia hebraica corresponde ao **18.28**)

כִּֽי־אַ֭תָּה עַם־עָנִ֣י תוֹשִׁ֑יעַ וְעֵינַ֖יִם רָמ֣וֹת תַּשְׁפִּֽיל׃

Porque tu salvas o povo humilde. Ver o trecho paralelo de 2Sm 22.28. Encontramos aqui menção aos "olhos altivos" dos *ímpios*, ao passo que em 2Samuel os olhos são os *de Deus*, que humilham os orgulhosos. A *inspiração verbal* nem sempre explica dificuldades e diferenças.

■ **18.28** (na Bíblia hebraica corresponde ao **18.29**)

כִּֽי־אַ֭תָּה תָּאִ֣יר נֵרִ֑י יְהוָ֥ה אֱ֝לֹהַ֗י יַגִּ֥יהַּ חָשְׁכִּֽי׃

Porque fazes resplandecer a minha lâmpada. Aqui o Senhor *ilumina a lâmpada* do homem bom, ao passo que em 2Sm 22.29 o Senhor *é* a lâmpada do homem bom. Tais diferenças foram introduzidas pelos "editores", provavelmente sem nenhuma razão aparente. Deus é luz; ele cria e envia a luz.

■ **18.29** (na Bíblia hebraica corresponde ao **18.30**)

כִּֽי־בְ֭ךָ אָרֻ֣ץ גְּד֑וּד וּ֝בֵֽאלֹהַ֗י אֲדַלֶּג־שֽׁוּר׃

Pois contigo desbarato exércitos. O trecho paralelo é 2Sm 22.30. As leves diferenças são comentadas ali.

■ **18.30** (na Bíblia hebraica corresponde ao **18.31**)

הָאֵל תָּמִים דַּרְכּוֹ אִמְרַת־יְהוָה צְרוּפָה מָגֵן הוּא לְכֹל הַחֹסִים בּוֹ:

O caminho de Deus é perfeito. O trecho paralelo é 2Sm 22.31.

■ **18.31** (na Bíblia hebraica corresponde ao **18.32**)

כִּי מִי אֱלוֹהַּ מִבַּלְעֲדֵי יְהוָה וּמִי צוּר זוּלָתִי אֱלֹהֵינוּ:

Pois quem é Deus senão o Senhor? O trecho paralelo é 2Sm 22.32.

■ **18.32** (na Bíblia hebraica corresponde ao **18.33**)

הָאֵל הַמְאַזְּרֵנִי חָיִל וַיִּתֵּן תָּמִים דַּרְכִּי:

O Deus que me revestiu de força. No trecho paralelo de 2Sm 22.33, Deus é o refúgio do poeta. Aqui, entretanto, Deus o cinge de força. O vs. 40 do trecho paralelo apanha a ideia do *cingimento*.

■ **18.33** (na Bíblia hebraica corresponde ao **18.34**)

מְשַׁוֶּה רַגְלַי כָּאַיָּלוֹת וְעַל בָּמֹתַי יַעֲמִידֵנִי:

Ele deu a meus pés a ligeireza das corças. O trecho paralelo é 2Sm 22.34.

■ **18.34** (na Bíblia hebraica corresponde ao **18.35**)

מְלַמֵּד יָדַי לַמִּלְחָמָה וְנִחֲתָה קֶשֶׁת־נְחוּשָׁה זְרוֹעֹתָי:

Ele adestrou as minhas mãos para o combate. O trecho paralelo é 2Sm 22.35.

■ **18.35** (na Bíblia hebraica corresponde ao **18.36**)

וַתִּתֶּן־לִי מָגֵן יִשְׁעֶךָ וִימִינְךָ תִסְעָדֵנִי וְעַנְוַתְךָ תַרְבֵּנִי:

Também me deste o escudo do teu salvamento. O salmo tem um texto mais longo. A passagem de 2Sm 22.36 ignora a referência à "mão direita de Deus", a qual empresta força e apoio. Cf. a *metáfora* da mão direita, em Sl 16.8,11 (o lugar de honra ao lado do Ser divino); e em Sl 17.7 (o poder de Deus para ajudar e livrar de inimigos).

■ **18.36** (na Bíblia hebraica corresponde ao **18.37**)

תַּרְחִיב צַעֲדִי תַחְתָּי וְלֹא מָעֲדוּ קַרְסֻלָּי:

Alargaste sob meus passos o caminho. O trecho paralelo é 2Sm 22.37.

■ **18.37** (na Bíblia hebraica corresponde ao **18.38**)

אֶרְדּוֹף אוֹיְבַי וְאַשִּׂיגֵם וְלֹא־אָשׁוּב עַד־כַּלּוֹתָם:

Persegui os meus inimigos e os alcancei. O trecho paralelo é 2Sm 22.38.

■ **18.38** (na Bíblia hebraica corresponde ao **18.39**)

אֶמְחָצֵם וְלֹא־יֻכְלוּ קוּם יִפְּלוּ תַּחַת רַגְלָי:

Esmaguei-os a tal ponto que não puderam levantar-se. O trecho paralelo é 2Sm 22.39.

■ **18.39** (na Bíblia hebraica corresponde ao **18.40**)

וַתְּאַזְּרֵנִי חַיִל לַמִּלְחָמָה תַּכְרִיעַ קָמַי תַּחְתָּי:

Pois de força me cingiste. O trecho paralelo é 2Sm 22.40.

■ **18.40** (na Bíblia hebraica corresponde ao **18.41**)

וְאֹיְבַי נָתַתָּה לִּי עֹרֶף וּמְשַׂנְאַי אַצְמִיתֵם:

Também puseste em fuga os meus inimigos. O trecho paralelo é 2Sm 22.41.

■ **18.41** (na Bíblia hebraica corresponde ao **18.42**)

יְשַׁוְּעוּ וְאֵין־מוֹשִׁיעַ עַל־יְהוָה וְלֹא עָנָם:

Gritaram por socorro. Este salmo é um *grito duplo* pedindo ajuda, mas o trecho paralelo, 2Sm 22.42, substitui esse grito por *buscar* ajuda.

■ **18.42** (na Bíblia hebraica corresponde ao **18.43**)

וְאֶשְׁחָקֵם כְּעָפָר עַל־פְּנֵי־רוּחַ כְּטִיט חוּצוֹת אֲרִיקֵם:

Então os reduzi a pó. O trecho paralelo é 2Sm 22.43.

■ **18.43** (na Bíblia hebraica corresponde ao **18.44**)

תְּפַלְּטֵנִי מֵרִיבֵי עָם תְּשִׂימֵנִי לְרֹאשׁ גּוֹיִם עַם לֹא־יָדַעְתִּי יַעַבְדוּנִי:

Das contendas do povo me livraste. O trecho paralelo é 2Sm 22.44.

■ **18.44** (na Bíblia hebraica corresponde ao **18.45**)

לְשֵׁמַע אֹזֶן יִשָּׁמְעוּ לִי בְּנֵי־נֵכָר יְכַחֲשׁוּ־לִי:

Bastou-lhe ouvir-me a voz. O trecho paralelo, 2Sm 22.45, é idêntico, exceto pelo fato de que as frases aparecem na ordem inversa.

■ **18.45** (na Bíblia hebraica corresponde ao **18.46**)

בְּנֵי־נֵכָר יִבֹּלוּ וְיַחְרְגוּ מִמִּסְגְּרוֹתֵיהֶם:

Sumiram-se os estrangeiros. O trecho paralelo é 2Sm 22.46.

■ **18.46** (na Bíblia hebraica corresponde ao **18.47**)

חַי־יְהוָה וּבָרוּךְ צוּרִי וְיָרוּם אֱלוֹהֵי יִשְׁעִי:

Vive o Senhor. O trecho paralelo é 2Sm 22.47.

■ **18.47** (na Bíblia hebraica corresponde ao **18.48**)

הָאֵל הַנּוֹתֵן נְקָמוֹת לִי וַיַּדְבֵּר עַמִּים תַּחְתָּי:

O Deus que por mim tomou vingança. O trecho paralelo é 2Sm 22.48.

■ **18.48** (na Bíblia hebraica corresponde ao **18.49**)

מְפַלְּטִי מֵאֹיְבָי אַף מִן־קָמַי תְּרוֹמְמֵנִי מֵאִישׁ חָמָס תַּצִּילֵנִי:

O Deus que me livrou dos meus inimigos. O trecho paralelo é 2Sm 22.49.

■ **18.49** (na Bíblia hebraica corresponde ao **18.50**)

עַל־כֵּן אוֹדְךָ בַגּוֹיִם יְהוָה וּלְשִׁמְךָ אֲזַמֵּרָה:

Glorificar-te-ei, pois, entre os gentios. O trecho paralelo é 2Sm 22.50.

■ **18.50** (na Bíblia hebraica corresponde ao **18.51**)

מִגְדֹּל יְשׁוּעוֹת מַלְכּוֹ וְעֹשֶׂה חֶסֶד לִמְשִׁיחוֹ לְדָוִד וּלְזַרְעוֹ עַד־עוֹלָם:

É ele quem dá grandes vitórias ao seu rei. O trecho paralelo é 2Sm 22.51.

SALMO DEZENOVE

Quanto a *informações gerais* que se aplicam a todos os salmos, ver a introdução ao Salmo 4, onde apresento *sete* comentários que elucidam a natureza do livro. O terceiro ponto dessas informações gerais descreve a *classificação* das composições.

Este é um salmo de *ação de graças* e *louvor*. Trata-se de um "hino a Deus como o Criador da natureza e o Doador da lei" (*Oxford Annotated Bible*, introdução).

"Tal como o Salmo 8, este breve hino brilha como um dos mais nobres exemplos de poesia dos hebreus. Não segue nenhum dos padrões tradicionais da composição de hinos, e, do começo até o fim, seu material manifesta frescos discernimentos poéticos e teológicos" (William R. Taylor, *in loc.*).

Duas Divisões:
1. Sl 19.1-6: O poeta sacro exalta a glória de Deus nos céus.
2. Sl 19.7-14: O poeta sacro exalta as maravilhas da lei de Deus, que serve de luz dos homens sobre a terra, a maneira pela qual Deus manifesta sua presença entre os homens. Os estilos dessas duas partes são tão diferentes que os críticos supõem que duas composições distintas, da parte de dois autores diferentes, tenham sido reunidas em um único salmo.

A lei não é maravilha menor que a criação divina, e pode-se pensar que as duas maravilhas pertenciam uma à outra, o que explicaria o arranjo do salmo. O sol é o luminar principal de Deus nos céus físicos; e a lei é a maior luz de Deus sobre a terra física. Davi comoveu-se ao observar o primeiro; e, novamente, emocionou-se ao contemplar o segundo. Ambos são espécies de revelações, uma mediante a natureza, e outra através de escritos inspirados.

O Antigo Testamento com frequência descreve o Senhor como Doador da Lei e Criador. De acordo com esse pensamento, na primeira parte deste salmo é usado o nome divino *El* (Deus) (vs. 1), ao passo que na segunda parte é usado o nome divino *Yahweh* (vss. 7-9,14). Esse era o nome pessoal pelo qual Deus se tornou conhecido em Israel, a saber, o Deus Eterno. Ver no *Dicionário* o artigo intitulado *Deus, Nomes Bíblicos de*.

Classificação dos Salmos. Ver o gráfico no início do comentário sobre o livro de Salmos, que atua como uma espécie de frontispício. Ofereço ali dezessete classes e listo os salmos pertencentes a cada uma delas.

Subtítulo. Temos aqui a introdução simples que diz: "Ao mestre de canto. Salmo de Davi". As notas introdutórias ao Salmo 19 foram produzidas por editores subsequentes, mesmo sem autoridade para tanto, que contavam unicamente com conjecturas sobre a autoria e as circunstâncias históricas que teriam inspirado a composição.

■ **19.1** (na Bíblia hebraica corresponde ao **19.1,2**)

לַמְנַצֵּחַ מִזְמוֹר לְדָוִד׃

הַשָּׁמַיִם מְסַפְּרִים כְּבוֹד־אֵל וּמַעֲשֵׂה יָדָיו מַגִּיד הָרָקִיעַ׃

Os céus proclamam a glória de Deus. Deus, neste caso, é chamado de *El*. É o Criador dos céus, com seus bilhões de galáxias de bilhões de estrelas. Isso demonstra a sua glória e o seu poder. Daí o emprego do nome divino *El*, que transmite a ideia de *poder*. Na natureza vemos dois grandes atributos divinos: *poder* e *inteligência*. Ver no *Dicionário* o artigo denominado *Atributos de Deus*. Os céus são *proclamadores*. Paulo tirou proveito desse tema, no primeiro capítulo da epístola aos Romanos, onde declarou que os pagãos são indesculpáveis em vista da luz fornecida pela natureza.

> Porque os atributos invisíveis de Deus, assim o seu eterno poder como também a sua própria divindade, claramente se reconhecem, desde o princípio do mundo, sendo percebidos por meio das coisas que foram criadas. Tais homens são, por isso, indesculpáveis.
>
> Romanos 1.20

No entanto, a passagem de Rm 2.12 mostra-nos que aqueles que recebem somente a revelação dada pela natureza *perecem* sem a lei. Portanto, Paulo prosseguiu para mostrar que há uma nova revelação que vem em nosso socorro, a qual nos livra tanto da lei, com suas demandas sem esperança, como também do pecado. Assim sendo, Paulo, tal como o autor sagrado do Salmo 19, combina o Criador com a revelação. Nesse Salmo temos a combinação Criador-lei. E na epístola aos Romanos temos a combinação Criador-evangelho.

Ver no *Dicionário* o artigo chamado *Astronomia*, que ilustra a grandeza da criação, a qual faz nossa mente maravilhar-se e meditar sobre o poder e a inteligência de Deus. "A glória de Deus é a inteligência" (Joseph Smith). Os céus contam a história da glória de Deus. Diz literalmente o original hebraico, neste ponto: "Os céus estão contando".

"Davi poderia ter extraído a ilustração do glorioso poder de Deus com base em suas obras na terra, mas preferiu usar os *céus* por não estarem maculados pelo pecado que manchou nosso mundo inferior. Ademais, a luz que emana dos céus, sobretudo do *sol*, capacita-nos a ver todas as outras obras visíveis de Deus" (Fausset, *in loc.*).

Firmamento. Os intérpretes modernos fazem o firmamento ser "a grande expansão dos céus, os céus estrelados". De acordo com a cosmologia dos hebreus, a imaginação era diferente. Os hebreus imaginavam uma taça invertida que cerraria a habitação de Deus da habitação dos homens sobre a terra. Essa taça era concebida como um objeto *sólido*, ou seja, um *firmamento*. Ver a cosmologia hebraica ilustrada no artigo do *Dicionário* chamado *Astronomia*. Ver Gn 1.6, quanto à primeira menção a essa palavra e noção.

"A majestática criação serve de evidência sobre o ainda mais majestoso Deus Criador" (Allen P. Ross, *in loc.*).

Ao contemplar os céus, o poeta deve ter pensado: "Quão nobre deve ter sido a mente que sonhou e concretizou os céus" (J. R. P. Sclater, *in loc.*). E esse mesmo autor recente prosseguiu a fim de falar do indivíduo que, nas ilhas do norte do Reino Unido, exclamou: "As estrelas me apresentaram Deus".

A GLÓRIA DE DEUS

Os céus proclamam a glória de Deus e o firmamento anuncia a obra das suas mãos. Um dia discursa a outro dia, e uma noite revela conhecimento a outra noite. Não há linguagem, nem há palavras; e deles não se houve nenhum som.

Salmo 19.1-3

CONTEMPLANDO A GLÓRIA

Quando se ouvia o erudito astrônomo
Quando as provas, as cifras, foram catalogadas perante mim;
Quando me foram mostrados os mapas, os diagramas,
Para adicionar, dividir e medi-los;
Quando eu, sentado, ouvia o astrônomo que conferenciava
Sob aplausos, no salão de conferências,
Quão logo, inexplicavelmente, fiquei cansado e enfadado;
Até que, levantando-me e saindo sem ruído, pus-me a vaguear,
No ar úmido e místico da noite, e, de vez em quando,
Olhava, em silêncio perfeito, as estrelas.

Walt Whitman

■ **19.2** (na Bíblia hebraica corresponde ao **19.3**)

יוֹם לְיוֹם יַבִּיעַ אֹמֶר וְלַיְלָה לְּלַיְלָה יְחַוֶּה־דָּעַת׃

Um dia discursa a outro dia. Os céus foram personificados no vs. 1, "contando a história da glória de Deus". E neste versículo a criação feita por Deus, ainda personificada, fala por meio do dia e da noite. Em qualquer tempo podemos observar as maravilhas de Deus, e a qualquer momento podemos ouvir a sua voz a falar.

O espaçoso firmamento lá no alto,
Com todo o seu céu azul e etéreo,
Os céus esplêndidos, a cantar sua canção,
Proclamam o grande Original;
O sol incansável, dia após dia,
Exibe o poder do Criador, e
Publica-o, para todas as terras,
A obra da Mão Toda-poderosa.

Joseph Addison

O sol, a luz, os planetas, as constelações e a própria terra, juntamente com todas as criaturas primordiais, unem-se para exaltar o Poder lá do alto.

Discursa. Literalmente, "derrama" ou "abre as fontes", provavelmente uma alusão a como a luz parece emanar de alguma grande fonte de água. O dia e a noite são reveladores que nunca gozam de descanso, testificando continuamente. Alguns homens ouvem, outros não.

Revela conhecimento. Literalmente, "sopra", talvez uma alusão aos grandes ventos que governam a terra, bem como à brisa noturna que acalma nosso espírito. Ver Ct 2.17. A mensagem de Deus chega até nós por meio da luz, por meio do vento, por meio da brisa. A revelação de Deus é tanto abundante quanto variada.

■ **19.3** (na Bíblia hebraica corresponde ao **19.4**)

אֵין־אֹמֶר וְאֵין דְּבָרִים בְּלִי נִשְׁמָע קוֹלָם׃

Não há linguagem, nem há palavras. A *fala divina*, que nos chega do céu, sugeriu ao poeta as muitas nações, cada qual falando em seu próprio idioma. Assim também, a *voz* que chega do céu dirige-se a todos os povos que falam uma multidão de línguas. Em outras palavras, a revelação da natureza é absolutamente *universal*. Nenhum ser humano escapa do testemunho da natureza. A linguagem emanada dos céus é, igualmente, inteligível a todos os homens (ver Rm 1.18-20). Paulo aplicou este versículo à propagação universal do evangelho (ver Rm 10.18), que é a *revelação superior* de Deus, dirigida à alma humana, visando sua salvação eterna. Assim como a luz que vem do céu beneficia a todos os homens, também o faz o evangelho, a Luz do Espírito.

Alguns intérpretes, sem embargo, não veem na *voz* uma alusão às *línguas humanas*, mas imaginam *criaturas celestes* (ou *corpos celestes*) a falar a homens de todos os lugares, por meio de uma língua universal. A *Revised Standard Version*, bem como a nossa versão portuguesa, faz a comunicação efetuar-se sem o uso de *palavras*: "Não há linguagem, nem há palavras, e deles não se ouve nenhum som". Em outros termos, a comunicação é *silenciosa*, mas eficiente, sendo compreendida por todos os homens, de todos os lugares.

■ **19.4** (na Bíblia hebraica corresponde ao **19.5**)

בְּכָל־הָאָרֶץ יָצָא קַוָּם וּבִקְצֵה תֵבֵל מִלֵּיהֶם לַשֶּׁמֶשׁ שָׂם־אֹהֶל בָּהֶם׃

No entanto, por toda a terra se faz ouvir a sua voz. A palavra "voz" aqui é interpretação da *Revised Standard Version*. Temos uma *linha de comunicação* que sai dos céus e atinge todos os rincões da terra, todas as nações, todos os povos. A Septuaginta e Jerônimo interpretam essa palavra como "som", que alguns consideram ser o texto superior, talvez o original no hebraico. A palavra hebraica que figura no texto massorético (ver sobre *Massora (Massorah); Texto Massorético*, no *Dicionário*), é *kav*, "corda". A revelação de Deus alcança todos os pontos da terra, assim como um cordão de medir o faz, em algumas construções. Deus, por assim dizer, *mede* a terra inteira como o lugar ao qual se deve aplicar sua revelação.

As suas palavras até aos confins do mundo. Esta porção do versículo diz a mesma coisa que a primeira parte, mas muda a metáfora. Agora, em lugar de medir a terra toda para fazer a revelação, as *palavras* (a linguagem dos corpos celestiais) soam e são ouvidas por toda a parte. Isso aponta para a ideia de *universalidade*. Assim também sucede ao evangelho. Para garantir disseminação e receptividade universal (pois ninguém será julgado sem a chance de ouvir o evangelho), Cristo teve uma missão *tridimensional*: na terra, nos céus e no hades. Nenhum único indivíduo passará ao estado eterno sem a oportunidade de ouvir a mensagem de salvação. Nenhuma pessoa tomará uma decisão na *ignorância*, na *falta de informação*. Isso, meus amigos, é algo *necessário*, sob pena de termos um Operador e uma operação deficiente.

Uma tenda para o sol. Entre todas as maravilhas naturais de Deus, o poeta sacro viu o sol como um rei. Esse é o mais óbvio e poderoso orador dos céus, a luz ímpar de Deus. Por conseguinte, o resto dos céus estrelados parece ser apenas a *tenda* do sol, isto é, o lugar de sua habitação. Os vss. 5 e 6 continuam a exaltar o sol.

De manhã, o sol emerge de sua tenda e cumpre o circuito por toda a terra, falando da glória de Deus enquanto avança. À noite, o sol retorna à sua tenda e permite que a lua cumpra seu circuito e continue a revelar a glória de Deus.

Há um eloquente hino ao deus-sol, de nome *Shamash*, nos mitos babilônicos e assírios, mas este salmo não toma por empréstimo as ideias constantes nesse hino pagão.

Ó Shamash!
Oh, o horizonte do céu que tu percorres,
A tranca dos céus que tu abres, e
Os portões do céu que tu fechas.
Ó Shamash!
Sobre o mundo todo levantas a cabeça!
Ó Shamash!
Com a glória do céu encobres a terra,
Enquanto tomas o curso por todo o mundo.

■ **19.5** (na Bíblia hebraica corresponde ao **19.6**)

וְהוּא כְּחָתָן יֹצֵא מֵחֻפָּתוֹ יָשִׂישׂ כְּגִבּוֹר לָרוּץ אֹרַח׃

O qual, como noivo que sai dos seus aposentos. O sol abandona sua tenda como se fosse um noivo, enfeitado com joias, saindo de seu aposento para ser admirado por todos, os quais observam: "Quão feliz é a dama que ficou com ele!" Allen P. Ross (*in loc.*) diz quão excitado fica o homem que corre atrás de sua noiva. Trata-se de uma cena onde transparecem o vigor, o poder, o luxo e a alegria. Assim também o sol parece incorporar essas qualidades quando surge em cena para iniciar o circuito de um novo dia. Está em pauta a *câmara nupcial*. O homem emerge extremamente bem vestido e feliz. Ele encontrou o amor de sua vida.

Outra metáfora diz que um *homem forte* anela por participar de uma corrida, por saber que vencerá. Nessa metáfora encontramos os fatores de força e confiança. Assim também o sol sai de sua tenda e se precipita pelo céu como se fosse um homem forte, e todos o admiram, enquanto ele percorre sua corrida vencedora.

Estes versículos exaltam as glórias do sol, e não o sol propriamente dito, como se fosse uma divindade (tal como ocorre no paganismo, que adora o sol), mas o faz porque o Criador investiu o sol com a luz e suas qualidades. O salmo presente, pois, é uma interpretação monoteísta do universo. Ver no *Dicionário* o verbete chamado *Monoteísmo*.

Aposentos. No hebraico, temos a palavra *chuphah*, uma *recâmara de casamento* ou um *leito* (ver Jl 2.16), mas no hebraico posterior, o dossel que protegia os nubentes.

Metaforicamente, como é claro, isso nos faz lembrar do *Sol da Justiça*, a luz da salvação. Ver Ml 4.2.

■ **19.6** (na Bíblia hebraica corresponde ao **19.7**)

מִקְצֵה הַשָּׁמַיִם מוֹצָאוֹ וּתְקוּפָתוֹ עַל־קְצוֹתָם וְאֵין נִסְתָּר מֵחַמָּתוֹ׃

Principia numa extremidade dos céus. O sol faz um círculo inteiro em volta do globo terrestre e toca em todos os lugares. Sua luz e seu calor são sentidos universalmente, e outro tanto sucede no caso da glória de Deus. "Os céus proveem uma vereda ao longo da qual o sol, como um atleta, percorre o seu curso diário" (*Oxford Annotated Bible*, comentando este versículo). O sol espalha a vida. Sem a sua luz e o seu calor, coisa alguma poderia existir na terra. Portanto, o circuito diário do sol pelos céus é uma jornada doadora de vida, e não meramente uma jornada de revelação. Em ambos os casos, Deus é exaltado: ele revela a verdade sobre si mesmo, mas também sustenta a vida. Quanto ao sentido espiritual da luz e da vida, ver Jo 1.4,8,9.

nele estava a vida, e a vida era a luz dos homens.
... A verdadeira luz, que alumia a todo homem...

"Cristo não somente ilumina nossa mente, mas também vivifica nossa alma, aquece nosso coração e o leva a queimar internamente; levantando-se com cura em suas asas e fazendo do seu poder o sabor da vida" (John Gill, *in loc.*).

A LEI DA LUZ DA ALMA (19.7-14)

Ver no *Dicionário* os artigos chamados *Decálogo* e *Dez Mandamentos*. Esta composição poética, talvez independente da primeira parte do salmo, exalta originalmente a lei, a luz de Deus sobre a terra, tal como o sol é a sua luz no céu. Ver nas notas introdutórias a este salmo sobre como essas duas porções se ajustam e sobre como é correto reuni-las, embora pareça tratar-se de duas composições diferentes. Esta porção do salmo tem afinidades com o Salmo 119, o Hino à Lei.

"Da mesma forma que o sol domina a revelação natural de Deus (vss. 4-6), a lei domina a revelação divina específica no Antigo Testamento" (Allen P. Ross, *in loc.*).

O Poder da Lei:
1. A possessão da lei fazia de Israel uma nação distintiva (Dt 4.4-8).
2. A *obediência* à lei tinha por intuito dar vida longa, vida física (ensinamento original) e vida espiritual (judaísmo posterior). Ver Dt 4.1–5.33; 6.2; Ez 20.1.
3. Ver a *tríplice designação* da lei, cada nome com seu próprio significado (Dt 6.1).
4. Quanto à lei como o *estatuto eterno,* ver Êx 29.42; 31.16 e Lv 3.17.
5. Quanto ao *pacto mosaico,* ver a introdução a Êx 19. A composição à nossa frente adiciona outras descrições da lei, e do homem bom esperava-se que aprendesse a lei e seguisse todas as suas demandas, conforme tanto enfatiza o Salmo 1.

■ **19.7** (na Bíblia hebraica corresponde ao **19.8**)

תּוֹרַת יְהוָה תְּמִימָה מְשִׁיבַת נָפֶשׁ עֵדוּת יְהוָה נֶאֱמָנָה מַחְכִּימַת פֶּתִי:

Qualidades e Descrições da Lei:
1. A lei é *perfeita,* por ser *do* Senhor e dele *proceder*. Ver Êx 19. A lei não apresenta *falhas.* É um guia perfeito. Não há como negar isso.

As palavras do Senhor são palavras puras, prata refinada em cadinho de barro, depurada sete vezes.

Salmo 12.6

2. A lei *converte a alma.* Ela faz um homem ser aquilo que deve ser, alguém que obedece aos preceitos e assim vive na retidão. Não está em foco a salvação evangélica e, sim, fazer um homem cumprir todos os seus deveres na esfera terrestre. A lei torna um indivíduo distinto, da mesma maneira que distingue uma nação inteira (ver Dt 4.4-8; cf. Sl 1). É inútil pensar aqui na doutrina paulina da justificação pela fé, não pela lei, e tentar reconciliar esses dois pensamentos. Os hebreus sempre acreditaram na justificação pelas *obras da lei.* Que pode haver de mais evidente que isso, no Antigo Testamento? Paulo, entretanto, apresentou uma *nova doutrina* que não precisa ser reconciliada com a antiga. Até o apóstolo Tiago se apegou à antiga religião, quanto à questão da justificação. Sobre a controvérsia entre Paulo e Tiago, ver a introdução à epístola de Tiago, seção VII, no *Novo Testamento Interpretado. O judaísmo posterior* naturalmente usava declarações como estas para falar sobre a salvação da alma, mas este salmo não tinha em mente esses pensamentos quando foi originalmente composto. O homem bom, nas páginas do Antigo Testamento, evitava a idolatria e seguia o yahwismo. Assim é que ele se convertia.
3. O *homem símplice* pode tornar-se *sábio* por meio da lei. Isso aponta para a sabedoria espiritual, e não para a sabedoria que encantava os gregos. O homem espiritual anda conforme deveria andar (Sl 1.1), isto é, teme a Deus, o princípio da sabedoria (ver Pv 9.10).
4. *A designação da lei em seis aspectos,* no salmo presente: lei; testemunho (vs. 7); preceitos; mandamento (vs. 8); temor; juízos (vs. 9). Essas palavras podem ser entendidas como sinônimos, ou, melhor ainda, como outras tantas descrições da lei. A primeira delas tem um sentido geral. O autor sagrado falava sobre a lei de Moisés, a revelação escrita e base do pacto mosaico. Essa lei é um *testemunho* sobre o que é certo e o que é errado.

A lei (*torah,* no hebraico) significa, em seu uso primário, "instrução". É um testemunho (no hebraico, *eduth*). A lei *aponta* para Deus e para o caminho de Deus, que deve ser seguido pelo homem. Metaforicamente, testifica sobre Cristo, o qual cumpriu a lei e até a ultrapassou. Ver o verbete chamado *Testemunho,* no que diz respeito à lei, em Êx 25.16. Fica entendido o relacionamento entre a nação de Israel e Deus.

■ **19.8** (na Bíblia hebraica corresponde ao **19.9**)

פִּקּוּדֵי יְהוָה יְשָׁרִים מְשַׂמְּחֵי־לֵב מִצְוַת יְהוָה בָּרָה מְאִירַת עֵינָיִם:

Continuam aqui as qualidades e as descrições da lei:
5. Os *preceitos* (elementos específicos da lei) têm poder e fazem nosso coração regozijar-se. Eles enlevam a vida do indivíduo, em lugar de calcá-la para baixo, porquanto é melhor ser santo que ser profano; é melhor andar corretamente que andar errado; é melhor viver cheio de amor que cheio de ódio. A alegria brota do coração do homem quando ele reconhece que está certo diante de Deus.
6. Os *mandamentos* (leis específicas incorporadas na lei em geral) são puros. A palavra hebraica é *barah,* que significa "aclarar", "limpar", e fala de como a lei é pura e limpa, e como ela limpa os homens, quando aplicada à vida prática. Na lei existem tanto medidas cerimoniais quanto medidas purificadoras. Visto que Deus é santo, assim também o homem deve ser santo (ver Lv 19.2).
7. Os *mandamentos* iluminam os olhos, mostrando ao indivíduo como ele é, o que ele deve ser, e como ser aquilo que ele deve ser. A lei ilumina a vida do homem com bondade e santidade. A lei também mostra ao homem o que ele deve evitar. Ele nada deve ter com a corrupção e a idolatria do paganismo. Ver no *Dicionário* o verbete denominado *Iluminação.*

■ **19.9** (na Bíblia hebraica corresponde ao **19.10**)

יִרְאַת יְהוָה טְהוֹרָה עוֹמֶדֶת לָעַד מִשְׁפְּטֵי־יְהוָה אֱמֶת צָדְקוּ יַחְדָּו:

Continuam aqui as qualidades e descrições da lei:
8. O *temor* do Senhor é limpo, tal e qual a sua lei (ver sob o ponto 1 do vs. 7). Temer a Deus leva o indivíduo a limpar a sua vida, e a lei lhe diz como livrar-se das poluções que o haviam sujado. A lei, por si mesma, é limpa, livre de corrupções morais, enganos ou declarações ilusórias. O yahwismo não continha elementos poluentes, conforme acontecia com as religiões pagãs. O termo hebraico por trás dessa ideia é *tehorah,* derivado de *tahar,* "puro", "limpo". A lei não é contaminada e limpa o indivíduo contaminado.
9. A lei é um *estatuto eterno* (ver Êx 29.42; 31.16; Lv 3.17; 16.29). Os hebreus jamais teriam imaginado que algum avanço na fé surgiria e substituiria a lei como doador e guia da vida, conforme vemos na fé cristã, especialmente nos escritos de Paulo (Rm 3). Os hebreus pensavam que sua lei era perfeita, infalível e insubstituível. Isso mostra como avança a verdade e como os que *aderem* ao passado ficam na poeira de tradições obsoletas.

*Da covardia que teme novas verdades,
Da preguiça que aceita meias-verdades,
Da arrogância que pensa saber toda a verdade,
Ó Senhor, livra-nos!*

Arthur Ford

Seja como for, a lei tinha uma *perpetuidade* que encorajava os homens a continuar em seu caminho reto, sabendo que amanhã não surgiria nenhum novo padrão para abalar sua vida. Esta porção do versículo volta-se contra o *relativismo* pragmático, que imagina que cada homem tem a sua própria verdade e amanhã poderá abandoná-la por algo melhor. Ver na *Enciclopédia de Bíblia, Teologia e Filosofia* o artigo chamado *Relativismo.* A eternidade da lei também lhe empresta a qualidade da *integridade,* em contraste com as inovações do paganismo.

■ **19.10** (na Bíblia hebraica corresponde ao **19.11**)

הַנֶּחֱמָדִים מִזָּהָב וּמִפַּז רָב וּמְתוּקִים מִדְּבַשׁ וְנֹפֶת צוּפִים:

Continuam as qualidades e descrições da lei:
10. A lei é um *tesouro precioso.* Ela tem grande valor em si mesma, como revelação de Deus, e grande valor para os homens que a seguem. Ela lhes confere longa vida e prosperidade e os torna indivíduos distinguidos. A lei é aquele ouro celestial que vale mais do que o ouro. A mercadoria mais valiosa do antigo Oriente Próximo

e Médio era a lei dos hebreus. A maioria dos homens prefere o ouro a Deus, mas o poeta tinha razão quando apontou para o ouro dos céus. O ouro é uma riqueza cobiçada pelos homens. Eles sacrificam sua vida e sua existência por causa do ouro, uma riqueza frívola. Mas existe o verdadeiro ouro da Palavra de Deus.

> *Para mim vale mais a lei que procede de sua boca do que milhares de ouro ou de prata.*
>
> Salmo 119.72

11. A lei é *doce como o mel,* que os homens procuram para que a sua vida diária tenha mais *prazer.* É um prazer consumir doces, pois, do contrário, a indústria da fabricação de doces encerraria suas atividades. Esta porção do versículo diz-nos que devemos encontrar nosso prazer nas realidades espirituais que, de fato, são superiores às realidades materiais. "A observância da lei é uma alegria, e não uma carga" (*Oxford Annotated Bible,* comentando este versículo). O mel era a substância mais doce conhecida pelos antigos. O prazer traz *alegria.*

> *Palavras agradáveis são como favo de mel, doces para a alma, e medicina para o corpo.*
>
> Provérbios 16.24

"Satisfações delicadas do corpo não são negadas. Mas a retidão moral e sua realização aparecem *em primeiro lugar*" (J. R. P. Sclater, *in loc.*).

> Há alegria no serviço de Jesus,
> Enquanto avanço por meu caminho.
> Alegria que enche o coração com louvores,
> Todas as horas e todos os dias.
>
> Oswald J. Smith

■ **19.11** (na Bíblia hebraica corresponde ao **19.12**)

גַּם־עַבְדְּךָ נִזְהָר בָּהֶם בְּשָׁמְרָם עֵקֶב רָב׃

Continuam aqui as qualidades e descrições da lei:

12. A lei dá *instruções aos judeus* contra certas coisas. Ela adverte o homem bom sobre o que ele não deve fazer, o que, naturalmente, é a finalidade do maior número dos mandamentos originais e da multidão de leis menores que se seguiam. Ver Jó 31, quanto à variedade de pecados que Jó evitava. Ver no *Dicionário* o verbete intitulado *Vícios,* quanto aos muitos tipos de pecados existentes que aprisionam os homens. A lei adverte contra as loucuras e os resultados deprimentes dos atos errados. O homem bom é avisado e libertado de muitas armadilhas.

> *A lei é santa; e o mandamento, santo e justo e bom.*
>
> Romanos 7.12

Entretanto, "não faço o bem que prefiro, mas o mal que não quero, esse faço" (Rm 7.19). A experiência humana mostra que a lei está acima de nosso poder de cumpri-la.

Mediante a lei vem o conhecimento do pecado (vs. 3.20), mas ela não nos dá poder de derrotar o pecado. Tal poder nos é conferido pelo Espírito de Deus, pois do contrário não seremos capazes de fazê-lo. Essa é uma boa teologia paulina, mas não o que diz o salmista no salmo presente.

13. Quando um homem guarda a lei, recebe *grande recompensa.* Sobre bases veterotestamentárias, isso significa a felicidade decorrente da santidade (ver Sl 19.10); prosperidade material; e, além disso, uma longa vida física. Com a passagem do tempo, a teologia judaica começou a falar sobre uma vida pós-túmulo, fazendo versículos como este falar de uma recompensa eterna em um lugar melhor do que a vida terrestre. Ver no *Dicionário* o verbete chamado *Galardão.* Nos livros escritos entre o período do Antigo Testamento e o período do Novo Testamento, desenvolveu-se uma doutrina primitiva do céu e do inferno, que foi grandemente delineada nos escritos do Novo Testamento. Como é natural, vários intérpretes cristianizaram os versículos diante de nós, fazendo-os ensinar, *por antecipação,* o que apenas o Novo Testamento diz.

■ **19.12** (na Bíblia hebraica corresponde ao **19.13**)

שְׁגִיאוֹת מִי־יָבִין מִנִּסְתָּרוֹת נַקֵּנִי׃

Continuam aqui as qualidades e descrições da lei:

14. O poder da lei é tal que um homem, ao estudá-la, obterá discernimento quanto a seus *pecados secretos,* ou seja, pecados ocultos a ele mesmo; porém, uma vez que se desvencilhe deles, esse homem sairá *limpo* de sua experiência. Note, porém, o leitor, como o poeta sacro apela diretamente a Deus para realizar esse serviço. Há uma *iluminação* que vai mais fundo do que o estudo. Dificilmente um homem pode compreender sua própria natureza pecaminosa, bem como os atos pecaminosos derivados dessa natureza, a menos que receba iluminação da parte do Senhor. Foi exatamente esse o pecado do salmista. Ver sobre os pecados cometidos sem conhecimento do indivíduo, em Lv 5.2. Tendo escrito o que escreveu, isso não significa que o salmista pensava que não pudesse guardar a lei. Ele tão somente supunha que é necessária a iluminação divina para que o indivíduo seja capaz de fazer isso de maneira plena. Como é natural, só Deus pode compreender tudo quanto há de mal, mas o homem bom pode *guardar a lei* de maneira aceitável, de uma maneira em que ganhe a vida. A teologia dos hebreus sempre assumia essa posição.

É um erro cristianizar este versículo e tentar extrair dele a necessidade da justificação pela fé. Ademais, no contexto do Salmo 19, não estamos tratando da salvação da alma.

■ **19.13** (na Bíblia hebraica corresponde ao **19.14**)

גַּם מִזֵּדִים חֲשֹׂךְ עַבְדֶּךָ אַל־יִמְשְׁלוּ־בִי אָז אֵיתָם וְנִקֵּיתִי מִפֶּשַׁע רָב׃

Continuam aqui as qualidades e as descrições da lei:

15. A *maioria dos pecados* é cometida com pleno conhecimento de que está sendo cometido algum erro. Nada há de secreto no tocante à maioria dos atos pecaminosos. Quanto a *pecados voluntariosos,* cometidos em conhecimento e arrogância, não havia sacrifício a ser oferecido no Antigo Testamento, embora possamos presumir que um homem pudesse ser perdoado de tais pecados, se os apresentasse diretamente a Deus, pedisse perdão e se arrependesse (Sl 51).

Soberba. O hebraico entende aqui, literalmente, pecados que "borbulham", isto é, pecados agravados. O poeta provavelmente estava pensando em Nm 15.28 ss. Os pecados voluntários não contavam com nenhum ato expiatório. Certamente é essa noção que está em vista também em Hb 6.1-8 e 10.25,26. Tais pecados conduzem à apostasia, porquanto o homem peca contra o seu conhecimento e contra a sua luz, e continua a escorregar para baixo. Ver o *Novo Testamento Interpretado* quanto às passagens na epístola dos Hebreus, mencionadas acima, para um completo estudo sobre a teologia envolvida.

16. A lei protegia o indivíduo da *grande transgressão* que os homens cometem quando apostatam. O texto não define a questão, mas a *idolatria* sem dúvida está em pauta. De acordo com a mentalidade dos hebreus, esse era o pecado de número um. Ver sobre esse assunto no *Dicionário,* onde apresento um estudo elaborado a respeito. *Pecar habitualmente* certamente não está em vista, embora isso surtisse o efeito de produzir um idólatra que acabaria caindo na apostasia. Também não devemos cristianizar o versículo, fazendo deste o imperdoável pecado contra o Espírito Santo (ver Mt 12.31). Os pecados de presunção levam um homem a cair na idolatria, finalmente. O poeta sacro não queria nada com esse processo de desintegração. A *Revised Standard Version* oferece uma tradução diferente: "... inocente de grande transgressão", em lugar de "livre de grande transgressão". Se esse é realmente o sentido da passagem, então nenhum pecado está em pauta, mas somente uma vida de muito pecado. A nossa versão portuguesa concorda com a *Revised Standard Version* neste ponto, contra a *King James Version* e outras traduções.

■ **19.14** (na Bíblia hebraica corresponde ao **19.15**)

יִהְיוּ לְרָצוֹן אִמְרֵי־פִי וְהֶגְיוֹן לִבִּי לְפָנֶיךָ יְהוָה צוּרִי וְגֹאֲלִי׃

Continuam aqui as qualidades e descrições da lei:
17. Pelo *lado positivo,* a lei instrui um homem quanto a todos os seus atos, e coloca retas palavras de louvor em seus lábios, finalmente, protegendo-o dos pecados da língua; e assim, até a meditação de seu coração é pura e agradável diante de Deus. Para que isso aconteça, Yahweh tem de ser a força do indivíduo, *capacitando-o* a agir dessa maneira. O indivíduo entrega sua vida a Yahweh *como sacrifício* — essa é a ideia constante no versículo. Yahweh aceitaria tal homem? A maioria dos homens falharia no teste do sacrifício, que deveria ser *sem defeito.* Mas o homem aceito tem o Senhor como força e redenção. Seu sacrifício é aceito e seus pecados são perdoados.

> *Rogo-vos, pois, irmãos, pelas misericórdias de Deus, que apresenteis os vossos corpos por sacrifício vivo, santo e agradável a Deus, que é o vosso culto racional.*
>
> Romanos 12.1

"Este belo versículo de encerramento é uma possessão permanente de adoração cristã, tanto em particular como em público. Nas igrejas não litúrgicas este versículo é usado com frequência como oração, antes ou depois do sermão. Se nossas *palavras* públicas e nossa *meditação* forem *aceitáveis* aos olhos do Senhor, teremos sido bem-sucedidos como arautos, testemunhas e mestres. Se, em particular, forem *aceitáveis,* teremos, pela graça de Deus, obtido sucesso *na vida.* Pois então estaremos falando ou meditando "como se Cristo estivesse ao nosso lado", ou pelo menos como se não devêssemos ser perturbados em olhar ao redor para vê-lo ali. Afinal de contas, nisso consiste o teste" (J. R. P. Sclater, *in loc.*).

SALMO VINTE

Quanto a *informações gerais* que se aplicam a todos os salmos, ver a introdução ao Salmo 4, onde apresento *sete* comentários que elucidam a natureza do livro. O *terceiro* ponto dessas informações gerais descreve as *classes* das composições. O Salmo 20 consiste em uma oração pedindo vitória em batalha. Presume-se que ele tenha sido composto para acompanhar os *sacrifícios* oferecidos antes de começar uma luta, a fim de assegurar a vitória, agradando Yahweh e garantindo sua ajuda. Ver o vs. 3. Cf. 2Sm 10.14-19. Essa oração parece ter sido entoada quando o povo se aproximava do altar de sacrifício.

Uma das classes de salmos são os *salmos reais.* Ver os Salmos 2, 18, 20, 21, 45, 72, 89, 93, 101, 110, 132 e 144. Alguns classificam o Salmo 20 como um salmo real, em lugar de lhe atribuir uma classe separada. O rei é louvado, ou então ele necessita de algo especial, como a intervenção divina para sua segurança e a garantia de vitória ou sucesso em algum empreendimento.

Duas Partes do Salmo:
1. Vss. 1-5: Esta parte é dirigida ao rei, e pede que Deus lhe conceda resposta favorável.
2. Vss. 6-9: É dada certeza ao rei de que suas orações foram respondidas e de que os seus inimigos serão derrotados. Parece que algumas cerimônias religiosas eram efetuadas entre o cântico das duas partes do salmo.

Este salmo era pré-exílico, porquanto é mencionada a existência de um reinado em Judá. Um *oráculo* foi proferido pelo sumo sacerdote.
O Ambiente. O rei estava a caminho da guerra, mas parou no santuário (templo) a fim de orar pedindo vitória. Os sacrifícios eram feitos antes e, aparentemente, no meio das duas partes do cântico. A congregação uniu-se ao rei em sua oração. Os sacrifícios apropriados foram feitos, aparentemente entre as duas partes da canção. O rei recebeu a certeza de que obteria vitória na batalha, e alegres ações de graças foram dadas por isso.
Subtítulo. Somos informados de que este salmo foi apresentado ao mestre de canto e foi composto por Davi. As observações de introdução foram preparadas por editores subsequentes, e usualmente eram meras conjecturas que tentavam identificar os autores das composições e, algumas vezes, encontrar as condições que teriam inspirado a composição.

Classificação dos Salmos. Ofereço duas classes detalhadas dos salmos: 1. Ver o gráfico no início do comentário sobre o livro de Salmos, que atua como uma espécie de frontispício. Dou ali dezessete classes e listo os salmos que pertencem a cada uma delas. 2. Repito esse material em forma mais breve, sob o título, *Ao Leitor,* justamente antes da exposição de Sl 1.1. Ver o oitavo ponto dos itens apresentados.

■ **20.1** (na Bíblia hebraica corresponde ao **20.1.2**)

לַמְנַצֵּחַ מִזְמוֹר לְדָוִד:

יַעַנְךָ יְהוָה בְּיוֹם צָרָה יְשַׂגֶּבְךָ שֵׁם אֱלֹהֵי יַעֲקֹב:

O Senhor te responda no dia da tribulação. O Deus dos patriarcas, chamado aqui *Yahweh* (o Deus Eterno), foi invocado para defender o guerreiro em batalha, na qual ele arriscava a vida por causa de seu povo. Em tempos anteriores, proferir o nome divino traria poderes mágicos. Mais tarde, o nome divino era considerado quase um agente ou *representante* do Senhor (cf. Sl 54.1 e 124.8), ou seja, o seu *segundo eu* (cf. Sl 20.7). Ainda mais tarde, o *nome,* tal como a lei, era considerado *mediador* entre Deus e os homens. O "Deus de Jacó", como sinônimo do Senhor, *identificava-o* mais especificamente ainda com o Deus de Israel. Muito apropriadamente, temos aqui o Deus que operou grandes livramentos para o seu povo (ver Sl 46.7), cumprindo as promessas feitas a Jacó (ver Ml 1.7,8).

Proferir o nome divino, por si só, traz confiança, porque assim declaramos crer que não estamos sozinhos, que existe um Poder nas alturas, e que Deus realmente intervém na vida humana (ou seja, cremos no *Teísmo,* em contraste com o *Deísmo;* ver os termos no *Dicionário*).

As palavras são aqui dirigidas ao *rei.* Durante as batalhas importantes, era costumeiro que o rei liderasse seu exército como o comandante em chefe, e, de fato, um homem tornava-se rei, naqueles dias brutais, por ser um grande, habilidoso e comprovado *matador.* Foi assim que Saul matou seus milhares, mas Davi seus dez milhares (ver 1Sm 18.7). Matanças em massa produziam grandes hinos de louvor!

■ **20.2** (na Bíblia hebraica corresponde ao **20.3**)

יִשְׁלַח־עֶזְרְךָ מִקֹּדֶשׁ וּמִצִּיּוֹן יִסְעָדֶךָּ:

Do seu santuário te envie socorro. É provável que tenhamos aqui uma *dupla referência:* o rei, a caminho da batalha, parou no santuário (o templo) para oferecer os sacrifícios apropriados que garantiriam a ajuda de Yahweh. Então Yahweh, no santuário celestial, manifestaria seu poder em favor do rei, dando-lhe notável vitória. Era costume, entre várias nações, incluindo os gregos e os romanos, oferecer sacrifícios antes de uma batalha para encorajar os deuses a mostrar misericórdia para com eles, ajudando-os na batalha que ocorreria. O santuário terrestre (o Santo dos Santos) era o lugar onde o poder de Deus manifestava a sua presença. Havia ajuda para tempos de necessidade.

Israel era o povo dos *pactos,* que foram reforçados e relembrados no templo. Ver no *Dicionário* o artigo chamado *Pactos.*

te envie socorro. Literalmente, no original hebraico, lemos: "Estabeleça-te nas alturas", isto é, torne-te tão seguro como um lugar bem elevado" (William R. Taylor, *in loc.*, com uma excelente nota expositiva).

■ **20.3** (na Bíblia hebraica corresponde ao **20.4**)

יִזְכֹּר כָּל־מִנְחֹתֶךָ וְעוֹלָתְךָ יְדַשְּׁנֶה סֶלָה:

Lembre-se de todas as tuas ofertas de manjares. Sacrifícios e oferendas eram realizados, votos eram feitos, promessas eram afirmadas, e assim o rei se equipava para ir à batalha com toda a confiança. Ele não se olvidara do culto a Yahweh, e este, por sua vez, não se esqueceria dele nos momentos de crise. As ofertas queimadas eram um procedimento padronizado. Ver no *Dicionário,* para plenas informações, o verbete intitulado *Sacrifícios e Ofertas.*

O hebraico diz aqui, literalmente, "considere como gordura os teus sacrifícios queimados". Somente animais gordos eram aceitáveis como sacrifícios, e, além disso, *o sangue e a gordura* eram oferecidos a Deus como *sua porção.* Quanto ao sangue e à gordura relacionados aos sacrifícios, ver Lv 3.17. Um sacrifício era uma refeição comunal, a menos que fosse um *holocausto* (ver a respeito no *Dicionário*). Os sacerdotes ajudantes tinham suas *oito* porções (ver Lv 6.26; 7.11-24; 7.28-38; Nm 18.8; Dt 12.17,18). O restante era dividido entre os que tomavam parte no sacrifício e na *refeição comunal* efetuada. Ver Ml 1.7,8, quanto à regras sobre os *animais gordos,* oferecidos como sacrifícios. Ver as ofertas de manjar ou cereais que acompanhavam os sacrifícios de animais, em Lv 7.37; 27.37; 2Rs 16.15.

Selá. Quanto a conjecturas sobre o sentido e o uso dessa palavra misteriosa, ver Sl 3.2 e suas notas expositivas.

■ **20.4** (na Bíblia hebraica corresponde ao **20.5**)

יִתֶּן־לְךָ כִלְבָבֶךָ וְכָל־עֲצָתְךָ יְמַלֵּא׃

Conceda-te segundo o teu coração. O rei tinha saído, *a fim de obter grande vitória.* Isso debilitaria os inimigos de Israel. Esse era o seu projeto. Ver como Davi aniquilou ou confinou *oito* povos, em 2Sm 10.19. Isso deu a Salomão tempo para edificar e firmar a nação de Israel, trazendo-lhe a sua *época áurea.* Entretanto, a paz em breve foi desmanchada pela divisão da nação de Israel em duas partes: o norte (Israel) e o sul (Judá). Havia evidências do favor de Deus e de sua intervenção, cada vez em que a espada cortava um soldado inimigo. Essa era a natureza daqueles tempos brutais e irracionais, e até hoje não progredimos grande coisa.

Talvez este versículo registre a oração do sumo sacerdote (ver a respeito no *Dicionário*), que, naturalmente, seria o alto dignitário que oficiava nos sacrifícios.

Metaforicamente, temos aqui um encorajamento para tentarmos realizar as coisas no nome do Senhor. Ele intervém por nós. Oh, Senhor, concede-nos tal graça! Talvez, *tipicamente,* tenhamos aqui a prefiguração do Senhor Jesus Cristo contra o mal, bem como de sua salvação, que alguns intérpretes veem ao cristianizar o versículo.

■ **20.5** (na Bíblia hebraica corresponde ao **20.6**)

נְרַנְּנָה בִּישׁוּעָתֶךָ וּבְשֵׁם־אֱלֹהֵינוּ נִדְגֹּל יְמַלֵּא יְהוָה כָּל־מִשְׁאֲלוֹתֶיךָ׃

Celebraremos com júbilo a tua vitória. A vitória referida é o livramento de algum perigo físico, e não a salvação espiritual da alma, embora metaforicamente talvez possamos ver isso no texto. O homem vitorioso é *jubiloso.* A vitória concede-nos a alegria de cumprir os nossos propósitos, especialmente quando ela é alcançada após longas lutas. Os soldados deixavam suas bandeiras desfraldadas quando se aproximavam dos inimigos. Eles lutavam pelas realidades simbolizadas nos emblemas dessas bandeiras. Deus era honrado pelos pendões e, *satisfeito,* reagia favoravelmente. Essa linguagem logicamente é antropomórfica e antropopatética. Atribuímos qualidades (atributos) e emoções humanas a Deus, visto que nossa linguagem limita severamente a nossa expressão. Personalizar Deus é algo que o reduz a menos do que ele realmente é. Mas, ao assim agir, somos apanhados na armadilha da linguagem humana, pelo que fazemos tudo quanto está ao nosso alcance. Ver no *Dicionário* os verbetes intitulados *Antropomorfismo; Antropopatismo* e *Mysterium Tremendum,* o mistério que é Deus.

Os *pendões* geralmente continham a inscrição do nome de Deus, mas os macabeus, heróis do judaísmo durante o período intermediário entre o Antigo e o Novo Testamento, puseram seus próprios nomes nos pendões de batalha. Ver Êx 15.11, onde lemos:

Ó Senhor, quem é como tu entre os deuses? Quem é como tu glorificado em santidade, terrível em feitos gloriosos, que operas maravilhas?

Cf. este versículo, igualmente, com Jr 50.2 e Êx 17.15.

A RESPOSTA FAVORÁVEL (20.6-9)

■ **20.6** (na Bíblia hebraica corresponde ao **20.7**)

עַתָּה יָדַעְתִּי כִּי הוֹשִׁיעַ יְהוָה מְשִׁיחוֹ יַעֲנֵהוּ מִשְּׁמֵי קָדְשׁוֹ בִּגְבֻרוֹת יֵשַׁע יְמִינוֹ׃

Agora sei que o Senhor salva o seu ungido. Os sacrifícios apropriados tinham sido feitos; a refeição comunal estava terminada; os pendões haviam sido desfraldados; o exército de Israel marchava, na *certeza* de que suas petições a Yahweh tinham atraído sua atenção, e que ele já estava preparando as suas trovoadas, as quais deixariam o inimigo atônito e garantiriam a vitória para Israel. Yahweh, em seu elevado e santo santuário, lá no seu céu, não deixaria seu povo decepcionado. Ele daria ao rei, o comandante em chefe, a sabedoria e o poder de que este necessitava. Ele também interviria diretamente na batalha, se necessário fosse.

Este versículo pode abrigar uma resposta favorável do *oráculo* do sumo sacerdote, ou uma indicação dada pelo *Urim e Tumim* (ver a respeito no *Dicionário*). Alguém gritou: "Boas-novas! O oráculo diz que vencerás, ó rei!"

Possivelmente esse oráculo seguia-se aos sacrifícios e fazia parte do procedimento em tais ocasiões.

Sua destra. Achar-se alguém à *destra* de Deus era estar no lugar da mais elevada honra. Receber ajuda da *mão direita* de Deus significava receber a intervenção divina, que se mostra eficaz para assegurar a vitória. Ver Êx 15.6; Sl 16.8; 17.7; 21.8; 45.4; 48.10; 74.11; 108.6; 110.1; 118.15; Mt 22.44; At 2.33; Rm 8.34; Ef 1.20; Hb 1.3; 1Pe 3.22.

■ **20.7,8** (na Bíblia hebraica corresponde ao **20.8,9**)

אֵלֶּה בָרֶכֶב וְאֵלֶּה בַסּוּסִים וַאֲנַחְנוּ בְּשֵׁם־יְהוָה אֱלֹהֵינוּ נַזְכִּיר׃

הֵמָּה כָּרְעוּ וְנָפָלוּ וַאֲנַחְנוּ קַּמְנוּ וַנִּתְעוֹדָד׃

Uns confiam em carros, outros em cavalos. A vitória caracterizava-se pela queda do inimigo e pelo levantamento triunfal de Israel (vs. 8). Carros de combate de metal, especialidade de alguns dos adversários de Israel, e excelentes cavalos de guerra, que combatiam da mesma maneira que os homens, não traziam bem algum a esses adversários. O *nome* obtinha sempre a vitória. Esse nome era representado nos pendões (vs. 5), e a presença de Deus honrava a fé dos israelitas ali exibida. Note-se o nome divino no vs. 8: *Yahweh-Elohim,* o Deus Eterno e Todo-poderoso. Ver no *Dicionário* o verbete chamado *Deus, Nomes Bíblicos de.*

Falsa Jactância. Os homens iníquos, ou meramente ignorantes, são cheios de falsas motivações e jactâncias. Mas a batalha depende do Ser divino, e não de coisas que as pessoas transformam em pequenos deuses. Tradicionalmente, o exército de Israel era de infantaria. Sendo fraco por si mesmo, se alguma vitória chegasse a ser obtida, a Yahweh seria dado todo o crédito. Em contraste, os inimigos de Israel desenvolviam modos superiores e armas de guerra mais sofisticadas, e jactavam-se nessas coisas. Aos reis de Israel foi ordenado que *não multiplicassem cavalos;* mas Salomão ignorou o mandato divino (ver Dt 17.16). Em breve, Israel sairia ao combate com excelentes carros de combate de metal e cavalos de guerra treinados. Contudo, se Yahweh não concedesse a vitória, esta não seria obtida.

Algumas vezes um exército mal treinado e mal equipado obtém grande vitória sobre uma força superior, pela pura necessidade e pelo desejo feroz de sobreviver, embora isso seja um tanto raro. Quase sempre é o exército bem treinado e bem equipado que vence. Atualmente, uma explosão atômica bem planejada é mais decisiva do que um exército inteiro. E nós, os crentes, possuímos o Poder do alto para as nossas batalhas. A alma tem de estar preparada e disciplinada na guerra espiritual.

O apóstolo Paulo usou a metáfora do *boxe* (ver 1Co 9.26), e é admirável que muitas pessoas religiosas apreciem uma boa luta de boxe. No boxe há os elementos da disciplina, coragem e bravura masculina, e todos admiram essas qualidades. Ocasionalmente, temos de admitir tristemente que fomos *derrubados.* O adversário nos atingiu com algum golpe de sorte? Fomos derrubados, mas não derrotados. Levantamo-nos para continuar lutando. O fim da boa luta para o vencedor é ser posto no pedestal do triunfo. Até mesmo um campeão é derrotado vez por outra, mas sempre volta à carga. Certa ocasião, vi uma luta de boxe de um campeão contra outro. No quinto *round* um deles foi terrivelmente castigado. Mas no sexto, aquele que quase fora derrotado voltou e ganhou a luta. Nunca me esquecerei de suas palavras, ao descrever a luta alguns anos mais tarde: "Aquele foi meu momento mais excelente!" Também precisamos de horas excelentes e, algumas vezes, de *horas as mais excelentes.* Oh, Senhor, concede-nos tal graça!

20.9 (na Bíblia hebraica corresponde ao 20.10)

יְהוָה הוֹשִׁיעָה הַמֶּלֶךְ יַעֲנֵנוּ בְיוֹם־קָרְאֵנוּ׃

Ó Senhor, dá vitória ao rei. Este salmo termina com um tom de calma, um tom de confiança. A verdadeira religião nem sempre é a que faz mais barulho e dá maior espetáculo. Ellicott tem um interessante comentário aqui: "A mudança da segunda para a terceira pessoa é característica da maneira hebraica de conquistar as emoções, permitindo o encerramento de um poema para que morra em uma linguagem calma e subjugada. Cf. Sl 110.7". J. R. P. Sclater (*in loc.*), refere-se a este final subjugado como *dignificado*. Hensley Henson, em suas memórias, fala sobre a *angústia* que as religiões barulhentas lhe causavam, um ruído sustentado por sua elaborada música e coros e por seus sermões gritados.

"Os adoradores reunidos respondiam em uníssono com uma oração, dirigida ao Senhor, para demonstrar que o livramento lhes fora assegurado e que o rei fora poupado na batalha. O pedido a que o Senhor deveria responder aparece no começo e no fim deste salmo" (Allen P. Ross, *in loc.*).

Este versículo, como é claro, é cristianizado por aqueles que pensam que está em foco o Rei Messias, o qual conquista toda a iniquidade e salva as almas de seu povo, a despeito das maquinações de Satanás. Ver Cl 2.15.

SALMO VINTE E UM

Quanto a *informações gerais* que se aplicam a todos os salmos, ver a introdução ao Salmo 4, onde apresento *sete* comentários que elucidam a natureza do livro. Quanto à *classificação dos salmos*, ver o gráfico no início do comentário sobre o livro de Salmos, que atua como uma espécie de frontispício. Dou ali dezessete classes e listo os salmos que pertencem a cada uma delas.

Este é um dos *salmos reais*. Existem cerca de dezessete deles. Alguns salmos reais também são obviamente messiânicos, enquanto outros têm alusões e reflexões messiânicas, o que é verdadeiro no caso do Salmo 20. A aplicação primária do Salmo 21, obviamente, é ao rei de Israel, pois os salmos reais falam de algo essencial para o rei, como sua coroação, seu governo, seus triunfos, sua grandeza etc.

Duas Divisões no Salmo 21:
1. Vss. 1-7: As bênçãos e vitórias passadas do rei.
2. Vss. 8-13: As esperadas vitórias futuras do rei.

Na antiguidade, os reis usualmente tinham de ser *matadores* campeões. De fato, eles eram escolhidos pelas habilidades militares e por sua reputação de serem matadores em massa dos inimigos de seus respectivos povos. Foi assim que as mulheres de Israel cantaram que Saul matara milhares, mas Davi matara dezenas de milhares (ver 1Sm 18.7). Os reis das nações por muitas vezes agiam como comandantes em chefe e acompanhavam seus exércitos às batalhas. Ver Sl 20.1,2. Os sacrifícios apropriados eram oferecidos antes da batalha, para garantir a ajuda divina (ver Sl 20.3). Talvez um oráculo fosse conseguido para encorajar o exército a marchar com a bênção de Deus e a certeza da vitória (ver Sl 20.6).

Este também é um salmo de *ação de graças*, porquanto retrata as bênçãos do rei vencedor e projeta para o futuro um sucesso idêntico. O Salmo 20 primeiramente pede a vitória e depois agradece por ela. Não é impossível que aquele e este salmo se refiram ao mesmo acontecimento. Seja como for, os dois salmos estão intimamente relacionados, pelo que aparecem juntos no saltério.

Subtítulo. A observação de introdução diz apenas que este salmo foi endereçado ao mestre do coro e composto por Davi. Tais comentários foram preparados por editores posteriores e não têm autoridade canônica. Usualmente, meras conjecturas eram oferecidas quanto à autoria e ao ambiente histórico que pode ter inspirado as composições poéticas. Mas não há que duvidar de que, algumas vezes, dessa maneira eram providas informações autênticas.

21.1 (na Bíblia hebraica corresponde ao 21.1,2)

לַמְנַצֵּחַ מִזְמוֹר לְדָוִד׃

יְהוָה בְּעָזְּךָ יִשְׂמַח־מֶלֶךְ וּבִישׁוּעָתְךָ מַה־יגיל מְאֹד׃

Na tua força, Senhor, o rei se alegra! O Senhor aparece aqui, no original hebraico, como *El*, o Poder, sendo seguro confiar nele. Ele dará livramento diante de todos os perigos e ataques do inimigo. Seu povo podia *regozijar-se* nesse fato. A *força* assim exibida, no contexto deste salmo, manifestava-se por ocasião das *batalhas*. As guerras eram intermináveis, e a proteção divina fazia-se interminavelmente necessária. Assim sendo, receberemos alegria em qualquer batalha que tenhamos de enfrentar.

"O Salmo 21 tinha por intuito ser usado nas antífonas. Nos vss. 1-7, o povo de Israel ou seus representantes (talvez um grupo de donzelas), que cantavam e louvavam a Deus, saiu ao encontro do rei, que voltava da batalha. Nos vss. 8-12 eles se dirigem diretamente ao rei, contando suas realizações. No vs. 13 todos se reúnem em uma atribuição final de louvores a Deus" (J. R. P. Sclater, *in loc.*).

O Targum dirige este salmo ao Messias e, naturalmente, os intérpretes cristãos têm aceitado a sugestão. Ver Cl 2.15, quanto às vitórias do Rei dos reis sobre todos os perigos do mal. Nesse caso, o livramento é *físico*, dentro do meio ambiente histórico, mas *espiritual*, sob o ponto de vista profético.

21.2 (na Bíblia hebraica corresponde ao 21.3)

תַּאֲוַת לִבּוֹ נָתַתָּה לּוֹ וַאֲרֶשֶׁת שְׂפָתָיו בַּל־מָנַעְתָּ סֶּלָה׃

Satisfizeste-lhe ao desejo do coração. O que o rei mais queria era a *vitória* sobre os inimigos. Foi assim que Davi derrotou *oito* povos adversários de Israel (ver 2Sm 10.19), o que permitiu que seu filho, Salomão, inaugurasse a época áurea da história de Israel. O que Davi mais queria ("o desejo do seu coração") foi-lhe concedido pela graça e pelo poder divino. Aquilo que ele havia pedido com tanta diligência não lhe foi negado. Ele orara e Deus ouvira. Davi não encontrou "lá no alto" um Deus indiferente, sobre o qual fala o *deísmo* (ver a respeito no *Dicionário*). Pelo contrário, seu Deus interveio em seu favor (posição do *teísmo*; ver também no *Dicionário*). Suas orações foram eficazes e não precisaram de longo tempo para serem respondidas. A situação era de urgência, e Deus agiu de pronto. Ele atirou seus raios, ferindo e derrubando os adversários. Exibiu seu poder e limpou o campo. Bradou com sua voz poderosa do céu e fez a terra estremecer. Estendeu o seu braço direito e fez a maré virar ao contrário. Levantou Davi e o estabeleceu a grande altura, porquanto este tinha confiado nele. Oh, Senhor, concede-nos tal graça!

Ver Sl 20.4, que é passagem bastante similar a este versículo.

Pede-me, e eu te darei as nações por herança, e as extremidades da terra por tua possessão.

Salmo 2.8

Uma interpretação popular, mas errônea, é a que diz que *Deus* é quem insufla em nosso coração os desejos divinos, e então nós os "desejamos" como se *nós* mesmos fôssemos os originadores. Isso pode exprimir uma verdade, mas não é a ideia que figura neste versículo.

Selá. Quanto a notas expositivas completas sobre esta palavra misteriosa e seus usos alegados, ver Sl 3.2.

21.3 (na Bíblia hebraica corresponde ao 21.4)

כִּי־תְקַדְּמֶנּוּ בִּרְכוֹת טוֹב תָּשִׁית לְרֹאשׁוֹ עֲטֶרֶת פָּז׃

Pois o supres das bênçãos de bondade. Primariamente, estão aqui em vista as vitórias militares, bem como a paz e a prosperidade de um povo vitorioso, que dependia de contínuo sucesso em guerras intermináveis.

Um símbolo de vitória foi posto sobre a sua cabeça — a coroa. "As donzelas estavam acostumadas a sair ao encontro de um monarca que retornasse vitorioso, a fim de oferecer-lhe uma coroa, ou coroa de louvor, que servia como símbolo de extraordinário regozijo. Cf. 1Sm 18.6; Sl 68.11; Ct 3.1; Sabedoria 2.8; Judite 15.13; 3Macabeus 7.16" (Ellicott, *in loc.*).

Uma coroa de ouro puro. A coroa permanente de um rei, talvez referindo-se, historicamente, à coroa do rei de Rabá, que Davi conquistou quando obteve a vitória sobre ele. Ver 2Sm 12.26-30.

Saí, ó filhas de Sião, e contemplai o rei Salomão com a coroa com que sua mãe o coroou no dia do seu desposório.

Cantares 3.11

Quanto a um *sentido messiânico*, ver Ap 14.14, onde a coroa de ouro também é mencionada. Aqui é simbolizada a autoridade real, divinamente conferida. A coroa é um *reconhecimento* visível desse fato. Ver o artigo detalhado sobre *Coroa*, no *Dicionário*, que inclui os usos metafóricos. Ver também sobre *Coroas*.

■ **21.4** (na Bíblia hebraica corresponde ao **21.5**)

חַיִּים שָׁאַל מִמְּךָ נָתַתָּה לּוֹ אֹרֶךְ יָמִים עוֹלָם וָעֶד׃

Ele te pediu vida e tu lha deste. Uma *vida longa* é sempre desejável. Ver as notas elaboradas sobre isso, em Gn 5.21. Uma das promessas ao homem que observava a lei era exatamente essa. Ver Dt 2.6,7,15; 5.16. Era calamidade especial morrer prematuramente, especialmente por intermédio de algum inimigo. Pensava-se que isso era devido ao julgamento de Deus. A *vida* referida neste versículo não é a espiritual. Este salmo não contempla vida para além do sepulcro, a qual entra nos salmos aqui e ali, e também nos livros dos profetas, mas não fazia parte da teologia patriarcal. O desenvolvimento desse tema (na religião dos hebreus) teve de esperar pelos livros pseudepígrafos e apócrifos, bem como pela elaboração do Novo Testamento. Mas já fazia bastante tempo que a noção fazia parte integral das religiões orientais e da filosofia grega. Portanto, em sentidos importantes, Platão sabia mais que Moisés, o que é um fato notável. Se o leitor não acredita nisso, que leia os diálogos de Platão. Eles o deixarão boquiaberto. O *Logos* implanta suas sementes em todos os lugares.

Longevidade para todo o sempre. Alguns intérpretes apegam-se a essas palavras para provar que está em pauta a vida eterna, mas "na linguagem do antigo Oriente, *para todo o sempre* não significa mais do que muitos anos" (William R. Taylor, *in loc.*). Contudo, "à luz do evangelho, não podemos atribuir a essas palavras um sentido tão pobre. Nenhuma frase mais aquecedora do coração, na presença da morte, pode ser encontrada nos Salmos, se deixarmos que os lábios de Cristo a digam. Conta-se a história de um bravo jovem que estava prestes a morrer, no vigor da vida, e que orou anelantemente para ser poupado. Mas ele morreu. Mas o que é que Cristo nos mostra? Quais distantes horizontes ele faz rebrilhar à nossa frente? Se as orações do pobre jovem tivessem sido respondidas, isso teria significado apenas um adiamento. Mas conforme as coisas aconteceram, o *melhor presente* de Deus lhe foi dado sem *espera*, ou seja, a vida para todo o sempre" (J. R. P. Slater, com uma nota expositiva veraz e eloquente, mesmo que este salmo apenas dê isso a entender, sem ensiná-lo diretamente). Essa doutrina é verdadeira, não obstante. Ver no *Dicionário* o verbete chamado *Alma*; e na *Enciclopédia de Bíblia, Teologia e Filosofia* o artigo intitulado *Imortalidade*.

■ **21.5** (na Bíblia hebraica corresponde ao **21.6**)

גָּדוֹל כְּבוֹדוֹ בִּישׁוּעָתֶךָ הוֹד וְהָדָר תְּשַׁוֶּה עָלָיו׃

Grande lhe é a glória do teu salvamento. "Salvamento" aparece na *Revised Standard Version* como *ajuda*, o que dá no mesmo que salvamento, embora também pudéssemos entender esta palavra como "livramento". Não está em pauta a salvação da alma. Ver as notas no versículo anterior. Antes, está em vista o livramento temporal da morte, com uma prosperidade subsequente em paz. Porém, como uma aplicação, podemos fazer essa palavra significar mais do que isso. A glória do rei de Israel não visava somente a ele próprio, nem havia sido ganha por seus próprios esforços. Antes, foi outorgada por Deus, e para o bem de todo o povo de Israel. O resplendor e a majestade do rei foram *concedidos* divinamente, e isso também é uma verdade quanto a todas as coisas de que desfrutamos:

Toda boa dádiva e todo dom perfeito é lá do alto, descendo do Pai das luzes, em quem não pode existir variação, ou sombra de mudança.

Tiago 1.17

Cf. Hb 2.9, onde muito do mesmo fraseado foi usado e aplicado a Cristo. Talvez aquele versículo seja um reflexo do versículo atual, pelo que temos uma implicação messiânica, se não diretamente uma antecipação messiânica.

■ **21.6** (na Bíblia hebraica corresponde ao **21.7**)

כִּי־תְשִׁיתֵהוּ בְרָכוֹת לָעַד תְּחַדֵּהוּ בְשִׂמְחָה אֶת־פָּנֶיךָ׃

Pois o puseste por bênção para sempre. O rosto rebrilhante de Yahweh havia trazido poder e glória. O rei de Israel regozijava-se nessa luz. De fato, ele estava pleno de alegria na presença de Deus, que o tinha beneficiado. Os intérpretes, cristianizando o versículo, aplicam-no à ascensão de Cristo, apontando para At 2.28, que, de fato, pode ter apanhado as palavras deste salmo, dando-lhe uma aplicação messiânica. Por outra parte, pode estar em pauta aqui meramente o que os teólogos chamam de "acomodação", ou seja, a conformação de certos versículos do Antigo Testamento a situações do Novo Testamento, sem que haja, realmente, alguma antecipação profética. Seja como for, ver Sl 1.1, quanto a sentimentos similares. Ver também At 2.33.

Tu me farás ver os caminhos da vida;
Na tua presença há plenitude de alegria,
Na sua destra delícias perpetuamente.

Salmo 16.11

■ **21.7** (na Bíblia hebraica corresponde ao **21.8**)

כִּי־הַמֶּלֶךְ בֹּטֵחַ בַּיהוָה וּבְחֶסֶד עֶלְיוֹן בַּל־יִמּוֹט׃

O rei confia no Senhor. Todos os benefícios do rei derivavam-se de sua *confiança* no Senhor. Quanto ao uso dessa palavra nos salmos, ver notas expositivas em Sl 2.12. Na confiança entregamos a nossa vida e nessa entrega há vida.

Altíssimo. Ver as notas expositivas sobre o termo em Sl 7.17, e ver também o verbete com esse nome no *Dicionário*. A bênção recebida veio do mais elevado lugar e do Poder mais alto possível. Portanto, a bênção era adequada à situação.

Jamais vacilará. Quanto a uma declaração parecida, ver as notas em Sl 10.6 (ali a respeito do fingimento de um homem ímpio); Sl 15.5; 16.8; 30.6; 46.5; 55.22; 62.6; 66.9; 93.1; 112.6 e 121.3. *Vacilar* seria um prejuízo. *Jamais vacilar* é estar seguro e não sofrer nenhum prejuízo. Significa cumprir o próprio propósito na vida. No movimento há certa decadência. No estado estacionário, há preservação de valores. O rei continuaria reinando e não seria atirado fora do trono. Os propósitos divinos seriam, dessa maneira, cumpridos.

Quanto a uma aplicação cristã, ver 1Co 15.58:

Meus amados irmãos, sede firmes, inabaláveis, e sempre abundantes na obra do Senhor, sabendo que, no Senhor, o vosso trabalho não é vão.

Esperava-se que a dinastia davídica continuasse para sempre. Porém, somente no governo e no reinado de Cristo, isso se tornou possível, por ser ele Filho de Davi (ver Rm 1.3). A linhagem de Davi, nas páginas do Antigo Testamento, não perdurou por longo tempo. Seu trono caiu e a linhagem precisou ser considerada pelo ângulo messiânico. Nesse sentido, pois, o rei de Israel é *inabalável*.

"Talvez isso possa ser mais bem compreendido acerca daquele de quem Davi foi o *protótipo*. Seu trono e governo permanecerão para sempre" (Adam Clarke, *in loc.*).

AS VITÓRIAS FUTURAS DO REI (21.8-13)

Quanto aos vss. 8-13: "Um oráculo que promete uma sucessão de vitórias, dirigidas ao rei por um sacerdote ou profeta do templo (cf. Sl 20.5)" (*Oxford Annotated Bible*, comentando o vs. 8). Os vss. 1-7 contam as bênçãos e as vitórias passadas do rei, ao passo que os vss. 8-13 antecipam a continuação de seus sucessos. Os adversários do rei seriam aniquilados porque o poder dos céus estava com ele.

"Aqui a congregação dirige-se ao rei. Visto que ele confiava no Senhor, sabia que derrotaria de forma convincente os seus inimigos" (Allen P. Ross, *in loc.*).

■ **21.8** (na Bíblia hebraica corresponde ao **21.9**)

תִּמְצָא יָדְךָ לְכָל־אֹיְבֶיךָ יְמִינְךָ תִּמְצָא שֹׂנְאֶיךָ׃

A tua mão alcançará todos os teus inimigos. O verbo, literalmente traduzido, é "descobrirá", com o sentido de "cair sobre". Nesse cair sobre a mão dos inimigos, seria efetuado um aniquilamento. A figura simbólica é reforçada ao dizer que se tratava da mão direita de Davi. Quanto à metáfora da "mão direita", esta é usualmente aplicada a Deus, o lugar de honra ao lado dele, bem como o terrível *uso* de sua mão direita para julgar e endireitar as coisas, ou para efetuar alguma grande obra. A mão direita do rei só era forte e eficaz por lhe terem sido dados poder e favor da parte de Deus, a fim de que ele agisse como delegado de Deus. Talvez a expressão "descobrirá" nos dê o sentido de "buscar e destruir", porquanto os inimigos de Israel seriam expostos e se tornariam incapazes de ocultar-se da *vingança divina*.

Os que te odeiam. Os que são treinados para matar também devem ser treinados para odiar. O ódio anda de mãos dadas com o assassinato. Israel estava cercado de odiadores e assassinos. O rei tinha de ser um supermatador para impedir que seu país fosse dominado pela opressão e pela ocupação armada. Por outra parte, quando os israelitas foram elevados acima de outras nações, por terem recebido um período de poder superior, foram eles quem odiavam e matavam, conforme o Antigo Testamento nos diz abundantemente. O ódio é o extremo oposto do amor. Naturalmente, essa matança era sempre realizada em nome dos deuses ou de Deus. Tal era a natureza da época. Ver no *Dicionário* o detalhado artigo intitulado *Ódio*.

■ **21.9** (na Bíblia hebraica corresponde ao **21.10**)

תְּשִׁיתֵמוֹ כְּתַנּוּר אֵשׁ לְעֵת פָּנֶיךָ יְהוָה בְּאַפּוֹ יְבַלְּעֵם וְתֹאכְלֵם אֵשׁ׃

Tu os tornarás como em fornalha ardente. O *fogo* é um bom elemento destruidor. Os exércitos sempre têm-se utilizado dos incêndios para levar a cabo um povo atacado, ou para aniquilar uma infeliz cidade capturada. Davi, pois, incendiava as fortalezas, as cidades e os lares de seus adversários. O fogo é sempre usado como um paralelo da *ira de Deus* (ver no *Dicionário*). O fogo de Davi era imaginado como aplicação da ira ardente de Deus. Davi tinha a sua *fornalha*, a qual era acesa pelo fósforo divino e representava uma extensão da fornalha divina. Cf. Sl 79.5, onde a ira de Deus é comparada ao fogo. Em 1Enoque o lugar de julgamento transformou-se em um abismo incendiado, pelo que os eruditos dizem, com razão, que "as chamas do inferno foram acesas em 1Enoque". Alguns versículos do Novo Testamento mantêm acesas essas chamas, de maneira que incontáveis gerações de cristãos têm pensado literalmente sobre as chamas do inferno. Se essas chamas são literais, então Deus é o grande monstro do século, e não o Grande Salvador. Tal interpretação ignora completamente o Deus de amor, que enviou Cristo em sua missão tridimensional: à terra, ao hades e aos céus, a fim de redimir e restaurar. Ver no *Novo Testamento Interpretado* as notas expositivas sobre Ef 1.9,10 e 1Pe 3.18—4.6. Ver na *Enciclopédia de Bíblia, Teologia e Filosofia* o artigo chamado *Descida de Cristo ao Hades*, quanto a observações que a maior parte das pessoas gostaria de considerar. O fluxo da revelação nos tem conduzido a certos conceitos antigos que os hebreus criaram e que os cristãos, há muito tempo, deveriam ter descartado. Cf. Ml 4.1.

■ **21.10** (na Bíblia hebraica corresponde ao **21.11**)

פִּרְיָמוֹ מֵאֶרֶץ תְּאַבֵּד וְזַרְעָם מִבְּנֵי אָדָם׃

Destruirás da terra a sua posteridade. No hebraico, temos aqui, literalmente, a palavra "fruto", embora a referência seja aos resultados da procriação, e não a produtos agrícolas. "Posteridade", portanto, é um sinônimo de "descendência". As vitórias do rei de Israel não somente destruiriam os exércitos inimigos, mas também as famílias dos soldados inimigos, incluindo mulheres e crianças, e até seu gado. Seria uma "guerra santa" (ver a respeito em Dt 7.1-6 e 20.10-18). Nessa modalidade de guerra, "a coisa inteira" era oferecida a Yahweh, como se fosse um *sacrifício*, e era totalmente queimada (o que também acontecia nos *holocaustos*, ver a respeito no *Dicionário*). Tal forma de destruição garantia paz a longo termo. Era assim cometido o genocídio, e, excetuando alguns poucos que se misturavam com o invasor de terras, ou com Israel, várias raças foram totalmente obliteradas da Palestina. Ver os *oito* povos que Davi aniquilou ou confinou, em 2Sm 10.19.

Justificava-se que tudo isso, naturalmente, foi feito por orientação de Yahweh, como o general dos exércitos do Senhor.

Pois o Senhor ama a justiça e não desampara os seus santos; serão preservados para sempre, mas a descendência dos ímpios será exterminada.

Salmo 37.28

■ **21.11** (na Bíblia hebraica corresponde ao **21.12**)

כִּי־נָטוּ עָלֶיךָ רָעָה חָשְׁבוּ מְזִמָּה בַּל־יוּכָלוּ׃

Se contra ti intentarem o mal. Atacar o povo de Yahweh e seu culto era a mesma coisa que atacar o próprio Yahweh. Portanto, a destruição era uma *reação divina* contra homens violentos. O inimigo possuía seus *esquemas iníquos*, seus próprios planos de extermínio, pelo que tinha de sofrer o que ele mesmo havia planejado para os outros. Ver no *Dicionário* o verbete denominado *Lei Moral da Colheita segundo a Semeadura*. A capacidade de o inimigo retaliar requeria não somente que as batalhas fossem ganhas, mas também o extermínio de exércitos, e até de todos os povos envolvidos. Ver Js 6.21 e Dt 13.15,16. Mas os acontecimentos passados serviam de prova suficiente de que essa obra seria realizada. Naturalmente, começavam em seguida os ataques lançados por grandes potências estrangeiras, como o Egito, a Assíria e a Babilônia, pelo que, no fim, Israel é que acabou exterminado ou levado para o exílio. Ver no *Dicionário* o verbete intitulado *Cativeiros*. Todos esses infortúnios que atingiram os inimigos de Israel ou a própria nação de Israel, segundo informa a Bíblia, foram causados pelo pecado ou pela negligência espiritual.

■ **21.12** (na Bíblia hebraica corresponde ao **21.13**)

כִּי תְּשִׁיתֵמוֹ שֶׁכֶם בְּמֵיתָרֶיךָ תְּכוֹנֵן עַל־פְּנֵיהֶם׃

Porquanto lhes farás voltar as costas. O inimigo seria posto em fuga, enquanto as flechas de Yahweh se precipitavam atrás dos adversários, matando os que se desgarrassem. Além disso, os dardos de Deus seriam atirados no rosto do inimigo. Assim sendo, a fuga finalmente seria permanente. A Palestina seria limpada de inimigos "interiores" de Israel, e esta nação ficaria em posição de supremacia. Salomão surgiria em cena em uma era de paz e estabeleceria a época áurea de Israel, ampliando mais ainda as fronteiras da nação, ou seja, todos os territórios a nordeste, até o rio Eufrates, e para o sul, até o rio do Egito. Ver as descrições existentes no *Pacto Abraâmico*, em Gn 15.18. Nem toda a terra prometida a Abraão foi conquistada então, mas quase toda, excetuando somente a extensão até as margens do rio Nilo. O "rio do Egito" não correspondia ao Nilo, no que diz respeito aos resultados da expansão dos territórios de Israel, embora certamente o Nilo estivesse em vista, no Pacto Abraâmico. Quanto a melhores explicações sobre a questão, ver no *Dicionário* os verbetes chamados *Rio do Egito* e *Ribeiro do Egito*.

■ **21.13** (na Bíblia hebraica corresponde ao **21.14**)

רוּמָה יְהוָה בְעֻזֶּךָ נָשִׁירָה וּנְזַמְּרָה גְּבוּרָתֶךָ׃

A Conclusão Exaltada. O rei de Israel finalmente será supremo e reinará sozinho. Yahweh era o *poder* por trás dele, pelo que o rei é *exaltado* no fim deste salmo. E o povo de Israel irrompeu em cânticos, por causa da *força divina* que lhes foi conferida para garantir a vitória. Este salmo foi musicado e entoado no templo, e os louvores a Yahweh ressoaram de parede a parede. Alguns comentadores o endereçam ao rei, que foi chamado para erguer-se e obter a vitória através da força de Yahweh, mas isso requer uma emenda duvidosa do trecho hebraico por trás da tradução. Este versículo pode ser um *voto*, conforme pensam alguns eruditos. Vendo as vitórias finais de Yahweh, o coro do templo, e, de fato, todo o povo de Israel, cumpriria seus votos de trazer cânticos especiais de louvor à presença de Yahweh, seu comandante em chefe.

SALMO VINTE E DOIS

Quanto a *informações gerais* aplicáveis a todos os salmos, ver a introdução ao Salmo 4, onde apresento *sete* comentários que elucidam a natureza do livro. Quanto às *classes* dos salmos, ver o gráfico existente no início do comentário sobre o livro de Salmos, que atua como uma espécie de frontispício. Ofereço ali dezessete classes e listo os salmos pertencentes a cada uma delas.

Este é um salmo messiânico, dos quais há cerca de dezesseis. Mas também existem outros salmos com alusões ou reflexões messiânicas. Os salmos considerados messiânicos são os de número 2, 8, 16, 22 a 24, 40, 41, 45, 68, 69, 72, 89, 102, 110 e 118.

Dentro do *contexto histórico*, este salmo é chamado de *salmo de lamentação*, o grupo maior de salmos, com mais de sessenta exemplos. Os salmos de lamentação começam com um clamor urgente a Deus, pedindo livramento dos inimigos, e então terminam com uma nota de *louvor*, pois a resposta à oração foi conferida, ou em breve o será. O Salmo 22, portanto, é a *lamentação do Messias* em um sentido *profético*. Jesus o citou na cruz (ver Mc 15.34), e por isso este salmo foi incluído nas sete palavras finais pronunciadas antes de sua morte. Ver na *Enciclopédia de Bíblia, Teologia e Filosofia* o verbete denominado Sete Palavras da Cruz.

Do *ponto de vista histórico*, a circunstância que provocou o clamor de angústia parece ter sido uma *enfermidade mortal*, um inimigo alojado *no corpo físico*. Cf. sobre as mesmas circunstâncias no Salmo 6. O inimigo geralmente estava do "lado de fora", como guerreiro inimigo; mas algumas vezes estava do "lado de dentro", alguma revolta contra o rei ou alguma outra pessoa ímpia que ameaçava a sua vida.

Do *ponto de vista profético*, a circunstância que causou o clamor de angústia foi a cruz que, de fato, poria fim à vida física de Jesus. Pareceu, naquele momento, que tudo estava perdido, e assim Jesus, em sua fraqueza humana, clamou pela ajuda do "Deus distante", que parecia tê-lo abandonado. Este salmo contém elaborada *conclusão de louvor e ação de graças*. Os vss. 22-31 dedicam-se à exaltação do Senhor, muito mais do que qualquer outro salmo de lamentação. A aplicação messiânica do salmo naturalmente foi a causa de tão longa expressão de louvor, visto que era Jesus, triunfante sobre a morte, que estava sendo previsto. Isso foi muito mais importante do que o fato de algum homem piedoso ser livrado de uma enfermidade "quase fatal" do corpo físico. Não obstante, do ponto de vista histórico, o homem piedoso foi libertado de sua enfermidade e assim dirigiu-se ao templo para cumprir seus votos e proferir uma palavra de louvor a Deus, pela misericórdia obtida.

Subtítulo. Este salmo é atribuído a Davi (mas ver o vs. 17) e endereçado ao mestre do coro. Recebeu o título de *Ajelé hassaar*, que tem sido variegadamente entendido pelos intérpretes. Essas palavras podem fazer referência a algum instrumento musical que acompanhava o salmo no culto do templo. No entanto, elas parecem significar "corça da manhã". É difícil definir qual é o sentido exato.

Fausset (*in loc.*) supõe que a corça seja emblema de alguém perseguido até a morte (ver Is 13.14). Nesse caso, podemos ver aqui o Cristo, perseguido e morto como uma corça que tentava futilmente fugir de seus caçadores.

Alguns estudiosos pensam em "dores do coração", uma indicação de como o salmo deveria ser entoado. Perdeu-se a conexão histórica, bem como o sentido das palavras em relação ao salmo, pelo que temos de conjecturar sobre a questão, ou seja, sobre como os antigos hebreus agiam em relação à composição. Seja como for, os subtítulos dos salmos não faziam parte do original, sendo adições introdutórias posteriores feitas por editores que queriam informar-nos quanto à autoria e às circunstâncias históricas inspiradoras, ou referir-se a orientações musicais ou instrumentais relacionadas ao cântico. A maior parte dessas anotações não passa de conjecturas.

"Os Salmos 22 a 24 formam uma *trilogia*. No Salmo 22, o Bom Pastor dá a vida pelas ovelhas (Jo 10.11). No Salmo 23, o grande Pastor, trazido de novo dentre os mortos, através do sangue do pacto eterno (ver Hb 13.20), cuida ternamente das ovelhas. No Salmo 24, o Pastor Principal aparece como o Rei da Glória, para trazer a si mesmo as ovelhas e recompensá-las (ver 1Pe 5.4).

Este salmo é um quadro gráfico da morte por crucificação. Os ossos das mãos, dos braços, dos ombros e da pélvis estão desconjuntados (vs. 14). Há intensa transpiração causada pelos sofrimentos violentos (vs. 14). A ação do coração está afetada (vs. 14). Há exaustão das forças e uma sede intensa (vs. 15). As mãos e os pés estão traspassados (vs. 16). Há uma nudez parcial e a modéstia está ferida (vs. 17)... Quanto ao cumprimento dessas predições nas páginas do Novo Testamento, ver o vs. 1 (Mt 27.46), o grito de desolação; então temos os períodos de luz e de trevas, ver o vs. 2 (Mt 27.45); em seguida, as zombarias e o desespero, ver os vss. 6-8,12,13 (Mt 27.39,43); o lançamento das sortes, ver o vs. 18 (Mt 27.35) — todas essas coisas se cumpriram literalmente. Quando lembramos que a crucificação era uma forma de execução romana, e não judaica, a prova da inspiração torna-se irresistível" (*Scofield Reference Bible*, introdução aos Salmos).

Duas Divisões do Salmo 22:
• Vss. 1-21: O clamor da alma turbada: um apelo ao Pai.
• Vss. 22-31: Ação de graças da alma triunfante.

Os *críticos* que querem negar o sentido profético e messiânico deste salmo não ignoram os muitos paralelos com os evangelhos, que demonstro nas notas da Bíblia Anotada de Scofield, acima. Mas eles acreditam que esses paralelos foram "arranjados", isto é, inventados, para fazer da morte de Jesus o cumprimento da profecia. Esse tipo de incredulidade, porém, só nos pode afastar da verdade, em vez de aproximá-la de nós. É sempre melhor acreditar de mais do que de menos.

Cf. o Sl 69, que tem *reflexos da crucificação*.

■ **22.1** (na Bíblia hebraica corresponde ao **22.1,2**)

לַמְנַצֵּחַ עַל־אַיֶּלֶת הַשַּׁחַר מִזְמוֹר לְדָוִד׃

אֵלִי אֵלִי לָמָה עֲזַבְתָּנִי רָחוֹק מִישׁוּעָתִי דִּבְרֵי שַׁאֲגָתִי׃

Deus meu, Deus meu. O clamor de quem se sentia negligenciado. No hebraico, *Eli, Eli, lama azavtani*. O Targum apresenta *lamá sabbachtani*, como as palavras proferidas por Jesus na cruz, aparentemente seguindo a versão siríaca. Ver Mt 27.46, quanto a notas expositivas completas, no *Novo Testamento Interpretado*. Cf. Mc 15.34. Vários manuscritos do Novo Testamento dão palavras diferentes, causando bom número de variantes textuais. No comentário dou amplas anotações sobre essa questão. O livro apócrifo de Pedro, refletindo tendências docéticas, diz: "Meu poder, meu poder, tu me abandonaste!" Esse clamor de desolação foi lançado ao término das três horas de escuridão e, curiosamente, é a única das *sete declarações* de Jesus na cruz registrada tanto por Mateus como por Marcos.

No *contexto histórico*, algum indivíduo piedoso, identificado no subtítulo como Davi, sofreu uma enfermidade mortal da qual pleiteou a um "Deus distante" libertação. Não temos incidente registrado como esse relacionado à vida de Davi no Antigo Testamento. Alguns eruditos supõem que fosse uma *lamentação de Jeremias*, na prisão, que acabou sendo acrescentada aos Salmos. Nesse caso, então, diríamos que Jeremias foi um tipo de Cristo em seus sofrimentos. Alguns pais da Igreja pensavam que este salmo seria exclusivamente profético e messiânico, sem nenhuma base histórica.

Cf. Hb 5.6,8,9.

As palavras do meu bramido. O "bramido" pode ser o de um leão (ver Is 5.29), mas a palavra também foi usada para indicar os profundos queixumes de um homem (Sl 38.9). Nessa expressão há o sinal de uma intensa agonia e desolação mental. "... expressando a veemência de seu espírito, que clamava a Deus, a imensa grandeza de suas tristezas e as dores excruciantes de seus sofrimentos. Foi isso que o apóstolo quis dar a entender com 'forte clamor e lágrimas' (Hb 5.7)" (John Gill, *in loc.*).

■ **22.2** (na Bíblia hebraica corresponde ao **22.3**)

אֱלֹהַי אֶקְרָא יוֹמָם וְלֹא תַעֲנֶה וְלַיְלָה וְלֹא־דוּמִיָּה לִי׃

Deus meu, clamo de dia. O clamor se processava *dia e noite*, o que, sem dúvida, aponta para um *ambiente histórico*, visto que os sofrimentos de Jesus, na cruz, não duraram dia e noite. Essas palavras implicam um *sofrimento prolongado*, talvez estendendo-se durante várias semanas e aproximando-se gradualmente da morte certa. Portanto, este versículo alerta-nos a não exagerarmos no sentido profético, a expensas do sentido histórico. O pobre homem orava a um Deus deísta, que tinha abandonado a sua criação e a deixara governada pelas leis naturais, e não a um Deus teísta, que intervém na vida humana. Ver no *Dicionário* os artigos chamados *Teísmo* e *Deísmo*. No livro de Jó, é comum ver aquele homem miserável clamando a Deus, o qual, aparentemente, esqueceu seus sofrimentos. Finalmente, todavia, no capítulo 38, o trovão da presença de Deus ribomba, o que também acontece na segunda porção do salmo presente (vss. 22-31). Para tornar este salmo exclusivamente messiânico, os intérpretes referem-se a *outros* sofrimentos de Jesus, como os do jardim do Getsêmani, que também se teriam prolongado por bastante tempo. Mas isso é um refinamento desnecessário de uma falsa ideia.

■ **22.3** (na Bíblia hebraica corresponde ao **22.4**)

וְאַתָּה קָדוֹשׁ יוֹשֵׁב תְּהִלּוֹת יִשְׂרָאֵל׃

Contudo tu és santo. *Embora distante,* Deus é reconhecido como *santo,* e assim o homem *piedoso* tem razão de esperar nele. O Deus Santo está *entronizado sobre os louvores de Israel (Revised Standard Version),* e assim o homem enfermo teve razão (não distinta) de proferir louvores, quando sua enfermidade foi curada. Naturalmente, o Cristo abandonado na cruz em breve entoaria louvores a Deus, pois sua causa fora reivindicada pela ressurreição.

Os louvores de seu povo, no santuário, serviam de *trono* no qual Deus se assentava (ver Sl 80.1). Os louvores de Israel tinham tomado o lugar dos querubins no Santo dos Santos, onde se manifestava a glória *shekinah.*

O *Deus do Pacto* jamais abandonaria o seu povo. Ver no *Dicionário* o artigo chamado *Pactos.*

> *Dá ouvidos, ó pastor de Israel, tu, que conduzes a José como um rebanho; tu, que estás entronizado acima dos querubins.*
> Salmo 80.1

■ **22.4,5** (na Bíblia hebraica corresponde ao **22.5,6**)

בְּךָ בָּטְחוּ אֲבֹתֵינוּ בָּטְחוּ וַתְּפַלְּטֵמוֹ׃

אֵלֶיךָ זָעֲקוּ וְנִמְלָטוּ בְּךָ בָטְחוּ וְלֹא־בוֹשׁוּ׃

Nossos pais confiaram em ti. Havia muitos precedentes para a fé. O poeta relembrou Yahweh que a *antiga confiança* nele tinha pago grandes dividendos, e assim esperava que seu caso fosse tratado com bondade. Além disso, deveríamos *adicionar, no caso do salmista,* as questões de dias passados e dizer: "O Senhor *sempre* ajuda seu povo quando clamamos a ele!" Por que o passado deveria ser considerado melhor do que o presente? "Visto que Deus é o mesmo *imutável Yahweh,* o sofredor apela em fé para que, assim como Deus ajudou os *antepassados,* não deixe de ajudar um seu filho confiante, *agora.* Nós, por igual modo, podemos pedir socorro em nossas aflições (Sl 44.1)" (Fausset, *in loc.*). Davi, refletindo sobre a história passada de Israel, foi encorajado a continuar a orar, ou isso aconteceu com Jeremias, ou alguma outra pessoa piedosa? A oração do Messias foi respondida, *imediatamente.* Oh, Senhor, concede-nos tal graça! A antiga nação de Israel teve sua escravidão egípcia, sua experiência no mar Vermelho, e sua conquista da terra santa. Houve muitas provações, muitos testes e muita oração em busca de socorro. E assim também *nós* devemos continuar a orar.

Confiaram, e os livraste. A ideia de confiança aparece *três vezes* nos vss. 4 e 5. Ver Sl 2.12, quanto ao significado da palavra "confiar" nos Salmos. Ver uma quarta repetição no vs. 8.

■ **22.6** (na Bíblia hebraica corresponde ao **22.7**)

וְאָנֹכִי תוֹלַעַת וְלֹא־אִישׁ חֶרְפַּת אָדָם וּבְזוּי עָם׃

Mas eu sou verme, e não homem. *Embora os pais* tivessem confiado em Yahweh, pelo que também foram recompensados, o pobre homem (Davi, ou Jeremias ou algum outro, ou Jesus na cruz) continuou orando a Deus que não o ouvia e parecia esquecido de seus sofrimentos.

> Deixa-me sentir que estás sempre próximo;
> Ensina-me a suportar as lutas da alma,
> A conter a dúvida que se levanta,
> o suspiro rebelde;
> Ensina-me a paciência da oração não respondida.
> George Croly

Verme. Uma criatura humilde, sem valor, ou aparentemente sem valor, pisada e esmagada, *indefesa,* tratada com todo o desrespeito. Um objeto de desprezo que os homens rejeitam e tratam com derrisão (cf. Jó 30.9-11). Quando Jó adoeceu, as pessoas não correram em seu socorro. Pelo contrário, seus três amigos molestos (ver Jó 16.2) tinham apenas críticas contra ele, e disseram: "Estás recebendo o que mereces. Estás colhendo o que semeaste".

Jó era uma repreenda entre os homens, sua história era contada entre sussurros e risadas. Ele estava sendo desprezado. Contudo, o verme foi convocado para que não temesse:

> *Não temas, ó vermezinho de Jacó, povozinho de Israel; eu te ajudo, diz o Senhor, e o teu Redentor é o Santo de Israel.*
> Isaías 41.14

■ **22.7** (na Bíblia hebraica corresponde ao **22.8**)

כָּל־רֹאַי יַלְעִגוּ לִי יַפְטִירוּ בְשָׂפָה יָנִיעוּ רֹאשׁ׃

Todos os que me veem zombam de mim. Cf. Mt 27.42,43, onde se lê sobre os insultos de homens iníquos contra o Senhor Jesus Cristo. Este salmo trata desse aspecto da experiência humana: vss. 6-8,12,13. Os que escarneciam de Jesus evidentemente não sabiam que estavam cumprindo uma profecia, e por certo também não sabiam que Jesus era o Servo Sofredor de Yahweh. Ver a descrição no capítulo 53 do livro de Isaías.

Os zombadores balançavam a cabeça ao contemplar o homem a quem consideravam desprezível, como se fossem tão sábios a ponto de poder avaliar corretamente a situação. Eles o abandonaram; eles o desprezaram, pois, afinal, Deus não tinha feito a mesma coisa? (vs. 8). Existe a brutal mentalidade da *multidão* que faz com que grandes crimes sejam cometidos contra os inocentes. Por outro lado, há *indivíduos* que também são criminosos sem misericórdia.

Afrouxam os lábios. Eles fechavam os lábios em um gesto de arrogância. E então os escancaravam para dizer blasfêmias e insultos. Cf. Jó 16.10.

> *Era desprezado, e o mais rejeitado entre os homens; homem de dores e que sabe o que é padecer; e como um de quem os homens escondem o rosto, era desprezado, e dele não fizemos caso.*
> Isaías 53.3

Ver Mt 27.39, quanto ao cumprimento dessas palavras na experiência de Jesus.

■ **22.8** (na Bíblia hebraica corresponde ao **22.9**)

גֹּל אֶל־יְהוָה יְפַלְּטֵהוּ יַצִּילֵהוּ כִּי חָפֵץ בּוֹ׃

Confiou no Senhor! livre-o ele. Este versículo, quanto a seus elementos essenciais, foi citado inconscientemente pelos zombadores de Jesus. Ver Mt 27.43. Supostamente Jesus deveria descer da cruz, se é que ele tinha tal poder junto de Deus e havia confiado nele (vs. 42). O homem que se deleita em um amigo também o livra. Mas se Jesus não conseguisse sair da cruz, estaria recebendo o que merecia. Os que escarneciam de Jesus tinham isso em mente e supunham que Jesus não fosse o que afirmava ser, mas, sim, algum reles pecador que estava colhendo o que tinha semeado. De outra sorte, como explicar tais sofrimentos? Além disso, quem jamais ouvira falar de um Messias *sofredor?* A teologia deles não tinha espaço para tal conceito.

Dentro do *ambiente histórico,* o pobre homem enfermo, moribundo, foi zombado por aqueles que observavam sua agonia, concluindo, sem dúvida juntamente com ex-amigos, tal como sucedera no caso de Jó, que Jesus era realmente culpado. Eles tinham apenas *uma resposta* para o que estavam vendo: "Este homem é pecador e está recebendo o que merece. Por que deveríamos ter misericórdia dele, quando Deus não o faz?"

Confiou. Pela *quarta vez* encontramos esta palavra no salmo. Ver as outras três vezes nos vss. 4 e 5. Ver em Sl 2.12 uma explicação de como a palavra foi usada no salmo.

■ **22.9** (na Bíblia hebraica corresponde ao **22.10**)

כִּי־אַתָּה גֹחִי מִבָּטֶן מַבְטִיחִי עַל־שְׁדֵי אִמִּי׃

Contudo, tu és quem me fez nascer. Desde o nascimento, o *minúsculo infante* contava com a bênção e a orientação de *Yahweh* (o nome divino que figura no vs. 8, isto é, o Deus Eterno). Ele tinha um destino especial. No sentido histórico, se *Davi* estava em pauta, então a história está ali na Bíblia, para dizer-nos o que aconteceu. Ele era o *rei ideal* de Israel. Ver 1Rs 15.3. Embora Davi tenha cometido grandes erros, nunca tocou na idolatria, a praga da maioria dos monarcas de Judá e de todos os de Israel. Se compreendermos isso no sentido profético, veremos as profecias apontando para *Cristo* no Antigo Testamento e então para sua vida e teologia no Novo Testamento. Jesus foi chamado para o Egito, através de um sonho revelador, para que sua vida fosse salva da violência. Foi trazido de volta à terra santa por meio de outra revelação. Então Jesus viveu sua missão redentora. Ele teve uma missão *tridimensional:* na terra, no hades e nos céus. O Espírito de Deus estava com ele do começo até o fim, e mesmo após o final na cruz.

Se o poeta e Jesus receberam as bênçãos divinas desde os primeiros anos, seriam eles abandonados ao atingir a idade adulta? O registro sagrado mostra-nos que não! Mas para ambos houve momentos de trevas.

"A confiança do salmista foi extraída de seu treinamento como criança. Desde o começo, ele fora ensinado a confiar no Senhor, que o havia tirado do ventre materno. Por toda a sua vida, o Senhor havia sido o seu Deus" (Allen P. Ross, *in loc.*).

■ **22.10** (na Bíblia hebraica corresponde ao **22.11**)

עָלֶיךָ הָשְׁלַכְתִּי מֵרָחֶם מִבֶּטֶן אִמִּי אֵלִי אָתָּה׃

A ti me entreguei desde o meu nascimento. Este versículo repete os elementos essenciais do vs. 9. O poeta se lançou nos braços de Deus desde os primeiros anos. Note o leitor o nome divino aqui: *Elohim*, ou seja, o Poder. Ver no *Dicionário* o verbete chamado *Deus, Nomes Bíblicos de*. "Deus era o Deus do pacto de eternidade a eternidade... Agora, todas essas primeiras aparições do poder e da *Providência de Deus*, em favor de Cristo, como homem, são referidas em oposição às zombarias e perseguições de seus inimigos... encorajando a fé e a confiança nele para mostrar que Deus continuava com ele para ajudar, conforme vemos em seguida" (John Gill, *in loc.*).

■ **22.11** (na Bíblia hebraica corresponde ao **22.12**)

אַל־תִּרְחַק מִמֶּנִּי כִּי־צָרָה קְרוֹבָה כִּי־אֵין עוֹזֵר׃

Não te distancies de mim. O Poder que estivera com o salmista no passado agora o socorreria na crise presente. Não havia outra ajuda, e a crise era aguda e ameaçava sua vida. No sentido histórico, a enfermidade do corpo avançava além dos poderes humanos de cura. No sentido profético, o Messias estava prestes a ser executado por homens ímpios e desarrazoados. Mas a esperança não termina com a morte biológica, e a história da ressurreição miraculosa de Cristo coroa o poder maravilhoso.

Nosso Deus, Nossa Ajuda

Nosso Deus, nossa ajuda em eras passadas,
Nossa esperança pelos anos vindouros,
Nosso abrigo dos golpes tempestuosos,
E nosso lar eterno!
...

Sê tu nosso guia enquanto a vida perdurar,
e nosso lar eterno.

Isaac Watts, meditando sobre o Salmo 90

"Diante de tal crise, quando foi mais *necessária* a presença de Deus, o Messias implorou que ele não se afastasse muito" (Fausset, *in loc.*). "Um Deus presente em uma bênção presente. Sempre precisamos da ajuda divina; porém mais especialmente quando as perturbações estão à mão" (Adam Clarke, *in loc.*). "Satanás marchava na direção dele, com seus principados e poderes, para atacá-lo no jardim e na cruz. Judas, um de seus discípulos, estava nas proximidades para traí-lo. Uma multidão armada de espadas e cacetes estava prestes a apoderar-se dele. Os pecados de toda a raça humana estavam sendo depositados sobre ele. A hora da morte se aproximava. Ele foi arrancado da poeira da morte, vs. 15" (John Gill, *in loc.*). Todas essas coisas aconteceram a fim de que a salvação pudesse tornar-se uma realidade por intermédio dele.

■ **22.12** (na Bíblia hebraica corresponde ao **22.13**)

סְבָבוּנִי פָּרִים רַבִּים אַבִּירֵי בָשָׁן כִּתְּרוּנִי׃

Muitos touros me cercam... touros de Basã. No *Dicionário* há uma nota expositiva detalhada sobre *Basã*, pelo que não repito aqui o material. Os touros domesticados daquele lugar eram símbolo de força e de ataques furiosos contra qualquer intruso. Esse touro chifrava e pisava aos pés, pelo que representava de forma apropriada a opressão e a perseguição que podiam levar à morte. O gado era criado no distrito de Basã, sendo um lugar muito fértil, uma joia do território do outro lado do rio Jordão. Ver Nm 21.33, quanto às terras de pastagem e aos animais domesticados do lugar. O autor ilustra a natureza brutal dos inimigos do salmista, bem como a sua ferocidade. Não passavam de animais selvagens, piores do que aqueles touros que, virtualmente, infestavam as terras de pastagem das regiões a leste do lago da Galileia. Naqueles dias, quando faltavam poderes criados pelos homens, os animais eram as metáforas favoritas. Foi por isso que Virgílio, *Georgic*. 1.1. vs. 65, e Ovídio, *Metam*. 1.9. Fab. 1, usaram o touro como símbolo de força.

■ **22.13** (na Bíblia hebraica corresponde ao **22.14**)

פָּצוּ עָלַי פִּיהֶם אַרְיֵה טֹרֵף וְשֹׁאֵג׃

Como faz o leão que despedaça e ruge. Agora *o leão* é o animal usado para ilustrar o desespero da situação. Essa fera, com um apetite tão voraz, pronto a matar homem ou animal para suas refeições suntuosas, estava ali, de boca escancarada, preparado para atacar, e sabedor de que nenhuma força poderia resistir-lhe. A boca matadora e devoradora estava aberta. A morte é iminente, terrível e agonizante. Cf. Lm 2.15,16 e 3.10.

Todos os seus inimigos abrem a boca contra ti, assobiam e rangem os dentes; dizem: Devoramo-la.

Lamentações 2.16

Quanto ao *rugido* do leão, ver Am 3.4. Quanto a outras instâncias nas quais os salmos se referem aos leões como inimigos, ver Sl 7.2; 10.9; 17.12; 22.21; 35.17; 57.4 e 58.6.

■ **22.14** (na Bíblia hebraica corresponde ao **22.15**)

כַּמַּיִם נִשְׁפַּכְתִּי וְהִתְפָּרְדוּ כָּל־עַצְמוֹתָי הָיָה לִבִּי כַּדּוֹנָג נָמֵס בְּתוֹךְ מֵעָי׃

Derramei-me como água. *O homem perseguido perdeu as forças*, como quando um homem derrama água de uma jarra no chão. Suas forças foram jogadas fora; elas se perderam. Todos os seus ossos estavam desconjuntados, resultado da crucificação, quando a postura desnatural prolongada separava osso de osso por suas juntas. O coração era sujeitado a uma tensão incrível, devido à angústia mental e física da cruz. O coração, por assim dizer, dissolveu-se no peito e tornou-se quase inútil em seu heroico esforço para fazer o sangue continuar fluindo. Mas o trabalho do coração era inútil, seja como for, visto que a vida estava sendo sugada do homem crucificado.

Meu coração fez-se como cera. *Coração*, neste lugar, provavelmente significa "coragem". Quem poderia manter a coragem estando crucificado? Dentro do contexto histórico, o intenso sofrimento físico de um corpo moribundo roubava do homem sua coragem e suas forças, levando-o ao desespero. '... como se derrete a cera...' (Sl 68.2). Assim também o coração do Messias se dissolveu, diante da indignação da ira de Yahweh contra os nossos pecados, porquanto foi ele quem os levou sobre si" (Fausset, *in loc.*).

■ **22.15** (na Bíblia hebraica corresponde ao **22.16**)

יָבֵשׁ כַּחֶרֶשׂ כֹּחִי וּלְשׁוֹנִי מֻדְבָּק מַלְקוֹחָי וְלַעֲפַר־מָוֶת תִּשְׁפְּתֵנִי׃

Secou-se o meu vigor, como um caco de barro. *Uma sede extrema* era característica dos sofrimentos na cruz e é também um dos fenômenos de certas enfermidades. A boca do indivíduo torna-se como um vaso ressecado, quando deixa de ingerir água por longo período. A língua apega-se aos maxilares. As glândulas salivares ressecam-se como fontes que perderam seus mananciais de água. O pó da morte já está em seus lábios; o homem já começou a escorregar para o sepulcro. Os líquidos do corpo ressecam-se devido à perda do sangue e ao suor profuso, algo comum na crucificação, o que é duplicado em parte no sofrimento extremo de algumas enfermidades.

> O caminho para a morte poeirenta...
> Shakespeare, *Macbeth*

■ **22.16** (na Bíblia hebraica corresponde ao **22.17**)

כִּי סְבָבוּנִי כְּלָבִים עֲדַת מְרֵעִים הִקִּיפוּנִי כָּאֲרִי יָדַי וְרַגְלָי׃

Cães me cercam. Os *cães* (outro animal que serve de ilustração) falam dos cães selvagens do Oriente, e não de nossos cães (relativamente) mansos do Ocidente. Os ferozes cães do Oriente vagueavam pelas ruas em busca de um pouco de comida, prontos para matar, uma ameaça a outros animais e aos homens. Eles percorriam as ruas em bandos, pelo que podiam cercar suas vítimas, conforme diz este versículo. O número deles tornava-os temíveis e irresistíveis. Somente as armas modernas podiam salvar uma vítima de uma matilha de cães. A referência profética, naturalmente, é aos muitos perseguidores de Jesus, os grandes e os pequenos, que finalmente o levaram à morte. Quanto a outras Escrituras que comparam os homens a *cães,* ver Mt 7.6 e Ap 22.15. Os homens, como se fossem cães, cercaram Jesus em seu julgamento, diante de Caifás e Pilatos. Eles continuaram a agir dessa maneira escarnecedora quando Jesus estava na cruz. A *mentalidade da multidão* tirou vantagem da corrupção de cada coração individual, e assim um bando de perseguidores levantou-se contra Jesus. O olhar profético viu que eles não passavam de cães brutais.

Dentro do contexto histórico, doenças físicas extremas são comparadas com cães que destroem, e o mesmo terrível temor se faz presente, tal como no sentido profético.

Touros, leões, cães e búfalos (vs. 21) são os animais usados para falar da opressão e da morte certa, às mãos de inimigos sanguinários. Ver 1Rs 12.19, quanto aos cães predadores do Oriente. A assembleia ímpia é aptamente assim distinguida, pois eram animais selvagens que atacavam o pobre sofredor. Virgílio, *Eneida* ii.351, usou a mesma metáfora deste versículo.

Traspassaram-me as mãos e os pés. O discernimento profético do poeta sagrado foi espantoso. Não obstante, alguns críticos deixam de ver aqui uma alusão à cruz. É difícil entender como isso poderia aplicar-se ao contexto histórico. Como um homem meramente enfermo teria mãos e pés traspassados? Poderíamos fazer a referência aplicar-se a guerreiros inimigos que podiam ferir qualquer parte do corpo de um inimigo, mas o corpo enfermo de um homem que morria de uma doença horrível parece ser o pano de fundo histórico deste salmo. Mediante uma emenda, poderíamos fazer o texto referir-se ao "amarrar", e não ao atravessar, e então poderia ser obtido algum sentido que evitasse a óbvia referência profética ao atravessar mãos e pés de Jesus (ver Lc 24.39,40). Mas que ganharíamos se anulássemos a profecia, quando todas as evidências são de que essa função não pertence somente aos profetas, mas até o povo comum, nos sonhos noturnos? Definitivamente, o futuro pode ser previsto. Um dos fenômenos psíquicos mais comuns é ao do *conhecimento prévio* (ver a respeito na *Enciclopédia de Bíblia, Teologia e Filosofia*). Ver no *Dicionário* o verbete chamado *Sonhos*. Assim sendo, se indivíduos médios podem ver anos à frente, mediante sonhos comuns, por que não poderiam homens especiais (os profetas) ver centenas de anos à frente?

Ademais, a *profecia,* no seu sentido bíblico, envolve mais do que apenas o *conhecimento prévio*. Trata-se de um dom do Espírito, visando um propósito espiritual. Em consequência, embora a credulidade seja ridícula, sempre será melhor acreditar de mais do que acreditar de menos. Como é óbvio, acreditar no poder da profecia não é acreditar de mais. Ver no *Dicionário* os artigos intitulados *Profecia, Profetas* e *Dom da Profecia*. Ver também, na *Enciclopédia de Bíblia, Teologia e Filosofia,* o verbete intitulado *Profecias Messiânicas Cumpridas em Jesus.* Ver Jo 19.37; 20.25-27, quanto ao cumprimento da profecia referida neste versículo.

■ **22.17** (na Bíblia hebraica corresponde ao **22.18**)

אֲסַפֵּר כָּל־עַצְמוֹתָי הֵמָּה יַבִּיטוּ יִרְאוּ־בִי׃

Posso contar todos os meus ossos. O *homem crucificado* estava muito consciente da dor de seus ossos desconjuntados (vs. 14), pelo que podia *contá-los,* percorrendo de dor em dor. A outra porção do versículo recua aos vss. 13 e 16, as zombarias das multidões, ao que temos adicionado os olhares vazios dos circunstantes. Eles, "assentados ali, o guardavam" (Mt 27.36). O hebraico subentende aqui "olhar com deleite um objeto, em lugar de desviar a vista de tão cruel espetáculo" (Fausset, *in loc.*). "Ele estava fraco e emaciado, e seus inimigos o contemplavam, considerando-o já morto, pelo que dividiram as suas vestes, das quais ele não precisaria mais (vs. 18), referindo-se a Mt 27.35" (Allen P. Ross, *in loc.*). Dentro do contexto histórico, o versículo fala do extremo sofrimento físico do poeta sacro, bem como de seus alegados amigos e vizinhos (que, como no caso de Jó, tinham-se tornado seus inimigos, identificando seus pecados como a causa de sua tristeza, e zombando dele por ter caído sob a pesada mão de Deus). Se Deus o estava tratando daquela maneira, por que eles deveriam mostrar-se bondosos?

■ **22.18** (na Bíblia hebraica corresponde ao **22.19**)

יְחַלְּקוּ בְגָדַי לָהֶם וְעַל־לְבוּשִׁי יַפִּילוּ גוֹרָל׃

Repartem entre si as minhas vestes. *O poeta continuava* a proferir suas espantosas declarações proféticas. Ele previu como os homens dividiriam as vestes de Jesus (ver Mt 27.35). Talvez a única possessão de qualquer valor que Jesus tinha fosse a sua *túnica inconsútil.* Essa túnica teria sido um pequeno prêmio ao soldado romano que a tomaria para mostrar aos familiares e amigos e contar-lhes sobre o louco judeu que pensava ser rei. Ver Jo 19.23. Dentro do contexto histórico, vemos os parentes do homem reunindo-se em torno do moribundo, falando sobre como dividiriam as possessões e propriedades. Mas porventura fariam essa divisão por meio do lançamento de sortes? Talvez sim, se porventura o moribundo não tivesse uma declaração escrita de herança ou não tivesse dito coisa alguma sobre o destino de seus pertences. Na história pessoal de Jesus, o lançamento de sortes foi outro aspecto do drama sagrado (ver Jo 19.24). Da mesma forma, os abutres, históricos e proféticos, reuniram-se em redor de suas respectivas vítimas.

Este versículo parece ser contra a autoria davídica do salmo, porque Davi não foi tratado assim em nenhuma crise de sua vida e, certamente, não por ocasião de sua morte.

Na *guerra,* os que matam ainda assim saqueiam suas vítimas, e isso certamente era verdade nas guerras antigas. Além disso, era comum aos executores obter as vestes de suas vítimas! Mas quem gostaria de ter tais itens?

■ **22.19** (na Bíblia hebraica corresponde ao **22.20**)

וְאַתָּה יְהוָה אַל־תִּרְחָק אֱיָלוּתִי לְעֶזְרָתִי חוּשָׁה׃

Tu, porém, Senhor, não te afastes de mim. *O poeta sacro retorna aqui a seus gritos de desespero,* porquanto seus inimigos o tinham avassalado, e só havia esperança no Ser divino. Este versículo é essencialmente equivalente ao vs. 11, onde ofereço mais anotações. Cf. declarações similares em Sl 28.7,8; 46.1; 59.9,17; 81.1 e 118.14, onde Deus é chamado de *força* que salva alguém de suas dificuldades.

Note o leitor a série de petições que terminam com a ideia de *salvação*: "não te afastes de mim"..., "apressa-te", ... "livra", ... "salva-me"... (vss. 19-21).

■ **22.20** (na Bíblia hebraica corresponde ao **22.21**)

הַצִּילָה מֵחֶרֶב נַפְשִׁי מִיַּד־כֶּלֶב יְחִידָתִי׃

Livra a minha alma da espada. Se, dentro do contexto histórico, a angústia era um corpo enfermo, então é difícil ver por que a palavra *espada* foi usada aqui. Naturalmente, pode ser devido a um uso *metafórico,* em que a enfermidade é comparada à espada impiedosa, que matava a tantos naqueles tempos brutais. Caso contrário, temos de supor que o salmo, neste ponto, fale de forma generalizada sobre qualquer espécie de inimigo. Além disso, o sentido profético deve usar a palavra metaforicamente, pois, enquanto os soldados levavam espadas, a vida de Jesus foi ameaçada pela crucificação.

A palavra "alma" significa aqui "vida", embora possa haver uma alusão à alma imaterial, ideia que começou a aparecer no pensamento hebreu na época dos Salmos e dos Profetas. Talvez, dentro do contexto profético, esteja em pauta a ressurreição, pelo que a petição era que Deus salvasse o corpo da morte, antes que esta se consolidasse, ou mesmo *depois* da morte, pela divina intervenção do reavivamento.

Cão. O salmista retorna aqui à metáfora dos inimigos representados como uma fera qualquer. Ver os vss. 12, 13, 16 e 21 (o touro, o leão, o cão e o búfalo).

A minha vida. Um paralelo de "alma", que figura neste mesmo versículo. Diz aqui o original hebraico, "minha única", ou seja, uma referência terna à tão preciosa vida de um homem. Essa palavra também é usada para indicar um *filho único* (ver Gn 22.2,12; Jz 11.34). O quanto os homens valorizam a própria vida! E com muita razão, pois a vida é um dom de Deus, e quanto mais o é a alma imortal, a fagulha da vida divina?

> *Que aproveita ao homem ganhar o mundo inteiro e perder a sua alma? Que daria um homem em troca de sua alma?*
> Marcos 8.36,37

No contexto do Novo Testamento, a alma imortal está obviamente em vista. A alma de Jesus não permaneceu no hades (ver At 2.27). Mas, antes de abandonar aquele local, a Bíblia diz que ele realizou ali uma missão de misericórdia (ver 1Pe 3.18—4.6). É um *erro* roubar a maravilhosa história de Jesus dessa obra de amor. Em seguida, o seu corpo foi ressuscitado, outro aspecto da sua maravilhosa história.

■ **22.21** (na Bíblia hebraica corresponde ao **22.22**)

הוֹשִׁיעֵנִי מִפִּי אַרְיֵה וּמִקַּרְנֵי רֵמִים עֲנִיתָנִי׃

Salva-me das fauces do leão. O *leão* volta à cena como emblema de inimigos brutais e temíveis, a enfermidade do corpo do homem (aplicação histórica) e o homem ímpio que crucificou Jesus (a aplicação profética). Ver o vs. 13, onde a imagem já tinha sido usada e onde ofereço outras referências.

> *Como leão que ruge, e urso que ataca, assim é o perverso que domina sobre um povo pobre.*
> Provérbios 28.15

Dos chifres dos búfalos. Ver o artigo detalhado sob o título *Boi Selvagem*, no *Dicionário*. Essas palavras são usadas por *nove vezes* no Antigo Testamento, estando em foco, provavelmente, o *Bos Primigenius*. Esse magnífico e poderoso animal está atualmente extinto. Mas quando estava vivo provocou terror entre homens e animais. Era muito maior do que os touros domésticos atuais. O leitor pode encontrar mais detalhes no artigo referido. No presente contexto, o boi selvagem toma seu lugar, metaforicamente, junto com outros animais mencionados anteriormente, para simbolizar um inimigo temível, destruidor e sem misericórdia.

"O boi selvagem da Síria, agora extinto, era notório por sua ferocidade e força" (William R. Taylor, *in loc.*).

AÇÃO DE GRAÇAS A DEUS. CERTEZA DE ORAÇÕES OUVIDAS E RESPONDIDAS (22.22-31)

Se classificássemos este salmo como um salmo de lamentação (dos quais há mais de sessenta entre os 150 do saltério), teríamos aqui a mais longa e final nota de otimismo e louvor deles todos. Isso é justificado pela ideia de que o Salmo 22 é um dos mais excelentes salmos messiânicos (dos quais há mais de vinte). Foi o Messias quem prestou os louvores porque, embora tivesse sofrido uma morte miserável, ele foi ressuscitado em poder e glória pouco depois, e o mundo inteiro regozija-se desse fato desde então. Os salmos de lamentação começam com gritos desesperados, pedindo livramento de inimigos, e tipicamente terminam com ações de graças porque os clamores seriam ouvidos, ou, pelo menos, esperava-se que em breve seriam ouvidos e atendidos. Ver sobre as *classes* dos salmos no gráfico existente no início da exposição do livro de Salmos, que agem como uma espécie de frontispício. Quanto a notas expositivas adicionais, ver a introdução ao salmo presente. Este salmo é o *lamento do Messias,* dentro de seu contexto profético.

"A cena subitamente muda. O homem que soltava um clamor de desespero, agora começava um hino de ação de graças, como um prelúdio às oferendas realizadas por seu livramento" (William R. Taylor, *in loc.*).

■ **22.22** (na Bíblia hebraica corresponde ao **22.23**)

אֲסַפְּרָה שִׁמְךָ לְאֶחָי בְּתוֹךְ קָהָל אֲהַלְלֶךָּ׃

A meus irmãos declararei o teu nome. O *homem libertado* de sua mortal enfermidade (contexto histórico), ou o Messias ressurrecto, que teve sua morte revertida (contexto profético), agradeceu publicamente, e outros uniram-se a ele em louvores cantados. Os vss. 23 e 24 apresentam as palavras que foram entoadas. As grandes vitórias nunca são mantidas em segredo. O homem que as experimenta contará o que aconteceu por anos a fio. De fato, um homem nunca se cansa de relatar seus grandes triunfos. A igreja atual, a despeito de todas as suas faltas, continua a falar sobre a ressurreição triunfal de Jesus.

Orações São Respondidas. Foram atendidas as orações do Messias que tinham um sentido universal para todo o tempo. O livramento de *casos desesperados* sempre foi e tem sido o tema daqueles que, de alguma forma miraculosa, foram libertados de tais experiências. Notemos, igualmente, que esses acontecimentos não são tão raros, e a maioria dos homens espirituais pode ao menos citar um exemplo pessoal.

Hb 2.12 é uma citação de Sl 22.22, e estão em vista os efeitos da morte e da ressurreição de Jesus. Jesus foi libertado vitoriosamente. Cf. Hb 5.7. Em Rm 15.9, as palavras são aplicadas à missão cristã entre os gentios, e de como pessoas participam da *alegria* da missão bem-sucedida de Cristo.

■ **22.23** (na Bíblia hebraica corresponde ao **22.24**)

יִרְאֵי יְהוָה הַלְלוּהוּ כָּל־זֶרַע יַעֲקֹב כַּבְּדוּהוּ וְגוּרוּ מִמֶּנּוּ כָּל־זֶרַע יִשְׂרָאֵל׃

Vós que temeis o Senhor, louvai-o. O *triunfo do Messias* é razão suficiente para inspirar o povo de Israel ao louvor e à adoração. O salmista convidou toda a congregação de Israel a unir-se a ele no cântico. A substância da oração *foi a ação de graças e o louvor,* porquanto o homem desolado fora ouvido, sua oração fora respondida, e a saúde lhe fora restaurada (dentro do contexto histórico) e ele fora trazido de volta da morte (dentro do contexto profético). "Seus agradecimentos e louvores seriam publicados no templo, no meio da congregação. Os vss. 23 e 24 constituem as palavras do hino" (William R. Taylor, *in loc.*). O *temor do Senhor* é o frontispício do hino. Ver no *Dicionário* o verbete intitulado *Temor,* quanto a um estudo detalhado a respeito.

O hino liga o tempo presente (ou o tempo futuro) com o passado, pelo que o povo de Israel foi chamado de a "semente de Jacó". Ver no *Dicionário* o artigo chamado *Patriarcas (Bíblicos); O Período Patriarcal.*

■ **22.24** (na Bíblia hebraica corresponde ao **22.25**)

כִּי לֹא־בָזָה וְלֹא שִׁקַּץ עֱנוּת עָנִי וְלֹא־הִסְתִּיר פָּנָיו מִמֶּנּוּ וּבְשַׁוְּעוֹ אֵלָיו שָׁמֵעַ׃

Pois não desprezou nem abominou a dor do aflito. O *hino de louvor* menciona especificamente o *clamor pedindo ajuda*, do vs. 1, e o tema da primeira seção deste salmo, vss. 1-22, no qual o clamor foi mais elaborado. O Deus que estava *oculto* de súbito apareceu e abençoou com alegria e triunfo. A oração do homem aflito foi respondida, embora essa resposta tenha sido adiada. A ação divina se fez presente, embora tenha esperado pelo tempo apropriado para manifestar-se.

"Embora Deus tenha esquecido o Messias por algum tempo, e na sua ira tenha escondido o seu rosto por alguns momentos, para que o Messias suportasse toda a maldição da lei, contudo ele voltou e não ocultou seu rosto para sempre" (John Gill, *in loc.*). "É ofício do Messias ajudar e salvar os pobres e os humildes. Deus não rejeita os suspiros de alguém cujo coração é contrito" (Adam Clarke, *in loc.*).

■ **22.25** (na Bíblia hebraica corresponde ao **22.26**)

מֵאִתְּךָ תְהִלָּתִי בְּקָהָל רָב נְדָרַי אֲשַׁלֵּם נֶגֶד יְרֵאָיו׃

De ti vem o meu louvor. *Um voto fora feito:* "Oh, Senhor, se me livrares, farei tal e tal...". Ver no *Dicionário* o verbete intitulado *Voto*. A oração foi respondida; o voto foi cumprido; toda a congregação ocupou-se do cântico, porquanto um homem importante recuperara a saúde, depois de ter estado quase morto, e o Messias fora ressuscitado dentre os mortos. Aqueles que se juntaram no cântico eram os que *temiam a Deus* (conforme se vê no vs. 23; ver as notas ali quanto a detalhes e referências). No sentido messiânico, os *votos* estão contidos nos *pactos,* sobretudo no *novo pacto.* Ver o artigo chamado *Pactos,* especialmente suas seções V e VI.

Dentro do contexto histórico, os *votos* podiam ser pagos a qualquer tempo, mas as ocasiões favoritas para que isso acontecesse eram as festas das semanas e dos tabernáculos, ambas vinculadas à colheita (ver Dt 16.10-15). Sacrifícios de ação de graças eram oferecidos, e amigos e vizinhos eram convidados para frequentar e participar dos louvores e dos festejos que acompanhavam a questão. Aqueles que estavam aflitos, os pobres, as viúvas etc., também participavam (ver Dt 16.11 e 12.18).

> *Como é grande a tua bondade, que reservaste aos que te temem, na qual usas, perante os filhos dos homens, para com os que em ti se refugiam!*
>
> Salmo 31.19

■ **22.26** (na Bíblia hebraica corresponde ao **22.27**)

יֹאכְלוּ עֲנָוִים ׀ וְיִשְׂבָּעוּ יְהַלְלוּ יְהוָה דֹּרְשָׁיו יְחִי לְבַבְכֶם לָעַד׃

Os sofredores hão de comer e fartar-se. O pobre homem que estivera enfermo e então fora curado era um homem humilde. Ele seria o principal elemento do cântico de ação de graças e de festejos. Mas também seriam convidados os pobres e desolados, os *mansos perpétuos.* Ver notas expositivas sobre o vs. 25, quanto a isso.

O *coração deles* viveria para sempre. O coração, neste caso, fala do homem em sua inteireza. *O coração deles, antes desanimado,* seria revivificado, e a alegria e o triunfo daí resultantes não seriam passageiros. Ver sobre o vs. 14. O "coração" pode representar aqui a "coragem". No sentido profético, "no verdadeiro sacrifício haverá provisão tal para todos os crentes que eles terão plenitude de alegria. Os que ofereciam os sacrifícios alimentavam-se do que ofereciam. Jesus, o verdadeiro sacrifício, é o pão que desceu do céu. Os que comerem desse pão jamais morrerão" (Adam Clarke, *in loc.*).

■ **22.27** (na Bíblia hebraica corresponde ao **22.28**)

יִזְכְּרוּ ׀ וְיָשֻׁבוּ אֶל־יְהוָה כָּל־אַפְסֵי־אָרֶץ וְיִשְׁתַּחֲווּ לְפָנֶיךָ כָּל־מִשְׁפְּחוֹת גּוֹיִם׃

Lembrar-se-ão do Senhor e a ele se converterão. A alegria universal não pode deixar de ser mencionada. As obras de Yahweh não se limitavam à nação de Israel. O Messias universalizou a operação de Deus e estendeu-a à era da eternidade futura, em seus propósitos restauradores e redentores (ver Ef 1.9,10 e 4.8). Ver no *Dicionário* o verbete denominado *Mistério da Vontade de Deus.* Todos virão a ele; as nações do mundo serão sua herança, e não apenas a nação de Israel. Todas as nações prestarão louvores a ele, porquanto o poder será grande. Este versículo certamente vai além do contexto histórico e afirma a natureza messiânica do salmo. Realmente seria um exagero se um homem enfermo que tivesse reconquistado a saúde convocasse todas as nações para acompanhá-lo ao templo, a fim de ajudá-lo a prestar louvores!

"Não está em foco meramente o *livramento* dado ao santo sofredor, mas também a *salvação* provida ao mundo inteiro, por intermédio dele, que despertou as nações a relembrar-se de Deus (Zc 12.10)" (Fausset, *in loc.*). "O salmista então voltou sua atenção ao mundo em geral. Ele antecipou que o mundo se voltaria e adoraria (se inclinaria perante) o Senhor (vs. 27), por ser ele o Rei soberano, aquele que governa as nações (vs. 28)" (Allen P. Ross, *in loc.*).

■ **22.28** (na Bíblia hebraica corresponde ao **22.29**)

כִּי לַיהוָה הַמְּלוּכָה וּמֹשֵׁל בַּגּוֹיִם׃

Pois do Senhor é o reino. O *reino deste vasto mundo* pertence a Yahweh, que em sua encarnação era Jesus Cristo. Portanto, ele é *o Rei dos reis e o Senhor dos senhores* (ver Ap 19.16). Por isso mesmo, seu domínio é tão vasto quanto o mundo, e sua graça é como o mar.

> Há largura na misericórdia de Deus,
> Como a largura do mar;
> Há uma bondade em sua justiça
> Que é mais do que a liberdade.
>
> O pecador é bem recebido,
> E há mais graças para o bom;
> O Salvador é cheio de misericórdia,
> Há cura em seu sangue.
>
> Frederick W. Faber

Cf. Ap 19.6, que diz: "Aleluia! pois reina o Senhor nosso Deus, o Todo-poderoso". Ver no *Dicionário* o artigo detalhado chamado *Reino.*

■ **22.29** (na Bíblia hebraica corresponde ao **22.30**)

אָכְלוּ וַיִּשְׁתַּחֲוּוּ ׀ כָּל־דִּשְׁנֵי־אֶרֶץ לְפָנָיו יִכְרְעוּ כָּל־יוֹרְדֵי עָפָר וְנַפְשׁוֹ לֹא חִיָּה׃

Todos os opulentos da terra hão de comer e adorar. Os *ricaços* da terra virão e comerão de seu banquete, humildes perante ele, embora gordos por sua própria espertez. Eles serão humilhados e não serão deixados do lado de fora do banquete do Messias. A *Revised Standard Version* diz aqui "orgulhosos", interpretando assim a expressão idiomática hebraica e fazendo a opulência ser da gordura dos indivíduos orgulhosos, que cederão diante do poder do Messias. Estão em vista os reis e príncipes, os nobres, os ricos e os poderosos. *Todos* prestarão lealdade a ele.

Universalismo. Até mesmo os que morreram e foram para o *seol* (ver a respeito no *Dicionário*), ao ouvir o cântico triunfal do Messias, erguer-se-ão e juntar-se-ão aos cânticos. Poderíamos aceitar tudo isso poeticamente e dizer que até os mortos (idealmente) levantarão a voz no *sepulcro* (significado primário do seol). Mas o versículo por certo aponta para um avanço na doutrina sobre o mundo inferior, habitado por aqueles que podem ser considerados *pessoas* reais, vivas, conscientes. Por enquanto, apesar desse avanço, ainda não temos as doutrinas do céu e do inferno, embora elas estivessem tomando forma nesse sentido. No entanto, neste ponto o autor sacro está interessado somente em mostrar que a adoração e a sujeição ao Messias serão universais e incluirão o mundo inferior inteiro. Isso concorda com Fp 1.10,11, que diz:

> *Para que ao nome de Jesus se dobre todo joelho, nos céus, na terra e debaixo da terra, e toda língua confesse que Jesus Cristo é Senhor, para glória de Deus Pai.*

A *prostração* e a *confissão* serão daqueles que forem *beneficiados* pela missão restauradora e redentora de Cristo, visto que sua missão *tridimensional* inclui um ministério de salvação até mesmo no hades (1Pe 3.18—4.6), doutrina essa, da descida de Cristo ao hades, que a maior parte dos primeiros pais cristãos confessava e ensinava. Note-se como a sua ascensão e visita ao hades tiveram o *mesmo propósito:* torná-lo *tudo para todos* (ver Ef 4.8-10). Tal é a graça de Deus que o poeta viu a distância, tendo percebido como até os que estavam no seol participariam do cântico universal. É um erro diminuir a amplitude do *hino universal.* Quanto a maiores detalhes sobre esses conceitos, ver no *Novo Testamento Interpretado* a exposição dos versículos mencionados.

> De harmonia em harmonia celeste,
> Teve início este arcabouço universal;
> De harmonia em harmonia
> Soou, por toda a gama das notas
> O diapasão, apontando para o Homem.

A *teologia patriarcal* não incluía a doutrina da sobrevivência de uma alma imaterial e imortal, ante a morte biológica. Neste ponto dos Salmos, tal doutrina certamente é exibida diante de nossos olhos. Ela foi desenvolvida nos livros pseudepígrafos e apócrifos, e mais ainda nas páginas do Novo Testamento. Ver no *Dicionário* o verbete chamado *Alma,* e na *Enciclopédia de Bíblia, Teologia e Filosofia* o artigo denominado *Imortalidade.*

"Bertrand Russell enfrentou honestamente (em um programa de rádio em Londres) o fato de que não há escapatória do pessimismo, a menos que, porventura, se prove ser verdadeira a noção da imortalidade. Para emprestar significado à vida, precisamos asseverar que a personalidade é o estofo da realidade e, por conseguinte, que ela deve permanecer. Uma vez mais, devemos avançar dos Salmos para Cristo" (J. R. P. Sclater, *in loc.*).

■ **22.30** (na Bíblia hebraica corresponde ao **22.31**)

זֶרַע יַעַבְדֶנּוּ יְסֻפַּר לַאדֹנָי לַדּוֹר׃

A posteridade o servirá. As gerações vindouras servirão a Cristo; todos os povos o servirão; todos quantos estão no céu, na terra e no seol, haverão de servi-lo e adorá-lo. Todas as coisas serão restauradas, tendo ele como *centro*, conforme lemos em Ef 1.9,10, que é o *mistério da vontade de Deus*. É isso o que Deus planeja fazer o tempo todo, mas o que tornou conhecido exclusivamente por meio de Paulo, através do *mistério* revelado. Todas as coisas que foram ditas *antes*, acerca do destino dos homens, tornam-se *obsoletas*, por meio dessa grande revelação. Ver na *Enciclopédia de Bíblia, Teologia e Filosofia* o artigo chamado *Restauração*. Ver também o verbete chamado *Universalismo*, onde exploro os limites desse plano de Deus. Ver ainda, no *Dicionário*, o artigo *Mistério da Vontade de Deus*.

"O salmista apoiou o universalismo sobre a sua própria experiência com o Ser divino. Somente o Deus que está acima de todos os deuses opera o milagre de seu livramento" (William R. Taylor, *in loc.*). De acordo com a aplicação profética, somente esse mesmo Deus poderia ter planejado o plano universal. Pessoalmente espero que esse plano funcione, *de fato*, não apenas de forma potencial, ao que muitos o reduzem. Pois um plano que realmente nunca funciona, mas permanece apenas como potencial, não é um grande plano. Por que Deus teria falhado? Meus amigos, o plano de *Deus* não pode falhar! Seu poder e seu amor predestinadores estão operando. Com a passagem do tempo, tudo será efetuado corretamente. O Artista Mestre completará o seu magnífico tapete. Você estará ali. Eu estarei ali. Todos estaremos ali. O Artista Mestre nunca erra em uma pincelada. Um plano tão grandioso não pode ser reduzido aos "eleitos", conforme dizem alguns intérpretes.

> Pois o amor de Deus é mais amplo
> Do que a medida da mente humana;
> E o coração do Eterno
> É maravilhosamente bondoso.
>
> Frederick W. Faber

■ **22.31** (na Bíblia hebraica corresponde ao **22.32**)

יָבֹאוּ וְיַגִּידוּ צִדְקָתוֹ לְעַם נוֹלָד כִּי עָשָׂה׃

Hão de vir anunciar a justiça dele. Pessoas que ainda nascerão serão incorporadas ao plano divino. Elas também serão arrastadas nos louvores da grandeza de Deus e de seu poderoso empreendimento. Assim o evangelho espalhou a palavra até os confins da terra. O evangelho foi levado ao hades. O evangelho levou a Palavra aos céus.

Cristo, Salvador de Todos os Mundos

> Cristo, o Salvador de todos os mundos, em todos os mundos,
> até a beira mesma da condenação.
> Amando, buscando, sondando, salvando além do sepulcro ou túmulo.
> Não decretos divinos, dogmas de homens, eras agora e então,
> mentes mesquinhas, embotadas pelo sentido e pelo tempo,
> Podem limitar seu imutável poder salvador,
> uma fixa esperança sublime.
>
> Oh, Cristo imutável, Redentor perene,
> na transição dos séculos o mesmo.
> Constante e perpétuo é o poder reconquistador
> do teu nome.
> Ponto do tempo chamado terra e um Jesus terreno não são tudo, não podem ser tudo,
> Esferas além, mundos vindouros,
> Jesus Cristo deverá fascinar.
> Ponto de tempo terminado pela morte, significa para alguns o fim da própria vida, para outros, o fim da esperança,
> ambas visões míopes, sem dúvida.
> Pois tu, ó Cristo eterno, no tempo e fora do tempo seguras a ti com segurança.
>
> Amando, buscando, sondando, salvando além
> do sepulcro e túmulo.
> Tu és o Cristo de todos os mundos, em todos os mundos,
> até a beira da condenação.
> Na condenação? Na condenação!
>
> Russell Champlin, meditando sobre 1Pe 3.18—4.6

> Seus triunfos serão cantados por línguas ainda não moldadas.
>
> Ellicott

Permitamos que este versículo permaneça em seu escopo universal. O Targum fala aqui a respeito dos *milagres* já consumados. Por conseguinte, há o milagre contínuo das operações da graça e do amor. Por que minha teologia diminuiria isso?

SALMO VINTE E TRÊS

Quanto a *informações gerais* aplicáveis a todos os salmos, ver a introdução ao Salmo 4, onde apresento *sete* comentários que elucidam a natureza do livro de Salmos. Quanto às *classes* dos Salmos, ver o gráfico no início do comentário sobre o livro, que atua como uma espécie de frontispício. Ofereço ali dezessete classes de salmos e listo os salmos que pertencem a cada uma delas.

Este salmo é chamado de *salmo de confiança*. Há cerca de *seis* desses hinos especiais que celebram a confiança em Deus. Ver Sl 2.12, quanto a notas expositivas que mostram como essa palavra é usada nos salmos. Se aplicarmos este salmo ao grande Pastor, o Senhor Jesus Cristo (ver Jo 10), então teremos aqui um salmo *messiânico*.

Subtítulos. Neste salmo temos o simples subtítulo que diz: "Salmo de Davi". As notas introdutórias dos salmos não faziam parte do original, mas foram adições subsequentes de editores que usualmente apenas conjecturaram sobre as questões de autoria e circunstâncias históricas que podem ter inspirado as composições poéticas. Cerca de metade dos salmos foi atribuída a Davi, um número sem dúvida exagerado, mas pelo menos alguns deles pertenceram ao famoso guerreiro e rei. A menção à "casa do Senhor", no vs. 6, se isso significa o templo de Jerusalém, eliminaria deste salmo a origem davídica. Mas se compreendermos aqui o tabernáculo, então Davi pode ter sido o autor.

"Ao usar as imagens de um pastor e de um gracioso conviva, Davi refletiu sobre os muitos benefícios que o Senhor lhe dera em meio aos perigos da vida, e concluiu que a proteção persistente e amorosa de Deus o restauraria à plena comunhão" (Allen P. Ross, *in loc.*).

"Com a passagem dos séculos, este salmo ganhou, para si mesmo, um *lugar supremo* na literatura religiosa mundial. Todos quantos o leem, sem importar a idade, raça ou circunstância, encontram, na tranquila beleza de seus pensamentos, uma amplitude de profundo discernimento espiritual que tanto satisfaz quanto toma conta de sua alma. Este salmo pertence à classe que transpira confiança na fé no Senhor. Ele se assemelha às seções ou estrofes dos salmos de lamento, que originalmente consistiam em uma forte afirmação de fé no carinhoso amor do Senhor. Portanto, o salmista aqui não tem prefácio de queixas sobre as dores da enfermidade ou da traição de amigos, mas começa, tal qual termina, com palavras de agradecido reconhecimento da inigualável bondade do Senhor" (William R. Taylor, *in loc.*, que exibe a própria eloquência ao referir-se à Palavra Sagrada).

"O conceito dominante é o de Deus na qualidade de guia e protetor, através das vicissitudes da vida. A sugestiva imagem de um *pastor*, aplicada ao Senhor, recua até os dias da função pastoral dos patriarcas (ver a declaração de Jacó, Gn 48.15) e desde então foi constantemente enriquecida (cf. Sl 78.53,54; Is 40.11; Ez 34.1-23; Jo 10)" (*O Novo Comentário da Bíblia*, introdução aos Salmos).

Ver no *Dicionário* o detalhado artigo chamado *Pastor*, que pode ser usado para ilustrar e elucidar o salmo.

Este poema tem duas porções distintas:
1. O Senhor como Pastor (vss. 1-4)
2. O Senhor como Conviva Gracioso (vss. 5,6)

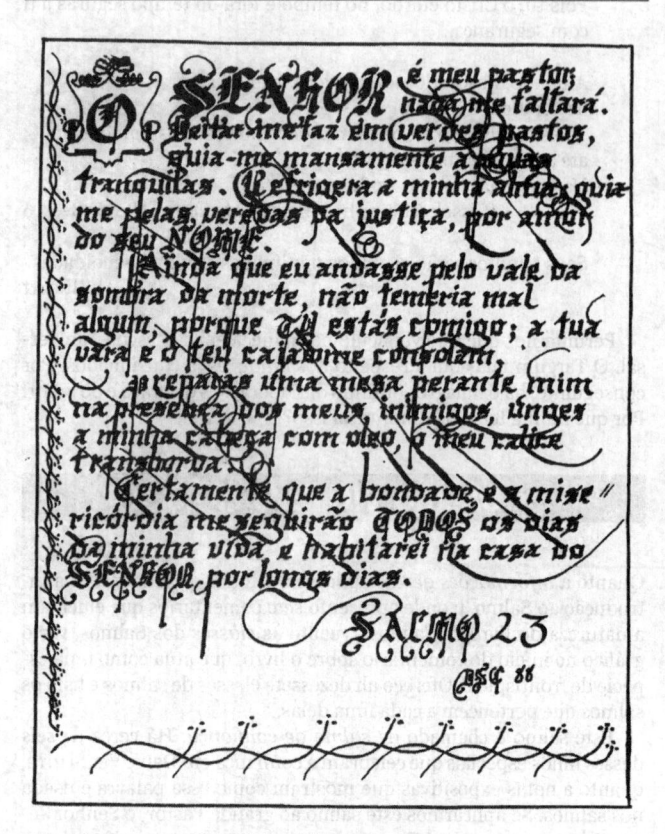

Caligrafia de Darrell Steven Champlin.

O PASTOR E OS PASTORES

Jesus... o grande Pastor das ovelhas...
Hebreus 13.20

... Pastor e Bispo das vossas almas...
1Pedro 2.25

CARACTERÍSTICAS DO VERDADEIRO PASTOR

- Instrui como as ovelhas devem agir (Jo 10.7).
- Guia o rebanho (Jo 10.4,10,17).
- É o exemplo moral e espiritual das ovelhas e vai adiante delas (Jo 10.4).
- É inteiramente devotado ao seu rebanho (Jo 10.11).
- Garante a segurança do rebanho (Jo 10.27-30).
- Imita o pastor, sendo um subpastor. Ele alimenta e protege os rebanhos (Jr 31.10).
- Procura as ovelhas perdidas (Ez 34.12).
- Livra as ovelhas dos animais ferozes (Am 3.12).

O SENHOR COMO PASTOR (23.1-4)

■ 23.1

מִזְמוֹר לְדָוִד יְהוָה רֹעִי לֹא אֶחְסָר׃

O Senhor é o meu pastor. O salmista desejava expressar vivamente o seu senso dos cuidados de Deus. Ele refletiu sobre o passado e concluiu que Deus o guiara como um pastor conduz suas ovelhas impotentes e totalmente dependentes. O autor sagrado levou em conta a lealdade e devoção dos pastores orientais em seus cuidados pelas ovelhas, que o capítulo 10 do Evangelho de João exprime de forma tão eloquente. Visto que "o Senhor é o meu pastor, por isso mesmo nada me faltará". Essa era a confiança que tinha o Pastor sagrado. Quando aplicamos esta figura a Jesus, o Cristo, então fazemos do Salmo 23 um salmo messiânico, e não apenas um salmo de confiança. No gráfico apresentado no início do comentário sobre o livro, classifico o poema como um salmo de confiança e também como um salmo messiânico.

Nada me faltará. O pasto era fértil; as terras eram boas; havia abundância de água; o Pastor era poderoso e sábio. Como poderia uma de suas ovelhas sentir falta de alguma coisa? Assim é que a piedade está vinculada à prosperidade, tanto material como física, na mente dos hebreus. Deixamos a questão nessa altura e esperamos pelo melhor em nossa vida. O pastor, se é um bom pastor, cuida de cada ovelha *individualmente*. Alguns pastores antigos chegavam a dar nomes pelo menos às principais ovelhas; cuidavam de cada uma delas particularmente. Agiam em favor de todas, coletivamente, e de cada uma especificamente. "Lá fora" há perigos, isto é, animais predadores. Havia também o problema do suprimento. O pastor resolve todos os problemas. De certa feita, ouvi um sermão no qual o pastor falava sobre as dificuldades pelas quais ele havia passado, sobre as enfermidades que tinha sofrido, sobre os temores que tinha experimentado, e concluiu a respeito de cada uma dessas coisas: "*O Senhor* resolveu meu problema".

"A metáfora era apenas natural para Davi, o rei-pastor. Também era uma metáfora comum no antigo Oriente Próximo e Médio, visto que muitos monarcas se compararam a pastores, na liderança do povo. A profecia sobre o Messias vindouro incorporava a mesma figura (ver Is 40.11), e Jesus se identificou com o Bom Pastor (ver Jo 10.14). E ele também foi chamado de grande Pastor (ver Hb 13.20), bem como de Supremo Pastor (ver 1Pe 5.4)" (Allen P. Ross, *in loc.*). Segurança e suprimento pertencem a todos quantos o conhecem. Naturalmente, o capítulo 10 do Evangelho de João inclui a questão da *salvação espiritual*, que consiste no suprimento final.

Dentro do *ambiente histórico*, o Pastor é Yahweh, o Pai de Israel. Ver Sl 77.20:

Guiaste a teu povo como a um rebanho, pela mão de Moisés e Arão.

Ver também Sl 80.1. Cf. Gn 49.24; Is 40.11; Ez 34.23; 37.24; Zc 13.7; 1Pe 2.25 e 5.4.

■ 23.2

בִּנְאוֹת דֶּשֶׁא יַרְבִּיצֵנִי עַל־מֵי מְנֻחוֹת יְנַהֲלֵנִי׃

Ele me faz repousar em pastos verdejantes. Os dois elementos essenciais para as ovelhas são água e pasto, pelo que essas coisas representam neste salmo a *provisão completa* que os homens bons recebem da parte do Senhor. Portanto, os homens bons não sofrem necessidade (vs. 1). O Pastor guia suas ovelhas para um pasto luxuriante. Ali há alimento suficiente *e descanso*, um elemento igualmente essencial à vida e ao bem-estar. O pastor é um *líder*, pois as ovelhas são *lideradas*, em contraste com o gado vacum, que precisa ser *tangido* pelo boiadeiro. Ver Hb 2.10, quanto a Jesus como o *Pioneiro* pelo caminho. Cf. At 20.28 e 1Pe 5.2.

Não terão fome nem sede, a calma nem o sol os afligirá; porque o que deles se compadece os guiará, e os conduzirá aos mananciais das águas.

Isaías 49.10

Cf. o Sl 23 com Lc 15.3 ss., a parábola de Jesus sobre a ovelha perdida. Ali vemos o interesse do pastor por *cada indivíduo*. Há ali alegria, quando uma única alma é salva e entra na *plenitude* do Senhor.

Além disso, existe a orientação divina "pelas veredas da justiça" (vs. 3), um dos elementos essenciais para o homem espiritual.

"Essa é a mais completa figura da felicidade que já foi traçada. Representa o estado mental pelo qual todos, igualmente, suspiram, e cuja ausência torna a vida um fracasso" (Ellicott, *in loc.*). "... água, o amor eterno de Deus que é como um rio, cujas torrentes tornam alegre o coração de seu povo" (John Gill, *in loc.*).

Na terra arenosa e rochosa, a Palestina, onde o sol quente seca os riachos e os transforma em *wadis*, dando suas águas apenas parte do ano, a água é a *grande consideração*, e seu suprimento é a ilustração superior de provisão e refrigério. Portanto, este salmo tem sido chamado de "salmo da provisão", e as pessoas o citam quando precisam de recursos para a vida e para as questões diárias.

Os Subpastores. São os que continuam o trabalho do Supremo Pastor e devem imitar os atos dele. Quanto a eles, ver At 20.28 e 1Pe 5.2; e, no Antigo Testamento, Ez 34.1-10. Alimento para a alma é a Palavra de Deus (ver Hb 5.12-14; 1Pe 2.2). Ver também Jo 21.15-17.

23.3

נַפְשִׁי יְשׁוֹבֵב יַנְחֵנִי בְמַעְגְּלֵי־צֶדֶק לְמַעַן שְׁמוֹ׃

Refrigera-me a alma. "Alma" significa "vitalidade, vida" (*Oxford Annotated Bible,* o que provavelmente é verdade aqui, embora nos Salmos a doutrina da alma imaterial e imortal tivesse apenas começado a surgir). Assim sendo, em um sentido real, a parte espiritual do homem também é refrigerada pela ministração do Pastor. O empreendimento visa o bem do corpo e da alma.

"... revivendo-me quando desmaiavam (ver Sl 19.8) e temporariamente vencidos pelas tentações. O Bom Pastor cuida não somente das ovelhas saudáveis, mas também e especialmente das enfermas. Ver Ez 34.16" (Fausset, *in loc.*). "... traze de volta a minha alma da destruição, converte minha alma do pecado, para que ela não pereça eternamente" (Adam Clarke, *in loc.*). "Aqui a lição espiritual é clara: o Senhor provê perdão e paz para aqueles que o seguem" (Allen P. Ross, *in loc.*). Ver no *Dicionário* o artigo intitulado *Providência de Deus.*

Guia-me pelas veredas da justiça. Nenhuma provisão terá grande valor a menos que seja uma provisão espiritual. Com base no Antigo Testamento, a vida vivida em concordância com a lei está em vista aqui. Guardar a lei era garantir longa vida física (ver Dt 5.16; 22.6,7). E isso, no judaísmo posterior, incluía a vida eterna, espiritual, da alma. A lei fazia de Israel um *povo distintivo,* em contraste com as nações pagãs (ver Dt 4.4-8). A lei nos apresenta o amor a Deus e ao próximo, que são elementos essenciais da espiritualidade (Rm 13.8 ss.). A lei era o estatuto eterno (ver Êx 29.42; 31.16; Lv 3.17 e 16.29). Cristo, o Espírito, toma o lugar da lei (ver Rm 8.1 ss.) e é seu cumpridor. O Bom Pastor sabe quais são as veredas certas, e é por elas que guia as ovelhas. Ele não perderá uma única ovelha, e elas todas obterão cumprimento espiritual. O caminho reto nem sempre é o melhor. Você pode vagar por clareiras ensolaradas, ao passo que o caminho certo seria através da ravina ou de caminhos perigosos. A melhor jornada nem sempre segue o caminho mais fácil. Deve haver uma liderança em algum lugar. A vereda que não melhora espiritualmente é um desvio, e não uma vereda de vida.

Por amor do seu nome. A vida e o destino do Pastor e de suas ovelhas estão intimamente entrelaçados. O que o Pastor faz pelas ovelhas, ele faz por si mesmo, porquanto são seus irmãos que ele está conduzindo à glória (ver Hb 2.10). Eles são conduzidos à glória de Cristo e essa glória torna-se deles, pelo que ele recebe o crédito e os louvores.

"O trato providencial de Deus é reconhecido em consonância com o seu caráter, e ele recebe toda a reputação, por causa de sua grande consciência" (Ellicott, *in loc.*).

"... para exibir a glória de sua graça, e não por causa de algum mérito em mim. Os motivos de Deus para conduzir-se na direção dos filhos dos homens são derivados da perfeição e bondade de sua própria natureza" (Adam Clarke, *in loc.*). Ver Êx 23.21.

> *Jesus, como um pastor, lidera-nos,*
> *Precisamos muito de teu terno cuidado.*
> *Em teus pastos agradáveis nos alimenta,*
> *Para os usarmos prepara o teu aprisco.*

23.4

גַּם כִּי־אֵלֵךְ בְּגֵיא צַלְמָוֶת לֹא־אִירָא רָע כִּי־אַתָּה
עִמָּדִי שִׁבְטְךָ וּמִשְׁעַנְתֶּךָ הֵמָּה יְנַחֲמֻנִי׃

Ainda que eu ande pelo vale da sombra da morte. *A morte é um dos fatos duros da vida* e, contudo, uma experiência gloriosa para alguns, de acordo com as informações que obtemos nas *Experiências Perto da Morte* (ver na *Enciclopédia de Bíblia, Teologia e Filosofia).* Todas as evidências apontam para a natureza otimista do ato de morrer. As ovelhas podem usufruir de uma vida bendita e próspera. Terão, contudo, sua partilha de tribulações. Mas sem importar se elas viverem bem ou em tribulação, todas chegarão à morte.

> *Recolhei, botões de rosa, enquanto puderdes,*
> *Os Tempos Antigos continuam valendo,*
> *E esta mesma flor que sorri hoje,*
> *Amanhã estará morrendo.*
>
> Roberto Herrick

Meu irmão, missionário evangélico primeiramente no Zaire e mais tarde no Suriname, conta a história da morte de sua sogra, a quem ele nunca conheceu. Mas a esposa dele, que era apenas uma menina na época, estava presente por ocasião do falecimento. Ela morreu no Congo (atualmente Zaire), vítima da peste negra. Por longo tempo, a família havia labutado ali, mas era essencialmente ignorada pelos nativos, que não tinham nenhuma inclinação por receber a "nova fé". Foi então que a mãe da família ficou muito enferma e faleceu. O pai da família escavou um tronco como se fosse um caixão de defunto, e o corpo morto da mulher foi posto ali. Os nativos estavam ao redor, enquanto a família do missionário conduzia seu próprio culto fúnebre. Os nativos observaram a cena incomum, o homem branco sepultando sua esposa na floresta africana. A esposa de meu irmão, sendo então apenas uma criança, leu as Escrituras, de pé sobre o tronco que servia de caixão, antes que este fosse baixado no buraco cavado no solo. Os nativos acompanharam tudo com olhos admirados, em especial a pequena menina lendo a Bíblia, de pé sobre o caixão mortuário da mãe. Então foram proferidas as bênçãos finais, e o tronco foi baixado à terra.

Logo havia conversações por toda a parte. Por que aquilo aconteceu? Um dos presentes ao funeral dirigiu-se então ao missionário e disse: "Sabíamos que sua religião era boa para viver, mas não sabíamos que ela também era boa para morrer". Ao descobrir que a religião evangélica também era "boa para morrer", eles abriram o coração para a nova fé.

O *Bom Pastor* fez isso tornar-se uma realidade: quando morremos, vamos para aquela noite boa.

Pelo vale da sombra da morte. A experiência da morte inclui cerca de quinze acontecimentos distintos, que descrevi no artigo chamado *Experiências Perto da Morte,* na *Enciclopédia de Bíblia, Teologia e Filosofia.* Uma dessas experiências é a passagem através de um canal escuro, através de um vale ou corredor. Esse túnel leva à luz e a uma nova vida. Ali encontramos o Ser da luz, o Senhor Jesus Cristo. Por que, pois, haveríamos de temer qualquer mal? O Senhor está ali conosco; ele nos consola com a sua vara e o seu cajado; ele nos conduz de uma vida para outra. Meus amigos, temos aqui, neste salmo, a esperança da imortalidade, porque como pode alguém de nós dizer que não teme o mal da morte, se estamos sendo conduzidos para o esquecimento e o aniquilamento total? De que adiantaria ter um Pastor, se é a isso que ele nos conduz? Portanto, observe bem o leitor: o salmo promete que o Senhor, tendo-nos conduzido através *desta vida,* no fim nos guiará a uma vida superior e mais gloriosa. É por isso que chamamos Cristo de Bom Pastor. Sua *vara* nos disciplina, nos guia e nos conduz. Há provisão para todas as necessidades, tanto na vida quanto na morte. A vara também era usada para contar as ovelhas, pois cada uma delas tinha de passar por baixo do objeto, enquanto a contagem estava sendo feita. O Supremo Pastor conta todas as suas ovelhas. Nenhuma delas se perde, nem mesmo na morte. Todas estarão na sua presença. Todos estaremos ali quando as ovelhas passarem sob a vara do Senhor até a vida eterna.

O Salmo 23 tem sido lido em incontáveis leitos de morte e em inúmeros cultos funerários. Conta-se uma história dramática sobre um desses acontecimentos:

O moribundo era um homem bom, mas alguém que certamente não exibia nenhum tipo de fé religiosa. O homem havia caído em profundo estado de coma. Seus familiares, de pé ao lado dele, esperavam receber algum sinal que lhes dissesse: "Tudo está bem com a alma dele". Mas ele jazia ali, naquele coma profundo, sem reagir diante de nada. Que poderiam eles fazer? Eles simplesmente leram o Salmo 23. Foi uma cena inesquecível, porque durante algum tempo o homem não reagia, mas quando chegaram a "não temerei mal algum, porque tu estás comigo", de súbito o homem despertou e repetiu *essas palavras* com os familiares. Imediatamente, porém, ele mergulhou de novo em seu estado de coma e logo morreu, tendo proferido como últimas palavras as benditas palavras da imortalidade.

> *A ti, Alma eterna, seja o louvor!*
> *A qual, desde a antiguidade até os nossos dias,*

Através de almas de santos e profetas, Senhor,
Nos tens enviado tua luz, teu amor, tua palavra.

Richard W. Gilder

O SENHOR COMO GRACIOSO HOSPEDEIRO (23.5,6)

23.5

תַּעֲרֹךְ לְפָנַי ׀ שֻׁלְחָן נֶגֶד צֹרְרָי דִּשַּׁנְתָּ בַשֶּׁמֶן רֹאשִׁי כּוֹסִי רְוָיָה׃

A Mesa Farta. A figura agora muda para um banquete. Talvez devamos compreender a jubilosa festa à qual as ovelhas são conduzidas por ocasião da morte, ou, simplesmente, uma nova figura é empregada, não diretamente vinculada com a do Pastor. Sem dúvida, o terno cuidado do Pastor sugere o fato de que Deus também preparou uma mesa na nossa presença, mesmo diante de nossos inimigos.

"O salmista usa a metáfora de um *hospedeiro* para conferir mais rica expressão a esta cena calorosa, íntima e plena, em seu relacionamento com Deus. Ele era um convidado sob a proteção do divino hospedeiro. No Oriente Próximo e Médio, um homem que fosse caçado por seus inimigos precisava apenas entrar ou ao menos tocar na tenda daquele com quem buscasse refúgio para estar seguro e desfrutar graciosa hospitalidade. Seus inimigos tinham de estacar e olhar de fora da entrada para dentro, mas nada podiam fazer. Uma mesa esplendorosa era então servida, digna de um monarca. O hospedeiro divino ultrapassava os requisitos básicos da hospitalidade. A refeição assumia proporções de um banquete, quando unguentos de aroma suave eram derramados sobre a cabeça do convidado (ver Lc 7.46) e não havia falta de coisa alguma. O cálice transbordava, pois era o cálice da saturação. O salmista tinha seus inimigos, mas os planos deles haviam sido frustrados porque o Senhor declarara: 'Este homem é meu amigo'" (William R. Taylor, *in loc.*, que nos oferece assim outra de suas eloquentes notas expositivas, com as quais, ocasionalmente, orno este comentário).

O ato de *ungir*, como é natural, fazia parte da hospitalidade oriental. Seu sentido era refrigerar e refrescar, a provisão de um gracioso hospedeiro que não poupava o azeite caríssimo. Ato contínuo, os cálices eram *cheios* dos melhores vinhos, e não havia falta de acepipes, visto terem sido metaforicamente retratados como "transbordantes". O convidado podia ser um homem perseguido. Seus inimigos estavam "do lado de fora", uivando como um bando de animais selvagens. Mas quem se importava? Ele estava com seu hospedeiro, em meio à abundância, plenamente protegido de qualquer coisa que estivesse "lá fora", neste mundo hostil. Ver no *Dicionário* o verbete chamado *Unção*.

Aplicações Espirituais. "A cabeça da pessoa era ungida com perfumes refrigeradores, em um banquete (ver Ec 9.8). 'O óleo da alegria' (Sl 45.7) era aplicado; a *alegria* do Espírito Santo era conferida (ver Is 51.1,3; 1Jo 2.20). O amor e a unidade fraternal eram os odores fragrantes desse óleo (Sl 132.2). A manifestação do nome de Cristo produz o óleo da alegria (Ct 1.3)" (Fausset, *in loc.*).

O cálice que transborda é, literalmente, "meu cálice é bebida abundante". Cf. Sl 11.6 e 16.5. A Septuaginta diz: "Teu cálice intoxicador, quão excelente é ele!" Billy Graham de certa feita falou com um viciado em drogas sobre esse problema: "Você pode sentir-se bastante alto em Jesus". Existem intoxicadores naturais e espirituais. Há uma feliz e jubilosa exultação espiritual. No dia de Pentecoste, os crentes foram cheios com o Espírito, e, para os circunstantes, a alegria deles parecia causada pelo vinho (ver At 2.15). Não devemos esquecer a *dimensão da alegria* em nossa fé, enquanto indagamos: "Devo fazer isto? Devo fazer aquilo?", sobrecarregados com nosso senso de dever.

23.6

אַךְ ׀ טוֹב וָחֶסֶד יִרְדְּפוּנִי כָּל־יְמֵי חַיָּי וְשַׁבְתִּי בְּבֵית־יְהוָה לְאֹרֶךְ יָמִים׃

Bondade e misericórdia certamente me seguirão. Uma conclusão apropriada encerra o nobre Salmo 23. Em sua jornada para o lar eterno, os peregrinos não viajam sozinhos. São acompanhados pela bondade e pela misericórdia, até chegarem a habitar na casa do Senhor, e isso para sempre. Dentro do ambiente histórico, *Davi* estava falando de suas frequentes visitas ao tabernáculo, onde ele se entregava à adoração, ao louvor e à oração. Ou está em vista algum outro autor, que fazia a mesma coisa no templo, depois da época de Davi na terra. Em ambos os casos, estão em mira os deleites da espiritualidade e, como uma aplicação, temos os deleites do céu de Deus, o eterno lar das almas remidas. O passado é uma profecia sobre o futuro. A provisão e a alegria do passado predizem a mesma situação, sob forma ainda mais gloriosa, quanto ao futuro. Continuarei a ter Cristo como meu Pastor; serei seu convidado nas mansões lá do alto.

Os Cães do Pastor. Os cães eram importantíssimos nas lides do pastoreio. Eles ajudavam a cuidar das ovelhas; proviam disciplina; aumentavam a proteção. Um antigo pregador notou a ausência de cães no *salmo do pastor* e completou esse detalhe em seu sermão. O pregador fez com que os fiéis cães do pastor fossem a *bondade* e a *misericórdia*. Ele declarou: "O Senhor é o meu pastor e, sim, mais do que isso. Ele tem ótimos cães pastores chamados Bondade e Misericórdia. Eles vão à frente das ovelhas e as seguem. Com eles e o Pastor, até pobres pecadores como você e eu podemos esperar chegar em casa, finalmente".

O Rei do amor é o meu Pastor,
Cuja bondade nunca falha;
Nada me faltará se eu for dele,
E ele é meu para sempre.
...

E assim, através dos dias inteiros,
tua bondade nunca falha;
Bom Pastor, deixa-me cantar teus louvores,
Em tua casa para todo o sempre.

Henry W. Baker

Para todo o sempre. Uma fiel tradução de nossa versão portuguesa, referindo-se à situação histórica da composição e, conforme comentei acima, no tocante à adoração do tabernáculo no templo. Os *longos dias*, conforme outra tradução, tratam, espiritualmente, da *alegria eterna* do céu, o tabernáculo eterno. É assim que a transitória existência terrena nos conduz à permanência da vida eterna.

"Os dois últimos versículos parecem ser a linguagem de um sacerdote que estava retornando do cativeiro para viver no templo e servir a Deus pelo resto de sua vida" (Adam Clarke, *in loc.*). Assim também os crentes, tendo vivido seu cativeiro nesta vida mortal, chegarão ao lar no templo celestial.

Com essa radiosa nota de esperança encerra-se o nobre Salmo 23. E acreditamos que ela dá o tom da esperança futura na direção da qual estamos avançando. Este salmo é pleno de esperança e alegria. Vale a pena ser alguém um homem espiritual!

SALMO VINTE E QUATRO

Quanto a *informações gerais* que se aplicam a todos os salmos, ver a introdução ao Salmo 4, onde apresento *sete* comentários que elucidam a natureza do livro de Salmos. Quanto às *classes* dos salmos, ver o gráfico no início do comentário sobre o livro, que atua como uma espécie de frontispício. Dou ali dezessete classes e listo os salmos que pertencem a cada uma delas.

Este salmo tem sido chamado de *salmo litúrgico*, porquanto celebra a entrada no santuário. Talvez fosse entoado por um coro postado nos portões do templo. Há no total onze salmos especificamente empregados no culto dos hebreus: 24, 50, 68, 81, 82, 95, 108, 115, 121, 132 e 134.

"Este salmo, conforme mostra seu conteúdo, deve ter sido entoado em alguma ocasião de cortejo. Compõe-se de três porções originais e independentes (vss. 1-2; vss. 3-6; e vss. 7-10), pois as diferenças de métrica, forma, atitude e conteúdo são inconfundíveis. Entretanto, o rito litúrgico para o qual o salmo foi preparado servia para vincular os elementos disparates do salmo, formando uma unidade" (William R. Taylor, *in loc.*).

Embora atribuído a Davi por editores subsequentes, este salmo parece vir do período pós-exílico. Talvez os vss. 7-10 fossem pré-exílicos, mas tenham sido reunidos em uma composição única, quando se preparou o salmo para uso em ocasiões litúrgicas. Foi durante o período pós-exílico que as festividades da Lua Nova e do Ano Novo se tornaram eventos religiosos especiais. Nesse período, por igual modo, elas foram incorporadas à festa geral dos tabernáculos.

Subtítulo. Temos aqui o subtítulo simples "salmo de Davi". Essas notas de introdução foram adicionadas por editores subsequentes, não fazendo parte das composições originais. Editores posteriores conjecturaram quanto a questões como autoria e circunstâncias históricas que possam ter inspirado a composição. Algumas vezes, sem dúvida, essas conjecturas acertaram em cheio no alvo.

"Quanto à maneira de pensar, este salmo segue bem de perto o Salmo 23, porquanto exalta o Senhor como Criador e Rei. O pastoreio e a soberania de Deus estão entrelaçados de modo que não é possível destacar uma coisa da outra. A experiência do pastoreio leva à aceitação jubilosa da soberania" (J. R. P. Sclater, *in loc.*).

"Alguns estudiosos supõem que este salmo reflita a circunstância histórica em que Davi trouxe a arca da aliança para Jerusalém, até que, finalmente, ela foi instalada no templo construído por seu filho, Salomão. Talvez as portas (vs. 7) se refiram à antiga fortaleza que acolheu a arca, o símbolo da presença de Yahweh (ver 2Sm 6). Mas o salmo poderia falar do retorno triunfal da batalha, e da subsequente ascensão ao templo. Seja como for, era necessária uma preparação para essa subida. Um homem precisava ter mãos limpas e coração puro para aproximar-se do santo templo do Senhor. Ou, então, mais provavelmente ainda, a composição foi reunida com bases em diferentes fontes, visando propósitos litúrgicos, conforme sugiro nas notas acima.

Um Salmo Messiânico. Alguns eruditos fazem este salmo (em seu sentido profético) referir-se à *ascensão de Cristo*. Ver o vs. 8 e cf. Cl 2.15 e Hb 2.14,15. Cf. o vs. 10 com Ap 5.11-14 e 17.14. Cerca de dezesseis salmos são considerados messiânicos, embora outros, indubitavelmente, contenham alusões ou mesmo referências messiânicas. Os salmos usualmente considerados messiânicos são os de número 2, 8, 16, 22 a 24, 40, 41, 45, 68, 69, 72, 89, 102, 110 e 118.

■ 24.1

לְדָוִד מִזְמוֹר לַיהוָה הָאָרֶץ וּמְלוֹאָהּ תֵּבֵל וְיֹשְׁבֵי בָהּ׃

Ao Senhor pertence a terra. A *terra física* e a terra cultivada, e todos os seus habitantes, pertencem ao Senhor (Yahweh, o Deus eterno), por ser ele o Criador, benfeitor e guia de todos. Ele é o Deus *capaz*, aquele que intervém e diante de quem somos responsáveis. Em 1598, quando a França foi, pela primeira vez, declarada um lugar de adoração livre, pelo Edito de Nantes, este *salmo* foi lido para abrir o culto de adoração que se seguiu à implementação do citado edito. Por quê? Porque ele começa com a declaração universal: todos pertencem ao mesmo Senhor. Assim também o cântico entoado nos portões do templo, antes da adoração solene, relembrou como o Criador é o Deus de todos, e a verdadeira fé não tem portas fechadas.

Cantai ao Senhor um cântico novo, e o seu louvor até às extremidades da terra, vós os que navegais pelo mar, e tudo quanto há nele, vós, terras do mar, e seus moradores.

Isaías 42.10

Nos tempos antigos, este salmo era entoado no primeiro dia da semana, e os cristãos judeus aceitaram essa prática, fazendo do primeiro dia um tempo de descanso cristão. Cristo representa o apelo universal, ele é o Salvador universal. Ver Jo 12.32, que diz:

E eu, quando for levantado da terra, atrairei todos a mim mesmo.

Tudo o que nela se contém. "Nela" refere-se à terra física, à terra cultivada, aos habitantes e todos os tesouros da terra, sua prata, seu ouro, suas árvores, plantas, vegetação, os animais selvagens e os domesticados, as muitas colinas e vales.

Este versículo representa um reconhecimento geral da *soberania* de Deus. Ver sobre o assunto no *Dicionário*. Essa soberania atua por meio do amor, pelo que todas as coisas e todos os seres humanos são beneficiados por terem como autor o mesmo Yahweh, o mesmo Deus eterno. Paulo aludiu a este versículo quando falava sobre a liberdade cristã, em 1Co 10.25,26,28.

■ 24.2

כִּי־הוּא עַל־יַמִּים יְסָדָהּ וְעַל־נְהָרוֹת יְכוֹנְנֶהָ׃

Fundou-a ele sobre os mares. A referência, aqui, é ao ato criador. Como é apenas natural, o Criador de tudo está interessado por tudo; ele é o benfeitor de tudo e é soberano sobre tudo.

Mares... correntes. A referência é a Gn 1.2 e seu abismo primevo. Para uma ilustração daquilo em que os hebreus acreditavam sobre o cosmos, ver o gráfico apresentado no artigo do *Dicionário*, chamado *Astronomia*. A crença dos antigos era que o grande mar das águas primevas era separado pelo firmamento, uma espécie de taça invertida que deixava águas acima do arco e águas abaixo dele, sobre as quais a terra flutuaria. Só não se pensava sobre o quê essas águas repousavam. Os intérpretes modernos fazem essas expressões serem *poéticas* a fim de tentar adaptar as crenças antigas às ideias modernas; para os hebreus, porém, tais declarações eram "científicas", e não mera "poesia". A inspiração divina não está interessada na exatidão científica; ela cuida somente da exatidão *espiritual*.

Cf. Gn 1.9,10; Jó 38.8 e 2Pe 3.5. O mundo criado precisava tornar-se *habitável*, o que explica a necessidade de separar as águas para que aparecesse a *terra seca*. Quanto à ideia de a terra repousar sobre as águas, cf. Sl 136.6 e Pv 8.25-29. A ideia de a terra ser pendurada sobre o *nada* (ver Jó 26.7) foi uma inovação interessante, mas o sentido não fica claro. A gravidade cósmica não é o nada, e, além disso, até agora, pouco sabemos sobre a maneira como a terra está suspensa no espaço. E também não entendemos como profundidade os campos magnéticos e a gravidade.

■ 24.3,4

מִי־יַעֲלֶה בְהַר־יְהוָה וּמִי־יָקוּם בִּמְקוֹם קָדְשׁוֹ׃
נְקִי כַפַּיִם וּבַר־לֵבָב אֲשֶׁר לֹא־נָשָׂא לַשָּׁוְא נַפְשִׁי וְלֹא נִשְׁבַּע לְמִרְמָה׃

Quem subirá ao monte do Senhor? Essas palavras foram endereçadas à multidão, a qual é advertida de que nem todos poderiam avizinhar-se do templo e seu culto. Somente os *qualificados* ousam fazer isso. O vs. 4 fornece instruções específicas quanto a essa qualificação. Um homem precisa ter coração puro e mãos limpas. Estão em foco os *requisitos morais* da lei mosaica.

A lei mosaica era o documento de Israel em matéria de crença e prática. Era seu estatuto eterno (ver Êx 29.42; 31.16; Lv 3.17 e 16.29). Tornava Israel uma nação *distintiva*, livre das práticas idólatras dos pagãos (ver Dt 4.48). A *tríplice designação* ilustra a sua essência (ver Dt 6.1). Era a provisão de toda a vida e existência, bem como o *fator abençoador* (ver Dt 5.16; 22.6,7 e 25.15). Suas leis cerimoniais de purificação tinham de ser obedecidas e eram consideradas obrigações morais. Em outras palavras, um homem precisava estar "em dia" com a fé e a prática, a fim de aproximar-se do templo de Jerusalém. Os sacrifícios e os ritos apropriados tinham de ser cumpridos. Qualquer tipo de imundícia teria de ser evitado. Além disso, temos os *Dez Mandamentos* (ver a respeito no *Dicionário*), guias morais para o homem espiritual que constituíam a própria essência da lei.

Falsidade. Devemos incluir aqui a idolatria e outras práticas vãs dos pecadores.

Nem jura dolosamente. Ver Êx 20.7 sobre a questão. Nem *mentiras* nem *testemunhos falsos* eram tolerados. A língua não deveria falar o engano em um tribunal de lei, nem em qualquer outro lugar, perante juízes ou homens. O poeta proferiu alguns poucos exemplos de coisas que eram proibidas pela lei, mas afirmava que "tudo quanto está na lei" tinha de ser observado. O homem precisava ter *atitudes corretas* (no coração) e *atos retos* (mãos limpas). A lavagem das mãos simbolizava e libertava a pessoa das poluições (ver Mt 27.24; Sl 26.6; 73.13).

■ 24.5

יִשָּׂא בְרָכָה מֵאֵת יְהוָה וּצְדָקָה מֵאֱלֹהֵי יִשְׁעוֹ׃

Este obterá do Senhor a bênção. O indivíduo que passasse no teste do vs. 4 tinha liberdade de continuar marchando na direção do templo, para realizar a liturgia, os sacrifícios, os ritos, os votos etc. Tal pessoa podia esperar corretamente a bênção de Deus, porquanto tinha obtido *qualificação* para isso. O homem que continuasse a avançar, cheio de pecados, seria julgado por presunção e desrespeito às regras do culto.

A justiça do Deus da sua salvação. A *Revised Standard Version* diz aqui "vindicação", em lugar de "justiça". O homem de coração puro seria declarado apto a receber as bênçãos de Deus. Isso incluiria a *salvação*, a retidão espiritual e o bem-estar da alma, não definidos no Antigo Testamento em nenhuma extensão. Dn 12.3 é uma das melhores declarações sobre a questão naquele documento. O Antigo Testamento não delineava as doutrinas do céu e da terra, que começavam a tomar forma nos livros apócrifos e pseudepígrafos e receberam tratamento mais profundo no Novo Testamento. Neste versículo, não está em pauta nada parecido com a salvação cristã da alma, embora alguns intérpretes, cristianizando o texto, consigam enxergar isso. Talvez até haja uma alusão profética à salvação cristã, embora sem definição. Uma *devida recompensa,* conforme pensam alguns, seria o significado de "salvação" neste caso, de acordo com William R. Taylor, *in loc.*, e isso poderia ser interpretado de maneira temporal ou espiritual, dependendo de quanto teria avançado a noção de salvação na época em que foi escrito o salmo. Seja como for, não é errado interpretar espiritualmente este versículo, embora corramos o risco de dizer mais do que o poeta pretendia dizer. Seja como for, é claro que as bênçãos de Deus coroam a fidelidade do homem.

■ 24.6

זֶה דּוֹר דֹּרְשָׁיו מְבַקְשֵׁי פָנֶיךָ יַעֲקֹב סֶלָה:

Tal é a geração dos que o buscam. Aqueles que fossem *vindicados,* declarados aptos — os limpos de coração e de mãos — esses seriam a *geração* que buscava e achava Deus. Eles procuravam a *face* (a presença) do mesmo Deus de Jacó e dos outros patriarcas, e assim continuavam a cumprir os ideais da nação — eram os escolhidos de Deus. Formavam um povo distinto (ver Dt 4.4-8). Os que não se qualificavam não tinham o direito de realizar o culto no templo, e a presença que se manifestaria no Santo dos Santos os ignorava. Os verdadeiros interessados eram os filhos de Jacó, o qual lutou com o Anjo do Senhor e prevaleceu (ver Gn 32.24 ss.). Esses também venceram quando seguiram as tradições dos patriarcas e de Moisés, as quais distinguiam *Israel* das outras nações.

Selá. Quanto a conjecturas sobre o que significa esta palavra misteriosa, ver as notas expositivas em Sl 3.2.

> *Mas agora, assim diz o Senhor, que te criou, ó Jacó, e que te formou, ó Israel: Não temas, porque eu te remi; chamei-me pelo teu nome, tu és meu.*
>
> Isaías 43.1

Jacó era o suplantador cuja mente estivera fixa nas realidades deste mundo, um homem de enganos e espertezas. Mas Deus endireitou a sua alma e ele se encontrou com o Anjo do Senhor face a face e tornou-se *Israel,* um "príncipe com Deus", alguém que lutou com o Poder (El) e saiu-se vencedor.

UM CÂNTICO DE ANTÍFONA (24.7-10)

■ 24.7

שְׂאוּ שְׁעָרִים רָאשֵׁיכֶם וְהִנָּשְׂאוּ פִּתְחֵי עוֹלָם וְיָבוֹא מֶלֶךְ הַכָּבוֹד:

Levantai, ó portas, as vossas cabeças. É aqui que alguns intérpretes veem a porção messiânica do salmo e aplicam-na à ascensão de Cristo. Dentro do *contexto histórico,* tudo quanto está em foco são os portões do templo. O cortejo estacou diante daqueles portões e chamou por eles (personificando-os). Vozes clamaram como resposta. O "Rei da Glória" queria entrar. As vozes perguntaram: "Quem é esse Rei?" A interpretação messiânica faz com que esses portões sejam os do céu, onde Cristo entrou após a sua ressurreição e ascensão. Os romanos erguiam arcos triunfais para seus conquistadores e, quanto maior fosse a vitória e o vitorioso, maior (mais alto) era o arco. Assim sendo, o Rei dos reis aproximou-se do arco mais elevado de todos, depois de ter obtido a maior de todas as vitórias.

Os intérpretes fazem de Davi o *rei ideal* de Israel (ver 1Rs 15.3), personagem histórica que se tornou um tipo do Rei dos reis. Alguns estudiosos referem-se ao fato de que Davi trouxe a arca da aliança ao tabernáculo, depois de ela ter sido guardada na casa de Obede-Edom. Triunfalmente, os portões da cidade foram abertos para recebê-la. Ver 2Sm 6.12 ss., quanto à história. Esta pode ter sido a circunstância histórica que inspirou a composição do salmo original, mais tarde adaptado para propósitos litúrgicos. O leitor deve lembrar que estamos apenas conjecturando.

Os portais são aqui *personalizados* como se tivessem mente própria e fossem capazes de responder ao rei e cumprir a sua vontade. Os portais fechados mantinham a cabeça abaixada; mas um portal aberto seria aquele que levantasse a própria cabeça.

Ó portais eternos. A *Revised Standard Version* diz aqui *portas eternas*. Está em pauta a antiguidade das portas, e não a sua eternidade. A palavra "portais" encoraja a interpretação messiânica, mas não fazia parte das circunstâncias históricas.

O Rei da Glória. Historicamente, pode estar em pauta a arca da aliança, símbolo da presença de Yahweh. Portanto, Yahweh era o Rei que pedia admissão, entrada. Dentro do contexto profético, todavia, sem dúvida está em pauta o Rei dos reis. É difícil ignorar a palavra profética aqui, embora alguns críticos tenham tentado fazer isso, com grande esforço. Notemos que este Rei é também o Senhor dos Exércitos, ou *Yahweh* no contexto antigo.

Comparar este texto com o eloquente texto de Calímaco, que proferiu palavras similares a Apolo:

> Retrocedei, vós, ferrolhos; retrocedei, portas gigantescas. Cedei lugar!
> Pois não está distante o Deus do Dia.
>
> *Hino a Apolo*, vss. 6 e 7

■ 24.8

מִי זֶה מֶלֶךְ הַכָּבוֹד יְהוָה עִזּוּז וְגִבּוֹר יְהוָה גִּבּוֹר מִלְחָמָה:

Quem é o Rei da Glória? *O Diálogo.* O hino, sem dúvida, era entoado como uma antífona. Os portais personificavam responder à demanda por entrada: "Quem é o Rei da Glória?" A multidão, que vinha transportando a arca, respondeu: "O Senhor, forte e poderoso, o Senhor, poderoso nas batalhas". A alusão parece ser à arca que Davi trazia ao tabernáculo por ele mesmo levantado, o qual simbolizava a presença de Yahweh; assim, na realidade, era *Yahweh* quem estava sendo trazido ao tabernáculo. Ele é o forte na batalha, o General do Exército, aquele que dava a Israel suas vitórias. Essas vitórias estavam sendo celebradas pela multidão que se dirigia ao tabernáculo (templo) para oferecer os sacrifícios apropriados de ação de graças. Tempos mais tarde, o hino foi adaptado para a adoração geral, *generalizando* assim o cântico do guerreiro.

Profeticamente, temos em mira a ascensão de Cristo. Ele, que estava vindo de uma recente vitória sobre as forças do mal, na terra e no hades (ver Cl 2.15), tinha direito legítimo de entrar no templo celeste. Os *portais eternos* abriram-se diante dele, como o *Herói* da batalha, o qual trazia a salvação, derrotando o reino do mal e todos os poderes de Satanás. Ver Ap 7.14 e 19.11-21.

■ 24.9,10

שְׂאוּ שְׁעָרִים רָאשֵׁיכֶם וּשְׂאוּ פִּתְחֵי עוֹלָם וְיָבֹא מֶלֶךְ הַכָּבוֹד:

מִי הוּא זֶה מֶלֶךְ הַכָּבוֹד יְהוָה צְבָאוֹת הוּא מֶלֶךְ הַכָּבוֹד סֶלָה:

Levantai, ó portas, as vossas cabeças. Este versículo é uma duplicação virtual do vs. 7, que aqui reaparece para efeito de repetição dramática. Recebe elaborações desnecessárias diante da ideia de que tais repetições subentendem "duas vindas de Cristo", uma por ocasião de sua ascensão, e outra por ocasião do julgamento final. "A repetição do vs. 7 serve para salientar, com maior ênfase, o poder do Senhor, pois ele é o Senhor dos Exércitos, o General das forças de Israel, que conquista todas as coisas para seu povo, aquele que abafou a rebeldia das forças do mal e anulou seus planos perversos.

SALMO VINTE E CINCO

Quanto a *informações gerais* que se aplicam a todos os salmos, ver a introdução ao Salmo 4, onde apresento *sete* comentários que elucidam a natureza do livro. Quanto às *classes* dos salmos, ver o gráfico existente no início do comentário, que atua como uma espécie de frontispício. Dou ali dezessete classes e listo os salmos que pertencem a cada uma delas.

Este salmo pertence à mais numerosa das classes de salmos: é um salmo de *lamentação*. Mais de sessenta dos 150 salmos existentes são assim classificados. Tipicamente, esses salmos começam com um grito desesperado pedindo ajuda, descrevem os vários tipos de perigos enfrentados e então terminam com uma nota de triunfo e ação de graças, seja pela resposta dada à oração, seja em antecipação de uma resposta aguardada para breve, em reação ao pedido feito.

Este salmo foi composto como um poema acróstico. Cf. os Salmos 9 e 10, quanto ao estilo literário. Cada versículo, ou cada um de dois versículos, começa com uma letra sucessiva do alfabeto hebraico, circunstância que pode explicar a aparente ausência de sequência lógica.

Subtítulo. O subtítulo deste salmo é simplesmente "salmo de Davi". Esta nota de introdução foi adicionada por editores muito tempo depois de as composições originais terem sido preparadas. Os editores tentaram identificar os autores e prestar informações sobre possíveis circunstâncias históricas que possam ter inspirado a composição. Cerca de metade dos salmos é atribuída a Davi, um grande exagero, sem dúvida. Não obstante, não há razão para duvidarmos de que certo número dessas composições poéticas foi, realmente, escrito por Davi, *o suave salmista de Israel* (2Sm 23.1).

Os eruditos que devem conhecer essas coisas dizem-nos que o estilo acróstico só apareceu mais tarde, após o exílio, pelo que os salmos escritos nesse estilo devem ser considerados posteriores. Naturalmente, eles podem ter incorporado elementos anteriores. O salmo à nossa frente combina uma mescla de hinos, sendo distinguíveis os vss. 4,5; 8-10 e 12-14. E isso também parece obedecer a um estilo característico de uma época posterior.

Este salmo exalta o caráter de Deus, em contraste com o homem humilde e pecaminoso que precisa receber instrução e ajuda divina para ser resguardado do perigo.

Os Salmos 25 e 34 formam um par, pois este último é também um salmo acróstico e apresenta características semelhantes, incluindo certas irregularidades. Mas o Salmo 25 é uma oração pessoal, enquanto o Salmo 34 é uma oração e um louvor público.

■ 25.1,2

לְדָוִד אֵלֶיךָ יְהוָה נַפְשִׁי אֶשָּׂא:
אֱלֹהַי בְּךָ בָטַחְתִּי אַל־אֵבוֹשָׁה אַל־יַעַלְצוּ אֹיְבַי לִי:

A ti, Senhor, elevo a minha alma. A *vida essencial* é levantada perante Yahweh em uma súplica sincera, e o salmista pede ajuda para ser livrado de inimigos (vs. 2). A despeito de seu estilo acróstico, fazendo as linhas começar com letras sucessivas do alfabeto hebraico, o poeta conseguiu expressar adequadamente o seu apelo. Provavelmente através do *homoeoteleuton* (similaridades nos fins das linhas), uma linha deixou de figurar. William R. Taylor sugeriu que o poema dizia, originalmente:

Espero, ó Yahweh, por ti,
Elevo a minha alma a meu Deus.

A alma eleva-se para ser salva, por causa das ameaças de inimigos de um ser mortal, o que mostra quão urgente se tornava a intervenção divina. Note o leitor como os dois nomes divinos são usados: *Yahweh* (vs. 1, o *Deus Eterno*) e *Elohim* (vs. 2, o *Poder*, ou *Deus Todo-poderoso*). Ver no *Dicionário* o artigo intitulado *Deus, Nomes Bíblicos de*.

O salmista tinha uma causa justa a defender; se fosse derrotado, seria *envergonhado* e, pior, seria morto, perdendo qualquer causa de qualquer espécie. Davi conseguiu dominar ou confinar *oito* povos, e isso possibilitou à nação estabelecer-se e atingir sua época áurea sob Salomão, filho de Davi. Ver 2Sm 10.19, quanto ao fato de que Davi derrotou seus adversários.

Não seja eu envergonhado. Embora tenha confiado em Yahweh-Elohim, o salmista acabou caindo sob o poder dos inimigos, porque sua causa, que era também a de Israel, se perdeu; ou então, é bastante possível (vs. 7) que seus pecados lhe tenham impedido a vitória e ele se envergonhasse de si mesmo por causa do fracasso na batalha. Cf. a questão da *vergonha* com Sl 31.17 e 34.5.

Ampara-me segundo a tua promessa, para que eu viva; não permitas que a minha esperança se envergonhe.

Salmo 119.116

Uma confiança e esperança não cumpridas envergonhariam um homem. Talvez seja esta também a ideia do versículo. Aquele homem "confiou em Deus". Todavia, sua confiança estava mal colocada e era fantasiosa. Ver, porém, o vs. 7. Talvez pecados diversos possam ter estragado os planos do homem, levando-o à derrota, conforme sugerido acima. Por conseguinte, ele precisava ser perdoado de seus pecados a fim de poder triunfar.

■ 25.3

גַּם כָּל־קֹוֶיךָ לֹא יֵבֹשׁוּ יֵבֹשׁוּ הַבּוֹגְדִים רֵיקָם:

Com efeito, dos que em ti esperam, ninguém será envergonhado. O *poeta orou* para que aqueles que o acompanhassem, talvez seus colegas de farda, fossem também preservados da vergonha da derrota e da falsa esperança. Mas desejou que os inimigos de Israel sofressem vergonha, pois a mereciam: eles deveriam ser derrotados para que se demonstrasse que a confiança em deuses falsos era inadequada.

O guerreiro que fracassasse era um homem envergonhado. Ele culpava a si mesmo, a outros, ou a seu deus, a quem ele tinha oferecido vãos sacrifícios e a quem fizera orações. "Seu trabalho" tinha fracassado. Todos nós nos sentimos envergonhados quando nossa obra não é devidamente executada.

Os inimigos de Davi (ou de algum outro poeta) eram "transgressores" contra Israel, o povo de Deus, por lançarem guerra contra eles, sem nenhuma razão real para tanto. Eles não estavam atrás de saques. Além disso, *desfrutavam* guerras e matanças. Contudo, a causa deles não era justa. Eles não tinham sido "provocados" por Israel. Agiram por sua própria perversidade. Eram indivíduos *traiçoeiros*. Cf. Sl 41.9 e Os 6.7.

Espiritualizando o versículo, J. R. P. Sclater, *in loc*., disse: "A pessoa deve fazer uma pausa aqui para pensar. Alguns são tão *terrivelmente tentados* que acabam caindo. Mas todos nós sabemos o que é sofrer uma tentação desprezível ou, pior ainda, uma tentação auto-inventada, e cair. Podemos sucumbir diante de formidáveis tentações por nos demorarmos nelas. Em outras palavras, tentamos a nós mesmos. Esse *tipo* de tentação nos deveria deixar *envergonhados*".

■ 25.4

דְּרָכֶיךָ יְהוָה הוֹדִיעֵנִי אֹרְחוֹתֶיךָ לַמְּדֵנִי:

Faze-me, Senhor, conhecer os teus caminhos. É necessário que o Senhor nos mostre o caminho, *para evitarmos as tentações*, grandes ou pequenas, e para *evitarmos cometer erros*. Precisamos ser liderados em meio à *luz*. Sim, é mister que o Senhor nos mostre o caminho e nos ensine as suas veredas. Se o *pecado* for a razão pela qual o homem pode ser derrotado e envergonhar-se (vs. 3), então ele precisa oferecer os sacrifícios apropriados e entrar limpo na batalha. A *vereda* que o poeta precisou aprender a percorrer é a vereda da lei, o *estatuto eterno* (ver Êx 29.42; 31.16; Lv 3.17 e 16.29). Cf. Sl 1.1. A lei tornava Israel *distinto* dos povos pagãos (ver Dt 4.4-8). O Sl 119 é o grande Hino da Lei, onde também vemos a multidão de seus atributos e como isso se aplicava a cada faceta da vida em Israel. O ensino, pois, deveria estar centralizado na lei e seus requisitos. Os *Dez Mandamentos* (ver a respeito no *Dicionário*) são a essência da lei, que dão luz e instrução a Israel. Naturalmente, a graça suplementava a lei, e o Espírito substituiu o legalismo pelo zelo, mas essa já é uma verdade avançada, própria do Novo Testamento. Quanto ao ensino sobre a verdade e o ser conduzido pela vereda certa, cf. Sl 19.7-10 e 119.35.

Guia-me pela vereda dos teus mandamentos, pois nela me comprazo.

Salmo 119.35

Quiçá o poeta sacro tivesse em mente a passagem de Êx 33.13, que deve ser comparada com este versículo. Ela fazia parte de certa oração de Moisés.

25.5

הַדְרִיכֵנִי בַאֲמִתֶּךָ וְלַמְּדֵנִי כִּי־אַתָּה אֱלֹהֵי יִשְׁעִי אוֹתְךָ קִוִּיתִי כָּל־הַיּוֹם׃

Guia-me na tua verdade e ensina-me. A petição foi *repetida*, e então um apelo foi feito ao Deus Todo-poderoso (Elohim), para que ele respondesse à oração e a tornasse eficaz. A *salvação* é o objetivo da oração, e isso deveria ser compreendido aqui como livramento de todo dano, e não como salvação da alma. A oração era contínua, porquanto a necessidade era urgente. O poeta orava o dia inteiro e, sem dúvida, todos os dias. A lição espiritual é a *perseverança na oração*.

"Muitos perdem o benefício de suas orações intensas porque não *perseveram*. Eles oram por algum tempo e depois desanimam e desistem. Dessa forma, perdem tudo quanto foi operado nele e por eles" (Adam Clarke, *in loc.*).

Acredito que o Senhor ouviu minha oração;
Acredito que a resposta já está a caminho.
Não lances fora a tua confiança
No Senhor, teu Deus.

Embora a oração consista principalmente em *pedir e receber*, também funciona como uma *disciplina*. A oração nos ensina várias coisas. Não nos dá meramente algo pelo qual pedimos. Algumas vezes esse aspecto da questão leva as respostas a serem adiadas. Ver sobre *Oração* no *Dicionário*, quanto a detalhes sobre esse importante assunto.

tua verdade. Temos aqui um paralelo aos caminhos e veredas do vs. 4, e isso vem através da lei, conforme amplamente anotado.

"Faze-me ter uma experiência real da fidelidade divina em minha passagem pela vida" (Ellicott, *in loc.*).

25.6

זְכֹר־רַחֲמֶיךָ יְהוָה וַחֲסָדֶיךָ כִּי מֵעוֹלָם הֵמָּה׃

Lembra-te, Senhor, das tuas misericórdias e das tuas bondades. *Yahweh é o Deus da misericórdia e do amor constante* (ver a *Revised Standard Version*); e o poeta precisava ter uma demonstração imediata desses princípios, *para que* sua vida fosse salva da destruição, a qual levaria seus inimigos a triunfar sobre ele, projetando-o na vergonha.

A *história* conta como a bênção de Deus desceu do céu como se fosse uma chuva pesada.

Suas nuvens estão inchadas de misericórdia, irrompendo em bênçãos sobre a tua cabeça.

William Cowper

Desesperado, o poeta sagrado precisava de uma demonstração imediata da realidade das nuvens chuvosas de Deus. Assim sendo, Yahweh foi convocado a *lembrar* como ele tinha atuado em outros casos e a *repetir sua realização* em favor do homem pobre. Oh, Senhor, concede-nos tal graça! O guerreiro duvidava do poder de Deus e estava ansioso para que o poder divino entrasse em ação *naquele exato momento!*

Manifestou os seus caminhos a Moisés, e os seus feitos, aos filhos de Israel...
Mas a misericórdia do Senhor é de eternidade a eternidade, sobre os que o temem...
Atendeu à oração do desamparado, e não lhe desdenhou as preces.

Salmo 103.7,17 e Salmo 102.17

O *caráter* revelado e historicamente comprovado de Yahweh como um Poder que abençoa era a base da oração daquele homem. Mas ele ansiava por ver tal poder "no dia de hoje", porquanto sem isso ele estaria perdido. É conforme diz certo hino evangélico:

Estou perdido, ó Senhor, se tu
Tirares a tua mão de sobre mim.

25.7

חַטֹּאות נְעוּרַי וּפְשָׁעַי אַל־תִּזְכֹּר כְּחַסְדְּךָ זְכָר־לִי־אַתָּה לְמַעַן טוּבְךָ יְהוָה׃

Não te lembres dos meus pecados da mocidade. O salmista havia semeado más ações quando jovem. Esses pecados porventura impediriam suas orações agora? Jó disse a mesma coisa e não cria que pecados cometidos há tanto tempo tinham causado os sofrimentos pelos quais ele passava. Ver Jó 13.26. Além disso, havia as *transgressões* que podiam referir-se ao tempo presente. Isto posto, sua derrota em batalha poderia subentender o fato de que ele era um pecador e não merecia ser livrado de seus inimigos. Porém, o salmista implorou que o Deus Yahweh misericordioso o perdoasse de todos os pecados, antigos e novos, não lhe permitindo cair diante dos inimigos. De conformidade com Mq 7.18-20, é precisamente isso o que Deus está disposto a fazer. Devemos esquecer, tendo eliminado de nossa vida os pecados, para que Deus pare de relembrá-los. Considere o filósofo que arruinou sua carreira universitária por ter-se tornado viciado em bebidas alcoólicas. Mais tarde, porém, aquele mesmo homem *recuperou-se* de seu vício e avançou para tornar-se um grande evangelista! Os pecados de um homem não são o próprio homem. Ele pode despir a velha roupa e vestir um novo traje.

Alguns intérpretes pensam que o autor do Salmo 25 era Davi, lembrando antigos pecados, dos quais os mais pesados eram os de adultério e assassinato, no caso de Bate-Seba e Urias. Davi poderia achar que esses grandes pecados o levariam a fracassar na batalha, em consonância com a *Lei Moral da Colheita segundo a Semeadura* (ver a respeito no *Dicionário*).

25.8

טוב־וְיָשָׁר יְהוָה עַל־כֵּן יוֹרֶה חַטָּאִים בַּדָּרֶךְ׃

Bom e reto é o Senhor. O poeta sacro tinha a consciência culpada. Em contraste, porém, um pecador insensato qualquer oferecia resistência a Yahweh, *reto* em todos os seus caminhos e *bom* em suas disposições, contrastando com homens perversos, que lançam tudo no caos. O Deus *bom e reto* é quem ensina o caminho aos pecadores, conduzindo a maior conformidade com sua própria imagem.

Santos sereis porque eu, o Senhor, vosso Deus, sou santo.

Levítico 19.2

O padrão do caminho é a lei, sobre a qual comentei amplamente no vs. 4. Os pecadores não devem perseverar em seus pecados; antes, devem fugir para o Deus santo, pedindo-lhe perdão e transformação, *por amor a si mesmos*. Eles têm de chegar ao lugar onde fluem as bênçãos e o poder divino. E assim como foram ousados e endurecidos em seus pecados, precisam agora ser ousados em conquistar o bem.

Com lembranças claras, augustas e sublimes,
Lembrando-se da grande Verdade e Direito de Deus,
Ambas as coisas imutáveis,
Ela se tornou senhora de suas fraquezas.

Adaptado de linhas escritas por A. H. Clough

Temos luz suficiente para viver por ela. Algumas vezes, porém, é preciso que nossa memória seja despertada para inspirar nossa mente. Jesus nos deixou o bom exemplo. Lembremo-nos dele, e assim poderemos ser conduzidos por seu caminho pelo Deus santo. Ele foi o pioneiro e foi aperfeiçoado por seus sofrimentos (ver Hb 2.10). Ele conhecia o caminho, ensinou sobre o caminho e é, ele mesmo, o Caminho.

Então ensinarei aos transgressores os teus caminhos, e os pecadores se converterão a ti.

Salmo 51.13

25.9

יַדְרֵךְ עֲנָוִים בַּמִּשְׁפָּט וִילַמֵּד עֲנָוִים דַּרְכּוֹ׃

Guia os humildes na justiça. O pecador humilde tem interesse em mudar seus caminhos e assim "provar" as promessas de Deus; mas o pecador arrogante persiste em seus pecados e traça o seu próprio caminho. O poeta sagrado era sábio o bastante para conhecer esses fatos e aproximar-se de Deus com humildade. *A esse homem,* pois, Deus guiará na direção da retidão. *Esse homem* obterá luz no caminho de Deus, seja através da lei, de experiências intuitivas ou de sonhos e visões. Deus sabe como operar na vida de cada indivíduo. Até pecadores endurecidos podem ser suavizados e tornar-se receptores dos ensinamentos divinos. Mas o poeta sacro era apenas um homem comum, dotado de bom coração, mas continuava a transgredir por causa de suas fraquezas. Deus tinha tocado em seu coração, e ele caminhava em direção ao aprimoramento. Nessa vereda, Deus ouviria e responderia às suas orações desesperadas pedindo livramento dos inimigos, que estavam prestes a pôr fim à sua carreira como soldado.

Castiga-me, ó Senhor, mas em justa medida, não na tua ira, para que não me reduzas a nada.

Jeremias 10.24

Não cabe ao homem determinar o seu caminho, nem ao que caminha o dirigir os seus passos.

Jeremias 10.23

■ 25.10

כָּל־אָרְחוֹת יְהוָה חֶסֶד וֶאֱמֶת לְנֹצְרֵי בְרִיתוֹ וְעֵדֹתָיו׃

Todas as veredas do Senhor são misericórdia e verdade. *As veredas traçadas por Deus*, seguidas por um homem, são caracterizadas pela misericórdia e pela verdade, atributos divinos que permeiam tudo quanto Deus faz. Os que estão em aliança com Deus são os beneficiários. Essa gente também guardará seus *testemunhos* e se referirá à lei. Ver sobre a *tríplice designação* da lei, em Dt 6.1. Ver no *Dicionário* o artigo geral chamado *Pactos*, vários dos quais se aplicam a Israel. Ver especialmente *Pacto de Moisés*, na introdução a Êx 19. Além desse, há o *Pacto Palestino*, comentado na introdução a Dt 19. Finalmente, ver o *Pacto Davídico*, em 2Sm 7.4.

Visto que Deus era alguém que participava dos pactos, seu ofício foi cumprir suas promessas. Entre elas estava a instrução na lei, para fazer um homem ser bom e agir bem. A misericórdia divina estender-se-á até esse homem. Ele será conduzido por aquilo que é certo.

Eu tencionava chegar a Deus,
É para Deus que tanto me apresso;
No peito de Deus está o meu lar;
... ali deixarei o meu espírito, finalmente.

Johannes Agrícola

■ 25.11

לְמַעַן־שִׁמְךָ יְהוָה וְסָלַחְתָּ לַעֲוֹנִי כִּי רַב־הוּא׃

Por causa do teu nome, Senhor. O poeta sagrado, a outra parte do pacto, invocava a Deus, o principal participante, que respondesse à sua oração, por "sua causa". Se um passarinho cair por terra, Deus tem consciência disso (ver Mt 10.29), e até uma pequena queda como essa é controlada por Deus. Deus seria vindicado mediante a vitória do salmista, porquanto confiava nele. O pecado se fazia presente e era grande, mas o perdão por meio de sacrifícios apropriados também estava presente. Então Deus ficaria livre para responder à oração do homem que sofria alguma aflição. "A própria grandeza do meu pecado cria a *necessidade maior* da misericórdia. Quanto mais perigoso for o ferimento, mais o Médico compassivo será movido a aplicar o remédio apropriado para efetuar a cura. Cf. 2Sm 24.10; Is 55.7 e Rm 5.20" (Fausset, *in loc.*).

Deixe o perverso o seu caminho, o iníquo os seus pensamentos; converta-se ao Senhor, que se compadecerá dele, e volte-se para o nosso Deus, porque é rico em perdoar.

Isaías 55.7

Nome. Ou seja, o *caráter revelado* de Deus, como santo, misericordioso e perdoador. Perdoar o pecador é uma ilustração de como Deus trata daqueles que se arrependem. Cf. Is 43.25.

■ 25.12

מִי־זֶה הָאִישׁ יְרֵא יְהוָה יוֹרֶנּוּ בְּדֶרֶךְ יִבְחָר׃

Ao homem que teme ao Senhor. O temor ao Senhor é o princípio da sabedoria, pelo que aos que começam a carreira sendo sábios, é assegurado que serão ensinados quanto aos caminhos de Deus. Ver Sl 111.10. Ver também no *Dicionário* o verbete intitulado *Temor*, especialmente o primeiro ponto.

... escolhei hoje a quem sirvais; se aos deuses a quem serviram vossos pais, que estavam dalém do Eufrates, ou aos deuses dos amorreus, em cuja terra habitais. Eu e a minha casa serviremos ao Senhor.

Josué 24.15

Muitos benefícios são outorgados ao homem que teme a Deus, incluindo os segredos de seu pacto (vs. 14). Além disso, há as bênçãos temporais e espirituais, como também a prosperidade material e espiritual (vs. 13). Mas o pecador arrogante apalpa estupidamente as trevas e nada encontra no final. Cf. Sl 119.30,173.

■ 25.13

נַפְשׁוֹ בְּטוֹב תָּלִין וְזַרְעוֹ יִירַשׁ אָרֶץ׃

Na prosperidade repousará a sua alma. O homem que teme a Deus "habitará na prosperidade", conforme diz a *Revised Standard Version*, uma crença comum e persistente dos hebreus, algumas vezes provada na vida diária, e outras vezes, não. Que fosse feita a vontade de Deus. Seja como for, temos dinheiro para promover causas boas: de outra sorte, de que adianta termos dinheiro?

Deus pode fazer-vos abundar em toda graça a fim de que, tendo sempre, em tudo, ampla suficiência, superabundeis em toda boa obra.

2Coríntios 9.8

Não há grande virtude em ser pobre, pelo que rogamos a Deus que nos dê *ampla suficiência!* É uma inconveniência alguém não ter fundos suficientes para atender às suas necessidades pessoais e seus projetos particulares, pelo que Deus nos dê o que nos é conveniente! O homem que prospera materialmente verá prosperar seus filhos, porquanto eles herdarão as terras de seus pais, dadas por Deus, as heranças de família dos filhos de Israel.

Espiritualizar este versículo é algo que nos permite aprender outras lições. Não basta ter muito dinheiro. Precisamos também ter muitas boas obras, especialmente aquelas inspiradas pela lei do amor. Precisamos prosperar nisso mais do que nas coisas materiais. O guerreiro pobre que clamou para que a intervenção divina o salvasse de seus adversários não prosperaria nem física nem espiritualmente. E nós também não prosperaremos, a menos que Deus, de alguma maneira, reverta a maré da adversidade.

Cristianizando o versículo, poderíamos dizer:

Nós, porém, segundo a sua promessa, esperamos novos céus e nova terra, nos quais habita a justiça.

2Pedro 3.13

Essa é a prosperidade final, a herança final na *terra*.

Ver sobre o *Pacto Abraâmico*, em Gn 15.18, quanto à herança de Israel da terra. Cf. Mt 5.5, que pode ser uma citação parcial que combina a ideia dos *humildes*, do vs. 9, com a ideia daqueles que *herdarão* a terra, no vs. 13.

■ 25.14

סוֹד יְהוָה לִירֵאָיו וּבְרִיתוֹ לְהוֹדִיעָם׃

A intimidade do Senhor é para os que o temem... a sua aliança. Está em foco a aliança, ou seja, os *preceitos* da lei que dão direção espiritual apropriada ao homem bom. A *Revised Standard Version* diz "amizade", e a *King James Version* diz "segredo", em lugar de "aliança", que requer uma compreensão diferente do texto hebraico envolvido. O termo hebraico *sod* pode referir-se a um *conselho* *privado*, reunido para tomar alguma deliberação. Nesse caso, o homem bom é "participante das reuniões secretas de Deus", ou seja, é alguém que compreende a mente e os planos divinos. Ou então essa pessoa é amiga de Deus, alguém aceito no conselho secreto de Deus. Fausset defende "intimidade familiar" como o sentido dessas palavras, o que se reflete em nossa versão portuguesa. Seja como for, a lei é a comunicação geral de Deus ao homem, o fruto de seu conselho. A palavra hebraica *sod* também significa "lugar de repouso", do qual também obtemos a ideia de uma conversa confidencial.

Os que gozam de tal amizade com Deus são as pessoas que *temem* a Deus, algo anotado detalhadamente no vs. 12. Para esses, o pacto divino é revelado, com seus requisitos e bênçãos, e sua natureza obrigatória. Ver o vs. 10, quanto a notas expositivas detalhadas. Ver como, naquele versículo, o pacto e os testemunhos (a lei) são reunidos.

Literatura de Sabedoria. Estes versículos nos fazem lembrar da *literatura de sabedoria* dos hebreus: Jó, Provérbios, Eclesiastes e certos escritos hebreus não canônicos. Alguns salmos ou parte deles participam dessa forma de escritos. Os *salmos de sabedoria* são os de número 1, 36, 37, 49, 73, 91, 96, 97, 112, 127, 128 e 133. Ver no *Dicionário* o artigo intitulado *Sabedoria*, seção III, *Literatura de Sabedoria*, quanto a maiores detalhes.

■ 25.15

עֵינַי תָּמִיד אֶל־יְהוָה כִּי הוּא־יוֹצִיא מֵרֶשֶׁת רַגְלָי׃

Os meus olhos se elevam continuamente ao Senhor. Os *olhos* da alma contemplam o Senhor, o qual é poderoso e pode livrar da miséria; a oração é o agente que efetua esse propósito. Aquele cujas orações são respondidas é tirado da rede que algum homem perverso lhe armou, como se fosse um animal para ser apanhado e morto. Ver Sl 9.15, quanto à metáfora da caça. O poeta confiava na *Providência de Deus* (ver no *Dicionário*) bem como no fato de que a oração pode fazer atuar essa providência em casos específicos de necessidade.

■ 25.16,17

פְּנֵה־אֵלַי וְחָנֵּנִי כִּי־יָחִיד וְעָנִי אָנִי׃
צָרוֹת לְבָבִי הִרְחִיבוּ מִמְּצוּקוֹתַי הוֹצִיאֵנִי׃

Volta-te para mim e tem compaixão. Temos aqui outro pedido de ajuda, em um fraseado levemente diferente, dirigido ao Poder (*El*), pois há provisão de livramento de homens violentos e seus planos ímpios. Não fora isso, o ouvido de El teria de voltar-se na direção do poeta, atentando às suas orações de desespero. O salmista estava desolado e aflito, pois sua vida corria perigo. Ele, uma vez mais, elevou a alma (vs. 1) a Yahweh. Novamente, ele menciona as *tribulações* de sua alma (vs. 17). Ele estava sofrendo uma crise de perigo mortal. Somente uma intervenção divina poderia salvá-lo das armadilhas e ciladas dos ímpios. Se o Senhor afastasse a mão, ele estaria perdido. A *Revised Standard Version* diz aqui "As tribulações de meu coração são muitas", o que, sem dúvida, reflete uma compreensão diferente do texto hebraico envolvido, requerendo uma emenda do texto. "Suas muitas tribulações o impulsionaram para o único que podia livrá-lo" (Fausset, *in loc.*).

Antes de ser afligido andava errado,
mas agora guardo a tua palavra...
Foi-me bom ter eu passado pela aflição,
para que aprendesse os teus decretos.

Salmo 119.67,71

■ 25.18

רְאֵה עָנְיִי וַעֲמָלִי וְשָׂא לְכָל־חַטֹּאותָי׃

Considera as minhas aflições. Os *olhos do homem aflito* voltaram-se para El (o Poder), e agora ele chama o Senhor para voltar os olhos na *sua* direção. "Olha para a minha aflição e para a minha dor." Um único olhar naquela situação lastimável seria suficiente para excitar a compaixão divina, a qual levaria o Poder a agir. Ao mesmo tempo, seriam perdoados os *pecados* cometidos, a *causa* aparente de tanto perigo e aflição. Isso reitera as ideias do vs. 7, onde o leitor pode acompanhar maiores detalhes. A misericórdia e a graça divina não se limitam aos retos, porque, se assim fosse, teríamos uma bem pequena população neste mundo. Não obstante, é uma verdade padrão que ser alguém limpo de pecados permite que as bênçãos divinas fluam em sua direção. Quando os *inocentes* sofrem (conforme se vê no livro de Jó), então nos vemos envolvidos no misterioso *Problema do Mal* (ver a respeito no *Dicionário*): por que os homens sofrem, e por que sofrem da maneira como sofrem. Podemos atribuir a maior parte do sofrimento humano à *Lei Moral da Colheita segundo a Semeadura* (ver a respeito no *Dicionário*), mas essa não é a única causa dos sofrimentos. Existem enigmas que incluem os estúpidos atos do *caos*, dos quais precisamos de livramentos diários, em resposta às orações específicas.

■ 25.19

רְאֵה־אוֹיְבַי כִּי־רָבּוּ וְשִׂנְאַת חָמָס שְׂנֵאוּנִי׃

Considera os meus inimigos, pois são muitos. O salmista fora amaldiçoado com o aparecimento de muitos e fortes adversários que combinavam atos de violência e crueldade. Somente o Ser divino era capaz de salvar o poeta de qualquer dano. O *ódio* inspira os homens a atos malignos e violentos, e isso é verdade tanto nas ruas como na guerra. Aos soldados ensina-se a odiar, o que torna mais fácil matar o inimigo. O ódio é o amor do diabo. O amor de Deus enleva e abençoa. O amor do diabo destrói. Ver no *Dicionário* o artigo chamado *Ódio*, onde também ofereço detalhado artigo. A maior parte dos atos dos demônios está associada a isso, pois sem a presença do *ódio* a influência e a possessão demoníaca são quase impossíveis. Assim sendo, sem alguma espécie de ódio, os atos mais destruidores deste mundo (praticados pelos homens) não ocorreriam. O ódio é o *instrumento específico* da violência e da confusão.

Se alguém disser: Amo a Deus, e odiar a seu irmão, é mentiroso; pois aquele que não ama a seu irmão, a quem vê, não pode amar a Deus, a quem não vê.

1João 4.20

O *ódio importa em homicídio* e leva à sua prática (ver Mt 5.21,22; 1Jo 3.15). Uma das obras da carne, o ódio é contrário às virtudes cultivadas pelo Espírito, principalmente o amor, que lhe é oposto (ver Gl 5.20). Com frequência, oculta-se atrás de uma capa de engano (ver Pv 10.18). O ódio provoca contendas (ver Pv 10.18) e amargura a vida do indivíduo (ver Pv 10.12). Ele é incoerente com o conhecimento de Deus (ver Rm 1.30).

A quem os homens temem, odeiam; e a quem odeiam, querem vê-lo morto.

Quintus Ennius

É característica da natureza humana odiar o homem a quem se enganou.

Tácito

■ 25.20

שָׁמְרָה נַפְשִׁי וְהַצִּילֵנִי אַל־אֵבוֹשׁ כִּי־חָסִיתִי בָךְ׃

Guarda-me a alma e livra-me. "Alma", neste caso, é a "vida física", a qual estava sendo ameaçada de extinção. Yahweh tinha de livrar a vida do poeta sagrado, ou ele seria estupidamente destruído pelo inimigo incansável. Então o homem seria levado à *vergonha*, porquanto confiava em Deus, que, no entanto, nada fizera por ele. Isso repete a ideia contida no vs. 2 (ver comentários). A *confiança não recompensada* é uma questão séria, independentemente de assinalar a relação entre homem e homem, ou entre Deus e homem. Ver sobre a *confiança* usada em Sl 2.12.

Livra a minha alma da espada, e das presas do cão a minha vida.

Salmo 22.20

■ 25.21

תֹּם־וָיֹשֶׁר יִצְּרוּנִי כִּי קִוִּיתִיךָ׃

Preservem-me a sinceridade e a retidão. O salmista havia confessado e abandonado seus pecados, pelo que esperava a ajuda divina em sua aflitiva situação. Sua retidão havia de salvá-lo, porque

Yahweh veria o que estava acontecendo e correria em seu socorro. O poeta sacro, pois, continuava a *esperar* no Senhor a ajuda de que necessitava; mas ele começava a ficar desesperado, porque Deus o fizera esperar tanto, que já não restava mais tempo. Deus tinha de agir, e prontamente, ou a causa do salmista estaria perdida. "Se um homem vem a Deus na força de uma boa consciência, Deus deve vindicar a sua causa (Jó 13.16)" (William R. Taylor, *in loc.*).

■ 25.22

פְּדֵה אֱלֹהִים אֶת־יִשְׂרָאֵל מִכֹּל צָרוֹתָיו׃

Ó Deus, redime a Israel. O *clamor personalizado* foi agora *generalizado*, a fim de ser aplicado à nação inteira de Israel. O guerreiro era um defensor do Estado, e o seu livramento ajudaria no livramento da nação. Este versículo, entretanto, poderia ser um comentário editorial posterior, adaptando o salmo para um uso litúrgico, do qual a comunidade inteira de Israel participaria. Seja como for, nenhum homem está sozinho. O bem-estar do indivíduo e o da comunidade estão entrelaçados. Nenhum homem é separado, como uma ilha, do continente.

> *Os resgatados do Senhor voltarão, e virão a Sião com cânticos de júbilo; alegria eterna coroará as suas cabeças; gozo e alegria os alcançarão, e deles fugirá a tristeza e o gemido.*
>
> Isaías 35.10

SALMO VINTE E SEIS

Quanto a *informações gerais* que se aplicam a todos os salmos, ver a introdução ao Salmo 4, onde apresento *sete* comentários que elucidam a natureza do livro. Quanto às *classes* dos salmos, ver o gráfico no início do comentário sobre o livro, que atua como uma espécie de frontispício. Dou ali dezessete classes e listo os salmos que pertencem a cada uma delas.

Este é outro salmo de *lamentação*. Há mais de sessenta deles dentro da coletânea dos 150 salmos. Esses salmos primeiramente registram algum *grito de desespero* da parte de algum homem que carece de livramento da parte de um inimigo, guerreiro estrangeiro, país atacante ou mesmo alguma doença física que ameace a vida. Além disso, esses salmos terminam com uma nota de louvor e ação de graças, por ter sido respondida a oração, ou por se esperar para breve a resposta e o consequente livramento. Neste salmo, temos um clamor pela vindicação contra uma acusação injusta. Cf. 1Rs 8.31,32. O poeta sacro declarou-se inocente dessas acusações (vss. 4-7). Seu protesto foi dramatizado por uma cerimônia litúrgica (vss. 6 e 7). O homem libertado prometeu fazer um voto (vs. 12).

"O Salmo 26 é uma forte afirmação de integridade, revelando-se uma oração reconhecida por Deus... Aqui, o salmista declara que permaneceu separado dos pecados, identificando-se com a adoração a Yahweh. Sobre essa base, ele orou com a confiança de que o Senhor lhe pouparia uma sorte como a que atinge os pecadores" (Allen P. Ross, *in loc.*).

Subtítulo. Neste salmo temos o simples subtítulo "salmo de Davi", cuja intenção é dizer-nos que este salmo foi composto por ele, embora não se encontre nenhum incidente específico, na vida de Davi, que confirme tal declaração. As notas de introdução (subtítulos) foram adicionadas por editores subsequentes e não faziam parte original dos salmos. Usualmente são apenas conjecturas referentes à autoria e aos eventos históricos que possam ter inspirado as composições. Cerca de metade da coletânea de 150 salmos tem sido atribuída a Davi, um grande exagero, sem dúvida, mas não há razão para negar que Davi escreveu, pelo menos, alguns deles. Afinal, ele era o *suave salmista de Israel* (ver 2Sm 23.1).

"As circunstâncias que levaram à composição deste salmo são similares àquelas refletidas nos Salmos 3 a 5, 7 e 17. O salmista passava por tribulação devido a falsas acusações assacadas contra ele por pessoas ímpias e inescrupulosas. Visto que as acusações eram de natureza capital (pois poderiam ser a causa de sua execução), ele tinha razão para temer que seu fim estava iminente (vs. 9)" (William R. Taylor, *in loc.*). Portanto, ele precisava ser divinamente vindicado. Talvez isso viesse através de um oráculo, ou mediante o uso do *Urim* e do *Tumim* (ver a respeito no *Dicionário*), ou através de algum outro ato de homens espirituais, que excluiriam o caso do tribunal.

Enquanto outros salmos de sua espécie são mais específicos, este é mais geral, pelo que poderia ter sido escrito como uma peça flexível para adaptar-se a todos os casos de perseguição contra o justo, que fosse efetuada através de algum processo legal.

■ 26.1

לְדָוִד שָׁפְטֵנִי יְהוָה כִּי־אֲנִי בְּתֻמִּי הָלַכְתִּי וּבַיהוָה בָּטַחְתִּי לֹא אֶמְעָד׃

Faz-me justiça, Senhor. O *poeta estava tão seguro de sua integridade*, bem como de que não era culpado das acusações feitas contra ele, que conclamou o próprio Yahweh para julgar o caso. Convém-nos ser cuidadosos ao dizer que "Deus está ao meu lado". Os homens mais iníquos têm o desplante de invocar Deus como testemunha de sua integridade. Tais juramentos geralmente são totalmente inúteis. Ver no *Dicionário* o artigo intitulado *Juramentos*. Não obstante, o poeta fez o contraste entre si mesmo e essas "pessoas vãs" que o perseguiam (vs. 5), e estava seguro de sua posição. Portanto, conclamou o Senhor a agir em favor dele (*vindicando* assim a sua causa) (vs. 1); e também a *examinar* se o caso (vs. 2; cf. Sl 139.23) era válido ou não.

O Homem era Inocente das Acusações. Ele sempre confiara em Yahweh, sem hesitações. Veja o leitor como a palavra "confiança" foi usada em Sl 2.12. O salmista era inocente de toda acusação e sempre fora inocente. Não é que ele tivesse sido mau ontem e bom hoje. Sua espiritualidade havia sido sempre forte. Poderia haver aqui uma referência messiânica à inocência e pureza de todo pecado por parte de Cristo, que sofreu as calúnias dos ímpios, mas o salmo não é messiânico em sua totalidade.

Tenho andado na minha integridade. Quanto à metáfora do ato de *andar*, ver essa palavra no *Dicionário*. Isso fala de uma "conduta contínua", a própria *essência* da vida. Talvez o ambiente histórico seja a ocasião em que Davi fugia de Saul, acusado de traição. Mas parece que Saul nunca teve a intenção de levar Davi a um tribunal, para que seu caso fosse julgado. Ver os vss. 6 e 7.

■ 26.2

בְּחָנֵנִי יְהוָה וְנַסֵּנִי צְרוֹפָה כִלְיוֹתַי וְלִבִּי׃

Examina-me, Senhor, e prova-me. *Que o Senhor Fosse o Juiz.* Deus só se pronunciaria depois de um detalhado escrutínio da questão. Deus julgaria as evidências. Esse julgamento seria completo e exato. Seriam testados os *rins* do poeta, isto é, seus *sentimentos*. Seus *pensamentos* (mente, *coração*) também seriam esquadrinhados. Ver no *Dicionário* o verbete intitulado *Órgãos Vitais*, onde discuto o que os hebreus pensavam sobre esses órgãos e como certos sentidos metafóricos foram a eles vinculados. Ver também, no *Dicionário*, o artigo separado intitulado *Rins*. Os hebreus associavam os rins às emoções, e o coração às operações da mente, bem como às emoções e aos sentimentos. Não repito aqui os detalhes do artigo que ilustram o texto presente. O exame feito por Yahweh, pois, estender-se-ia às motivações, e não meramente aos atos. Cf. a metáfora do teste mediante o fogo (ver Sl 66.10).

■ 26.3

כִּי־חַסְדְּךָ לְנֶגֶד עֵינָי וְהִתְהַלַּכְתִּי בַּאֲמִתֶּךָ׃

Pois a tua benignidade tenho-a perante os olhos. O *amor constante de Deus* (conforme diz a *Revised Standard Version*) estava sempre diante dos olhos do salmista. Deus jamais escapava da sua visão. Tudo quanto ele fazia era com respeito ao Ser divino. Em bases veterotestamentárias, isso significa que o homem era cuidadoso observador da lei, o teste da espiritualidade na época. A lei era o manual de fé e conduta do homem bom. Ter e observar a lei mosaica era o que tornava Israel uma nação *distinta* (ver Dt 4.4-8). Os *Dez Mandamentos* (ver a respeito no *Dicionário*) eram as regras básicas da lei, de onde o restante emanava. Andar pelo caminho da lei significava que o poder estava sob a bênção contínua do amor de Deus. O salmista já havia sido alvo de muitas bondades, bem como de muitos benefícios, da parte do amor de Deus. Agora carecia de ajuda especial, ser vindicado das falsas acusações que enfrentava e que lhe poderiam custar a vida. A bondade de Deus tinha de estar ao seu lado. E isso ele esperava com razão, visto que seu andar era inocente e fiel a Deus. Ver no *Dicionário* o verbete intitulado *Andar, Metáfora do*. Ver também os comentários sobre o vs. 2, anteriormente.

Benignidade. Ou seja, *amor constante*, os atos beneficentes de Deus em favor do homem. Dt 6.5 mostra que o amor de Deus é o primeiro mandamento. Rm 13.8 ss. afirma que desse mandamento se deriva a lei em sua inteireza. Mas quando um homem ama, isso é porque Deus amou primeiro.

> *Nisto consiste o amor, não em que nós tenhamos amado a Deus, mas em que ele nos amou...*
>
> 1João 4.10

■ **26.4**

לֹא־יָשַׁבְתִּי עִם־מְתֵי־שָׁוְא וְעִם נַעֲלָמִים לֹא אָבוֹא׃

Não me tenho assentado com homens falsos. O poeta sagrado não tinha como companheiros indivíduos maus, pelo que não estava moralmente poluído por tais associações. Outrossim, não se havia envolvido nos planos malignos de outras pessoas. Ele não era um pecador privado nem público. No registro de sua vida, não existiam atos de violência. Ele não havia promovido nem sedições nem levantes contra as autoridades. Ele nada tinha que ver com homens como aqueles mencionados em Sl 24.4, nem havia caminhado ao longo com os pecadores (ver Sl 1.1). "Com facilidade ele seria um bom puritano, saído dentre eles e mantendo-se separado do mundo" (J. R. P. Sclater, *in loc.*).

Não me tenho assentado. Em conselhos maus, que planejassem a confusão; em reuniões particulares nas quais os participantes ficam pensando em seus deboches; em reuniões políticas clandestinas; ou, metaforicamente, ele não mantinha companhia com homens maus.

"... pessoas vãs, homens cheios de vaidade, viciados em coisas vazias deste mundo; que buscam as riquezas, as honras, os prazeres e o aprazimento de tais coisas... cujo andar é um espetáculo vazio; que caminham inchados em sua mente carnal... homens de vã conversação... faladores indisciplinados... homens culpados de idolatria" (John Gill, *in loc.*).

■ **26.5**

שָׂנֵאתִי קְהַל מְרֵעִים וְעִם־רְשָׁעִים לֹא אֵשֵׁב׃

Aborreço a súcia de malfeitores. Homens assim separados do mal aborreciam as reuniões dos malfeitores; o salmista, portanto, não participava da adoração idólatra deles, nem de sua vã política, nem de empreendimento algum que interessasse a indivíduos de mente debochada. Ele não tomava parte em assembleias que planejavam a maldade contra outros ou pretendiam perturbar-lhes a paz. Não se "assentava com eles", uma reiteração do que se lê no versículo anterior.

> *Já em carta vos escrevi que não vos associásseis com os impuros...*
> *Retirai-vos do meio deles, separai-vos, diz o Senhor; não toqueis em cousas impuras; e eu vos receberei.*
>
> 1Coríntios 5.9; 2Coríntios 6.17

Malfeitores. Esta palavra é tradução de um vocábulo hebraico que significa "quebrar em pedaços". O poeta sacro nada tinha que ver com homens destruidores que perpetram atos violentos que *partem* as coisas.

■ **26.6**

אֶרְחַץ בְּנִקָּיוֹן כַּפָּי וַאֲסֹבְבָה אֶת־מִזְבַּחֲךָ יְהוָה׃

Lavo as mãos na inocência. O salmista reforçou assim seus protestos de inocência, referindo-se ao costume de lavar as mãos, um ritual que significava: "Estou limpo de qualquer mal". Ver Dt 21.6 ss. A lavagem das mãos dos anciãos no sangue de uma novilha recém-abatida, juntamente com a declaração de inocência, livrava a comunidade de toda a suspeita de culpa no assassinato de outrem. Cf. o ato de Pilatos, que lavou as mãos em água, declarando-se inocente do sangue de Jesus, ou seja, não ter parte na sua condenação e reconhecendo nele um inocente (ver Mt 27.24). As *mãos* são os instrumentos de *ações*, boas ou más, pelo que são objetos apropriados para serem lavados em tais rituais. Cf. Sl 73.13 e Jó 9.30.

> *... ainda que me lave com água de neve, e purifique as mãos com cáustico.*
>
> Jó 9.30

Cf. Êx 30.17 ss.

Ao redor do teu altar. O salmista não mantinha associações amistosas com os ímpios, mas estava sempre no templo, observando os rituais daquele lugar e expressando sua espiritualidade. Para demonstrar respeito pelos lugares santos, os hindus circundavam seus templos várias vezes por dia e assim efetuavam um ato de devoção pública. No texto presente, temos algo similar. Os sacerdotes que serviam no templo costumavam circundá-lo, ao oferecer os sacrifícios. Eles prendiam os sacrifícios nos chifres do altar, nas quatro esquinas, o que tornava necessário o circuito. Lavar as mãos era, igualmente, parte do rito. Tais atos tornavam-se símbolos de piedade. E também fazia parte dos ritos dos pagãos lavar as próprias mãos, quando se estava envolvido nos ritos sagrados (conforme se lê em Tibull. 1.2, *eleg.* 1 e Plauto, em *Aullular,* ato terceiro).

Talvez houvesse um cortejo que marchava ao redor dos altares de sacrifício e, naturalmente, envolvia o *cântico de hinos* (vs. 7) no processo. Se isso acontecia, este é o único versículo a afirmá-lo em toda a Bíblia.

■ **26.7**

לַשְׁמִעַ בְּקוֹל תּוֹדָה וּלְסַפֵּר כָּל־נִפְלְאוֹתֶיךָ׃

Para entoar, com voz alta, os louvores. Os ritos sempre incluíam cânticos e a execução de instrumentos musicais, e classes especiais de levitas eram nomeadas para esse trabalho, a cada geração. Os homens eram treinados nos cânticos e no manuseio de instrumentos. Ver 1Cr 25, quanto às guildas musicais. O poeta sacro era um homem piedoso que participava dessas cerimônias, enquanto evitava os locais onde homens ímpios se reuniam para falar de qual confusão se ocupariam.

As sessões de cânticos tinham o propósito de louvar o Senhor. As obras maravilhosas de Yahweh eram o tema dos hinos. Sem dúvida, alguns dos salmos que estão no nosso saltério eram usados e, em tempos posteriores, muitos foram empregados. O salmista estava sempre com o Senhor, enquanto homens malignos estavam com o diabo. "Foi assim que Israel tornou conhecidas as maravilhas de Deus, operadas no livramento dessa nação no mar Vermelho (ver Êx 14 e 15), e ele ainda o fará, de novo, na ocasião de ainda maior e final libertação (ver Is 63.7). Aquele cujo coração está tão repleto da bondade de Deus que seus lábios não podem deixar de proclamá-lo, esse se engajará em tais atos" (Fausset, *in loc.*).

■ **26.8**

יְהוָה אָהַבְתִּי מְעוֹן בֵּיתֶךָ וּמְקוֹם מִשְׁכַּן כְּבוֹדֶךָ׃

Eu amo, Senhor, a habitação de tua casa. Enquanto o piedoso poeta *odiava* as assembleias dos ímpios (ver o vs. 5), *amava* o templo e seus rituais e, naturalmente, por trás desse amor estava o amor ao Ser divino, que é a expressão do primeiro e maior mandamento (ver Dt 6.5). Toda *verdadeira* piedade flui daí. O templo se tornara o *principal deleite* daquele homem, e uma (talvez até a principal) razão pela qual ele queria continuar a viver era para engajar-se continuamente em suas atividades espirituais.

Se Davi estava envolvido, então o salmo fala do tabernáculo, mas, se o autor foi um poeta posterior, estava em mira o templo. O culto e seus aparatos evoluíram e o mesmo aconteceu com aqueles que dele participavam. Aqueles lugares eram a *habitação* de Yahweh, porquanto ele manifestava a sua glória na arca da aliança, que era conservada no Santo dos Santos. Quando o tabernáculo foi erguido, a glória de Yahweh o encheu (o que também aconteceu no caso do templo; ver Êx 40.34,35). Cf. Hb 9.24. Davi trouxera a Jerusalém o tabernáculo, o qual, ali, até o templo ser construído, serviu de centro de adoração, tal como acontecera no deserto. Ver 2Sm 15.25. Ver no *Dicionário* o artigo *Shekinah*.

26.9

אַל־תֶּאֱסֹף עִם־חַטָּאִים נַפְשִׁי וְעִם־אַנְשֵׁי דָמִים חַיָּי׃

Não colhas a minha alma com a dos pecadores. *Visto que o salmista era um homem piedoso* e queria continuar a viver para pôr em prática seus ritos e deveres espirituais, ele ansiava não ser "colhido" (ver também a *Revised Standard Version* quanto a essa tradução) juntamente com os ímpios, na sua destruição. Ele queria viver para adorar; queria viver para servir; ele tinha de continuar vivendo a fim de cumprir sua missão. Oh, Senhor, concede-nos tal graça! Ele "orou para ser poupado de um fim súbito, o que é próprio dos pecadores, e não dos santos (cf. 1Rs 8.31,32)" (William R. Taylor, *in loc.*). O salmista não tinha derramado sangue inocente, conforme haviam feito os ímpios de seu tempo, pelo que não queria que seu sangue fosse derramado por algum pecador violento. Deus varreria o lugar, em seu julgamento. Os bons seriam poupados, ou, pelo menos, essa era a esperança do poeta, pela qual ele orava tão intensamente.

Não colhas a minha alma. A referência não é a de um julgamento para além do sepulcro, pois isso não fazia parte da teologia dos hebreus, naquela época. Está em pauta a *morte prematura,* algo que a mente dos hebreus tanto temia, porquanto isso era extremamente comum, naquele tempo de enfermidades descontroladas e violência irrefreada.

Não colhas. A Vulgata Latina interpretou isso como "destruir". Sem importar se está em pauta a "limpeza da casa" ou a "colheita do plantio", a morte prematura seria o resultado final daqueles que sofressem o julgamento.

26.10

אֲשֶׁר־בִּידֵיהֶם זִמָּה וִימִינָם מָלְאָה שֹּׁחַד׃

Em cujas mãos há crimes. Este versículo descreve os ímpios, que serão "colhidos" ou "varridos"; são homens cujas mãos praticam enganos ou planos maus: a mão direita deles estava cheia de peitas. Eles são perversos no coração e planejam e agem em conformidade. Aceitam dinheiro para matar outros e para realizar atos estúpidos de impiedade. São elevados a altas posições, porque o *dinheiro* os leva até ali. Eles usam dinheiro para elevar e rebaixar outras pessoas, ou mesmo para eliminá-las, quando desejam fazê-lo. São indivíduos egoístas cujos atos sempre visam o próprio benefício, mesmo quando esses atos parecem feitos em favor de outras pessoas. Ver na *Enciclopédia de Bíblia, Teologia e Filosofia* o verbete intitulado *Egoísmo*.

> ... nem aceita suborno contra o inocente.
>
> Salmo 15.5

"... aceitam subornos, mediante os quais os olhos dos juízes são cegados, as palavras dos justos são pervertidas, as pessoas são erroneamente respeitadas ou desrespeitadas, e os julgamentos são distorcidos" (John Gill, *in loc.*).

> Não torcerás a justiça, não farás acepção de pessoas, nem tomarás suborno; porquanto o suborno cega os olhos dos sábios e subverte a causa dos justos.
>
> Deuteronômio 16.19

26.11

וַאֲנִי בְּתֻמִּי אֵלֵךְ פְּדֵנִי וְחָנֵּנִי׃

Quanto a mim, porém, ando na minha integridade. Em contraste com os que são descritos no vs. 10, o poeta era habitualmente bom, pois *andava nas veredas* da justiça e da bondade. Ver no *Dicionário* o artigo intitulado *Andar, Metáfora do*. Cf. os vss. 1 e 3 deste salmo, que emprega a mesma metáfora. O salmista, pois, estava certo de que seus caminhos eram *aceitáveis* diante de Deus, e de que ele era *digno* de ser poupado de morte prematura às mãos de homens ímpios. Cf. Sl 1.1, o frontispício dos Salmos. A redenção, neste caso, não é da alma, mas é o livramento dos planos de homens violentos que intentam matar o corpo. O poeta, então, clamou pela misericórdia divina. Ele era digno, mas precisava de toda a misericórdia que pudesse, além da recompensa que receberia por ser uma pessoa boa.

Seu *andar* era na integridade, isto é, em concordância com os princípios da lei que governavam toda a vida e a existência, bem como o culto no templo.

26.12

רַגְלִי עָמְדָה בְמִישׁוֹר בְּמַקְהֵלִים אֲבָרֵךְ יְהוָה׃

O meu pé está firme em terreno plano. As *veredas do guerreiro* eram traiçoeiras, levando-o a cair e a ferir-se. As veredas dos ímpios eram perversas e podiam fazer um homem bom cair na morte. O autor continua a metáfora do andar (vss. 1,3,11), mas, pelo contrário, embeleza-a. Em contraste com os caminhos perigosos e favoráveis a acidentes, o poeta queria que seus pés fossem postos em *terreno plano* (*Revised Standard Version*). O lugar de adoração era o terreno mais nivelado no qual ele podia pensar. Ele queria ser poupado para poder frequentar o lugar de adoração e de ritos espirituais.

Em tempos de guerra e catástrofe, os homens clamam a Deus pedindo ajuda. É conforme alguém já disse: eles se tornam bêbedos ou fanáticos religiosos. Naturalmente, tais condições usualmente só duram enquanto dura a crise, e então os homens voltam ao que eram antes. Conheci um homem que foi soldado durante a Segunda Guerra Mundial e enfrentava a morte diariamente. Ele escreveu à sua esposa, que estava em Salt Lake City, EUA, dizendo que, *se* o Senhor o tirasse daquela confusão em segurança e lhe permitisse voltar para casa, ele o serviria para sempre. A vida do homem foi poupada. Portanto, o que o homem fez? Exatamente o que disse que faria. Ele seguiu a vereda espiritual. Tornou-se diácono por muitos anos em uma igreja evangélica e nunca se desviou desse caminho. E viveu mais do que muitos jovens que nunca tinham ido à guerra. Sua luz brilhava na igreja e em toda a cidade. O poeta sagrado, pois, queria ser um homem *como esse*.

O nome desse homem era Jim Williams, e registro aqui essa nota em sua memória. Como nota de rodapé, vale a pena adicionar que ele tinha uma filha que se tornou uma missionária evangélica.

Outra "história de guerra" é a de *Thomas Dorsey*. Somente cidadãos americanos de mais idade, como eu, lembram-se dele. Ele foi um famoso tocador de trompete e líder de banda. E como sabia tocar! Também foi militar durante a Segunda Guerra Mundial, e por algum tempo enfrentava a morte diariamente no campo de batalha. Quando estava nessa crise, compôs o seguinte hino:

> Precioso Senhor, toma a minha mão!
> Guia-me avante, permite-me ficar de pé.
> Através da tempestade, através da noite,
> Guia-me ainda até a luz.
> Toma a minha mão, precioso Senhor,
> Leva-me para o meu lar.
>
> Quando meu caminho ficar lúgubre,
> Precioso Senhor, fica mais perto;
> Quando minha vida estiver quase no fim,
> Ouve meu grito! Ouve minha chamada!
> Segura minha mão para que eu não caia.
> Toma minha mão, precioso Senhor.
> Leva-me para o meu lar.
>
> Thomas Dorsey

Meus amigos, como as coisas andam conosco? Quais votos fizemos? Quais promessas firmamos? Temos guardado a nossa palavra? O quanto nos temos entregue à boa luta (2Tm 4.7)?

SALMO VINTE E SETE

Quanto a *informações gerais* que se aplicam a todos os salmos, ver a introdução ao Salmo 4, onde apresento *sete* comentários que elucidam a natureza do livro. Quanto às *classes* dos salmos, ver o gráfico no início do comentário sobre o livro, o qual atua como uma espécie de frontispício. Ofereço ali dezessete classes e listo os salmos que pertencem a cada uma delas.

Este salmo é um cântico de *confiança*. Outros salmos dessa classe são os de número 11, 16, 23, 63 e 131. Sobre como a palavra *confiança* é usada no livro de Salmos, ver Sl 2.12. Alguns salmos de confiança podem ser salmos de lamentação que foram truncados. Esse tipo de salmos (dos quais há mais de sessenta no saltério) começa tipicamente com um clamor pedindo livramento de algum inimigo, dá detalhes sobre esse inimigo e então termina agradecendo pela oração respondida ou porque uma resposta favorável é esperada para breve. Se considerarmos somente essa parte de agradecimento e louvor, teremos um salmo de confiança. Naturalmente, podemos falar em confiança com base em um contexto de perigo ameaçado por inimigos, pelo que nem todos os salmos desse tipo tinham essa base.

Este *salmo* consiste em dois elementos distintos tão diferentes que, originalmente, podem ter sido composições separadas que, finalmente, vieram a tornar-se um único salmo:

1. Vss. 1-6: Fé e coragem.
2. Vss. 7-14: Um grito pedindo livramento.

Há confiança no livramento de inimigos, pelo que o salmo está intimamente relacionado aos salmos de lamentação. A primeira parte, entretanto, é definida como um salmo de *confiança*. William R. Taylor, *in loc.*, considera as duas partes como composições separadas e faz da primeira parte (um salmo separado) um salmo de *confiança*, enquanto a segunda é um salmo de *lamentação*.

"Davi, no começo, expressou jubilosa confiança no Senhor, a despeito de uma hoste de inimigos que ameaçavam a sua vida. Subitamente, porém, sua atitude mudou: ele orou ansiosamente para que o Senhor não se esquecesse dele, mas o ajudasse e o consolasse em seu tempo de necessidade. Visto que o Senhor era sua fonte de consolo e esperança, o salmista se fortaleceu, esperando que o Senhor entrasse em ação. O salmo é um salmo de confiança corajosa" (Allen P. Ross, *in loc.*).

Este salmo "incorpora um ato de devoção e uma oração pedindo livramento" (*Oxford Annotated Bible,* sobre o vs. 1).

Subtítulo. Aqui o subtítulo é simples: "salmo de Davi". As notas de introdução foram providas por editores subsequentes e não faziam parte das composições originais. Os editores tentaram identificar os autores dos salmos e dizer algo sobre as circunstâncias históricas que poderiam ter inspirado essas composições poéticas. Usualmente temos nessas introduções apenas conjecturas, mas algum material válido pode aparecer aqui e ali. Cerca de metade dos salmos é atribuída a Davi, certamente um exagero, mas alguns deles, sem dúvida, tiveram autoria davídica, pois, afinal, ele foi o *mavioso salmista de Israel* (ver 2Sm 23.1).

■ 27.1

לְדָוִד ׀ יְהוָה ׀ אוֹרִי וְיִשְׁעִי מִמִּי אִירָא יְהוָה מָעוֹז־חַיַּי מִמִּי אֶפְחָד׃

O Senhor é a minha luz e a minha salvação. Se um homem tem Yahweh como *luz* e *salvação,* não precisa temer nenhuma pessoa ou coisa. Essa era a feliz condição do poeta sagrado. Ademais, ele tinha o Senhor como *força,* de modo que nenhum poder lhe resistiria ou efetuaria algum mal contra ele. Ele era *destemido* por causa desses fatores.

Luz. Ver a respeito no *Dicionário.* Está em pauta a iluminação espiritual. O homem sabia como agir. A iluminação espiritual sem dúvida fazia parte do quadro. O homem cresceu em sua espiritualidade, porquanto foi iluminado pelo Espírito. *Dominus illuminatio meu.* Essas palavras latinas são a tradução da Vulgata Latina para este versículo. O conhecimento é um dos dois pilares da espiritualidade; o outro, e principal deles, é o amor. A iluminação é parte do conhecimento e, algumas vezes, um fator que supera o conhecimento. Ver no *Dicionário* o artigo chamado *Iluminação.* Este versículo foi cristianizado no Novo Testamento, para fazer de Cristo a luz (ver Jo 1.4).

Salvação. Ver a respeito no *Dicionário.* Este salmo aponta para o livramento do mal e da morte, mas não é errado fazer uma aplicação espiritual, enfocando a salvação da alma.

Fortaleza. Temos aqui uma metáfora de origem militar. Esta palavra também pode ser traduzida por *refúgio.* O poeta tinha um lugar no qual se esconder em segurança em períodos de perigo. Então, o tempo todo, tinha esse poder que Deus dá. Na qualidade de soldado espiritual, ele contava com uma fortaleza para a qual podia recuar, ou da qual podia lançar seus mísseis para pôr fim a seus inimigos. Quanto aos lugares fortificados, ver Sl 37.39; 42.2; 52.7. Is 17.9 usa a palavra para referir-se a *cidades fortificadas.*

Vem do Senhor a salvação dos justos, ele é a sua fortaleza no dia da tribulação.

Salmo 37.39

"Com o Senhor ao lado, todos os poderes dos homens, ou mesmo Satanás, nada eram contra ele... Por isso, ele fala com triunfante confiança: 'A quem temerei?'" (Fausset, *in loc.*).

■ 27.2

בִּקְרֹב עָלַי ׀ מְרֵעִים לֶאֱכֹל אֶת־בְּשָׂרִי צָרַי וְאֹיְבַי לִי הֵמָּה כָשְׁלוּ וְנָפָלוּ׃

Quando malfeitores me sobrevêm. *Houve grande vitória* sobre assassinos cruéis. Eles tinham vindo para "devorar carne", ou seja, para efetuar destruição total, como um animal selvagem devora sua presa, mas Yahweh levou-os a tropeçar e cair. Os soldados reagiram e acabaram com eles. Yahweh pôs-se ao lado dos soldados e fez suas lanças encontrarem o alvo. Houve intervenção divina na batalha e os assassinos potenciais foram executados. Ver no *Dicionário* o artigo denominado *Lei Moral da Colheita segundo a Semeadura,* a qual operava no campo de batalha.

Ver Jó 19.22, onde os caluniadores foram chamados de "devoradores de carne". A *Revised Standard Version* diz "caluniadores contra mim", em lugar do hebraico literal "comei a minha carne", compreendendo este versículo da mesma forma que o versículo do livro de Jó, mas a figura continua sendo a de exércitos cruéis que atacam. Eles protestaram contra os caluniadores, suas barbaridades e ameaças, mas se tornaram vítimas, eles mesmos, da violência que perpetraram contra outras pessoas.

■ 27.3

אִם־תַּחֲנֶה עָלַי ׀ מַחֲנֶה לֹא־יִירָא לִבִּי אִם־תָּקוּם עָלַי מִלְחָמָה בְּזֹאת אֲנִי בוֹטֵחַ׃

Ainda que um exército se acampe contra mim. *Os tempos do salmista* eram cruéis e bárbaros. A sobrevivência diária era uma preocupação constante. Se alguma enfermidade não apanhasse a pessoa, um exército inimigo, com seus inevitáveis saques e matanças de cidadãos (e não meramente de exércitos), assim faria. Os ferozes povos da Palestina nunca davam a si mesmos ou a outrem paz alguma. Ver os *oito* povos que Davi aniquilou ou confinou, em 2Sm 10.19. Quando um exército chega aos portões de uma cidade, a situação pode tornar-se desesperadora. Contudo, o poeta sagrado, mediante a graça e a misericórdia de Deus, conseguiu sobreviver a tais situações, provavelmente por repetidas vezes. Assim sendo, ao menos ele podia dar graças a Deus por ser um *sobrevivente,* enquanto tantos haviam encontrado a *morte prematura,* uma grande calamidade para a mente hebraica da época.

Não tenho medo de milhares do povo que tomam posição contra mim de todos os lados.

Salmo 3.6

■ 27.4

אַחַת ׀ שָׁאַלְתִּי מֵאֵת־יְהוָה אוֹתָהּ אֲבַקֵּשׁ שִׁבְתִּי בְּבֵית־יְהוָה כָּל־יְמֵי חַיַּי לַחֲזוֹת בְּנֹעַם־יְהוָה וּלְבַקֵּר בְּהֵיכָלוֹ׃

Uma cousa peço ao Senhor. Este versículo, muito usado e apreciado, dentro do contexto *histórico* refere-se ao desejo do poeta de ter uma longa vida, ser livrado de seus inimigos, e assim ter a oportunidade de engajar-se no culto a Yahweh no templo, por extenso período. A palavra "morar" pode apontar para um sacerdote que estabeleceria seu lar no próprio templo, em um de seus apartamentos, providos para essa classe. Ou a palavra pode significar simplesmente "visitas frequentes" por parte de Davi ou de outra pessoa qualquer, que, por assim dizer, estabeleceria moradia no templo (na casa de Davi, o tabernáculo).

Uma cousa. O principal e todo consumidor desejo do poeta sacro era ter o pleno benefício do templo e seu culto. Essa era a normativa de sua vida.

Buscai, pois, em primeiro lugar, o seu reino e a sua justiça, e todas estas coisas vos serão acrescentadas.

Mateus 6.33

Para contemplar a beleza do Senhor. Em primeiro lugar, isso se refere à natureza magnificente do templo, com todo o seu rico mobiliário. Em segundo lugar, refere-se à beleza do culto a Yahweh e como isso agradava as pessoas envolvidas. Cf. Sl 23.6, que contém elementos similares. O peregrino viera para ficar.

Cristianizando e espiritualizando o versículo, podemos pensar em termos do templo celestial, os céus, o lugar onde os justos são recompensados.

Meditar no seu templo. Ou seja, buscar orientação de todos os tipos, tanto para a vida espiritual como para a vida física, em segurança, livre dos assédios do inimigo. Também podemos compreender aqui a busca espiritual do homem bom, que estava vitalmente ligado ao templo e seu culto, especialmente à lei mosaica, elemento que tornava Israel uma nação distintiva (ver Dt 4.4-8).

"O vs. 4 soa como a aspiração de um servo do templo, um levita, mas pode ser uma expressão dos propósitos da vida em geral de um *guerreiro devoto*, e podemos, assim sendo, aplicá-lo aos peregrinos cristãos" (J. R. P. Sclater, *in loc.*).

27.5

כִּי יִצְפְּנֵנִי בְּסֻכֹּה בְּיוֹם רָעָה יַסְתִּרֵנִי בְּסֵתֶר אָהֳלוֹ בְּצוּר יְרוֹמְמֵנִי:

Pois no dia da adversidade. O templo era um lugar de refúgio para o poeta. Ele se ocultaria em seu *pavilhão*, e, assim, ficaria protegido de todos os seus inimigos. Quanto ao termo pavilhão, a *Revised Standard Version* diz "abrigo", e aqui essa palavra é sinônima de tenda ou tabernáculo, ou de templo, e esse lugar é encarado como um lugar de refúgio e segurança. A palavra relembra os abrigos rudes nos quais o povo (e, simbolicamente, Deus) ficavam abrigados no tempo do êxodo (ver Lv 23.43). Ver também sobre abrigo (no hebraico, *seter*) no Sl 91.1 e 109.114. Estar perto da fonte do poder também adicionaria segurança contra homens iníquos e seus desígnios.

O que habita no esconderijo do Altíssimo, e descansa à sombra do Onipotente.
Salmo 91.1

Elevar-me-á sobre uma rocha. O *templo* agia como uma fortaleza segura, a *rocha elevada* onde os homens se refugiam muito acima do vale, nas montanhas, longe da cena de matança. A alusão é à Rocha de Israel (ver Is 30.29), um dos nomes de Deus, que fala de seu poder e de sua aptidão para proteger o povo. O versículo em Isaías faz da Rocha o lugar de adoração ao qual os homens sobem. A presença de Deus ali *também* é uma rocha de refúgio. Na presença de Deus ficamos livres de todas as tempestades da vida.

Leva-me para a rocha que é alta demais para mim.
Salmo 61.2

Este versículo é cristianizado para fazer da Rocha a pessoa de Cristo, conforme encontramos em 1Co 10.4.

A Rocha: o templo; Deus; Cristo; o princípio espiritual que opera através da presença de Deus.

27.6

וְעַתָּה יָרוּם רֹאשִׁי עַל אֹיְבַי סְבִיבוֹתַי וְאֶזְבְּחָה בְאָהֳלוֹ זִבְחֵי תְרוּעָה אָשִׁירָה וַאֲזַמְּרָה לַיהוָה:

Agora será exaltada a minha cabeça. *Seguro no abrigo* sobre a elevada Rocha, o homem estava livre de seus inimigos, que ficariam a uivar, por causa de sua destruição, no vale da guerra. Ele foi *elevado acima* dos inimigos e assim permaneceu, guardado em segurança, fora do alcance deles. Dessa forma o salmista passava o tempo praticando o culto do templo, seus sacrifícios e suas cerimônias. Para ele era um tempo *jubiloso*. Os sacrifícios eram efetuados juntamente com os atos de comer e festejar, e não com rosto tristonho. Os sacrifícios eram acompanhados pelo ministério da música, para o que músicos levitas especiais eram preparados de geração em geração (ver 1Cr 25). Por tudo isso, o poeta sagrado esperava passar por muita diversão no sentido espiritual.

Há alegria no serviço de Jesus,
Enquanto viajo pelo meu caminho;
A alegria enche meu coração de louvores,
Toda hora de todos os dias.
Oswald J. Smith

Cf. Nm 10.10; 23.21; Sl 81.3 e 89.16.

Em teu nome de contínuo se alegra, e na tua justiça se exalta.
Salmo 89.16

UM GRITO DE DESESPERO; UM APELO PEDINDO AJUDA (27.7-12)

27.7

שְׁמַע־יְהוָה קוֹלִי אֶקְרָא וְחָנֵּנִי וַעֲנֵנִי:

Ouve, Senhor, a minha voz; eu clamo. Tendo contemplado a segurança pela qual "esperava", bem como a *alegria* de uma adoração contínua na colina de Sião, de repente o poeta sagrado voltou ao campo de batalha no vale e enviou ao alto um pedido de ajuda, porquanto sua vida corria perigo. É possível que, originalmente, esta seção fosse um salmo de lamentação diferente, enquanto a primeira porção (vss. 1-6) fosse um salmo de louvor e ação de graças. Ver a introdução ao salmo quanto a comentários sobre essa possibilidade. Se, originalmente, o salmo tinha mesmo duas seções, então há uma "transição de uma confiança triunfal para um apelo suplicante, descendo em pensamento dos céus à terra" (Fausset, *in loc.*).

27.8

לְךָ אָמַר לִבִּי בַּקְּשׁוּ פָנָי אֶת־פָּנֶיךָ יְהוָה אֲבַקֵּשׁ:

Ao meu coração me ocorre: Buscai a minha presença. *Yahweh Quer que os Homens O Busquem.* O "indivíduo que busca" é o homem bom que está desenvolvendo a sua espiritualidade. Desde que convidado a buscar a face de Yahweh, o poeta sagrado aceitou ansiosamente o convite e passou a agir da maneira recomendada.

Visto que ele me ordena buscar a sua face,
Acreditar em sua Palavra e confiar em sua graça,
Deixarei com ele todos os meus cuidados.
W. W. Walford

"Buscar a face de um rei envolvia a ideia de buscar seu favor e proteção (ver o vs. 4)" (Fausset, *in loc.*).

Muitos buscam o favor do que governa, mas para o homem a justiça vem do Senhor.
Provérbios 29.26

O título hebraico dos vss. 7 e 8 é difícil e tem sofrido várias emendas. William R. Taylor sugeriu o seguinte, que é bastante vívido e potente:

Ouve, ó Senhor, a minha voz, quando clamo a ti; sê gracioso comigo e me responde, ó meu Deus, pois meu coração está amargurado; tua face, ó Senhor, eu busco. Não escondas a tua face.

27.9

אַל־תַּסְתֵּר פָּנֶיךָ מִמֶּנִּי אַל תַּט־בְּאַף עַבְדֶּךָ עֶזְרָתִי הָיִיתָ אַל־תִּטְּשֵׁנִי וְאַל־תַּעַזְבֵנִי אֱלֹהֵי יִשְׁעִי:

Não me escondas, Senhor, a tua face. *A Face Divina Poderia Ser Escondida.* Talvez houvesse a presença de pecado, o que tornava a situação difícil. Ou talvez Deus se mostrasse simplesmente indiferente para com o perigo que o pobre homem corria. Com o tempo, porém, a ajuda divina estava lá, pelo que o poeta trabalhou com base nesse precedente. Ele corria perigo de vida, pelo que pleiteou não ser "lançado fora" como lixo, no vazio. Deus era o Deus da sua *salvação*, ou seja, o Deus libertador, em quem havia poder para salvar de qualquer perigo que surgisse. "Com base nessa *motivação*, o salmista implorou que o Senhor não o rejeitasse. Sua oração foi fortalecida pelo conhecimento de que o Senhor não se olvidaria dele, tal como seus pais tinham feito (vs. 10, o que era, naturalmente, improvável)" (Allen P. Ross, *in loc.*).

> Nem um verme é ferido em vão;
> Nem uma mariposa com vão desejo
> É lançada em uma chama infrutífera,
> Senão para servir ao ganho de outra.
> ...
>
> Assim se descortina o meu sonho.
> Porém, quem sou eu?
> Um infante a clamar à noite;
> Um infante a clamar pedindo luz:
> E sem linguagem, mas apenas com um clamor.
> — Alfred Lord Tennyson

Os olhos do Senhor repousam sobre os justos, e os seus ouvidos estão abertos às suas súplicas, mas o rosto do Senhor está contra aqueles que praticam males.

1Pedro 3.12

■ **27.10**

כִּי־אָבִי וְאִמִּי עֲזָבוּנִי וַיהוָה יַאַסְפֵנִי:

Porque se meu pai e minha mãe me desampararem. "À parte de Deus, o salmista não tinha ajudador a quem pudesse apelar, em busca de ajuda, favor ou misericórdia: 'pois meu pai e minha mãe me abandonaram': uma maneira proverbial de dizer que todos os seus amigos e parentes, *aliados naturais,* tinham-lhe negado ajuda. Mas ele esperava que o Senhor o tomasse, embora todos o negassem. Ele estava *certo* de que o Senhor *o adotaria* (cf. Jó 2.7) e o tomaria aos seus cuidados (cf. 1Sm 14.52 e 2Sm 11.27)" (William R. Taylor, *in loc.*).

A *Revised Standard Version* declara que o pobre homem havia sido abandonado por seus próprios pais, mas a nossa versão portuguesa tem a palavra condicional *se*. Prefiro o texto da tradução da *Revised Standard Version*. Disse Adam Clarke: "Pois meu pai e minha mãe me perdoaram". Fausset traduz com um "desde que", e não *quando* ou *se*. Isso ilustra o estado desesperado do suplicante. Algumas vezes os pais podem mostrar-se rudes e sem misericórdia. J. R. P. Sclater, *in loc.,* mencionou o cruel ato de alguns que apagam o nome de um membro da família na frente da Bíblia, onde havia sido registrado. Já foi um costume antigo, nos Estados Unidos, registrar nascimentos, batismos e mortes nas páginas providas para isso na Bíblia da família. Um membro que tivesse caído em desgraça teria seu nome apagado, por um pai ou mãe frustrados. Um progenitor pode apagar o nome, até mesmo de um filho anteriormente amado, mas Deus definitivamente não age dessa maneira.

Is 49.14-16 provê uma passagem direta, *paralela* e *ilustrativa* deste versículo, pelo que convido o leitor a examinar essa passagem.

■ **27.11,12**

הוֹרֵנִי יְהוָה דַּרְכֶּךָ וּנְחֵנִי בְּאֹרַח מִישׁוֹר לְמַעַן שׁוֹרְרָי:

אַל־תִּתְּנֵנִי בְּנֶפֶשׁ צָרָי כִּי קָמוּ־בִי עֵדֵי־שֶׁקֶר וִיפֵחַ חָמָס:

Ensina-me, Senhor, o teu caminho. Ver Sl 25.4,5, que é virtualmente igual a este versículo, quanto à essência. Ver também Sl 56.2 e 59.10,11. A aflição particular do poeta era causada por falsas testemunhas, que se tinham levantado contra ele (vs. 12). Eles respiravam crueldade e desejavam a condenação do pobre homem, a sua execução por alguma sentença judicial ou pelas mãos de homens ímpios. *Dentro desse contexto,* o salmista orou pedindo orientação especial: *Ensina-me o que pensar, dizer e fazer,* para escapar dos planos atrevidos e dos atos de homens bárbaros.

Testemunha falsa, que profere mentiras, e o que semeia contendas entre irmãos.

Provérbios 6.19

Este versículo pode ser encarado como um apelo para ser ensinado sobre a retidão. Assim equipado, o *homem bom* esperaria ser livrado dos caminhos perniciosos dos pecadores. Mas a outra ideia parece conter a noção correta: o salmista precisava de orientação especial para escapar dos terrores de seus inimigos.

■ **27.13**

לוּלֵא הֶאֱמַנְתִּי לִרְאוֹת בְּטוּב־יְהוָה בְּאֶרֶץ חַיִּים:

Eu creio que verei a bondade do Senhor. É *típico* aos salmos de lamentação terminar com uma nota de otimismo, louvor e agradecimento. Portanto, aqui, o homem que clamou com tanto desespero confia que suas orações foram respondidas e ele não sofrerá morte prematura. Ele continuará entre os vivos, "na terra dos viventes". Isso porque ele testemunharia a operação do Senhor em seu favor. O salmista veria a *bondade* do Senhor. Os ímpios seriam cortados, e os bons continuariam vivendo. O céu permanecia escuro, mas o poeta sagrado pensou ter visto um raio de luz, a luz de um novo dia. Portanto, tomou coragem na luz. *Nesta vida,* ele seria beneficiado pela bondade de Yahweh e assim continuaria *nesta vida.*

"No fim, a confiança expressa pelo salmista vem novamente à superfície. Ele se regozija ante a possibilidade de esperar no Senhor... confiante de que sobreviveria... e veria a bênção de Deus. Por conseguinte, ele se fortaleceu esperando no Senhor pelo seu livramento" (Allen P. Ross, *in loc.*).

Os antigos intérpretes judeus espiritualizavam este versículo, conforme fez Kimchi: "Verei o Deus bendito com meus olhos, na terra dos bem-aventurados", fazendo isso referir-se a uma esperança ainda futura, e não meramente à esperança presente.

■ **27.14**

קַוֵּה אֶל־יְהוָה חֲזַק וְיַאֲמֵץ לִבֶּךָ וְקַוֵּה אֶל־יְהוָה:

Espera pelo Senhor. Talvez este versículo tenha sido uma adição litúrgica ao salmo, tornando-o útil para a adoração geral. Aqueles que se reuniam no templo, a fim de oferecer sacrifícios, entoar hinos e cumprir votos e ritos, foram chamados a *esperar pela presença de Deus.* Este salmo podia ser usado para ensinar lições, inteiramente à parte do homem desesperado, que clamava para ser libertado de inimigos.

"Há grandes palavras neste versículo final do salmo: *espera; tem bom ânimo; fortifica o teu coração.* Todos esses sentimentos originaram-se da crença em Deus. Mas a palavra final é *esperar*" (J. R. P. Sclater, *in loc.*).

"Sumariando o salmo: A bondade do Senhor é o *antídoto* para o temor em meio às tribulações. Esperemos, pois, no Senhor. Ele nos fortalecerá... O coração de Davi estava por demais cheio de confiança em Deus, para que ele continuasse a proferir a linguagem de desespero... Tem bom ânimo, ou seja, age com vigor. Por semelhante modo, Davi dirigiu-se à sua alma nos Salmos 42 e 43" (Fausset, *in loc.*).

Sê forte e corajoso, porque tu farás a este povo herdar a terra que, sob juramento, prometi dar a seus pais.

Josué 1.6

"Não podes ser malsucedido. Não temas!" (Adam Clarke, *in loc.*).

SALMO VINTE E OITO

Quanto a *informações gerais* que se aplicam a todos os salmos, ver a introdução ao Salmo 4, onde apresento *sete* comentários que elucidam a natureza do livro. Quanto às *classes* dos salmos, ver o gráfico no início do comentário, que atua como uma espécie de frontispício. Dou ali dezessete classes e listo os salmos que pertencem a cada uma delas.

Este é um dos salmos de *lamentação.* Mais de sessenta dentre a coletânea de 150 salmos pertencem a essa natureza.

Tipicamente, os salmos de lamentação começam com um grito de desespero, solicitando ajuda; a seguir descrevem o tipo exato de perigo envolvido; e então se encerram com uma nota de otimismo, porque a oração foi respondida, ou porque se espera que em breve o seja. Os inimigos que assediam podiam ser de "fora" de Israel, adversários tradicionais da nação; podiam ser "de dentro", ou seja, inimigos pessoais e acusadores; ou podiam ser *enfermidades* físicas que ameaçavam de morte. Este parece ser um salmo de enfermidade. Cf. os Salmos 6 e 22. Alguns intérpretes, entretanto, veem aqui um *inimigo pessoal*.

Subtítulo. Editores subsequentes meramente afirmaram que o autor do salmo foi Davi, o que, naturalmente, é apenas uma conjectura. Os subtítulos não faziam parte original das composições poéticas. Cerca de metade dos salmos é atribuída a Davi, mas isso, sem dúvida, é um exagero. Não há razão alguma para duvidar, entretanto, de que alguns dos salmos têm origem genuinamente davídica. Essas notas de introdução algumas vezes dão os nomes dos instrumentos musicais usados para acompanhar os cânticos e mencionam também circunstâncias históricas que podem ter inspirado a composição.

■ 28.1

לְדָוִד אֵלֶיךָ יְהוָה אֶקְרָא צוּרִי אַל־תֶּחֱרַשׁ מִמֶּנִּי פֶּן־תֶּחֱשֶׁה מִמֶּנִּי וְנִמְשַׁלְתִּי עִם־יוֹרְדֵי בוֹר:

A ti clamo, ó Senhor. *O apelo inicial,* pedindo ajuda, mostra-nos que este era um salmo de lamentação, pelo que vemos aqui o poeta sagrado orando a Yahweh, a sua Rocha, implorando não encontrar um silêncio de pedra ou a *indiferença*. O salmista enfrentava um período de crise que só poderia ser revertido pela intervenção divina. Sem essa intervenção, o homem desceria *à cova,* ou seja, ao sepulcro. O clamor visava apenas salvar o poeta da morte prematura, que era um terror para a mente dos hebreus. Somente a partir dos *Salmos e dos Profetas* é que encontramos alguma doutrina de um pós-vida, mas mesmo assim sem grande definição. Maiores detalhes apareceram nos livros apócrifos e pseudepígrafos, onde também começaram as doutrinas sobre o céu e o inferno. As chamas do inferno foram acesas no livro de 1Enoque. E, finalmente, o Novo Testamento preencheu alguns hiatos. Neste salmo não há indício de coisa alguma senão "o fim", quando o corpo é posto no maldito sepulcro.

Alguns estudiosos pensam que o *perigo* enfrentado pelo homem era alguma enfermidade física que prometia ser fatal; outros, contudo, pensam em inimigos pessoais (dentro de Israel) como a causa das aflições.

Rocha minha. Ver as notas expositivas sobre isso em Sl 27.5. Deus, o templo de Jesus, Cristo (profeticamente) ou o princípio espiritual podem ser chamados de a Rocha. É claro que aqui Yahweh é a Rocha, o lugar de fortaleza e proteção, a estabilidade e a segurança da fé do crente.

Quanto à *indiferença divina* potencial, ver também Sl 35.22,23; 39.12; 50.3,21 e Is 65.6. Se, realmente, Deus se mostra indiferente para com o homem bom em aflição, então temos um Deus *deísta*, que abandonou a sua criação e a deixou entregue ao governo das leis naturais. Essa noção deve ser contrastada com o *teísmo* (ver a respeito no *Dicionário*), onde o Criador também se faz presente em sua criação, intervindo com recompensa e castigo aos homens.

Cova. Esta é a tradução de um vocábulo hebraico que aponta para algum tipo de buraco, como uma cisterna ou armadilha na terra; e também é uma referência óbvia a sepulturas abertas na terra. As pessoas mais ricas, entretanto, escavavam túmulos nas pedras das colinas ou em cavernas. Provavelmente devemos ver aqui uma alusão ao *seol,* o lugar dos mortos; mas neste estágio do desenvolvimento da teologia, deve estar em pauta o *sepulcro*, e não um lugar onde espíritos conscientes eram confinados. Ver no *Dicionário* o verbete chamado *Seol,* quanto à evolução dessa doutrina.

■ 28.2

שְׁמַע קוֹל תַּחֲנוּנַי בְּשַׁוְּעִי אֵלֶיךָ בְּנָשְׂאִי יָדַי אֶל־דְּבִיר קָדְשֶׁךָ:

Ouve-me as vozes súplices. O poeta sacro orava intensamente, com as mãos estendidas na direção do Santo dos Santos, onde Yahweh manifestava a sua presença. Talvez devamos imaginar o salmista de pé, com a cabeça e as mãos erguidas, esperando alguma resposta da parte do Poder celeste. As *posturas* usadas pelos hebreus antigos em orações eram as seguintes: de pé; ajoelhado; prostrado no solo; com as mãos erguidas (ver Sl 28.2; 63.4; Êx 9.29; Ne 8.6; 1Tm 2.8); com as mãos espalmadas (ver Sl 14.6; Lm 1.17); com as mãos levantadas para o céu, como que esperando que elas fossem cheias (ver Is 1.15; Jr 4.31). Essas posturas eram assumidas quando aqueles que oravam esperavam receber resposta da parte de Deus, como se Deus não pudesse mostrar-se *surdo* diante das orações oferecidas. Ver a persistência na oração em Tg 5.16. Ver no *Dicionário* o artigo geral sobre *Oração*.

Nenhuma oração é feita só no mundo;
Pois o Espírito Santo intercede;
E Jesus, no trono eterno,
Intercede pelos pecadores.

Montgomery

Mais coisas são realizadas pela oração
Do que este mundo sonha.

Tennyson

Para o teu santuário. No hebraico, *debir,* ou seja, o *oráculo.* Literalmente, o *santuário mais interno,* o Santo dos Santos, onde se manifestava a presença divina e onde eram dados oráculos. O poeta sagrado, pois, foi até a fonte do poder, buscando sua resposta.

■ 28.3

אַל־תִּמְשְׁכֵנִי עִם־רְשָׁעִים וְעִם־פֹּעֲלֵי אָוֶן דֹּבְרֵי שָׁלוֹם עִם־רֵעֵיהֶם וְרָעָה בִּלְבָבָם:

Não me arrastes com os ímpios. Este versículo pode dizer-nos que os inimigos acerca de quem o salmista orava eram indivíduos ímpios dentro de Israel, *obreiros da iniquidade*, caluniadores e destruidores; aqueles que falam de paz com o próximo, mas, o tempo todo, planejam destruição. Ver 1Sm 18.17,22. Alguns eruditos, entretanto, veem o homem bom sendo arrastado precipício abaixo, como se alguma enfermidade física fosse a *causa* de sua morte prematura. Essa explicação, sem embargo, não parece adaptar-se ao vs. 4, que quase certamente apresenta o perigo como resultante de atos de homens violentos e brutais.

Aqui a figura é a de um caçador que captura animais impotentes mediante armadilhas mortais, como a rede, a cova, a lança e a flecha. "A morte arrasta os homens sem misericórdia, como peças apanhadas na rede (cf. Sl 10.9; 26.9 e 49.14)" (William R. Taylor, *in loc.*). *Matar* é a grande atividade do caçador. É assim que ele ganha a vida. O salmista não queria ser apanhado na *rede fatal* de Deus, quando ele ordena que o ímpio dê fim às suas vítimas. Cf. Jó 23.33; 24.22; Ez 32.2 e Sl 10.9.

Está ele de emboscada como o leão na sua caverna; está de emboscada para enlaçar o pobre; apanha-o e, na sua rede, o enleia.

Salmo 10.9

■ 28.4

תֶּן־לָהֶם כְּפָעֳלָם וּכְרֹעַ מַעַלְלֵיהֶם כְּמַעֲשֵׂה יְדֵיהֶם תֵּן לָהֶם הָשֵׁב גְּמוּלָם לָהֶם:

Paga-lhes segundo as suas obras. A *Lei Moral da Colheita segundo a Semeadura* (ver a respeito no *Dicionário*) foi invocada pelo poeta sagrado contra os seus inimigos, os quais assim sentiriam o ferrão da vingança de Yahweh. Esses inimigos praticavam o mal e teriam de sofrer o mal; eram violentos e teriam de sofrer violência; planejavam *realidades* malignas e praticavam o mal com as próprias mãos, portanto teriam Deus planejando contra eles e ferindo-os com sua pesada mão. Eles *mereciam (Revised Standard Version)* sofisticado castigo. Nenhuma injustiça podia ser permitida. O poeta clamou pedindo justiça, em busca de vindicação e de *retaliação*.

Alexandre, o latoeiro, causou-me muitos males; o Senhor lhe dará a paga segundo as suas obras.

2Timóteo 4.14

"... inimigos e dissimuladores hipócritas, como Absalão e seu grupo; não inimigos abertos (ver 2Sm 15.7,8)... outras pessoas são o objeto de suas maldades (Sl 15.3)" (Fausset, *in loc.*).

Ver sobre a *Lex Talionis* (ser punido de acordo com a gravidade do crime cometido) no *Dicionário*. Muitos salmos e, de fato, a maioria dos salmos de *lamentação* incluem *imprecações*, isto é, *maldições* contra inimigos. Esse elemento dos salmos, tão forte e tão frequente, fere nossa sensibilidade cristã. Por outra parte, temos de relembrar que tais salmos foram escritos sob a pressão da perseguição da parte de homens ímpios que buscavam destruir os inocentes. "Orar pelos inimigos" é um ideal acima desses salmos, e também acima de nós (ver Mt 5.44). Ademais, as palavras de Paulo contra a vingança pessoal (ver Rm 12.19-21) são belas, sentimentos espirituais que passam acima de nossas cabeças. É conforme disse certo homem: "O evangelho nos ordena amar nossos *inimigos*. Estou encontrando dificuldades para ao menos tolerar as outras pessoas".

■ 28.5

כִּי לֹא יָבִינוּ אֶל־פְּעֻלֹּת יְהוָה וְאֶל־מַעֲשֵׂה יָדָיו
יֶהֶרְסֵם וְלֹא יִבְנֵם׃

E visto que não atentam para os feitos do Senhor. Os inimigos do salmista eram "ateus práticos", não acerca do Senhor, pois não davam nenhuma atenção às suas obras. Agiam *como se* Deus não existisse. Não ficavam nem um pouco impressionados com seus céus e sua bela terra. Viviam cegos para a beleza e o amor, mas cheios de feiúra e ódio. Com base nisso, atiravam-se contra os inocentes e deleitavam-se na morte deles.

> *Liras e harpas, tambores e flautas, e vinho há nos seus banquetes; porém não consideram os feitos do Senhor nem olham para as obras das suas mãos.*
>
> Isaías 5.12

Fausset (*in loc.*) pensava que as obras das mãos de Deus aqui referidas eram, especificamente, os seus *julgamentos*. "Não ter consideração pelos juízos de Deus é uma maneira certa de ficar sujeito a eles. Uma vez que um homem perde a visão dos julgamentos divinos, ele não tem temor nem escrúpulos, e precipita-se no pecado (ver Jó 34.27; Sl 92.5,6; Is 5.12)". Ellicott pensa que está em pauta a *justiça* de Deus. John Gill identificou as obras de Deus na natureza e sua providência geral como o que é destacado aqui. Os inimigos do poeta eram totalmente *profanos*, não tendo consideração divina em sua mente e atos.

UM TOM DE OTIMISMO: A ORAÇÃO FOI OUVIDA (28.6-9)

■ 28.6

בָּרוּךְ יְהוָה כִּי־שָׁמַע קוֹל תַּחֲנוּנָי׃

Tipicamente, os salmos de lamentação terminam em um tom de otimismo. A oração desesperada fora ouvida, ou, pelo menos, o salmista esperava que a resposta não demoraria. A oração dele se mostrara eficaz. Foi assim que o salmista subitamente mudou de tom, esqueceu-se de seu desespero e começou a *bendizer* a Yahweh. Yahweh é um Deus que ouve e responde às nossas orações. Cf. esta declaração de confiança com outras similares em Sl 3.8; 5.11,12; 13.5,6. Todos os salmos de lamentação têm essa característica, sem exceção. Eles começam com uma atitude de desolação e terminam com um tom de confiança e louvor. Além disso, há os salmos *somente* de confiança e ação de graças (11, 16, 23, 27, 62 e 131). Algumas vezes nos é concedido o luxo de sermos capazes de agradecer, estando em períodos de paz e prosperidade, inteiramente à parte das tribulações que nos assediam.

"Após o vs. 5, um sacerdote ou profeta do templo provavelmente entregou um oráculo de *segurança* (cf. Sl 12.5), ao que o salmista reagiu agradecido (vss. 6 e 7)" (*Oxford Annotated Bible*, comentando o versículo).

> *E será que antes que clamem, eu responderei; estando eles ainda falando, eu os ouvirei.*
>
> Isaías 65.24

■ 28.7

יְהוָה עֻזִּי וּמָגִנִּי בּוֹ בָטַח לִבִּי וְנֶעֱזָרְתִּי וַיַּעֲלֹז לִבִּי
וּמִשִּׁירִי אֲהוֹדֶנּוּ׃

O Senhor é a minha força. Cf. Sl 5.8; 22.19; 28.8; 46.1; 59.9,17; 81.1 e 118.14. O homem desesperado estava débil, impotente em si mesmo. Yahweh interveio e fortaleceu-o, ao mesmo tempo que espantou o perseguidor.

E o meu escudo. Comentei sobre o "escudo" em Sl 3.3. O poeta sagrado desenvolveu uma metáfora militar para mostrar que fora ajudado e livrado de um inimigo cruel que se inclinava para a destruição.

Note o leitor a sequência: Tendo sido livrado, o homem bom terminou:

1. *Com um coração confiante.* Ele havia aprendido valiosas lições espirituais, que o tinham tornado um *homem de fé.*
2. *Um homem capaz.* Ele tinha sido ajudado, pelo que não era mais um homem impotente.
3. *Um homem feliz.* Ele expressava sua alegria no culto a Deus.
4. *Um homem que cantava.* Ele costumava ir ao templo e cantar louvores à presença de Deus. Os cânticos eram de louvor e ação de graças, um aspecto vital a qualquer verdadeira adoração. Não basta pedir e receber, e depois não se mostrar agradecido no coração.

"Deixemos que os lábios desempenhem o seu papel. Aos outros fará bem ouvir os cânticos dos que exultam espiritualmente. Não permitamos que nosso conhecimento sobre a misericórdia de Deus se restrinja somente a nós mesmos. Se formos libertados, 'digam-no os remidos do Senhor' (107.2)" (J. R. P. Sclater, *in loc.*).

> *Louvarei com cânticos o nome de Deus, exaltá-lo-ei com ações de graças.*
>
> Salmo 69.30

■ 28.8

יְהוָה עֹז־לָמוֹ וּמָעוֹז יְשׁוּעוֹת מְשִׁיחוֹ הוּא׃

O Senhor é a força do seu povo. O salmista volta aqui à ideia de que Yahweh era a *força* do seu povo, o que já pudemos ver e comentar no versículo anterior, primeiro parágrafo. No vs. 7, Yahweh é "a minha força"; e aqui ele é "a nossa força", o que significa que a comunidade de Israel participava do fenômeno divino. Deus é uma *força salvadora*, conforme declara este versículo. A força que Deus dá mostra-se eficaz para que a obra seja feita por nós, sem importar no que consista essa obra. "Ao impulsionar o rei ungido, Deus também salvou o povo sobre quem o rei fora ungido (Sl 18.50; 28.9)" (Fausset, *in loc.*).

O refúgio salvador. Assim diz a nossa versão portuguesa. Literalmente, o original hebraico diz "fortaleza salvadora", o lugar para onde retrocedia o soldado atacado, a fim de ser protegido e salvo do inimigo, e de onde podia lançar um contra-ataque.

Seu ungido. Aquele que suplicava era um rei ou, talvez, um sacerdote. Profetas, sacerdotes e reis eram submetidos à Unção (ver a respeito no *Dicionário*). Este versículo é cristianizado para que Cristo seja o *Ungido*. Porém, é um exagero fazer do Salmo 28 um salmo messiânico. Contudo, caso se trate mesmo de um salmo messiânico, então o livramento foi da morte, mediante a ressurreição e a subsequente ascensão. Ver Sl 20.6. A maioria dos intérpretes, entretanto, pensa que Davi está aqui em mira, em concordância com o subtítulo.

■ 28.9

הוֹשִׁיעָה אֶת־עַמֶּךָ וּבָרֵךְ אֶת־נַחֲלָתֶךָ וּרְעֵם וְנַשְּׂאֵם
עַד־הָעוֹלָם׃

Salva o teu povo. Yahweh, o *Salvador*, tornou-se o *Pastor* que alimenta o seu povo. Além disso, ele é o *Pai* que lhe dá a herança na terra e cuida para que seus filhos prosperem, cada qual em sua própria terra e em seu próprio lar. Mediante o uso de tais termos, o poeta sacro falava sobre a *provisão total* de Deus. O povo de Israel era salvo de seus inimigos; contava com os cuidados da providência divina; tinha suas possessões sob a forma de terras e residências; vivia por longo tempo; prosperava; e evitava o terror, a *morte prematura*. Ademais, Israel, assim abençoado, também recebia a exaltação de ser um povo distintivo que observava a lei (Dt 4.4-8). Este trecho de Sl 28.9 torna-se assim um versículo de providência geral. Ver no *Dicionário* o verbete intitulado *Providência de Deus*.

O Pastor-Salvador. O Bom Pastor encontrava pastagens para o seu rebanho, alimentava as suas ovelhas e carregava os animais cansados (cf. Is 40.11; 63.9 e Dt 32.11). Desse modo, ficam representadas as graças solícitas de Yahweh. Ver o Salmo 23, quanto à suprema expressão dessa representação. Novamente, alguns intérpretes veem aqui uma referência messiânica. Ver as notas expositivas em Sl 28.8, último parágrafo.

A tua herança. Cf. Êx 19.5; Sl 33.12; 78.62; 79.1; 94.14; Dt 4.20; 7.6; 9.26; Jl 2.17; 3.2; Am 3.2; Mq 7.14,18. Ver os comentários em Sl 33.12.

Este versículo foi incorporado no *te Deum* da Igreja cristã, que vinculou a liturgia cristã à herança judaica. Naturalmente, muitos salmos foram musicados pela igreja cristã e passaram a ser usados regularmente, em certas denominações. Em outras, pelo menos alguns dos salmos, embora não musicados, são lidos regularmente.

SALMO VINTE E NOVE

Quanto a *informações gerais* que se aplicam a todos os salmos, ver a introdução ao Salmo 4, onde apresento *sete* comentários que elucidam a natureza do livro. Quanto às *classes dos salmos*, ver o gráfico no início do comentário sobre o livro, que atua como uma espécie de frontispício da coletânea. Ofereço ali dezessete classes e listo os salmos pertencentes a cada uma delas.

Este é um salmo de *adoração*. Ele atua como uma convocação aos homens bons para que se *reúnam* e efetuem a devida adoração ao Deus de Israel. O seu tema é o *Deus das tempestades*. Quanto aos *salmos de adoração*, ver também os Salmos 33, 46, 89, 97, 98, 113 e 135, que estão intimamente relacionados aos salmos litúrgicos, dos quais há cerca de doze. O gráfico fornece detalhes que ilustram essas declarações.

Subtítulo. Editores subsequentes informam-nos que este salmo foi composto por Davi, mas isso não passa de uma conjectura, tal como o restante do material dessas notas introdutórias, incluindo os nomes de instrumentos musicais que acompanhavam o cântico e as circunstâncias históricas que podem ter inspirado a composição. Alguns subtítulos não faziam parte dos salmos originais. Ocasionalmente, porém, alguma informação dada provavelmente está correta.

"Este salmo celebra a glória do Deus das tempestades. Para o autor deste *hino*, não era suficiente que os adoradores e o coro do templo fossem convocados a exaltar aquele que comanda os elementos da natureza. Antes, ele conclamou os *seres celestiais* a liderar os louvores à majestade e ao poder do Senhor. Acima do ribombar dos trovões da tempestade, que se ouvia por sobre as cadeias montanhosas do Líbano, ou então no deserto de Cades, ecoava por sete repetidas vezes *gôl Yahweh* (a voz do Senhor), nos louvores do coro celestial" (William R. Taylor, *in loc.*).

Maravilhas naturais, algumas das quais são temíveis, eram adicionadas ao espírito do louvor, porquanto causam espanto à mente humana. Cf. Êx 19.16; 1Sm 12.17,18; 1Rs 19.11,12. Quando Deus exibe o seu poder, contudo, isso também serve de consolo, e não apenas de ameaça, porquanto ele é o poder que nos faz ser o que somos, e nos conduz pelo caminho. O Deus da natureza é também o Deus da história, e o Deus de todos os homens.

Este salmo é geralmente considerado bastante antigo. Uma das características dos primeiros escritos dos hebreus é a ênfase sobre Yahweh como o Deus da natureza. Fenômenos como ventos, tempestades, relâmpagos e trovões apontam para esse Deus.

A *Septuaginta* relaciona este salmo às celebrações da Festa dos Tabernáculos. Ele era usado como parte da liturgia das celebrações do primeiro e do oitavo dia dessa festividade religiosa. O tratado do Talmude chamado *Sopherim* atribui o salmo à festa do Pentecoste, e essas tradições perseveram até o nosso próprio tempo.

■ 29.1

מִזְמ֗וֹר לְדָ֫וִ֥ד הָב֣וּ לַ֭יהוָה בְּנֵ֣י אֵלִ֑ים הָב֥וּ לַ֝יהוָ֗ה כָּב֥וֹד וָעֹֽז׃

Tributai ao Senhor, filhos de Deus. Ou seja, estão em vista os seres celestiais, as ordens angelicais. Nossa versão portuguesa oferece-nos uma tradução literal do hebraico, mas *filhos dos poderosos* é outra tradução (da Imprensa Bíblica Brasileira). Considerando a extrema antiguidade deste salmo, alguns estudiosos pensam que os "poderosos" aqui mencionados são os *deuses* de outras nações, antes que Yahweh, no pensamento hebreu, se tivesse tornado o único Deus. Em outras palavras, alguns estudiosos veem aqui uma referência ao *henoteísmo*. Ver no *Dicionário* o artigo assim denominado. Essa doutrina ensina que, se para nós existe um único Deus, para outros povos podem existir muitos outros. O monoteísmo hebreu, finalmente, venceu a noção henoteísta, tornando-se o padrão da fé dos israelitas. Qualquer que seja o conceito exato que este versículo apresente, quaisquer poderes que porventura existam, *que esses venham* exaltar a Yahweh-Elohim, o poder mais elevado. Ver também a expressão *filhos de Deus* em Sl 89.6 e Dt 32.8. "Visto que o céu é aqui concebido como se fosse um templo, os seres celestiais são vestidos como os sacerdotes ministrantes do templo terrestre, isto é, em *vestes santas*" (William R. Taylor, *in loc.*).

Esses deuses são poderosos, mas devem sua força a Yahweh, o Deus eterno. Além disso, a glória deles pertence a ele, e eles possuem alguma glória somente por delegação do poder superior de Yahweh.

De Deus. No hebraico, *elim*, nome jamais usado para indicar o Deus superior (Elohim), mas para indicar ordens angelicais, poderes secundários. Ver Jó 1.6; 38.7; Is 6.3. Mas ministros também são assim chamados, até mesmo ministros humanos (ver Sl 82.1,5,7; 89.6,7). E até as forças da natureza são assim chamadas (ver Sl 104.4).

■ 29.2

הָב֣וּ לַ֭יהוָה כְּב֣וֹד שְׁמ֑וֹ הִשְׁתַּחֲו֥וּ לַ֝יהוָ֗ה בְּהַדְרַת־קֹֽדֶשׁ׃

Tributai ao Senhor a glória devida. No original hebraico, "Senhor" aqui usado é *Yahweh*, o elevado Deus, que, no pensamento hebreu, finalmente tornou-se o único Deus. É aquele a quem a glória pertencia. É o Criador e sustentador, o originador e alvo de toda a criação, especificamente dos seres inteligentes, tanto dos céus quanto da terra. É o Deus que deve ser adorado, a quem pertence toda a devoção dos crentes, em palavras e obras. Ele está *vestido de santidade* (ver a *Revised Standard Version*), em seu santo templo. Este versículo aponta para a assembleia celestial de poderes elevados que circundam Yahweh, como um rei é cercado pelos seus oficiais, cortesãos e demais servos. Ele está vestido em "vestes resplendentes", um sinal de sua posição absoluta sobre todos.

... com santos ornamentos, como o orvalho emergindo da aurora...

Salmo 110.3

Adorai ao Senhor na beleza de sua santidade; tremei diante dele todas as terras.

Salmo 96.9

■ 29.3

ק֥וֹל יְהוָ֗ה עַל־הַ֫מָּ֥יִם אֵל־הַכָּב֥וֹד הִרְעִ֑ים יְ֝הוָ֗ה עַל־מַ֥יִם רַבִּֽים׃

Ouve-se a voz do Senhor sobre as águas. *A inspiração* da adoração, que foi reduzida a um poema musicado, era como poderosa *tempestade*, o que levou o poeta sagrado a lembrar-se da majestade de Yahweh e de seu poder sobre toda a natureza. Ver a introdução quanto a detalhes sobre esse primitivo pensamento dos hebreus — Deus na natureza, que brilha com tanto resplendor. "O salmista ouve o ribombar do trovão, enquanto a massa de nuvens tempestuosas estava por sobre a vasta expansão do mar Mediterrâneo (cf. 1Rs 18.44). Visto que as tempestades são raras na Palestina, o efeito produzido por elas torna-se ainda mais impressionante: 'A voz do Senhor é poderosa e cheia de majestade'" (William R. Taylor, *in loc.*).

As muitas águas. A referência aqui é ao mar Mediterrâneo, aquele grande corpo de águas, o maior que os hebreus conheciam, embora os fenícios conhecessem maiores corpos de água ainda, "lá fora". Os hebreus eram um povo que vivia "perto do mar", mas não um povo "do mar". Os povos antigos personificavam as forças da natureza e transformavam-nas em deuses, ou faziam dessas forças manifestações dos deuses. Zeus teria seus raios, literais e figurados, mediante os quais controlava os homens ou mesmo os outros deuses. Os hebreus não eram culpados de adoração da natureza, mas faziam das forças naturais instrumentos de Deus e também viam nessas forças algo do poder e da glória de Deus.

Alguns intérpretes vinculam a referência àquelas "águas" acima do firmamento. Ver no *Dicionário* o artigo chamado *Astronomia*, onde ofereço um gráfico que ilustra o pensamento cosmológico dos hebreus antigos.

... *ruge a sua voz, troveja com o estrondo da sua majestade, e já ele não retém o relâmpago quando lhe ouvem a voz.*

Jó 37.4

Cf. Êx 9.23,38,39; Sl 18.13 e Is 30.30.

Yahweh é Soberano e Poderoso. Ele controla os céus e a terra. Há os céus elevados, acima das águas que estão no lado de cima do firmamento. Ele baixa ordens e tudo se lhe mostra obediente. Ele exibe a sua glória mediante atos da natureza que chamam a atenção dos homens.

29.4

קוֹל־יְהוָה בַּכֹּחַ קוֹל יְהוָה בֶּהָדָר׃

A voz do Senhor é poderosa. Metaforicamente, o *trovão* torna-se a voz de Yahweh, ou, talvez, no período primitivo da composição deste salmo, Deus fosse diretamente associado às manifestações da natureza, como sua causa direta. Existem poder e majestade na pessoa de Deus, e ele mostra um pouco disso nos fenômenos naturais. Deus criou o homem mediante o seu poder (ver Gn 1.3,6,9,14,20 e 24) e assim os fenômenos da natureza nos lembram desse fato.

Adam Clarke (*in loc.*) observou, antes da era atômica, que o relâmpago é a maior concentração de energia que o homem conhece. Naturalmente, o comentarista esqueceu os terremotos (ver o vs. 6), uma força muito maior que o relâmpago, ou até mesmo que a bomba atômica.

Deus se move de maneira misteriosa,
Para suas maravilhas realizar.
Ele planta seus passos no mar
E cavalga sobre a tempestade.

William Cowper

29.5,6

קוֹל יְהוָה שֹׁבֵר אֲרָזִים וַיְשַׁבֵּר יְהוָה אֶת־אַרְזֵי הַלְּבָנוֹן׃

וַיַּרְקִידֵם כְּמוֹ־עֵגֶל לְבָנוֹן וְשִׂרְיֹן כְּמוֹ בֶן־רְאֵמִים׃

A voz do Senhor quebra os cedros. O *relâmpago fere uma árvore* e a parte de alto a baixo, e nós nos admiramos do seu poder em um único instante. Até os poderosos cedros do Líbano não resistiam ao golpe desfechado por um relâmpago. Portanto, no relâmpago, o poeta sacro via a demonstração do poder de Deus. E isso o inspirou a convocar os homens à adoração. Os cedros haviam permanecido de pé durante séculos, como símbolos de estabilidade e força. Mas por um único relâmpago, um daqueles cedros foi rachado ao meio. E então a área inteira das montanhas do Líbano (onde estavam os cedros) foi posta a saltar como uma novilha. Temos aqui (vs. 6) uma referência aos terremotos, um poder muito maior que o do relâmpago. O próprio solo põe-se a fugir como um jovem e vivaz animal. O *Siriom* (nome que os sidônios davam ao monte Hermom; ver Dt 3.9) dançava sob o poder do terremoto. Pensamos nas montanhas como massas de terras gigantescas, estáveis e eternas. Mas um bom terremoto em instantes pode solapar nossa confiança em qualquer espécie de estabilidade. É preciso grande poder para causar esses fenômenos naturais, e o salmista convoca os homens a adorar *o Poder*.

Siriom deriva-se de um nome que significa "rebrilhar", e é provável que seus picos cobertos de neve (que dão ao monte sua aparência de brilho) sejam aqui citados poeticamente. Ver esse nome no *Dicionário* quanto a outros detalhes.

29.7

קוֹל־יְהוָה חֹצֵב לַהֲבוֹת אֵשׁ׃

A voz do Senhor despede chamas de fogo. A este versículo, como é evidente, falta uma linha. O original provavelmente declarava como o relâmpago, ou mais provavelmente ainda o terremoto, pode fender até rochas maciças. As *chamas de fogo* talvez se refiram aos coriscos de relâmpagos que podem partir rochas, ou aos fogos saídos dos vulcões, que os terremotos algumas vezes fazem entrar em ação. Seja como for, os poderes de Deus manifestados na natureza podem estilhaçar rochas em um instante, uma demonstração do Poder que os homens devem temer e adorar. A *voz* de Deus é um fenômeno natural, tanto no trovão como em outras manifestações. Ela nos fala sobre nosso estado humilde e sobre nossos deveres como filhos de Deus. Talvez haja aqui uma alusão à doação da lei no monte Sinai e aos fenômenos ocorridos naquela oportunidade. A *lei* era a *voz* de Deus e exerce poder sobre os homens, tal e qual acontece com o relâmpago. Pode limpar e pode destruir. Ver Êx 19.18 *ss*.

Para todo o sempre, alguma brilhante haste branca
Queimou através do telhado de madeira de pinho,
Queimando aqui e ali,
Como se fosse um mensageiro de Deus,
Precipitando-se através do tabique de madeira,
Precipitando-se novamente, suas armas
ferindo ao acaso,
Buscando pela culpa em você e pela culpa em mim.

Poema adaptado de Browning

29.8

קוֹל יְהוָה יָחִיל מִדְבָּר יָחִיל יְהוָה מִדְבַּר קָדֵשׁ׃

A voz do Senhor faz tremer o deserto de Cades. A tempestade, a voz de Yahweh, abala o deserto de Cades (ver a respeito no *Dicionário*), e o faz dançar. Talvez a figura simbólica de um terremoto seja retida, ou então o poeta sacro imaginou uma tempestade tão poderosa que sacudiu o solo. O deserto de Cades é aqui mencionado para representar o extremo *sul* da Palestina, em contraste com o Líbano, que representa o extremo *norte*. Grosso modo, esse deserto é o trecho desértico que jaz entre a Palestina e o Egito, tomando seu nome do lugar mencionado em Nm 34.4. Dessa maneira, pois, o salmista nos convocou a pensar sobre a "terra inteira" sacudida pela voz de Deus manifestada em atos da natureza. Se reunirmos os vss. 6 e 8, poderemos pensar que as tempestades se moviam na Palestina do norte para o sul, mas isso, na realidade, não acontece ali. O oposto é que acontece. Ou então as raras tempestades vinham do oeste, da banda do mar. Stanley, em seu livro *Sinai and Palestine* (pág. 67), conta sobre uma repentina tempestade de areia impelida por ventos que sopravam do mar Vermelho, a qual cobriu toda a terra e bloqueou o sol, tornando impossível qualquer viagem. A areia voava pelo ar e até rolava sobre a superfície do solo, formando ondas. Foi uma tempestade que soprou do sul.

29.9

קוֹל יְהוָה יְחוֹלֵל אַיָּלוֹת וַיֶּחֱשֹׂף יְעָרוֹת וּבְהֵיכָלוֹ כֻּלּוֹ אֹמֵר כָּבוֹד׃

A voz do Senhor faz dar cria às corças. O hebraico original da primeira parte do versículo é incerto. Assim é que a *King James Version* (juntamente com a nossa versão portuguesa) diz que a voz de Deus faz *as corças parir*. Mas a *Revised Standard Version* diz "faz os carvalhos rodopiar", continuando assim com a figura de uma tempestade. A mesma tempestade também desnuda a floresta de suas multidões de folhas. Portanto, todos os que vissem tão magníficas manifestações naturais erguieram a voz em louvores no templo e juntos clamariam: "Glória!" William R. Taylor (*in loc.*) informa-nos que o texto da *King James Version* (que é também o da nossa versão portuguesa) foi criado pela *leitura errônea* dos massoretas, os quais confundiram os *carvalhos* (terebintos), que têm as mesmas consoantes que a palavra *corça*, embora com sinais vocálicos diferentes. O alfabeto dos hebreus consiste em 22 consoantes, sem vogais, pelo que algumas palavras podiam significar coisas diferentes, dependendo de como os *sons vocálicos* eram compreendidos. Mais tarde, um sistema de linhas e pontos era escrito por baixo ou acima das letras consoantes, provendo assim os sons vocálicos. Ver no *Dicionário* o artigo chamado *Massora (Massorah); Texto Massorético,* quanto ao texto hebraico padronizado do Antigo Testamento.

O grito de *glória* foi erguido como uma espécie de eco do grito dos exércitos celestes, pelo que os céus e a terra reboaram com a mesma adoração exultante.

Há certa evidência de que tempestades violentas podem assustar animais de forma que as fêmeas grávidas dessas espécies podem prematuramente dar à luz seus filhotes (conforme Arist., *Hist. Animal* 1.9.3.3 e Plínio, *História Natural,* 1.8, cap. 47), mas embora essa seja uma verdade possível, não parece ser a referência deste versículo.

■ 29.10

יְהוָה לַמַּבּוּל יָשָׁב וַיֵּשֶׁב יְהוָה מֶלֶךְ לְעוֹלָם׃

O Senhor preside aos dilúvios. *Lá em cima, por sobre a tempestade,* em sua paz celeste, Yahweh senta-se entronizado. Se os fenômenos naturais violentos nos lembram da instabilidade que predomina neste mundo, Yahweh, lá no alto, em seu templo, faz-nos lembrar da estabilidade. Ele é o Rei de tudo e de todos, observando o que acontece na terra, e não se deixa perturbar de modo algum pela tempestade que a sacode. Assim sendo, a mente dos homens é atraída das tempestades na terra para a paz predominante no céu. As tempestades que abalam a terra são dissipadas pela sua própria fúria, e a paz retorna mais uma vez. O poeta era um espectador da violência, mas em seguida se tornou um admirador da paz nas alturas. O homem foi levantado acima da tempestade. Essa é uma excelente metáfora da certeza espiritual que temos. Os próprios julgamentos de Deus operam porque são remediadores (ver 1Pe 4.6). Os próprios juízos de Deus limpam e restauram, e não somente assustam.

Dilúvios. Provavelmente está em mira o dilúvio da tempestade, que traz tanta chuva. Talvez também haja uma alusão ao dilúvio de Noé, a ilustração final do que pode acontecer quando Deus descarrega suas águas que descem dos céus. Quanto às águas como o dilúvio de Noé, ver Gn 6.17 e 9.11. Quanto ao dilúvio provocado pelas tempestades, ver Sl 104.3 e Gn 7.11.

Assim como Deus controla os elementos da natureza, por semelhante modo ele controla a vida humana, *visando o bem,* porquanto veja o leitor como há tremenda calma após uma tempestade. A tempestade não escreveu o último capítulo da história.

"Acima do tumulto do tufão, o Senhor reina com paz majestática" (*Oxford Annotated Bible,* comentando este versículo).

■ 29.11

יְהוָה עֹז לְעַמּוֹ יִתֵּן יְהוָה יְבָרֵךְ אֶת־עַמּוֹ בַשָּׁלוֹם׃

O Senhor dá força ao seu povo. Este versículo pode ter sido uma adição litúrgica para adaptar o salmo ao ministério da música no templo de Jerusalém, em todas as ocasiões. Se a tempestade assusta e faz tremer os joelhos dos homens, Yahweh está presente a fim de emprestar forças a seu povo. Eles deixam de temer e aproximam-se para adorar o Poder, o Rei dos céus (ver o vs. 10).

Este versículo provê para o credo dos versículos anteriores uma bênção apropriada. A natureza fala da *força* de Deus, o reservatório infinito do qual as tempestades servem de símbolo. É salientada a força espiritual, da qual as pessoas podem tirar proveito em consonância com suas necessidades. As pessoas assim fortalecidas obtêm a paz. Trata-se de uma longa viagem, desde a tempestade até o feliz e tranquilo reino de Deus. O Rei faz a tempestade guiar-nos até esse lugar e condição. A tempestade é a vereda que nos conduz, e não a condição que nos destrói. Nós venceremos o mundo.

> *Todo o que é nascido de Deus vence o mundo; e esta é a vitória que vence o mundo, a nossa fé.*
>
> 1João 5.4

Em paz, os filhos de Deus são abençoados, e a paz é uma das bênçãos centrais. Mas também está em mira a provisão divina, conforme encontramos em Sl 1.1. Existe tanto a prosperidade espiritual quanto a material. O homem que obedece à lei de Moisés torna-se distinto dos outros homens (ver Dt 4.4-8).

Este versículo tem sido cristianizado por alguns intérpretes, a fim de falar da paz espiritual por meio de Cristo. As palavras prestam-se a tal pensamento, mas o salmo não é messiânico.

SALMO TRINTA

Quanto a *informações gerais* que se aplicam a todos os salmos, ver a introdução ao Salmo 4, onde apresento *sete* comentários que elucidam a natureza do livro. Quanto às *classes* dos salmos, ver o gráfico existente no início do comentário, que atua como uma espécie de frontispício da coletânea. Ofereço ali dezessete classes e listo os salmos que pertencem a cada uma delas.

Este salmo é chamado de salmo de *ação de graças.* A maioria dos salmos conta com alguma expressão de gratidão e louvor, mas certos salmos são especificamente de agradecimento. Mais de trinta salmos são assim classificados. Este tem alguns elementos comuns aos *salmos de lamentação* (vss. 8-10), seguidos por outra palavra de agradecimento (vss. 11 e 12).

O *principal assunto* do Salmo 30 parecem ser as ações de graças acerca do livramento de uma enfermidade quase fatal que atingiu o poeta sagrado. "... o autor agradecia pela recuperação de uma enfermidade que o levara à beira da morte. Sua atitude jubilosa é marcada mediante estrofes regulares e claramente assinaladas, bem como mediante a experiência pela qual ele passou, a qual é vividamente retratada. O resultado é um belo exemplo da classe de hinos à qual ele pertence" (William R. Taylor, *in loc.*).

O *subtítulo* oferece-nos uma razão diferente para a composição do salmo presente. Ver sobre ele, logo abaixo.

Subtítulo. Temos neste salmo um elaborado subtítulo: "Salmo de Davi. Cântico da dedicação da casa". Isso aponta para o tabernáculo que ele estabeleceu em Jerusalém, o qual, anos depois, foi substituído pelo templo de Salomão. "Mas nenhuma única linha ou palavra dá apoio a esse subtítulo, que sugere a dedicação do local do templo futuro (ver 2Sm 24.1 e 1Cr 23), a cidadela de Sião (ver 2Sm 5.11), ou a rededicação do palácio profanado por Absalão. Por outra parte, o fato de que o salmo é, dentro do ritual judaico, usado na festa da dedicação, cuja origem se acha em 1Macabeus 4.52 ss., sugere que o subtítulo pode ter sido adicionado após a instituição *daquela festa,* a fim de conferir uma base histórica para o uso do salmo" (Ellicott, *in loc.*).

Na época de Judas Macabeu (164 a.C.), este salmo era interpretado como expressão da experiência da nação. Os subtítulos não faziam parte do original, mas foram acrescentados por editores subsequentes para afirmar quem tinham sido os seus autores, quais instrumentos musicais deveriam acompanhar sua execução, e quais circunstâncias históricas poderiam ter inspirado a sua composição. Os editores subsequentes devem ter conjecturado sobre essas questões e, apenas ocasionalmente, acertaram com alguma verdade. Seja como for, cerca de metade dos salmos tem sido atribuída a Davi, um grande exagero, sem dúvida. Mas não há razão alguma para duvidarmos de que Davi deve ter composto pelo menos alguns salmos. Quanto ao *tabernáculo provisório* de Davi (o precursor da construção do templo de Jerusalém), ver 2Sm 6.17. Alguns eruditos vinculam este salmo a tal acontecimento.

■ 30.1 (na Bíblia hebraica corresponde ao 30.1,2)

מִזְמוֹר שִׁיר־חֲנֻכַּת הַבַּיִת לְדָוִד׃

אֲרוֹמִמְךָ יְהוָה כִּי דִלִּיתָנִי וְלֹא־שִׂמַּחְתָּ אֹיְבַי לִי׃

Eu te exaltarei, ó Senhor. *Yahweh foi exaltado* porque alguma oração específica do salmista foi espetacularmente respondida. O pobre e enfermo homem foi livrado de uma terrível enfermidade, mas alguns estudiosos, ao verem aqui o plural, "inimigos", pensam em inimigos que ameaçavam a vida do salmista. Ou então, os *inimigos* eram aqueles que se alegravam por verem o poeta enfermo, e não pessoas que o ameaçavam. Os inimigos esperavam vê-lo morto, e isso realmente teria acontecido, não fora a *intervenção divina* em seu favor.

Os ímpios celebrariam porque o homem bom morrera de sua enfermidade, mas a alegria antecipada lhes foi furtada e eles não tiveram oportunidade de expressar sua felicidade por causa da morte do homem piedoso. Sim, faz parte da natureza humana alegrar-se pela morte de outras pessoas, mesmo dos que morrem quando não são inimigos, acredite ou não o leitor. A psicologia documenta esse fenômeno. Isso talvez porque os que ficam sabem que é melhor para a pessoa que passou para o mundo dos espíritos, o que causa uma espécie de acesso de alegria. Seja como for, não foi esse o caso dos pecadores mencionados aqui.

A recuperação do homem enfermo foi outra oportunidade de viver por mais tempo e cumprir, em grande extensão, a missão a ele destinada. Ao homem bom foi dado um *novo começo,* algo de que todos nós precisamos ocasionalmente.

> *Tu, que me tens feito ver muitas angústias e males, me restaurarás ainda a vida, e de novo me tirarás dos abismos da terra.*
>
> Salmo 71.20

■ **30.2** (na Bíblia hebraica corresponde ao **30.3**)

יְהוָה אֱלֹהָי שִׁוַּעְתִּי אֵלֶיךָ וַתִּרְפָּאֵנִי׃

Senhor, meu Deus, clamei a ti por socorro. *O homem enfermo* clamou, e Yahweh deu-lhe vida por morte, saúde por enfermidade, vida nova em lugar de fim de vida.

> *Ele é quem perdoa todas as tuas iniquidades; quem sara todas as tuas enfermidades.*
>
> Salmo 103.3

Os *antigos hebreus* não favoreciam o trabalho dos médicos. Quase sempre vinculavam a enfermidade ao pecado (mas havia a notável exceção de Jó, que sempre proclamou sua inocência, e, no entanto, estava muito enfermo). Normalmente, contudo, a enfermidade era considerada um julgamento contra o pecado, e, portanto, pensava-se errado tentar reverter o curso do castigo por meios *naturais.* Além disso, mesmo que a enfermidade não fosse encarada como julgamento contra o pecado, era considerado falta de fé buscar curas naturais. Ademais, antigos curadores misturavam às suas curas, mediante remédios de ervas, encantamentos e mágicas, contaminando os processos de cura com superstição. Por falta de conhecimento, os hebreus não faziam progresso em curas naturais, conforme aconteceu com outras nações. Acrescente-se a isso que eles consideravam diabólicos os fenômenos físicos, embora saibamos que os homens são naturalmente psíquicos, porque o homem é alma imaterial, e não apenas corpo. A falta de conhecimento bloqueava a investigação quanto a outras importantes áreas da personalidade humana. Por conseguinte, devemos ser cuidadosos quanto ao uso das declarações do Antigo Testamento para fechar as portas à ciência.

Alguns poucos evangélicos radicais rejeitam até hoje as curas naturais como se implicassem falta de fé. E muitos rejeitam qualquer investigação sobre a ciência psíquica, por temerem ser ferroados pelos demônios. Essa ideia é anacrônica e está em desarmonia com as descobertas modernas. Naturalmente, existem forças psíquicas negativas, e os investigadores devem ser sábios o suficiente para não cair em armadilhas. Ver na *Enciclopédia de Bíblia, Teologia e Filosofia* o verbete intitulado *Parapsicologia,* para informações sobre essa crescente ciência e sobre a importância que ela tem para nós nos tempos modernos.

A "cura" que figura no versículo presente certamente é de natureza física, não uma enfermidade da alma etc., conforme dizem alguns eruditos. Também não devemos pensar na praga que feriu o povo de Israel, porque Davi fez o recenseamento do povo, como o assunto explorado neste versículo. Ver 2Sm 24, quanto ao evento do recenseamento.

■ **30.3** (na Bíblia hebraica corresponde ao **30.4**)

יְהוָה הֶעֱלִיתָ מִן־שְׁאוֹל נַפְשִׁי חִיִּיתַנִי מִיּוֹרְדִי־בוֹר׃

Da cova fizeste subir a minha alma. Neste versículo, "cova" e "sepultura" certamente são sinônimos, pois o autor estava falando da morte biológica. Ver no *Dicionário* os verbetes chamados *Seol* e *Hades* (o seu equivalente grego). Ambas as culturas (a hebraica e a grega) tiveram seu desenvolvimento no tocante a noções do *submundo.* No começo, o conceito era apenas de morte física, a cova, o sepulcro. Então entraram no quadro *fantasmas,* espíritos sem mente que ficavam voejando em derredor. Finalmente, almas genuínas eram vistas descendo a um compartimento subterrâneo, abaixo da superfície da terra. Mais tarde, esse compartimento foi separado em duas divisões, uma para os bons, e outra para os maus. Posteriormente, um céu, um lugar *lá em cima,* tornou-se o lar dos justos. Não há nenhum indício, neste versículo, de que o poeta contemplava alguma espécie de vida pós-túmulo, ou que, para ele, o *seol* fosse um lugar para onde caminharia sua alma imaterial. As doutrinas da alma imaterial, da vida pós-túmulo, das recompensas e punições foram desenvolvimentos posteriores não bem explorados no Antigo Testamento. Os livros pseudepígrafos e apócrifos desenvolveram essas doutrinas, e as chamas do inferno foram acesas no livro de 1Enoque. E, finalmente, o Novo Testamento adicionou detalhes a esses conceitos.

O versículo atual está ensinando apenas que o poeta esperava ser salvo de uma morte prematura, que o ameaçava por meio de alguma enfermidade terrível. Alguns intérpretes fazem da *cova* aqui mencionada a parte mais baixa e vil do *seol;* e isso, realmente, tornou-se assim posteriormente, mas dificilmente era o que o autor sacro estava querendo dizer. Ele usa os termos "cova" e "sepultura" como paralelos poéticos. Cristianizar este versículo e fazer Cristo salvar os homens do inferno é um pensamento anacrônico. Cf. Sl 28.1, onde dou notas adicionais que se aplicam aqui.

A palavra hebraica aqui traduzida por "cova" poderia também referir-se a qualquer buraco aberto no chão, como uma cisterna ou a armadilha de um caçador. O uso da palavra mostra que o sepultamento era uma das maneiras pelas quais os hebreus dispunham os cadáveres. Os ricos tinham seus sepulcros escavados na rocha. Os pobres, em áreas apropriadas para isso, sepultavam os cadáveres em covas e buracos nas rochas das colinas.

■ **30.4** (na Bíblia hebraica corresponde ao **30.5**)

זַמְּרוּ לַיהוָה חֲסִידָיו וְהוֹדוּ לְזֵכֶר קָדְשׁוֹ׃

Salmodiai ao Senhor. O poeta sagrado aparentemente firmara um voto e agora fazia um espetáculo público de sua gratidão, levando outros a cantar louvores no templo. Outras pessoas boas (santos) reuniram-se a ele nos cânticos de ação de graças e dirigiam louvores ao Santo de Israel, exaltando seu santo nome. O Senhor havia salvado um homem bom, porque ele faz o bem e responde às orações daqueles que o buscam.

Santos. Ou seja, todos os que, à semelhança do salmista, se mostravam fiéis ao Senhor, os poucos homens bons da comunidade de Israel, em contraste com os muitos céticos e cínicos" (William R. Taylor, *in loc.*).

Santo nome. Literalmente, temos aqui, no original hebraico, a palavra *memorial.* O nome do Senhor torna-o um memorial para o seu povo. Cf. Êx 3.15; Is 26.8 e Pv 10.7.

> *Santos sereis porque eu, o Senhor, vosso Deus, sou santo.*
>
> Levítico 19.2

"O *santo nome* de Deus é aquilo que ele chama de seu *memorial* (ver Êx 3.15; Os 12.5). A manifestação em atos de seus atributos de poder, sabedoria e amor, em favor de seus santos, deve ser retida por eles em memória eterna (ver Is 26.8; Sl 135.13)" (Fausset, *in loc.*). Ver sobre Sl 33.21, quanto a outras ideias e referências.

■ **30.5** (na Bíblia hebraica corresponde ao **30.6**)

כִּי רֶגַע בְּאַפּוֹ חַיִּים בִּרְצוֹנוֹ בָּעֶרֶב יָלִין בֶּכִי וְלַבֹּקֶר רִנָּה׃

Porque não passa de um momento a sua ira. *Para o homem bom,* todas as formas de transtorno, incluindo o castigo por causa do pecado, são apenas questões *temporárias,* o que faz um agudo contraste com o eterno amor de Deus, que inspira a sua bondade para com os homens. Há também a sua *ira,* que o poeta experimentou por meio de uma enfermidade física. Seu sofrimento era grande e o levara ao desespero, mas isso durou por pouco tempo. Ele *chorou,* mas apenas por uma noite (metafórica); porém a alegria prorrompeu pela manhã e perduraria para sempre. Foi assim que a graça divina se estendeu ao salmista. "A sua ira é breve, mas a sua bondade dura a vida inteira. Ele, por sua própria natureza, é o Deus da graça, e não o Deus da ira" (William R. Taylor, *in loc.*). Naturalmente, há uma verdade mais profunda que isso. A *ira é uma demonstração da bondade*, por ser o instrumento que efetua mudança e proveito.

Caros leitores, uma das melhores, se não mesmo a melhor coisa, que tenho aprendido na vida, através de meus estudos e dedicação ao aprendizado, é que estas palavras são sinônimas: *ira, julgamento, amor, graça*. A ira é o amor em ação, uma *mudança* purificadora forçada. O *julgamento* é um dedo da amorosa mão de Deus, porque efetua o que o amor gostaria de fazer. Todos os juízos de Deus são atos de amor, embora pareçam ser destruidores. Todos os juízos divinos são remediadores (ver 1Pe 4.6), sendo agentes que produzem o bem, *finalmente*. Os homens, entretanto, fragmentam Deus e dizem: "Agora Deus está irado; agora ele está julgando; agora ele ama", como se Deus fosse um agora e outro mais tarde. Antes, o Deus de amor realiza os seus atos de bondade, redenção e restauração através de uma variedade de atos, incluindo os mais severos julgamentos. Por conseguinte, digo: *Trazei o julgamento*. Deus pode fazer o bem dessa maneira, quando outras formas estão bloqueadas pela perversão humana. Deus retifica as veredas tortuosas, bem como aqueles que por elas caminham.

Portanto, que o leitor pense nisso! Há temor durante a noite; há sofrimento no escuro, mas ao amanhecer ergue-se um grito de alegria! O choro nos acompanha durante a noite, porém ao alvorecer surge o júbilo, para morar conosco de forma permanente. Assim opera a tempestade da ira de Deus. E quando o resultado é a bondade, então a tempestade cessa, porque seu trabalho já está feito.

Ver no *Dicionário* o artigo chamado *Salvação*, onde examino esses conceitos. Ver também na Enciclopédia de Bíblia, Teologia e Filosofia o artigo chamado *Restauração*, onde desenvolvo ainda mais os temas. Este versículo, naturalmente, não ensina tais complexas doutrinas, embora nos forneça um *princípio* de tais atos de Deus, os quais ampliei ao cristianizar o versículo.

A *tristeza* é como um viajante que vem alojar-se na companhia de um homem apenas por uma noite. Pela manhã, quando a luz do Senhor brilha e dispersa as trevas, o viajante-tristeza parte e o homem clama de alegria.

■ **30.6** (na Bíblia hebraica corresponde ao **30.7**)

וַאֲנִי אָמַרְתִּי בְשַׁלְוִי בַּל־אֶמּוֹט לְעוֹלָם:

Quanto a mim, dizia eu na minha prosperidade. *O homem bom foi salvo de sua enfermidade* e prosperou material e espiritualmente. Cheio de confiança, o homem exclamou: "Coisa alguma poderá abalar-me!" Ele tinha encontrado estabilidade e forças no nascer do sol do Senhor. Ao menos pelo momento ele estava fora do alcance da adversidade e fora de seu poder atrasador para sempre. Cf. Sl 10.6, onde temos algo similar e notas expositivas apropriadas ao conceito.

O poeta sacro havia sofrido sua enfermidade física, a qual tinha perturbado a sua mente. Ele estava coberto de ansiedades. Não queria morrer. Havia coisas pelas quais ainda viveria. Portanto, Deus ouviu seu clamor insistente e livrou-o de todos os seus temores. O salmista clamou de alegria no novo dia e disse: "Sou poderoso no Senhor. Quem pode fazer-me o mal? Quem me pode deixar abalado?"

Que comunhão, que alegria divina,
Apoiado nos braços sempiternos;
Que bênção, que paz é a minha,
Apoiado nos braços sempiternos.

Apoiado em Jesus, apoiado em Jesus,
Seguro e a salvo de todos os alarmas.
Apoiado em Jesus, apoiado em Jesus,
Apoiado nos braços sempiternos.

E. A. Hoffman

Meus amigos, sou incapaz de resistir à tentação de contar uma história que conheço, e que já contei antes, *em algum ponto* nos primeiros livros do Antigo Testamento:

Era um dia de verão, em 1949, em Salt Lake City, minha cidade natal nos EUA. Meu irmão, Darrell, tinha-se formado no colegial e estava de partida para receber seu treinamento teológico, em Los Angeles. Meu pai trabalhava na Union Pacific Railroad e por isso tinha um passe (passagem gratuita) que deu ao filho para que fizesse a viagem de trem. Minha família acompanhou-o até a estação ferroviária. Reunimo-nos ao redor de Darrell, esperando pela chamada "Todos a bordo!", que o levaria para longe de casa pela primeira vez em sua vida. Enquanto aguardávamos por esse brado, de súbito o cântico de um hino reboou pelo vasto salão da estação de trens. As palavras chegaram até os nossos ouvidos:

Que comunhão, que alegria divina,
Apoiado nos braços sempiternos...

Curioso para saber quem enchia aquele lugar com louvores e orações, meu irmão dirigiu-se ao círculo de pessoas que cantavam o hino. Eram diversas famílias mórmons despedindo-se dos filhos que estavam viajando para Los Angeles, a fim de cumprir suas missões. Nós também estávamos ali, dizendo adeus a nosso filho e irmão amado. Louvores eram elevados ao mesmo Deus, tenho a fé de acreditar.

Anos mais tarde, depois que meu irmão já estivera no Congo (atualmente Zaire) por muitos anos, trabalhando como missionário evangélico, houve uma rebelião e o país obteve a sua independência. Pessoas da raça branca estavam sendo mortas, e meu irmão e sua família atravessavam profunda tribulação. Igrejas mórmons organizaram reuniões de oração em favor dele e pediram que Deus o fizesse retornar em segurança a Salt Lake City. Sofremos vários dias de extrema ansiedade e temores, e todos continuávamos a orar. Então, certa manhã, houve um telefonema vindo de Nova Iorque. Era meu irmão. Todos os seus familiares, exceto uma cunhada, tinham escapado. Eles estavam seguros. Um grito de alegria prorrompeu pela manhã! Mas a cunhada dele fora morta. Deve ter chegado a hora dela. Dentro de poucos dias, meu irmão estava seguro em nossa cidade natal. Mais tarde ele voltou ao campo missionário, porém dessa vez o destino era o Suriname. Atualmente ele mantém contato com o Zaire, visto que é representante estrangeiro da missão.

Esses incidentes (e outros semelhantes) têm-me feito um homem mais tolerante. O ódio teológico é algo terrível. Todas as denominações cristãs têm pontos bons e maus, incluindo as denominações evangélicas. A espiritualidade, algumas vezes, encontra-se onde menos a esperamos e, de outras vezes, não a encontramos onde esperávamos encontrar.

■ **30.7** (na Bíblia hebraica corresponde ao **30.8**)

יְהוָה בִּרְצוֹנְךָ הֶעֱמַדְתָּה לְהַרְרִי עֹז הִסְתַּרְתָּ פָנֶיךָ
הָיִיתִי נִבְהָל:

Tu, Senhor, por teu favor. O favor de Yahweh tinha feito aquele homem quase morto recuperar-se, tornando-se uma montanha alta e firme. Naquele momento crítico de sua vida, *Elohim* (o *Poder*) não ocultou dele o rosto. Suas orações não foram lançadas fora, como se fossem palhas lançadas ao vento. Antes, foram ouvidas e *respondidas*. Houve aquele grito de alegria ao amanhecer. Oh, Senhor, concede-nos tal graça! O pobre homem enfermo *quase desmaiou*. Ele não sabia se suas orações seriam respondidas em tempo. E então, de súbito, o poder curador perpassou pelo seu corpo, e ele ficou livre de seus temores. Os homens espirituais conhecem essas coisas.

Alguns estudiosos fazem os vss. 6 e 7 referir-se ao estado do homem *antes* de sua enfermidade. Ele então prosperava e era firme como um monte. Então apareceu a tribulação que o deixou desanimado. Todavia, ele clamou a Yahweh-Elohim, e suas orações foram respondidas. Dessa forma sua prosperidade foi *restaurada*, e ele se tornou então aquela montanha alta e forte que nenhum terremoto poderia abalar.

■ **30.8** (na Bíblia hebraica corresponde ao **30.9**)

אֵלֶיךָ יְהוָה אֶקְרָא וְאֶל־אֲדֹנָי אֶתְחַנָּן:

Por ti, Senhor, clamei. O salmista fizera uma súplica em choro copioso, a qual Yahweh, elevado em seu céu, ouviu. Assim sendo, acima da tempestade, até a mais tranquila oração pode ser ouvida, creio eu. "Antes de sua enfermidade, ele se sentia perfeitamente seguro (vss. 6 e 7); e quando a enfermidade apareceu, ele se voltou para Deus em oração (vss. 8-10), e Deus lhe respondeu (vss. 11 e 12)" (*Oxford Annotated Bible*, sobre o vs. 6).

O homem enfermo orou "... da maneira mais humilde, apelando para a graça e a misericórdia divina, para que Deus, uma vez mais, mostrasse sua face e seu favor" (John Gill, *in loc.*).

■ **30.9** (na Bíblia hebraica corresponde ao **30.10**)

מַה־בֶּצַע בְּדָמִי בְּרִדְתִּי אֶל־שָׁחַת הֲיוֹדְךָ עָפָר הֲיַגִּיד אֲמִתֶּךָ:

Que proveito obterás no meu sangue...? Isto é, *em minha morte*, uma alusão ao sangue derramado que produz a morte. Embora o poeta sagrado não tivesse o sangue vertido por parte de algum inimigo, sua morte naquele leito miserável seria tão eficaz como se seu sangue tivesse sido derramado. Uma vez morto, o salmista não se levantaria para louvar a Deus, pelo que qual seria o proveito tirado por Yahweh? "Sangue é aqui equivalente à morte violenta (quanto ao seu significado, ver Jó 16.18). Para a mentalidade dos antigos, um deus sem ninguém que o louvasse era uma divindade extinta" (William R. Taylor, *in loc.*). "Se Deus quisesse receber louvores do salmista, teria de preservá-lo do sepulcro (ver Is 38.18)" (Allen P. Ross, *in loc.*).

O poeta sacro não levantou a esperança de uma pós-vida para além da morte biológica, o que, evidentemente, não fazia parte da teologia dos hebreus. Existem alguns versículos, nos Salmos e nos Profetas, que falam sobre tal vida, mas a maior porção dessa doutrina veio à tona nos livros pseudepígrafos e apócrifos, e fazia parte, desde há muito, das religiões orientais e da filosofia grega. E então o Novo Testamento deu-lhe ainda maior desenvolvimento. Não devemos cristianizar este versículo, fazendo-o ensinar algo que ele não ensina. O ponto de vista do autor era que, quando um corpo humano se transforma em pó, esse é o fim dos louvores dados a Deus. Nenhum ser humano, se já foi transformado em pó, pode falar sobre a *fidelidade de Deus*. O *sepulcro* não conta nenhuma história. Ver as notas expositivas sobre Sl 28.1, quanto à *cova*. No vs. 3, essa palavra aparece como um paralelo de *seol*. Ver ali quanto a essas ideias.

> *Pois na morte não há recordação de ti; no sepulcro quem te dará louvor?*
>
> Salmo 6.5

Ver a exposição sobre Sl 6.5, onde ofereço uma explicação mais completa sobre o que fica apenas implícito neste versículo.

■ **30.10** (na Bíblia hebraica corresponde ao **30.11**)

שְׁמַע־יְהוָה וְחָנֵּנִי יְהוָה הֱיֵה־עֹזֵר לִי:

Ouve, Senhor, e tem compaixão de mim. O clamor feito a Yahweh visava receber graça e misericórdia, porquanto usualmente não merecemos aquilo que pedimos. Ver na *Enciclopédia de Bíblia, Teologia e Filosofia* o verbete chamado *Graça*; e ver no *Dicionário* o artigo chamado *Misericórdia*. "Eu te declararei a verdade; e contarei a todos os homens que Senhor misericordioso e gracioso encontrei" (Adam Clarke, *in loc.*). Yahweh seria o *ajudador* do salmista, por causa de sua misericórdia. "... naquele tempo de tribulações, quando ele sabia que seria vão buscar a ajuda dos homens, e era inteiramente seu direito buscar o Senhor, o qual era *capaz* de ajudá-lo, quando ninguém mais poderia fazê-lo" (John Gill, *in loc.*).

■ **30.11,12** (na Bíblia hebraica corresponde ao **30.12,13**)

הָפַכְתָּ מִסְפְּדִי לְמָחוֹל לִי פִּתַּחְתָּ שַׂקִּי וַתְּאַזְּרֵנִי שִׂמְחָה:

לְמַעַן יְזַמֶּרְךָ כָבוֹד וְלֹא יִדֹּם יְהוָה אֱלֹהַי לְעוֹלָם אוֹדֶךָּ:

Converteste o meu pranto em folguedos. Este salmo começa e termina com *ação de graças*. Foi assim que o poeta pôs seu clamor por ajuda entre dois gritos de alegria. Verdadeiramente, quando obtemos alguma *grande vitória* (a qual buscávamos por longo tempo), a *exultação* preenche nosso coração. A lamentação cede lugar a um cântico feliz, e o cilício é substituído por vestes festivas. Essas não são palavras vazias, visto que os ritos festivos, realizados no templo, eram efetuados mediante a apresentação de um voto e uma promessa, e muito mais quando aquilo que buscávamos havia sido obtido. Novos votos de louvor eram então feitos. A alma continuaria a exultar no Senhor e a buscar novas vitórias. Nenhuma batalha ganha a guerra. O conflito prossegue, mas teremos obtido confiança mediante sucessos passados. Ver quanto aos cânticos em alta voz e às danças que acompanhavam os sacrifícios oferecidos no templo em Sl 26.6,7 e 118.27,28. Como pode uma alma crente fazer silêncio, quando triunfa?

O meu espírito. Literalmente, no hebraico, temos as palavras "minha glória". O poeta sacro falava sobre o ser essencial no qual reside a glória de Deus. Essas palavras também têm sido traduzidas por *fígado*, onde os hebreus antigos encontravam a sede da razão e das emoções. Nós usamos a palavra "coração" com o mesmo sentido. O poeta sacro não se referia a uma parte imaterial de seu ser, e, sim, ao seu "eu" total (físico), o homem completo, conforme entendiam os hebreus da época. A alma imaterial e imortal veio a fazer parte da teologia dos hebreus em tempos posteriores e somente recebeu mais detalhes no ensino dos livros pseudepígrafos e apócrifos.

Ver o Contraste. A lamentação (literalmente, "bater no peito") demonstrava a atitude de desespero. Essas pancadas injuriosas no peito foram substituídas pelos movimentos graciosos da dança da alegria. A sede da dignidade e do valor do homem (a alma) proferiu palavras de louvor. Temos aqui uma excelente declaração acerca da *Providência de Deus* (ver a respeito no *Dicionário*). O homem é uma criatura dependente, a quem falta poder. Mas *El* (o Poder) está presente, para fazer a diferença.

O homem estava doente. Ele ia morrer. Seu problema era sério *e* ele não encontrava solução em si mesmo. Portanto, ele orou! Firmou um voto e uma promessa. E obteve o que queria. Foi salvo da morte prematura. Ele continuou vivo e continuou a louvar a Yahweh *para sempre*. Algumas vezes temos de enfrentar problemas que são "superiores a nós". E é então que devemos deixar tudo aos cuidados de Deus, em oração.

> *Cantarei ao Senhor enquanto eu viver. Cantarei louvores ao meu Deus durante a minha vida.*
>
> Salmo 104.33

SALMO TRINTA E UM

Quanto a *informações gerais* que se aplicam a todos os salmos, ver a introdução ao Salmo 4, onde apresento *sete* comentários que elucidam a natureza do livro. Quanto às *classes* dos salmos, ver o gráfico no início do comentário do livro, que age como uma espécie de frontispício. Ofereço ali dezessete classes e listo os salmos pertencentes a cada uma delas.

Este é um salmo de *lamentação*. Mais de sessenta dos 150 salmos da coletânea classificam-se assim: salmos de clamores em busca de ajuda. Os inimigos dos quais se pede libertação podem ser pessoas ou exércitos hostis que atacam Israel; ou podem ser pessoas ímpias e traiçoeiras dentro de Israel, que buscavam prejudicar o poeta sacro; ou, ainda, podem ser enfermidades que atacam o corpo. Após o grito inicial pedindo ajuda, é descrito o tipo de inimigo. E, finalmente, *ações de graças* encerram os salmos de lamentação. A vitória buscada foi obtida, ou então o autor cria que a resposta estava a caminho, e antecipou o agradecimento.

A razão para o clamor de desespero não fica clara neste salmo, mas alguma situação perigosa se havia desenvolvido e inspirara o *tríplice* clamor pedindo livramento. Isso pode indicar uma estrutura composta, em que mais de um salmo foi composto formando uma unidade, pelo que temos a seguinte situação:

1. Vss. 1-8: *Um salmo de proteção.* Cf. o Sl 91, que pertence a essa natureza de salmo quase inteiramente. Muitos salmos contêm alguns elementos dessa classe.

2. Vss. 9-12: *Um salmo de lamentação,* provavelmente um salmo de alguém que estava fisicamente doente. Outros "salmos de enfermidade" são os de número 6, 22, 28 e 30.

3. Vss. 13-18: *Outro salmo de lamentação,* talvez um clamor contra homens ímpios que estavam atacando, e contra quem se fazia necessária a proteção.

Os vss. 9-12 e o Salmo 88 não terminam com um grito de triunfo ou de afirmação de fé. Terminam em um tom de desespero. Quanto a comentários sobre essa circunstância, ver as notas no vs. 12, a seguir.

Os vss. 19-24 terminam os três salmos com um elaborado hino de louvor e ação de graças. Esses versículos provavelmente são um hino de ação de graças, acompanhado por vários instrumentos musicais.

Dependência Literária. Os versículos de abertura (vss. 1 a 3) têm paralelo no Salmo 71.1-3; o vs. 8 é similar ao Salmo 18.19; o vs. 11 é parecido com o Salmo 38.11; os vss. 13-18 assemelham-se notavelmente a Jr 20.10-12. É improvável que esses paralelismos tenham sido meramente acidentais. As palavras "faze resplandecer o teu rosto" (vs. 16) encontram-se em vários salmos (como Sl 67.1; 80.3,7,19; 119.135) e em Nm 6.25. Os críticos consideram pós-exílicos todos os salmos envolvidos.

Subtítulo. "Ao mestre de canto. Salmo de Davi." Editores, longo tempo depois da composição dos salmos, tentaram dizer-nos alguma coisa sobre questões como autoria, circunstâncias sobre o acompanhamento musical, ou eventos históricos que possam ter inspirado a composição. A maioria das declarações constantes dos subtítulos é apenas conjectura, mas algumas vezes acontecimentos históricos autênticos podem estar em evidência. Cerca de metade dos salmos é atribuída a Davi, um grande exagero, mas sem dúvida alguns dos salmos de fato pertencem a ele. Davi foi o *mavioso salmista de Israel* (ver 2Sm 23.1).

■ **31.1** (na Bíblia hebraica corresponde ao **31.1,2**)

לַמְנַצֵּחַ מִזְמוֹר לְדָוִד׃
בְּךָ יְהוָה חָסִיתִי אַל־אֵבוֹשָׁה לְעוֹלָם בְּצִדְקָתְךָ
פַלְּטֵנִי׃

Em ti, Senhor, me refugio. O pobre homem clamou na esperança de ser salvo por Yahweh, alegando que também seria salvo de ficar *envergonhado* por haver confiado no Senhor, mas coisa alguma foi feita em seu favor. Ele exporia a vergonha porque Deus se mostrava indiferente. Cf. Sl 71.1-3, que é similar à introdução do salmo presente. Cf. também Sl 25.2,3,20, onde já vimos o tema de ser envergonhado diante dos inimigos. "Ele confiou em Deus, mas que bem isso lhe fez? Ele é apenas um coitado e um miserável." O *Deus justo* não permitiria que isso acontecesse, porque, naturalmente, salvaria um homem bom, um homem justo, alguém parecido com ele. "A retidão de Deus torna impossível que o homem reto pereça, enquanto os injustos terminem prosperando" (Fausset, *in loc.*).

"Não me deixes ficar confundido por não receber a recompensa da minha fé, o suprimento de meus quereres e a salvação da minha alma" (Adam Clarke, *in loc.*).

Com base no Antigo Testamento, a *aceitação de um homem* estava alicerçada sobre a sua obediência à lei mosaica, o estatuto eterno (ver Êx 29.42; 31.16; Lv 3.17; 16.29). Essa lei fazia de Israel uma nação distintiva (ver Dt 4.4-8).

Deus meu, em ti confio, não seja eu envergonhado, nem exultem sobre mim os meus inimigos.

Salmo 25.2

■ **31.2** (na Bíblia hebraica corresponde ao **31.3**)

הַטֵּה אֵלַי אָזְנְךָ מְהֵרָה הַצִּילֵנִי הֱיֵה לִי לְצוּר־מָעוֹז
לְבֵית מְצוּדוֹת לְהוֹשִׁיעֵנִי׃

Inclina-me os teus ouvidos. Para que o salmista não ficasse envergonhado, ele precisava de uma resposta imediata da parte de Yahweh, a *inclinação dos ouvidos* em atitude de condescendência, mostrando ser uma *rocha* de segurança, refúgio e proteção, e uma *fortaleza* onde ele poderia refugiar-se e de onde lançaria seus contra-ataques. Quanto a essas figuras, ver Sl 18.2. Quanto a um socorro imediato, cf. Sl 69.7; 70.1; 71.12; 79.8; 102.2; 141.1 e 143.7.

Inclina-me. Temos aqui a figura de um Pai majestático que se inclina por sobre seu filho para falar-lhe aos ouvidos e livrá-lo de todos os temores. Simultaneamente, o Pai, com o ouvido tão próximo do filho, ouve todos os seus queixumes e temores e acalma-o, intervindo em seu favor.

Este habitará nas alturas; as fortalezas das rochas serão o seu alto refúgio, o seu pão lhe será dado, as suas águas serão certas.

Isaías 33.16

■ **31.3** (na Bíblia hebraica corresponde ao **31.4**)

כִּי־סַלְעִי וּמְצוּדָתִי אָתָּה וּלְמַעַן שִׁמְךָ תַּנְחֵנִי וּתְנַהֲלֵנִי׃

Porque tu és a minha rocha e a minha fortaleza. Yahweh já era para o poeta o que ele pedira em oração, "ainda mais" e eficazmente, naquela hora de crise, isto é, sua *rocha* e *fortaleza*. O *nome* de Yahweh seria honrado por seus cuidados para com seus filhos, e isso incluiria orientação e direção específica para que eles pudessem atravessar a noite da tempestade e de pressões e ser conduzidos à luz de um *novo dia*. Oh, Senhor, concede-nos tal graça! Nessa *orientação* encontramos a metáfora do Pastor (ver o Sl 23) ou talvez a metáfora do Capitão do Exército, o Senhor dos Exércitos, que conheceria os estratagemas corretos para obter sucesso na batalha.

Conduz-me, Luz Gentil, dentre a negra escuridão,
Conduz-me à frente.
A noite está escura e longe de casa estou;
Conduz-me à frente.
Mantém os meus pés — não peço para ver
A distante cena;
Um passo apenas, o bastante para mim.

John H. Newman

Quanto ao *nome*, ver também Sl 5.11; 7.17; 8.1,9; 9.2,5; 18.49; 20.1,5,7; 22.22; 29.2; 33.21; 34.3; 44.20; 48.10; 54.1; 61.5; 63.4; 69.30; 72.17; 75.1; 91.14; 96.2; 99.3; 100.4; 102.15; 119.55; 140.13; 145.1; 148.5 e 149.3. O *nome* representa a *Pessoa* de Yahweh, o Ser divino, o Poder (El, Elohim). Seu povo *identifica-se* com seu nome, em contraste com os nomes falsos das divindades intermediárias dos pagãos. Há, pois, *comunhão* com o nome, e *suprimento* para cada necessidade dos crentes.

■ **31.4** (na Bíblia hebraica corresponde ao **31.5**)

תּוֹצִיאֵנִי מֵרֶשֶׁת זוּ טָמְנוּ לִי כִּי־אַתָּה מָעוּזִי׃

Tirar-me-ás do laço. O poeta sacro estava na *rede do caçador*, como um animal impotente da floresta, ou como um pássaro do ar apanhado na arapuca. A presa morreria se ficasse ali por longo tempo, o que explica a *urgência* da oração pedindo livramento. Cf. Sl 10.9 e Is 51.20. A metáfora do caçador é comum nos salmos. O caçador pretende matar ou aprisionar. Nisso que consistem as suas atividades. Somos, assim, lembrados das *astúcias* de um inimigo implacável. Não podemos determinar, contudo, se esse inimigo é um dos assaltantes "estrangeiros" de Israel, as nações pagãs em geral, ou se o salmista tinha inimigos pessoais "dentro do acampamento" da própria nação. Seja como for, a ameaça era potencialmente fatal. Ver os comentários sobre os *oito povos inimigos* que Davi derrotou, em 2Sm 10.19. Ver também o vs. 6, a seguir, que parece apontar para inimigos estrangeiros.

■ **31.5** (na Bíblia hebraica corresponde ao **31.6**)

בְּיָדְךָ אַפְקִיד רוּחִי פָּדִיתָה אוֹתִי יְהוָה אֵל אֱמֶת׃

Nas tuas mãos entrego o meu espírito. Não tendo para onde virar-se, tendo chegado ao fim de suas próprias forças, e não tendo aplicado sua própria inteligência, o poeta voltou-se, em desespero, a Yahweh, buscando solução para o problema. Por conseguinte, o salmista entregou o seu *espírito* aos cuidados de Yahweh, pois era isso que estava sendo ameaçado. O poeta sagrado não considerava a possibilidade de um pós-vida, no qual seu espírito imaterial sobreviveria à morte física, como se ele soubesse que o inimigo teria sucesso no nível material, e então seu espírito ascenderia para Deus, no céu. Talvez o poeta acreditasse nessas coisas, mas não foi isso que ele quis dizer aqui. Espírito-respiração-vitalidade-vida-existência foram entregues a Yahweh.

A outorga que aqui vemos foi reverberada em Lc 23.46, e essas palavras têm sido proferidas, na ocasião da morte, por uma longa linha de mártires e heróis cristãos, como Policarpo, Bernardo, Huss, Henrique V, Jerônimo de Praga, Lutero, Melanchthon e incontáveis outras pessoas famosas, além daquelas que passaram desconhecidas por esta vida. Naturalmente, a inspiração para essa declaração foi dada por Jesus, conforme nos mostra o texto de Lucas.

Senhor, Deus da verdade. Cf. 2Cr 15.3. Ali e aqui, Yahweh é contrastado com os deuses falsos da idolatria pagã, na qual não há nem vida nem verdade. Ver também Dt 32.4. Naturalmente, Deus é também a origem de toda a verdade. "A glória de Deus é a inteligência" (Joseph Smith). Sua verdade reflete em todas as mentes e em todas as almas. Ele é um Deus distintivo, o único Poder divino, o *Redentor*, porquanto salva da destruição tanto o corpo quanto a alma.

> *E apedrejavam a Estêvão, que invocava e dizia: Senhor Jesus! recebe o meu espírito!*
> Atos 7.59

■ **31.6** (na Bíblia hebraica corresponde ao **31.7**)

שָׂנֵאתִי הַשֹּׁמְרִים הַבְלֵי־שָׁוְא וַאֲנִי אֶל־יְהוָה בָּטָחְתִּי:

Aborreces os que adoram ídolos vãos. O poeta sagrado *odiava* os seus inimigos, aqueles que procuravam tirar-lhe a vida. Em contraste com isso, ele punha a sua confiança no Senhor da verdade. Seus inimigos eram mentirosos que lhe armavam armadilhas, com o intuito de matá-lo. O Senhor era o Yahweh-Elohim da verdade (vs. 5), ou seja, ele reconheceria a justiça de sua causa e agiria em conformidade com esse conhecimento. Jesus ordenou que *amássemos os nossos inimigos* (ver Mt 5.44), mas isso estava acima das forças do poeta sacro, e está acima de nossas forças. Há um manuscrito hebraico, a versão grega, a versão siríaca e Jerônimo que dizem que é Yahweh quem odeia, e a *Revised Standard Version* prefere essa variante, que é a mesma de algumas versões portuguesas. Ver no *Dicionário* o verbete intitulado *Manuscritos do Antigo Testamento*. Algumas vezes, especialmente a Septuaginta preserva um texto melhor que o do texto massorético padronizado. Ver no *Dicionário* o artigo chamado *Massora (Massorah); Texto Massorético*. Certas vezes as versões são apoiadas pelos rolos hebraicos (manuscritos) do Mar Morto, que têm um texto mais antigo do que o da Massorah padronizada. Ver no *Dicionário* o verbete chamado *Mar Morto, Manuscritos (Rolos) do*.

Ídolos vãos. Esta é uma interpretação, sem dúvida correta, da frase que significa *vaidades mentirosas*. Cf. Jr 8.19. O hebraico diz literalmente "hálito de mentiras" (cf. Jn 2.8). Incluir idolatria pagã no salmo, neste ponto, aponta para *inimigos estrangeiros* que ameaçavam a vida do poeta. Tais pessoas idólatras eram "odiadas" pelo poeta ou por Yahweh.

■ **31.7** (na Bíblia hebraica corresponde ao **31.8**)

אָגִילָה וְאֶשְׂמְחָה בְּחַסְדֶּךָ אֲשֶׁר רָאִיתָ אֶת־עָנְיִי יָדַעְתָּ
בְּצָרוֹת נַפְשִׁי:

Eu me alegrarei e regozijarei na tua benignidade. Os *salmos de lamentação* encerram-se, tipicamente, com uma nota de confiança e de louvor, ou porque o clamor de livramento foi ouvido e o homem foi libertado de suas tribulações, ou porque ele esperava ficar livre em breve, tendo sua fé fortalecida. Portanto, os vss. 7 e 8 proveem a nota de agradecimento do *primeiro salmo* (vss. 1-8). Seguem-se outros salmos de natureza similar (vss. 9-12 e 13-18). Um hino elaborado de louvor termina então a *trilogia*, três composições distintas que provavelmente foram reunidas por um editor subsequente. Ver os vss. 19-24.

O poeta sagrado confiou na *misericórdia* do Deus poderoso, que podia fazer coisas que se transformassem em bem, pelo que já se sentia alegre e começava a regozijar-se, enquanto esperava por seu livramento certo. Note o leitor o tempo verbal futuro. O salmista regozijava-se em seu livramento *antecipado*.

Misericórdia aparece como *amor constante*, na *Revised Standard Version*. Essa qualidade do ser divino livra o homem bom de seus temores e tribulações. Yahweh "prestara atenção" aos sofrimentos do homem e o libertara. A *alma* do homem *era conhecida* nas adversidades (conforme a *King James Version* traduz essa frase). Essa tradução nos dá a ideia do amor permanente de Deus por um homem que o levara a agir. O hebraico, a Septuaginta, as versões etíope e árabe e a Vulgata Latina dizem que Yahweh *conhecia a alma*, enquanto as versões caldaica e siríaca dizem que Deus *conhecia as adversidades da alma*. As traduções modernas dividem-se entre os dois sentidos.

■ **31.8** (na Bíblia hebraica corresponde ao **31.9**)

וְלֹא הִסְגַּרְתַּנִי בְּיַד־אוֹיֵב הֶעֱמַדְתָּ בַמֶּרְחָב רַגְלָי:

E não me entregaste nas mãos do inimigo. Yahweh não *entregou* o homem nas mãos dos inimigos (*Revised Standard Version*). Ele não o *aprisionou* como um cativo na rede de um caçador (*King James Version*). Antes, a mão divina pôs o pobre homem em um *lugar espaçoso*. Essa metáfora é de origem militar. Em um lugar espaçoso, um homem tem a oportunidade de escapar de seus atacantes, mas em um lugar restrito certamente perecerá. Cf. Sl 18.19:

> *Trouxe-me para um lugar espaçoso; livrou-me, porque ele se agradou de mim.*

Cf. também Sl 4.1, que diz algo similar, e onde ofereço comentários que também se aplicam aqui.

Lições Espirituais. O pecador é preso na rede de Satanás; fica enredado em um lugar estreito, escravizado aos vícios. Deus livra esse homem e o coloca em um lugar espaçoso de liberdade e livramento. Os vícios e o pecado são inimigos da alma. O livramento é um dos aspectos da salvação.

OUTRO SALMO DE LAMENTAÇÃO (31.9-12)

Algum *editor subsequente* reuniu três salmos e fez deles uma unidade. Por isso temos os vss. 1-8, vss. 9-12 e vss. 13-18. E, finalmente, os vss. 19-24 são um hino triunfante de louvor, que provavelmente era um término litúrgico (generalizado) da trilogia.

Os salmos de lamentação tipicamente terminam com uma nota de louvor e ação de graças. As exceções são os vss. 9-12 e o Salmo 88. Quanto a comentários sobre essa circunstância, ver as notas do vs. 12, a seguir.

Aqui o inimigo é uma *doença* do corpo potencialmente *fatal*. Quanto aos "salmos de enfermidades", cf. os Salmos 6, 22, 28 e 30. Eles formam um pequeno grupo dentro do grupo maior de sessenta salmos de lamentação entre os 150 que compõem o saltério. Quanto às dezessete classificações dos salmos, ver o gráfico no início do comentário, que atua como uma espécie de frontispício da coletânea.

■ **31.9** (na Bíblia hebraica corresponde ao **31.10**)

חָנֵּנִי יְהוָה כִּי צַר־לִי עָשְׁשָׁה בְכַעַס עֵינִי נַפְשִׁי וּבִטְנִי:

Compadece-te de mim, Senhor. O pobre homem estivera enfermo por longo tempo e chegara ao fim de seus recursos. Ele clamou por misericórdia, pois somente uma intervenção divina poderia pôr fim às suas agonias. Sem Deus, ele certamente morreria. O homem estava em uma "tribulação" com a qual não sabia lidar. Ele não encontrava solução ou remédio. Sua vida (alma) estava sendo consumida, e todo o seu corpo fora apanhado pelo mal. Os hebreus não tinham nenhum respeito pelos médicos. Dependiam somente da intervenção de Deus.

> *Ele é quem perdoa todas as tuas iniquidades;*
> *quem sara todas as tuas enfermidades; quem da cova redime a tua vida.*
> Salmo 103.3,4

Os médicos antigos, além da medicina natural, à base de ervas, com frequência usavam encantamentos e artes mágicas. Mas, ainda que assim não fizessem, a antiga mentalidade dos hebreus via falta de fé em buscar cura de qualquer origem, que não o Ser divino. A atitude geral deles era que a enfermidade vinha sobre um homem por causa de seus pecados, isto é, por causa da operação da *Lei Moral da Colheita segundo a Semeadura* (ver a respeito no *Dicionário*). Tentar reverter o julgamento divino por meio de medicamentos era um grande pecado em si mesmo, o que só aumentava o estoque de infrações.

Algumas pessoas, até hoje, continuam pensando que honram a Deus retendo essa atitude e preferem permanecer enfermas a receber uma cura natural. Mas essa atitude está errada. Em *primeiro lugar*, porque existem enfermidades que procedem de fontes naturais, e até do caos, que nada têm a ver com a lei da colheita segundo a semeadura. Em *segundo lugar*, Deus pode curar e realmente cura através de meios naturais. Não precisamos de uma intervenção divina em todas as curas, ou mesmo para a maioria delas. Antes, *algumas vezes* precisamos de *intervenção*, e *esse* é o caminho certo a seguir. Em *terceiro* lugar, há enigmas no tocante a Deus e às ações divinas. Nunca devemos colocar uma cerca em redor de Deus e dizer que ele "tem de fazer isto" de uma maneira específica. Visto que existem enigmas, estamos livres para tentar quaisquer meios de cura que, obviamente, não envolvam o mal, e não devemos atribuir ao mal modos de curas que não compreendemos. As *experiências* são permitidas enquanto a nossa *consciência* disser: "Está tudo certo". Cada homem deve considerar a própria consciência, mas, se meios naturais estiverem sendo empregados, então poderemos avançar. Não pode haver mal nenhum nisso.

De tristeza os meus olhos se consomem. "Cf. Sl 6.7. Era uma antiga ideia de que os olhos podiam consumir-se" (Ellicott, *in loc.*). Há em inglês uma moderna expressão idiomática que diz: "I cry my eyes out", que fala de tristeza excessiva.

O meu corpo. Literalmente, "meu ventre", que representa aqui todo o corpo. Mas devemos estar alertas para a grande possibilidade de que a enfermidade exercera especial efeito sobre o abdome do salmista. "Talvez ele não pudesse comer alimentos ou digeri-los, o que produzia desordens internas piores..." (John Gill, *in loc.*).

■ **31.10** (na Bíblia hebraica corresponde ao **31.11**)

כִּי כָלוּ בְיָגוֹן חַיַּי וּשְׁנוֹתַי בַּאֲנָחָה כָּשַׁל בַּעֲוֺנִי כֹחִי וַעֲצָמַי עָשֵׁשׁוּ׃

Gasta-se a minha vida na tristeza. O pobre homem culpou os seus pecados como a causa da enfermidade, a atitude comum dos hebreus, comentada no vs. 9. O presente versículo mostra-nos que a enfermidade era crônica e estava piorando, e trazia com ela ameaça à própria vida. A enfermidade tinha atingido literal ou figuradamente toda a estrutura do esqueleto. Se isso acontecia metaforicamente, então o esqueleto representa todo o corpo físico, porquanto o esqueleto reúne e apoia o todo. Cf. Sl 6.2, onde dou outros comentários sobre a questão dos *ossos*. Se o que dá apoio ao corpo for afetado, então o resto logo sucumbirá. Ou, então, se o todo estiver falhando, os ossos poderão provocar "falha total" dos poderes do corpo e de suas funções. A força do homem estava "falhando", e ele enfrentava a *morte prematura*, algo que os hebreus temiam grandemente. Parte desse temor devia-se ao fato de que os antigos hebreus, até o tempo dos Salmos e dos Profetas, não tinham ideia clara da vida para além do sepulcro, e sofrer um *fim prematuro* era uma coisa realmente triste. Ver sobre a questão no *Dicionário*, e, na *Enciclopédia de Bíblia, Teologia e Filosofia*, ver o artigo chamado *Imortalidade*.

■ **31.11** (na Bíblia hebraica corresponde ao **31.12**)

מִכָּל־צֹרְרַי הָיִיתִי חֶרְפָּה וְלִשְׁכֵנַי מְאֹד וּפַחַד לִמְיֻדָּעָי רֹאַי בַּחוּץ נָדְדוּ מִמֶּנִּי׃

Tornei-me opróbrio para todos os meus adversários. Se um homem sofria por causa de seus pecados, então ele estava sob *maldição divina*, de acordo com a mentalidade dos hebreus. Ao ver sua sorte, outras pessoas o evitariam, ou mesmo se tornariam *hostis* a ele, pois, de outro modo, também poderiam ser feridas por terem tido contato com o "homem mau". Vemos isso agudamente ilustrado no livro de Jó, personagem bíblica que foi criticada, ridicularizada e abandonada, até por parte de seus melhores amigos. Eles se tornaram seus "consoladores molestos" (ver Jó 16.1).

O pobre homem deste salmo tinha alguma espécie de enfermidade nojenta que repelia outras pessoas. Algumas enfermidades têm um tremendo mau cheiro, e muitas têm uma aparência terrível, e as pessoas evitam esses doentes de todas as maneiras. Os que se aproximavam do homem chegavam a "temê-lo". As pessoas fugiam quando ele aparecia em público.

"... Eles fugiam, como se houvesse algo muito pestilento e infeccioso nele" (John Gill, *in loc.*).

Fogem de mim. O hebraico original diz literalmente, "esvoaçaram de mim", como se fossem pássaros assustados.

■ **31.12** (na Bíblia hebraica corresponde ao **31.13**)

נִשְׁכַּחְתִּי כְּמֵת מִלֵּב הָיִיתִי כִּכְלִי אֹבֵד׃

Estou esquecido no coração deles. *O Homem Esquecido*. Este salmo, contrariamente aos outros salmos de lamentação (exceto o Salmo 88), não conta com uma declaração final de confiança e triunfo. Refiro-me aos vss. 9-12, que, presumivelmente, foram um dos três salmos reunidos nesta trilogia unificada (vss. 1-8; 9-12 e 13-18). Naturalmente, o editor que os reuniu, formando uma unidade, pode ter considerado que o hino de triunfo subsequente (vss. 19-24) se aplicava aos três salmos formadores. Mas parece que dois desses salmos de lamentação terminam com um tom de desespero. O clamor pedindo livramento foi proferido com ansiedade, mas nada aconteceu. O homem morreu. Meus amigos, assim é a vida. Algumas vezes, até as orações anelantes de um grupo de pessoas não produzem efeito, e a oração em grupo é mais poderosa do que a oração individual. Quando a oração falha, costumamos perguntar: "Por quê?" Temos de olhar para além do sepulcro a fim de esperar na imortalidade. Temos de crer num *novo dia*, e confiar em Deus. É como diz certo hino:

Tentado e testado, por muitas vezes perguntamos
Por que as coisas deveriam ser assim o dia inteiro;
Quando existem outros que vivem ao nosso derredor,
Sem qualquer preocupação, embora estejam errados.

Algumas vezes, somos obrigados a depender da fé, sem nenhuma evidência de que existe algo "melhor" esperando por nós.

Minha alma, por que estás tão desconsolada por dentro,
Saqueada, magoada pelo dilúvio e pelo ruído do mundo?
A esperança de hoje está perdida, ou menos do que a de anos passados,
Espezinhada e apequenada por essas lágrimas não derramadas?
Há esperança lá adiante, uma sublime altura dominante,
Ou, pelo menos, é isso que tenho ouvido. É uma grande verdade, dizem eles.
Mas a fé jaz morta, com olhos bem fechados.
Uma grande verdade, dizem eles, aquela esperança lá adiante.
A fé cega a nada responde,
E, no entanto, é verdade, seja como for.

Russell Champlin

Ensina-me a suportar as lutas da alma;
A resistir à dúvida que ressurge, o suspiro rebelde;
Ensina-me a paciência da oração não respondida.

George Croly

Estou esquecido... como morto. É surpreendente o quanto os mortos são logo esquecidos. Quantos de nós conhecem ao menos os nomes de nossos avós? Geralmente caminhamos por um cemitério de sepulcros abandonados. Ninguém sabe quem está ali sepultado, e ninguém se importa. O poeta sagrado já estava cheirando mal da morte, e ninguém se importava com a sua alma. Ele não era mais útil a ninguém. Era como um vaso partido. Servira seu tempo e morreria uma morte prematura. Sem embargo, cada pessoa é preservada na mente de Deus. Coisa alguma se perde. Todos estão seguros. Precisamos ter fé para acreditar naquela *esperança mais além*, que é uma grande verdade, *segundo dizemos*, e, na hora da crise, é preciso *acreditar*.

Não posso ver para além do dia de hoje;
Mas em ti, Senhor, confio em todo o caminho;
Tu és o meu guia perenemente infalível,
E me provês forças suficientes.

Emily Beach Hogan

Oh! podemos ainda confiar
...
Que nada caminha sem alvo.
Que nenhuma única vida será destruída,

Ou lançada como refugo no vazio,
Quando Deus completar a pilha.

Alfred Lord Tennyson

Ver o artigo sobre o *Problema do Mal,* no *Dicionário.* Por que os homens sofrem, e por que sofrem da maneira como sofrem?

TERCEIRO SALMO DA TRILOGIA QUE COMPÕE O SALMO 31 — SALMO DE LAMENTAÇÃO ACERCA DE INIMIGOS SUSSURRADORES (31.13-18)

O poeta sagrado foi *vítima* de uma campanha de sussurros por parte daqueles que se tinham tornado seus inimigos, "dentro do acampamento de Israel". Esses tomavam mal conselho com o intuito de matá-lo, ou seja, de efetuar uma "execução privada", uma sentença baixada por um tribunal que o sujeitaria à morte judicial. Este salmo de lamentação — dos quais há mais de sessenta na coletânea de 150 salmos, começa com um grito pedindo ajuda; continua descrevendo o perigo que o salmista enfrentava, quer se tratasse de inimigos estrangeiros, quer de inimigos dentro do acampamento de Israel, quer de alguma enfermidade física. E então termina, muito tipicamente, com um grito de triunfo e fé de que a oração fora respondida, ou de que em breve o seria. Somente os Salmos 31.9-12 e 88 terminam com um tom de desespero.

■ 31.13 (na Bíblia hebraica corresponde ao 31.14)

כִּי שָׁמַעְתִּי דִּבַּת רַבִּים מָגוֹר מִסָּבִיב בְּהִוָּסְדָם יַחַד עָלַי לָקַחַת נַפְשִׁי זָמָמוּ׃

Pois tenho ouvido a murmuração de muitos. O salmista estava sendo assediado por assassinos. Eles tinham iniciado uma campanha de sussurros contra ele e tentavam convencer juízes e magistrados a cooperar com o seu diabólico conselho. Promoviam a *pena capital* contra ele. Não sabemos no que consistiam as acusações, mas o poeta sagrado assegura-nos sua inocência. Talvez ele tivesse ofendido os ricos e poderosos e estivesse barrando as atividades exploradoras de seus adversários contra outras pessoas. Talvez o poeta sacro fosse um rival político. Cf. Jr 20.10, que é trecho bastante similar a este. A expressão "temor por todos os lados" era tão comum para o profeta Jeremias, que praticamente se tornou um lema. Ver Jr 6.25; 20.3 (margem); 46.5; 49.29 e cf. Lm 2.22. O *terror* era uma *conspiração.* O trecho paralelo de Jr 18.18 ss., até o fim do capítulo 19, com a presente parte do Salmo 31, tem levado alguns eruditos a supor que Jeremias tenha sido o homem perseguido neste salmo, mas não há como confirmar tal suposição.

■ 31.14 (na Bíblia hebraica corresponde ao 31.15)

וַאֲנִי עָלֶיךָ בָטַחְתִּי יְהוָה אָמַרְתִּי אֱלֹהַי אָתָּה׃

Quanto a mim confio em ti, Senhor. O poeta não tinha recursos para combater seus implacáveis inimigos, pelo que apelou para a *confiança* em Deus. Quanto a como essa palavra é usada nos salmos, ver notas expositivas em Sl 2.12. O homem teve de depender do poder de Deus, quando todos os outros recursos haviam falhado.

> Quando outros ajudadores e consolos falham,
> Ajuda dos desamparados, fica comigo!
>
> H. F. Lyte

Naquele ponto da vida do salmista, quando poderia ter sofrido a tão temida *morte prematura,* ele levantou o seu *Ebenezer,* porquanto até ali o Senhor o havia ajudado. "Nada existe de mais difícil do que, quando vemos nossa fé desprezada pelo mundo inteiro, dirigir nossa linguagem exclusivamente a Deus, afirmando com clara consciência que ele é o nosso Deus" (Calvino). Deus está no controle das coisas. E se o calvinismo exagera isso às expensas do livre-arbítrio (o que também é uma verdade), havia muita verdade na antiga declaração: "Um calvinista jamais é um covarde". O grupo de pessoas que se reuniu contra o poeta sagrado compunha-se de "bons odiadores", e, infelizmente, até mesmo crentes se têm qualificado a esse título, incluindo os calvinistas. Contudo, esquecendo-nos dos fracassos pelo momento, é claro que a fé na soberania de Deus era a esperança do poeta naquela hora. Ver no *Dicionário* o artigo chamado *Soberania de Deus.*

■ 31.15 (na Bíblia hebraica corresponde ao 31.16)

בְּיָדְךָ עִתֹּתָי הַצִּילֵנִי מִיַּד־אוֹיְבַי וּמֵרֹדְפָי׃

Nas tuas mãos estão os meus dias. Esta pequena declaração tornou-se uma das melhores e mais citadas afirmações dos salmos. Tem sido corretamente usada para expor como a duração da vida de uma pessoa é determinada e garantida pelo decreto divino. Todavia, isso não explica *por que* tanta gente (aparentemente sem causa) se vê sujeitada a uma morte prematura. Consideremos o caso de uma menina de 9 anos de idade que teve sua festa de aniversário em um dia, para, no dia seguinte, ser atropelada por um caminhão e morrer. Perguntaríamos por que Deus estava com tanta pressa. Além disso, como é natural, também devemos levar em conta o *caos,* um dos princípios que também operam neste mundo e contra o qual devemos orar todos os dias. Ter *nossos dias nas mãos de Deus* também subentende que *todos os eventos* são controlados, dia após dia, e não meramente por ocasião de nossa morte. A palavra "dias" é uma tradução do termo hebraico envolvido. Outras traduções dizem "tempos" ou "sorte" (cf. Is 33.6). Alguns estudiosos pensam estar em vista *um tempo,* ou seja, o dia do julgamento de um indivíduo, quando sua sorte seria decidida pelo júri, que poderia libertá-lo ou enviá-lo ao patíbulo, a fim de ser executado. Cf. Ec 8.5 e Jó 24.1. *Naquele dia,* o salmista necessitava do poder de Deus para dirigir a mente dos juízes.

> Sabemos que todas as cousas cooperam para o bem daqueles que amam a Deus, daqueles que são chamados segundo o seu propósito.
>
> Romanos 8.28

Esse versículo fala da vida física e de suas vicissitudes, mas também trata da questão da salvação. Existe a chamada para a vida eterna, que figura entre as coisas contempladas neste versículo. Todas as coisas cooperam juntamente *para isso,* e não somente para o bem-estar diário. Ver no *Dicionário* o artigo chamado *Providência de Deus.*

Os tempos de Jesus eram controlados pela providência divina, razão pela qual está escrito, em Jo 7.30: "Ainda não era chegada a sua hora". Ver Jo 2.4; 7.6,8,30; 8.30 e 1Rs 8.59, quanto a outros versículos ilustrativos. Ver também 1Cr 29.30 e Is 33.6.

Livra-me. O poeta sagrado queria ser livrado das mãos de seus inimigos, porquanto a ordenança de Deus controlava o seu destino. Seus *tempos* não estavam nas mãos dos inimigos, o que explica a sua confiança na oração. A mente dos juízes seria guiada pelo Espírito de Deus. E eles perceberiam a falácia das acusações feitas contra o homem bom.

■ 31.16 (na Bíblia hebraica corresponde ao 31.17)

הָאִירָה פָנֶיךָ עַל־עַבְדֶּךָ הוֹשִׁיעֵנִי בְחַסְדֶּךָ׃

Faze resplandecer o teu rosto sobre o teu servo. Cf. Sl 67.1; 80.3,7; 119.135. Aproximava-se o dia do julgamento do salmista, e este sofria grande ansiedade. Seus inimigos enevoavam a questão e arquitetavam o caso contra ele, provavelmente incluindo falsas testemunhas. Se a luz divina não rebrilhasse, o pobre homem perderia o caso e, subsequentemente, a própria vida. Por conseguinte, ele convocou Deus a mostrar seu rosto e iluminar o dia do julgamento. Como é natural, este versículo tem uma aplicação universal. Todos os dias precisamos da luz divina e, algumas vezes, *realmente* precisamos dela. A *luz* de Deus significa o seu *favor*; significa iluminação espiritual; significa orientação na vereda que se torna tão escura e confusa que nem sabemos para onde dar o passo seguinte. O poeta era um *servo* de Deus, pelo que seu clamor pedindo luz certamente seria ouvido. Deus não o abandonaria.

> O Senhor faça resplandecer o seu rosto sobre ti, e tenha misericórdia de ti. O Senhor sobre ti levante o seu rosto, e te dê a paz.
>
> Números 6.25,26

> Há muitos que dizem: Quem nos dará a conhecer o bem? Senhor, levanta sobre nós a luz do teu rosto.
>
> Salmo 4.6

Quando *outro ser humano* nos saúda com um rosto brilhante e alegre, ele ganha a nossa confiança. E nós temos certeza de que coisas boas acontecerão. Quanto mais quando vemos a face do Senhor! Disso só pode derivar-se o bem. Em sua aflição, o poeta sagrado estava procurando encorajamento para enfrentar o seu julgamento. Assim acontece repetidas vezes com todos os homens bons.

"Um rosto sorridente é o sinal de uma *disposição favorável* para com aquele para quem rimos" (William R. Taylor, *in loc.*). Quando um homem não merece aquilo pelo que busca, mas busca com um coração honesto, a *misericórdia* divina intervém em seu favor, tal como sugere este versículo.

> Conduz, Luz Gentil
> Dentre a negra escuridão,
> Conduz-me à frente.
> A noite está escura e longe
> de casa estou.
> Conduz-me à frente.
>
> John H. Newman

■ **31.17** (na Bíblia hebraica corresponde ao **31.18**)

יְהוָה אַל־אֵבוֹשָׁה כִּי קְרָאתִיךָ יֵבֹשׁוּ רְשָׁעִים יִדְּמוּ לִשְׁאוֹל:

Não seja eu envergonhado, Senhor. Se o *servo de Deus* não recebesse aquilo que estava pedindo, seria envergonhado na presença de seus adversários. Eles diriam: "Aquele tolo confiou em Deus e orou com tanto empenho. Mas coisa alguma resultou. Não admira, pois ele é apenas um tolo. A maldição de Deus está sobre ele, e a nossa maldição também". Já encontramos este sentimento em ocasiões anteriores: um homem bom é envergonhado perante seus inimigos porque Deus deixou de responder às suas orações. Cf. Sl 25.3 e 34.5. Os ímpios que planejam fazer o mal contra o homem bom serão, eles mesmos, envergonhados, quando a perseguição sem causa revelar-se o que ela realmente é.

Emudecidos na morte. Os lábios mentirosos serão calados por meio da morte, e no mundo-do-nada (o *seol*) não proferirão uma única palavra. Nesta altura da teologia dos hebreus, o seol era ainda apenas o sepulcro. Mais tarde, tornou-se um lugar onde almas destituídas de mente esvoaçavam sem autoconsciência. E então, finalmente, o seol veio a tornar-se um lugar onde predomina a vida consciente. Só muito gradualmente passou a ser encarado como lugar dividido em *dois compartimentos*, um para os bons, e outro para os maus. Ato contínuo, no mau compartimento, a dor era sofrida como retribuição pela vida má, ao passo que, no *compartimento dos bons*, a bênção era conferida aos que agiram bem. Encontramos essa doutrina no capítulo 16 do Evangelho de Lucas. Mas foi preciso um longo tempo para que todo esse desenvolvimento ocorresse. Ver no *Dicionário* o artigo denominado *Hades* quanto a explicações. Ofereço o mesmo artigo na *Enciclopédia de Bíblia, Teologia e Filosofia*. Ver também o artigo mais breve, chamado *Seol*, no *Dicionário*.

Este versículo não antecipa nenhuma punição para os homens maus, no seol, mas tão somente um silêncio final, porquanto eles seriam reduzidos a nada. Essa figura simbólica foi sugerida pelo fato de que os mortos eram sepultados em covas. No tocante à morte, as covas transformaram-se na *Cova*. Em outras palavras, a *cova* (a sepultura) levou à *Cova* (o seol). Ver um gráfico de ilustrações sobre o que os hebreus pensavam da cosmologia, no artigo chamado *Astronomia*, no *Dicionário*. Até hoje fala-se sobre o "submundo", mas não mais se acredita no hades como se localizado abaixo da superfície da terra. Caros leitores, algumas pessoas continuam crendo nas antigas ideias hebreias, mas atualmente sabemos muito mais do que eles sabiam.

O Novo Testamento destaca a esperança da anulação do castigo no hades, porquanto Deus ampliou sua missão de misericórdia até aquele lugar. Ver na *Enciclopédia de Bíblia, Teologia e Filosofia* o verbete intitulado *Descida de Cristo ao Hades*. Portanto, a missão de Cristo foi tridimensional: na terra, no hades e no céu. E até hoje ela é tridimensional. Sua missão não cessou nem jamais cessará, e ele não negligencia lugar algum na vastíssima criação de Deus.

Portanto, aprendemos também o princípio da *instrumentalidade*. Todos os fins são instrumentos de *novos começos*. Isso quer dizer que não pode haver estagnação nas obras de Deus. Certamente é disso que falam trechos como 1Pe 4.6 e Ef 1.9,10. Cristo deve "preencher todas as coisas", ou seja, tornar-se "tudo para todos" (ver Ef 4.9,10).

■ **31.18** (na Bíblia hebraica corresponde ao **31.19**)

תֵּאָלַמְנָה שִׂפְתֵי שָׁקֶר הַדֹּבְרוֹת עַל־צַדִּיק עָתָק בְּגַאֲוָה וָבוּז:

Emudeçam os lábios mentirosos. O salmista repete aqui a esperança de que os lábios mentirosos seriam silenciados, primeiramente por ocasião de seu julgamento, e então para sempre, no seol. Os orgulhosos mentirosos teriam de parar de mentir *sobre* a terra, e também *sob* a terra.

> *Se alguém supõe ser religioso, deixando de refrear a sua língua, antes enganando o próprio coração, a sua religião é vã.*
> Tiago 1.26

> A verdade, esmagada na terra, levantar-se-á de novo;
> Os anos eternos de Deus lhe pertencem.
> Mas o erro, ferido, delira em dor,
> E morre entre os seus adoradores.
>
> William Cullen Bryant

A fala precipitada flui de um coração endurecido. Que lhes importa a dor infligida por suas palavras?

Que falam insolentemente. Em outras palavras, os adversários do salmista falavam com arrogância, sem pesar o que diziam, com veneno de áspides sob os lábios. Cf. 1Sm 2.3; Sl 75.5 e 94.4.

> *Vinde, e forjemos projetos contra Jeremias; porquanto não há de faltar a lei ao sacerdote, nem o conselho ao sábio, nem a palavra ao profeta; vinde, firamo-lo com a língua, e não atendamos a nenhuma das suas palavras.*
> Jeremias 18.18

Cf. Jd 14, que diz algo similar.

AÇÃO DE GRAÇAS E LOUVOR PELA ORAÇÃO RESPONDIDA (31.19-24)

O Salmo 31 combina *três salmos*: vss. 1-8; vss. 9-12 e vss. 13-18. A essa trilogia acrescentou-se um hino de louvor e ação de graças. É possível que essa porção do Salmo 31 fizesse originalmente parte de uma composição que visava a utilização do salmo em propósitos litúrgicos. Por isso, o tríplice clamor pedindo ajuda termina em agradecimentos elaborados. Sem dúvida, o todo foi musicado e acompanhado pela execução de instrumentos musicais. Ver 1Cr 25, quanto à importância da música na adoração dos israelitas. Os levitas foram encarregados de promover o aspecto musical do culto dos hebreus, uma profissão transmitida de pai para filho, através de todas as suas gerações. Esse hino de agradecimento é um clímax gracioso para as lamentações dos salmos anteriores, injetando esperança nos quadros de desespero.

■ **31.19** (na Bíblia hebraica corresponde ao **31.20**)

מָה רַב־טוּבְךָ אֲשֶׁר־צָפַנְתָּ לִּירֵאֶיךָ פָּעַלְתָּ לַחֹסִים בָּךְ נֶגֶד בְּנֵי אָדָם:

Como é grande a tua bondade. Existe aquele *tesouro de favor divino*, guardado para os que temem a Yahweh. Ver sobre *Deus, Nomes Bíblicos de*, no *Dicionário*; e ver também sobre *Temor*, especialmente o primeiro ponto. O homem bom pode extrair desses tesouros a qualquer momento em que precisar de ajuda especial, incluindo os tempos de perigo em que são ameaçados a vida e o bem-estar do indivíduo. "Os vss. 19-21 são exultantemente serenos, respirando paz após o temporal. Mas um ponto deve ser especialmente observado. O poeta não fala sobre si mesmo, e, sim, sobre Deus... Tu... tu... o tempo todo. O salmista mostrava-se sereno porque, finalmente, ele estava persuadido de que Deus controlava as coisas. Seus olhos tinham visto a salvação de Deus. Por conseguinte, *bendito seja o Senhor*" (J. R. P. Sclater, *in loc.*).

"... reservado como um tesouro, guardado desde há muito e pronto a ser trazido para o serviço do povo do Senhor, de acordo com o que cada ocasião requeresse" (Fausset, *in loc.*).

Eu creio que verei a bondade do Senhor na terra dos viventes.
Salmo 28.13

Para com os que em ti se refugiam! Ver como a palavra *confiança* (na *King James Version*) é usada em Sl 2.12. O homem que está aflito grita pedindo socorro. Ele *se refugia* (versão portuguesa) em Yahweh e descobre um tesouro ao qual pode apelar a cada nova necessidade.

■ **31.20** (na Bíblia hebraica corresponde ao **31.21**)

תַּסְתִּירֵם בְּסֵתֶר פָּנֶיךָ מֵרֻכְסֵי אִישׁ תִּצְפְּנֵם בְּסֻכָּה מֵרִיב לְשֹׁנוֹת:

No recôndito de tua presença tu os esconderás. A *proteção divina* salva a alma necessitada. A *presença de Deus* a encobre. Nenhum plano maligno poderá prejudicá-lo. Ele está protegido no interior da fortaleza divina. Os conselhos dos ímpios são derrotados. O julgamento manifesta-se contra os mentirosos, e os juízes declaram inocente o homem bom. Ele está livre da lei e não será executado por meio de acusações falsas. As *línguas de iniquidade* serão silenciadas, e o julgamento cairá sobre as falsas testemunhas.

No recôndito de tua presença. A *Revised Standard Version* diz aqui "na cobertura de tua presença", e a referência primária parece ser ao templo, onde a presença de Deus se manifestava de forma especial. William R. Taylor (*in loc.*) traduz o original hebraico envolvido como "na cobertura de tuas asas", o que nos faz lembrar o Salmo 91.

O que habita no esconderijo do Altíssimo, e descansa à sombra do Onipotente, diz ao Senhor: Meu refúgio e meu baluarte, Deus meu, em quem confio...
Cobrir-te-á com as suas penas, sob as suas asas estarás seguro.
Salmo 91.1,4

"Ninguém tinha acesso a um rei oriental, em seu pavilhão real, no *recesso mais interior,* salvo aqueles a quem ele quisesse admitir (cf. Et 4.11)" (Fausset, *in loc.*).

"Tu os porás na *parte mais interior* de tua tenda. Isso subentende que eles terão *muita comunhão e união* com Deus, e serão transformados segundo a sua semelhança, para que tenham sua mais elevada aprovação" (Adam Clarke, *in loc.*).

Habitar dentro da Luz de Deus,
Como eu habito no teu peito.
E os ímpios deixarão de perturbar.
E o cansado desfrutará de descanso.

Tennyson

Cf. Sl 124.1-8, onde há um hino de louvor pelo livramento concedido por Yahweh dos apertos dos inimigos, do que resulta o favor na presença de Deus.

■ **31.21** (na Bíblia hebraica corresponde ao **31.22**)

בָּרוּךְ יְהוָה כִּי הִפְלִיא חַסְדּוֹ לִי בְּעִיר מָצוֹר:

Bendito seja o Senhor. O poeta sagrado havia sido atacado como uma cidade é *assediada* por um inimigo. Um *exército* saiu em sua busca, e homens ímpios queriam vê-lo morto. Ele não tinha nenhuma esperança em si mesmo, e assim, desesperado, lançou seu apelo pela ajuda divina. O *bendito Yahweh* ouviu as orações e livrou o pobre homem de todos os seus males. Deus mostrou-se especialmente bondoso para com ele, ou seja, manifestou-lhe amor divino. Ver no *Dicionário* o artigo chamado *Amor.* Usualmente, Deus nos permite usar os recursos e a inteligência de que dispomos a fim de realizar aquilo que devemos fazer. Algumas vezes, no entanto, as coisas fogem do nosso conselho, e precisamos de uma intervenção divina. Então Deus sai das sombras e realiza uma obra especial de graça e misericórdia, garantindo assim que não fracassaremos.

Alguns estudiosos veem o vs. 21 falando de como o poeta sagrado se *refugiou* em uma cidade fortificada. Porém o mais provável é que esse versículo se refira ao salmista como quem era atacado como uma "cidade assediada". Alguns eruditos fazem o próprio Yahweh ser essa cidade, na qual o salmista se refugiou, o que faria deste versículo um paralelo do vs. 20, mas com uma mudança na metáfora, do templo para uma cidade divinamente fortificada, que atuaria como lugar seguro. Ato contínuo, a cidade torna-se a bendita cidade de Jerusalém, a qual é, em seguida, espiritualizada e cristianizada, para significar Cristo, o nosso refúgio.

Naquele dia se entoará este cântico na terra de Judá: Temos uma cidade forte: Deus lhe põe a salvação por muros e baluartes.
Isaías 26.1

■ **31.22** (na Bíblia hebraica corresponde ao **31.23**)

וַאֲנִי אָמַרְתִּי בְחָפְזִי נִגְרַזְתִּי מִנֶּגֶד עֵינֶיךָ אָכֵן שָׁמַעְתָּ קוֹל תַּחֲנוּנַי בְּשַׁוְּעִי אֵלֶיךָ:

Eu disse na minha pressa. Em seu temor e ansiedade de que seria eliminado de forma permanente por seus adversários (ou por meio de alguma enfermidade do corpo), o poeta sacro falou precipitadamente e lançou dúvida sobre o poder de Deus. Ele se sentiu abandonado e proferiu então o grito de *desolação*: "Deus meu, Deus meu, por que me desamparaste?" (Sl 22.1). No meio de seu desespero, de súbito a luz irrompeu através das nuvens, trazendo inesperado livramento. Assim a fé foi restaurada ao homem que, temporariamente, a havia perdido.

Neste momento de quietude, minha alma em descanso,
Levantam-se em roldão pensamentos de tarefas
não terminadas;
Triunfos ainda não obtidos, vitórias de tom espiritual,
Nisso se concentra o zelo da alma, em luta renovada.
Então, na inquietude, um pensamento me afeta
o cérebro;
E se eu deixar de existir antes de os silos
estarem cheios?
Então a razão de minha alma me aquieta o temor:
O valor humano aqui perdido é transferido
aos mundos eternos.

Russell Champlin, meditando sobre Colossenses 4.4

"Embora a fé estivesse muito baixa e a incredulidade prevalecesse fortemente, ele não estava tão afastado do Senhor que deixasse de orar. Embora ele não visse maneira *racional* de escapar e temesse que o Senhor não prestaria atenção, ele sabia que nada seria impossível para ele, e, por conseguinte, continuava a esperar no Senhor, conforme fizera Jonas em uma condição parecida (ver Jn 2.4). E tal era a graça e a bondade de Deus que ele não desprezou a sua oração, mas lhe respondeu, ignorando a fraqueza e a incredulidade do pobre homem" (John Gill, *in loc.*). Ver a lição brilhar: As orações do homem fraco foram ouvidas, e ele se tornou forte. O homem que quase tinha perdido a fé foi ajudado. É conforme diz certo hino evangélico: "Estarei perdido, Senhor, se tirares a mão de sobre mim. Portanto, tenho fé para crer que até a mais breve oração pode ser ouvida acima do temporal". Oh, Senhor, concede-nos tal graça.

■ **31.23** (na Bíblia hebraica corresponde ao **31.24**)

אֶהֱבוּ אֶת־יְהוָה כָּל־חֲסִידָיו אֱמוּנִים נֹצֵר יְהוָה וּמְשַׁלֵּם עַל־יֶתֶר עֹשֵׂה גַאֲוָה:

Amai o Senhor, vós todos os seus santos. *Uma experiência pessoal*, que resultou em louvor, era agora posta perante toda a comunidade. *Israel* foi convocado a ver e louvar o Deus que pode responder às orações. O salmo, sem dúvida, foi assim adaptado para adoração pública, bem como os ritos acompanhantes realizados no templo. Isto posto, tal como sucedeu a tantos outros salmos, este tornou-se parte da liturgia da comunidade judaica.

A Lei Moral da Colheita segundo a Semeadura está sempre em vigor. Ver sobre esse título no *Dicionário*. Mas no caso do homem bom, cujo coração está em boas relações com Deus, a misericórdia e o amor de Deus intervêm além do que o indivíduo merece. Mas os ímpios, que cortam, queimam e matam, são tratados com severidade e caem diante de toda a espécie de misérias.

"O indivíduo orgulhoso é particularmente odioso aos olhos de Deus, e até diante dos olhos da razão humana, quão absurdo é ele! Orgulhoso do quê? Do diabo que lhe habita o interior?" (Adam Clarke, *in loc.*). Ver no *Dicionário* o verbete chamado *Orgulho*. Cf. o vs. 18 deste salmo. Afinal de contas, os que falam orgulhosamente e buscam prejudicar seus semelhantes haverão de colher o que semearam.

Cf. Sl 30.4, sobre como um salmo podia ser generalizado, de modo que toda a comunidade era chamada para entoar os louvores devidos ao Libertador.

■ **31.24** (na Bíblia hebraica corresponde ao **31.25**)

חִזְקוּ וְיַאֲמֵץ לְבַבְכֶם כָּל־הַמְיַחֲלִים לַיהוָה׃

Sede fortes, e revigore-se o vosso coração. Aos que talvez estejam prestes a desistir de esperar em Yahweh, porque suas orações não são respondidas, recomenda-se que renovem a sua fé, porquanto o poder de Deus continua presente para curar e libertar. O poder de Deus ajuda a fortalecer nosso coração e a continuar orando. Há uma *esperança* genuína para os que continuam buscando. Deus é o Deus que intervém. Quando *precisamos* dessa intervenção, ela nos é concedida. Não podemos enxergar muito longe ao longo da estrada, e as ansiedades nos enchem a mente. Deus pode parecer-nos indiferente, mas devemos continuar orando e esperando no Senhor. Recordemos aquelas ocasiões em que ele interveio, pelo que sabemos que essa intervenção pode repetir-se, e continuemos orando para que ela realmente ocorra.

"Agi como homens, e vosso coração será revigorado" (Adam Clarke, *in loc.*). As respostas adiadas às orações nos disciplinam; o adiamento pode ensinar-nos valiosas lições. Portanto, que o leitor tudo entregue nas mãos de Deus. Faz parte dos deveres do homem ter boa coragem. Sempre será cedo demais para desistir. E faz parte das atribuições de Deus prover os meios necessários. Então teremos união nos nossos propósitos e atos. Cf. Fp 2.13:

Deus é quem efetua em vós tanto o querer como o realizar, segundo a sua boa vontade.

Os "acontecimentos" nem sempre consistem em coisas que tomam lugar em nossa vida, coisas que fazemos e coisas que experimentamos no dia após dia. Também há aquele *acontecimento divino,* operado na alma, mediante o qual somos transformados segundo a imagem de Cristo. Isso, entretanto, pode ser ajudado mediante o adiamento e a provação. Precisamos tanto das chuvas como da luz do sol.

O que em mim for tenebroso, ilumina.
O que for vil, levanta e sustenta;
Para que acima desse grande argumento
Eu possa invocar a providência eterna
E justificar os caminhos de Deus entre os homens.

John Milton

"Confia em Deus, e não continue temendo. Que a tua própria experiência seja a vindicação dele" (J. R. P. Sclater, *in loc.*).

Sede fortalecidos no Senhor e na força do seu poder.
Efésios 6.10

O Sl 27.14 é bastante similar a este versículo, e as notas expositivas que aparecem ali são úteis para iluminar nossos pensamentos neste ponto.

"Não poderás ser malsucedido. Não temas!" (Adam Clarke, comentando Sl 27.14).

SALMO TRINTA E DOIS

Quanto a *informações gerais* que se aplicam a todos os salmos, ver a introdução ao Salmo 4, onde apresento *sete* comentários que elucidam a natureza do livro. Quanto às *classes* dos Salmos, ver o gráfico no início do comentário, que atua como uma espécie de frontispício da coletânea. Dou ali dezessete classes e listo os salmos pertencentes a cada uma delas.

Este é um salmo de *ação de graças* acerca da cura do corpo físico. Na liturgia cristã, este é o segundo dos sete salmos penitenciais (6, 32, 38, 51, 102, 130 e 143). Com grande frequência é recitado ou cantado durante o período da Páscoa. Alguns estudiosos classificam este salmo como um dos salmos de *sabedoria,* porquanto mostra aos homens como agir quando estão enfermos. O leitor poderá observar no gráfico que alguns salmos figuram em mais de uma classe. Outros salmos que fornecem úteis instruções aos enfermos são os de número 6, 22, 28, 30, 31.9-12; 49 e 73.

A opinião mais comum das religiões do Oriente Próximo e Médio era a de que *todas* as enfermidades se derivavam do pecado. O livro de Jó, no entanto, mostra que essa teoria é exagerada. A enfermidade pode até mesmo ser uma disciplina espiritual, inteiramente à parte de qualquer problema de pecado. O *caos*, e não a natureza pecaminosa, também pode ser a causa de enfermidades, ou seja, estas aparecem sem nenhuma "explicação". Nosso corpo é fraco e defeituoso, e o assédio de bactérias, vírus e parasitas pode atacá-lo com grande margem de sucesso, não havendo motivo para isso exceto as desagradáveis agências de natureza defeituosa. Nosso meio ambiente é *hostil* e nos acontecem coisas que Deus nem provoca nem impede. Isso faz parte da vida, e somos apanhados na armadilha. Não obstante, podemos ser libertados pelo poder da oração, e a intervenção divina realmente se manifesta.

Este salmo é de natureza *didática;* e isso pode prover ainda outra classificação. Os Salmos 1 e 15 são outros exemplos desta classe. Ver no *Dicionário* o artigo chamado *Problema do Mal,* quanto a raciocínios sobre as *formas* do sofrimento humano. O autor do livro de Jó teve coragem de insurgir-se contra a opinião religiosa comum de sua época e negar que o pecado era sempre a causa das enfermidades.

Subtítulo. Declaradamente, este salmo é atribuído a Davi e chamado *masquil*, palavra hebraica que significa "instrução". As notas de introdução aos salmos são invenções de editores posteriores e não fazem parte das composições originais. Usualmente não passam de conjecturas, embora, algumas vezes, possam abrigar alguma verdade. Cerca de metade dos salmos é atribuída a Davi, certamente é um exagero. Contudo, alguns dos salmos são indubitavelmente de sua autoria, visto ter sido ele o *mavioso salmista de Israel* (ver 2Sm 23.1).

O termo *masquil* encabeça treze salmos. A Septuaginta traduz esse termo hebraico como "salmo de compreensão", e alguns intérpretes chamam esses salmos de "poemas didáticos". Entretanto, alguns eruditos preferem a ideia de *habilidoso,* o que poderia referir-se à habilidade na execução de instrumentos musicais que acompanham os salmos que recebem esse subtítulo, e não à natureza dos salmos propriamente ditos.

Certos eruditos creem que este é o salmo de adultério e assassinato de Davi (ver 2Sm 11) e associam-no ao Salmo 51. Entretanto, os críticos veem aqui sinais de tempos posteriores e não reconhecem nenhuma experiência de Davi como causa de sua composição. William R. Taylor vê neste salmo paralelos à literatura de *sabedoria,* mais recente que os salmos. Ver no *Dicionário* o artigo chamado *Sabedoria,* seção III, quanto a comentários sobre esse tipo de composição literária.

■ **32.1**

לְדָוִד מַשְׂכִּיל אַשְׁרֵי נְשׂוּי־פֶּשַׁע כְּסוּי חֲטָאָה׃

Bem-aventurado. Uma vida saudável, juntamente com a promessa de longa vida, pois a morte prematura não fazia parte do destino da pessoa. Isto está vinculado à *prosperidade* espiritual e material. Os salmos começam com essa palavra, e em Sl 1.1 dou notas mais completas sobre o conceito envolvido. O homem perdoado é "feliz", conforme essa palavra pode significar.

Aquele cuja iniquidade é perdoada. Ver no *Dicionário* o verbete intitulado *Perdão*, onde são incluídas ideias veterotestamentárias a respeito. O arrependimento sempre foi um dos elementos do perdão; e, além disso, com base no Antigo Testamento, temos os ritos e sacrifícios considerados necessários para atrair o favor de Yahweh. Se chamamos essas coisas de *ordenanças* ou *cerimônias,* os hebreus as consideravam morais em sua natureza, visto que a mente dos israelitas não separava as leis cerimoniais das leis morais. Seja como for, o homem enfermo tornava-se um *bem-aventurado* quando seus pecados lhe eram perdoados, pois nisso ele encontrava a fonte de cura para o corpo físico. O homem teria passado por sua grande provação, mas como o teste ainda estava fresco em sua mente, ele passou a narrar o acontecido. "Todas as coisas boas na vida acompanham o homem que se liberta daquilo que o afasta de Deus" (William R. Taylor, *in loc.*). Cf. Sl 1.1.

Cujo pecado é coberto. A palavra "pecado" tem um sentido mais geral, indicando infrações de toda a espécie, algumas das quais talvez não tenham injunções específicas em contrário. Algumas versões dizem aqui "transgressão", ou seja, desobediência a um mandamento conhecido. Ver no *Dicionário* os verbetes *Pecado* e *Transgressão*, quanto a explicações completas. A palavra hebraica para *pecado* fala em "errar o alvo", uma infração de alguma espécie ou o fracasso em cumprir o próprio dever. Alguns pecados são *lapsos;* outros são praticados por ignorância; e outros ainda são voluntários. Alguns pensam que o pecado referido neste versículo esteja relacionado aos casos de Bate-Seba e Urias (ver 2Sm 11). Porém, o mais provável é que essa não fosse a questão sobre a qual se alicerça o salmo. Este versículo *generaliza* a questão, tornando-se assim um hino didático.

De conformidade com a mente dos hebreus, a *obediência à lei* era a própria essência da espiritualidade. Ver sobre *Estatuto Eterno*, em Êx 29.42; 31.16; Lv 3.17 e 16.29. Ver a *tríplice designação* da lei, em Dt 6.1. Além disso, ver o artigo geral sobre a lei mosaica, com o título de *Lei no Antigo Testamento*, no *Dicionário*. Pensava-se que uma longa vida seguia-se a tal mandamento. Quanto a isso, ver Dt 5.16; 22.6,7 e 25.15.

Palavras hebraicas para indicar o sentido de "pecado":
1. *Pesha:* transgressão, desobediência a um mandamento específico da lei mosaica.
2. *Chataa:* pecado, *errar o alvo,* um termo mais amplo, embora também possa indicar uma transgressão qualquer.
3. *Avon:* Aquilo que se desvia de seu curso apropriado, algo *distorcido* e *pervertido*.
4. *Remiyah:* algo fraudulento ou enganoso, uma *injustiça* qualquer.

Cf. Êx 34.7 e o uso que Paulo fez do vocábulo "pecado", em Rm 4.6,7. No *Novo Testamento Interpretado,* nessa referência, expandi as ideias do salmo presente.

■ **32.2**

אַשְׁרֵי אָדָם לֹא יַחְשֹׁב יְהוָה לוֹ עָוֹן וְאֵין בְּרוּחוֹ רְמִיָּה:

Bem-aventurado o homem. Deus é o Juiz, e faz parte de suas atribuições *imputar* o pecado ao pecador, ou seja, vê-lo ali, nomeá-lo devidamente, chamá-lo de culpado e irresponsável, e levá-lo a sofrer as devidas consequências. Quanto a explicações completas, ver no *Dicionário* o verbete intitulado *Imputar, Imputação.* Deus convoca o indivíduo a prestar contas, mas quando Deus perdoa, esquece o incidente todo. O uso que Paulo fez do texto naturalmente aborda a questão do sacrifício de Cristo na cruz e a administração da graça divina, além da imputação da justiça ao homem perdoado. Isso, pois, ilustra a doutrina da *justificação pela fé*. Paulo não aceitava que a administração da lei pudesse prover tais benefícios, mas somente mostra quão grande é a necessidade humana de um tipo diferente de sistema. Mas o poeta sacro não antecipou esse sistema diferente e melhor. Para ele, a obediência à lei continha todas as respostas.

■ **32.3**

כִּי־הֶחֱרַשְׁתִּי בָּלוּ עֲצָמָי בְּשַׁאֲגָתִי כָּל־הַיּוֹם:

Enquanto calei os meus pecados. O pobre homem *guardou silêncio* (tradução da *King James Version*) acerca dos seus pecados, e assim a enfermidade tomou conta de seu corpo inteiro. Ele não "declarou os seus pecados" (tradução da *Revised Standard Version*). Por esse motivo, seu corpo "definhou", conforme essa última versão inglesa. O salmista recusava-se a confessar e abandonar o pecado, sendo provável que teria permanecido nessa atitude de teimosia, se não fosse ameaçado por alguma enfermidade, o que poderia fazê-lo perder a própria vida. Tradicionalmente, os homens se arrependem quando caem enfermos. E, também tradicionalmente, os homens voltam a cometer os velhos pecados quando melhoram de saúde. Os homens são obstinados, e a enfermidade pode agir como um ato disciplinador.

Alguns indivíduos, entretanto, são tão cheios de desejos e prazeres perversos que prefeririam morrer a serem saudáveis e *bons*. Deus carrega sua pesada mão sobre os homens. Alguns correspondem ao castigo; outros, não.

Ossos. Ver Sl 35.10, quanto à *metáfora dos ossos*. Talvez a enfermidade do salmista lhe afetasse os ossos, mas essa palavra aponta para o corpo físico inteiro, visto que o esqueleto dá sustentação a todo o corpo. Cf. Sl 6.2.

Meus constantes gemidos. O salmista mais parecia um leão, agonizando diante da morte e emitindo fortes rugidos. "Com fortes gemidos, ele não encontrou descanso de mente e corpo" (Fausset, *in loc.*). O homem foi "atormentado pela dor do remorso" (Ellicott, *in loc.*). Sua atitude com frequência era como a de um inimigo que se erguia e o impelia a lugares ermos e à solidão, levando-o a agonizar, pois ele continuava sendo uma alma viva.

■ **32.4**

כִּי יוֹמָם וָלַיְלָה תִּכְבַּד עָלַי יָדֶךָ נֶהְפַּךְ לְשַׁדִּי בְּחַרְבֹנֵי קַיִץ סֶלָה:

Porque a tua mão pesava dia e noite sobre mim. Era *Elohim*, o Todo-poderoso, quem pesava a mão sobre o salmista. O homem estava sob severa disciplina. A pressão não afrouxava, nem de dia nem de noite. Toda a sua força se tinha *secado* (conforme diz a *Revised Standard Version*), como que pelo calor do verão. Em lugar de *força*, a *King James Version* diz "umidade", uma tradução possível. O texto hebraico é um tanto incerto, pelo que encontramos certa variedade de traduções, como "meu coração foi transformado para minha ruína" ou "meu vigor foi modificado". É possível que haja nisso referência a uma febre alta que estava ressecando o homem. Uma *febre* nos assusta, porquanto sabemos que o corpo está sob ataque severo. A função da febre é matar as bactérias que são a causa de enfermidades, mas, quando a febre é alta demais, pode provocar uma cicatriz no coração e deixar a pessoa com um problema crônico nesse órgão. Por isso existem medicamentos para baixar a febre, embora, teoricamente, ela seja o agente de nossa cura. E nisso encontramos uma excelente lição. As febres enviadas por Deus atacam os homens com o propósito de curá-los, e não de destruí-los.

A Septuaginta e a Vulgata parecem seguir um texto hebraico diferente ou entender o texto de outra maneira. Por isso se compreende a tradução que diz: "Entristeci-me quando o espinho foi fixado (no corpo)". A pesada mão de Deus era como um verão quentíssimo que matava todas as coisas, porquanto não havia água.

"A aflição era devida à misericórdia de Deus, empurrando-o para o lugar da cura. Sem dúvida alguma, é algo temível cair nas mãos do Deus vivo (ver Hb 10.31), mas é ainda pior cair *para fora* delas. É melhor o crente ser disciplinado do que ficar podre" (J. R. P. Sclater, *in loc.*).

Selá. Quanto a esta misteriosa palavra, ver as notas expositivas em Sl 3.2.

■ **32.5**

חַטָּאתִי אוֹדִיעֲךָ וַעֲוֹנִי לֹא־כִסִּיתִי אָמַרְתִּי אוֹדֶה עֲלֵי פְשָׁעַי לַיהוָה וְאַתָּה נָשָׂאתָ עֲוֹן חַטָּאתִי סֶלָה:

Confessei-te o meu pecado. A pressão tornou-se *insuportável*. Assim sendo, o pobre homem resolveu arrepender-se e abandonar os caminhos pecaminosos. Então confessou a Deus os pecados que ocultava no coração, bem como o de outras pessoas, pecados que ele sabia serem a *causa* de sua enfermidade.

Se confessarmos os nossos pecados, ele é fiel e justo para nos perdoar os pecados e nos purificar de toda injustiça.

1João 1.9

Uma vez que o salmista confessou e, ao que se presume, abandonou seus pecados, o Senhor removeu a enfermidade por eles provocadas. Na época em que o salmista compôs este salmo, ele não havia caído no erro de voltar ao pecado que lhe tinha causado tanta dor, pelo que permaneceu em bom estado de saúde. O homem, antes enfermo física e espiritualmente, concluiu que a honestidade era a melhor orientação. Ele deixou de ser um hipócrita, um ator insensato no palco da vida, e começou a tratar a Deus com seriedade.

No *Dicionário* incluo um elaborado artigo intitulado *Confessar, Confissão*. Os católicos têm seus *confessionários*. Os evangélicos treinam os pastores na arte de aconselhar aqueles que tencionam confessar seus erros, a fim de livrar a consciência. Ver sobre isso no artigo citado, terceiro ponto: *A Confissão da Igreja Católica Romana*; e quarto ponto: *Substituições Protestantes*. Uma espécie de psicologia religiosa popular tornou-se bastante proeminente, durante muito tempo, no seio da igreja, o que virtualmente tomou o lugar do estudo da Bíblia em alguns lugares. Homens bons caíram nesse ardil, e pessoas tolas tornaram-se populares psicólogos. Apesar de todo o exagero e distorções, contudo, o desenvolvimento do aconselhamento nas igrejas protestantes tem um uso legítimo. Outro erro e exagero é a confissão pública de pecados e a aceitação de Cristo, o que, em muitos lugares, não produz maior efeito que o batismo católico dos infantes. "A crença fácil" tomou o lugar do discipulado cristão sério. Desenvolvo esses temas no artigo mencionado.

As palavras que indicam o "pecado" também foram empregadas no vs. 1, onde notas expositivas apropriadas são oferecidas, com referência aos artigos do *Dicionário* que elucidam a questão.

Se, como Adão encobri as minhas transgressões, ocultando o meu delito no meu seio...

Jó 31.33

Selá. Quanto a esta palavra, à qual são atribuídos vários significados, ver as notas expositivas em Sl 3.2.

32.6

עַל־זֹאת יִתְפַּלֵּל כָּל־חָסִיד אֵלֶיךָ לְעֵת מְצֹא רַק לְשֵׁטֶף מַיִם רַבִּים אֵלָיו לֹא יַגִּיעוּ׃

Sendo assim, todo homem piedoso te fará súplicas. O indivíduo aflito dispunha de um recurso para ser salvo da aflição. A oração é arma poderosa e eficaz, e Yahweh recebe de braços abertos as orações de um homem bom. Tribulações podem sobrevir a um homem como se fossem as ondas do mar, mas até mesmo problemas *maciços* não conseguem derrotar o homem que se utiliza do poder da oração. O homem bom havia pecado, e isso atraíra a enfermidade para o seu corpo, mas o arrependimento reverteu a situação.

"Nas provações violentas, aflições e tentações, quando as chuvas desabam, os ventos sopram e as enchentes batem contra o homem piedoso que ora e confia em Deus — eles não se aproximarão dele a ponto de debilitar a sua confiança ou de destruir a sua alma. A casa *dele* está alicerçada sobre uma *rocha*" (Adam Clarke, *in loc.*).

"Minha experiência encoraja todos a confessar de todo o coração o seu pecado, como o meio seguro de encontrar em Deus *esconderijo* (ver o vs. 7) das tribulações... coisa alguma resultará das inundações (ver o vs. 6)" (Fausset, *in loc.*).

Inundações, a imagem aplicada para falar dos julgamentos divinos (Na 1.8) ou das tentações e provações, conforme vemos em Mt 7.24-27.

Em tempo de poder encontrar-te. Como diz o trecho de Is 55.6: *Buscai ao Senhor enquanto se pode achar, invocai-o enquanto está perto.*

A Lei Moral da Colheita segundo a Semeadura (ver a respeito no *Dicionário*) é lenta mas inexorável. Por conseguinte, a reação à graça perdoadora é limitada pelo horário de Deus.

32.7

אַתָּה סֵתֶר לִי מִצַּר תִּצְּרֵנִי רָנֵּי פַלֵּט תְּסוֹבְבֵנִי סֶלָה׃

Tu és o meu esconderijo. "O salmista percebeu que, a todo o tempo, fora insensato e teimoso por sua hesitação em admitir o pecado. Mas agora, ao ser-lhe restaurada a saúde, ele desfrutava o que acreditava serem as bênçãos da confissão e passou a moralizar a sua experiência" (William R. Taylor, *in loc.*).

Talvez haja aqui uma alusão às cidades de refúgio. Um indivíduo que estivesse em tribulação podia fugir para uma daquelas cidades e assim estaria em segurança. Ele estaria no exílio, é certo, mas estaria seguro do vingador do sangue. Isso falava da provisão para os desesperados. Ver no *Dicionário* o verbete intitulado *Cidades de Refúgio*.

Cantos de livramento. De maneira informal, o homem libertado entoaria cânticos de louvor. De maneira formal, nos ritos do templo, entoaria cânticos litúrgicos e salmos. Cantar é uma comum expressão humana de emoção, tanto de tristeza como de alegria. Alguns dos estudiosos das questões estéticas supõem que as formas de arte sejam, essencialmente, expressões emocionais. Ver na *Enciclopédia de Bíblia, Teologia e Filosofia* o verbete chamado *Estética*. Seja como for, pois, o culto dos hebreus dava grande valor às artes musicais, aos cânticos e à execução de instrumentos, e os levitas eram nomeados para ocupar-se desse serviço, que passava de geração em geração. Ver 1Cr 25. Havia guildas musicais especiais com esse propósito, e podemos supor com razão que os músicos fossem habilidosos e corretamente treinados para cumprir suas tarefas. Ver no *Dicionário* o artigo chamado *Música, Instrumentos Musicais*. A palavra hebraica que significa "cânticos", isto é, *ramee*, também é traduzida por *grito de alegria* (vs. 11, cf. Jó 38.7).

Falou Davi ao Senhor as palavras deste cântico no dia em que o Senhor o livrou das mãos de todos os seus inimigos e das mãos de Saul.

2Samuel 22.1

O que se segue no contexto de 2Sm 22 é Sl 18.1-50.

32.8

אַשְׂכִּילְךָ וְאוֹרְךָ בְּדֶרֶךְ־זוּ תֵלֵךְ אִיעֲצָה עָלֶיךָ עֵינִי׃

Instruir-te-ei e te ensinarei. O *homem perdoado* havia sido instruído por Yahweh. Ele sabia por qual vereda deveria seguir. E depois também sabia ensinar outros a seguir pela mesma vereda do arrependimento do pecado e vitória no espírito. Mas o grande Mestre é *Yahweh*. Ele é que ensina os pecadores e pode mostrar o caminho para os seres humanos. Ele tem o *olho orientador,* que indica aos homens aonde ir, que conhece o caminho do começo ao fim, que sabe quais armadilhas devem ser evitadas. Seus olhos enxergam tudo com antecedência e tornam a vereda plana e livre de perigos. Os inexperientes, pois, podem assim receber uma lição com base na experiência do poeta. Ver no *Dicionário* o verbete denominado *Ensino*. Naturalmente, dentro do contexto hebraico, todo aprendizado e toda instrução baseavam-se na lei de Moisés, a qual era o poder que fazia de Israel um povo distintivo (ver Dt 4.4-8) e também o estatuto eterno de Israel (ver Êx 29.42; 31.16; Lv 3.17 e 16.29). A obediência à lei mosaica conferia vida longa e próspera (ver Dt 5.16; 22.6,7 e 25.15).

"Manterei meus olhos sobre ti, e tu terás de conservar os teus olhos sobre mim. Conforme avançares, eu te guiarei. Estarei cuidando continuamente do teu bem-estar. Estarei contigo até as extremidades da terra, e até os fins dos séculos (ver Mt 28.20). Este salmo é "didático" (no original hebraico, *masquil*, que significa "instrução"). Ver o subtítulo do salmo, explicado na introdução das notas expositivas.

32.9

אַל־תִּהְיוּ כְּסוּס כְּפֶרֶד אֵין הָבִין בְּמֶתֶג־וָרֶסֶן עֶדְיוֹ לִבְלוֹם בַּל קְרֹב אֵלֶיךָ׃

Não sejais como o cavalo ou a mula. Os animais mudos não são tão estúpidos como pensamos e como a ciência dos homens tem afirmado. Se eles não têm linguagem, não lhes falta o poder do raciocínio. Um *cavalo* tem um cérebro bem desenvolvido, mas lhe falta educação. Sabemos hoje em dia que os chimpanzés podem aprender a falar por meio de computadores, e são até capazes de compreender conceitos gramaticais. O cociente de inteligência do mais inteligente dos chimpanzés é mais elevado que o das pessoas embotadas. Portanto, a diferença não é tão grande como temos sido condicionados a pensar. Não obstante, se alguém está à procura da sabedoria, não haverá de consultar um cavalo ou uma mula. Esses animais são símbolos da estupidez bruta. Apesar de possuírem mais entendimento do que o poeta sagrado pensava, não são eles as fontes da sabedoria. Isto posto, não devemos agir como animais que não podem receber instrução. E quando Yahweh falar, use o leitor a sua inteligência, que reflete a inteligência de Deus, pois a "glória de Deus é a inteligência" (Joseph Smith).

Os *cavalos*, é verdade, uma vez domesticados pelos homens, agem em consonância com o que lhes é requerido. Eles assim agem porque o homem os *força* e constrange. Yahweh está procurando por homens que cumpram a sua vontade de maneira voluntária e responsável. Ele quer que os seres inteligentes demonstrem a sua inteligência e apliquem-na à vida espiritual.

Com freios e cabrestos. Em cada ato, o cavalo precisa de algo que o *force*, ou então que, presumivelmente, lhe dê uma direção sobre como agir. Um homem que se recusa a aceitar as instruções de Yahweh se parece com um cavalo estúpido, o qual precisa de impulso para fazer o que é correto. Yahweh tinha usado uma severa enfermidade para obrigar o poeta ao arrependimento, forçando-o, assim, a voltar à vereda reta. Ver Jó 11.13-20.

Castigaste-me e fui castigado, como novilho ainda não domado; converte-me, e serei convertido, porque tu és o Senhor meu Deus.

Jeremias 31.18

■ **32.10**

רַבִּים מַכְאוֹבִים לָרָשָׁע וְהַבּוֹטֵחַ בַּיהוָה חֶסֶד יְסוֹבְבֶנּוּ:

Muito sofrimento terá de curtir o ímpio. Um *indivíduo ímpio*, que é mais estúpido que um cavalo ou uma mula, pode esperar castigos contínuos da parte de Yahweh. Esse homem sofrerá *muitas tristezas*, mas nada aprenderá, porque, afinal de contas, é um pecador que está perdido e se tornou o seu próprio deus. Em contraste, o pecador que se arrepende torna-se o homem bom e assim evita *muitas* tristezas, embora passe por adversidades que lhe ensinam as lições que ele precisa aprender. Os justos se juntarão ao salmista em seus cânticos; mas a vida do ímpio terminará em um cântico fúnebre. As dores impelem um homem bom para o caminho certo, mas servem somente para enlouquecer o ímpio. "Todo ímpio é miserável. Deus fez casar o pecado com a miséria, tal como uniu a santidade à felicidade. Deus uniu essas coisas, e nenhum homem é capaz de separá-las" (Adam Clarke, *in loc.*).

Mas o que confia no Senhor. Ver em Sl 2.12 o uso da palavra "confiança" nos salmos. Para os hebreus, a lei ficava na base da confiança, o manual dos "faças" e dos "não faças". A confiança é traduzida em atos, e a fé é demonstrada em obras. Confiar é obedecer.

Quando andamos com o Senhor,
À luz da sua Palavra,
Que glória ele derrama em nosso caminho!
Enquanto cumprirmos a sua boa vontade,
ele continuará habitando conosco,
E com todos quantos confiam e obedecem.

J. H. Sammis

■ **32.11**

שִׂמְחוּ בַיהוָה וְגִילוּ צַדִּיקִים וְהַרְנִינוּ כָּל־יִשְׁרֵי־לֵב:

Alegrai-vos no Senhor. Os que possuem um coração reto têm razão para viver alegres. A comunidade dos justos une-se em cânticos e salmos de louvor, por estarem vivendo na prosperidade que a bondade concede. Eles formam um povo *distintivo* (ver Dt 4.4-8) e são distintamente abençoados. Jó nem sempre pôde experimentar isso como verdade e assim queixou-se de que havia, em sua vida, sofrimentos "inexplicáveis". De fato, até os inocentes caem em estúpidas calamidades. Temos sempre conosco o *Problema do Mal* (ver a respeito no *Dicionário*). Por que os homens sofrem, e por que sofrem da maneira como sofrem? A mente dos hebreus, entretanto, sempre vinculou a prosperidade à felicidade, e, em contraste, o pecado à tristeza. Eles não eram muito bons na explicação das exceções. Na realidade, há um número muito grande delas.

É possível que a expressão "alegrai-vos" figurasse no Salmo 33, e, na transmissão, este versículo se tenha vinculado ao Salmo 32, em lugar de ser o começo do Salmo 33. Ou então a composição original incluía tanto o Salmo 32 quanto o Salmo 33, mas na transmissão a unidade foi dividida em dois salmos separados. Isso explicaria por que o Salmo 33 não conta com nenhum subtítulo.

Continua liderando, ó Rei Eterno,
Não te seguimos com temores.

Pois a alegria irrompe como o alvor,
Sempre que tua face aparece.
Tua cruz se eleva por cima de nós;
E viajamos na sua luz.
A coroa espera pelo conquistador.
Continua liderando, ó Deus de poder.

Ernest W. Shurtleff

O Salmo 32 é "o grito daqueles que triunfam, ao serem perdoados. O mundo atual seria mais rico se ouvisse mais desses clamores" (J. R. P. Sclater, *in loc.*). Cf. Sl 84.11 e Is 57.2.

SALMO TRINTA E TRÊS

Quanto a *informações gerais* que se aplicam a todos os salmos, ver a introdução ao Salmo 4, onde apresento *sete* comentários que elucidam a natureza do livro. Quanto às *classes* dos salmos, ver o gráfico no começo do livro, o qual atua como uma espécie de frontispício da coletânea. Dou ali dezessete classes e listo os salmos que pertencem a cada uma delas.

Este salmo é um *hino* a Deus como Criador e Senhor de toda a história do mundo, e age como uma convocação à *adoração*. Esse tipo de salmo estava vinculado ao aspecto litúrgico da religião judaica, sendo usado por ocasião do culto no templo. Não eram apenas expressões individuais, embora também possam ter sido empregadas dessa maneira. Os salmos eram musicados e apresentados pelas guildas musicais (ver 1Cr 25) como parte do culto.

Este salmo evidentemente seguia-se ao Salmo 32 em sua composição, e alguns estudiosos supõem que o vs. 32.11 realmente pertencesse, originalmente, ao Salmo 33. Este salmo não é o registro de uma experiência pessoal, mas visava a adoração pública.

Subtítulo. Este salmo não tem subtítulo, o qual pode ter-se perdido na transcrição. Outros que também não contam com notas de introdução são os Salmos 1, 2 e 10. Os subtítulos não faziam parte das composições originais, mas foram acrescentados por escribas subsequentes, a fim de informar-nos algo sobre a autoria e quais instrumentos musicais deveriam acompanhá-los, ou para dar uma palavra acerca do seu conteúdo. Tais informações eram, essencialmente, produtos de adivinhação. Seja como for, cerca de metade da coletânea de 150 salmos é atribuída a Davi, um grande exagero, sem dúvida. Mas parte dessa informação procede, visto ter sido ele o *mavioso salmista de Israel* (ver 2Sm 23.1). A Septuaginta atribui o Salmo 33 a Davi, mas tal declaração não tem autoridade, sendo apenas uma conveniência influenciada pelos subtítulos usuais do texto massorético.

■ **33.1**

רַנְּנוּ צַדִּיקִים בַּיהוָה לַיְשָׁרִים נָאוָה תְהִלָּה:

Exultai, ó justos, no Senhor! Talvez o "Alegrai-vos" de Sl 32.11 na realidade seja apenas o começo do salmo, e os Salmos 32 e 33 originalmente formassem uma única composição. Isso explicaria por que o Salmo 33 não apresenta subtítulo, pois aquele do começo do Salmo 32 seria o frontispício da unidade dos dois salmos citados. Isso significaria que os dois salmos formavam um par, ou então, originalmente, eram, na realidade, uma única composição que veio a ser separada em duas partes. Cf. os Salmos 9 e 10, que formavam uma unidade ou eram um *par*. E o Salmo 10, que também não tem subtítulo.

Se os Salmos 32 e 33 eram, originalmente, uma única composição, é possível que a segunda parte tenha sido separada como um salmo distinto por razões litúrgicas. Nesse caso, o Salmo 33 tornou-se um hino de louvor, sendo usado no culto do templo de Jerusalém dessa maneira. Seja como for, *louvor sob a forma de cântico* faz parte da natureza deste salmo. Os homens têm razões para regozijar-se quando se aproximam de Yahweh, o Altíssimo Deus dos céus, que deles cuida. O Criador também é o sustentador e abençoador de sua criação, incluindo os seres inteligentes que habitam as esferas por ele criadas. Isso reflete o *teísmo* (ver a respeito no *Dicionário*). O Criador não abandonou a sua criação, deixando-a ao governo das leis naturais (posição correspondente ao *deísmo*, também explicado no *Dicionário*). Pelo contrário, Deus está no mundo, intervindo, recompensando e punindo. As intervenções divinas são benéficas, sendo esse o motivo pelo qual os homens podem regozijar-se e prestar louvores. Deus é a mais elevada força do bem, a *fonte* de toda bênção e benefício.

Toda boa dádiva e todo dom perfeito é lá do alto, descendo do Pai das luzes, em quem não pode existir variação, ou sombra de mudança.

Tiago 1.17

Conta-se a seguinte história, da parte de um missionário evangélico que trabalhava na África e ensinava os nativos. Uma mulher, no decurso do ensino, perdeu interesse pelo que estava sendo dito. O missionário perguntou-lhe *por quê*. Ela replicou: "O senhor disse que Deus é o meu *Pai*. Se Deus é meu Pai, não preciso saber de nada mais".

Aos retos fica bem louvá-lo. Os que são beneficiados pelo Benfeitor sempre terão razões para cantar e prestar ações de graças. "É *correto* que eles sejam agradecidos, pois ele é a *fonte* de onde receberam todo o bem que possuem" (Adam Clarke, *in loc.*).

O padrão da justiça e da bondade era a lei de Moisés, por meio da qual Israel se tornou um povo distintivo (ver Dt 4.4-8). Ver no *Dicionário* o artigo intitulado *Lei no Antigo Testamento*, onde há descrições completas a respeito.

"*Regozijai-vos*. Uma palavra comum de hino que significa, apropriadamente, 'gritar' ou 'cantar de alegria'" (Ellicott, *in loc.*).

"... retos, ou seja, tementes constantes de Deus. O louvor também cabe bem ao filho pródigo que retornou, o homem que precisava muitíssimo ser perdoado e foi bem acolhido. A boca de tal homem recebeu nova oportunidade de encher-se de ações de graças... O homem reto precisa manter os olhos fixos em Deus, e não em sua própria retidão, pois, do contrário, ele deixará de prestar louvores" (J. R. P. Sclater, *in loc.*).

■ **33.2**

הוֹדוּ לַיהוָה בְּכִנּוֹר בְּנֵבֶל עָשׂוֹר זַמְּרוּ־לוֹ:

Celebrai o Senhor com harpa. O *ministério da música* era muito importante para os hebreus. Guildas musicais eram formadas por levitas e serviam a esse propósito (ver 1Cr 25). A profissão de músico era abraçada geração após geração. Os que se envolviam nessa atividade tornavam-se habilidosos no toque de instrumentos musicais de várias categorias, para acompanhar os salmos e os cânticos espirituais. Ver no *Dicionário* o artigo chamado *Música, Instrumentos Musicais*, quanto a descrições completas. A seção IV descreve os instrumentos empregados. Temos aqui a menção da harpa e de um instrumento de dez cordas. Josefo parece ter sugerido que os *dois* instrumentos mencionados eram na realidade um único instrumento, estando envolvido um paralelismo. A *harpa* em vista tinha também dez cordas. O nome desse instrumento era *nebel* ou *nabla*. Um plectro era usado para tocar as cordas. Ver *Ant.* 1.7, cap. 12, s. 3. Alguns fazem das dez cordas dez perfurações, e creem estar em vista algum instrumento de sopro. Os instrumentos de corda também eram tocados com os dedos. A palavra grega *psallo* significa "tocar", e é dela que se deriva a palavra "salmos", uma referência ao toque de instrumentos que acompanhava o cântico dos salmos. Os hebreus chamavam o instrumento de dez cordas de *'asor*, o que a Septuaginta traduziu por *psalterion*. As referências históricas mostram que o número de cordas variava, e um dos instrumentos tinha doze! A lira (no grego, *nubla*) tinha o formato de um odre de couro, conforme sugere o seu próprio nome. Cf. Sl 92.3 e 144.9.

■ **33.3**

שִׁירוּ־לוֹ שִׁיר חָדָשׁ הֵיטִיבוּ נַגֵּן בִּתְרוּעָה:

Entoai-lhe novo cântico. Isso poderia significar: 1. O conteúdo da canção fora inventado fazia pouco tempo. 2. A ocasião em que o cântico foi entoado era recente. 3. Ou então o salmo em vista era uma *nova composição*, e não uma peça que já vinha sendo tocada fazia algum tempo. Talvez a terceira ideia esteja correta. Isso quase certamente distinguiria o Salmo 33 do Salmo 32, como uma composição separada. Cf. Ap 5.9, onde se lê:

... entoavam novo cântico, dizendo: Digno és de tomar o livro e de abrir-lhe os selos, porque foste morto e com o teu sangue compraste para Deus os que procedem de toda tribo, língua, povo e nação.

Tangei com arte e com júbilo. Os levitas estavam treinados a tocar artisticamente e a cantar bem, pois, afinal, eram profissionais que promoviam a qualidade do culto do templo. Contraste-se isso com a música que se ouve nas igrejas evangélicas, hoje em dia!

Este versículo, pois, descreve o irromper de uma poesia religiosa tocada habilidosamente por músicos treinados. Eles entoavam um novo hino de louvor. Mas novidade ainda não garante a excelência. Os hinos novos deveriam ter a mesma qualidade dos antigos e *bons* hinos, sem transformar o ministério da música sacra em uma sessão de *jazz*.

Um homem com um sonho, a seu bel-prazer,
Poderá sair e conquistar uma coroa;
E três, com uma nova canção,
Podem derrubar toda uma nação.

Arthur O'Shaughnessy

A música é o maior bem que os mortais conhecem,
É aquele aspecto do céu que temos aqui em baixo.

Joseph Addison

Ver no *Dicionário* o artigo intitulado *Música*.

■ **33.4**

כִּי־יָשָׁר דְּבַר־יְהוָה וְכָל־מַעֲשֵׂהוּ בֶּאֱמוּנָה:

Porque a palavra do Senhor é reta. *Os vss. 1-3* apresentam a chamada para a adoração. Agora temos o conteúdo do salmo que era cantado, as razões pelas quais os homens são inspirados a entoar cânticos espirituais. Em primeiro lugar, há a *palavra do Senhor* que é correta, pois a *lei mosaica* dá instruções e é o manual de conduta dos israelitas. A lei de Moisés tornava Israel uma nação distintiva (ver Dt 4.4-8); era o roteiro e o guia da vida em todos os seus aspectos (ver Dt 6.4 ss.). Os conceitos da lei deveriam ser ensinados às crianças, e não apenas às pessoas maduras. Porções da lei deveriam ser escritas e amarradas às mãos das pessoas e também gravadas nas vergas das portas. A essência da lei mosaica era o amor a Deus (ver Dt 6.5). A obediência à lei era ensinada para prover às pessoas uma vida longa e próspera, servindo de salvaguarda contra os desastres, a pobreza e a morte prematura.

E todo o seu proceder é fiel. O poeta sacro estava prestes a descrever Deus como o Criador (vs. 6). Assim sendo, a própria criação e tudo quanto nela existe, bem como todas as coisas feitas em favor dos homens e através deles, são expressões da *verdade* de Deus. Há um conteúdo moral em todos os labores de Deus. "Fiel", aqui, corresponde à tradução inglesa da *Revised Standard Version*, em lugar da palavra "verdade", que é a tradução da *King James Version*.

"A criação está baseada nos *propósitos retos*, dos quais a operação de Yahweh jamais se desvia. Retidão, justiça e bondade são valores fundamentais em um mundo criado por Deus" (William R. Taylor, *in loc.*). "Todas as palavras, leis, promessas e ameaças de Deus são perfeitamente verazes e justas. As dispensações de sua providência e de sua misericórdia são realmente assim. Quando Deus recompensa ou pune, ele age de acordo com a verdade e a justiça" (Adam Clarke, *in loc.*).

As *obras* de Deus são o resultado de sua *Palavra* justa (vs. 6), e somos lembrados de como Deus, ao falar, trouxe o mundo à existência, ao que o poeta sacro pode estar aludindo neste versículo. Devemos lembrar que há um *amor inabalável* em tudo quanto Deus faz, porquanto é isso que nos infunde esperança neste mundo hostil. O amor é a essência da espiritualidade e o cumprimento de toda a lei (ver Rm 13.9). Por conseguinte, podemos com razão mostrar-nos gratos e louvar a Bondade que mora nos céus.

■ **33.5**

אֹהֵב צְדָקָה וּמִשְׁפָּט חֶסֶד יְהוָה מָלְאָה הָאָרֶץ:

Ele ama a justiça e o direito. Deus ama a retidão e a justiça, e a terra está cheia de seu "amor constante" (segundo a tradução da *Revised Standard Version*). Deus é aqui referido como o *Supremo Benfeitor*, e isso inspira os homens a entoar cânticos de louvor. Até mesmo quando o Benfeitor *julga,* ele o faz para *remediar* um homem, e não para esmagá-lo (ver 1Pe 4.6). Vemos claramente, pois, como amor e julgamento são sinônimos, e como o julgamento divino é um dedo da amorosa mão de Deus. Meus amigos, esse é um de nossos melhores conceitos, que enche a criação de propósito e esperança, e faríamos bem em não macular tal esperança mediante uma visão inferior da natureza do amor de Deus. A cruz foi um terrível julgamento, mas, ao mesmo tempo, uma suprema demonstração do amor de Deus. Deveríamos parar a fim de contemplar o *escopo* do amor de Deus, bem como o *poder* desse amor para transformar *todas as coisas*. Deus ocupa-se do negócio do amor e da transformação dos homens, e nem uma única alma, em todo este vasto mundo, será excluída do empreendimento. E assim, poderemos dizer, cheios de agradecimento:

> A terra está cheia de benignidade do Senhor.
> O amor de Deus é real, universalmente — não meramente potencial.
> O amor de Deus será absolutamente eficaz — em última análise.

> Limites de pedra não podem conter o amor. E o que o amor pode fazer, isso o amor ousa fazer.
>
> Shakespeare

> O oposto da injustiça não é a justiça — é o amor.

> O amor de Deus é muito maior
> Do que pena ou língua podem mostrar.
> A qualquer estrela é superior,
> Até ao inferno costuma baixar.
>
> F. M. Lehman

A PALAVRA DE DEUS NA CRIAÇÃO (33.6-9)

■ 33.6

בִּדְבַר יְהוָה שָׁמַיִם נַעֲשׂוּ וּבְרוּחַ פִּיו כָּל־צְבָאָם:

Os céus por sua palavra se fizeram. O vs. 4 mostra-nos que as obras de Deus procedem de suas palavras, e agora isso é dito com respeito ao ato criativo original. Ver Gn 1.6-18, onde temos detalhes do processo de "falar e trazer à existência". Ver também Jó 26.13. Deus ordenou, e as coisas vieram à existência. Ele ordenou, e o amor preencheu, enobreceu, redimiu e restaurou todas as coisas. Eis por que somos inspirados a louvar Deus em algum nobre hino. Retrocedemos diante dos deuses que deixam somente uma senda de destruição, algum deus como Zeus, que existiria somente para lançar seus raios e destruir deuses e homens igualmente.

Portanto, temos a fórmula: poder-criação-bondade-atos benévolos-bem-estar-amor de forma manifesta e eficaz. E somos inspirados a prestar homenagem a Deus mediante cânticos de louvor. Seu hálito (Espírito) é o agente do processo, o qual nos inspira o respeito. O homem humilde é beneficiado. A criação foi um ato no qual Deus pôde demonstrar sua benevolência. "A *terra* supriu o salmista com ilustrações da bondade de Deus, tal como os céus fornecem provas do seu poder" (Fausset, *in loc.*). Cf. os Salmos 8 e 19, que contêm conceitos similares.

> Foi grandioso criar o mundo do nada,
> Foi ainda maior redimi-lo.
>
> Foi grande revelar Deus a seres angelicais,
> Foi ainda maior valorizar o humilde homem.
>
> Foi grande habitar no exaltado favor divino,
> Foi ainda maior ser Salvador do homem quebrantado.
>
> Russell Champlin, meditando sobre Colossenses 1.20

Pelo sopro de sua boca. Quando falamos, exalamos ar, e essa é a figura simbólica em vista. *Sopro,* porém, pode ser uma alusão ao *Espírito* de Deus, a força criadora, visto que o vocábulo hebraico significa tanto "sopro" quanto "espírito". O sopro da boca de Deus foi suficiente para fazer tudo, em contraste com os esforços laboriosos que produzem tão pouco. Cf. Is 1.4; Jó 33.4 e Sl 104.30.

■ 33.7

כֹּנֵס כַּנֵּד מֵי הַיָּם נֹתֵן בְּאוֹצָרוֹת תְּהוֹמוֹת:

Ele ajunta em montão as águas do mar. A referência é ao "abismo celeste", o grande fundo de águas acima do firmamento. Os hebreus antigos imaginavam que houvesse uma taça invertida "lá em cima", a qual dividia as vastas águas acima das águas abaixo do firmamento. O ato criativo de Deus recebia crédito por haver *separado* essas águas umas das outras. Ver Gn 1.7. Quanto a uma ilustração sobre a antiga cosmologia dos hebreus, ver no *Dicionário* o artigo chamado *Astronomia.* Os intérpretes cristãos, incapazes de compreender como os hebreus podiam defender formas tão cruas de cosmologia, atualizam e fazem as Escrituras entrar em harmonia com a ciência moderna, mas tal atividade é inútil. Nossa ciência continua ignorando muito dos grandes mistérios da criação, e dentro de alguns anos haverá uma nova ciência diante da qual certos textos bíblicos terão de ser desonestamente ajustados. E assim o processo de manipulação terá prosseguimento, porque certas pessoas acreditam que a Bíblia *precisa* ser um livro científico. O fundo de águas existente acima do firmamento era encarado como uma fonte das chuvas, acima das nuvens da atmosfera. Ver Jó 38.22. Seja como for, os grandes poderes divinos, que estão sendo louvados na passagem atual, é que teriam realizado aquele tremendo feito da separação das águas, ato que também conteve os dilúvios tremendos como que em um *odre* (Septuaginta), que algumas versões traduzem por "abismo" (conforme se lê na *King James Version*).

Alguns intérpretes aplicam erroneamente as palavras deste versículo à contenção das águas no mar Vermelho. Ver Êx 15.8.

Reservatório. Das águas contidas vêm as manifestações da meteorologia. Portanto, o Criador também exerce controle sobre as condições atmosféricas. Quanto a esse conceito, cf. Sl 135.7 e Jó 38.16,22. Ver também Gn 7.11 e 8.2. O poeta sagrado ilustrava assim os poderes benevolentes de Yahweh, que também agem em favor dos homens. Ver no *Dicionário* o artigo intitulado *Providência de Deus.* Deus dispõe de um tesouro de potencialidades meteorológicas, bem como de todas as espécies de outras provisões para o homem e a natureza, devido à sua bondade. A referência aqui poderia ser às *profundas cavernas* da terra, que também são depósitos de águas, mas essa ideia é menos provável.

> ... *faz sair o vento dos seus reservatórios.*
>
> Salmo 135.7

■ 33.8

יִירְאוּ מֵיְהוָה כָּל־הָאָרֶץ מִמֶּנּוּ יָגוּרוּ כָּל־יֹשְׁבֵי תֵבֵל:

Tema ao Senhor toda a terra. Todo *grande poder* é motivo de admiração para os homens, e o maior poder é causa da maior admiração. O salmista relembra-nos disso, e assim seu cântico incluía a referência para nossa edificação. Biblicamente falando, o homem, ponto mais alto da criação de Deus, está sujeito à lei divina e tem responsabilidades morais. Do homem supõe-se que reconheça sua elevada posição, a qual lhe foi conferida por Deus, e lhe preste louvor, por causa das bênçãos divinas que continuam a fluir para sempre.

> Até aqui flui aquela maré
> Que vem do mar sem praias,
> Incomensurável que ela é,
> Alcança a ti e a mim.
>
> Russell Champlin

> Tal como os rios buscam um mar
> Que não podem encher,
> Mas eles mesmos são cheios
> No abraço do mesmo,
> Absorvidos, em descanso,
> Cada rio e regato —
> Concede-nos essa graça.
>
> Christiana Rossetti

Temam-no todos. Ver no *Dicionário* o artigo *Temor,* especialmente o ponto I. O homem bom teme a Deus, e nesse temor começa sua sabedoria (ver Sl 111.10) e nele o justo vive constantemente. O artigo fornece detalhes e referências que ilustram o tema.

■ 33.9

כִּי הוּא אָמַר וַיֶּהִי הוּא־צִוָּה וַיַּעֲמֹד׃

Pois ele falou, e tudo se fez. *A palavra de Deus* trouxe tudo à existência e isso foi bom. Ver Gn 1.3,6,7,9,11,14,15,20,24. Todas as coisas "apareceram" de modo excelente, cada coisa cumprindo seu propósito e ocupando seu lugar, de acordo com as proporções e disposições divinas. A existência tornou-se um fato, uma lição objetiva do poder, da provisão e da *Providência de Deus*. "A terra *surgiu* quando Deus proferiu a sua palavra (cf. Sl 104.6-8). Ante esse *poder manifesto* da palavra de Deus, os homens deveriam tremer" (William R. Taylor, *in loc.*). Cf. Jo 1.1,2, que fala sobre o poder criativo do *Logos*, que é a referência que os Targuns dão de forma coerente quando falam sobre o ato criativo de Deus. Ver, no Novo Testamento, Hb 1.3 e Cl 1.17, que contêm ideias parecidas às apresentadas neste salmo. Deus é o sustentador daquilo que ele criou, conforme nos faz lembrar a passagem do primeiro capítulo da epístola aos Colossenses.

O CONSELHO DE YAHWEH (33.10-12)

A atenção do poeta volta-se agora para a terra. Ele tinha terminado seus ensinos acerca da providência e do poder divino nos céus. Aqui aprendemos que Yahweh é o Senhor da história humana, e não meramente o arquiteto celestial. Seu conselho é fixo, perfeito e sempiterno. O povo que se alinha com o conselho de Deus (manifestado em sua lei) alcança felicidade, enquanto o resto dos homens permanece na miséria criada por sua vida de pecado. Yahweh é o Deus que intervém nas atividades humanas. Isso reflete o *teísmo* (ver a respeito no *Dicionário*). Deus não abandonou a sua criação, conforme é ensinado pelo *deísmo* (ver também no *Dicionário*). Ele recompensa e pune, guia e intervém, ele se faz presente e dispensa atos beneficentes mediante a sua providência.

■ 33.10

יְהוָה הֵפִיר עֲצַת־גּוֹיִם הֵנִיא מַחְשְׁבוֹת עַמִּים׃

O Senhor frustra os desígnios das nações. O povo de Israel vivia sob a ameaça permanente de vizinhos hostis. A guerra era constante. A intervenção divina é necessária à sobrevivência, e nenhum homem pode ser bom, adorando no templo de Deus e obedecendo à lei (o código de conduta ideal para o homem), a menos que sobreviva. Davi conseguiu aniquilar ou confinar *oito* povos (ver 2Sm 10.19), e isso trouxe um prolongado período de paz para seu filho, Salomão, o qual foi capaz de liderar a *época áurea* para Israel, acompanhada por considerável expansão do império israelita. Quanto à intervenção de Deus nos planos dos ímpios, ver também Sl 2.1-6.

> *Ri-se aquele que habita nos céus; o Senhor zomba deles... no seu furor os confundirá.*
>
> Salmo 2.4,5

E anula os intentos dos povos. Os *planos* (tradução da *Revised Standard Version*) deles são sempre hostis e destruidores e usualmente envolvem guerras. O autor sagrado não fez referência aos catastróficos cativeiros assírios e babilônicos. Ver no *Dicionário* o verbete intitulado *Cativeiros*. Ele nos deixa, historicamente, nos bons tempos de Davi e Salomão, os anos relativamente tranquilos da monarquia. Yahweh era o Senhor da história de Israel, enquanto eles obedeceram à sua *lei*.

■ 33.11

עֲצַת יְהוָה לְעוֹלָם תַּעֲמֹד מַחְשְׁבוֹת לִבּוֹ לְדֹר וָדֹר׃

O conselho do Senhor dura para sempre. As benévolas decisões do Senhor, em favor do seu povo, bem como o conselho destruidor de seus inimigos, eram uma realidade fixa, e devem perdurar enquanto o homem continuar existindo, ou seja, para *todas as gerações*. "Em contraste com a futilidade do planejamento humano, destaca-se a eficácia inquebrantável do conselho do Senhor" (J. R. P. Sclater, *in loc.*). "O Senhor governa o *destino* das nações" (*Oxford Annotated Bible*, comentando o vs. 10). O Deus de palavras e obras poderosas deve ser louvado. "Doravante o pensamento passa para o governo irresistível de Yahweh. Seu conselho dura por todas as gerações e, sendo tanto *justo* quanto *eterno*, frustra os planos e pensamentos das nações pagãs, ao passo que seu povo escolhido (vs. 12) repousa sobre a paz estável da teocracia. Cf. At 5.38" (Ellicott, *in loc.*).

Cf. Is 14.24 e Pv 19.21.

■ 33.12

אַשְׁרֵי הַגּוֹי אֲשֶׁר־יְהוָה אֱלֹהָיו הָעָם בָּחַר לְנַחֲלָה לוֹ׃

Feliz a nação cujo Deus é o Senhor. Houve um povo bendito, escolhido por Deus, em contraste com os ímpios pagãos. Tornou-se um povo *distintivo* por meio da doação da lei (ver Dt 4.4-8). *Vida longa* e *prosperidade* (todos os tipos de bênçãos) foram concedidas, mediante a obediência à lei (ver Dt 4.1; 5.33; 6.2 e Ez 20.1). A lei era o código de conduta do povo, *guiando-o* à bem-aventurança (ver Dt 6.4 ss.).

Sua herança. Deus Pai deu sua herança espiritual aos filhos (Israel), e os filhos tornaram-se a herança espiritual do Pai. O *povo em relação de pacto* com Deus era assim tratado. Ver no *Dicionário* o artigo denominado *Pactos*, e também *Pacto Palestino* na introdução a Dt 29, e *Pacto Mosaico* na introdução a Êx 19. Quanto a Israel como a herança de Deus, ver os comentários em Sl 28.9.

O vs. 12, por assim dizer, é o eixo em torno do qual gira todo o salmo, que, sem dúvida, era cantado em coros completos, com o alto acompanhamento de muitos instrumentos musicais: "Israel é a herança de Deus. Grandes riquezas nos pertencem. As nossas bênçãos fluem como as marés dos oceanos. Nenhum inimigo pode derrotar-nos". Cf. Êx 19.5. Quanto a uma aplicação espiritual da ideia da herança da igreja, ver 1Pe 2.9:

> *Vós, porém, sois raça eleita, sacerdócio real, nação santa, povo de propriedade exclusiva de Deus, a fim de proclamardes as virtudes daquele que vos chamou das trevas para a sua maravilhosa luz.*

Cf. este versículo com as seguintes referências: Êx 19.5; Sl 28.9; 78.62; 79.1; 94.14; Dt 4.20; 7.6; 9.26; Jl 2.17; 3.2; Am 3.2; Mq 7.14,18.

O OLHO DE YAHWEH (33.13-19)

■ 33.13

מִשָּׁמַיִם הִבִּיט יְהוָה רָאָה אֶת־כָּל־בְּנֵי הָאָדָם׃

O Senhor olha dos céus. O Poder lá dos céus mostra-se alerta para com tudo quanto os homens fazem e é ativo em suas recompensas e castigos. Quanto a essa ideia, cf. o *teísmo* do vs. 10, onde dou notas que também se aplicam aqui. O olho do Senhor vê tudo quanto os homens fazem, e conhece tudo quanto eles pensam ou planejam (ver Is 40.18-28). Nenhum truque dos homens pode salvá-los da pena de distorcer ou opor-se aos propósitos do Senhor (cf. Is 30 e 31.1). Mas o favor do Senhor está com aqueles que o temem, e ele livra a alma deles da morte, mantendo-os vivos em tempos de aflição, como em períodos de fome e calamidade nacional. Os vss. 13 e 14 referem-se às operações da *Providência de Deus*, tanto as positivas quanto as negativas. Nenhum homem escapa do olhar divino, bem como dos resultados do conhecimento divino.

Os povos pagãos puderam perceber um vislumbre desse poder. "Há um grande Deus no céu que vê todas as coisas e governa a tudo" (Sófocles, *Electra*, vss. 174 e 175).

> O olho de Deus vê todas as coisas.
>
> Hesíodo, *Opera et Dies*, L.1. v. 263

■ 33.14

מִמְּכוֹן־שִׁבְתּוֹ הִשְׁגִּיחַ אֶל כָּל־יֹשְׁבֵי הָאָרֶץ׃

Do lugar de sua morada observa. De sua habitação vantajosa, tão alto lá nos seus céus, Deus pode facilmente perceber o que se passa na terra. Ele, o Rei Todo-poderoso, está sentado em seu trono, observando. Ele vigia a tudo e depois age. Ninguém pode escapar à sua atenção. Ele é o *Poder* com o qual temos de tratar todos os dias. Ele tem as suas leis e as impõe aos homens. Seu governo é moral, e ele não tem respeito humano por ninguém. Fará somente o que é direito. "Deus vê todas as pessoas de sua exaltada posição no céu, sua residência. Cf. 2Cr 6.21,30,33,39 e 30.27. Ele conhece até seu coração e sabe de seus pensamentos (ver Sl 33.13-15). Deus não salva os vãos autoconfiantes... Pelo contrário, salva os que confiam e esperam nele (ver Sl 33.18,19). Por esses, Deus tem um amor infalível (vss. 5 e 22). Essa era a sorte de Israel, aquela nação abençoada por Deus (vs. 12)" (Allen P. Ross, com uma excelente nota de sumário que começa no vs. 12).

> ... guiaste o teu povo, para te criares um nome glorioso. Atenta do céu, e olha da tua santa e gloriosa habitação... Tu és nosso Pai... nosso Redentor...
>
> Isaías 63.14-16

■ 33.15

הַיֹּצֵר יַחַד לִבָּם הַמֵּבִין אֶל־כָּל־מַעֲשֵׂיהֶם׃

Ele que forma o coração de todos eles. O Criador do universo é, por igual modo, o Criador dos indivíduos, pelo que exerce autoridade sobre cada um deles. Ele estabelece as regras de conduta e pune os que são desobedientes, ou recompensa os que as observam. Ele governa o destino das nações e também o dos homens. Ver no *Dicionário* o artigo chamado *Soberania*.

Forma. A mesma palavra hebraica usada para o ato do oleiro, o qual molda a argila na forma que quer.

> Moldando o coração de todos,
> Observando todos os seus feitos.
>
> Ellicott

O coração. Neste caso significa o centro das atividades emocionais e intelectuais que causa eventos entre os homens e, portanto, controla o comportamento dos indivíduos. Mas quando os homens pervertem seu coração, as dificuldades começam. Deus vê o que acontece no coração dos homens que perverteram os seus caminhos, ou vê o bem que eles imaginam fazer, e ajuda-os a alcançar eficácia.

> O que fez o ouvido, acaso não ouvirá? E o que formou os olhos, será que não enxerga? Porventura quem repreende as nações, não há de punir? Aquele que aos homens dá conhecimento? O Senhor conhece os pensamentos do homem, que são pensamentos vãos.
>
> Salmo 94.9-11

■ 33.16

אֵין־הַמֶּלֶךְ נוֹשָׁע בְּרָב־חָיִל גִּבּוֹר לֹא־יִנָּצֵל בְּרָב־כֹּחַ׃

Não há rei que se salve. Naqueles tempos de antanho, os *reis* eram escolhidos por causa de sua coragem na matança e de suas habilidades na guerra. Isso porque os tempos eram brutais e de constante guerra, ameaçando a sobrevivência humana. Assim sendo, o rei era o super-homem da tribo ou da nação. Porém, de conformidade com o poeta sacro, depender de um rei quanto à força, quando chega uma crise verdadeira e quando o Poder do alto se ira, de nada adianta. Além disso, existem outros *homens poderosos* que dependem de sua força na ocasião em que se desfere uma batalha; mas quantos deles escapam de uma morte violenta? Vivendo da espada, eles morrem à espada (ver Ap 13.10). Somente os que temem o Senhor (ver o vs. 18), e nele confiam, e guardam os seus mandamentos (ver o vs. 21), podem escapar da calamidade e da morte prematura. "Essa advertência não implica que o poder humano seja inútil, mas significa que o poder com a *inverdade* é, em última análise, mais fraco do que a verdade com temporária debilidade... A história ilustra de maneira espantosa a exatidão da confiança do salmista. É essencial que os poderosos também estejam corretos" (J. R. P. Sclater, *in loc.*). Golias, como é claro, era mais forte do que Davi, mas foi o homem relativamente fraco que ganhou a batalha. Muitas batalhas são ganhas pelos ímpios, mas o poeta estava considerando a batalha final. Ali ele via os mortos ímpios tombados no chão.

■ 33.17

שֶׁקֶר הַסּוּס לִתְשׁוּעָה וּבְרֹב חֵילוֹ לֹא יְמַלֵּט׃

O cavalo não garante vitória. Muitos *povos antigos* tinham cavalos de guerra bem treinados, e as referências antigas indicam que esses animais se deleitavam na guerra e nas matanças, tal como sucedia a seus cavaleiros. Temos subestimado a inteligência dos animais. O cavalo era o mais forte animal conhecido pelo homem e podia ser treinado para ajudar nas lides da guerra. Mas sua tradicional "força de guerra" era igualmente inútil, tanto quanto a força do próprio guerreiro, finalmente. Temos de depender da verdadeira força, aquela lá do alto, se quisermos obter a vitória final.

> O cavalo prepara-se para o dia da batalha, mas a vitória vem do Senhor.
>
> Provérbios 21.31

Um cavalo é um animal veloz, mas um leão ou um tigre é capaz de alcançá-lo e destruí-lo. Uma flecha atirada pelo inimigo é capaz de atravessar o seu pescoço. Além disso, o animal poderia tropeçar e rolar por cima de seu cavaleiro, matando-o. Sua força física era limitada, não havendo nela nenhuma garantia de vitória. Ver no *Dicionário* o artigo chamado *Cavalo*. Os cavalos, em Israel, não eram possessão dos israelitas comuns, os quais tinham suas mulas. Os cavalos destinavam-se a servir de montaria para reis, nobres e forças do exército. Mas, conforme o povo de Israel foi-se tornando mais próspero, o cavalo passou a ser um animal de fazenda.

■ 33.18

הִנֵּה עֵין יְהוָה אֶל־יְרֵאָיו לַמְיַחֲלִים לְחַסְדּוֹ׃

Eis que os olhos do Senhor. Os *olhos protetores* de Yahweh guiam os justos. Os justos *temem* a Deus. Ver no *Dicionário* o verbete intitulado *Temor*, especialmente a seção I, quanto a amplas explicações sobre esse conceito. O olho de Deus sabe quais homens temem a Deus e quais são meros hipócritas. Os que realmente confiam no Senhor têm boas razões para depender de sua *misericórdia*. Nenhum ser humano *merece grande coisa*, mas a misericórdia divina estabelece toda a diferença no mundo. Tendo sido criados ligeiramente inferiores aos anjos, todos os homens são seres espirituais poderosos, mas praticar a lei do amor, ou não praticá-la, é o que estabelece a diferença quanto àquilo que os homens são. O amor é o termômetro que aquilata a espiritualidade humana. O amor é um fruto do Espírito (ver Gl 5.22), bem como a prova de novo nascimento e espiritualidade (ver 1Jo 4.7). Essa verdade nos segreda onde jaz o verdadeiro poder.

> As misericórdias de Deus, que tema para meu cântico!
> Oh! Nunca pude nomear todas elas.
> Elas são mais do que as estrelas na cúpula celeste,
> Ou que as areias na praia batida pelas ondas.
>
> Quanto a misericórdias tão grandes, que posso dar?
> Para misericórdias tão constantes e certas?
> Eu o amarei; eu o servirei com tudo quanto tenho,
> Enquanto minha vida perdurar.
>
> T. O. Chishom

Ver no *Dicionário* o artigo chamado *Misericórdia*, quanto a informações abundantes.

■ 33.19,20

לְהַצִּיל מִמָּוֶת נַפְשָׁם וּלְחַיּוֹתָם בָּרָעָב׃

נַפְשֵׁנוּ חִכְּתָה לַיהוָה עֶזְרֵנוּ וּמָגִנֵּנוּ הוּא׃

Para livrar-lhes a alma da morte... no tempo da fome. Continuamos todos muito dependentes das chuvas, embora, com nossas represas, possamos sobreviver por algum tempo, antes que as coisas se ressequem e toda vida vegetal morra. Os povos antigos eram essencialmente dependentes, a cada estação do ano, e somente armazenando cereais (conforme José fez) é que os homens podiam salvaguardar-se da fome. E também havia as guerras, com sua política de terra arrasada, que deixavam muitos mortos de inanição. Durante a Segunda Guerra Mundial, a maioria dos soldados alemães que atacavam a área da cidade de Leningrado foram separados do grosso do exército alemão e deixados isolados para morrer de fome, e isso significa que até mesmo exércitos têm sofrido essa desgraça. A *fome* é uma das armas utilizadas pelo Senhor dos Exércitos para deter seus inimigos. Mas a pobreza produz a fome, no caso de algumas pessoas, bem no meio da abundância de alimentos. Quanto a detalhes ilustrativos, ver no *Dicionário* o verbete intitulado *Fome*. Quanto à "alma", ver os comentários sobre o vs. 20.

Alma. Não está aqui em pauta a alma imortal, a qual não pode morrer, mas a *pessoa*, que é o sentido usual da palavra *alma* no hebraico do Antigo Testamento. A pessoa, pois, é livrada da morte prematura e assim continua a esperar em Deus (vs. 20), na confiança de continuar a receber sua proteção e seus benefícios. O vocábulo hebraico *nephesh*, "alma", posteriormente veio a referir-se à alma imortal, que sobrevive à morte biológica. Ver no *Dicionário* o verbete *Alma*; e na *Enciclopédia de Bíblia, Teologia e Filosofia* o artigo chamado *Imortalidade*.

"*Conclusão.* Os crentes testificam sobre sua alegria e confiança no Senhor, como seu *auxílio e escudo* (vs. 20), e oram para que a misericórdia de Yahweh esteja com eles, visto que sua esperança está nele (vs. 22)" (Fausset, *in loc.*). Assim acontece que os homens esperam, com toda a razão, "uma recompensa pela fé", não porque a mereçam, mas porque o próprio Deus prometeu abençoar e fazer prosperar os homens dotados de fé. Os homens de inclinações espirituais conhecem essas coisas.

Os vss. 20 e 22 proveem a parte *moral* do salmo. A força está no Senhor, que é nosso *auxílio* (em todas as situações) e nosso *escudo* (defesa de todos os erros cometidos contra nós). Prossegue, pois, a metáfora militar. O guerreiro pode ser forte (vs. 16), mas suas forças finalmente entrarão em pane. O cavalo pode ser forte (vs. 17), mas algo poderá acontecer e anular essas forças. Assim também os homens contemplam o poder que há nos céus, para encontrar "misericórdia com o Senhor".

> Vinde, todas as almas oprimidas pelo pecado,
> Há misericórdia com o Senhor.
> E ele certamente vos dará descanso
> Se confiardes em sua Palavra.
>
> J. H. Stockton

"Aguardar, confiar, esperar. O salmo chega rapidamente ao seu fim. Esses verbos devem ser observados. São verbos fortes e ótimos. Se esperarmos e confiarmos, encontraremos razão para esperar; e esse é o tipo de esperança que salva (Rm 8.18-25)" (J. R. P. Sclater, *in loc.*).

Nossa Alma Espera. A vida inteira do homem bom é dedicada a essa bendita obra. Confiamos tão somente em Deus, não nas multidões, não nos exércitos, não nos guerreiros, não nas circunstâncias. E, acima de tudo, não confiamos em nós mesmos. É conforme diz certo hino: "Estarei perdido, se tirares a mão de sobre mim". Encontramos aqui não a "cidade permanente, mas buscamos a que há de vir" (Hb 13.14).

■ **33.21**

כִּי־בוֹ יִשְׂמַח לִבֵּנוּ כִּי בְשֵׁם קָדְשׁוֹ בָטָחְנוּ׃

nele o nosso coração se alegra. Há alegria para quem serve a Jesus.

> Há alegria para quem serve a Jesus,
> Enquanto avanço pelo meu caminho:
> Alegria que enche o coração de louvores,
> Todas as horas e todos os dias.
> Há alegria para quem serve a Jesus,
> Alegria que triunfa sobre a dor.
>
> Oswald J. Smith

Aguardar e confiar, esperar na misericórdia de Deus, viver a lei do amor, dedicar-nos ao princípio espiritual *são coisas que nos alegram o coração*. Os prazeres intelectuais superam os físicos, e os prazeres espirituais superam os intelectuais.

"A conclusão deste salmo é a reafirmação da fé no Senhor. O povo de Deus demonstra a fé de três maneiras: primeira, eles *aguardam na esperança* (cf. Sl 25.5,21; 39.7; 62.5 e 71.5) pelo livramento (ver Sl 30.10; 40.17 e 146.5). Segunda, *regozijam-se* em Deus, em quem confiam (ver Sl 33.21). Terceira, *oram* pedindo o seu *infalível amor* (cf.

os vss. 5 e 18) e assim repousam nele. Têm a confiança (a esperança) de que ele consumará o programa de salvação que ele mesmo traçou" (Allen P. Ross, *in loc.*).

Pois confiamos no seu santo nome. Cf. Mt 9.29. Disse Jesus aos dois cegos, em Jericó: "Faça-se-vos conforme a vossa fé". E bastaram essas palavras para que o milagre se completasse. Ver no *Dicionário* o verbete intitulado *Fé*. A fé não consiste meramente em acreditar. Consiste também em dedicar-se. O homem de fé *dedica sua vida* ao princípio espiritual, pois, do contrário, ele não terá fé alguma. O homem de fé vive uma vida de fé, e não se restringe a falar sobre aquilo em que ele acredita, para ver se o seu credo agrada a outras pessoas. O homem de fé não tem paciência com a "crença fácil".

Santo nome. Yahweh é santo; Elohim é santo e é o padrão da santidade. Da santidade deriva-se a bênção eterna. Cf. Lv 20.3; Sl 30.4; 103.1; 105.3; 106.47; 145.21. Quanto ao *nome de Deus*, ver as notas expositivas em Sl 30.4 e 31.3.

■ **33.22**

יְהִי־חַסְדְּךָ יְהוָה עָלֵינוּ כַּאֲשֶׁר יִחַלְנוּ לָךְ׃

Seja sobre nós, Senhor, a tua misericórdia. Uma vez mais, é requerida *misericórdia* da parte do homem que estava aflito e, novamente, essa solicitação se baseia na esperança que fortalece a fé. Uma vez mais, Yahweh é encarado como a *fonte* de qualquer verdadeira esperança. Outras fontes são parciais, fracassam potencialmente, ou mesmo são falsas. Este versículo repete os conceitos que acabamos de comentar e atua como uma espécie de *sumário*. Ver o vs. 18, que tem todos esses elementos essenciais. Este versículo é uma *oração* que roga pela misericórdia de Yahweh e expressa a confiança de que ela foi posta à disposição do suplicante. Ver no *Dicionário* o verbete denominado *Oração*. Nenhum homem pode *permanecer* no estado de esperança e confiança a menos que tenha recebido o poder de Deus para tanto. Precisamos do toque divino para qualquer santo empreendimento. Ver no *Dicionário* o artigo chamado *Esperança*.

> *Agora permanecem a fé, a esperança e o amor, estes três; porém o maior destes é o amor.*
>
> 1Coríntios 13.13

SALMO TRINTA E QUATRO

Quanto a *informações gerais* que se aplicam a todos os salmos, ver a introdução ao Salmo 4, onde apresento *sete* comentários que elucidam a natureza do livro. Quanto às *classes* dos salmos, ver o gráfico existente no início do comentário, que atua como uma espécie de frontispício. Ofereço ali dezessete classes e listo os salmos pertencentes a cada uma delas.

Este é um salmo de *ação de graças* pelo livramento de tribulações. Alguns salmos dessa classe podem ser conclusões de salmos de lamentação, que tipicamente iniciam com um clamor pedindo ajuda, descrevem os perigos que o salmista enfrentava e então terminam com uma nota de louvor e agradecimento pela oração respondida, ou pela resposta que os poetas sacros pensavam seria certamente obtida.

Salmos Acrósticos. São os salmos nos quais cada linha ou cada segunda linha começa com letras hebraicas sucessivas, pois o poeta as encabeçou com essas letras, buscando traçar um efeito de estilo. Ver também os Salmos 9, 10, 25 e 37, quanto a esse artifício literário.

Este salmo começa cada nova linha com uma letra do alfabeto hebraico, por ordem da primeira à última. A palavra portuguesa "acróstico" deriva-se do grego *akros*, "ponta" mais *stixos*, "linha de um versículo". As palavras correspondentes são as do começo das linhas ou de outros lugares. Algumas vezes, as letras assim dadas formavam uma palavra, mas o estilo usado pelos hebreus era simplesmente seguir letra após letra, na ordem em que essas letras aparecem no alfabeto hebraico. A palavra grega *akros* também pode significar "extremo", pelo que o termo não implica, necessariamente, que o *fim* de cada linha fosse assim marcado. A obediência a esse estilo resultava, algumas vezes, em que os salmos envolvidos eram um tanto desconexos em suas ideias, faltando-lhes uma sequência lógica. Comentando esse fenômeno, Ellicott (*in loc.*) declarou: "Este salmo consiste em uma fiada de declarações piedosas de tipo proverbial, todas elas belas em si mesmas, mas combinadas sem nenhuma arte além do arranjo alfabético, e até mesmo isso, conforme se vê no Salmo 25, não é levado avante de forma coerente". Os críticos opinam que os salmos acrósticos são mais recentes que os demais, e certamente não devem ser vinculados a Davi, embora os subtítulos pretendam que os identifiquemos dessa forma.

Subtítulo. Encontramos aqui um subtítulo elaborado, onde se lê: "Salmo de Davi, quando se fingiu amalucado na presença de Abimeleque, e, por este expulso, ele se foi". Sobre isso William R. Taylor comentou (*in loc*.): "Este subtítulo liga o motivo do salmo ao incidente da vida de Davi descrito em 1Sm 21.10-15, mas confunde Aquis de Gate com Abimeleque de Gerar (Gn 20, 21 e 26). Coisa alguma, neste salmo, reflete aquela situação particular de Davi, entre os filisteus, a menos que pensemos nas palavras do vs. 6. A identificação, entretanto, é uma instância interessante do caráter da *exegese* judaica *posterior*". Note-se como Davi desempenhou o papel de um homem imbecilizado perante Aquis, e não perante Abimeleque (ver 1Sm 21.13-15). Os subtítulos dos salmos não faziam parte das composições poéticas originais, mas foram notas que pretendiam dizer algo sobre os motivos que as inspiraram, um pouco do conteúdo e quem foram os seus autores. Mas as informações dadas dessa maneira são apenas conjecturas. Ocasionalmente, entretanto, pode-se encontrar algum valor histórico. Cerca de metade dos 150 salmos é atribuída a Davi, um grande exagero, embora alguns sejam indubitavelmente de sua autoria, visto ter sido ele o *mavioso salmista de Israel* (ver 2Sm 23.1).

Uma vez libertado de todas as suas dificuldades (vs. 6), o poeta convocou a comunidade a regozijar-se com ele, louvando o Senhor dos Livramentos. A nota-chave deste salmo é a *confiança* em Yahweh.

Duas Partes:
1. Os vss. 1-10 convocam os homens a unir-se ao salmista e dar graças a Yahweh.
2. Os vss. 11-22 proveem instruções (no estilo dos escritores de sabedoria) sobre como obter uma vida longa e feliz. O vs. 22 não está incluso no sistema acróstico e, provavelmente, foi uma adição de algum editor posterior. O estilo acróstico do salmo e as declarações de sabedoria identificam-no como uma composição bastante posterior.

CONVOCAÇÃO PARA OS HOMENS UNIREM-SE AO SALMISTA EM AÇÃO DE GRAÇAS (34.1-10)

■ **34.1** (na Bíblia hebraica corresponde ao **34.1,2**)

לְדָוִד בְּשַׁנּוֹתוֹ אֶת־טַעְמוֹ לִפְנֵי אֲבִימֶלֶךְ וַיְגָרֲשֵׁהוּ וַיֵּלַךְ:

אֲבָרֲכָה אֶת־יְהוָה בְּכָל־עֵת תָּמִיד תְּהִלָּתוֹ בְּפִי:

O *poeta sacro foi livrado* de alguma tribulação específica, mas, em sua confiança, expressou gratidão por seu livramento em geral, em qualquer e em *todas as ocasiões*. As palavras "em todo o tempo" nos fazem lembrar da declaração paulina: "Dando sempre graças por tudo a nosso Deus e Pai" (Ef 5.20). Será isso uma hipérbole permitida na poesia? Pelo contrário, o homem espiritual está tão pleno, que vive exprimindo sua espiritualidade em palavras, atos e no coração, mesmo quando sua boca silencia. Algumas ocasiões de teste são difíceis de ajustar a esse esquema de coisas, e a maioria de nós volve-se para os queixumes e as lamentações quando está sob alguma provação. Conheci uma pessoa que, quando sofria de câncer terminal, confessou que não era uma boa sofredora e não podia dizer, juntamente com outras pessoas, que estava aprendendo muito daquela experiência. Sem embargo, todas as situações são supostamente *dias escolares*.

O *livro de Jó* ensina-nos que um homem bom pode ser submetido a provações, aparentemente sem nenhuma causa. Talvez o homem espiritual seja atingido, em certas ocasiões, pelo próprio caos, e precisamos resguardar-nos dessa probabilidade todos os dias, mediante a oração. Ademais, há mistérios e enigmas no trato de Deus conosco que nossa inteligência não pode acompanhar. Ver no *Dicionário* o artigo chamado *Problema do Mal,* quanto a tentativas de explicar por que os homens sofrem, e por que sofrem da maneira como sofrem.

Seja como for, o salmista que ora consideramos era um *sofredor;* entretanto, como lhe fora concedido livramento, ele não podia deixar de agradecer a Deus e louvar o nome de Yahweh. Ver no *Dicionário* o verbete intitulado *Providência de Deus*.

Louvarei ao Senhor durante a minha vida; cantarei louvores ao meu Deus, enquanto eu viver.

Salmo 146.2

■ **34.2** (na Bíblia hebraica corresponde ao **34.3**)

בַּיהוָה תִּתְהַלֵּל נַפְשִׁי יִשְׁמְעוּ עֲנָוִים וְיִשְׂמָחוּ:

Gloriar-se-á no Senhor a minha alma. *O ser humano inteiro* (alma) jacta-se no Senhor, tão grande é a sua confiança. Os humildes e os poderosos ouvirão a Palavra de Deus e se regozijarão, porquanto quem não precisa ser livrado por Deus muitas vezes, em sua vida? Portanto, se Deus cuida de outros homens, por que não cuidaria de mim?, podemos perguntar corretamente.

Ocasionalmente, o Salmo 34 era entoado nas celebrações da comunhão da igreja de Jerusalém, no começo da era cristã (conforme informam Cirilo e Jerônimo). Sabe-se que certos mártires citaram este salmo no momento de seu sacrifício, e noticia-se que Columbano, em suas horas finais de vida, também o declamou. A igreja escocesa sempre empregou este salmo em sua liturgia, embora ele não fizesse parte dos salmos litúrgicos da igreja judaica. Os cuidados de Deus são universais e têm afetado os homens em todos os séculos. Portanto, podemos gloriar-nos nele e alegrar-nos. Ver na *Enciclopédia de Bíblia, Teologia e Filosofia* o verbete intitulado *Columbano*. Seu dia é celebrado a 21 de novembro. As causas de todos os homens espirituais, em todas as eras, resumem-se em *uma só:* há um só Deus, um só Poder, uma só bênção universal.

Os humildes. Cf. Sl 10.12. A Septuaginta e a Vulgata traduzem a palavra hebraica envolvida como "mansos". "Essa palavra aponta para os que têm aprendido a paciência na escola do sofrimento" (Ellicott, *in loc.*).

Levanta-te, Senhor! Ó Deus, ergue a tua mão! Não te esqueças dos pobres.

Salmo 10.12

■ **34.3** (na Bíblia hebraica corresponde ao **34.4**)

גַּדְּלוּ לַיהוָה אִתִּי וּנְרוֹמְמָה שְׁמוֹ יַחְדָּו:

Engrandecei o Senhor comigo. O *Poder* que livra os homens da tribulação é digno de ser *magnificado*; e esse Poder é *Yahweh*, também chamado *Adonai* (Senhor de escravos) e *El* (o Poder). O poeta e aqueles que viviam com ele, em *unidade* de propósitos, levantaram o mesmo cântico de louvor. "O motivo da unidade deve ser que, juntos, possamos magnificar e exaltar o Senhor, lembrando-nos que ele não será magnificado e exaltado como deveria, a menos que o façamos juntamente" (J. R. P. Sclater, *in loc.*).

Sou um homem pobre, concedo,
Mas tenho uma boa vizinhança.

George McDonald

O pobre homem que compôs este salmo reconheceu seu estado de humildade e pequenez, mas seu prestígio foi elevado por ter bons vizinhos e amigos a ele associados. Isso sempre é uma verdade no sentido espiritual. Nenhum ser humano é uma ilha isolada do continente.

Nenhum homem é uma ilha, inteiro por si mesmo;
Todo homem é uma peça do continente,
Uma parte do principal.

John Donne

"A oração conjunta é um doce fruto da comunhão dos santos" (Fausset, *in loc.*, em referência a Sl 30.4):

Salmodiai ao Senhor, vós que sois seus santos, e dai graças ao seu santo nome.

Quanto a notas expositivas sobre o *santo nome* de Yahweh, ver Sl 33.21, e quanto ao *nome*, ver Sl 31.3.

■ **34.4** (na Bíblia hebraica corresponde ao **34.5**)

דָּרַשְׁתִּי אֶת־יְהוָה וְעָנָנִי וּמִכָּל־מְגוּרוֹתַי הִצִּילָנִי׃

Busquei o Senhor e ele me acolheu. O homem que estivera cheio de perturbações e temores buscou Yahweh, que respondeu com presteza e livrou-o de todos os seus receios. Este é um dos versículos que sempre incluo em minhas orações diárias, e assim, Senhor, concede-nos tal graça! Há muitas coisas que devemos temer "lá fora", e o homem é um ser extremamente fraco. O homem certamente não é o senhor de seu próprio destino, em nenhum sentido final. Eis a razão pela qual precisamos continuar orando ao Poder celeste.

> Eu sou o senhor da minha própria sorte,
> Eu sou o capitão da minha alma.
> William E. Henley

Ernest Hemingway pensava que as *touradas* eram a única *arte* na qual o *artista* corre perigo de morte. Mas, naturalmente, há a *arte de viver,* e todo artista, nesse jogo, diariamente arrisca-se a perder a vida. Portanto, os homens temem a morte, e muitas coisas da vida, por igual modo. Em certo sentido, os homens são os senhores de sua alma e de sua sorte, visto que suas decisões empurram-nos nessa direção. Porém, em última instância, somente Deus ocupa essa posição. Por isso o poeta clamou quando se sentiu em perigo e alcançou os ouvidos divinos; o braço divino estendeu-se em sua direção, visando seu benefício, e todos os inimigos e temores do salmista desapareceram em meio à exibição do poder de Deus. Hoje, sexta-feira, 26 de julho de 1996, penso que preciso desse benefício, tal como outras pessoas que vivem ao meu derredor. Portanto, que essa exibição de poder continue a mostrar-se em nosso próprio tempo, hoje mesmo.

■ **34.5** (na Bíblia hebraica corresponde ao **34.6**)

הִבִּיטוּ אֵלָיו וְנָהָרוּ וּפְנֵיהֶם אַל־יֶחְפָּרוּ׃

Contemplai-o e sereis iluminados. O *homem que confia em Deus* pode olhar para Yahweh com o rosto radiante, porquanto sabe que o Poder está ao seu lado. Os homens orarão e não se envergonharão, porque Deus está distante e os deixa em estado de graça na presença dos seus opositores. É uma vergonha quando a oração não é respondida, porquanto ela consiste essencialmente em "pedir e receber". Pois os ímpios então dirão: "Vejam só o tolo! Ele orou ao seu Deus, mas nada de bom aconteceu. Vamos terminar com ele. Quem se importa se ele vive ou morre? Por certo o Deus dele não se interessa". Cf. Sl 25.1, onde comento sobre a questão do homem que orou e ficou *envergonhado,* porquanto suas orações não foram respondidas.

> *Ampara-me, segundo a tua promessa, para que eu viva; não permitas que a minha esperança me envergonhe.*
> Salmo 119.116

> Aquele que se aproxima de Deus recebe raios de luz intelectual.
> Teodoreto

Pense o leitor no caso de Estêvão (At 6.15; 7.55,56). "Eles estão radiantes porque Deus os ouve (cf. os vss. 15 e 17) e os livra de todas as suas tribulações (cf. os vss. 17 e 19)" (Allen P. Ross, *in loc.*).

■ **34.6** (na Bíblia hebraica corresponde ao **34.7**)

זֶה עָנִי קָרָא וַיהוָה שָׁמֵעַ וּמִכָּל־צָרוֹתָיו הוֹשִׁיעוֹ׃

Clamou este aflito, e o Senhor o ouviu. O pobre homem de *espírito,* humilhado, alquebrado, em perigo de morte prematura, *impotente* em si mesmo, foi quem clamou por causa de sua grande necessidade, e foi quem, igualmente, recebeu a espetacular resposta divina, quando o rosto de Deus sobre ele brilhou. Portanto, todos os que estão cercados de temores são também convidados a seguir o seu exemplo e receber o mesmo benefício que ele recebeu. A luz também pode brilhar no rosto deles. Evelyn Underhill descreveu certa mulher quacre, ao dizer: "A luz simplesmente emanava dela". Por isso, podemos julgar que ela contemplou a glória celestial.

Quanto ao *ouvido divino* que ouve as orações dos justos e age em favor de seus *filhos,* ver os comentários sobre o vs. 15.

Cf. a oração de desespero de Sansão, em Jz 15.19. Alguns intérpretes cristianizam o texto, fazendo-o referir-se a Jesus, em suas orações de agonia. Ver Hb 5.7.

■ **34.7** (na Bíblia hebraica corresponde ao **34.8**)

חֹנֶה מַלְאַךְ־יְהוָה סָבִיב לִירֵאָיו וַיְחַלְּצֵם׃

O anjo do Senhor acampa-se ao redor. *O Ministério dos Anjos é uma Realidade.* Há carradas de evidências em favor desse ministério, tanto na literatura antiga quanto nas experiências modernas.

> *Não são todos eles espíritos ministradores enviados para serviço, a favor dos que hão de herdar a salvação?*
> Hebreus 1.14

Ver no *Dicionário* o artigo geral intitulado *Anjo.* A doutrina dos anjos mostra que nenhum ser humano fica sem ajuda. Sempre haverá aquela "contraparte espiritual" que cuida da vida do justo. Alguns fazem o anjo guardião ser uma parte superior do próprio ser. Isso pode exprimir uma verdade, mas as evidências também favorecem entidades espirituais *distintas* que têm por atribuição cuidar de cada cristão. Naturalmente, muitas pessoas, afundadas em seus pecados, estão completamente fora de contato com seus guias espirituais e algumas estão distantes deles. Provavelmente, nossos melhores guias espirituais são aqueles que estão em íntimo contato conosco, sem importar se temos ou não experiências externas dessa realidade. Por outra parte, alguns crentes têm *experiências abertas* com esses seres espirituais e são transformados por tal contato. Ver no *Dicionário* o artigo denominado *Anjo da Guarda.*

Um homem é auxiliado a atingir seu destino e os objetivos de sua missão com a ajuda de guias espirituais, os anjos. Todos os destinos úteis estão envolvidos em viver a lei do amor; e escolas, orfanatos, ciências, filosofias e todas as atividades nobres da vida estão implicadas, e não apenas as igrejas. Um cientista pode descobrir algo importante para a humanidade através da inspiração angelical. Parece que nossos políticos têm guias maus, mas até para eles haverá ajuda espiritual, se ao menos eles a buscarem e se mostrarem receptivos, esquecendo, pelo momento, de sua mera corrida atrás das riquezas e do exercício do poder.

O *Poeta Sagrado Corria Perigo.* Ele estava prestes a ser envergonhado na presença dos seus inimigos. Ele tinha razão para continuar vivendo e, assim sendo, seu anjo interveio em seu favor. Algumas vezes, os anjos manifestam-se de modo visível (ver Êx 14.19; Jz 6.11,12,14), e algumas dessas aparições são *teofanias* (ver a respeito no *Dicionário*). Usualmente, entretanto, os anjos mantêm-se nas sombras, permitindo-nos fazer aquilo que pudermos, testando a força de nossos músculos e desenvolvendo-os. Em tempos de aflição, entretanto, eles podem intervir e realmente o fazem em nosso favor. Conforme nos indicam trechos como Js 5.14 e 2Rs 6.17, há *exércitos* de anjos. A doutrina bíblica concernente aos anjos tornou-se bastante elaborada. Alguns anjos guiam nações (Dn 10.13,21 e 12.1). Ver também Jó 33.23 e Dn 10.13. Quanto a anjos que atuam como exércitos guardiães em redor dos justos, ver Sl 91.11,12 e 2Rs 6.17. O poeta que compôs o salmo presente encarava o seu livramento através de uma metáfora militar. Ele foi libertado de seus temores e tribulações, porquanto um exército de anjos passou a defender a sua causa.

> *Porque aos seus anjos dará ordens a teu respeito, para que te guardem em todos os teus caminhos.*
> Salmo 91.11

Quando essa proteção fracassa (e todos os homens aparentemente falham na vida), precisamos depender da fé, supondo que as operações de Deus encerrem enigmas e mistérios que, algum dia, nos serão esclarecidos.

> Portanto, confia em Deus todos os teus dias,
> Não temas, pois ele está segurando a tua mão.
> Embora teu caminho seja escuro,
> Continua cantando e louvando.
> Algum dia, algum dia compreenderemos.
> Maxwell N. Cornelius

Ver no *Dicionário* o verbete intitulado *Problema do Mal*, quanto a reflexões sobre por que os homens sofrem, e por que sofrem como sofrem.

Ao redor dos que o temem. Ver no *Dicionário* o artigo chamado *Temor*, especialmente a seção I, que destaca a doutrina veterotestamentária do que significa temer o Senhor. Yahweh deleita-se naqueles que o temem, o que subentende que eles são dotados de boa espiritualidade, e não meramente que tremem diante do Ser divino.

■ **34.8** (na Bíblia hebraica corresponde ao **34.9**)

טַעֲמוּ וּרְאוּ כִּי־טוֹב יְהוָה אַשְׁרֵי הַגֶּבֶר יֶחֱסֶה־בּוֹ׃

Oh! Provai, e vede que o Senhor é bom. A metáfora foi drasticamente mudada para o ato de *provar*. Somente o indivíduo que prova a vereda espiritual pode realmente dizer se essa vereda é boa e satisfatória, ou não. O salmista, pois, convida-nos a fazer a *experiência*. Na prova da espiritualidade há uma *bênção*, afirmou o salmista.

> Descobrindo, seguindo, continuando a lutar,
> Certamente o Senhor abençoará!
> Santos, apóstolos, profetas e mártires
> Respondem com um "sim!"
>
> John M. Neale

"O *banquete* suntuoso está preparado; não quereis *prová-lo* por vós mesmos? (ver Is 55.1; Lc 14.16,17). O mero *ouvir* falar sobre o banquete não equivale a prová-lo (ver 1Pe 2.3). Em lugar de ficar falando sobre objeções teóricas e pontos teológicos críticos, é melhor dizer 'Vem e vê!', tal como fez Filipe, diante das objeções de Natanael (ver Jo 1.46)" (Fausset, *in loc.*). Seja como for, e em qualquer ocasião, é verdade que aquele que tem uma *experiência* está em vantagem sobre quem tem um argumento.

O Senhor é bom. Um dos atributos divinos é a bondade absoluta. Neste mundo de labuta e perda, é difícil para muitos perceber evidências em favor disso, pelo que um homem deve continuar a provar as águas e descobrir, em sua própria vida, as propriedades do Ser divino. Ver no *Dicionário* o artigo *Atributos de Deus*.

"Os santos têm testado e provado por si mesmos a *bondade*! A bondade sem variação! Esse é um fato que nos provoca o pensamento" (J. R. P. Sclater, *in loc.*).

"Ele é essencial, infinita, perfeita, imutável e exclusivamente bom em si mesmo; e ele é comunicativa e difusamente bom para com os seres humanos. Ele é o Autor de todo o bem" (John Gill, *in loc.*).

> *Toda boa dádiva e todo dom perfeito é lá do alto, descendo do Pai das luzes, em quem não pode existir variação, ou sombra de mudança.*
>
> Tiago 1.17

■ **34.9** (na Bíblia hebraica corresponde ao **34.10**)

יְראוּ אֶת־יְהוָה קְדֹשָׁיו כִּי־אֵין מַחְסוֹר לִירֵאָיו׃

Temei o Senhor, vós os seus santos. *O temor do Senhor é o princípio da sabedoria* (ver Sl 111.10 e Pv 1.7), bem como a fonte originária de todas as bênçãos. Esta é uma expressão do Antigo Testamento que fala da qualidade espiritual do homem. O homem que teme a Deus nada tem a ver com ídolos, e mostra-se ativo na rejeição de coisas espiritualmente prejudiciais. Esse era o homem que obedecia à lei de Moisés, o padrão de toda conduta, segundo as bases do Antigo Testamento. Essa lei tornava um homem *distinto* de seus vizinhos (ver Dt 4.4-8). A lei era o *guia* do israelita (ver Dt 6.4 ss.) e dava ao homem vida longa e prosperidade, o que, no judaísmo posterior, chegou a incluir a ideia da vida eterna, depois da morte biológica (ver Dt 4.1; 5.33; 6.2; Ez 20.1). O artigo sobre *Temor*, seção I, no *Dicionário*, oferece muitas outras qualidades e descrições do temor do Senhor.

"*O temor do Senhor* é uma frase própria da piedade do Antigo Testamento, que aponta para uma confiança reverente em Deus com ódio pelo mal" (*Scofield Reference Bible*, comentando Sl 19.9). Como é claro, há muito mais envolvido nessa palavra, conforme sugere o artigo, mas esses são elementos óbvios do conceito.

O *temor do Senhor* é o lema do homem que resolveu ser um peregrino e seguir a vereda espiritual.

> Não há desencorajamento
> Que o faça desistir
> Do seu primeiro intuito firme
> De ser um peregrino.
>
> John Bunyan, *O Peregrino*

Pois nada falta. Este versículo é mais amplo do que as ideias anteriores. O homem bom não somente é protegido como também prova da bondade. *Nada lhe falta*.

> *O Senhor é o meu pastor; nada me faltará.*
>
> Salmo 23.1

Ver no *Dicionário* o artigo *Providência de Deus*, que amplia a ideia da bênção espiritual total dada por um Deus ilimitado. Cf. Sl 16.2 e 84.11, passagens que contêm a mesma ideia.

Alguns intérpretes exortam-nos a não abandonar nossas bênçãos espirituais, sem as quais é inútil possuir bens materiais. A *Providência de Deus* não se esquece de nenhuma necessidade humana.

■ **34.10** (na Bíblia hebraica corresponde ao **34.11**)

כְּפִירִים רָשׁוּ וְרָעֵבוּ וְדֹרְשֵׁי יְהוָה לֹא־יַחְסְרוּ כָל־טוֹב׃

Os leõezinhos sofrem necessidade. Tanto o leão quanto a leoa são caçadores implacáveis. Mas eles se limitam a caçar carne. Não apreciam castanhas, sementes, frutas e vegetais, que atraem os pássaros e as vacas. Isto posto, quando a presa do leão escasseia, ou quando os animais caçados são mais espertos do que o usual e conseguem evitar esses terríveis felinos, os leões jovens podem padecer fome. Em outras palavras, por mais poderoso que seja o leão, é uma fera *limitada*. Outro tanto não pode ser dito com relação a Yahweh, que desconhece limites. Deus tanto é poderoso quanto ilimitado, e cuida de seus filhos. Nada de bom é negado a eles.

> *O Senhor Deus é sol e escudo; o Senhor dá graça e glória; nenhum bem sonega aos que andam retamente.*
>
> Salmo 84.11

Alguns eruditos supõem que o melhor texto aqui não fala em *leõezinhos,* mas, antes, em *infiéis* ou *apóstatas*. Nesse caso, o poeta estaria afirmando como os "ímpios prosperam". No entanto, há ocasiões em que eles não prosperam e até passam fome. Outro tanto, todavia, não pode acontecer aos piedosos. A versão da Septuaginta diz *os ricos*. Mediante ligeira emenda do texto massorético, podemos ter *infiéis* em lugar de *leõezinhos*. É evidente que a versão da Septuaginta baseia-se em um texto hebraico pré-massorético. Ver no *Dicionário* o artigo chamado *Massora (Massorah)*; *Texto Massorético* quanto ao texto hebraico padronizado do Antigo Testamento, que foi empregado como a base da maioria das traduções. A leitura da Septuaginta dá a entender que havia variantes nos manuscritos hebraicos, pelo que terminamos com estas possibilidades: *leõezinhos*; *infiéis* e *ricos*. Apolinário, seguindo a Septuaginta, comentou: "os ricos necessitados, a quem a fome pressiona" (cf. Jó 4.10,11). Quanto à opressão contra os santos humildes, ver Jó 4.10,11; Sl 57.4 e Ez 38.13. Os opressores tornam-se então os oprimidos. Mas os indivíduos piedosos prosperam, no final. Há um manuscrito hebraico que diz "homens poderosos", em lugar de "leõezinhos", sendo esse outro texto possível. Homens poderosos são, com frequência, opressores, mas até tais homens caem na armadilha da fome e de outras calamidades.

INSTRUÇÕES SOBRE A SABEDORIA: COMO OBTER UMA VIDA LONGA E PRÓSPERA (34.11-21)

■ **34.11** (na Bíblia hebraica corresponde ao **34.12**)

לְכוּ־בָנִים שִׁמְעוּ־לִי יִרְאַת יְהוָה אֲלַמֶּדְכֶם׃

O salmo agora muda de estilo e nos faz relembrar da literatura de sabedoria, como os livros de Provérbios, Eclesiastes e Cantares de Salomão. Existem outros salmos de sabedoria. Ver as dezessete classes de salmos apresentadas em um gráfico no início do comentário sobre o livro de Salmos. Ver no *Dicionário* os artigos chamados *Sabedoria,* seção III, quanto à literatura dessa categoria, e também o artigo chamado *sabedoria de Deus*.

Filhos. É característico da literatura de sabedoria que os autores sacros se dirijam às audiências chamando-as de "filhos". Cf. Pv 2.1; 4.1 e 6.1. Nisso encontramos a família espiritual em torno do pai (uma pessoa espiritual superior), que assume o lugar de um mestre quanto à vereda espiritual. Era comum os "pais" dizerem aos *filhos* como eles poderiam viver uma vida longa e próspera. Cf. Pv 2.7-10; 4.20-23. O *temor do Senhor* era o princípio espiritual fundamental que eles ensinavam. Cf. Pv 1.7; 2.5 e 9.10. Ver notas expositivas detalhadas sobre isso, no vs. 9, onde também ofereço referências bíblicas. Os vss. 13 e 14 dão aspectos práticos da vida piedosa, que o homem que teme a Deus certamente seguirá. Cf. também Pv 10.32 e 16.21,30. A lei mosaica era o manual de instruções, o texto a ser seguido por toda a pessoa espiritual séria, o que ilustro amplamente no vs. 9. *Benditos resultados* acompanham a vida piedosa. Ver Sl 32.8; Pv 14.26,27.

Cf. 1Jo 2.1, quanto ao pai que ensina seus filhos. A epístola de *Tiago*, no Novo Testamento, é o livro mais parecido com a literatura de Sabedoria do Antigo Testamento e do período intermediário (os quatrocentos anos de silêncio profético entre o Antigo e o Novo Testamento).

No temor do Senhor tem o homem forte amparo, e isso é refúgio para os seus filhos. O temor do Senhor é fonte de vida, para evitar os laços da morte.

Provérbios 14.26,27

■ **34.12** (na Bíblia hebraica corresponde ao **34.13**)

מִי־הָאִישׁ הֶחָפֵץ חַיִּים אֹהֵב יָמִים לִרְאוֹת טוֹב׃

Quem é o homem que ama a vida...? A *vida boa*, ou seja, a vida longa, com prosperidade, eram os alvos da existência humana. Naturalmente, dentro do contexto mais primitivo do Antigo Testamento, isso apontava para uma longa vida *física* e para todas as coisas excelentes que tornam a vida boa e interessante. No judaísmo posterior, a *vida* também veio a incluir a vida pós-túmulo, bem como a salvação da alma, entendida em seus termos preliminares. Um bom lugar no *seol* foi reservado para os piedosos, ao passo que os ímpios sofriam no *lugar ruim* do mesmo seol. Essas doutrinas, entretanto, manifestaram-se só tardiamente no judaísmo. Quanto a uma *vida longa*, ver também Pv 4.20-23. E, quanto à *longa vida*, que vem através da obediência à lei de Moisés, ver Dt 4.1; 5.33; 6.2 e Ez 20.1. No Pentateuco, porém, estamos tratando exclusivamente da vida física. A doutrina da imortalidade ainda não havia emergido nas Sagradas Escrituras.

■ **34.13** (na Bíblia hebraica corresponde ao **34.14**)

נְצֹר לְשׁוֹנְךָ מֵרָע וּשְׂפָתֶיךָ מִדַּבֵּר מִרְמָה׃

Refreia a tua língua do mal. Parte do *viver bem*, de modo que se atinja a vida longa e boa dos justos, consiste em ter cuidado com o uso da língua. O homem bom fala a verdade, não comete perjúrio, não fere aos outros com a língua nem engana o próximo. 1Pe 3.10 provavelmente era uma citação indireta deste versículo, ou de algum outro que lhe seja semelhante:

Pois quem quer amar a vida e ver dias felizes, refreie a sua língua do mal e evite que os seus lábios falem dolosamente.

1Pedro 3.10

Tiago, o livro de sabedoria do Novo Testamento, não pôde deixar de esbarrar nesse tema: ver Tg 1.26; 3.5,6,8. O *homem religioso* controla a língua e não a usa como instrumento para coisas semelhantes. Ver no *Dicionário* o artigo chamado *Linguagem, Uso Apropriado da*. Ver também esse tema anotado em Sl 5.9; 12.2; 15.3 e 17.3.

Não saia da vossa boca nenhuma palavra torpe, e, sim, unicamente a que for boa para edificação, conforme a necessidade, e assim transmita graça aos que ouvem.

Efésios 4.29

"... guarda teus lábios de palavras hipócritas e enganadoras, dos que falam com palavras lisonjeadoras e com um coração dúplice. Algumas pessoas usam palavras más na conversação comum, o que se deriva de um mau coração, por causa de hábitos arraigados. Alguns dizem palavras boas, mas com um mau desígnio. Em nenhum desses casos o temor de Deus está diante dos olhos dessas pessoas, nem no coração" (John Gill, *in loc.*).

Não basta que teu conselho seja veraz;
Verdades brutas fazem pior do que a falsidade.

Alexander Pope

■ **34.14** (na Bíblia hebraica corresponde ao **34.15**)

סוּר מֵרָע וַעֲשֵׂה־טוֹב בַּקֵּשׁ שָׁלוֹם וְרָדְפֵהוּ׃

Aparta-te do mal, e pratica o que é bom. A lei mosaica informava os israelitas sobre o que era bom e sobre o que era mal; o que eles deveriam fazer e o que não deveriam fazer. Portanto, um homem espiritual (sobre bases veterotestamentárias) não ficava destituído de conhecimento. Para cumprir as injunções deste versículo, um israelita tinha apenas de conhecer e seguir as numerosas leis morais e cerimoniais. Em consequência, viveria bem e por longo tempo (ver Dt 4.1; 5.33; 6.2 e Ez 20.1). Seu guia e manual de conduta era a lei mosaica (ver Dt 6.4 ss.), o *estatuto eterno* (ver Êx 29.42; 31.16; Lv 3.17 e 16.29), que fazia do povo de Israel uma nação distintiva (ver Dt 4.4-8).

Procura a paz. Nenhum outro povo procurou a fé religiosa como os judeus. Eles viveram períodos de apostasia e inúmeras falhas; porém, como nação, eram os que buscavam a religiosidade com maior afinco. Deus e a paz eram os objetivos dessa busca. Não basta ser um *aprendiz*. Também não basta ser um *conhecedor*. Todo indivíduo precisa ser um *buscador* e um procurador ativo dos ideais da própria fé.

Segui a paz com todos e a santificação, sem a qual ninguém verá o Senhor.

Hebreus 12.14

Na busca ativa existe, natural e necessariamente, a *prática* do princípio espiritual.

Aperfeiçoai-vos, consolai-vos, sede do mesmo parecer, vivei em paz, e o Deus de amor e de paz estará convosco.

2Coríntios 13.12

A bondade negativa não é suficiente. O bem prático deve ser adicionado a isso.

Ellicott

■ **34.15** (na Bíblia hebraica corresponde ao **34.16**)

עֵינֵי יְהוָה אֶל־צַדִּיקִים וְאָזְנָיו אֶל־שַׁוְעָתָם׃

Os olhos do Senhor repousam sobre os justos. Este versículo é citado em 1Pe 3.12. Quanto aos *olhos do Senhor*, que guiam, corrigem, castigam e recompensam, cf. Sl 11.4. Yahweh, de sua posição vantajosa nos céus, vê tudo quanto acontece à face de nosso planeta. Ele se mantém *alerta* a tudo. Está *provando* para ver se os homens são falsos ou legítimos. Ele tem consciência das obras deles, tanto boas quanto más. Ele submete tudo a *teste* e então *age*, recompensando ou punindo. Isso reflete o *teísmo*, em contraste com o *deísmo* (ver ambos os termos no *Dicionário*). Deus não abandonou sua criação. Ele não é indiferente para com ela. Ele intervém e julga de acordo com o bem ou o mal que os homens praticam. Ele recompensa os bons e castiga os maus. Ver também Sl 66.7. As *nações* (e não somente os indivíduos) estão sujeitas a seu olhar atento. Os fiéis são vistos e abençoados (Sl 101.6). Ele nunca dorme nem dormita (ver Sl 121.3,4). Isto posto, o homem espiritual fica seguro sob os cuidados divinos.

Os seus ouvidos estão abertos. Os sentidos de percepção do Ser divino estão alertas às necessidades de seus *filhos*. Os ouvidos divinos ouvem as orações dos justos. E também ouvem as zombarias dos ímpios. Isso inspira Yahweh a agir e corrigir. Não sobe ao céu nenhuma oração que não seja ouvida; nenhuma oração que sobe fica sem resposta. Ver o vs. 6, quanto à mesma metáfora do ato de *ouvir*. Ver também Sl 5.1; 10.17; 17.1; 31.2; 39.12; 55.1; 88.2; 102.2; 116.2 e 143.1. Por sua vez, os ouvidos do homem piedoso devem estar atentos à voz de Deus e de sua lei (ver Pv 2.2; 28.9 e Sl 78.1).

O autor sagrado, como é natural, envolve-nos em um pesado *antropomorfismo* (ver a respeito no *Dicionário*). Mas sabemos que ele falava metaforicamente, e não literalmente, reduzindo Deus a um super-homem. É muito difícil falar sobre Deus sem fazer referência às realidades e experiências humanas, pelo que apelamos às expressões antropomórficas para falar sobre Deus. Mas personalizar Deus torna-o menor do que ele realmente é, embora seja impossível evitar completamente essa armadilha.

■ **34.16** (na Bíblia hebraica corresponde ao **34.17**)

פְּנֵי יְהוָה בְּעֹשֵׂי רָע לְהַכְרִית מֵאֶרֶץ זִכְרָם׃

O rosto do Senhor está contra os que praticam o mal. Prosseguindo com suas expressões antropomórficas, o poeta sacro agora fala sobre o *rosto de Deus*. Essa expressão aponta para o *próprio Ser divino*. Tudo quanto ele é, e tudo quanto faz, é dirigido *ao homem,* a fim de recompensar os bons e punir os maus. Cf. Jr 21.10, que estipula:

> Voltei o meu rosto contra esta cidade, para mal, e não para bem, diz o Senhor.

Ver também Jr 44.11 e Am 9.4. O Senhor faz o seu rosto *brilhar* sobre os homens (ver Nm 6.25), ou então franze o cenho e castiga (ver Lv 17.10). Algumas vezes, Deus exibe seu rosto aos homens, em manifestações visionárias (ver Nm 14.14). O rosto de Cristo produz iluminação acerca de Deus e também revela a sua vontade (ver Sl 4.6), o que se traduz em *glória*.

Para lhes extirpar da terra a memória. Os ímpios são eliminados, e sua memória se perde. Eles deixam de existir, o que constitui a antiga ideia dos hebreus, quando o *seol* apontava somente para a sepultura. Os iníquos verdadeiramente morrem e desaparecem. Somente séculos depois os ímpios eram vistos a sobreviver em algum lugar horrendo.

■ **34.17** (na Bíblia hebraica corresponde ao **34.18**)

צָעֲקוּ וַיהוָה שָׁמֵעַ וּמִכָּל־צָרוֹתָם הִצִּילָם׃

Clamam os justos, e o Senhor os escuta. Os ouvidos de Yahweh nunca falham. Assim que os justos clamam a ele, em desespero, ele os ouve e reverte o curso do mal; ele os liberta de seus temores e castiga seus inimigos. Ele lhes concede abundância e os faz prosperar espiritual e materialmente. A ideia da segunda parte do vs. 15 é repetida. Ver ali sobre os *ouvidos divinos*. Ver também o vs. 6, onde encontramos idêntica ideia. Note o leitor o acúmulo de termos: há os *ouvidos divinos;* há os *olhos divinos;* há o *rosto divino* — todos voltados na direção do justo, para abençoá-lo e fazê-lo prosperar. Cf. o vs. 4: "... Ele me acolheu; livrou-me de todos os meus temores".

Ver também o vs. 7 e os comentários que se aplicam a este versículo. O salmista não destacou casos excepcionais, em que os piedosos perecem em más situações. Ele não queria injetar mistérios e enigmas em seu tratamento otimista. Ver no *Dicionário* o artigo chamado *Problema do Mal,* quanto a raciocínios sobre por que os justos sofrem, e por que sofrem como sofrem.

■ **34.18** (na Bíblia hebraica corresponde ao **34.19**)

קָרוֹב יְהוָה לְנִשְׁבְּרֵי־לֵב וְאֶת־דַּכְּאֵי־רוּחַ יוֹשִׁיעַ׃

Perto está o Senhor dos que têm o coração quebrantado. *O Senhor deixa-se comover* diante do sofrimento humano. Ele não deixa de observar os homens com coração compungido. Ele respeita os humildes e dá atenção especial aos "esmagados no espírito" (*Revised Standard Version*). Ele está sempre *próximo* de tais pessoas, a fim de curá-las e de reverter o mal que as aflige. Este versículo, como é natural, ensina-nos algo sobre o *amor de Deus,* que é a fonte de toda a bênção divina e de todo o benefício humano. Temos aqui uma instância de *antropopatismo* (ver a respeito no *Dicionário*). Em outras palavras, Deus é apresentado como dotado de emoções e sentimentos humanos. Quando personalizamos Deus, nós o tornamos menor do que ele realmente é, mas é impossível evitar os ardis do antropomorfismo e do antropopatismo. Seja como for, supomos que essas atividades mentais revelem algo sobre o Ser divino, posto que imperfeitamente. Esses dois conceitos são, naturalmente, aspectos do *teísmo*.

"A súmula desse ensino é que, nas experiências duradouras da vida, tudo dá certo para o justo, mas errado para os ímpios. O mal mata o iníquo, mas o Senhor redime a vida de seus servos" (William R. Taylor, *in loc.*).

"Embora o Senhor habite *no alto* e em seu santo lugar, contudo ele condescende para estar perto daqueles que têm um espírito contrito e humilde (ver Is 57.15; 61.1; Lc 4.18; Sl 51.17 e 147.3)" (Fausset, *in loc.*).

> ... *sara os de coração quebrantado, e lhes ata as feridas*.
> Salmo 147.3

"O coração quebrantado e o espírito contrito são as duas características essenciais do verdadeiro arrependimento" (Adam Clarke, *in loc.*).

■ **34.19** (na Bíblia hebraica corresponde ao **34.20**)

רַבּוֹת רָעוֹת צַדִּיק וּמִכֻּלָּם יַצִּילֶנּוּ יְהוָה׃

Muitas são as aflições do justo. Os justos não ficam isentos do sofrimento. A despeito de todo o otimismo, o poeta sacro não esqueceu esse fato. Ver no *Dicionário* o verbete intitulado *Problema do Mal,* quanto às razões pelas quais os homens sofrem e por que sofrem como sofrem. Mas o poeta sagrado via o *livramento* para o homem bom, enquanto a memória dos ímpios *desapareceria* da terra (vs. 16). Mas coisa alguma é dita sobre sofrimentos sem esperança, e sobre homens bons que sofrem acidentes horrendos e fatais, e enfermidades ridículas que consomem a vida humana. O poeta não queria incluir exceções e enigmas em sua abordagem otimista da situação.

> Se eu fosse Deus —
> Não haveria mais: o adeus solene,
> A vingança, a maldade, o ódio medonho,
> E o maior mal, que a todos anteponho,
> A sede, a fome da cobiça infrene!
> Eu exterminaria a enfermidade,
> Todas as dores da senilidade.
> A criação inteira alteraria,
> Se eu fosse Deus.
>
> Martins Fontes, Santos, 1884-1937

"Nenhum comandante faria justiça a um bravo e habilidoso soldado recusando-lhe a *oportunidade* de submeter a teste sua habilidade e bravura, enviando-o para combater o inimigo e não lhe permitindo guardar algum posto de perigo, quando isso se fizesse necessário. Os justos são os soldados de Deus" (Adam Clarke, *in loc.*). Os homens são heróis meramente por estarem vivendo neste mundo hostil. Os homens são poderosos seres espirituais, e é o amor que estabelece a diferença em qualquer situação.

■ **34.20** (na Bíblia hebraica corresponde ao **34.21**)

שֹׁמֵר כָּל־עַצְמוֹתָיו אַחַת מֵהֵנָּה לֹא נִשְׁבָּרָה׃

Preserva-lhe todos os ossos. Os *ossos* falam do corpo todo, porquanto o corpo depende dos ossos e nada seria sem eles. Acidentes e enfermidades quebram-nos os ossos. Mas o justo é de tal modo livrado, pelo Senhor, de suas tribulações, que ele sai sem um único osso partido, embora seja severamente testado. Essa é uma declaração metafórica para a asserção: "Tudo vai bem com o homem bom, no final das contas". O autor do livro de João comentou sobre o fato de que nenhum osso de Jesus foi partido, embora ele tivesse sido crucificado (ver Jo 19.36), e esse versículo é um reflexo deste, além de exprimir uma realidade. Sl 34.20 deve ser assim tomado como uma predição profética sobre o que aconteceria no caso de Jesus e de suas severas provações.

Ver sobre Jo 19.36, no *Novo Testamento Interpretado*, quanto a uma explicação completa sobre o uso messiânico da questão. Este não é um salmo messiânico, mas contém esse elemento messiânico. A ideia relativa a não serem quebrados os ossos de Jesus fala sobre um livramento total. E isso, por sua vez, segreda que podemos confiar na *Providência de Deus* (ver a respeito no *Dicionário*). A providência divina é suficiente para todos os casos. Deus nada joga no lixo como se fosse refugo sem recuperação.

Os ossos dos animais sacrificados não podiam ser quebrados, pois isso invalidaria o sacrifício. Ver Êx 12.46. Nisso temos uma lição. Devemos ser *sacrifícios vivos* (ver Rm 12.1). Os que são sacrifícios vivos contam com um favor especial de Deus.

O fato de que nenhum dos ossos de Jesus foi quebrado também foi um *sinal* da validade de seu sacrifício, bem como da *aceitação* divina. Chegam até nós as calamidades, mas Deus as *controla e derrota*, conforme ensina a metáfora dos ossos. Podemos sair da refrega com algumas cicatrizes, mas estas serão honrosas. "Os ossos são a base da estrutura física do homem; e esses ossos serão conservados inteiros" (J. R. P. Sclater, *in loc.*).

Cf. Mt 10.30: Até os cabelos de nossa cabeça estão numerados. Nenhum mal, em última análise, pode sobrevir a um homem bom.

■ **34.21** (na Bíblia hebraica corresponde ao **34.22**)

תְּמוֹתֵת רָשָׁע רָעָה וְשֹׂנְאֵי צַדִּיק יֶאְשָׁמוּ:

O infortúnio matará o ímpio. Os ossos dos ímpios serão quebrados. Yahweh os matará quando lhes impuser retribuição por causa de suas más obras. Eles, em vida, odiaram e perseguiram os justos. Por conseguinte, colherão o que semearam. Yahweh os deixará *desolados*. Estamos falando aqui da *morte física*. A doutrina do julgamento para além do sepulcro ainda não tinha surgido na teologia dos hebreus. O Targum sobre este versículo fala na punição espiritual, mas isso pertence a um período posterior. Ver no *Dicionário* o verbete intitulado *Lei Moral da Colheita segundo a Semeadura*.

O autor sagrado enfatiza aqui que a providência divina funciona de maneira positiva ou negativa. Deus recompensa e pune. Ele não pode negligenciar nem os bons nem os maus, quanto às suas obras. Ele precisa reagir diante de ambos, pois, do contrário, seria menos do que Deus. Não obstante, seus castigos são remediadores, e não apenas retributivos, e esse é um princípio que alguns estudiosos negligenciam tolamente, quando falam sobre as verdades divinas. Ver os comentários sobre 1Pe 4.6, no *Novo Testamento Interpretado*.

■ **34.22** (na Bíblia hebraica corresponde ao **34.23**)

פּוֹדֶה יְהוָה נֶפֶשׁ עֲבָדָיו וְלֹא יֶאְשְׁמוּ כָּל־הַחֹסִים בּוֹ:

O Senhor resgata a alma dos seus servos. Os ímpios são reduzidos a nada. Mas os *servos de Yahweh* (os justos) são *redimidos*. Contudo, não está em vista aqui a redenção evangélica. Antes, o homem bom não sofreria *morte prematura*, um terror para a mentalidade hebreia.

Este versículo não foi incluído no sistema acróstico (ver a introdução ao salmo), e sem dúvida foi uma adição editorial à composição original. Não obstante, esta é uma boa maneira de encerrar o salmo, sumariando as ideias dos vss. 20 (acerca dos remidos) e 21 (acerca dos ímpios, que terminam desolados).

O homem bom não pode ser ferido, em nenhum sentido final, "de maneira temporal, ou de maneira espiritual, por algum mal eterno" (Fausset, *in loc.*). Ver Sl 26.11, quanto à *redenção* referida neste versículo. Nenhum ser humano que confia nele pode perder-se. Nenhum mal físico é capaz de anular sua razão de ser, nem a sua missão pode sair derrotada. Nenhum mal espiritual afetará a sua alma.

SALMO TRINTA E CINCO

Quanto a *informações gerais* que se aplicam a todos os salmos, ver a introdução ao Salmo 4, onde apresento *sete* comentários que elucidam a natureza do livro. Quanto às *classes* dos salmos, ver o gráfico no início do comentário, que atua como uma espécie de frontispício da coletânea. Ofereço ali dezessete classes e listo os salmos que pertencem a cada uma delas.

Este é um salmo de *lamentação*. Mais de sessenta da coletânea inteira de 150 salmos pertencem a essa classe. Os *salmos de lamentação* começam tipicamente com um clamor pedindo ajuda, descrevem os inimigos ou perigos enfrentados e então se encerram com ações de graças, porquanto o pedido por livramento foi atendido, ou porque a esperança de resposta está a caminho.

Tal como sucede no caso do Salmo 31, os elementos do lamento ocorrem por mais de uma vez, pelo que os vss. 1-10; 11-18 e 19-28 poderiam ser salmos separados ou partes de salmos que foram reunidas por algum editor ou pelo próprio compilador original. Os adversários confrontados nos salmos de lamentação eram *inimigos estrangeiros*, guerreiros de povos hostis a Israel; inimigos *dentro do acampamento de Israel*; ou alguma *enfermidade física*. Não fica clara, neste salmo, a intenção do autor sagrado, mas, visto que existem três lamentos combinados, talvez mais de um tipo de inimigo esteja sendo descrito.

Para William R. Taylor (*in loc.*), eram inimigos dentro do campo de Israel que causavam as dificuldades: "Falsas acusações, planos maléficos e ódio permanente dos inimigos (resultariam) em algum procedimento judicial". O poeta sagrado declarou sua inocência e esperou um resultado favorável em seu julgamento. Ele teve de apelar para Yahweh em busca de uma *intervenção divina* direta.

Subtítulo. Neste salmo temos apenas o simples subtítulo "salmo de Davi". Os subtítulos foram adições feitas por editores posteriores e não têm nenhuma autoridade. Esses subtítulos tentam identificar os autores das composições poéticas, nomear os instrumentos musicais que acompanhavam a sua execução, e dar uma nota que assinala a essência da composição. Mais de metade dos salmos é atribuída a Davi, o que, sem dúvida, é um exagero. Contudo, alguns dos salmos realmente pertencem genuinamente a Davi, visto ter sido ele o *mavioso salmista de Israel* (ver 2Sm 23.1).

PRIMEIRA LAMENTAÇÃO: ORAÇÃO PEDINDO LIVRAMENTO DOS DESTRUIDORES (35.1-10)

■ **35.1**

לְדָוִד רִיבָה יְהוָה אֶת־יְרִיבַי לְחַם אֶת־לֹחֲמָי:

Contende, Senhor, com os que contendem comigo. Fortes inimigos buscavam matar o poeta sagrado, ou mediante atos traiçoeiros praticados de maneira secreta, ou por meio de pronunciamentos de castigo capital. As acusações falsas poriam fim à vida do salmista. Ele carecia de *intervenção divina*.

"O salmista falou sobre os seus adversários como oponentes em tribunal; ou como inimigos em um *campo de batalha*; ou como *caçadores* que estendiam redes ou cavavam valetas para apanhar a presa; ou como *ladrões* que desnudavam a presa; ou, finalmente, como *feras*. Contra todas essas variedades de opositores, o salmista orou, para que Yahweh o defendesse com instrumentos de guerra" (William R. Taylor, *in loc.*).

Peleja. Isso Deus faria demonstrando uma justiça retributiva, mediante a qual ele pune os homens em consonância com a gravidade de seus crimes. É como se o salmista dissesse: "Eles pleiteiam contra mim, como se a causa deles fosse justa; por conseguinte, pleiteia contra eles, como se a razão estivesse do meu lado". Este versículo quase certamente tem em mente algum caso da lei que produziria a punição capital. Alguns estudiosos veem aqui as tribulações de Davi com Saul e apontam para a base bíblica de 1Sm 24.12-15, mas isso não passa de conjectura.

■ **35.2,3**

הַחֲזֵק מָגֵן וְצִנָּה וְקוּמָה בְּעֶזְרָתִי:

וְהָרֵק חֲנִית וּסְגֹר לִקְרַאת רֹדְפָי אֱמֹר לְנַפְשִׁי יְשֻׁעָתֵךְ אָנִי:

Embraça o escudo e o broquel. *Uma Metáfora Militar.* Yahweh teve de sair a campo para defender o pobre homem, pois, de outro modo, sua causa estaria perdida, e ele seria apedrejado fora do acampamento. Isto posto, o Guerreiro Yahweh precisou marchar com sua armadura e ameaçar com suas armas a fim de salvar uma vida. O vs. 2 mostra as armas defensivas que Yahweh usaria, e o vs. 3 fala das armas ofensivas empregadas para ferir os falsos acusadores. Esta parte do versículo salienta o fato de que os adversários do salmista eram guerreiros, no sentido literal, destacando, igualmente, o perigo de ele ser morto durante a guerra. Porém, parece melhor compreender estes dois versículos em um sentido metafórico. O salmista estaria em uma batalha vital, em um "tribunal", como se estivesse sendo atacado por um exército estrangeiro, porquanto seus acusadores, como é evidente, eram muitos.

O Campeão divino sairia à batalha protegido por sua armadura, porquanto se encaminhava à guerra. Os dois escudos mencionados são primeiramente o pequeno e redondo, e então o escudo maior (o broquel) que o soldado levava para sua proteção *completa*, pois lhe cobria o corpo inteiro. Cf. 1Rs 10.16. Ver no *Dicionário* os verbetes denominados *Armadura; Armas* e *Guerra*.

"Note o leitor que o poeta, na intensidade de seu propósito, esqueceu-se da anomalia de armar um guerreiro com dois escudos de uma só vez. O ousado voo da imaginação que pôde pintar o Ser divino como um guerreiro (uma figura simbólica comum de acordo com a poesia dos hebreus) é aqui mais vividamente retratado ainda do que em qualquer outro lugar da Bíblia, exceto em Is 63.1" (Ellicott, *in loc.*).

Empunha a lança. A lança deveria ser usada a curta distância; e o dardo, a grande distância. Algumas versões, de fato, mencionam as duas armas aqui. Mas a segunda delas é substituída pelas palavras "reprime o passo", na *Revised Standard Version* e em nossa versão portuguesa, a variante preferida por alguns eruditos. Se isso está correto, então o Guerreiro saiu ao campo de batalha armado somente de lança para fazer cessar o ataque contra o poeta, e liquidar com a ameaça que lhe era imposta. Então o Guerreiro divino poderia dizer à alma do homem protegido: "Eu sou a tua salvação" (isto é, *livramento* de qualquer dano físico, pois não há aqui ideia alguma sobre a salvação da *alma*, em um sentido espiritual).

Minha alma. Estas palavras referem-se à totalidade da pessoa, e não somente à alma imaterial. Nenhum homem estava atacando a alma imaterial do salmista.

A tua salvação. Ou seja, o livramento de qualquer perigo *físico*, e não a salvação eterna da alma.

Os intérpretes modernos cristianizam este texto e falam sobre questões espirituais, a alma e sua salvação; mas, quando muito, isso só pode ser feito mediante uma *aplicação*, e não como uma interpretação verdadeira do salmo.

■ **35.4**

יֵבֹשׁוּ וְיִכָּלְמוּ֮ מְבַקְשֵׁ֪י נַ֫פְשִׁ֥י יִסֹּ֣גוּ אָח֣וֹר וְיַחְפְּר֑וּ חֹ֝שְׁבֵ֗י רָעָתִֽי׃

Sejam confundidos e cobertos de vexame. Se o *Divino Guerreiro* não saísse em defesa do homem que estava sendo falsamente acusado, *este* seria coberto de vergonha. Ele teria confiado em Deus; mas que benefício isso lhe havia trazido? Portanto, o salmista orou para que os seus próprios acusadores fossem confundidos e cobertos de vexame. Eles se tinham desonrado e seriam desonrados. Ver as notas expositivas sobre Sl 25.1, quanto à questão de ser *envergonhado*.

O salmista não hesitou em invocar imprecações contra os seus inimigos. De fato, muitos dos salmos de lamentação também são salmos de *imprecação*. Está em pauta algum tempo antes de Jesus e sua mensagem. Quem amaria os seus inimigos? Quem abençoaria os seus amaldiçoadores? (Ver Mt 5.44). Mas o simples fato de que Jesus ensinou uma moralidade superior não significa que agora os homens a colocam em prática. Sempre será verdade que é mais fácil odiar do que amar, e isso também é muito mais peculiar da natureza humana. Até os chamados indivíduos espirituais gostam de unir-se em contendas e no ódio, atirando-se contra irmãos com quem lutam! Tal como o ceticismo é o vício e a maldição do liberalismo, assim também as contendas e as lutas são o vício e a maldição do fundamentalismo. Posições teológicas extremadas naturalmente atraem os extremistas.

O poeta sagrado reforçou suas imprecações com diversas símiles (vss. 4-9).

Retrocedam. Encontramos aqui a *primeira símile*. O salmista, obviamente, continuava usando a sua metáfora militar. Ele via o Guerreiro Divino fazendo retroceder os seus inimigos e colocando-os em fuga, tão completa e final foi a vitória obtida. Eles fugiram como guerreiros confusos, que recuam em desordem. O salmista estava ao lado de Deus, e Deus estava ao lado do salmista. Seus oponentes eram odiadores e destruidores que mereciam ser odiados por Deus e pelos homens, e também ser destruídos, visto que seu intuito era destruir. Adam Clarke (*in loc.*) supunha que as imprecações (maldições) fossem legítimas, visto que não se voltavam contra a alma imortal de nenhum ser humano. Essa parece ser uma boa lógica para todos, exceto para Jesus, que vivia acima da lógica humana, em sua filosofia de amor.

Intérpretes modernos vinculam o presente texto a 1Sm 24.22 e 26.25, onde Saul foi *impedido* de prejudicar Davi e teve de retornar à sua casa. Alguns cristianizam o texto e veem Jesus, o Cristo, fazendo recuar os inimigos do crente, porque este não pode ser prejudicado. Trata-se de uma boa *aplicação* espiritual, mas este salmo não é messiânico.

■ **35.5**

יִֽהְי֗וּ כְּמֹ֥ץ לִפְנֵי־ר֑וּחַ וּמַלְאַ֖ךְ יְהוָ֣ה דּוֹחֶֽה׃

Sejam como a palha ao léu do vento. *A Segunda Símile*. Os inimigos do homem bom são como a *palha* diante do vento. O vento é o *poder de Deus*, ou então é o paralelo disso, o *Anjo do Senhor*, que expulsa os ímpios. Os anjos são chamados no Antigo Testamento hebraico de *elohim*, ou seja, "poderes". Ver no *Dicionário* o verbete intitulado *Anjo*, quanto a detalhes sobre a doutrina das qualidades e atividades dos seres angelicais. O homem bom é protegido pelos poderes celestiais, e o homem mau, em contrapartida, recebe oposição por parte dos poderes celestiais. O poeta sagrado solicitou que isso fosse uma realidade em seu caso.

Os ímpios... são... como a palha que o vento dispersa. Por isso, os perversos não prevalecerão no juízo.

Salmo 1.4,5

"O anjo é a personificação do vendaval, que empurra adiante de si todos os obstáculos e avassala até exércitos inteiros em lugares perigosos" (Ellicott, *in loc.*). Cf. Êx 12.29 e 2Rs 19.35, quanto ao poder de destruição dos anjos, que fizeram retroceder exércitos inteiros por causa dos justos. Ver Hb 1.14, quanto ao serviço prestado pelos anjos em favor dos remidos.

■ **35.6**

יְֽהִי־דַרְכָּ֗ם חֹ֥שֶׁךְ וַחֲלַקְלַקּ֑וֹת וּמַלְאַ֥ךְ יְהוָ֗ה רֹדְפָֽם׃

Torne-se-lhes o caminho tenebroso e escorregadio. *A Terceira Símile*. Sendo perseguidos pelos anjos, os ímpios têm de passar por *terrenos perigosos*, o que lhes garante a queda. Talvez haja aqui uma menção à experiência no mar Vermelho, onde os egípcios pereceram nas águas, enquanto Israel atravessava a terra seca. O mais provável, entretanto, é que aqui sejamos convidados a pensar em um perigoso terreno acidentado, ensopados de água devido a um temporal rugidor. "As veredas ou trilhas nas colinas de calcário da Palestina algumas vezes ficavam gastas e lisas como o mármore. Cf. Sl 73.18" (*Speaker's Commentary, in loc.*).

Tu certamente os pões em lugares escorregadios, e os fazes cair na destruição.

Salmo 73.18

O exército em fuga pode ter escapado dos anjos que o perseguiam; mas, impedidos por atoleiros, espinheiros e rochas lisas, caiu e tornou-se presa fácil para os perseguidores divinos. Portanto, foi destruído, enquanto o homem bom escapou livre.

■ **35.7**

כִּֽי־חִנָּ֣ם טָֽמְנוּ־לִ֭י שַׁ֣חַת רִשְׁתָּ֑ם חִ֝נָּ֗ם חָפְר֥וּ לְנַפְשִֽׁי׃

Pois sem causa me tramaram laços. *A Quarta Metáfora*. O salmista agora apresenta símiles baseadas na vida do caçador. O homem corre para a *rede*, tal como algum infeliz animalzinho ou pássaro é apanhado em armadilha, pelo que é fácil de matar e o produto de seu corpo redunda no bem dos matadores. Note o leitor que a rede ocultada pelo caçador para apanhar a presa é a própria armadilha onde a caça cai inconsciente, em um momento de descuido. Quanto à *metáfora da rede*, cf. Sl 9.15; 10.9; 25.15; 31.4; 35.7,8; 57.6; 66.11; 140.5; Pv 1.17; 12.12; 29.5; Ec 9.12 (uma rede de apanhar peixes); Is 51.20; Lm 1.13; Ez 12.13; Os 7.12 e Hc 1.15,16. Ver no *Dicionário* o verbete chamado *Rede*.

A Quinta Símile. A rede foi posta por cima de uma cova, onde supostamente o homem bom cairia, submetendo-se assim à destruição. A *Revised Standard Version* separa as símiles da rede e da cova; mas algumas traduções as apresentam em conjunto, como se a cova fosse escondida por uma rede disfarçada. Seja como for, a cova era uma armadilha comum para apanhar animais. As florestas da Palestina eram abundantemente habitadas por animais selvagens, pelo que covas escavadas nas trilhas para a água com certeza apanhavam grande "colheita" de animais. A cova oculta era algo terrível, que se tornou símbolo do *seol*, a grande cova, que muitos pensavam estar abaixo da superfície da terra. Quanto à *metáfora da cova*, ver também Sl 7.15; 9.15; 30.3,9; 40.2; 55.23; 57.6; 69.15; 88.4,6; 94.13; 143.7; Pv 1.12; 22.14; 28.10; Ec 10.8 e Is 14.15.

Quem abre uma cova, nela cairá...
Eclesiastes 10.8

35.8

תְּבוֹאֵהוּ שׁוֹאָה לֹא־יֵדָע וְרִשְׁתּוֹ אֲשֶׁר־טָמַן תִּלְכְּדוֹ בְּשׁוֹאָה יִפָּל־בָּהּ׃

Venha sobre o inimigo a destruição. *A Sexta Símile.* O indivíduo que quer destruir é, de súbito, apanhado pela *destruição*. O caçador, que estendeu a rede ou escavou uma cova, aproxima-se da armadilha e ali encontra o pobre animal caído. Com um sorriso malicioso nos lábios, mata o pobre animal com sua lança ou um golpe de espada. O animal valia somente a sua pele, ou outro produto de seu corpo. Mas o poeta reverte a metáfora e faz o caçador ser caçado, e o próprio destruidor ser destruído em sua cova, ou ser ali atingido pela flecha, ou ser apanhado nas dobras de sua rede. Pensemos no caso de Hamã, que foi enforcado na própria forca, ou melhor, que foi empalado em sua própria máquina de empalação. Os planos do ímpio armam o palco para sua própria destruição. Cf. Sl 38.12; 40.14 e 70.2.

Sem provocação, esconderam uma rede para mim;
Sem provocação, cavaram uma cova para mim;
Que a rede que armaram os apanhe;
Que a cova que cavaram os receba na queda.
Arruinados, que fiquem ali caídos.
Ideias sugeridas por Ellicott, *in loc.*

Abre e aprofunda uma cova, e cai nesse mesmo poço que faz.
A sua malícia lhe recai sobre a cabeça...
Salmo 7.15,16

Confiança no Senhor (35.9,10)

35.9

וְנַפְשִׁי תָּגִיל בַּיהוָה תָּשִׂישׂ בִּישׁוּעָתוֹ׃

E minha alma se regozijará no Senhor. *Conclusão.* Fracassaram todas as armadilhas preparadas pelo ímpio para matar o homem bom. Assim sendo, o homem bom tem razão de estar alegre e irromper em um hino de louvores e ações de graças. Tipicamente, os salmos de lamentação terminam com uma nota de triunfo e louvor pela resposta à oração, ou porque o autor sacro tinha certeza de que a resposta estava a caminho.

Acredito que o Senhor ouviu a minha oração;
Acredito que a resposta está a caminho.
Não te desfaças da tua confiança
No Senhor, teu Deus.

O Salmo 35 não consiste em um único salmo, mas incorpora *três* salmos de lamentação: vss. 1-10; 11-18 e 19-28. Cada um deles tem seu próprio e jubiloso término, com ações de graças apropriadas. O Salmo 31 também é composto, e um de seus elementos, os vss. 9-12, não contém nenhuma exultação final. O pobre homem morrerá. Ademais, o Salmo 88, de lamentação, termina em uma atitude de desespero. Isso, meus amigos, é verdadeiro na experiência humana. Nem sempre triunfamos. Nem sempre somos livrados. Nesses casos precisamos ter fé na bondade de Deus e olhar para "além" do sepulcro como o lugar das misericórdias seguras, no estado eterno. Não obstante, visto que a maioria dos salmos de lamentação termina em triunfo, assim também confiamos que usualmente o triunfo salva o homem justo que sofre aflições, até mesmo na vida presente, pelo menos até que sua missão na terra esteja terminada.

A *nota-chave* do término deste salmo é a *alegria*.

Alegrai-vos sempre no Senhor; outra vez digo, alegrai-vos.
Filipenses 4.4

A alegria é *um poder curador*, ao passo que a tristeza contínua termina criando enfermidade no corpo. Li sobre um homem que curou uma séria e fatal enfermidade mediante a alegria e o riso, produzidos por assistir a filmes cheios de comédia e alegria. Quanto mais a alegria espiritual é curadora! O triunfo provoca a alegria. O poeta sagrado triunfou sobre seus adversários, não por causa de suas próprias virtudes, mas porque Yahweh interveio em seu favor.

Salvação. Não está em pauta aqui a salvação da alma, mas antes o *livramento* da morte prematura, tão temida pelos hebreus. Isto posto, o homem podia continuar vivendo e cumprindo seus propósitos na vida.

35.10

כָּל עַצְמוֹתַי תֹּאמַרְנָה יְהוָה מִי כָמוֹךָ מַצִּיל עָנִי מֵחָזָק מִמֶּנּוּ וְעָנִי וְאֶבְיוֹן מִגֹּזְלוֹ׃

Todos os meus ossos dirão. Os ossos, a estrutura sobre a qual o corpo é arquitetado, e da qual depende, foram usados metaforicamente para falar do corpo inteiro ou mesmo da *pessoa inteira*. Quanto à *metáfora dos ossos*, ver também Sl 6.2 e 32.3, onde apresento referências bíblicas e ideias. Os ossos, pois, entoaram seu hino de livramento. Yahweh (o Eterno), que também é El (o Poder), livra os fracos de seus inimigos, que são fortes demais para eles. Os que estão prestes a serem esmagados pelos ímpios são livrados. Visto que estão *necessitados*, por isso mesmo atraem a misericórdia do Senhor. E ele se torna a força deles.

Ele me disse: A minha graça te basta, porque o poder se aperfeiçoa na fraqueza. De boa vontade, pois, mais me gloriarei nas fraquezas, para que sobre mim repouse o poder de Cristo.
2Coríntios 12.9

O mísero. Não com respeito a questões financeiras, mas, como um *sofredor*, o homem estava em situação tão lastimável que precisava de ajuda especial. Cf. Sl 18.17. Este versículo tem sido cristianizado para falar dos *crentes fracos*, que vivem em um mundo hostil e são salvos evangelicamente. É uma boa *aplicação*, mas não é disso que trata este salmo.

SEGUNDA LAMENTAÇÃO: TESTEMUNHAS MALICIOSAS (35.11-18)

35.11

יְקוּמוּן עֵדֵי חָמָס אֲשֶׁר לֹא־יָדַעְתִּי יִשְׁאָלוּנִי׃

Levantam-se iníquas testemunhas. O Salmo 35 incorpora três salmos de lamentação: vss. 1-10; vss. 11-18 e vss. 19-28. Este segundo salmo (da trilogia) muda a razão para o clamor por socorro. *Testemunhas maliciosas* tinham-se levantado contra o poeta sagrado, ameaçando-o de execução, por meio de um ato judicial. Ver o vs. 1, onde esse tipo de inimigo já havia sido identificado.

Os salmos de lamentação apresentam os seguintes elementos: 1. inimigos procedentes de exércitos estrangeiros; 2. inimigos de dentro do acampamento de Israel (como nesta seção); 3. inimigos do corpo, que ameaçavam a vida física da pessoa. Na presente seção do Salmo 35, a dor do pobre homem é intensificada porque os seus inimigos eram amigos que se tinham voltado contra ele. Mas ele continuava a orar, pedindo livramento, pleiteando e clamando. Finalmente, porém, foi-lhe concedido o triunfo, e assim ele deu ações de graças em altas vozes e louvores. A triste causa de seus inimigos havia sido derrotada, e Yahweh tinha influenciado a decisão do tribunal. Este salmo talvez faça alusão a algum plano secreto para matar o poeta sagrado, e não por decisão judiciária. Alguns estudiosos supõem estar em foco uma *enfermidade física*. Quando seus inimigos estavam enfermos, o salmista orou por eles. Mas quando chegou a sua vez de enfermar, eles se riram e esperaram sua morte. Seja como for, a oração dele mostrou-se eficaz. O salmista foi libertado da aflição, a despeito das esperanças pervertidas de outros, que desejavam a sua morte.

Iníquas testemunhas. Foram ditas coisas contra o salmista que ele nem ao menos havia imaginado e, muito menos, praticado. Este versículo põe as palavras do salmo no tribunal, onde estava sendo efetuado o julgamento do poeta sacro. O resultado do julgamento poderia ser a *punição capital*. Assim sendo, o pobre homem clamara para que Yahweh pleiteasse a sua causa e o libertasse das feras que o tinham cercado. O salmista tinha feito o bem para os seus inimigos, mas eles estavam pagando o bem com o mal (ver os vss. 11 e 12). Este versículo nos faz lembrar das falsas testemunhas que se levantaram contra Jesus, pelo que podemos ter aqui um reflexo messiânico, embora o salmo, como um todo, não seja messiânico. Ver Mt 26.59,60. Também encontramos aqui um paralelismo com acontecimentos na vida de Davi. Ver 1Sm 24.9. Ele pode ter sido o antítipo de Jesus. Outro tanto sucedeu aos apóstolos (ver At 24.5,6). Os mentirosos sempre acham alguém contra quem lançar suas calúnias maliciosas.

■ **35.12,13**

יְשַׁלְּמ֣וּנִי רָ֭עָה תַּ֥חַת טוֹבָ֗ה שְׁכ֣וֹל לְנַפְשִֽׁי׃

וַאֲנִ֤י ׀ בַּחֲלוֹתָ֡ם לְב֬וּשִׁי שָׂ֗ק עִנֵּ֣יתִי בַצּ֣וֹם נַפְשִׁ֑י וּ֝תְפִלָּתִ֗י עַל־חֵיקִ֥י תָשֽׁוּב׃

Os *mentirosos* que agora buscavam a morte do homem bom haviam sido seus *amigos*. Formavam um bando de Judas. O poeta sacro fora bom para com eles. Quando eles estavam enfermos ou padeciam de alguma outra aflição, o salmista orou por eles e agiu em favor deles. Ficou tão preocupado que chegou a chorar por eles, lamentando-se e vestindo o cilício em sinal de tristeza. O homem bom chegara a *jejuar* por aqueles amigos, tentando tornar suas orações mais eficazes e mostrar o caráter genuíno de sua lamentação. Ele tinha orado fervorosamente com humildade, ou seja, com a cabeça pendida sobre o peito (ver também a *Revised Standard Version*). Diz o hebraico, literalmente, "minha oração voltou-se para trás", mas a referência parece ser à postura do homem, em sua oração. Isso explica a tradução da Imprensa Bíblica Brasileira: "Orava de cabeça sobre o peito".

Ver no *Dicionário* os artigos *Jejum*; *Pano de Saco*; *Oração*; *Lamentação* (especialmente a seção III, "Alguns Modos e Costumes de Lamentação").

Este versículo pode, talvez, querer dizer que as orações do homem bom foram rejeitadas; mas não parece ser isso o que está em vista, embora alguns intérpretes vejam a questão por esse ângulo.

■ **35.14**

כְּרֵֽעַ־כְּאָ֣ח לִ֭י הִתְהַלָּ֑כְתִּי כַּאֲבֶל־אֵ֝֗ם קֹדֵ֥ר שַׁחֽוֹתִי׃

Portava-me como se ele fora meu amigo, ou meu irmão. A sinceridade do pobre homem, em suas lamentações e fervorosas orações, era inspirada pelo fato de que ele se lamentava como se fosse por um ente da família.

Até o meu amigo, em quem eu confiava, que comia do meu pão, levantou contra mim o calcanhar.

Salmo 41.9, que é citado em Jo 13.18, acerca da experiência de Jesus

Cf. isso com a lamentação de Davi pela morte de seu arqui-inimigo Saul (ver 2Sm 1.17-27). O homem bom caminhava ao léu como um zumbi; ele se sentou sobre um monturo de cinzas, com todos os sinais externos do luto, clamores de tristeza, pano de cilício sobre as costas, e o rosto coberto de cinzas. Ver o artigo chamado *Lamentação*, seção III, quanto a detalhes sobre esses sinais. Cf. Gn 37.34 e Sl 30.11. Ver também Lv 16.29,31 e Is 58.3. Ver, finalmente, como Jesus chorou sobre Jerusalém, em Lc 19.41 ss.; 23.34 e Mt 23.37.

■ **35.15**

וּבְצַלְעִי֮ שָׂמְח֪וּ וְֽנֶאֱ֫סָ֥פוּ נֶאֶסְפ֬וּ עָלַ֣י נֵ֭כִים וְלֹ֣א יָדַ֑עְתִּי קָֽרְע֥וּ וְלֹא־דָֽמּוּ׃

Quando, porém, tropecei. Todavia, quando o salmista enfermou ou sofreu alguma aflição, seus ex-amigos se alegraram, chegando ao extremo de rir-se e zombar dele. Não somos informados *por que* isso sucedeu, mas sabemos que as amizades com frequência são meras questões de conveniência e podem ser bastante superficiais. Um ato descuidado pode transformar amigos em inimigos, tão frívolo é o coração humano. Nada é dito acerca de *por que* os antigos amigos do poeta sacro se voltaram contra ele. Algumas vezes os homens fazem isso sem nenhuma razão evidente, mas apenas porque têm ódio no coração e precisam vergastar alguém para aliviar seu mal-estar interior.

A *Revised Standard Version* diz vividamente: "Ao meu tropeçar, eles se reuniram em alegria feroz", e essa reunião foi "contra" o poeta sagrado. Eles o rasgaram em pedaços, como alguém rasgaria uma peça de vestuário já velha. Talvez haja aqui um jogo de palavras. O poeta lamentava-se, rasgando suas roupas. Mas, quando chegou a sua vez de tropeçar e cair, seus falsos amigos rasgaram a ele, e não as próprias vestes. A *Revised Standard Version* diz que o ato de *rasgar* foi feito por meio de *calúnias*, pois alguns indivíduos realmente rasgam o próximo com suas palavras.

Oh, Deus, que carne e sangue fossem tão baratos,
Que os homens odiassem e matassem,
Que os homens silvassem e cortassem a outros,
Com línguas de vileza...

Russell Champlin

Que eu não conhecia. 1. Algumas pessoas desconhecidas juntaram-se ao grupo perseguidor; 2. O salmista não sabia *por que* eles agiam daquela forma; 3. Eles chegaram sem aviso, ferindo em segredo e repentinamente. O trecho hebraico é bastante obscuro, pelo que esses três pareceres são meras conjecturas.

Sem tréguas. Agiram como um exército invasor que não demonstra misericórdia, perseguindo sem quartel, não dando margem a tratados ou concordâncias. Eles queriam mesmo tirar a vida do poeta. Somente quando o vissem morto parariam seus atos nefandos.

■ **35.16**

בְּחַנְפֵ֗י לַעֲגֵ֥י מָע֑וֹג חָרֹ֖ק עָלַ֣י שִׁנֵּֽימוֹ׃

Como vis bufões em festins. *Os homens vão a festas* e empregam a ação cortante de seus dentes. O poeta sagrado foi *mordido* como se ele fosse a festa a ser consumida. "Eles mastigaram com fúria veemente (ver Sl 37.12; At 7.54)" (Fausset, *in loc.*). O trecho hebraico aqui é difícil de traduzir, sendo literalmente "como os zombadores mais profanos de um bolo" e deixando os intérpretes admirados com o sentido pretendido. Eles agiram "com profanação e barbarismo" (*Old Commentary for English Readers*, IV, 137), o que, provavelmente, é a ideia geral do texto, mas cuja tradução não é fácil derivar do hebraico original. Com razão, pois, Ellicott, observou: "Esta cláusula está eivada de dificuldades". A Septuaginta e a Vulgata Latina dizem: "Eles me tentaram; zombaram de mim com zombarias". A *King James Version* refere-se a "zombadores hipócritas", mas a palavra aqui vertida em letras itálicas poderia ser mais bem traduzida por "profanos" ou "ímpios". Quanto à palavra hebraica que pode ser traduzida como "bolos", alguns intérpretes preferem dizer "festins". Além disso, somos informados sobre os "zombadores de bolos", ou seja, indivíduos hipócritas que, como parasitas, se ajuntam em torno da mesa dos ricos. Isso nos faz lembrar do tratamento zombeteiro a que Jesus foi submetido. Herodes o vestiu com uma veste de cor púrpura para escarnecer de sua realeza, e também pôs uma cana em sua mão como se fosse um cetro; e a soldadesca se ajoelhou diante dele, em zombarias. É provável que tudo isso tenha ocorrido por ocasião de um dos *festins* de Herodes. Ver Mt 27.29 ss. O que foi dito acima provavelmente é compreensível sem que seja preciso explicar, em termos exatos, o sentido derivado do hebraico em questão.

■ **35.17**

אֲדֹנָי֮ כַּמָּ֪ה תִּ֫רְאֶ֥ה הָשִׁ֣יבָה נַ֭פְשִׁי מִשֹּׁאֵיהֶ֑ם מִ֝כְּפִירִ֗ים יְחִידָתִֽי׃

Até quando, Senhor, ficarás olhando? Yahweh parecia estar olhando com *indiferença*, pelo momento um Deus deísta que tivesse abandonado a sua criação, enquanto o poeta sagrado passava desesperada necessidade de um Deus teísta que interviesse nos negócios humanos. Pela nossa experiência de demora na resposta às orações, todos sabemos que algumas petições nem chegam a ser respondidas. E a razão disso nem sempre é que pedimos erroneamente ou que temos algum pecado que impede a resposta. Existem *enigmas* na vontade de Deus, e estaremos exagerando se dissermos que Deus sempre responde às orações quando obedecemos às suas regras.

"Comovido pela tragédia do próprio caso, o salmista de súbito irrompeu num apelo por si mesmo, em lugar de amaldiçoar os adversários. 'Até quando, Senhor...?', uma exclamação característica dos salmos de lamentação... O tempo de ajuda é sempre curto por causa da crueldade bestial dos que se haviam atirado contra o salmista. 'Salva-me dos leões'" (William R. Taylor, *in loc.*).

Livra-me a alma. "Alma", aqui, no hebraico literal, é "minha única". Esta é uma terna referência à vida de um homem como algo *precioso* para ele. Este vocábulo foi usado acerca de um *filho único*, em Gn 22.2,12 e Jz 11.34. O quanto os homens valorizam a própria vida! Não está aqui em vista a alma (o homem *imortal*). Pelo contrário, o poeta sagrado temia perder o seu grande tesouro, a *própria vida*, mediante uma morte prematura. Nenhum ser humano era capaz de tocar em sua alma. A vida humana torna-se ainda mais preciosa quando a consideramos uma *alma eterna!*

> Que aproveita ao homem ganhar o mundo inteiro e perder a sua própria alma? Que daria um homem em troca de sua alma?
>
> Marcos 8.36,37

"Minha alma, de uma preciosidade sem-par, livra-a tu de adversários que são como leões (Sl 22.21)" (Fausset, *in loc.*).

■ 35.18

אוֹדְךָ בְּקָהָל רָב בְּעַם עָצוּם אֲהַלְלֶךָּ:

Dar-te-ei graças na grande congregação. O salmo de lamentação iniciado no vs. 11 segue agora o encerramento típico, terminando em *alegria e ações de graças*, porque a oração do salmista, pedindo livramento, tinha sido respondida, ou porque o poeta sagrado sabia que em breve seria atendido. Dentre os mais de sessenta salmos de lamentação, somente os Salmos 31.9-12 e 88 terminam sem alegria. Continuemos a orar! O homem estava tão alegre porque fora privilegiado com uma intervenção divina que levou seus louvores à congregação, e conclamou toda a comunidade israelita, no templo, para ajudá-lo a exprimir o seu agradecimento. Em Israel, os hinos eram cantados com o acompanhamento de instrumentos musicais, e ali haveria agradecimentos comunais a Yahweh, o Deus de toda a humanidade. Provavelmente havia sido feito um voto. Uma resposta positiva à oração feita seria publicada para que todos a ouvissem.

> A voz da oração nunca é silenciosa,
> Nem a insistência do louvor morre cedo.
>
> John Ellerton

Há *grande multidão*, lá nos céus, que nenhum homem pode enumerar, agradecendo a Deus (ver Ap 7.9), pelo que a grande congregação leva avante o dever e o privilégio de prestar louvores e ação de graças.

> A meus irmãos declararei o teu nome; cantar-te-ei louvores no meio da congregação.
>
> Salmo 22.22

"Este é um versículo encorajador para os adoradores que esquecem que fazem parte de uma grande congregação espalhada pelo mundo, cujas orações nunca são silentes, e cujos louvores nunca deixam de ser ouvidos" (J. R. P. Sclater, *in loc.*).

TERCEIRA LAMENTAÇÃO: UM GRITO PEDINDO AJUDA (35.19-28)

O Salmo 35 é uma espécie de *trilogia*, ou seja, a combinação de três salmos de lamentação separados que foram reunidos em um único. Cada um deles tem as características dessa espécie de salmo, dos quais há mais de sessenta dentro da coletânea completa de 150 que formam o saltério. Há aqui um grito desesperado pedindo ajuda; em seguida, são descritos os inimigos ameaçadores; e, finalmente, há o grito de triunfo quando o livramento já foi concedido. Somente os Salmos 31.9-12 e 88 terminam em atitude de desespero. Portanto, continuemos a orar! Esses três salmos são compostos dos vss. 1-10; vss. 11-18 e vss. 19-28.

Talvez os vss. 22-28 devessem ser também separados do terceiro salmo como uma composição distinta, uma adição editorial. Ou então o autor original, ou compilador, dos três salmos simplesmente tenha repetido seu clamor por vindicação. Muitos salmos de lamentação incluem fortes versículos de *imprecação* (maldição) contra vários inimigos, e isso fica aquém dos ensinos de Jesus sobre o amor que devemos ter pelos nossos inimigos, e sobre fazer o bem àqueles que nos fazem o mal (ver Mt 5.44). Os hebreus não se mostraram dignos do ideal de Jesus, e nós continuamos a não nos mostrar dignos desse ideal. Portanto, continuemos a crescer! O terceiro salmo (vss. 19-28) é, essencialmente, um clamor pedindo *justiça*. Somente Deus pode realmente endireitar os erros cometidos, e raramente tais erros são corrigidos neste mundo físico. Emanuel Kant baseou um argumento moral sobre esse fato, em favor da sobrevivência da alma diante da morte biológica, e em favor da existência de Deus. Para que a *justiça* seja realmente feita, a alma precisa sair desta dimensão física, a fim de ser recompensada ou punida. E, então, para que haja os devidos galardões ou punições, Deus precisa existir, dotado de inteligência e poder para concedê-los. De outra maneira, teremos de admitir que o *caos* governa este mundo, em lugar da justiça.

■ 35.19

אַל־יִשְׂמְחוּ־לִי אֹיְבַי שֶׁקֶר שֹׂנְאַי חִנָּם יִקְרְצוּ־עָיִן:

Este versículo nos brinda com uma nova descrição dos inimigos. Eles se regozijavam diante dos danos causados contra o poeta sacro e piscavam os olhos, ao zombarem dele. Eram inimigos *sem razão* (isto é, *injustamente*), e também odiavam sem justificativa. Eram simplesmente odiadores profissionais, como o são tantas pessoas religiosas, infelizmente! Tais pessoas não falam em paz. Pelo contrário, fabricam mentiras e proferem palavras inchadas de ódio e violência. É provável que os inimigos que o salmista tinha de enfrentar fossem aqueles "do acampamento de Israel", o que também acontece em toda a trilogia. No segundo salmo (vss. 11-18), eles eram ex-amigos, mas este não parece ser o caso aqui. Pessoas virulentas ferem, quando piscam uma para a outra, em aprovação ao próprio "eu" e à comunidade, enquanto o ser humano ferido agoniza no chão. Cf. Jo 15.25. Jesus foi odiado sem motivo algum. Cf. Rm 3.24. Até o amor oferecido gratuitamente é desprezado por essas pessoas. É possível que Saul e seus cortesãos estejam em vista aqui, porquanto queriam ver Davi massacrado. Talvez encontremos aqui um indício messiânico, embora este salmo, como um todo, não possa ser assim classificado.

Não pisquem os olhos. Isso era, e continua sendo, um gesto comum de *concordância*, que não requer que nenhuma palavra seja dita.

> Acena com os olhos, arranha com os pés e faz sinais com os dedos.
>
> Provérbios 6.13

> O que acena com os olhos traz desgosto, e o insensato de lábios vem a arruinar-se.
>
> Provérbios 10.10

O gesto de piscar com os olhos também fala do *prazer* que alguém sente diante de algum acontecimento ou então: "Temos um segredo sobre o qual as outras pessoas nada sabem". O poeta sacro era a vítima do piscar de olhos de seus adversários. Esse gesto também pode ser de zombaria ou motejo, através do qual um homem superior olha para um homem inferior.

■ 35.20

כִּי לֹא שָׁלוֹם יְדַבֵּרוּ וְעַל רִגְעֵי־אֶרֶץ דִּבְרֵי מִרְמוֹת יַחֲשֹׁבוּן:

Não é de paz que eles falam. Os ímpios barulhentos não dão um instante de paz aos homens que estão ocupados em seus próprios afazeres. Pelo contrário, rilham os dentes contra eles com palavras caluniosas e armam-lhes ardis, causando tremenda confusão. "... os indivíduos honrados da terra, isto é, os judeus piedosos que queriam preservar das influências estrangeiras a vida nacional e a fé religiosa, entre os quais, por certo, havia alguns levitas" (Ellicott, *in loc.*). Mas o autor sagrado parece continuar a arenga contra as falsas testemunhas, que queriam destruir um homem bom com as suas calúnias. Eles caluniam o homem bom, acusando-o de ter cometido algo que ele nunca cometeu, fazendo disso até um caso de punição capital. Veja o leitor o exemplo dos irmãos mentirosos de José (ver Gn 37.4) e dos inimigos de Davi (ver Sl 115.6,7), para não falarmos no caso de Jesus (ver Mt 22.16,17 e 26.59,60).

■ **35.21**

וַיַּרְחִיבוּ עָלַי פִּיהֶם אָמְרוּ הֶאָח הֶאָח רָאֲתָה עֵינֵינוּ׃

Escancaram contra mim a boca. Observando o homem inocente, seus olhos inventam falsos acontecimentos e *apanham* sua vítima em algum ato perverso fictício, dizendo: "Ah! Ah! Os nossos olhos viram". Ato contínuo, espalham sua ficção e tratam de incriminar o homem bom, transformando-o em um vilão diante de outras pessoas. Em seguida, apresentam o "crime" a um tribunal e tentam executar o homem bom. O hebraico por trás do "Ah! Ah!" é *heach, heach*, um *som gutural* prolongado que chama a atenção auditiva de maneira desagradável. Essas palavras irritam os ouvidos de qualquer homem bom.

Todos os que me veem zombam de mim; afrouxam os lábios e meneiam a cabeça.

Salmo 22.7

Uma Oração Pedindo Vindicação (35.22-28)

■ **35.22**

רָאִיתָה יְהוָה אַל־תֶּחֱרַשׁ אֲדֹנָי אַל־תִּרְחַק מִמֶּנִּי׃

Tu, Senhor, os viste; não te cales. *Yahweh Também Observava a Cena.* Ele via o piscar de olhos dos ímpios (vs. 19); ouvia as acusações guturais dos malfeitores (vs. 21); e sabia que pessoas piedosas e pacíficas estavam sendo perseguidas. Em consequência, Deus também falou palavras duras de julgamento contra os malfeitores, e estes haveriam de colher o que semearam. Deus não guardou silêncio, como se coisa alguma tivesse acontecido, e não se afastou da cena, como se não soubesse o que se passava.

*Quer alguém durma, ande ou esteja à vontade,
A Justiça, invisível e muda, lhe segue os passos,
Ferindo sua vereda, à direita e à esquerda,
Pois todo o erro nem a noite esconderá!
O que fizeres, de algum lugar, Deus te vê.*

*E pensas que poderás torcer a sabedoria divina?
E pensas que a retribuição jaz remota, longe dos mortais?
Bem perto, invisível, sabe muito bem a quem deve ferir.
Mas tu não sabes a hora quando, rápida e repentinamente,
Ela virá e varrerá da terra aos iníquos.*

Ésquilo

Cf. Sl 10.14 e Êx 3.7. Os olhos de Yahweh veem a verdade dos fatos. Ele não inventa coisa alguma e julga em retidão. Temos de escolher entre Deus e o caos. Se o Juiz de todos os céus e de toda a terra não fizer o que é certo, nem corrigir os maus e recompensar os bons, então o *caos* é o verdadeiro deus sobre todas as coisas. Mas o Deus teísta está sempre próximo e em plena operação.

... bem que não está longe de cada um de nós.

Atos 17.27

■ **35.23**

הָעִירָה וְהָקִיצָה לְמִשְׁפָּטִי אֱלֹהַי וַאדֹנָי לְרִיבִי׃

Acorda, e desperta para me fazeres justiça. Yahweh parecia estar distante e indiferente diante da causa do perseguido. Portanto, uma vez mais, o homem bom levantou a voz em alto clamor e chamou o Deus Eterno para despertar e agir em favor dele, o homem justo.

Invoco o Senhor, digno de ser louvado, e serei salvo dos meus inimigos.

Salmo 18.3

Levanta-te, Senhor, na tua indignação, mostra a tua grandeza contra a fúria dos meus adversários, e desperta-te em meu favor, segundo o juízo que designaste.

Salmo 7.6

Ver as notas expositivas sobre Sl 7.6, quanto a ideias que se aplicam aqui. Ver também Sl 44.23, trecho que lhe é bastante semelhante.

■ **35.24**

שָׁפְטֵנִי כְצִדְקְךָ יְהוָה אֱלֹהָי וְאַל־יִשְׂמְחוּ־לִי׃

Julga-me, Senhor Deus meu, segundo a tua justiça. *Justifica-me.* O homem inocente estava sendo caluniado por todos os lados. Muitos tinham lançado o grito que dizia: "Ele é culpado! Executem-no!" Somente a intervenção divina podia salvá-lo. Ele precisava ser *vindicado* por meio de algum acontecimento extraordinário, dirigido por Deus, pois, do contrário, sua causa estaria perdida. O Deus *justo* não permitiria que a injustiça fosse feita. Deus agiria em harmonia com a sua natureza e endireitaria todas as coisas. Ele não permitiria que os ímpios se deleitassem com o cumprimento de seus propósitos nefandos — a morte do homem inocente. De fato, eles ficariam consternados e sofreriam a tristeza dos condenados. A comunidade estava agora, porém, quase convencida da culpa do homem acusado do que não fizera, mas Yahweh reverteria a maré do mal, desmascarando aqueles que, realmente, eram culpados de calúnia e atos malignos.

Preparas-me uma mesa na presença dos meus adversários...

Salmo 23.5

■ **35.25**

אַל־יֹאמְרוּ בְלִבָּם הֶאָח נַפְשֵׁנוּ אַל־יֹאמְרוּ בִּלַּעֲנוּהוּ׃

Não digam eles lá no seu íntimo. Os maus propósitos de indivíduos iníquos não teriam cumprimento, para que eles não dissessem: "Conseguimos! O homem está morto!"

Demos cabo dele! Conforme fazem algumas feras, que apanham uma presa impotente, a qual logo se transforma em almoço. Mas o hebraico original diz aqui, literalmente, "devorar", como um peixe que apanha algo que comer, ou como um animal que esmaga, chupa e *engole* sua presa. A figura simbólica é a da vitória absoluta, cujo resultado é a destruição total da vítima. Deus não permitiria que tal *ultraje* ocorresse.

"... como leões que, rugindo, engolem sua presa, ao que ele os havia comparado, no vs. 17; e como homens ímpios que devoram o povo do Senhor, tal como comem pão (Sl 14.4)" (John Gill, *in loc.*).

... que devoram o meu povo, como quem come pão.

Salmo 14.4

■ **35.26**

יֵבֹשׁוּ וְיַחְפְּרוּ יַחְדָּו שְׂמֵחֵי רָעָתִי יִלְבְּשׁוּ־בֹשֶׁת וּכְלִמָּה הַמַּגְדִּילִים עָלָי׃

Envergonhem-se e juntamente sejam cobertos de vexame. O homem bom ficaria envergonhado se os ímpios triunfassem sobre ele, porquanto diriam: "Aquele tolo confiou em Deus, mas coisa alguma aconteceu em seu favor. Por que não haveríamos de destruí-lo?" Mas os praticantes do mal seriam confundidos uma vez que seus propósitos destruidores foram distorcidos e suas mentiras foram desmascaradas. Ademais, um julgamento divino haveria de mostrar que eles eram meros pecadores. Ver Sl 25.1, quanto à questão da *vergonha*.

Cubram-se de pejo e ignomínia. Tão completa seria a reversão do caso, que os obreiros da iniquidade se cobririam de vestes de pejo e ignomínia. E então os olhos de toda a comunidade veriam quem eles realmente eram, e o juiz do caso decidiria *contra* eles, e *em favor* do homem inocente e bom. Eles abandonariam o tribunal de olhos fitos no chão e cabeça pendida. E as pessoas assobiariam contra eles. Eles conheceriam o ardume da vara castigadora de Yahweh.

Algum acidente ou enfermidade os atingiria, e eles morreriam prematuramente, o que era um terror para a mente hebreia. Eles se tinham engrandecido diante do homem perseguido e de toda a comunidade. Por conseguinte, seriam apropriadamente *humilhados* diante de todos. Eles colheriam o que tinham semeado. Ver no *Dicionário* o verbete intitulado *Lei Moral da Colheita segundo a Semeadura*.

> *Vestiu-se de maldição como de uma túnica: penetre, como água, no seu interior, e nos seus ossos, como azeite.*
> Salmo 109.18

Considere o leitor o mau exemplo deixado por Saul, que perseguiu Davi com a finalidade de tirar-lhe a vida. Mas ele caiu em opróbrio final e sofreu de morte prematura. "Saul e seus cortesãos foram envergonhados, confundidos, revestidos de pejo, e, finalmente, totalmente desonrados. Tudo isso ocorreu na última batalha de Saul contra os filisteus, onde ele perdeu a coroa e a vida, e assim chegou a um fim desonroso" (Adam Clarke, *in loc.*). Ver 1Sm 31.

■ **35.27**

יָרֹנּוּ וְיִשְׂמְחוּ֮ חֲפֵצֵ֪י צִ֫דְקִ֥י וְיֹאמְר֣וּ תָ֭מִיד יִגְדַּ֣ל יְהוָ֑ה
הֶ֝חָפֵ֗ץ שְׁל֣וֹם עַבְדּֽוֹ׃

Cantem de júbilo e se alegrem. *Os verdadeiros amigos do poeta sagrado*, que não o tinham abandonado quando ele sofria severo teste, regozijavam-se e saltavam de júbilo, ao ver a súbita reversão do caso e, juntamente com ele, teriam *grande prazer* na queda daqueles pecadores mentirosos. Então o homem bom retornaria à prosperidade e teria longa vida, porquanto havia guardado a lei mosaica, em contraste com os obreiros da iniquidade. Veja bem o leitor como a retidão vinha por meio da lei, e como guardá-la assegurava uma vida longa e próspera, segundo se aprende em Dt 4.1; 5.33; 6.2 e Ez 20.1. Finalmente, a comunidade que tinha duvidado da inocência do salmista, influenciada pelas palavras caluniosas de seus adversários, haveria de prorromper em um cântico de triunfo, adicionando sua voz aos louvores gerais de Yahweh, que tinha garantido a justiça no caso do homem bom.

"Encontramos aqui um tema frutífero, a saber, nosso *dever* de lembrar, favoravelmente, aqueles que nos têm ajudado, tanto na vida privada como nos negócios nacionais. *O esquecimento dos benefícios* é algo *feio*. É horrível quando aqueles que se tinham aliado na adversidade caem da prosperidade" (J. R. P. Sclater, *in loc.*).

■ **35.28**

וּ֭לְשׁוֹנִי תֶּהְגֶּ֣ה צִדְקֶ֑ךָ כָּל־הַ֝יּ֗וֹם תְּהִלָּתֶֽךָ׃

E a minha língua celebrará a tua justiça. A *língua* do justo teria bom emprego: louvor e ação de graças. Ver o uso apropriado da linguagem, em Sl 5.9; 12.2; 15.3; 17.3 e 34.12. Ver no *Dicionário* o artigo intitulado *Linguagem, Uso Apropriado da*, que provê comentários, referências e poesias ilustrativas. A alegria do homem vindicado seria tão grande que ele continuaria o seu cântico de louvor *o dia inteiro* e continuaria encontrando novas razões para louvar a Yahweh por seus atos bondosos. O salmista e seus verdadeiros amigos não tomariam o crédito para si mesmos. Saberiam sempre que os benefícios descem dos altos céus (ver Tg 1.17).

"Será mister a gratidão constante e a obediência de minha vida inteira para eu pagar a dívida que devo" (Adam Clarke, *in loc.*).

O vs. 28 tem o tom de um *voto*. É provável que o homem vindicado, cuja vida havia sido salva da execução, tenha feito um voto e uma promessa de que nunca esqueceria o que Yahweh fizera, e continuaria a louvar enquanto vivesse. Ver no *Dicionário* os artigos intitulados *Votos* e *Promessas*.

SALMO TRINTA E SEIS

Quanto a *informações gerais* que se aplicam a todos os salmos, ver a introdução ao Salmo 4, onde apresentei *sete* comentários que elucidam a natureza do livro. Quanto a *classes* dos salmos, ver o gráfico no início do comentário, que atua como uma espécie de frontispício do saltério. Ofereço ali dezessete classes e listo os salmos pertencentes a cada uma delas.

Este salmo é de um *tipo misto,* tendo as seguintes seções:
1. Vss. 1-4: salmo de sabedoria.
2. Vss. 5-9: hino que exalta Yahweh.
3. Vss. 10-12: salmo de lamentação.

Há certos salmos nos quais nenhuma classe domina, de modo absoluto, a composição. Eles podem ser ou não a combinação de composições separadas, unidas para formar um total mais ou menos frouxo. No caso deste salmo, a parte de lamentação é a mais proeminente, pelo que, se insistirmos sobre uma única classe, então teremos de chamá-lo de salmo de lamentação.

Tentando relacionar as partes deste salmo aos propósitos dominantes, Allen P. Ross, *in loc.*, apresentou o seguinte sumário: "Neste salmo, Davi recebeu um oráculo concernente à filosofia e ao estilo de vida dos incrédulos, enquanto eles planejavam seus esquemas malignos. Ele encontrou alívio no conhecimento experimental da gloriosa natureza do Senhor, o que traz bênçãos abundantes aos crentes. Como resultado, orou para que o Senhor desse continuidade a seu amor leal e à sua justiça, a fim de que os ímpios não destruíssem a sua integridade".

Foi assim que a grande bondade e o amor abundante de Deus (vss. 5,7,10) foram postos em violento contraste com a iniquidade do homem (vss. 1-4). Este salmo termina com um apelo para o salmista ser livrado dos conselhos iníquos dos malfeitores, a fim de que a sua vida continue em meio à bondade e à prosperidade.

Subtítulo. Este salmo tornou-se parte da liturgia da comunidade judaica e foi apresentado ao mestre de canto e músico principal. Foi atribuído a Davi, que é aqui chamado de "servo do Senhor". Os subtítulos não constavam das composições originais, sendo edições posteriores de editores que conjecturaram quanto às circunstâncias históricas que podem tê-los inspirado, modo em que foram musicados e instrumentos musicais usados para acompanhá-los. Cerca de metade da coletânea de 150 salmos é declarada como de autoria davídica, sem dúvida um grande exagero. Mas não há por que duvidar de que Davi compôs pelo menos alguns deles, visto ter sido ele o *mavioso salmista de Israel* (ver 2Sm 23.1).

UM SALMO DE SABEDORIA (36.1-4)

Quanto à *literatura de sabedoria* dos hebreus, ver o verbete intitulado *Sabedoria* (especialmente a seção III, *Literatura de Sabedoria*) no *Dicionário*. Na lista de classes, reuni treze salmos nessa classificação.

Exibindo autêntica sabedoria divina, o poeta descreveu a natureza nefanda dos ímpios, tal como encontramos no Salmo 1 (vss. 4 e 5). Além disso, tal como sucede naquele salmo, o homem bom é contrastado com o homem mau. *Salmo* 36: vss. 1-4, contrastados com os vss. 6-9. *Salmo 1: vss.* 1-3, contrastados com os vss. 4-6. A descrição do homem bom está contida no hino de louvor a Yahweh (vss. 5-9). Os Salmos 10 e 73 também contêm materiais similares, pelo que os Salmos 1, 10, 36 e 73 são composições relativamente vinculadas.

■ **36.1** (na Bíblia hebraica corresponde ao **36.1,2**)

לַמְנַצֵּ֬חַ ׀ לְעֶֽבֶד־יְהוָ֬ה לְדָוִֽד׃

נְאֻֽם־פֶּ֣שַׁע לָ֭רָשָׁע בְּקֶ֣רֶב לִבִּ֑י אֵֽין־פַּ֥חַד אֱ֝לֹהִ֗ים לְנֶ֣גֶד
עֵינָֽיו׃

Há no coração do ímpio a voz da transgressão. No profundo do coração humano mau há a *transgressão,* que aparece como personalizada. O deus iníquo interior fala ao coração do pobre homem e exorta-o a não temer a Deus. No entanto, no Antigo Testamento, o temor de Deus é o termo que fala sobre a *espiritualidade básica*. Ver sobre o verbete chamado *Temor*, especialmente na seção I, quanto a comentários. Cf. Sl 2.11; 5.7; 15.4; 19.9; 22.23,25; 33.8,18; 34.9,11; 55.19; 60.4; 61.5; 66.16; 67.7; 72.5; 85.9; 102.15; 115.11; 118.4; 135.20; Pv 1.7; 2.5; 8.13 e 10.27. O temor do Senhor prolonga os dias do homem e lhe concede prosperidade espiritual e material. Ver as notas expositivas sobre Sl 34.9, quanto a maiores detalhes. Não havia temor de Deus em quem não guardasse a lei mosaica, o manual de conduta que deveria governar pensamentos e atos do homem.

A lei era o *guia* de todo hebreu (ver Dt 6.4 ss.). A lei era o fator que tornava os hebreus *distintos* de outros povos (ver Dt 4.4-8). A observância da lei dava aos hebreus vida longa e prosperidade espiritual e material (ver Dt 4.1; 5.33; 6.2; Ez 20.1). A lei era o *estatuto eterno* dos hebreus (ver Êx 29.42; 31.16; Lv 3.17; 16.29). O ímpio é um *transgressor* da lei mosaica porque não teme a Deus. Ver no *Dicionário* o artigo chamado *Transgressão*. O homem mau é pleno de pecados de comissão. Ele se insurge contra a lei e desobedece a mandamentos específicos. E, finalmente, quebra todos os mandamentos. A *Transgressão*, a deusa que está no interior do coração do homem, oferece toda espécie de contramandamentos a fim de anular a lei de Deus. Os versículos que se seguem fornecem alguns desses contramandamentos. À semelhança da serpente no jardim do Éden, a transgressão conquistou este mundo maligno, e juntamente com isso sua contralei e seu ódio, o oposto do amor. Para o homem bom, vale o "Assim diz *Yahweh*". Para o homem mau, entretanto, o que vale é: "Assim diz a *Transgressão*".

■ **36.2** (na Bíblia hebraica corresponde ao **36.3**)

כִּי־הֶחֱלִיק אֵלָיו בְּעֵינָיו לִמְצֹא עֲוֹנוֹ לִשְׂנֹא׃

Porque a transgressão o lisonjeia a seus olhos. A *Transgressão*, a deusa do malfeitor, encoraja-o a pensar e praticar toda espécie de coisas perversas. Entre elas, em lugar de louvar a Deus, o homem maligno lisonjeia a si mesmo e faz de si um pequeno deus. Ele supõe que, se viver cheio de ódio e iniquidade secretos, ninguém o descobrirá. Ele é um deus para si mesmo e se engana, porquanto, finalmente, todas as coisas virão à luz, o que há de bom e o que há de mau. O homem maligno pensa que pode desfazer de Deus e dos homens, e escapar. O hebraico dos vss. 1 e 2 é difícil, e, assim sendo, estou oferecendo a essência do que parece ter sido a intenção do salmista. "Não tendo temor ao Senhor, uma pessoa ímpia comete o mal continuamente. Ela aplaca a própria consciência (lisonjeando a si mesmo), a ponto de ocultar a sua iniquidade, porquanto, se a enxergasse da perspectiva divina, ele a odiaria. Sua linguagem é licenciosa e enganadora" (Allen P. Ross, *in loc.*).

> O pecado é o oráculo do homem mau em seu coração;
> Não há temor de Deus diante de seus olhos;
> ele suaviza tudo para si mesmo, aos seus
> próprios olhos.
> Quanto a descobrir qualquer culpa, é isso
> que ele odeia.
>
> Ellicott, com uma paráfrase poética

■ **36.3** (na Bíblia hebraica corresponde ao **36.4**)

דִּבְרֵי־פִיו אָוֶן וּמִרְמָה חָדַל לְהַשְׂכִּיל לְהֵיטִיב׃

As palavras de sua boca são malícia e dolo. *O homem mau abusa da linguagem*, usando a boca para falar e promover a *iniquidade*. Suas palavras são plenas de engodo. Nunca se pode dizer quando ele está dizendo a verdade ou a mentira. Ele abandonou a sabedoria e caiu na armadilha da insensatez humana. "Sua linguagem, que é o instrumento de seu coração, fere e falta com a verdade. Suas palavras são manifestações de maldade e logro. Talvez em alguma época ele tenha agido por impulsos justos, mas isso já faz muito tempo. Até mesmo nas horas da noite ele persiste em sua iniquidade e termina cometendo suicídio espiritual, o que acarreta a morte prematura.

Quanto ao uso apropriado da linguagem, ver Sl 5.1-3; 12.2; 15.3; 17.3; 34.12 e 35.28. Ver também no *Dicionário* o artigo chamado *Linguagem, Uso Apropriado da*, que fornece detalhes, incluindo poesia ilustrativa.

Encontramos aqui um tremendo quadro de iniquidade a qual certo homem se entregou, sem tentar refrear-se e sem sentir remorso algum, abandonando-se à inspiração do mal existente em seu próprio coração. Ele ia de mal a pior. Não tinha caráter nem podia dizer juntamente com o homem bom:

> Poderes misericordiosos me restringem nos pensamentos malditos da natureza que me ataca quando estou em descanso.
>
> Ellicott, com uma paráfrase poética

Os ímpios não repelem o mal. Pelo contrário, eles o aceitam de bom grado. "Ele chega a planejar o mal (cf. Os 7.15 e Na 1.11), à noite, quando vai dormir" (Allen P. Ross, *in loc.*). "Ele cortou a conexão que porventura existia entre ele mesmo e qualquer bondade" (Adam Clarke, *in loc.*). Esse homem é "sábio na prática do mal" (John Gill, *in loc.*).

■ **36.4** (na Bíblia hebraica corresponde ao **36.5**)

אָוֶן יַחְשֹׁב עַל־מִשְׁכָּבוֹ יִתְיַצֵּב עַל־דֶּרֶךְ לֹא־טוֹב רָע לֹא יִמְאָס׃

No seu leito maquina a perversidade. Temos aqui a descrição de um homem que se deleita tanto na prática do mal que, em suas horas de lazer, planeja como irá *realizar o mal*. Em vez de deitar-se e orar ou cultivar pensamentos profundos, ele calcula quanto mal ele tem sido capaz de praticar, e quanto ainda poderá fazer. Ele tem "programas do mal", que continuam sendo desdobrados a cada dia, com estágios já cumpridos e outros por cumprir. Ele não teme a escuridão. Seu coração jamais palpita ou o ataca em tempos de descanso. De fato, sua consciência é dura como pedra. Seu caráter fixou-se na iniquidade como cimento já endurecido. Esse é realmente um quadro escuro. E não é impossível a um homem chegar a esse estado extremo. O indivíduo que bane Deus de sua vida já vive na dimensão dos animais irracionais. Sabemos que os criminosos endurecidos encontram prazer nos crimes bárbaros. Para eles, fazer o mal tornou-se um esporte agradável. Abominar o mal (ver Rm 12.9) é algo completamente estranho para a mente deles. Esses homens deploráveis amam o pecado, deleitam-se nele e naqueles que o praticam.

> ... não somente as fazem, mas também aprovam os que assim procedem.
>
> Romanos 1.32

HINO AO AMOR CONSTANTE DE DEUS (36.5-9)

■ **36.5** (na Bíblia hebraica corresponde ao **36.6**)

יְהוָה בְּהַשָּׁמַיִם חַסְדֶּךָ אֱמוּנָתְךָ עַד־שְׁחָקִים׃

A tua benignidade, Senhor, chega até aos céus. Em contraste com os pecadores empedernidos descritos nos vss. 1-4, existe um Deus no céu, modelo de toda bondade e amor. Além disso, há os homens bons que são imitadores de Deus, oferecendo violento contraste com os maus, há pouco descritos. É possível que as *três* seções do salmo (vss. 1-4; vss. 5-9 e vss. 10-12) originalmente fossem composições distintas que o autor original reuniu em uma unidade frouxa. Ver a introdução ao salmo.

A *benignidade* e a *fidelidade* são atributos notáveis de Deus. Ver no *Dicionário* o artigo chamado *Atributos de Deus*. Deus exercita a sua benignidade quando não pune os que merecem punição. E se mostra fiel quando faz coisas beneficentes em favor dos seres inteligentes, sejam eles bons ou maus. Ver no *Dicionário* os artigos intitulados *Misericórdia* e *Amor*, quanto a descrições completas e poesia ilustrativa.

"Subitamente, o poeta volta-se da adoração ao diabo (vss. 1-4), pois o trecho fala praticamente isso, para uma contemplação do Deus que está revestido de benignidade e fidelidade majestáticas. É quase como se o salmista se tivesse sacudido, livre das manoplas do mal e, com um suspiro e um senso de alívio, tivesse visto um bravo e novo mundo — o único mundo que é *real*, o mundo no centro do qual está Deus... É precisamente a negridão de um que faz o outro tornar-se tão esplêndido e revigorante" (J. R. P. Sclater, *in loc.*).

Não existem *fronteiras* que limitem a benignidade e a fidelidade de Deus, embora até homens bons as estabeleçam. Esses usualmente são os limites da *mente* dos intérpretes, e não limites verdadeiros das realidades e das obras de Deus. As palavras *limites, estagnação* e *finais* não pertencem à sentença na qual aparece a palavra *Deus*. Até os fins são instrumentais. Ou seja, são meios para que se principiem novos começos. De fato, o amor de Deus floresce, porquanto nunca é decepado.

> Yahweh, é até os altos céus que a tua benignidade atinge. Tua fidelidade chega ao firmamento.
>
> Adaptado de uma paráfrase de Ellicott, *in loc.*

Se pudéssemos encher de tinta os mares,
E cobrir os céus de pergaminho;
Se todos os pedúnculos fossem penas,
E todos os homens escribas profissionais —
Escrever o amor de Deus acima,
Ressecaria os oceanos;
E não haveria rolo para conter tudo,
Estendido que fosse de céu a céu.

F. M. Lehman

■ **36.6** (na Bíblia hebraica corresponde ao **36.7**)

צִדְקָתְךָ כְּהַרְרֵי־אֵל מִשְׁפָּטֶיךָ תְּהוֹם רַבָּה
אָדָם־וּבְהֵמָה תוֹשִׁיעַ יְהוָה׃

A tua justiça é como as montanhas de Deus. As montanhas são realidades misteriosas e, algumas vezes, assustadoras. As mais altas montanhas excitam a imaginação humana. Elas sobem até as nuvens e são enormes. A *justiça* de Deus é semelhante a elas. Não podemos limitar a misericórdia, o amor e a justiça de Deus entre as estreitas fronteiras da mente humana, pelo que o melhor que podemos fazer é inventar algum símile com vistas a comparação e ilustração. De acordo com as mitologias antigas (por exemplo, o Olimpo dos deuses gregos), os seres divinos apareciam associados a elevadas montanhas e outros fenômenos naturais impressionantes. Nos vss. 1-4 temos uma prisão fétida. Nos vss. 5-9, temos as colinas coruscantes do Ser divino e as brisas frescas da justiça de Deus.

Elevo os olhos para os montes: de onde me virá o socorro? O meu socorro vem do Senhor, que fez o céu e a terra.

Salmo 121.1,2

O *Criador* das colinas e das montanhas é também o *preservador* dos homens e dos animais, e, de fato, de todas as coisas (ver Cl 1.16,17). Todas as coisas "subsistem" pelo mesmo poder que as trouxe à existência. O homem mau é inspirado pela transgressão, ao passo que o homem bom é inspirado pela contemplação das obras e dos atributos de Deus. Cada tipo de inspiração resulta em um estilo de vida largamente diferenciado.

Os teus juízos, como um abismo profundo. Ou seja, inalcançáveis, que ultrapassam os estreitos limites da mente humana; são misteriosos e enigmáticos para os seres humanos mortais. O poeta sacro aponta para Deus como um Ser *transcendental*. A declaração clássica sobre a questão, na Bíblia, é a passagem de Rm 11.33-36, e convido o leitor a examiná-la. Ver no *Dicionário* os artigos denominados *Mysterium Fascinosum* e *Mysterium Tremendum*, ambos os quais falam sobre Deus. Aprisionamos nossos conceitos de Deus dentro da linguagem humana. Esquecemos que, em sua essência, Deus é "totalmente outro". Ver o artigo chamado *Via Negativa*, que é uma das maneiras de tentar descrever a Deus, por meio daquilo que ele não é. Ver também o artigo intitulado *Via Positiva*. Esses modos de ver as coisas também são chamados de *Via Negationis* e *Via Eminentiae*, respectivamente.

O "abismo" fala, neste caso, às águas que existem sob a terra, das quais os oceanos são vistos como a superfície. Para os antigos, os oceanos eram entidades misteriosas, que simbolizavam o profundo, o alto e o desconhecido. "... a ideia é que estão em pauta os oceanos, incomensuráveis em sua vastidão e profundidade" (Fausset, *in loc.*). Para o antigo ponto de vista hebreu da cosmologia, ver no *Dicionário* o artigo chamado *Astronomia*, no qual apresento um gráfico ilustrativo.

■ **36.7** (na Bíblia hebraica corresponde ao **36.8**)

מַה־יָּקָר חַסְדְּךָ אֱלֹהִים וּבְנֵי אָדָם בְּצֵל כְּנָפֶיךָ
יֶחֱסָיוּן׃

Como é preciosa, ó Deus, a tua benignidade! Embora misterioso, em sua transcendência, *Elohim*, o Todo-poderoso, é bem conhecido por sua benignidade e fidelidade, conforme já vimos e anotamos na exposição sobre o vs. 5. Aqui, o poeta sacro repete a mensagem. Por causa dessas qualidades divinas, os homens com segurança *confiam* nele. Acerca de como a palavra "confiança" é usada nos salmos, ver Sl 2.12. Ela se assemelha à confiança de um filhote de pássaro, que se oculta sob as *asas* de sua mãe. Cf. a metáfora usada por Jesus em Mt 23.37. Ver também Sl 17.8, onde a mesma figura simbólica foi empregada e onde comento a respeito. Ver Sl 57.1 e 63.7, quanto à *proteção divina* especial. Cf. também Sl 61.4 e 91.4.

Tem misericórdia de mim, ó Deus, tem misericórdia, pois em ti a minha alma se refugia; à sombra das tuas asas me abrigo.

Salmo 57.1

Pode haver aqui uma alusão aos querubins protetores do Santo dos Santos, que estendiam as asas por cima da arca da aliança. Era ali que se manifestava a presença de Yahweh.

■ **36.8** (na Bíblia hebraica corresponde ao **36.9**)

יִרְוְיֻן מִדֶּשֶׁן בֵּיתֶךָ וְנַחַל עֲדָנֶיךָ תַשְׁקֵם׃

Fartam-se da abundância da tua casa. Além disso, há o *banquete divino*, símbolo tanto da prosperidade espiritual e material como do fluxo de uma correta espiritualidade, alicerçada sobre a lei mosaica, o manual de toda conduta para a mente dos hebreus. A *casa* de Deus nos céus é a fonte de toda a abundância e dos festejos no templo terrestre, como símbolo da provisão celestial. Nos sonhos e visões, o banquete, ou mesmo os alimentos em geral, fala de provisões e prosperidade, pelo que essa metáfora é usada com frequência na literatura sagrada. Cf. o Sl 23, o "salmo de suprimento": "O Senhor é o meu Pastor: nada me faltará".

Abundância. Como uma interpretação, assim diz a *Revised Standard Version*, juntamente com a nossa versão portuguesa. O texto hebraico original diz "gordura". O sangue e a gordura das oferendas iam para Yahweh, como porções que a ele pertenciam (ver Lv 3.17, quanto às leis concernentes ao sangue e à gordura). Pode haver alusão à "melhor parte" das oferendas como símbolo da excelente provisão dada aos filhos de Deus. Ver Dt 4.1; 5.33; 6.2 e Ez 20.1, sobre como a observância da lei mosaica conferia vida longa e prosperidade.

Na torrente. O "rio" é outro exemplo da *vida abundante*, baseada na devida espiritualidade. Cf. a declaração de Jesus, em Jo 7.38:

Quem crer em mim, como diz a Escritura, do seu interior fluirão rios de água viva.

Ali está em vista o ministério do *Espírito* que em nós reside, conforme demonstra o versículo seguinte. Neste versículo é enfatizada a vida abundante, através das agências da graça divina. O suprimento divino *deleita* o ser humano, isto é, agrada-o e infunde-lhe alegria. Pode haver aqui uma alusão aos rios do Éden, o paraíso criado por Deus. Ademais, compare o leitor o *puro rio da água da vida*, no Éden celestial, à nova Jerusalém (Ap 22.12). Ver também Sl 16.11 e Gn 2.10. Além disso, temos de considerar trechos como Jó 20.17 e Jo 4.13,14, e algo similar em Ez 47.1 e Zc 14.8.

Há um rio, cujas correntes alegram a cidade de Deus...

Salmo 46.4

■ **36.9** (na Bíblia hebraica corresponde ao **36.10**)

כִּי־עִמְּךָ מְקוֹר חַיִּים בְּאוֹרְךָ נִרְאֶה־אוֹר׃

Pois em ti está o manancial da vida. Uma fonte, tal como um jardim, é um lugar agradável e deleitoso, a fonte de suprimento para os sedentos e de águas sustentadoras de vida para todos os seres vivos. Os animais da floresta reúnem-se em torno das fontes. Uma fonte é rebrilhante e refrescante aos olhos; é doadora de vida e um lugar de descanso para os cansados. Deus é essa fonte, a origem da vida e do bem-estar. Ver no *Dicionário* o artigo intitulado *Água*, quanto aos muitos simbolismos envolvidos.

"... Contigo está a fonte da vida, a plenitude da felicidade, sem a qual a existência é morte, e não vida (ver Sl 16.11; Dt 30.20)" (Fausset, *in loc.*).

Na tua luz vemos a luz. "Nenhum ser humano pode iluminar a própria alma: todo entendimento deve provir do alto. Aqui, porém, a metáfora é alterada, e Deus é comparado ao *sol*, no firmamento do céu, que dá luz a todos. Pois Deus disse: 'Haja luz, e houve luz'" (Adam Clarke, *in loc.*).

Senhor de todos os seres, entronizado longe,
tua glória flameja do sol e das estrelas,
Centro e sol de todas as esferas,
Mas de cada coração amoroso, tão próximo.
                                    Oliver Wendell Holmes

Ademais, Jesus é a luz evangélica, e os homens, uma vez iluminados nele, também se transformam em luzes. Ver Jo 1.4,5; 8.12; Fp 2.15; Mt 5.14. Ver no *Dicionário* o artigo chamado *Luz, Metáfora da,* para um tratamento completo do assunto, juntamente com ilustrações poéticas.

A ti, Alma Eterna, seja o louvor!
O qual, desde a antiguidade aos nossos dias,
Através das almas de santos e profetas, Senhor,
Tens enviado a tua luz, o teu Amor, a tua Palavra.
                                    Richard Watson Gilder

Autor de todos os seres,
Fonte de luz, embora
Tu mesmo sejas invisível.
Brilhando em meio ao glorioso
Brilho ofuscante onde estás.
                                    Milton

UM SALMO DE LAMENTAÇÃO. A ORAÇÃO DE CONCLUSÃO (36.10-12)

Este salmo é uma trilogia, pois combina três salmos separados que, originalmente, podem ter sido composições distintas. Os salmos distintos seriam: vss. 1-4 (Sl de sabedoria); vss. 5-9 (hino que exalta Yahweh e descreve as bênçãos espirituais e materiais concedidas aos santos); e vss. 10-12 (Sl de lamentação). Mais de sessenta, dentre os 150 salmos do saltério, pertencem a essa categoria. Ver sobre as *classes* dos salmos no gráfico apresentado no início do comentário sobre o livro, onde descrevo dezessete tipos de salmos. Alguns deles são mistos, tendo mais de um tipo em sua composição, como é o caso deste Salmo 36. Os salmos de lamentação tipicamente começam com um grito pedindo socorro, descrevem os inimigos ameaçadores e terminam com um tom de louvor e agradecimento pela resposta recebida, ou porque essa resposta é concebida como se já estivesse a caminho.

■ **36.10** (na Bíblia hebraica corresponde ao **36.11**)

מְשֹׁךְ חַסְדְּךָ לְיֹדְעֶיךָ וְצִדְקָתְךָ לְיִשְׁרֵי־לֵב׃

Continua a tua benignidade aos que te conhecem. A menção à "benignidade" de Deus naturalmente vincula este salmo aos que o antecedem. Cf. os vss. 5 e 7. O homem que padecia aflições (atacado por inimigos não identificados no salmo) clama pela *continuação* da misericórdia de Deus e pelo amor divino em sua vida. Foi por meio desses fatores que ele vivia e conseguira chegar aonde se encontrava. Mas agora a sua vida era ameaçada, e, sem a intervenção divina, alicerçada sobre o amor divino, ele sofreria morte prematura. O salmista precisava de *livramento,* uma tradução superior aqui à ideia de *salvação.* O homem não estava clamando porque a sua alma estava em perigo ou carente da salvação evangélica. Ele era um homem *justo,* dotado de *coração reto,* pelo que pensava merecer a atenção divina em sua hora mais negra. Ver os comentários sobre os vss. 5 e 7, quanto a detalhes sobre a *benignidade* e o *amor constante* de Deus, a fonte do livramento pela qual o salmista ansiava. O homem lançou-se nos braços da benignidade e do amor de Deus, porquanto já havia chegado ao fim de seus recursos pessoais. Os *justos* (dotados de coração reto) eram, obviamente, aqueles que guardavam a lei, o manual de toda a conduta, de acordo com a mentalidade dos hebreus. Ver a lei como *guia,* em Dt 6.4 ss., bem como o poder que torna os homens indivíduos *distintos* (ver Dt 4.4-8).

■ **36.11** (na Bíblia hebraica corresponde ao **36.12**)

אַל־תְּבוֹאֵנִי רֶגֶל גַּאֲוָה וְיַד־רְשָׁעִים אַל־תְּנִדֵנִי׃

Não me calque o pé da insolência. Os inimigos que ameaçavam *a vida* nos salmos de lamentação eram: potências *estrangeiras* que atacavam Israel; inimigos de *dentro* do acampamento de Israel, que caluniavam e tramavam planos assassinos; ou a *enfermidade,* que ameaçava o corpo físico com a morte. É provável que este versículo esteja falando de inimigos de dentro do acampamento, os *arrogantes* que pretendiam tirar a vida do poeta, executando-o através de algum mandato judicial ou exilando-o. Seja como for, as coisas tinham fugido ao controle. A morte se aproximava inexoravelmente; a causa do salmista estava quase inteiramente perdida. Somente uma *intervenção divina* poderia salvar o pobre homem. Por conseguinte, ele passaria a depender da misericórdia e do amor constante de Deus, que sempre o salvara, em qualquer crise.

"Este versículo é o contrário do vs. 10, tornando a causa do salmista uma questão pessoal. Aqui o poeta sagrado orou para que pudesse escapar de *dois males,* aos quais os indivíduos piedosos com frequência são sujeitados: a *arrogância* e a *violência*. Lembramos o caso de Davi, que foi transformado em fugitivo, através dos atos ímpios de um de seus próprios filhos, Absalão. Ver 2Sm 15. Alguns estudiosos, contudo, veem neste versículo o reflexo histórico dos cativeiros assírio ou babilônico, ou mesmo uma profecia sobre eles. Ver no *Dicionário* o verbete chamado *Cativeiros.* Todavia, a referência é *pessoal,* e não nacional. O ato de repelir pode ter sido a remoção de alguma "alta posição", conforme se vê em Sl 11.1. Davi foi temporariamente destronado por Absalão.

■ **36.12** (na Bíblia hebraica corresponde ao **36.13**)

שָׁם נָפְלוּ פֹּעֲלֵי אָוֶן דֹּחוּ וְלֹא־יָכְלוּ קוּם׃

Tombaram os obreiros da iniquidade. Foi ouvida a oração do homem desesperado. De súbito, o relâmpago do céu atingiu em cheio aqueles homens perversos que assediavam o salmista. Ali estavam eles, prostrados, sem absolutamente nenhum poder. De fato, estavam caídos no chão de maneira permanente. Estavam mortos. Nunca mais se ergueriam. Assim sendo, este salmo de lamentação terminou com a resposta de uma oração. Os ímpios foram derrubados, tendo recebido aquilo que tão ricamente mereciam. Este versículo faz um vívido contraste com o anterior. A mão dos ímpios teria exilado o homem bom, ou cometido contra ele alguma outra maldade. Mas a mão de Deus pôs fim a todos os planos ousados dos pecadores. Ver no *Dicionário* o artigo chamado *Lei Moral da Colheita segundo a Semeadura.* "O poeta sagrado tinha em mente algum incidente definido, mas não nos disse o que era" (Ellicott, *in loc.*). Ele só nos relatou o resultado da coisa. Os inimigos, antes ameaçadores, estavam esmagados.

Alguns estudiosos falam aqui do cativeiro babilônico. Os captores foram finalmente vencidos por outra potência quando Ciro esmagou a Babilônia. Todavia, a questão apresentada aqui é de natureza pessoal, e não nacional. Contudo, esse incidente internacional ilustra o princípio da retribuição divina.

Esmaguei-os a tal ponto que não puderam levantar-se: caíram sob meus pés.
                                    Salmo 18.38

Ver também Pv 24.16. Alguns eruditos cristianizam este texto para que ele fale da queda dos pecadores no hades. Este salmo, entretanto, fala sobre o nada ao qual os homens são reduzidos na morte, e não a respeito de algum julgamento para além do sepulcro. Essa doutrina só começou a ser considerada nos livros poéticos e proféticos do Antigo Testamento. Seu desenvolvimento ocorreu no período intermediário, nos livros apócrifos e pseudepígrafos.

SALMO TRINTA E SETE

Quanto a *informações gerais* que se aplicam a todos os salmos, ver a introdução ao Salmo 4, onde apresento *sete* comentários que elucidam a natureza do livro. Quanto à *classificação dos salmos,* ver o gráfico no início do comentário, onde apresento dezessete classes e listo os salmos pertencentes a cada uma delas.

Este é um *salmo de sabedoria.* O poeta mostra-se sábio ao declarar como a retribuição deve finalmente recair sobre os ímpios que importunam outras pessoas. "O argumento é dirigido àqueles que estão desanimados diante das *injustiças* que parecem dominar o mundo. A forma de um salmo acróstico explica a falta de um esboço claro ou de uma progressão lógica de pensamento" (*Oxford Annotated Bible*, em comentário sobre o vs. 1).

O Problema do Mal. Ver sobre este título no *Dicionário*, acerca de por que os homens sofrem, e por que sofrem da maneira como sofrem. Existem dois principais aspectos desse problema: 1. *O mal natural*, que inclui acontecimentos da natureza que prejudicam os homens, como incêndios, inundações, terremotos, enfermidades e morte biológica. 2. *O mal moral*, as coisas terríveis que os homens infligem contra outros seres humanos, mediante uma vontade adversa, que demonstram completa depravação moral. O Salmo 37 trata desse problema até certo ponto. Uma resposta é que, finalmente, os pecadores têm de pagar por aquilo que fazem, ao passo que os homens bons são vindicados. Se todos os juízos e retribuições divinos têm por finalidade remediar, reabilitar e restaurar (ver 1Pe 4.6), ainda assim nunca devemos esquecer que os homens merecem ser punidos. Eles precisam sofrer por terem feito outros seres humanos sofrer. Este é um aspecto necessário do julgamento. A *retribuição* é um fato terrível que jamais deveríamos olvidar. Ver o artigo detalhado sobre esse assunto, no *Dicionário*.

Salmos Acrósticos. Quanto a este estilo literário, ver as notas na introdução ao Salmo 34.

"Este salmo, como produto da *literatura de sabedoria*, deve ser atribuído aos séculos IV ou III a.C. A forma acróstica e as citações da lei e da sabedoria (ver os vss. 30 e 31) apontam para essa data mais próxima" (William R. Taylor, *in loc.*). Ver no *Dicionário* sobre *Sabedoria*, especialmente a seção III.

Os Salmistas e o Mal Moral. Por que será que o homem perseguidor vive bem e prospera, enquanto o homem bom às vezes vive na miséria e na pobreza? Os salmistas nos dão uma variedade de respostas:
1. O indivíduo perverso assemelha-se somente a uma flor, que em breve se estiola. Ele sofrerá a retribuição divina apropriada; portanto, por que nos preocuparmos com ele? Este é o argumento do salmo. Cf. Sl 79.8.
2. Talvez o homem "bom" sofredor tenha algum pecado secreto, e o homem mau esteja sendo usado por Yahweh para fazê-lo sofrer, a fim de promover arrependimento. Ver Sl 32.5.
3. Ou talvez Deus se mostre *indiferente* a tais coisas, em determinadas ocasiões. Em outras palavras, ele se torna, pelo menos durante algum tempo, um Deus deísta (que se divorciou de seu universo). Ver Sl 10.1; 44.9,23. Jó disse isso com frequência quando passava por seu teste severo.
4. Ou talvez o homem bom seja perseguido por causa de sua zelosa lealdade à causa divina e assim se torne um alvo para os ímpios. Em tais oportunidades, naturalmente, o poeta também deve contemplar a primeira explicação. A retribuição divina, finalmente, resolverá tais casos.
5. Na vontade de Deus existem enigmas. Seus pensamentos não são os nossos pensamentos. Exageramos a importância dos acontecimentos físicos e nos envolvemos na parte material das coisas. Essa ideia não é apresentada nos salmos.
6. *Mistérios*. Temos coisas significativas a dizer sobre o problema do mal, mas mesmo assim estamos longe de compreender as razões do sofrimento. Falamos sobre uma feliz vida pós-túmulo — argumento que não foi apresentado pelos salmistas —, que cura todos os males sofridos nesta vida física. Essa é uma grande verdade, mas ainda assim não explica por que os inocentes sofrem *agora* da maneira como sofrem.
7. Apresento outras considerações e argumentos no artigo intitulado *Problema do Mal*, e deixo ao encargo do leitor examinar o que está registrado ali. No livro de Jó temos a *presença de Deus*, que manifesta as suas glórias. E é em sua luz que os homens sabem que tudo vai bem como o mundo, porquanto Deus está em seu trono. Contudo, ainda assim nem sempre podemos explicar *como* isso se dá em provações específicas. Nos tempos de crises mais severas, sobre as quais não temos entendimento, dependemos exclusivamente de nossa fé.

Dizeres de Sabedoria. Este salmo toma por empréstimo o fundo de *declarações de sabedoria* da fé hebraica, pelo que encontramos alguns paralelos significativos:
- Vs. 1 com Pv 24.19. Ver também Pv 3.31; 24.1 e Sl 73.3.
- Vs. 5 com Pv 16.3.
- Vs. 16 com Pv 16.8.
- Vs. 23 com Pv 16.9.

Similaridades com o Livro de Jó:
- Vs. 6 com Jó 11.17.
- Vs. 10 com Jó 7.10.
- Vs. 13 com Jó 18.20.
- Vs. 19 com Jó 5.20.

O poeta faz aqui um paralelo com os argumentos dos consoladores molestos de Jó, como fez Zofar, em Jó 20.5. Cf. Sl 73.17. Ver também Sl 49.

Subtítulos. Neste salmo temos a simples atribuição do salmo a Davi. Mais da metade da coletânea aparece como de autoria davídica, mas por certo há nisso grande exagero. Não obstante, sem dúvida alguns salmos foram escritos por Davi, visto ter sido ele *o mavioso salmista de Israel* (2Sm 23.1). Esses títulos não faziam parte original das composições, mas foram adicionados por escribas subsequentes, que especularam sobre quem eram os autores, quais circunstâncias históricas inspiraram as composições, ou quais instrumentos musicais acompanhavam as poesias.

34 salmos não têm títulos. Quanto a uma lista dos "salmos órfãos", ver a introdução ao Salmo 43.

■ 37.1

לְדָוִד אַל־תִּתְחַר בַּמְּרֵעִים אַל־תְּקַנֵּא בְּעֹשֵׂי עַוְלָה׃

Não te indignes. Diz o original hebraico, literalmente, "não te inflames". Isso em relação aos obreiros do mal que vivem em leitos de lazer, têm muito dinheiro e propriedades, e continuam a prejudicar os semelhantes. Vamos deixar que Deus se preocupe com o incêndio. Portanto, não nos consumamos com essa questão. "Não te 'incenses' com a questão", conforme William R. Taylor traduziu o original hebraico, neste versículo. Durante longo tempo Jó se debateu sobre a questão, porquanto ele sofreu como homem inocente, enquanto outros, que deveriam estar sofrendo a ira divina, viviam em paz e prosperidade. Ver na introdução ao salmo presente a seção "Problema do Mal" e também "Os Salmistas e o Mal Moral", onde examino até certa extensão o problema. O artigo chamado *Problema do Mal*, no *Dicionário*, é um estudo mais profundo.

Nem tenhas inveja. Ver no *Dicionário* o verbete chamado *Inveja*, quanto a um estudo completo. Um homem bom pode cair no absurdo de invejar o homem mau e próspero, esquecendo que Deus escreverá o capítulo final e que as mesas serão viradas de cabeça para baixo. De outra sorte, o verdadeiro deus deste mundo será o *caos*.

> Tentados e testados, por muitas vezes cismamos,
> Por que as coisas devem ser tais, o dia inteiro.
> Pois há outras pessoas vivendo ao nosso redor,
> Sem nenhuma preocupação, embora vivam no erro.

Cf. os vss. 5 e 8 com Pv 23.17 e 24.1. A palavra *inveja* (no hebraico) tem significado similar ao sentido de "não te indignes", expressão que inicia o versículo. Portanto, "não requeimes de inveja" (Ellicott, *in loc.*).

Pv 3.31 repete a *declaração de sabedoria* de Sl 37.1. Ver também Pv 23.16; 24.1 e Sl 73.3. É provável que tanto o poeta quanto o autor do livro de Provérbios tenham tomado por empréstimo algum material de fundo comum de declarações de sabedoria, com base na fé dos hebreus. Ver na introdução a este salmo a seção "Dizeres de Sabedoria".

Invejar a prosperidade dos iníquos é lançar em dúvida a propriedade da *Providência de Deus* (ver a respeito no *Dicionário*). Ademais, agir desse modo é enfatizar demasiadamente o valor das riquezas físicas e do poder material.

O Targum sobre este versículo dá a entender que o homem que inveja o indivíduo maldoso e cobiça as suas riquezas rebaixa a si mesmo até a posição do ímpio, esquecido como está dos valores mais altos da vida. Conforme diz o comentário, invejar tais pessoas "é ser como elas". Essa é uma observação extremamente arguta.

■ 37.2

כִּי כֶחָצִיר מְהֵרָה יִמָּלוּ וּכְיֶרֶק דֶּשֶׁא יִבּוֹלוּן׃

Pois eles dentro em breve. *Qualquer abundância terrestre* só pode durar pouco tempo. Dificilmente vale a pena sacrificar os verdadeiros valores espirituais para entrar "na corrida pelo dinheiro", em competição com o ímpio. Este é como a *erva* que floresce pela manhã, somente para ser completamente estorricada pelo sol da tarde. Ele se ressecará; morrerá sob o calor de Deus, quando tiver de prestar contas ao Senhor. Cf. Sl 90.5; 102.4,11; 103.15,16; Is 40.6-8 e 1Pe 1.24, quanto à "metáfora da erva". Ao que tudo indica, a Deus não importa se os pecadores têm ou não dinheiro. Além disso, também não é importante para o Senhor (em muitos casos) que um homem piedoso possua dinheiro. De outra parte, do ponto de vista humano, é melhor ter dinheiro do que não tê-lo; portanto, deixe a questão nas mãos de Deus, e peça para ele que lhe dê mais dinheiro. Mas não caia no ridículo sobre a questão, conforme fazem os ímpios.

O Argumento Moral de Emanuel Kant. Kant argumentava que o bem deverá conquistar o mal no fim, sob pena de o caos ser deus. Com base na ideia do triunfo final do bem, ele construiu um argumento moral acerca da sobrevivência diante da morte biológica. Podemos observar que raramente a justiça é feita na dimensão terrestre. Os ímpios não são punidos pelo mal que praticam, e os bons não são recompensados. Isto posto, como é lógico, a alma deve sobreviver à morte física, a fim de que as contas sejam apropriadamente equilibradas. Ademais, Deus somente deve existir se tiver poder e sabedoria suficiente para equilibrar essas contas. De outra maneira, o *caos* será o vencedor, afinal, e poderá ser devidamente chamado de *Deus*.

O Que Foi Ignorado Neste Salmo. O poeta sagrado deixou de dizer que os indivíduos bons também perecem (fisicamente) como a relva, por meio do calor das enfermidades, da idade avançada, dos acidentes etc. Ele ignorou a *dimensão eterna* do problema. As doutrinas de felicidade futura para os justos e miséria futura para os injustos não são produtos do Antigo Testamento, mas tiveram de esperar pelos livros apócrifos e pseudepígrafos e, é claro, pelo Novo Testamento. Naturalmente, há alguns *indícios* quanto a essas doutrinas no Antigo Testamento, conforme se vê em Dn 12.2,3.

37.3

בְּטַח בַּיהוָה וַעֲשֵׂה־טוֹב שְׁכָן־אֶרֶץ וּרְעֵה אֱמוּנָה׃

Confia no Senhor e faze o bem. O homem bom, inflamado de inveja do homem mau, cai no ridículo. Pelo contrário, ele deveria *confiar* no Senhor. Sobre como esse conceito é usado no livro de Salmos, ver as notas em Sl 2.12. O homem bom, em vez de preocupar-se com o homem mau, deveria continuar atarefado em suas legítimas atividades, como praticar o bem e obedecer à lei, seu *guia* legítimo (ver Dt 6.4 ss.). Se assim fizer, já estará prosperando, embora não tenha muito dinheiro. Este versículo tem sido cristianizado para indicar que "lá", no céu, o homem bom prosperará. Isso também exprime uma verdade, mas não era o que o poeta estava dizendo. O homem bom receberá a sua herança na "pátria celestial" e não lhe faltará coisa alguma: ele será *alimentado*. Cf. Sl 23.1: "O Senhor é o meu pastor. Nada me faltará". A *Revised Standard Version* diz "desfrutará segurança". Os dias do salmista eram dias violentos e Israel era continuamente atacado por tribos hostis. A sobrevivência diária era um desafio.

Caiam mil ao teu lado, e dez mil à tua direita; tu não serás atingido.

Salmo 91.7

Os ímpios alimentam-se de cinzas. Os homens bons alimentam-se da verdade (ver Is 44.20 e Os 12.1: "apascenta o vento"). A cobiça somente faz com que o homem bom se transforme em um homem mau. Embora a vida humana esteja sempre sujeita a condições precárias, o homem bom pode contar com a promessa divina de suficiência e proteção.

Há um riacho de dificuldades que cruza minha vereda.
Ele é negro, profundo e largo.
Amarga será a hora quando eu tiver de cruzá-lo,
Mas sorrio, canto e digo:
Sempre esperarei e confiarei.
Suportarei a tristeza que me atingir.
Não comprarei dificuldades hoje.

A ponte do amanhã é algo perigoso.
Não ouso atravessá-la agora.
...

Oh, coração, deves sempre ter esperança.
Deves cantar, confiar e dizer:
Suportarei a tristeza que vier amanhã,
Mas não comprarei nenhuma no dia de hoje.
Não te preocupes!

37.4

וְהִתְעַנַּג עַל־יְהוָה וְיִתֶּן־לְךָ מִשְׁאֲלֹת לִבֶּךָ׃

Agrada-te do Senhor. Em vez de cobiçar o dinheiro do homem mau e entrar com ele na corrida do ouro (tornando-se assim igual a ele), que você olhe para Yahweh, o qual o ensinará a respeito das verdadeiras riquezas. E ele lhe dará tudo o de que você precisar e tudo o que quiser, mas também formará em sua mente os desejos apropriados, de tal maneira que você seguirá os valores verdadeiros, tornando-se assim diferente do homem ímpio e materialista.

O *homem bom* conhece e obedece à lei. Dessa maneira, torna-se *distinto* dos obreiros da iniquidade (ver Dt 4.4-8). Ele prosperará na bondade e nas coisas materiais, e desfrutará uma vida longa (ver Dt 4.1; 5.33; 6.2; Ez 20.1). A condição para obter aquilo que o indivíduo quiser é deleitar-se no Senhor. O poeta deixou de fora exceções tão evidentes em nosso mundo a ponto de fazer soar uma *nota positiva* e não se envolver em controvérsias. Ele sabia que a oração funciona e que o homem justo será abençoado. Ele não esperava apenas por recompensas recebidas no pós-túmulo, mas que bons acontecimentos ocorressem aqui e agora.

Celebraremos com júbilo a tua vitória, e em nome do nosso Deus hastearemos pendões; satisfaça o Senhor a todos os teus votos...
Satisfizeste-lhe ao desejo do coração, e não lhe negaste as súplicas dos seus lábios.

Salmo 20.5; 21.2

O homem piedoso nunca se permite ter desejos que não possa transformar em orações a Deus. E jamais formula uma oração que não possa ser respondida.

Em alguns ginásios da Alemanha era costume acompanhar os formandos até a porta da cidade, entoando partes do Salmo 37, especialmente os vss. 3-5, ao longo do caminho. Estamos informados de que David Livingston, na África, com frequência repetia essas palavras.

37.5

גּוֹל עַל־יְהוָה דַּרְכֶּךָ וּבְטַח עָלָיו וְהוּא יַעֲשֶׂה׃

Entrega o teu caminho ao Senhor. *A Metáfora do Caminho.* A vida se assemelha a uma vereda, a uma estrada, a um caminho que deve ser percorrido. Ao longo desse caminho, há muitos inícios e muitas paradas; lugares escabrosos, subidas íngremes e descidas perigosas até os vales lá embaixo, através de traiçoeiras ravinas. Existem desvios nos quais algumas pessoas se perdem; trechos bons e maus, lugares fáceis e difíceis. Independentemente do que seja, somente o Senhor pode guiar-nos com sucesso do berço à sepultura. Um antigo hino compara a jornada da vida a uma viagem de trem:

A vida é como uma estrada de ferro na montanha,
Com um Maquinista que é corajoso;
Devemos fazer a viagem bem-sucedida,
Desde o berço até a sepultura.
....

Jesus, Salvador, tu nos guiarás
Até chegarmos à praia distante,
Onde os anjos esperam unir-se a nós,
Na Terra do sempre.

Minha mãe e meu pai ocasionalmente entoavam essa canção, da qual agora só lembro certos trechos. Quando eu era ainda bem jovem, meus pais possuíam um automóvel fabricado em 1934! Minha família fez uma viagem até o espetacular lago do Urso, no norte do Estado de Utah, naquele veículo. Meu irmão e eu viajávamos no assento traseiro, permitindo que as alegrias do dia fossem passadas em revista em nossa mente. Ninguém conversava, pelo que estávamos sentados ali em silêncio e no escuro, iluminados somente pelos nossos faróis, ou então por algum ocasional carro que passava por nós. Então, naquela quietude, minha mãe e meu pai (que trabalhou na estrada de ferro a vida inteira) começaram a cantar: "... a vida é como uma estrada de ferro na montanha...". Estávamos descendo por uma *ravina* entre as Montanhas Rochosas, e jamais esquecerei aquele momento. Desde então tenho passado 32 dos meus 62 anos de idade no Brasil, ao passo que meu irmão tem trabalhado como missionário no Congo (Zaire) e no Suriname, por mais de quarenta anos. A estrada é longa, e, meus amigos, quero que vocês saibam que o Senhor tem sido fiel. Isso porque "a vida é como uma estrada de ferro na montanha, com um Maquinista que é corajoso".

E o mais ele fará. Seja o que for que você necessite ao longo do caminho, Deus estará ali para ajudá-lo a vencer e a completar uma viagem bem-sucedida. Aqueles que nele confiam não errarão o caminho, nem ficarão aquém do plano que "foi escrito desde o começo". Isso é verdade porque Deus já planejou a jornada. Ele calculou cada volta radical na estrada, cada colina íngreme a ser escalada. Ele previu os "acidentes" e nos muniu com um mapa da estrada. Portanto, *entrega o teu caminho ao Senhor*. O hebraico diz literalmente aqui: "rola teu caminho sobre Yahweh". É provável que essa metáfora tenha sido aproveitada das viagens feitas a camelo, o cavalo do deserto. Esse animal se ajoelha a fim de que a carga possa ser *rolada* sobre ele. Então o camelo se levanta, e a caravana parte, atravessando o deserto. Um homem não é capaz de transportar a própria carga e certamente não pode fazer a viagem sozinho. Por conseguinte, ele a rola sobre o Senhor, o qual tem forças suficientes.

Confia ao Senhor as tuas obras, e os teus desígnios serão estabelecidos.

Provérbios 16.3

A palavra aqui traduzida por "confia" também significa, literalmente, "rola". Assim, meus amigos, "rolem as suas obras sobre o Senhor". O que quer que vocês queiram fazer, e não consigam efetuar sozinhos, entreguem a ele. Todos os caminhos chegam a algum lugar. O Senhor garante que a vereda do homem bom o conduzirá ao Ser divino. Ali ele descansará e ele exultará.

Confia os teus cuidados ao Senhor, e ele te susterá: jamais permitirá que o justo seja abalado.

Salmo 55.22

Provi no *Dicionário* um artigo detalhado sobre *Caminho*, no qual essa metáfora é desenvolvida com diversas referências. Jesus foi o revelador final do caminho, sendo, ele mesmo, o caminho (Jo 14.6). Os cristãos primitivos eram chamados de "povo do Caminho" (At 9.2). Os índios americanos chamavam o cristianismo de "a estrada de Jesus".

■ 37.6

וְהוֹצִיא כָאוֹר צִדְקֶךָ וּמִשְׁפָּטֶךָ כַּצָּהֳרָיִם׃

Fará sobressair a tua justiça como a luz. O homem bom será vindicado. Suas obras serão demonstradas como justas, ao passo que as obras dos iníquos serão provadas como malignas. A luz de Deus do meio-dia garantirá essa revelação. Nada existe que tenha sido oculto do e não venha a ser revelado (ver Mt 10.26).

"O Senhor... trará à plena luz as cousas ocultas das trevas, mas também manifestará os desígnios dos corações" (1Co 4.5). A imagem que recebemos do texto é a do sol nascente que gradualmente ilumina a terra inteira. Assim lemos em Jó 11.17 e Is 58.10. Ver também Mq 7.9.

Este versículo tem sido cristianizado para falar da luz de Cristo e seu ofício como Juiz e também da manifestação dos filhos de Deus (Rm 8.19).

■ 37.7

דּוֹם לַיהוָה וְהִתְחוֹלֵל לוֹ אַל־תִּתְחַר בְּמַצְלִיחַ דַּרְכּוֹ בְּאִישׁ עֹשֶׂה מְזִמּוֹת׃

Descansa no Senhor e espera nele. O homem que confia também deve descansar no Senhor. Seu sono não será perturbado por pensamentos e temores negativos. Seu coração estará em paz, porquanto ele andará sob o favor do poder celeste e será guiado pelo grande intelecto. Ele não será perturbado por pensamentos sobre a prosperidade do ímpio, ao passo que ele mesmo é pobre. Nem andará preocupado porque o homem rico tem poder, que usa para cometer toda espécie de abuso e crime. As preocupações de um homem acerca de outro (do homem mau) por certo não terão efeito sobre a situação, mas apenas irão prejudicá-lo, visto que pensamentos negativos têm uma maneira de criar tanto enfermidades físicas quanto maus eventos.

... lançando sobre ele toda a vossa ansiedade, porque ele tem cuidado de vós.

1Pedro 5.7

O crente que se preocupar estará achando falta em Deus, porquanto duvida de seu poder e planejamento. Ele pensa ser mais esperto do que realmente é, porque acha que sabe mais do que Deus o que deve ser feito. O original hebraico poderia ser aqui mais literalmente traduzido por "Calai-vos", isto é, "Fazei silêncio diante dele", sem queixas ou acusações. "Calai-vos, em oposição a uma apaixonada autodefesa (vs. 8) e à ira, diante da prosperidade dos ímpios inimigos, é o que está aqui em vista. Cf. Sl 38.3-15" (Fausset, *in loc.*).

■ 37.8

הֶרֶף מֵאַף וַעֲזֹב חֵמָה אַל־תִּתְחַר אַךְ־לְהָרֵעַ׃

Deixa a ira. O indivíduo que se preocupa e se mostra ansioso sobre o "desgoverno" de Deus (os justos são perseguidos, ao passo que os ímpios vivem na abundância) pode acabar irado tanto contra o homem como contra Deus. Tal indivíduo é aconselhado aqui a confiar e descansar em Deus, e deixar de lado a sua ira. Ele pode acabar cometendo algum ato violento, por "tomar a lei nas próprias mãos". E, nesse caso, não será melhor do que o homem mau, que provocou a sua ira. O poeta, pois, queria descontinuar o curso de ira que o conduzia a sérias consequências.

As dificuldades do justo muitas em número podem ser.
Mas afinal, delas todas, o Senhor o livrará.

Dito escocês

As palavras "deixa a ira" são, no original hebraico, literalmente, "não te inflames". O homem bom queima em sua ira, e alguma coisa ruim provavelmente acontecerá. Sua ira só poderá agravar mais ainda o dano, e não corrigi-lo. Tal homem tem de entregar sua causa a Deus, e não tentar resolvê-la sozinho.

Não vos vingueis a vós mesmos, amados, mas dai lugar à ira; porque está escrito: A mim me pertence a vingança; eu retribuirei, diz o Senhor... Não te deixes vencer do mal, mas vence o mal com o bem.

Romanos 12.19,21

■ 37.9

כִּי־מְרֵעִים יִכָּרֵתוּן וְקֹוֵי יְהוָה הֵמָּה יִירְשׁוּ־אָרֶץ׃

Os malfeitores serão exterminados. *A vindicação e o julgamento* estão a caminho, e, seja como for, a vida é tão curta, seja para o homem bom seja para o perverso, que as *circunstâncias atuais* não perfazem um dia de teste sobre o que a justiça pode fazer e, finalmente, fará. Que o homem mau tenha seu próprio pequeno dia. Ele será brevíssimo, e então Deus corrigirá todas as coisas, de conformidade com seus princípios de justiça. Os que esperarem no Senhor terminarão *herdando a terra*. Talvez esta porção do versículo se refira à experiência de cativeiro de Judá, e talvez "a terra" signifique "a terra de Judá" à qual os judaítas seriam restaurados. Alguns estudiosos veem aqui uma *referência profética*, ou seja, o milênio, mas dificilmente essa interpretação está correta. Parece que o Senhor Jesus citou (e expandiu) este versículo em Mt 5.5. O versículo foi cristianizado para falar dos julgamentos contrastantes dos justos e dos ímpios, após a morte biológica, mas isso já seria uma *eisegese*, e não uma *exegese*. Em outras palavras, essa ideia "lê no texto" o que o intérprete prefere ver, em vez de extrair o que realmente se encontra ali.

37.10

וְעוֹד מְעַט וְאֵין רָשָׁע וְהִתְבּוֹנַנְתָּ עַל־מְקוֹמוֹ וְאֵינֶנּוּ:

Mais um pouco de tempo. O *homem mau* está a caminho da *sepultura*. Com ele perecerão todas as suas manhas e obras. O juízo divino porá fim a toda a sua triste história. O poeta não afirma que a alma do homem mau sobreviverá atormentada no *seol*. Essa doutrina foi formulada nos livros apócrifos e pseudepígrafos, e em seguida expandida no Novo Testamento. Há alguns poucos *indícios* dessa doutrina, como em Dn 12.2,3, mas sem delineações claras. Os eruditos sabem que as chamas do hades foram acesas no livro de 1Enoque, e não nos livros canônicos do Antigo Testamento. Em contraste, o salmista via aqui apenas o *nada*, que esperaria pelos obreiros da iniquidade. As doutrinas desenvolvem-se *historicamente*, algo que muitos cristãos fundamentalistas fracassam em reconhecer. E por isso eles vivem projetando o Novo Testamento no Antigo, numa tentativa de torná-los homogêneos. Essa é uma tarefa ingrata, que agride a verdade. Até no Novo Testamento pode-se notar uma progressão histórica. Os *mistérios* de Paulo ultrapassam o restante do Novo Testamento em vários pontos fundamentais.

> *Tenho ainda muito que vos dizer, mas vós não o podeis suportar agora; quando vier, porém, o Espírito da verdade, ele vos guiará a toda a verdade...*
> João 16.12,13

Meus amigos, o que o Senhor Jesus disse acima envolve um *processo eterno*, e não somente algum acontecimento futuro isolado. Nenhum homem finito terá, jamais, todo o conhecimento de Deus. Contudo, visto haver uma infinitude com a qual todos seremos replenados, deverá haver, igualmente, um *enchimento infinito*. Não nos maravilhemos, pois, se os apóstolos não tinham todos a mesma base de conhecimento, nem nos maravilhemos por ver uma progressão histórica no próprio Novo Testamento. Essa progressão da verdade, o seu crescimento, alivia-nos o fardo de tentar reconciliar ideias que parecem contraditórias no próprio Novo Testamento, bem como de tentar fazer o Novo Testamento confirmar (em todos os pontos) o que o Antigo Testamento ensinava.

Essas ideias não laboram contra a sã doutrina da inspiração, porquanto a *própria inspiração* progride e nos conduz ao longo de uma vereda ascendente, conforme a história se desenrola. Muitas ideias antigas simplesmente tornaram-se *obsoletas*. A inspiração divina nos conduz a "terreno mais elevado", no qual encontramos muitas surpresas que nada têm a ver com a antiga vereda. Sim, encontramos surpresas, e muitas ideias novas simplesmente *substituem* as mais antigas. Não há nenhuma necessidade de buscar reconciliação e homogeneidade. Ademais, muitas ideias novas não são desenvolvimentos de ideias antigas, mas simplesmente novas ideias, e podem contradizer ideias antigas. Portanto, no texto presente, encontramos o ensino de que os ímpios serão reduzidos a *nada*. Essa sempre foi uma doutrina da fé hebreia, até que, nos Salmos e profetas, obtemos indícios de que nem sempre isso ocorre. Por conseguinte, a ideia antiga simplesmente laborava em erro e foi substituída e ampliada. Muitas ideias que temos como verdadeiras hoje, algum dia serão substituídas por pontos de vista mais elevados. O processo prosseguirá dessa maneira, interminavelmente. Tais declarações perturbam o conforto intelectual de alguns, mas estou mais interessado na verdade do que na manutenção de comodidades intelectuais.

O *nada*, conforme diz o poeta, espera pelo orgulhoso pecador, pelo homem debochado. Portanto, não devemos ficar ansiosos com o aparente fracasso do cronograma seguido por Deus. "As palavras simples e sombrias deste versículo foram escritas sobre os tronos de todos os tiranos e, finalmente, serão escritas sobre o próprio mal" (J. R. P. Sclater, *in loc.*).

Já não existirá o ímpio; procurarás o seu lugar, e não o acharás. O rei foi morto; a cidade foi tomada; um império caiu em um único dia. Isso tudo se passou com a cidade de Babilônia. Então os cativos judeus retornaram e retomaram a posse da Terra Prometida, através da agência da Medo-Pérsia, a potência que substituiu a Babilônia. Cf. Jó 7.10 com 20.9.

37.11

וַעֲנָוִים יִירְשׁוּ־אָרֶץ וְהִתְעַנְּגוּ עַל־רֹב שָׁלוֹם:

Mas os mansos herdarão a terra. Este versículo reitera e expande o vs. 9, e Jesus nos brinda com as mesmas palavras em Mt 5.5. Falando profeticamente, essas palavras apontam para o milênio, segundo os intérpretes cristãos, e, historicamente, referem-se ao retorno dos judeus do *cativeiro babilônico* (ver a respeito no *Dicionário*). Essas palavras oferecem *significados metafóricos* e são generalizadas: os malignos têm um mau *fim*. Eles serão reduzidos a nada. Os bons, em contraste, prosperam em todos os seus caminhos, obtendo terras e dinheiro e vivendo em paz, porquanto os ímpios que os ameaçavam foram obliterados. Assim dita a esperança que nem sempre se cumpre na vida terrena.

"A moral dos mansos é inquebrantável; e a moral representa nove décimos da batalha. Os mamutes humanos acabam morrendo" (J. R. P. Sclater, *in loc.*).

"Sendo homens pacíficos agora, eles serão administradores aptos no reino vindouro do Príncipe da Paz sobre a terra (Is 2.4; 9.6; Os 2.18; Zc 9.10)" (Fausset, *in loc.*).

"O servo de Deus que é tranquilo, sem pretensões e que se contenta com a sua sorte, obtém mais bênçãos verdadeiras na terra, e assim a possui mais verdadeiramente, do que o homem ímpio que possa ser senhor sobre muitas terras" (Ellicott, *in loc.*, com uma interpretação metafórica esperançosa deste versículo).

OS ÍMPIOS E OS JUSTOS SÃO CONTRASTADOS (37.12-22)

Uma série de declarações de sabedoria contrasta os bons e os maus e diz como, finalmente, as coisas acabarão para os dois grupos. Muitas excelentes declarações de sabedoria são apresentadas aqui, as quais os homens têm repetido através dos séculos. Doutrinariamente, não há progressão "para além do sepulcro". Tão somente é afirmado (e esperado com fervor) que os homens maus terminem mal, e os homens bons terminem bem. O homem mau será reduzido a nada, mas o homem bom deverá herdar a terra e prosperar (vs. 34). Portanto, fomos presenteados com uma teologia deficiente, embora nos sejam conferidas excelentes declarações de sabedoria que podem receber e de fato recebem muitas aplicações de natureza histórica, profética e metafórica para a vida diária. Este versículo provê bons exemplos da antiga *Literatura de Sabedoria* dos hebreus. Ver no *Dicionário* o artigo chamado *Sabedoria*, especialmente a seção III, quanto a esse tipo de obra literária, da qual *alguns* salmos fazem parte. Em minha classificação dos salmos (dezessete tipos), listo cerca de doze salmos de sabedoria. Ver o gráfico no início do comentário sobre o livro de Salmos, que apresenta as classes e os salmos que pertencem a cada uma delas.

37.12

זֹמֵם רָשָׁע לַצַּדִּיק וְחֹרֵק עָלָיו שִׁנָּיו:

Trama o ímpio contra o justo. Pessoas perversas estão em guerra pessoal contra os justos. Os ímpios traçam estratagemas de batalha. Eles ferem, o que é dito metaforicamente, neste versículo, *ringindo* os dentes contra os bons, como se fossem animais ferozes que atacam e devoram suas vítimas. São pessoas com *tendências sanguinárias*, que apelam para a violência a fim de obter o que querem. São tiranos, em público e em particular, e estão sempre aumentando o número de suas vítimas.

> *... como vis bufões em festins, rangiam contra mim os dentes.*
> Salmo 35.16

> *Ouvindo eles isto, enfureciam-se nos seus corações e rilhavam os dentes contra ele.*
> Atos 7.54

37.13

אֲדֹנָי יִשְׂחַק־לוֹ כִּי־רָאָה כִּי־יָבֹא יוֹמוֹ:

Rir-se-á dele o Senhor. Yahweh olha a cena e a acha cômica, porquanto, ao olhar para baixo, ele vê o homem mau sofrendo às mãos de outros homens maus, por rico merecimento, e, finalmente, chegando ao nada, por ocasião da morte. O homem bom, na maioria das vezes, não compartilha dessa previsão, pelo que continua preocupado e queixoso. Portanto, o poeta convida os justos a ver as coisas conforme Yahweh as vê. Presumivelmente, isso aliviaria muita indignação e tensão. Mas um número demasiadamente grande de pessoas boas são agora apenas *pessoas* e não permitem que as dimensões futuras do tempo influenciem sua maneira de pensar.

Cf. Sl 2.4, onde também vemos o *riso do Senhor*. Isso é altamente antropomórfico e não deve ser entendido literalmente, como se Deus, realmente, risse. Ver no *Dicionário* os verbetes chamados *Antropomorfismo* e *Antropopatismo*. Por causa dos limites de nossa mente e de nossa teologia, atribuímos a Deus nossos próprios atributos e emoções. Quando personalizamos Deus, nós o fazemos menor do que ele realmente é; mas é muito difícil falar de Deus sem empregar tal linguagem. Em contraste, veja o leitor o Deus transcendental, referido nos artigos do *Dicionário* intitulados *Mysterium Fascinosum* e *Mysterium Tremendum*. E ver também os artigos denominados *Via Eminentiae* e *Via Negationis*.

"O homem julga somente através da aparência presente e externa das coisas" (Fausset, *in loc.*). Cf. Sl 137.7 e Jó 18.20.

■ 37.14

חֶרֶב פָּתְחוּ רְשָׁעִים וְדָרְכוּ קַשְׁתָּם לְהַפִּיל עָנִי וְאֶבְיוֹן לִטְבוֹחַ יִשְׁרֵי־דָרֶךְ׃

Os ímpios arrancam da espada. Os versículos um tanto desconexos do Salmo 37, que é um salmo de sabedoria, agora entram em um campo de batalha, onde os soldados de Israel se defrontam com inimigos mortíferos. Os inimigos de Israel são os inimigos de Yahweh, e assim, o Capitão dos Exércitos precisa proteger os que lhe pertencem. O pobre soldado de Israel deve clamar, pedindo proteção para a sua vida. Os vss. 12-22 contrastam o ímpio e o justo, e um dos tipos de homens malignos é o guerreiro que chega para matar e saquear, fazendo de Israel uma terra desolada. Os ímpios apelam para muitos artifícios, incluindo a guerra. Os dias do salmista eram tempos brutais, quando a sobrevivência diária, diante da morte violenta, era um problema sempre presente. Cf. Sl 7.15,16; Mt 26.52 e Ap 13.10. Os vss. 14 e 15 têm sido encarados metaforicamente, pois devemos entender as palavras "espada", "arco" e "armas" como uma espécie de ameaça violenta, e não meramente como armas de guerra literais.

■ 37.15

חַרְבָּם תָּבוֹא בְלִבָּם וְקַשְּׁתוֹתָם תִּשָּׁבַרְנָה׃

A sua espada, porém, lhes traspassará o próprio coração. A *lex talionis* (retribuição idêntica ao crime cometido) (ver no *Dicionário* a respeito) entra em cena na batalha (literal ou metaforicamente) quando o homem bom é ameaçado. Os homens violentos são mortos por sua própria violência. Consideremos a causa de Saul. Ele morreu pela própria espada (ver 1Sm 31.4).

Abre e aprofunda uma cova, e cai nesse mesmo poço que faz.
Salmo 7.15

"Os homens ímpios atacam o manso, mas serão destruídos por sua própria violência. As palavras 'o pobre e necessitado' (vs. 14) ocorrem aqui juntas, pela primeira vez, dentre seis usos. Ver também Sl 40.17; 70.5; 74.21; 86.1; 109.22" (Allen P. Ross, *in loc.*). O homem pobre, neste caso, é o homem humilde, o sofredor, e não necessariamente aquele que não tem dinheiro. Ele padece necessidade quando está sujeito a qualquer tipo de ameaça ou privação. Então descobre que Yahweh é adequado para todas as suas necessidades e para dar-lhe a proteção necessária.

Os vss. 14 e 15 nos dão outra instância da *Lei Moral da Colheita segundo a Semeadura* (ver a respeito no *Dicionário*), repetida por inúmeras vezes tanto no Antigo quanto no Novo Testamento.

"Todas as suas execrações e maldições cairão sobre eles mesmos; e seu poder de praticar o mal será *quebrado*" (Adam Clarke, *in loc.*).

Homens devotos, homens sábios, continuam insistindo no que "a agressão violenta (o uso da *espada*) é um caminho seguro para a autodestruição. Que as nações aprendam essa lição e obedeçam" (J. R. P. Sclater, *in loc.*).

■ 37.16

טוֹב־מְעַט לַצַּדִּיק מֵהֲמוֹן רְשָׁעִים רַבִּים׃

Mais vale o pouco do justo. O *poeta sagrado* confessa agora que o homem bom também pode ser materialmente *pobre*, um conceito não muito favorecido no Antigo Testamento, em que a prosperidade material aparece constantemente como um corolário da piedade. Mas o poeta insiste em que o *pouco* que o homem bom possui é *melhor* que as riquezas do ímpio. Poderíamos chamar tal homem de *rico em espírito*; e isso exprime uma verdade, embora não frequentemente vista como adequada, sobre bases veterotestamentárias. Em contraste, o Novo Testamento, em alguns poucos lugares, faz da pobreza material uma virtude, porquanto foi aos pobres que o evangelho foi anunciado:

... não foram chamados muitos sábios segundo a carne, nem muitos poderosos, nem muitos de nobre nascimento... Deus escolheu... as cousas fracas do mundo...
1Coríntios 1.26,27

Não escolheu Deus os que para o mundo são pobres, para serem ricos em fé e herdeiros do reino que ele prometeu aos que o amam?
Tiago 2.5

Ver também Tg 5.1 ss., quanto a exclamações peremptórias contra os ricos que, usualmente, abusam dos pobres e dos fracos. Naturalmente, não há virtude alguma em ser pobre. Se a pobreza remove certas tentações, adiciona outras. Por motivo de pobreza extrema, os homens são forçados a furtar e a cometer atos violentos para comer e prover o necessário para sua família. Outros, em desespero, tornam-se violentos de espírito e vivem pouco melhor do que os animais. Porém, quando um homem tem poucas possessões materiais, mas também *teme* ao Senhor, é como se fosse rico, e ele não será pervertido por causa de sua pobreza. Ver no *Dicionário* o artigo chamado *Temor*, seção I. Seja como for, Deus abençoa o pouco que o homem bom e pobre possui, ao passo que amaldiçoa as riquezas do homem poderoso que usa seu dinheiro para abusar dos semelhantes e obter vantagens pessoais, promovendo obras nefandas.

"As riquezas que o homem ímpio amontoa para si de nada valerão em períodos de teste" (J. R. P. Sclater, *in loc.*).

Melhor é um pouco havendo o temor do Senhor, do que grande tesouro, onde há inquietação.
Provérbios 15.16

■ 37.17

כִּי זְרוֹעוֹת רְשָׁעִים תִּשָּׁבַרְנָה וְסוֹמֵךְ צַדִּיקִים יְהוָה׃

Pois os braços dos ímpios serão quebrados. O texto bíblico continua a fazer o *contraste* entre o justo e o injusto (seção iniciada no vs. 12). Voltamos agora à ideia da guerra (ver os vss. 14 e 15). Os ímpios têm armas de guerra e com elas assustam os bons. Os ímpios estão ali para matar. Mas Yahweh intervém e quebra os *braços* deles, anulando-os e tornando-os inúteis na hora crítica. Em *contraste*, o homem bom é ajudado em meio à violência que o cercou, a fim de vencer na batalha e assim sobreviver para desfrutar tempos de paz.

Este versículo também é interpretado metaforicamente. O homem mau, em tempos de crise, falha e cai, porquanto Deus não está com ele. A causa do homem bom é sustentada, e ele atravessa galhardamente as crises.

Quebranta o braço do perverso e do malvado; esquadrinha-lhes a maldade, até nada mais achares.
Salmo 10.15

Braços... quebrados. Os instrumentos de ação são o braço e a mão, uma figura comum no Antigo Testamento. Um homem com um braço quebrado de nada vale no campo de batalha. Sua condenação está selada. Ele pode ter toda espécie de arma poderosa, mas com braços quebrados não conseguirá usá-las. É dessa maneira que Deus anula o poder do ímpio. Seu poder de praticar o mal é assim abolido.

■ 37.18

יוֹדֵעַ יְהוָה יְמֵי תְמִימִם וְנַחֲלָתָם לְעוֹלָם תִּהְיֶה׃

O Senhor conhece os dias dos íntegros. Os *íntegros* são *conhecidos* por Yahweh, e, assim sendo, o caminho deles também é *conhecido*. Esse conhecimento divino não consiste em mera previsão. Antes, é um *favor gentil,* porquanto Deus exerce sua misericórdia e favorece o homem bom com sua graça. Portanto, o *conhecer,* na Bíblia, não consiste em ter consciência dos fatos, sejam eles presentes ou futuros. Pelo contrário, é um favor divino. O homem assim conhecido é, igualmente, um *herdeiro.* Ver no *Dicionário* os artigos *Herança* e *Herdeiro,* quanto ao desenvolvimento das metáforas envolvidas. O homem pobre que teme a Deus herda de Yahweh a sua porção e, assim sendo, é um homem rico.

Este versículo tem sido cristianizado para falar da "herança celestial", mas o poeta sacro estava apenas olhando para uma vida pacífica e próspera, material e espiritualmente, neste mundo. Cf. Sl 1.6 com o conhecimento divino. Ver Hb 9.15; 1Pe 1.4. Independentemente de ser considerada terrestre ou celeste, a herança de Yahweh é o fator que enriquece um homem. Os israelitas eram herdeiros, porquanto formavam um povo em relação de pacto com o Senhor. Ver no *Dicionário* o verbete chamado *Pactos.* Eles se tornaram a *herança de Yahweh* e dele receberam a sua herança. O povo em relação de aliança com Deus recebeu a *lei,* tornando-se assim um povo distintivo. Ver Sl 1.2, quanto a um sumário de como a lei estava relacionada a Israel e quais eram as suas virtudes.

■ **37.19**

לֹא־יֵבֹשׁוּ בְּעֵת רָעָה וּבִימֵי רְעָבוֹן יִשְׂבָּעוּ׃

Não serão envergonhados nos dias do mal. Quanto à questão de que o justo não será *envergonhado,* ver Sl 25.1; 35.26. Nenhum ser humano poderá dizer: "Aquele insensato confiou em Yahweh e veja-o agora. Ele é uma droga. É um pobretão. Está desesperado. Ele é um homem morto! Qual foi o benefício de sua fé?"

Quando o tempo da *fome* chega, afeta tanto aos bons quanto os maus. Os homens ainda não podem fazer muitas coisas para controlar a natureza e são altamente dependentes da chuva para sobreviver. Por conseguinte, se o poder divino as retém, em breve tempo a calamidade atingirá toda a humanidade. E isso também diz respeito às chuvas espirituais, a provisão de Deus para a alma. Sem essa chuva espiritual, os homens logo se transformam em desertos. Quando a fome chega, de nada adiantará ao rico ter em depósito muito ouro. Ele passará fome tanto quanto o pobre, o qual só tinha uma vaca e a comeu, quando ela morreu de fome. Nas circunstâncias difíceis, o homem bom será sustentado por Deus, como aconteceu à família de Jacó, que foi transportada para o Egito. O poeta, contudo, não diz como o homem bom será sustentado por Deus. Temos apenas de aceitar a sua palavra, esperando pelo melhor. Elias foi sustentado por corvos, e assim o alimento lhe chegava miraculosamente. Yahweh saberá como agir no tempo da crise. Ele cuidou de Jeremias nos dias da fome (ver Jr 37.21). Ver também Sl 33.19 e 105.16. Ver no *Dicionário* o verbete intitulado *Fome,* para um amplo desenvolvimento do tema.

■ **37.20**

כִּי רְשָׁעִים יֹאבֵדוּ וְאֹיְבֵי יְהוָה כִּיקַר כָּרִים כָּלוּ בֶעָשָׁן כָּלוּ׃

Os ímpios, no entanto, perecerão. Os ímpios perecerão em meio à fome (ou outros tipos de crises), porquanto, quando uma intervenção divina é necessária à sobrevivência, eles não são favorecidos. O homem mau é como a erva dos campos, ou como as terras de pasto onde há falta de chuvas, que são completamente arrasadas. É como a *fumaça* que sobe do fogo e desaparece na atmosfera.

Serão como o viço das pastagens. As terras de pastagem, que sustentam a vida animal, logo desaparecem quando a fome se faz sentir. Então os animais morrem, e os homens ficam sem alimentação, de origem vegetal ou animal, e também perecem. Algumas traduções, como a *King James Version,* em vez de terras de pastagens, dizem "a gordura dos cordeiros". Nesse caso, pode estar em vista o sistema sacrificial. Os animais sacrificados reduzem-se a fumaça. Se essa é a metáfora pretendida, então trata-se de uma nova metáfora, cujo intuito é ilustrar a natureza precária da vida. O animal sacrificado era *nobre,* por ser usado no culto divino, mas até mesmo esse animal (ou sua gordura) desapareciam na forma de fumaça sobre o altar. O original hebraico é um tanto incerto, o que explica a dúvida sobre como traduzi-lo. Mas as traduções mais modernas permanecem com

a frase "a glória dos prados" ou algo parecido. A outra possibilidade fala da *gordura* sendo queimada, a qual, juntamente com o sangue, era uma das porções oferecidas a Yahweh. Quanto a isso, ver Lv 3.17, que discute as leis concernentes à gordura e ao sangue.

Levanta-se Deus; dispersam-se os seus inimigos; da sua presença fogem os que o aborrecem. Como se dissipa a fumaça, assim tu os dispersas...
Salmo 68.1,2

■ **37.21**

לֹוֶה רָשָׁע וְלֹא יְשַׁלֵּם וְצַדִּיק חוֹנֵן וְנוֹתֵן׃

O ímpio pede emprestado e não paga. O homem iníquo pede dinheiro emprestado para fazer algum investimento. Seja porque é perverso e *não devolve* o que havia pedido emprestado, seja porque é derrubado mediante alguma calamidade e *não pode* pagar a sua dívida, ele termina em terrível miséria. Em contraste, o homem bom não apenas paga as suas dívidas quando pede algo emprestado, mas também é capaz de dar dinheiro a outros, mostrando-lhes *misericórdia.* Portanto, temos aí o contraste; o que o homem rico deveria ser *capaz* de fazer, foi *incapaz* de fazê-lo. E o que o homem pobre *não* deveria ser *capaz* de fazer, terminou fazendo, para surpresa de todos. É assim que funciona a *Providência de Deus,* castigando os maus e recompensando os bons. O egoísmo é punido. A generosidade é recompensada. Ver no *Dicionário* o artigo chamado *Liberalidade e Generosidade.*

"É fato conhecido que os empreendimentos filantrópicos dependem financeiramente da seção religiosa e especialmente da religião cristã em qualquer comunidade. Também é fato que um homem que teme a Deus tem o mais longo crédito (moral), conforme concordará qualquer banqueiro. E é igualmente verdadeiro que pessoas religiosas, mesmo com pequenas possessões, são as que têm os mais rígidos princípios morais e as que são os melhores doadores e contribuidores" (J. R. P. Sclater, *in loc.*).

Compare o leitor este versículo com Dt 28.12,44 e Pv 22.7:

O rico domina sobre o pobre, e o que toma emprestado é servo do que empresta.

■ **37.22**

כִּי מְבֹרָכָיו יִירְשׁוּ אָרֶץ וּמְקֻלָּלָיו יִכָּרֵתוּ׃

Aqueles a quem o Senhor abençoa. O homem bem é abençoado por Yahweh e assim torna-se *herdeiro,* pela graça divina. Quanto à ideia de *herdar a terra,* ver o vs. 18, onde ofereço notas detalhadas sobre a questão, as quais não repito aqui. O vs. 11 repete e expande o vs. 9, e ali dou notas expositivas adicionais sobre a questão das heranças. No contexto do hebraico, o vs. 22 não se refere meramente às riquezas pessoais e heranças, mas também à nação, como um todo, bendita por Yahweh, e, por isso, distinta dos outros povos da terra. Estava em jogo a continuação da raça, que só poderia ocorrer por meio da continuação das famílias que tinham sua herança na Terra Prometida, conferida por Deus. Ver o vs. 29, onde novamente é dito que os justos herdarão a terra. O tema é reiterado, uma vez mais, no vs. 34. Portanto, em um único salmo, encontramos esta ideia nos vss. 9, 11, 22, 29 e 34. Naturalmente, tais versículos são cristianizados e espiritualizados para falar da herança que os crentes têm no céu, após a morte biológica (ver Rm 8.17; Hb 9.15 e 1Pe 1.4). Mas o poeta sagrado não estava enxergando tão longe no futuro. Sua visão limitava-se às fronteiras da Palestina, o território que Deus havia dado ao povo de Israel.

Aqueles a quem amaldiçoa. Ou seja, os renegados que não obedecem à lei e se recusam a distinguir-se dentre as nações. Esses morrerão sem nada levar desta vida; além disso, perderão a sua herança. E naturalmente nações estrangeiras não haverão de participar da herança de Israel. A morte reduzirá todos esses indivíduos a *nada.* Esta é a doutrina do poeta sagrado. Ele não esperava que houvesse punição para além do sepulcro, pois essa doutrina ainda não se havia desenvolvido dentro das tradições dos hebreus. Alguns fazem esta parte do versículo aplicar-se aos judeus que permaneceram na Babilônia, uma vez que o povo israelita recebeu permissão de voltar a Jerusalém. Esses, como é óbvio, não tinham nenhuma herança na Terra Prometida. Eles a haviam perdido. Além disso, muitos hebreus perversos tinham morrido ali e assim foram cortados das bênçãos da restauração.

UM TRATADO MELANCÓLICO SOBRE COMPLETAR 60 ANOS
(por Russell Norman Champlin, celebrando seu 60º aniversário, 22 de dezembro de 1993)

Algumas pessoas corajosas (mas mal informadas) sugerem que a vida começa aos 40 anos. Conseguiram enganar muitas pessoas. Mas ninguém (com a exceção de Ronald Reagan) tem sugerido que a vida começa aos 60. Realmente, um homem com 60 anos tem mais anos do que um homem com 59. De fato, esta é a aplicação mais óbvia da lei da relatividade.

Aos 60 anos de idade você tem cristais de ácido úrico atormentando o seu corpo, não porque come carne demais, mas porque tem insuficiência renal. Outros males o atacam como um bando de pernilongos. Com 59 anos, você não tinha tais problemas.

Aos 60 anos você olha para seus amigos e diz: "Ó não! Todos eles ficaram velhos!" Olhando no espelho, você sabe a razão de tudo isto. Então recebe um convite para assistir à reunião da turma de sua formatura de colégio, mas decide não participar porque você não quer ver a versão 60 anos das meninas bonitas que conheceu quando tinha 18 anos.

As mulheres lutam, heroicamente, contra o inevitável com cremes inúteis, tintura no cabelo, operações plásticas, e elogios absurdos que falam umas às outras. Mas dentro do corpo a decadência continua a todo vapor, coração, pulmões, todos os órgãos vitais e especialmente o cérebro.

Não, a vida não começa aos 60 anos. Quando se tem 59 anos você pode trabalhar duro e seu corpo obedece às suas ordens para cooperar. Mas aos 60 anos seu corpo está cansado e zomba das suas ordens. Completei 60 anos no dia 22 de dezembro de 1993, o dia mais curto do ano (no hemisfério norte), e isto me lembrou do fato de que a vida é curta, mesmo quando "longa" segundo avaliações populares.

Todo mundo já sabia, mas foi Sócrates quem falou o óbvio: "Todos os homens são mortais". Aos 59 anos de idade você pensa que poderia escapar do decreto da mortalidade. Mas aos 60 percebe que você não vai ser uma exceção.

Esperançosamente, com 60 anos você aprendeu algumas lições vitais da espiritualidade e que as duas grandes colunas são o amor e o conhecimento. Um sobrinho de Henry James perguntou-lhe: "O que devo fazer com minha vida?" Seu tio respondeu: "Existem três coisas importantes nesta vida: seja gentil; seja gentil; seja gentil".

Não, nem tudo é negativo. Esperançosamente, você pode dizer, olhando para trás na vida passada: "Bem, eu fiz o que eu deveria ter feito e realizei tudo, sem exceção". De qualquer maneira, se tivesse a chance de ter de volta a minha mocidade, mas ligada à necessidade de fazer tudo de novo, eu diria: "Obrigado. Mas, não, obrigado".

As hostes do céu olham para baixo e dizem: "Por que toda esta discussão? A vida é eterna". Tudo bem, mas existem poucas coisas que os mortais entendem melhor do que os imortais. Uma delas é como é coisa temível passar de 59 para 60 anos.

■ 37.23

יְהוָה מִצְעֲדֵי־גֶבֶר כּוֹנָנוּ וְדַרְכּוֹ יֶחְפָּץ׃

O Senhor firma os passos do homem bom. Uma *providência divina* especial está disponível para o homem bom. De fato, cada passo que ele dá ao longo do caminho é *determinado* pelo Senhor. Ver no *Dicionário* o artigo chamado *Providência de Deus*, onde o conceito é explicado em detalhes. Isso naturalmente reflete o teísmo (ver a respeito no *Dicionário*): Deus não somente criou, mas também intervém na história humana; ele recompensa e julga; e modifica o curso dos acontecimentos. Essa é a crença da Bíblia, em contraste com o *deísmo* (ver também no *Dicionário*), que ensina que algum poder criador abandonou sua criação e a deixou à mercê das leis naturais. Mas as leis naturais não são um governador perfeito, e até o caos entra em cena. Isso explica o *Problema do Mal* (ver a respeito no *Dicionário*), ou seja, por que os homens sofrem, e por que sofrem conforme sofrem.

> Por todo o caminho meu Salvador me guia,
> Que mais preciso solicitar?
> Posso duvidar de suas ternas misericórdias
> Dele que, toda a minha vida, tem sido o meu Guia?
> ...
> Sei que qualquer coisa que me caiba por sorte,
> Jesus fez bem todas as coisas.
>
> Fanny J. Crosby

> A qualquer lugar posso ir com Jesus em segurança;
> A qualquer lugar ele me conduz neste mundo.
> A qualquer lugar, sem ele, as alegrias desapareceriam;
> A qualquer lugar, com Jesus, não tenho medo.
>
> Jessie H. Brown

Yahweh deleita-se no caminho do homem bom, porquanto este enveredou pela senda correta. Mas o caminho do homem bom foi determinado pelo Senhor. Afinal, *esse caminho* foi divinamente estabelecido; consiste na obediência à lei, juntamente com os resultados favoráveis que esse tipo de caminhar naturalmente traz. Ver sobre a lei como guia, em Dt 6.4 ss. Um homem distingue-se dos outros quando segue pelo caminho da lei. Ver Dt 4.4-8 e Sl 1.6.

Yahweh deleita-se no caminho do homem "porque é por aquele caminho que o seu próprio Espírito o tem orientado. Ou o homem se deleita no *caminho de Deus*, na lei e nos testemunhos de seu Criador" (Adam Clarke, *in loc.*).

> Nos dias da minha mocidade, eu me lembrei de Deus. Na minha velhice, ele não tem esquecido de mim.
> Robert Southey

> Antes de a velhice chegar, meu desejo era viver bem. Na minha velhice, meu desejo é de morrer bem.
> Sêneca

> Os jovens acham que os velhos são tolos. Os velhos sabem que os jovens são tolos.
> George Chapman

> Quando um homem fica virtuoso na sua velhice, ele somente oferece a Deus o que o Diabo não quis.
> Alexander Pope

Fui moço, e já, agora, sou velho, porém jamais vi o justo desamparado, nem a sua descendência a mendigar o pão.
Salmo 37.25

■ 37.24

כִּי־יִפֹּל לֹא־יוּטָל כִּי־יְהוָה סוֹמֵךְ יָדוֹ׃

Se cair, não ficará prostrado. O caminho do cristão não deixará de ter infortúnios, desapontamentos e quedas, mas o homem bom nunca será totalmente rejeitado. "Os infortúnios dos justos nunca são finais e completos. Ele pode cair e ser precipitado de cabeça para baixo, mas a longa experiência demonstrou ao salmista que o Senhor faz o que é certo pelos justos, geração após geração" (William R. Taylor, *in loc.*).

"Yahweh o toma pela mão e o soergue por muitas e muitas vezes (Jó 5.19; Pv 24.16 e Mq 7.9)... Depois de ter começado nele a boa obra, o Senhor haverá de aperfeiçoá-la até o dia de Jesus Cristo (Fp 1.6). Pense o leitor neste belo incidente: Jesus estendendo a mão para salvar Pedro, que já se afundava nas ondas (Mt 14.31). Ver também Lc 22.31-34, e comparar com 1Sm 23.16" (Fausset, *in loc.*).

Porque sete vezes cairá o justo, e se levantará; mas os perversos são derrubados pela calamidade.
Provérbios 24.16

Não temas, porque eu sou contigo; não te assombres, porque eu sou o teu Deus. Eu te fortaleço, e te ajudo, e te sustento com a minha destra fiel.

Isaías 41.10

Jesus, Salvador, pilota-me pelo mar tempestuoso da vida;
Ondas desconhecidas rolam à minha frente, ocultando rochas e recifes traiçoeiros;
O mapa e a bússola estão contigo. Jesus, Salvador, pilota-me.

Edward Hopper

■ 37.25

נַעַר׀ הָיִיתִי גַּם־זָקַנְתִּי וְלֹא־רָאִיתִי צַדִּיק נֶעֱזָב וְזַרְעוֹ מְבַקֶּשׁ־לָחֶם׃

Fui moço, e já, agora, sou velho. O Senhor cuida do homem bom, e esse cuidado envolve até os seus filhos. Este versículo, um dos mais bem conhecidos de todo o livro de Salmos, assegura-nos que o justo terá suficiente *suprimento material* e seus filhos nunca terão de esmolar. O poeta vinha observando a vida por longo tempo. Ele fora jovem. Agora era um homem idoso. E por todo o caminho, a mesma providência divina controlava a tudo.

Não andeis ansiosos pela vossa vida, quanto ao que haveis de comer ou beber; nem pelo vosso corpo quanto ao que haveis de vestir. Não é a vida mais do que o alimento, e o corpo mais do que as vestes? Observai as aves do céu: não semeiam, não colhem, nem ajuntam em celeiros; contudo vosso Pai celeste as sustenta. Porventura, não valeis vós muito mais do que as aves?

Mateus 6.25,26

O *homem bom* tem o suficiente para si mesmo e para a sua família, e também lhe sobra o bastante para ajudar a outros, conforme informa o vs. 26. Isto posto, seu suprimento é mais do que adequado, de modo que ele pode abundar em toda boa obra. Ver 2Co 9.8, quanto a esse princípio bíblico.

"Acredito que isso é literalmente veraz. Agora tenho os cabelos encanecidos. Tenho viajado por muitos países e tido muitas oportunidades de observar e de conversar com pessoas religiosas de todas as situações, e, para meu conhecimento, ainda não encontrei uma única instância contrária. Ainda não vi um único homem justo abandonado, nem os seus filhos a pedir pão. Deus honra *dessa maneira* a todos quantos o temem, e assim cuida deles e de sua prosperidade" (Adam Clarke, *in loc.*).

Quando dúvidas e temores assaltam-nos a alma,
E sobre teu coração rolam as ondas.
...

Apega-te às promessas.
Oh, apega-te às promessas de Deus,
Elas nunca falharão.

Elizabeth B. Miller

"Nunca encontrei um homem justo inteiramente necessitado, pois ele poderia ser abandonado pelos homens e até por seus mais queridos amigos e parentes, mas não pelo Senhor. De fato, poderiam *pensar* que o Senhor o abandonou em tempos de desespero... Contudo, não é esse o caso desse homem" (Apolinário, *in loc.*). Ver Is 41.17; Hb 13.5; Mt 6.33; Sl 84.11; Rm 8.28,32.

■ 37.26

כָּל־הַיּוֹם חוֹנֵן וּמַלְוֶה וְזַרְעוֹ לִבְרָכָה׃

É sempre compassivo e empresta. O *homem bom,* que segue os princípios espirituais, ou seja, a lei do Antigo Testamento, nunca sofre aflição material, pelo menos não a ponto de padecer fome. Seus filhos são beneficiados pelo mesmo suprimento divino. Ademais, tal homem tem o bastante para doar coisas a outras pessoas. A medida de um homem é a sua *generosidade,* apenas outro nome para o amor. Ver sobre *Liberdade e Generosidade,* e também sobre *Amor,* no *Dicionário.*

Deus nos dá suprimentos materiais para nosso próprio *aprazimento,* mas também para compartilharmos com nossos semelhantes. Temos dinheiro, pelo que podemos engajar-nos mais eficazmente em boas obras de natureza espiritual, conforme ilustra 2Co 9.8. As pessoas enlouquecem por causa da falta de dinheiro, e nisso há muitos abusos. O homem espiritual, contudo, evita os tropeços e sempre se sai vencedor com o seu dinheiro, que o capacita a ajudar ao próximo. Aquele que tem dinheiro para si mesmo, para sua família e para outros de fora de seu círculo familiar, esse é o *homem abençoado,* conforme o versículo tem o cuidado de adiantar. Podemos estar seguros de que essa bênção será tanto espiritual quanto material. Tal homem demonstra misericórdia; e recebe misericórdia; ele ama e é amado; ele dá e outros também retribuem. O homem bom é abençoado quando vê seus filhos praticando o bem, tanto espiritual quanto materialmente.

"... os filhos dos ministros cristãos proveem uma proporção muito maior de homens distinguidos do que os filhos de homens de qualquer outra profissão ou negócio" (A. W. Fergusson, em seu livro, *Sons of the Clergy*).

E isto afirmo: aquele que semeia pouco, pouco também ceifará; e o que semeia com fartura, com abundância também ceifará.

2Coríntios 9.6

■ 37.27

סוּר מֵרָע וַעֲשֵׂה־טוֹב וּשְׁכֹן לְעוֹלָם׃

Aparta-te do mal, e faze o bem. A lei ordena que nos desviemos do mal e também que façamos o bem. E ainda nos diz que aqueles que assim agirem terão *vida longa e próspera.* Quanto a isso, ver Dt 4.1; 5.33; 6.2 e Ez 20.1, bem como os comentários sobre esses versículos.

O poeta estava pensando sobre as boas coisas que nos ocorrem na vida. Este versículo, contudo, tem sido cristianizado para falar das recompensas celestes. Nisso há uma grande verdade, mas não uma verdade que já fizesse parte da teologia dos hebreus, até o tempo em que o Salmo 37 foi escrito.

"Este versículo pode representar um lugar-comum, mas os lugares-comuns não devem ser esquecidos meramente porque já os ouvimos antes. Um lugar-comum como esse implica um forte conceito de Deus. A conexão entre a prática do bem e a continuação no mundo dos vivos está nele arraigada. Esse é o tipo de Deus que ele é" (J. R. P. Sclater, *in loc.*).

O judaísmo posterior fez este versículo aplicar-se à vida diária, e o cristianismo se aproveitou do tema.

Sabemos que, se a nossa casa terrestre deste tabernáculo se desfizer, temos da parte de Deus um edifício, casa não feita por mãos, eterna, nos céus.

2Coríntios 5.1

■ 37.28

כִּי יְהוָה׀ אֹהֵב מִשְׁפָּט וְלֹא־יַעֲזֹב אֶת־חֲסִידָיו לְעוֹלָם נִשְׁמָרוּ וְזֶרַע רְשָׁעִים נִכְרָת׃

Pois o Senhor ama a justiça. A *justiça divina* garante as promessas de longa vida e prosperidade ao homem justo. Isso faz parte da providência divina e deriva-se do fato de que o Senhor, em todos os seus caminhos, está interessado no bem-estar dos justos. Vice-versa, ele também precisa julgar o homem mau, que ignora a sua lei. O ímpio será *cortado,* ou seja, sofrerá por seus atos maus e então terá uma morte prematura, algo sempre temido pela mente hebreia. Não temos aqui nenhuma antecipação de recompensas eternas para o bom ou de sofrimentos eternos para o ímpio. Essas doutrinas surgiram no judaísmo posterior, e foram desenvolvidas nos livros pseudepígrafos e apócrifos e mais ainda no Novo Testamento. O judaísmo primitivo via a recompensa ou punição humana aqui e agora. O Pentateuco nada diz sobre como Deus corrigirá as coisas para além do sepulcro, e dá apenas indícios acerca da alma imaterial. A alma *começou* a surgir na fé dos hebreus nos Salmos e profetas.

Os filhos dos justos têm o bastante e são abençoados (vs. 25), mas a prole dos ímpios é cortada. Os ímpios sofriam morte prematura, e seus filhos os seguiam por esse caminho ruim. Por isso, as heranças que pertenciam a indivíduos maus eram perdidas. O vs. 29 mostra-nos que o poeta estava pensando na possessão da Terra Prometida, a Palestina.

Este versículo é cristianizado para além da Terra Prometida, ou seja, para a pátria celestial. Mas o poeta não nos conduziu até esse ponto. O judaísmo posterior e o cristianismo tomaram a iniciativa quanto à questão. Ver sobre a *Lei Moral da Colheita segundo a Semeadura*, no *Dicionário*.

Porque o Senhor é justo, ele ama a justiça; os retos lhe contemplarão a face.

Salmo 11.7

"Por causa de sua *justiça* essencial, o Senhor não pode esquecer-se, finalmente, de seus santos (vs. 25)" (Fausset, *in loc.*).

■ 37.29

צַדִּיקִים יִירְשׁוּ־אָרֶץ וְיִשְׁכְּנוּ לָעַד עָלֶיהָ:

Os justos herdarão a terra. Este versículo mostra que a "bênção" a ser obtida, segundo a mente do poeta sacro, não estava naquela terra distante do céu. Antes, o salmista estava interessado em ver o povo de Deus seguro na Palestina, a herança dos justos daquele tempo. Ele também estava interessado na *continuação* e na *paz* daquela terra. Somente uma vida reta podia garantir esses benefícios. Exércitos inimigos viriam e varreriam da terra os ímpios, seus filhos sofreriam calamidades, e a herança deles na terra se perderia. Por *aplicação*, podemos fazer este versículo significar mais do que isso, mas não devemos chamar tais explicações de exegese do texto. Não obstante, os mesmos princípios de justiça divina continuam tendo aplicação nesta vida, ou na vida posterior, mesmo que o poeta tenha tido uma visão inferior ao que se desenvolveu em tempos mais próximos dos nossos. Já vimos e comentamos esses elementos nos vss. 9, 11 e 27.

Nós, porém, segundo a sua promessa, esperamos novos céus e nova terra, nos quais habita justiça.

2Pedro 3.13

Talvez, historicamente, o versículo se refira ao retorno dos judeus, terminado o exílio babilônico, a fim de se apossarem novamente da Terra Prometida.

■ 37.30

פִּי־צַדִּיק יֶהְגֶּה חָכְמָה וּלְשׁוֹנוֹ תְּדַבֵּר מִשְׁפָּט:

A boca do justo profere a sabedoria. Esta passagem continua a traçar o contraste entre os justos e os ímpios. Os justos saem-se vencedores em todos os embates; os ímpios acabam perdedores em todos os incidentes. O homem bom deixa-se governar pela lei de Deus (vs. 31) e sempre fala com justiça; nunca se torna culpado de perjúrio ou falso testemunho. Por hábito, ele fala a *sabedoria*, pois já aprendeu a usar apropriadamente a língua. Sua linguagem é sábia e consagrada ao bem. Ver no *Dicionário* o verbete intitulado *Linguagem, Uso Apropriado da*, quanto a abundantes explicações e ilustrações. Ver também sobre *Sabedoria*. "A sabedoria flui dos lábios do homem justo, e ele guarda a lei do Senhor de todo o coração" (William R. Taylor, *in loc.*). Dessa maneira, ele provê um notável contraste com o pecador, que vive cortando e queimando outras pessoas com a língua e falando tolices da depravação.

Um Caráter Piedoso. Este caráter envolve três coisas: as *palavras* do homem reto são sábias e justas; os seus *atos* concordam com suas palavras; e o seu *coração* vive sintonizado com a retidão e a justiça. Em contraste, o pecador ofende em todas essas três categorias.

Bem-aventurados os que guardam as suas prescrições, e o buscam de todo o coração; não praticam iniquidade, e andam nos seus caminhos.

Salmo 119.2,3

■ 37.31

תּוֹרַת אֱלֹהָיו בְּלִבּוֹ לֹא תִמְעַד אֲשֻׁרָיו:

No coração tem ele a lei do seu Deus. A espiritualidade do Antigo Testamento não nos deve surpreender. Havia ali discernimento quanto à espiritualidade de "todo o coração" ou de "toda a alma". O *legalismo* dos hebreus não abafava o discernimento maior que qualquer fé religiosa deve ter além da letra, conforme nos diz, enfaticamente, o segundo capítulo da epístola aos Romanos. Ver no *Dicionário* o artigo chamado *Legalismo*. Mas devemos notar aqui que a *lei* (ver vários artigos a respeito, no *Dicionário*) era a base de todo conhecimento e busca espiritual. A lei distinguia o povo de Israel de outros povos (ver as notas em Dt 4.4-8), e a obediência à lei provia prosperidade e longa vida (Nm 12.9). Ver a lei como *guia* de toda a vida e vivência diária, em Dt 6.4 ss. Em Sl 1.2, há uma nota de sumário sobre essas questões.

O homem que aprende a lei e lhe obedece terá uma vida espiritual estável. Seus passos não *escorregarão* para o erro ou o desespero. Ele estará tão envolvido no templo e em seu culto que não terá tempo para circular entre os pecadores e imitar os seus atos. Tribulações terríveis poderão ocorrer (vs. 32), mas a proteção de Yahweh estará presente, para contrabalançar todo o mal. Oh, Senhor, concede-nos tal graça! O "coração santo" do homem bom "sempre dita aos seus *olhos*, à sua *boca*, às suas *mãos* e aos seus *pés*. Os preceitos que dirigem a sua conduta nem sempre estarão *escritos* em sua Bíblia. Pois também estarão em seu *coração*" (Adam Clarke, *in loc.*).

Guardo no coração as tuas palavras para não pecar contra ti.

Salmo 119.11

Ver Is 3.2; 42.4 e Jr 31.33. O Novo Testamento é o documento que prova como a espiritualidade de um homem tem de valer mais do que a letra. Cristo habita em nosso coração (Ef 3.17). A letra, por si só, pode matar (2Co 3.6).

■ 37.32

צוֹפֶה רָשָׁע לַצַּדִּיק וּמְבַקֵּשׁ לַהֲמִיתוֹ:

O perverso espreita ao justo. Em contraste com o homem bom, que está sempre envolvido no culto do templo e aprendendo e obedecendo à lei, o ímpio é motivado pelo ódio. Ele chega ao extremo de quebrar o mandamento que proíbe o homicídio. Ele prova a malignidade de sua alma por meio de atos violentos que arrebatam vidas. Além disso, suas vítimas são pessoas boas que não merecem esses atos maliciosos. "O salmista conclui sua meditação ao descrever a luta entre os ímpios e os justos – vss. 32-38. A solução dele foi contrastar os planos maus para destruir os justos com o *poder* preservador de Deus... o Senhor não abandona os que lhe pertencem (vss. 32 e 33)" (Allen P. Ross, *in loc.*).

Aplicação. Até mesmo alguns crentes (assim chamados) anseiam por surpreender um *irmão* em algum erro, a fim de satisfazer seus desejos perversos de mostrar-se superiores. Suas atitudes de juízo prejudicam o próximo, e eles estão sempre mostrando-se superiores a seus irmãos "inferiores". É marca de um espírito tenebroso, e não de um espírito iluminado, surpreender um irmão em alguma falta e lançar ataques verbais contra ele. Tais indivíduos pensam que estão acima dos pecados alheios, mas já estão provando sua inferioridade por práticas de uma "vida assinalada pelo ódio".

"... buscam matar, assassinar a reputação de um homem, destruir a sua substância, tirar-lhe a vida. Alguns compreendem que essa afirmativa se refere ao diabo... Ver 1Pe 5.8" (John Gill, *in loc.*).

■ 37.33

יְהוָה לֹא־יַעַזְבֶנּוּ בְיָדוֹ וְלֹא יַרְשִׁיעֶנּוּ בְּהִשָּׁפְטוֹ:

Mas o Senhor não o deixará nas suas mãos. Yahweh se ergue em defesa do homem bom que vive em conformidade com a lei. Ele não permite que os planos dos ímpios prosperem e tenham *sucesso final*. Disse Sócrates: "Nenhum dano pode sobrevir ao homem bom", ao que acrescentamos "finalmente". E isso porque, como é óbvio, os ímpios prosperam e o homem bom é severamente perseguido. Alguns estudiosos pensam que o caso aqui em foco tem referência direta com questões tribunícias, nas quais homens maus tentam fazer com que juízes se pronunciem contra os inocentes. No versículo é mais amplo que isso. Cf. Sl 119.31 e Is 54.17. O homem bom será inocentado diante dos anjos e dos poderes espirituais, mesmo que os homens achem que o inocente é culpado e o prejudiquem por suas alegadas falhas. "Quando os cristãos foram exilados sob o imperador Adriano, Tertuliano os consolou, dizendo: 'Se somos condenados pelo mundo, somos inocentes por Deus'" (Fausset, *in loc.*).

37.34

קַוֵּה אֶל־יְהוָה וּשְׁמֹר דַּרְכּוֹ וִירוֹמִמְךָ לָרֶשֶׁת אָרֶץ בְּהִכָּרֵת רְשָׁעִים תִּרְאֶה:

Espera no Senhor. Temos uma antiga afirmativa, incorporada aqui por um compilador posterior. A referência é ao tempo anterior à possessão do território israelita. Israel sofria devido a uma crise profunda. Havia *gigantes* na terra e muita coisa que temer. Somente os homens espirituais poderiam esperar o cumprimento do pacto abraâmico (ver as notas a respeito em Gn 15.18). A Terra Prometida seria dividida entre as doze tribos e então subdividida em grupos familiares. Tudo isso seria impossível sem uma veia de espiritualidade que permeasse a nação. Para que a promessa sobre a Terra Prometida fosse cumprida, todos os israelitas tinham de ser "obedientes à lei". O pacto dizia: "A terra vos pertence", mas somente os *dignos* (verdadeiros filhos de Abraão) podiam possuí-la. Por aplicação, pensamos na pátria celeste, e em como somente os que estão em Cristo entrarão nela.

Segue o seu caminho. Ou seja, obedecendo aos preceitos da lei, o caminho pelo qual competia aos hebreus caminhar. Ver os comentários do vs. 31, quanto a uma exposição completa sobre as ideias envolvidas. Ver a exposição sobre os vss. 9 e 11, que também falam sobre entrar na posse da Terra Prometida.

Esperando no Senhor. Estas palavras aparecem na primeira porção do versículo e significam o mesmo que a próxima frase acerca de observar o caminho de Deus, ou seja, a lei mosaica. Primeiramente, um homem cumpre o seu dever. Em seguida, fica esperando a recompensa. Um homem deve "viver no espírito da obediência" (Adam Clarke, *in loc.*). A palavra hebraica para "esperar" é *kavah*, que subentende a extensão de uma linha entre dois pontos, assinalando a rota mais curta entre um e outro. O homem bom deve traçar a sua linha no caminho reto. O coração precisa estar "em harmonia com Deus".

Exaltação. Quando chegasse a recompensa pela obediência, Israel seria exaltado na Terra Prometida. Todos os inimigos seriam derrotados e confessariam o direito dos israelitas sobre a Terra Prometida. Davi derrotou *oito* povos adversários, para tornar completa a possessão; porquanto, quando Josué entrou na terra, muitos lugares ficaram por conquistar e permaneceram remanescentes dos antigos habitantes. Ver 2Sm 10.19, quanto às vitórias logradas por Davi. Ele preparou o caminho para a época áurea de Israel, sob Salomão, quando houve paz e prosperidade, e Israel expandiu grandemente as suas fronteiras, quase até os limites indicados pelas promessas do pacto abraâmico.

Quando os ímpios forem exterminados. De acordo com os ditames de Yahweh, a *guerra santa* (ver as notas em Dt 7.1-5) apontava para o aniquilamento total do inimigo. Alguns eruditos veem aqui o retorno dos judeus, terminado o cativeiro babilônico, mas não parece isso o que está aqui em mira. O autor pensa nos *tempos antigos*, na conquista original, e dali extrai lições espirituais. Os israelitas *viram* os egípcios mortos à beira-mar (ver Êx 14.30), e houve muitas outras vitórias visíveis e patentes. Cf. Sl 52.5,6, que ilustram bem este versículo.

37.35

רָאִיתִי רָשָׁע עָרִיץ וּמִתְעָרֶה כְּאֶזְרָח רַעֲנָן:

Vi um ímpio prepotente. Uma observação comum mostra-nos que os ímpios prosperam, enriquecem e perseguem outras pessoas. O salmista havia observado o processo e comparou-o ao admirável crescimento e florescimento do cedro do Líbano (assim diz nossa versão portuguesa, acompanhando a *Revised Standard Version*). Quanto a esse título, ver o artigo no *Dicionário*. Não repito aqui a informação oferecida ali. Não está em vista especificamente nenhum homem mau, tal como Nabucodonosor, conforme creem alguns estudiosos. A declaração do autor é geral e aplica-se a qualquer indivíduo que, embora cheio de pecados e violência, consegue florescer nesta vida. A Septuaginta e a Vulgata Latina interpretam a árvore envolvida como o cedro do Líbano, o qual pode ilustrar corretamente a maneira horrenda como o ímpio cresce e obtém poder, a ponto de perseguir os semelhantes. Cf. Dn 4.10, que serve de ilustração. Espanta-nos ver ímpios em posições de mando, usando seu poder, enriquecendo materialmente e, então, ato contínuo, prejudicando o próximo. Mas é quase só nisso que consiste a atual política mundial. Não é fácil combinar riquezas-poder-bondade. Essa é uma fórmula verdadeiramente rara!

Era doutrina hebraica padrão a ideia de que a bondade fazia um homem enriquecer; a verdade, contudo, é que existem inúmeras exceções a essa regra; de fato, há mais exceções do que exemplos positivos. Mesmo assim, os hebreus continuavam acreditando nessa teoria. Cf. Sl 73.12; Jr 12.1,2; Is 29.20 e 49.25.

37.36

וַיַּעֲבֹר וְהִנֵּה אֵינֶנּוּ וָאֲבַקְשֵׁהוּ וְלֹא נִמְצָא:

Passei, e eis que desaparecera. Por onde o salmista passava, ali florescia o ímpio, como se fosse um poderoso cedro do Líbano. O salmista contemplou, consternado, essa cena. Mas, na próxima vez em que passou pelo mesmo lugar, a árvore *tinha desaparecido*. Alguém havia derrubado o cedro para transformá-lo em lenha, ou, talvez, para incorporar a madeira a alguma casa em construção. O perplexo passante ficou à procura de ao menos um vestígio da árvore; mas foi tudo em vão. O cedro do Líbano havia desaparecido sem deixar rastro de sua existência. Por semelhante modo, o salmista esperava que todos os ímpios terminassem da mesma maneira. O homem que era uma grande árvore se transformara em cinzas. O homem bom quase não podia acreditar no que via. Como era possível que um homem tão poderoso, rico e florescente simplesmente tivesse desaparecido daquele jeito? O pecador tinha perecido tão rápida e completamente. "... fora reduzido a nada. Ele se tornara uma não entidade. Diz o Targum: 'ele cessou de existir no mundo'... Ele se foi para o seu próprio lugar, como Judas, o traidor, sobre quem Jerônimo interpretou toda esta passagem" (John Gill, *in loc.*). "O mal não somente desaparecerá, mas também será esquecido" (J. R. P. Sclater, *in loc.*).

37.37

שְׁמָר־תָּם וּרְאֵה יָשָׁר כִּי־אַחֲרִית לְאִישׁ שָׁלוֹם:

Observa o homem íntegro. Em contraste com o homem ímpio, que é rico e poderoso, e tão de repente pereceu de modo absoluto, o homem bom continua, pelo poder de Deus. *Observa* o homem bom. Ele florescerá e não desaparecerá. Será absorvido na vida eterna ao chegar o momento de sua morte. Para ele haverá paz e felicidade. O homem bom será abençoado. Talvez a mente do autor sagrado se tenha concentrado na ideia da sobrevivência da alma diante da morte biológica, ideia que começou a aparecer nos Salmos e profetas, embora estivesse ausente na teologia mais antiga dos hebreus. Ou então ele simplesmente esperava que, no final, os mansos herdariam a terra (vs. 11). O autor sagrado esperava uma reversão permanente das fortunas, a qual distinguisse os bons dos maus; no entanto, ele não abordou os detalhes de como isso poderia cumprir-se. O salmista acreditava na retribuição, na justiça e na recompensa, mas não detalhou como esses princípios operam entre os homens. Alguns estudiosos supõem que o poeta tivesse em mente apenas a *posteridade* dos bons, enquanto a posteridade dos homens vis seria como galhos cortados de uma árvore morta. Mas isso parece apenas abrandar a intenção do autor sagrado.

Não obstante, a *Revised Standard Version*, acompanhada por nossa versão portuguesa, diz aqui "posteridade", em lugar da palavra "fim", usada na *King James Version*. Nesse caso, a ideia é que o homem bom continua em seus descendentes, ao passo que o fim do ímpio perde-se na história. Uma falsa forma de imortalidade é "viver nos próprios descendentes", e a antiga teologia dos hebreus não ia além disso. Pesquisar sobre *Imortalidade* no *Dicionário*, além de vários artigos relacionados na *Enciclopédia de Bíblia, Teologia e Filosofia*.

Toma nota do homem honesto, e contempla o homem íntegro.
Haverá uma posteridade para o homem de paz.

Em sua essência, é assim que a Septuaginta e a Vulgata Latina traduzem o hebraico deste versículo, afirmando também que "a posteridade do ímpio é cortada". O homem ímpio floresce como uma árvore, mas, quando for cortado, os galhos dessa árvore se ressecarão, devido à falta de vida que vinha do tronco. Cf. Nm 23.10.

37.38

וּפֹשְׁעִים נִשְׁמְדוּ יַחְדָּו אַחֲרִית רְשָׁעִים נִכְרָתָה:

Quanto aos transgressores serão à uma destruídos. Visto que os *transgressores* são finalmente destruídos completamente, sua *posteridade* também deverá perecer. A *Revised Standard Version* retém aqui o vocábulo *posteridade,* em lugar da palavra *fim,* e assim limita o significado do versículo à cena terrena. Era algo calamitoso para uma linhagem familiar morrer ou ser destruída. Em tais casos, a herança dos pactos abraâmico e mosaico também era reduzida a nada, no caso de certas famílias. Provavelmente, devemos continuar a pensar na ilustração da árvore. Se a árvore for decepada e queimada, certamente não restarão galhos para levar avante a vida do tronco. Nossa versão portuguesa concorda aqui com a *Revised Standard Version,* ao falar em *descendência* e *posteridade.* Se o autor sacro queria defender a vida pós-túmulo, mostrou-se fraco em seu propósito. Ele parece ter seguido a antiga teologia dos hebreus, na qual não havia ensino claro sobre a alma e a imortalidade. A teologia limitada do autor sacro não o impediu de perceber um verdadeiro princípio espiritual. *Em última análise,* vale a pena ser bom, e é ruim ser mau.

> Observa a simplicidade e escolhe a retidão, vendo que há um bom fim para o homem de paz.
>
> Versão siríaca

> Se traçarmos um círculo prematuro,
> Que não se importe com um lucro a longo termo,
> Certamente má será a nossa barganha.
>
> Robert Browning

> Mantém a inocência e presta atenção naquilo que é direito, porque isso, finalmente, levará um homem à paz.
>
> Livro da Oração Inglês

Comparar isso com Pv 11.3 e Sl 119.13.

37.39

וּתְשׁוּעַ֣ת צַ֭דִּיקִים מֵיְהוָ֑ה מָ֝עוּזָּ֗ם בְּעֵ֣ת צָרָֽה׃

Vem do Senhor a salvação dos justos. *Salvação.* Não devemos cristianizar este versículo e fazê-lo ensinar a salvação da alma. "Livramento" ou "preservação" seriam melhores traduções. Seja como for, qualquer que seja o bem que exista, ele está reservado aos "justos", ao passo que os ímpios ilustrarão o terrível princípio de que pecar é sofrer, finalmente. O homem bom conta com um *refúgio* em tempo de tribulação, pelo que quando a sua vida for ameaçada (na mente dos hebreus era uma grande calamidade sofrer *morte prematura*) ele será protegido.

> O que habita no esconderijo do Altíssimo, e descansa à sombra do Onipotente, diz ao Senhor: Meu refúgio e meu baluarte.
>
> Salmo 91.1

"Nos vss. 39 e 40 está contida a conclusão da questão. A ênfase recai completamente sobre o Senhor. O mundo está obscurecido. Trata-se de um lugar sem sol. Mas Deus está dentro das sombras e continua observando os que lhe pertencem... Há muitas palavras no mundo, mas a palavra definitiva está com Deus. Portanto, é como Goethe dizia: 'Nós vos ordenamos a ter esperança'" (J. R. P. Sclater, *in loc.*).

Escolha. O poeta viu claramente como um homem tem livre-arbítrio e precisa escolher o seu caminho. Ele tem de tomar as decisões certas. E possui luz suficiente para tanto. Ver no *Dicionário* o verbete intitulado *Livre-arbítrio.*

> O destino não é uma questão de chance;
> É uma questão de escolha.
> Não é algo pelo que devamos esperar.
> É algo a ser atingido.
>
> William Jennings Bryan

A sua fortaleza. Ou seja, um lugar forte, fortificado. Ver essa expressão também em 27.1; 43.2 e 52.7. Os que fazem as escolhas certas têm Deus por *lugar fortificado,* onde acham socorro para tempos de necessidade.

37.40

וַֽיַּעְזְרֵ֥ם יְהוָ֗ה וַֽיְפַ֫לְּטֵ֥ם יְפַלְּטֵ֣ם מֵ֭רְשָׁעִים וְיוֹשִׁיעֵ֑ם
כִּי־חָ֥סוּ בֽוֹ׃

O Senhor os ajuda e os livra. Além de ser um lugar forte e fortificado, para onde um homem pode correr à procura de segurança e socorro, em tempos de necessidade, *Yahweh* também vive ativamente engajado em defender aos que nele confiam. Sobre como a palavra *confiar* é usada no livro de Salmos, ver Sl 2.12. Neste versículo encontramos os seguintes benefícios de tal confiança: 1. ajuda divina em tempos de necessidade; 2. livramento do perigo e dos ataques de inimigos humanos ou dos abusos da natureza; 3. a *salvação* de Yahweh, de qualquer maneira que se possa imaginar.

Este versículo tem sido cristianizado com frequência para indicar a salvação evangélica, quando um homem morre. Trata-se de uma verdade, mas não é o que estava sendo contemplado pelo salmista.

Benefícios para os Homens Bons. Este versículo deixa claro que o *homem bom que confia* é quem pode esperar o cumprimento das promessas feitas na Bíblia.

> Meio-crentes em nossos credos casuais;
> Que nunca sentiram profundamente nem claramente quiseram.
> Cujo discernimento nunca deu fruto sob a forma de ações.
> Cujas vagas resoluções nunca foram cumpridas.
> Para quem cada ano gera
> Novos começos, mas também novos desapontamentos.
> Que hesitam e deixam escapar a vida.
> Esses perderão amanhã
> O terreno conquistado hoje.
>
> Matthew Arnold

Yahweh deve livrar os homens bons, porquanto eles estão sempre sujeitos a testes e tendem a cair. A vida humana depende do poder divino. Yahweh "livra-os de suas aflições e ajuda-os a sair de suas dificuldades, quando ninguém mais pode, e eles mesmos não conseguem... porque confiam nele. A virtude salvadora está no Senhor... a paráfrase no caldaico diz: 'ele os redimirá porque confiam em sua palavra'" (John Gill, *in loc.*).

SALMO TRINTA E OITO

Quanto a *informações gerais* que se aplicam a todos os salmos, ver a introdução ao Salmo 4, onde apresento *sete* comentários que elucidam a natureza do livro. Quanto a *classificações* dos salmos, ver o gráfico no início do comentário sobre o livro, onde apresento dezessete classes e listo os salmos que pertencem a cada uma delas.

Este é um dos salmos de *lamentação,* que compõem o maior grupo de salmos. Aqui, o que se lamenta é uma *enfermidade* física. Os "salmos de enfermidade" são os de número 6, 22, 28, 30, 31.9-12, 32, 38, 41, 49 e 73.

Os salmos de lamentação tipicamente falam de algum inimigo, fora de Israel, dentro de Israel ou no corpo, que precisa ser repreendido para que o homem possa ser libertado de uma ameaça, com frequência tida como potencialmente fatal. A maioria dos salmos de lamentação incorpora, no final, alguma nota de louvor sincero, porquanto a oração desesperada foi ouvida e respondida favoravelmente.

Subtítulo. Aqui o subtítulo é: "Salmo de Davi. Em memória". Talvez a coisa a ser relembrada tenha sido o perdão de pecados, que haviam causado a enfermidade, já que era um pensamento hebreu comum que toda enfermidade era a punição de algum mal moral. Têm sido apresentadas várias conjecturas acerca das circunstâncias específicas que inspiraram a composição, como o pecado de Davi com Bate-Seba, mas não há como descobrir esses detalhes. Ademais, cerca de metade dos salmos é atribuída a Davi, sem dúvida um exagero, o que leva ao outro de identificar os salmos com algum incidente conhecido na vida de Davi. Os subtítulos foram escritos muito depois das composições originais e, em sua maioria, são apenas conjecturas com pouca ou mesmo nenhuma autoridade.

De acordo com o *uso eclesiástico,* este salmo tem sido contado entre os *sete salmos penitenciais* (6, 32, 38, 51, 102, 130 e 143). Ele veio a ser associado com a *oferenda memorial* oferecida no templo, o que significa que se revestia de alguma importância naquele culto. "Havia duas espécies de oferendas memoriais: a primeira consistia em queimar sobre o altar, juntamente com incenso, uma porção da oferenda de cereal misturada com azeite (Lv 2.1-10). A segunda consistia na queima do incenso posto a cada sábado sobre os pães da proposição (Lv 24.7). A Septuaginta e o Targum sobre os salmos parecem favorecer o segundo tipo de oferendas, mas a natureza de súplica do salmo pode indicar o primeiro tipo" (William R. Taylor, *in loc.*). Uma vez que o salmo chegou a ser usado formalmente no templo, provavelmente se tornou padrão, para pecadores arrependidos, usá-lo quando tivessem sido libertados de suas aflições. Alguns supõem que um compositor de salmos do templo tenha escrito este salmo exatamente com o propósito que estamos discutindo, em vez de tê-lo adaptado para esse uso específico.

Os *problemas do poeta* incluíam ataques de inimigos pessoais que, provavelmente, tiravam vantagem de sua condição física enfraquecida. O homem estava cercado de tribulações, e esperava-se que ele fosse livrado de todas elas. Os vss. 1-12 falam sobre como Yahweh disciplina o pecador, visando o seu próprio bem. Os vss. 13-22 tratam da esperança do sofredor. Essas duas seções continuam este salmo, que não termina com uma ação de graças formal, o que é raro nos salmos de lamentação. Os Salmos 31.1-12 e 88 terminam com um tom de desespero.

UM APELO A DEUS (38.1,2)

■ **38.1** (na Bíblia hebraica corresponde ao **38.1,2**)

מִזְמוֹר לְדָוִד לְהַזְכִּיר׃

יְהוָה אַל־בְּקֶצְפְּךָ תוֹכִיחֵנִי וּבַחֲמָתְךָ תְיַסְּרֵנִי׃

Não me repreendas, Senhor. A primeira seção geral (vss. 1-12) começa com um intenso apelo a Deus, pedindo ajuda. O vs. 1 é equivalente ao trecho de Sl 6.1, que pode ter sido simplesmente tomado de empréstimo por ser apropriado às circunstâncias da presente composição. O salmista estava sofrendo *golpes divinos* sob a forma de dores corporais e angústia mental. Ele não lançou a culpa sobre Deus por causa do que lhe acontecia. Reconheceu a justiça do castigo, mas mesmo assim pediu alívio. Onde houver a ira divina, a misericórdia divina pode aliviar e curar, e era isso que o salmista esperava. Comparar este sentimento com Hc 3.2 e Is 57.16.

Sl 38.1 é uma duplicata de Sl 6.1, onde a exposição é oferecida. O Salmo 6 é o primeiro dos salmos penitenciais no uso da igreja cristã, e o Salmo 38 é o terceiro da lista. Ambos são salmos de lamentação acerca de alguma enfermidade nojenta que o poeta sofria e da qual ele implorava livramento. Ver a introdução ao Salmo 38. Fazia parte da doutrina israelita padrão que as enfermidades eram causadas pelo pecado, pelo que o salmista não se queixou acerca de nenhuma injustiça envolvida em sua condição. Parece que ele reconheceu pecados específicos que estavam sendo punidos.

■ **38.2** (na Bíblia hebraica corresponde ao **38.3**)

כִּי־חִצֶּיךָ נִחֲתוּ בִי וַתִּנְחַת עָלַי יָדֶךָ׃

Cravam-se em mim as tuas setas. É comum a metáfora da *flecha* para representar os castigos de Deus, visto que esse instrumento de guerra foi a causa de muito sofrimento nos tempos antigos. Cf. Dt 32.23; Jó 6.4 e 16.13,14. A flecha causava dor aguda e uma ferida duradoura, quando não matava. Os julgamentos de Deus também doem e matam. O poeta não sabia se a dor seria ou não o começo de um caso fatal, pelo que clamou pedindo misericórdia para que o julgamento não seguisse esse curso.

> Tuas flechas enterraram-se profundamente em mim, e a tua mão desabou sobre mim.
>
> Paráfrase de Ellicott

A *Revised Standard Version* diz que as flechas "se enterraram em mim". A nossa versão portuguesa diz "cravaram-se em mim". "Uma flecha com rebarbas é um amargo instrumento, doloroso ao entrar e doloroso ao ser retirada. As flechas de Deus são estranhas e amargas, mas são agente de cura" (J. R. P. Sclater, *in loc.*).

tua mão recai sobre mim. A pesada mão de Deus é outra metáfora comum para a punição divina, em retribuição a algum erro cometido, conforme também vemos em Sl 32.4 e 39.10. Mas as punições de Deus visam a *disciplina,* que é restauradora, e não destruidora. A disciplina pode ser dolorosa e dura, mas não é arbitrária e infrutífera. O braço de Deus é forte para ferir, mas é forte também para salvar.

> *Compadecei-vos de mim, amigos meus, compadecei-vos de mim, porque a mão de Deus me atingiu.*
>
> Jó 19.21

DESCRIÇÃO DA ENFERMIDADE (38.3-10)

■ **38.3** (na Bíblia hebraica corresponde ao **38.3**)

אֵין־מְתֹם בִּבְשָׂרִי מִפְּנֵי זַעְמֶךָ אֵין־שָׁלוֹם בַּעֲצָמַי מִפְּנֵי חַטָּאתִי׃

Não há parte sã na minha carne. São baldadas as modernas tentativas de identificar a doença que o salmista sofria. Podemos somente dizer que a questão era realmente séria. O apelo do salmista soa como uma condição fatal; e note-se que, depois de ter sido respondida a oração por livramento, o salmo não termina em tom de triunfo, mas somente em outro apelo. O poeta descreveu sua enfermidade diante de Deus a fim de atrair a sua misericórdia. Nenhum ser humano deveria sofrer da maneira como ele sofria. O autor não se considerava inocente, como aconteceu a Jó, nem acusou Deus de injustiça, conforme fez o mesmo Jó. A falta de *saúde* era resultado direto da *ira de Deus.* A justiça estava presente, mas era horrível contemplá-la. A raiz da dificuldade estava no homem, e não na administração equivocada da parte de Deus.

Nos meus ossos. Os ossos podem representar o corpo inteiro, porque são eles que o suportam. Ou talvez a doença houvesse atacado de tal forma que até os ossos estavam afetados por dentro. Cf. Is 1.5,6. Ver também Sl 6.2; 31.10 e 32.3, quanto à metáfora dos ossos. Um homem verdadeiramente doente *não tem descanso*. Ele aprende que a dor pode ser contínua e insuportável, e essa é uma das razões pelas quais algumas pessoas cometem suicídio. O dr. Kevorkian, no Estado americano de Michigan, tem ajudado cerca de quarenta pessoas a cometer suicídio nos últimos anos. Muitos desses pacientes não estavam em condições terminais. Eles simplesmente padeciam, ou em breve padeceriam, de tamanhas dores, que a vida deixaria de ser digna de ser vivida. O consentimento dos familiares é necessário para o processo de suicídio, e as famílias alegremente consentem em fazer seus entes queridos escapar da dor. Médicos e teólogos continuam a disputar sobre a moralidade e legalidade do que o dr. Kevorkian está fazendo, mas ele tem obtido grande apoio nos Estados Unidos, pois a dor pode realmente tirar o significado da vida física. Ver na *Enciclopédia de Bíblia, Teologia e Filosofia* o verbete intitulado *Suicídio.*

■ **38.4** (na Bíblia hebraica corresponde ao **38.5**)

כִּי עֲוֹנֹתַי עָבְרוּ רֹאשִׁי כְּמַשָּׂא כָבֵד יִכְבְּדוּ מִמֶּנִּי׃

Já se elevam acima de minha cabeça. A metáfora idealiza ondas que avassalam a vítima, ameaçando afogá-la. O pobre homem estava afogando-se em sua dor e tristeza, por ondas que ele mesmo havia criado, mas que também eram divinas. Cf. Sl 42.7; 90.12; 124.4,5.

As minhas iniquidades. O poeta sacro apontava para os *seus pecados* como a causa de sua tristeza. Ele não se queixou de injustiça da parte de Deus, embora as suas dores tivessem atingido o nível do insuportável. A teologia comum dos hebreus culpava o pecado por todas as enfermidades físicas. Paulo sabia que nem sempre esse é o caso (2Co 12.8). Algumas vezes as enfermidades podem ser uma medida *disciplinadora*. De outras vezes, porém, trata-se apenas de uma manifestação do *caos* estúpido, um fator real neste mundo, contra o qual devemos orar constantemente. Os hebreus rejeitavam a ajuda dos médicos, porquanto não queriam ser culpados de reverter artificialmente um castigo divino. Somente bem mais tarde, na história dos judeus, a medicina tornou-se uma ciência aceitável. Seja como for, no caso do poeta, a dificuldade residia no homem, e não na natureza caótica.

Como fardos pesados. A metáfora é agora modificada para um homem que carregava um fardo esmagador, o qual minava todas as suas forças e estava terminando com a sua vida. Jesus prometeu descanso para tais pessoas:

> *Vinde a mim todos os que estais cansados e sobrecarregados, e eu vos aliviarei.*
>
> Mateus 11.28

Jesus dirigiu a palavra aos que estavam oprimidos pelo pecado e envergados pelo peso das preocupações e angústias. Mas ele também se dirigiu aos que estavam literalmente *enfermos,* e os quais, por tantas vezes, ele curou. Ver no *Dicionário* o artigo chamado *Cura.* Ver Is 53.4,6,11.

Devemos lembrar a aplicação metafórica desta passagem. "Muitos homens fisicamente aptos estão, em seu *verdadeiro eu,* num estado de fétida corrupção e, enquanto não tomarem consciência desse fato, em temor e desgosto, provavelmente continuarão nesse curso, que conduz à morte espiritual" (J. R. P. Sclater, *in loc.*). Tribulações assaltam-nos, como se fossem ondas, tal como disse *Hamlet,* na obra de Shakespeare: "... um mar de tribulações" (ato III, cena 1).

Cf. Jó 7.20,21.

■ **38.5** (na Bíblia hebraica corresponde ao **38.6**)

הִבְאִישׁוּ נָמַקּוּ חַבּוּרֹתָי מִפְּנֵי אִוַּלְתִּי׃

Tornam-se infectas e purulentas as minhas chagas. O homem havia cometido alguma espécie de *insensatez.* Ele sabia que estava pecando, mas voluntariamente continuava em seu pecado. Não fora apanhado por uma armadilha nem fora enganado pelo diabo. Havia promovido a própria aflição e seguido inclinações loucas. Era um pecador estúpido, e não um "inocente" que havia caído numa armadilha. Sua insensatez havia provocado uma condição nojenta e até mesmo algum tipo de feridas ou úlceras fedorentas. Portanto, admitamos o fato: o pecado fede, e assim também os seus resultados. Mas o grande Médico corre em nosso socorro para anular nossa loucura, e é isso o que deveríamos esperar da parte do amor de Deus. Ver no *Dicionário* o verbete denominado *Amor.* As feridas do homem emitiam um fluido nojento, dotado de mau cheiro, tal como acontece em algumas formas de câncer, que tornam os doentes difíceis de suportar. Ver Is 1.6 ss., que contém pensamentos semelhantes aos expressos neste versículo.

> *Desde a planta do pé até à cabeça não há nele cousa sã, senão feridas, contusões e chagas inflamadas...*

Naturalmente, estamos tratando da enfermidade espiritual de uma nação, e não de uma doença literal, e por todo este salmo devemos ter em mente aplicações morais, a fim de nos beneficiarmos da mensagem transmitida.

"Usualmente os homens relutam mais em confessar sua *insensatez* do que em confessar o pecado" (Ellicott, *in loc.*). Visto que o pecado é autodestrutivo, por isso mesmo é uma forma de suicídio, pelo que é bastante *insensato.* Mas, ao longo de todo o curso de sua vida, alguns homens não conseguem aprender essa verdade simples. Ver Is 53.5, quanto ao Curador de todas as feridas humanas.

■ **38.6** (na Bíblia hebraica corresponde ao **38.7**)

נַעֲוֵיתִי שַׁחֹתִי עַד־מְאֹד כָּל־הַיּוֹם קֹדֵר הִלָּכְתִּי׃

Sinto-me encurvado e sobremodo abatido. Os males daquele *homem* tinham-lhe causado terríveis reações: ele sofria de angústia constante; não dispunha de momento algum de descanso; andava abatido mental e fisicamente; a vida tornou-se insuportável; ele se lamentava constantemente. Ele poderia ter cometido suicídio, mas para a mente dos hebreus isso não era uma opção, e poucos recorriam a ele. Portanto, o homem continuava a viver uma vida indigna, na esperança de que a intervenção divina aliviasse a situação.

Talvez Shakespeare tivesse esta passagem bíblica em mente, quando escreveu:

> Apaga-te, apaga-te, breve vela,
> A vida é apenas uma sombra que anda;
> Uma pobre jogadora

Que se pavoneia e se exibe em sua hora sobre o palco,
Para então não mais ser ouvida.

"... inteiramente afligido e cheio de angústias" (Adam Clarke, *in loc.*). Cf. Sl 52.5,6,11 e 145.14, e ver Jó 30.30. Os trechos de Ct 1.5 e Sl 51.7 têm algo similar.

■ **38.7** (na Bíblia hebraica corresponde ao **38.8**)

כִּי־כְסָלַי מָלְאוּ נִקְלֶה וְאֵין מְתֹם בִּבְשָׂרִי׃

Ardem-me os lombos. O poeta repete a queixa sobre uma *carne adoentada* (vs. 3) e adiciona uma assertiva concernente à *natureza ardente* de sua condição (*Revised Standard Version* e nossa versão portuguesa). A *King James Version* usa aqui a palavra "repulsivo". A ideia da ardência requer uma compreensão diferente sobre o original hebraico envolvido. A palavra assim produzida significa *assar* ou *requeimar,* e talvez devamos lembrar das ofertas queimadas, em que as vítimas eram queimadas no fogo. A ira divina tinha posto o homem no altar dos holocaustos de Deus. A Septuaginta prefere a ideia de algo repelente. A *queima* pode referir-se à natureza *inflamada* dos ferimentos, mas alguns estudiosos apontam para as *úlceras abertas* que ardiam como fogo. "A debilidade do salmista era uma enfermidade nojenta, dolorosa, debilitante, provocada por sua insensatez pecaminosa" (Allen P. Ross, *in loc.*).

Lombos. As cadeiras e o baixo abdome eram considerados a região de força, mas onde de um homem normal se esperava força, o salmista estava completamente debilitado.

■ **38.8** (na Bíblia hebraica corresponde ao **38.9**)

נְפוּגוֹתִי וְנִדְכֵּיתִי עַד־מְאֹד שָׁאַגְתִּי מִנַּהֲמַת לִבִּי׃

Estou aflito e mui quebrantado. O homem estava *totalmente desgastado e esmagado* (*Revised Standard Version*), e seu coração estava em *tumulto.* A condição assim descrita é extrema e desesperançada. *Todo o ser* do autor estava debilitado em grau avançado. Ele havia perdido tanto as forças psicológicas quanto as forças físicas.

O homem padecia de aguda *aflição* no corpo e na alma. Ficava a *rugir* como um leão inquieto e faminto (ver Pv 19.12; 20.2). Cf. Is 5.30, o *rugido do mar.* A *Revised Standard Version* diz aqui "gemidos", o som da voz humana quando o homem está aflito. "O clamor físico do sofredor era a voz externa de sua angústia interna e espiritual" (Fausset, *in loc.*). "Tão grande era a inquietude desse homem bom, sob as aflições e sob o senso do pecado e da ira de Deus, que ele não tinha descanso nem de noite nem de dia, e não podia parar de clamar, de maneira medonha, como se fosse o rugido de um leão" (John Gill, *in loc.*).

■ **38.9** (na Bíblia hebraica corresponde ao **38.10**)

אֲדֹנָי נֶגְדְּךָ כָל־תַּאֲוָתִי וְאַנְחָתִי מִמְּךָ לֹא־נִסְתָּרָה׃

Na tua presença, Senhor. A *aflição física* tinha feito a alma do homem, com todos os seus desejos, voltar a Yahweh. É conforme diz um antigo hino: "Senhor, envia um reavivamento e permite que ele comece comigo". A punição estava tendo o resultado pretendido: a *restauração,* que é o alvo na direção do qual se movem todos os juízos divinos. Deus pode tornar algumas coisas melhores, através do julgamento, do que através de qualquer outra coisa. A *lamentação* do homem começava a produzir *cura.* Orígenes advertiu que considerar o julgamento apenas como retributivo, e não também remediador, é cair em uma teologia inferior. Esse é um erro muito comum, até mesmo da parte de homens bons, ao qual devemos resistir. Até os castigos aplicados no hades serão remediadores, conforme se deduz de 1Pe 3.18—4.6. Ver as notas, no *Novo Testamento Interpretado,* sobre 1Pe 4.6. O homem afogava-se no mar turbulento do julgamento contra o pecado, mas seus clamores atraíram a ajuda divina. Toda a criação geme a Deus, pedindo misericórdia, e esse é o motivo pelo qual Jesus agiu. "Por nada anseio tanto quanto por teu favor. Quanto a isso, meu coração te busca incessantemente" (Adam Clarke, *in loc.*).

Se existe a justiça, também existem a misericórdia e o amor. De fato, os três termos são apenas *sinônimos.* A justiça causa dor, mas também é restauradora e, assim sendo, manipula a misericórdia de Deus em favor do pecador. Além disso, há o amor divino que vence todas as barreiras, subindo acima da mais distante estrela e baixando até o mais profundo inferno. Portanto, não ousemos dividir a Deus dizendo: "Agora ele está irado; agora ele está amando". Pois Deus nada faz a não ser o que é ditado pelo seu amor, e a punição é apenas um dedo da mão amorosa para efetuar o bem, *finalmente*.

A minha ansiedade não te é oculta. Deus conhece as nossas condições e nos proverá cura. A onisciência de Deus opera em favor do homem. O que guarda Israel não dorme e nem dormita (Sl 121.3,4). Ver no *Dicionário* os artigos intitulados *Onisciência* e *Atributos de Deus*. Quando Deus ouve o clamor do desespero humano, é levado a agir em amor e misericórdia. Sua benevolência é excitada pela dor humana.

■ **38.10** (na Bíblia hebraica corresponde ao **38.11**)

לִבִּי סְחַרְחַר עֲזָבַנִי כֹחִי וְאוֹר־עֵינַי גַּם־הֵם אֵין אִתִּי:

Bate-me excitado o coração. O *coração* do homem estava no fim de suas energias, arfando de exaustão e dor. Suas forças físicas e mentais estavam quase dissipadas. Essas forças tinham diminuído diante das tribulações. A luz da vida que antes tanto brilhava em seus olhos estava quase extinta. As diversas metáforas falam do total desespero do homem. Somente a intervenção divina podia estabelecer uma diferença. De outra sorte, a morte seria a solução para os problemas. Mas o homem temia uma morte prematura, algo considerado horrendo pela mente hebreia. "Dificilmente posso discernir coisa alguma através da decadência geral de minha saúde e de meu vigor, o que tem afetado a minha visão" (Adam Clarke, *in loc.*, que tomou a questão da visão de forma literal). O homem era como um prisioneiro que queria ver-se livre, mas temia obter a liberdade através da morte. Por isso mesmo, continuava pleiteando a cura. Cf. Sl 13.3 e 1Sm 14.27,29.

Quanto ao coração "agitado", o Targum diz "treme de medo", como quando as pessoas estão com febre alta. Jarchi falou sobre um coração que *palpitava*, quase desistindo de tudo, por causa da debilitação geral.

OS AMIGOS DO ENFERMO ERAM INDIFERENTES; SEUS INIMIGOS ERAM VIRULENTOS (38.11-16)

■ **38.11** (na Bíblia hebraica corresponde ao **38.12**)

אֹהֲבַי וְרֵעַי מִנֶּגֶד נִגְעִי יַעֲמֹדוּ וּקְרוֹבַי מֵרָחֹק עָמָדוּ:

Os meus amigos... afastam-se da minha praga. O autor sagrado tinha amigos a exemplo de Jó, mas eles também o haviam abandonado. Um corpo que cheira mal realmente espanta a todos, mas devemos lembrar que os hebreus acreditavam que uma pessoa assim afligida estava sob o julgamento de Deus, e ficar perto demais de uma pessoa nessas condições poderia atrair a ira divina. Portanto, era *aconselhável* manter distância de um pecador bem conhecido e notório. A igreja cristã exclui almas enfermas, mas os hebreus, por causa de sua teologia concernente à enfermidade, também excluíam corpos enfermos. Cf. Mt 26.56; 27.55; Lc 23.49; Jo 16.32. Os amigos de Jesus o abandonaram (mantendo-se distantes) enquanto seus inimigos o atacavam; e o vs. 12 mostra-nos que o enfermo deste salmo tinha amigos próximos que o atacavam.

> Aqueles que deveriam estar perto de mim mantinham-se a distância.
>
> Ellicott, *in loc.*

Cf. o caso de Jó, em Jó 19.13,14,19 e ver também Sl 69.8 e 88.18. As aflições submetem a teste os amigos de um homem, justamente a ocasião em que eles mais deveriam aproximar-se do sofredor. Estar distante de um amigo, nas aflições, é equivalente a aumentar as suas dores. Os *parentes* do homem mantinham-se afastados, o que talvez indique até seus parentes mais chegados ou, quem sabe, compatriotas israelitas. A solidão é uma das piores aflições da vida. Conforme diz o hino: "Nada existe de tão ruim quanto viver sozinho". Por isso também o autor de um hino escreveu: "Estarei perdido se tirares de mim a mão!"

■ **38.12** (na Bíblia hebraica corresponde ao **38.13**)

וַיְנַקְשׁוּ מְבַקְשֵׁי נַפְשִׁי וְדֹרְשֵׁי רָעָתִי דִּבְּרוּ הַוּוֹת וּמִרְמוֹת כָּל־הַיּוֹם יֶהְגּוּ:

Armam ciladas contra mim. Enquanto os amigos do homem enfermo se mantinham distantes, seus inimigos ocupavam-se em terminar com ele, pelo que havia tribulações de todas as partes:

> O homem nasce para o enfado como as faíscas das brasas voam para cima.
>
> Jó 5.7

E então sucede como alguém já disse: "E parece que não voam em nenhuma outra direção".

> O homem desolado parecia-se com
> Um árabe, idoso e cego,
> Que uma caravana deixara para trás.

Esse é o tratamento geralmente dado ao paciente terminal que sobreviveu e está impedindo o livre trânsito dos que ainda são jovens e fortes. Esse é um espetáculo que mostra como os homens esquecem de viver a lei do amor e vivem para o próprio "eu", a expensas do próximo. As pessoas que sofrem de enfermidades contagiosas ficam de quarentena, e há outras razões que explicam por que elas são abandonadas, até mesmo por pessoas religiosas. Jesus, porém, deu o exemplo contrário. Ele veio para ajudar o mundo inteiro, a despeito de seu pecado e degradação, a despeito de suas enfermidades espirituais. Jesus agiu em favor dos párias da sociedade. Os atos de indivíduos egoístas criam os párias.

Dizem cousas perniciosas. O homem enfermo foi acusado de coisas que não praticara. Talvez ele tivesse sido apresentado a algum tribunal, ou então houvesse alguns ansiosos por arruiná-lo legalmente. Ou talvez ele simplesmente fosse objeto de conversas tolas e maledicências, tendo sua reputação estragada por pessoas que de nada cuidavam. Ver no *Dicionário* o verbete chamado *Linguagem, Uso Apropriado da*, onde comento longamente e dou poesias ilustrativas. "Outros falavam toda espécie de males contra eles e contavam falsidades o dia inteiro" (Adam Clarke, *in loc.*). Cf. os vss. 19 e 20. Ver também Sl 35.20. Tais pessoas eram culpadas de malícia em seus pensamentos; de malícia na sua linguagem; e de malícia em seus atos. O amor de Deus não residia nelas.

■ **38.13** (na Bíblia hebraica corresponde ao **38.14**)

וַאֲנִי כְחֵרֵשׁ לֹא אֶשְׁמָע וּכְאִלֵּם לֹא יִפְתַּח־פִּיו:

Mas eu, como surdo, não ouço. O homem enfermo tentou (quem sabe com que sucesso) ignorar os ataques desfechados pelos inimigos. O Espírito Santo o havia orientado a não responder aos críticos. O poeta sagrado estava consciente de sua culpa na presença de Deus, mas não tinha respeito pela opinião de seus inimigos, algo similar à atitude de Paulo:

> A mim mui pouco se me dá de ser julgado por vós, ou por tribunal humano; nem eu tão pouco julgo a mim mesmo.
>
> 1Coríntios 4.3

O julgamento cabe a Deus, obviamente, e um homem, em sua consciência, pode dizer com bastante precisão como ele se situa no tocante a seu verdadeiro nível de espiritualidade. Outros nos podem superestimar ou subestimar. Nunca somos exatamente aquilo que nossos amigos ou nossos inimigos pensam. Se cairmos em dificuldades, nossos críticos dirão: "Isso é bem o que você merece!" Que lhes importa se sofremos? O salmista tratava-os com silêncio, a única coisa que mereciam. O poeta era um homem surdo e mudo aos ataques verbais de outras pessoas. "Assim também, quando Simei amaldiçoou Davi, quando este fugia de Absalão, o rei replicou: 'Deixai-o amaldiçoar, pois o Senhor é que o insta a isso'" (Fausset, *in loc.*). Mas é significativo observar que o arrogante Simei foi eliminado por Salomão, filho de Davi, quando Salomão se tornou rei de Israel (2Sm 19; 1Rs 2). Comparar os atos de Saul (1Sm 10.27) e de Jesus (Mt 27.12-14), quando foram atacados injustamente. Ver também Is 53.17; 1Pe 2.23 e 3.9.

■ **38.14** (na Bíblia hebraica corresponde ao **38.15**)

וָאֱהִי כְּאִישׁ אֲשֶׁר לֹא־שֹׁמֵעַ וְאֵין בְּפִיו תּוֹכָחוֹת:

Sou, com efeito, como quem não ouve. O homem enfermo não dava atenção ao que era dito contra ele, nem respondia a seus críticos. Ele simplesmente se tornou uma não entidade para eles. Talvez seja verdade, conforme dizem alguns intérpretes, que "ele não foi capaz de resistir-lhes" (J. R. P. Sclater, *in loc.*). Mas ainda é mais verdadeiro que ele simplesmente não estava interessado em envolver-se em controvérsias. Contraste-se isso com os fundamentalistas sempre dispostos a entrar em uma briga. O silêncio, para eles, não constitui virtude. Adam Clarke vê nessas palavras uma indicação de disputas "forenses". O pobre homem não levou ninguém a tribunal por motivo de calúnia, nem se envolveu em disputas a fim de defender a si mesmo. Preferiu suportar insultos com silêncio e inércia. O homem enfermo entregou seu caso nas mãos de Deus, o Juiz Supremo. Seja como for, sempre será verdadeiro que os críticos jamais silenciam em razão de desmentidos. Portanto, para que se deixar envolver?

■ **38.15** (na Bíblia hebraica corresponde ao **38.16**)

כִּי־לְךָ יְהוָה הוֹחָלְתִּי אַתָּה תַעֲנֶה אֲדֹנָי אֱלֹהָי׃

Pois em ti, Senhor, espero. O enfermo apelou ao Juiz Supremo, Yahweh, que conhece atos, palavras, atitudes e condições do coração. Ele tinha *esperança* em Yahweh de que seria vindicado contra os seus adversários; de que escaparia daqueles que queriam arrebatar-lhe a vida e causar ainda outra morte prematura em Israel; de que seria curado.

Alguns estudiosos cristianizam o texto e trazem à questão a esperança eterna, mas isso está fora do escopo do poeta, no presente contexto. Ver no *Dicionário* o verbete intitulado *Esperança*.

> *Permanecem a fé, a esperança e o amor, estes três: porém o maior destes é o amor.*
>
> 1Coríntios 13.13

Isto posto, o homem enfermo estava "esperando que Deus agisse" (*Oxford Annotated Bible*, comentando o vs. 15), em vez de dar início à sua própria *campanha de ódio*, desfechando um contra-ataque aos inimigos. Campanhas de ódio tradicionalmente são iniciadas pelo diabo; mas até homens bons (quanto a outras questões) dizem que essas campanhas são de inspiração divina.

Tu me atenderás, Senhor, Deus meu. O silêncio seria quebrado pela voz do céu; e a vindicação seria feita em um caso, com a respectiva reprimenda para o partido contrário. Yahweh é o único Juiz sábio o bastante para condenar ou vindicar. É realmente triste ver irmãos na fé engalfinhados em campanhas de ódio, cada qual acusando o outro. Onde está o perdão em meio a tal confusão?

> *Até quantas vezes meu irmão pecará contra mim, que eu lhe perdoe? Até sete vezes? Respondeu-lhe Jesus: Não te digo que até sete vezes, mas até setenta vezes sete.*
>
> Mateus 18.21,22

A palavra "tu", nas palavras citadas deste versículo, está em posição enfática: "Não tenho ajudador além de ti" (Adam Clarke, *in loc.*).

■ **38.16** (na Bíblia hebraica corresponde ao **38.17**)

כִּי־אָמַרְתִּי פֶּן־יִשְׂמְחוּ־לִי בְּמוֹט רַגְלִי עָלַי הִגְדִּילוּ׃

Porque eu dizia. Este versículo conclui e reforça o que foi dito antes. Somente Yahweh poderia livrar o homem bom e doente de sua enfermidade, da indiferença de seus amigos e dos ataques de seus inimigos. Se isso não acontecesse, então o homem enfermo seria pisado aos pés de homens ímpios e desarrazoados, chegando a um fim amargo e prematuro. Não havia *segurança* nele mesmo. Seus pés resvalavam. Ele estava quase terminado. Era quase uma vítima fatal de inimigos humanos e corporais. Entrementes, os ímpios continuavam a magnificar-se, enquanto o homem enfermo era pouco mais do que um verme nojento. Os atacantes teriam uma *alegria maliciosa* na queda final dele, em sua morte, em seu corpo que apodrecia na morte. Somente Yahweh poderia pôr fim à alegria feroz e triunfante de seus adversários, e às esperanças quanto à morte prematura do homem. Cf. Sl 35.26, que é bastante similar a este versículo e onde ofereço notas adicionais que também se aplicam aqui.

O poeta sagrado apelou para que Yahweh pusesse os seus atacantes no lugar que lhes cabia, os repreendesse e os humilhasse. Certamente ele não estava em posição de fazer os registros serem endireitados, ou em condições de obter a injustiça.

O SALMISTA RENOVA SEUS APELOS (38.17-22)

Diferentemente da maioria dos salmos de lamentação, este salmo não termina em uma nota de louvor, pela resposta às orações desesperadas e pela libertação dos inimigos. A conclusão deste salmo é apenas *outro* clamor pedindo ajuda. O homem enfermo continuava *esperando* pela intervenção divina. Os vss. 17-20 sumariam o caso do poeta. A dor estava consumindo as suas energias para continuar. Os inimigos não o deixariam sozinho. Os amigos continuavam a ignorá-lo. Era tempo de Deus agir, ou a causa do enfermo estaria perdida. O poeta havia chegado ao fim de suas forças. Sua dor continuava e o enfermo estava prestes a cair, finalmente. Ele haveria de sofrer morte prematura, a *calamidade das calamidades,* de acordo com a mentalidade hebreia. Ele não via esperança para o além-túmulo, pois isso ainda não fazia parte do pensamento hebreu.

■ **38.17** (na Bíblia hebraica corresponde ao **38.18**)

כִּי־אֲנִי לְצֶלַע נָכוֹן וּמַכְאוֹבִי נֶגְדִּי תָמִיד׃

Pois estou prestes a tropeçar. Sofrendo dores constantes, o enfermo preparava-se para a sua *queda final.* O hebraico diz aqui literalmente: "Estou pronto para coxear", o que é fielmente reproduzido pela *King James Version.* Em outras palavras, o homem chegara ao final de sua corda, conforme se diz em certa expressão idiomática moderna. Ele chegara à extremidade de seu caminho. O destino parecia tê-lo cortado com uma enfermidade terminal. Restava-lhe apenas um *pouco de vontade,* e ele havia aplicado esse resto de vontade no *arrependimento,* na esperança de provocar uma intervenção divina em seu favor. Cf. Sl 35.15. A dor se tornara a má *companhia* do homem. Somente a companhia dos pecadores é pior. O homem havia nascido para enfrentar a adversidade. Parecia até que isso fazia parte de seu destino. Ver Jó 5.6,7. A Septuaginta diz: "Estou pronto para receber as chicotadas". Jerônimo aplicou essas palavras às experiências de Cristo, já perto do final de sua jornada — chicotadas, sofrimentos e morte. Alguns estudiosos veem o Messias e a esperança e experiência cristã em cada salmo, mas certamente isso é um exagero.

■ **38.18** (na Bíblia hebraica corresponde ao **38.19**)

כִּי־עֲוֺנִי אַגִּיד אֶדְאַג מֵחַטָּאתִי׃

Confesso a minha iniquidade. *A confissão de pecados* e o arrependimento tornaram-se a esperança final do homem doente. Por meio de tais medidas, ele esperava encorajar Deus a intervir em seu favor, pois nele mesmo toda esperança havia desaparecido. Ademais, nenhum outro homem estava disposto ou podia ajudá-lo, e alguns até chegavam a barrar-lhe o caminho (vss. 11 e 12). "Ele tinha confessado o seu pecado; tinha seguido o que era bom... Agora restava Deus agir" (William R. Taylor, *in loc.*). "Ao confessar que era um pecador, ele esperava ser perdoado e curado (cf. 32.3-5)" (*Oxford Annotated Bible,* comentando este versículo).

"*Triste.* A nota de verdadeiro arrependimento acha-se presente. A tristeza era por causa do próprio pecado, e não por causa de seus resultados miseráveis" (Ellicott, *in loc.*). "... confessar com o máximo de humilhação e aviltamento pessoal" (Adam Clarke, *in loc.*). O autor, de maneira diferente de Jó, nunca se declarou inocente, mas foi preciso algum tempo para reconhecer a seriedade de seus atos, o que o levou ao lugar onde ele estava. Cf. 2Co 7.10:

> *Porque a tristeza segundo Deus produz arrependimento para a salvação que a ninguém traz pesar; mas a tristeza do mundo produz morte.*

Ver no *Dicionário* os artigos chamados *Arrependimento* e *Confissão.* Ver também o artigo denominado *Perdão.*

■ **38.19** (na Bíblia hebraica corresponde ao **38.20**)

וְאֹיְבַי חַיִּים עָצֵמוּ וְרַבּוּ שֹׂנְאַי שָׁקֶר׃

Mas os meus inimigos são vigorosos e fortes. *O homem era um caso terminal,* mas seus inimigos jamais desistiam. Seus movimentos eram laboriosos e lentos, mas seus inimigos eram rápidos e decisivos. Motivados pelo ódio, faziam essas coisas a fim de ferir e destruir. Embora o homem enfermo fosse culpado de certos pecados, que haviam causado seu castigo pela mão divina, seus inimigos nada tinham a ver com essa questão e o perseguiam erroneamente. Eles *não* eram agentes no plano da correção divina. Eram apenas homens ímpios e destituídos de razão, que gostavam de ferir a terceiros. Cf. Sl 35.19. Existem odiadores "sem causa", que se deleitam na perversão e nos sofrimentos alheios.

A palavra "vigorosos" (que descreve os maus atos enérgicos de seus inimigos) pode ser traduzida como "sem causa", e é assim que a *Revised Standard Version* e a nossa versão portuguesa traduzem a questão. Jesus sofreu por causa disso e seus inimigos se multiplicaram (ver Jo 15.25), e alguns cristianizam este salmo, tornando-o messiânico por esse motivo; mas isso é apenas um exagero. Existem cerca de vinte salmos claramente messiânicos, que devem ser compreendidos como proféticos, e também os chamados salmos reais, que, pelo menos, contêm alguns reflexos messiânicos. Ver a *classificação dos salmos* no gráfico no início do comentário, que atua como uma espécie de frontispício da coletânea. Cf. Sl 69.4 e 73.4,5,7,12. O *ódio* é o equivalente diabólico do amor de Deus. Ver sobre esse tema no *Dicionário*.

> Temos religião apenas o bastante para odiarmos, mas não o bastante para fazer-nos amar uns aos outros.
>
> Jonathan Swift

■ **38.20** (na Bíblia hebraica corresponde ao **38.21**)

וּמְשַׁלְּמֵי רָעָה תַּחַת טוֹבָה יִשְׂטְנוּנִי תַּחַת רְדוֹפִי־טוֹב׃

Da mesma sorte, os que pagam o mal pelo bem. O *homem enfermo* merecia a sua enfermidade; mas, de modo geral, era um homem bom. Ele havia caído em alguma espécie de armadilha. Este versículo diz-nos que os inimigos do homem lhe pagaram o bem com o mal e se aborreciam com ele porquanto, usualmente, ele seguia um caminho reto. Sob a punição divina pelo mal que havia praticado, e sob a perseguição dos inimigos pelo bem que fazia, sua vida fora complicada e sua aflição aumentara. A versão árabe adiciona aqui uma vívida declaração: "Eles me lançaram fora, o amado, como uma carcaça abominável e morta", o que, sem dúvida, é uma glosa escribal. Cf. Sl 35.12. "O que deveria ter abrandado o coração deles em amor, apenas os endureceu no seu ódio" (Fausset, *in loc.*).

> *Segui a paz com todos, e a santificação, sem a qual ninguém verá o Senhor.*
>
> Hebreus 12.14

Alguns eruditos supõem que seguir o bom caminho não fosse o hábito regular do homem enfermo. Antes, ele se reformou e então começou a agir dessa maneira. Talvez seus ex-amigos, companheiros do mal, por causa disso se tenham voltado virulentamente contra ele.

■ **38.21** (na Bíblia hebraica corresponde ao **38.22**)

אַל־תַּעַזְבֵנִי יְהוָה אֱלֹהַי אַל־תִּרְחַק מִמֶּנִּי׃

Não me desampares, Senhor. *O Apelo Final.* Assediado pelo lado de dentro e pelo lado de fora, o homem enfermo lançou seu apelo final a Yahweh. Suas orações não tinham sido respondidas. Diz certo hino: "Ensina-me o segredo da oração não respondida". Mas o homem ainda tinha vida e esperança, que é a última coisa que morre. Portanto, embora continuasse mortalmente doente, lançou um apelo final. A maioria dos salmos de lamentação termina em louvor, porquanto as orações pedindo ajuda foram respondidas; mas alguns salmos deixam a questão parada no ar e no desespero. Seja como for, a oração funciona, pelo que continuemos orando. A oração de desespero de Jesus: "Deus meu, por que me abandonaste?" não foi atingida pelo homem, no salmo presente. Ele só clamou para que não fosse finalmente abandonado, e continuou esperando pela cura. "Ele clamou ao Senhor não por havê-lo abandonado, mas para *ajudá-lo*, por ser ele seu Deus *e* Salvador" (Allen P. Ross, *in loc.*). Ele procurou a "graciosa presença", conforme disse John Gill (*in loc.*). Seja como for, Deus nunca se mantém distante de nós, embora possamos pensar que ele está sendo enganado pelas circunstâncias.

■ **38.22** (na Bíblia hebraica corresponde ao **38.23**)

חוּשָׁה לְעֶזְרָתִי אֲדֹנָי תְּשׁוּעָתִי׃

Apressa-te em socorrer-me. O homem estava perto do fim. O seu caso era terminal. Portanto, precisava de ajuda imediata e eficaz. Por conseguinte, orou. Yahweh era a sua *salvação,* ou seja, o seu *livramento,* que é o verdadeiro sentido da palavra usada neste versículo. O homem não estava procurando a salvação da alma. Ele tão somente queria que seu corpo fosse salvo, a fim de não morrer de forma prematura. "Embora meus amigos se mostrem indiferentes, sê tu próximo de mim, para ajudar-me" (Adam Clarke, *in loc.*). Cf. Sl 22.19 e 35.3, que contêm declarações quase iguais e cujas notas expositivas se aplicam a este versículo.

Oh, meu Deus, não te distancies de mim! Esta oração seria respondida, pois Deus estava ao seu lado o tempo todo, o que se provava pelo fato de que ele continuava a atingi-lo com sopapos e dores, a fim de conseguir reformá-lo. Os sopapos serviriam para despertá-lo, fazê-lo esquecer o pecado, e convencê-lo entrar na vereda correta. Em outras palavras, o julgamento divino era *remediador,* como são todos os juízos de Deus.

SALMO TRINTA E NOVE

Quanto a *informações gerais* que se aplicam a todos os salmos, ver a introdução ao Salmo 4, onde apresento *sete* comentários que elucidam a natureza do livro.

Classificação dos Salmos. Ver o gráfico no início do comentário sobre este livro, que atua como uma espécie de frontispício da coletânea. Ofereço ali dezessete classes e listo os salmos pertencentes a cada uma delas.

Este é um dos salmos de lamentação, sem dúvida o grupo mais numeroso. Nesses salmos, os inimigos atacam, e o livramento torna-se urgentemente necessário.

Os inimigos são aqueles de *fora de Israel,* exércitos invasores; ou aqueles de *dentro de Israel,* inimigos pessoais do salmista; ou mesmo inimigos do corpo, alguma enfermidade que assalta a vítima. O salmo atual é, ao que tudo indica, um *salmo de enfermidade.* Outros salmos de enfermidade são os de número 6, 22, 28, 30, 31.9-12, 32, 41, 49 e 73. A maior parte dos salmos de lamentação termina em tom de triunfo e louvor, porque as orações do salmista foram respondidas; mas alguns poucos dentre eles terminam em desespero, porquanto as orações nem sempre eram respondidas, por razões que desconhecemos. O salmo presente não termina nem em desespero nem em louvor, mas somente em um apelo renovado por ajuda.

O *autor deste salmo* tinha algumas queixas severas, visto que, um tanto como Jó, começara a perder a fé na eficácia da bondade de Deus. Mas ele se conservou em silêncio, a fim de não encorajar o pessimismo dos ímpios, os quais, desde há muito, tinham perdido a fé na benevolência de Deus. A vida do homem é tão curta, e isso, por si mesmo, amortece os propósitos benévolos da vida, no caso de muitas pessoas, especialmente se elas não vislumbram a imortalidade. O salmista desta composição parecia não ter uma "visão muito nítida" das coisas, pelo que estava quase devastado pela sua enfermidade.

Subtítulo. Neste salmo, o subtítulo diz: "Ao mestre de canto, Jedutum. Salmo de Davi". Ver 1Cr 25, quanto à importância da música no culto hebreu. Guildas hereditárias especiais eram formadas entre os levitas para cuidar da questão. Esses se tornavam músicos profissionais e atingiam considerável habilidade em sua arte. A música era um aspecto importante e regular no culto do templo.

Os elementos que aparecem nos subtítulos dos salmos foram adicionados muito depois das composições originais. Cerca de metade dos salmos é atribuída a Davi, certamente um exagero, mas não há razão para duvidar de que ele tenha composto genuinamente pelo menos alguns deles. Afinal, ele foi *o mavioso salmista de Israel* (ver 2Sm 23.1).

"Jedutum, um levita, cantor principal e instrutor. Ver 1Cr 9.16; 16.38,41,42; 25.1,3,6; 2Cr 5.12; 35.15; Ne 11.17. Ele é mencionado nos Salmos 39, 62 e 77. A princípio era chamado Etã" (*Scofield Reference Bible,* na introdução ao salmo).

O Salmo 39 pode ter sido uma continuação do Salmo 38. Pelo menos, eles estão intimamente relacionados. Heinrich Ewald chamava este salmo de a mais excelente *elegia* (poema fúnebre) do saltério.

O SILÊNCIO AUTO IMPOSTO PELO SALMISTA (39.1-3)

■ **39.1** (na Bíblia hebraica corresponde ao **39.1,2**)

לַמְנַצֵּחַ לידיתון מִזְמוֹר לְדָוִד׃
אָמַרְתִּי אֶשְׁמְרָה דְרָכַי מֵחֲטוֹא בִלְשׁוֹנִי אֶשְׁמְרָה לְפִי
מַחְסוֹם בְּעֹד רָשָׁע לְנֶגְדִּי׃

Disse comigo mesmo. *O homem estava desesperado*. Ele estava doente, e Deus não havia respondido às suas orações. A vida parecia tão curta e opressiva. Mas o homem não tinha senso espiritual suficiente para manter-se calado quanto às suas queixas, para não fornecer munição aos céticos e cínicos. Contudo, não queria encorajar o pessimismo, ou seja, a ideia de que a própria vida é um mal. Ver na *Enciclopédia de Bíblia, Teologia e Filosofia* o verbete intitulado *Pessimismo*. Em contraste com o salmista, Jó mergulhou de cabeça no pessimismo, tão atrozes foram os seus sofrimentos.

O homem enfermo resolveu não pecar com as palavras. Ele continuava esperando livramento, e não se precipitou, acusando Deus de erro ou indiferença. Por conseguinte, manteve silêncio na presença dos inimigos, reprimindo os sentimentos de revolta que tinham sido agravados por seus sofrimentos. Ver no *Dicionário* o artigo chamado *Linguagem, Uso Apropriado da*. Ver também Sl 5.9; 12.2; 15.3; 17.3; 34.12; 35.28; 36.3.

Porei mordaça. O homem, precipitado, precisava controlar a sua boca, tal como um cavalo irrequieto tem de ser controlado, sob pena de perder o controle e ferir a si mesmo e ao seu cavaleiro. Por muitas vezes, o homem se assemelha aos animais mudos e sempre é igualmente descontrolado. Restrições se fazem necessárias. O homem deste salmo, muito sabiamente, era *autocontrolado*.

Pessimismo. Considere o leitor estas linhas de Thomas Hardy:

> "Terminei outro ano", disse Deus.
> "Em cinza, verde claro e marrom;
> Espalhei a folha sobre o terreno,
> Prendi o verme dentro do torrão,
> E permiti o último pôr do sol."
>
> Mas a Deus, um homem replicou:
> "E que bem há nisso?"

Os Caminhos de Deus Têm Prosseguimento. A natureza permanece em seu curso, mas, afinal, qual é o bem que se deriva de tudo isso? Os homens sofrem e morrem tão cedo! Ver sobre *Problema do Mal*, no *Dicionário*. Por que os homens sofrem e por que sofrem da maneira como sofrem? Costumo oferecer as respostas que a filosofia e a teologia proveem, mas existem nisso muitos mistérios. A *imortalidade* é a nossa melhor luz para iluminar o problema, mas essa luz só começa a brilhar nos Salmos e nos profetas. E não brilha no salmo presente. Cf. Tg 1.26; 3.2-5,8.

■ **39.2** (na Bíblia hebraica corresponde ao **39.3**)

נֶאֱלַמְתִּי דוּמִיָּה הֶחֱשֵׁיתִי מִטּוֹב וּכְאֵבִי נֶעְכָּר׃

Emudeci em silêncio. Tão cuidadoso se mostrou o autor para não ofender com a sua língua, que se tornou como um homem surdo e mudo; mas o seu espírito requeimava por dentro, e logo ele deixou escapar suas queixas contra a enfermidade e o sofrimento humano, embora o fizesse para si mesmo e para o papel no qual escrevia. Ele ocultou seus sentimentos e pensamentos dos cínicos. Não queria espalhar o pessimismo entre os homens, especialmente no caso daqueles inimigos da fé. Uma versão escocesa métrica destaca a razão moral para o silêncio:

> Mudo eu estava, sem abrir a boca, porque esta obra era tua.

Algumas vezes pensamos que o caos está escrevendo o capítulo em que atualmente vivemos. Mas o *Autor* é, na realidade, o compositor. Temos de esperar para ver o que ele finalmente escreverá. Talvez ele endireite as coisas no *próximo* capítulo.

> Deus se movimenta de maneira misteriosa,
> Para realizar as suas maravilhas.
> Ele implanta seus passos no mar,
> E avança em meio à tempestade.
>
> William Cowper

Por muitas vezes examinamos a obra de Deus de maneira tola e vã, sacudindo a cabeça. Mas o *Mestre Artista* não errou uma única pincelada. O padrão das coisas será visto quando ele tiver terminado sua obra-prima.

Para o Targum e Jarchi, nosso homem, em sua revolta, guardou silêncio sobre a lei e suas excelências, supondo que Deus tivesse abusado de seu poder, em detrimento do homem; e, embora isso às vezes seja real na experiência humana, não parece ser o que está em pauta aqui. Pelo contrário, visto que o autor não podia dizer coisa alguma que fosse boa, preferiu não dizer absolutamente nada.

■ **39.3** (na Bíblia hebraica corresponde ao **39.4**)

חַם־לִבִּי בְּקִרְבִּי בַּהֲגִיגִי תִבְעַר־אֵשׁ דִּבַּרְתִּי בִּלְשׁוֹנִי׃

Esbraseou-se-me no peito o coração. *Particularmente*, o coração daquele homem queimava dentro dele. Tal como Jó, ele tinha de dar vazão à sua frustração e ira, diante de sua condição, atirando flechas secretas contra o Ser divino, por causa da condição deplorável na qual se encontrava. Alguns estudiosos supõem que várias ideias do livro de Jó tenham sido tomadas por empréstimo e ampliadas nesta composição. Talvez a cena seja a de um homem literalmente assentado diante de uma fogueira, e também requeimando por dentro. Suas contemplações diante da fogueira tornaram-se um fogo esbraseado e violento dentro dele. Enquanto o homem continuava a pensar, o fogo dentro dele só aumentava. Ele não podia encontrar nenhuma boa *razão* que explicasse seus sofrimentos. Tudo lhe parecia inútil, fútil, cruel. Por que os homens sofrem, e por que sofrem conforme sofrem? Esse era o tipo de pensamento que perpassava a mente do salmista.

As tentativas de reprimir a ira e o sentimento de frustração serviam somente para aumentar as chamas interiores, que, finalmente, produziram as palavras candentes que se seguiram. "Quanto mais tempo ele 'falava ao seu coração', tanto mais pensamentos turbulentos lhe agitavam a alma. O fogo queimava tão quente que, a fim de aliviar sua dor, ele finalmente, teve de falar" (William R. Taylor, *in loc.*). A autorrestrição finalmente cedeu lugar às *lamentações privadas*. Mas ele continuava ocultando o jogo dos cínicos. Cf. Jr 20.9, que é bastante similar a este versículo. Quanto à meditação ou cisma, ver o *Dicionário*.

> Seria melhor nem respirar e nem falar,
> Do que clamar por forças, mas permanecer fraco,
> Parecendo encontrar forças, mas continuando
> a buscar.

O SALMISTA BUSCA ILUMINAÇÃO (39.4-6)

■ **39.4** (na Bíblia hebraica corresponde ao **39.5**)

הוֹדִיעֵנִי יְהוָה קִצִּי וּמִדַּת יָמַי מַה־הִיא אֵדְעָה
מֶה־חָדֵל אָנִי׃

Dá-me a conhecer... o meu fim. O homem sofredor sentia que seu tempo se esvaía rapidamente, e queria que Yahweh dissesse quanto tempo ainda lhe restava. Ele tinha de preparar as coisas; tomar as últimas providências; ou então simplesmente saber quanto tempo de sofrimento lhe restava, antes que a morte o libertasse. Ele sabia como a vida é fugidia e por isso não lhe restava muito tempo. Ele examinou a sua vida passada e viu tão poucos feitos; o tempo se escoara tão ligeiramente; ele tinha preenchido o tempo com tantas coisas fúteis. O que tudo aquilo tinha significado, afinal de contas?

A minha fragilidade. O original hebraico que foi assim traduzido significa "deixar", "abandonar". Em Is 53.3, tem a ideia de "abandonado". Mas aqui, tal como em Ez 3.27, a ideia é "deixar de viver". O salmista percebeu que lhe restavam poucos dias, mas não apelou para a imortalidade, porquanto a teologia hebraica de seus dias continuava deficiente quanto a esse ensino. A vida era a *vida física*, e a noção de prosperidade relacionava-se a *esta* vida terrena. Estar enfermo lhe roubara o significado da vida terrena. Cf. Jó 6.11. John Gill (*in loc.*) provavelmente estava correto quando viu neste versículo certa ansiedade para "resolver" a questão — morrer e estar livre do sofrimento. "Era comum que os santos em ira e impaciência desejassem a morte. Ver Jó 7.15,16 e Jn 4.8" (Gill, *in loc.*). O próprio apóstolo Paulo expressou essa ansiedade, embora estivesse certo da imortalidade, o que o deixava em uma atitude mental diferente do poeta sagrado. Ver Fp 1.23. É comum que as pessoas de idade avançada vejam o fim de sua vida. Minha avó, que viveu até mais de 90 anos, *alegrou-se* quando chegou o seu tempo de morrer. A rotina da idade avançada tornara-se mortífera para ela. Mas um sofrimento profundo pode fazer até uma pessoa jovem perder o interesse pela continuidade da vida física.

■ **39.5** (na Bíblia hebraica corresponde ao **39.6**)

הִנֵּה טְפָחוֹת נָתַתָּה יָמַי וְחֶלְדִּי כְאַיִן נֶגְדֶּךָ אַךְ
כָּל־הֶבֶל כָּל־אָדָם נִצָּב סֶלָה׃

Deste aos meus dias o comprimento de alguns palmos. Três coisas são ditas acerca da vida humana:
1. Ela pode ser comparada à largura da mão de um homem, algo muito pequeno, muito breve. Quando o homem mede as coisas usando dimensões de seu corpo, essa é uma das menores medidas. Um palmo é maior; o comprimento do braço é maior; um passo é maior. Somente o dedo é menor. A vida é, realmente, fugidia, conforme lemos em Sl 90.12, e o homem bom tenta alcançar certa sabedoria durante esse breve período. Ver Ez 40.5; 43.13.
2. A idade total de um homem, mesmo que seja bem maior que a duração de uma vida média, quando muito, *nada* representa. Quantos de nós sabemos os nomes de nossos bisavós, quanto menos alguma coisa acerca deles? Se avançarmos até nossos tetravós, menos ainda sabem quais eram seus nomes. Retrocedendo um pouco mais, encontramos apenas o *esquecimento,* exceto no caso de genealogistas profissionais. E até mesmo esses profissionais, no caso da maioria das famílias, encontra apenas alguns nomes, sem grandes detalhes. Naturalmente, Deus conhece tudo, e os valores de todas as vidas *continuam,* mas o poeta sacro não pensava nesses termos.
3. Todos os homens não passam de vaidade, isto é, são vazios, ou, literalmente, *nada*. Os seres humanos não pesam absolutamente nada na balança da vida. São como a poeira, que não pode ser pesada em balança comum, e, como a poeira, são arrebatados pelo vento. Em lugar de "vaidade", a *Revised Standard Version* diz "mero sopro". "A palavra *sopro* significa algo destituído de substância, sem valor, pelo que seu sinônimo, tal como acontece com a palavra vaidade, significa *nada*" (William R. Taylor, *in loc.*).

"Todos os projetos, planos, esquemas etc. do homem logo se reduzem a nada. Seu corpo também se reduz a mofo e em breve desaparece tanto da visão quanto da memória dos homens" (Adam Clarke, *in loc.*). Cf. Sl 102.11; 103.15 e Jó 14.5.

Selá. Quanto a esta palavra misteriosa, ver Sl 3.3.

■ **39.6** (na Bíblia hebraica corresponde ao **39.7**)

אַךְ־בְּצֶלֶם יִתְהַלֶּךְ־אִישׁ אַךְ־הֶבֶל יֶהֱמָיוּן יִצְבֹּר
וְלֹא־יֵדַע מִי־אֹסְפָם׃

Com efeito, passa o homem como uma sombra. A vida se parece com um palco, e os homens são os atores; as cenas mudam rápida e radicalmente. Coisa alguma se mostra estável. Coisa alguma é duradoura.

> O mundo inteiro é um palco,
> E todos os homens e mulheres são apenas atores.
> Eles têm suas entradas e suas saídas;
> Um homem pode, em seu tempo, desempenhar
> muitos papéis.
> ...
> Então há aquela última de todas as cenas,
> Que termina essa estranha história movimentada.
>
> Shakespeare

Sombra. Não há substância alguma na existência humana. Ela é plena de ruído e agitação, mas tudo em troca do nada. A vida tem apenas a semelhança da realidade, tal como uma sombra nada é em si mesma. É apenas a luz que foi temporariamente intersectada.

Cf. esta parte do versículo com Sl 144.4 e Jó 14.2.

A *labuta humana* usualmente envolve alguma atividade que gera dinheiro, o qual é então transformado em propriedades e possessões, além de outras coisas que atraem a atenção das pessoas. Mas todas essas coisas, como o próprio homem, logo se reduzem a nada. O homem reúne e *amontoa* riquezas, somente para que outra pessoa fique com elas, embora não as tenha ganho com a força do seu trabalho. O hebraico da segunda parte deste versículo é obscuro, mas o que ofereci descreve a sua essência.

O povo de Israel labutou para construir uma grande nação. Salomão presidiu a sua época áurea. Mas em breve os assírios e babilônios transformariam tudo em cinzas. Assim sendo, as riquezas dos homens, tais como eles mesmos, são efêmeras, isto é, duram somente um dia. Essa palavra vem do grego *epi* + *hemera* (com duração de apenas um dia). Considere o leitor o caso do *rico tolo* (Lc 12.17-20). Ver Ec 2.18,19.

■ **39.7** (na Bíblia hebraica corresponde ao **39.8**)

וְעַתָּה מַה־קִּוִּיתִי אֲדֹנָי תּוֹחַלְתִּי לְךָ הִיא׃

E eu, Senhor, que espero? O nosso homem tinha perdido a saúde. Talvez, à semelhança do poeta do Salmo 38, ele também tivesse experimentado a oposição de inimigos e o abandono de amigos. Seja como for, ele tinha cessado de esperar em qualquer coisa ou em qualquer pessoa, exceto *Yahweh.* Alguns estudiosos veem aqui uma esperança evangélica: o homem que estava prestes a sair desta vida esperava por outra, no além-túmulo. Mais provavelmente ainda (olhando para os versículos que se seguem), o homem continuava esperando pela cura e propunha-se ser restaurado à sua vida física. Sua vida tinha-se tornado indigna de ser vivida. Ele queria algum valor de volta, com um corpo regenerado. Então poderia voltar à normalidade e retomar a vida diária. "Devemos lembrar que o poeta não se volveu para o conforto da esperança da imortalidade. Essa esperança ainda não havia raiado no horizonte. O pensamento da misericórdia de Deus e da esperança de seu próprio livramento moral e físico, *essas coisas* formavam a base de sua nobre elevação acima do senso opressor da futilidade humana" (Ellicott, *in loc.*).

> E agora, qual é a minha expectativa?
> Não é o Senhor?
> Minha substância está contigo.
>
> Tradução da Septuaginta

"A fé irrompeu do meio das brumas do sentido, que haviam envolvido o homem; e, por essa razão, ele dissera: 'Minha esperança está em ti'" (Fausset, *in loc.*). Cf. 25.5,21; 33.20; 62.5 e 71.5. Ver no *Dicionário* o verbete chamado *Esperança.*

■ **39.8** (na Bíblia hebraica corresponde ao **39.9**)

מִכָּל־פְּשָׁעַי הַצִּילֵנִי חֶרְפַּת נָבָל אַל־תְּשִׂימֵנִי׃

Livra-me de todas as minhas iniquidades. *Onde Está o Poder do Amor?* Este versículo talvez dê a entender que a enfermidade do autor poderia ter sido causada por pecados. Isso certamente é verdade no caso do Salmo 38 (ver Sl 38.4). Os hebreus acreditavam que toda enfermidade, em última análise, devia-se ao pecado. Esta, naturalmente, é uma visão míope, conforme demonstro na exposição sobre 38.4. Pois, além de fazer parte do caos geral do mundo, a enfermidade pode ser um disciplinador e um mestre. Ademais, existem elementos misteriosos na questão no tocante à vida humana e à espiritualidade, os quais escapam ao nosso conhecimento e às nossas explicações. Seja como for, os insensatos tornam-se inimigos dos fracos, e a maioria das pessoas tem uma coleção de falsos amigos e de inimigos que se regozijam diante da sua queda. Jó foi abandonado pelos amigos, e o poeta do Sl 38.11 seguiu o mesmo padrão. Os inimigos gostam de zombar quando suas vítimas estão em aflição. Este mundo não é muito chegado ao amor. Homens profanos fazem do ferir a seus semelhantes um esporte. Considere o leitor a história seguinte:

Um homem chamado Tony Campolo contou a história de que ele foi, certa ocasião, conselheiro em um acampamento de igreja que abrigava meninos pequenos. Um dos meninos que estava no acampamento tinha sido vítima de paralisia cerebral. E os outros meninos se divertiam com ele, imitando os seus gestos descontrolados e, de maneira geral, tornando a vida dele uma miséria. Foi decidido que um dos meninos deveria fazer um breve sermão na última noite de acampamento. Os colegas resolveram que o candidato certo para o trabalho era o menino com paralisia cerebral. Eles se divertiriam enquanto ele lutasse por expressar-se. Portanto, o pobre menino foi a diversão, o "espetáculo" daquela noite. Os risos já se tinham espalhado por toda a jovem audiência, quando o menino subiu ao púlpito. Ele conseguiu gaguejar o seu sermão bem simples, dizendo que tinha *três coisas* para compartilhar com os outros. A *primeira* é que ele sabia que Deus o amava. A *segunda* era que ele sabia que Deus amava a todos eles. Portanto, a *terceira coisa,* segundo ele assegurou aos outros meninos, era que ele próprio os amava. Toda a audiência prorrompeu em lágrimas, e vidas foram transformadas naquela noite. Por quê? Porque o *amor* estava presente, e esse é o único poder construtivo no nosso vasto mundo. Nos anos que se passaram desde então, vários dos meninos que tinham estado naquele acampamento confessaram que, pela primeira vez, naquela noite, sentiram a presença de Jesus, e muitos se consagraram ao serviço cristão.

Afinal de contas, nós todos somos apenas *vasos quebrados.* Além disso, é através das rachaduras nos vasos que a luz pode iluminar outros vasos. Paulo serviu em fraqueza, e não com poder, porque a graça do Senhor era suficiente para ele.

Amar é perdoar. Cf. Sl 22.6.

■ **39.9** (na Bíblia hebraica corresponde ao **39.10**)

נֶאֱלַמְתִּי לֹא אֶפְתַּח־פִּי כִּי אַתָּה עָשִׂיתָ:

Emudeço, não abro os meus lábios. Voltamos aqui ao tema do vs. 1, onde vemos o homem enfermo controlando a língua, a fim de não dar aos cínicos chance de zombar da *Providência de Deus.* Mas agora o poeta sagrado adiciona um pensamento fatalista ao que já tinha dito: foi por *ato de Deus* que ele caíra doente, sem dúvida em retribuição por algum pecado cometido. Pensando que Deus o aflige, em contraste com Jó, o salmista não ousava falar demais. Dentro da frase "tu fizeste isso", o "tu" está em posição enfática. O pecador conhecia a causa de seus sofrimentos, bem como a *causa* de todas as causas secundárias. "Não podia queixar-me do *homem,* pois era um feito de *Deus.* Também não poderia queixar-me de Deus, porque *eu* estava consciente de *meu* próprio pecado" (Kimchi). A mente dos hebreus com frequência imaginava um Deus voluntarista, ou seja, um Deus que fazia coisas mediante um capricho de sua vontade, sem deixar-se guiar pela razão; mas o que Deus fazia era considerado automaticamente certo, porque quem o fizera fora *ele.* Ver na *Enciclopédia de Bíblia, Teologia e Filosofia* o artigo chamado *Voluntarismo.*

Aqui, porém, o caso era claro: o nosso homem merecia a punição que estava recebendo. Ele não era como Jó, que se declarou inocente até o fim. Os que afirmam que este salmo foi composto por Davi veem o incidente de Simei envolvido (2Sm 12 e 16). Outros apontam para a morte de seu filho, por causa de seu pecado com Bate-Seba (2Sm 12.12,23), mas este salmo provavelmente foi composto depois da época de Davi. Os *subtítulos* que identificam Davi com cerca de metade de todos os salmos foram produtos de uma era posterior e não se revestem de autoridade.

■ **39.10** (na Bíblia hebraica corresponde ao **39.11**)

הָסֵר מֵעָלַי נִגְעֶךָ מִתִּגְרַת יָדְךָ אֲנִי כָלִיתִי:

Tira de sobre mim o teu flagelo. O homem enfermo era como alguém que tivesse sido espancado por outra pessoa mais forte. Os golpes de Deus continuavam a cair sobre ele. A mão de Deus (cf. 38.2) era pesada e continuava a espancá-lo. E ele pleiteou alívio dos golpes (a sua enfermidade).

Teu flagelo. A palavra hebraica que foi assim traduzida aparece somente nesta ocasião em todo o Antigo Testamento. Sua raiz significa "áspero". O pobre homem estava recebendo um *tratamento áspero* da parte do Ser divino. A Septuaginta e a Vulgata traduzem a palavra como "força". O pobre e fraco homem tinha de confrontar-se com os ataques da força divina. Calvino, no leito de morte e em meio a grandes sofrimentos, repetiu este versículo. Triste é dizê-lo, meus amigos, mas Calvino havia atingido outras pessoas com golpes pesados e sem misericórdia, meramente porque discordavam de sua doutrina. Assim, o feridor foi ferido. Ver na *Enciclopédia de Bíblia, Teologia e Filosofia* o verbete intitulado *Calvino.*

■ **39.11** (na Bíblia hebraica corresponde ao **39.12**)

בְּתוֹכָחוֹת עַל־עָוֹן יִסַּרְתָּ אִישׁ וַתֶּמֶס כָּעָשׁ חֲמוּדוֹ אַךְ הֶבֶל כָּל־אָדָם סֶלָה:

Quando castigas o homem com repreensões. Os ataques de Deus contra o pecador o tinham desfigurado. A sua enfermidade tinha consumido toda a sua vitalidade. Ele estava com um aspecto terrível, emaciado e desgastado; sua juventude se fora. Embora não fosse assim tão idoso, parecia um homem no fim dos dias. Uma olhada no espelho de bronze polido revelou que ele havia tomado algumas decisões bem ruins, que lhe tinham dado aquela aparência fúnebre. O homem desmaiou no tribunal divino, bem no meio de seu julgamento. Ele parecia um homem morto no chão, e não apareceu ninguém para levantá-lo.

Destróis nele, como traça, o que tem de precioso. O corpo do pobre homem estava tão emaciado que parecia um pano roído pelas traças. Seu corpo nem parecia mais humano. Era apenas uma massa de infecções e feridas.

Ninguém jamais odiou a sua própria carne, antes a alimenta e dela cuida...

Efésios 5.29

O corpo do salmista era a sua possessão mais cara; e, no entanto, Deus o deixou definhar, por causa de seus pecados. Uma vez dilapidado o corpo, não restava muita coisa que importasse ao enfermo. Homens ricos vestem trajes caros para aumentar a beleza do corpo e ocultar os seus defeitos. Mas se o corpo está debilitado, que bem fará usar belo vestuário? O Targum sobre este versículo fala de um "corpo alquebrado". Uma vez que o corpo abrigue uma doença terminal, que bem fará ter qualquer outra coisa preciosa? A vida do homem tinha entrado em colapso.

Todo homem é pura vaidade. Em pouco tempo um homem é reduzido a nada. Cf. os vss. 4-6, onde esse tema foi apresentado em longa exposição. A menos que levemos a alma em consideração (o que o poeta não fez), até mesmo o homem que vive bem e por muitos anos, e prospera, esse também é reduzido a nada devido à *idade,* até ser reduzido à cena final, a *morte.* O poeta desprezou valores contínuos, vinculados à vida humana. O vs. 5 é um paralelo direto deste versículo. Ver as notas expositivas ali.

Selá. Quanto a conjecturas sobre o significado desta palavra hebraica, ver Sl 3.2.

■ **39.12** (na Bíblia hebraica corresponde ao **39.13**)

שִׁמְעָה־תְפִלָּתִי יְהוָה וְשַׁוְעָתִי הַאֲזִינָה אֶל־דִּמְעָתִי אַל־תֶּחֱרַשׁ כִּי גֵר אָנֹכִי עִמָּךְ תּוֹשָׁב כְּכָל־אֲבוֹתָי:

Ouve, Senhor, a minha oração. Este salmo não termina com um grito de triunfo e louvor, mas, tal como o Salmo 38, meramente prossegue com pedidos intensos pela cura. Yahweh é chamado aqui a *ouvir* e *responder* às orações do homem. Isso reflete o *teísmo.* A fé dos hebreus ditava que Deus não somente criou, mas também continua acompanhando a sua criação, recompensando e punindo os homens. Contraste-se isso com o *deísmo,* o qual ensina que o Criador abandonou a sua criação e a deixou sob o governo das leis naturais. Ver sobre ambos os termos no *Dicionário.* O Deus teísta é chamado para intervir no caso desesperador diante de nós. Outros apelos e orações, ao que parece, tinham passado despercebidos, ou, se foram ouvidos, foram também ignorados. O poeta sabia que Deus não respondera. Portanto, apelou para que Deus exercesse piedade. Ele gritou com lágrimas nos olhos. É como se tivesse regressado às perambulações pelo deserto quando Israel, ao que parece, foi abandonado por Yahweh. Ele se tornou um estrangeiro e um peregrino, embora estivesse vivendo em Israel. Era um estrangeiro na própria pátria. Estava alienado de seu próprio povo e perante Deus. Até estrangeiros, porém, se residentes em Israel, recebiam proteção da lei e um tratamento humano.

O poeta sacro, todavia, afundava cada vez mais em sua miséria. A impressão era a de que Deus tinha deixado de cuidar dele. Se a doutrina bíblica ensina que o homem tem direitos sobre Deus, por causa de suas promessas, e, no caso do autor sagrado, por causa do pacto abraâmico, o pobre homem havia perdido todo o tipo de reivindicação. Abraão seguiu adiante no deserto, buscando a cidade construída por Deus, mas o poeta estava simplesmente perdido. Ver Hb 11.13.

Este versículo deve ser comparado com Gn 23.4 e 1Pe 2.11. Quanto a um apelo apaixonado por tréguas, cf. Jó 10.20,21. Ver também Sl 6.5. As únicas coisas que agora restavam ao homem esperar eram a cova, a sepultura e o hades.

■ **39.13** (na Bíblia hebraica corresponde ao **39.14**)

הָשַׁע מִמֶּנִּי וְאַבְלִיגָה בְּטֶרֶם אֵלֵךְ וְאֵינֶנִּי׃

Desvia de mim o teu olhar. O homem havia desistido de tudo. Ele não esperava mais anos de vida. Queria apenas descansar um pouco, antes de chegar o seu tempo de partida deste mundo, tempo esse que não estava distante. "Ele sabia, de qualquer maneira, que não lhe restava mais muito tempo de vida, mas esperava pelo menos um pouco de trégua, por breve que fosse" (*Oxford Annotated Bible*, comentando este versículo). Algumas vezes, somente a morte pode curar, depois que todas as outras medidas já falharam. O homem não levantou a esperança da vida eterna, a qual ainda não estava estabelecida na teologia dos hebreus como um dogma.

"Encontra-se com frequência a mesma atitude na história de Jó. Contudo, essa atitude não é incomum, mas apenas outra prova da *necessidade* que a humanidade de coração pesado tem de aprender sobre o Deus e Pai de nosso Senhor Jesus Cristo. Nele o último posto é seguido pelo som da trombeta triunfal que soa ao alvorecer" (J. R. P. Sclater, *in loc.*).

"Todas as palavras e frases deste versículo final ocorrem no livro de Jó. Ver 7.8,9,21; 14.6; 10.20,21" (Ellicott, *in loc.*).

> Até o mais cansado dos rios serpeia
> De alguma maneira, seguro, para o mar.
>
> Swinburne

A cansada mente do poeta sacro não se elevou a essa esperança. Ele simplesmente queria um período de descanso, antes de morrer.

SALMO QUARENTA

Quanto a *informações gerais* que se aplicam a todos os salmos, ver a introdução ao Salmo 4, onde apresento *sete* comentários que elucidam a natureza do livro de Salmos.

Quanto à *classificação dos salmos*, ver o gráfico no início do comentário, que atua como uma espécie de frontispício. Dou ali dezessete classes e listo os salmos pertencentes a cada uma delas.

Este é um salmo de ação de graças pelo livramento de alguma tribulação, em combinação com uma oração pedindo ajuda. Muitos salmos contêm algum tipo de agradecimento, mas alguns são especialmente salmos de ações de graças, e entre eles podemos listar o salmo presente. Em minhas classificações, listo 22 desses salmos. Os vss. 7-10 são fortemente messiânicos, e parte desse material foi citado em Hb 10.5-7. Portanto, o salmo presente também é messiânico. Há salmos que pertencem a mais de uma classe.

Os vss. 12-17 podem ser separadamente classificados como um salmo de lamentação, sendo possível que nosso Salmo 40 na realidade seja a combinação de duas composições originalmente separadas. Tal combinação pode ter ocorrido devido a propósitos litúrgicos. Uma ordem mais natural teria sido primeiro os vss. 12-17 e depois os vss. 1-11, visto que muitos salmos de lamentação terminam em uma nota de louvor, por causa da resposta às orações pelo livramento de algum inimigo.

O Salmo 70 é praticamente idêntico ao Salmo 40.13-17, e essa *lamentação* provavelmente circulava separadamente da ação de graças, mas no Salmo 40 elas vieram a ser combinadas.

Alguns intérpretes pensam que a combinação de lamentação e ação de graças é apenas natural, pois um homem feliz, ao prestar louvores a Deus, subitamente pode cair em uma dificuldade desesperada. Os críticos supõem que ambas as seções reflitam um período posterior da história de Israel, de tempos *pós-exílicos*.

Subtítulo. "Ao mestre de canto. Salmo de Davi". Este é um subtítulo bastante comum nos Salmos. Essas observações foram adições posteriores às composições originais e não se revestem de autoridade canônica. Ocasionalmente, um subtítulo pode refletir algum detalhe histórico. Cerca de metade dos salmos é atribuída a Davi, pelos subtítulos, mas isso é um exagero. Contudo, visto que ele foi *o savioso salmista de Israel* (ver 2Sm 23.1), sem dúvida compôs alguns dos salmos. Muitas composições foram musicadas e usadas no culto do templo. Ver 1Cr 25, quanto à importância da música no culto dos hebreus.

AÇÃO DE GRAÇAS A DEUS (40.1-11)

O Salmista Revisa sua História (40.1-3)

Diz um hino antigo: "Conta as bênçãos. Conta uma a uma. Ficarás surpreso com o que Deus já fez". O poeta deu uma pequena pausa para fazer precisamente isso. Ele estava no meio da grande congregação e cantou os seus louvores, acompanhado por instrumentos musicais. O Senhor o tinha livrado de toda aflição, e naquele dia ele estava triunfal, de pé, no átrio do templo. O vs. 1 por certo reflete um ou mais períodos anteriores de perigo e provação, dos quais o salmista havia sido libertado de maneira significativa. Todos somos convocados a atravessar períodos de trevas, e a maioria de nós ora quando está em um desses períodos. Tive certo professor de latim que não via utilidade alguma na oração, pelo que exclamava: "Quê? Eu orar?" Não obstante, imagino que, ao aproximar-se ele do final (o que para ele deve estar bem próximo), achará necessário orar. E quando o seu espírito elevar-se de seu corpo, ele haverá de maravilhar-se diante da misericórdia e grandeza do Deus a quem ele negligenciou. E assim, continuaremos aprendendo e avançando. E Deus continuará a ter misericórdia e abençoar-nos, chamando todos para si mesmo. Portanto, vamos prestar louvores!

■ **40.1** (na Bíblia hebraica corresponde ao **40.1,2**)

לַמְנַצֵּחַ לְדָוִד מִזְמוֹר׃

קַוֹּה קִוִּיתִי יְהוָה וַיֵּט אֵלַי וַיִּשְׁמַע שַׁוְעָתִי׃

Esperei confiantemente pelo Senhor. O poeta já experimentara sua partilha de tribulações. Nelas ele tinha esperado pacientemente pelo Senhor, para que Deus o visse em sua triste condição e agisse a fim de libertá-lo. E cada vez que orou, obteve resposta. Nem sempre acontece assim, realmente; mas continuamos a orar, pois é na oração que o poder reside.

> Sua graça é grande o bastante para encontrar grandes cousas —
> As ondas esmagadoras que avassalam a alma,
> Os ventos uivantes que nos deixam atônitos e sem respiração,
> As súbitas tempestades fora de nosso controle.
>
> Sua graça também é grande o bastante para enfrentarmos as pequenas coisas —
> As pequenas tribulações que nos incomodam,
> As preocupações que, como insetos, zumbem persistentes,
> As rodas rangedoras que desgastam a nossa alegria.
>
> Annie Johnson Flint

Ver no *Dicionário* o artigo chamado *Oração*. Seria grande coisa ver como a cerimônia foi efetuada no templo, aquele culto especial de cânticos e de louvores. Seria ótimo ouvir a música que acompanhava essas palavras imortais de louvor. Pois quem confiou em Yahweh como o homem hebreu, e quem jamais entoou puras canções de triunfo espiritual como o homem hebreu? "A atitude do poeta pode ser expressa mediante a tradução: 'Esperei e esperei'. O texto talvez sugira que o homem não era muito bom na questão da espera" (J. R. P. Sclater, *in loc.*). Não obstante, ele via claramente a questão inteira. Sua persistência rendeu dividendos. O poder divino interveio em seu favor. Oh, Senhor, concede-nos tal graça!

Continuamos a orar, pois é aí que reside o poder. Continuamos a crer, porque essa é a esfera onde acontecem os milagres. Cf. Is 50.7-9 e Hb 5.7.

"Deus fez algo de maravilhoso em favor dele, depois de um longo período de espera paciente e oração" (Allen P. Ross, *in loc.*).

■ **40.2** (na Bíblia hebraica corresponde ao **40.3**)

וַיַּעֲלֵנִי מִבּוֹר שָׁאוֹן מִטִּיט הַיָּוֵן וַיָּקֶם עַל־סֶלַע רַגְלַי
כּוֹנֵן אֲשֻׁרָי׃

Tirou-me de um poço de perdição. O hebraico original diz aqui, literalmente, um *poço de tumulto*. Com a palavra "poço", pode estar em foco qualquer buraco profundo, até o hades, embora não haja aqui nenhuma referência ao livramento do submundo. O melancólico submundo é descrito como um poço miserável, mas a antiga teologia dos hebreus ainda não havia formulado lugares onde a alma sobreviveria para além da morte biológica. O poeta usa uma figura melancólica a fim de falar de uma grande provação. Animais eram apanhados em poços, onde morriam. O poeta havia escapado das armadilhas preparadas por homens ímpios e desarrazoados. Talvez ele fosse um soldado que tivesse enfrentado os ardis do inimigo, o qual era feroz e brutal e anelava por matar. "... o *poço ruidoso,* onde nada era ouvido exceto o uivo das feras ou os sons cavos do vento, reverberando nas laterais rochosas e na entrada do buraco" (Adam Clarke, *in loc.*).

Dum tremedal de lama. Ou seja, um lugar onde um homem pode ficar preso e afundar no esquecimento. As versões siríaca e árabe dizem "lama da corrupção", dando ao original hebraico uma distorção moral. Podem estar em vista os estados arruinadores do pecado ou qualquer tribulação ou provação que submeta a alma a vexame e ameace o corpo.

"Tremedal" traduz uma palavra hebraica cujo significado é "ferver" ou "fermentar" (usada para indicar o vinho que está fermentando). É daí que se obtém a ideia de *espuma* ou *lodo,* que algumas traduções empregam. Talvez esteja em pauta a "lama das águas profundas e rugidoras" (Fausset, *in loc.*). Cf. Sl 69.2. Talvez lugares misteriosos de águas subterrâneas estejam em foco. Seja como for, as figuras de linguagem falam de experiências terríveis e perigosas, que podiam ser fatais.

Colocou-me os pés sobre uma rocha. Em contraste com o terrível atoleiro, o livramento do homem pobre é comparado a ter os pés sobre uma rocha estável e digna de confiança. Essa figura de linguagem fala do livramento de ameaças e do descanso em um local seguro. Por aplicação, e não por interpretação primária, podemos falar sobre Cristo como a Rocha (ver 1Co 10.4). Por isso disse o compositor de certo hino: "Sobre Cristo, a Rocha sólida, estou de pé. Todo outro terreno é areia movediça". Ver a mensagem de Mt 7.24. A rocha no Antigo Testamento, entretanto, é uma ilustração comum para indicar segurança. Ver Sl 18.2 e 27.5. A *rocha* faz tremendo contraste com os lugares perigosos, com a cova da destruição e com a argila lamacenta.

> Senhor de todos os seres, entronizado ao longe,
> Tua glória flameja do sol e das estrelas.
> Centro e alma de toda a esfera,
> Mas de cada coração amoroso, quão próximo.
>   Oliver Wendell Holmes

O Novo Hino: sobre a Confiança em Deus (40.3-5)

■ **40.3,4** (na Bíblia hebraica corresponde ao **40.4,5**)

וַיִּתֵּן בְּפִי שִׁיר חָדָשׁ תְּהִלָּה לֵאלֹהֵינוּ יִרְאוּ רַבִּים
וְיִירָאוּ וְיִבְטְחוּ בַּיהוָה׃

אַשְׁרֵי הַגֶּבֶר אֲשֶׁר־שָׂם יְהֹוָה מִבְטַחוֹ וְלֹא־פָנָה
אֶל־רְהָבִים וְשָׂטֵי כָזָב׃

E me pôs nos lábios um novo cântico. Contraste o leitor o *novo cântico* com os *ruídos* da cova, no vs. 2. "O coração do homem que está em guerra contra Deus é um lugar de tumulto, pois é ali que rugem as vozes do inimigo. Em harmonia com Deus, estabelece-se a paz. Onde não há muito ruído, algo está errado. A guerra é barulhenta. A nossa civilização é ruidosa. Algumas igrejas são ruidosas. Não é isso um sintoma de alguma profunda enfermidade?" (J. R. P. Sclater, *in loc.*, com alguma adaptação).

O poeta introduz agora um breve *hino,* anunciado no vs. 3 e iniciado no vs. 4, com as palavras: *Bem-aventurado o homem.* Dessa maneira fala-nos sobre sua atual *felicidade,* resultado dos benefícios recebidos em decorrência da oração respondida. Ele louva a Deus (vs. 3), a saber, o Deus de Israel, para quem ele se voltou, em lugar de voltar-se para os deuses dos pagãos que circundavam o território de Israel. Ele tinha recebido *notáveis* provisões, o que capacitaria muitos a entender que algo verdadeiramente grande tinha acontecido, inspirando-os tanto a *temer* como também a *confiar* no mesmo Deus. Quando o poder divino se aproxima, os homens temem, e é daí que flui a *confiança.* Sobre como esta última palavra é usada, ver a exposição em Sl 2.12.

novo cântico. Cf. Sl 33.3, onde comento essa ideia. Ver também 96.1; 98.1; 119.1; 144.9; 149.1; Is 42.10; Judite 16.13, e como o Novo Testamento tomou por empréstimo essa expressão, em Ap 5.9 e 14.3. O vocábulo pode ter significado simplesmente um novo salmo ou hino, ou pode ter assinalado o reavivamento do saltério nacional, após o cativeiro babilônico. Ver Is 42.9,10. Nas páginas do Novo Testamento, a expressão refere-se à *redenção,* e seu emprego no Antigo Testamento incorpora as ideias de livramento e bem-estar pessoal e nacional.

Os arrogantes. A referência é aos inimigos de Israel, aqueles que se deixaram envolver em idolatria e atos duvidosos; os odiadores e destruidores. Alguns desses homens viviam fora de Israel, mas outros faziam parte do acampamento.

Os afeiçoados à mentira. Temos aqui uma referência primária à idolatria, aos *deuses falsos* dos pagãos (alguns dos quais foram adorados pelos hebreus), que faziam os homens desviar-se do reto caminho de Deus. Ver no *Dicionário* o verbete chamado *Idolatria.*

■ **40.5** (na Bíblia hebraica corresponde ao **40.6**)

רַבּוֹת עָשִׂיתָ אַתָּה יְהוָה אֱלֹהַי נִפְלְאֹתֶיךָ וּמַחְשְׁבֹתֶיךָ
אֵלֵינוּ אֵין עֲרֹךְ אֵלֶיךָ אַגִּידָה וַאֲדַבֵּרָה עָצְמוּ מִסַּפֵּר׃

São muitas, Senhor Deus meu. *Pensamentos divinos benéficos,* muito numerosos para serem listados, tinham resultado em muitos atos beneficentes, também em tão grande número que ofuscariam a imaginação e desafiariam qualquer descrição. Isso reflete um *teísmo* de primeira ordem, no qual o Criador acompanha a sua criação e continua a guiar, abençoar e julgar, tudo em consonância com as obras humanas. Contraste o leitor essa ideia com o *deísmo,* o ensino de que o Criador abandonou o universo e deixou-o à mercê das leis naturais e impessoais. Cf. Sl 139.17 e Ne 9.27, quanto a impressionantes expressões da graça divina. Se o poeta tentasse falar sobre todas as coisas que Deus tinha planejado e executado em favor de seus filhos, jamais terminaria a tarefa. "O salmista ficou assustado e confuso diante dos conselhos, da benignidade e das obras maravilhosas do Senhor, não somente na natureza, mas também em sua graça. E era a misericórdia de Deus para com ele mesmo que ele tinha, particularmente, em vista" (Adam Clarke, *in loc.*).

> Em números tu fizeste, tu, Yahweh, meu Deus,
> Feitos maravilhosos e propósitos quanto a nós.
> Nada existe que se compare contigo.
> Declará-lo-ia eu, falaria eu?
> São demais para serem nomeados.
>   Ellicott, com uma paráfrase

Ver também Is 63.7 e Jr 29.11. Contrastar isso com os pensamentos dos iníquos, em Sl 56.5. Sl 139.17,18 é um paralelo direto deste versículo.

■ **40.6** (na Bíblia hebraica corresponde ao **40.7**)

זֶבַח וּמִנְחָה לֹא־חָפַצְתָּ אָזְנַיִם כָּרִיתָ לִּי עוֹלָה וַחֲטָאָה
לֹא שָׁאָלְתָּ׃

Sacrifícios e ofertas não quiseste. *Uma espiritualidade autêntica* era mais importante do que todo o sistema sacrificial levítico, uma notável percepção neste ponto dos salmos. Ver Rm 2, que desenvolve a ideia. Ver no *Dicionário* o artigo *Sacrifícios e Ofertas,* para uma descrição do elaborado sistema hebreu. O templo de Jerusalém foi erguido para promover esse sistema. O poeta não advogava a noção de os israelitas desfazerem-se desse sistema, mas penetrou até as suas *razões*: a mudança do coração e da alma, a transformação do indivíduo pelo Espírito Santo. Paulo, em seus muitos escritos, mostrou como o antigo sistema foi substituído pelo sacrifício pessoal do indivíduo ao princípio espiritual (ver Rm 12.1,2), e como Cristo substituiu o sistema inteiro. Esse é o tema principal da epístola aos Hebreus. Ver Hb 10.5, quanto à declaração clássica dessa mudança. O poeta falou em termos *comparativos*. O que realmente importa é a condição espiritual do indivíduo, e não os sacrifícios trazidos ao templo, os quais apontam na direção das operações divinas sobre a alma.

Quando os hinos eram entoados no culto do templo, sacrifícios apropriados eram feitos. Bem no meio da oferta dos sacrifícios, o salmista percebeu que Deus queria mais do que o sangue dos bodes e dos touros. Ao oferecer votos e promessas, o poeta sagrado percebeu que Deus queria *seu coração*, e não o sangue das oferendas. "O poeta lembrou que Deus preferia o seu corpo aos seus sacrifícios" (Allen P. Ross, *in loc.*).

O animal prestes a ser oferecido em breve seria totalmente consumido sobre o altar, por intermédio das chamas. Até o novo cântico que seria entoado para acompanhar o processo sacrificial terminaria no silêncio. Mas o *homem* que fizera a oferenda permaneceria, e o cântico espiritual em seu coração jamais morreria. Por conseguinte, Yahweh estava interessado *naquele homem*, no sacrifício humano, e não em meros ritos e cerimônias, que eram apenas sombras de uma autêntica espiritualidade.

■ **40.7** (na Bíblia hebraica corresponde ao **40.8**)

אָז אָמַרְתִּי הִנֵּה־בָאתִי בִּמְגִלַּת־סֵפֶר כָּתוּב עָלָי׃

Então eu disse: Eis aqui estou. Os vss. 6-8 são citados em Hb 10.5-7, onde assumem caráter messiânico. O autor cristão contrastou a perfeita obediência de Cristo ao sistema inferior do Antigo Testamento, que envolvia os sacrifícios levíticos. O Cristo, uma vez encarnado, *veio* cumprir a vontade de Deus de maneira superior e satisfatória. O homem que escreveu este salmo, no Antigo Testamento, também cumpriu a vontade de Deus, em consonância com a luz que já tinha recebido, e isso significava ser um sacrifício vivo, conforme o apóstolo Paulo afirmou que deveria ser (ver Rm 12.1,2).

No rolo do livro. Os livros antigos eram *enrolados*, usualmente com o fim no meio, pelo que, pelo lado de fora, uma pessoa encontraria o começo da escrita ali contida. Somente muito mais tarde os livros assumiram o formato de códices, parecidos com os livros modernos. O papiro do Egito era um material comum usado no fabrico de rolos e códices; e também era usado o couro, chamado velum. Ver no *Dicionário* o artigo chamado *Livro (Livros)*. Ver também *Escrita*, um artigo detalhado relativo aos modos de fabrico de livros e aos estilos literários. O rolo era envolto em torno de uma vara como um ponto fixo, assumindo assim a forma de um cilindro.

Dizer "no rolo" é um modo muito generalizado de referir-se à origem de uma citação. O autor sagrado estava referindo-se ao *livro celeste*, onde são registradas as obras de todos os homens, para que eles possam ser devidamente julgados. Cf. Dt 6.6; Jr 31.33. Ou ele se referia a lugares apropriados na lei de Moisés, que falavam sobre os deveres do homem. Quanto ao livro celestial, ver Sl 56.8; 87.6 e 139.16. Ao ler sobre os sacrifícios de animais, o homem chegou à conclusão de que ele mesmo era o melhor sacrifício a ser oferecido a Deus.

Enrolar ou desenrolar um manuscrito sob a forma de rolo, envolto em torno de uma vara, era uma tarefa complicada, facilitada descansando o rolo sobre uma mesa. Os códices começaram a ser fabricados por serem muito mais fáceis de manusear.

A meu respeito. O autor deste salmo não foi mencionado especificamente, mas toda a humanidade está certamente em pauta. O homem em geral deve fazer o que está escrito no livro e, assim sendo, o poeta estava sob idênticas obrigações. Falando em termos messiânicos, podemos dizer em verdade que Cristo foi mencionado por nome e descrito especificamente.

■ **40.8** (na Bíblia hebraica corresponde ao **40.9**)

לַעֲשׂוֹת־רְצוֹנְךָ אֱלֹהַי חָפָצְתִּי וְתוֹרָתְךָ בְּתוֹךְ מֵעָי׃

Dentro em meu coração está a tua lei. A *essência* do que o livro diz é: "Obedece à lei de Deus" e assim te tornarás um homem espiritual. Ver as notas de sumário sobre isso, em Sl 1.2. O homem bom *deleita-se* em obedecer às injunções da legislação mosaica, mas, quanto mais sábio se torna, mais reconhece que a obediência mecânica não é suficiente. É preciso ele mesmo *ser* um sacrifício a Yahweh, e não meramente *oferecer* animais como sacrifícios. O homem que se deleita em cumprir a vontade de Deus é aquele que tem a lei inscrita no coração, e não apenas memorizada no cérebro. No sentido cristão, foi Cristo quem se deleitou em fazer a vontade de Deus e cumpriu sua missão salvadora pelo sacrifício de si mesmo. "Essas palavras foram aplicadas à encarnação de Cristo, quando ele cumpriu assim o propósito divino, conforme estava prescrito no livro" (Allen P. Ross, *in loc.*). Ver Jo 4.34; 10.18 e 14.31. Ver também Lc 12.50. Os crentes do Antigo Testamento, em alguma medida, tinham a lei inscrita no coração (Sl 37.31; Dt 6.6; 27.3; Pv 3.3 e 7.3). Mas a plenitude do Espírito, mediante a qual a lei é inscrita no coração dos homens, estava reservada aos tempos do Novo Testamento (Mt 5.17; Rm 10.4)" (Fausset, *in loc.*). Por conseguinte, devemos confiar e obedecer, pois não há outra maneira de ser feliz em Jesus, senão confiando e obedecendo. Ver a lei como *guia* da vida em Dt 6.4 ss. A orientação tornou-se mais eficaz quando o Espírito assumiu o controle das coisas.

■ **40.9** (na Bíblia hebraica corresponde ao **40.10**)

בִּשַּׂרְתִּי צֶדֶק בְּקָהָל רָב הִנֵּה שְׂפָתַי לֹא אֶכְלָא יְהוָה אַתָּה יָדָעְתָּ׃

Proclamei as boas-novas de justiça. O homem era um *aprendiz*, mas também um *mestre*. Ele levava seus sacrifícios ao templo; entoava seu novo cântico de louvor; fazia votos e cumpria suas promessas. Mas também aproveitava a ocasião para ensinar a outros o caminho da lei, e podemos ter certeza de que também fazia isso em particular. A referência messiânica, como é natural, é ao grande Mestre, o Messias, o Senhor de toda a espiritualidade e o maior comunicador de preceitos espirituais. E então, com a vinda do Espírito, os crentes tornaram-se submestres, transmitindo a mesma mensagem.

Recebereis poder, ao descer sobre vós o Espírito Santo, e sereis minhas testemunhas...

Atos 1.8

Na grande congregação. Ou seja, nas reuniões do templo, quando eram dadas instruções às massas populares. Em um sentido profético e messiânico, pode estar em vista a missão entre os gentios, quando a mensagem foi espalhada por todo o império romano, tanto a judeus quanto a gentios. Ver na *Enciclopédia de Bíblia, Teologia e Filosofia* o artigo chamado *Ensino*. Naturalmente, um importante aspecto da Grande Comissão consiste no ensino, conforme se vê em Mt 28.20. Um número demasiadamente grande de crentes esquece esse lado da moeda da evangelização.

■ **40.10** (na Bíblia hebraica corresponde ao **40.11**)

צִדְקָתְךָ לֹא־כִסִּיתִי בְּתוֹךְ לִבִּי אֱמוּנָתְךָ וּתְשׁוּעָתְךָ אָמַרְתִּי לֹא־כִחַדְתִּי חַסְדְּךָ וַאֲמִתְּךָ לְקָהָל רָב׃

Não ocultei no coração a tua justiça. Em certo sentido, a espiritualidade de um homem é uma questão pessoal. Por outra parte, para o bem do próximo, ele deve exibir a sua vida espiritual, para que ela seja imitada. Ademais, o homem espiritual exerce sobre outras pessoas uma influência melhor ou pior do que ele mesmo é, e a sua própria vida é um meio de comunicação. O poeta não ocultou a *justiça* que nele fora engendrada pelo Espírito Santo. Ele falava sobre a fidelidade e a salvação de Deus. Ele não ocultou o *amor permanente* (*Revised Standard Version*) do Pai, ou, conforme diz a nossa versão portuguesa, a *benignidade* de Deus. Deus tem amado o mundo inteiro em um sentido eficaz e salvador, e isso deveria tornar-se conhecido. Assim sendo, nas mãos dos cristãos, este versículo (e, de fato, a passagem inteira) assume forte contorno evangelístico, e vários intérpretes pensam que a missão cristã de evangelismo e ensino começou com o ministério terreno de Jesus.

Com base no Antigo Testamento, a salvação aqui referida consiste no livramento do mal e do dano, bem como na preservação do indivíduo no caminho da lei. O *amor*, por sua vez, é aquele poder que se irradia da lei, em consonância com Dt 6.5: o amor de Deus pelo homem; o amor do homem por Deus; e o amor do homem pelo homem. O amor é o maior de todos os mandamentos isolados, bem como o mandamento dentro do qual todos os demais existem e são expressos (ver Rm 13.9,10). Ver no *Dicionário* o verbete intitulado *Amor*, quanto a uma afirmação completa a respeito.

Também vemos aqui menção à *grande congregação*. O grande ensino da lei (e então do evangelho) não deve ser limitado a um grupo seleto. Ele deve dirigir-se às massas, pois Deus amou *o mundo* de tal maneira que deu o seu Filho. O versículo à nossa frente, pois, fala sobre o *dever* da comunicação. A igreja não é um clube particular e exclusivista, ainda que, na prática, algumas vezes se transforme exatamente nisso, em certos lugares. Cf. o versículo com Sl 22.22,25 e 35.18.

A meus irmãos declararei o teu nome: cantar-te-ei louvores no meio da congregação.

Salmo 22.22

Petição Final (40.11)

■ **40.11** (na Bíblia hebraica corresponde ao **40.12**)

אַתָּה יְהוָה לֹא־תִכְלָא רַחֲמֶיךָ מִמֶּנִּי חַסְדְּךָ וַאֲמִתְּךָ
תָּמִיד יִצְּרוּנִי׃

Não retenhas de mim... as tuas misericórdias. O poeta sagrado fora o recebedor das bênçãos de Deus, de seu amor constante, de sua salvação (livramento) e de seus ensinamentos. Portanto, ele agora finaliza a parte de louvor do salmo com um apelo final de que as coisas de que desfrutara no passado pudessem acompanhá-lo até o fim de sua carreira. Ele tinha recebido *misericórdia* e continuava carente de misericórdia. Ele fora alvo do *amor constante* de Deus e sempre precisaria desse tipo de amor. Ele tinha recebido a *verdade*, conforme ensinada na lei, e jamais prescindiria da verdade. O bem recebido no passado precisava perdurar. O homem orava para que não houvesse interrupção dessas bênçãos ao longo do caminho. Ele queria um futuro tão brilhante quanto fora o seu passado. Ele tinha visto a mão de Deus operando em seu favor e sempre necessitaria da intervenção divina em sua vida. No passado, ele dependera do Ser divino e continuaria sempre sendo dependente. Cf. isso com algo similar, dito em Is 49.8.

UM APELO PEDINDO AJUDA (40.12-17)

Provavelmente a segunda parte do Salmo 40 era, originalmente, uma composição separada, um *salmo de lamentação*. Quanto a isso, ver os comentários introdutórios antes da exposição a Sl 40.1. Se insistirmos na sequência do tempo, na passagem dos vss. 1-11 para os vss. 12-17, então diríamos que esse homem, que era tão abençoado e sempre livrado de todo o dano, continuaria a enfrentar crises e teria de experimentar novas intervenções divinas. Vitórias definitivas jamais são conquistadas neste mundo. Esta vida deve seguir a vereda da luta e da vitória contínua. Não há, por enquanto, coisas tais como finalidades. Os fins são apenas *instrumentos* que provocam novos começos.

Os salmos de lamentação usualmente começam com um apelo, um pedido de ajuda; em seguida, descrevem o perigo particular que estava sendo enfrentado — um inimigo estrangeiro, um inimigo dentro do acampamento de Israel, ou uma enfermidade física. Se a oração tiver sido respondida, então o salmo de lamentação termina com uma nota de triunfo e louvor. Não é isso que sucede, no caso da segunda parte do Salmo 40, embora tenhamos tal hino de louvor nos vss. 1-11.

■ **40.12** (na Bíblia hebraica corresponde ao **40.13**)

כִּי אָפְפוּ־עָלַי רָעוֹת עַד־אֵין מִסְפָּר הִשִּׂיגוּנִי עֲוֺנֹתַי
וְלֹא־יָכֹלְתִּי לִרְאוֹת עָצְמוּ מִשַּׂעֲרוֹת רֹאשִׁי וְלִבִּי
עֲזָבָנִי׃

Não têm conta os males que me cercam. Este versículo atua como uma *transição* entre os dois salmos que constituem o Salmo 40. É provável que, originalmente, fosse um *elo editorial*, e não uma parte de um dos dois salmos. O autor escorrega da ação de graças por ter sido livrado, a um novo apelo para ser livrado de algum perigo, a saber, o perigo constituído por inimigos humanos que o assediavam, ou de fora de Israel (como soldados invasores) ou dentro do acampamento de Israel, incluindo hebreus réprobos que tinham saído para assediar homens bons. O vs. 12 fala sobre os pecados do próprio salmista, e isso parece um tanto deslocado dos inimigos descritos nos vss. 13-17. Talvez o compilador cresse que os pecados do salmista haviam causado suas dificuldades com outros homens. Ou talvez, conforme dizem alguns críticos, o vs. 12 tenha sido tomado por empréstimo de algum salmo de lamentação diferente, e assim, um tanto desajeitadamente, tornou-se uma declaração de transição. Nesse caso, o salmo de lamentação não identificado provavelmente era um salmo de *enfermidade* causada pelo pecado, que seguia as linhas mestras dos Salmos 38 e 39. Seja como for, o vs. 13 quase certamente é a declaração introdutória real ao salmo de lamento constituído pelos vss. 13-17.

O Salmo 70 é quase idêntico ao trecho de Sl 40.13-17, e isso serve, sem dúvida, como outra indicação da natureza separada da composição.

São mais numerosas que os cabelos de minha cabeça. O salmista queixou-se de ser ele o principal dos pecadores, tendo pecados mais numerosos que cabelos em sua cabeça. Por essa razão, ele estava *enfermo*, pois recebia punição por causa dessa condição. Pelo menos, é provável que esse seja o contexto original, em harmonia com a natureza dos Salmos 38 e 39. O coração do homem desmaiava, devido à grande carga de pecados que ele carregava, e, era de presumir, tal corrupção se refletia em seu corpo. Cf. Sl 22.14. Alguns estudiosos cristianizam o salmo e veem aqui Cristo, o portador do pecado (ver Is 53.6).

■ **40.13** (na Bíblia hebraica corresponde ao **40.14**)

רְצֵה יְהוָה לְהַצִּילֵנִי יְהוָה לְעֶזְרָתִי חוּשָׁה׃

Praza-te, Senhor, em livrar-me. O poeta sagrado tinha urgente necessidade de ser livrado de homens brutais que ameaçavam a sua vida. Ele convocou Yahweh a *ter pressa!* Cf. Sl 22.19, quanto à questão de urgência. O salmista corria perigo mortal. Não fica claro, porém, se os inimigos eram invasores de Israel, como militares, ou saqueadores que agiam por conta própria, ou mesmo se eram compatriotas hebreus brutais, cuja atividade consistia em prejudicar o próximo. Seja como for, por certo a violência física está em mira. Para certos homens, a vida humana tem pouco valor, e eles não hesitam em matar, nem sentem remorso por uma conduta tão ultrajante. Além disso, há aqueles que são assassinos de caráter, que prejudicam a outros moral e espiritualmente, e odeiam e destroem seus semelhantes. Algumas dessas pessoas podem ser encontradas até na igreja. Algum dia, porém, essa situação chegará ao fim.

Coisa alguma que é violenta é permanente.

Provérbio do século XVI

■ **40.14** (na Bíblia hebraica corresponde ao **40.15**)

יֵבֹשׁוּ וְיַחְפְּרוּ יַחַד מְבַקְשֵׁי נַפְשִׁי לִסְפּוֹתָהּ יִסֹּגוּ אָחוֹר
וְיִכָּלְמוּ חֲפֵצֵי רָעָתִי׃

Sejam à uma envergonhados. O trecho de Sl 6.10 é muito similar à declaração que lemos neste versículo, e os comentários dados ali se aplicam também aqui. Ver também Sl 25.1; 35.26 e 37.19, quanto à questão de o salmista ter orado para que não ser envergonhado porque suas orações não foram respondidas, mas que seus inimigos, esses sim, fossem confundidos.

Provavelmente tais palavras do texto apontam para alguma derrota de um exército, que saiu envergonhado do campo de batalha. Um exército perdedor fica marcado, durante gerações, pela vergonha. Além da perda de vidas, há a perda de posição social. Ademais, os exércitos antigos pensavam marchar pela ordem dos deuses. Por isso temos na cultura dos hebreus um dos títulos de Deus, o "Senhor dos Exércitos" ou o "Capitão dos Exércitos". O exército perdedor era considerado sob o desprazer divino, ou seja, era devidamente *envergonhado*. Ver Sl 70.2, trecho quase idêntico que pode ter sido a declaração original.

A vida. Não está aqui em vista a alma imortal, mas *o homem em sua inteireza*, conforme pode significar o termo hebraico por trás dessa tradução. A *Revised Standard Version* traduz corretamente a palavra hebraica por "vida", e nisso é seguida pela nossa versão portuguesa.

40.15 (na Bíblia hebraica corresponde ao 40.16)

יָשֹׁמּוּ עַל־עֵקֶב בָּשְׁתָּם הָאֹמְרִים לִי הֶאָח ׀ הֶאָח:

Sofram perturbação por causa da sua ignomínia. Nada existe que pareça tão *desolador* quanto um exército derrotado em campo de batalha; e era isso o que o poeta sagrado muito desejava ver: o exército inimigo, demolido e totalmente vencido. Aquele exército havia agido desavergonhadamente, ao atacar homens bons, ao matar e violentar mulheres e ao assassinar crianças. Agora, merecia ser obliterado da face da terra. Eles haviam zombado dos bons com seu "heach, heach", a palavra hebraica onomatopaica traduzida por "Bem-feito! Bem-feito!" em nossa versão portuguesa. Ver Sl 35.21,25. Os sons hebraicos são de *alegria*. Homens malignos encontram prazer na matança e no caos. Ver também Sl 22.7,8. O trecho de Sl 70.3 é virtualmente idêntico ao versículo presente.

40.16 (na Bíblia hebraica corresponde ao 40.17)

יָשִׂישׂוּ וְיִשְׂמְחוּ ׀ בְּךָ כָּל־מְבַקְשֶׁיךָ יֹאמְרוּ תָמִיד יִגְדַּל יְהוָה אֹהֲבֵי תְּשׁוּעָתֶךָ:

Folguem e em ti se rejubilem. Os que *buscavam por Yahweh* são aqui contrastados com aqueles homicidas. Enquanto os homicidas se regozijam em matar o próximo, os bons se regozijam nos caminhos do Senhor. Estes últimos amam a salvação do Senhor e os seus caminhos, que são exemplificados na lei. Os assassinos são indivíduos de tendências violentas que se orgulham em praticar atos vergonhosos e se sentem bem quando veem o sofrimento de outras pessoas. Entrementes, os bons magnificarão o Senhor e convidarão seus semelhantes a fazer o mesmo. O caráter de um homem pode ser avaliado com bastante precisão se observarmos o que lhe dá alegria. O que faz um homem sentir-se feliz? Ele está afundado no materialismo e em pecados, e encontra sua alegria em coisas vergonhosas? Ou encontra alegria na busca de satisfações mentais e espirituais e em realizações desta categoria? Quando um homem se regozija em ensinos espirituais, isso serve de prova de que sofreu alguma transformação espiritual. Deus é magnificado no bem e pelos bons. E é diminuído por homens que esquecem os princípios espirituais. Alguns homens são pouco mais que meros animais. A vida deles é absorvida pelo que é apenas terreno. Outros têm caminhado para um terreno mais elevado. Eles vivem acima do mundo, embora os dardos de Satanás os persigam.

> Estou subindo pelo caminho que sobe,
> Novas alturas estou obtendo todos os dias.
> Continuo orando enquanto vou subindo,
> "Senhor, implanta meus pés sobre terreno mais alto.
>
> Quero viver acima do nível do mundo,
> Embora Satanás jogue contra mim as suas setas.
> Pois a fé apanhou o som da alegria,
> A canção dos santos em terreno mais alto".
>
> Johnson Oatman

40.17 (na Bíblia hebraica corresponde ao 40.18)

וַאֲנִי ׀ עָנִי וְאֶבְיוֹן אֲדֹנָי יַחֲשָׁב־לִי עֶזְרָתִי וּמְפַלְטִי אַתָּה אֱלֹהַי אַל־תְּאַחַר:

Eu sou pobre e necessitado. O trecho de Sl 70.5 é virtualmente igual a este versículo. O homem que estava sendo temporariamente atraído por pensamentos sobre o terreno mais alto, de súbito se acha de volta ao campo de batalha onde sua vida era ameaçada. Por conseguinte, ele orou, uma vez mais, pedindo a intervenção divina em seu favor. Uma vez mais, ele fez uma oração *urgente* rogando a Yahweh que não se demorasse, conforme já vimos no vs. 13. Nesse apelo, ele usou dois dos nomes divinos, *Yahweh* e *Elohim*, o Deus Eterno e o Deus Todo-poderoso. Ver no *Dicionário* o verbete intitulado *Deus, Nomes Bíblicos de*.

"... um suspiro de anelo está, com frequência, nos lábios dos santos" (J. R. P. Sclater, *in loc.*), santos que sofrem vários tipos de provação. Males morais e naturais pressionam todos quantos chegam a este mundo. Ver o artigo chamado *Problema do Mal* quanto a explicações (tentativas) de por que os homens sofrem e por que sofrem da maneira como sofrem.

Pobre e necessitado. Cf. Sl 37.14, onde encontramos a mesma expressão. O pobre homem não tinha recursos próprios e carecia receber ajuda *externa*.

> Há uma corrente de dificuldades atravessando
> o meu caminho;
> É um caminho negro, profundo e largo.
> Amarga será a hora quando eu
> Tiver de cruzar a sua torrente.
> ...
>
> Oh, coração, nunca pares de ter esperança.
> Deves cantar, confiar e dizer:
> Suportarei a tristeza que vier amanhã,
> Mas não pedirei emprestada hoje nenhuma tristeza.
>
> Annie Johnson Flint

SALMO QUARENTA E UM

Quanto a *informações gerais* que se aplicam a todos os salmos, ver a introdução ao Salmo 4, onde apresentei *sete* comentários que elucidam a natureza do livro de Salmos. Quanto à *classificação dos salmos*, ver o gráfico no início do comentário sobre o livro, que atua como uma espécie de frontispício. Ofereço ali dezessete classes e listo os salmos pertencentes a cada uma delas.

Este é um salmo de *lamentação*, sem dúvida o maior dos grupos de salmos, que tipicamente começam com um clamor urgente pedindo ajuda para livramento de algum inimigo. Então é provida a descrição do tipo de inimigo enfrentado. Segue-se (usualmente) uma palavra de ação de graças e louvor, pela oração que foi respondida ou que o salmista pensava ter sido respondida. Alguns poucos salmos de lamentação terminam em desespero. Isso sucedia quando as orações não eram respondidas. Não obstante, usualmente o louvor segue-se aos testes, razão pela qual devemos continuar orando. É na oração que jaz o poder. O Salmo 41 tem a nota de ação de graças no final, pelo que podemos prosseguir com confiança.

Este salmo contém alguns toques messiânicos, como por exemplo o vs. 9, o qual foi empregado por Jesus para falar sobre si mesmo, em Jo 13.18. Mas não se trata de um salmo geralmente classificado como messiânico.

Este salmo é uma "oração pedindo cura de uma enfermidade (uma lamentação)" (*Oxford Annotated Bible,* comentando o vs. 1). Outros salmos de *enfermidade* (nos quais o inimigo é uma enfermidade física) são os de número 6, 22, 28, 30, 31.9-12, 32, 38, 39, 41, 49 e 73. Os hebreus sempre pensaram que as enfermidades eram causadas pelo pecado, certamente uma visão míope da questão. A enfermidade pode ser uma disciplina, uma mestra. Além disso, existem elementos misteriosos na enfermidade, que, tal como se vê no artigo do *Dicionário, Problema do Mal*, contém, de modo geral, elementos enigmáticos e caóticos. Ver 2Co 12.8, no *Novo Testamento Interpretado*.

Subtítulo. Neste salmo o subtítulo é: "Ao mestre de canto. Salmo de Davi", o mesmo que encabeça o Salmo 40. Portanto, solicito que o leitor examine a introdução daquele salmo em *Subtítulo*.

"Neste salmo, Davi instruiu a congregação no sentido de que aqueles que ajudassem os necessitados obteriam, eles mesmos, o livramento. Em relação a isso, ele relembrou sua oração pedindo vingança contra os que não tiveram misericórdia dele, mas, antes, procuraram tirar vantagem de sua enfermidade. Este salmo é uma lição baseada na oração pedindo auxílio contra a traição" (Allen P. Ross, *in loc.*).

Ao relembrar a traição promovida por falsos amigos, o salmista proferiu uma bênção sobre aqueles que sentem as dores do próximo e fazem algo para ajudar. Pessoas cheias de compaixão são elogiadas, como deveriam mesmo ser.

"Aquele que é misericordioso para com os aflitos, obterá misericórdia quando ele mesmo for afligido" (Fausset, *in loc.*).

ATI ■ Salmos   155

■ **41.1** (na Bíblia hebraica corresponde ao **41.1,2**)

לַמְנַצֵּחַ מִזְמוֹר לְדָוִד׃

אַשְׁרֵי מַשְׂכִּיל אֶל־דָּל בְּיוֹם רָעָה יְמַלְּטֵהוּ יְהוָה׃

Bem-aventurado o que acode ao necessitado. A *ética dos hebreus* sempre se mostrou poderosa em favor dos pobres literais, e a legislação mosaica tornava certo que eles não padeceriam fome, embora pudessem sofrer severas privações. Até o estrangeiro que estivesse passando pelo país era ajudado. Mas o *pobre*, neste caso, provavelmente era alguma *pobre alma* sujeitada a abusos da parte de outras pessoas ou enferma no corpo, e não um homem com poucas riquezas materiais. Seja como for, o salmo começa lançando um apelo para que exercitemos compaixão, outro nome para o amor. É garantido ao homem compassivo que ele receberá compaixão, da parte de Yahweh, e então da parte dos que forem inspirados por Yahweh, quando chegar a sua vez de precisar da ajuda alheia.

"*Dor relembrada*. Com base nos vss. 1-12, o curso deste salmo é claro. É a oração de um homem enfermo, talvez um rei, que estava cercado por inimigos, entre os quais ele descobriu pelo menos um 'amigo' traiçoeiro... A cena dos vss. 4-6 é o dormitório do enfermo onde, a princípio, o inválido estava sozinho, meditando amargamente (vss. 4 e 5) e, posteriormente, foi visitado por um ou mais de seus adversários. Os vss. 7-9 referem-se ao mesmo lugar de reunião de seus críticos malévolos, onde eles se alegram ferozmente devido aos infortúnios do enfermo. Os vss. 10-12 retornam à solidão e ao registro do apelo do sofredor, que estava sozinho com Deus" (J. R. P. Sclater, *in loc.*).

O homem enfermo acabou sentindo-se bem e assim lembrou os poucos que o apoiaram em seu tempo de teste:

Bem-aventurados os misericordiosos, porque alcançarão misericórdia.

Mateus 5.7

Adam Clarke (*in loc.*) exorta seus leitores a praticar ativamente atos de caridade, com o apoio e a direção de investigações diligentes, para achar e ajudar os pobres e os enfermos literalmente. Isso é algo quase inteiramente perdido em nossas igrejas evangélicas.

■ **41.2** (na Bíblia hebraica corresponde ao **41.3**)

יְהוָה יִשְׁמְרֵהוּ וִיחַיֵּהוּ יֶאְשַׁר בָּאָרֶץ וְאַל־תִּתְּנֵהוּ בְּנֶפֶשׁ אֹיְבָיו׃

O Senhor o protege e lhe preserva a vida. A vida mostra a tendência de devolver a um homem o que ele investiu, outra maneira de falar sobre *A Lei Moral da Colheita segundo a Semeadura* (ver a respeito no *Dicionário*). Yahweh põe-se ao lado do homem bom, pelo que a lei da colheita segundo a semeadura não envolve apenas fatores humanos. Este versículo promete prosperidade ao homem bom. O homem enfermo e pobre precisa de dinheiro e coisas materiais. O homem bom não negligenciará esse fato. Ele fará mais do que dizer uma boa palavra:

Se um irmão ou irmã estiverem carecidos de roupa e necessitados do alimento cotidiano, e qualquer dentro vós disser: Ide em paz, aquecei-vos e fartai-vos, sem, contudo, lhes dardes o necessário para o corpo, qual é o proveito disso?

Tiago 2.15,16

"É digno de observação que pessoas *benévolas*, que consideram o pobre e, especialmente, o *pobre enfermo*, que os buscam em cortiços, vielas sem saída e outros lugares miseráveis de moradia, onde existem enfermidades e infecções, muito raramente caem vítimas de sua própria benevolência, adoecendo. O Senhor, de maneira especialmente benévola, conserva essas pessoas vivas e com saúde. Por outra parte, muitos dos que guardam distância dessas pessoas caem vítimas de contágios... Deus ama o homem misericordioso" (Adam Clarke, *in loc.*).

■ **41.3** (na Bíblia hebraica corresponde ao **41.4**)

יְהוָה יִסְעָדֶנּוּ עַל־עֶרֶשׂ דְּוָי כָּל־מִשְׁכָּבוֹ הָפַכְתָּ בְחָלְיוֹ׃

O Senhor o assiste no leito da enfermidade. O homem bom desfrutará de prosperidade material e boa saúde. Mas se ele enfermar, outros o ajudarão e o confortarão. Além disso, ele terá ajuda divina. O próprio Yahweh intervirá em seu favor e proverá a sua cura. Ver no *Dicionário* o verbete intitulado *Cura*.

Na doença tu lhe afofas a cama. O original hebraico ou é um tanto obscuro aqui, ou nos apresenta uma expressão idiomática que não entendemos. Literalmente, a expressão diz: "Tu lhe mudas toda a sua cama", que compreendemos como se significasse que o leito de enfermidade será transformado em um leito de saúde. Em outras palavras, o homem será curado. Uma emenda nos daria a seguinte tradução: "Toda a sua enfermidade ele transforma em forças". A ideia pode ser que Deus faz a cama do enfermo tornar-se *mais confortável*, ou seja, alivia as dores do homem. Alguns compreendem a frase como se dissesse: "Ele alivia suas últimas horas", de modo que a pessoa morra em paz, mas parece haver mais esperança que isso no versículo. A Septuaginta diz: "Tu (ó Senhor) não desistirás dele", ou seja, não permitirás que ele morra (vs. 2), ou então "ele será curado de toda a sua enfermidade" (vs. 3).

As camas orientais consistiam apenas em um colchão fino, que podia ser virado ou trocado enquanto o homem levantasse ou deitasse em outro lugar, e esse fato provavelmente está por trás da ideia de *mudar* a cama.

Vss. 2-3. "Bênçãos específicas conferidas ao indivíduo misericordioso incluem: 1. Proteção e segurança na Terra Prometida (cf. Sl 37.9,11,22 e 29). 2. O Senhor não o entregaria nas mãos de seus inimigos. 3. O Senhor o sustentaria na enfermidade" (Allen P. Ross, *in loc.*).

■ **41.4** (na Bíblia hebraica corresponde ao **41.5**)

אֲנִי־אָמַרְתִּי יְהוָה חָנֵּנִי רְפָאָה נַפְשִׁי כִּי־חָטָאתִי לָךְ׃

Disse eu: Compadece-te de mim, Senhor. Os hebreus pensaram sempre que a causa da doença seria o pecado. Eis uma das razões pelas quais o povo hebreu nunca aceitou de bom grado as administrações dos médicos. Considerava-se errado fazer cessar uma enfermidade por meios naturais, quando o próprio Yahweh tinha feito um homem adoecer, por causa de seu pecado. Ademais, os antigos "médicos" com frequência usavam de encantamentos, mágicas e outros meios duvidosos em suas curas. Eles não eram apenas usuários de ervas. Os hebreus, entretanto, exageravam. A enfermidade pode atuar como uma disciplina, como uma mestra, e tem também propósitos mais ocultos, que fazem parte do enigma do *Problema do Mal* (ver a respeito no *Dicionário*). Considere o leitor o caso de Paulo, em 2Co 12.8 (ver as explicações no *Novo Testamento Interpretado*). Sem dúvida há nas enfermidades a operação do caos, contra o qual devemos orar constantemente. Os médicos que curam são agentes da misericórdia divina e têm missões a cumprir, tal como se dá com qualquer outra profissão. Na verdade, é consternador quando a penicilina funciona, mas a oração não. No entanto, Deus é o poder curador por trás da penicilina e de outros medicamentos. A natureza é benévola e cumpre a vontade misericordiosa de Deus. Jó esteve muito doente, mas continuava insistindo na sua *inocência*, pelo que teve discernimento quanto ao fato de que a enfermidade nem sempre nos ataca como um castigo contra o pecado.

O salmista, entretanto, em contraste com Jó, tinha certeza de que seus pecados estavam por trás de suas dores. Portanto, ele clamou pela misericordiosa intervenção divina, e sua oração funcionou.

"É um sinal singular da sinceridade e da genuinidade do salmista que ele primeiramente tenha examinado o próprio coração quanto ao mal, *antes* de examinar o mal de seus amigos" (Ellicott, *in loc.*).

■ **41.5** (na Bíblia hebraica corresponde ao **41.6**)

אוֹיְבַי יֹאמְרוּ רַע לִי מָתַי יָמוּת וְאָבַד שְׁמוֹ׃

Os meus inimigos falam mal de mim. O pobre homem enfermo tinha ainda que lidar com a carga adicional dos maus-tratos e da zombaria de seus falsos amigos, tal e qual aconteceu a Jó. É evidente que havia alguns falsos amigos que gostariam de ver o poeta morto, fora do caminho, deixando-os livres para fazer o que quisessem. Ou então eles eram simplesmente indivíduos perversos, que gostavam de apreciar a agonia de outros, o que é um esporte para algumas pessoas malignas. O homem já havia lançado a culpa por sua enfermidade sobre os seus pecados, mas os seus "amigos" exageraram e inventaram muitos pecados que ele nunca havia cometido. Então mofaram dele e disseram: "Considera o que Deus tem feito contra ti, tu, pecador pervertido!" Eles ansiavam pela morte do salmista e para que seu nome desaparecesse da face da terra. Talvez o homem não tivesse familiares, e isso seria o fim de sua linhagem. Segundo o pensamento dos hebreus, fazer uma linhagem familiar perecer era considerado uma calamidade, pelo que os pecadores desejavam o pior para o homem.

O homem enfermo estava cercado de ódio e de indivíduos cheios de ódio. Ele estava enfermo em uma atmosfera sobrecarregada de ódio, outra carga pesada que ele tinha de suportar. Pois é mais fácil matar quando alguém odeia, e esse é apenas outro exemplo de como agem os homens perversos. Verdadeiramente, o homem é uma criatura caída, que precisa de redenção e renovação. A *malícia* dos homens pode fazer outras pessoas adoecer, pois existe um poder psíquico que é capaz de prejudicar o próximo. Talvez o homem enfermo referido neste salmo também tenha sofrido ataques psíquicos da parte de seus falsos amigos. Conheço um caso em que uma pessoa cardíaca ficou pior, devido a essa influência maléfica, e um antigo namorado foi o agente ativo nesse caso. Considere o leitor o caso de parentes que desenvolvem *desejos de morte* por seus "amados" enfermos, a fim de ficarem com as heranças, outra perversão moral.

■ **41.6** (na Bíblia hebraica corresponde ao **41.7**)

וְאִם־בָּא לִרְאוֹת שָׁוְא יְדַבֵּר לִבּוֹ יִקְבָּץ־אָוֶן לוֹ יֵצֵא לַחוּץ יְדַבֵּר׃

Se algum deles me vem visitar, diz cousas vãs. O doente estava acamado, agonizando, e seus falsos amigos tiveram a coragem de vir vê-lo e alegrar-se ferozmente por causa de sua triste condição, falando todo tipo de coisas estúpidas, a fim de desencorajá-lo e piorar a sua condição de saúde. Então eles deixam o lugar e saem a espalhar mentiras sobre o homem, a fim de azedar quaisquer amigos que lhe restassem. O autor isola um indivíduo particular, cuja conduta era *lamentável*, mas devemos compreender que o enfermo sofreu sob ataque de vários indivíduos perseguidores. Shakespeare, na peça intitulada *Rei Ricardo II*, pode ter tido em mira esta passagem da Bíblia, mas lhe deu uma interpretação diferente:

Deveriam os moribundos lisonjear os que vivem?
Não, não! Os vivos é que lisonjeiam os que morrem.

Fausset (*in loc.*), entretanto, vê esse tipo de sentido neste versículo, ao comentar: "O hipócrita professa ter-me amor, mas o tempo todo o seu coração está repleto de amargura, e espera ver-me morto. Deixando o quarto do hospital ele sai para dizer mentiras sobre o enfermo e expressar a esperança perversa de que ele morra em breve". Alguns estudiosos veem aqui a pessoa de *Absalão*, que maltratara o próprio pai, e, profeticamente, alguns outros veem *Judas Iscariotes* em seu processo de traição contra Jesus. Absalão planejou uma traição contra o próprio pai e finalmente pagou com a vida por sua iniquidade; o mesmo aconteceu no caso de Judas.

■ **41.7** (na Bíblia hebraica corresponde ao **41.8**)

יַחַד עָלַי יִתְלַחֲשׁוּ כָּל־שֹׂנְאָי עָלַי יַחְשְׁבוּ רָעָה לִי׃

De mim rosnam à uma todos os que me odeiam. Havia outras pessoas envolvidas no plano traiçoeiro, razão pela qual, neste versículo, encontramos uma menção no plural. É provável que o pobre homem enfermo tenha recebido outras visitas perniciosas. Os conspiradores sussurravam uns para os outros os seus planos e escondiam o jogo de outras pessoas. Estavam planejando maneiras de ferir o homem enfermo, *se* é que a enfermidade não o matasse logo. Talvez até intentassem assassiná-lo caso a doença não terminasse logo com ele. "Em particular, conspiravam contra o homem. Ver Mt 22.5; Jo 11.53; Mt 26.3,4... para arrebatarem seu nome e seu crédito e, finalmente, a sua vida" (John Gill, *in loc.*).

■ **41.8** (na Bíblia hebraica corresponde ao **41.9**)

דְּבַר־בְּלִיַּעַל יָצוּק בּוֹ וַאֲשֶׁר שָׁכַב לֹא־יוֹסִיף לָקוּם׃

Peste maligna deu nele. Os adversários do enfermo estavam muito alegres pelo fato de que ele tinha apanhado uma *enfermidade perigosa*, que o enredara nas manoplas da morte. E predisseram que ele não deixaria vivo o quarto de enfermo. Todos tinham alguma coisa para ganhar com a morte dele: *status* superior na nação; posições de autoridade; dinheiro e prestígio. A enfermidade era terminal, algo "de Belial", conforme diz a nota à margem do texto hebraico. Aplicando a questão ao Messias, encontramos as seguintes palavras em Is 53.4: "Nós o reputávamos por aflito, ferido de Deus, e oprimido". A enfermidade era uma doença radical, que não se vê com frequência, um golpe divino ou uma "doença diabólica" (Adam Clarke, *in loc.*). Alguns estudiosos supõem que o homem tenha sido vítima de bruxaria, e sua enfermidade fosse resultado de uma maldição; mas isso parece ser um exagero da questão.

■ **41.9** (na Bíblia hebraica corresponde ao **41.10**)

גַּם־אִישׁ שְׁלוֹמִי אֲשֶׁר־בָּטַחְתִּי בוֹ אוֹכֵל לַחְמִי הִגְדִּיל עָלַי עָקֵב׃

Até o meu amigo íntimo, em quem eu confiava. Este versículo é citado em Jo 13.18. Ver Mt 26.49. Alguns críticos veem aqui o que se chama de "acomodação", ou seja, certos textos do Antigo Testamento, na opinião deles, foram "acomodados" às circunstâncias da vida de Jesus, mas, na realidade, não eram trechos proféticos. Nesse caso, tais versículos, como este à nossa frente, são pseudoproféticos. Uma de minhas fontes informativas nem ao menos se dá ao trabalho de dizer que o versículo foi empregado no Novo Testamento. Em contraste com isso, outros intérpretes identificam uma verdadeira referência messiânica aqui: "Este versículo foi aplicado por nosso Senhor a Judas, quando comia com ele do mesmo prato. Ver Jo 13.18,26. Historicamente, pode estar em pauta a pessoa de Aitofel, conselheiro e primeiro-ministro de Davi, o qual era o grande apoiador da conspiração encabeçada por Absalão" (Adam Clarke, *in loc.*). Ver o artigo chamado *Acomodação*, na *Enciclopédia de Bíblia, Teologia e Filosofia*.

Quebra da Hospitalidade Oriental. Compartilhar de uma refeição era um ato de amizade e confiança. Para a mente dos orientais, quando um traidor aceitava "almoçar" com um "amigo", para, logo em seguida, fazer-lhe um mal, isso era considerado um ato insano.

"A frase 'que comia do meu pão' foi extraída da prática de os reis admitirem súditos honrados para comer em suas mesas (2Sm 9.11; 19.33). Seu terrível cumprimento deu-se quando Judas foi admitido a comer da ceia da Páscoa com o Senhor. O 'levantar' do calcanhar está baseado no fato de que um cavalo escoiceava seu proprietário. Cf. At 9.5" (Fausset, *in loc.*). É um insultante ato de violência "chutar um homem quando ele está caído", dizemos em uma popular expressão idiomática. A figura do texto é similar. O versículo presente é outro "*Até tu, Brutus?*" da história. Está em pauta uma extrema hipocrisia, com atos daninhos acompanhantes.

■ **41.10** (na Bíblia hebraica corresponde ao **41.11**)

וְאַתָּה יְהוָה חָנֵּנִי וַהֲקִימֵנִי וַאֲשַׁלְּמָה לָהֶם׃

Tu, porém, Senhor, compadece-te de mim. Yahweh, o *Vero amigo*, foi invocado para anular tais atos de traição, ao levantar do leito o enfermo, para consternação de seus falsos amigos. Erguendo-se do leito de enfermidade, o homem exerceria vingança contra aqueles hipócritas, que mereciam ricamente o castigo que receberiam. Parece exagerado continuar aqui com a referência messiânica e fazer este versículo aplicar-se à ressurreição de Jesus, por meio da qual ele desapontou os seus inimigos e produziu uma vitória não antecipada, que anulou toda a traição. O Novo Testamento ensina-nos a deixar a vingança nas mãos de Deus.

Não vos vingueis a vós mesmos, amados, mas dai lugar à ira; porque está escrito: A mim pertence a vingança; eu retribuirei, diz o Senhor.

Romanos 12.19

A mente tipicamente hebraica, entretanto, estava preparada para tirar vingança e afirmar que Yahweh dera ordens nesse sentido. Fazemos a mesma coisa, e nem sempre de maneira tão sutil. Muitos crentes vingam-se de outros, algumas vezes com sutileza e, de outras vezes, não. Os hebreus não eram cristianizados, e nós não somos muito melhores do que eles.

Naturalmente, a pergunta feita por Paulo foi extraída do Antigo Testamento, a saber, de Dt 32.35, pelo que o princípio da não vingança era conhecido, mas talvez devêssemos melhor dizer, não praticado. John Gill (*in loc.*) viu Jesus tomando vingança dos judeus, após a sua ressurreição, fazendo-lhes *o bem*, enviando-lhes o evangelho com preferência (ver At 1—2).

Não te deixes vencer do mal, mas vence o mal com o bem.
Romanos 12.21

■ **41.11** (na Bíblia hebraica corresponde ao **41.12**)

בְּזֹאת יָדַעְתִּי כִּי־חָפַצְתָּ בִּי כִּי לֹא־יָרִיעַ אֹיְבִי עָלָי׃

Com isto conheço que tu te agradas de mim. *O favor de Deus* foi provado para o enfermo devido ao fato de que ele se levantou do leito da enfermidade, e os ímpios desejos de seus inimigos foram assim distorcidos. O *triunfo* pertenceu ao homem que confiou em Yahweh e lhe fez um apelo urgente. Sem dúvida, os seus adversários foram submetidos à vergonha pública, conforme lemos em Sl 25.1; 35.26; 37.19.

Em não triunfar. Literalmente, o hebraico diz aqui "gritar", isto é, gritar de alegria, por causa de uma vitória notável, ou seja, o "entoar do cântico de triunfo". O homem entoou o cântico de vitória porquanto Yahweh mostrara ser forte demais para os seus inimigos. Prosseguindo com a ideia da referência messiânica, os intérpretes veem aqui o triunfo da ressurreição de Cristo, sobre o qual o mundo nunca cessará de gritar e de entoar. A perpetuação da Igreja foi possibilitada por esse clamor de alegria.

... o triunfo da esperança sobre a experiência.
Samuel Johnson

■ **41.12** (na Bíblia hebraica corresponde ao **41.13**)

וַאֲנִי בְּתֻמִּי תָּמַכְתָּ בִּי וַתַּצִּיבֵנִי לְפָנֶיךָ לְעוֹלָם׃

Quanto a mim, tu me susténs na minha integridade. Embora castigado por seus pecados, mediante alguma enfermidade horrenda, ainda assim o enfermo era um homem bom, um homem íntegro, em contraste com seus amigos enganadores e traiçoeiros. Yahweh tinha reconhecido a *bondade essencial* dele, e assim não permitira que a enfermidade escrevesse o capítulo final de sua vida. Isto posto, o homem foi levantado à presença de Deus para sempre, altíssimo privilégio que poderia subentender a esperança na imortalidade. Ou talvez isso significasse, no meio da grande congregação, o recinto do templo onde se manifestava a presença de Deus. Seja como for, o homem foi definidamente vindicado, ao passo que seus "amigos" hipócritas caíram na desgraça.

Continuando com a interpretação messiânica, alguns intérpretes veem Cristo em seu ofício de Mediador, à mão direita de Deus Pai. Compare com este versículos similares nos Salmos: 16.11; 17.15; 80.3,7,19.

Os conluiados não levaram em consideração o "fator moral". A *justiça* triunfou, como era de se supor. Na sua aplicação messiânica, a retidão é absoluta, e essa foi a razão por que o Cristo foi ressuscitado à frente e acima de seus irmãos, para um ofício especial e ímpar.

■ **41.13** (na Bíblia hebraica corresponde ao **41.14**)

בָּרוּךְ יְהוָה אֱלֹהֵי יִשְׂרָאֵל מֵהָעוֹלָם וְעַד הָעוֹלָם אָמֵן וְאָמֵן׃

Bendito seja o Senhor, Deus de Israel. Esta *doxologia* talvez não fizesse parte do salmo de lamentação original; antes, foi acrescentada para reforçar a nota de triunfo, similarmente a outros salmos. Cf. Sl 72.18,19; 89.52 e 106.48. No uso litúrgico, tais doxologias continham o *amém e amém*, que era dito responsivamente pela congregação. Ver Sl 106.48 e cf. Ne 8.6 e 1Cr 16.36.

Esta doxologia assinala o fim do *primeiro livro* do saltério, que está dividido em cinco livros, em imitação aos cinco livros de Moisés — o Pentateuco. Os cinco livros ou seções dos salmos são: Salmos 1 a 41; 42 a 72; 73 a 89; 90 a 106 e 107 a 150. Cada uma dessas seções termina com uma declaração similar.

A *doxologia* celebra o caráter único de Yahweh, o único, verdadeiro e santo Deus, em contraste com as divindades pagãs e idólatras das nações que cercavam o território de Israel. O verdadeiro Deus é *bendito* para sempre, em contraste com os ídolos, que nada são. Quanto à eternidade envolvida, cf. Ef 3.21.

"A glória dos salmos é que eles deixaram a humanidade, para o bem e para sempre, face a face com o Altíssimo. Por conseguinte, juntamente com esses músicos de antanho, elevamos nossos olhos para ele e dizemos: 'Bendito seja o Senhor Deus de Israel, de eternidade a eternidade. Amém e amém'" (J. R. P. Sclater, *in loc.*).

Note o leitor o duplo nome divino de *Yahweh-Elohim*, o Eterno e o Todo-poderoso. Ver no *Dicionário* o artigo chamado *Deus, Nomes Bíblicos de*.

SALMO QUARENTA E DOIS

Quanto a *informações gerais* que se aplicam a todos os salmos, ver a introdução ao Salmo 4, onde apresento *sete* comentários que elucidam a natureza do livro. Quanto a classificações dos salmos, ver o gráfico no início do comentário sobre o livro, que age como uma espécie de frontispício da coletânea. Ofereço ali dezessete classes e listo os salmos pertencentes a cada uma delas.

Este é um salmo de lamentação, uma oração pedindo cura, em preparação para uma peregrinação. Os Salmos 42 e 43 formam uma única composição lírica, constituída por três estrofes, com um refrão (42.5,11 e 43.5). "O autor sagrado, que vivia no extremo norte da Palestina, próximo ao monte Hermom e às cabeceiras do rio Jordão (42.6,7), tinha sido impedido, por uma enfermidade (42.10), de fazer sua costumeira peregrinação a Jerusalém (42.4; 43.3,4). Seu amor ao templo e à presença de Deus que ali se fazia sentir o inspirava a tais peregrinações (42.1-4)" (*Oxford Annotated Bible,* introdução ao Salmo 42).

Em muitos manuscritos hebraicos, os Salmos 42 e 43 são um único salmo, e deveriam ser tratados como uma unidade. Certas repetições assinalam a união íntima que havia entre eles. Cf. Sl 42.9 e 43.2 e Sl 42.5 e 43.5. A separação da composição em duas partes ocorreu por razões litúrgicas.

Um salmo de lamentação começa tipicamente com um grito angustiado pedindo ajuda para livramento de inimigos, quer inimigos estrangeiros que atacavam Israel, quer inimigos dentro do acampamento de Israel, ou até mesmo alguma enfermidade física. Os salmos desse tipo algumas vezes identificam claramente o tipo de inimigo envolvido, mas, de outras, isso não acontece. A maioria dos salmos de lamentação termina em uma nota de triunfo, porque a oração foi respondida e o livramento foi concedido. Alguns poucos desses salmos terminam em um tom de desespero. É que as orações feitas não foram respondidas, o que, ocasionalmente, corresponde à experiência humana, e para isso não há respostas fáceis.

Um *tema especial* desses salmos é o ensino concernente à presença de Deus. "Do começo ao fim, a impressão sobre o imediato da comunhão do salmista com Deus só é comparável às orações que se veem em Jr 14.19-22; 15.15-18; 20.7-18 e Êx 33.3-16. O salmista era um homem que não se satisfazia em "ler a Bíblia e orar". Ele queria experimentar a presença de Deus sob a forma de alguma contemplação mística. Ver na *Enciclopédia de Bíblia, Teologia e Filosofia* o verbete intitulado *Misticismo*.

"O Salmo 42 é a expressão da sede do salmista por Deus. O Salmo 43 é o seu louvor, diante da possibilidade de ampla comunhão com Deus" (Allen P. Ross, *in loc.*).

Subtítulo. No Salmo 42 encontramos o seguinte subtítulo: "Ao mestre de canto. Salmo didático dos filhos de Coré". Note-se que esse subtítulo serve à unidade dos Salmos 42 e 43, visto que não há comentário introdutório separado para o Salmo 43. Cerca de metade dos salmos é atribuída a Davi, pelo que temos aqui uma variação. Seja como for, as notas introdutórias não faziam parte dos salmos originais, pelo que também não se revestem de autoridade canônica. Ocasionalmente, pode ser dada alguma genuína informação histórica nos subtítulos, mas, em sua maioria, os autores de tais notas estavam apenas conjecturando.

Salmo Didático. No original hebraico lemos "Masquil". Alguns estudiosos interpretam isso como um nome próprio, como se ele fosse um levita músico principal (ver 1Cr 25), ou talvez algum instrumento musical estivesse em pauta. Mas a palavra significa "instrução", pelo que alguns compreendem que os salmos assim encabeçados devem ser chamados "didáticos". Seja como for, temos essencialmente o mesmo subtítulo no caso dos Salmos 42, 44 a 49, 84; 87 e 89. No Livro II dos Salmos, além dos salmos atribuídos aos filhos de Coré (ou a um homem chamado Masquil), um deles é atribuído a Asafe (Sl 50); os Salmos 51 a 70 são atribuídos a Davi; e há três salmos anônimos (43, 67 e 71). Ademais, há um salmo atribuído a Salomão (72).

Livro II. Começamos agora a segunda seção (ou segundo livro) do saltério. Existem cinco dessas seções ou livros, em imitação aos cinco livros de Moisés, o Pentateuco. São elas: I (1 a 41); II (42 a 72); III (73 a 89); IV (90 a 106) e V (107 a 150).

■ 42.1

לַמְנַצֵּחַ מַשְׂכִּיל לִבְנֵי־קֹרַח׃

כְּאַיָּל תַּעֲרֹג עַל־אֲפִיקֵי־מָיִם כֵּן נַפְשִׁי תַעֲרֹג אֵלֶיךָ אֱלֹהִים׃

O *maior tema isolado* dos Salmos 42 e 43 (originalmente uma única unidade) é o ardente desejo do salmista em experimentar a presença de Deus, e assim ter uma comunhão completa, que fomente a sua espiritualidade. Um homem aparentemente solitário buscava comunhão com o Ser divino. Ele não se contentava em aprender, ler, instruir-se e orar. Ele jamais diria que "a leitura da Bíblia e a oração" são suficientes para o homem espiritual. Também precisamos do toque místico, do contato e da comunhão com Deus. É isso que significa o termo *Misticismo* (ver esse vocábulo na *Enciclopédia de Bíblia, Teologia e Filosofia*). A meditação é uma das mais úteis disciplinas da religião pessoal e, excetuando a ênfase recebida na Igreja Ortodoxa Oriental, esse tema essencialmente perdeu-se na igreja moderna. Mas na prática da meditação encontramos uma maneira de buscar a presença de Deus. Nossas igrejas são por demais barulhentas e atarefadas para saberem muito sobre o que o salmista estava dizendo. Nossas igrejas também se tornaram profanas demais para cuidarem do que o salmista estava falando. Além disso, dogmas ridículos se têm apegado à ideia da abordagem mística da fé, que é apenas *uma* das abordagens, e não à única abordagem legítima. Ver no *Dicionário* o artigo chamado *Desenvolvimento Espiritual, Meios do*.

Como suspira a corça pelas correntes das águas. A figura nos apresenta um animal selvagem correndo para salvar a própria vida, tentando evitar os caçadores e seus cães, e que, em sua sede extrema, encontra alguma água muito necessária para beber. Buscamos a Deus como esse animalzinho busca sua água necessária? O poeta foi capaz de dizer que a *sua alma* buscava a Deus com esse afã, ou seja, com todo o seu ser. Ele não categorizou a si mesmo em secular e divino. O divino era tudo para ele.

Quando a corça (cervo) fica exausta e dolorida de tanto correr, seu último refúgio é uma poça de água. Esse animal descerá a colina e nadará no meio da água. Poderá mergulhar na água para evitar o olhar brutal dos caçadores e dos cães de caça. E sorverá do precioso líquido. Sua vida é assim restaurada. Buscamos a Deus dessa maneira?

Ó Deus. Isto é, *Elohim*, o *Todo-poderoso*. O segundo livro do saltério (Salmos 42 a 72) usa esse nome divino por quatro vezes, com mais frequência do que *Yahweh*, usado, no restante do saltério (excetuando o caso dos Salmos 73 a 83) com vinte vezes mais frequência. Nenhuma razão lógica foi atribuída a esse fenômeno. Ver no *Dicionário* o artigo denominado *Deus, Nomes Bíblicos de*.

■ 42.2

צָמְאָה נַפְשִׁי לֵאלֹהִים לְאֵל חָי מָתַי אָבוֹא וְאֵרָאֶה פְּנֵי אֱלֹהִים׃

A minha alma tem sede de Deus. Este versículo expande o anelo expresso no vs. 1. A alma do homem tinha sede do *Deus vivo*, em contraste com os ídolos mortos. Ele queria a real experiência da presença de Deus, e não o mero aprendizado sobre Deus em livros sagrados ou não. Naturalmente, os livros são bons; o estudo é bem-vindo; a oração é boa; as boas obras são necessárias; a santificação é indispensável. Tudo isso contribui para a espiritualidade do indivíduo. Mas todos precisamos igualmente do *toque místico*, da presença de Deus, do brilho do Ser divino, da luz divina. Ver no *Dicionário* o verbete chamado *Iluminação*.

Sede de Deus. A maior parte dos homens deixa-se governar por seus apetites, e a *sede* é um sinal de que precisamos de água. Um homem pode viver bastante tempo sem alimentos, mas sem água ele logo morre. A água é vital para a vida. Ver no *Dicionário* o artigo chamado *Água*, quanto a seus significados metafóricos. O homem do texto queria ver o *rosto de Deus*. Ele anelava pela *visão beatífica* (ver a respeito na *Enciclopédia de Bíblia, Teologia e Filosofia*), *agora mesmo*, e não no fim de sua vida ou em algum ponto da existência além-túmulo. Ele queria a proximidade com Deus imediatamente. Era um estudioso da lei, um estudioso da Bíblia. Frequentara escolas. Se havia alguma formação acadêmica a conquistar, ele a tinha conquistado. Mas alguma coisa lhe faltava. O Deus da teologia continuava *distante*, e ele se sentia tremendamente infeliz diante desse fato. Afinal de contas, Deus é a fonte originária de toda vida, sobretudo espiritual. Por quanto tempo um homem pode continuar-se declarando espiritual, quando não experimenta a fonte da espiritualidade? Cf. Sl 66.9 e 84.2. Ver também Sl 11.7; 17.15 e Is 6.5.

Não devemos reduzir a presença de Deus, neste ponto, à adoração no templo de Jerusalém, onde a presença de Deus *presumivelmente* se encontrava. O poeta queria experiências pessoais e vitais, não como as havia encontrado no templo, que frequentara em muitas oportunidades. Cultos e "ismos" multiplicam-se porque os homens não encontram Deus nas igrejas. Além disso, as igrejas com grande frequência ocultam a Deus, em lugar de revelá-lo, mediante dogmas tenazes aos quais a pessoa é forçada a subscrever, por sua música infernal, e por outros fatores. Muitas coisas nas igrejas são *sucedâneos* da presença de Deus. As pessoas acostumam-se com as imitações, mas o poeta que compôs os Salmos 42 e 43 anelava pela *essência* da espiritualidade. Ademais, ele tinha uma fé *teísta*. Ele não acreditava, juntamente com os deístas, que o Criador tinha abandonado a sua criação. Ele pensara ser possível encontrar Deus entre os homens, talvez até em seu próprio coração. Ver na *Enciclopédia de Bíblia, Teologia e Filosofia* os verbetes intitulados *Teísmo* e *Deísmo*.

■ 42.3

הָיְתָה־לִּי דִמְעָתִי לֶחֶם יוֹמָם וָלָיְלָה בֶּאֱמֹר אֵלַי כָּל־הַיּוֹם אַיֵּה אֱלֹהֶיךָ׃

As minhas lágrimas têm sido o meu alimento. Os *céticos* tinham estado a zombar daquele que queria ser um místico autêntico. Para eles, a busca diligente pela iluminação parecia ridícula. E eles não hesitavam em informá-lo sobre o ceticismo deles. Isso servia somente para agravar a ansiedade do poeta. Sua busca era tão diligente que lágrimas se tornaram o seu alimento, uma experiência que é peculiar para nós, mas que, provavelmente, era comum para os hebreus. Cf. Sl 80.5. Ele não quis dizer que lágrimas caíam sobre o seu alimento enquanto ele comia, conforme supõem alguns! Nem devemos reduzir este versículo ao sentido de que o homem anelava por voltar ao templo, a fim de adorar, mas era impedido dessa participação devido a alguma enfermidade. O homem estava atrás de uma manifestação poderosa da presença de Deus, e não, meramente, sentindo saudades de um lugar de adoração, onde, supostamente, a presença divina ocasionalmente se manifestava. Parecia antes que o Deus daquele homem estava se ocultando, como sucede às vãs divindades imaginárias que fazem viagens ou vão dormir, deixando seus adoradores abandonados. Quanto às amargas zombarias sobre o *Deus ausente*, cf. Sl 79.10; 115.2 e Jl 2.17.

Os motejadores de nosso homem não podiam ouvir a música das esferas, pelo que supunham que tal tipo de música não existisse:

> Esse homem não tem música em si mesmo,
> Nem se emociona diante dos acordes de sons maviosos.
> Ele só serve para traições, estratagemas e estrago.
>
> Shakespeare

■ 42.4

אֵלֶּה אֶזְכְּרָה וְאֶשְׁפְּכָה עָלַי נַפְשִׁי כִּי אֶעֱבֹר בַּסָּךְ אֶדַּדֵּם עַד־בֵּית אֱלֹהִים בְּקוֹל־רִנָּה וְתוֹדָה הָמוֹן חוֹגֵג׃

Lembro-me destas cousas. O homem que buscava a Deus com tanta diligência era um frequentador do templo. Ele participava ardentemente dos cultos. Seus companheiros eram pessoas de mente idêntica. Ali, música de louvor e triunfo acompanhava os sacrifícios e oferendas. Ali o homem fazia seus votos e promessas. Ele era um homem que punha em prática a sua religião, e não era apenas um religioso teórico. Sempre participava dos cortejos quando o povo saía em massa do templo, em ocasiões especiais. Ele tinha sempre o coração pleno de ações de graças e observava todas as festividades religiosas. Ver no *Dicionário* os verbetes *Sacrifícios e Ofertas* e *Festas (Festividades) Judaicas*. Essa abundante participação em tudo quanto fazia parte da adoração dos hebreus conservava a mente de nosso homem em harmonia com o Ser divino; mas isso ainda não bastava. Ele não nos estava dizendo que *essas coisas* equivaliam a experimentar a presença de Deus. É provável que o homem fosse um levita ou um sacerdote em serviço, pelo que a sua vida era o seu culto. Mas isso não significa que ele estivesse satisfeito com o espetáculo externo da fé religiosa. Contudo, deitado em sua cama, refletindo sobre todas essas coisas excelentes, ele encontrava nova esperança em sua inquirição (vs. 5). Ver Sl 120 a 134, quanto aos salmos de romagens, ou seja, salmos de peregrinação.

Alguns estudiosos veem neste versículo um indício de que o salmo foi composto durante o *cativeiro babilônico* (ver a respeito no *Dicionário*), e as saudades do homem pelo templo e seu culto eram tão *agudas* porque o lugar não mais existia! Nesse caso, eram os babilônios pagãos que escarneciam do salmista.

> Escarnecei, escarnecei, Voltaire, Rousseau,
> Escarnecei, escarnecei. 'Tudo isso é vão';
> Lançais a areia contra o vento,
> E o vento projeta-a de volta novamente.
>
> William Blake

42.5

מַה־תִּשְׁתּוֹחֲחִי ׀ נַפְשִׁי וַתֶּהֱמִי עָלָי הוֹחִילִי לֵאלֹהִים
כִּי־עוֹד אוֹדֶנּוּ יְשׁוּעוֹת פָּנָיו׃

Por que estás abatida, ó minha alma? A *memória* de toda aquela passada participação no culto infundia nova esperança no salmista. Em breve ele se levantaria do leito de enfermidade e passaria novamente a circular entre o povo. Ou talvez ele tivesse recebido discernimento profético quanto ao fato de que o templo seria reconstruído pelo remanescente que retornasse do cativeiro babilônico. Ele tinha por costume fazer peregrinações ao templo. Mas agora, doente como estava, estava impedido de fazê-las. Então imaginava que, se pudesse voltar a circular em público, sua busca mística poderia ser fomentada e ele poderia lograr sucesso. Nesse caso, ele se soergueria acima dos sacrifícios e das oferendas, e ultrapassaria as atividades de entoar cânticos e de marchar em cortejos.

Essas coisas eram boas em si mesmas, mas tinha de existir algo mais para que houvesse uma busca séria. Por isso o homem continuava encorajando a si mesmo. O rei e o aldeão algumas vezes falavam consigo mesmos, e somente os pedantes insistem que o "eu" não pode dirigir a palavra ao "eu". Falar conosco mesmos ajuda a guiar os nossos pensamentos. Isso não é sinal de que uma pessoa está enlouquecendo. O salmista falava consigo mesmo e exortava a sua alma a encontrar repouso e esperança na certeza de Deus. Ele ainda contava com outro recurso familiar do qual podia depender — a memória. Sentia-se solitário em seu leito de enfermidade, mas *lembrava-se* do seu passado. Ele estava agora distante do culto do templo, conforme aprendemos no vs. 6, mas tinha esperança de que Deus não estava distante dele.

> ... para buscarem a Deus se, porventura, tateando o possam achar, bem que não está longe de cada um de nós.
>
> Atos 17.27

42.6

אֱלֹהַי עָלַי נַפְשִׁי תִשְׁתּוֹחָח עַל־כֵּן אֶזְכָּרְךָ מֵאֶרֶץ
יַרְדֵּן וְחֶרְמוֹנִים מֵהַר מִצְעָר׃

Nas terras do Jordão e nos montes do Hermom. O autor sagrado revela a sua área geográfica, o lugar de onde ele viajava em suas peregrinações a Jerusalém, para as festas anuais. Ele tinha nascido na região montanhosa de Dã, aparentemente a alguns quilômetros ao norte do mar da Galileia. Ele anelava por não estar no *monte Mizar* (um pico existente na cadeia do monte Hermom), mas no monte de Sião. Cf. Sl 43.3.

Os judeus do sexo masculino deveriam fazer peregrinações anuais às três festividades: a *Páscoa* (que incluía os pães asmos); o *Pentecoste*; e os *tabernáculos*, sobre os quais ofereço notas expositivas separadas no *Dicionário*. E, como um grupo (juntamente com muitos outros), no artigo intitulado *Festas (Festividades) Judaicas*. O zelo ardente do poeta pode tê-lo inspirado a outras peregrinações, além das requeridas. Seu espírito estava "abatido" porque ele fora incapacitado de viver em uma busca contínua do culto no templo de Jerusalém; e como ele gostaria de estar gozando plena saúde para que pudesse reiniciar essas atividades. Mas se sua busca espiritual o levava para além dessa participação, nem por isso ele a negligenciava, e, como é óbvio, julgava que isso era parte necessária de sua vida espiritual. Ver os nomes próprios que aparecem neste versículo, no *Dicionário*.

42.7

תְּהוֹם־אֶל־תְּהוֹם קוֹרֵא לְקוֹל צִנּוֹרֶיךָ כָּל־מִשְׁבָּרֶיךָ
וְגַלֶּיךָ עָלַי עָבָרוּ׃

Um abismo chama outro abismo. A tristeza do salmista foi ilustrada pela metáfora de ondas, de torrentes que se precipitavam e avassalavam a sua alma. A maré tinha vindo sobre ele, e onda após onda deixava a sua vida em petição de miséria. Talvez nosso homem se imaginasse como um pária lançado ao mar, sua vida em estado de penúria e perigo. As ondas são personificadas e chamam umas às outras para se juntarem, agindo em temível uníssono contra o homem descoroçoado. Deus enviara as ondas da aflição, pois, segundo a mentalidade dos hebreus, ele era a causa única. A teologia dos hebreus era fraca quanto a causas secundárias. Alguns pensam que o quadro aqui traçado é o de torrentes de rios e ribeiros que se empolavam, devido às neves que se dissolviam depois do inverno. Cf. Sl 29.10 e 32.6. A ideia é extraída das regiões montanhosas do Hermom, e não do mar, de conformidade com certos estudiosos.

42.8

יוֹמָם ׀ יְצַוֶּה יְהוָה ׀ חַסְדּוֹ וּבַלַּיְלָה שִׁירֹה עִמִּי תְּפִלָּה
לְאֵל חַיָּי׃

Contudo, o Senhor... me concede a sua misericórdia. A despeito das tempestades e ondas, e das provações durante o dia e a noite, *Yahweh* estava presente para regular as coisas, e, em seu *amor constante*, para certificar-se de que o homem enfermo cumpria seus propósitos espirituais. *Elohim* (o Poder) era o Deus de sua vida, pelo que seu curso, bem como seu ponto final, estavam espiritualmente garantidos. Ali haveria benignidade para fazer reverter as tristezas e para trazer o triunfo em algum ponto ao longo da estrada. "De dia e de noite, Deus me concede a sua graça consoladora para contrabalançar minhas lágrimas, pelo que sou *capacitado* por ele a trocar minhas lágrimas por cânticos de louvor, tanto de dia quanto de noite" (Fausset, *in loc.*). Assim como Deus era a única causa na questão dos testes, também era a única causa de triunfo espiritual, com sua alegria acompanhante.

O Deus da minha vida. Deus é "o Autor, doador e preservador da vida... Oração e louvores andam de mãos dadas e o objeto deles não são os ídolos mortos que não podem salvar. O objeto é o Deus Vivo" (John Gill, *in loc.*).

DEUS, A ROCHA DA VIDA (42.9-11)

42.9

אוֹמְרָה ׀ לְאֵל סַלְעִי לָמָה שְׁכַחְתָּנִי לָמָּה־קֹדֵר אֵלֵךְ
בְּלַחַץ אוֹיֵב׃

Deus é a rocha sobre a qual a vida está edificada, conforme anoto longamente em Sl 18.2,31,46; 28.1; 31.2,3; 40.2. Ver também Sl 6.12: "a rocha que é alta demais para mim". Mas há outros trechos nos salmos, igualmente usados (ver Sl 62.6,7; 71.3; 78.35; 89.26; 92.15;

94.22; 95.1). A rocha é o *alicerce*, aquilo que dá apoio à vida inteira, tal como um edifício de qualquer espécie não pode perdurar por muito tempo sem alicerces adequados. O tema é ampliado, em Sl 40.2.

A rocha é, igualmente, uma *fortaleza*, um termo militar, um local de refúgio e segurança, e do qual se poderia lançar ataque contra o mal.

O salmista, após seus momentos de memória esperançosa, cai de volta em desespero doentio. Tanto ele estava doente quanto estava sendo oprimido por inimigos, o que constitui um novo tema, introduzido neste ponto do salmo. Comparar Sl 41.8 e ss. Ver também Sl 43.2. Não nos são fornecidos detalhes a esse respeito, mas além de estar enfermo, o poeta sagrado também tinha de lutar contra a importunação de homens ímpios e desarrazoados. No vs. 3, vimos a zombaria dos céticos; e talvez eles também estejam em foco aqui, mas não com exclusividade.

■ 42.10

שפטני אלהים בעצמותי חרפוני צוררי באמרם אלי
כל־היום איה אלהיך:

Esmigalham-se-me os ossos. Os *opositores* do salmista atravessavam-no com espadas metafóricas, que podem significar palavras cortantes ou atos de violência. Sua própria vida foi atingida, e as espadas feriram seus *ossos*, a estrutura básica do corpo, da qual tudo dependia. Seus inimigos não descansavam, mas andavam caçando-o para feri-lo todos os dias. Eles desprezavam sua busca ardente por Deus como algo ridículo e inútil, e troçavam dele com as palavras "Onde está o teu Deus?" Isso repete a mensagem do vs. 3, onde apresento notas expositivas a respeito.

■ 42.11

מה־תשתוחחי נפשי ומה־תהמי עלי הוחילי
לאלהים כי־עוד אודנו ישועת פני ואלהי:

Por que estás abatida, ó minha alma? O poeta sagrado volta a encorajar a si mesmo, falando com a própria alma, conforme fez no vs. 5, que é virtualmente idêntico ao que se lê aqui e onde estão contidas as notas expositivas. Yahweh era a esperança, a saúde e o seu Deus. Quanto à palavra "saúde" (*King James Version*), a *Revised Standard Version* diz "auxílio", que também é o texto de nossa versão portuguesa. O homem era absolutamente teocêntrico, e não egocêntrico, e esperava que houvesse, novamente, bons tempos. Em contraste com isso, há a esperança vazia deste mundo.

> A esperança mundana sobre a qual os homens
> Descansam seu coração,
> Transforma-se em cinzas.
>
> O Rubaiyat

Neste versículo, o poeta moveu-se do patético para o louvor. Este salmo de lamentação, como ocorre à maioria deles, levantou uma esperança de que as orações seriam respondidas. O homem recuperaria a saúde e, juntamente com isso, a participação no culto do templo. Então prosseguiria com diligência a buscar a comunhão mística com Deus, tema principal dos Salmos 42 e 43, os quais, originalmente, formavam uma única composição. "Foi assim que ele encerrou com uma nota de triunfo sobre os sentimentos de desânimo em que sua enfermidade e seus inimigos o tinham lançado" (Fausset, *in loc.*). Ele aguardava ainda maior triunfo e alegria em sua experiência mística, que tem como uma de suas categorias é a *alegria*. Outra categoria é o *otimismo*. Ver no *Dicionário* o artigo sobre *Misticismo*, quanto a descrições completas. A declaração deste versículo é novamente repetida em Sl 43.5, pelo que aparece por três vezes: Sl 42.5,11 e 43.5.

SALMO QUARENTA E TRÊS

Originalmente, os Salmos 42 e 43 formavam uma única unidade, a qual pode ter sido dividida com fins litúrgicos. Forneço uma introdução à unidade no início dos comentários sobre o Salmo 42. O Salmo 43 não tem subtítulo, pelo que figura entre os salmos "órfãos", ou seja, sem comentários de introdução. Estritamente falando, contudo, não podemos classificá-lo assim, porquanto o subtítulo que encabeça o Salmo 42 também pertence ao Salmo 43. Os chamados salmos "órfãos" são 34: 1, 2, 10, 33, 43, 71, 91, 93 a 97, 104 a 107, 111 a 119, 135 a 137 e 146 a 150. Originalmente, todas as composições do saltério eram "órfãs", uma vez que não continham comentários introdutórios (subtítulos), os quais foram produtos de uma era posterior e não se revestem de nenhuma autoridade canônica. Alguma informação histórica pode ter sido incluída nesses comentários, mas, em sua maioria, são apenas conjecturas.

UM APELO PEDINDO JUSTIÇA E VINDICAÇÃO (43.1-5)

■ 43.1

שפטני אלהים וריבה ריבי מגוי לא־חסיד
מאיש־מרמה ועולה תפלטני:

Faze-me justiça, ó Deus. Os vss. 1-5 formam uma nova estrofe dentro da unidade dos Salmos 42 e 43, e não é o começo de uma composição separada. Quanto a uma conjuntura geral da unidade dos Salmos 42 a 43, ver a introdução ao Salmo 42. Os inimigos referidos no Salmo 42, aqueles que ridicularizaram a busca espiritual do salmista e seu desejo de ter uma comunhão mais íntima com Deus (ver 42.3), chegaram a atravessar os ossos do homem com suas espadas metafóricas. O resultado foi que, entre a enfermidade física, que passava sobre ele como ondas do mar (42.7), e seus inimigos humanos, o salmista ficou em um estado de extrema miséria. Os israelitas pensavam que toda enfermidade física decorria do julgamento de Deus contra o pecado, pelo que o homem não tentou vindicar-se (à semelhança do que Jó tinha feito), no tocante à questão. Mas ele não cria merecer os maus-tratos de inimigos humanos, que eram homens ímpios e sem razão, e também profanos e brutais. Portanto, nesta estrofe (vss. 1-5, que constituem a parte inicial do Salmo 43), o poeta clama por vindicação.

Um povo ímpio tinha ofendido o salmista. Eles tinham uma *causa* maligna, que envolvia a miséria, mas, reciprocamente, o poeta sacro tinha uma causa contra eles. Alguns estudiosos veem aqui os babilônios pagãos que tinham destruído o templo. Nesse caso, o poeta esperava que houvesse um retorno dos israelitas à Terra Prometida, e a reconstrução do templo justificaria a existência de Israel e devolveria os babilônios a seu devido lugar. Somente Deus pode vindicar os justos, seja a questão de natureza privada, seja de natureza nacional.

Contra a nação contenciosa. Diz o original hebraico, literalmente, uma "nação sem pacto". Eles não participavam do pacto abraâmico (ver as notas expositivas a respeito em Gn 15.18). Mas esse vocábulo, "contencioso", pode aplicar-se a qualquer pessoa iníqua que, por sua perversidade, anula o pacto. Assim sendo, as pessoas envolvidas neste versículo poderiam ser israelitas. O poeta não era um advogado, pelo que invocou a *Elohim* (o Poder) para defender a sua causa.

■ 43.2

כי־אתה אלהי מעוזי למה זנחתני למה־קדר
אתהלך בלחץ אויב:

Pois tu és o Deus da minha fortaleza. *Elohim* (cujo nome significa Poder) era a força do salmista. Mas, apesar disso, ele estava sendo avassalado pelos seus adversários. Por conseguinte, o poeta invocou a Deus para que a questão fosse endireitada. A enfermidade e a opressão dos inimigos tinham deixado o homem em uma situação calamitosa, porque cada dia se renovavam as suas tribulações e não lhe era concedido alívio. A questão tinha fugido do "controle" do salmista, e somente o Poder (El) era forte o bastante para reverter a miserável síndrome na qual ele estava envolvido. Cf. a declaração de que Deus é a nossa *Rocha*, o que pode ter vários significados. Já anotei isso em Sl 42.9, onde há uma lista de versículos dos salmos que contêm essa metáfora.

Minha fortaleza. No hebraico encontramos aqui a palavra *maoz*, um lugar fortificado, uma fortaleza. Cf. Sl 27.1; 37.39; 52.7. Era ali que o nosso homem encontrava refúgio para descansar e sentir-se protegido. Mas, ali oculto, ele podia atacar os inimigos. Conforme dizemos em uma expressão idiomática popular, "Deus estava ao seu lado".

Por que me rejeitas? Quando as nossas orações não obtêm resposta; quando nos falta orientação; quando sofremos o que nos parecem tribulações e reversões insensatas, somos tentados a pensar que Deus nos abandonou. Encontramos aqui o grito de desespero do poeta, semelhante ao que vemos em Sl 22.1.

A falta de luz pode, na realidade, ser uma luz secreta, porquanto estamos sendo salvos de caminhar pela vereda errada. Uma reversão pode, na realidade, ser um passo na direção certa, porquanto estamos sendo salvos de avançar por uma vereda falsa. Não receber resposta a uma oração pode ser, na realidade, uma resposta, porquanto somos forçados a enveredar em outra direção. Usualmente, nessas condições (ficamos ali sentados, no escuro), estarão sendo formadas *circunstâncias* que contribuirão para o nosso bem. Mas, em meio à noite, algumas vezes nos queixamos amargamente, e é isso que vemos o poeta fazer aqui. Meus amigos, todos os homens espirituais têm experimentado a condição sobre a qual lemos neste versículo e, usualmente, por muitas vezes. "Mas Deus não repele nem rejeita nenhum indivíduo que pertença a seu povo. Eles sempre continuam em seu amor, e em seu pacto, e nas mãos de seu Filho" (John Gill, *in loc.*).

■ 43.3

שְׁלַח־אוֹרְךָ וַאֲמִתְּךָ הֵמָּה יַנְחוּנִי יְבִיאוּנִי אֶל־הַר־קָדְשְׁךָ וְאֶל־מִשְׁכְּנוֹתֶיךָ׃

Envia a tua luz e a tua verdade. Os grandes líderes, a *luz* e a *verdade,* são agentes de Deus. Por isso mesmo o poeta clamou para que aqueles instrumentos fizessem uma súbita aparição e o guiassem avante. Ver no *Dicionário* os verbetes chamados *Luz* e *Verdade,* para averiguar a variedade de ideias vinculadas a essas palavras. O *alvo* buscado pelo homem piedoso era a *colina santa,* onde estava o tabernáculo ou o templo e onde ele poderia participar eficazmente no culto a Yahweh. Quanto ao "santo monte", cf. Sl 48.1; 87.1 e 99.9. A lei contém esses elementos de verdade e luz, pois ela era o guia do homem bom entre os israelitas (ver a nota de sumário sobre Sl 1.2). Esse era o poder que tornava Israel distinto entre as nações (ver Dt 4.4-8) e lhe transmitia vida (ver Dt 4.1 e Ez 20.1). Ver a lei como guia da vida, em Dt 6.4 ss. Era impossível para um hebreu falar sobre a luz e a verdade sem ter a lei em mente. Por outra parte, o autor dos Salmos 42 e 43 desejava mais do que a mera letra. Ele estava procurando um contato direto com a presença de Deus (42.1,2). Essa é uma forma de experiência mística. Ver no *Dicionário* o verbete chamado *Misticismo.* A letra é boa, mas o Espírito é melhor. O poeta queria desfrutar imediatamente da *proximidade* de Deus. A verdadeira rota espiritual não se verifica apenas através de livros sagrados. Precisamos de contato com a fonte originária desses livros.

■ 43.4

וְאָבוֹאָה אֶל־מִזְבַּח אֱלֹהִים אֶל־אֵל שִׂמְחַת גִּילִי וְאוֹדְךָ בְכִנּוֹר אֱלֹהִים אֱלֹהָי׃

Então irei ao altar de Deus. O salmista, tendo recebido o que tanto desejara, ou seja, a volta a Jerusalém, através de sua saúde restaurada e do recuo de forças impedidoras (entre elas, os seus inimigos pessoais), renovaria então a sua participação no culto. Ele iria em triunfo até o altar de Deus, onde ofereceria sacrifícios; entoaria os hinos apropriados durante as cerimônias; e faria seus votos e promessas. O salmista também sabia tocar muito bem a harpa, e assim participaria do ministério da música. Esses detalhes revelam que o poeta era ou um levita ou um sacerdote. Ele sentia muita falta de exercer sua profissão. Ver 1Cr 25, quanto à importância do ministério da música no antigo culto dos hebreus. Havia guildas de músicos profissionais, formadas exclusivamente por levitas. Ver também no *Dicionário* o artigo intitulado *Música (Instrumentos Musicais).*

Se o poeta sacro se deleitava com tais práticas, na qualidade de homem sábio ele nunca permitiria que elas substituíssem a busca superior pelo Deus que vive nos céus. Ver no *Dicionário* o artigo intitulado *Alegria.*

Ao anoitecer pode vir o choro, mas a alegria vem pela manhã.
Salmo 30.5

Hora jubilosa, nós te saudamos!

Sir William Gilbert

■ 43.5

מַה־תִּשְׁתּוֹחֲחִי נַפְשִׁי וּמַה־תֶּהֱמִי עָלָי הוֹחִילִי לֵאלֹהִים כִּי־עוֹד אוֹדֶנּוּ יְשׁוּעֹת פָּנַי וֵאלֹהָי׃

Por que estás abatida, ó minha alma? Esta pergunta já tinha sido feita em Sl 42.5 e 11, onde a comento exaustivamente. Este salmo de lamentação (a unidade formada pelos Salmos 42 e 43) termina assim em uma nota triunfal, porquanto, mediante a fé, o poeta antecipou que sua provação terminaria, sua saúde lhe seria restaurada, e seus inimigos seriam derrotados. Ele teria oportunidade de retornar a Jerusalém, e sua inquirição espiritual produziria fruto significante. "O salmista encontrou encorajamento para sua alma abatida e perturbada, na *esperança* de que, novamente, louvaria o Senhor" (Allen P. Ross, *in loc.*).

SALMO QUARENTA E QUATRO

Quanto a *informações gerais* que se aplicam a todos os salmos, ver a introdução ao Salmo 4, onde apresento *sete* comentários que elucidam a natureza do livro. Quanto à *classificação dos salmos,* ver o gráfico no início do comentário, que atua como uma espécie de frontispício. Ofereço ali dezessete classes e listo os salmos pertencentes a cada uma delas.

Este salmo é uma oração pedindo o livramento de inimigos nacionais, uma espécie de *lamentação grupal.* Israel havia sofrido humilhante derrota às mãos de alguma nação estrangeira não designada, e todo o povo israelita gemeu junto, sob a carga da desgraça e da perda. Vários incidentes históricos têm sido vinculados a este salmo, como o retorno do cativeiro babilônico, ou tempos de derrota em que Antíoco Epifânio estava no poder. "Há um acordo geral de que o salmo não é pré-exílico. Não sabemos de nenhuma época, antes do exílio, na qual o povo judeu se queixaria de estar disperso entre as nações, a despeito da lealdade inarredável de seu Deus (ver os vss. 11, 17 e 22)... Uma data pós-exílica, pois, deve ser assumida, e a escolha parece ficar entre os períodos persa e macabeu. A partir do século V d.C., este salmo, juntamente com outros, como os Salmos 74; 79 e 83, refletiria as lutas dos tempos do macabeus" (William R. Taylor, *in loc.*). Isso daria ao salmo uma data entre 175 e 150 a.C. Alguns eruditos, entretanto, argumentam contra esse raciocínio. 1. Eles perguntam como um salmo tão tardio entrou no livro II do saltério. 2. Eles pensam que o salmo se coaduna melhor com o governante persa, Artaxerxes III (351-349 a.C.). Não obstante, 1Macabeus narra diversos incidentes que poderiam ter inspirado um salmo como este. Ver 1Macabeus 1.44-53; 2.29-38; 5.55-62.

Essência. "A oração deles foi impulsionada pelo fato de que eles estavam experimentando derrotas que não compreendiam. Este salmo é ímpar como uma assertiva de fidelidade nacional. Contrastá-lo com o terceiro capítulo do livro de Lamentações" (Allen P. Ross, *in loc.*).

Subtítulo. Este salmo tem o mesmo subtítulo que o vinculado ao Salmo 42. Ver as notas expositivas ali. *Dez* salmos têm a mesma nota de introdução, os quais identifiquei na introdução ao Salmo 42.

EXPLORAÇÕES DIVINAS NO PASSADO HISTÓRICO (44.1-3)

O autor sagrado introduz seu lamento diante do desastre nacional (no qual Deus parece ter abandonado a Israel), ao narrar como aconteceu "no passado", quando Israel logrou uma série de vitórias notáveis, através do poder de *Elohim.* Ele então demonstrou como Israel era fiel a Deus e distinguia-se entre as nações (vss. 4-8). Contudo, a despeito dessas coisas, Israel, no presente, estava perante os seus inimigos, amargando a poeira de uma derrota completa. Portanto, onde estava o antigo Deus de Israel?

"Depois de haver declarado que Israel conhecia as maravilhosas obras de Deus no passado (vs. 1), o autor sacro relembra especificamente que Yahweh lhes havia dado seu território sob Josué (vs. 2). Isso foi reconhecido como obra miraculosa de Deus, feita por *sua mão* e por *seu braço,* em harmonia com seu favor (rosto brilhante), e não de acordo com as próprias forças deles" (Allen P. Ross, *in loc.*). Por conseguinte, onde estava o poder para a crise presente?

■ **44.1** (na Bíblia hebraica corresponde ao **44.1,2**)

לַמְנַצֵּחַ לִבְנֵי־קֹרַח מַשְׂכִּיל׃

אֱלֹהִים בְּאָזְנֵינוּ שָׁמַעְנוּ אֲבוֹתֵינוּ סִפְּרוּ־לָנוּ פֹּעַל
פָּעַלְתָּ בִימֵיהֶם בִּימֵי קֶדֶם׃

Ouvimos, ó Deus, com os nossos próprios ouvidos. Embora não fossem testemunhas oculares, seus livros e tradições tinham contado claramente a história. Em muitas ocasiões, Israel havia sido ajudado pela intervenção e pela graça divina. O poder estava sempre presente, sempre que se fazia necessário. Assim sendo, onde estava agora o poder? Encontramos aqui uma filosofia da história. A história é *linear*, ou seja, passa de um evento para outro, e não sob a forma de ciclos. A história tem um *alvo* na direção do qual se move. É *guiada* teisticamente. Ver na *Enciclopédia de Bíblia, Teologia e Filosofia* o artigo chamado *Filosofia da História*. Sendo teisticamente guiada, a história tem progressão e propósito. Portanto, o que aconteceu quando Israel foi reduzido a nada?

> Não resta na terra
> Qualquer um que ainda viva e tenha sabido (considera isto!)
> Ninguém resta que viu com seus olhos
> e manuseou com suas mãos,
> Aquilo que veio desde o princípio —
> A Palavra da Vida.
> Como será quando ninguém puder dizer:
> "Eu vi"?
>
> Não obstante, nós sabemos por que eles viram.
>
> Destas coisas eu me lembro,
> Enquanto derramo a minha alma.

Cf. Êx 10.2; 12.26 ss. e Dt 6.20, quanto a relembrar e chamar à memória, por razões didáticas.

Lembra-te, pois, de onde caíste, arrepende-te, e volta à prática das primeiras obras.

Apocalipse 2.5

■ **44.2,3** (na Bíblia hebraica corresponde ao **44.3,4**)

אַתָּה יָדְךָ גּוֹיִם הוֹרַשְׁתָּ וַתִּטָּעֵם תָּרַע לְאֻמִּים
וַתְּשַׁלְּחֵם׃

כִּי לֹא בְחַרְבָּם יָרְשׁוּ אָרֶץ וּזְרוֹעָם לֹא־הוֹשִׁיעָה לָּמוֹ
כִּי־יְמִינְךָ וּזְרוֹעֲךָ וְאוֹר פָּנֶיךָ כִּי רְצִיתָם׃

Como por tuas próprias mãos desapossaste as nações. O autor sacro não forneceu um longo sumário de eventos históricos que provavam como Deus exibiu o seu poder em Israel. Antes, escolheu um único exemplo: como a Terra Prometida foi possuída nos tempos de Josué. Essa era uma tarefa tão gigantesca que não poderia ter sido realizada sem a ajuda direta de *Elohim*. Por conseguinte, o que saíra errado? O poeta sagrado anelava saber o *porquê*. O que poderia explicar aquele retrocesso, e por que Israel estava ali, amargando a derrota, ao passo que seus ímpios inimigos comemoravam ferozmente a derrota dos filhos de Israel porque Deus não os tinha ajudado?

> Tem pena de nossa ansiedade por saber
> De onde viemos e para onde estamos indo.
> Como chegamos ao mundo, e por quê?
> Por que existe o pecado, bem como sua filha, a miséria?

Schiller

Os anciãos da nação contavam a história, obedecendo à injunção de Dt 8.2-18. Cf. Sl 48.8; 78.3; 2Cr 20.7. Em seguida, essas histórias passaram à forma oral e, depois, algumas delas foram preservadas sob a forma escrita. Dessa maneira, tornou-se claro o que tinha acontecido. A conquista da Terra Prometida havia sido um sucesso, enquanto restavam muitas áreas que ficaram por conquistar. O povo que antes perambulava tornou-se uma nação na Terra Prometida, exatamente conforme requerido pelo *pacto abraâmico* (ver Gn 15.18, quanto às suas provisões). Em seguida, foi instituído o *pacto palestino* (ver na introdução a Dt 29). A Terra Prometida foi dividida entre as tribos e então subdividida entre as famílias, todas as quais se tornaram proprietárias de terras. Para que tudo isso se tornasse realidade, *sete nações* tiveram de ser expelidas, o que comento em Êx 33.2 e Dt 7.1.

É claro que Israel, cujo exército era uma infantaria, não poderia ter conseguido tais vitórias sem a ajuda divina. Os filhos de Israel tinham espadas, mas era a espada do Senhor que lhes conferia vitória. Eles tinham a mão direita, mas era a mão direita de Deus que agia em favor deles. Eles tinham braços, mas era o braço divino que feria e abatia os pagãos, levantando os filhos de Israel como uma nova nação. Eles tinham alegrias naturais, mas era o rosto do Senhor, que brilhava sobre eles, que lhes emprestava coragem e alegria para o que estavam fazendo. Reunindo todos esses fatores, obtemos um quadro sobre o *favor divino*. E esse favor mostrou-se eficaz para cada ideal e para cada tarefa. Cf. Dt 8.17 e Js 24.16-18. "A história de Israel é a história da graça divina. Pode essa graça ter terminado?" (William R. Taylor, *in loc.*).

> Tu, com a tua mão,
> Desapossaste os pagãos de todos os lugares,
> E implantaste Israel na terra.
> Afligiste os povos,
> Mas fizeste Israel espalhar-se.

E o fulgor do teu rosto. Contrastar com o vs. 24. No passado, a luz do rosto do Senhor brilhou em Israel, conferindo-lhes luz orientadora e conforto. Então, por razões desconhecidas, o povo fiel deixou de receber a luz divina. Israel foi abandonado, em vez de ser ajudado. A luz era o *favor* divino, e não meramente a sua iluminação. Israel se tornara um povo distintivo, uma vez recebida a revelação celestial (Dt 4.4-8), mas afinal, tudo isso pareceu não ter mais sentido. Cf. esta passagem com Dt 8.16,17 e 9.3-6.

ISRAEL CONFIA EXCLUSIVAMENTE EM DEUS (44.4-8)

■ **44.4** (na Bíblia hebraica corresponde ao **44.5**)

אַתָּה־הוּא מַלְכִּי אֱלֹהִים צַוֵּה יְשׁוּעוֹת יַעֲקֹב׃

Elohim era o Rei. E foi ele quem *ordenou* vitórias para Jacó. Eis a razão pela qual as coisas sempre funcionaram, mesmo contra a razão. A história de Israel estava plena de surpresas e deleites. Subitamente, porém, tudo isso cessou. Cf. Is 43.25. O que Deus tinha feito no passado poderia ser esperado de novo, e, pelo momento, o poeta esqueceu o peso das tribulações presentes, bem como o enfraquecimento da fé que tinha resultado em Israel.

Deus, como *Rei* sobre toda a terra, dispõe das nações conforme quer (ver At 17.26). O vocábulo *rei* fala de autoridade e poder. O Rei celeste possui autoridade e poder incomensurável. Portanto, poderia acontecer qualquer coisa, embora, por enquanto, nada sucedesse. O Rei também era um aliado. A fórmula simples expressava tudo: o amor de Deus + o poder de Deus + Deus Todo-soberano + Deus como aliado. Isso havia funcionado no passado, mas na crise atual coisa alguma parecia funcionar.

■ **44.5** (na Bíblia hebraica corresponde ao **44.6**)

בְּךָ צָרֵינוּ נְנַגֵּחַ בְּשִׁמְךָ נָבוּס קָמֵינוּ׃

Com o teu auxílio vencemos os nossos inimigos. A esperança quanto ao presente é vista agora, mas o poeta acabará por recair no desespero, na dúvida e no pessimismo. *Pela agência de Deus* (e não pelas próprias forças), Israel seria capaz de empurrar seus inimigos para qualquer lugar, anular o seu poder, tomar seus territórios e, finalmente, conquistá-los.

A mudança é interessante e é um lugar-comum, se não mesmo um fato sempre verdadeiro. Uma geração não pode viver para sempre com base nos benefícios herdados dos antepassados. Um povo precisa ser *reinvestido*. A fé de um filho finalmente deve ser a sua própria fé, e não a fé tomada por empréstimo de seus progenitores. O heroísmo do passado dificilmente pode ganhar as vitórias de hoje. E, no entanto, o dia de hoje clama por suas próprias vitórias. Mas, assim como Deus deu poder aos pais, ele também nos concede poder, visto que muitas tarefas ultrapassam nossas forças.

Vencemos os nossos inimigos. O original hebraico diz aqui, literalmente, "nós os projetamos no ar com nosso chifre", a figura de um touro enfurecido que apanha com os chifres seus atacantes e os lança no ar. Talvez esteja aqui em mira o búfalo ou outro animal grande, dotado de chifres. O animal lança o atacante no ar e, fatalmente, mete-lhe o chifre. Ver a mesma figura de linguagem em Dt 33.17.

Calcamos aos pés os que se levantam contra nós. Se o atacante não for morto a chifradas, o touro ou búfalo terminará com ele, calcando-o sob as patas. Não haverá sobreviventes. Cf. Ml 4.3 e Rm 16.20.

■ **44.6** (na Bíblia hebraica corresponde ao **44.7**)

כִּי לֹא בְקַשְׁתִּי אֶבְטָח וְחַרְבִּי לֹא תוֹשִׁיעֵנִי:

Não confio no meu arco. Como no passado, em que o arco e a espada usados pelos homens eram inúteis para alcançar grandes vitórias, assim também acontece *agora*. O poeta percebeu que o sucesso atual dependia da intervenção divina, tal e qual sucedera no passado. Cf. o vs. 3, que é parcialmente repetido aqui, mas agora se faz referência ao presente e ao futuro, e não ao passado. Os estratagemas vencedores devem ser os mesmos, qualquer época em que sejam aplicados. "Não confiarei em nenhuma ajuda da criatura... mas somente na Palavra do Senhor e em seu nome. Ver Sl 20.7" (John Gill, *in loc.*).

■ **44.7** (na Bíblia hebraica corresponde ao **44.8**)

כִּי הוֹשַׁעְתָּנוּ מִצָּרֵינוּ וּמְשַׂנְאֵינוּ הֱבִישׁוֹתָ:

Pois tu nos salvaste dos nossos inimigos. A palavra "tu", que aparece neste versículo, é enfática e é a chave da filosofia. *Yahweh* (o Deus *Eterno*) *Elohim* (o *Poder*) era e continua sendo o agente da vitória. Pois assim como, se o Senhor não fizer o trabalho, os construtores edificam inutilmente, da mesma forma, se o Ser divino não estiver com os homens quando estes se dirigem à batalha, eles agirão inutilmente. Ver Sl 127.1. Homens ímpios e desarrazoados, munidos com armas de guerra, estão em *seu elemento*. Eles são hábeis em matar, e a matança para eles é um esporte. Homens de paz não podem resistir a eles. O poder divino é que os derrubará.

■ **44.8** (na Bíblia hebraica corresponde ao **44.9**)

בֵּאלֹהִים הִלַּלְנוּ כָל־הַיּוֹם וְשִׁמְךָ לְעוֹלָם נוֹדֶה סֶלָה:

Em Deus nos temos gloriado continuamente. A mesma mensagem é reiterada, com um fraseado diferente. "Em Elohim nos temos gloriado continuamente." Todo o louvor pertence a ele, pois os homens espirituais sabem que Deus é capaz e está disposto a reverter a maré da iniquidade e da violência. O Targum diz aqui: "Confiaremos na Palavra do Senhor", que pode ser uma antiga previsão sobre o Logos, a origem de toda vida humana e de todo bem-estar. Deus fala, e sua Palavra é poderosa. Deus encarnou-se, e a sua vontade é feita.

Selá. Quanto a notas expositivas sobre o significado desta palavra misteriosa, ver Sl 3.

O DEPLORÁVEL ESTADO PRESENTE DE ISRAEL (44.9-16)

O poeta sacro agora retorna a uma *amarga realidade,* e não a uma teologia carregada de esperança. Embora, como os antigos, houvesse fé no Poder, e embora os hebreus do presente tivessem a mesma *fidelidade* a Yahweh, eles não compartilhavam das vitórias dos antigos israelitas. Pelo contrário, estavam deitados no pó, aniquilados por forças superiores e incansáveis, e Deus nada fazia para mudar a situação. Eles haviam sido abandonados, e assim temos o grito de *desespero*. Cf. Sl 22.1. Agora o passado pode ter parecido somente com histórias românticas, porquanto descrições rebrilhantes sobre os antigos dias, que falavam em vitória e glória, pareciam não ter aplicação à situação presente. Os vss. 9-16 nos fornecem um terrível cântico fúnebre. O Israel do presente estava morto. A *providência* divina (ver a respeito no *Dicionário*) tinha providenciado a dor, e não o triunfo. Ver no *Dicionário* o artigo chamado *Problema do Mal*. Por que os homens sofrem, e por que sofrem conforme sofrem? Há o *mal natural:* incêndios, inundações, enfermidades, tragédias provocadas pelos golpes da natureza que redundam em morte, o mais formidável dos inimigos. Além disso, há os males criados pelo homem, aos quais chamamos de *males morais*. Por que os homens bons estão sujeitos a tais coisas?

"A despeito das vitórias passadas (vss. 3,4,7), a nação de Israel havia sido sujeitada a uma derrota humilhante. Em primeiro lugar, a derrota foi descrita literalmente e atribuída ao fato de que o Senhor não mais continuava a lutar por eles (vss. 9,10). Em seguida, a derrota foi vividamente descrita mediante uma linguagem figurada (vss. 11,12). Eles tinham sido dispersos como ovelhas (vs. 22) e *vendidos* como escravos por importâncias desprezíveis, o que sugere que não valiam grande coisa" (Allen P. Ross, *in loc.*).

■ **44.9** (na Bíblia hebraica corresponde ao **44.10**)

אַף־זָנַחְתָּ וַתַּכְלִימֵנוּ וְלֹא־תֵצֵא בְּצִבְאוֹתֵינוּ:

Tu nos lançaste fora. Note o leitor que, do princípio ao fim desta seção do salmo, Yahweh-Elohim é acusado pelo que havia acontecido. Ele era o poder divino por trás do que os pagãos faziam. A teologia dos hebreus era fraca quanto a causas secundárias, fazendo de Deus a única causa, e, portanto, a causa tanto do bem quanto do mal. Ver notas expositivas sobre o vs. 12, que expandem essas ideias.

Neste versículo, os filhos de Israel aparecem como lançados fora (por Deus), porquanto tinham sido *envergonhados* pelos seus inimigos. Portanto, mais parecia que Deus estava cooperando com os inimigos na derrota dos filhos de Israel, em contraste com a ajuda passada, *contra* os inimigos de Israel. O exército de Israel tradicionalmente era só uma infantaria, mas mesmo assim obtivera vitórias notáveis. Em tempos posteriores, os israelitas empregavam todos os avanços na arte de guerrear, como cavalos, carros de combate e máquinas de guerra. Mesmo assim eles perderam para forças superiores, que estavam mais bem equipadas e contavam com melhores guerreiros. O elemento divino se fizera ausente, pelo que os israelitas não obtiveram mais vitória alguma.

■ **44.10** (na Bíblia hebraica corresponde ao **44.11**)

תְּשִׁיבֵנוּ אָחוֹר מִנִּי־צָר וּמְשַׂנְאֵינוּ שָׁסוּ לָמוֹ:

Tu nos fazes bater em retirada. *Israel Saía a Batalhar com Esperança*. Yahweh nunca os havia decepcionado. E, no entanto, eram fragorosamente derrotados nas batalhas. Os sobreviventes fugiam para não serem derrotados até o último homem. Homens violentos e iníquos saqueavam o que restava do exército e faziam o mesmo com as cidades. Famílias inteiras eram varridas do mapa, e qualquer coisa de valor era levada pelos saqueadores. Os soldados antigos tinham como parte considerável de seu soldo o *saque*, pelo que os exércitos estrangeiros tinham um bom salário. Portanto, homens violentos se enriqueciam, ao passo que homens tementes a Deus ficavam feridos, envergonhados e empobrecidos. Por quê? Os ímpios faziam o que bem queriam. O dia da batalha era jubiloso para eles, mas era mortalmente triste para os filhos de Israel. "Descobrindo que nossa força se afastara de nós, eles faziam de nós presa fácil, escravizavam-nos e despojavam-nos de nossas propriedades." Nada havia nos arquivos teológicos e filosóficos de Israel que pudesse explicar tanta derrota.

> É a mesma coisa pelo mundo inteiro;
> os pobres são acusados,
> os ricos ficam com os bens.
> Não é isso uma vergonha horrenda?
>
> Anônimo

■ **44.11** (na Bíblia hebraica corresponde ao **44.12**)

תִּתְּנֵנוּ כְּצֹאן מַאֲכָל וּבַגּוֹיִם זֵרִיתָנוּ:

Entregaste-nos como ovelhas para o corte. *As ovelhas tornam-se carne para consumo humano*, quando isso acontece figuradamente aos homens, sem dúvida temos aí uma desgraça. No entanto, Israel torna-se não melhor do que um rebanho de ovelhas que era sacrificado para benefício e prazer de outros. As poucas ovelhas não sacrificadas eram *dispersas* e ficavam a vaguear pelas colinas, sem pastor.

"... serem mortos e então comidos como as ovelhas são, tornava-os um rebanho para ser dizimado (Zc 11.4,7)" (John Gill, *in loc.*). Os intérpretes têm tentado encontrar incidentes na história posterior de Israel que expliquem descrições tão derrotistas como esta. Quanto ao que é dito a esse respeito, ver a introdução ao capítulo 11 do livro de Zacarias. Ver Is 53.6,7, quanto à imagem de ovelhas destinadas ao matadouro.

■ **44.12** (na Bíblia hebraica corresponde ao **44.13**)

תִּמְכֹּר־עַמְּךָ בְלֹא־הוֹן וְלֹא־רִבִּיתָ בִּמְחִירֵיהֶם׃

Vendes por um nada o teu povo. Vender como escravos soldados capturados e fazer a mesma coisa com homens, mulheres e crianças das cidades capturadas, tornou-se um esporte antigo. Os mercados de escravos eram supridos por meio dessa fonte. Note o leitor que Yahweh era acusado de comércio escravocrata, porque a teologia dos hebreus era fraca quanto a causas secundárias (neste caso, homens perversos), porquanto Deus era tido como a causa única, exclusiva. Se o inimigo vendia mulheres e crianças como escravos (juntamente com os soldados sobreviventes), então Yahweh deveria estar por trás de tão sórdido negócio. Naturalmente, essa é uma maneira falsa e voluntarista de pensar. Ver na *Enciclopédia de Bíblia, Teologia e Filosofia* o artigo chamado *Voluntarismo*. Essa doutrina ensina que a vontade de Deus é suprema, e a razão nunca deve ser considerada como um fator. A antiga teologia dos hebreus fazia de Deus a grande vontade, que se misturava a toda espécie de coisa dúbia e imoral. Com a passagem dos séculos, porém, nossa teologia foi-se expandindo, e causas secundárias vieram a desempenhar um importante papel em nossa maneira de pensar. Ver nos vss. 9 ss. que o *Tu* divino se transforma no sujeito de todas as sentenças lamentáveis sobre a queda de Israel. Todo esse mal era atribuído a Yahweh-Elohim.

Nada lucras. Os filhos de Israel eram contados como nada pelos povos pagãos; e, por essa razão, eram vendidos como escravos por quantias ridículas em dinheiro, comparativamente nada, não trazendo lucro algum (no dizer de nossa versão portuguesa). Isso acrescentava *opróbrio* à situação. Talvez muitos judeus, na verdade, fossem doados aos comerciantes de escravos das caravanas, somente para os doadores se livrarem deles. As mulheres mais bonitas, como é natural, eram postas em haréns pagãos, pelo que valiam alguma coisa aos compradores no mercado de escravos. Cf. Jr 15.13. Contrastar com Sl 72.14:

> *Redime as suas almas da opressão e da violência.*
> *Precioso lhe é o sangue deles.*

■ **44.13** (na Bíblia hebraica corresponde ao **44.14**)

תְּשִׂימֵנוּ חֶרְפָּה לִשְׁכֵנֵינוּ לַעַג וָקֶלֶס לִסְבִיבוֹתֵינוּ׃

Tu nos fazes opróbrio dos nossos vizinhos. As *outras nações*, que viviam em redor de Israel, desprezavam os israelitas. Faz parte da *perversão* do coração humano chutar um homem caído. O homem não é uma criatura muito cheia de misericórdia. De fato, é como um animal *predador*, a menos que o princípio espiritual faça algo por ele. Um leão mata sua presa e depois a come tranquilamente quase inteira. Então chegam os abutres e comem o que restou. Assim também, uma nação não identificada demolia Israel, e depois outras nações; mesmo quando não tiravam proveito para saquear Israel, ao menos tinham prazer na triste sorte do povo israelita.

Os vss. 9-16 fornecem amargas queixas e recriminações. Deus (a causa única) é responsabilizado pela miséria, embora instrumentos humanos fossem reconhecidos como cumprindo a vontade da deidade. A vontade divina seria voluntariosa e enigmática, e, no entanto, de alguma maneira estava certa, a despeito de todos os queixumes amargos. Note o leitor o "tu" do princípio ao fim desta passagem: "Tu nos fazes opróbrio...". O poeta sacro dirigia-se a Yahweh nesta queixosa passagem.

Ver a predição de Moisés sobre essa questão, em Dt 28.37. Ali ele põe a culpa na desobediência dos homens, mas o poeta deste salmo afirma a lealdade de Israel a Deus, pelo que não havia *razão* para a calamidade que tinha chegado.

■ **44.14** (na Bíblia hebraica corresponde ao **44.15**)

תְּשִׂימֵנוּ מָשָׁל בַּגּוֹיִם מְנוֹד־רֹאשׁ בַּל־אֻמִּים׃

Pões-nos por ditado entre as nações. *Elohim* tinha feito Israel ser uma piada entre as nações, um provérbio negativo. Os israelitas tinham-se tornado os perdedores perenes, o alvo dos ataques e sorrisos de diversão. As pessoas sacudiam a cabeça em descrédito (e prazer!) com o que acontecera àquela nação.

> *Todos os que me veem zombam de mim, afrouxam os lábios e*
> *meneiam a cabeça...*
>
> Salmo 22.7

A psicologia tem registrado e descrito corretamente a perversidade humana, que leva os homens a *desfrutar* da calamidade alheia. Sabemos que alguns animais matam por esporte, e que o homem também faz isso. Portanto, ver outras pessoas aflitas pode provocar o tipo de alegria que é obtida ao se participar de alguns esportes.

Um provérbio da Idade Média dizia: "Que te sintas tão miserável quanto os judeus". Acreditava-se que a ira de Deus repousava sobre eles, pelo que se tornaram um exemplo do que *aconteceria* a pessoas más. Os homens fingem regozijar-se com o que é certo, mas usualmente se regozijam com o que é *estranho*.

■ **44.15** (na Bíblia hebraica corresponde ao **44.16**)

כָּל־הַיּוֹם כְּלִמָּתִי נֶגְדִּי וּבֹשֶׁת פָּנַי כִּסָּתְנִי׃

A minha ignomínia está sempre diante de mim. A *desgraça* regia os dias e as noites dos derrotados hebreus. A vergonha era o sol e a lua deles. A nação sofrera a vergonha da derrota e todas as suas consequências. Eles tinham o *estigma* dos perdedores. A vitória pertence a Deus, mas tudo quanto os judeus tinham obtido era o opróbrio da derrota, embora afirmassem confiar nele. Cf. Jr 3.25 e Dn 4.8. "A tragédia havia alcançado Jacó, embora não através de alguma falta pessoal" (J. R. P. Sclater, *in loc.*). E era isso que fazia a questão tornar-se tão amarga, pois tal situação não se encaixava na teologia dos hebreus. Até hoje os homens continuam tentando explicar o *Problema do Mal*, as *razões* do sofrimento humano, e isso continua a deixá-los atônitos. Ver sobre esse assunto no *Dicionário,* quanto aos tipos de respostas que geralmente nos são dadas.

■ **44.16** (na Bíblia hebraica corresponde ao **44.17**)

מִקּוֹל מְחָרֵף וּמְגַדֵּף מִפְּנֵי אוֹיֵב וּמִתְנַקֵּם׃

Ante os gritos do que afronta e blasfema. A vergonha era produzida pelas *palavras* proferidas pelos *motejadores* e *insultadores* (*Revised Standard Version*). Além disso, a *visão* dos inimigos a empertigar-se em orgulho e degradação, saqueando e violando, destruindo e furtando propriedades e enviando pessoas à escravidão, adicionava-se ao ferrão da desgraça e acrescentava combustível às chamas da consternação. O poeta estava, por conseguinte, transbordante de vergonha e ira, e, no entanto, não tinha poder para fazer coisa alguma que revertesse o curso das coisas. O salmista pensava que Yahweh tinha determinado esse lamentável curso, e assim a derrota, em sua teologia, também o deixava consternado.

Vinte séculos de desgraça e sofrimento dos judeus nos sobem à mente:

> Pela tortura, prolongada de era para era.
> Pela infâmia, que é a herança de Israel.
> Pela praga dos guetos...
> Pela faixa da vergonha,
> Pelas acusações dos criminosos.
>
> Robert Browning

A NAÇÃO PERSEGUIDA CONTINUA LEAL A DEUS (44.17-22)

■ **44.17** (na Bíblia hebraica corresponde ao **44.18**)

כָּל־זֹאת בָּאַתְנוּ וְלֹא שְׁכַחֲנוּךָ וְלֹא־שִׁקַּרְנוּ בִּבְרִיתֶךָ׃

Tudo isso nos sobreveio. *Israel* (na estimativa do poeta sacro) não merecia o que estava recebendo. No passado tinha havido muitas instâncias de sofrimento *merecido*, mas a atual tragédia *não* fora produzida pelo pecado ou pela desobediência. Ao contrário, o salmista afirmava que Israel era inocente de todas as acusações: Israel não havia esquecido Deus, abandonando a sua lei; nem tinha anulado os pactos por atos de perversidade ou negligência. Os pactos dependiam da obediência à lei. Israel obedecera, mas mesmo assim achava-se em situação terrível. De algum modo, a vontade enigmática de Deus recebeu a acusação de culpa, ou seria aquilo o caos em operação?

> *Vós tendes dito: Inútil é servir a Deus; que nos aproveitou*
> *termos cuidado em guardar os seus preceitos, e em andar de*
> *luto diante do Senhor dos Exércitos?*
>
> Malaquias 3.14

A derrota foi assim declarada desmerecida, e foi grande a perplexidade resultante. Tinha havido lealdade, obediência e estrita observância dos pactos. Portanto, o que teria corrido errado? Não bastava referir-se a pecados secretos e desconhecidos. O livro de Jó examina longamente o *Problema do Mal,* mas mesmo assim não avança muito quanto às soluções. A melhor solução é: "Na presença de Deus tudo será resolvido", mas isso não nos fornece respostas razoáveis. Simplesmente temos de depender da fé. O livro de Jó não apelou para a imortalidade como uma solução, o que é um ponto forte do cristianismo e de outras religiões. O poeta sagrado, neste salmo, também não apelou para "recompensas e bênçãos futuras como um antídoto para a miséria do presente".

■ **44.18** (na Bíblia hebraica corresponde ao **44.19**)

לֹא־נָסוֹג אָחוֹר לִבֵּנוּ וַתֵּט אֲשֻׁרֵינוּ מִנִּי אָרְחֶךָ:

Não tornou atrás o nosso coração. A espiritualidade essencial de Israel tinha sido preservada. Seu coração (homem interior por inteiro) estava reto diante de Deus, e, no entanto, ele os tinha golpeado sem misericórdia, utilizando alguma nação pagã para feri-los, por razões desconhecidas. Israel *andava retamente* nos *passos* divinamente ordenados, que seguiam os ditames da lei. Apesar disso, os relâmpagos divinos queimaram-nos ao longo do caminho. O guia era a lei (Dt 4.4-8), mas qual tinha sido o benefício daí advindo? Israel tinha permanecido distinto entre as nações (Dt 4.4-8), mas que bem isso lhe tinha feito? Os pagãos tinham sido os vitoriosos, e o povo de Deus quase havia sido aniquilado. A apostasia começa no coração das pessoas, mas nem ao menos um começo de apostasia tinha ocorrido, quanto menos algum desenvolvimento, que, segundo se poderia esperar, teria excitado a ira divina.

São muitos os meus perseguidores e os meus adversários; não me desvio, porém, dos teus testemunhos.

Salmo 119.157

Ver no *Dicionário* o verbete chamado *Andar,* quanto aos usos metafóricos desse termo, que indica o caráter geral da vida.

O Senhor firma os passos do homem bom, e no seu caminho se compraz.

Salmo 37.23

■ **44.19** (na Bíblia hebraica corresponde ao **44.20**)

כִּי דִכִּיתָנוּ בִּמְקוֹם תַּנִּים וַתְּכַס עָלֵינוּ בְצַלְמָוֶת:

Para nos esmagares onde vivem os chacais. Israel não havia abandonado o caminho do Senhor, voltando-se para as veredas do paganismo, como seria o caso se eles se tivessem entregado a práticas idólatras, a despeito do tratamento severo que haviam recebido da mão divina. Israel fora *esmagado* pelos golpes divinos. Saqueado, Israel chegara a habitar lugares espantosos e assustadores, como aqueles nos quais vivem os chacais. *Trevas profundas* cobriram a nação. A luz do sol fora tapada. Israel entrou em eclipse permanente. Em vez de contar com cidades agradáveis, Israel foi deixado nos covis dos chacais. Em vez da luz de Deus, que alegra a alma, prevaleceram as "sombras da morte". Lugares desérticos selvagens transformaram-se nos lares dos sobreviventes aos exércitos inimigos. Os israelitas perambularam por ravinas profundas e espantosas, como se fossem animais ferozes. Os chacais eram os reis daqueles lugares, e esses animais representam os perseguidores que assediavam o povo de Deus, as ovelhas do Senhor (vs. 22). Os sobreviventes, incapazes de fugir, foram obrigados a residir entre um povo pagão, e eram os objetos constantes de violência, violação sexual, assassinato e saque.

Sombras da morte. Ver Sl 23.4. A referência pode ser ao submundo, usado aqui como símbolo de trevas miseráveis e de uma experiência assustadora. "... tornou-se como os habitantes do submundo, os homens mortos (cf. Jó 10.21 e 28.17)" (William R. Taylor, *in loc.*).

■ **44.20,21** (na Bíblia hebraica corresponde ao **44.21,22**)

אִם־שָׁכַחְנוּ שֵׁם אֱלֹהֵינוּ וַנִּפְרֹשׂ כַּפֵּינוּ לְאֵל זָר:

הֲלֹא אֱלֹהִים יַחֲקָר־זֹאת כִּי־הוּא יֹדֵעַ תַּעֲלֻמוֹת לֵב:

Se tivéssemos esquecido o nome do nosso Deus. *Se o problema tivesse sido a idolatria,* estaria justificado o sofrimento dos israelitas. Deus conhece os segredos do coração, mas o poeta estava seguro de que, se ele sondasse o coração de Israel, não encontraria vestígio de rebelião ou idolatria, e muito menos algum ato franco de rebeldia. Ver no *Dicionário* o artigo chamado *Idolatria.* A maior parte das provações de Israel ocorria porque eles se tinham voltado para as divindades pagãs e para tolos atos de idolatria. Mas o poeta sagrado assevera que coisa alguma dessa sorte acontecera entre o povo de Israel em *seus dias.* Assim sendo, o que teria ocorrido? Um dos maiores problemas da teologia e da filosofia é a razão do sofrimento humano. Ver no *Dicionário* o artigo chamado *Problema do Mal.* Algumas soluções sugeridas são valiosas, e o apelo à imortalidade é correto. Mas nem mesmo isso é capaz de explicar a razão do sofrimento presente das pessoas *inocentes.* Jó também era um homem inocente e, no entanto, sofreu tanto quanto sofreram pecadores notórios. Por quê?

Asserções de Inocência. Os vss. 17 e 18 são aqui ousadamente reafirmados. Usualmente Israel tinha de orar, pedindo misericórdia por seus pecados graves e evidentes. Por conseguinte, este salmo apresenta uma refrigerante *isenção,* mas, estranhamente, mistura isso com provas severas impostas a pessoas inocentes. Isso concorda com a experiência humana; e, por esse motivo, continuamos buscando respostas sobre por que os homens sofrem, e por que sofrem conforme sofrem.

Ou tivéssemos estendido as mãos a deus estranho. Israel não se tornara culpado de suplicar a divindades estranhas. De fato, Israel suplicava sempre a Yahweh-Elohim, mas o Senhor ignorara os apelos deles, e então os derrubara por terra, por razões *desconhecidas.* Essas coisas são comuns à experiência humana, mas não devemos culpar Deus, como se ele fosse a única causa de nossos sofrimentos. No sofrimento humano existem enigmas que a teologia ainda não conseguiu penetrar. Ademais, existe o *caos,* contra o qual deveríamos orar todos os dias.

■ **44.22** (na Bíblia hebraica corresponde ao **44.23**)

כִּי־עָלֶיךָ הֹרַגְנוּ כָל־הַיּוֹם נֶחְשַׁבְנוּ כְּצֹאן טִבְחָה:

Mas, por amor de ti. O que fica subentendido aqui é que a vontade divina determinou esses sofrimentos, pelo que eles são inevitáveis e devem ser aceitos como *enviados por Deus.* Isso concorda com a passagem, do começo ao fim, que pinta *Deus* como aquele que inspirou os inimigos de Israel a atacá-los e produzir uma confusão geral. Ver os comentários sobre os vss. 9 e 12. Essas palavras usualmente eram compreendidas acerca das *perseguições* dos ímpios contra as pessoas piedosas, embora estas fossem inocentes, mas não usamos essas palavras como se *Deus* fosse a causa de os pagãos agirem como agem *contra* o próprio povo de Deus. Simplesmente reconhecemos a realidade de *causas secundárias,* e não responsabilizamos Deus por tais males.

O que acabamos de dizer é um avanço no campo da teologia que ultrapassa o voluntarismo dos antigos hebreus e sua doutrina da única causa, Deus. Estou dizendo aqui que a compreensão dos hebreus sobre o versículo diante de nós difere da compreensão cristã. Talvez haja um indício de que a lealdade dos hebreus a Deus tenha provocado os pagãos a fazer o que fizeram. Inimigos estrangeiros atacavam *Deus e o seu povo,* pelo que a lealdade a Deus era uma causa das desgraças que transformaram Israel em um rebanho de ovelhas *abatidas.* Nesse caso, as palavras "por amor de ti" receberiam um significado diferente.

Romanos 8.36. Note o leitor que Paulo citou o versículo à nossa frente em sua epístola aos Romanos. Ali ele interpreta de forma cristã o versículo. As pessoas leais ao novo Caminho naturalmente atraíam a ira tanto dos judeus quanto dos romanos, os quais odiavam qualquer coisa nova que reivindicasse autoridade e fosse melhor do que os caminhos antigos. Por odiarem, eles matavam e perseguiam. Na interpretação cristã não há o menor indício de que Deus estivesse por trás dessas perseguições. A realidade das causas secundárias virulentas é reconhecida, pelo que homens malignos são responsabilizados pelo que fazem, sem a interferência de qualquer doutrina do voluntarismo.

"Visto que eles combatiam uma guerra santa em favor de Deus, experimentaram aquele desastre e foram tratados como ovelhas a serem mortas (cf. o vs. 11)" (Allen P. Ross, *in loc.*). "Isto posto, longe de termos esquecido a aliança com Deus (vss. 17 e 20), somos continuamente perseguidos, *por sermos* tão fiéis a ti" (Fausset, *in loc.*).

Alguns intérpretes pensam que esse é o significado do versículo, e que não devemos olhar para as queixas dos vss. 9 a 19, onde temos a menção ao *tu* (Deus), que aparece como a causa da dor dos israelitas. "A lealdade a Deus e à religião por ele ensinada tinha custado caro àqueles judeus" (William R. Taylor, *in loc.*). Cf. Zc 11.4,7.

UM APELO FINAL À INTERVENÇÃO DE DEUS (44.23-26)

■ **44.23** (na Bíblia hebraica corresponde ao **44.24**)

עוּרָה ׀ לָמָּה תִישַׁן ׀ אֲדֹנָי הָקִיצָה אַל־תִּזְנַח לָנֶצַח׃

Desperta! Por que dormes, Senhor? Este versículo é similar, em seu sentido, a Sl 7.6 e 35.23. As notas ali aplicam-se também aqui. Yahweh é retratado como um poder sonolento e indiferente, que permite que seus adoradores sofram toda a espécie de males, ao mesmo tempo que ele nada faz. Essa é a ideia deísta: o Criador abandonou a sua criação e deixou as leis naturais governarem em seu lugar. Mas o teísmo ensina que o Criador não abandonou o seu povo, mas continua presente, para acompanhar a história, tanto a coletiva quanto a individual, e também para contribuir e punir. O salmista teve momentos difíceis na tentativa de explicar como um Deus teísta poderia permitir que Israel passasse pela tragédia pela qual passou. Mas se o deísmo é que exprime a verdade, então de ofício obtemos discernimento quanto a tais situações. Ver no *Dicionário* os artigos chamados Teísmo e Deísmo, quanto a explicações completas. O poeta sagrado chegou assim a uma conclusão ousada: com base nos fatos crus, Deus deve ter ignorado o que acontecia ao seu povo. Ele estava atarefado em alguma viagem, atendendo a coisas mais importantes; ou então sabia mas não se importava. Ele pode ter tido as suas *razões* para o que fez, mas evidentemente elas não eram patentes para o raciocínio humano.

Para contrabalançar seus pensamentos deístas, e na esperança de que existia um Deus teísta nos céus, o poeta sacro dirigiu, em altas vozes, um apelo apaixonado a Deus: "Desperta, e age em nosso favor, pois estamos irreparavelmente perdidos!"

É certo que não dormita nem dorme o guarda de Israel.
Salmo 121.4

Adam Clarke (*in loc.*) exibe temor diante do grau de "liberdade de linguagem" demonstrado neste versículo. E ele lança a culpa dessa liberdade na inspiração divina, pois, de outra sorte, tais declarações estariam à beira da blasfêmia.

■ **44.24** (na Bíblia hebraica corresponde ao **44.25**)

לָמָּה־פָנֶיךָ תַסְתִּיר תִּשְׁכַּח עָנְיֵנוּ וְלַחֲצֵנוּ׃

Por que escondes a tua face...? O poeta queria ser convencido. Ele queria acreditar que o seu lapso no deísmo era injustificado. Clamou para saber as *razões* daquilo que tinha acontecido. Ele enfrentava dificuldades para reconciliar o conceito teísta de Deus com as calamidades que haviam atingido Israel. "Os vss. 23-26 quase demonstram ira. Ele negava claramente a Deus uma qualidade que outro poeta antigo lhe imputou: 'É certo que não dorme nem dormita o guarda de Israel' (Sl 121.4).

Aqui, porém, quatro graves defeitos são imputados a Deus: sono, langor, indiferença e esquecimento. Essa ousada impiedade pode ser desculpada à base de que se tratava de uma explosão temperamental de um poeta que não estava acostumado a tirar as deduções de raciocinadas de um observador mais realista" (J. R. P. Sclater, *in loc.*). O poeta muito desejava ser arrancado de sua "impiedade", mas queria *razões* sólidas para isso. Entrementes, Deus continuava a ocultar o seu rosto. Quanto à aparente *indiferença* de Deus, ver também Sl 10.1 e 28.1. Quanto à capacidade de ouvir de Deus, ver Sl 35.15. "Mostra-nos a razão pela qual tens retirado de nós o testemunho de tua aprovação" (Adam Clarke, *in loc.*). O voluntarismo, devemos lembrar, não requer razões. O que Deus faz é correto, meramente porque ele assim *o quis*. Não é preciso que isso esteja escudado em alguma razão lógica. Pelo menos, esse é o ensino dessa doutrina. Ver na *Enciclopédia de Bíblia, Teologia e Filosofia* o verbete chamado *Voluntarismo*.

É mais nobre... sofrer as pedradas e flechadas da sorte ingrata,
ou pegar em armas contra um mar de tribulações.
Shakespeare

O que Shakespeare não nos disse foi *como* podemos pegar em armas contra a *sorte ingrata*. Parece-nos que somente o Deus despertado pode fazer isso.

■ **44.25** (na Bíblia hebraica corresponde ao **44.26**)

כִּי שָׁחָה לֶעָפָר נַפְשֵׁנוּ דָּבְקָה לָאָרֶץ בִּטְנֵנוּ׃

Pois a nossa alma está abatida até ao pó. Este é o derradeiro soluço de desespero do poeta: a alma de Israel se revolvia no pó e fora transformada em poeira. O corpo dos israelitas estava *pegado ao chão*. A cena, naturalmente, cheira a morte, a morte viva. "Da baixa perspectiva do pó, a pessoa vê um mundo distorcido. Quando alguém fica prostrado diante das amargas circunstâncias da vida, esse alguém menos provavelmente usa da linguagem da piedade do que da linguagem das queixas. Mas até o desespero permite um suspiro final de esperança (vs. 26)" (J. R. P. Sclater, *in loc.*). Cf. Jó 10.24; Is 49.23 e Sl 22.16.

"Nossa vida já começa a aproximar-se da sepultura. Se demorares em ajudar-nos, seremos extintos" (Ellicott, *in loc.*). O quadro retrata um cativo, meio-morto e talvez pronto para ser executado, jazendo de borco na poeira, com o pé do vencedor em seu cangote.

A minha alma está apegada ao pó: vivifica-me segundo a tua palavra.
Salmo 119.25

■ **44.26** (na Bíblia hebraica corresponde ao **44.27**)

קוּמָה עֶזְרָתָה לָּנוּ וּפְדֵנוּ לְמַעַן חַסְדֶּךָ׃

Levanta-te para socorrer-nos. Cf. Sl 78.65 e Is 51.9. Cf. Rm 8.31-39, quanto às provas e à certeza do amor de Deus, ao mesmo tempo que o poeta invoca Deus para que conceda provas de sua misericórdia, livrando Israel de sua desgraça e derrota. Em lugar de *benignidade*, usada em nossa versão portuguesa e na *Revised Standard Version*, a *King James Version* e outras dizem "misericórdia". Conforme diz nossa versão portuguesa, o trecho fica ainda mais próximo daquela passagem de Paulo. "Essa é a resposta milenar apropriada do crente genuíno que está sofrendo. Cf. Jó 13.15: 'Eis que me matará, já não tenho esperança; contudo, defenderei o meu procedimento'" (Allen P. Ross, *in loc.*).

Diz aqui a Vulgata Latina: "Redime-nos por causa de teu nome", pondo a reputação de Deus à altura de sua posição de benfeitor do povo. O poeta não pleiteou sua justiça a fim de obter o favor de Deus, embora tenha insistido que Israel não estava sendo julgado por causa de alguma conduta errônea. Na hora da crise, temos de deixar todas as coisas aos cuidados de Deus, pois, nesses casos, a sua força torna-se nossa *necessidade*, e não uma opção. "Deus é a ajuda de seu povo, e ele se faz presente em tempos de dificuldade. Ele é o único Deus. Ele pode ajudar e realmente ajuda quando ninguém mais pode fazê-lo" (John Gill, *in loc.*).

Nosso Deus, nossa ajuda em eras passadas,
Nossa esperança para os anos vindouros;
Nosso abrigo da tempestade ululante,
E nosso Lar eterno.
...
Nosso Deus, nossa ajuda em eras passadas,
Nossa esperança para os anos vindouros;
Sê tu o nosso guia enquanto a vida perdurar,
E nosso lar eterno.
Isaque Watts, inspirado pelo Salmo 90

SALMO QUARENTA E CINCO

Quanto a *informações gerais* que se aplicam a todos os salmos, ver a introdução ao Salmo 4, onde apresento *sete* comentários que elucidam a natureza do livro. Quanto à *classificação dos salmos*, ver o gráfico no início do comentário, que atua como uma espécie de frontispício. Dou ali dezessete classes e listo os salmos pertencentes a cada uma delas.

Este é um salmo real, dentre os quais há cerca de dezessete. Vários desses salmos também são messiânicos, o que certamente se aplica a este salmo, que é uma ode para os casamentos reais. "Desde Calvino para cá, este salmo tem sido reconhecido como uma ode que celebrava as cerimônias nupciais de um rei. De fato, a retenção das palavras, como parte do título, 'cântico de amor', quando o salmo foi incorporado ao hinário do templo, mostra que seu caráter secular (original) foi admitido mesmo então. Há alusões históricas suficientes, neste salmo, para provocar conjecturas quanto a qual monarca foi o seu tema, mas poucas demais para permitir identificação exata... Era natural que os crentes adotassem o salmo como uma alegoria do casamento da igreja com o Cabeça divino. Esse modo de interpretação encontrava, a cada instância, expressões nos salmos que, conforme se pensava, transportavam algum tipo ou símbolo frutífero" (Ellicott, *in loc.*).

"O motivo do salmo foi o casamento do rei com uma princesa estrangeira, e a composição foi uma efusão poética dos lábios de um poeta da corte, sacerdote ou leigo, que muito se emocionara com a cena que tinha testemunhado. Pela nota paternal que corre por todo o escrito, podemos supor que o autor teve uma distinção pessoal e era uma pessoa privilegiada na corte. Sua idade, suas habilidades e sua distinção pessoal aparentemente são revestidas de autoridade... É natural que tenha havido tentativas para identificar o noivo e a noiva. Entre as personagens reais do período pré-exílico, Salomão e a filha do Faraó, Acabe e Jezabel, Jorão e Atalia, e até mesmo Jeroboão II e sua esposa desconhecida, têm sido sugeridos. Entre aqueles do período pós-exílico, Duhm pensou em Aristóbulo I (1-5-103 a.C.). Sabemos tão pouco sobre as histórias pessoais dos reis de ambos os períodos que as identificações propostas são pouco mais que conjecturas. A frase "a filha de Tiro" (vs. 12) poderia ser traduzida por "povo de Tiro". Por conseguinte, é precário supor que a princesa em vista seja Jezabel. Mas há certas frases hebraicas, neste salmo, que sugerem uma data pós-exílica" (William R. Taylor, *in loc.*).

O Targum desde cedo fez o salmo ser messiânico e, naturalmente, a noiva seria Israel.

Indicações Messiânicas do Salmo 45. Quanto a esse aspecto, sumario o material da *Scofield Reference Bible.*

1. Este salmo olha para o futuro, para o advento glorioso. Ver Hb 1.8,9, que cita o vs. 7.
2. A beleza do Rei (vss. 1 e 2).
3. A vinda gloriosa do Rei (vss. 3-5; cf. Ap 19.11-21).
4. A deidade do Rei (vss. 6,7; cf. Hb 1.8,9; Is 11.1-5).
5. A rainha é associada ao Rei (vss. 9-13).
6. Adonai, o marido, era o nome do Rei (vs. 6).
7. Virgens acompanhavam a rainha (vss. 14,15), talvez para simbolizar o remanescente dos judeus (Rm 11.5).
8. Relação entre o Rei e a terra (vss. 16 e 17).

Subtítulo. Temos aqui um subtítulo complexo: "Ao mestre de canto. Segundo a melodia: Os lírios. Dos filhos de Coré. Salmo didático. Canto de amor". Este é um dos salmos didáticos (no hebraico, *masquil*). Foi produzido por um dos filhos de Coré, sobre os quais já vimos e sobre os quais comentei no Salmo 42. A isso foram acrescentadas duas referências: A melodia seria intitulada "os lírios" (no hebraico, *sosanim*), uma referência à primavera, vinculada ao período pascal, o que poderia indicar redenção para fora da servidão. Ou então a expressão "os lírios" poderia ser somente o título de um cântico ou hino.

Adam Clarke refere-se ao título que apontaria para um *cântico nupcial.* Mas alguns rabinos pensam tratar-se de um instrumento musical. Também poderia estar em foco a primeira palavra de um cântico que se tornou o título do salmo. Temos então as palavras "canto de amor", que quase certamente dizem respeito ao amor sexual, e isso nos mostra que, provavelmente, este salmo era a princípio apenas um cântico secular e mais tarde assumiu caráter religioso. Alguns estudiosos pensam que essa frase deveria ser traduzida por "canto dos amados", ou seja, do casal que estava casando-se, mas isso parece menos provável. Seja como for, os subtítulos não faziam parte original das composições poéticas, mas foram adições posteriores que não se revestiam de autoridade canônica. Além disso, os subtítulos contêm principalmente conjecturas sobre as circunstâncias das composições.

■ **45.1** (na Bíblia hebraica corresponde ao **45.1,2**)

לַמְנַצֵּחַ עַל־שֹׁשַׁנִּים לִבְנֵי־קֹרַח מַשְׂכִּיל שִׁיר יְדִידֹת׃

רָחַשׁ לִבִּי דָּבָר טוֹב אֹמֵר אָנִי מַעֲשַׂי לְמֶלֶךְ לְשׁוֹנִי עֵט סוֹפֵר מָהִיר׃

De boas palavras transborda o meu coração. O salmista era um poeta profissional, um homem de prestígio, uma figura bem conhecida na corte real. Naturalmente, foi um dos convidados a participar da cerimônia de casamento do monarca, e o esplendor dessa cerimônia inspirou o poeta a escrever os versículos que se seguem.

Transborda o meu coração. A palavra hebraica por trás do vocábulo português "transborda" é "ferve", cuja raiz se refere a um *caldeirão* que foi posto no fogo. A Septuaginta e a Vulgata Latina dão a ideia de repuxos de água que manavam violentamente de uma fonte. Foi isso o que levou Tennyson a falar nas *antigas fontes da inspiração.* O salmista reivindicou falar por inspiração, embora ela não exija a inspiração divina. Sócrates afirmou que os poetas escrevem por inspiração, mas se queixou de que, com frequência, outras pessoas entendem melhor o que eles estão tentando dizer do que os próprios poetas.

Na qualidade de *hábil escriba,* o salmista tinha, como tema de seu cântico, o casamento do rei com uma princesa estrangeira. Ver as notas de introdução a este salmo, quanto a detalhes sobre o pano de fundo da obra. Quanto ao artista ou artesão hábil, cf. Jr 10.9; Ez 27.16,18 e Ct 7.1. O poeta dispunha de um tema exaltado, de inspiração e de habilidades naturais para compor um verso, e foi assim que obtivemos uma composição notável, bela o suficiente para atravessar séculos e chegar até nós.

A *plenitude do coração* precisava expressar-se. Cf. Jó 32.18; 2Co 5.14; At 4.20 e 17.5. Esdras foi chamado de "escriba versado" na lei de Moisés (Ed 7.6). "Não lhe foi possível conter-se quando escreveu para sua majestade, o rei" (Allen P. Ross, *in loc.*).

O NOIVO REAL (45.2-9)

■ **45.2** (na Bíblia hebraica corresponde ao **45.3**)

יָפְיָפִיתָ מִבְּנֵי אָדָם הוּצַק חֵן בְּשְׂפְתוֹתֶיךָ עַל־כֵּן בֵּרַכְךָ אֱלֹהִים לְעוֹלָם׃

Tu és o mais formoso dos filhos dos homens. As descrições do poeta sagrado naturalmente começaram com o principal ator do casamento, o noivo. Essas linhas prestam-se facilmente para descrever o Messias, e até o próprio Targum fez deste salmo um hino messiânico. Ver as notas de introdução ao salmo presente. As tentativas de identificar as personagens históricas envolvidas não têm produzido resultados indiscutíveis, mas o que tem sido conjecturado, isso revisei na introdução. O rei, como Saul, era o mais belo dos homens quanto à beleza masculina, mas também era cheio de graça e dotado de caráter. Ele se assemelhava ao rei-filósofo de Platão, como cabeça de todos os outros homens, o mais experiente, o mais sábio, o mais gentil, o homem superior, afinal. Ele falava bem, comandava com justiça e seguia pelo caminho reto. "Seu encanto pessoal era acompanhado de uma linguagem graciosa e de boas maneiras. A graça saltava de seus lábios. Ele falava com cortesia e amabilidade, e por isso conquistava o favor de todos. Olhar para ele era reconhecer que o favor de Deus repousava sobre ele" (William R. Taylor, *in loc.*).

Jamais alguém falou como este homem.

João 7.46

Nos teus lábios se extravasou a graça. Mediante o Espírito e um intelecto agudo. "Assim disse a rainha de Sabá a Salomão, que foi tipo de Cristo (1Rs 10.8). Isso também foi dito acerca de Jesus Cristo (Lc 4.22). Cf. Sl 45.2 e Is 61.1. Por isso mesmo, Cristo se mantinha o Ungido de Deus... E, assim sendo, Deus o abençoou com o seu domínio supremo, mundial e eterno" (Fausset, *in loc.*).

■ **45.3** (na Bíblia hebraica corresponde ao **45.4**)

חֲגוֹר־חַרְבְּךָ עַל־יָרֵךְ גִּבּוֹר הוֹדְךָ וַהֲדָרֶךָ׃

Cinge a espada no teu flanco. Qualquer rei dos tempos antigos tinha de ser um guerreiro, pois o principal dever dele era liderar os exércitos para garantir a sobrevivência do povo naqueles tempos brutais. O homem aqui descrito precisava ter a sua *espada*, e até mesmo durante a cerimônia de seu casamento precisou relembrar aos convidados que no dia seguinte poderia estar no campo de batalha, defendendo o povo. O rei era o homem mais belo e que melhor sabia falar, mas também tinha de ser o mais corajoso, um homem de ação, inspirado por bravos pensamentos, e um produtor de feitos heroicos em tempos de guerra. Ele estava revestido de esplendor real, mas também tinha de ser habilidoso no manuseio de armas bélicas. Do começo ao fim, naturalmente, as palavras aplicam-se muito bem ao Messias e, na introdução, dou um sumário de ideias acerca deste salmo real, que também é um salmo messiânico. "A majestade e a glória do Cristo estão acima de todos. Ele é mais elevado do que todos os reis da terra e tem um nome que está acima de todo nome, e todas as línguas terão de concordar com isso" (Adam Clarke, *in loc.*).

> *Porque convinha que aquele, por cuja causa e por quem todas as cousas existem, conduzindo muitos filhos à glória, aperfeiçoasse por meio de sofrimentos o Autor (Capitão) da salvação deles.*
>
> Hebreus 2.10

Capitão. "Líder, originador, pioneiro, isto é, alguém que toma a iniciativa e leva avante" (*Scofield Reference Bible,* comentando o vs. 2). "O objeto dos louvores do poeta é um herói de guerra, e não somente um homem bem apessoado" (Ellicott, *in loc.*).

"Visto que nações caíram diante dele, suas vitórias eram magníficas" (Allen P. Ross, *in loc.*). O Messias conquista as nações por meio das armas do amor e da graça, e salva, em lugar de destruir.

■ **45.4** (na Bíblia hebraica corresponde ao **45.5**)

וַהֲדָרְךָ צְלַח רְכַב עַל־דְּבַר־אֱמֶת וְעַנְוָה־צֶדֶק
וְתוֹרְךָ נוֹרָאוֹת יְמִינֶךָ׃

E nessa majestade cavalga prosperamente. *Continua Neste Versículo a Metáfora da Guerra.* O Rei-Herói cavalgava vitoriosamente em seu cavalo. A sua causa era justa, a saber, a defesa de Israel, o bem-estar e a continuidade daquela nação, a despeito de seus muitos adversários brutais. Ele defendia a causa da verdade, a lei que fazia Israel tornar-se distinto entre as nações (ver Dt 4.4-8) e também os *direitos* de Israel como nação, por motivo das provisões do *pacto abraâmico,* que eram dadas e perpetuadas por Deus. Ver Gn 15.18, quanto a notas expositivas a respeito. Ele transportava armas temíveis na mão direita, e assim tornou-se a mão direita de Deus (ver Sl 20.6). Por conseguinte, realizou tremendos atos de heroísmo, que puseram Israel à testa das nações daquela área territorial. Davi conquistou *oito* povos inimigos (ver as notas em 2Sm 10.19) e assim preparou o caminho para a época áurea administrada por seu filho, Salomão. Ele fez o que era mister para que houvesse uma sociedade estável, relativamente segura diante de ataques, ou tão forte que nenhuma nação ousaria perturbar-lhe a paz. Ele defendeu o que era *direito,* adicionando justiça ao seu poder, como o guia controlador da nação. A Septuaginta diz aqui: "tua mão direita te guiará maravilhosamente", e devemos supor que Deus era o seu poder, a sua mão direita, na paz ou na guerra. Os julgamentos de Salomão foram terríveis, mas eram justos.

Mediante uma aplicação, os justos e poderosos feitos do Messias estão em vista aqui, e, da mesma maneira que Deus amou o mundo inteiro, também ele se tornou o Salvador universal (1Jo 2.2). Ele derrotou poderes malignos (ver Cl 2.14,15) e assim removeu as altas autoridades que impedem a luta cósmica em favor do bem. O resultado foi a salvação em escala universal.

> Dos próprios palácios de marfim para um mundo
>   de sofrimentos,
> Somente seu grande e eterno amor,
>   fez meu Salvador sair.
>
> Henry Barraclough

■ **45.5** (na Bíblia hebraica corresponde ao **45.6**)

חִצֶּיךָ שְׁנוּנִים עַמִּים תַּחְתֶּיךָ יִפְּלוּ בְּלֵב אוֹיְבֵי הַמֶּלֶךְ׃

As tuas setas são agudas. A seta é uma arma que atinge grande distância, e alguns homens tornam-se incrivelmente habilidosos no seu uso. Atualmente, excetuando-se em alguns países primitivos, a seta ou flecha tornou-se um esporte. Mas, nos tempos antigos, a seta era uma arma temível nas mãos de um arqueiro treinado, e muitos homens bons caíram atravessados por flechas. Ver no *Dicionário* os artigos chamados *Flecha* e *Armadura, Armas.* O rei mencionado neste salmo atingia o máximo de suas vitórias com setas agudas: ele conseguia matar outros reis. Sendo também generais do exército, os reis antigos saíam com seus soldados. Isso posteriormente se tornou algo delegado. Saul matou pessoalmente a milhares de homens e, se pudermos crer no exagero oriental, Davi matou a dez milhares. Ver 1Sm 18.7. Ser um matador em massa, naqueles tempos, constituía uma glória, porque massas humanas tinham de ser liquidadas para preservar a identidade de um povo. Ademais, os antigos apreciavam as matanças, considerando tal atividade um esporte supremo. Coisa alguma que digamos poderá exagerar a depravação humana.

Também mediante uma aplicação, as flechas do Messias são suas palavras de salvação, e ele também obtém grandes feitos por meio delas. Ver Ef 6.10 ss. quanto à aplicação espiritual das armas de guerra. A vitória a ser obtida é a quebra do poder do mal cósmico, para que o homem possa ser libertado e salvo. Mas essa passagem também inclui o desenvolvimento espiritual, e várias armas ilustram isso. O artigo intitulado *Armadura, Armas,* no *Dicionário,* dá os usos metafóricos. A *vitória final* do Messias é vista em passagens como Fp 2.9-11. Pessoalmente creio que o *arco* é uma arma salvadora e restauradora, ou seja, salvação para eleitos e restauração para os perdidos. Somente esse tipo de realização dá a Jesus os nomes de Logos-Cristo. Ver na *Enciclopédia de Bíblia, Teologia e Filosofia* o artigo chamado *Restauração.* Deus está preparado a fazer mais do que os homens pensam que ele fará, e esse tem sido o seu mistério (segredo) revelado somente nos últimos dias, através de Paulo. Ver no *Dicionário* o verbete chamado *Mistério da Vontade de Deus.* Alguma obra realmente nova e espantosa está sendo realizada, e faríamos bem em não diminuir a sua importância com uma teologia inferior. Considere o leitor o largo escopo de Ef 4.8,9. A obra do Logos opera através da ressurreição, da descida ao hades e da ascensão, e esses três aspectos cooperam no propósito e na obra dessa mesma realização. Então Cristo tornar-se-á "tudo para todos" ou "tudo em todos", ou seja, preencherá "todas as coisas". Reduzir o evangelho a menos que isso diminui a glória do Salvador.

■ **45.6** (na Bíblia hebraica corresponde ao **45.7**)

כִּסְאֲךָ אֱלֹהִים עוֹלָם וָעֶד שֵׁבֶט מִישֹׁר שֵׁבֶט
מַלְכוּתֶךָ׃

O teu trono, ó Deus, é para todo o sempre. Ver a citação deste versículo em Hb 1.8, bem como comentários a respeito no *Novo Testamento Interpretado.* O rei terá o seu trono e também terá o seu cetro, o sinal de sua autoridade e poder. Ele deverá ser eficaz. Já está sentado em seu trono, porquanto seus inimigos foram derrotados. Já está segurando o cetro em sua mão direita, porquanto nenhum homem foi capaz de derrotá-lo e tomar o seu cetro. Se ele é um Rei *justo* e poderoso, então as pessoas anelam por ver perpetuado o seu reino. Talvez um poderoso e bom rei de Israel possa governar por quarenta anos. Mas até mesmo um rei tão excelente como Salomão perdurou cerca de 25 anos. Se um inimigo não conseguir matar o rei, então alguma enfermidade, a idade avançada e, finalmente, a morte, o removerá do trono. No caso do Messias, entretanto, está envolvida a imortalidade, o que significa que não pode haver encerramento do governo de Cristo. O poeta viu seu rei continuar sentado no trono por longos anos e chamou o seu reino de *perene,* por meio de uma hipérbole tipicamente oriental. Todavia, não podemos exagerar quando falamos sobre o governo eterno do Messias.

Ó Deus. Temos aqui uma controvérsia que envolve a teologia e a linguagem. Poderíamos traduzir esta frase como "Teu trono é um trono *de Deus*" ou como "trono divino" (conforme diz a *Revised Standard Version*), e isso alivia o versículo por ter chamado o rei de *Deus* (no hebraico, *Elohim*). Por outra parte, o título divino *Elohim* (os poderes) pode ser aplicado a anjos e homens, sem torná-los seres divinos. Alguns intérpretes veem em sua aplicação messiânica um texto de prova sobre a deidade de Cristo. Isso pode ser verdade ou não.

Seja como for, existem outros versículos mais claros que indicam a deidade de Cristo. Ver na *Enciclopédia de Bíblia, Teologia e Filosofia* o artigo intitulado *Divindade de Cristo*.

Disse Jesus "Sois deuses" (ver Jo 10.34,35) a certos homens que ocupavam a posição de Deus, em suas respectivas missões. Além disso, o termo *Elohim*, conforme mencionado acima, não se refere a Deus, no céu, cada vez que é usado. Seja como for, o entusiasmado poeta, ao observar o resplendor do rei, poderia ter exclamado "ele é um deus", ou então "ele é como Elohim", sem se envolver em teologias duvidosas. No mundo antigo, os reis eram com frequência concebidos como descendentes literais dos deuses, ou seja, divinos; mas a ideia dos hebreus não era essa, e não é provável que o poeta sagrado estivesse pensando em tal coisa. Cf. Êx 21.6; 22.8,9 e Sl 82.1.

■ **45.7** (na Bíblia hebraica corresponde ao **45.8**)

אָהַבְתָּ צֶּדֶק וַתִּשְׂנָא רֶשַׁע עַל־כֵּן ׀ מְשָׁחֲךָ אֱלֹהִים
אֱלֹהֶיךָ שֶׁמֶן שָׂשׂוֹן מֵחֲבֵרֶיךָ:

Amas a justiça e odeias a iniquidade. Este versículo é citado em Hb 1.9, pelo que continua ainda a referência messiânica. Ver esse versículo no *Novo Testamento Interpretado*. O rei, à semelhança do rei-filósofo de Platão, tinha de ser o mais *justo e sábio* de todos os homens do reino, e não meramente o mais poderoso. O rei concebido pelo poeta tinha a reputação de odiar a iniquidade e ser um homem treinado e um promotor da lei de Deus. Por esse motivo, merecia a *unção* divina que o colocava acima de todos os outros homens bons e poderosos, de fato, que o colocava em posição ímpar. Tudo isso se aplica fácil e supremamente ao Messias, exceto pelo fato de que, nesse caso, está envolvida uma elevadíssima teologia. Além de ser um homem sem pecado (ver na *Enciclopédia de Bíblia, Teologia e Filosofia* o verbete intitulado *Impecabilidade de Jesus*), ele foi, positivamente, o mais justo e o maior promotor da justiça.

... Te ungiu. Ver no *Dicionário* o verbete chamado *Unção*. No Antigo Testamento, profetas, sacerdotes e reis eram ungidos como sinal de autoridade de seus ofícios, para mostrar que eram aprovados e nomeados pelo poder divino. No presente texto, o óleo é de alegria, porque o rei fora ungido e assumira o seu papel real, e estava sujeito à felicidade e à alegria.

O Ambiente do Casamento. No presente contexto (dos Salmos), a unção provavelmente se refere ao banho oriental e à subsequente unção pela qual passavam tanto a noiva quanto o noivo, como prática e ritual padronizado. "... o banho e a unção subsequente faziam parte das cerimônias orientais do matrimônio" (Ellicott, *in loc.*).

Óleo de alegria. Porque as unções de reis, profetas e sacerdotes, bem como a dos noivos que iriam casar-se, eram todas elas ocasiões festivas para toda a comunidade. A unção do Messias naturalmente serviu de "alegria para o mundo inteiro, pois o Senhor tinha chegado", conforme diz um antigo hino evangélico.

Como a nenhum dos teus companheiros. Ou seja, os atendentes do noivo, incluindo todos os seus suboficiais, homens de prestígio e poder no reino, que, naturalmente, se faziam presentes ao espetáculo do casamento. No seu sentido profético, os companheiros do Messias são "todos os outros homens". Jesus é o Senhor acima de todos, mas todos eles, potencialmente, são seus irmãos, porquanto compartilham sua exaltação e glória. Ver Hb 2.10.

■ **45.8** (na Bíblia hebraica corresponde ao **45.9**)

מֹר־וַאֲהָלוֹת קְצִיעוֹת כָּל־בִּגְדֹתֶיךָ מִן־הֵיכְלֵי שֵׁן מִנִּי
שִׂמְּחוּךָ:

Todas as tuas vestes recendem a mirra, aloés e cássia. Cf. Sl 133.2. Temos aqui uma referência ao costume oriental de perfumar as roupas, camas e outros objetos pertencentes aos ricos. O rei e sua rainha naturalmente estariam usando vestes perfumadas. Mirra, aloés e cássia eram especiarias que faziam parte dos óleos sagrados descritos em Êx 30.23,24. Quanto a perfumar objetos pertencentes ao povo comum, cf. Ct 5.5 e Pv 7.17. Os orientais apreciavam a mistura de fragrâncias produzida por especiarias e plantas aromáticas. Ofereço artigos separados (no *Dicionário*) sobre cada uma das substâncias mencionadas neste versículo, pelo que não amplio a questão sobre a matéria neste ponto.

De palácios de marfim. O marfim era, com frequência, o material usado pelos ricos para recobrir painéis ou para construir as paredes de suas luxuosas moradas, transformando-as em mansões por excelência. Ver Am 3.15 e 1Rs 22.39. A palavra aqui usada poderia significar *templo*, mas não é esse lugar de adoração que está em mira.

Instrumentos de cordas. Esses instrumentos eram empregados nas cerimônias, aumentando a alegria ao cerimonial.

> *... instruí-vos e aconselhai-vos mutuamente em toda a sabedoria, louvando a Deus, com salmos e hinos e cânticos espirituais, com gratidão, em vossos corações.*
>
> Colossenses 3.16

"O cântico coletivo se assemelha ao álcool na transmissão do ânimo. Cria o entusiasmo. Quando o cântico coletivo se torna um costume negligenciado, sempre é sinal de uma vida coletiva decadente. Isso já ocorreu em grande parte de nossa moderna cena. Muitas religiões pagãs têm conquistado terreno no coração dos homens nas asas do cântico. Basta-nos relembrar a *Marsellaise* da Revolução Francesa, a *Internationale* dos países comunistas, a *Horst Wessel* da Alemanha de Hitler, ou o *Hino de Batalha da República* da Guerra Civil Americana" (Wedell, comentando Cl 3.16).

■ **45.9** (na Bíblia hebraica corresponde ao **45.10**)

בְּנוֹת מְלָכִים בְּיִקְּרוֹתֶיךָ נִצְּבָה שֵׁגַל לִימִינְךָ בְּכֶתֶם
אוֹפִיר:

Filhas de reis se encontram. Mulheres de famílias reais estavam presentes. Ao lado do rei estavam filhas de reis, o que poderiam significar filhas que ele já tinha tido mediante casamentos polígamos, antes de casar-se com a princesa de Tiro (vs. 12). Ou as filhas de reis simplesmente poderiam ser mulheres de famílias poderosas, elegantes e de posição social em Israel, as quais se tinham tornado suas filhas quando ele se tornou o pai da nação, ao ser ungido rei. Note o leitor, porém, o plural "reis". Entre as mulheres de grande honra, havia várias princesas das nações em derredor de Israel, incluindo as da própria nação de Israel. A versão caldaica fala aqui em mulheres honradas, princesas e pessoas de prestígio de diferentes regiões e países. O texto deste versículo é incerto e o primeiro sentido, dado acima, poderia ser o correto: "... mulheres honradas, isto é, *preciosas*, e isso poderia significar as favoritas do harém..." (Ellicott, *in loc.*).

Filhas de reis, de acordo com alguns estudiosos, poderiam ser uma referência profética aos gentios que serão trazidos para a Igreja por meio do evangelho, mas isso parece conter algum exagero. Seja como for, a presença de *muitos povos*, bem como o fato de que a própria noiva era gentílica, sugere o alcance do evangelho cristão.

A rainha. Ela era da cidade de Tiro (vs. 12), sem dúvida filha de um rei, e estava adornada com ouro de Ofir, proeminente fonte daquele metal precioso, provavelmente na parte ocidental da Ásia (ver 1Rs 9.28; 10.11; 22.48; Jó 22.24; 28.16; Is 13.12). Ver no *Dicionário* o verbete intitulado *Ofir*. Era comum que os reis orientais contraíssem matrimônio com princesas estrangeiras para fortalecer alianças e também a economia. Além disso, casar-se com uma princesa estrangeira era sinal de prestígio para qualquer rei que não quisesse imiscuir-se com jovens da sociedade local. A despeito da legislação mosaica, que proibia casamentos com estrangeiros, os reis de Israel contraíram tais matrimônios com regularidade. Ver Dt 7.3 e Ed 10.

DISCURSO FEITO À NOIVA (45.10-12)

■ **45.10** (na Bíblia hebraica corresponde ao **45.11**)

שִׁמְעִי־בַת וּרְאִי וְהַטִּי אָזְנֵךְ וְשִׁכְחִי עַמֵּךְ וּבֵית אָבִיךְ:

Ouve, filha. A "filha", neste caso, é a princesa estrangeira que estava prestes a tornar-se rainha de Israel. O seu passado era notável. Ela era filha de um rei; uma princesa que dispunha de muitas servas que a serviam. Possuía riquezas e poder. *Agora*, porém, deveria esquecer-se de tudo isso e dedicar-se exclusivamente ao marido e rei, bem como ao povo dele. Isso seria feito em obediência ao antigo princípio:

> *Por isso deixa o homem pai e mãe e se une à sua mulher, tornando-se os dois uma só carne.*
>
> Gênesis 2.24

O poeta sagrado, em nome de Deus, voltou sua atenção para a princesa e deu-lhe instruções apropriadas. Esperava que ela pensasse como Rute tinha pensado.

> *Não me instes para que te deixe, e me obrigue a não seguir-te; porque aonde que fores, irei eu, e onde quer que pousares, ali pousarei eu; o teu povo é o meu povo, o teu Deus é o meu Deus.*
> Rute 1.16

Messianicamente falando, o texto foi aplicado por Cristo à Igreja: a ela competia esquecer suas anteriores relações estrangeiras, apegar-se ao Noivo e prestar lealdade ao Pai celeste, o Rei dos céus. Ver Ef 5, quanto a essa metáfora. Ver também Ap 21.2,9; 22.17. "O Targum interpreta este versículo como se estivesse em pauta a congregação de Israel (a noiva do Messias), à qual competia apegar-se a ele, dar ouvidos à lei, contemplar as maravilhosas obras de Deus e esquecer as práticas idólatras de seus antepassados" (John Gill, *in loc.*).

■ **45.11** (na Bíblia hebraica corresponde ao **45.12**)

וְיִתְאָו הַמֶּלֶךְ יָפְיֵךְ כִּי־הוּא אֲדֹנַיִךְ וְהִשְׁתַּחֲוִי־לוֹ׃

Então o Rei cobiçará a tua formosura. O rei, satisfeito diante da piedade, do espírito de sacrifício e da dedicação de sua rainha a ele e ao povo, ficaria ainda mais apaixonado pela sua beleza. À formosura exterior, ela adicionaria assim a formosura de alma. Cf. 1Pe 3.5,6. Abigail, quando chamada para ser esposa de Davi, "prostrou-se sobre o rosto diante de Davi" (1Sm 25.41). Portanto, a jovem referida neste salmo deveria seguir o exemplo. Mas isso parece demais para a maioria das mulheres modernas, e a maioria dos homens modernos não se interessa por receber essa espécie de homenagem. Os reis antigos, contudo, exigiam essa forma de homenagem de suas usualmente muitas mulheres. Sara, embora demonstrando grande respeito (talvez apenas externo) por seu marido, encontrava maneiras de fazer prevalecer a sua vontade, pela simples força de vontade. E a maioria das mulheres são boas quanto a isso. Mical terminou desprezando o poderoso Davi, e certamente essa foi uma história de amor que azedou.

■ **45.12** (na Bíblia hebraica corresponde ao **45.13**)

וּבַת־צֹר בְּמִנְחָה פָּנַיִךְ יְחַלּוּ עֲשִׁירֵי עָם׃

A ti virá a filha de Tiro trazendo donativos. Ao lado da noiva havia enviados e representantes especiais da parte de Tiro. Por meio deste versículo, presume-se que a noiva era tíria, embora não haja prova conclusiva quanto a isso. A *Revised Standard Version* diz "povo de Tiro", e não "filha de Tiro", mas isso anularia a ideia de a noiva pertencer àquela cidade. Ver no *Dicionário* o verbete intitulado *Tiro.* Grandes presentes foram trazidos dali para o rei e a rainha. Havia muita gente rica naquele porto marítimo, e podemos ter certeza de que o rei daquele lugar era fabulosamente abastado. Ele se certificaria de que sua filha e seu marido-rei receberiam presentes significativos. A *filha de Tiro*, além disso, pode ser a personificação da própria cidade de Tiro. Naturalmente, presentes significariam favores esperados. Os novos laços com Tiro melhorariam as relações comerciais, e provavelmente se deu um acordo de paz de que não haveria ataques mútuos.

Te pedirão favores. Literalmente encontramos aqui as palavras "tocarão em teu rosto", um gesto de súplica e humildade. Cf. Jó 11.19 e Pv 19.6. O toque no rosto seria uma espécie de *gesto polido*, de *fazer brilhar*, e isso sugere a ideia de resplandecimento do rosto, ou de iluminação, por causa dos presentes recebidos. Por sua vez, os presentes oferecidos esperariam receber favores.

Messianicamente falando, a solicitação era que o suplicante gentílico fosse recebido no reino de Deus (Is 44.5; 60.6-14; Sl 72.10)... O Messias se tornaria o desejado de todas as nações, em seu sentido mais prenhe (Ag 2.7. Cf. Sl 87.4). Então as mercadorias e o pedido de Tiro se tornariam santos para o Senhor (Is 23.18)" (Fausset, *in loc.*).

O CORTEJO REAL (45.13-15)

■ **45.13** (na Bíblia hebraica corresponde ao **45.14**)

כָּל־כְּבוּדָּה בַת־מֶלֶךְ פְּנִימָה מִמִּשְׁבְּצוֹת זָהָב לְבוּשָׁהּ׃

Toda formosura é a filha do Rei. *O Cortejo Começara.* A atenção de todos concentrava-se sobre a noiva. Ela apareceu em um ofuscante vestido com enfeites de ouro. Era a filha do rei de Tiro, a princesa. Aparecia como a melhor e a mais rica das mulheres. "O poeta descrevia agora o esplendor do rico vestuário e das joias da princesa, e ela é encaminhada à câmara nupcial do palácio. O texto dos vss. 13 e 14 é um tanto incerto, pelo que aparece uma variante nas traduções" (William R. Taylor, *in loc.*).

No interior do palácio. Em alguma câmara particular, no interior do palácio, a rainha foi primeiramente vestida em seu esplêndido traje. Ela foi ali preparada para sua aparição, e então veio a ser aclamada e admirada por todos, segundo sugerido acima.

Recamada de ouro. O vestido da princesa era bordado com fios de ouro, entretecidos no linho ou outro material fino. Messianicamente falando, a Noiva de Cristo veste-se em um traje divino (símbolo do ouro), porquanto está destinada a compartilhar da natureza divina (2Pe 1.4).

■ **45.14** (na Bíblia hebraica corresponde ao **45.15**)

לִרְקָמוֹת תּוּבַל לַמֶּלֶךְ בְּתוּלוֹת אַחֲרֶיהָ רֵעוֹתֶיהָ מוּבָאוֹת לָךְ׃

Em roupagens bordadas conduzem-na perante o Rei. O cortejo prossegue, e todos admiram a jovem em seu excelente vestido *bordado*, cujos fios de ouro são entretecidos no pano fino; as companheiras virgens marcham juntamente com ela, cada uma de rara beleza, com vestes *quase* igualmente esplêndidas. Algumas mulheres continuarão a acompanhá-la como atendentes especiais no harém, e outras serão tomadas como esposas de altos oficiais da corte. Elas se movimentam ao longo de ricos tapetes bordados, espalhados especialmente para aquele cortejo. Alguns estudiosos compreendem que os bordados se referem, neste ponto, aos tapetes, e não aos vestidos das mulheres. Mas a *Revised Standard Version* provavelmente está correta com sua tradução de "robes multicoloridos".

Nas aplicações messiânicas, os intérpretes imaginam que o verbo "serão trazidas" implica as instrumentalidades providenciais e graciosas pelos quais a igreja (e/ou Israel) será conduzida ao Messias, seu Senhor, à sua própria terra. Ver Is 18.7; 66.20, quando os gentios ajudariam Israel em seu *retorno* (Sf 3.10; Is 49.22; Ct 1.4)" (Fausset, *in loc.*). Adam Clarke (*in loc.*) limitou à igreja o ato de ser "trazida", ignorando profecias como Rm 11.26 ss. Os críticos, entretanto, pensam que essa interpretação é fantasiosa. Alguns vão tão longe que fazem a Noiva ser a igreja, ao passo que as auxiliares virgens seriam Israel; mas por certo há nisso exagero de interpretação, a não ser como uma *aplicação* espiritual, e não como uma exegese profética.

■ **45.15** (na Bíblia hebraica corresponde ao **45.16**)

תּוּבַלְנָה בִּשְׂמָחֹת וָגִיל תְּבֹאֶינָה בְּהֵיכַל מֶלֶךְ׃

Serão dirigidas com alegria e regozijo. *A Festa Envolvia Alegria.* Não havia razão alguma que pudesse produzir tristeza. Todas as mulheres eram jovens e gozavam de boa saúde. O rei delas era excepcionalmente bondoso e sábio, e continuaria assim, alegrando a vida das jovens. Elas tinham muito dinheiro. Seus inimigos haviam sido derrotados. Havia música, pompa e danças para a ocasião, e, sem dúvida, muito vinho e festividades que se prolongariam durante dias. A noiva era uma jovem bonita, tal e qual suas companheiras; o tempo estava bom, e o palácio era confortável e luxuoso. Em outras palavras, um pouco do céu havia descido à terra. Isto posto, havia "alegria indizível e cheia de glória", quando elas adentraram o palácio real, um símbolo do *céu,* se quisermos dar prosseguimento à interpretação messiânica.

CONCLUSÃO (45.16,17)

■ **45.16,17** (na Bíblia hebraica corresponde ao **45.17,18**)

תַּחַת אֲבֹתֶיךָ יִהְיוּ בָנֶיךָ תְּשִׁיתֵמוֹ לְשָׂרִים בְּכָל־הָאָרֶץ׃

אַזְכִּירָה שִׁמְךָ בְּכָל־דֹּר וָדֹר עַל־כֵּן עַמִּים יְהוֹדֻךָ לְעֹלָם וָעֶד׃

Em vez de teus pais, serão teus filhos. O *escritor sagrado predisse* uma incomum *posteridade* como resultado daquele casamento, ótimos filhos que substituiriam seus pais, conforme geração fosse sucedendo a geração. Os filhos do casal se tornariam príncipes na terra e, segundo era de se esperar, imitariam seu poderoso, bondoso e sábio pai. O próprio rei, uma vez falecido, seria relembrado por ter sido um homem tão bondoso (vs. 17). "Os filhos manteriam viva a linhagem real e levariam avante o seu governo. No vs. 17, leia-se com a Septuaginta: 'Eles serão causa de teu nome ser relembrado'. Portanto, o nome do rei seria honrado todo o tempo entre as nações" (William R. Taylor, *in loc.*).

Sendo isso verdade, o povo da nação continuaria a louvá-lo para sempre. Talvez o Salmo 45 estivesse na mente do vidente, quando João escreveu Ap 19.6-21. Enquanto ele aguardava o casamento de Cristo, o Cordeiro, no céu, percebeu como a noiva se vestiu com atos de justiça, em preparação para o encontro com ele (Ap 19.6-8). Ato contínuo, João descreveu o Noivo real, que saía para batalhar com justiça (Ap 19.11-21). Tipologicamente, pois, este salmo retrata o maior rei davídico, Jesus Cristo" (Allen P. Ross, *in loc.*).

"Uma descendência principesca e espiritual será o fruto dessa união espiritual (Is 49.20). A alusão é ao costume de desejar ao casal recém-casado numerosa e poderosa descendência (Gn 24.60; Rt 4.11,12)" (Fausset, *in loc.*).

"Temos aqui o fato central do cetro de equidade de Deus, e do seu trono, para todo o sempre, que o poeta estabeleceu como o centro de seu cântico, o que se torna o centro da nossa fé" (J. R. P. Sclater, *in loc.*). Os atos terrenos do rei foram imortalizados na literatura. Os atos do Messias serão imortalizados em um reinado eterno.

SALMO QUARENTA E SEIS

Quanto a *informações gerais* que se aplicam a todos os salmos, ver a introdução ao Salmo 4, onde apresento *sete* comentários que elucidam a natureza deste livro. Quanto às *classes* dos salmos, ver o gráfico no início do comentário, que atua como uma espécie de frontispício da coletânea. Ofereço ali dezessete classes e listo os salmos pertencentes a cada uma delas.

Este salmo tem sido variegadamente classificado e talvez participe com justiça em mais de uma classe. Em primeiro lugar, trata-se de um *grande hino* que celebra a vitória final de Deus sobre as nações. Deus preservará seu povo até mesmo durante a tribulação cósmica dos últimos dias. Cf. Jl 3.16. O vs. 1 inspirou o grande hino de Martinho Lutero, *Poderosa Fortaleza é Nosso Deus*. Ademais, é também um salmo de ações de graças exaltadas. Tem indicações messiânicas, se é que não é totalmente messiânico. Kittell chamou-o de "composição lírica profética", enquanto, para outros, trata-se de um *hino escatológico*.

O tríplice refrão diz: "O Senhor dos Exércitos está conosco; o Deus de Jacó é o nosso refúgio". Historicamente, este salmo pode estar ligado às perturbações ocorridas no século III a.C., produzidas pelas guerras entre os sucessores de Alexandre, o Grande, mas é difícil apontar o acontecimento histórico exato aqui. Talvez seja um hino vinculado à festa do Ano Novo, que celebrava o triunfo do Senhor na época da criação.

"Este salmo evidencia um tempo em que a entoação de salmos no templo era influenciada pelo espírito profético e particularmente pelo espírito de profetas posteriores, cujas visões contemplaram um mundo sem guerras, sob o domínio do Senhor (Is 8.9,10; 17.12-14; 33.17-24; 59.15-20; Ez 6.7,13; 11.10 e Mq 4.3). ... por causa de tais coisas, o salmo tem sido datado como pós-exílico" (William R. Taylor, *in loc.*). Há um grupo de intérpretes cristãos que veem o *milênio* referido aqui.

"O estabelecimento do reino de Deus trará paz à terra. Cf. Is 2.4" (*Oxford Annotated Bible*, na introdução ao Salmo 46).

"Este salmo foi incorporado aos *Cânticos de Sião*, em face da posição central ocupada por Jerusalém, em sua mensagem" (Allen P. Ross, *in loc.*).

Subtítulo. Temos neste salmo o seguinte subtítulo: "Ao mestre de canto. Dos filhos de Coré. Em voz de soprano. Cântico". Ver o subtítulo do Salmo 42, quanto aos salmos atribuídos aos filhos de Coré. A palavra "soprano" parece ser uma tradução do termo hebraico *alamote*, de onde alguns estudiosos dizem que se deriva a palavra hebraica *almah*, "virgem", "mulher jovem". Alguns pensam que esse termo se refere às virgens do coro do templo, que talvez cantassem antifonicamente ao *sheminith*, o coro masculino. Está em vista alguma espécie de orientação musical, mas a natureza exata não pode ser determinada com certeza. Alguns eruditos, porém, dizem que essa palavra significa "coisas ocultas", o que se referiria ao assunto do salmo. Mas há outros que acreditam que a referência é a instrumentos musicais de alguma espécie. Seja como for, as notas introdutórias não faziam parte original dos salmos, mas foram adicionadas muito tempo depois, pelo que também não têm autoridade canônica.

■ **46.1** (na Bíblia hebraica corresponde ao **46.1,2**)

לַמְנַצֵּחַ לִבְנֵי־קֹרַח עַל־עֲלָמוֹת שִׁיר׃

אֱלֹהִים לָנוּ מַחֲסֶה וָעֹז עֶזְרָה בְצָרוֹת נִמְצָא מְאֹד׃

Deus é o nosso refúgio e fortaleza. Em 1529, Martinho Lutero, inspirado por este versículo, compôs seu hino imortal, "Poderosa Fortaleza é Nosso Deus". O pano de fundo histórico foi a libertação de Viena do cerco turco. Historicamente interessantes são as palavras de Horácio, bastante similares ao fim deste salmo, a respeito da coragem de Augusto, em face dos perigos: "Caso o universo se despedace e o avassale, as ruínas desabarão sobre ele, sem que ele se arreceie".

Poderosa fortaleza é nosso Deus,
Um baluarte que nunca falha.
Nosso ajudador é ele, em meio ao dilúvio
De males mortíferos, prevalecerá.
...

Essa palavra sobre todos os poderes terrenos... prevalecerá.
O Espírito e os dons nos pertencem,
Por meio daquele que se pôs ao nosso lado.
Que os bens e os parentes se vão,
E esta vida mortal também.
O corpo poderão matar,
A verdade de Deus prevalecerá.
O seu reino é para sempre.

Martinho Lutero

Refúgio. No hebraico temos a palavra *mahseh*, "abrigo contra o perigo". Cf. Sl 9.9; 14.6; 48.3; 62.7; 91.2; 94.22 e 142.5.

Fortaleza. Cf. Sl 18.2; 31.3; 71.3; 91.2. Deus é também a *rocha* em vários salmos. Ver Sl 18.2; 27.5; 31.2; 42.9 e 62.2. Apresento notas expositivas detalhadas sobre essa figura, em Sl 42.9. Os vários termos foram aproveitados de cenas de batalhas. Israel lutava por sua vida. O poder de Deus livrou e trouxe a paz, e agora o louvor estava na ordem do dia. O auxílio divino veio imediatamente, quando se fez necessário. Essa ajuda de Deus é *bem presente*. Alguns salmos de lamentação se queixam amargamente de que a ajuda divina se faz demorada. Mas o autor dá-nos aqui um tom esperançoso.

"O salmista declarou que Deus era o seu refúgio, (no hebraico, *mahseh*, "abrigo que protege do perigo" (ver os comentários em Sl 14.6) e sua força (ver comentários em Sl 18.1). O salmista encontrou segurança e coragem para confiar no Senhor. Portanto, os santos não precisam temer (vs. 2), a despeito dos muitos perigos que enfrentam. Sem importar o que aconteça, aqueles que nele confiam estão seguros" (Allen P. Ross, *in loc.*).

■ **46.2** (na Bíblia hebraica corresponde ao **46.3**)

עַל־כֵּן לֹא־נִירָא בְּהָמִיר אָרֶץ וּבְמוֹט הָרִים בְּלֵב יַמִּים׃

Portanto não temeremos ainda que a terra se transtorne. *Embora grandes calamidades atinjam a terra,* terremotos mudem a posição geográfica de locais, e montes inteiros sejam lançados no mar, o crente não temerá coisa alguma, porquanto sabe que Deus é seu refúgio e fortaleza (vs. 1). Tão fabulosa declaração tem de significar que as pessoas envolvidas em tão gigantescos desastres viverão após a morte biológica, o que curará todas as calamidades. *Ou então* a linguagem aqui será figurada: uma tragédia, uma guerra, outras grandes coisas que podem ser comparadas a um terremoto devastador. Nesse caso, um homem enfrentará poderosos desastres, mas continuará a viver fisicamente. Portanto, continuará confiando em

Deus e não temerá em meio aos desastres. *Ou então* o poeta usava uma hipérbole oriental. Coisa alguma tão grandiosa aconteceria, e, mesmo que acontecesse, ainda assim ele continuaria confiando e não temeria. E alguns estudiosos pensam aqui na dissolução do mundo, que assim chegaria ao fim, ou então em algum evento temível que *seria* como o fim do mundo.

Cf. a excelente passagem paulina de Rm 8.37-39, que diz mais ou menos a mesma coisa.

"Israel se mostraria impávido em meio a reinos cambaleantes e dinastias em queda" (Ellicott, *in loc.*). Este mesmo autor empresta um sentido figurado ao versículo. Qualquer visitante da Palestina perceberá notáveis evidências de ação vulcânica, que revelam ali grandes convulsões geológicas no passado, as quais prepararam a cena para a linguagem usada neste versículo. Os cativeiros assírio e babilônico (ver a respeito no *Dicionário*) foram extraordinários "terremotos". Israel quase foi lançado permanentemente no mar. A marcha de Alexandre, o Grande foi um notável terremoto universal para as nações por ele derrotadas.

"As montanhas são impérios elevados bem alto (ver Sl 30.7; Ap 8.8). Os montes são abalados no coração do mar; reinos foram removidos (vs. 6)" (Fausset, *in loc.*). "... a destruição de reinos, impérios e cidades é expressa por meio de tais frases, tal como a destruição babilônica (Jr 51.25), dos impérios romano e pagãos (Ap 6.12-14), e da cidade de Roma (Ap 8.8)" (John Gill, *in loc.*).

■ **46.3** (na Bíblia hebraica corresponde ao **46.4**)

יֶהֱמוּ יֶחְמְרוּ מֵימָיו יִרְעֲשׁוּ־הָרִים בְּגַאֲוָתוֹ סֶלָה׃

Ainda que as águas tumultuem e espumejem. *As montanhas estremecem* e o mar ruge; as marés são elevadas bem alto pelo tumulto provocado pelo sismo. Montes e mares se combinam para produzir um pesadelo natural que ninguém é capaz de deter, contra o qual o homem se mostra impotente, pelo que terá de *voltar-se para Deus*, rogando ajuda. As *águas* são aqui usadas como símbolos de *povos*, ou então temos aqui um estado de comoção política. Primeiramente vieram os cativeiros; depois os persas viraram de cabeça para baixo a Ásia Menor e destruíram o império babilônico. Então vieram Ciro, os gregos e os romanos. A área esteve em comoção constante, e as águas perturbadas prevaleceram. Nas idas e vindas das potências, Israel sempre foi devastado, até que chegaram os macabeus. E até mesmo o reino deles foi nivelado pelos romanos.

"Que contraste vemos entre as *águas rugidoras* e os ribeiros que alegram a cidade de Deus (vs. 4). Ver figuradamente as *águas avassaladoras*, ou seja, as hostes invasoras, em Is 8.7,8 e 17.12. O mar é a humanidade sem nenhum momento de descanso, sempre ameaçada. Ver Is 57.20. Nesse mar estão as montanhas, como impérios sempre estremecendo, sacudidos por terremotos figurados. Cf. Is 27.1 e Dn 7.2,3. Ver também Ap 17.15, quanto a algo similar. Em uma descrição similar, Homero inclui os três vocábulos, "ruge", "empola-se" e "precipita-se", ao referir-se aos atos do oceano (*Ilíada*, xxiii.230)" (Ellicott, *in loc.*).

"As *águas* rugem, e isso já é mau o bastante, e não pode ser detido. Mas as *nações* espumejam, precisamente porque algo *poderia* ter sido feito a respeito, mas não o foi, e o terror era grande... Mas quando as nações espumejavam de ódio e os reinos eram dispersos, houve um grito de vitória que dominou tudo... O Senhor dos Exércitos está conosco. O Deus de Jacó é o nosso refúgio" (J. R. P. Sclater, *in loc.*).

> Seguro nos braços de Jesus,
> Seguro em seu peito gentil.
> Ali, protegida pelo seu amor,
> Minha alma descansará docemente.
>
> Fanny J. Crosby

■ **46.4** (na Bíblia hebraica corresponde ao **46.5**)

נָהָר פְּלָגָיו יְשַׂמְּחוּ עִיר־אֱלֹהִים קְדֹשׁ מִשְׁכְּנֵי עֶלְיוֹן׃

Há um rio, cujas correntes alegram a cidade de Deus. O *rio gentil*, em contraste com o mar revolto, representa os atos restauradores e a bênção de Deus que dá aos homens vida e razão para viver. O termo hebraico correspondente é *nahar*, rio perene, distinto do *nachal*, torrente que entra em ação quando as neves derretem e enchem os rios e os ribeiros. No resto do ano, essas correntes são os *wadis*, leitos secos dos rios. Portanto, o ribeiro do Cedrom não poderia estar em foco, porquanto ele se ressecava parcialmente a cada ano. Ademais, qualquer identificação com o Siloé (no dizer de Stanley) é precária, porque não existe nenhum rio que corra para a área do templo. Isto posto, devemos aceitar a questão figuradamente. A proteção divina, bem como a sua bênção e paz, é como um rio que corre para o templo e supre tudo com suas águas muito necessárias. Ver Sl 1.3, onde aparece a mesma palavra aqui traduzida por "correntes". Esse rio transformava o lugar em um paraíso, tal como o paraíso original tinha *rios* que supriam águas (ver Gn 2.10,13,14). Cf. o paraíso futuro (Ap 22.1). A figura fala dos poderes doadores de vida na presença de Deus, conforme demonstrado no vs. 5 deste salmo: "Deus está no meio dela". Cf. Sl 36.9; Is 32.2; Jr 2.13 e 17.13. Ver a torrente escatológica em Is 33.21, bem como o riacho celestial em Sl 65.9 e 104.13. Ver Jesus, o Cristo, como a Água da Vida (Jo 4.7; 7.37,38). Ver o artigo intitulado *Água*, no *Dicionário*, que inclui notas expositivas sobre as metáforas envolvidas.

A cidade de Deus. O lugar do templo de Jerusalém, onde Deus revelava a sua presença. O lugar determinado, a capital das alianças onde o povo escolhido se beneficia de sua eleição. Ver no *Dicionário* o verbete chamado *Pactos*.

"A presença do Senhor é como um rio fluente e pacífico, em contraste com as torrentes perigosas (vs. 3). Cf. Is 8.6; 33.21, onde o Senhor é comparado a um rio que circundava a sua cidade" (Allen P. Ross, *in loc.*).

Altíssimo. Ver notas expositivas completas sobre a expressão, em Sl 7.17.

■ **46.5** (na Bíblia hebraica corresponde ao **46.6**)

אֱלֹהִים בְּקִרְבָּהּ בַּל־תִּמּוֹט יַעְזְרֶהָ אֱלֹהִים לִפְנוֹת בֹּקֶר׃

Deus está no meio dela. *Deus é o rio* que está no meio da cidade, conferindo-lhe vida e bênção, e isso em meio à paz, o que contrasta com os terremotos e mares revoltos dos povos pagãos. O nome dessa cidade será "O Senhor está ali" (Ez 48.35). Quando alguma coisa vier a ameaçá-la, Yahweh absorverá o impacto do ataque, ou seja, ele a "ajudará", e desde "antemanhã", ou seja, sem demora alguma. "Ele está no meio do mundo, e a sua presença, embora nem sempre percebida pelos homens, é antídoto suficiente contra todos os temores dos homens e dos demônios. Portanto, ela (a cidade) não será abalada. Deus a ajudará desde a antemanhã, ou seja, quando o dia estiver amanhecendo, por ocasião da alvorada, no início do dia" (John Gill, *in loc.*, com alguma adaptação).

Desde antemanhã. No hebraico temos aqui, literalmente, "no alvorecer da manhã". O texto fala da madrugada de um dia mais brilhante.

"Assim como ao amanhecer são dissipadas as sombras da noite, também sucederá no aparecimento de Yahweh, quando as sombras da adversidade serão dispersas" (Adam Clarke, *in loc.*).

> Quando a manhã doura o firmamento,
> Meu coração, despertando, clama:
> Que Jesus Cristo seja abençoado.
>
> Edward Caswall, tradutor de um hino alemão

O choro poderá prosseguir a noite inteira, mas haverá alegria ao amanhecer.

■ **46.6** (na Bíblia hebraica corresponde ao **46.7**)

הָמוּ גוֹיִם מָטוּ מַמְלָכוֹת נָתַן בְּקוֹלוֹ תָּמוּג אָרֶץ׃

Bramam nações, reinos se abalam. Este versículo é a versão prosaica do que fora dito poeticamente nos vss. 2 e 3. Os terremotos e os mares rugidores são as nações perturbadas e destruidoras. Mas Yahweh acalmou a cena com sua voz poderosa, e as coisas até pioraram, porque a terra terminou *dissolvendo-se*. Dessa forma, o poder divino impôs a paz, mediante a destruição. Todos os julgamentos de Deus são finalmente remediadores e beneficentes, porque são apenas os dedos de sua mão amorosa. Seja como for, Israel terá descansado de suas tribulações, quando Yahweh falar e dissolver o inimigo. "Tinha havido terríveis guerras por toda a parte, e estados poderosos foram esmagados, mas o pobre Israel, pelo favor especial de Deus, permaneceu em paz e segurança. Reinos foram abalados, mas Israel foi preservado" (Adam Clarke, *in loc.*).

O original hebraico é muito vívido aqui, apresentado com conjunções. Portanto, obtemos:

> Pagãos enraivecidos; reinos cambaleantes;
> deu o sinal com a sua voz e eis!
> a terra se dissolveu.

Israel sempre viveu em uma *nervosa antecipação* dos ataques inimigos e, quando não era atacado, atacava as outras nações. Cf. Sl 2.2; Is 17.12-14; Jr 47.2-7; Ez 38.10-23; 39.11-24. Mas Yahweh sempre se mostrou suficiente para a defesa (Sl 48.4-7; Is 37.33-38). E, embora possamos demonstrar facilmente quantos povos e nações desapareceram na confusão e na violência, Israel continua existindo.

■ **46.7** (na Bíblia hebraica corresponde ao **46.8**)

יְהוָה צְבָאוֹת עִמָּנוּ מִשְׂגָּב־לָנוּ אֱלֹהֵי יַעֲקֹב סֶלָה׃

O Senhor dos Exércitos está conosco. *O poeta ilustrou* com uma metáfora que representa a guerra. Yahweh agora tornou-se o General do exército e guiou a hoste de soldados até o conflito. Dessa maneira, Yahweh assumiu a ofensiva, e nenhuma nação pôde resistir ao seu poder. A maré da batalha virou em favor de Israel. Yahweh, o General, é o Deus de Jacó, que foi nomeado Israel, *Deus esforça-se*, referindo-se à luta que Jacó teve com o Anjo do Senhor (ver Gn 32.28). A ideia pode envolver o pensamento: "Quem tem poder diante de Deus?" Alguns dizem que Israel significa "príncipe com Deus". Mas essa interpretação não é aprovada pelos eruditos modernos. De Jacó, o nome Israel passou para a nação da qual ele foi um dos patriarcas.

O nosso refúgio. Ver as notas expositivas no vs. 1 sobre essa figura de linguagem. Yahweh é o *misgob*, "o lugar alto seguro", a "fortaleza". Ver Sl 46.11; 48.3; 59.9,16,17; 62.2,6; 94.22. Uma palavra diferente no hebraico é assim traduzida, em relação ao vs. 1 deste salmo.

Selá. Quanto aos significados possíveis desta misteriosa palavra, ver Sl 3.2.

DEUS, O SOBERANO DO MUNDO (46.8-11)

■ **46.8** (na Bíblia hebraica corresponde ao **46.9**)

לְכוּ־חֲזוּ מִפְעֲלוֹת יְהוָה אֲשֶׁר־שָׂם שַׁמּוֹת בָּאָרֶץ׃

Vinde, contemplai as obras do Senhor. As obras de Deus são *desolações*. Isso pode parecer estranho para nós, mas cumpre-nos lembrar que, para continuar a existir e ter certa medida de paz, Israel precisava destruir os inimigos. Por semelhante modo, para que os vizinhos de Israel continuassem existindo e tivessem alguma medida de paz, eles precisavam manter Israel desolado. Nunca houve fim desse matar ou ser morto. Eram tempos realmente brutais, e até mesmo a grande literatura de Israel (o Antigo Testamento) está repleta de referências e metáforas a batalhas sangrentas. Naturalmente, Yahweh era tido como o General que liderava as forças armadas, e os povos pagãos também possuíam deuses que encabeçavam seus exércitos. Portanto, guerrear era considerado uma questão cósmica, e não apenas um negócio terrestre. Cada local de desolação era encarado como obra de Deus, e Israel estava feliz por testemunhar muitos desses locais. Atos da natureza, desastres e calamidades naturais também eram atribuídos a Deus e encarados com admiração pela mente dos antigos.

Que assolações efetuou na terra. Estão em foco aqui o *silêncio* ou a *desolação*, sendo que o silêncio é o sentido primário da palavra. Ou ainda *maravilhas* (conforme se vê em Jr 19.8). As admirações produzem silêncio. Elas são súbitas e maravilhosas. Portanto, a terra inteira permanecia calada e habitava em sepulcral silêncio, depois que Yahweh passava pelo lugar. Cf. Is 2.4 e Os 2.18. E Zc 9.10 diz algo semelhante. Cf. Sl 76, que amplia o tema. O general George Patton, um dos mais hábeis generais americanos da Segunda Guerra Mundial, disse que gostava da guerra e apreciava passar pelos campos de batalha onde somente fumaça e escombros tinham sido deixados. Um dia ele disse ao general Bradley: "Deus me perdoe, mas eu gosto disto". É difícil compreender tal modo de pensar, mas temos de confessar que não há pouco dessa espécie de cena nas páginas do Antigo Testamento. Naturalmente, os poemas épicos de Homero, a *Ilíada* e a *Odisseia*, também estão cheios desse tipo de ação. É admirável como os poetas hábeis podem fazer da matança e do ser morto um tema tão atrativo em suas composições! John Gill (*in loc.*) falou sobre tais desolações *animando* o nosso coração, porque, afinal de contas, é Deus quem provoca a destruição. Conforme a teologia vai crescendo, menos impressionados ficamos com esse tipo de ensino. Seja como for, até os duros julgamentos de Deus (sem importar a forma que assumirem) são remediadores, e não apenas retributivos, e esse é um discernimento espiritual que nos *encoraja*. Mas finalmente o estabelecimento do reino de Deus trará a paz.

■ **46.9** (na Bíblia hebraica corresponde ao **46.10**)

מַשְׁבִּית מִלְחָמוֹת עַד־קְצֵה הָאָרֶץ קֶשֶׁת יְשַׁבֵּר וְקִצֵּץ חֲנִית עֲגָלוֹת יִשְׂרֹף בָּאֵשׁ׃

Ele põe termo à guerra até aos confins do mundo. *Harmonia através do Conflito*. Paz através da violência; descanso através do tumulto. Essa é a fórmula divina que o poeta sacro descreveu. É dessa forma que as guerras cessarão por meio da guerra santa, dirigida por Deus. O arco deixará de ser usado para efeito de matança, pois o arco divino terá exterminado os exércitos pagãos. As lanças deixarão de existir quando a lança de Deus tiver atravessado todos os adversários. As fogueiras dos campos de batalha deixarão de existir quando o fogo divino tiver consumido a todas as coisas. O salmista previu uma era futura caracterizada pela paz, mas não antes de a guerra final ser desferida.

> Os habitantes das cidades de Israel sairão, e queimarão de todo as armas, os escudos e os paveses, os arcos, as flechas, os bastões de mão e as lanças; farão fogo com tudo isto por sete anos.
>
> Ezequiel 39.9

"Quando ele tiver destruído as ambiciosas potências mundiais que causam guerras, haverá paz até os confins da terra (Is 14.4-7)" (Fausset, *in loc.*)

"As nações não aprenderão mais a guerra, e o reino de Cristo terá sido estabelecido. Nunca cessará, e da paz não haverá fim. Ver Is 2.4; 9.6,7; Sl 72.7" (John Gill, *in loc.*).

■ **46.10** (na Bíblia hebraica corresponde ao **46.11**)

הַרְפּוּ וּדְעוּ כִּי־אָנֹכִי אֱלֹהִים אָרוּם בַּגּוֹיִם אָרוּם בָּאָרֶץ׃

Aquietai-vos, e sabei que eu sou Deus. *As armas de guerra terão silenciado,* pois à terra será trazida a paz por meio da violência, quando então a voz celeste se fará ouvir: "Aquietai-vos, e sabei que eu sou Deus". Cf. Is 30.15. "E esta é a vitória que vence o mundo, a nossa fé" (1Jo 5.4). "Visto que o nosso Deus é o Senhor do mundo, não temeremos" (William R. Taylor, *in loc.*). O Deus da vitória será grandemente exalçado entre as nações, pois a terra é o seu domínio. Portanto, temos aqui "a convocação para a confiança silenciosa no poder salvador de Deus, em antecipação à paz universal" (Allen P. Ross, *in loc.*). "O estabelecimento do reino de Deus trará a paz sobre a terra. Cf. Is 2.4)" (*Oxford Annotated Bible*, comentando este versículo). "A miraculosa imposição de seu povo provou que Yahweh, Deus de Israel, é Elohim, isto é, o *Poder*" (Fausset, *in loc.*).

Sou exaltado. Cf. Zc 19.9; 10.10 e Ap 21.3, quanto a uma aplicação messiânica deste versículo. Ver também Is 2.17. Todo joelho se dobrará diante dele (Fp 2.9-11).

■ **46.11** (na Bíblia hebraica corresponde ao **46.12**)

יְהוָה צְבָאוֹת עִמָּנוּ מִשְׂגָּב־לָנוּ אֱלֹהֵי יַעֲקֹב סֶלָה׃

O Senhor dos Exércitos está conosco. O termo militar retorna aqui. *Elohim* é o General do exército. Ver o vs. 7. O grande General está com Israel, garantindo que a vitória caberá a eles. Mas haverá uma pacificação universal através da qual a bondade universal de Deus terá legítima expressão. Este versículo é uma duplicação quase exata do vs. 7, pelo que o leitor deve examinar a exposição deste último. A repetição da ideia serve para encerrar o salmo de maneira excelente e reafirmar a ideia central. Este versículo também é bastante parecido com o vs. 1, com o qual o salmo se iniciou. Portanto, encontramos aqui uma "verdade firme, duradoura, inabalável e provada" (Adam Clarke, *in loc.*).

SALMO QUARENTA E SETE

Quanto a *informações gerais* que se aplicam a todos os salmos, ver a introdução ao Salmo 4, onde apresento *sete* comentários que elucidam a natureza do livro. Quanto a classes dos salmos, ver o gráfico no início do comentário, que atua como uma espécie de frontispício. Dou ali dezessete classes e listo os salmos pertencentes a cada uma delas.

Este é um *salmo real*, que forma, juntamente com os Salmos 93 e 96 a 99, uma subcategoria dessa classe, a saber, os *salmos da entronização de Yahweh*. Eles contêm elementos messiânicos, mesmo que não sejam especificamente classificados como messiânicos. Alguns eruditos afirmam ter descoberto que, em tempos pós-exílicos, no período do Ano Novo, Yahweh era anualmente proclamado Rei de toda a terra. Ele é então descrito como quem tomou seu lugar sobre um elevado trono, oportunidade em que os salmos de entronização provavelmente eram usados. Naturalmente, encontramos algo similar nos rituais sagrados da Babilônia, em que Marduque (a divindade principal daquele império) era instalado como rei sobre todo o mundo. O quanto os hebreus podem ter pedido de empréstimo daquela fonte pagã é difícil dizer, mas parece não haver razão alguma para negarmos certo empréstimo.

O Reinado de Yahweh. Esta é uma ideia familiar no Antigo Testamento. Ver Sl 44.4; 28.2; 74.12; 1Sm 12.12; Is 41.21; 52.7-10. Os reis iniciavam seu ofício monárquico com grandes espetáculos de clamores, louvores e hinos entoados. As trombetas e as flautas eram tocadas, e os homens batiam palmas. Isso explica as cenas do vs. 1.

Subtítulo. Neste salmo o subtítulo é: "Ao mestre de canto. Salmo dos filhos de Coré". Esses são elementos comuns a certo número de salmos. Ver as explicações na introdução ao Salmo 42, onde discuto sobre a questão.

"Este salmo deveria ser entendido como um retrato profético do vindouro reino de Deus, cujas manifestações já estavam sendo desfrutadas por Israel. No Salmo 47, o salmista convoca todos os povos da terra a homenagear o Santo Monarca de Israel — Yahweh — quando ele assumir o seu reinado sobre todos os povos" (Allen P. Ross, *in loc.*).

UMA CONVOCAÇÃO A TODOS OS POVOS (47.1-4)

■ **47.1** (na Bíblia hebraica corresponde ao **47.1,2**)

לַמְנַצֵּחַ לִבְנֵי־קֹרַח מִזְמוֹר׃

כָּל־הָעַמִּים תִּקְעוּ־כָף הָרִיעוּ לֵאלֹהִים בְּקוֹל רִנָּה׃

Batei palmas, todos os povos. Os hebreus eram um povo emotivo. Eram um povo de vinho, danças e canções, e eram barulhentos por ocasião das festividades. Portanto, aqui os vemos a dançar, gritar e bater palmas, ao apresentar Yahweh a *todos os povos*, quando ele estiver sendo entronizado. Ele é *Elohim*, o Poder, o Todo-poderoso, e também é *Yahweh*, o Deus Eterno. Todos os povos, *todas as nações*, são convocados neste salmo a reconhecer e aclamar a Deus. Talvez os salmos de entronização tenham sido compostos para o Ano Novo dos hebreus, nos tempos pós-exílicos, e a cada ano, a cerimônia se repetia. Por meio dessa festividade, os hebreus proclamavam a universalidade de sua fé, pois Yahweh como o Deus exclusivamente de Israel (ao mesmo tempo que poderia haver outros deuses para outros povos) era uma ideia que já havia sido ultrapassada. Os hebreus, assim sendo, passaram do *henoteísmo* para o *monoteísmo* (ver sobre ambos os termos na *Enciclopédia de Bíblia, Teologia e Filosofia*). O henoteísmo ensina que, embora para nós haja "um só Deus", outros povos podem crer em deuses reais que cuidam deles. Mas o monoteísmo afirma a universalidade do Deus único, negando a realidade de outras divindades.

Quanto ao ato de bater palmas, em tempos de festividades nacionais e regozijo, como é o caso do coroamento de um rei, Ver 2Rs 11.12, e cf. Sl 98.8. Ver também Na 3.19. Quanto aos *gritos* de triunfo, ver Nm 23.21. "Soltar gritos por um rei" era conferir-lhe apoio popular.

Em plena aclamação,
A voz de um povo,
É a prova e o eco
De toda fama humana.

            Ellicott

Com vozes de júbilo. *Cânticos em altas vozes* (*Revised Standard Version*), que expressam alegria ou triunfo (*King James Version*). *Elohim* (o Poder, o Todo-poderoso) é endereçado aqui, e também *Yahweh* (o Deus Eterno) do vs. 2. Ver no *Dicionário* o verbete denominado *Deus, Nomes Bíblicos de*.

■ **47.2,3** (na Bíblia hebraica corresponde ao **47.3,4**)

כִּי־יְהוָה עֶלְיוֹן נוֹרָא מֶלֶךְ גָּדוֹל עַל־כָּל־הָאָרֶץ׃

יַדְבֵּר עַמִּים תַּחְתֵּינוּ וּלְאֻמִּים תַּחַת רַגְלֵינוּ׃

Pois o Senhor Altíssimo é tremendo. O Altíssimo (ver as notas em Sl 7.17) é um Rei terrível e seu governo é universal. O monoteísmo, e não o henoteísmo, dominará, e está em foco o *Rei Guerreiro*, conforme demonstra o vs. 3. Para sobreviver, Israel carecia de proteção constante contra os ataques e também de êxito nas ofensivas, a fim de que os inimigos fossem obliterados. Ver as notas em Sl 46.8-11, onde comentei longamente sobre tais ideias. Os reis antigos também tinham de ser guerreiros eficientes. Nenhum homem seria nomeado rei sem tal qualificação. As pequenas nações da Palestina viviam na atividade constante de matar ou ser morto, e era visto como homem virtuoso o bem-sucedido matador em massa.

Um rei terreno era considerado dotado e inspirado pelo Rei celestial, o *Senhor dos Exércitos* (ver a respeito no *Dicionário*). Para que um rei se tornasse monarca universal (subjugando todas as nações em redor), ele também precisava exercer poder sobre todas as nações próximas e ter posto *o pescoço de seus povos sob os seus pés*, o que significa vitória e humilhação total para os derrotados (vs. 3).

As mulheres se alegravam e, cantando alternadamente, diziam: Saul feriu os seus milhares, porém Davi os seus dez milhares.

            1Samuel 18.7

Davi, o *rei ideal* (ver 1Rs 15.3), naturalmente tinha de ser o *guerreiro ideal*. Ele provou que era exatamente isso ao subjugar *oito* povos (2Sm 10.19). Aos povos que não aniquilou, ele confinou; e foi assim que Salomão, filho de Davi, conseguiu impor a *época áurea* de paz, embora o reino de Israel continuasse expandindo-se territorialmente.

Os hebreus transferiram os feitos heroicos de Davi a Yahweh e imaginavam que Yahweh fosse, em forma grandemente aumentada, o que Davi era em miniatura. Assim sendo, obtemos um conceito de Deus que não é muito atrativo para os ideais cristãos. Mas os cristãos também transferem para a era milenar esse tipo de programa. "A subjugação de nações estrangeiras foi experimentada, em pequena medida, na história de Israel, mas isso será especialmente verdadeiro na vindoura era do milênio" (Allen P. Ross, *in loc.*).

Yahweh começou sua "carreira bem-sucedida" sujeitando as divindades cananeias que apoiavam os exércitos cananeus. A partir dali, ele derrotou os deuses de todas as nações, cada qual com seu exército terreno que guerreava o tempo todo. Ao sujeitar militarmente potências estrangeiras, Israel foi capaz de conquistar *terras*, tornar-se uma nação, erguer-se poderosamente e assim cumprir diversas provisões do *pacto abraâmico* (ver as notas a respeito em Gn 15.18).

"Temos aqui a menção não a uma obra da graça, mediante a qual os preconceitos humanos são vencidos, e seu coração é ganho para o Senhor, mas a uma obra de julgamento contra os adversários (Is 60.14,15; 62.10-12; 63.1-4)" (Fausset, *in loc.*). Mas ver Is 11.9, quanto ao lado remidor da moeda. Seja como for, Yahweh é feito aqui um super-Josué; a terra que ele subjugará é a terra inteira. Cf. Fp 2.10 ss., quanto ao ministério redentor e restaurador de Jesus, o Cristo. E ver as notas expositivas sobre essa passagem no *Novo Testamento Interpretado*.

■ **47.4** (na Bíblia hebraica corresponde ao **47.5**)

יִבְחַר־לָנוּ אֶת־נַחֲלָתֵנוּ אֶת גְּאוֹן יַעֲקֹב אֲשֶׁר־אָהֵב

סֶלָה׃

Escolheu-nos a nossa herança. A herança de Israel dependia das vitórias na guerra, e somente dessa maneira certos aspectos do *pacto abraâmico* tiveram cumprimento. A futura herança de Israel será muito mais extensa, de modo que só o poder divino poderá valer para a sua conquista. O autor sagrado pensava em Israel governando toda a terra, que se tornará a sua herança, e todas as nações como sujeitas ao seu reino superior.

"Ferozmente partidário de Jacó, a quem ele ama, Yahweh subjugará todos os povos, expropriará suas terras e as transformará em herança para Jacó. Essa é a razão para o convite ao aplauso universal. O quadro assim descrito representa o Rei universal como um guerreiro conquistador que ascenderá ao lugar superior, e que acabara de derrotar os defensores" (J. R. P. Sclater, *in loc.*).

A glória de Jacó. Esta frase, que significa literalmente "a grandiosidade de Jacó", é usada em Na 2.2 para indicar a glória nacional de Israel. Em Ez 24.21, essa frase fala sobre o templo de Jerusalém; mas em Am 6.8 adquire um sentido negativo, "a soberba de Jacó"... Cf. Is 13.19" (Ellicott, *in loc.*). Este autor acredita que o *país* assim referido significa *uma terra excelente*. "Canaã, a terra da qual Israel se orgulhava" (William R. Taylor, *in loc.*). Outros estudiosos opinam que a excelência se refere ao *povo da terra*, conforme pensava John Gill, *in loc.*

UM CONVITE PARA LOUVAR A DEUS, NOSSO REI (47.5-9)

■ **47.5** (na Bíblia hebraica corresponde ao **47.4**)

עָלָה אֱלֹהִים בִּתְרוּעָה יְהוָה בְּקוֹל שׁוֹפָר:

Subiu Deus por entre aclamações. *Yahweh,* que também se chama *Elohim,* o Poder, o Todo-poderoso, tinha conquistado o inimigo. Assim sendo, ele sobe até o ponto mais alto da terra de Israel, para que possa ser visto por todos ao derredor. Ele estava vociferando por causa de sua vitória, tal como os soldados que o acompanhavam, um comum gesto dos vitoriosos. O cortejo é acompanhado pelo sonido das trombetas. Nenhum homem, em parte alguma ao redor, podia duvidar do que tinha acontecido. A subida, neste texto, obviamente é a ascensão ao monte Sião, ao templo (Sl 24), porque é ali que ocorrerá a celebração. Nos tempos antigos, a arca da aliança era carregada em tais cortejos, porquanto isso falava da presença de Yahweh com seu povo. Cf. 2Cr 20.28; Sl 68.17 e Am 2.2. O povo gritava, cantava, batia palmas e louvava o Rei vitorioso, porquanto ele tinha acalmado a cena de guerra por algum tempo, e assim eles teriam descanso.

Subiu. "Verbos como este eram usados quando um cortejo de um terreno estava avançando (1Rs 1.40)" (William R. Taylor, *in loc.*).

Canto o grande poder de Deus,
Que fez os montes se elevarem;
Que espalhou os mares transbordantes,
E construiu os céus altíssimos.

Canto à Sabedoria que ordenou
Que o sol governasse o dia;
Que a lua brilhasse cheia ao seu comando,
E que todas as estrelas obedecessem.

Joseph Parker

■ **47.6** (na Bíblia hebraica corresponde ao **47.7**)

זַמְּרוּ אֱלֹהִים זַמֵּרוּ זַמְּרוּ לְמַלְכֵּנוּ זַמֵּרוּ:

Salmodiai a Deus. Em Israel, o ministério da música sempre se revestiu de grande importância. O culto no templo era acompanhado por músicos profissionais escolhidos. Ver 1Cr 25. Assim sendo, os cortejos eram acompanhados por vários instrumentos musicais, o sonido das trombetas e o cântico dos levitas e do povo comum que se associava aos cortejos. Yahweh, o Rei universal, em seu triunfo, excitava a ruidosa aclamação da parte do povo. Havia profundo zelo patriótico, e nenhum homem podia manter-se tranquilo.

Cantai louvores. Só neste versículo, esta frase, juntamente com "salmodiai a Deus", é repetida por quatro vezes. O Poder (Elohim) é o objeto desses cânticos, porquanto ele é o Benfeitor singular do povo. Cantai louvores significa, literalmente, "tocai a harpa", pois era esse instrumento musical que, com tanta frequência, acompanhava os cânticos, pelo que os sons musicais que ele produz representam os próprios louvores. "... sente tua obrigação diante de Deus; expressa isso por meio de teus agradecimentos; sê agradecido, até mesmo eternamente agradecido a Deus, teu Rei" (Adam Clarke, *in loc.*). Cf. Lc 24.53, a experiência de Jesus em sua entrada triunfal em Jerusalém.

Prossegue, ó Rei Eterno,
O dia da marcha chegou.
Doravante, em campos de conquista
Tuas tendas serão o nosso lar.
Através de dias de preparação,
tua graça nos tem fortalecido,
E agora, ó Rei Eterno,
Entoamos nosso cântico de batalha.

Ernest W. Shurtleff

■ **47.7** (na Bíblia hebraica corresponde ao **47.8**)

כִּי מֶלֶךְ כָּל־הָאָרֶץ אֱלֹהִים זַמְּרוּ מַשְׂכִּיל:

Deus é o rei de toda a terra. Homens dotados de compreensão saberão a razão para o cortejo de alegria e louvor. As coisas tinham sido bem arrumadas: Elohim se tornara o Rei de toda a terra. Haviam terminado os dias de derrota e hesitação, ou de propósitos parcialmente cumpridos. A grande realização tivera lugar. Ela fora divina, e os beneficiários eram seres humanos.

Salmodiai. Está em pauta um dos salmos didáticos, cujo subtítulo contém a palavra hebraica *masquil*. Homens instruídos cantam um salmo de instrução, para que o povo de Israel pudesse entender o que significava Elohim ter-se tornado Rei de toda a terra. "*Compreendei* o que estais cantando; *senti* o que estais entendendo; permiti que o cântico vos forneça *instrução*" (Adam Clarke, *in loc.*). O Targum diz aqui: "com bom entendimento". Talvez Paulo tivesse aludido a este versículo, em 1Co 14.15: "... cantarei com o espírito, mas também cantarei com a mente".

■ **47.8** (na Bíblia hebraica corresponde ao **47.9**)

מָלַךְ אֱלֹהִים עַל־גּוֹיִם אֱלֹהִים יָשַׁב עַל־כִּסֵּא קָדְשׁוֹ:

Deus reina sobre as nações. *O Grande Feito Tinha Sido Cumprido.* Elohim, uma vez louvado somente em Israel, agora se assenta no *trono do universo.* Espantosa vitória fora obtida, e Israel, acima de todos os povos, dela se beneficiará, porquanto é o Deus deles que estará entronizado.

O trono de Deus é *santo* porquanto ele, o Legislador, o estabeleceu e sua lei governa a todas as nações.

A terra se encherá do conhecimento do Senhor, como as águas cobrem o mar.

Isaías 11.9

"Deus reina sobre os pagãos quando, mediante a prédica do evangelho, eles são trazidos à igreja de Cristo" (Adam Clarke, *in loc.*, cristianizando o texto). O trono de Deus é o lugar de julgamento e justiça. A santidade é proclamada dali, em harmonia com a lei divina. Ver Sl 1.2, quanto a um sumário de ideias acerca da lei. O Logos-Cristo termina sua missão e se assenta à direita do trono de Deus (ver Hb 1.2).

Senhor de todos os seres, entronizado ao longe,
Tua glória flameja do sol e das estrelas,
Centro e alma de todas as esferas,
Mas perto de cada coração amoroso quão próximo.

Oliver Wendell Holmes

■ **47.9** (na Bíblia hebraica corresponde ao **47.10**)

נְדִיבֵי עַמִּים נֶאֱסָפוּ עַם אֱלֹהֵי אַבְרָהָם כִּי לֵאלֹהִים
מָגִנֵּי־אֶרֶץ מְאֹד נַעֲלָה:

Os príncipes dos povos se reúnem. *Príncipes,* neste caso, devem limitar-se aos príncipes de Israel, que tomarão a liderança na nova economia. O Deus deles, *Elohim,* é o Rei, e eles são os seus súditos, os seus príncipes, os seus delegados, aqueles que cumprirão missões e o ajudarão a governar o mundo. Eles são o povo do *pacto abraâmico* (ver notas expositivas a respeito, em Gn 15.18), e receberão as provisões daquele pacto, e de muito mais, porquanto, nas mãos do Rei, muito mais se cumprirá do que foi antecipado naquela aliança.

"Para os judeus dos tempos pós-exílicos, a festa do Ano Novo, com a cerimônia da entronização de Yahweh, era uma previsão do tempo em que os reinos do mundo se tornariam o reino do Senhor. Cada retorno daquele evento mantinha viva a expectativa de que o evento estava próximo. O vs. 9 deixa claro que, no pensamento deles, o império do Senhor e o império do povo do Deus de Abraão eram termos convertíveis. Cf. Zc 8.20-23" (William R. Taylor, *in loc.*).

A Deus pertencem os escudos da terra. Os povos derrotados desfizeram-se de seus escudos. Não tinham mais necessidade deles. A guerra havia terminado. E então, quando a paz se completou e se tornou firme, até mesmo os vitoriosos lançaram os escudos por terra. A guerra tinha acabado. Todos aqueles escudos tornaram-se propriedade de Elohim, o Rei vitorioso. Quanto ao cumprimento cristão de tudo isso, ver Fp 2.9 ss., comentado no *Novo Testamento Interpretado*. O Antigo Testamento apresenta a questão mediante termos militares. O Novo Testamento a apresenta como uma realização da missão salvadora-restauradora de Cristo. Dizer menos do que isso é limitar o escopo da missão de Cristo. Onde quer que os homens estejam, Cristo pode atingi-los.

Alguns estudiosos personificam esses escudos, fazendo deles poderes (homens) que antes os embraçavam. Os próprios escudos se prostram diante de Elohim. Tinham sido escudos (protetores) de seu povo, e encabeçavam facções em oposição. Agora, porém, eles se tinham unido para formar uma única companhia que se tornou a companhia dos servos do Rei celeste. "Escudos, isto é, governantes. Cf. Sl 89.18" (*Oxford Annotated Bible*, comentando o vs. 9).

SALMO QUARENTA E OITO

Quanto a *informações gerais* que se aplicam a todos os salmos, ver a introdução ao Salmo 4, onde apresento *sete* comentários que elucidam a natureza do livro. Quanto às *classes* dos salmos, ver o gráfico no início do comentário, que atua como uma espécie de frontispício da coletânea. Dou ali dezessete classes e listo os salmos pertencentes a cada uma delas.

Este salmo é um dos cânticos de Sião, que celebram sua beleza e segurança, bem como os benefícios recebidos da parte do poder divino. Visto que este salmo é tão prenhe de ação de graças, também tem sido classificado entre aqueles que oferecem louvor e agradecimentos especiais. Trata-se de um dos cânticos de peregrinos de Sião, entoado pelo povo que fazia peregrinações ao templo de Jerusalém. Cf. Sl 137.3; Is 26.1; 27.2-5; Jr 31.23. "Entre eles estão incluídos os hinos entoados ou recitados pelos peregrinos que subiam a Jerusalém para se unir aos festivais sagrados. Cf. Sl 84; 87; 122 e 126" (William R. Taylor, *in loc.*). As peregrinações a Jerusalém eram ocasiões especiais. A lei requeria que todos os adultos do sexo masculino (Hb) viajassem a Jerusalém três vezes por ano, na Páscoa, no Pentecoste e na Festa dos Tabernáculos. Mas, na realidade, alguns tinham muita dificuldade em cumprir essa exigência, ou talvez a pudessem cumprir apenas algumas vezes em sua vida. As mulheres e as crianças não eram acompanhantes usuais nessas jornadas. Provavelmente o salmo à nossa frente é um salmo pós-exílico. A Septuaginta, em seu subtítulo, subentende que o Salmo 48 veio a ser comumente usado nas reuniões de sinagoga, pelo que não se confinava às peregrinações.

Subtítulo. Temos aqui "Cântico. Salmo dos filhos de Coré", um título comum dos salmos, comentado na introdução ao Salmo 42, onde o leitor curioso poderá fazer a consulta. Os subtítulos não eram parte original das composições, pelo que não têm autoridade canônica. Cerca de metade dos salmos tem sido atribuída a Davi, um exagero, embora, sem dúvida, ele tenha composto alguns deles. Músicos-escribas profissionais, como os filhos de Coré, também compuseram alguns salmos, mas não necessariamente todos os que lhes são atribuídos.

"O Salmo 48 é um cântico acerca de Sião, a cidade de Deus, o grande Rei. Nos seus louvores a Deus, que ama a Jerusalém, o salmista entoou as glórias e a segurança da cidade, porque o Senhor a tinha livrado de todos os seus adversários. Com base nessa percepção, o poeta ofereceu louvores a Deus" (Allen P. Ross, *in loc.*).

■ **48.1** (na Bíblia hebraica corresponde ao **48.1,2**)

שִׁיר מִזְמוֹר לִבְנֵי־קֹרַח׃

גָּדוֹל יְהוָה וּמְהֻלָּל מְאֹד בְּעִיר אֱלֹהֵינוּ הַר־קָדְשׁוֹ׃

Grande é o Senhor e mui digno de ser louvado. Os *hebreus*, que sempre foram um povo extremamente religioso, exaltaram *Elohim* como o Deus de Jerusalém. Ali ele pôs a sua lei e manifestou a sua presença. Yahweh, outro dos nomes de Deus, que significa *Eterno*, é aqui chamado de "grande", e por isso deve ser louvado grandiosamente. Deus é o cabeça de Jerusalém, como se fosse o governador da cidade-estado. "Sião era o monte no qual a santidade de Deus estava entronizada, sendo esse o local do templo, ou seja, o centro espiritual da cidade de Deus" (Fausset, *in loc.*).

"O salmista começa seu *hino a Sião,* louvando o Senhor de Sião, porquanto através de sua presença é que a cidade santa é o que se descreve sobre ela" (William R. Taylor, *in loc.*).

■ **48.2** (na Bíblia hebraica corresponde ao **48.3**)

יְפֵה נוֹף מְשׂוֹשׂ כָּל־הָאָרֶץ הַר־צִיּוֹן יַרְכְּתֵי צָפוֹן קִרְיַת מֶלֶךְ רָב׃

Seu santo monte. Porquanto esse era o ponto central de onde a lei era administrada a todo o país; ali os sacerdotes e levitas exerciam ofício no culto do templo; ali a lei era supremamente conhecida e ensinada; e ali se manifestava a presença de Deus, e tudo isso tendia para a santidade, da qual a lei era o padrão. Ver Sl 1.2, quanto a um sumário de ideias a respeito.

Quanto aos louvores dados a Yahweh, cf. Sl 18.3. A capital original de Judá foi edificada sobre o monte Moriá. O templo foi construído no cume do monte, e então a cidade foi chamada de Sião, ou então esse vocábulo era aplicado à área do templo. Ver os nomes próprios no *Dicionário*, quanto a detalhes.

Ver no *Dicionário* o artigo intitulado *Sião*. Sião foi construída na colina mais alta, e o templo podia ser avistado desde grande distância. O salmista, um rapaz da cidade, jactou-se de sua beleza. A cidade se tornara uma alegria a todos os homens espirituais de todas as porções do mundo então conhecido, visto que o comércio misturava os povos. Além disso, por causa da presença de Deus e de sua *lei distintiva*, a cidade era um motivo de alegria para todos os homens espirituais e sábios, sem importar onde vivessem.

O monte Sião tem sido identificado com a colina na região norte da cadeia montanhosa daquela área. Parecia alcançar os céus, e, se os pagãos fossem os proprietários do lugar, certamente teria sido chamada de lar dos deuses. Cf. Is 14.13; Ez 1.4; Enoque 24.2,3 e 25.3. Os pagãos costumavam falar sobre a montanha mística no norte, onde os deuses estavam perenemente reunidos em assembleia, e o salmista aproveitou-se dessa alusão, fazendo de Sião uma atração para todos os homens espirituais. Nos tabletes de *Ras Shamra*, a montanha cananeia dos deuses era chamada *Zaphon*, palavra que significa "norte".

Os viajantes ficavam admirados diante do esplendor de Sião. Não era uma cidade na qual se vagueasse ou se fizesse turismo. Era um lugar sério, que elevava o coração dos homens até os céus.

"O templo ficava na parte norte do monte Sião (Is 14.13). O altar e o portão que dava acesso ao altar ficavam no lado norte do templo, e era ali que estavam localizadas as mesas sobre as quais se abatiam os animais sacrificados (Lv 1.11)" (John Gill, *in loc.*, o qual exagerou quanto às declarações sobre o norte, ao prosseguir dizendo que a igreja cristã cresce para o norte, o que ele aplicava às igrejas protestantes, chamadas por Roma de *heresia do norte*).

A cidade do grande Rei. Ou seja, a cidade de Yahweh-Elohim. Ver sobre o salmo de entronização, o Salmo 47, onde isso é destacado com abundantes detalhes.

Ó Sião, apressa tua missão elevada e cumpre-a,
Dizendo ao mundo inteiro que Deus é Luz.
Que aquele que fez todas as nações não quer
Que uma só alma pereça, perdida nas sombras
da noite.

Mary A. Thomson

■ **48.3** (na Bíblia hebraica corresponde ao **48.4**)

אֱלֹהִים בְּאַרְמְנוֹתֶיהָ נוֹדַע לְמִשְׂגָּב׃

Nos palácios dela. *Elohim tornou-se mundialmente famoso*, devido à propagação das doutrinas da lei por parte de Israel. Tornou-se conhecido que nos palácios de Jerusalém existiam uma cidadela e uma fortaleza. Mas a *Revised Standard Version* diz: "Dentro das cidadelas, Deus tem-se mostrado uma defesa segura", e é mais ou menos assim que a nossa versão portuguesa manuseia o hebraico do texto. "Deus é conhecido experimentalmente como tal lugar alto, ou defesa de seus palácios. Cf. Pv 18.10" (Fausset, *in loc.*).

Quanto à palavra "refúgio", ver Sl 46.1. Cf. o vs. 13 do salmo presente. "A proeminência deveria ter dado ideia de segurança, devido à *altura*". Poderíamos traduzir aqui por: "Deus, entre seus castelos, é conhecido como uma torre elevada e segura" (Ellicott, *in loc.*). "Todos os que adoram em Sião em espírito e em verdade encontram Deus como um refúgio. Mas essa palavra pode ser entendida como se Deus fosse conhecido como a defesa dos palácios da cidade" (Adam Clarke, *in loc.*). Havia palácios em Jerusalém, as esplêndidas residências dos ricos. Ver o vs. 13 e cf. Sl 122.7. A maior e mais digna das características de Sião é que Deus estava ali e provia segurança para os habitantes da cidade.

SIÃO É LIBERTADA DE SEUS INIMIGOS (48.4-8)

■ **48.4** (na Bíblia hebraica corresponde ao **48.5**)

כִּי־הִנֵּה הַמְּלָכִים נוֹעֲדוּ עָבְרוּ יַחְדָּו׃

Por isso, eis que os reis se coligaram. Embora fosse conhecida como virtual fortaleza, onde Yahweh havia posto a sua bênção e a sua presença, Jerusalém não estava isenta de ataques por parte de adversários hostis. Reis chegavam para atacá-la, mas ficavam perplexos diante do que viam. Isto posto, mudavam de ideia e esqueciam a guerra. Naturalmente, os reis em derredor invejavam o poder e as riquezas de Jerusalém, e não ficavam convencidos de maneira alguma quanto àquela "conversa sobre Elohim". Enquanto a taça da iniquidade de Israel não se encheu, Jerusalém foi invencível. O pecado pôs fim a tudo isso, conforme demonstrou a história subsequente, por meio dos cativeiros assírio e babilônico, e, mais tarde, dos poderes da Pérsia, da Grécia e de Roma. Israel era sempre derrotado por algum invasor, embora se declarasse fiel a Yahweh. Mas houve um tempo, especialmente durante o fim do reinado de Davi, e depois no reinado de Salomão, em que Jerusalém era virtualmente imbatível. Davi tinha aniquilado *oito nações* pagãs, e aquelas que não conseguiu aniquilar, pelo menos as confinou. Ver 2Sm 10.19. Salomão tornou-se um rei virtualmente invencível. Mas se este salmo é de origem pós-exílica, então é difícil situá-lo na linha do tempo, a menos que estejam em pauta os triunfos dos macabeus. Ou então o poeta sacro falava em termos *idealistas*, e não históricos. "Reis, evidentemente conhecidos pelo autor, mas são meras conjecturas para nós... Os toques, por mais vívidos que sejam, não são tão historicamente definidos a ponto de permitir que a questão tenha solução plena" (Ellicott, *in loc.*).

Algumas conjecturas quanto a situações históricas são os casos de Rezim e Peca (ver Is 7.1-25), ou de Senaqueribe (ver Is 14.24-27; 29.1-24; 36.1—37; 38), além daquelas referidas acima. *Profeticamente* falando, podemos imaginar a era do reino, mas não é provável que este versículo tenha por propósito prever como as coisas serão, finalmente. Contudo, diz a *Oxford Annotated Bible*: "Quando, nos *últimos dias*, os povos pagãos se aliarem e atacarem a cidade de Deus, eles serão derrotados. Cf. Ez 38—39; Zc 12 e 14; Ap 20.9,10".

■ **48.5** (na Bíblia hebraica corresponde ao **48.6**)

הֵמָּה רָאוּ כֵּן תָּמָהוּ נִבְהֲלוּ נֶחְפָּזוּ׃

Bastou-lhes vê-lo, e se espantaram. Os *reis arrogantes* tiveram toda a sua altivez arrebatada mediante um olhar para a cidade fortificada de Jerusalém. Eles sabiam estar destinados a tremenda derrota, pelo que retrocederam e fugiram, antes que os soldados de Israel pudessem ser enviados para atacá-los. Eles ficaram estupefacados diante do que viram, o deus Pan espalhou-se por suas fileiras, e eles perderam a coragem e fugiram. *Pânico:* no grego, *panikos*, palavra derivada de Pan, o inspirador de um *terror súbito*, segundo a mitologia grega. Este é um versículo semelhante a Sl 46.6, que se fizera vívido devido à omissão de conjunções supridas pelos tradutores, os quais amorteceram assim o seu impacto. Este versículo nos faz lembrar da declaração de César: *Veni, vidi, vinci*. Cf. Zc 11.2 e Is 13.6,7. A apresentação idealista do poeta só tem confirmação histórica superficial. Usualmente, Jerusalém era tomada, saqueada e destruída por exércitos estrangeiros, e o pecado, especialmente a apostasia, isto é, a idolatria, recebia a culpa.

■ **48.6** (na Bíblia hebraica corresponde ao **48.7**)

רְעָדָה אֲחָזָתַם שָׁם חִיל כַּיּוֹלֵדָה׃

O terror ali os venceu. Este versículo descreve a *agudeza* do temor e da dor, tal como uma mulher subitamente apanhada nas dores do parto. Essas dores são tanto súbitas quanto extremas (1Ts 5.3), pelo que a figura é apta quanto à descrição em mãos. Isto posto, o inimigo se apressou na fuga, ou seja, desertou da localidade. "Aqui estava algo além das histórias que eles tinham ouvido. A admiração transformou-se em desânimo, e o desânimo tornou-se o ímpeto de fugir. Mas antes de se voltarem para fugir, foram feridos por um estranho temor que os fez estremecer e lhes induziu violentas e involuntárias perturbações nas vísceras. Aquele não era um lugar no qual demorar" (J. R. P. Sclater, *in loc.*).

■ **48.7** (na Bíblia hebraica corresponde ao **48.8**)

בְּרוּחַ קָדִים תְּשַׁבֵּר אֳנִיּוֹת תַּרְשִׁישׁ׃

Com vento oriental destruíste as naus de Társis. *Uma grande potência marítima* foi quebrada e afundada pelo vento oriental de Deus, pelo que os poderes do Senhor se estendiam para além de Jerusalém e apanharam de surpresa os inimigos de Israel, antes que eles tivessem tempo de invadir o território israelita. Talvez o que o autor sacro quisesse dizer era que os invasores que tinham chegado a Jerusalém a fim de atacá-la, foram punidos a caminho de volta para Társis, por sua insolência, e afundados pelo vento oriental, enviado por Deus. A figura parece ser a disposição de um exército terrestre que estava voltando à pátria por via marítima. O caso da frota de Josafá nos vem à mente (1Rs 22.48,49; 2Cr 20.36), mas dificilmente isso se coaduna com a história que temos aqui.

Alguns estudiosos supõem que as palavras do texto não devam ser entendidas literalmente, mas, antes, representem uma figura que descreve a total e completa destruição de um exército que contava com forças de infantaria, *como se* essa destruição tivesse acontecido por um tufão poderoso que afundou toda a frota. Seja como for, a expressão *vento oriental* é empregada com frequência em declarações concernentes a acontecimentos destruidores e injuriadores que ocorrem súbita e eficazmente, quer tais acontecimentos tenham sido provocados por fortes ventos literalmente, quer por alguma outra força figuradamente, *parecida* com o vento. Ver no *Dicionário* o verbete chamado Társis. Ver 1Rs 10.22.

Quando ouvimos falar em Társis, pensamos no comércio e no poder marítimo que se estendia até a Espanha, a extremidade ocidental do mundo mediterrâneo. Cf. Ez 27.26. Os navios de Társis tinham dimensões suficientes para permitir-lhes viagem dos portos orientais do mar Mediterrâneo, na Fenícia, até o porto de Tartesso, na Espanha. Aqui devemos pensar em um poderoso império que poderia ter liquidado Jerusalém, não fora a intervenção divina que o impediu. Alguns estudiosos tomam este versículo para referir-se ao livramento de Jerusalém, quando os assírios invadiram o reino do norte (Israel). Ver Is 10.8; 33.3,6.

■ **48.8** (na Bíblia hebraica corresponde ao **48.9**)

כַּאֲשֶׁר שָׁמַעְנוּ כֵּן רָאִינוּ בְּעִיר־יְהוָה צְבָאוֹת בְּעִיר
אֱלֹהֵינוּ אֱלֹהִים יְכוֹנְנֶהָ עַד־עוֹלָם סֶלָה׃

Como temos ouvido dizer. Os reis averiguaram a veracidade das histórias fabulosas que tinham ouvido, e até usaram a terminologia dos hebreus: verdadeiramente Yahweh, o Capitão dos Exércitos, era o chefe da cidade. Ou então temos aqui palavras de *peregrinos hebreus*, que até ali só haviam ouvido falar na grandiosidade de Jerusalém, mas agora tinham a oportunidade de verificar pessoalmente a questão. Isso se ajusta melhor às palavras "nosso Deus", ou seja, o Poder, de quem somos súditos. O Todo-poderoso manterá sua obra de proteção de Sião, a fim de que essa feliz condição dure *para sempre*, o que é um exagero, usado por licença poética. As gerações de uma nação religiosa estão vinculadas umas às outras pela sua piedade natural.

"Como é claro, o vs. 8 só pode ter sido proferido por pessoas cujos lares não estavam em Jerusalém, para quem uma visita à cidade era a grande experiência da vida" (William R. Taylor, *in loc.*).

Para sempre. *Idealmente,* por meio de uma licença poética nas expressões, ou *profeticamente,* em referência à era do reino, quando haverá o cumprimento da profecia.

> *Nos últimos dias acontecerá que o monte da casa do Senhor será estabelecido no cume dos montes, e se elevará sobre os outeiros, e para ele afluirão todos os povos.*
>
> Isaías 2.2

Selá. Ver as notas expositivas sobre esta palavra de significado incerto, em Sl 3.2. Cf. Is 33.20; 57.7 e Sl 87.5.

LOUVORES AO AMOR DE DEUS (48.9-14)

■ **48.9** (na Bíblia hebraica corresponde ao **48.10**)

דִּמִּינוּ אֱלֹהִים חַסְדֶּךָ בְּקֶרֶב הֵיכָלֶךָ׃

Pensamos, ó Deus, na tua misericórdia. Os habitantes da cidade aliam-se aos peregrinos, que eram recém-chegados, para proferir palavras de louvor. Elohim havia demonstrado sua *misericórdia* (nossa versão portuguesa) ou seu *amor constante* (*Revised Standard Version*). Esses louvores soaram no monte Sinai, próximo do templo, a principal atração da cidade. Devemos pensar aqui em sacrifícios e oferendas, acompanhados pelo cântico de hinos e instrumentos musicais. Os homens faziam promessas e votos, e dedicavam-se uma vez mais a Yahweh. Era um tempo de celebração e reavivamento nacional. Este versículo sem sombra de dúvida indica que o salmo era usado para propósitos litúrgicos. "Fomos ao templo te adorar. Meditamos sobre a tua bondade. Esperamos por uma oportunidade de dar a ti nossos louvores" (Adam Clarke, *in loc.*).

Misericórdia. "Ou *amor constante* (*Revised Standard Version*)" (Allen P. Ross). O hebraico original diz *hesed*, que pode significar *amor leal*.

> Agora agradecemos todos ao nosso Deus;
> Com o coração, mãos e vozes,
> Àquele que fez coisas maravilhosas,
> Em quem este mundo se regozija.
> O qual, desde os braços de nossa mãe
> Nos tem abençoado pelo caminho
> Com incontáveis dádivas de amor,
> E continua nosso hoje em dia.
>
> Martin Rinkart

■ **48.10** (na Bíblia hebraica corresponde ao **48.11**)

כְּשִׁמְךָ אֱלֹהִים כֵּן תְּהִלָּתְךָ עַל־קַצְוֵי־אֶרֶץ צֶדֶק מָלְאָה יְמִינֶךָ׃

Como o teu nome, ó Deus. Elohim é o Deus Todo-poderoso e tem um nome poderosamente bom, conhecido universalmente. O *nome* de alguém, nos dias da antiguidade, representava a pessoa, bem como suas qualidades e atributos. Ver no *Dicionário* o verbete intitulado *Atributos de Deus*. Ver as notas sobre o artigo *Nome*, em Sl 31.3. Quanto a *Santo Nome,* ver Sl 30.4 e 33.21. Deus deve ser louvado de modo comensurável com o seu nome, e isso universalmente, ou seja, até os "confins da terra". O *nome* e a *fama* de Deus são a mesma coisa. Deus tem adquirido para si mesmo uma reputação significativa. Cf. Sl 138.2:

> *Prostrar-me-ei para o teu santo templo, e louvarei o teu nome, por causa da tua misericórdia e da tua verdade, pois magnificaste acima de tudo o teu nome e a tua palavra.*

A tua destra está cheia de justiça. Usualmente, a *mão direita* é o instrumento para a realização de feitos poderosos, como a guerra ou a destruição de inimigos. Aqui, porém, a mão direita é o instrumento de toda espécie de feitos retos, atos benévolos em favor do ser humano. Ver sobre a *mão direita* em Sl 20.6. Naturalmente, *julgar retamente* também é um ato de justiça, sendo provável que o autor tenha incluído isso em sua declaração geral. Elohim, à semelhança do Zeus dos pagãos, lança seus *raios,* mas ele faz mais do que isso com a sua mão direita. "... com atos salvadores ou vitórias, em vindicação da retidão" (William R. Taylor, *in loc.*). Este versículo foi cristianizado para referir-se aos atos de salvação da missão de Cristo. E lembramos que ele está à *mão direita* de Deus Pai, a posição de poder e autoridade (Hb 1.3).

■ **48.11** (na Bíblia hebraica corresponde ao **48.12**)

יִשְׂמַח הַר־צִיּוֹן תָּגֵלְנָה בְּנוֹת יְהוּדָה לְמַעַן מִשְׁפָּטֶיךָ׃

Alegre-se o monte de Sião. Os louvores estão aqui limitados ao reino do sul, *Judá,* cuja capital era Jerusalém. Quase certamente isso indica uma data pós-exílica, quando somente a tribo de Judá supriu gente para reiniciar Israel.

Sião Regozijava-se. O centro fora preservado. O templo fora reconstruído. Os juízos divinos operavam em favor do *remanescente* de Israel. Jerusalém e as cidades-filhas de Judá tinham muito para louvar a Deus. As decisões e os atos graciosos de Deus tinham mesmo de ser louvados, o que, provavelmente, é o significado de "juízos", aqui. *Tratamentos costumeiros* é o sentido dessa palavra, mais ou menos como o que aparece em Sl 119.132:

> *Volta-te para mim, e tem piedade de mim, segundo costumas fazer aos que amam o teu nome.*

"... Teu caráter manifestado (Sl 20.1)" (Fausset, *in loc.*), um caráter de majestade infinita, poder e bondade, o que o louvor humano é incapaz de exaltar adequadamente. Ver Ml 1.11, quanto à operação disso nos últimos dias. Este versículo foi cristianizado para referir-se à missão de Cristo, agora e no futuro, produzindo benefícios universais.

■ **48.12** (na Bíblia hebraica corresponde ao **48.13**)

סֹבּוּ צִיּוֹן וְהַקִּיפוּהָ סִפְרוּ מִגְדָּלֶיהָ׃

Percorrei a Sião, rodeai-a toda. O peregrino fez um passeio ao redor de Sião, observou suas muitas maravilhas e disse: "Somente Deus poderia ter feito algo parecido com isto". Em outras palavras, o peregrino teve o coração repleto de louvores a Deus. O homem não era um turista a admirar as paisagens. Antes, era um piedoso observador. São anotadas todas as torres e todas as características topográficas, cada uma delas com o seu próprio significado. A cidade tinha até mesmo resistido a ataques potenciais. As torres de defesa lá estavam intocadas e sem dano algum. A mera presença delas havia intimidado os soldados estrangeiros (vss. 4-6). O templo, naturalmente, era a atração principal. A adoração a Yahweh tinha continuado sem interrupção, a despeito da oposição. "Tinham sido preservadas as torres, as rampas de defesa e as cidadelas" (Allen P. Ross, *in loc.*).

■ **48.13** (na Bíblia hebraica corresponde ao **48.14**)

שִׁיתוּ לִבְּכֶם לְחֵילָה פַּסְּגוּ אַרְמְנוֹתֶיהָ לְמַעַן תְּסַפְּרוּ לְדוֹר אַחֲרוֹן׃

Notai bem os seus baluartes. Jerusalém era, virtualmente, uma fortaleza inexpugnável, com vários tipos de fortificações enumeradas por este versículo, como rampas de defesa, cidadelas e torres. "Sião continuava intacta. Nenhum inimigo fora capaz de danificá-la. Quando os peregrinos voltarem a seus lares, poderão contar à geração seguinte que a cidade era obra de Deus" (William R. Taylor, *in loc.*). Algum dia, aquela nova geração teria oportunidade de ver as maravilhas da cidade pessoalmente, mas, enquanto isso não acontecesse, teriam de confiar na palavra dos mais velhos. "O próprio Senhor é a torre de seu povo, alto e forte, que os garante e os defende de todos os adversários (Sl 18.2; 57.3; Pv 18.10). Os *ministros* do evangelho são inabaláveis e foram postos para defesa da verdade (Jr 6.27).

As *Escrituras Sagradas* são outra torre de defesa. Elas são harmoniosas entre si, e com base nelas os santos estão munidos com armas de justiça" (John Gill, *in loc.*, com algumas adaptações).

Torre forte é o nome do Senhor, à qual o justo se acolhe e está seguro.

Provérbios 18.10

■ **48.14** (na Bíblia hebraica corresponde ao **48.15**)

כִּי זֶה׀ אֱלֹהִים אֱלֹהֵינוּ עוֹלָם וָעֶד הוּא יְנַהֲגֵנוּ עַל־מוּת׃

Este é Deus. *Elohim* (o Poder) e *Yahweh* (o Eterno) são nomes do Deus louvado ao longo de todo este salmo, aquele em quem se cumpre tudo quanto foi dito, "o nosso Deus para sempre... até a morte". Entretanto, no hebraico pode estar em pauta uma *orientação musical*, e não uma declaração quanto à duração do tempo. No hebraico encontramos aqui as palavras *'al muth'*, postas no final do poema, e não no começo, conforme se vê em Hc 3.19. Ver o Salmo 9, onde parte do subtítulo é exatamente igual. O Salmo 46, onde tento oferecer uma explicação, também contém essas palavras no título. O fato de que Deus será o Deus do homem *para sempre* subentende a sobrevivência da alma e sua continuação em alguma espécie de lugar bom, embora essa doutrina não tivesse ainda sido desenvolvida nos Salmos. Existem apenas indícios, aqui e acolá, e este versículo pode ser um deles. Aqui ou naquele lugar superior, Deus é o nosso *Guia*. E ser guiado pelo Ser divino só poderá ser para o nosso bem.

SALMO QUARENTA E NOVE

Quanto a *informações gerais* que se aplicam a todos os salmos, ver a introdução ao Salmo 4, onde apresento *sete* comentários que elucidam a natureza do livro. Quanto às *classes* dos salmos, ver o gráfico no início do comentário, que atua como uma espécie de frontispício da coletânea. Existem dezessete classes, e listo os salmos pertencentes a cada uma delas.

Este é um *salmo de sabedoria,* uma meditação sobre a transitoriedade da vida e das riquezas materiais. Quanto a outros salmos desse tipo, cf. Sl 1; 37; 49; 73; 122 e 128. O poeta sagrado instruía os homens quanto às questões e aos valores fundamentais da vida. Ver sobre a literatura de sabedoria dos hebreus no artigo intitulado *Sabedoria, Literatura de.* Os críticos opinam que esse tipo de literatura foi um desenvolvimento bastante tardio na literatura dos hebreus, pelo que os salmos que representam tal modalidade de composição são considerados tardios demais.

O Governo Divino. Também sempre foi uma doutrina padronizada que um homem viverá bem, prosperará e morrerá bem se merecer tal coisa, e o merecimento, com base no Antigo Testamento, vem mediante a observância da lei mosaica. Tantos são, porém, os exemplos de bons que sofrem de má saúde, pobreza, calamidades e morte prematura, bem como de outros produtos do caos, que os homens começaram a pôr em dúvida o governo de Deus. O livro de Jó examina longamente o *Problema do Mal.* Ver tal assunto no *Dicionário.* No livro de Jó, pois, encontramos algumas respostas preliminares para o problema do mal, mas ali o problema fica realmente sem solução; e até hoje esse problema continua insolúvel. O cristianismo injetou a imortalidade na questão, como aquilo que cura qualquer mal terreno, e essa foi uma excelente adição. Mas nem isso explica por que homens bons sofrem *neste mundo,* nem por que sofrem como sofrem, de maneiras aparentemente inúteis.

Teólogos e filósofos desenvolveram suas *teodiceias,* na tentativa de justificar Deus em face de sofrimentos aparentemente sem razão, em que nem sempre reconhecemos a operação da *Lei Moral da Colheita segundo a Semeadura* (ver a respeito no *Dicionário*). Ver também no *Dicionário* o artigo chamado *Teodiceia,* quanto a comentários adicionais.

O salmo sobre o qual ora comentamos não resolve para nós o problema do mal. Pelo contrário, deixa o homem em sua miséria e não confere à nossa mente nenhuma esperança, tal e qual faz o livro de Eclesiastes em algumas de suas passagens. "Como é óbvio, o autor sacro viveu em uma época na qual a antiga crença de equilíbrio entre o mérito e as recompensas (ver Dt 28) estava sendo sujeitada à crítica, à luz dos duros fatos da vida. Em Provérbios, Jó e Eclesiastes, bem como em Sl 37 e 73, vemos quão grandemente a mente dos homens de Israel se ocupava do problema do governo divino do mundo que, por um lado, permitia que não somente homens ímpios escapassem da pena que mereciam receber, mas também desfrutassem das coisas boas no mundo, e, por outro, negava a almas boas sucesso e felicidade. O autor do Salmo 37 buscou aliviar o peso da questão ao postular que Deus trata com os homens mediante uma lei imutável de *justiça retributiva,* e, no decorrer dos dias, os piedosos serão devidamente vindicados.

O autor do Salmo 49 abordou a questão de uma maneira mais fundamental e, por conseguinte, mais satisfatória. Ele enfrentou os fatos com honestidade e aceitou a vida tal e qual ela é. Ele não esperava que algum dia os justos fossem enriquecidos nesta terra, e que os ímpios fossem humilhados e derrubados... "Mas, uma vez que os homens se apercebessem da *indignidade* básica das riquezas materiais, se desvaneceria o problema que agitava sua mente" (William R. Taylor, *in loc.*). Essas notas são boas até certo ponto, mas devemos lembrar que ser rico ou não é uma questão pequena, em comparação com os duros *sofrimentos.* Seja como for, não há nos salmos apelo algum à imortalidade da alma, nem um equilíbrio das contas no pós-vida. O autor sacro jamais contemplou essa possibilidade, embora outros salmos toquem no assunto. As doutrinas da recompensa e da punição, para além do sepulcro, entraram tarde na fé dos hebreus. Essas doutrinas desenvolveram-se no período entre o Antigo e o Novo Testamento, e mais ainda no período do Novo Testamento.

A sobrevivência da alma ante a morte física, e o que isso significa, tem sido um estudo da ciência moderna, e atualmente possuímos bem maior carga de informações que os antigos. Ver na *Enciclopédia de Bíblia, Teologia e Filosofia* o artigo chamado *Experiências Perto da Morte,* além de vários verbetes que tratam da questão da *Imortalidade.* Esses artigos incluem o que a ciência está descobrindo em nossos dias, e faríamos bem em conhecer tais descobertas. O conhecimento só nos pode fazer tirar proveito. Quanto à nossa *gnosiologia,* não devemos depender somente das revelações e dos livros sagrados. Deus é o grande Conhecedor, pelo que devemos esforçar-nos por *saber* das coisas.

O vs. 15 tem sido visto por alguns intérpretes como uma expressão da esperança na imortalidade, mas para certos estudiosos esse versículo não envolve nada disso. Ver os comentários ali. Se se trata de uma declaração de "esperança quanto ao outro mundo", o autor sagrado não usou de modo eficaz essa doutrina para lançar luz sobre o problema do mal e das injustiças na presente esfera terrestre, *agora mesmo.*

Subtítulo. Neste salmo temos o seguinte subtítulo: "Ao mestre de canto. Salmo dos filhos de Coré", o mesmo que encabeça vários outros salmos. Ver comentários na introdução ao Salmo 42. A este subtítulo (do Salmo 49) falta a palavra hebraica *masquil,* que significa "instrução"; mesmo assim o que temos prové um ensino especulativo.

CONVOCAÇÃO PARA QUE TODOS OUÇAM (49.1-4)

■ **49.1** (na Bíblia hebraica corresponde ao **49.1,2**)

לַמְנַצֵּחַ לִבְנֵי־קֹרַח מִזְמוֹר׃

שִׁמְעוּ־זֹאת כָּל־הָעַמִּים הַאֲזִינוּ כָּל־יֹשְׁבֵי חָלֶד׃

Povos todos, escutai isto. O poeta sacro, agitado com o tema e ansioso para dizer algo de valor, convocou todos os interessados a dar estrita atenção ao seu pronunciamento. Ele queria falar a uma audiência universal (todos os habitantes da terra) porque o problema levantado por ele era de natureza universal. Todas as classes de homens têm a experiência necessária para conhecer os enigmas e as agonias envolvidos no sofrimento humano, o problema do mal. Existem *males naturais,* como os abusos da natureza, os incêndios, as inundações, os terremotos, as enfermidades e a morte. Além desses, existem os *males morais,* que incluem os abusos dos homens contra os homens, a violência, a exploração, as guerras etc. Como poderíamos explicar tais abusos (os naturais e os morais) ao mesmo tempo que dizemos que Deus é Todo-poderoso, Todo-conhecedor e Todo-bondoso? Por que ele permite a continuação desses males? Ver o estudo sobre *Problema do Mal* no *Dicionário,* quanto às respostas de que dispomos e as quais buscamos. Ver a introdução ao salmo presente. Nosso autor tentará solucionar o *enigma* por meio de um *provérbio* (ver o vs. 4).

Povos todos. O homem, de modo geral, nasce para as dificuldades, tal como as fagulhas voam para cima, e parecem não conseguir voar em outra direção. Ver Jó 5.7. O problema do mal não atingia somente os hebreus. Era universal.

Quanto a essa declaração de abertura, cf. Dt 32.1; Mq 1.2; Sl 1.7 e Is 1.2. "Os primeiros quatro versículos contêm o *exórdio* do autor, ou seja, a introdução ou exortação, entregue em um estilo muito pomposo, e prometendo as mais profundas lições de sabedoria e instrução. Mas o que era *raro* então é *lugar-comum* atualmente" (Adam Clarke, *in loc.*).

■ **49.2** (na Bíblia hebraica corresponde ao **49.3**)

גַּם־בְּנֵי אָדָם גַּם־בְּנֵי־אִישׁ יַחַד עָשִׁיר וְאֶבְיוֹן׃

Assim plebeus como de fina estirpe. Todos os habitantes do mundo, todos os povos (vs. 1), naturalmente incluem os *importantes* e os *destituídos de importância* (quanto ao poder e à posição social), bem como os *ricos* e os *pobres*. O problema do mal não isenta a nenhum ser humano.

> Feliz aquele que em modesta lida,
> Isento da ambição e da miséria,
> No regaço do amor e da virtude
> A vida passa. Mais feliz ainda
> Se, das turbas ruidosas afastado,
> À sombra do carvalho, entre os que adora,
> Sente a existência deslizar tranquila,
> Como as águas serenas do ribeiro;
> Mas que digo! Nem esse, infindos males,
> Comuns a todos, seu viver não poupam.
>
> Soares Passos, Portugal

■ **49.3** (na Bíblia hebraica corresponde ao **49.4**)

פִּי יְדַבֵּר חָכְמוֹת וְהָגוּת לִבִּי תְבוּנוֹת׃

Os meus lábios falarão sabedoria. O poeta sacro fez *grandes reivindicações*. Ele deve ter sido um teólogo ou filósofo profissional que pensava ter alcançado a sabedoria máxima. Ele se julgava dotado de *sabedoria* e *compreensão* em magnitude suficiente para resolver o problema do mal. Naturalmente, ele se levou a sério demais, embora tenha composto um pequeno mas excelente poema. Seja como for, ele havia meditado sobre a questão. Ele tinha *algo* para dizer, mesmo que não fosse uma declaração definitiva sobre a questão. O homem falava com fervor messiânico, mas homem algum, até mesmo o poeta sagrado, jamais resolveu o enigma do sofrimento humano. Nossas dúvidas são traiçoeiras. Elas nos fazem perder a batalha antes mesmo de começarmos, a batalha que, de outra sorte, teríamos ganho. As dúvidas nos levam a temer tentar grandes coisas. Todavia, o problema com que se defrontava o escritor sagrado não era uma dúvida, mas a *confiança excessiva* de que ele possuía um conhecimento que outros homens ainda não tinham descoberto. E, ademais, quem jamais removeu todas as dúvidas sobre o problema do sofrimento humano?

■ **49.4** (na Bíblia hebraica corresponde ao **49.5**)

אַטֶּה לְמָשָׁל אָזְנִי אֶפְתַּח בְּכִנּוֹר חִידָתִי׃

Inclinarei os meus ouvidos a uma parábola. O termo hebraico para "parábola" é *mashal*, cuja ideia-raiz é *símile*. O poeta apresentou uma canção-provérbio, visto que seu poema tinha por finalidade ser acompanhado por cânticos e instrumentos musicais. Esse termo hebraico pode significar "parábola", "poema" (ver Nm 21.27), "declaração profética" (ver Nm 23.7) ou "declaração de sabedoria" (ver Pv 10.1). Portanto, tem um grande leque de significados. O contexto sugere que o poeta estava apresentando alguma espécie de *oráculo* acerca do qual ele reivindicava inspiração divina. Se esse é realmente o caso, então podemos compreender melhor a excessiva confiança na qualidade de suas respostas para o problema espinhoso.

Decifrarei o meu enigma. O poeta apontava para um *problema difícil*, que não cedia facilmente a exame ou explicação. A raiz da palavra hebraica parece estar relacionada ao termo "nó". Portanto, o homem expunha um problema *dificílimo*, como se fosse um nó cego. O fio estava cheio de nós. Poderia ele desatá-los? A Septuaginta e a Vulgata Latina dizem aqui simplesmente *problema*. Seja como for, poucos *enigmas* são tão profundos quanto o problema do mal.

Afirmação Enigmática. "Os enigmas, quebra-cabeças e mistérios do evangelho, sendo explicados magistralmente, estão abertos e são explicados de maneira extremamente agradável... tornam-se claros e evidentes, e são como um belo cântico acompanhado por uma harpa. Ver Ez 33.32" (John Gill, *in loc.*), o qual, na realidade, foi um grande solucionador de enigmas, especialmente quanto a questões dos hebreus; mas nem mesmo ele sabia tudo, e certamente não sabia como resolver o enigma do problema do mal.

Ao som da harpa. Desde o começo, o poema à nossa frente foi preparado para ser cantado e acompanhado por instrumentos musicais de cordas. Ver 1Cr 25, quanto à importância da música para os antigos hebreus. Eles profissionalizaram a atividade, entregando-a nas mãos de guildas musicais escolhidas dentre os levitas. Essa profissão de músicos era hereditária, e podemos ter certeza de que eles a praticavam intensamente, compondo peças musicais e, de modo geral, tornando o culto do templo mais agradável com suas contribuições musicais. A música tem sido usada como auxílio à meditação e à inspiração. Algumas pessoas podem atingir um estado de transe ouvindo música, e então *coisas criativas* podem ser comunicadas, mesmo que não sejam divinas. Ver no *Dicionário* o verbete intitulado *Música, Instrumentos Musicais*.

A VAIDADE DAS RIQUEZAS (49.5-12)

■ **49.5** (na Bíblia hebraica corresponde ao **49.6**)

לָמָּה אִירָא בִּימֵי רָע עֲוֹן עֲקֵבַי יְסוּבֵּנִי׃

Por que hei de eu temer nos dias da tribulação...? O poeta sagrado começou com uma *declaração geral*. Ele falou em *tempos maus*, e assim atraiu nosso pensamento para o problema do mal. Então afunilou a questão para o problema de homens ímpios serem ricos, ao passo que homens bons eram pobres. É pena que ele tenha colocado demasiada ênfase sobre a questão do dinheiro, e pouca ênfase sobre a questão do *sofrimento*. Para resolver o problema de possuir dinheiro ou não, podemos dizer bravamente: "O dinheiro nada representa, e possuí-lo é uma vaidade". E é precisamente isso que o salmista estava prestes a dizer-nos. Porém, depois de ter dito tal coisa, dificilmente ele fez mais do que arranhar a superfície do problema do mal.

O Poeta Tinha seus Inimigos. Eles chegaram na tentativa de assustá-lo. Ele estava falando aqui sobre o *mal moral*, o sofrimento que os homens causam a outros homens e trazem *tribulação*. Eram perseguidores que rodeavam as suas vítimas, aproximando-se delas para matá-las. Por que um Deus justo e Todo-poderoso permite que eles ajam assim e continuem a fazê-lo? Por que Deus permite que os perversos enriqueçam e gozem das coisas boas da vida, enquanto os justos passam fome?

Por que hei de eu temer...? Os ímpios são pessoas desarrazoadas e cruéis. Eles fazem muitas vítimas. Eles prosperam e prosseguem nesse caminho. Apesar disso, em última análise, eles nada são e seu dinheiro nada representa. O sepulcro haverá de nivelá-los; mas todos os homens serão nivelados juntamente (vs. 10).

O poeta assumiu uma posição pessimista, em que a própria vida é um mal. Ver no *Dicionário* o verbete intitulado *Pessimismo*. Os homens, seus atos maus e seu dinheiro são todos *não entidades*, pois em breve serão reduzidos a nada. Portanto, por que ficaríamos excitados quanto ao processo que parece tão longo mas, na realidade, é tão breve? Podem não entidades meter medo em nós? Meus amigos, isso soa como o *estoicismo* (ver a respeito na Enciclopédia de Bíblia, Teologia e Filosofia). O que não podemos mudar, ignoramos. Se a esposa de alguém morrer, isso não será mais sério do que se esse alguém deixar cair no chão um vaso de barro e este quebrar-se. Ambos os acontecimentos são inevitáveis. Não temos poder algum contra o destino, pelo que nos mostramos *apáticos* para com a questão. *A vitória* é ganha quando nos libertamos dos *sentimentos* que nos perturbam. Se não tivermos sentimentos, então coisa alguma poderá perturbar-nos. Não podemos controlar os acontecimentos, mas podemos controlar nossas reações diante deles. Os filósofos estoicos solucionavam o problema do mal mostrando-se *indiferentes*. Muitos deles suicidaram-se. Eles simplesmente deixavam de comer, permitindo que a natureza tomasse o seu curso, somente para demonstrar quão indiferentes eram diante de todas as coisas. Os estoicos eram deterministas. O que acontece é o que tinha de acontecer. Essa é a lei da natureza. Portanto, por que se opor ao que é inevitável? Uma coisa pode ser boa ou má, mas nem inventamos vocábulos para descrevê-la. Ela simplesmente *é*, e então a ignoramos. Isso evita que tenhamos sentimentos perturbadores.

■ **49.6** (na Bíblia hebraica corresponde ao **49.7**)

הַבֹּטְחִים עַל־חֵילָם וּבְרֹב עָשְׁרָם יִתְהַלָּלוּ׃

Dos que confiam nos seus bens. Os ricos usualmente são *orgulhosos, fanfarrões* e *gabarolas*. Usualmente são *socialmente inaceitáveis*, embora as pessoas os "aceitem" na tentativa de obter algo da parte deles. E usualmente também estão *enganados*, pois confiam em suas riquezas, o que qualquer tolo sabe que são transitórias, assim como eles próprios. Usualmente são *degenerados*, porque o fato de possuir muito dinheiro lhes permite experimentar toda espécie de coisas prejudiciais. Também são, a grosso modo, *injustos*, porque o dinheiro lhes permite perseguir a outros e não ser punidos pelos maus atos que praticam. E usualmente são *estúpidos*, porque esquecem que tudo quanto ajuntaram apenas vai parar nas mãos de outros, que então se tornam tolos como eles foram. E usualmente gostam de *insultar* outras pessoas, porquanto podem insultar seus "inferiores" sem ter de pagar coisa alguma.

■ **49.7** (na Bíblia hebraica corresponde ao **49.8**)

אָח לֹא־פָדֹה יִפְדֶּה אִישׁ לֹא־יִתֵּן לֵאלֹהִים כָּפְרוֹ׃

Ao irmão, verdadeiramente, ninguém o pode remir. Um homem rico realmente tem algumas vantagens, e pensa que possui mais do que possui. Mas, quando se trata de morrer, ele não tem vantagem alguma sobre as outras pessoas. Ele não pode redimir-se da morte, pagando certa quantia em dinheiro a algum deus ou poder superior. Ele simplesmente morre, como acontece com todos os seres humanos. O que ele obtém é aquela cova no chão, e nem menos sabe que está na cova. Se alguém oferecer alguma coisa a Elohim, o Poder, para que seja dispensado de morrer, será ignorado, tal como ignorou os pobres em sua vida. De fato, ele é um *pobre tolo* e sempre o foi, embora não acreditasse nisso. "Embora um homem tenha governado um império, seu domínio, por ocasião da morte, é apenas uma sepultura" (William R. Taylor, *in loc.*). Isso parece fazer justiça em muitos casos de homens ricos, mas o poeta estava prestes a dizer o mesmo sobre todos os homens, e então tal declaração já não é tão engraçada.

Entretanto, alguns estudiosos veem o vs. 15 como um trecho bíblico que faz certa distinção entre os bons e os maus e, nesse caso, então uma luz brilhante resplandece sobre um quadro em tudo mais lamentável. Seja como for, o autor sagrado não esperava haver alguma espécie de punição para o homem ímpio. O ímpio simplesmente terminava em nada, no seu sepulcro. Em outras palavras, pelo menos no caso dos ímpios, o poeta pensava em *aniquilamento*. Nossa doutrina cristã, porém, ultrapassou essa marca, e muitas passagens do Novo Testamento podem ser usadas contra o que pensava o autor sagrado. Meus amigos, se eu disser que Deus estende sua misericórdia restauradora até o homem rico, vocês pensarão que estou falando demais. Por outra parte, é difícil dizer demais sobre a obra remidora-restauradora do Logos. Ver na *Enciclopédia de Bíblia, Teologia e Filosofia* o verbete chamado *Mistério da Vontade de Deus*.

"A morte é a dívida que todos os homens têm, e que cada indivíduo terá de *pagar* pessoalmente. Nenhuma riqueza pode livrar um homem da morte. Deus, em cujas mãos estão as questões da vida e da morte, não pode ser subornado. Nenhuma riqueza material seria suficiente para tal" (Ellicott, *in loc.*). *Remir*, neste caso, não deve ser compreendido no sentido cristão do termo, envolvendo o perdão dos pecados e a redenção subsequente que um homem rico poderia tentar comprar. O texto limita-se à cena da vida física.

■ **49.8** (na Bíblia hebraica corresponde ao **49.9**)

וְיֵקַר פִּדְיוֹן נַפְשָׁם וְחָדֵל לְעוֹלָם׃

Pois a redenção das almas deles é caríssima. A redenção de uma alma (vida) não pode ser efetuada a dinheiro. O vs. 9 mostra-nos que a alma envolvida é apenas a vida física. A "cova" referida no versículo seguinte não é um lugar de consciência em outro mundo. Naturalmente, o versículo é aqui explicado evangelicamente por alguns estudiosos, que fazem a cova ser o *sheol* dos hebreus, e que fazem o *sheol* ser um lugar de tormento. Nenhum ser humano pode livrar-se, a peso de ouro, do julgamento divino. Para tanto, faz-se mister o sangue de Cristo (1Pe 1.18,19). Mas o poeta, como é óbvio, não tinha em mira tão elevada doutrina cristã, embora alguns intérpretes pensem que ele previu tal coisa em uma visão profética. O pobre homem rico talvez tenha tentado prolongar indefinidamente a sua vida física, *se é* que o dinheiro pudesse ser usado com tal propósito. O dinheiro não serve para isso, pelo que o pobre homem morre como um animal, é lançado em uma cova, e o seu dinheiro é dado a outrem, que então se torna tolo como ele mesmo o foi. Ver o vs. 12. O homem realmente perece, como uma besta. Ele não vai viver em algum lugar do outro mundo. Na verdade vai, mas o poeta sagrado não viu isso.

> Por que terra e cinzas são tão orgulhosas?
> Quando um homem morre, ele herda somente
> O verme e o gusano.
>
> Eclesiástico 10.8,11

Nenhum ser humano pode resistir ao decreto do Deus Todo-poderoso nessa situação.

Alma. "Não há aqui nenhuma antecipação do esquema cristão de redenção do pecado. Uma redenção que comprasse um homem, livrando-o da morte, conforme alguém pode redimir-se de uma dívida ou da prisão, estaria muito acima dos recursos dos mais ricos, mesmo que a *natureza* permitisse tal barganha" (Ellicott, *in loc.*). E, naturalmente, a morte aqui é a morte física, e não a segunda morte.

■ **49.9** (na Bíblia hebraica corresponde ao **49.10**)

וִיחִי־עוֹד לָנֶצַח לֹא יִרְאֶה הַשָּׁחַת׃

Para que continuasse a viver perpetuamente. *O suborno oferecido pelo homem rico* a Elohim seria para continuar a viver indefinidamente e nunca ver a cova, uma referência simples ao sepulcro. Cf. o vs. 11. A versão caldaica e alguns intérpretes cristãos veem aqui o julgamento do *sheol*, mas no contexto não há indicação alguma quanto a isso. A *Revised Standard Version* escreve a palavra inglesa correspondente, *Pit*, com o "P" maiúsculo, mas isso pode enganar os leitores, pois poderia significar o *sheol* dos hebreus. Ver no *Dicionário* quanto a esse termo, a respeito da doutrina que se desenvolveu mais tarde. Naturalmente *seol* e *cova* podem ser termos sinônimos. Mas aqui a palavra hebraica correspondente é *shachath*, que significa "buraco" ou "cova", uma valeta, uma sepultura, também usada metaforicamente com o sentido de *corrupção*.

■ **49.10** (na Bíblia hebraica corresponde ao **49.11**)

כִּי יִרְאֶה חֲכָמִים יָמוּתוּ יַחַד כְּסִיל וָבַעַר יֹאבֵדוּ וְעָזְבוּ לַאֲחֵרִים חֵילָם׃

Porquanto vê morrer os sábios. Os sábios, os tolos e os estúpidos, todos morrem da mesma maneira. Todos terminam na sepultura, e o corpo deles todos se transforma em uma massa corrupta. O poeta sagrado disse as coisas de tal modo que mostra que os homens são todos iguais quando a morte os nivela. O sábio provavelmente não deixou dinheiro à sua descendência, mas o rico passa o dinheiro a seus herdeiros e, quando eles o recebem, tornam-se tolos como seu benfeitor. Mas o rico era, ao mesmo tempo, tolo e estúpido, por ter chegado a pensar que seu dinheiro o tornaria uma criatura melhor que as outras. Portanto, fica solucionado *um dos aspectos* do problema do mal. O dinheiro nada significa, porque os homens nada significam. Tanto o dinheiro quanto o homem reduzem-se a nada. Por conseguinte, por que se preocupar com o dinheiro? Dessa maneira, o poeta ensinou o *pouco valor básico* das riquezas materiais, ao mesmo tempo que ensinou a pouca valia da vida humana, *a menos* que o vs. 15 deste salmo nos forneça uma visão superior. Mas se estivermos falando sobre o indivíduo rico e ímpio, então teremos de concordar que a sua vida foi inútil, porque foi *imediatamente* reduzida a nada. E ato contínuo, ele foi totalmente aniquilado pela corrupção do corpo físico. Tal homem era apenas o seu corpo. Não encontramos nos salmos nenhum ensino sobre uma vida pós-túmulo para o rico. E também não é certo que os salmos ensinem uma *esperança*, para o homem bom, melhor do que a que acontece ao pecador. Caímos de cabeça no pessimismo, seguindo os salmos.

Um aspecto do problema do mal está resolvido. As riquezas, basicamente, não têm o mínimo valor, assim como o homem rico em bens materiais. Por conseguinte, por que ficar com inveja dele e do seu dinheiro? Mas isso não soluciona outros aspectos do problema do mal, que envolvem o sofrimento, a menos que tenhamos a visão pessimista: o sofrimento também se transforma em nada. Portanto, que você sorria e suporte os sofrimentos, porque em breve não existirá para sofrer a dor. Essa não parece ser uma teologia muito avançada; mas parece ser o que o salmista estava promovendo. Ver na *Enciclopédia de Bíblia, Teologia e Filosofia* o artigo chamado *Pessimismo*.

A morte devora tanto os cordeiros quanto os carneiros.
Provérbio do século XVII

A morte é a grande niveladora.
Provérbio de 1732

A morte paga todas as dívidas.
Provérbio do século XVII

■ **49.11** (na Bíblia hebraica corresponde ao **49.12**)

קִרְבָּם בָּתֵּימוֹ לְעוֹלָם מִשְׁכְּנֹתָם לְדֹר וָדֹר קָרְאוּ בִשְׁמוֹתָם עֲלֵי אֲדָמוֹת:

O seu pensamento íntimo. O rico vão supõe que suas *casas* (linhagem, propriedades etc.) continuarão para sempre. Ele se empertiga como tolo e pensa que é o rei do galinheiro. Subitamente, porém, alguma doença ou acidente põe fim à triste história. Ele chega a dar às suas propriedades o próprio nome, como se isso de alguma maneira fizesse seu nome continuar perpetuamente. Mas até suas propriedades se perdem (embora durem mais que seus proprietários). E séculos mais tarde, alguns arqueólogos encontram os escombros e perguntam: "O que teria sido este lixo?"

A *Revised Standard Version* segue as versões grega e siríaca do Antigo Testamento aqui: "Suas sepulturas são seus lares para sempre", continuando assim a ideia do vs. 10. Se antes habitavam em casas excelentes e as chamavam por seus próprios nomes, a verdade da questão é que somente seus sepulcros (seus lares eventuais) tinham algum poder duradouro. Os homens também dão seus próprios nomes, ou os nomes de suas mulheres, a locais geográficos e cidades, como Alexandria, Antioquia, Quiriate-Arba (*Arba* era o nome do homem). *York* vem de um nome de família dinamarquesa, um nome já antigo na Inglaterra e um nome mais recente na América do Norte. Mas até cidades assim chamadas acabam perdendo toda a conexão com os nomes originais. Quem sabe e quem se incomoda com isso, exceto alguns poucos historiadores? Então até as cidades desaparecem e perdem-se sob os escombros dos séculos.

■ **49.12** (na Bíblia hebraica corresponde ao **49.13**)

וְאָדָם בִּיקָר בַּל־יָלִין נִמְשַׁל כַּבְּהֵמוֹת נִדְמוּ:

Todavia o homem não permanece em sua ostentação. Este texto é repetido no vs. 20. É possível que, originalmente, fosse uma espécie de refrão, uma declaração importante que não podia ser dita por apenas uma vez.

A despeito de toda a sua arrogância, *o rico ímpio* não é melhor do que o animal bruto que morre. Se o poeta sagrado não acreditava na sobrevivência da alma do homem mau (vss. 7-10), então certamente também não acreditava na sobrevivência da alma animal. Mas hoje em dia há alguma evidência em favor da sobrevivência da alma animal, pelo que nosso conhecimento prossegue. Platão opinava que *toda vida é psíquica* e a parte material é apenas a residência da vida. Nesse caso, todas as coisas vivas são, na realidade, espirituais, ao passo que levam avante veículos materiais. Talvez a nossa ciência algum dia comprove essa admirável doutrina, mas o poeta não era um filósofo platônico em nenhum sentido da palavra. Como hebreu, seus pontos de vista sobre a sobrevivência da alma, em todos os sentidos, estavam severamente limitados. Ver os comentários sobre o vs. 15.

Nas mãos do salmista, considerar um homem apenas uma fera bruta, pois termina no absolutamente nada por ocasião da morte, era um *insulto* dos piores para o rico pomposo, que com tanta arrogância se tinha elevado acima dos demais. Sendo essa a verdade da questão, o homem rico não era melhor do que a sua vaca. O argumento que aqui se impõe é: "Nesse caso você tem inveja do rico e de suas riquezas? Finalmente, no que ele difere dos animais domesticados que possui, ou de algum animal selvagem como um dos leões da floresta, que vive por tão breve tempo, e então se reduz a nada, por ocasião da morte?" Cf. Eclesiástico 2.19-21.

UMA MORTE LAMENTÁVEL (49.13-15)

■ **49.13** (na Bíblia hebraica corresponde ao **49.14**)

זֶה דַרְכָּם כֵּסֶל לָמוֹ וְאַחֲרֵיהֶם בְּפִיהֶם יִרְצוּ סֶלָה:

Tal proceder é estultícia deles. Este versículo tem sido variegadamente traduzido: 1. Um dos sentidos possíveis é que o modo de vida do rico é uma insensatez, e ele perece em sua insensatez, mas a sua posteridade aprova suas atitudes na vida e, naturalmente, cai no mesmo horrendo modo de viver e morrer. 2. A *sorte* dos que têm uma tola confiança, ou seja, o *fim* dos que estão satisfeitos com suas riquezas, é acabar morrendo como ovelhas tolas. O hebraico deste versículo está corrompido, pelo que também várias tentativas têm sido feitas para arrancar daí algum sentido. O que fica claro é que o rico tolo chega a um mau fim, e morre como se fosse algum animal ignorante, o que repete a ideia do vs. 12.

Selá. Quanto aos sentidos atribuídos a esta palavra incerta, ver Sl 3.2.

■ **49.14** (na Bíblia hebraica corresponde ao **49.15**)

כַּצֹּאן לִשְׁאוֹל שַׁתּוּ מָוֶת יִרְעֵם וַיִּרְדּוּ בָם יְשָׁרִים לַבֹּקֶר וְצִירָם לְבַלּוֹת שְׁאוֹל מִזְּבֻל לוֹ:

Na sepultura. Embora tenhamos aqui, literalmente, a palavra hebraica *sheol*, está mesmo em vista a sepultura. Note-se que é dito que *ovelhas* descem ao *sheol*. Como é óbvio, o autor sacro não está dizendo que as ovelhas, depois de mortas, descem ao submundo dos espíritos partidos deste mundo! E nem está dizendo que os homens vão para lá. O *sheol* (ver no *Dicionário* o verbete chamado *Hades*, o equivalente grego desse termo hebraico, para maiores detalhes) em tempos posteriores era concebido como uma habitação tanto para espíritos bons como para espíritos maus; e então, finalmente, um lugar de recompensa e punição. Mas o autor do salmo à nossa frente não estava envolvido nessa espécie de teologia.

A sepultura consome o corpo, mediante a morte, que é aqui *personificada* como uma espécie de monstro que se deleita em devorar os corpos ali postos. Enquanto o homem morto está ali, sendo consumido pelo monstro chamado Morte, o homem bom, que sobrevive à morte, tem domínio sobre esse monstro. Mas o ensino não diz que, de alguma maneira, os espíritos bons dominam os espíritos maus no hades.

Como se fosse um rebanho de ovelhas, eles são tangidos na direção do sepulcro escuro. A morte guia o caminho deles. A morte tornou-se o pastor deles.

A sepultura é o lugar em que habitam. O original hebraico é incerto, pelo que a *Revised Standard Version* diz: "Eles descem direto para a sepultura". Mas alguns estudiosos veem aqui os justos regozijando-se com a triste sorte dos ímpios, tal como sucedeu a Israel, diante da matança causada pelo exército de Senaqueribe. Portanto, lembramos a ressurreição de Jesus, pelo que nenhum poder maligno podia regozijar-se por ter ele permanecido no sepulcro. Isso nos fornece um contraste imortal.

"Eles não são como ovelhas em seu período de vida, inofensivos e inocentes... mas, antes, em sua morte, descem ao sepulcro como animais brutos" (John Gill, *in loc.*). Durante a vida eles se alimentaram com toda espécie de acepipes e alimentos escolhidos, mas na morte eles mesmos servem de alimento. A alusão, neste caso, é ao verme e à carne em decomposição. O monstro chamado Morte é o grande verme que se alimenta de cadáveres.

■ **49.15** (na Bíblia hebraica corresponde ao **49.16**)

אַךְ־אֱלֹהִים יִפְדֶּה נַפְשִׁי מִיַּד־שְׁאוֹל כִּי יִקָּחֵנִי סֶלָה:

Mas Deus remirá a minha alma do poder da morte. Várias interpretações têm sido atribuídas a este versículo, a saber:

1. Não há aqui nenhuma contradição com o vs. 10. O sábio morre como o insensato. Ambos chegam ao fim absoluto por ocasião da morte. Este é um ponto de vista pessimista que concorda com a

teologia primitiva dos hebreus, antes que qualquer doutrina da imortalidade se desenvolvesse. A questão da redenção da vida significa apenas que o homem não sofre de morte prematura, ao passo que se pode esperar que os ímpios não vivam até idade avançada. "Este versículo pode expressar a certeza do salmista sobre a própria imortalidade, mas talvez seja melhor compreender a confiança de que ele seria livrado da presente tribulação (ver Sl 89.48 e Os 13.14)" (*Oxford Annotated Bible,* comentando este versículo). A doutrina da imortalidade pessoal *começou* a entrar na teologia dos hebreus em alguns versículos dos Salmos e dos Profetas.

No vs. 14, o *sheol* é obviamente apenas a sepultura. Será possível que essa mesma palavra se refira ao lugar dos espíritos partidos deste mundo no vs. 15? Nesse caso, o poeta sagrado ensinava que, para os ímpios, tem lugar o aniquilamento, mas para as almas boas, há um pós-vida no qual elas são recebidas por Deus em uma existência abençoada.

2. Outros aceitam este versículo como uma daquelas *raras* referências evidentes à imortalidade nas páginas do Antigo Testamento. Outras passagens semelhantes são Sl 73.23-25; Is 26.19; Dn 12.2,3. E acrescento algumas referências nesse sentido, no artigo do *Dicionário* intitulado *Alma.* William R. Taylor (*in loc.*) supõe que o autor sagrado tenha sido influenciado nesses relatos com as translações de Enoque (Gn 5.24) e Elias (2Rs 2.11), sobre os quais é dito que eles não morreram. Seja como for, o autor sacro não elaborou essa "ousada" afirmação acerca da sobrevivência da alma diante da morte. Além do mais, este versículo encontra-se bastante isolado dentro do relato, e o poeta não o transforma em um argumento sobre o problema do mal, da maneira como gostaríamos.

3. Ainda outros estudiosos veem aqui a doutrina da *ressurreição,* e não a doutrina da sobrevivência da alma, ou seja, a sobrevivência do espírito. "A terminologia contrasta a *ruína* dos ímpios e inclui, sob forma germinal, a esperança da ressurreição" (Allen P. Ross, *in loc.*). Portanto, temos aqui "... uma pálida amostra de uma esperança maior, de que nem a morte pode quebrar o laço do pacto entre Yahweh e o seu povo, uma esperança na qual vemos a mente dos hebreus tateando nos últimos salmos e no livro de Jó. Cf. Sl 16.10" (Ellicott, *in loc.*). Como é claro, Ellicott falava sobre a *sobrevivência da alma.* A sobrevivência da alma dos ímpios, em um lugar de julgamento, ainda não havia entrado no pensamento dos hebreus. Os livros intermediários entre o Antigo e o Novo Testamento desenvolveram essa ideia, e as chamas do inferno foram acesas em 1Enoque, um dos livros pseudepígrafos. Ver a série de artigos sobre a *Imortalidade,* na Enciclopédia de Bíblia, Teologia e Filosofia. Ver também no *Dicionário* o verbete intitulado *Julgamento.*

A MAGNIFICÊNCIA MUNDANA É TEMPORAL (49.16-20)

■ **49.16,17** (na Bíblia hebraica corresponde ao **49.17,18**)

אַל־תִּירָא כִּי־יַעֲשִׁר אִישׁ כִּי־יִרְבֶּה כְּבוֹד בֵּיתוֹ׃

כִּי לֹא בְמוֹתוֹ יִקַּח הַכֹּל לֹא־יֵרֵד אַחֲרָיו כְּבוֹדוֹ׃

Não temas, quando alguém se enriquecer. Ninguém deve sentir inveja nem *temor* (como se algo tivesse saído errado com o governo de Deus) ao observar o homem rico prosperando, dominando outros, arrogante em seu poder, e ferindo outras pessoas com o seu dinheiro. Não há nenhum *problema* nesse acontecimento, pois em breve tal homem *morrerá* e dele só sobrarão no sepulcro restos mortais corruptos. Ele não poderá levar consigo coisa alguma ao morrer. Sua mortalha não terá bolsos onde possa amontoar coisas, antes de partir desta vida. De fato, ele não parte; tão somente jaz no sepulcro, apodrecendo. Não está mais vivo no mundo. O homem tinha uma *glória* terrena indiscutível. As pessoas se admiravam de sua excelente mansão e o temiam quando ele as acionava na justiça. Tinham receio de seus sequazes, que faziam o trabalho sujo, chegando até a matar os inimigos do homem. Antes, a sua glória e poder desceram para o sepulcro juntamente com ele, e foram transformados em nada. Além disso, as riquezas (glória) tinham ficado com os herdeiros, que assim se tornaram tolos como seu progenitor.

O poeta volta aqui à pergunta formulada no vs. 5, referente ao temor do rico ímpio que persegue outros, e fornece a sua resposta. As riquezas são inúteis, afinal; os ricos são inúteis. Um homem "... não precisa temer, por mais prósperos e poderosos que seus adversários se tornem, pois todos eles morrem e, ao morrerem, não poderão levar consigo nenhuma parcela de suas possessões" (Ellicott, *in loc.*). Temos aqui, portanto, outras palavras de admoestação que o salmista dirigiu aos deserdados e aos desapontados. Ele pôs as riquezas e o poder dentro de sua verdadeira perspectiva. Ele salientou o vazio dessas coisas. Mas o poeta sagrado não ameaçou tais homens com algum tipo de julgamento no pós-vida. Tais indivíduos são simplesmente aniquilados no sepulcro.

■ **49.18,19** (na Bíblia hebraica corresponde ao **49.19,20**)

כִּי־נַפְשׁוֹ בְּחַיָּיו יְבָרֵךְ וְיוֹדֻךָ כִּי־תֵיטִיב לָךְ׃

תָּבוֹא עַד־דּוֹר אֲבוֹתָיו עַד־נֵצַח לֹא יִרְאוּ־אוֹר׃

Ainda que durante a vida ele se tenha lisonjeado. O homem rico e ímpio reúne-se a outros homens como ele, às *gerações* que foram antes dele para seu respectivo nada. Os pais daquele homem estabeleceram um mau exemplo e terminaram mal. Enquanto tais homens viviam, consideravam-se *felizes.* Pelo menos é como alguém já disse: "Quando se tem dinheiro, mesmo que você seja um miserável, pelo menos você goza de conforto em sua miséria". Não ter dinheiro dificilmente assegura felicidade, mas garante que não haverá certo acúmulo de miséria. Os homens que buscam riquezas, e as obtêm, naturalmente são *elogiados* por aqueles que observam o seu curso da vida. É natural admirar um homem bem-sucedido, e o *sucesso* é geralmente julgado pelo dinheiro, pelo poder e pela influência que alguém é capaz de acumular nesta vida. Mas quando esse homem segue as gerações anteriores para as trevas (pois para onde eles vão não há luz), então torna-se claro que era uma insensatez admirá-los. E o exemplo distorcido deles não deveria ser seguido.

"... os quais nunca mais verão a luz, ou seja, nunca mais viverão de novo", é o sentido literal destas palavras, de acordo com Ellicott (*in loc.*). Isto posto, há um contraste com a esperança levantada no vs. 15. Eles não verão nem "a luz do sol que ilumina este mundo, nem a luz do sol superior, que alegra os santos beatificados (Ap 21.23)" (Fausset, *in loc.*). "... Eles não desfrutarão a glória e a felicidade da luz eterna. O estado de glória final algumas vezes é expresso como *luz* (ver Jo 8.12 e Cl 1.12). Essa é a luz que o povo de Deus, que *é feito luz* no Senhor,* verá" (John Gill, *in loc.*).

■ **49.20** (na Bíblia hebraica corresponde ao **49.21**)

אָדָם בִּיקָר וְלֹא יָבִין נִמְשַׁל כַּבְּהֵמוֹת נִדְמוּ׃

O homem, revestido de honrarias, mas sem entendimento. Este versículo é uma duplicata do vs. 12, onde ofereço a exposição. O autor, por conseguinte, terminou o seu sábio poema em uma nota muito desanimada, atitude que antes já havia deixado registrada. A miséria para o homem mau ficou assim garantida. Essa miséria é como a das feras irracionais quando morrem, ou seja, transforma-se em nada no sepulcro. A alma do tolo lhe é requerida (Lc 12.19,20), e lhe são arrebatadas a sua glória e as suas riquezas. Pior ainda, tal homem nem ao menos tem alma. Ele não tem um espírito que possa sobreviver à morte. Foi assim que o autor devolveu as coisas à perspectiva correta. Ele olha para o fim da vida física e vê ali o homem rico e mau desaparecer na extinção, no nada, mas vê o homem bom ser recebido por Deus, presumivelmente em uma existência de felicidade, embora não tenha ampliado a questão (vs. 15).

SALMO CINQUENTA

Quanto a *informações gerais* que se aplicam a todos os salmos, ver a introdução ao Salmo 4, onde apresento *sete* comentários que elucidam a natureza do livro. Quanto a *classes* dos salmos, ver o gráfico no início do comentário, que atua como uma espécie de frontispício da coletânea. Ofereço ali dezessete classes e listo os salmos pertencentes a cada uma delas.

Este salmo é chamado de *salmo litúrgico.* Era uma peça literária usada no culto do templo, que instruía os homens acerca dos julgamentos de Deus. Haverá uma prestação de contas. Os homens são moralmente responsáveis diante da lei de Deus. O culto prestado apenas de lábios é condenado. A *mensagem profética* fala da necessidade do julgamento futuro. O poeta tornou-se um dos profetas menores e fez entrar a sua mensagem na liturgia do saltério dos hebreus. Quanto a seu estilo e conteúdo, este salmo nos faz lembrar dos discursos dos profetas pré-exílicos, em passagens como Is 1.10-23; Os 6.6; Mq 6.6-8 e Jr 22.1,13-17. O poeta não se sentia à vontade com certos desenvolvimentos nos costumes que cercavam os sacrifícios, e os oficiais do templo eram tolerantes para com as tentativas de reforma. Devemos lembrar que os profetas, em algum grau, deslocaram de suas posições os levitas (e os sacerdotes). Os antigos ritos e cerimônias não foram olvidados, mas o ofício profético continuou crescendo em importância e prestígio.

Pontos de vista religiosos refletem uma era pós-exílica. Note o leitor que os vss. 8-15 nos dizem que a verdadeira religião consiste em invocar Deus em tempos de tribulação, prestar ações de graças, em um agradecimento sentido no coração, e não no mero oferecimento de sacrifícios. Cf. Is 1.10-17; Jr 7.21-23; Mq 6.6-8, trechos que já projetavam uma visão mais profunda da espiritualidade. Portanto, este salmo tem uma natureza didática, com atitudes próprias de adoração. O Senhor examinará o seu povo com base em princípios espirituais verdadeiros, e não meramente com base em um espetáculo religioso. Há formalismo e hipocrisia quanto à maneira como os homens se expressam no templo, na igreja e em seus lares. As pessoas devem ter coração confiante e obediente, e não meramente uma demonstração externa de religiosidade.

Subtítulo. Temos aqui o subtítulo simples "Salmo de Asafe", que, presumivelmente, deve ter sido um dos autores dos salmos. Os Salmos 73 a 83 também são atribuídos a ele. Ver a introdução ao Salmo 42, quanto a outros autores além de Davi. As notas introdutórias, entretanto, não faziam parte original das composições, mas foram obra de escribas posteriores, quase todas atinentes a conjecturas quanto à questão da autoria e outras circunstâncias que podem ter influenciado as composições. Asafe foi um dos grandes músicos levitas (ver 1Cr 16.4,5), e é natural atribuir a ele alguns salmos. Por outra parte, é possível que ele, realmente, tenha composto alguns salmos.

DEUS DIRIGE-SE AO POVO (50.1-23)

A Aparição do Senhor para Julgar (50.1-6)

■ 50.1

מִזְמוֹר לְאָסָף אֵל אֱלֹהִים יְהוָה דִּבֶּר וַיִּקְרָא־אָרֶץ מִמִּזְרַח־שֶׁמֶשׁ עַד־מְבֹאוֹ:

Fala o Poderoso, o Senhor Deus. *Elohim*, cujo nome já significa *Poder*, é denominado aqui *Todo-poderoso*, o que apenas reforça a ideia básica envolvida nesse nome divino. Além disso, ele também é *Yahweh* (o Deus Eterno). Esse título augusto encabeça a afirmação profética e didática, cuja intenção era reformar costumes e atitudes relativos aos sacrifícios. Ver a introdução ao salmo presente quanto a explicações completas sobre a natureza geral deste salmo. Este Deus Eterno e Todo-poderoso é o Senhor Universal, e assim dirige-se à humanidade inteira, mas especialmente a Israel, o possuidor de sua lei. Mas a mensagem é para todos os homens de todos os lugares, aqueles que viviam no oriente (onde o sol nasce) e aqueles que viviam no ocidente (onde o sol se deita no horizonte). As descrições de Deus foram derivadas de elementos encontrados em Dt 33.2 e Êx 19.16. O poeta continuará sua exposição, descrevendo uma cena do tribunal do céu. O ser humano é chamado para ser julgado, e *Deus* é o seu juiz. Os *primeiros seis versículos* do salmo contêm uma descrição idealizada do tribunal do julgamento divino: 1. Deus, o Juiz, aparece resplandecente. 2. O seu Espírito convence os homens do pecado, da justiça e do juízo. 3. Ele envia sua Palavra inerrante, e a revelação da lei como base do julgamento. 4. Sua trombeta soa e alerta os homens. 5. O julgamento será severo, perturbando a ordem da natureza e aterrorizando os homens. Sairá *fogo* da presença de Deus. 6. Estarão presentes testemunhas que garantirão as decisões e os atos apropriados. 7. Ocorrerá uma reunião dos justos. 8. As hostes angelicais e os sábios unir-se-ão, aclamando a justiça do processo e seus resultados.

Nomes Divinos: El, Elohim, Yahweh. Temos aqui uma tríada, cada nome entendido como um título distinto, separado. Portanto, temos o Poder, o Todo-poderoso e o Deus Eterno. Ver no *Dicionário* o verbete intitulado *Deus, Nomes de*.

■ 50.2

מִצִּיּוֹן מִכְלַל־יֹפִי אֱלֹהִים הוֹפִיעַ:

Desde Sião, excelência de formosura. *Sião*, centro da fé hebreia, localizada na capital da nação de Judá, Jerusalém, é em si mesma a *perfeição da beleza*, e dali o Poder, o Todo-poderoso e o Deus Eterno vem para produzir a declaração profética acerca do julgamento divino. "A aparição de Deus foi transferida do monte Sinai para Sião, porquanto Sião se tornou, aos olhos das gerações posteriores, o segundo Sinai, que propagava e interpretava a lei de Moisés, a base de toda a fé dos hebreus. Cf. Is 2.3 e Mq 4.1,2. O segundo Sinai tinha uma vantagem sobre o primeiro, porque agora existia o *ofício profético* que reforçava a mensagem e dava a ela aplicação universal, com maior discernimento. Quanto à *belíssima* Sião, ver também Sl 2.6 e 48.2,11,12. Ver no *Dicionário* o artigo chamado *Sião*.

Este versículo tem sido cristianizado para falar de Cristo, que é a perfeição da beleza, além de ser também o Juiz. Em harmonia com isso, o julgamento é visto como operante por ocasião do segundo advento de Cristo. Sião será o seu trono (Sl 2.6), mas tudo isso estará fora do escopo da visão de nosso poeta sacro.

Resplandece Deus. Deus é a luz suprema e também a revelação suprema. Ver no *Dicionário* o artigo chamado *Luz, A Metáfora da*. A cristianização deste versículo tem prosseguimento, ao fazer do Logos-Cristo a luz que rebrilhará nos últimos dias. Cf. esta parte do versículo com Sl 81.1 e Dt 33.2. Está em pauta a *manifestação divina*, a luz de um novo dia. Isso envolve diretamente o *teísmo*. Deus não somente criou, mas continua presente em sua criação, a fim de julgar e recompensar. Os homens são moralmente responsáveis diante dele. Contrastar essa ideia com o *deísmo*, que afirma que Deus criou o universo, mas então o abandonou, deixando-o entregue aos cuidados das leis naturais. Ver sobre ambos os termos no *Dicionário*.

■ 50.3

יָבֹא אֱלֹהֵינוּ וְאַל־יֶחֱרַשׁ אֵשׁ־לְפָנָיו תֹּאכֵל וּסְבִיבָיו נִשְׂעֲרָה מְאֹד:

Vem o nosso Deus, e não guarda silêncio. Deus virá como aquele que trará a palavra final da verdade, verdade que julgará os homens. Ele não guardará silêncio. Os homens serão responsáveis diante dele. A lei moral demanda uma reação moral. O julgamento não será abafado ou esquecido. Será um acontecimento inevitável. Ver no *Dicionário* o verbete intitulado *Lei Moral da Colheita segundo a Semeadura*.

Perante ele arde um fogo devorador. Temos aqui uma figura simbólica, e não a descrição literal do que sucederá por ocasião do julgamento. Não obstante, o livro de 1Enoque acendeu as chamas do hades, durante o período intermediário entre o Antigo e o Novo Testamento. O Novo Testamento tomou essa metáfora do julgamento e o transformou em fogo literal (ou assim parece ser), pelo menos em alguns pontos. Seja como for, os intérpretes, antigos e modernos, compreendem esse fogo como literal. Mas ninguém pode prejudicar a alma imaterial com o fogo literal, pelo que é uma insensatez falar aqui em chamas literais. O julgamento será *como* fogo. Será algo consumidor; será seriíssimo; será poderosíssimo. Tentar fazer a imaterialidade (a alma) sofrer por causa do fogo literal é como jogar pedras no sol, na esperança de acertá-lo e de alguma maneira afetá-lo. Ver no *Dicionário* o artigo chamado *Julgamento de Deus dos Homens Perdidos*, onde exponho minha posição sobre a questão. Caros leitores, até o julgamento divino será remediador, e não apenas retributivo. Ver as notas em 1Pe 4.6 no *Novo Testamento Interpretado*. O julgamento é um dedo da amorosa mão de Deus. O julgamento fará alguma coisa boa. Não terá por propósito somente ferir. Será disciplinador, e não apenas punitivo.

Interpretações Inferiores Deste Versículo:

1. O evangelho da missão entre os gentios, que varreria todo o mundo pagão queimando a idolatria e o pecado e preparando o caminho para a salvação.
2. O julgamento por ocasião do segundo advento de Cristo.
3. O julgamento dos judeus que tiverem rejeitado a Cristo.

4. O incêndio que devorou Jerusalém, provocando-lhe a destruição, no ano 70 d.C., uma medida preliminar de maiores julgamentos vindouros.

Este versículo, pelo contrário, tem um sentido *geral*, servindo de ameaça a todos os homens de todos os lugares, mas especialmente a Israel, no sentido de que Deus é um Deus de revelação e julgamento, e os homens são responsáveis diante dele por seus atos. Esta passagem apresenta princípios que podem ser aplicados a qualquer julgamento.

■ 50.4

יִקְרָא אֶל־הַשָּׁמַיִם מֵעָל וְאֶל־הָאָרֶץ לָדִין עַמּוֹ׃

Intima os céus lá em cima. O *clamor do julgamento divino* subirá até os céus e então descerá até a terra. O mais provável é que o sentido dessa intimação seja que Deus convocará os céus e seus seres inteligentes para serem *testemunhas* de como ele julgará os homens. Não é provável que esteja em vista o julgamento dos anjos. A terra, igualmente, e seus seres inteligentes, serão testemunhas da retidão desse ato de juízo divino. Coisa alguma será feita em segredo. Não haverá jogos, não haverá subterfúgios, não haverá omissões nem exageros. O julgamento divino será público e universal. Cf. Mq 6.2. Ver também Dt 4.26; 32.1; Is 1.2; Mq 1.2 e 1Macabeus 2.37.

■ 50.5

אִסְפוּ־לִי חֲסִידָי כֹּרְתֵי בְרִיתִי עֲלֵי־זָבַח׃

Provavelmente estão em vista aqui os *réus*, ou seja, Israel, o povo das *alianças* com Deus (ver a respeito no *Dicionário*). Ver sobre o *pacto abraâmico* em Gn 15.18, e sobre o *pacto mosaico*, em Êx 19. Embora os israelitas fossem os *fiéis* de Deus (os quais nem sempre foram muito fiéis), serão julgados. Nenhum homem é tão bom que escape do julgamento. Haverá também o julgamento dos crentes. Ver no *Dicionário* os artigos denominados *Julgamento de Cristo*, *Tribunal do* e *Julgamento do Crente por Deus*.

A primeira parte do salmo anuncia julgamento universal, mas também se especializa no julgamento dos santos de Israel, o povo em relação de pacto com Deus. Este versículo tem sido cristianizado para referir-se à igreja, aos santos do Novo Testamento e a como o julgamento será decretado ali; mas não é isso o que está em vista, embora possamos fazer tais *aplicações*.

Santos. Ou seja, homens que se tornaram *piedosos* através dos sacrifícios e dos pactos, e também mediante a observância da lei mosaica. Ser santo do Antigo Testamento era uma questão "coletiva". É possível que alguém seja um *santo* individual, mas no Antigo Testamento os santos eram a comunidade que compartilhava provisões que a ela chegavam através dos patriarcas.

■ 50.6

וַיַּגִּידוּ שָׁמַיִם צִדְקוֹ כִּי־אֱלֹהִים שֹׁפֵט הוּא סֶלָה׃

Os céus anunciam a sua justiça. *Os céus declararão* a retidão de Deus. Ele não cometerá equívocos, e sua santidade será vindicada. Outrossim, Deus julgará em conformidade com a sua própria santidade, que supostamente foi formada nos homens enquanto eles desenvolviam seu caráter moral.

> *Portanto santificai-vos, e sede santos, pois eu sou o Senhor vosso Deus.*
> Levítico 20.7

> *Eu sou o Senhor vosso Deus: portanto, vós vos consagrareis, e sereis santos, porque eu sou santo.*
> Levítico 11.44

É o próprio Deus que julga. Emanuel Kant baseou um argumento em prol da existência de Deus sobre o postulado de que deve existir um poder e uma inteligência capaz de equilibrar as contas, de fazer justiça, de dispensar recompensas e punições. Paralelamente, também deve haver uma *sobrevivência da alma*, para que o homem receba o castigo ou a recompensa apropriada, o que raramente acontece na esfera terrestre. Se não aceitarmos esse postulado, teremos então de aceitar a ideia de que o *caos* é o verdadeiro deus deste mundo.

O poeta, porém, não apresentou argumentos filosóficos. Foi direto à conclusão: Deus é o Juiz. E também não tinha dúvidas quanto à existência dele.

Duas acusações serão feitas contra os santos: vss. 7-15 — Deus não queria apenas a oferenda de animais sacrificados, isto é, o formalismo; e vss. 16-23 — muitos que se dizem crentes não comprovam o fato mediante uma vida ditada pela moralidade autêntica.

Selá. Quanto a significados possíveis desta palavra misteriosa, ver as notas expositivas sobre Sl 3.2.

Sacrifícios Aceitáveis: Acusação Contra o Formalismo (50.7-15)

■ 50.7

שִׁמְעָה עַמִּי וַאֲדַבֵּרָה יִשְׂרָאֵל וְאָעִידָה בָּךְ אֱלֹהִים אֱלֹהֶיךָ אָנֹכִי׃

Escuta, povo meu, e eu falarei. "A acusação foi feita como uma palavra vinda de Deus, o *Deus deles*, para que ouvissem o recado divino. Deus não os reprovava pela observância meticulosa da letra da lei, ao oferecerem os *sacrifícios* prescritos. Mas Israel nunca percebeu que Deus não precisava de touros ou bodes (vs. 9; cf. o vs. 13). Ele é o Senhor de toda a criação. Ele é o possuidor de tudo" (Allen P. Ross, *in loc.*).

Os israelitas não falhavam por observarem as prescrições formais de sua religião; de fato, eles exageravam no zelo por *esse aspecto*. Pelo contrário, estavam confusos quanto ao significado do que praticavam. Tinham as formas externas, mas não a realidade interior para a qual apontavam as formas externas. Eles tinham obscurecido a espiritualidade, ao mesmo tempo que pensavam ser os homens mais espirituais na face da terra.

O resultado desse monstruoso equívoco foi que Deus precisou *testificar contra* aqueles homens supostamente espirituais e atacá-los precisamente onde jazia sua falsa espiritualidade. O mesmo está acontecendo hoje em dia no seio da igreja cristã. Homens que dão atenção estrita à letra de seus dogmas perseguem os que são ligeiramente diferentes. Em seu fundamentalismo, esses cristãos também obscurecem a espiritualidade, deixando de viver de acordo com a *lei do amor*, a própria essência da espiritualidade, conforme aprendemos em 1Jo 4.7. Outrossim, o amor é, igualmente, a essência da lei, quando ela é corretamente compreendida (ver Rm 13.8 ss.)

> O oposto da injustiça não é a justiça — é o amor.

> O amor concede em um momento o que o trabalho não pode obter em uma era.
> Goethe

> O amor, como a morte, muda tudo.
> Robert Browning

Ver no *Dicionário* o artigo detalhado chamado *Amor*.

Escuta, povo meu. Em *primeiro lugar,* Deus convocou homens de todos os lugares para ouvir a sua acusação. *Agora,* porém, Deus afunilou sua atenção para incluir somente Israel, o povo em relação de aliança com ele. Os israelitas eram os que mais precisavam dar ouvidos a Deus, por serem os maiores depositários da verdade divina. Cf. o prefácio do decálogo, em Êx 20.1,2. Cf. Sl 81.10-12.

■ 50.8

לֹא עַל־זְבָחֶיךָ אוֹכִיחֶךָ וְעוֹלֹתֶיךָ לְנֶגְדִּי תָמִיד׃

Não te repreendo pelos teus sacrifícios. O *Poder* divino não reprovava os filhos de Israel por causa de sua ortodoxia. Eles tinham seguido zelosamente a lei. E, afinal de contas, fora *Deus* mesmo quem lhes dera a legislação mosaica. Essa ortodoxia, entretanto, laborava em erro. Não lhes tinha revelado a *essência* da espiritualidade. Tinha-os deixado tontos e secos. Atualmente, milhares e milhares de cristãos aderem a credos ortodoxos e os transformam em ídolos. Em torno desses credos, edificam fortalezas. Declaram guerra contra homens de outras denominações, que acreditam em outros credos. Essa *guerra* tornou-se generalizada, cada grupo afirmando ser ou exclusivo ou melhor que os demais. Os homens têm religião o bastante para odiar, mas não o suficiente para amar aos outros. Paulo chegou ao ponto de afirmar que os homens podem ter uma *fé genuína,* capaz de mover montanhas, e um *conhecimento* que revela profundos mistérios, que outros não foram capazes de penetrar. Também podem ser excelentes exemplos de alegada espiritualidade, além de toda espécie de realizações; mas sem amor são como nada (ver 1Co 13).

Os fariseus eram *gigantes* quanto ao Antigo Testamento, como outros jamais foram. Mas eram *pigmeus* no que dizia respeito à *essência* da espiritualidade, ensinada pela Bíblia.

> Para o homem, o sacrifício é um desperdício. Para Deus, é algo desnecessário. A alternativa consiste em descobrir qual necessidade era satisfeita pelos sacrifícios.
>
> J. R. P. Sclater, *in loc.*

> *Ai de vós, escribas e fariseus, hipócritas! porque dais o dízimo da hortelã, do endro e do cominho, e tendes negligenciado os preceitos mais importantes da lei, a justiça, a misericórdia e a fé; devíeis, porém, fazer estas cousas, sem omitir aquelas.*
>
> Mateus 23.23

> *Misericórdia quero, e não sacrifício; e o conhecimento de Deus, mais do que holocaustos.*
>
> Oseias 6.6

50.9,10

לֹא־אֶקַּח מִבֵּיתְךָ פָר מִמִּכְלְאֹתֶיךָ עַתּוּדִים׃

כִּי־לִי כָל־חַיְתוֹ־יָעַר בְּהֵמוֹת בְּהַרְרֵי־אָלֶף׃

De tua casa não aceitarei novilhos. *Israel tinha sua reserva* de certos animais domesticados, separados para propósitos de sacrifício. Os israelitas tinham o cuidado de selecionar animais sem defeito, ou seja, aptos para serem oferecidos a Deus sobre o altar. Eles não ofertavam porcos ou animais desaprovados, a fim de poupar dinheiro. Sua ortodoxia levava-os a seguir todas as prescrições da legislação mosaica. Entretanto, Deus não estava interessado nessas atitudes meramente exteriores. Atualmente, em muitas igrejas evangélicas são sacrificados porcos sobre o altar (programas musicais profanos) para que as multidões sejam atraídas pelo espetáculo e assim possam ouvir "a pregação do evangelho". Os hebreus nunca se tornaram culpados desse tipo de perversão. A adoração legalista dos hebreus seguia todas as regras. Mas o Espírito não se fazia presente em seus cultos.

Deus não precisava dos animais dos filhos de Israel (vs. 10), porquanto, afinal, era o proprietário de todas as coisas, incluindo todos os cinco animais nobres usados nos sacrifícios. Ver nas notas expositivas sobre Lv 1.14-16 os *cinco animais que podiam ser oferecidos como sacrifício.*

Homens biblicamente ortodoxos, mas que tinham pouco do Espírito Santo, *dilapidavam* sua substância provendo animais seletos para os sacrifícios. Por outra parte, para Deus, isso era desnecessário, se é que os cultos dos hebreus consistiam apenas nisso. Eles tinham trazido sacrifícios em abundância, somente animais da melhor qualidade, mas a esses sacrifícios faltava a essência.

Aplicação Espiritual. Escreveu Paulo: "Trabalhei muito mais do que todos eles; todavia não eu, mas a graça de Deus comigo" (1Co 15.10). Os trabalhos de Paulo eram abundantes e continham a essência da espiritualidade. Quanto a nós, porém, é mister perguntar quanto de nosso trabalho é feito em favor do próprio "eu" e para servir de espetáculo perante outras pessoas. Quantos grandes pregadores são pequenos cristãos? Quanto de nossos esforços se deve ao ego e quanto se deve ao Espírito? Quantos de nós promovem o próprio "eu" através de nossas obras, em lugar de amar ao próximo? Quantos pregadores pregam e escrevem para *impressionar* os outros, em vez de para beneficiar o próximo? Quantos espetáculos na igreja (e são apenas isso) são realizados pelos atores da fé, e não por reais propagandistas da fé? Quantos *améns* são vociferados para impressionar a outros com nossa espiritualidade, e não como agradecimento sincero a Deus? Jesus demonstrou que as pessoas podem até *realizar milagres como espetáculos,* mas sem a substância do Espírito (ver Mt 7.22).

"... a ironia permeia a repreenda, a melhor arma contra o erro do ritualismo" (Ellicott, *in loc.*). Assim também, entre os filhos de Israel, os homens tentavam impressionar a Deus com os seus sacrifícios. Mas Deus olhava em outra direção. Yahweh não se assemelhava aos deuses pagãos, os quais, supostamente, engordavam com a carne que lhes era oferecida.

As alimárias aos milhares sobre as montanhas. Essa assertiva contrasta os *poucos* animais que os homens apresentam em suas oferendas, com a totalidade da possessão de animais existentes no mundo. Quantos milhares de cabeças de gado estão pastando sobre milhares de montanhas? Todos esses animais pertencem a Deus. Aquele que é o proprietário de *todos eles,* não precisa de alguns poucos. "Está aqui em foco todo o gado que há no mundo" (John Gill, *in loc.*).

50.11,12

יָדַעְתִּי כָּל־עוֹף הָרִים וְזִיז שָׂדַי עִמָּדִי׃

אִם־אֶרְעַב לֹא־אֹמַר לָךְ כִּי־לִי תֵבֵל וּמְלֹאָהּ׃

Conheço todas as aves dos montes. Os animais impróprios para serem oferecidos em sacrifício, *todos* os demais animais, além dos cinco tipos de animais próprios para o altar, também pertencem ao Pai celeste. Há inúmeras aves e mamíferos de quatro patas, animais que se arrastam sobre a terra e peixes nas águas. Se Elohim tivesse fome, à semelhança dos deuses pagãos que presumivelmente devoravam os sacrifícios que lhes eram oferecidos, poderia facilmente satisfazer-se sem apelar para o sangue e a gordura que lhe cabiam nos sacrifícios. Ver as leis sobre o sangue e a gordura dos animais, em Lv 3.17. Naturalmente, o poeta estava escrevendo com sarcasmo cortante. Deus, normalmente, nunca diria coisas tão ridículas. O que Deus realmente quer é sumariado nos vss. 14 e 15.

> *Ao Senhor pertence a terra e tudo o que nela se contém, o mundo e os que nele habitam.*
>
> Salmo 24.1

50.13

הַאוֹכַל בְּשַׂר אַבִּירִים וְדַם עַתּוּדִים אֶשְׁתֶּה׃

Acaso como eu a carne de touros? *O sarcasmo continua.* Elohim não estabeleceu as leis acerca dos sacrifícios a fim de ter suprimento interminável de sangue e gordura para si mesmo. Ele fez essas leis em favor dos homens, para servirem de lições morais e espirituais que pudessem ser derivadas do sistema, em prol dos seres humanos. Este versículo tem sido cristianizado para fazê-lo referir-se a como Cristo substituiu o sistema dos sacrifícios (ver Hb 9.11 ss. e todo o capítulo 10). Mas essa interpretação é anacrônica, pois o salmo presente não é messiânico. Não obstante, o autor sagrado sentia desde os seus ossos que havia algo de terrivelmente deficiente nos sacrifícios de animais quanto ao perdão de pecados ou quanto a outros propósitos espirituais. Os adoradores recebiam uma impressão deficiente da espiritualidade que "se deriva da aderência a um ponto de vista antigo e desgastado da eficácia de sacrifícios de animais. Que eles soubessem que os sacrifícios nada faziam em favor de Deus, no sentido de suprir suas necessidades ou quereres" (William R. Taylor, *in loc.*).

Aplicação Espiritual. A ortodoxia da época em que o salmo foi composto tinha resguardado um ponto de vista teológico já desgastado pelo tempo. Conforme a teologia se desenvolveu, todo o sistema sacrificial foi sendo posto de lado. Algo melhor tinha chegado. Algo melhor *sempre* pode chegar, pelo que não devemos ficar preocupados com o que os homens dizem a respeito da ortodoxia.

50.14,15

זְבַח לֵאלֹהִים תּוֹדָה וְשַׁלֵּם לְעֶלְיוֹן נְדָרֶיךָ׃

וּקְרָאֵנִי בְּיוֹם צָרָה אֲחַלֶּצְךָ וּתְכַבְּדֵנִי׃

Oferece a Deus sacrifício de ações de graças. O poeta ofereceu uma lista simples das coisas que realmente agradavam a Deus, sinais de verdadeira espiritualidade: ações de graças; tomar votos e cumpri-los no templo (ou particularmente, conforme o caso); usar a oração quando algo de especial se fazia necessário ou quando a pessoa estivesse enfrentando perigo; e, finalmente, acima de todas as coisas, glorificar a Deus por todo o bem que ele faz pelo indivíduo. Essa lista simples se assemelha com a regra evangélica do "ora e lê a tua Bíblia", que inclui coisas úteis mas dificilmente envolve todas as necessidades de uma pessoa espiritual. Os grandes mandamentos de amar a Deus de todo o coração e ao próximo como a nós mesmos (Dt 6.5; Mt 19.19) tornam-se aqui conspícuos devido à sua ausência. O poeta sacro estava dando somente uma lista *sugestiva* de coisas que um homem verdadeiramente espiritual faria a fim de agradar a Deus. Ao tentar destacar importantes questões espirituais, "o salmista estava tornando os sacrifícios uma questão de importância relativamente pequena (ou mesmo nenhuma importância), e, assim sendo, preparava o caminho para sua ab-rogação" (William R. Taylor, *in loc.*).

"A gratidão e o cumprimento leal dos deveres conhecidos são o ritual mais agradável aos olhos de Deus" (Ellicott, *in loc.*). Naturalmente, qualquer hebreu diria que a lei é o manual para descobrir como devemos agir, quais coisas positivas devemos fazer, e quais não devemos fazer. Ver Sl 1.2, quanto a uma súmula de ideias a respeito.

Ações de graças. Ver no *Dicionário* o artigo chamado *Votos*, quanto a explicações detalhadas.

"O voto principal que Deus tinha encarecido diante de Israel era o cumprimento de tudo quanto lhes fora ordenado no Sinai: 'Tudo o que o Senhor falou, faremos' (Êx 19.8)" (Fausset, *in loc.*).

Acusação contra os Hipócritas (50.16-23)

■ 50.16

וְלָרָשָׁע אָמַר אֱלֹהִים מַה־לְּךָ לְסַפֵּר חֻקָּי וַתִּשָּׂא בְרִיתִי עֲלֵי־פִיךָ׃

Mas ao ímpio diz Deus. Os vss. 16-23 constituem a *segunda acusação*, sendo que os vss. 7-15 constituem a *primeira*. Os que eram tão cuidadosos quanto à ortodoxia, mas esqueciam os valores reais da lei, também eram culpados de hipocrisia. Eram fanáticos, cumprindo literalmente a lei atinente aos sacrifícios, mas seu coração não tinha sido transformado por seu fanatismo. Agora o poeta os chama de *ímpios*, porquanto seus pecados eram sérios, a despeito do *espetáculo externo* de fé religiosa. Eles eram violadores da lei, o manual do homem espiritual. Os *estatutos* eram claros. As provisões e responsabilidades dos pactos eram todas bem conhecidas. Ver sobre a tripla designação da lei, em Dt 6.1. Ver no *Dicionário* o artigo chamado *Pactos*. E ver sobre o *pacto abraâmico* em Gn 15.18. Além disso, ver sobre o *pacto mosaico* na introdução a Êx 19. Os ensinamentos eram claros e viviam na boca dos hipócritas. Estes serviam só de boca, mas o coração deles estava longe de sentir e obedecer à essência dos mandamentos da lei. Ver Sl 1.2, quanto a um sumário do que a lei significava para Israel. Ter e obedecer à lei fazia dos israelitas uma nação distinta (ver Dt 4.4-8). A lei era o *guia* (ver Dt 6.4 ss.).

"Os ímpios indisfarçados abrigavam-se sob o nome do pacto" (Ellicott, *in loc.*). Muitos eram pecadores profanos, apesar de suas vantagens. Cf. Sl 78.37 e Hb 8.7,8,13.

■ 50.17

וְאַתָּה שָׂנֵאתָ מוּסָר וַתַּשְׁלֵךְ דְּבָרַי אַחֲרֶיךָ׃

Uma vez que aborreces a disciplina...? Este versículo nos surpreende. Na realidade, os hipócritas *odiavam* as instruções da lei, a despeito de tudo o que demonstravam em contrário. O resultado era que jogavam para trás de si mesmos as instruções espirituais, de modo que ficassem fora de sua visão, e praticavam coisas que a lei proibia. A lei dizia o que era *permitido* e o que era *proibido*, e também ensinava as *coisas positivas* que um homem deveria, com diligência, *buscar e praticar*. Os hipócritas, porém, ofendiam em todos os pontos. Ver Mt 23.23. Ver no *Dicionário* o verbete chamado *Hipocrisia*, quanto a comentários que ilustram o assunto e a parte presente do Salmo 50. Os versículos seguintes prosseguem, dando algumas instâncias concretas de seus fracassos. "Embora aquela gente ímpia se reunisse com os que amavam o Senhor, Deus conhecia a corrupção de seu coração" (Allen P. Ross, *in loc.*). Eles ensinavam a outras pessoas, mas não a si mesmos. Ver Rm 2.21-23. Cf. At 13.45,46 e Lc 7.30. "A lei não fora dada somente para ser falada, mas também para ser cumprida (Rm 2.13). Os ímpios faziam coisas contra a aliança e corrompiam a outros com suas lisonjas (1Macabeus 1.30)" (Fausset, *in loc.*).

■ 50.18

אִם־רָאִיתָ גַנָּב וַתִּרֶץ עִמּוֹ וְעִם מְנָאֲפִים חֶלְקֶךָ׃

Se vês um ladrão, tu te comprazes nele, e aos adúlteros te associas. Dois pecados, que quebravam violentamente a lei, são destacados neste versículo como ilustrações: o furto e o adultério. Ver Êx 20.14,15. Ver sobre *Decálogo* e sobre *Dez Mandamentos*, no *Dicionário*, quanto a um tratamento geral da lei e de seus requisitos. Os hipócritas tanto praticavam quanto aprovavam tais pecados da parte de outras pessoas. Cf. Jó 34.9.

... não somente as fazem, mas também aprovam os que assim procedem.

Romanos 1.32

Eles formavam uma geração adúltera, a despeito de possuírem e ensinarem a lei mosaica. Ver Mt 12.39 e Jo 8.4-8. A infidelidade a Deus é adultério *espiritual*, porquanto a pessoa abandona seu companheiro e legítimo consorte espiritual, para aceitar os obreiros da iniquidade. E quem não é culpado disso? Além disso, o adultério também envolve pensamentos impuros (ver Mt 5.28), e quem não se torna culpado disso? Mas os hipócritas são praticantes especiais de todos esses vícios.

■ 50.19

פִּיךָ שָׁלַחְתָּ בְרָעָה וּלְשׁוֹנְךָ תַּצְמִיד מִרְמָה׃

Soltas a tua boca para o mal. Além desses, há também os males da língua, a calúnia e o engano. Ver no *Dicionário* o artigo intitulado *Linguagem, Uso Apropriado da*, quanto a ilustrações desse tipo de pecado. "... a língua arquiteta o engano, pondo e juntando palavras ludibriosas de maneira esperta, mediante as quais mentes simples e instáveis são enganadas" (John Gill, *in loc.*).

Trama enganos. Traduzido literalmente do hebraico, este verbo significa "tecer", algo concebido e executado com habilidade, como se fosse um tecido transformado em roupa.

Meu cérebro, mais ocupado que uma aranha laboriosa,
Tece armadilhas tediosas, para prender
em uma armadilha os meus inimigos.

Shakespeare

■ 50.20

תֵּשֵׁב בְּאָחִיךָ תְדַבֵּר בְּבֶן־אִמְּךָ תִּתֶּן־דֹּפִי׃

Sentas-te para falar contra teu irmão. *Calúnia*. Esses homens ímpios, abusando do uso da língua, naturalmente tornavam-se culpados de calúnia, também chamada de falso testemunho e perjúrio em tribunal. Eles até falavam contra os "irmãos" que eram parentes próximos, e não meramente concidadãos hebreus, o que se vê no acréscimo das palavras "o filho da tua mãe". Quanto à proibição a tais pecados, ver Êx 20.16. Aqueles hipócritas eram culpados de pecados radicais ou de conduta vergonhosa.

O destino deles é a perdição, o deus deles é o ventre, e a glória deles está na sua infâmia; visto que só se preocupam com as cousas terrenas.

Filipenses 3.19

Para falar contra. Literalmente traduzida, esta expressão diria: "dar um golpe", como vibrar um golpe com uma arma mortífera. A língua deles torna-se uma arma mortal, que eles usam com júbilo contra outras pessoas.

O filho de tua mãe. Em uma sociedade polígama, um homem teria muitos irmãos e muitas irmãs que não eram filhos da mãe dele. O comentário aqui fala de um irmão que tinha a mesma mãe, ou seja, um irmão *mais próximo* do que outros irmãos, mas que nem por isso deixara de ser molestado verbalmente.

■ 50.21

אֵלֶּה עָשִׂיתָ וְהֶחֱרַשְׁתִּי דִּמִּיתָ הֱיוֹת־אֶהְיֶה כָמוֹךָ אוֹכִיחֲךָ וְאֶעֶרְכָה לְעֵינֶיךָ׃

Tens feito estas cousas, e eu me calei. A *paciência divina* tinha tolerado aqueles homens maus, que talvez tenham pensado que Yahweh era como eles, sem cuidado para com as pessoas e negligente quanto à retidão. Finalmente, a paciência divina acabou e veio a repreensão, seguida por decisivos *atos* de julgamento, podemos ter certeza. Eles tinham quebrado mandamentos que a lei dos hebreus infligia com a punição capital. Os hipócritas, tendo poder no governo e dinheiro para oferecer como suborno, provavelmente haviam escapado da punição capital, mas isso não significa que pudessem escapar de um ataque celeste, sob a forma de enfermidade, acidente ou outra calamidade.

"A longanimidade de Deus, tencionada para efetuar o *arrependimento* (ver Rm 2.4), foi mal compreendida. E os homens chegaram a pensar que Deus era indiferente para com o mal e para com o indivíduo maligno" (Ellicott, *in loc.*). "Meus olhos têm estado continuamente sobre ti, embora meus julgamentos não tenham sido derramados... mas agora te reprovarei. Visitar-te-ei com o mal, por causa de tua maldade" (Adam Clarke, *in loc.*, com alguma adaptação).

Este versículo tem sido cristianizado para referir-se, profeticamente, ao que aconteceu aos judeus que rejeitaram a Cristo, a começar pela destruição de Jerusalém, no ano 70 d.C. Todavia, isso é apenas uma aplicação do salmo, mas dificilmente uma interpretação.

50.22

בִּינוּ־נָא זֹאת שֹׁכְחֵי אֱלוֹהַּ פֶּן־אֶטְרֹף וְאֵין מַצִּיל׃

Considerai, pois, nisto vós que vos esqueceis de Deus. Não praticar a lei é *esquecer-se de Deus,* mesmo que o indivíduo tenha a cautela de manter as formas religiosas externas. Esse discernimento que o poeta nos ofereceu é de ótima qualidade. Vice-versa, *lembrar-se de Deus* é praticar as coisas que demonstram fé no coração, inspirada pelo Espírito Santo.

Para que não vos despedace. A figura simbólica é a da fera que apanha a presa de sobressalto, atacando-a, matando-a e despedaçando-a. Os ímpios podem subitamente sofrer um julgamento que não esperavam receber e para o qual certamente estavam despreparados. "Asafe instruiu os hipócritas a considerar seus caminhos, antes que se tornasse tarde demais" (Allen P. Ross, *in loc.*).

> *Sou, pois, para eles como leão; como leopardo espreito no caminho. Como ursa, roubada de seus filhos, eu os atacarei, e lhes romperei a envoltura do coração; e como leão ali os devorarei, as feras do campo os despedaçarão.*
>
> Oseias 13.7,8

50.23

זֹבֵחַ תּוֹדָה יְכַבְּדָנְנִי וְשָׂם דֶּרֶךְ אַרְאֶנּוּ בְּיֵשַׁע אֱלֹהִים׃

O que me oferece sacrifício de ações de graças. O autor sagrado volta agora a mencionar as coisas que agradam a Deus, que vão além do espetáculo da fé religiosa, e entre elas está *glorificar* a Deus por tudo quanto ele tem feito, agradecendo por sua bondade. Ver o vs. 15, onde isso é mencionado. O vs. 22 revisa, em uma única declaração, o aspecto do salmo que fala sobre os ímpios; o vs. 23 revisa o aspecto do salmo que fala sobre os piedosos. Aquele que é agradecido *honra a Deus.* Esse homem ordena corretamente a sua vereda. Ele pratica as coisas mencionadas nos vss. 14 e 15. Quanto ao ato de *andar* (incluindo seus sentidos metafóricos), ver o artigo no *Dicionário.* O homem bom põe em prática os preceitos da lei, e não faz somente oferecer sacrifícios para que outras pessoas vejam que ele é um homem "religioso".

A salvação de Deus. É apenas natural cristianizar este versículo e fazer desta a salvação evangélica, uma vida abençoada para além da morte biológica; não é provável, contudo, que a teologia do autor sacro avançasse para muito além desse ponto. Talvez ele tivesse em mente viver bem e por muito tempo, evitando a morte prematura, e, finalmente, descansar de suas boas realizações. Dessa maneira, Deus *teria livrado* aquele homem dos juízos divinos, que perturbariam o curso de sua vida e, provavelmente, a abreviariam. Esse homem observaria a aliança com Deus e se beneficiaria das promessas feitas a Abraão e a Moisés. Ele obteria a *vida* mediante a obediência à lei. Quanto a esse conceito, ver Dt 4.1; 5.33; 6.2 e Ez 20.1. A teologia posterior dos hebreus, entretanto, fazia dessa a vida pós-túmulo. Cf. Is 52.10 e Lc 2.25-30. Ver no *Dicionário* o artigo intitulado *Salvação.*

SALMO CINQUENTA E UM

Quanto a *informações gerais* que se aplicam a todos os salmos, ver a introdução ao Salmo 4, onde apresento *sete* comentários que elucidam a natureza do livro. Quanto às *classes* dos salmos, ver o gráfico no início do comentário, que atua como uma espécie de frontispício da coletânea. Ofereço ali dezessete classes e listo os salmos pertencentes a cada uma delas.

Este é um salmo de *lamentação,* parte do grupo mais numeroso de salmos. O poeta lamenta um ou mais grandes pecados que ele tinha cometido, e busca perdão e renovação espiritual. Este salmo também figura entre os sete *salmos penitenciais* da liturgia cristã, uma subclasse dos salmos de lamentação. O Salmo 51 lamenta a sensualidade. Os outros seis salmos penitenciais são: 6 (lamenta a ira); 32 (lamenta o orgulho); 39 (lamenta a glutonaria); 102 (lamenta a cobiça); 130 (lamenta a inveja); 143 (lamenta a preguiça).

O vs. 14, de acordo com uma possível variante, fala sobre a *morte,* o que significa que o poeta poderia estar enfermo quando compôs o salmo. Ele afirma que seus pecados tinham causado a enfermidade. Há certo conjunto de salmos que tratam desse tema. Quanto aos *salmos de enfermidade,* ver 6.22; 28; 30; 31.9-12; 38; 51 e 88.

Os salmos de lamentação apresentam várias classes de inimigos de Israel: soldados invasores; hebreus corruptos perseguidores dentro do acampamento; e enfermidades físicas. Aqui temos o pecado, o inimigo da alma, como o causador das enfermidades físicas. Os salmos de lamentação usualmente iniciam com um clamor urgente pedindo ajuda; então descrevem o inimigo que estava atacando; e terminam com uma nota de louvor, porquanto a oração foi respondida, ou o salmista crê que a oração em breve será respondida. Alguns salmos de lamentação terminam em *desespero,* e isso ilustra o que algumas vezes acontece na vida humana.

O vs. 18 quase certamente reflete uma época posterior a Davi, embora este salmo lhe tenha sido atribuído. "O desenvolvimento da consciência de um pecado pessoal, a negação do valor dos sacrifícios animais, a reação espiritual diante das aflições, essas características gerais assinalam os salmos pós-exílicos... Ademais, no que diz respeito ao Salmo 51, vemos que o autor estava familiarizado com os ensinos superiores da profecia pré-exílica (ver Os 13.12; 14.2; Jr 17.9; 31.31-33) *e também* com salmos similares do período pós-exílico (Ez 11.19; 36.26; Is 57.15; 63.10,11)" (William R. Taylor, *in loc.*).

"Poucos salmos têm encontrado tantos usos como este, entre os santos de todas as épocas, fato que testemunha as necessidades espirituais do povo de Deus... A mensagem deste salmo é que o mais vil ofensor entre o povo de Deus pode apelar a Deus, pedindo-lhe perdão, restauração moral e o reinício de uma vida jubilosa de comunhão e serviço, caso ele se aproxime do Senhor com espírito quebrantado e baseie seu apelo sobre a compaixão e a graça de Deus" (Allen P. Ross, *in loc.*).

Subtítulo. Temos aqui um subtítulo elaborado: "Ao mestre de canto. Salmo de Davi, quando o profeta Natã veio ter com ele, depois de haver ele possuído Bate-Seba". Poucos eruditos tomam a sério este subtítulo, visto que há elementos no salmo que apontam para um tempo bem posterior aos dias de Davi. Ver os vss. 4 e 18 e os respectivos comentários, bem como ver informação acima, sobre a natureza tardia dessa composição. As adições aos salmos, por meio de subtítulos, foram produto de uma era posterior e não faziam parte original das composições. Cerca de metade dos salmos é atribuída a Davi, o que sem dúvida é um grande exagero, mas não há dúvida de que ele compôs pelo menos alguns deles, visto ter sido o *suave salmista de Israel* (2Sm 23.1). Ver 2Sm 11 e 12.14,15, quanto ao presumível pano de fundo histórico deste salmo.

UM SALMO DE PENITÊNCIA (51.1-19)

Clamor Pedindo Misericórdia e Purificação (51.1,2)

■ **51.1** (na Bíblia hebraica corresponde ao **51.1-3**)

לַמְנַצֵּחַ מִזְמוֹר לְדָוִד׃

בְּבוֹא־אֵלָיו נָתָן הַנָּבִיא כַּאֲשֶׁר־בָּא אֶל־בַּת־שָׁבַע׃

חָנֵּנִי אֱלֹהִים כְּחַסְדֶּךָ כְּרֹב רַחֲמֶיךָ מְחֵה פְשָׁעָי׃

Compadece-te de mim, ó Deus. Os salmos de lamentação, sem importar a subclasse exata a que pertençam, são introduzidos por um grito pedindo ajuda. Aqui, o salmista implora por *misericórdia*, visto que se reconhecera culpado de pecados hediondos, para os quais precisava de perdão. O poeta baseia-se na *benignidade* divina para sua esperança de perdão. O autor adoecera por causa de seus pecados (vs. 8), tendo chegado à beira da morte (vs. 14) e, naturalmente, queria ser libertado da doença. Mas a sua preocupação central era livrar-se do peso da corrupção, o que sobreviria quando ele confessasse e abandonasse seus pecados. O poeta (ao contrário dos autores de outros salmos de lamentação) não se queixava de seus inimigos. Ele tinha sido seu próprio e pior inimigo. Precisava libertar-se dos resultados negativos de sua própria semeadura. Ver no *Dicionário* o artigo intitulado *Lei Moral da Colheita segundo a Semeadura*.

Apaga as minhas transgressões. Deus havia registrado todas as transgressões em seu livro de registros, e agora essas anotações serviam de testemunho contra o homem culpado. Enquanto não fossem apagadas do livro de Deus, essas notas continuariam ali, assediando espiritual e fisicamente o salmista. Ele acabaria morrendo fisicamente, e talvez, conforme ele pensava, continuasse sofrendo em algum lugar, no mundo espiritual, por causa delas. Não sabemos dizer até que ponto a teologia do autor sagrado já tinha progredido, e se ele olhava ou não para além-túmulo. Nos Salmos e Profetas, a doutrina da alma *começara* a vir à tona, mas não se desenvolveu totalmente enquanto não apareceram os livros pseudepígrafos e apócrifos. Um desenvolvimento posterior foram as doutrinas da imortalidade e das recompensas e punições; mas ele só ocorreu nas páginas do Novo Testamento. Continuamos aprendendo; a teologia, como qualquer outro ramo do conhecimento, cresce e se aprimora. Homens de mentalidade fundamentalista fazem estagnar a doutrina e a verdade. Podemos ignorá-los com toda a segurança. Ver no *Dicionário* os verbetes intitulados *Pecado* e *Perdão*.

Transgressões. Coisas *contrárias* aos mandamentos e requisitos da lei.

Três palavras remidoras: apaga (vs. 1), lava (vs. 2) e purifica (vs. 2).

Três atos divinos redentores: compaixão, benignidade e misericórdia (vs. 1).

"*Autorrepreenda*. Sentimentos mistos como sentimentos de exposição, denúncia e ameaça eram calculados para produzir o caos nos pensamentos e nos sentimentos. O primeiro senso de alívio do pecador era de que a coisa oculta finalmente tinha vindo à superfície" (J. R. P. Sclater, *in loc.*).

Tradicionalmente, este salmo é de Davi, lamentando o adultério com Bate-Seba e o assassinato do marido dela, Urias. Mas poucos estudiosos acreditam hoje em dia que era isso o que o salmista tinha em vista. Ver as notas sobre o *subtítulo*, na introdução ao salmo.

■ **51.2** (na Bíblia hebraica corresponde ao **51.3**)

הַרְבֵּה כַּבְּסֵנִי מֵעֲוֹנִי וּמֵחַטָּאתִי טַהֲרֵנִי׃

Lava-me completamente da minha iniquidade. O *poeta clama* pedindo perdão, com base na compaixão, na benignidade e na misericórdia de Deus, das quais ele precisava para seu grave pecado duplo. Ele carecia que seus pecados fossem *apagados* (vs. 1), que ele mesmo fosse *lavado* (vs. 2) e inteiramente *purificado* (vs. 2). Dessa maneira, pelos atos múltiplos de Deus, o poeta seria perdoado, ficaria livre e seria restaurado. Era esse o sentido de sua oração. Como agradável subproduto, seu corpo seria curado, porquanto ele estava doente até à morte, devido aos efeitos de seus pecados. Ver os vss. 8 e 14.

Lava-me. A figura simbólica por trás deste verbo é de uma veste suja que precisava ser lavada com água e sabão, e assim seria restaurada à limpeza e a um estado renovado. Ver Êx 19.10.

Purifica-me. Talvez a figura de linguagem aqui seja a remoção de impurezas metálicas mediante o processo do refinamento. Ver Ml 3.3. A pessoa precisa estar limpa para postar-se diante de Deus (Lv 14.1). O nosso homem estava cheio de transgressões, iniquidades e pecados, três palavras que o salmo utiliza para expressar temível pecaminosidade contraída mediante um deslize para a degeneração. Ele queria parar com aquele deslize e voltar à pureza e inocência original de que havia desfrutado. O pecado já lhe custara demasiado.

Iniquidade. *Atos poluidores* agravados, em imitação ao que os pagãos, que não conheciam a Deus, costumavam fazer.

Pecado. Um *errar o alvo*, seguindo o pecador a vereda errada, sinistra, conforme os passos dados pelos pagãos.

O salmista tinha *pecados abundantes*, que requeriam *abundante misericórdia*, porquanto, de outro modo, seu caso não teria esperança. Mas uma coisa este salmo ensina: é que não existem casos sem esperança.

> Eu estava afundando profundamente no pecado,
> Longe de toda praia pacífica;
> Manchado bem fundo, em meu interior,
> Afundando para não mais levantar-me.
> Mas o Senhor do mar
> Ouviu meu grito desesperado.
> Das águas me levantou,
> E agora estou seguro.
>
> James Rowe

Confissão e Petição (51.3-12)

■ **51.3** (na Bíblia hebraica corresponde ao **51.4**)

כִּי־פְשָׁעַי אֲנִי אֵדָע וְחַטָּאתִי נֶגְדִּי תָמִיד׃

Conheço as minhas transgressões. O poeta sagrado buscava cura moral e espiritual, e não cura física. Mas também precisava de cura física e, sem dúvida, calculou que livrar-se de seus pecados seria a medida certa para obtê-la. Os hebreus antigos lançavam sobre os pecados toda a culpa pela doenças. A *consciência* do salmista aplicava-lhe uma surra, e isso era sinal de sinceridade. Os pecadores aprendem a nada sentir no tocante a seus pecados. É possível ter uma consciência calejada, virtualmente inoperante. É boa a conjectura de que o homem era culpado de um pecado hediondo, algo como o adultério e o homicídio praticados por Davi. De acordo com J. R. P. Sclater (*in loc.*), no episódio que envolvera Bate-Seba, Davi teria quebrado *cinco* dos Dez Mandamentos, mas ele não lista esses pecados para nós. Pode você identificá-los?

> *Se confessarmos os nossos pecados, ele é fiel e justo para nos perdoar os pecados e nos purificar de toda injustiça.*
>
> 1João 1.9

> *Confessei-te o meu pecado e a minha iniquidade não mais ocultei. Disse: Confessarei ao Senhor as minhas transgressões; e tu perdoaste a iniquidade do meu pecado.*
>
> Salmo 32.5

■ **51.4** (na Bíblia hebraica corresponde ao **51.5**)

לְךָ לְבַדְּךָ חָטָאתִי וְהָרַע בְּעֵינֶיךָ עָשִׂיתִי לְמַעַן תִּצְדַּק בְּדָבְרֶךָ תִּזְכֶּה בְשָׁפְטֶךָ׃

Pequei contra ti, contra ti somente. Até os mais conservadores eruditos não podem reconciliar o duplo pecado de Davi, que envolveu o adultério contra Bate-Seba e o assassinato do marido dela, Urias. Na introdução ao salmo e ao subtítulo que atribui este salmo a Davi, não o próprio salmo, e devemos lembrar que as adições introdutórias aos salmos não faziam parte das composições originais. Ver na introdução a este salmo a parte denominada *Subtítulo*. Poder-se-ia argumentar que todo pecado é, em última análise, contra Deus, mas isso não é a mesma coisa que dizer "somente". "O vs. 4 ajusta-se ao caso de Davi, que colocou a vida de Urias sob tremendo risco, depois de lhe contaminar o leito. O vs. 18 faz este salmo referir-se ao tempo do cativeiro... O crime mencionado não foi praticado somente contra Deus, mas contra toda a ordem da sociedade civil" (Adam Clarke, *in loc.*).

O que foi praticado foi hediondamente maligno, e assim Yahweh, ao pronunciar-se e julgar a questão, foi justificado e vindicado por afligir o homem moralmente enfermo com uma enfermidade física. A honra divina foi justificada quando o pecador confessou que sua condenação e punição tinham sido justas.

> *Faraó mandou chamar a Moisés e Arão, e lhes disse: Esta vez pequei; o Senhor é justo, porém eu e meu povo somos ímpios.*
>
> Êxodo 9.27

Talvez o pecado em mira tenha sido a *idolatria*, algo que o autor praticou em segredo, talvez em seu próprio altar particular, na sua propriedade. Mas isso não passa de conjectura. Seja como for, não havia pecado pior, aos olhos dos hebreus, do que esse. Ver no *Dicionário* o verbete intitulado *Idolatria*. A idolatria provocaria uma *brecha e a quebra da aliança*, uma questão seriíssima, visto que Israel supostamente era uma nação distinta dos pagãos, exatamente por possuir a lei (ver Dt 4.4-8).

■ 51.5 (na Bíblia hebraica corresponde ao 51.6)

הֵן־בְּעָווֹן חוֹלָלְתִּי וּבְחֵטְא יֶחֱמַתְנִי אִמִּי׃

Eu nasci na iniquidade. *Pecado Original?* O uso cristão padrão deste versículo é transformá-lo em texto de prova em defesa do pecado original, a ideia de que um homem já nasce em pecado e carrega uma natureza pecaminosa simplesmente por ser homem, e não porque, através de condições ambientais, se torna um pecador. Mas a interpretação rabínica dizia que a mulher, durante o ato sexual, natural e *inevitavelmente* tem pensamentos adúlteros, pelo que, quando um bebê é concebido, é concebido em meio a uma atmosfera pecaminosa. Dessa maneira, a mãe do poeta concebeu-o em meio ao pecado. O sexo é o criador natural de pensamentos e intuitos pecaminosos. Isso porque é, em primeiro lugar, um *ato racial* e, em segundo lugar, um ato pessoal. Visto ser um ato racial, tanto homens quanto mulheres sempre fazem daqueles momentos um tempo de pensamentos adúlteros. Pensar em fazer sexo com outro homem, ao mesmo tempo em que se praticava sexo com o próprio marido, é adultério mental, algo que Jesus condenou (ver Mt 5.28).

O sexo é o meio pelo qual a raça humana se propaga. Quando as pessoas se entregam ao sexo, a mente, tanto de homens quanto de mulheres, naturalmente vagueia para outros parceiros, passados, esperados ou imaginados. Os que acreditam na teoria da evolução asseguram que os primatas são altamente promíscuos, e o mesmo pode ser dito com respeito ao ser humano, tanto mentalmente quanto na realidade. Isso faria parte da *herança genética*. Além do mais, os evolucionistas também salientam que os animais desiguais quanto ao tamanho (os machos são notoriamente maiores que as fêmeas) são todos polígamos e promíscuos. Somente os animais que têm mais ou menos as mesmas dimensões (macho e fêmea do mesmo tamanho) vivem de forma monogâmica. Se isso é verdade, então os seres humanos são fornicadores e adúlteros naturais, a menos que a poligamia facilite a situação. Mesmo nessa condição, o adultério floresceria. Portanto, parece que o caso não tem remédio. Os homens gostam de falar que são santos, mas sua vida mental particular declara-os mentirosos. Alguns supõem que pessoas santificadas venceram esse pecado, mas haverá pessoas assim tão santificadas, ou serão elas mentirosas? Imagino que 1Jo 1.8 as chama de mentirosas:

> *Se dissermos que não temos pecado nenhum, a nós mesmos nos enganamos, e a verdade não está em nós.*

Isso não significa que devamos estabelecer tréguas particulares com o pecado. Devemos esforçar-nos para ser pessoas melhores e então permitir que a imortalidade termine o processo, até estarmos livres do pecado.

Seja como for, sem importar se o pecado original é verdade ou ilusão, não devemos apelar para o Salmo 51 como prova e apoio a essa ideia. Ver no *Dicionário* o verbete intitulado *Pecado Original*.

■ 51.6 (na Bíblia hebraica corresponde ao 51.7)

הֵן־אֱמֶת חָפַצְתָּ בַטֻּחוֹת וּבְסָתֻם חָכְמָה תוֹדִיעֵנִי׃

Eis que te comprazes na verdade no íntimo. Visto que o homem é assaltado por toda espécie de pensamentos errantes e termina praticando parte significativa do que imagina, o ideal é que ele seja puro em seus pensamentos e em suas ações. É isso o que Deus requer e é isso o que o homem piedoso busca sofregamente. O homem possui um *ser interior* que pode ser cultivado para o bem ou para o mal. Está em consonância com o princípio divino que a santificação começa nesse ponto. O Espírito de Deus pode ensinar um homem, no seu *ser interior*; e, se isso acontece, então o homem é uma pessoa superior, que escapou aos vícios de outros homens, embora, em nenhum sentido, ele chegue a ser "totalmente santificado", conforme alguns ensinam em vão. Usualmente, toda a doutrina da santificação resulta no rebaixamento dos padrões de santidade, e não no fato de que o indivíduo atingiu o estado de impecabilidade. Seja como for, de que adianta isso se *hoje* um homem pode escorregar para aquele estado antigo? Quanto à santificação, ver no *Dicionário* o verbete assim denominado, especialmente a seção III.

O hebraico original, neste versículo, é um tanto obscuro, e uma tradução possível é a de Schmidt: "Eis que desejas a verdade mais do que desculpas (o encobertamento), e ensinas-me a sabedoria sobre a qual há um mistério". A *Revised Standard Version* diz aqui *coração secreto*, a esfera na qual o Espírito Santo ensina um homem. O coração secreto é a alma do homem, o *verdadeiro homem*, a sua pessoa espiritual. Não sabemos dizer se o autor tinha avançado até o ponto de crer na *alma imaterial*, mas a verdade é que ele sabia que um homem é mais do que se passa em seu cérebro.

■ 51.7 (na Bíblia hebraica corresponde ao 51.8)

תְּחַטְּאֵנִי בְאֵזוֹב וְאֶטְהָר תְּכַבְּסֵנִי וּמִשֶּׁלֶג אַלְבִּין׃

Purifica-me com hissopo. Ramos da planta chamada hissopo eram usados nas purificações rituais. Um leproso declarado curado (puro) era cerimonialmente purificado mediante o uso dessa planta. Ver Lv 14.4-6,49-57. Dessa forma, a lepra tanto desaparecia quanto era apregoada curada, e o pecador ficava livre de seu pecado, porquanto os hebreus pensavam que todas as enfermidades resultavam do pecado. Utilizando uma metáfora vigorosa, o autor sagrado descreveu-se como um homem tão doente, tão impuro, tão sujo, tão desprezado, tão aleijado e tão nojento que ninguém podia olhar diretamente para ele. Portanto, ele precisava (figuradamente falando) dessa planta, o hissopo, para ficar limpo. O óleo aromático, o sangue e a água eram usados na unção purificadora e aspergidos sobre os leprosos. O autor sagrado tinha desesperada necessidade de *aspersão espiritual*, porquanto abrigava uma repelente enfermidade espiritual. Naturalmente, a *sara'at*, comumente traduzida como "lepra", em geral não era a doença causada pela bactéria descrita por Hansen, embora essa palavra hebraica fosse lata o bastante para incluir a verdadeira lepra. Ver sobre a palavra hebraica *sara'at* na introdução a Lv 13. Ver no *Dicionário* o artigo designado *Hissopo*, quanto a amplos detalhes.

Este versículo tem sido cristianizado para falar como o sangue de Cristo nos purifica do pecado. Ver Ap 7.14; Is 1.18; Ef 5.25-27. Ver também Rm 3.25 e Hb 9.25.

"Assim como o *cedro* era o emblema da *grandiosidade*, o *hissopo* era o emblema da *pequenez*. O perdão e a graça divina vêm através da condescendência de Deus (1Rs 4.33; Sl 18.35). Extremos da majestade e da condescendência divina se encontram no perdão e na justificação dos pecadores por parte de Deus (Is 66.1,2)" (Fausset, *in loc.*).

■ 51.8 (na Bíblia hebraica corresponde ao 51.9)

תַּשְׁמִיעֵנִי שָׂשׂוֹן וְשִׂמְחָה תָּגֵלְנָה עֲצָמוֹת דִּכִּיתָ׃

Este versículo quase certamente significa que nosso homem tinha uma *enfermidade séria*. Figuradamente, seus ossos estavam quebrados. O vs. 14 pode significar que ele tinha o que parecia ser uma enfermidade mortal. Naturalmente, em harmonia com a fé dos hebreus, ele pensava que seus pecados tinham causado sua enfermidade. Os hebreus antigos não tinham nenhuma utilização para os medicamentos e para os médicos. Se a enfermidade era devida ao pecado, então seria errado distorcer o julgamento de Deus por meios naturais. Naturalmente, essa *teoria* estava errada. Algumas enfermidades atacam devido ao caos em que está envolvido este mundo, e não devido ao desígnio divino. Uma enfermidade pode ser uma disciplina ou um fator didático. Ver no *Dicionário* o verbete chamado *Cura*; e também a declaração paulina em 2Co 12.8. Ademais, a enfermidade, como parte do problema do mal (sendo ela um *mal natural*, ou seja, algo que a natureza faz contra o homem), tem seus *enigmas*. Pelo menos por algumas vezes não sabemos por que os homens sofrem, nem por que sofrem como sofrem.

Para que exultem os ossos. Os hebreus falavam dos ossos como representantes do corpo inteiro, pois são eles que lhe dão sustentação.

O poeta esperava uma intervenção divina para que, em vez de gemidos por sua carga moral e física, lhe fosse devolvida a alegria. "Enche-me de júbilo, curando o meu corpo de sua enfermidade, retirando o meu remorso, que atravessou a própria medula de meus ossos" (William R. Taylor, *in loc.*).

Veja o leitor como os ossos estão associados à angústia emocional em Sl 6.2.

Este versículo tem sido cristianizado a fim de tratar da cura espiritual em Cristo, que nos é dada pelo perdão dos pecados; certamente é uma boa *aplicação* do texto, mas não uma interpretação.

■ **51.9** (na Bíblia hebraica corresponde ao **51.10**)

הַסְתֵּר פָּנֶיךָ מֵחֲטָאָי וְכָל־עֲוֹנֹתַי מְחֵה:

Esconde o teu rosto dos meus pecados. Note o leitor as *várias expressões* usadas pelo autor sacro para falar em livrar-se dos pecados, por intermédio da ajuda divina: *apaga* (removendo a acusação do livro de memórias de Deus; vs. 1); *lava* (como se fosse uma veste suja; vs. 2); *purifica* (como que removendo a escória de um minério de metal e então do próprio metal; vs. 2); *limpa* (mediante água, sangue e óleos aromáticos, como sucedia aos leprosos pronunciados limpos; vs. 7). E agora Deus é convidado a *esconder* o seu rosto, para não contemplar os pecados do pobre homem. Ato contínuo, o poeta retornou à ideia do ato de *apagar,* já empregada no vs. 2.

Aqui o autor sagrado usa a palavra *iniquidades,* um dos três vocábulos empregados (juntamente com transgressões e pecados) para mostrar seus feitos errados (ver comentários no vs. 2). O pecado do homem estava sempre diante de seus olhos (vs. 3); e o salmista sabia que Deus podia ver muito melhor do que ele. Quando Deus olha para um ato pecaminoso, podemos imaginar um olhar de ira (Sl 21.9). Deus também olha para os homens graciosamente, e era este último tipo de olhar que o poeta esperava, e isso por causa dos benefícios daí advindos.

> *Diante de ti puseste as nossas iniquidades, e sob a luz do teu rosto os nossos pecados ocultos.*
> Salmo 90.8

■ **51.10** (na Bíblia hebraica corresponde ao **51.11**)

לֵב טָהוֹר בְּרָא־לִי אֱלֹהִים וְרוּחַ נָכוֹן חַדֵּשׁ בְּקִרְבִּי:

Cria em mim, ó Deus, um coração puro. *Pelo lado positivo,* Deus poderia tomar várias medidas para garantir completa restauração. Assim sendo, temos a criação de um coração novo (vs. 10); a sua presença com o homem (vs. 11); a concessão dos ministérios do Espírito Santo (vs. 11); a restauração da alegria (vs. 12); a ajuda especial do Espírito de Deus, cheio de boa vontade, o qual age livre e abundantemente em favor do homem (vs. 12). Depois disso, o homem estaria preparado para ajudar outros pecadores a encontrar o caminho da retidão (vss. 13 e ss.).

O pecado penetra o ser inteiro do homem e termina alojando-se no homem interior (vs. 6). Portanto, a purificação deve começar por ali. A palavra hebraica traduzida por "criar" é o mesmo vocábulo usado na história da criação, no primeiro capítulo do livro de Gênesis. Temos aqui, pois, a criação espiritual, ou seja, a criação de um novo homem. Cf. 2Co 5.17: "Se alguém está em Cristo, é nova criatura; as cousas antigas já passaram; eis que se fizeram novas".

E renova dentro em mim um espírito inabalável. No dizer da *Revised Standard Version,* trata-se de um espírito *constante* ou *reto.* O homem desviou-se em seu pecado; tornou-se frívolo, instável; facilmente se deixava arrastar pelo caminho errado. Ele queria, portanto, que seus propósitos e tendências fossem *refeitos.* Deseja ser um homem leal que *não vacilasse* diante de Yahweh. "O homem se defrontava com o espetáculo que havia feito de si mesmo. De pé, perante o espelho da alma, via-se como um homem repugnante em todos os detalhes. E queria que Deus modificasse tudo isso" (J. R. P. Sclater, *in loc.,* com algumas adaptações).

> Vigia, minha alma, e ora!
> Lança para trás toda a preguiça!
> Vigia, as armadilhas do tentador estão mais próximas
> Onde o perigo é menos temido.
> Vigia, minha alma, e ora!
> Johann O. Wallin

■ **51.11** (na Bíblia hebraica corresponde ao **51.12**)

אַל־תַּשְׁלִיכֵנִי מִלְּפָנֶיךָ וְרוּחַ קָדְשְׁךָ אַל־תִּקַּח מִמֶּנִּי:

Não me repulses da tua presença. Para usufruir de plena *restauração,* o salmista precisava da presença de Deus. Esse é um excelente discernimento, distante do legalismo tão frequentemente associado ao judaísmo. Carecemos do *toque místico,* algo que ultrapassa o intelecto, que vai além das meras formas externas da fé religiosa. Ver no *Dicionário* o artigo chamado *Misticismo.* Ser *expulso* da presença de Deus era um termo formal usado para indicar a rejeição de Israel e a anulação do pacto relativo a eles. Ver 2Rs 13.23; 17.20; 24.20; Jr 7.15. Não devemos reduzir o uso do termo "presença" para indicar as manifestações ocasionais de Yahweh no templo. O autor sagrado desejava ter contatos pessoais com Yahweh, de forma *permanente.* Nossos mais remotos progenitores ocultaram-se da presença de Deus por causa do pecado. Estar livre da culpa dá ao homem o potencial para elevadas experiências espirituais. É dificílimo avançar muito pela vereda espiritual sem a santificação, condição *sine qua non* do desenvolvimento espiritual. Não devemos reduzir este versículo supondo que o banimento era do templo e de seu culto, como se o homem tivesse sido excluído por causa de seus pecados. O homem queria muito mais do que apenas o privilégio de frequentar os cultos da igreja.

O teu Santo Espírito. Provavelmente temos aqui um paralelismo com a primeira parte do versículo. Contar com Yahweh próximo e operante na vida é ter o Espírito Santo. É um exagero ver os primórdios da doutrina da Trindade em tais textos. O Espírito Santo é a influência interior mediante a qual um homem é santificado, uma experiência realmente transformadora. Ver 2Co 3.18, quanto ao processo do ponto de vista cristão. "A oração pelo Espírito Santo segue-se, apropriadamente, às orações do salmista pedindo perdão e alegria decorrente da segurança. Pois o senso jubiloso do perdão é a alegria no Espírito Santo (ver Rm 14.17). O dom do Espírito Santo segue-se ao perdão dos pecados (ver At 2.38)" (Fausset, *in loc.*). A santificação (ver a respeito no *Dicionário*) é obra do Espírito (1Pe 1.2). Ver no *Dicionário* o artigo chamado *Espírito Santo.*

> Espírito de Deus, desce sobre meu coração;
> Desamamenta-o da terra, move-te em todo
> o seu pulsar.
> Concede à minha fraqueza, embora sejas poderoso,
> E me faz amar-te, como eu deveria amar-te.
> George Croly

> Não passes de mim, ó Pai gracioso,
> Embora meu coração seja pecaminoso;
> Poderias abandonar-me, mas em lugar disso,
> Que tua misericórdia me sobrevenha.
> Elizabeth Codner

■ **51.12** (na Bíblia hebraica corresponde ao **51.13**)

הָשִׁיבָה לִּי שְׂשׂוֹן יִשְׁעֶךָ וְרוּחַ נְדִיבָה תִסְמְכֵנִי:

Restitui-me a alegria da tua salvação. O homem espiritual encontra *alegria* na vida espiritual, em seus ritos e cerimônias, e na alma onde a vida espiritual opera. Epicuro pensava que os prazeres mentais são superiores aos prazeres físicos, e por certo os prazeres espirituais são maiores do que os prazeres mentais. Há alegria no serviço prestado a Jesus. Ver no *Dicionário* o artigo chamado *Alegria,* quanto a um tratamento completo sobre o assunto. A alegria é um dos aspectos do fruto do Espírito (ver Gl 5.22).

> Alegres, alegres nós te adoramos, nosso Deus,
> Deus da glória, Senhor do amor!
> Nosso coração se abre como flor
> na tua presença,
> Louvando o sol delas, lá em cima.
> Henry Van Dyke

O pecado havia furtado o poeta de sua alegria. Ele continuava a ser um homem de aliança com Deus, o beneficiário da *salvação de Deus,* ou seja, do bem-estar do corpo e da alma. A salvação fala dos *privilégios do pacto.* Não sabemos dizer o quanto o salmista sabia acerca da vida abençoada do outro lado do sepulcro, pois as ideias sobre a alma imortal tinham apenas *começado* a brilhar no pensamento hebreu, nos Salmos e nos Profetas. É difícil para os escritores cristãos, ou para os escritores judeus posteriores, não projetar a palavra "salvação" para um futuro imortal e imaterial, além da morte biológica. Mas essa doutrina só surgiu tardiamente no judaísmo. Existe também outro tipo de salvação, que consiste em uma vida boa, abençoada com bens e alegria espiritual, segundo a qual se evita a morte prematura. Acerca da lei, lemos que ela dá *vida* (ver Dt 4.1; 5.33; 6.2; Ez 20.2), mas apenas no sentido de uma existência terrena longa e abençoada, ligada às formas religiosas dos hebreus. Somente no judaísmo posterior, a dimensão eterna foi vinculada a essas promessas.

Sustenta-me com um espírito voluntário. Essa tradução compreende que está em pauta o *espírito humano* do poeta, inspirado pelo Ser divino, tendo a coragem e o poder de seguir à santificação e de abandonar o pecado. Mas alguns compreendem aqui um *Espírito livre*, ou seja, o Espírito Santo operante livremente e com vontade determinada. Um *espírito voluntário* refere-se ao espírito humano renovado, com novos impulsos espirituais, ou seja, "um espírito de nobreza e de boa vontade, inclinado para a obediência" (William R. Taylor, *in loc.*). Seja como for, enfatizando o Espírito *e* o seu espírito renovado, o poeta aproximava-se da fé neotestamentária, deixando para trás a fé mais primitiva e padronizada dos hebreus, tão entranhada que estava na lei mosaica.

... onde está o Espírito do Senhor aí há liberdade.
2Coríntios 3.17

O Voto do Poeta (51.13-17)

■ **51.13** (na Bíblia hebraica corresponde ao **51.14**)

אֲלַמְּדָה פֹשְׁעִים דְּרָכֶיךָ וְחַטָּאִים אֵלֶיךָ יָשׁוּבוּ׃

Então ensinarei aos transgressores. O salmista tentou entrar em acordo com Yahweh. Se Deus curasse sua alma e seu corpo, então *ele* se tornaria mestre de outros pecadores, tentando mostrar-lhes o reto caminho. Ele seria um bom mestre, visto que tinha experiência no campo. Ele havia sido um grande transgressor, pelo que ensinaria aos transgressores; ele havia sido um grande pecador, pelo que procuraria a conversão dos pecadores. Ver no *Dicionário* o artigo chamado *Conversão*. A *vereda* de Yahweh seria encontrada assim por alguns que, de outra sorte, não a encontrariam.

O oferecimento do autor sagrado deve ser compreendido como um *voto de ação de graças* a ser formalizado no culto do templo. Ver no *Dicionário* o artigo chamado *Voto*. Cf. Sl 50.23. Ver também Sl 7.17. O sacrifício apropriado seria acompanhado pela ação de graças e pelo voto, como era costume entre os hebreus. Ver Sl 66.13-15.

Instruir-te-ei e te ensinarei o caminho que deves seguir; e, sob as minhas vistas, te darei conselho.
Salmo 32.8

A lei mosaica seria o manual de instruções (ver Sl 1.3, sumário); mas o autor sacro tinha aqui discernimentos adicionais que o faziam aproximar-se da compreensão neotestamentária. Ver as notas do vs. 12.

■ **51.14** (na Bíblia hebraica corresponde ao **51.15**)

הַצִּילֵנִי מִדָּמִים אֱלֹהִים אֱלֹהֵי תְּשׁוּעָתִי תְּרַנֵּן לְשׁוֹנִי צִדְקָתֶךָ׃

Livra-me dos crimes de sangue, ó Deus. Alguns intérpretes veem aqui o pecado de homicídio praticado por Davi, porquanto com sucesso ele planejou e executou a morte de Urias, marido de Bate-Seba. Mas os vss. 4 e 18 contrariam essa suposição. O pecado do salmista fora um pecado *particular*, e não um pecado de violência contra um de seus soldados de confiança. Além disso, este salmo é tardio (conforme mostra o vs. 18), e não um salmo composto em cerca de 1000 a.C. (época de Davi). Parece que o pecado do salmista o havia feito apanhar uma enfermidade fatal, pelo que o seu crime terminou sendo um *pecado de sangue*, ou seja, um pecado capaz de produzir a morte. Portanto, em lugar de *crimes de sangue*, a Revised Standard Version prefere a tradução "morte". A Oxford Annotated Bible afirma que esse é o "melhor sentido" da palavra. O hebraico literal diz "sangues", o que significa "morte". Note o leitor que, no vs. 8, os *ossos* do salmista tinham sido *quebrados*, o que, provavelmente, indica séria enfermidade *física*, tida como o resultado de um pecado hediondo, como a *idolatria*, que quebrava o acordo do pacto firmado com Yahweh. Cf. Sl 56.13, onde encontramos o mesmo uso: "... da morte me livraste a alma, sim, livraste da queda os meus pés, para que eu ande na presença de Deus na luz da vida".

Se Yahweh concordasse com o voto do salmista e cumprisse a sua parte (curando-lhe o corpo e a alma), então o salmista usaria a sua língua, a sua faculdade de fala, tanto para louvar a Deus quanto para testemunhar em favor dele. Ele agradeceria a Yahweh e contaria a sua experiência a outros pecadores, mostrando-lhes a vereda da retidão para que caminhassem por ela. Ver no *Dicionário* o verbete intitulado *Linguagem, Uso Apropriado da*. Os homens revelam a tendência de tentar barganhar com Deus. A experiência mostra que, algumas vezes, isso funciona, mas nem sempre. Ele levaria o seu caso publicamente ao templo, e ali louvaria a Deus sob a forma de cânticos, acompanhado por instrumentos musicais. Essa atividade era parte importante do culto no templo. A retidão de Deus e a sua bondade eram os temas desses cânticos.

■ **51.15** (na Bíblia hebraica corresponde ao **51.16**)

אֲדֹנָי שְׂפָתַי תִּפְתָּח וּפִי יַגִּיד תְּהִלָּתֶךָ׃

Abre, Senhor, os meus lábios. Tendo concordado com a proposta do salmista, *Yahweh* curaria seu corpo e sua alma, e isso abriria automaticamente a boca do poeta em louvores e cânticos, e todos em Jerusalém ouviriam falar do caso. Os pecadores secretos ficariam impressionados diante da conversão do homem e reconheceriam que ele havia tomado uma decisão acertada, e, em vista disso, seguiriam o seu exemplo. Seus lábios, que anteriormente tinham sido culpados de sussurros ardilosos e sedutores, bem como de fala enganadora, pois vinha escondendo os seus *pecados secretos*, explodiriam sob a forma de puros cânticos de louvor.

Lábios. Um instrumento de louvor que aqui aparece como um paralelo da *língua*, no vs. 14. É provável que o homem, em sua idolatria, tivesse sido culpado de louvar deidades e ídolos estrangeiros; mas isso só lhe causara dor, tanto mental quanto física. Afinal, ele aprendeu a abandonar seus caminhos tolos e assim reverter o curso de sua punição. E também aprendeu a usar seus lábios da maneira certa.

"... Ele queria ter um espírito voluntário e a ousadia de dirigir-se ao trono da graça, o que o crente consegue quando o seu coração é purificado, pelo sangue de Cristo, de toda a má consciência. Seus lábios tinham sido selados pelo pecado, de modo que ele não podia louvar e agradecer a Deus. A culpa tinha trancado os seus lábios... mas agora ele irromperia em salmos, hinos e cânticos espirituais (Sl 103.1-3)" (John Gill, *in loc.*).

■ **51.16** (na Bíblia hebraica corresponde ao **51.17**)

כִּי לֹא־תַחְפֹּץ זֶבַח וְאֶתֵּנָה עוֹלָה לֹא תִרְצֶה׃

Pois não te comprazes em sacrifícios. O salmista afastava-se dos conceitos típicos do Antigo Testamento, na direção de conceitos próprios do Novo Testamento, conforme anoto no vs. 12. Ele estava menos enterrado na lei do que antes. Avançava na fé e na prática dirigida pelo Espírito. Chegou a perceber a futilidade essencial dos sacrifícios de animais, como primitiva forma de expressão espiritual. Ele buscava a *essência* da fé, não suas expressões externas. O Salmo 50 é, fundamentalmente, um tratado sobre esse assunto. Ver especialmente os vss. 8-15. Os vss. 14 e 15 fornecem um sumário simples das coisas *vitais* da fé, em contraste com o antigo sistema sacrificial que estava sendo abandonado como obsoleto e deficiente em eficácia.

Muito antes do cristianismo, os homens estavam cansados de todo aquele sangue e carnificina envolvidos na matança de animais. Começavam a perceber que tinha de haver algo melhor. Descobriram que havia algo maior na alma e em sua espiritualidade, inspirados pelo Espírito e por suas operações. Então Cristo chegou a este mundo e substituiu todo o sistema antigo (ver Hb 9—10), para grande consternação dos tradicionalistas e fundamentalistas, os quais pensavam que tal mudança jamais seria possível. Mas mudanças sempre serão possíveis, e todos os *fins* são, na realidade, novos começos. Todos os fins são *instrumentais*, pois visam novos começos, e não pontos finais. A teologia cresce e devemos estar ansiosos por correr para o novo, quando esse novo nos dá melhores discernimentos quanto a problemas e ideias. O âmago do tradicionalismo é a *estagnação*, e penso que essa palavra não aparece no *dicionário divino*.

Os *verdadeiros sacrifícios* são aqueles do coração, conforme diz o vs. 17. Os tradicionalistas, entretanto, não queriam desistir dos animais.

> *Louvarei com cânticos o nome de Deus, exaltá-lo-ei com ações de graças. Será isso muito mais agradável ao Senhor, do que um boi ou um novilho com chifres e unhas.*
>
> Salmo 69.30,31

"A nação de Israel, exilada e privada do sistema de sacrifícios e de ritos legais, mediante essa própria privação foi compelida a olhar para *além* de suas formas externas e encontrar paz no espírito interior" (Ellicott, *in loc.*).

■ **51.17** (na Bíblia hebraica corresponde ao **51.18**)

זִבְחֵי אֱלֹהִים רוּחַ נִשְׁבָּרָה לֵב־נִשְׁבָּר וְנִדְכֶּה אֱלֹהִים לֹא תִבְזֶה׃

Sacrifícios agradáveis a Deus são o espírito quebrantado. Os *verdadeiros sacrifícios* são aqueles do Espírito de Deus e do espírito do homem. O espírito humano precisa apresentar-se diante de Deus quebrantado, depois que se mostrou rebelde e culpado de muitos pecados. O coração precisa entristecer-se por causa do que fez. Tem de haver arrependimento e reparação. Essas atitudes Deus não desprezará, mesmo que o homem não se apresente com sacrifícios de animais. Ver no *Dicionário* os artigos chamados *Arrependimento* e *Reparação (Restituição)*, quanto a abundantes ilustrações sobre este versículo. "Quando tudo estiver assim restaurado, Deus se *deleitará* uma vez mais em aceitar os sacrifícios de ofertas queimadas... Somos informados de que há regozijo no céu por causa de um único pecador que se arrepende. Por que não haveria, sobre a terra, intenso regozijo no coração do pecador que é perdoado?" (J. R. P. Sclater, *in loc.*, referindo-se a Lc 15.7).

"O espírito quebrantado em pedaços, e o coração compungido... são os sacrifícios que Deus requer e que ele nunca desprezará" (Adam Clarke, *in loc.*).

Provavelmente temos aqui uma alusão à *matança do corpo do animal*. Anteriormente, pensava-se que isso agradaria a Deus; mas o autor sagrado estava afastando-se dessa ideia. O que Deus realmente queria era o "espírito quebrantado do homem, mediante o arrependimento". Essa é uma forma muito superior de sacrifício.

> *Sara os de coração quebrantado, e lhes pensa as feridas.*
>
> Salmo 147.3

APÊNDICE POSTERIOR (51.18,19)

■ **51.18** (na Bíblia hebraica corresponde ao **51.19**)

הֵיטִיבָה בִרְצוֹנְךָ אֶת־צִיּוֹן תִּבְנֶה חוֹמוֹת יְרוּשָׁלָםִ׃

Faze o bem a Sião, segundo a tua boa vontade. Yahweh é aqui *convidado a fazer o bem* por Jerusalém, permitindo a reconstrução de suas muralhas. Isso fala do tempo em que Israel estava no exílio babilônico, mas esperava poder retornar, o que realmente aconteceu, terminado o cativeiro babilônico, embora a maioria dos judeus tivesse ficado para desfrutar dos benefícios recebidos naquele lugar pagão. Ver no *Dicionário* o artigo intitulado *Cativeiro Babilônico*. Este salmo, entretanto, pode ter sido escrito após esses acontecimentos, como uma história, refletindo os desejos do povo de Judá no exílio.

Este versículo empresta ao salmo presente uma data bastante posterior, mas caso se trate de um apêndice adicionado a um escrito mais primitivo, ele perde seu poder datador. Por outra parte, existem mais *indicações* de uma data mais avançada, o que discuto na introdução ao salmo. Não devemos mergulhar em questões de datas. Este salmo tem um grande valor como escrito espiritual, e este versículo faz parte disso. A preocupação dos estudantes deve ser com os valores da comunidade, com o culto a Yahweh, e não com suas próprias questões particulares. No mínimo, esses detalhes devem ser considerados *secundários*. O sistema sacrificial tinha sido suspenso durante o cativeiro babilônico. A cidade de Jerusalém havia sido destruída, e suas muralhas tinham sido deitadas por terra. Os livros de Esdras e Neemias falam do retorno de um remanescente de cativos e da reconstrução das muralhas da cidade. Uma vez que isso teve cumprimento, o sistema de sacrifícios de animais pôde ser renovado (vs. 19). O autor sagrado muito desejou ver ocorrerem essas coisas.

A adição dos vss. 18 e 19 provavelmente foi feita por uma mão tardia, com o propósito específico de *modificar* a aversão aparente deste salmo diante dos sacrifícios de animais. Em outras palavras, esses versículos foram um apêndice introduzido por tradicionalistas e fundamentalistas, a fim de trazer à memória dos leitores a importância do antigo sistema sacrificial, que recebia sua autoridade da parte da lei mosaica. A primeira porção do salmo presente deve ter parecido por demais *liberal* para o autor posterior. A *depreciação* da fé ritualista tinha ido longe demais, deve ter ele pensado. Note o leitor que essa depreciação, por si mesmo, indica uma data posterior. É difícil imaginar que Davi falaria nesses termos, visto que a lei mosaica era seu supremo guia espiritual.

"Os vss. 18 e 19 foram uma adição posterior, cujo desígnio era modificar o espírito antissacrificial dos versículos anteriores e adaptar o salmo a um uso litúrgico" (*Oxford Annotated Bible*, comentando este versículo).

■ **51.19** (na Bíblia hebraica corresponde ao **51.20**)

אָז תַּחְפֹּץ זִבְחֵי־צֶדֶק עוֹלָה וְכָלִיל אָז יַעֲלוּ עַל־מִזְבַּחֲךָ פָרִים׃

Então te agradarás dos sacrifícios de justiça. O autor deste apêndice mostrou-se *enfático* quanto ao valor dos sacrifícios, a fim de modificar o que fora dito nos vss. 16 e 17. Aquilo que "Deus não desejava" é *enfaticamente* desejado aqui. A fim de deixar clara a sua mensagem, o autor, ato contínuo, lista várias formas de sacrifícios, para que não nos esqueçamos de nenhuma delas. Para ele, *todas* essas formas eram importantes, e *todas* tinham de ser observadas. Ver no *Dicionário* o artigo intitulado *Sacrifícios e Ofertas*. O autor original defendia e antecipava um sistema sem nenhum animal sacrificado. Os hebreus tinham-se dado muito bem no cativeiro babilônico, sem aquele pesado sistema de sangue e carne queimada. Muitos judeus, é provável, mesmo depois de terem retornado à Terra Prometida, gostariam de ter continuado com um sistema incruento, tal como o fazem os judeus modernos, conservadores e tradicionalistas. Contudo, havia os fundamentalistas que insistiam na restauração total do sistema de sangue, uma vez que as muralhas de Jerusalém fossem reconstruídas e as coisas voltassem ao curso antigo. Isto posto, os conservadores "salvaram" a fé hebraica de tendências liberalizantes, como sucedeu aos judeus conservadores refletidos neste salmo. Os ultraconservadores continuam tentando "salvar a fé" e, assim fazendo, por muitas vezes obscurecem a verdadeira fé. A *bibliolatria* (ver a respeito no *Dicionário*) é um dos resultados dos esforços deles. Por outra parte, o vício do liberalismo é o ceticismo, e este é outro extremo que precisa ser evitado.

SALMO CINQUENTA E DOIS

Quanto a *informações gerais* que se aplicam a todos os salmos, ver a introdução ao Salmo 4, onde apresento *sete* comentários que elucidam a natureza do livro. Quanto às *classes* dos salmos, ver o gráfico existente no início do comentário, que atua como uma espécie de frontispício da coletânea. Dou ali dezessete classes e listo os salmos pertencentes a cada uma delas.

Este é um *salmo de lamentação* que convoca Deus a julgar certo tirano. Talvez o indivíduo ímpio aqui atacado represente uma classe de homens, e não uma única pessoa. Tais indivíduos compartilharão da sorte horrenda de todos os ímpios, sem importar a qual classe social pertençam.

"Este salmo está intimamente relacionado com o Salmo 58, e, à semelhança dele, relembra as invectivas dos profetas (cf. Is 22.15-19)" (William R. Taylor, *in loc.*). Contém materiais similares a outros salmos que falam sobre a vindicação dos indivíduos piedosos. Ver Sl 50.16-21 e cf. Sl 11.1-7. Este salmo também é uma denúncia contra governantes tirânicos e outras pessoas do mesmo naipe, particulares ou públicas. Provavelmente trata-se de um poema pós-exílico. Tentar vinculá-lo a 1Sm 22.6-23, conforme faz o subtítulo, é algo impróprio e infundado, por causa da menção ao templo, no vs. 8.

Subtítulo. Temos aqui um subtítulo complexo: "Ao mestre de canto. Salmo didático de Davi, quando Doegue, edomita, fez saber a Saul que Davi entrara na casa de Abimeleque". Em pauta está 1Sm 22.6-23, mas esse incidente ocorreu antes da edificação do templo, o que é mencionado no vs. 8 deste salmo. As adições introdutórias não faziam parte original dos salmos, mas foram acréscimos de compiladores posteriores dos salmos, e portanto não têm autoridade canônica. Cerca de metade dos salmos é atribuída a Davi, sem dúvida um grande exagero. Entretanto, alguns salmos foram realmente compostos por Davi, o *mavioso salmista de Israel* (2Sm 23.1).

DISCURSO DIRIGIDO AOS ÍMPIOS (52.1-4)

■ **52.1** (na Bíblia hebraica corresponde ao **52.1-3**)

לַמְנַצֵּחַ מַשְׂכִּיל לְדָוִד׃

בְּבוֹא דּוֹאֵג הָאֲדֹמִי וַיַּגֵּד לְשָׁאוּל וַיֹּאמֶר לוֹ בָּא דָוִד אֶל־בֵּית אֲחִימֶלֶךְ׃

מַה־תִּתְהַלֵּל בְּרָעָה הַגִּבּוֹר חֶסֶד אֵל כָּל־הַיּוֹם׃

Ó homem poderoso? Algum tirano local era homem pretensioso que muito se jactava. Naturalmente, ele representa uma classe desprezível, sempre mandando nos outros, homens de voz autoritária, de pouco pejo e grandes e deprimentes ambições, muito semelhantes aos políticos modernos. O original hebraico, em vez de "homem poderoso", diz literalmente "herói", mas sem dúvida isso foi escrito sarcasticamente.

Pois a bondade de Deus dura para sempre. Se temos realmente aqui as palavras originais do poeta sacro, o sentido delas é o seguinte: "Em contraste com teus atos tirânicos, podes ter certeza de que a aliança de Deus com o seu povo em nada sai prejudicada pelos teus atos de violência. Ela continua, a despeito de ti e de teus esforços". Mas a versão siríaca diz: "O dia inteiro estás planejando destruição", e isso poderia refletir o original hebraico, em contraste com o texto massorético, que era e continua sendo a Bíblia hebraica padrão. Os Papiros do Mar Morto (antigos documentos hebraicos) exibem ocasionalmente textos que concordam com as versões, sobretudo com a Septuaginta, e contrariam o texto massorético. Ver no *Dicionário* o artigo chamado *Mar Morto, Manuscritos (Rolos) do*, quanto a informações detalhadas a respeito. Ver também o verbete intitulado *Manuscritos Antigos do Antigo Testamento*.

■ **52.2** (na Bíblia hebraica corresponde ao **52.4**)

הַוּוֹת תַּחְשֹׁב לְשׁוֹנֶךָ כְּתַעַר מְלֻטָּשׁ עֹשֵׂה רְמִיָּה׃

A tua língua urde planos de destruição. A *língua* do tirano era como uma *navalha*, e a sua boca, como uma *tempestade*. Ele abusava da linguagem cortando, queimando, destruindo e semeando contendas. Ver no *Dicionário* o artigo chamado *Linguagem, Uso Apropriado da*, quanto a plenos detalhes e ilustrações.

Costuma-se dizer que falar é barato, mas será mesmo? "Palavras, palavras; nada além de palavras." "Ele é apenas um falastrão." Essas declarações ilustram uma depreciação comum da importância da fala. Porém, haverá no mundo algo mais potente para o bem ou para o mal do que as palavras? A fala é a faculdade que diferencia o homem dos animais. A capacidade de falar é sinal de personalidade. A autoconsciência manifesta-se na fala. O pensamento é quase impossível sem o emprego de palavras, que contêm as ideias. Os atos são antecedidos por pensamentos; e por isso diz-se: "O pensamento precede os atos, tal como o relâmpago antecede o trovão". Mas o pensamento é impulsionado pelas sugestões verbais. Toda a cooperação entre os seres humanos depende, em seu sucesso, da comunicação verbal. A solidariedade e a cultura de um grupo baseiam-se em uma linguagem comum. O caráter dá-se a conhecer pela linguagem usada pelo indivíduo (ver Lc 6.45). Portanto, Tiago (terceiro capítulo da epístola de Tiago) acerta o alvo em cheio quando deposita tão grande ênfase sobre a língua" (Easton, comentando Tg 3.2). Considere o leitor o discurso de Hitler em seu livro *Minha Batalha* (título do mais bem conhecido livro daquele tirano), ou o discurso de Churchill, no qual ele falou em "sangue, suor e lágrimas". Gerações inteiras deixaram-se comover por essas palavras perversas ou encorajadoras.

A sua boca era mais macia que a manteiga, porém no coração havia guerra; as suas palavras eram mais brandas que o azeite, contudo eram espadas desembainhadas.
Salmo 55.21

■ **52.3** (na Bíblia hebraica corresponde ao **52.5**)

אָהַבְתָּ רָּע מִטּוֹב שֶׁקֶר מִדַּבֵּר צֶדֶק סֶלָה׃

Amas o mal antes que o bem. *O tirano* habitava no meio ambiente da contenda, em que a *palavra mentirosa* era necessária para apanhar de surpresa os oponentes. Uma das principais armas dos tiranos (alegadamente grandes líderes políticos), locais, nacionais ou internacionais, é a "grande mentira" na qual muitas pessoas naturalmente acreditam, e cuja prova contrária é bastante difícil, embora tal "arma" seja totalmente falsa. O mal requer palavras mentirosas, e palavras mentirosas são más. O tirano especializa-se em ambas as coisas. Ele só diz a verdade quando está em jogo a sua própria vantagem. Ele é um completo pragmático, fazendo e dizendo coisas que lhe sejam proveitosas, que operem para seu bem e promovam seus desígnios e ambições. Seu lema é o seguinte: "O que funciona é direito", sem considerar quaisquer valores fixos. De fato ele não tem valores fixos, exceto a máxima: "Serve a ti mesmo". Se ele tiver de prejudicar e matar para obter o que quer, então os atos de prejudicar e matar serão classificados como *justificados* e *bons*.

... pela hipocrisia dos que falam mentiras, e que têm cauterizada a própria consciência.
1Timóteo 4.2

Melhor é buscar refúgio no Senhor do que confiar no homem. Melhor é buscar refúgio no Senhor do que confiar em príncipes.
Salmo 118.8,9

Aquilo que os tiranos dizem destrói outras pessoas (ver Tg 3.6,8).

■ **52.4** (na Bíblia hebraica corresponde ao **52.6**)

אָהַבְתָּ כָל־דִּבְרֵי־בָלַע לְשׁוֹן מִרְמָה׃

Amas todas as palavras devoradoras. *O tirano mentiroso* deleita-se na destruição, e uma das principais armas que ele usa com esse propósito são as *palavras devoradoras*. "Ele medra em uma maneira de viver ímpia e falsa, amando palavras que devoram" (Allen P. Ross, *in loc.*). "Literalmente, temos aqui *palavras engolidoras*... cf. Sl 5.9, onde a garganta é chamada de 'sepulcro aberto'. O homem ímpio *engole* a vida do próximo, a sua honra e os seus bens" (Ellicott, *in loc.*).

"... que devoram o caráter e a reputação dos homens, e são a causa de sua total ruína e destruição. Quanto às palavras devoradoras e blasfemas do anticristo, ver Ap 13.5,6" (John Gill, *in loc.*).

DEUS VINGA-SE DO TIRANO (52.5-7)

■ **52.5** (na Bíblia hebraica corresponde ao **52.7**)

גַּם־אֵל יִתָּצְךָ לָנֶצַח יַחְתְּךָ וְיִסָּחֲךָ מֵאֹהֶל וְשֵׁרֶשְׁךָ מֵאֶרֶץ חַיִּים סֶלָה׃

Também Deus te destruirá para sempre. Ver no *Dicionário* o artigo chamado *Lei Moral da Colheita segundo a Semeadura*. De nada aproveitarão ao tirano jactancioso suas palavras mentirosas e devoradoras. Elas não lhe farão bem algum quando Deus lançar contra ele o seu relâmpago. Ele tem enganado a outras pessoas, mas não pode enganar a Deus. O fato de que ele tem ferido a seus semelhantes não o isentará de ser ferido; de fato, essa retribuição é garantida pela justiça divina. "Deus te quebrará ao meio", diz a *Revised Standard Version*. A retribuição certamente atingirá os ímpios. A ênfase recai sobre *Deus*. *Ele* é contra tais homens. Ele os "derrubará por terra". "Ele os arrancará de seus lares, onde eles julgavam habitar em segurança! Ele destruirá as raízes de suas terras." Assim, se tornarão empobrecidos, mesmo que sobrevivam ao restante dos ataques divinos. Ver no *Dicionário* o artigo chamado *Vingança*. Isto posto, Deus destruirá sua vida comunal e doméstica. Eles chegarão à *ruína total*.

> *O Senhor o quebrará como se quebra o vaso de oleiro, despedaçando-o sem nada poupar; não se achará entre os seus cacos um que sirva para tomar fogo da lareira ou tirar água da poça.*
>
> Isaías 30.14

A *lex talionis* terá uma aplicação estrita, ou seja, aquilo que o tirano fez a outros, ao promover seus caminhos destruidores, assim Deus fará a ele, por semelhante modo e igual maneira. Naturalmente, não devemos esquecer que, em meio a toda essa fala sobre destruição, os juízos de Deus também são remediadores, se não nesta vida, então na vindoura, para além do túmulo. Ver 1Pe 4.6 no *Novo Testamento Interpretado*.

Selá. Ver os vários significados dados a esta palavra, em Sl 3.2.

■ **52.6** (na Bíblia hebraica corresponde ao **52.8**)

וְיִרְא֖וּ צַדִּיקִ֥ים וְיִירָ֗אוּ וְעָלָ֥יו יִשְׂחָֽקוּ׃

Os justos hão de ver tudo isso. *As vítimas dos tiranos*, os justos, verão a vingança de Deus, e assim se *alegrarão*. Isso fará com que eles fiquem aquém do ideal cristão de que os homens supostamente devem amar a seus inimigos (ver Mt 5.44), derrotando o mal com a prática do bem (ver Rm 12.21). Os justos *temem*, porquanto é terrível alguém cair nas mãos do Deus vivo (ver Hb 10.31). Mas isso não fará os justos pararem de rir e zombar do indivíduo que estiver recebendo aquilo que deu. "... sentimentos mistos de *admiração*, diante da terrível queda do tirano, e *exultação*, são capturados pelo poeta" (Ellicott, *in loc*.). Davi mostrou reação oposta diante da queda de Saul (2Sm 1.19-27), mas isso foi uma exceção à regra.

> *Alegrar-se-á o justo quando vir a vingança; banhará os pés no sangue do ímpio.*
>
> Salmo 58.10

■ **52.7** (na Bíblia hebraica corresponde ao **52.9**)

הִנֵּ֤ה הַגֶּ֗בֶר לֹ֤א יָשִׂ֥ים אֱלֹהִ֗ים מָֽע֫וּזּ֥וֹ וַ֭יִּבְטַח בְּרֹ֣ב עָשְׁר֑וֹ יָ֝עֹ֗ז בְּהַוָּתֽוֹ׃

Eis o homem que não fazia de Deus a sua fortaleza. Em meio a risos, os justos, vendo a queda do malvado, proferirão palavras como estas: "Aquele homem estava distante de Deus; ele preferiu confiar nas vãs riquezas; estupidamente, procurou refúgio nas coisas materiais".

Fortaleza. No hebraico temos a palavra *maoz*, "lugar fortificado". Cf. Sl 27.1; 37.39; 43.2. Um homem corre para a fortaleza a fim de salvar sua vida e então ali preservá-la. A fortaleza também serve de lugar de onde ele lança ataques contra os adversários. O justo encontra fortaleza em Deus. Mas o deus do tirano é o dinheiro que ele foi capaz de acumular com os seus crimes. Mas logo esse tipo de fortaleza pode ser derrubado. Um acidente pode acabar com o indivíduo iníquo em um segundo. Uma enfermidade pode consumir alguns poucos meses ou anos; mas no final o seu efeito é tão seguro como o de um acidente qualquer.

> *Aceitai o meu ensino, e não a prata, e o conhecimento antes do que o ouro escolhido, porque melhor é a sabedoria do que joias...*
>
> Provérbios 8.10

> *Exorta aos ricos do presente século que não sejam orgulhosos, nem depositem a sua esperança na instabilidade da riqueza, mas em Deus que tudo nos proporciona ricamente para nosso aprazimento.*
>
> 1Timóteo 6.17

CONTRASTE ENTRE O JUSTO E O TIRANO (52.8,9)

■ **52.8** (na Bíblia hebraica corresponde ao **52.10**)

וַאֲנִ֤י ׀ כְּזַ֣יִת רַ֭עֲנָן בְּבֵ֣ית אֱלֹהִ֑ים בָּטַ֥חְתִּי בְחֶֽסֶד־אֱ֝לֹהִ֗ים עוֹלָ֥ם וָעֶֽד׃

Quanto a mim, porém, sou como a oliveira verdejante. Um tirano é alguém que acumulou poder e dinheiro por meio de atos violentos e injustos e, da mão divina, acaba recebendo aquilo que ofereceu ao próximo. Ele é levado a um fim terrível (vs. 5). Em contraste, o homem bom floresce, medra, prospera e desfruta vida longa e útil. O homem ruim é *arrancado* de sua moradia (vs. 5) e tem um fim rápido e derradeiro. O homem bom continua a viver ao lado do rio da bênção de Deus, como se fosse uma *oliveira*. Ele se encontra no *templo*, e nenhum outro ser humano ou circunstância pode prejudicá-lo eternamente. O *amor constante* de Deus o protege e garante a sua sobrevivência e prosperidade.

Como a oliveira. O poeta lançou mão dessa árvore como lição objetiva, visto que a frutificação e a permanência da oliveira simbolizam a condição florescente e constante do justo. Esse homem confia em Deus, e não em lucros ganhos erroneamente. Cf. Sl 1.3; 92.2; Eclesiástico 50.10. Quanto a como a palavra "confiança" é usada nos Salmos, ver as notas expositivas em Sl 2.12.

Simbolismos das Plantas e das Árvores:
1. O *cedro* e a *palmeira* (Sl 92.2) — *integridade*. O cedro também fala de imponência e poder (Sl 92.12).
2. O *hissopo* alude à humildade e à aplicação dos benefícios da lavagem e da aspersão (Sl 51.7).
3. A *oliveira* refere-se à produtividade e à prosperidade, neste versículo e em Os 1.6.

Quanto a detalhes, ver as descrições sobre cada uma dessas plantas no *Dicionário*.

O azeite de oliveira obviamente simboliza a unção do Espírito Santo (Zc 4.11,12; Êx 30.23-33). O homem bom tem a unção do Espírito e assim mostra-se forte, saudável e próspero. Ele continua a confiar no *amor constante* de Deus, que o tem trazido até o lugar onde ele está e o assistirá até o fim.

> *Estender-se-ão os seus ramos, o seu esplendor será como o da oliveira, e sua fragrância como a do Líbano.*
>
> Oseias 14.6

"... a *oliveira*, que é uma árvore frutífera e seleta; que contém gordura; que produz excelente óleo; que é bela em seu aspecto; que se deleita em climas quentes e lugares ensolarados; que se encontra nas montanhas... que é sempre verde e durável, e cujas folhas e ramos são símbolos da paz. Tudo isso é aplicável a pessoas verdadeiramente justas... as pessoas excelentes da terra" (John Gill, *in loc*.).

■ **52.9** (na Bíblia hebraica corresponde ao **52.11**)

אוֹדְךָ֣ לְ֭עוֹלָם כִּ֣י עָשִׂ֑יתָ וַאֲקַוֶּ֖ה שִׁמְךָ֥ כִי־ט֗וֹב נֶ֣גֶד חֲסִידֶֽיךָ׃

Dar-te-ei graças para sempre. Devemos prestar ações de graças a Deus, porque ele tudo tem feito a nosso favor, ou seja, tem tirado vingança contra os tiranos e os ímpios, mas tem abençoado grandemente o homem piedoso, como uma oliveira. Visto que o homem piedoso perdura para sempre, seu louvor também perdura para sempre. Os louvores a Deus são assim expressos. O nome de Deus é magnificado, pois ele é bom e é o Deus Todo-poderoso, a fonte de toda existência e bondade humana. Louvores a Deus também são prestados porque é bom que outros homens ouçam a mensagem e então unam-se a ela. Quanto ao nome de Deus, ver Sl 31.3. Quanto ao "santo nome" de Deus, ver Sl 30.4 e 33.21. Ver também o artigo detalhado chamado *Louvor*.

"Eu te louvarei, porque sei que todo o bem vem de ti. Eu te louvarei por esse bem. Esperarei no teu nome. Esperarei que todas as minhas bênçãos venham do Todo-suficiente Yahweh, o qual é eterno e imutável. Outrossim, é correto que eu espere a continuação das tuas bênçãos, unindo-me com os teus santos" (Adam Clarke, *in loc*.).

Esperarei no teu nome. Talvez seja mais acertada a tradução da *Revised Standard Version*, que diz: "Proclamarei o teu nome". O poeta sagrado propalava as boas-novas porque isso seria vantajoso para outras pessoas justas. Mas também esperamos em Deus receber a sua bondade, manifestada em nossa vida. "Deixarei que minha espera em teu gracioso nome seja vista pelos santos, para a edificação deles" (Fausset, *in loc*.).

SALMO CINQUENTA E TRÊS

Os Salmos 14 e 53 são virtualmente idênticos, revelando-se formas variantes do mesmo salmo. O duplo aparecimento do salmo provavelmente se deve à sua inclusão em coletâneas independentes da composição. Quando o saltério foi publicado em cinco livros, os editores não se importaram em apagar uma das versões. Editores subsequentes, entretanto, deram um subtítulo diferente para o que é agora o Salmo 53: "Ao mestre do canto. Salmo didático de Davi, para cítara". Há uma palavra hebraica no subtítulo, que nossa versão portuguesa não traduziu, *maalate*. Esse vocábulo talvez se refira a uma melodia ou a um instrumento musical, ou mesmo ao líder das danças ou cânticos. Quanto ao restante da introdução a este salmo, ver a introdução ao Salmo 14. A função desse hino era idêntica à do Salmo 52: mostrar a condenação que aguarda os ímpios (ateus práticos), quando Deus intervier em favor de seu povo. A insolência dos ímpios, que não abrem espaço para Deus em seu coração, embora professem fé em Deus, não pode deixar de ser notada pela mente divina, entretanto. Este cântico condena uma era cínica e ímpia, na qual Deus se tornou, para homens vãos, uma ideia supérflua.

Minha exposição aqui dá apenas referências cruzadas e adiciona alguns comentários quando necessário. Note o leitor que o Salmo 14 estampa, do princípio ao fim, o nome divino *Yahweh*, ao passo que o Salmo 53, fala em *Elohim*. Ver no *Dicionário* o artigo intitulado *Deus, Nomes Bíblicos de*. Os críticos acreditam que o Salmo 53 está mais próximo do salmo original, ou, quem sabe, seja o original um tanto modificado para tornar-se o Salmo 14.

■ **53.1** (na Bíblia hebraica corresponde ao **53.1,2**)

לַמְנַצֵּחַ עַל־מָחֲלַת מַשְׂכִּיל לְדָוִד׃

אָמַר נָבָל בְּלִבּוֹ אֵין אֱלֹהִים הִשְׁחִיתוּ וְהִתְעִיבוּ עָוֶל אֵין עֹשֵׂה־טוֹב׃

Diz o insensato no seu coração: Não há Deus. Quanto à exposição deste versículo, ver Sl 14.1. Temos aqui a palavra *iniquidade* em lugar do termo geral para "feitos", isto é, "abominações, obras abomináveis".

■ **53.2** (na Bíblia hebraica corresponde ao **53.3**)

אֱלֹהִים מִשָּׁמַיִם הִשְׁקִיף עַל־בְּנֵי אָדָם לִרְאוֹת הֲיֵשׁ מַשְׂכִּיל דֹּרֵשׁ אֶת־אֱלֹהִים׃

Em Sl 14.2 encontramos o nome divino *Yahweh*, ao passo que aqui temos o nome *Elohim*. No restante, os dois versículos são idênticos. A modificação nos nomes divinos continua até o fim.

■ **53.3** (na Bíblia hebraica corresponde ao **53.4**)

כֻּלּוֹ סָג יַחְדָּו נֶאֱלָחוּ אֵין עֹשֵׂה־טוֹב אֵין גַּם־אֶחָד׃

Não há nem sequer um. No Salmo 14 temos: "Não há nenhum sequer". Em algumas versões, encontramos aqui a misteriosa palavra "Selá", a qual não figura em Sl 14.3.

■ **53.4** (na Bíblia hebraica corresponde ao **53.5**)

הֲלֹא יָדְעוּ פֹּעֲלֵי אָוֶן אֹכְלֵי עַמִּי אָכְלוּ לֶחֶם אֱלֹהִים לֹא קָרָאוּ׃

Os obreiros da iniquidade. Em Sl 14.4 lemos: "Todos os obreiros da iniquidade". No original hebraico encontramos neste versículo, uma vez mais, a palavra *Elohim*, ao passo que o Sl 14.4 apresenta o termo *Yahweh*.

■ **53.5** (na Bíblia hebraica corresponde ao **53.6**)

שָׁם פָּחֲדוּ־פַחַד לֹא־הָיָה פָחַד כִּי־אֱלֹהִים פִּזַּר עַצְמוֹת חֹנָךְ הֱבִשֹׁתָה כִּי־אֱלֹהִים מְאָסָם׃

Tomam-se de grande pavor, onde não há quem temer. Sl 14.5 não contém estas últimas palavras: "onde não há quem temer".

Talvez a versão deste salmo se adapte a alguma circunstância local que o revisor trouxe à luz, ou talvez a adição tenha sido apenas uma glosa de escribas. Variantes como essa implicam na maior antiguidade do texto mais breve. Era mais natural que os escribas aumentassem, e não que apagassem o texto, mas ocasionalmente textos mais longos são preferíveis.

A declaração de Sl 14.5: "porque Deus está com a linhagem do justo" é omitida neste salmo. No entanto, as palavras "porque Deus dispersa os ossos daquele que te sitia; tu os envergonhas, porque Deus os rejeita" são omitidas em Sl 14.5.

Quando se fala em alguém que saqueou e arruinou Jerusalém, parecem estar em foco os babilônios. Mas, de fato, o que é dito ali não aconteceu. Idealmente, o autor pode ter esperado que isso tivesse acontecido. As versões são obscuras quanto a esse particular. Quando alguém compara Sl 14.5,6 com Sl 53.5, as letras do original hebraico parecem similares, e a impressão que se tem é que Sl 14.5,6 é uma tentativa de restaurar algum texto defeituoso e obscuro no salmo original. Essas tentativas nunca tiveram resultados satisfatórios.

Alguns intérpretes, pensando estar em vista os babilônios, supõem que o poeta tenha "visualizado" um julgamento divino contra eles, que tinha certeza de que aconteceria. Outros eruditos tentam encontrar alguma circunstância histórica que se adapte a essas palavras. Outros ainda veem este versículo como um trecho profético, e Ezequiel 38 e 39 como texto paralelo, estando em pauta alguma batalha nos últimos dias. Kimchi fazia esse versículo ser paralelo à narrativa concernente a Gogue e Magogue. Além disso, alguns estudiosos cristianizam o versículo, tornando-o uma predição do triunfo do Messias sobre o anticristo. Ver Ap 17.14.

Seja como for, Sl 14.6, que poderia representar um trecho paralelo a Sl 53.5 (na versão original), conforme se encontra, é singular, e não tem nenhum paralelo.

■ **53.6** (na Bíblia hebraica corresponde ao **53.7**)

מִי יִתֵּן מִצִּיּוֹן יְשֻׁעוֹת יִשְׂרָאֵל בְּשׁוּב אֱלֹהִים שְׁבוּת עַמּוֹ יָגֵל יַעֲקֹב יִשְׂמַח יִשְׂרָאֵל׃

Oxalá de Sião viesse já o livramento de Israel! Este versículo é paralelo a Sl 14.7, e não tem outra diferença além daquela, novamente, em que *Elohim* substituiu *Yahweh* como nome divino empregado.

SALMO CINQUENTA E QUATRO

Quanto a informações gerais que se aplicam a todos os salmos, ver a introdução ao Salmo 4, onde apresento *sete* comentários que elucidam a natureza do livro. Quanto às classes dos salmos, ver o gráfico no início do comentário, que atua como um frontispício da coletânea. Ali dou dezessete classes e listo os salmos pertencentes a cada classe.

Este é um *salmo de lamentação*, o mais comum tipo de salmo, que tipicamente começa com um clamor a Deus, pedindo ajuda contra algum inimigo, e em seguida descreve os inimigos, que podem ser soldados estrangeiros que atacavam, inimigos dentro do acampamento de Israel ou alguma enfermidade física. Então pode aparecer algum voto e em seguida uma ação de graças pela resposta à petição, ou então por uma resposta que o poeta esperava em breve receber. O Salmo 54 segue esse padrão bem de perto. Talvez este salmo apresente inimigos dentro de Israel, talvez pessoas hostis que acusavam a outras em tribunal pleiteando para elas punição capital. Cf. Sl 26.1-12. O caso aqui apresentado é desesperador, pois somente uma intervenção divina teria alguma utilidade. Ver os vss. 3 e 4.

Subtítulo. Temos aqui um subtítulo elaborado: "Ao mestre de canto. Salmo didático. Para instrumentos de corda. De Davi, quando os zifeus vieram dizer a Saul: Não está Davi homiziado entre nós?" A palavra hebraica para instrumentos de corda é *neginoth*, e didático é a palavra hebraica *masquil*. Contudo, as adições às introduções aos salmos não fazem parte do texto hebraico original nem se revestem de autoridade canônica. Escribas posteriores tentaram adivinhar quais teriam sido as circunstâncias históricas que provocaram as composições e quem teria sido o autor. Cerca de metade dos salmos é atribuída a Davi, um grande exagero sem dúvida. Mas é claro que ele compôs alguns dos salmos, razão pela qual foi chamado de *o mavioso salmista de Israel* (2Sm 23.1).

■ **54.1** (na Bíblia hebraica corresponde ao **54.1-3**)

לַמְנַצֵּחַ בִּנְגִינֹת מַשְׂכִּיל לְדָוִד׃

בְּבוֹא הַזִּיפִים וַיֹּאמְרוּ לְשָׁאוּל הֲלֹא דָוִד מִסְתַּתֵּר עִמָּנוּ׃

אֱלֹהִים בְּשִׁמְךָ הוֹשִׁיעֵנִי וּבִגְבוּרָתְךָ תְדִינֵנִי׃

Ó Deus, salva-me. O autor sagrado estava desesperado e clamou a Elohim, o Poder, para que o salvasse por amor do seu nome e pelo poder que pertencia ao seu nome, já que ele era Deus Todo-poderoso. A força humana em nada havia ajudado o poeta, e ele apelou para a intervenção divina. Ele precisava ser vindicado, ou poderia sofrer, legalmente, através dos atos de algum inimigo hostil que o acusava de algum crime. Ou então pode estar em foco algum perigo indefinido. A ideia de "salvar", neste caso, é de algum perigo mortal, e não se trata da salvação eterna da alma.

Faze-me justiça. A justiça favoreceria o salmista, visto que a sua causa era justa. Cf. Sl 7.8. Esta palavra dá a entender que o salmista esperava por um veredicto favorável, em algum caso apresentado a tribunal civil. Algum processo, religioso ou secular, tinha sido instituído contra ele. Cf. 1Pe 2.23.

Pelo teu poder. Somente o poder divino podia salvar o salmista. Seus adversários o tinham avassalado. Eles tinham um forte mas fraudulento caso contra ele. Contavam com testemunhas falsas. O juiz do caso tinha de receber alguma forma de iluminação, ou então seria necessário aparecer uma testemunha inesperada, impulsionada pelo Espírito Santo.

Nome. "O nome de Deus era considerado quase um segundo 'eu' de Deus, o meio de suas operações no mundo. Invocar o nome de Deus era invocar o próprio Deus e o seu poder" (William R. Taylor, *in loc.*). Havia poder e mágica no nome de Deus, mas talvez, na época do poeta sagrado, a parte mágica não fizesse mais parte da crença. Cf. Sl 20.1. Apresentei notas expositivas sobre *nome*, em Sl 31.3.

■ **54.2** (na Bíblia hebraica corresponde ao **54.4**)

אֱלֹהִים שְׁמַע תְּפִלָּתִי הַאֲזִינָה לְאִמְרֵי־פִי׃

Escuta, ó Deus, a minha oração. O apelo assumira a forma de intensa oração. De fato, foi uma oração de desespero. Ele tentava chegar aos ouvidos de Elohim, o Poder, mas foi erguido pela voz fraca de um homem frágil. Ouviria Deus tal oração? O autor do hino confiava que até a oração mais apagada pode ser ouvida acima do ruído da tempestade. "Em seus apertos, ele recorreria a Deus. Somente de Deus... Seu livramento tinha de proceder" (Adam Clarke, *in loc.*). Um número surpreendentemente grande de salmos apresenta o poeta a clamar para que Deus o ouvisse, visto que a maioria dos salmos compõe-se de lamentos nos quais os autores sagrados clamam pela ajuda divina. Cf. Sl 4.1; 13.3; 17.1; 27.7; 28.2; 30.10; 38.11; 66.11; 69.16; 84.8; 102.1; 119.149; 130.2; 143.1. Então encontramos a palavra "ouvir", quando os autores sacros tinham certeza de que Deus havia atendido às suas orações.

Temos aqui o ensino do *teísmo*: o Criador não abandonou sua criação. Ele está presente, recompensando, punindo e ajudando os necessitados. Isso, por sua vez, nega a tese central do *deísmo*, que diz que Deus abandonou sua criação e a entregou ao governo das leis naturais. Esses termos são abordados em artigos existentes no *Dicionário*. Também encontramos aqui, e espalhados pela Bíblia inteira, termos antropomórficos — atributos humanos conferidos a Deus. Ver no *Dicionário* o artigo chamado *Antropomorfismo*. Ver também os artigos intitulados *Via Negationis* e *Via Eminentiae*, quanto às maneiras empregadas para falar do Ser divino. Finalmente, ver o artigo chamado *Oração*.

■ **54.3** (na Bíblia hebraica corresponde ao **54.5**)

כִּי זָרִים קָמוּ עָלַי וְעָרִיצִים בִּקְשׁוּ נַפְשִׁי לֹא שָׂמוּ אֱלֹהִים לְנֶגְדָּם סֶלָה׃

Os insolentes. Homens violentos e mentirosos tinham arquitetado um caso contra um homem inocente e buscavam tirar-lhe a vida por meio da punição capital pronunciada pelo tribunal. Pelo menos, essa é uma conjectura sobre o que este salmo está falando. Aqueles homens não temiam a Deus: ele não fazia parte da visão deles, nem estava "perante eles", de modo que lhes influenciasse. O pobre homem tinha gravíssimas acusações assacadas contra a sua pessoa. Ver novamente Sl 86.3. "Para aquele que não tem Deus à sua frente, a justiça torna-se uma questão de pouca importância. De fato, pode ser uma questão de desprezo" (J. R. P. Sclater, *in loc.*). Os ateus não têm Deus à sua frente, nem o têm os ateus práticos, os quais talvez acreditem que há um "deus" em algum lugar, mas não reservam nenhum espaço para o poder divino em sua alma. Eles vivem como se Deus não existisse.

Selá. Quanto ao significado atrelado a esta palavra, ver Sl 3.2.

OS MEIO-CRENTES

Superficiais meio-crentes, de credos casuais,
Mas que nunca sentiram no íntimo, nem desejaram;
Cujo discernimento nunca produziu fruto nas ações;
Cujas vagas resoluções nunca foram cumpridas;
Para quem, cada ano que passa,
É um novo começo, mas gera novos desapontamentos;
Que hesitam e titubeiam por toda a vida,
E que perdem amanhã o terreno conquistado ontem.

Matthew Arnold

O DESVIO DA ALMA

Todos se desviaram e juntamente se corromperam: não há quem faça o bem, não há nem sequer um.

Salmo 53.3

Diz o insensato no seu coração: Não há Deus. Corrompem-se e praticam iniquidade; já não há quem faça o bem.

Salmo 53.1,2

A POSIÇÃO DA FÉ (54.4,5)

■ **54.4** (na Bíblia hebraica corresponde ao **54.6**)

הִנֵּה אֱלֹהִים עֹזֵר לִי אֲדֹנָי בְּסֹמְכֵי נַפְשִׁי׃

Eis que Deus é o meu ajudador. Embora o acusado não tivesse testemunhas adequadas para provar a sua inocência, esperava em Deus, o qual é justo e sabe todas as coisas.

Deus ouvirá e lhes responderá, ele que preside desde a eternidade, porque não há neles mudança nenhuma, e não temem a Deus.

Salmo 55.19

É quem me sustenta a vida. O homem mortal é muito fraco. Todo dia há alguma ameaça contra a sua vida. Algum acidente pode estar oculto na dobra da esquina. Alguma enfermidade fatal pode começar a qualquer instante e terminar a história inteira em breve tempo. Além disso, há os inimigos humanos, os quais, no caso do poeta sagrado, formavam uma enfermidade moral e espiritual na sociedade. Eles espalhavam como tentáculos seus planos maléficos para apanhar os inocentes. Somente Deus podia sustentar a vida em meio às condições por ele criadas. Deus é o suportador da vida (tradução da Septuaginta e da Vulgata Latina). Logo, encontramos o violento contraste: por um lado, homens ímpios que lhe buscavam extinguir a vida, e, por outro lado, a mão do Sustentador da vida, determinado a garantir-lhe a existência.

Quem fez e executou tudo isso? Aquele que desde o princípio tem chamado as gerações à existência, eu, o Senhor, o primeiro, e, com os últimos, eu mesmo.

Isaías 41.4

Ver no *Dicionário* o artigo intitulado *Providência de Deus*. Ver Sl 118.7, quanto a um versículo similar.

■ **54.5** (na Bíblia hebraica corresponde ao **54.7**)

יָשׁוֹב הָרַע לְשֹׁרְרָי בַּאֲמִתְּךָ הַצְמִיתֵם׃

Ele retribuirá o mal aos meus opressores. Os assassinos seriam mortos. Os exterminadores seriam exterminados. A justiça seria servida. Mas o poeta confiava em Deus para isso. Ele agiria com fidelidade (*Revised Standard Version*) ou "em verdade" (*King James Version*), isto é, em justiça rigorosa. Homens que tinham semeado a violência estavam destinados a colher violência, de acordo com a *Lei Moral da Colheita segundo a Semeadura* (ver a respeito no *Dicionário*).

"O imperativo expressa a certeza e carrega consigo a eficácia operante da Palavra de Deus, que age por sua própria eficácia intrínseca. A verdade de Deus assegura a destruição dos ímpios. Misericordiosamente, Deus lhes dá tempo suficiente para se arrependerem" (Fausset, *in loc.*).

O VOTO PROMETIDO (54.6,7)

■ **54.6** (na Bíblia hebraica corresponde ao **54.9**)

בִּנְדָבָה אֶזְבְּחָה־לָּךְ אוֹדֶה שִּׁמְךָ יְהוָה כִּי־טוֹב׃

Oferecer-te-ei voluntariamente sacrifícios. O poeta sagrado tentou barganhar com Deus. Se a vida lhe fosse poupada, se fosse provida a necessária intervenção divina para salvar-lhe a vida, ele reagiria positivamente, oferecendo os sacrifícios apropriados de ação de graças. Esse foi o seu voto. Ver no *Dicionário* o verbete intitulado *Voto*. Ele publicaria o caso e o transformaria em uma questão de louvor público no templo. Os músicos tocariam seus instrumentos e cantariam, e a composição humana se tornaria um hino entoado no templo, parte de sua liturgia. E outros homens oprimidos, que fossem livrados de seus inimigos, usariam a composição para expressar seu agradecimento a Deus.

O homem executaria uma oferenda voluntária, ou seja, uma oferenda que não fazia parte das ofertas requeridas pela lei mosaica. Ver Nm 15.3; Lv 7.16; Êx 25.2; 35.29 e 36.3-5. Essas oferendas seriam acompanhadas com júbilo e louvor. Cânticos de ação de graças eram empregados nessa execução. O vs. 7 contém o tema do cântico.

Aceita, Senhor, a espontânea oferenda dos meus lábios, e ensina-me os teus juízos.

Salmo 119.108

Ver Lv 3 e 4, quanto a descrições dos tipos de ofertas mencionados neste versículo. Essas ofertas eram consideradas boas obras, conforme lemos aqui: "porque é bom".

Dar-te-ei graças para sempre, porque assim o fizeste: na presença dos teus fiéis esperarei no teu nome, porque é bom.

Salmo 52.9

Ver no *Dicionário* os artigos intitulados *Ações de Graças* e *Gratidão*.

■ **54.7** (na Bíblia hebraica corresponde ao **54.9**)

כִּי מִכָּל־צָרָה הִצִּילָנִי וּבְאֹיְבַי רָאֲתָה עֵינִי׃

Pois me livrou de todas as tribulações. A razão do voto feito pode ter sido que Yahweh (Elohim) livrara o poeta, em resposta à desesperada oração, e, especificamente, da tribulação que seus inimigos lhe haviam causado e lhe ameaçar a vida. O triunfo que eles esperavam alcançar, ao ver o homem morto, lhes seria arrebatado, e eles acabariam envergonhados e publicamente desgraçados, porque haviam tentado eliminar um homem inocente. Os olhos do salmista veriam então os juízos de Deus desabarem sobre aqueles homens miseráveis. O poeta alcançaria o triunfo. Talvez eles fossem até executados por terem tentado destruir um homem inocente. A lei voltar-se-ia contra eles. Haveria vingança decretada pelo tribunal. Ver no *Dicionário* o artigo chamado *Vingança*.

Cf. Sl 35.21; 59.10; 92.11 e Ct 6.13. A *Lex Talionis* (ver a respeito no *Dicionário*) ficaria satisfeita, mediante o pagamento de acordo com a gravidade do crime cometido.

Exultai sobre ela, ó céus, e vós, santos, apóstolos e profetas, porque Deus contra ela julgou a vossa causa.

Apocalipse 18.20

SALMO CINQUENTA E CINCO

Quanto a informações gerais que se aplicam a todos os salmos, ver a introdução ao Salmo 4, onde apresento sete comentários que elucidam a natureza do livro. Quanto às classes dos salmos, ver o gráfico no início do comentário, que atua como uma espécie de frontispício da coletânea. Dou ali dezessete classes e listo os salmos pertencentes a cada classe.

Este é um *salmo de lamentação*, que decisivamente é a maior das classes. Trata-se de uma oração que solicita o livramento dos ataques desfechados por inimigos pessoais. Os salmos de lamentação tipicamente começam com um clamor urgente, pedindo ajuda; então descrevem os inimigos que estão atacando, que podem ser estrangeiros que invadiam Israel, inimigos pessoais dentro do acampamento dos israelitas, ou alguma enfermidade física. E então, ou em expectação de um livramento imediato, ou porque Yahweh já havia respondido, o salmista oferece ação de graças, usualmente acompanhado pelos sacrifícios apropriados e hinos entoados no templo. Por muitas vezes, alguma espécie de voto é feita a fim de encorajar Deus a agir. Este salmo, entretanto, não segue de perto essa ordem de apresentação, havendo nele certa confusão de partes, sem uma apresentação clara e ordenada. Não obstante, todos os elementos estão presentes.

"Este salmo registra a experiência de traição a Davi provocada por um amigo íntimo. Os comentários especulam que se trata da traição de Aitofel (ver 2Sm 15.31), mas isso está longe de ter sido realmente o caso. No salmo, Davi invocou a Deus para capacitá-lo a escapar de sua terrível sorte. Ele lamentou a opressão que lhe sobreveio pela traição de seu amigo íntimo. No entanto, expressou sua confiança naquele que redime" (Allen P. Ross, *in loc.*).

Alguns fazem este salmo ser um salmo messiânico e veem nele uma profecia acerca de Judas. Normalmente, porém, este não é colocado entre os salmos messiânicos, que já formam uma classe específica contendo uma mensagem profética óbvia.

Subtítulo. Neste salmo, o subtítulo é: "Ao mestre de canto. Para instrumentos de corda. Salmo didático de Davi". Este subtítulo é idêntico ao do Salmo 53, com exceção de que a palavra hebraica traduzida por "instrumentos de corda" é diferente. *Neginoth* (também no subtítulo do Salmo 54) substitui a palavra hebraica *mahalath*. Ver os significados na introdução àqueles salmos, sob a seção *Subtítulo*.

OPRESSÃO ATERRORIZANTE (55.1-8)

Apelo a Deus (55.1-3)

■ **55.1** (na Bíblia hebraica corresponde ao **55.1,2**)

לַמְנַצֵּחַ בִּנְגִינֹת מַשְׂכִּיל לְדָוִד׃

הַאֲזִינָה אֱלֹהִים תְּפִלָּתִי וְאַל־תִּתְעַלַּם מִתְּחִנָּתִי׃

Dá ouvidos. Essas palavras substituem a fórmula mais comum de *Escuta!* (ver Sl 54.2). Nos salmos de lamentação, Yahweh é invocado a dar atenção, escutar, dar ouvidos, prestar atenção, ter misericórdia e agir em favor do homem oprimido. O poder divino é crido e requerido quanto a uma necessidade urgente, geralmente para a salvação de uma vida, isto é, para que ela seja salva de algum perigo. Elohim (o Poder) é o nome divino usado aqui. Ele é solicitado a "não ocultar-se" do pedinte em necessidade. Alguns salmos de lamentação queixam-se da aparente indiferença de Deus. Ver as notas expositivas sobre isso em Sl 10.1 e 28.1. O poeta sacro acreditava não somente na existência de Deus, mas também em seu interesse no que acontece aos homens (posição do *teísmo*, ver a respeito no *Dicionário*). Os que creem que Deus está indiferente e "divorciado" dos homens caem no *deísmo* (ver também a respeito no *Dicionário*). O autor deste salmo continuou adicionando palavras em um crescendo de aflição. Sua súplica também é um lamento. Algum amigo íntimo o tinha traído. "O salmista gemia por causa do ruído e do clamor de um adversário ímpio. A tribulação está sobre ele, e a ira o assalta" (J. R. P. Sclater, *in loc.*).

"Esta é uma das mais apaixonadas odes da coletânea dos salmos, com explosões de desejos de vingança de fogo alternadas com as reflexões mais tristes e melancólicas" (Ellicott, *in loc.*).

Não te escondas. Cf. Dt 22.2; Is 58.7; Sl 10.1; Lm 3.8,44, quanto à mesma expressão.

■ **55.2** (na Bíblia hebraica corresponde ao **55.3**)

הַקְשִׁיבָה לִּי וַעֲנֵנִי אָרִיד בְּשִׂיחִי וְאָהִימָה׃

Atende-me, e responde-me. O poeta não podia evitar fazer uma queixa barulhenta, razão pela qual continuou chamando Elohim para que o ouvisse, para que o atendesse. Ele havia sofrido notável decepção, e isso pode ser uma ilustração do texto, embora este salmo não seja messiânico.

Sinto-me perplexo. No hebraico a palavra fala do desassossego das perambulações pelo deserto, como sucedia aos beduínos. Os 12.1 usa a mesma palavra para indicar instabilidade política. A mente do homem estava distraída pela sua tristeza, e ele não tinha descanso durante o dia nem podia dormir à noite. O homem agitava-se no tumulto que o tinha avassalado. Ele se sentia cercado pelo mal e talvez por circunstâncias fatais das quais somente a ajuda divina poderia livrá-lo. O terror da morte caíra sobre ele. Os que cristianizam o salmo veem Jesus em sua agonia, enquanto seus inimigos o cercavam.

> *Jesus, nos dias da sua carne, tendo oferecido, com forte clamor e lágrimas, orações e súplicas a quem o podia livrar da morte...*
>
> Hebreus 5.7

E ando perturbado. Diz aqui a *King James Version*: "faço ruído", uma compreensão diferente do hebraico envolvido.

■ **55.3** (na Bíblia hebraica corresponde ao **55.4**)

מִקּוֹל אוֹיֵב מִפְּנֵי עָקַת רָשָׁע כִּי־יָמִיטוּ עָלַי אָוֶן וּבְאַף יִשְׂטְמוּנִי׃

Clamor do inimigo. A *King James Version* diz aqui "voz do inimigo". O inimigo proferia barulhentas reprimendas, palavras cortantes e declarações ameaçadoras. Por trás das palavras havia ódio e intenções assassinas.

Sobre mim lançam calamidade. Ameaças de homicídio, acusações falsas, degradações, jogadas iníquas.

> *De mim rosnam à uma todos os que me odeiam; engendram males contra mim...*
>
> Salmo 41.7

O hebraico diz aqui literalmente "rolam iniquidade", em vez de "lançam calamidade". A figura de linguagem parece ser o ato de rolar pedras sobre um inimigo, de um lugar mais alto. Em Sl 140.10, a mesma palavra é usada para rolar carvões acesos sobre um inimigo.

> *Caiam sobre eles brasas vivas, sejam atirados no fogo, lançados em abismos para não mais se levantarem.*
>
> Salmo 140.10

■ **55.4** (na Bíblia hebraica corresponde ao **55.5**)

לִבִּי יָחִיל בְּקִרְבִּי וְאֵימוֹת מָוֶת נָפְלוּ עָלָי׃

Estremece-me no peito o coração. O coração do homem estava aterrorizado ou angustiado, porque os terrores da morte o tinham envolvido. Ele seria sujeitado a um julgamento de punição capital. Testemunhas mentirosas enfileiravam-se contra ele, apoiando o amigo íntimo que o havia traído. Não havia testemunhas adequadas a seu favor. O juiz tinha o poder de mandar apedrejá-lo. Talvez ele tenha sido falsamente acusado de idolatria ou de algum outro crime que merecia a punição capital.

Talvez o homem fosse alvo de algum conluio homicida por parte de inimigos que apoiavam seu falso amigo. Seria uma execução privada, a eliminação de um inimigo que atravessara o caminho de um homem iníquo. Alguns veem aqui a guerra civil iniciada por Absalão contra seu pai, e outros cristianizam o versículo, vendo os planos de Judas e dos judeus contra Jesus.

■ **55.5** (na Bíblia hebraica corresponde ao **55.4**)

יִרְאָה וָרַעַד יָבֹא בִי וַתְּכַסֵּנִי פַּלָּצוּת׃

Temor e tremor me sobrevêm. O poeta sagrado continuava a acumular frases que essencialmente significavam a mesma coisa, descrevendo a mesma aflição. Agora ele fala sobre seu temor e sobre o tremor que isso causava. O salmista estava perdendo o controle sobre as emoções. O horror o tinha avassalado como as ondas do mar, que pode ter sido a metáfora tencionada.

"Quão natural é esta descrição! Ele estava aflito; ele se lamentava; ele fazia ruídos de causar pena, como soluços e suspiros; seu coração estava ferido; ele nada mais esperava senão a morte. Isso produzia movimentos involuntários do corpo, ele tremia... uma ruína inevitavelmente pairava sobre ele" (Adam Clarke, *in loc.*). "... temor e terror mental, e tremores pelo corpo... um horror dominante... o máximo de consternação. Cf. a experiência de Jesus, em Mc 14.33" (John Gill, *in loc.*).

"... começou a sentir-se tomado de pavor e de angústia": este é um versículo extremamente humano, que descreve o homem Jesus, o qual sofreu terrores. Ele foi "aterrorizado". Algumas pessoas não podem compreender esses sentimentos em Jesus, considerando a sua natureza divina; mas esquecem que Jesus, o homem, carregou nossas fraquezas e sofreu nossas limitações e lutas, porquanto isso era parte necessária do processo de encarnação. Ver na *Enciclopédia de Bíblia, Teologia e Filosofia* o artigo chamado *Encarnação*.

■ **55.6,7** (na Bíblia hebraica corresponde ao **55.7,8**)

וָאֹמַר מִי־יִתֶּן־לִּי אֵבֶר כַּיּוֹנָה אָעוּפָה וְאֶשְׁכֹּנָה׃

הִנֵּה אַרְחִיק נְדֹד אָלִין בַּמִּדְבָּר סֶלָה׃

Quem me dera asas, como de pomba! *O Escape.* O salmista estava preso em sua gaiola de terrores, pelo que fantasiou a cena de seu escape, voando como se fosse uma pomba. Então ele repousaria. Algumas vezes, o exílio é a solução para problemas difíceis, mas o homem aparentemente não tinha chance de simplesmente desaparecer. Sócrates, ao ser julgado, recebeu uma oferta de escape por parte de seus amigos, uma fuga de Atenas em segredo. Mas ele rejeitou a possibilidade e preferiu pleitear sua causa no tribunal. Ele queria ser vindicado, e não meramente salvar a própria vida.

"... fazendo notável contraste com as notas de pavor e angústia das linhas anteriores, o salmista expressa o anelo por possuir as asas rápidas e livres de uma pomba que o livrassem do aprisionamento de seu ambiente para obter descanso da tempestade que rugia" (William R. Taylor, *in loc.*).

É possível que as autoridades de Jerusalém houvessem encerrado o salmista em prisão domiciliar, a fim de que ele não escapasse. Mas também é provável que ele não estivesse disposto a abandonar seus familiares, mesmo que pudesse escapar. Portanto, ele fantasiou sua fuga, mas permaneceu no meio do tumulto, onde sua vida corria perigo.

"A ave que estava na mente do salmista sem dúvida era o pombo das rochas (*Columba livia*), que, para fazer seu ninho, escolhe os penedos elevados e as ravinas profundas, longe do homem. Cf. Ct 2.14" (Ellicott, *in loc.*).

> *Pomba minha, que andas pelas fendas dos penhascos, no esconderijo das rochas escarpadas...*
>
> Cantares 2.14

Selá. Quanto a esta misteriosa palavra, ver as notas expositivas em Sl 3.2.

■ **55.8** (na Bíblia hebraica corresponde ao **55.9**)

אָחִישָׁה מִפְלָט לִי מֵרוּחַ סֹעָה מִסָּעַר׃

Dar-me-ia pressa em abrigar-me. Levantado no ar pelas asas da pomba selvagem, subiria em seu voo e se ocultaria longe do terror que seu falso amigo lançara contra ele. E ali, escondido entre as fendas das rochas, descansaria em segurança. Ele permaneceria ali, ou seja, faria daquele lugar a sua residência. Teria uma nova vida, em um novo meio ambiente, no qual a traição não exerceria controle. Em seu novo lar haveria ventos e tempestades, mas essas coisas não lhe ameaçariam a vida. Contudo, costumamos fantasiar muitas coisas que não nos são possíveis. Nossos sonhos acordados quase sempre são agradáveis, mas dificilmente produtivos. Não obstante, continuemos a sonhar! Alguns sonhos, todavia, tornam-se realidade, contra todas as probabilidades. Talvez o que o poeta sagrado tenha querido dizer seja: "Eu apressaria o meu escape mais ligeiro do que o vento ameaçador". O temporal chegaria, mas ele iria embora "como o ganso selvagem no inverno", e, acreditem-me, o ganso selvagem não fica para trás para ver a neve cair!

> Tal como o galeirão secretamente edifica sobre a grama alagada,
> Eis que eu construirei para mim um ninho, sobre a grandeza de Deus;
> Voarei na grandeza de Deus como voa o galeirão,
> Na liberdade que preenche o espaço entre
> o alagadiço e os céus.
> Pois quantas são as raízes que a erva do alagadiço envia para o alagadiço,
> Eu, de todo o coração, me valerei da grandeza de Deus.
> Sidney Lanier

■ **55.9** (na Bíblia hebraica corresponde ao **55.10**)

בְּלַע אֲדֹנָי פַּלַּג לְשׁוֹנָם כִּי־רָאִיתִי חָמָס וְרִיב בָּעִיר:

Destrói, Senhor, e confunde os seus conselhos. Destrói a eles, pois estão dispostos a destruir-me. Confunde suas línguas, que de tal maneira me cortam e queimam, e planejam a minha destruição. Vejo violência na cidade. Está chegando perto de minha casa. Faze-os parar, antes que seja tarde! Foi assim que o poeta interrompeu seu sonho acordado sobre o voo da pomba e encerrou suas lucubrações com uma tirada contra os seus inimigos.

Destrói. No original hebraico, a tradução literal seria "Engole-os". O abismo do julgamento de Deus, idealmente falando, se abriria e engoliria aqueles homens ímpios, conforme o que lemos em Nm 16.30 ss. Está em pauta destruição total. A Septuaginta usa uma figura verbal diferente, "Afoga-os no mar".

Confunde os seus conselhos. Literalmente, "Divide os seus conselhos", o que os faria parar de tentar efetuar planos ousados. Se os inimigos do salmista se dividissem em facções contrárias, poderiam escapar. Uma guerra em que eles se engalfinhassem uns contra os outros talvez salvasse o salmista da guerra dirigida a ele.

Este versículo é cristianizado para falar sobre os planos maus, na cidade de Jerusalém, através dos quais Jesus foi levado a julgamento e foi crucificado. Ver Lc 23.51; Mc 14.56. Ver também os esquemas armados contra os apóstolos, em At 23.7.

■ **55.10** (na Bíblia hebraica corresponde ao **55.11**)

יוֹמָם וָלַיְלָה יְסוֹבְבֻהָ עַל־חוֹמֹתֶיהָ וְאָוֶן וְעָמָל בְּקִרְבָּהּ:

Dia e noite giram nas suas muralhas. Aqueles homens ímpios eram como assaltantes noturnos, como um bando de criminosos que buscavam vítimas. Pertenciam a uma classe de criminosos, e o poeta sagrado não era o único alvo dos ataques. Sem dúvida, eles já tinham produzido um bom número de vítimas fatais. Giravam em torno de suas muralhas, e faziam-no abertamente, dia e noite. O autor pinta o quadro de uma cidade muito violenta, na qual os habitantes não andavam mais seguros, o que ocorre em muitas de nossas grandes e modernas cidades. Os bandidos andavam alertas e sem conciliar o sono, rondando furtivamente para ver que maldade poderiam praticar. Havia planos maléficos contínuos, sedições, calúnia contra os bons, atos ilegais de tribunal contra pessoas inocentes. Homens violentos haviam tomado o lugar de atalaias, cujo trabalho era manter a cidade em paz e frustrar os criminosos. Não havia mais paz e os crimes estavam fora de controle. Havia maldade à solta, bem como a tristeza daí resultante.

■ **55.11** (na Bíblia hebraica corresponde ao **55.12**)

הַוֹּת בְּקִרְבָּהּ וְלֹא־יָמִישׁ מֵרְחֹבָהּ תֹּךְ וּמִרְמָה:

Há destruição no meio dela. O salmista oferece um pequeno sumário do caráter da cidade. Multiplicavam-se a iniquidade (todos os tipos de atos maus); o engano (toda espécie de planos e de ações injustos); a fraude (negócios distorcidos e desonestos). Se Diógenes tivesse atravessado a cidade de Jerusalém com sua lâmpada, em busca de um único homem honesto, não teria encontrado nenhum. E se houvesse algum, ele estaria escondido, temendo por sua vida. Diógenes teria sido assaltado em Jerusalém, se ousasse ir ali! E, lembre-se o leitor, Jerusalém era a cidade onde, supostamente, dominava a lei. Contudo, aquela cidade era pior do que as cidades pagãs de povos idólatras, vizinhas de Israel. Ver na *Enciclopédia de Bíblia, Teologia e Filosofia* o verbete chamado *Diógenes de Sínope*.

> ... o direito se retirou e a justiça se pôs de longe; porque a verdade anda tropeçando pelas praças e a retidão não pode entrar.
> Isaías 59.14

■ **55.12** (na Bíblia hebraica corresponde ao **55.13**)

כִּי לֹא־אוֹיֵב יְחָרְפֵנִי וְאֶשָּׂא לֹא־מְשַׂנְאִי עָלַי הִגְדִּיל וְאֶסָּתֵר מִמֶּנּוּ:

Com efeito, não é inimigo que me afronta. Homens maus certamente eram um vexame; mas não era essa a principal tribulação do poeta sacro. Sua grande tribulação é que ele tinha um amigo especial que o havia traído (vs. 13). Os versículos anteriores mostram que homens ímpios estavam causando toda espécie de perturbação para o salmista. Portanto, ele fala aqui comparativamente. Os ímpios eram terríveis e difíceis de suportar, mas aquele homem especialmente ímpio, seu ex-amigo, servia-lhe de perturbação maior do que todos os outros reunidos. E, naturalmente, os indivíduos violentos dificilmente agem isoladamente. Eles andam em matilhas, como animais selvagens, e aquele, o pior de todos os homens maus, tinha os seus cúmplices. Aquele homem ímpio repreendia o inocente. Dizia mentiras e ameaçava com a violência. Odiava o homem bom e fazia tudo o que podia para destruí-lo. Exaltava-se contra ele, ou seja, tratava-o com insolência, conforme diz a *Revised Standard Version*. Se pessoas conhecidas (ou desconhecidas) o tratassem daquela maneira, ele teria encontrado uma maneira de suportar. Mas quando seu amigo íntimo se tornou o líder da matilha, o salmista se sentiu mentalmente esmagado. E sem dúvida era verdade que seu amigo fraudulento era o principal inimigo, embora não o único.

Pois dele eu me esconderia. O homem bom poderia simplesmente manter-se afastado do caminho dos ímpios. Encontraria maneiras de evitá-los e de prosseguir em sua vida, restringido, é verdade, mas não mortalmente ameaçado. Lembremo-nos do caso de Davi e Saul. Por um tempo relativamente longo Davi escondeu-se de Saul, e o fez com êxito. Ver 1Sm 20.24; 23,19. Por algum tempo, Jesus escondeu-se dos judeus (Jo 18.2). Porém, seria difícil esconder-se de uma traição clara, promovida por um "amigo". Alguns eruditos veem aqui o caso de Aitofel, que esteve à base de conspirações contra Davi. Ele apoiou Absalão em sua revolta. Essa circunstância serve para ilustrar o texto, mesmo que não seja o incidente em foco. Ver no *Dicionário* o artigo intitulado *Aitofel*, quanto ao relato. Esse homem terminou tirando a própria vida.

■ **55.13** (na Bíblia hebraica corresponde ao **55.14**)

וְאַתָּה אֱנוֹשׁ כְּעֶרְכִּי אַלּוּפִי וּמְיֻדָּעִי:

Homem meu igual, meu companheiro. A principal figura ímpia, o homem que tinha ameaçado a vida do poeta, era um amigo íntimo, descrito como um igual, um companheiro e amigo do peito. O acúmulo de descrições mostra a proximidade do relacionamento amigável. Talvez eles fossem companheiros desde a juventude. Provavelmente, em algum tempo, eles tivessem sido amigos inseparáveis, sempre vistos juntos. Talvez tivessem seguido a mesma carreira profissional e tivessem amigos mútuos. De súbito, o homem se corrompera, cheio de planos astutos e violentos, como aqueles que são usuários de drogas e sofrem súbitas mudanças de personalidade. Diz aqui a Vulgata: "de uma alma comigo".

Aristóteles descreveu a amizade como dois corpos com uma única alma. A súbita explosão que há no vs. 15, a imprecação mediante a qual o autor sagrado desejou a morte de seus inimigos, pode ser um indício quanto à questão. Esses inimigos podem ter corrompido o bom amigo do salmista, transformando-o também em um de seus adversários. E uma vez que se convertera à maldade, ele se tornou filho do inferno mais do que todos os outros.

Judas Iscariotes? Foi apenas natural que os intérpretes vissem aqui Judas Iscariotes, tão facilmente o texto bíblico se presta para retratar de antemão certos incidentes na vida de Jesus. Alguns dos salmos contêm indícios messiânicos que geralmente não são de fato messiânicos, e talvez isso seja verdadeiro quanto ao texto presente.

Não vos escolhi eu em número de doze? Contudo um de vós é diabo.

João 6.70

Eles, porventura, algumas vezes não clamavam 'Salve' para mim? Assim fez Judas com Cristo. Mas ele, em doze, encontrou a verdade em todos menos em um? Mas eu, em doze mil, não encontrei nenhum.

Shakespeare, *Ricardo II*

A Judas Iscariotes fora conferido o mais elevado ofício. Ele deve ter possuído características de caráter que justificassem a sua escolha. Jesus deve tê-lo selecionado com boas intenções. Ele poderia ter sido um Pedro ou um Paulo. Mas aparentemente Judas foi um homem com profundas veias maléficas. Poderia ter vencido, mas recusou-se a lutar contra as suas más tendências. O horror eterno de tudo isso! Um dos doze, um diabo! Um dos doze, um traidor!

Ó Salvador, nada tenho para pleitear,
Na terra abaixo ou nos céus acima,
A não ser minha grande necessidade,
E o teu amor sem igual.

Jane Crewdson

O Cristo chamara Judas à frente, para ser grande e servir grandemente. Judas se esforçou durante algum tempo, mas acabou retrocedendo às trevas. Ele se perdeu. Mas tenho fé para acreditar que, em algum ponto, de alguma maneira, em algum tempo, a amorosa mão de Cristo haverá de ajudá-lo novamente.

Oh, podemos ainda confiar que de algum modo o bem
Será o alvo do mal, das dores da natureza,
Dos pecados da vontade, dos defeitos da dúvida,
Das manchas do sangue.

Alfred Lord Tennyson

■ **55.14** (na Bíblia hebraica corresponde ao **55.15**)

אֲשֶׁר יַחְדָּו נַמְתִּיק סוֹד בְּבֵית אֱלֹהִים נְהַלֵּךְ בְּרָגֶשׁ׃

Juntos andávamos. Isso significa que eles caminhavam juntos, ao participar dos cortejos que marchavam até o templo, em ocasiões festivas. Ambos eram observadores ativos da lei mosaica e de suas ordenanças. Usando expressões modernas, poderíamos dizer que eles "não faltavam ao culto". A intimidade amigável daqueles ex-amigos era pública, particular e religiosa.

Com a multidão. Literalmente, no hebraico, temos *multidão tumultuosa*. A adoração, entre os hebreus, era ruidosa. Havia gritos, o toque de instrumentos musicais, incluindo os instrumentos de percussão, e cânticos. Esse "ruído" exprimia a alegria.

Lembro-me destas cousas — e dentro em mim se derrama a alma — de como passava eu com a multidão de povo.

Salmo 42.4

As instruções dadas pelos rabinos ensinavam o povo a caminhar apressadamente para o templo, mas lentamente quando ao sair dali. Na ida, para indicar a ansiedade de chegar à casa do Senhor e participar de sua adoração. Na volta, para indicar a relutância em deixar o bom ambiente do templo. Assim, um homem saía lentamente do templo, permitindo que a música e a mensagem percorressem sua mente, enquanto meditava sobre a importância do que tinha ocorrido.

O salmista e seu amigo não se assemelhavam a pessoas profanas, as quais "zombavam da religião, falavam mal das ordenanças, repreendiam ou perseguiam os santos, tudo o que era muito chocante, cortante e verdadeiramente entristecedor" (John Gill, *in loc.*).

■ **55.15** (na Bíblia hebraica corresponde ao **55.16**)

יַשִּׁימָוֶת עָלֵימוֹ יֵרְדוּ שְׁאוֹל חַיִּים כִּי־רָעוֹת בִּמְגוּרָם בְּקִרְבָּם׃

A morte os assalte. Irado por considerações sobre como seu amigo especial (vss. 14 e 15) primeiramente azedou e então voltou-se para algo criminoso, o salmista finalmente atacou com palavras os seus inimigos. Isso talvez informe, indiretamente, que foi através da influência desses homens maus que o amigo do poeta foi corrompido. Mas se foi isso o que realmente ocorreu, então podemos ter certeza de que seu amigo não demorou a tornar-se o cabeça da matilha de animais ferozes. A tirada foi extremamente amarga, pois ele desejou a morte para a multidão. E não se tratava de uma morte qualquer, mas de uma morte terrível, na qual as pessoas fossem engolidas vivas pela terra, a qual, ao fechar-se, os esmagaria. Está em vista o caso que atingiu Coré, Datã e Abirão. Ver Nm 16.20 ss. quanto ao relato bíblico.

O poeta sagrado não estava criando a monstruosa doutrina de que os homens podem ser engolidos vivos pelo Seol, o submundo. Neste caso, o Seol é a sepultura, enquanto descer vivo à sepultura significa "no vergel da vida", sofrendo assim morte prematura, por causa de um golpe divino. Portanto, o autor sacro desejava para eles uma morte súbita e violenta.

Porque há maldade nas suas moradas. O original hebraico por trás dessas palavras é difícil de compreender. Literalmente, teríamos: "Males há nas habitações, em meio deles". A *Revised Standard Version* diz: "Que eles se vão em terror para seus sepulcros", seguindo outro texto. O poeta queria que eles sofressem morte aterrorizante. Talvez pensasse que eles invocaram uma maldição contra ele, o que explicaria a natureza virulenta de suas dificuldades. Portanto, o poeta projetou sobre eles a maldição, nos termos mais enfáticos possíveis.

Sheol. A doutrina assim chamada passou por certo desenvolvimento. Não podemos ler essa palavra hebraica em algum lugar e dizer: "Eis o que ela significa". Esse vocábulo significa diversas coisas, dependendo do estágio de desenvolvimento que estiver em pauta. A princípio, significava simplesmente o sepulcro. Em seguida, passou a indicar o lugar dos espíritos destituídos de mente, que ficavam vagueando em redor. Mais tarde, esses espíritos adquiriram autoconsciência. Então o Sheol foi dividido em dois compartimentos, um para os bons e outro para os maus. Ato contínuo, no bom compartimento foi concebida a bênção, enquanto no mau compartimento foi concebido o juízo. As chamas do inferno foram acesas em 1Enoque, um dos livros pseudepígrafos escritos entre o Antigo e o Novo Testamento. Ver no *Dicionário* os verbetes chamados *Hades* e *Sheol*, para ideias suplementares.

Caros leitores, muitas doutrinas bíblicas, e não apenas a doutrina do Sheol, passaram por desenvolvimentos similares, incluindo a doutrina do julgamento divino. Temos de acompanhar essas doutrinas para ver a qual estágio elas já tinham evoluído em seu desenvolvimento. Por exemplo, Lucas 16 — a história do rico e de Lázaro, no hades — não precisa ser reconciliado com o que se lê em 1Pedro 3.18—4.6 — a descida de Cristo ao hades. Esta última referência representa um desenvolvimento posterior da doutrina, em cujo estágio fora injetada a esperança. Quanto mais um ensino se desenvolve, mais otimista é o quadro do relacionamento de Deus com a humanidade. Portanto, sejamos otimistas a respeito da doutrina do Sheol, e não desanimados.

Como Cresce a Teologia. A maioria dos intérpretes admite que a teologia cresce, segundo ilustrei anteriormente, na passagem do Antigo para o Novo Testamento. Mas alguns relutam em admitir que o mesmo pode acontecer dentro do Novo Testamento. Mas de cada vez que encontramos um mistério no Novo Testamento, ali a teologia avançou sobre o que dizia a respeito de determinado assunto. Assim, cada vez em que Paulo fala sobre um de seus mistérios, nosso conhecimento de alguma verdade dá um significativo salto à frente. É irracional pensar que todos os apóstolos fossem igualmente iluminados.

■ **55.16** (na Bíblia hebraica corresponde ao **55.17**)

אֲנִי אֶל־אֱלֹהִים אֶקְרָא וַיהוָה יוֹשִׁיעֵנִי׃

Eu, porém, invocarei a Deus. As coisas estavam em uma condição patética. Contudo, ao poeta restava o recurso da oração, e ele estava resolvido a utilizá-lo, na esperança de que Elohim agiria em seu favor. Ato contínuo, Elohim (o Poderoso) haveria de salvá-lo de sua condição impossível. Dessa maneira, o Deus Eterno e Todo-poderoso reverteria o curso dos eventos humanos e favoreceria o homem bom. Entrementes, os amigos traiçoeiros do salmista, bem como o bando que ele liderava, ficariam cada vez piores. Essa era a escolha deles, e eles eram os responsáveis pela própria degradação.

Invoca-me no dia da angústia: eu te livrarei, e tu me glorificarás.

Salmo 50.15

■ **55.17** (na Bíblia hebraica corresponde ao **55.18**)

עֶרֶב וָבֹקֶר וְצָהֳרַיִם אָשִׂיחָה וְאֶהֱמֶה וַיִּשְׁמַע קוֹלִי׃

À tarde, pela manhã e ao meio-dia. O piedoso salmista persistiria em oração, empregando as tardes, as manhãs e a hora do meio-dia nesse exercício, ultrapassando qualquer requisito legal. Ele tinha necessidades urgentes e, por isso, oraria abundantemente.

Orai sem cessar.

1Tessalonicenses 5.17

Yahweh ouviria suas constantes orações e lhe daria a resposta de que ele precisava com tanta urgência. Na oração, importunar rende dividendos. Quanto a uma excelente ilustração do Novo Testamento sobre esse princípio, ver Lc 18.1-8.

A tarde é mencionada em primeiro lugar nesta lista: tarde, manhã e meio-dia. Os hebreus começavam a contar seus dias à tarde (às 18 horas), em contraste com o nosso costume (às 24 horas). Portanto, vemos o homem começando o dia em oração, o que é um bom costume em qualquer época. Talvez o triplo tempo de oração fosse um costume piedoso nos dias do poeta sagrado. Ver como Daniel costumava orar três vezes ao dia (Dn 6.10). Esse costume prosseguiu nos tempos cristãos. Os rabinos veem mudanças ou estágios principais do dia nos três tempos mencionados, e cada um desses estágios merece seu tempo de oração. Sacrifícios diários eram oferecidos à tarde e pela manhã, pelo que aqueles tempos já eram importantes para os fiéis. Os judeus exageravam quanto à questão, supondo que os três estágios tivessem sido historicamente estabelecidos por Abraão, Isaque e Jacó, respectivamente. Ver Gn 22.3 (Abraão); 24.63 (Isaque) e 28.11 (Jacó).

■ **55.18** (na Bíblia hebraica corresponde ao **55.19**)

פָּדָה בְשָׁלוֹם נַפְשִׁי מִקְּרָב־לִי כִּי־בְרַבִּים הָיוּ עִמָּדִי׃

Livra-me a alma, em paz, dos que me perseguem. Os salmos de lamentação usualmente trazem uma nota de agradecimento no final, depois que o autor havia recebido a resposta à oração ou tinha certeza de que a resposta estava a caminho. Mas aqui temos o louvor e a ação de graças, seguidos por outras ideias. A paz descera sobre o homem agradecido. A batalha na qual ele poderia ter perdido a vida era coisa do passado. Muitos eram contra ele, mas ele prevaleceu pelo poder de Deus. Ele conseguiu a intervenção divina de que precisava. Alguns poucos salmos de lamentação terminam em um tom de desespero. Isso também ilustra a experiência humana, bem como o problema do mal (ver a respeito no *Dicionário*).

O anjo do Senhor acampa-se ao redor dos que o temem, e os livra.

Salmo 34.7

O Targum diz aqui: "... em muitas aflições, a sua Palavra foi o meu arrimo". Cf. 2Co 1.9,10 e 2Tm 4.17,18.

■ **55.19** (na Bíblia hebraica corresponde ao **55.20**)

יִשְׁמַע אֵל וְיַעֲנֵם וְיֹשֵׁב קֶדֶם סֶלָה אֲשֶׁר אֵין חֲלִיפוֹת לָמוֹ וְלֹא יָרְאוּ אֱלֹהִים׃

Deus ouvirá, e lhes responderá. O Deus que ouve livra o homem bom, mas aflige os ímpios, que perseguem a outros. Ele os humilha por se terem mostrado arrogantes, conduzindo sua vida na arrogância. O Poder ocupara posição de presidência desde a eternidade e continua a governar a terra de seu elevado lugar, no céu. No seu trono, ele brande o poder, na sua posição de Rei dos reis, e assim governa as questões tanto celestes quanto terrenas. Os homens ímpios não podem escapar do seu governo.

Porque não há neles mudança nenhuma. Esta declaração significa que os ímpios não guardam a lei nem observam mandamento algum que poderia modificar sua má conduta. E, naturalmente, eles não temem a Deus, que é a atitude básica, mental e espiritual, dos homens piedosos. Quanto ao temor de Deus, ver no *Dicionário* o artigo chamado *Temor*, que ilustra plenamente esse tema. Ver também as notas em Sl 34.9 e 36.1, onde forneço ideias adicionais.

Alguns pensam que as mudanças deveriam ser feitas por Deus, uma verdade e doutrina padrão, e talvez seja isso o que está em vista neste versículo.

Deus os ouvirá e afligirá,
Ele permanece desde a antiguidade,
Alguém em quem não há qualquer mudança,
E, no entanto, não temem a Deus.

Paráfrase de Ellicott

Cf. Tg 1.17. A Septuaginta e a Vulgata Latina põem a frase no singular e fazem a ausência de mudança ser em Deus. Alguns eruditos supõem que assim dizia o texto original. "O plural foi usado poeticamente no lugar do singular" (Ellicott, *in loc.*). Kimchi permanece com o singular em seu comentário sobre a passagem, mas o Targum fala de homens ímpios que nunca modificam seus caminhos.

■ **55.20** (na Bíblia hebraica corresponde ao **55.21**)

שָׁלַח יָדָיו בִּשְׁלֹמָיו חִלֵּל בְּרִיתוֹ׃

Tal homem estendeu as mãos contra. O amigo falso, acerca de quem o poeta se queixara tão amargamente (vss. 12-14), voltou à mente do poeta sagrado, e este continuou a queixar-se de sua traição. Ele estava em paz com seus amigos, nada esperando de incomum em sua conduta. Subitamente, porém, mudara de personalidade e fazia guerra, com o homicídio em seu coração. A aliança de relações felizes foi quebrada, e o homem rompeu relações com Yahweh, porquanto se aliara aos pecadores e perseguidores dos justos. "Ele violara a sua aliança, cobrindo seus atos com engano e fraudes" (William R. Taylor, *in loc.*).

Corrompeu a sua aliança. Diz o hebraico original, literalmente, "perfurou". Uma maneira de anular um pacto era enfiar um prego através do documento que o continha. Assim sendo, o homem tornou-se alguém que usava de um prego, em vez de ser um amigo. Considere o leitor o exemplo deixado por Aitofel. Enquanto servia ao rei e era pago pela corte real, nas costas de Davi planejava, juntamente com Absalão, livrar-se do monarca, o que certamente teria resultado na execução de Davi. Ele era ostensivamente leal, mas, no coração, mostrou-se subversivo.

... e se indignará contra a santa aliança, e fará o que lhe aprouver.

Daniel 11.30

■ **55.21** (na Bíblia hebraica corresponde ao **55.22**)

חָלְקוּ מַחְמָאֹת פִּיו וּקְרָב־לִבּוֹ רַכּוּ דְבָרָיו מִשֶּׁמֶן וְהֵמָּה פְתִחוֹת׃

A sua boca era mais macia que a manteiga. Ele falava bem; ele falava para enganar; ele abusava de seus poderes de fala para promover a destruição. Suas palavras eram "mais macias que a manteiga", mas havia guerra em seu coração. Ele era um modelo de *hipocrisia* (ver a respeito no *Dicionário*). Suas palavras pareciam justas, mas seu coração era pervertido. Ele falava no bem, mas planejava o mal. Era alguém que "falava sobre Deus", mas de fato se revelava um "praticante das coisas de Satanás". Absalão serve de exemplo desse tipo de homem. Ver 2Sm 15.2 ss. Esse homem inclinava-se diante dos homens do povo, e os osculava, mas meteu uma espada nas costas do próprio pai. Furtou o coração do povo, mas partiu o coração de seu progenitor.

Suas palavras eram mais brandas que o azeite. Em lugar de palavras, a Septuaginta e a versão siríaca dizem aqui "face", e isso poderia representar o original que o texto massorético tinha perdido. Nesse caso, estamos falando de um rosto que negociava com duplicidade, um rosto suave e doce que ocultava o ódio no coração. Ver no *Dicionário* os artigos chamados *Massora* (*Massorah*); *Texto Massorético* e *Linguagem, Uso Apropriado da*.

> *Ora, se pomos freios na boca dos cavalos, para nos obedecerem, também lhes dirigimos o corpo inteiro... Assim também a língua, pequeno órgão, se gaba de grandes cousas. Vede como uma fagulha põe em brasas tão grande selva!... De uma só boca procede bênção e maldição. Meus irmãos, não é conveniente que estas cousas sejam assim.*
>
> Tiago 3.3,5,10

Ver outras notas expositivas sobre o uso da língua em Sl 5.9; 15.3; 17.3; 34.12; 35.28; 36.3 e 39.1.

Eram espadas desembainhadas. As palavras do homem eram mais brandas que o azeite, mas ele tinha uma língua parecida com uma espada, a qual usava para ferir.

> *Falarei adagas a ela...*
>
> Shakespeare

UMA PALAVRA RECONFORTANTE (55.22)

■ **55.22** (na Bíblia hebraica corresponde ao **55.23**)

הַשְׁלֵךְ עַל־יְהוָה ׀ יְהָבְךָ וְהוּא יְכַלְכְּלֶךָ לֹא־יִתֵּן לְעוֹלָם מוֹט לַצַּדִּיק׃

O homem assediado tinha o recurso de lançar sua carga sobre Yahweh e de acreditar que seria sustentado, que a sua vida seria preservada, que os planos arquitetados contra ele fracassariam. Dessa maneira ele jamais seria abalado, isto é, não sofreria consternações, perdendo suas amarras e seu alicerce. "Este versículo parece ser uma palavra de admoestação e consolo sacerdotal ao homem que balançava sob os golpes mais dolorosos. Cf. Mt 26.23. Os amigos podem ser infiéis, mas o Senhor sempre será fiel. Ele não permitirá que o homem piedoso seja abalado" (William R. Taylor, *in loc.*). Quanto à Rocha sobre a qual o homem de Deus fundamenta sua vida, a fim de não ser abalado, ver Sl 42.9. Quanto à promessa de o crente não ser abalado, ver notas expositivas em Sl 10.6; 13.4; 15.5; 16.8; 21.7; 46.56; 62.2; 93.1; 96.10; 121.3. "Quando um homem confia em Deus, está seguro como se estivesse no céu, onde Deus se encontra" (Adam Clarke, *in loc.*).

> *Lançando sobre ele toda a vossa ansiedade, porque ele tem cuidado de vós.*
>
> 1Pedro 5.7

"Deus nunca esquecerá os retos (ver Dt 31.6; Hb 13.5). Mas destruirá homens sanguinários e enganadores que afligem os justos (Sl 55.15)" (Allen P. Ross, *in loc.*).

> Leva tuas cargas ao Senhor e deixa-as ali com ele.
> Quando os temporais da vida estiverem uivando,
> Tempestade terrível no mar e em terra,
> Buscarei um refúgio
> Sob a sombra da mão de Deus.
>
> Mary E. Servoss

■ **55.23** (na Bíblia hebraica corresponde ao **55.24**)

וְאַתָּה אֱלֹהִים ׀ תּוֹרִדֵם לִבְאֵר שַׁחַת אַנְשֵׁי דָמִים וּמִרְמָה לֹא־יֶחֱצוּ יְמֵיהֶם וַאֲנִי אֶבְטַח־בָּךְ׃

Tu, porém, ó Deus. Contrastando com a condição do homem piedoso, que é sustentado por Yahweh, o homem iníquo é esmigalhado por ele, precipitado na cova da sepultura, em morte prematura. A "cova", neste caso, não é a habitação dos espíritos malignos em uma vida pós-túmulo, conforme alguns fazem o texto dizer, cristianizando-o. Ver as notas expositivas detalhadas sobre o vs. 15, quanto ao desenvolvimento da doutrina do Sheol (hades).

Os homens violentos não viverão nem a metade do tempo que se esperaria que vivessem, porque aquele que brande a espada morrerá à espada. Ver no *Dicionário* o verbete chamado *Lei Moral da Colheita segundo a Semeadura*. O homem violento sofrerá violência. Entrementes, o homem bom continuará a confiar em Yahweh e a conduzir-se em consonância com os requisitos da lei, e assim garantirá, para si mesmo, vida longa (Dt 4.1; 5.33; 6.2; Ez 20.1).

Morte Prematura de Traidores. Doegue viveu até os 34 anos de idade. Aitofel chegou somente aos 33. Não sabemos dizer por quanto tempo Judas Iscariotes viveu, mas devia estar no início da quarta década de vida. "... tais homens com frequência morrem no vergel da vida e não vivem a metade do tempo que a natureza lhes deu potencialmente" (John Gill, *in loc.*). Naturalmente, há exceções, e um homem bom pode morrer ainda jovem. Tais acontecimentos nos perturbam, mas sabemos que a vontade de Deus encerra enigmas. Outro tanto sucede ao *Problema do Mal* (ver a respeito no *Dicionário*).

Em meio aos terrores da Segunda Guerra Mundial, o general britânico Bernard Montgomery concluiu um discurso dirigido aos seus homens com estas palavras: "Em Deus deposito minha confiança. Não terei receio. Que me pode fazer a carne?" (proferido durante a campanha da Normandia).

"Os pais, de modo geral, aplicam as principais passagens deste salmo aos sofrimentos do Senhor, à traição de Judas e à maldade dos judeus" (Adam Clarke, *in loc.*). Quanto à aplicação do texto, ver as notas do vs. 13.

> *Ele me abateu a força no caminho e me abreviou os dias.*
>
> Salmo 102.23

Mas o homem bom, o autor deste salmo, confiava que seria diferente com ele. Isso posto, continuou confiando e entregando seu caminho ao Senhor. Ele, por certo, formaria um contraste com o que sucederia aos ímpios.

SALMO CINQUENTA E SEIS

Quanto a *informações gerais* que se aplicam a todos os salmos, ver a introdução ao Salmo 4, onde apresento *sete* comentários que elucidam a natureza do livro. Quanto às *classes* dos salmos, ver o gráfico no início do comentário sobre o livro, que atua como uma espécie de frontispício da coletânea. Dou ali dezessete classes e listo os salmos que pertencem a cada uma delas.

Este é um *salmo de lamentação*, constituído por uma oração rogando livramento de inimigos pessoais. Tais salmos tipicamente começam com um clamor urgente, pedindo ajuda; a seguir descrevem os inimigos que estavam sendo enfrentados, que podiam ser invasores estrangeiros, inimigos dentro do acampamento de Israel ou alguma enfermidade física; e então terminam com uma palavra de agradecimento e louvor, porquanto o salmista reconhecia que Yahweh tinha ouvido e respondido às suas orações, ou cria que em breve as responderia.

Este salmo pertence à mesma classe dos Salmos 54 e 55, e contém algumas ideias e declarações bastante parecidas. Os inimigos do salmista eram como um bando de *animais ferozes*, e sua vida corria perigo imediato. O autor, entretanto, não forneceu muitos detalhes que nos ajudam a compreender a natureza exata e as razões desses ataques. Seja como for, é verdade que "ocupar-se da luta contra as ameaças deste mundo temporal debilitou-lhes a percepção dos inimigos mortais que guerreiam contra a alma (ver 1Pe 2.11; Rm 8.38,39; Ef 6.16)" (William R. Taylor, *in loc.*). Isso é verdade, mas devemos lembrar que a doutrina da alma e da permanência da alma após a morte só *começou* a entrar nos Salmos e nos Profetas, pelo que dificilmente poderia ter sido uma preocupação para a maioria dos autores dos salmos.

Subtítulo. Neste caso, o subtítulo é o seguinte: "Ao mestre de canto. Segundo a melodia: A pomba nos terebintos distantes. Hino de Davi, quando os filisteus o prenderam em Gate". "Hino", no original hebraico, é *mictam*, que talvez signifique uma *oração* ou *hino* de sentido espiritual. *Jonate-elem-recoquim* significa "o choro da pomba dos terebintos distantes", o que outros estudiosos afirmam significar "concernente à pomba muda entre estrangeiros". A tradição relaciona este salmo aos acontecimentos descritos em 1Sm 21.10 ss. Este salmo foi composto para os acordes da canção "Pomba nos terebintos distantes", aparentemente um cântico distinto e bem conhecido que fazia parte da liturgia do templo. Tais informações foram dadas por editores posteriores, visto que os subtítulos não faziam parte das composições originais. Cerca de metade dos salmos foi atribuída a Davi, um grande exagero; contudo, alguns salmos eram indubitavelmente de sua autoria, visto ser ele o *mavioso salmista de Israel* (2Sm 23.1). Seja como for, uma pomba distante representava Davi no exílio, entre os filisteus em Gate, ou assim os editores queriam que crêssemos.

APELO A DEUS (56.1-4)

■ **56.1** (na Bíblia hebraica corresponde ao **56.1,2**)

לַמְנַצֵּחַ עַל־יוֹנַת אֵלֶם רְחֹקִים לְדָוִד מִכְתָּם בֶּאֱחֹז
אֹתוֹ פְלִשְׁתִּים בְּגַת׃

חָנֵּנִי אֱלֹהִים כִּי־שְׁאָפַנִי אֱנוֹשׁ כָּל־הַיּוֹם לֹחֵם
יִלְחָצֵנִי׃

Tem misericórdia de mim, ó Deus. Somente um Deus misericordioso, que interviesse nas atividades humanas, poderia ter salvo o poeta, que estava prestes a ser engolido ou espezinhado por seus inimigos. Note o leitor o nome divino *Elohim* (o Poder). O salmista era oprimido *diariamente*, pelo que o caso era urgente, como usualmente se dá nos salmos de lamentação. Nos Salmos 42 a 72, no livro II do saltério, o nome divino *Elohim* substitui essencialmente o nome mais comum, *Yahweh*. Ver no *Dicionário* o verbete chamado *Deus, Nomes Bíblicos de*. Quanto à invocação do *Deus misericordioso*, cf. Sl 4.1; 6.2; 9.13; 21.7; 25.7; 27.7; 30.10; 31.9; 51.1; 57.1; 85.7; 115.1 e muitos versículos em Sl 136. Ver no *Dicionário* o artigo chamado *Misericórdia*.

■ **56.2** (na Bíblia hebraica corresponde ao **56.3**)

שָׁאֲפוּ שׁוֹרְרַי כָּל־הַיּוֹם כִּי־רַבִּים לֹחֲמִים לִי מָרוֹם׃

Os que me espreitam continuamente. No original hebraico, em lugar de "continuamente" temos a mesma palavra "todo o dia", que aparece no vs. 1. Os inimigos do salmista guerreavam contra ele, e ele precisava da ajuda do *Altíssimo*, sobre o que comento no vs. 7. Ver sobre isso no *Dicionário*.

Os que me espreitam. No hebraico, literalmente, "vigilantes". Eles tinham fixado os olhos sobre o salmista, na esperança de encontrar oportunidade para ferir e matar.

... me combatem. Literalmente, "me devoram", como se fossem animais selvagens sem misericórdia, que perseguiam a sua presa.

■ **56.3** (na Bíblia hebraica corresponde ao **56.4**)

יוֹם אִירָא אֲנִי אֵלֶיךָ אֶבְטָח׃

Em me vindo o temor, hei de confiar em ti. O salmista enfrentava uma *situação temível*. Mas, confiando em Elohim, era capaz de controlar os seus temores e de até tornar-se destemido, o que não era pouco, mas algo confirmado por alguns que se encontram envolvidos em guerras ou outras situações de perigo extremo. Algumas pessoas caem em pânico, o que também é uma reação comum. O original hebraico literalmente diz aqui: *naquele dia*. E nisso temos um paralelo com os vss. 1 e 2. Ele corria perigo diariamente, mas diariamente era capaz de controlar seus temores. "... assim também os crentes têm seus momentos de temor acerca de questões de amor, de graça, do pacto com Deus, de seus pecados e corrupções... temendo perecer às mãos de seus adversários; quanto aos inimigos, que são muitos, vívidos e fortes... Mas a confiança no Senhor é o melhor antídoto contra o temor" (John Gill, *in loc*.).

No amor não existe medo; antes o perfeito amor lança fora o medo...

1João 4.18

■ **56.4** (na Bíblia hebraica corresponde ao **56.5**)

בֵּאלֹהִים אֲהַלֵּל דְּבָרוֹ בֵּאלֹהִים בָּטַחְתִּי לֹא אִירָא
מַה־יַּעֲשֶׂה בָשָׂר לִי׃

Em Deus, cuja palavra eu exalto. O objeto da confiança do poeta sagrado era Deus (Elohim). Ele acreditava sem temor, tamanha confiança tinha na proteção divina. Portanto, ele louvava a Elohim, por esse benefício especial. E disse: "Que me pode fazer a carne?" Sócrates tinha semelhante confiança, mas a projetava no futuro, para estender a vida da alma para além da morte biológica. Ele declarou: "Nenhum dano pode sobrevir a um homem bom", e supomos que ele queria dizer finalmente, quando Deus completasse o seu plano. O salmista não olhava para o fim da estrada, e talvez nem tivesse contemplado uma estrada que ultrapassasse o sepulcro. Mas demonstrou ter ótima atitude de paz e confiança, e assim foi capaz de dominar o temor, mesmo que em meio a circunstâncias dificílimas. Veja o leitor como os salmos utilizam a palavra "confiança", nas notas em Sl 2.12. Os vss. 10 e 11 repetem este versículo como uma espécie de refrão.

Palavra. Está em pauta a palavra falada (ou escrita) de Deus, a palavra no coração, a mensagem e a promessa de Deus que dão aos homens a certeza e uma razão para continuarem confiando, mesmo em circunstâncias difíceis. Os hebreus tinham tremendo receio da morte prematura, mas a palavra de Deus, expressa na lei, garantia vida longa para aqueles que obedecessem aos mandamentos. Ver Dt 4.1; 5.33; 6.2 e Ez 20.1.

Alguns pensam que a palavra referida aqui era a palavra do homem, como se o salmista tivesse dito: "Louvo a Deus com a minha palavra, a despeito de todos os meus inimigos ainda encontro palavras para louvar a Deus" (Ellicott, *in loc*.). Ver sobre a *palavra de promessa* de Deus, em Sl 33.4 e 119.25.

... um mortal? Os homens podem traçar esquemas, inventar armas e tentar muitas coisas contra os santos, mas nada conseguem executar senão o que for permitido pelo Senhor, e o máximo que podem fazer, quando a isso são permitidos, é matar o corpo, o que não afeta a alma" (John Gill, *in loc*., em alusão a Mt 10.28).

UM APELO PEDINDO VINGANÇA (56.5-9)

■ **56.5** (na Bíblia hebraica corresponde ao **56.6**)

כָּל־הַיּוֹם דְּבָרַי יְעַצֵּבוּ עָלַי כָּל־מַחְשְׁבֹתָם לָרָע׃

Todo o dia torcem as minhas palavras. Todos os dias o salmista sofria os assaltos de homens ímpios. Eles distorciam as palavras do poeta, ou "buscavam prejudicar a sua causa", o que é uma compreensão diferente do hebraico original envolvido. Os homens malignos, que estavam diariamente ativos (ver os vss. 1 e 2), dirigiam pensamentos destrutivos contra o poeta e esforçavam-se por executá-los. Os inimigos do salmista, que "continuamente distorciam as suas palavras, *planejavam* destruí-lo seguindo-o em seus calcanhares. Eles não lhe davam descanso" (Allen P. Ross, *in loc*.). A Septuaginta e a Vulgata dão ainda outro sentido possível: "Eles amaldiçoam as minhas palavras", ou seja, desprezam-nas. Novamente, encontramos aqui os abusos de linguagem, um assunto comum nos salmos. Ver Sl 5.9; 12.2; 15.3; 17.3; 34.12; 35.28; 36.3; 39.1 e 55.21. Ver também no *Dicionário* o verbete intitulado *Linguagem, Uso Apropriado da*.

■ **56.6** (na Bíblia hebraica corresponde ao **56.7**)

יָגוּרוּ יַצְפִּינוּ הֵמָּה עֲקֵבַי יִשְׁמֹרוּ כַּאֲשֶׁר קִוּוּ נַפְשִׁי׃

Ajuntam-se, escondem-se, espionam os meus passos. A figura simbólica que encontramos aqui é de *feras postas de emboscada*, uma maneira favorita de felinos, domésticos ou selvagens, caçarem. Os inimigos do nosso homem estavam à "espreita", isto é, planejavam coisas secretas nas suas costas. Eles o observavam cuidadosamente, esperando apanhá-lo de surpresa. Eles aguardavam a chance de destruir sua alma, ou seja, sua *vida física*, que era o sentido da palavra hebraica *nephesh*, na época em que o poeta compôs o hino. O versículo poderia significar que o homem estava sujeito à ação de espiões, que lhe espreitavam cada movimento. "*Nephesh*, que geralmente significa a *vida animal*, e não a alma imortal" (Adam Clarke, *in loc*.). Naturalmente, em um tempo posterior, *nephesh* assumiu o sentido de uma alma imaterial, que passou a ser concebida como um aspecto do homem que sobrevive à morte biológica.

■ **56.7** (na Bíblia hebraica corresponde ao **56.8**)

עַל־אָוֶן פַּלֶּט־לָמוֹ בְּאַף עַמִּים הוֹרֵד אֱלֹהִים׃

Dá-lhes a retribuição, segundo a sua iniquidade. Haveriam aqueles homens iníquos de escapar, cometendo os crimes que cometiam? Tais atos haveriam de servir-lhes de proteção? O salmista fez uma declaração absurda sobre a absurda possibilidade de que os destruidores continuassem destruindo, e, ainda assim, escapassem da punição contra os seus atos. Mas a *Revised Standard Version* dá ao original hebraico uma distorção diferente, ao dizer: "Recompensa-os pelo crime deles!" O hebraico não dá pouco sentido, o que explica as conjecturas das versões. O hebraico original poderia ser traduzido como: "sobre a iniquidade, escapam eles". As versões antigas também apresentam suas conjecturas, e isso só aumenta a confusão. Ellicott conjecturou o seguinte: "Pela iniquidade tu lhes retribuirás", e terminou com o sentido essencial que aparece na *Revised Standard Version*. Ver no *Dicionário* o artigo chamado *Lei Moral da Colheita segundo a Semeadura*.

Na tua ira! Ver no *Dicionário* o verbete intitulado *Ira de Deus*. A ira de Deus cuidará que a justiça seja feita, e a justiça divina deve incluir a retribuição. O salmista ansiava por ver esse princípio em operação, porquanto isso salvaria a sua vida. Além disso, o princípio divino estava correto, e ele conhecia a diferença entre o certo e o errado. Quando dizemos que Deus está irado, usamos termos *antropomórficos*, atribuindo a Deus características humanas. E também nos envolvemos no *antropopatismo*. Ou seja, atribuímos a Deus emoções humanas. É difícil falar sobre Deus sem compará-lo a referências humanas. Ver no *Dicionário* os verbetes intitulados *Antropomorfismo* e *Antropopatismo*. Ver na *Enciclopédia de Bíblia, Teologia e Filosofia* os artigos chamados *Via Negationis* e *Via Eminentiae*, quanto a maneiras de falar acerca de Deus. No tocante a este versículo, é aconselhável que lembremos o que disse Orígenes: "Afirmar que o julgamento divino é apenas retribuição sem nenhum elemento de restauração é condescender diante da teologia inferior". Ver as notas expositivas sobre 1Pe 4.6, no *Novo Testamento Interpretado*, onde demonstro a validade desse conceito. Ver também o *Julgamento de Deus dos Homens Perdidos*.

■ **56.8** (na Bíblia hebraica corresponde ao **56.9**)

נֹדִי סָפַרְתָּה אָתָּה שִׂימָה דִמְעָתִי בְנֹאדֶךָ הֲלֹא בְּסִפְרָתֶךָ׃

Contaste os meus passos quando sofri perseguições. Literalmente, perambulações; mas visto que é um termo paralelo a "lágrimas", provavelmente temos uma menção a *desassossego mental*, ou então a ideia de que o homem ficou remexendo-se em seu leito, por motivo de angústia mental. Fausset aventou aqui "movimentos da casa para o campo", ou seja, um homem que ficava caminhando para cá e para lá, por causa de suas ansiedades.

No teu odre. "Temos aqui uma alusão a um costume antiquíssimo, que, conforme sabemos, existia entre os gregos e os romanos, isto é, o de recolher as lágrimas derramadas por um ente querido em pequenos frascos chamados *lacrimatários* ou *urnae lacrymales*, e então depositar esses frascos em túmulos, como oferendas aos deuses, ou em memória do morto. Alguns desses frascos eram feitos de vidro, outros de argila, alguns de ágata e outros de sardônica. Um desses pequenos frascos, que faz parte de minha própria coleção, é feito de argila queimada e endurecida" (Adam Clarke, *in loc.*). Deus, atento ao ritual de colocação dos frascos, registrava as lágrimas em seu livro, e assim elas se tornavam um memorial ao próprio indivíduo que tinha sofrido por causa da retidão. Deus tem seu livro de memórias (ver Ml 3.16, que diz):

> ... havia um memorial escrito diante dele para os que temem ao Senhor, e para os que se lembram do seu nome.

Compete-nos pensar na preciosidade das lágrimas diante de Deus. Deus lembra-se do justo que sofreu às mãos de homens iníquos e reverte a sua situação. As lágrimas do justo têm poder, como somos informados no vs. 9.

"A imagem de suas lágrimas sendo recolhidas em um odre significa que Deus não esqueceu seu sofrimento" (Allen P. Ross, *in loc.*). Quanto ao livro de Deus, ver Sl 40.7.

Alguns frascos de lágrimas eram sepultados com o ente querido morto. Outros eram colocados, mais tarde, em seu sepulcro.

■ **56.9** (na Bíblia hebraica corresponde ao **56.10**)

אָז יָשׁוּבוּ אוֹיְבַי אָחוֹר בְּיוֹם אֶקְרָא זֶה־יָדַעְתִּי כִּי־אֱלֹהִים לִי׃

No dia em que eu te invocar. O salmista clamou ao Senhor, suas lágrimas pareciam preciosas diante dele, e, assim sendo, ele tinha poder de influenciar a mente divina. Como resultado, seus inimigos eram forçados a retroceder, porque Deus estava ao "lado dele" e não permitiria que seu clamor fosse inútil. O choro de um bebê nos comove, e usualmente terminamos fazendo o que ele quer. Assim também os lamentos de um homem pobre levam Deus a agir em seu favor. "O clamor da fé e da oração a Deus é mais temível para nossos adversários espirituais do que o brado de guerra do índio para seus irmãos selvagens surpreendidos" (Adam Clarke, *in loc.*).

A CONFIANÇA DO SALMISTA EM DEUS (56.10-13)

■ **56.10,11** (na Bíblia hebraica corresponde ao **56.11,12**)

בֵּאלֹהִים אֲהַלֵּל דָּבָר בַּיהוָה אֲהַלֵּל דָּבָר׃

בֵּאלֹהִים בָּטַחְתִּי לֹא אִירָא מַה־יַּעֲשֶׂה אָדָם לִי׃

Em Deus, cuja palavra eu louvo. Os vss. 10 e 11 são quase idênticos ao vs. 4 e atuam como uma espécie de refrão do hino. Ver ali a exposição. Nenhum homem mortal (no hebraico, *'adam*, palavra diferente da usada no vs. 4) poderá causar-lhe mal. Qualquer poder humano é impotente para distorcer os propósitos de Deus e a sua proteção.

"Em Deus, cuja palavra eu louvo" é uma pequena adição ao que se lê no vs. 4, trazendo para o quadro o nome divino, Yahweh, e dizendo o mesmo que fora afirmado acerca de Elohim. A pequena glosa reforça a afirmação. Esse refrão tem sido cristianizado para falar sobre a Palavra, o Logos, ou seja, Cristo, mas isso é um refinamento exagerado, sugerido pelo Targum.

■ **56.12** (na Bíblia hebraica corresponde ao **56.13**)

עָלַי אֱלֹהִים נְדָרֶיךָ אֲשַׁלֵּם תּוֹדֹת לָךְ׃

Os votos que fiz. Tendo recebido resposta à oração, e sendo livrado de seus adversários, o homem dirigiu-se ao templo a fim de oferecer sacrifícios de ação de graças e fazer votos ou promessas. Ver no *Dicionário* o artigo intitulado *Voto*, quanto a detalhes sobre a questão. Por conseguinte, o homem fez votos, orou e entoou hinos, e tornou pública a questão. "Na plenitude de sua segurança, o salmista falou como se o seu triunfo já tivesse vindo" (William R. Taylor, *in loc.*), ou então a porção final do cântico foi composta depois que ele recebeu a graça.

> *A voz de júbilo e de alegria, a voz de noivo e de noiva, e a voz dos que cantam: Rendei graças ao Senhor junto à câmara dos príncipes, e sobre a Maaseias, filho de Salum, guarda do vestíbulo.*
>
> Jeremias 33.11

"Prometi da maneira mais solene que seria teu servo, que te entregaria a minha vida e que ofereceria sacrifícios de louvor e agradecimento, em vista de meu livramento" (Adam Clarke, *in loc.*). Cf. Sl 22.25 e 50.14. Ver também 7.17.

■ **56.13** (na Bíblia hebraica corresponde ao **56.14**)

כִּי הִצַּלְתָּ נַפְשִׁי מִמָּוֶת הֲלֹא רַגְלַי מִדֶּחִי לְהִתְהַלֵּךְ לִפְנֵי אֱלֹהִים בְּאוֹר הַחַיִּים׃

Pois da morte me livraste a alma. A oração feita pelo homem aflito mostrou-se eficaz. Ele foi libertado de maneira absoluta do perigo que havia enfrentado. Agora andaria na presença de Elohim, na luz da vida que ele confere, frequentando os cultos do templo e levando uma vida ativa, caracterizada pela fé. Isso significa que ele faria esforços por conhecer melhor a lei e ser-lhe obediente. Ver Sl 1.2, quanto a notas expositivas sobre as ideias dos hebreus acerca da lei. Essa maneira de andar evitaria as *quedas*, ou seja, lapsos de comissão e omissão, e a lei seria o manual. O homem teria uma vida caracterizada pela ação de graças, porquanto, em *sua crise*, Elohim tinha ouvido e respondido à sua oração.

Para que eu ande na presença de Deus na luz da vida. Buscando a sua aprovação e caminhando sob a sua *luz*. Ver no *Dicionário* o artigo denominado *Luz*. Esse artigo inclui as metáforas. Ver também o verbete chamado *Andar*. "Na presença de Deus, ou seja, de uma maneira agradável a Deus, sob sua orientação e cuidado graciosos (ver Gn 17.1,18; Sl 36.9; cf. Is 9.2 e Jo 12.35)" (Fausset, *in loc.*).

Eu sou a luz do mundo; quem me segue não andará nas trevas, pelo contrário terá a luz da vida.

João 8.12

SALMO CINQUENTA E SETE

Quanto a *informações gerais* que se aplicam a todos os salmos, ver a introdução ao Salmo 4, onde apresento *sete* comentários que elucidam a natureza do livro. Quanto às *classes* dos salmos, ver o gráfico no início do comentário sobre o livro, que atua como uma espécie de frontispício da coletânea. Dou ali dezessete classes e listo os salmos pertencentes a cada uma delas.

Este é um salmo de *lamentação*, em muito o grupo mais numeroso dos salmos, no qual há certo padrão de conteúdo e expressões. Esses salmos começam com um apelo urgente, pedindo ajuda; em seguida, são descritos os inimigos que estão sendo enfrentados; então a oração é respondida, e o salmista agradece pela bênção obtida. A maioria desses salmos de lamentação contém alguma pronunciada *imprecação* contra os inimigos, pelo que eles têm sido chamados de *salmos imprecatórios*. Este salmo é muito parecido com o Salmo 56, e até começa com a mesma declaração introdutória, um pedido de socorro pelas misericórdias de Deus. Ambos apelam para Elohim, pedindo livramento dos planos de inimigos sedentos de sangue. Nos dois há um *refrão* que consiste em dois versículos: 56.4 = 56.10,11; 57.5 = 57.11. A grande diferença é que o Salmo 57 é composto, ou seja, reúne duas composições originalmente independentes. Os vss. 1-6 e 7-11 dificilmente formavam uma única composição original. O segundo desses trechos é um hino matinal, uma espécie de saudação à alvorada (vs. 8). Esta parece ser uma situação diferente da turbulência da primeira porção, tipicamente um salmo de lamentação. Além disso, a segunda seção aparece como a primeira parte do Salmo 108, o que serve de evidência de sua natureza original independente. O vs. 5 serve como refrão da primeira parte, e a declaração idêntica, no vs. 11, funciona como refrão da segunda parte. Sem dúvida, este detalhe é parte de um trabalho editorial para juntar apropriadamente duas partes independentes.

Os eruditos que tentam reunir as duas porções, como se, originalmente, elas representassem um único salmo, supõem que a "primeira porção" fosse um salmo de lamento, e a "segunda porção" fosse um cântico de triunfo baseado na vitória sobre os inimigos que aparecem na primeira porção.

Subtítulo. Temos, neste caso, o seguinte subtítulo: "Ao mestre de canto. Segundo a melodia: Não destruas. Hino de Davi, quando fugia de Saul, na caverna". Ver 1Sm 23.19—24.7, quanto ao alegado pano de fundo do salmo. No hebraico, "Não destruas" é *Al-tachete*, e "hino" é *mictam*. Provavelmente, "Não destruas" eram as primeiras palavras de um hino entoado como parte do ritual do templo. Davi disse essas palavras a Abisai, quando pretendia destruir Saul (ver 1Sm 16.9). Mas não é possível determinar as circunstâncias sob as quais este salmo foi composto. Os editores dos comentários introdutórios apenas conjecturaram sobre tais coisas, bem como sobre a autoria dos salmos. Eles escreveram longo tempo depois das composições originais. Cerca de metade dos salmos é atribuída a Davi, um grande exagero, embora não haja por que duvidar que ele escreveu alguns dos salmos, uma vez que era "o mavioso salmista de Israel" (2Sm 23.1).

PETIÇÃO POR MISERICÓRDIA (57.1-3)

■ **57.1** (na Bíblia hebraica corresponde ao **57.1,2**)

לַמְנַצֵּחַ אַל־תַּשְׁחֵת לְדָוִד מִכְתָּם בְּבָרְחוֹ מִפְּנֵי־שָׁאוּל בַּמְּעָרָה׃

חָנֵּנִי אֱלֹהִים חָנֵּנִי כִּי בְךָ חָסָיָה נַפְשִׁי וּבְצֵל־כְּנָפֶיךָ אֶחְסֶה עַד יַעֲבֹר הַוּוֹת׃

Tem misericórdia de mim, ó Deus, tem misericórdia. A petição que rogava a Elohim *misericórdia* é idêntica à que inicia o Salmo 51 (ver ali as notas expositivas). Aqui, o apelo é repetido. O autor esperava pela misericórdia divina, porquanto *confiava no Poder*. Já comentei como essa palavra é usada em Sl 2.12. O salmista se imaginou à "sombra" das asas do Deus Todo-poderoso, onde buscava refúgio. A figura das *asas* repete o que já tinha sido visto e anotado em 17.8 e 36.7. Ver também 121.5,6. Quanto à metáfora do *refúgio*, ver Sl 46.1, onde apresento comentários e uma lista de passagens paralelas. Quando examinamos os salmos, notamos bastante repetição de frases e metáforas semelhantes, porquanto estamos tratando com uma "herança literária" que era conhecida por muitos autores.

Até que passem as calamidades. Nos salmos de lamentação, as calamidades são causadas por diversos inimigos: invasores estrangeiros; inimigos que atuavam no acampamento de Israel; ou enfermidades físicas. Neste salmo, o apelo pede o livramento contra inimigos sedentos de sangue dentro do acampamento, homens hostis e sanguinários que em breve extinguiriam a luz da vida. Esses ímpios são comparados ao poderoso e selvagem *leão*, fera poderosa, irracional, incansável (vs. 4). Se as asas do Todo-poderoso não lhe fizessem sombra e não o protegessem, o poeta estaria exposto a ataques fatais.

O Targum comenta: "Até que o tumulto passe", mas a Septuaginta diz: "Até que passem os pecados". Mas isso só pode apontar para atos maliciosos de homens pecaminosos que destroem. Cf. Is 26.20.

■ **57.2** (na Bíblia hebraica corresponde ao **57.3**)

אֶקְרָא לֵאלֹהִים עֶלְיוֹן לָאֵל גֹּמֵר עָלָי׃

Clamarei ao Deus Altíssimo. O passado fora uma demonstração dos cuidados do Todo-poderoso. Deus sempre fazia *todas as coisas* para aquele que sofria necessidade, sem importar qual fosse.

Nosso Deus, nossa ajuda em eras passadas,
Nossa esperança para anos vindouros;
Nosso abrigo das explosões da história,
E nosso abrigo eterno.

Sob a sombra do teu trono,
Podemos ainda habitar seguros.
Teu braço somente é suficiente,
E nossa defesa é segura.

Isaac Watts

O que a mim me concerne o Senhor levará a bom termo; tua misericórdia, ó Senhor, dura para sempre.

Salmo 138.8

Altíssimo. Quanto a este vocábulo, ver Sl 7.17. A Septuaginta e a Vulgata Latina falam do Deus Altíssimo, como o *benfeitor* do homem, tanto no passado quanto no futuro.

"Ele completará a obra de amor em mim" (Fausset, *in loc.*). "Estou plenamente certo de que aquele que começou boa obra em vós há de completá-la até ao dia de Cristo Jesus" (Fp 1.6).

■ **57.3** (na Bíblia hebraica corresponde ao **57.4**)

יִשְׁלַח מִשָּׁמַיִם וְיוֹשִׁיעֵנִי חֵרֵף שֹׁאֲפִי סֶלָה יִשְׁלַח אֱלֹהִים חַסְדּוֹ וַאֲמִתּוֹ׃

Ele dos céus me envia o seu auxílio. *A ajuda celeste*, a intervenção divina, era esperada da parte do salmista, pois somente essa ajuda poderia salvá-lo de uma morte miserável, às mãos de seus inimigos. Eles tentavam "devorá-lo" (*King James Version*) ou "esmagá-lo" (*Revised Standard Version*), maneiras diferentes de compreender o mesmo texto hebraico. Vemos essa figura e o uso das mesmas palavras hebraicas em Sl 56.1, onde comento a respeito. O autor sagrado refere-se aqui aos esmagadores "no acampamento dos israelitas", homens ímpios que pretendiam arrancar a vida de suas vítimas. "Já encontramos esses perseguidores antes. Eles estavam bem presentes na mente do fugitivo. Ainda não tinham deitado as mãos sobre o seu corpo, mas já tinham deitado as mãos sobre a sua alma" (J. R. P. Sclater, *in loc.*).

A sua misericórdia e a sua fidelidade. O poeta *personificou* esses atributos de Deus e imaginou que eles fossem mensageiros especiais, enviados do céu para se apressarem em seu socorro. A *misericórdia* retira a mácula do pecado e aplica a graça divina. A *fidelidade* defende o homem de seus erros, porquanto Deus está ao seu lado. Cf. Sl 18.16; 43.3 e 144.7. "Por causa dos atributos de Deus, o salmista sabia que seria livrado da louca perseguição dos ímpios. Cf. Sl 56.1,2" (Allen P. Ross, *in loc.*).

Selá. Quanto aos vários significados vinculados a esta palavra hebraica, ver Sl 3.2.

A SITUAÇÃO DO POETA (57.4-6)

■ **57.4** (na Bíblia hebraica corresponde ao **57.5**)

נַפְשִׁי בְּתוֹךְ לְבָאִם אֶשְׁכְּבָה לֹהֲטִים בְּנֵי־אָדָם שִׁנֵּיהֶם חֲנִית וְחִצִּים וּלְשׁוֹנָם חֶרֶב חַדָּה:

Acha-se a minha alma. Melhor ainda é pensar aqui na vida física, o significado comum do termo hebraico *nephesh*, na época da composição. Posteriormente, essa palavra hebraica assumiu o sentido da alma imaterial.

Entre leões. Os inimigos do salmista eram como leões famintos, incansáveis, sem misericórdia, poderosos, irracionais, sempre potencialmente fatais e pilhadores. Essa é uma figura simbólica comum, nos salmos, para retratar homens destruidores e ímpios. Ver Sl 17.12 e 104.21. A palavra *leão*, no singular, aparece em Sl 7.2; 10.9; 22.13 e 91.13.

Lanças e flechas são os seus dentes. Os dentes do leão, nesta passagem bíblica, tornam-se como armas fabricadas pelos homens, como as lanças e as flechas. Ver as *línguas* de homens malignos comparadas a essas armas, em Sl 55.21; 59.7 e 64.3. Eram homens sedentos de sangue, ansiosos pela oportunidade de matar inocentes indefesos. Formavam o elemento criminoso da sociedade, matando para alcançar lucro financeiro ou por pura diversão, como animais predadores. Ver Sl 140.3.

Maça, espada e flecha aguda é o homem que levanta falso testemunho contra o seu próximo.

Provérbios 25.18

Há uma frase que não aparece em nossa versão portuguesa: "respiram chamas". O autor sagrado empregou outra metáfora drástica. Os homens ímpios que o salmista enfrentava respiravam fogo, dragões temíveis com chamas a sair da boca. Aqueles pecadores viviam "pegando fogo" e espalhavam destruição por toda parte. As chamas "devoram" os homens. Mas a *Revised Standard Version* relaciona a figura apenas aos leões que "devoram" homens como feras famintas, e deixa de fora a referência às "chamas", mediante uma compreensão diferente do texto hebraico envolvido.

■ **57.5** (na Bíblia hebraica corresponde ao **57.6**)

רוּמָה עַל־הַשָּׁמַיִם אֱלֹהִים עַל כָּל־הָאָרֶץ כְּבוֹדֶךָ:

Sê exaltado, ó Deus, acima dos céus. Este versículo é um refrão repetido no vs. 11 e pode ter entrado aqui por falta de atenção. Ou então algum editor deu à primeira porção do salmo um refrão, mas um pouco fora de lugar. Ficaria melhor colocado após o vs. 6. Em seguida, o editor deu à segunda porção do salmo o mesmo refrão. É seguro que o Salmo 57 consiste, realmente, em dois salmos que foram reunidos em um só, ainda que, originalmente, fossem composições separadas. Trato dessa questão na introdução ao salmo.

O *refrão* pertence a uma nota de agradecimento e triunfo, por causa da oração desesperada que fora respondida. Elohim, o Poder, está acima dos céus, e a sua glória governa tanto os céus quanto a terra. O Todo-poderoso foi subitamente elevado acima da tempestade das tribulações do poeta sagrado, e é reconfortante vê-lo exaltado no alto, o que promete resposta a qualquer situação difícil. Quão grandiosamente o refrão se eleva acima da desesperadora situação do salmista. "Que a glória da tua misericórdia seja vista nos céus, acima, e na terra, abaixo. Vários dos pais da Igreja aplicaram este versículo à *paixão* de nosso Senhor e à *ressurreição* triunfal que se seguiu" (Adam Clarke, *in loc.*).

"Nos vss. 9 e 10, a misericórdia e a fidelidade de Deus são *exaltadas* entre o povo da terra e apresentadas como virtudes que 'chegam aos céus'. Aqui, porém, Deus e a sua glória são declarados como elevados acima *tanto* dos céus quanto da terra" (Fausset, *in loc.*). O Targum diz aqui: "Sê tu exaltado acima dos anjos, ó Elohim".

■ **57.6** (na Bíblia hebraica corresponde ao **57.7**)

רֶשֶׁת הֵכִינוּ לִפְעָמַי כָּפַף נַפְשִׁי כָּרוּ לְפָנַי שִׁיחָה נָפְלוּ בְתוֹכָהּ סֶלָה:

Armaram rede aos meus passos. O poeta sagrado retornou, após o refrão que interrompeu a cadeia de pensamentos, à questão das dificuldades com os seus inimigos, continuando nos vss. 1-4.

Temos aqui outra metáfora comum que foi usada, uma armadilha para apanhar animais e pássaros. Trata-se de uma metáfora de caçador, pois aqueles homens malignos atuavam no campo da caça, procurando presa para prender e matar. Quanto à *metáfora da rede*, ver Sl 9.15 e 35.8. Eram caçadores cruéis, cheios de planos e enganos, que utilizavam vários mecanismos para ajudá-los em seus esquemas traiçoeiros. Eles preparavam armadilhas nas quais homens inocentes, que de nada suspeitavam, eram apanhados, tal como um caçador facilmente engana a ave com suas redes, postas em lugares estratégicos.

Cova. Animais de maior porte eram apanhados em buracos cavados no chão e recobertos em locais onde os animais costumavam frequentar, como as veredas que davam à beira da água. Quanto à *metáfora da cova*, ver 7.15.

Mas eles mesmos caíram nela. Em harmonia com os requisitos da *Lei Moral da Colheita segundo a Semeadura* (ver a respeito no *Dicionário*) e também da *Lex Talionis* (retribuição de acordo com o crime cometido).

"Não há lei mais justa do que aquela que condena um homem a sofrer a morte pelo instrumento que ele inventou para tirar a vida do próximo" (provérbio romano). Cf. 1Sm 23.22,23 e 24.3,4, que retratam incidentes na vida de Davi que ilustram este texto. Ver também Sl 7.15,16.

Afundam-se as nações na cova que fizeram, no laço que esconderam prendeu-se-lhes o pé.

Salmo 9.15

O SALMISTA AGRADECE: OUTRO SALMO (57.7-11)

■ **57.7** (na Bíblia hebraica corresponde ao **57.8**)

נָכוֹן לִבִּי אֱלֹהִים נָכוֹן לִבִּי אָשִׁירָה וַאֲזַמֵּרָה:

Firme está o meu coração, ó Deus. A despeito do terror, o poeta conseguiu fixar seu coração em Elohim, e não em sua crítica situação, *caso* a segunda porção do salmo continue logicamente depois da primeira. Mais provavelmente, entretanto, temos aqui uma *segunda composição*, um salmo que originalmente circulou de maneira independente, mas, com o tempo, passou a ser vinculado ao primeiro, *como se* os dois fossem uma única composição. Ver as notas introdutórias sobre essa ideia, antes da exposição sobre 57.1.

O poeta sagrado prorrompeu em cânticos e em louvores ao Deus Altíssimo, porquanto seu coração estava fixado nele, como o centro e o significado de sua vida. O clamor expressa alegria e reconhecimento do que está além e acima do homem, mas dá ao homem sua razão de vida. Este versículo reflete um *voto* que o salmista tomou, de exaltar publicamente a Deus no culto do templo. Ver no *Dicionário* o artigo chamado Voto. O salmista estava firme, estabelecido, com uma resolução fixa, agarrado às realidades espirituais que o termo "Deus" representava para ele.

Os *vss.* 7-11 são quase idênticos a 108.1-5. E isso serve de evidência de que essa porção do salmo era, realmente, independente, antes de ser vinculada aos vss. 1-6.

Cantarei a bondade e a justiça; a ti, Senhor, cantarei. Atentarei sabiamente ao caminho da perfeição.

Salmo 101.1,2

■ **57.8** (na Bíblia hebraica corresponde ao **57.9**)

עוּרָה כְבוֹדִי עוּרָה הַנֵּבֶל וְכִנּוֹר אָעִירָה שָּׁחַר:

Desperta, ó minha alma! O hino de louvor e o voto oferecido deveriam ser acompanhados por cânticos em altas vozes e o toque de instrumentos musicais, o que tipificava o culto do templo, que era barulhento e jubiloso. Ver 1Cr 25, quanto à importância da música para os hebreus. Músicos profissionais, bem treinados, providenciavam esse aspecto do culto, e o ofício deles passava de geração para geração, sendo conduzido por certas famílias levíticas às quais o culto divino era entregue. Ver no *Dicionário* o verbete chamado *Música, Instrumentos Musicais*. "No arrebatamento, ele despertará a manhã, que normalmente o despertava" (Herkenne). A segunda porção do salmo tornou-se uma espécie de saudação à alvorada, e ao Deus da alvorada, o qual faz a vida continuar dia após dia, em uma gloriosa demonstração de seu poder e de sua graça. Um pouco de mito ilustra o texto. O rabino Solomon Jarchi conta-nos sobre uma harpa mágica que Davi guardava no respaldar de seu leito. Ao amanhecer o dia, a harpa era tocada pelo vento norte; e assim Davi despertava para o novo dia por meio de uma doce música! Alguns intérpretes cristãos conseguem levar a sério essa lenda, pois, afinal, tudo é possível. Entretanto, algumas vezes a fé consiste em crer naquilo que não é verdade.

O Targum vincula a este versículo as orações oferecidas por ocasião do sacrifício matinal, que poderia, realmente, estar em vista. Seja como for, o salmista, a cada manhã, bem cedo, está ali, antecipando o que Deus pode realizar e alegrando-se nesse pensamento.

■ **57.9** (na Bíblia hebraica corresponde ao **57.10**)

אוֹדְךָ בָעַמִּים אֲדֹנָי אֲזַמֶּרְךָ בַּל־אֻמִּים:

Render-te-ei graças entre os povos. *A saudação à alvorada* não se limitava a um único homem. Outras pessoas ouviriam a música e acordariam, juntando-se ao grupo. Em breve o templo ressoaria com a música, e um louvor generalizado subiria ao Deus da alvorada. E então o que tinha começado entre os hebreus se estenderia a *todos os povos*, a todas as nações, porquanto os louvores a Deus não podem limitar-se a um único povo. O hino foi assim *universalizado*; e foi exatamente o que sucedeu ao evangelho, primeiramente na missão entre os gentios, e então no *Mistério da Vontade de Deus* (ver a respeito no *Dicionário*), que envolve *todos os povos*, de maneira realmente esplêndida. Em última análise, coisa alguma pode deter o poder de Deus, e os limites que os homens pensam enxergar são apenas os limites de sua própria mente, e não os limites de Deus. "... uma profecia relacionada aos tempos do evangelho ou uma predição de que essas composições divinas deveriam ser entoadas tanto nas sinagogas quanto nas igrejas cristãs" (Adam Clarke, *in loc.*). "... um desejo de que a exaltação a Deus e à sua glória seja engrandecida acima de toda medida" (William R. Taylor, *in loc.*).

Excelso é o Senhor acima de todas as nações, e a sua glória acima dos céus.

Salmo 113.4

Rm 15.9 pode conter uma alusão a este versículo: "E para que os gentios glorifiquem a Deus por causa da sua misericórdia, como está escrito: Por isso eu te glorificarei entre os gentios, e cantarei louvores ao teu nome".

Mas é o Salmo 18.49 que está especificamente em mira.

■ **57.10,11** (na Bíblia hebraica corresponde ao **57.11,12**)

כִּי־גָדֹל עַד־שָׁמַיִם חַסְדֶּךָ וְעַד־שְׁחָקִים אֲמִתֶּךָ:
רוּמָה עַל־שָׁמַיִם אֱלֹהִים עַל כָּל־הָאָרֶץ כְּבוֹדֶךָ:

Pois a tua misericórdia se eleva até aos céus. Este versículo duplica o vs. 5. Ambos atuam como *refrões* dos salmos, que foram reunidos para formar uma unidade, no que atualmente conhecemos como Salmo 57. Ver a exposição sobre o vs. 5.

A brilhante manhã, com luz rósea,
Acordara-me do sono.

Pai, reconheço apenas o teu amor,
Para que guardes o teu pequeno.

Thomas O. Summers

A luz da manhã está rompendo,
As trevas desaparecem.
Vede as nações pagãs prostrando-se
Diante do Deus que amamos.

Samuel F. Smith

SALMO CINQUENTA E OITO

Quanto a *informações gerais* que se aplicam a todos os salmos, ver a introdução ao Salmo 4, onde apresento *sete* comentários que elucidam a natureza do livro. Quanto a *classes* dos salmos, ver o gráfico no início do comentário sobre o livro, que atua como uma espécie de frontispício da coletânea. Dou ali dezessete classes e listo os salmos pertencentes a cada uma delas.

Este é um *salmo de lamentação* que profere amargas maldições (imprecações) contra os inimigos do salmista. Talvez a linguagem extremamente violenta desta composição tenha sido provocada por uma maldição lançada contra o poeta, que agora ele tentava combater lançando ele mesmo uma maldição.

Os salmos de lamentação começam com um clamor pedindo ajuda, mas aqui isso só aparece no vs. 8. Em seguida, esses salmos identificam os inimigos que estão sendo enfrentados, e então se encerram com uma nota de triunfo e louvor, pela resposta à oração conseguida ou esperada para breve.

Este salmo é um protesto contra tiranos. O salmista injetou uma profecia na composição, prevendo um mau fim para elementos tão ímpios da sociedade, que perturbam a ordem e ignoram a justiça. O erro, e não Deus, parecia estar "entronizado para sempre".

"Davi denunciou juízes injustos que eram impiamente destruidores em seu trabalho. Ele clamou a Deus para que o Senhor os destruísse irrevogavelmente. Então os justos seriam fortalecidos em sua causa" (Allen P. Ross, *in loc.*).

Subtítulo. O subtítulo deste salmo diz o seguinte: "Ao mestre de canto. Segundo a melodia: Não destruas. Hino de Davi". Trata-se da mesma nota de introdução do Salmo 57, exceto pelo fato de que há uma pequena adição. Ver o significado desse subtítulo ali.

■ **58.1** (na Bíblia hebraica corresponde ao **58.1,2**)

לַמְנַצֵּחַ אַל־תַּשְׁחֵת לְדָוִד מִכְתָּם:
הַאֻמְנָם אֵלֶם צֶדֶק תְּדַבֵּרוּן מֵישָׁרִים תִּשְׁפְּטוּ בְּנֵי אָדָם:

Falais verdadeiramente justiça, ó juízes? Julgais com retidão...? Diz aqui a *King James Version*: "Falais com justiça?" *Decretos* poderiam ser a principal coisa em vista aqui, isto é, palavras de natureza oficial que regulamentam as atividades humanas na sociedade, visto que estavam sendo endereçadas a *governantes*. O poeta sagrado pensava em todas as injustiças perpetradas no mundo por poderes injustos, divinos ou humanos. Refletia sobre tiranos que promovem a injustiça, decretam leis injustas e violam boas leis. O salmista protestava contra a tirania existente no mundo, o que faz parte do *problema do mal* (ver a respeito no *Dicionário*), ou seja, o *mal moral*, atos ruins que os homens praticam contra outrem.

No original hebraico temos uma palavra que não foi traduzida em nossa versão portuguesa, isto é, *elem*, usualmente significando "silêncio". A palavra se encontra somente aqui e no título ao Salmo 56. Isso cria um problema de várias interpretações:

1. Estão em foco juízes mudos, que guardam silêncio quando deveriam manifestar-se contra as injustiças. Eles se calam diante da tirania e a promovem. "Esses juízes injustos permanecem mudos quando deveriam falar, e surdos quando deveriam ouvir" (Fausset, *in loc.*).
2. Alguns intérpretes emendam essa palavra hebraica para *alim*, isto é, *deuses*, um termo relacionado a El ou Elohim, com o sentido de *poderes*. Alguns fazem desses deuses "seres divinos

subordinados" (William R. Taylor, *in loc.*), a quem Elohim delegara certas tarefas. O salmista, pois, condenava tais delegados divinos, por negligenciarem a missão que lhes fora dada, caindo em injustiças e inspirando seus títeres humanos a agir da mesma maneira. Cf. Sl 86.8; 95.3 e 97.7.

3. Outros simplesmente fazem dos *elim* juízes e governantes humanos que se corromperam e que são considerados *poderes* porque Deus os investiu de poder do qual eles têm abusado.

Sabemos que a palavra *Elohim* é usada para indicar poderes angelicais e humanos que têm poder delegado da parte do Deus Altíssimo, e talvez esse seja o uso aqui. Ou talvez o poeta tenha caído em uma espécie de *henoteísmo* (ver a respeito no *Dicionário*), imaginando a existência de outros deuses, embora Elohim seja o *nosso* Deus.

Seja como for, os *poderes* abusavam de suas missões e tornaram-se tiranos, pelo que não julgavam "os filhos dos homens" com justiça; antes, mostravam-se destrutivos, aceitavam suborno e matavam visando vantagens materiais ou somente por diversão.

Os filhos dos homens? Algumas traduções, como a nossa versão portuguesa, fazem os maus juízes perpetrar injustiças *contra* os filhos dos homens. Outros fazem desses filhos dos homens figuras paralelas aos *poderes*. Isso significa que os filhos dos homens e os poderes eram uma só coisa, ou então os deuses tinham títeres humanos através dos quais perpetravam seus atos ilegais.

A pergunta deste versículo indaga se esses poderes julgavam com justiça. O vs. 2 responde com um enfático *Não!*

■ **58.2** (na Bíblia hebraica corresponde ao **58.3**)

אַף־בְּלֵב עוֹלֹת תִּפְעָלוּן בָּאָרֶץ חֲמַס יְדֵיכֶם תְּפַלֵּסוּן׃

Longe disso: antes, no íntimo engendrais iniquidades. Esses deuses, sejam eles divinos ou humanos, os *poderosos* (ver as três interpretações, no vs. 1) talvez tivessem começado bem, mas transformaram-se em tiranos corruptos, planejando coisas más e executando injustiças em meio à sociedade. E terminavam perpetrando a *violência* pela terra inteira. "Os deuses contra quem o salmista dirigiu suas acusações tinham sido nomeados para defender a retidão entre os homens, mas mediante maus desígnios fizeram a confusão e o sofrimento reinar entre os homens, porquanto planejavam o erro em seu coração" (William R. Taylor, *in loc.*).

A tarefa de um governante é *dupla*: declarar o que é verdadeiro, ou seja, ter uma visão clara do que é correto, e permitir que isso seja conhecido; *e* executar entre os homens aquilo que é direito, baseado no conhecimento dos fatos. Mas os *poderes* tinham abusado de sua incumbência e falhado em ambos os pontos. "Eles tratavam outras pessoas com violência, a mais séria de todas as acusações possíveis" (J. R. P. Sclater, *in loc.*).

"Posteriormente, Miqueias escreveu linhas mais ou menos idênticas sobre os líderes de seus dias. Ver Mq 3.1-3, 9-11 e 6.12" (Allen P. Ross, *in loc.*). Eles trocaram a balança que tinham nas mãos por algum meio de realizar coisas perversas e violentas.

■ **58.3** (na Bíblia hebraica corresponde ao **58.4**)

זֹרוּ רְשָׁעִים מֵרָחֶם תָּעוּ מִבֶּטֶן דֹּבְרֵי כָזָב׃

Desviam-se os ímpios desde a sua concepção. Os ímpios, desde bem cedo na vida, desde a concepção no ventre materno, mostram-se tortuosos, pelo que continuam fazendo o que se tornou *natural* para eles. Naturalmente, devemos ter em mira aqui os *títeres* dos deuses, se é isso que deve ser entendido no texto. Aquelas divindades secundárias escolhem homens que são bons instrumentos para seus planos sinistros. Seja como for, homens ímpios começam a caminhar pela senda da perversidade desde cedo na vida, por serem *almas depravadas*.

Isso só pode ser explicado com base na *preexistência* da alma. Eram seres perversos na vida espiritual, antes de assumirem corpos físicos. Ou então, nos países do Oriente, a *reencarnação* seria usada para explicar a questão. No Ocidente, porém, tais casos são justificados à base do *pecado original*. É difícil dizer qual era a opinião do poeta sagrado. Atualmente a ciência informa-nos que *defeitos no cérebro* podem explicar o caso de alguns criminosos. Ver na *Enciclopédia de Bíblia, Teologia e Filosofia* os verbetes chamados *Preexistência* e *Reencarnação*, e, no *Dicionário*, o artigo denominado *Pecado Original*. Seja como for, a noção de "maus desde o nascimento" é um fenômeno provocante, que parece realmente existir e que continuaremos tentando explicar.

Minhas fontes de informação não se aventuram a nenhuma nova ideia, pelo que deixo o leitor pensar em algo diferente para ser dito, se é que há alguma coisa que possa ser dita. Disse J. R. P. Sclater (*in loc.*): "Isso pode não ser precisamente aquilo a que se convencionou chamar de *pecado original,* mas que chega perto, chega". Então William R. Taylor (*in loc.*) observou: "Eles são como uma serpente que, a despeito da habilidade do encantador, não se deixam encantar". "... Ele traça sua malignidade endurecida ao pecado de nascimento, original e universal" (Fausset, *in loc.*). Ele apela para Sl 51.5, mas o pecado original não é ali destacado, conforme expliquei nas notas expositivas sobre esse versículo.

Proferindo mentiras. Aqueles homens são mestres do engano, e sua língua comprova isso. Ver no *Dicionário* o verbete intitulado *Linguagem, Uso Apropriado da,* e cf. Sl 5.9; 12.2; 15.3; 17.3; 34.12; 35.18; 36.3; 39.11 e 55.21.

> Eu já fui um pecador,
> O pecado me controlava o coração,
> Levando os meus passos,
> A desviar-me de Deus.
>
> James M. Gray

■ **58.4** (na Bíblia hebraica corresponde ao **58.5**)

חֲמַת־לָמוֹ כִּדְמוּת חֲמַת־נָחָשׁ כְּמוֹ־פֶתֶן חֵרֵשׁ יַאְטֵם אָזְנוֹ׃

Têm peçonha semelhante à peçonha da serpente. O homem mau assemelha-se a uma serpente que traz na boca o seu veneno. Ele está sempre pronto a ferir diante da menor provocação. Talvez o autor esteja querendo dizer que pelo menos algumas serpentes não podem ouvir, pois são naturalmente surdas. Caso contrário, tudo quanto ele quis dizer é que tais indivíduos não dão a menor atenção a um encantador (vs. 5), pelo que são *seletivamente surdos*. Os ímpios se parecem com isso. Não escutam a nenhum conselho; são uma lei diante de si mesmos; não têm temor algum ao homem e não escutam nem mesmo a Deus. "Eles são surdos diante de qualquer repreenda" (Allen P. Ross, *in loc.*). Poderíamos até pensar que tal réptil foi amansado. Mas de repente ele ataca e mata suas vítimas. A serpente era mortífera e continua sendo mortífera. Esperar que tais homens se reformem moralmente é esperar demais.

■ **58.5** (na Bíblia hebraica corresponde ao **58.6**)

אֲשֶׁר לֹא־יִשְׁמַע לְקוֹל מְלַחֲשִׁים חוֹבֵר חֲבָרִים מְחֻכָּם׃

Para não ouvir a voz dos encantadores. "A arte de encantar serpentes e a mágica vinculada a esse encantamento era de grande antiguidade no Egito, e dali passou para outros países" (Ellicott, *in loc.*).

> Seus encantamentos mantêm a serpente furiosa em paz,
> E acalmam a raça venenosa das víboras até elas dormirem;
> Sua mão curadora alivia a dor excruciante,
> Visto que diante de seu toque, o veneno foge.
>
> Virgílio, *Eneida*, vii. s. 750

Mas os homens iníquos não podem ser amansados por nenhuma habilidade dos justos. Eles são desregrados, precipitados, réprobos incuráveis, e obtêm prazer do saque e do homicídio.

> *Porque eis que envio para entre vós serpentes, áspides contra as quais não há encantamento, e vos morderão, diz o Senhor.*
>
> Jeremias 8.17

QUE DEUS DESTRUA OS ÍMPIOS (58.6-9)

■ **58.6** (na Bíblia hebraica corresponde ao **58.7**)

אֱלֹהִים הֲרָס־שִׁנֵּימוֹ בְּפִימוֹ מַלְתְּעוֹת כְּפִירִים נְתֹץ יְהוָה׃

As Oito Metáforas do Poeta: Encantamento sobre as Serpentes (Homens Malignos)

Quebra-lhes os dentes. 1. Nos sonhos e nas visões, os dentes, quando quebrados, simbolizam a *morte*. E, naturalmente, receber uma pancada na boca forte o bastante para quebrar os dentes é um acontecimento violento. O salmista queria que Deus agisse com violência contra os tiranos. Ele queria que Elohim espezinhasse as serpentes.

Arranca, Senhor, os queixais aos leõezinhos. 2. As serpentes aparecem agora como leõezinhos, predadores sem misericórdia; e o poeta sagrado pede que Deus arranque de suas gengivas os dentes deles, particularmente os grandes dentes caninos, tornando-os assim *impotentes* para ferir e matar. Provavelmente, os hebreus daquela época acreditavam no poder de tais maldições para deter aqueles que enchiam a boca de maldições contra o próximo. "No antigo Oriente Próximo, os homens acreditavam na potência mágica e automática de uma palavra de mau agouro, escrita ou falada (Zc 5.1-4). Assim sendo, uma *maldição em sete aspectos* (ou múltiplo de sete) era tida como uma força terrível contra os tiranos. A maldição era considerada mais eficaz se fosse um *múltiplo* de sete, e entregue em uma súbita explosão de fala.

■ **58.7** (na Bíblia hebraica corresponde ao **58.8**)

יִמָּאֲסוּ כְמוֹ־מַיִם יִתְהַלְּכוּ־לָמוֹ יִדְרֹךְ חִצָּו כְּמוֹ יִתְמֹלָלוּ׃

Desapareçam como águas que se escoam 3. As neves do inverno se dissolviam e uma torrente escorria pelas colinas abaixo. Nesse fluxo de água que se precipitava, havia ruído e poder. Mas então a neve toda se dissolvia, e a água diminuía de ímpeto. Finalmente, as águas desapareciam no deserto, e tudo se *acabava*. "Que eles desapareçam como as águas que algumas vezes correm pelo deserto, mas logo se evaporam com a quentura do sol, ou são absorvidas pela areia" (Adam Clarke, *in loc.*).

Ao dispararem flechas, fiquem elas embotadas. 4. Assim diz a nossa versão portuguesa. Outras versões dizem: "Sejam pisados e murchem como a relva macia". Todos sabemos que a relva, quando constantemente pisada, é morta, e nada sobra senão restos de capim em seu lugar. O poeta queria que Deus, pisando, exterminasse a *relva*, os ímpios. A metáfora que acabo de comentar corresponde ao texto da *Revised Standard Version*. Isso falaria em flechas envenenadas, sendo atiradas por homens traiçoeiros. No trajeto, as pontas das flechas ficariam embotadas e não penetrariam nas vítimas. Alguns pensam que a ideia é que Deus atira suas flechas contra os ímpios, de forma que todos sejam exterminados. Ainda outro significado está vinculado ao hebraico (o que nos deixa perplexos). Segundo essa opção, as flechas atiradas não podem mais ser retiradas. Esse é o seu fim. Assim também os ímpios, como flechas, são atirados e se reduzem à inutilidade.

> Perdem-se inteiramente, como quando
> Alguém atira suas flechas.
>
> Ellicott, paráfrase

Esta última possibilidade significaria que as palavras dos ímpios (como se fossem flechas) ficariam sem poder. Seus ataques contra outros homens cessariam, pela intervenção divina.

■ **58.8** (na Bíblia hebraica corresponde ao **58.9**)

כְּמוֹ שַׁבְּלוּל תֶּמֶס יַהֲלֹךְ נֵפֶל אֵשֶׁת בַּל־חָזוּ שָׁמֶשׁ׃

Sejam como a lesma que passa diluindo-se. 5. O autor não se mostra zoologicamente acurado aqui, mas a sua figura poética é boa. "Fazia parte das noções populares que o lento progresso de uma lesma era uma espécie de apagar suicida. O rastro pegajoso era tido como seus próprios resíduos, gradualmente diminuindo o animal até transformá-lo em nada" (J. R. P. Sclater, *in loc.*, com algumas adaptações). Por conseguinte, o salmista submeteu os tiranos à maldição do *fenômeno da lesma,* conforme ele o entendia. Foi humilhante comparar os tiranos a esses animais pegajosos, dotados de tão ínfimo valor e tão facilmente eliminados por seu *arrasto suicida*. Algumas de minhas fontes informativas tomam a metáfora a sério, e uma delas diz que a lesma morreu durante a seca, para evitar o erro zoológico.

Como o aborto de mulher, não vejam nunca o sol. 6. Um fenômeno que perturba a mente humana é o aborto. Um aborto arruína, da maneira mais odiosa, as expectativas de uma mulher. A morte dos infantes leva-nos a profundos problemas teológicos. Ver no *Dicionário* o artigo intitulado *Infantes, Morte e Salvação dos*. Seja como for, o que era grandemente temido, foi desejado, metaforicamente, no caso dos iníquos, por parte do salmista. Ele desejava para os tiranos uma *morte fora de tempo,* a morte prematura por causa de algum acidente estúpido ou de alguma causa irracional. Eles "viam o sol", enquanto a criança abortada não o vê, mas o poeta esperava que não continuassem a ver o sol por muito tempo mais.

■ **58.9** (na Bíblia hebraica corresponde ao **58.10**)

בְּטֶרֶם יָבִינוּ סִּירֹתֵיכֶם אָטָד כְּמוֹ־חַי כְּמוֹ־חָרוֹן יִשְׂעָרֶנּוּ׃

Como espinheiros, antes que vossas panelas sintam deles o calor. 7. Os homens antigos usavam espinhos como combustível, e uma panela posta sobre fogo alimentado por espinhos demoraria bastante a ferver; assim, antes que o fenômeno fosse concluído, o salmista queria que seus inimigos morressem. Talvez a figura que o autor tencionava transmitir era a prontidão em que os espinhos se acabavam no fogo. Os espinhos queimam rapidamente, o que significa que o salmista desejava que seus inimigos fossem mortos *agora mesmo*. Os espinhos queimavam tão ligeiramente que, antes que uma mulher colocasse a panela no fogo, os espinhos já se teriam acabado. Ele queria que uma *destruição repentina* sobreviesse àqueles pecadores.

Serão arrebatados como por um remoinho. 8. Esta é a tradução da *King James Version*, o que nos dá outra metáfora. O remoinho é destrutivo e surge e desaparece subitamente. A *Revised Standard Version* diz "que ele os varra para longe", referindo-se às chamas crepitantes que consomem os espinhos sob a panela. Que Deus "os arrebate como um redemoinho" (Ellicott, *in loc.*), e isso segue o original hebraico, mas não se refere necessariamente a um redemoinho de vento. Ou então Deus, com um movimento de sua mão, imita tal vento, com idênticos resultados. "Antes que vossas panelas sintam o calor dos espinhos queimando por baixo, ele, com um redemoinho, arrebatará os ímpios" (Fausset, *in loc.*).

> ... *como fogo em espinhos foram queimadas: em nome do Senhor as destruí.*
>
> Salmo 118.12

"Deus varrerá os ímpios antes que seu mal malicioso, como se fosse um fogo, possa terminar a sua obra" (Allen P. Ross, *in loc.*).

Os intérpretes agrupam a primeira e a segunda maldições, ou a sétima e a oitava, para conseguirem *sete* maldições, formando assim uma maldição gigantesca. Nisso encontramos o número mágico, *sete*, a maldição completa, dotada de um poder todo especial.

O REGOZIJO DOS JUSTOS DIANTE DA DESTRUIÇÃO DOS ÍMPIOS (58.10,11)

■ **58.10** (na Bíblia hebraica corresponde ao **58.11**)

יִשְׂמַח צַדִּיק כִּי־חָזָה נָקָם פְּעָמָיו יִרְחַץ בְּדַם הָרָשָׁע׃

Alegrar-se-á o justo quando vir a vingança. O homem justo do Antigo Testamento, diferentemente do que se espera do homem justo do Novo Testamento, enche-se de alegria, quando sua múltipla maldição funciona e os tiranos injustos sofrem o julgamento divino fatal. O salmista se enchia de alegria ao contemplar a vingança de Deus. Ver sobre esse termo no *Dicionário*. Contrastar isso com as atitudes do Novo Testamento, em que um homem "ama os seus inimigos" (Mt 5.44). Além disso, dispomos das palavras de Paulo sobre o assunto:

> *Não vos vingueis a vós mesmos, amados, mas dai lugar à ira; porque está escrito: A mim me pertence a vingança; eu retribuirei, diz o Senhor.*
>
> Romanos 12.19

Finalmente, compete-nos fazer o bem aos que nos prejudicam; e até devemos orar por eles (ver Mt 5.44).

Segundo um provérbio do século XVI, "a mais nobre vingança consiste em perdoar".

Banhará os pés no sangue do ímpio. Estas palavras são especialmente amargas. Cf. Sl 68.23: "para que banhes o teu pé em sangue". O tirano é vencido no campo de batalha, e seu sangue derrama-se e cobre o solo. O homem bom corre para lá, contorna as poças de sangue, e tem prazer nisso! A matança dos ímpios foi tão grande que o lugar está inundado de sangue, e concede ao homem "bom" o seu deleite. "Tudo que cheira a *vingança* nos salmos deve ser considerado totalmente estranho ao espírito do evangelho, e não deve ser imitado de forma alguma. Isso não é compatível com o tempo em que o Filho do homem veio salvar, e não destruir" (Adam Clarke, *in loc.*).

"... a vindicação é bárbara em seu realismo" (William R. Taylor, *in loc.*). Este versículo nos faz lembrar de alguma espécie de banho ritualista pagão... Este não é um poema muito bonito, mas também não está abordando uma questão muito bonita... a revolta dos homens contra a corrupção nos lugares de mando nunca foi capaz de acomodar a linguagem lírica em suas denúncias" (J. R. P. Sclater, *in loc.*).

A Septuaginta e a Vulgata Latina tornam a figura um tanto menos vívida por fazerem o justo lavar as *mãos* no sangue, em lugar dos pés.

■ **58.11** (na Bíblia hebraica corresponde ao **58.12**)

וְיֹאמַר אָדָם אַךְ־פְּרִי לַצַּדִּיק אַךְ יֵשׁ־אֱלֹהִים שֹׁפְטִים בָּאָרֶץ׃

Então se dirá: Na verdade há recompensa para o justo. O homem justo contempla a terrível vingança tomada contra os ímpios como uma *recompensa* por sua conduta acertada e por ter-se oposto à corrupção dos tiranos. Deus viu a sua sorte, ouviu a sua oração e executou justiça contra pecadores atrevidos. Vendo o que aconteceu, o justo reconhece que Elohim continua sentado no seu trono, e não indiferente para com o mal que ocorre na terra.

Emanuel Kant baseou um argumento em prol da existência de Deus e da alma humana sobre a *necessidade* de fazer justiça. Chamamos a isso de *argumento moral*. É claro que neste mundo não há justiça real. Os homens bons sofrem e não recebem recompensa por sua bondade. Homens maus prosperam e escapam à punição por seus erros. Portanto, ambos devem sobreviver após a morte biológica a fim de receber suas recompensas ou punições apropriadas. Além disso, deve haver um *Juiz* adequado, quanto ao poder e à inteligência, para corrigir as coisas. Se não aceitarmos este raciocínio, teremos de confessar que o *caos* é o deus real deste mundo. "O povo não ficará à mercê de juízes injustos para sempre" (Allen P. Ross, *in loc.*).

O salmista, em contraste com Kant, naturalmente não vislumbrava além do sepulcro para que as contas fossem devidamente equilibradas. Ele esperava ver suas maldições funcionarem aqui e agora.

SALMO CINQUENTA E NOVE

Quanto a *informações gerais* que se aplicam a todos os salmos, ver a introdução ao Salmo 4, onde apresento *sete* comentários que elucidam a natureza do livro. Quanto às *classes* dos salmos, ver o gráfico no início do comentário sobre o livro, que atua como uma espécie de frontispício da coletânea. Ali dou dezessete classes e listo os salmos pertencentes a cada uma delas.

Este é um *salmo de lamentação*, que compõe o maior grupo de salmos. Esse tipo de salmo tipicamente começa com um pedido urgente a Deus por libertação do inimigo, que pode compor-se de invasores estrangeiros de Israel, inimigos dentro do acampamento israelita, ou alguma enfermidade física. Então, quando essa oração é respondida, ou quando o salmista acredita que logo será respondida, ele oferece louvor e ação de graças pela graça recebida. Este salmo é uma oração pedindo o livramento de inimigos pessoais, ou seja, aqueles dentro do acampamento dos hebreus, hebreus réprobos que assediavam a outros hebreus. Temos aqui amarga queixa contra pecadores perversos. Aqueles eram homens violentos e sedentos de sangue, obreiros da iniquidade. O poema (em sua porção original) pode ter sido bastante antigo, mas evidentemente sofreu emendas editoriais, e sua forma final é considerada tardia, por parte dos críticos. No vs. 5, o inimigo transmuta-se em nações pagãs, o que parece ser uma mudança de inimigos pessoais para inimigos nacionais. Tal readaptação das palavras do salmista deve ter ocorrido em uma época na qual o salmista vivia condições internacionais críticas. Alguns intérpretes fazem esses inimigos serem tanto pessoais quanto internacionais, mas é provável que isso não reflita a composição em seu estado original.

Subtítulo. Neste salmo o subtítulo diz: "Ao mestre de canto. Segundo a melodia: Não destruas. Hino de Davi, quando Saul mandou que lhe sitiassem a casa, para o matar". Esta nota de introdução é a mesma que encabeça o Salmo 57, onde há comentários, exceto pelo fato de que a circunstância histórica sobre a qual o salmo alegadamente se baseia é outra. Ver 1Sm 19.11 e o contexto da história referida. Seja como for, os subtítulos não faziam parte das composições originais, mas foram adicionados por editores posteriores, e não têm autoridade canônica. Não reitero o restante de meus comentários, pois o leitor obtém detalhes na introdução ao Salmo 57.

■ **59.1** (na Bíblia hebraica corresponde ao **59.1,2**)

לַמְנַצֵּחַ אַל־תַּשְׁחֵת לְדָוִד מִכְתָּם בִּשְׁלֹחַ שָׁאוּל וַיִּשְׁמְרוּ אֶת־הַבַּיִת לַהֲמִיתוֹ׃

הַצִּילֵנִי מֵאֹיְבַי אֱלֹהָי מִמִּתְקוֹמְמַי תְּשַׂגְּבֵנִי׃

Livra-me, Deus meu, dos meus inimigos. *Inimigos pessoais* tinham-se levantado contra o salmista. Eram homens mortíferos, de aspecto terrível, cruéis, incansáveis e brutais. O poeta se encolhia temerosamente diante deles e levantou sua única verdadeira defesa, uma oração para que Elohim (o Poder) detivesse suas ameaças. O livramento precisava incluir a *defesa* divina, porque o salmista não tinha poder suficiente para resistir àquela tropa de homens perversos. O clamor pedindo socorro se repete por quatro vezes, embora mediante palavras diferentes. Os hebreus tinham um temor especial da morte prematura, e a maioria dos salmos foi escrita em um tempo no qual a doutrina da imortalidade da alma ainda não fazia parte do pensamento hebreu. Portanto, essa esperança não mitigava os terrores da traição e do temor diante de uma repentina morte prematura. Portanto, podemos compreender a urgência dos clamores presentes nos salmos de lamentação. Este salmo destaca o motivo familiar de uma fé inabalável em Elohim, e era isso que os poetas antigos buscavam tão ansiosamente como antídoto para seus temores.

Livra-me. Literalmente, no hebraico, encontramos: "Põe-me em um lugar alto", ou seja, fora do alcance dos meus inimigos.

■ **59.2** (na Bíblia hebraica corresponde ao **59.3**)

הַצִּילֵנִי מִפֹּעֲלֵי אָוֶן וּמֵאַנְשֵׁי דָמִים הוֹשִׁיעֵנִי׃

Livra-me dos que praticam a iniquidade. O *clamor pedindo livramento* sobe ao céu pela *segunda vez* (dentre quatro vezes), porquanto os obreiros da iniquidade que o salmista enfrentava eram *homens sanguinários*, isto é, assassinos conhecidos, homens sem misericórdia, que sempre buscavam novas vítimas. O pobre homem se tornara um dos "eleitos". O original hebraico implica uma tropa de assaltantes, formada por tipos criminosos que caminhavam pelas ruas engajados em toda espécie de crime, incluindo o homicídio. O Salmo 55 nos fornece um quadro de tais homens, rodeando as muralhas e até caminhando sobre elas, patrulhando a cidade, procurando alguma maldade para praticar.

Dia e noite giram nas suas muralhas, e, muros a dentro, campeia a perversidade e a malícia.

Salmo 55.10

Adam Clarke situou a composição deste salmo na época de Neemias, para descrever as condições de vida dele. Pelo menos, isso serve como um incidente histórico que pode ilustrar a composição. Ver Ne 6.1-4. Ver 1Sm 19.11 e o seu contexto quanto a outra ilustração.

■ **59.3** (na Bíblia hebraica corresponde ao **59.4**)

כִּי הִנֵּה אָרְבוּ לְנַפְשִׁי יָגוּרוּ עָלַי עַזִּים לֹא־פִשְׁעִי וְלֹא־חַטָּאתִי יְהוָה׃

Pois que armam ciladas à minha alma. A figura retrata aqui uma *emboscada*, formada por feras que caçam empregando esse método, ou por homens que agem como predadores, como o leão que de súbito sai de um lugar oculto para matar sem fazer perguntas. *Alma* (no hebraico, *nephesh*) seria mais bem traduzida como "vida", isto é, a vida física, pois ninguém pode matar uma alma. O homem prestes a ser atacado de emboscada era inocente. Não havia nele *transgressão* que merecesse aquele fim. Ele era puro diante dos homens. Não tinha ofendido aquelas feras e não tinha ofendido a Deus. Yahweh foi invocado para tomar nota do fato e, assim, defender o inocente. O vs. 4 repete a reivindicação de inocência. Aqueles homens malignos não estavam *vingando-se* do poeta, mas simplesmente queriam matá-lo para obter algum lucro financeiro ou somente por diversão. Até alguns animais matam por diversão, para nada dizermos sobre os predadores humanos. Mas usualmente há algum dinheiro ou outra vantagem material que inspira nos homens atos violentos.

Poder é Direito. Os opressores eram fortes, poderosos, e assim podiam fazer o que bem quisessem. Em um dos diálogos de Platão, um homem defendeu a tese de que "poder é direito". São os homens poderosos que criam leis em seu próprio benefício. E inteiramente à parte de suas leis, eles obtêm o que querem, manipulando seu poder e dinheiro. Por conseguinte, "poder é direito", na prática, mesmo que não seja na teoria. Platão, em seu diálogo, naturalmente rejeitou essa teoria, embora existam exemplos intermináveis de sua operação neste mundo. Hume falava sobre a *falácia natural* na qual os homens caem por ignorância. Ou seja, *o que é = é correto*, ou então *o que é = deve ser*. Mas, como deve ser óbvio para todos os homens, o que *é*, não é, necessariamente, o que *deve ser*.

■ **59.4** (na Bíblia hebraica corresponde ao **59.5**)

בְּלִי־עָוֺן יְרוּצוּן וְיִכּוֹנָנוּ עוּרָה לִקְרָאתִי וּרְאֵה׃

Sem culpa minha, eles se apressam e investem. Os ímpios se apressavam para prejudicar a outros. Entrementes, Elohim parecia estar dormindo, indiferente para com a drástica situação. Quanto à aparente indiferença de Deus, ver Sl 10.1; 28.1. Quanto a clamores dos salmistas para que Deus *despertasse*, cf. 35.23 e 44.23, cujas notas expositivas também se aplicam aqui. Em seu temor, o salmista caiu no *deísmo*, isto é, ele pensou no Criador como divorciado de seu mundo, tendo-se afastado e deixado as leis naturais no governo das coisas. Pelo menos temporariamente ele abandonou o *teísmo*, o qual assevera que o Criador se mostra ativo em sua criação, recompensando os bons e punindo os maus. Ver sobre os dois termos na *Enciclopédia de Bíblia, Teologia e Filosofia*. Uma vez mais, o homem afirmou sua inocência (ver o vs. 3), pelo que o caso era de perseguição inspirada pela impiedade, e não pela mera tentativa de corrigir uma má situação. Esse é o *terceiro clamor de ajuda* neste salmo.

Investem. O poeta sagrado apresenta aqui uma metáfora militar. Ele via homens como soldados que corriam para a batalha, a fim de entrar na matança o mais cedo possível.

Vêm contra mim como por uma grande brecha, e se revolvem avante entre as ruínas.

Jó 30.14

INIMIGOS ESTRANGEIROS (59.5-8,11,12-15)

■ **59.5** (na Bíblia hebraica corresponde ao **59.6**)

וְאַתָּה יְהוָה־אֱלֹהִים צְבָאוֹת אֱלֹהֵי יִשְׂרָאֵל הָקִיצָה לִפְקֹד כָּל־הַגּוֹיִם אַל־תָּחֹן כָּל־בֹּגְדֵי אָוֶן סֶלָה׃

Tu, Senhor Deus dos Exércitos, és o Deus de Israel. Uma vez mais, o apelo feito a Yahweh-Elohim é para que ele *desperte*; isso é comentado no vs. 4, com referências. Mas aqui o salmista usou o nome divino completo, o Deus *Eterno e Todo-poderoso*, que podia estabelecer uma diferença na situação, *caso* não se mantivesse indiferente. Note o leitor que os inimigos pessoais agora se tornaram pagãos, e isso pode ter ocorrido pelo *uso editado* do salmo, em tempos posteriores, quando então foram incluídas algumas adições. Ver a introdução ao salmo. O salmista falava agora contra *inimigos nacionais*, embora não disponhamos de meios para determinar o tempo envolvido.

"Observamos no vs. 5 que o livramento seria efetuado de maneira grandiosa. Yahweh-Elohim se oporia ao esquema daqueles indivíduos inimigos sedentos por sangue, bem como ao rugido e à brutalidade dos caçadores de carniça. A vítima convocou o Senhor dos Exércitos, o Deus de Israel, a tratar com os conspiradores e a não poupar nenhuma nação que ousasse opor-se a Israel" (J. R. P. Sclater, *in loc.*, com algumas adaptações).

Deus dos Exércitos. Um termo militar segundo o qual Elohim é retratado como o General do exército, bem como o principal planejador e executor da ira contra potências estrangeiras. Quanto a este título e seus significados, ver as notas expositivas em 1Rs 18.15. Adam Clarke (*in loc.*) relembra-nos novamente a situação de Neemias, bem como a sua vitória final sobre os inimigos, os pagãos que assediavam Israel em seus dias. "Deus tinha o povo da aliança sob sua proteção especial" (Ellicott, *in loc.*).

Temos aqui o *quarto clamor* pedindo ajuda no salmo, mas agora contra um inimigo diferente.

Selá. Quanto a esta palavra misteriosa, ver Sl 3.2.

■ **59.6** (na Bíblia hebraica corresponde ao **59.7**)

יָשׁוּבוּ לָעֶרֶב יֶהֱמוּ כַכָּלֶב וִיסוֹבְבוּ עִיר׃

Ao anoitecer, uivam como cães. O poeta nos permite ver mais de perto os inimigos. Eles tinham invadido e saqueado a cidade, matando seus habitantes. Então, ao anoitecer, "retornaram" para uma operação de limpeza. E faziam isso soltando uivos como animais, para aterrorizar suas vítimas. Eram como uma matilha de cães selvagens, muito mais furiosos do que são os cães relativamente mansos de hoje em dia. Eram como os "cães comedores de carniça do Oriente que, desaparecendo durante o dia, voltam sob as trevas, vagueando ao redor, uivando, rosnando e rasgando. Eles buscavam empanturrar-se de tudo quanto desejavam" (William R. Taylor, *in loc.*). Um viajante na cidade de Constantinopla descreveu sua experiência com tais animais, como segue: "O ruído que então ouvi, jamais esquecerei. A cidade inteira estremeceu diante da vasta confusão... Diz-se que sessenta mil cães invadiram Constantinopla, e eles pareciam estar engajados no mais ativo extermínio uns dos outros, sem um momento de cessação de atividades. Os uivos, ganidos, latidos e rosnados se confundiam, formando um som uniforme e contínuo" (Albert Smith, *A Month in Constatinople*, citado no *Treasury of David*, de Spurgeon).

Talvez Constantinopla se tenha livrado de seus cães desde então, mas talvez os cães continuem sendo os reis do Oriente. "... como um cão, que é uma criatura muito barulhenta" (John Gill, *in loc.*). Os *informadores* e *oradores* foram chamados de "cães da cidade" por Demóstenes (apud Salmuth, em *Pancirol. Memorab.*).

■ **59.7** (na Bíblia hebraica corresponde ao **59.8**)

הִנֵּה׀ יַבִּיעוּן בְּפִיהֶם חֲרָבוֹת בְּשִׂפְתוֹתֵיהֶם כִּי־מִי שֹׁמֵעַ׃

Alardeiam de boca. Os inimigos se vangloriavam com a boca, rugiam com os lábios, e pouco se importavam com os atos de ferir e matar. Eles não contemplavam nenhum julgamento que lhes sobreviesse, nem humano nem divino, pelo que não aplicavam freio às suas matanças.

Em seus lábios há espadas. Cf. Sl 57.4, onde já vimos esta metáfora. Ver no *Dicionário* o verbete intitulado *Linguagem, Uso Apropriado da*, quanto a maiores detalhes e ilustrações. A *Revised Standard Version* tem uma compreensão diferente do original hebraico envolvido, e faz os cães inimigos *rugir* com os lábios. Entretanto, o hebraico literal faz referência a espadas. Ver Sl 55.21; 57.4 e 64.3.

Como o poço conserva frescas as suas águas, assim ela a sua malícia: violência e estrago se ouvem nela; enfermidade e feridas há diante de mim continuamente.

Jeremias 6.7, queixando-se das deploráveis condições da cidade de Jerusalém

Proferem impiedades e falam cousas duras, vangloriam-se os que praticam a iniquidade.

Salmo 94.4

Quem há que nos escute? Encontramos aqui a velha história da impunidade, que faz os homens maus piorar cada vez mais. Aqueles homens iníquos não acreditavam na *Lei Moral da Colheita*

segundo a Semeadura (ver a respeito no *Dicionário*). Eles acreditavam que o verdadeiro deus deste mundo é o *caos*, e por isso saíam por toda a parte efetuando o *caos*.

■ **59.8,9** (na Bíblia hebraica corresponde ao **59.9,10**)

וְאַתָּה יְהוָה תִּשְׂחַק־לָמוֹ תִּלְעַג לְכָל־גּוֹיִם׃

עֻזּוֹ אֵלֶיךָ אֶשְׁמֹרָה כִּי־אֱלֹהִים מִשְׂגַּבִּי׃

Mas tu, Senhor, te rirás deles. *Os Recursos do Poeta*. Os que confiavam no *caos* de súbito teriam de enfrentar o Deus de Israel, Yahweh, e ele lhes mostraria no que consiste a *retribuição*. Yahweh haveria de rir-se deles e tratá-los com derrisão. Quanto a esse pensamento, cf. Sl 2.4. Alguns intérpretes veem o vs. 7 referindo-se a inimigos pessoais do salmista, ao passo que o vs. 8 volta a mencionar os *inimigos estrangeiros* de Israel. Mas está sujeito a debates se a questão fica ou não assim complicada. Parece que alguma editoração ampliou o salmo original e lhe deu uma aplicação mais lata. O salmista reconhecia o poder de Deus, em sua própria experiência e na literatura dos hebreus. Portanto, continuava esperando que Deus agisse e efetuasse a justiça. Deus, portanto, tornou-se sua *defesa* ou *fortaleza* (*Revised Standard Version*) (vs. 9). Ele podia refugiar-se no Senhor e esperar por uma boa solução acerca das guerras com forças estrangeiras. Ver algo similar em Sl 18.1 e cf. os vss. 16 e 17 deste salmo. Ver comentários sobre a *fortaleza* referida em Sl 46.7. Ver no *Dicionário* o verbete chamado *Forte, Fortificação*, quanto a detalhes e referências, especialmente o artigo chamado *Usos Metafóricos*.

"A ti entrego todas as minhas forças, que derivei de ti. De fato, todas as minhas vantagens eu as atribuo a ti" (Adam Clarke, *in loc.*). Deus é chamado de "força do salmista", e qualquer eventual poder seu era derivado, e não dele mesmo. A *Revised Standard Version* escreve a palavra "Força" com a inicial maiúscula, quando diz: "Oh, minha Força, cantarei louvores a ti". Isso faz com que o salmista se tenha dirigido a Deus como força e destaca outro nome divino. Naturalmente, o nome divino *Elohim* já sugeria essa metáfora.

■ **59.10** (na Bíblia hebraica corresponde ao **59.11**)

אֱלֹהֵי חַסְדּוֹ יְקַדְּמֵנִי אֱלֹהִים יַרְאֵנִי בְשֹׁרְרָי׃

Meu Deus virá ao meu encontro. O Deus do poeta, a sua Força, por causa de seu *amor constante*, viria correndo ao encontro do salmista, para livrá-lo de sua situação aflitiva. Dessa maneira ele experimentaria *triunfo* sobre os adversários. Algumas versões dizem aqui *misericórdia* e *amor constante*. Ver no *Dicionário* o artigo chamado *Benignidade*. O salmista queria que houvesse severa vingança contra os inimigos. Ver as notas expositivas em 58.10. A nossa versão portuguesa dá ao original hebraico uma boa tradução aqui: "virá ao meu encontro". Essa é uma operação divina, em seu amor e misericórdia, garantindo um bom fim para a batalha. Deus chegou ao campo de batalha e fez um trabalho rápido quanto ao exército estrangeiro que encontrara ali, efetuando uma grande missão de socorro em prol das forças de Israel.

■ **59.11** (na Bíblia hebraica corresponde ao **59.12**)

אַל־תַּהַרְגֵם פֶּן־יִשְׁכְּחוּ עַמִּי הֲנִיעֵמוֹ בְחֵילְךָ

וְהוֹרִידֵמוֹ מָגִנֵּנוּ אֲדֹנָי׃

Não os mates, para que o meu povo não se esqueça. *Em lugar de aniquilar imediatamente o inimigo*, o poeta queria ver as forças adversárias primeiramente dispersas, para então serem subjugadas gradualmente, a fim de que Israel pudesse testemunhar o trabalho de Deus desdobrando-se diante de seus olhos. O fim, é claro, seria o aniquilamento total. Não haveria sobreviventes, nem haveria a captura de prisioneiros de guerra. O incidente todo seria uma maravilhosa demonstração de poder, bem como a confirmação de que Yahweh era o *escudo* de Israel, ou seja, a *proteção* contra todos os tipos de males, incluindo a violência de inimigos estrangeiros. Quanto a Deus como um *escudo*, cf. Sl 7.9,10, onde apresento notas expositivas que têm aplicação aqui. Ver também Sl 3.3.

Fausset (*in loc.*) supõe que o poeta tenha orado para que sobrassem do inimigo alguns *sobreviventes*, de modo que eles se tornassem memoriais da vitória de Deus sobre um povo inteiro. Fausset referiu-se a trechos como 1Sm 2.36 e 2Sm 3.29. Os espartanos não destruíam inteiramente um vizinho difícil, a fim de que seus jovens pudessem continuar praticando a arte da guerra. Pois, afinal, como se pode lutar quando todos os inimigos foram mortos? Mas os salmistas parecem ter esperado por uma *retribuição prolongada*, a fim de que Israel continuasse saboreando a vitória, às expensas de um povo desesperado. Ou então: "Que eles percorressem a terra para cima e para baixo, como fugitivos e vagabundos, conforme sucedeu a Caim e conforme fazem agora os judeus, dispersos nas várias regiões do mundo" (John Gill, *in loc.*).

OUTRO APELO POR VINGANÇA (59.12,13)

■ **59.12** (na Bíblia hebraica corresponde ao **59.13**)

חַטַּאת־פִּימוֹ דְּבַר־שְׂפָתֵימוֹ וְיִלָּכְדוּ בִגְאוֹנָם וּמֵאָלָה

וּמִכַּחַשׁ יְסַפֵּרוּ׃

Pelo pecado de sua boca. Este versículo amplia a razão da demora na retribuição total contra o inimigo. Aqueles cuja boca estava repleta de pecado, cuja língua era como espada, seriam apanhados pelo caçador em uma armadilha, como se fossem animais ferozes, e ficariam a *sofrer*, em lugar de serem instantaneamente despachados. Cf. o vs. 7, quanto aos pecados de linguagem em que aqueles homens profanos costumavam cair. Este versículo fala sobre os inimigos pessoais do salmista, hebreus brutais, tipos criminosos ou então estrangeiros inimigos. Os cães que vagueavam pelas ruas causavam sofrimento demorado (vs. 6), pelo que teriam de receber demorada retribuição.

Na sua própria soberba. O autor sagrado usou a metáfora do caçador, que emprega uma armadilha ou uma cova. O pobre animal sofre ali, incapaz de fugir, à espera de outras crueldades da parte do caçador. O que fizera os ímpios cair na cova foi o próprio orgulho. Eles tinham chegado a fim de destruir, cheios de altivez. Mas terminaram humilhados da maneira mais horrenda. Eles mesmos foram a *causa* de toda a sua desgraça.

■ **59.13** (na Bíblia hebraica corresponde ao **59.14**)

כַּלֵּה בְחֵמָה כַּלֵּה וְאֵינֵמוֹ וְיֵדְעוּ כִּי־אֱלֹהִים מֹשֵׁל

בְּיַעֲקֹב לְאַפְסֵי הָאָרֶץ סֶלָה׃

Consome-os com indignação. Finalmente, a diversão do sofrimento demorado chegaria ao fim, e então Deus *consumiria* a presa, aprisionada na cova. A *ira* de Deus garantiria um bom trabalho. Ver no *Dicionário* o artigo intitulado *Ira de Deus*. "Essa foi a sorte de Saul, e essa foi a sorte dos judeus que se opuseram ao antítipo de Davi, o Messias. E essa será a condenação dos seguidores do anticristo, nos últimos dias" (Fausset, *in loc.*).

De sorte que jamais existam. Temos aqui uma alusão ao *total aniquilamento*, sem nenhuma esperança de sobrevivência da alma imortal, após a morte biológica. Quando o poeta sagrado compôs este salmo, os israelitas ainda não criam na sobrevivência da alma, pelo que a pior coisa que poderia acontecer era a morte prematura e violenta. Ver no *Dicionário* o artigo chamado *Alma*, e na *Enciclopédia de Bíblia, Teologia e Filosofia* os vários artigos intitulados *Imortalidade*. Seja como for, tendo ocorrido a destruição, isso servia de prova do domínio de Deus sobre todos, tanto em Israel como em todo o vasto mundo. Seu *governo justo* seria comprovado por sua retribuição contra os pecadores. Mas o assunto aqui abordado não é uma retribuição *para além do sepulcro*. O judaísmo posterior desenvolveu essa ideia, a qual foi então incorporada na teologia do Novo Testamento. Vários intérpretes têm forçado sobre este versículo a crença atual dos cristãos, indo além daquilo em que os hebreus só acreditariam bastante tarde no Antigo Testamento. Ver no *Dicionário* o artigo *Soberania de Deus*.

■ **59.14** (na Bíblia hebraica corresponde ao **59.15**)

וְיָשׁוּבוּ לָעֶרֶב יֶהֱמוּ כַכָּלֶב וִיסוֹבְבוּ עִיר׃

Ao anoitecer uivam como cães. Este versículo é uma virtual duplicação do vs. 6, onde ofereço notas expositivas. O poeta tornou a usar a declaração para mostrar quão pouco temor ele possuía dos inimigos estrangeiros parecidos com os cães vagabundos. Ele sabia qual seria a sua sorte; por conseguinte, que eles viessem, invadissem e fizessem o que bem entendessem. Pois, finalmente, seriam aniquilados. Deus estava pronto a exterminá-los. A ira divina estava agora pronta para ferir. Ele os tinha em total derrisão (vs. 8). "A realidade do riso de Deus e sua zombaria corrosiva fez tocar uma corda lírica no espírito do poeta" (William R. Taylor, *in loc.*). Por isso mesmo, ele cantou o cântico de vingança contra os cães.

■ **59.15** (na Bíblia hebraica corresponde ao **59.16**)

הֵמָּה יְנוּעוּן לֶאֱכֹל אִם־לֹא יִשְׂבְּעוּ וַיָּלִינוּ:

Vagueiam à procura de comida. Em um esplêndido *sarcasmo*, o salmista fala aqui sobre a procura dos cães inimigos por alimentos, sem nada encontrar. Eles terminariam rosnando com ira e fome, porquanto seus planos seriam distorcidos pelo poder divino. O poeta tinha escorregado para uma atitude sinistra e zombava de seus inimigos. O trecho hebraico original é um tanto obscuro, pelo que têm sido oferecidas várias interpretações do versículo, a saber:

1. Eles não iriam embora enquanto não fossem satisfeitos, pelo que continuariam em busca de comida. Isso é o mesmo que dizer que os ímpios não desistirão facilmente, pelo que o poeta esperava tribulação contínua. Os criminosos continuarão praticando suas deletérias atividades. Os exércitos estrangeiros continuarão atacando. Mas esse significado não parece ajustar-se muito bem ao tom sarcástico do salmista.
2. Eles se satisfariam, mas mesmo assim pereceriam, porquanto Deus escreveria o último capítulo do relato.
3. Após o primeiro parágrafo, encontramos os cães famintos sem encontrar satisfação. Eles ganiam de fome, mas o riso de Deus era mais alto do que seus ganidos. Eles deveriam ter deixado Israel imperturbado. Desassossego e insatisfação serão as marcas que assinalarão, finalmente, a vida dos ímpios.

> *Os perversos são como o mar agitado, que não se pode aquietar, cujas águas lançam de si lama e lodo. Para os perversos, diz o meu Deus, não há paz.*
>
> Isaías 27.20,21

Diz o Targum: "Eles vaguearão por toda parte para apanhar a presa para comer, e não descansarão enquanto não ficarem satisfeitos. Mas permanecerão nessa busca pela noite inteira, sem encontrar nenhuma presa" (com adaptações). Ou então eles "se colocarão à espreita a noite inteira", mas mesmo assim não encontrarão presa alguma. A busca será inútil.

■ **59.16** (na Bíblia hebraica corresponde ao **59.17**)

וַאֲנִי אָשִׁיר עֻזֶּךָ וַאֲרַנֵּן לַבֹּקֶר חַסְדֶּךָ כִּי־הָיִיתָ מִשְׂגָּב לִי וּמָנוֹס בְּיוֹם צַר־לִי:

Eu, porém, cantarei a tua força. Em contraste com os ímpios insatisfeitos e frustrados, o salmista cantará o poder de Yahweh, que o livrara de suas tribulações e derrotara os seus inimigos. Pela *manhã*, após a noite escura, o cântico se faria ouvir, porquanto Deus fora a *fortaleza* e o *refúgio* do salmista. Ver sobre *fortaleza*, em Sl 18.2; 31.3; 71.3; 91.2; 144.2. Quanto a *refúgio*, ver Sl 46.1. O amor constante de Deus em operação fará o homem atravessar galhardamente o seu *dia* de tribulações, conferindo-lhe um cântico de alegria pela manhã. Dessarte, este salmo ensina que o homem bom e o homem ímpio chegam a seu fim de modo diferente. Deus é quem estabelece essa diferença na vida. O salmista não se deixa envolver em uma vantagem a "longo prazo", isto é, que vá além da vida pós-túmulo. Mas ele percebeu claramente que é uma estupidez fazer um círculo pequeno demais e esquecer-se do que aparece em seguida.

> Semeai um hábito, e colhereis um caráter.
> Semeai um caráter, e colhereis um destino.
> Semeai um destino, e colhereis — Deus.
>
> Prof. Huston Smith

■ **59.17** (na Bíblia hebraica corresponde ao **59.18**)

עֻזִּי אֵלֶיךָ אֲזַמֵּרָה כִּי־אֱלֹהִים מִשְׂגַּבִּי אֱלֹהֵי חַסְדִּי:

A ti, Força minha, cantarei louvores. Este versículo assemelha-se a uma reiteração do que foi dito nos vss. 9 e 10. Alguns estudiosos supõem que o salmo original tivesse uma duplicata virtual desses versículos aqui, mas, mediante algum erro de transcrição, as declarações foram *truncadas* e assim transformaram-se no presente versículo. Em lugar de "Meu Deus virá ao meu encontro com a sua benignidade", temos a declaração: ele é o "Deus da minha misericórdia". Excetuando essa variação, as declarações são virtualmente idênticas. Seja como for, o homem reconheceu que ele nada tinha para falar de si mesmo, mas tão somente tinha de fugir para Deus para encontrar valor na vida. "Não em minhas forças. Mas nas forças dele".

> Tenciono chegar a Deus,
> Pois é para Deus que tanto me apresso;
> Pois no peito de Deus está minha morada.
> Uma vez que passem aqueles raios de glória refulgente,
> Descansarei em minha alma, finalmente.
>
> Johannes Agrícola

SALMO SESSENTA

Quanto a *informações gerais* que se aplicam a todos os salmos, ver a introdução ao Salmo 4, onde apresento *sete* comentários que elucidam a natureza do livro. Quanto às *classes* dos salmos, ver o gráfico no início do comentário sobre o livro, que atua como uma espécie de frontispício da coletânea. Dou ali dezessete classes e listo os salmos pertencentes a cada uma delas.

Este é um *salmo de lamentação* e, mais especificamente ainda, uma "lamentação em grupo". É uma espécie de oração pedindo o livramento das mãos de inimigos nacionais. A maior parte dos salmos de lamentação começa com um apelo urgente por ajuda, mas este salmo se inicia como um cântico fúnebre: segundo todas as aparências, Deus havia abandonado o seu povo, rejeitando-o e deixando suas defesas em ruínas. Cf. isso com Sl 22.1, o clamor de abandono. O povo de Israel havia sofrido uma derrota estontaneante, provavelmente às mãos dos idumeus (vs. 9). Somente no fim (vs. 11) o clamor pedindo ajuda alcança Elohim, e este salmo, como a maioria dos outros salmos de lamentação, termina em uma nota de esperança e de louvor, a despeito do lamentável início.

"O salmista não começou com súplicas, conforme ordinariamente os salmos de lamentação são introduzidos, mas com uma comovente declaração de *aflição nacional*. A raiz da situação acha-se na retirada de Elohim do meio dos exércitos de seu povo. Não obstante, este salmo termina sendo um apelo por ajuda em tempo de calamidade nacional. Ser alguém um hebreu, parte do povo em aliança com Deus, era trazer consigo as promessas de triunfo sobre os pagãos. Portanto, o que aconteceu no caso presente? O desastre tinha deixado os israelitas perdidos e atolados no pessimismo. A profecia dos vss. 6 a 8 pode ser mais antiga que o restante do salmo. Seja como for, as palavras eram típicas de vitória, com promessas de ganhos de terras pertencentes a outro povo. O *pacto abraâmico* também prometia terras ao povo de Israel. Ver sobre isso em Gn 15.18. Portanto, o que havia acontecido? Como os idumeus puderam lograr sucesso?

Este salmo ensina-nos a lição desanimadora, embora verdadeira, de que a derrota, e não meramente a vitória, pode vir da parte do Senhor. No entanto, o salmista ergueu a cabeça e confiou em Deus quanto a alguma espécie de vitória remidora.

Este salmo é uma obra *composta*. Parece que os vss. 1-5 e 6-12 procedem de composições independentes. Alguns eruditos veem três salmos envolvidos: vss. 1-5; 6-8 e 9-12. Seja como for, os vss. 5-12 reaparecem no Salmo 108, uma evidência de que, originalmente, eram obras separadas. Os vss. 6-12 são idênticos a Sl 108.7-13, mas é possível que um salmista posterior simplesmente tenha usado de novo algum material que ele sabia fazer parte deste salmo.

Subtítulo. Temos neste caso um subtítulo elaborado: "Ao mestre de canto. Segundo a melodia: Os lírios do testemunho. Hino de Davi para ensinar. Quando lutou contra os sírios da Mesopotâmia e os sírios de Zobá, e quando Joabe, regressando, derrotou de Edom doze mil homens, no Vale do Sal". As palavras hebraicas *Susa edute* parecem significar "o lírio da fala", que podem referir-se ao título de um cântico ou hino, provavelmente como suas primeiras palavras, traduzidas em nossa versão por "os lírios do testemunho". Mas alguns estudiosos pensam que essas palavras significam "harpa de seis cordas". Contudo, a ideia de um título de cântico está mais em consonância com o que encontramos nos subtítulos de outros salmos. A palavra hebraica *Mictam*, traduzida aqui "para ensinar", significa "instrução", fazendo deste salmo um hino didático que compunha a liturgia do templo. Tais hinos eram acompanhados por instrumentos musicais, em conformidade com a ênfase que os hebreus davam à música. Ver 1Cr 25, quanto às guildas de músicos profissionais, formadas por famílias levíticas específicas, uma profissão que passava de pai para filho, *ad infinitum*.

Este subtítulo liga o salmo presente ao relacionamento de Davi com Moabe, Edom e Filístia, em 2Sm 8 e 1Cr 18. Mas poucos eruditos modernos pensam que isso forma um parecer exato. Ademais, os comentários de introdução aos salmos foram obra de editores subsequentes, não dos autores originais, e não se revestem de autoridade canônica. Naturalmente, algo de historicamente verídico foi assim mencionado, mas a maioria dos subtítulos foi escrita com conjectura, incluindo os autores mencionados. Cerca de metade dos salmos é atribuída a Davi, um grande exagero, sem dúvida, embora ele tenha composto pelos menos alguns salmos, visto ter sido o *mavioso salmista de Israel* (ver 2Sm 23.1).

AFLIÇÃO NACIONAL (60.1-5)

■ **60.1** (na Bíblia hebraica corresponde ao **60.1-3**)

לַמְנַצֵּחַ עַל־שׁוּשַׁן עֵדוּת מִכְתָּם לְדָוִד לְלַמֵּד׃

בְּהַצּוֹתוֹ ׀ אֶת אֲרַם נַהֲרַיִם וְאֶת־אֲרַם צוֹבָה וַיָּשָׁב יוֹאָב וַיַּךְ אֶת־אֱדוֹם בְּגֵיא־מֶלַח שְׁנֵים עָשָׂר אָלֶף׃

אֱלֹהִים זְנַחְתָּנוּ פְרַצְתָּנוּ אָנַפְתָּ תְּשׁוֹבֵב לָנוּ׃

Ó Deus, tu nos rejeitaste, e nos dispersaste. *Elohim*, o General dos seus exércitos (1Rs 18.15), o Todo-poderoso, permitiu que o exército de Israel, que ele comandava, fosse derrotado, espalhado e caçado como animais em fuga diante de um leão. Yahweh sem dúvida estava *irado*, pois de que outra maneira se poderia explicar o que havia acontecido? Por isso ascendeu aos céus a oração: "Restabelece-nos!"

Israel era a vítima de um *péssimo evento* de mal moral, a má vontade de seus inimigos, que faz parte do *Problema do Mal* (ver a respeito no *Dicionário*). Existem *enigmas* relativos a por que os homens sofrem, e por que sofrem como sofrem. Invocar o nome do Senhor não os isenta do sofrimento. E então perguntamos: "Por quê?" Nossas orações nem sempre são respondidas, ou assim nos parece. Ou pelo menos, nem sempre obtemos o que queremos, mesmo quando temos certeza de que o que pedimos é justo e bom, e mesmo quando pedimos julgando ser o que é para nosso benefício espiritual, e não apenas para nosso conforto material.

Rejeitaste. Cf. Sl 22.1. Era uma cena estranha. O povo da aliança abandonado por aquele que a assinara. Ver também Sl 43.2.

Agora, porém, tu nos lançaste fora e nos expuseste à vergonha.
Salmo 44.9

Dispersaste. Como? "Quebrando as nossas defesas" (*Revised Standard Version*). Cf. Sl 80.12 e 2Sm 5.20. Nesta última passagem, está em mira a derrota do exército de Israel.

... vendo-me, ele clamou com grande voz: Estão quebrados, estão quebrados.

Tennyson

Tens estado indignado. Porém, por razões desconhecidas. Os antigos hebreus consideravam Deus como a *única causa*, pois a teologia deles era fraca quanto a causas secundárias. Por conseguinte, uma derrota em batalha era lançada na conta de Deus, e a explicação usual era que, por alguma espécie de infração (conhecida ou desconhecida), o exército derrotado havia sido castigado por Yahweh.

"Os efeitos da derrota eram comparados às devastações provocadas por um terremoto" (William R. Taylor, *in loc.*).

Vários acontecimentos históricos têm sido vinculados a essa derrota, a começar por aquele relatado na seção *Subtítulo*, na introdução ao Salmo. A queda de Samaria, em 722 a.C., é outra conjectura, mas alguns estudiosos veem acontecimentos na época dos macabeus. Outros pensam que está em vista algum levante político e talvez a divisão do reino unido de Israel em duas facções, Israel (o norte) e Judá (o sul).

Restabelece-nos. Qualquer que tenha sido o acontecido, o desastre foi grande e deixou uma nação devastada que precisava de restauração. Alguns veem aqui a restauração referida para os últimos dias e apontam para Rm 11.25,26, mas não parece haver nessa passagem bíblica nenhuma profecia a longo prazo.

■ **60.2** (na Bíblia hebraica corresponde ao **60.4**)

הִרְעַשְׁתָּה אֶרֶץ פְּצַמְתָּהּ רְפָה שְׁבָרֶיהָ כִי־מָטָה׃

Abalaste a terra, fendeste-a. A estonteante derrota de Israel é comparada a um terremoto, que causou vasta destruição, quase universal em seu alcance. A terra inteira foi abalada com brechas gigantescas. O solo tremeu, os edifícios ruíram, e houve uma convulsão generalizada na natureza.

Esta maldade vos será como a brecha de um muro alto, que, formando uma barriga, está prestes a cair, e cuja queda vem de repente, num momento.
Isaías 30.13

A causa do desastre fora Yahweh, em harmonia com a noção dos hebreus de que Deus é a *única causa*, o que comento no vs. 1 deste salmo. Os terremotos eram naturalmente "atos de Deus", conforme diz uma expressão moderna. Por isso diz o Targum: "Abalaste a terra". Voltaire mostrou-se muito amargurado contra Deus, por ter ele permitido o grande abalo sísmico de Lisboa, que matou milhares de pessoas em 1776, embora ele fosse um deísta e, presumivelmente, não acreditasse na intervenção divina entre os homens. Os hebreus, por sua vez, assumiam uma posição teísta sobre a questão: Deus está presente nos desastres naturais que fazem parte do *mal natural*, um aspecto do *problema do mal* (ver a respeito no *Dicionário*).

■ **60.3** (na Bíblia hebraica corresponde ao **60.5**)

הִרְאִיתָה עַמְּךָ קָשָׁה הִשְׁקִיתָנוּ יַיִן תַּרְעֵלָה׃

Fizeste o teu povo experimentar reveses. Principalmente a derrota na guerra, o saque, a perda de território, lares destruídos, opressão da parte dos vencedores contra o povo de Israel. Tais coisas levavam os hebreus a "beber vinho que atordoa", porquanto não podiam compreender como Yahweh-Elohim, o General de seus exércitos, dava vitória a estrangeiros, em vez de defender o próprio povo com *seu* exército. O vinho azedo intoxicava-lhes a mente e a alma com tristeza, em lugar da alegria, um poder atribuído ao vinho. O autor sagrado misturou desânimo e recriminação contra Deus. O que tinha acontecido estava fora de sua compreensão. "Assim como a embriaguez prostra os poderes do corpo, também estamos aqui em um impotente estado de miséria" (Fausset, *in loc.*).

Eis que encherei de embriaguez a todos os habitantes desta terra, e aos que se assentam no trono de Davi, e aos sacerdotes, e aos profetas, e a todos os habitantes de Jerusalém.
Jeremias 13.13

Cf. Sl 75.8,9 e Is 51.17,22. "... vinho de atordoar, ou seja, suportar tais tribulações que os faziam tremer, que os deixavam em estado de estupidez mental, retiravam seu bom senso e os tornavam incapazes para qualquer coisa, parecendo feridos com loucura, cegueira e sobrecarregados de ameaças contínuas (Dt 28.28). Ver Rm 11.7,8" (John Gill, *in loc.*).

■ **60.4** (na Bíblia hebraica corresponde ao **60.6**)

נָתַתָּה לִּירֵאֶיךָ נֵּס לְהִתְנוֹסֵס מִפְּנֵי קֹשֶׁט סֶלָה׃

Deste um estandarte aos que te temem. Usualmente pensamos em uma bandeira como símbolo da vitória, mas temos aqui a bandeira de fuga do inimigo. A bandeira protetora de Deus, que diz: "Este é o meu exército. Ele é invencível", não tem nenhuma aplicação no caso que ora comentamos.

O exército em fuga reuniu-se rapidamente em torno do porta-bandeira e pôs-se em fuga desesperada, procurando escapar do *arco* do inimigo, que já lhes havia causado tantas perdas em vidas humanas.

O hebraico diz aqui "estandarte da verdade", mas a Septuaginta, provavelmente de forma mais exata e em concordância com o texto original, diz "arco". Os israelitas não tinham uma bandeira da verdade, mas um pendão para o qual corriam a fim de abandonar o campo de batalha, salvando-se assim o máximo número possível. Uma palavra aramaica aparentada significa *arco*; e é provável que a Septuaginta, e não o texto hebraico massorético padronizado, tenha ficado com a ideia correta. Ver no *Dicionário* o verbete chamado *Massora (Massorah); Texto Massorético* quanto a informações a respeito. Os manuscritos hebraicos do mar Morto (muito mais antigos do que os usados para o texto massorético) algumas vezes concordam com as versões, especialmente a Septuaginta, quando existem variantes, o que mostra que, *ocasionalmente*, eles preservam textos originais, em contraposição ao texto hebraico padronizado. Ver no *Dicionário* o verbete intitulado *Mar Morto, Manuscritos (Rolos) do*. Sob o estandarte de Yahweh, Israel defendia a causa de Deus; porém, por alguma razão inexplicável, as coisas se azedaram, e a bandeira de reunião tornou-se um estandarte de recuo, perante um inimigo invencível.

Celebraremos com júbilo a tua vitória, e em nome do nosso Deus hastearemos pendões...

Salmo 20.5

Alguns eruditos supõem que o poeta sagrado falava aqui com *sarcasmo*. Os filhos de Israel reuniram-se em torno da bandeira da vitória de Deus, esperando a sua ajuda, somente para sofrerem uma derrota contundente perante um exército pagão, que tinha saído à batalha em nome de falsos deuses!

Selá. Quanto aos possíveis significados desta palavra misteriosa, ver Sl 3.2.

■ **60.5** (na Bíblia hebraica corresponde ao **60.7**)

לְמַעַן יֵחָלְצוּן יְדִידֶיךָ הוֹשִׁיעָה יְמִינְךָ וַעֲנֵנוּ

Para que os teus amados sejam livres. O salmista clamou pela segurança dos sobreviventes, aos quais ele chamou de *amados* de Elohim, apelando assim para a misericórdia e a benignidade de Deus. Ele conclamou Elohim a "ouvir"; e é aqui que encontramos o tipo de apelo que normalmente dá início aos salmos de lamentação. Cf. Sl 4.1,3; 10.17; 30.10; 38.16; 39.12; 54.2; 61.1; 64.1; 69.16; 130.2 e 143.1. O poeta embalava a esperança de que Deus consolidaria o que restara de Israel, de modo que Israel pudesse combater no dia seguinte.

Salva com a tua destra. A mão de poder e salvação, que era capaz de responder ao apelo. Quanto à metáfora da *mão direita*, ver Sl 20.6.

A começar por este versículo, parte deste salmo reaparece em Sl 108.6-13, o que, provavelmente, significa que essa parte era uma composição separada que veio a ser usada em dois lugares. Ou então um autor posterior simplesmente incorporou essa porção em outro salmo, que ele pensava ser aplicável à sua própria situação. Seja como for, os vss. 6-12 são virtualmente idênticos a Sl 108.7-13.

A PRIMEIRA PROMESSA DE DEUS (60.6-8)

■ **60.6** (na Bíblia hebraica corresponde ao **60.8**)

אֱלֹהִים דִּבֶּר בְּקָדְשׁוֹ אֶעְלֹזָה אֲחַלְּקָה שְׁכֶם וְעֵמֶק סֻכּוֹת אֲמַדֵּד׃

Falou Deus na sua santidade. Os vss. 6-8 pertencem a uma natureza diferente da que vemos nos vss. 1-5, e, muito provavelmente, representam uma composição diferente que veio a ser associada ao que hoje em dia chamamos de Salmo 60. Mas alguns intérpretes pensam que o poeta sacro pensava sobre uma *promessa anterior*, acerca de vitórias e divisões de terra, em benefício de Israel, que a súbita derrota mencionada nos vss. 1-5 parece contradizer. Temos aqui um oráculo, proferido no santuário, que dava promessas gloriosas a Israel. Ou então, conforme pensam alguns estudiosos, esses versículos formam uma *predição*. "O salmista relembrou a Deus aquilo que ele tinha *falado em seu santuário,* seu santo lugar de moradia. Há um oráculo que promete coisas muito diferentes para o seu povo. 'Dividirei Siquém (o território que, após a queda de Samaria, em 722 a.C., tinha sido ocupado por colonos estrangeiros e seus descendentes)' (ver 1Rs 17.24; Ed 4.1-10).

Esse território seria reabsorvido como herança de Israel. Por semelhante modo, o vale de Sucote, ou seja, o vale do ribeiro do Jaboque, de Sucote até o rio Jordão, que, tão cedo quanto 732 a.C., no reinado de Tiglate-Pileser, formava parte do império assírio, uma província a leste do Jordão, mas, no tempo do oráculo, ainda permanecia como parte do território de Israel" (William R. Taylor, *in loc.*). Quanto a informações completas, ver os nomes próprios no *Dicionário*. Os lugares assim mencionados foram possuídos ora por Israel ora por seus inimigos, dependendo das forças relativas nas diferentes épocas históricas. Agora chegara a vez de Israel reobter aquelas terras, mas tudo isso parece ser uma grande contradição com a confusão havida no campo de batalha.

■ **60.7** (na Bíblia hebraica corresponde ao **60.9**)

לִי גִלְעָד וְלִי מְנַשֶּׁה וְאֶפְרַיִם מָעוֹז רֹאשִׁי יְהוּדָה מְחֹקְקִי׃

Meu é Gileade, meu é Manassés. Outros *territórios* que seriam reabsorvidos em Israel eram Gileade e Manassés. Efraim também voltaria, sendo o *capacete* de Deus, uma fortaleza para Israel. E Judá era o seu cetro e o centro do domínio político e religioso da nação. Jr 49.1 atribui Gileade aos amonitas, mas esse território seria recuperado. Ver Jr 50.19 e Zc 10.10. Deus tinha direito legal e histórico sobre Manassés. Ficava ao norte do território de Efraim, parte no lado oriental e parte no lado ocidental do rio Jordão. Seu território estava aberto à conquista (cf. 1Cr 5.26). Quando Israel se tornasse novamente uma grande nação, a sede do governo voltaria a Judá, e Efraim seria o *protetor*, o *capacete* do reino inteiro. E então os inimigos tradicionais de Israel ficariam, uma vez mais, sujeitos ao poder de Yahweh, conforme se manifestara na nação desde tempos antigos. As leis novamente emanariam de Judá, presumivelmente de Jerusalém, sua capital. Quanto a detalhes, ver os nomes próprios no *Dicionário*.

■ **60.8** (na Bíblia hebraica corresponde ao **60.10**)

מוֹאָב סִיר רַחְצִי עַל־אֱדוֹם אַשְׁלִיךְ נַעֲלִי עָלַי פְּלֶשֶׁת הִתְרֹעָעִי׃

Moabe, porém, é a minha bacia de lavar. *Moabe,* com o mar Morto, seria humilhada e serviria de bacia de lavar para Israel limpar mãos e pés, e Edom seria *pisado* aos pés e reivindicado. Isso falava sobre pisar em um território, um ato simbólico que proclamava o direito de propriedade. Cf. Rt 4.8,9. Então Israel se rejubilaria sobre a Filístia, tradicional fortaleza inimiga. Mas somente nos dias de Davi (o qual derrotou *oito* nações estrangeiras; ver 2Sm 10.19), esse lugar ficou completamente sob o poder de Israel. O oráculo, contudo, dizia: "Isso acontecerá novamente". Por conseguinte, anexar novamente aquele território seria a causa de alegria e de triunfo.

Edom. Pisado aos pés, isto é, reduzido à servidão, "diante de quem um conquistador lança suas sandálias para que elas sejam purificadas. Cf. Mt 3.11. Ver o ato simbólico em Rt 4.7, embora ali seja empregado um símbolo diferente. O costume que Israel trouxe do Egito (ver Êx 3.3), de tirar as sandálias antes de entrar em um templo (que então se ampliou para qualquer residência, incluindo casas ordinárias), vinculou aos calçados a ideia de sujeira e profanação" (Ellicott, *in loc.*). Note o leitor a ideia de "atirar a sandália", ou seja, a ideia de ser purificado.

O Targum mostra Israel pondo suas sandálias sobre o pescoço de Edom, o ato de um conquistador que humilhava o povo derrotado. Portanto, os calçados proviam vários símbolos: pisar para reivindicar propriedade; pisar no pescoço para mostrar conquista; lançar o calçado a outrem, para indicar um ato de limpeza, ou reduzir essa pessoa à posição de escravo; pisar no pescoço para mostrar sujeição na escravidão.

UM NOVO APELO A DEUS (60.9-12)

■ **60.9** (na Bíblia hebraica corresponde ao **60.11**)

מִי יֹבִלֵנִי עִיר מָצוֹר מִי נָחַנִי עַד־אֱדוֹם׃

Quem me conduzirá à cidade fortificada? *O oráculo prometia grandes coisas,* mas por enquanto essas promessas devem ter parecido zombaria para um Israel derrotado, pois os seus inimigos o pisavam e o próprio Israel limpava os calçados de outros. Os macabeus, naturalmente, produziram o cumprimento dessas predições, mas em breve Roma desfez tudo isso e submeteu Israel novamente, e então fez os judeus sair no exílio de sua terra que perdurou por uma dispersão e um cativeiro de muitos séculos, a pior dispersão e o maior cativeiro até hoje experimentado por Israel. Não obstante, Israel tem sido capaz de manter sua identidade e de reivindicar outra vez uma larga faixa de seu antigo território pátrio.

Cidade fortificada. Provavelmente devemos pensar na cidade de *Petra*, capital de Edom, visto que seus habitantes eram o principal inimigo de Israel. Ver no *Dicionário* o verbete chamado *Petra*. Ver também *Sela,* no *Dicionário,* o antigo nome dessa cidade, onde ofereço muitos detalhes e a história da cidade. Um país e sua capital eram, com frequência, equiparados. E se Israel pudesse derrotar a *fortaleza*, então a vitória sobre Edom seria facilmente obtida. Cf. Ob 3. O intuito primário do salmista era falar de Sela como lugar de refúgio, mas a referência a longo prazo é à reconquista da cidade. A cidade ficava em uma posição difícil, quase inexpugnável diante de ataques, pelo que era necessário um guia especial para que o ataque fosse bem-sucedido. Havia apenas duas abordagens possíveis da cidade, cada qual uma longa e estreita ravina, de fácil defesa. A cidade estava tão bem escondida por suas ravinas que não podia ser vista de um lugar distante. Somente o Guia, Elohim, poderia liderar com êxito uma expedição militar contra ela.

■ **60.10** (na Bíblia hebraica corresponde ao **60.12**)

הֲלֹא־אַתָּה אֱלֹהִים זְנַחְתָּנוּ וְלֹא־תֵצֵא אֱלֹהִים בְּצִבְאוֹתֵינוּ׃

Não nos rejeitaste, ó Deus? *Elohim* foi o Guia escolhido. O salmista depositou nele a confiança de realizar uma tarefa quase impossível, mas para Deus tudo é possível (ver Mt 19.23). Entrementes, fora Elohim quem havia rejeitado Israel, e agora lhes restavam somente promessas. Por enquanto, Deus não sairia à testa dos exércitos de Israel. O autor retorna ao desânimo expresso no vs. 1. O lamento renovado provinha de um homem descoroçoado e desiludido. Mas o Deus (o Poder) que os havia humilhado perante seus adversários, agora poderia humilhar seus inimigos diante deles. Para tanto, bastava que Deus decretasse uma mudança. O poeta sagrado não tinha nenhuma *evidência* de que em breve ocorreria uma mudança, mas continuava esperando e confiando. Ele contava com o *oráculo* no qual se agarrar; mas as profecias, enquanto irrealizadas, servem apenas de consolo dúbio.

■ **60.11** (na Bíblia hebraica corresponde ao **60.13**)

הָבָה־לָּנוּ עֶזְרָת מִצָּר וְשָׁוְא תְּשׁוּעַת אָדָם׃

Presta-nos auxílio na angústia. Esperando pelo melhor, esperando que a situação ainda poderia ser revertida, o poeta sagrado ergueu outra oração desesperada, rogando ajuda. Já havia sido abundantemente provado que a força humana é vã, e que a ajuda humana é inútil. Os exércitos de Israel jaziam mortos no campo de batalha, e apenas alguns poucos desgarrados tinham conseguido escapar. Poderia Deus fazer alguma coisa com o remanescente, se nada fizera contando com a massa?

> Senhor, empreende a vitória por nós.
>
> Adam Clarke

> Começa, minha língua, algum tema celestial,
> E diz alguma coisa sem limites;
> As obras poderosas e o Nome mais poderoso
> Do nosso Rei eterno.
>
> Isaac Watts

"... o homem é uma coisa vã, a própria vaidade, sim, mais leve que a vaidade. Até no seu melhor estado, até os grandes homens são vãos, e, assim sendo, como pode a salvação deles provir? Somente no Senhor Deus há salvação para o seu povo, tanto temporal quanto eternamente" (John Gill, *in loc.*).

■ **60.12** (na Bíblia hebraica corresponde ao **60.14**)

בֵּאלֹהִים נַעֲשֶׂה־חָיִל וְהוּא יָבוּס צָרֵינוּ׃

Em Deus faremos proezas. *Através do Poder* (Elohim) os homens podem agir *poderosamente*. Portanto, continuemos a orar a ele! Ele tem o poder de cumprir o oráculo (vss. 6-9); de outra sorte, tudo estará perdido. Ele pisará sobre todos os inimigos, e Israel uma vez mais possuirá a terra há tanto tempo concedida, a fim de cumprir as condições do pacto abraâmico (ver as notas expositivas a respeito em Gn 15.18). Agora o salmista via um arco-íris nas nuvens e, pelo momento, contemplava-o com alegria. Portanto, o mais desanimado salmo de lamentação ainda termina em uma nota triunfal. Alguns desses salmos, entretanto, terminam em desespero, e a vida também se parece com isso. Deus dá a vitória e dá também a derrota, mas há um arco-íris nas nuvens que nos impulsiona a continuar orando.

SALMO SESSENTA E UM

Quanto a *informações gerais* que se aplicam a todos os salmos, ver a introdução ao Salmo 4, onde apresento *sete* comentários que elucidam a natureza do livro. Quanto a *classes* dos salmos, ver o gráfico no início do comentário, que atua como uma espécie de frontispício da coletânea. Dou dezessete classes e listo os salmos pertencentes a cada uma delas.

Este é um *salmo de lamentação,* em muito o tipo de salmo mais numeroso. Trata-se de uma oração solicitando proteção, um tema comum nesse tipo de salmo. Segue o padrão das lamentações: o clamor pedindo ajuda; a descrição da aparência do inimigo; o encerramento, com uma palavra de agradecimento e triunfo; a apresentação de oferendas e hinos entoados, e a feitura de votos. O poeta que compôs este salmo tinha sofrido assaltos da parte de seus inimigos e estava alquebrado. Ele estava decompondo-se e necessitava de ajuda urgente. Ele precisava da *proteção* divina, ou não viveria para ver a luz de outro dia. As tribulações enfrentadas apresentavam certa variedade, pelo que o hino serviria a diversas situações e, assim sendo, era apropriado para a liturgia do templo. Devemos relembrar que o saltério era o manual de hinos de Israel. O salmista clamou desde "os confins da terra", ou seja, possivelmente, do exílio. Mas essas palavras poderiam indicar algum lugar distante de Jerusalém, mas ainda assim na Terra Prometida. A oração pelo rei (vs. 6) indica uma data anterior ao exílio.

Subtítulo. O subtítulo é o seguinte: "Ao mestre de canto. Com instrumentos de corda. De Davi". Temos aqui um subtítulo quase idêntico ao do Salmo 55, pelo que o leitor deve buscar informações ali. Mas o Salmo 55 contém a palavra hebraica adicional, *masquil*, "instrução". Note o leitor a palavra hebraica *neginah*, forma singular da palavra hebraica *neginoth*, que figura no Salmo 55. Talvez o Salmo 61 devesse ser acompanhado por um único instrumento, ao passo que o Salmo 55 era acompanhado por diversos instrumentos musicais.

■ **61.1** (na Bíblia hebraica corresponde ao **61.1,2**)

לַמְנַצֵּחַ עַל־נְגִינַת לְדָוִד׃

שִׁמְעָה אֱלֹהִים רִנָּתִי הַקְשִׁיבָה תְּפִלָּתִי׃

Ouve, ó Deus, a minha súplica. Este salmo começa como a maior parte dos salmos de lamentação, levantando um clamor a Deus e invocando-o para que *ouça*. Ver Sl 60.5, quanto a detalhes do apelo para Deus "ouvir". Deus é aqui retratado como um Ser capaz de ouvir e compreender, pois o poeta utilizou termos antropomórficos. Ver no *Dicionário* o artigo chamado *Antropomorfismo*. Ver também ali os artigos denominados *Via Negationis* e *Via Eminentiae*, quanto a maneiras de descrever a Deus. Visto estarmos limitados a uma linguagem humana defeituosa, atribuímos a Deus nossas características e emoções (ver no *Dicionário* o verbete chamado *Antropopatismo*). Compreendemos que o Criador continua presente em sua criação, e que ele tanto recompensa quanto pune, intervindo na história humana. Ver no *Dicionário* o verbete chamado *Teísmo*. Ver, igualmente, a ideia oposta, a do *deísmo*, segundo a qual Deus abandonou sua criação e a deixou entregue às leis naturais. O clamor deste salmo é uma *oração*, e o salmista pediu a Elohim (o Poder) que ouvisse e respondesse à sua prece.

"Temos aqui a oração de um israelita que vivia distante de seu país e declarou, nos termos mais simples possíveis que, a despeito de seu banimento, não se sentia afastado de Deus nem privado da proteção divina" (Ellicott, *in loc.*).

■ **61.2** (na Bíblia hebraica corresponde ao **61.3**)

מִקְצֵה הָאָרֶץ אֵלֶיךָ אֶקְרָא בַּעֲטֹף לִבִּי בְּצוּר־יָרוּם
מִמֶּנִּי תַנְחֵנִי׃

Desde os confins da terra clamo por ti. Possivelmente, o salmista estava fora da Terra Prometida. Talvez ele estivesse no exílio. Mas o vs. 6 indica uma data pré-exílica, pelo que a frase poderia significar "de algum lugar na Palestina, distante da capital, Jerusalém". Seja como for, o homem que "estava distante" levantou uma oração, por estar em dificuldades e carecer da ajuda divina. O Poder se manifestava em Jerusalém, mas também poderia manifestar-se em qualquer lugar da terra.

> *Com tremendos feitos nos respondes em tua justiça, ó Deus, Salvador nosso, esperança de todos os confins da terra.*
> Salmo 65.5

No abatimento do meu coração. O homem sentia-se perturbado por tribulações e inimigos ferozes, que ele não identificou. Seu coração (o homem interior, o ser essencial) tinha sido afetado. Ele estava prestes a desmaiar.

Leva-me para a rocha que é alta demais para mim. Ver sobre Deus como a Rocha, em Sl 42.9. O homem precisava ser elevado acima do vale do desespero, que era abalado pelos ventos uivantes e posto em um pico de esperança, bem distante do temor.

> Oh, segura pela Rocha que é mais alta do que eu,
> Minha alma, em seus conflitos e tristezas, voaria.
> Tão pecaminoso, tão exausto, teu, teu, eu seria.
> Tu, bendita Rocha dos Séculos, oculto-me em ti.

Este versículo tem sido interpretado como uma alusão à soltura dos judeus do cativeiro babilônico, por decreto de Ciro, rei da Pérsia. Os pais da Igreja faziam dessa Rocha o Cristo, pois ele é a Rocha elevada para todos os povos. Ver 1Co 10.4, quanto à figura simbólica no Novo Testamento.

"Uma rocha altaneira é o símbolo da segurança, a qual não pode ser obtida sem a ajuda divina" (Ellicott, *in loc.*). Se o salmista pudesse estar em Jerusalém, no monte do Senhor, então ele estaria seguro das tribulações que agora o afligiam naquela terra distante.

■ **61.3** (na Bíblia hebraica corresponde ao **61.4**)

כִּי־הָיִיתָ מַחְסֶה לִי מִגְדַּל־עֹז מִפְּנֵי אוֹיֵב׃

Refúgio. Quanto a esta figura simbólica, ver Sl 46.1.

Torre forte. Ou seja, fora de alcance do inimigo. Cf. Sl 15.1 e 27.4. O poeta sacro empregou termos militares e mencionou as construções que ofereciam segurança em batalha. Certo número de torres fortes rodeava Jerusalém, e todas as cidades fortificadas contavam com torres. Ver no *Dicionário* o artigo intitulado *Torre*, quanto a uma explicação geral a respeito. Algumas dessas torres eram pequenas fortificações, difíceis de capturar, que serviam de base para o lançamento de mísseis. Elas também permitiam que a guarnição visse a aproximação do inimigo a grande distância, dando-lhes tempo para resistir ao ataque.

O Senhor é a nossa torre forte (ver Pv 18.10). Deus é a nossa torre de proteção (Sl 22.3,51; 18.2; 61.3). Os ministros da Palavra de Deus são metaforicamente comparados a torres (ver Jr 6.27). Contando Deus como a sua torre, um homem estava a salvo dos inimigos, e essa era a necessidade do momento. Temos aqui, literalmente, "da face do inimigo", face cheia de ódio e inclinada à violência. A vida do poeta corria perigo. Ele precisava de poder para espantar os adversários.

■ **61.4** (na Bíblia hebraica corresponde ao **61.5**)

אָגוּרָה בְאָהָלְךָ עוֹלָמִים אֶחֱסֶה בְסֵתֶר כְּנָפֶיךָ סֶּלָה׃

Assista eu no teu tabernáculo para sempre. As tendas construídas pelos homens, feitas de peles de animais, eram portáteis. Embora um pouco mais sólido, o tabernáculo de Israel era uma construção portátil e não oferecia grande segurança ou defesa. Essa era a "igreja portátil" de Israel. O salmista pensava em termos da *tenda de Deus* (a sua moradia celeste), um lugar de segurança absoluta. Nenhum inimigo estrangeiro ousaria aproximar-se da habitação de Deus. O salmista pensava em termos de "para sempre", ou, pelo menos, enquanto perdurasse a sua vida física. Ele não sofreria morte prematura, tão temida pelos hebreus. A alusão mais provável é a Sião, onde o tabernáculo fora substituído pelo templo, em um lugar bem distante da terra do poeta sagrado.

> *... e habitarei na casa do Senhor para todo o sempre.*
> Salmo 23.6

Estas palavras fazem-nos entender um exílio, provavelmente durante o cativeiro babilônico.

> *Às margens dos rios de Babilônia nós nos assentávamos e chorávamos.*
> Salmo 137.1

No entanto, o vs. 6 deste salmo não parece adaptar-se bem a essa ideia.

No esconderijo das tuas asas eu me abrigo. Quanto à figura de estar em segurança nas *asas divinas*, ver sobre as "asas de proteção" em Sl 17.8 e 36.7. Ver também no *Dicionário* o verbete intitulado *Asa*, onde há informações adicionais. Como um filhote de pássaro é encoberto pelas asas de sua mãe, e ali descansa pacífico, assim a minha alma repouse em ti, ó Deus. Lá em cima, em algum pico elevado, muito acima dos temporais da vida, deixa-me experimentar tua proteção e teus cuidados. Embora as tempestades da vida me ameacem, fica perto de mim!

> O Senhor é a nossa Rocha, nele me refugio,
> Um abrigo em tempo de temporal;
> Seguro sem importar o que aconteça,
> Um abrigo em tempo de temporal.
> ...
> Jesus é a Rocha, em uma terra cansada,
> Uma terra cansada, uma terra cansada.
> Oh, Jesus é uma Rocha em uma terra cansada,
> Um abrigo em tempo de temporal.
>
> Vernon J. Charlesworth

■ **61.5** (na Bíblia hebraica corresponde ao **61.6**)

כִּי־אַתָּה אֱלֹהִים שָׁמַעְתָּ לִנְדָרָי נָתַתָּ יְרֻשַּׁת יִרְאֵי
שְׁמֶךָ׃

Pois ouviste, ó Deus, os meus votos. *O pobre homem*, em meio aos perigos que o cercavam, fez votos a Deus: "Oh, Senhor, se me tirares desta dificuldade, eu...". Ver no *Dicionário* o artigo chamado *Voto*. Em muitos salmos de lamentação, vemos os autores sagrados fazendo votos a Deus, para encorajar a sua ajuda. Eram feitos votos, e então eram dadas ações de graças no templo de Jerusalém. Hinos eram entoados, instrumentos musicais eram tocados e sacrifícios apropriados eram oferecidos. O poeta, que estava muito distante do templo, não seria capaz de participar de seus ritos, mas faria o melhor ao seu alcance, com a ajuda de seu altar particular e talvez com o auxílio de um levita que também perambulasse por ali. A questão dos votos volta a ser mencionada no vs. 8. Os votos eram levados muito a sério em Israel, algumas vezes atingindo um ponto *irracional*. Jefté, um dos juízes de Israel, fez um voto precipitado e terminou sacrificando sua filha única por causa disso. Ver sobre *Jefté* no *Dicionário*. Ver Jz 11.1—12.7, quanto ao relato bíblico. O poeta sagrado não chegou a ser um insensato, tal como foi Jefté. Ele fez um voto legítimo, e haveria de cumpri-lo sem misturá-lo a atos tolos.

E me deste a herança. É provável que a herança referida neste versículo seja a longa vida que Yahweh prometeu aos que nele confiam. Ver sobre como a guarda da lei mosaica dava longa vida: Dt 4.1; 5.33; 6.2 e Ez 20.1. Ver também Pv 10.27 e 19.23. Note o *temor do Senhor* como instrumento desse benefício divino. Ver no *Dicionário* o verbete intitulado *Temor*.

O temor do Senhor prolonga os dias da vida, mas os anos dos perversos serão abreviados.
Provérbios 10.27

Mas a referência pode ser mais geral, em alusão aos benefícios recebidos por um israelita, um membro do povo que estava relacionado com Deus mediante a aliança do Antigo Testamento. A ele cabia a herança provida pelo *pacto abraâmico* (ver as notas expositivas a respeito, em Gn 15.18). Ou então está especificamente em mira a *terra de Canaã*, se é que o salmista estava exilado na Babilônia e esperava voltar à Terra Prometida. Mas o que está especificamente em vista aqui é uma *longa vida*, conforme podemos subentender no vs. 6. Este versículo tem sido cristianizado para falar sobre a *vida eterna*, mas não era isso que estava na mente do poeta sacro.

INTERCESSÃO PELO REI (61.6,7)

■ **61.6,7** (na Bíblia hebraica corresponde ao **61.7,8**)

יָמִים עַל־יְמֵי־מֶלֶךְ תּוֹסִיף שְׁנוֹתָיו כְּמוֹ־דֹר וָדֹר׃

יֵשֵׁב עוֹלָם לִפְנֵי אֱלֹהִים חֶסֶד וֶאֱמֶת מַן יִנְצְרֻהוּ׃

Dias sobre dias acrescentas ao rei. Se a vida do rei fosse prolongada, outro tanto sucederia ao seu reinado. E se o seu reino fosse prolongado, então a vida dos fiéis que ali vivessem também o seria. Os hebreus se distinguiam dos pagãos como aqueles que *temiam a Yahweh*, e daí derivavam-se benefícios distintivos. Quanto a Israel como nação *distinta* de outros povos, por possuir a legislação mosaica e a ela obedecer, ver Dt 4.4-8.

Este versículo parece anular a ideia de que o salmo é da época do exílio na Babilônia, ou seja, escrito durante o cativeiro babilônico, por alguém que estivesse ali exilado (ver o vs. 2) e ansiasse por voltar a Jerusalém. Além disso, a referência no vs. 4 ao *tabernáculo* (que provavelmente enfoca o templo de Jerusalém) tem o mesmo efeito.

A Oração pelo Rei. 1. Que ele tivesse uma longa vida, acima dos anos que Deus tinha originalmente alocado para ele. Cf. 2Rs 20.6. Vs. 6. Ele teria seus "dias marcados", e, além desses, outros em acréscimo. 2. Que seu reinado nunca terminasse, seja por algum inimigo estrangeiro seja por morte prematura. Vs. 7. 3. Que ele sempre governasse na presença de Deus, ou seja, em consonância com a sua lei e, então, reinasse inspirado pela presença divina, seja no templo seja em suas experiências místicas. Ver sobre o *Misticismo*, no *Dicionário*. Vs. 7. 4. Que os dois *guardiães de Deus*, a *bondade* e a *fidelidade*, sempre cuidassem dele e, através dele, do povo de Israel. Vs. 7.

Esta oração é uma espécie de declaração oriental extravagante, que, em teoria, não reconhecia a mortalidade do rei e a natural fraqueza humana com todas as suas limitações. Cf. Sl 72.5. Cf. a oração dirigida ao deus-sol, cujo filho seria Faraó: "Conserva Faraó, nosso bom senhor, com saúde! Que ele celebre milhões de jubileus" (do livro de Erman, *Die Religion der Agypter*, págs. 198, 202).

"A misericórdia e a verdade são *ministros* de Deus, nomeados e enviados por ele (Sl 57.3)" (Fausset, *in loc*.).

"*Mediador*, seus auxiliares serão sempre a *misericórdia* e a *verdade*. Ele dispensaria a misericórdia de Deus e assim cumpriria a verdade de várias promessas e predições" (Adam Clarke, *in loc*., que fazia essa declaração tornar-se messiânica.

■ **61.8** (na Bíblia hebraica corresponde ao **61.9**)

כֵּן אֲזַמְּרָה שִׁמְךָ לָעַד לְשַׁלְּמִי נְדָרַי יוֹם יוֹם׃

Assim salmodiarei ao teu nome para sempre. Se Elohim atendesse à oração do exilado, ou à oração daquele pobre homem "lá fora", em algum lugar remoto da Palestina, o salmista entoaria louvores ao nome de Deus e cumpriria os votos que tinha feito. Para obter o pleno sentido destas palavras, temos de retroceder até antes da oração pelo rei, encontrando o salmista ainda em tribulação. Se Deus tirasse o homem de sua tribulação e cumprisse os seus desejos (o que seria benéfico para todos), ele estaria ansioso para publicar o que fora feito, mediante sacrifícios públicos. Ele faria promessas e votos (ver no *Dicionário* o artigo intitulado *Voto*). E teria o cuidado de cumprir cada palavra proferida. Tendo sido beneficiado, ele louvaria e serviria ao Benfeitor.

O Targum acrescenta: "... no dia da redenção de Israel e no dia em que o Rei Messias será ungido, para que reine".

SALMO SESSENTA E DOIS

Quanto a *informações gerais* que se aplicam a todos os salmos, ver a introdução ao Salmo 4, onde apresento *sete* comentários que elucidam a natureza do livro. Quanto às *classes* dos salmos, ver o gráfico no início do comentário sobre o livro, que atua como uma espécie de frontispício da coletânea. Ali dou dezessete classes e listo os salmos pertencentes a cada uma delas.

Este é um *salmo de confiança* especial. Cf. Sl 11, 16, 23, 27 e 131. A nota dominante é a confiança no Senhor. Os salmos de confiança exprimem a esperança na capacidade de Deus para ajudar seu povo em cada uma de suas necessidades. Yahweh, em seu trono, dispõe de recursos ilimitados e de grande reputação em cuidar daqueles que nele confiam. Talvez alguns desses salmos se tenham originado nos salmos de lamentação, visto que os *encerramentos* de muitos deles são similares àqueles. Porém, faltando-lhe a dor profunda expressa nos salmos de lamentação, estes salmos, do começo ao fim, parecem mais cheios de esperança e foram escritos com uma nota mais elevada de confiança. Falta-lhes o amargor de que se revestem muitos dos salmos de lamentação, e eles certamente não têm as imprecações dos primeiros. No entanto, este salmo tem dois versículos (ver os vss. 3 e 4) similares aos dos salmos de lamentação, e, por causa disso, alguns estudiosos o incluem nessa categoria. Alguns eruditos pensam que esses versículos eram a abertura original do salmo presente, que foi abrandado por algum editor posterior, mediante a adição dos vss. 1 e 2. Nesse caso, o Salmo 62 era originalmente um puro salmo de lamentação.

Os vss. 8-12 são similares aos *salmos de sabedoria*. A essência do ensino ali é que os homens, por sua própria natureza, são uma ninharia, apenas *um sopro*. As riquezas materiais ganhas pelos homens, embora através de labuta prolongada, são apenas *ilusão*. Somente Deus é verdadeiramente rico e permanente, e ele trata com os homens de acordo com aquilo que merecem. O salmista reivindicou ter recebido revelações da parte de Deus quanto ao que dizia e de ter sido inspirado por mais de uma vez. Cf. isso com 1Co 2.13.

Subtítulo. Temos, no presente caso, o seguinte subtítulo: "Ao mestre de canto. Segundo a melodia de Jedutum. De Davi". "Parece que Asafe, Jedutum e Hemã eram os principais cantores no tempo de Davi" (Adam Clarke, *in loc*.). "Jedutum, um levita um dos cantores principais e instrutor" (*Scofield Reference Bible*, introdução ao Salmo 39, que tem o mesmo subtítulo que este salmo). Ver as notas expositivas ali. Ver 1Cr 9.16; 16.38,41,42; 25.1,3-6; 2Cr 5.12; Ne 11.17. Ver também Salmo 77, onde aparecem idênticas notas de introdução, mas Asafe substitui Davi. Tal informação foi suprida por editores posteriores e não tem nenhuma autoridade canônica, pois os subtítulos não faziam parte das composições originais.

Adam Clarke (*in loc*.), que não acreditava no uso de instrumentos musicais na igreja, queixou-se da *atmosfera de casa de brinquedos* trazida à igreja e pelo uso de tais instrumentos, inclusive tambores. E finalizou observando: "Longe de nós sejam tal poluição e tal sonido de trombetas na adoração da igreja de Cristo". O dr. Clarke apreciava a boa música na igreja. Ele foi amigo pessoal de João e Carlos Wesley.

A ALMA DO POETA ESPERAVA EM DEUS (62.1,2)

■ **62.1** (na Bíblia hebraica corresponde ao **62.1,2**)

לַמְנַצֵּחַ עַל־יְדוּתוּן מִזְמוֹר לְדָוִד׃

אַךְ אֶל־אֱלֹהִים דּוּמִיָּה נַפְשִׁי מִמֶּנּוּ יְשׁוּעָתִי׃

Somente em Deus, ó minha alma, espera silenciosa. A ideia dessa "espera" é uma confiança total. O poeta estava pronto para aceitar o que quer que viesse da mão divina, mas também estava certo de que o que viesse seria tanto justo como bom para ele. Ele não tinha pensamentos mórbidos sobre o julgamento divino, em atos irracionais e enigmáticos. Olhava com confiança para o grande Benfeitor. A experiência lhe havia ensinado que a oração funciona, pelo que ele continuava orando. Diz aqui o original hebraico, literalmente:

"Diante de Deus fica silenciosa, ó minha alma". O salmista não estava desassossegado nem agitado. Ele não estava ansioso. Sua fé tinha lançado fora o medo.

Dele vem a minha salvação. Quanto a esta última palavra, ver os vss. 2 e seguinte. "... Ele esperava as respostas de suas orações: pela concretização das promessas divinas; pelo livramento das mãos de seus inimigos; pela isenção de toda tribulação. E sua alma deveria esperar em *silêncio* (conforme diz o Targum), o que não diz respeito às suas orações, como se ele as proferisse em voz baixa. Pelo contrário, ele não murmurava em desconfiança, mas paciente e tranquilamente esperava a salvação de Deus, até que chegasse o tempo de o Senhor intervir" (John Gill, *in loc.*). Sua alma repousava somente em Deus (vs. 5).

> O tempo santo é tranquilo como uma freira,
> Que nem respira em adoração.
>
> Wordsworth

■ **62.2** (na Bíblia hebraica corresponde ao **62.3**)

אַךְ־ה֣וּא צ֭וּרִי וִֽישׁוּעָתִ֑י מִ֝שְׂגַּבִּ֗י לֹא־אֶמּ֥וֹט רַבָּֽה׃

Só ele é a minha rocha. Quanto a esta figura simbólica, ver Sl 42.9.

E a minha salvação. Quanto a Elohim (ou Yahweh), chamado aqui de "minha salvação", aquele que provê salvação, ver Sl 3.8; 9.14; 18.46; 38.22; 50.23; 62.1,7; 64.29; 79.9; 85.4; 119.24; 140.7 e 149.4. Não está em vista a salvação evangélica e, sim, salvação de perigos físicos, bem como a participação nos benefícios do pacto. Ver no *Dicionário* o artigo chamado *Pactos*, e ver sobre o *Pacto Abraâmico* em Gn 15.18. Portanto, no Antigo Testamento, a salvação tem um aspecto negativo (livramento de perigos físicos ou da morte) e um aspecto positivo (participação nas vantagens de ser um hebreu e possuir a lei e tudo quanto ela provia). Quanto a essa ideia, ver as anotações de sumário, em Sl 1.2.

O meu alto refúgio. Em lugar desta frase, a *Revised Standard Version* diz *fortaleza*. Quanto a Deus como uma *torre forte*, ver Sl 61.3.

Não serei muito abalado. Quanto a esta figura de linguagem, ver Sl 55.22. O salmista colocou essas declarações dentro de um contexto militar. O autor sagrado tinha muitos inimigos, internos e externos, materiais e espirituais, e Elohim cuidou de todos eles.

O "alto refúgio" do texto presente é a mesma "torre forte" de outros textos, o que contrasta com a "parede pendida", mencionada no versículo seguinte.

As metáforas se multiplicavam para mostrar a convicção do salmista de que as defesas invencíveis de Deus estavam postas em defesa dele. O homem não podia ser *abalado*, provavelmente modificado por um editor para "não serei muito abalado", dando assim espaço para as tribulações naturais e criadas pelos homens, que ocasionalmente nos atingem. O vs. 3 mostra que, algumas vezes, o homem era abalado, tornando-se semelhante a uma parede ou cerca pendente.

■ **62.3** (na Bíblia hebraica corresponde ao **62.4**)

עַד־אָ֤נָה ׀ תְּהֽוֹתְת֣וּ עַל־אִישׁ֮ תְּרָצְּח֢וּ כֻּלְּכֶ֥ם כְּקִ֥יר נָט֑וּי גָּ֝דֵ֗ר הַדְּחוּיָֽה׃

Até quando acometereis vós a um homem. Um homem *inabalável* algumas vezes deixava-se abalar pelo problema do mal, tanto pelo *mal moral* (o que homens malignos podem fazer contra os outros, o que depende de uma má vontade humana), quanto pelos abusos produzidos pela natureza, como os desastres naturais, a enfermidade e a morte. Esse tipo de mal é chamado *mal natural*. Ver sobre o *Problema do Mal* no *Dicionário*. Essas coisas certamente nos abalam, mas, na força e no poder de Deus, somos vitoriosos no fim de cada provação. Portanto, ficamos abalados ocasionalmente, mas não de forma *permanente*.

Acometereis. Isto é, deixareis abalado. Uma parede pendente e uma parede que balança são as metáforas usadas para descrever como o homem inabalável (ou quase inabalável) fica realmente abalado em certas ocasiões. A parede que pende é comum nas metáforas de origem oriental, indicando situações de teste que podem ter resultados desastrosos. Há um provérbio oriental que diz: "Pela opressão do chefe, o povo daquela aldeia tornou-se como uma *parede arruinada*". Assim também, no presente texto, os "inimigos do homem" aproximam-se dele para completar a ruína que parece iminente. Ele é como uma parede que baloiça, ou seja, está quase derrubado, diante dos ataques de seus adversários" (William R. Taylor, *in loc.*).

> ... esta maldade vos será como a brecha de um muro alto, que, formando uma barriga, está prestes a cair, e cuja queda vem de repente, num momento.
>
> Isaías 30.13

■ **62.4** (na Bíblia hebraica corresponde ao **62.5**)

אַ֤ךְ מִשְּׂאֵת֨וֹ ׀ יָעֲצ֣וּ לְהַדִּיחַ֮ יִרְצ֪וּ כָ֫זָ֥ב בְּפִ֥יו יְבָרֵ֑כוּ וּ֝בְקִרְבָּ֗ם יְקַלְלוּ־סֶֽלָה׃

Só pensam em derrubá-lo da sua dignidade. O *homem piedoso* é exaltado na sociedade por causa de sua bondade, e acha-se em elevada posição, com toda a razão. Os invejosos planejam derrubá-lo e destruí-lo. Para isso, mentem e caluniam, e se deleitam em tais crimes, porque essas atitudes procedem de seu coração, fazem parte natural deles. São uns hipócritas, porquanto abençoam com a boca, diante do homem, mas, por trás, mostram-se cortantes e deprimentes. A boca deles está cheia de maldições e amargura, e o poeta era o objeto de suas tiradas amargas. Com essas táticas, eles reduzem o homem a uma parede pendente, prestes a ser arruinada. Provavelmente o que encontramos aqui é a conspiração contra um homem, posto em elevado ofício. As armas da mentira e da duplicidade são usadas contra ele. Ver no *Dicionário* os artigos chamados *Mentira (Mentiroso)* e *Hipocrisia*. Ver também ali o verbete intitulado *Linguagem, Uso Apropriado da*. Forneço notas expositivas adicionais e ilustrações em Sl 5.9; 12.2; 15.3; 17.3; 34.12; 35.28; 36.3; 39.9 e 55.21.

"Isso não descreve uma derrota. O poeta havia predito que a parede seria abalada, e, dessa maneira, protegeu sua alma do primeiro abalo" (J. R. P. Sclater, *in loc.*).

> São muitos os que dizem de mim: Não há em Deus salvação para ele.
>
> Salmo 3.2

■ **62.5,6** (na Bíblia hebraica corresponde ao **62.6,7**)

אַ֣ךְ לֵ֭אלֹהִים דּ֣וֹמִּי נַפְשִׁ֑י כִּי־מִ֝מֶּ֗נּוּ תִּקְוָתִֽי׃

אַךְ־ה֣וּא צ֭וּרִי וִישׁוּעָתִ֑י מִ֝שְׂגַּבִּ֗י לֹ֣א אֶמּֽוֹט׃

Somente em Deus, ó minha alma, espera silenciosa. O salmista falava consigo mesmo a fim de encorajar-se sob o ataque. Seu homem interior remetia-o a Deus, para nele encontrar ajuda. Sua alma esperava em Deus, silenciosamente, e sua esperança firmava-se nele. Os vss. 5-7 são, essencialmente, repetição dos vss. 1 e 2, onde já dei a maior parte da exposição. Vs. 1 = vs. 5; vs. 2 = vs. 6. O vs. 7 é um ligeiro refraseado do vs. 2 e adiciona que Deus é a *glória* do homem.

■ **62.7** (na Bíblia hebraica corresponde ao **62.8**)

עַל־אֱ֭לֹהִים יִשְׁעִ֣י וּכְבוֹדִ֑י צוּר־עֻזִּ֥י מַ֝חְסִ֗י בֵּֽאלֹהִֽים׃

De Deus depende a minha salvação. Estas palavras reiteram o que vimos no vs. 2, onde há detalhada nota expositiva.

E a minha glória. Ou "honra" (*Revised Standard Version*). O homem fora guindado por Deus até sua elevada posição, porquanto merecia ser mantido nesse estado de exaltação, devido às suas excelentes qualidades. Visto ser dotado de uma alma honrada, ele era honrado na sociedade humana, e Deus era o poder por trás dos louvores que lhe eram prestados. "Deus era o autor de sua glória temporal, honra e dignidade, e também de toda a sua glória espiritual... a retidão em Cristo... na esperança da *glória eterna*" (John *Gill, in loc.*).

> Tu, Senhor, és o meu escudo, és a minha glória, e o que exaltas a minha cabeça.
>
> Salmo 3.3

A minha forte rocha. Quanto a Deus como a *Rocha*, ver exposição em Sl 42.9. Essa é outra repetição do que diz o vs. 2, onde ofereço outras notas expositivas.

E o meu refúgio. Quanto a esta metáfora, ver Sl 46.1.

■ **62.8** (na Bíblia hebraica corresponde ao **62.9**)

בִּטְח֬וּ ב֨וֹ בְכָל־עֵ֡ת עָ֤ם שִׁפְכֽוּ־לְפָנָ֥יו לְבַבְכֶ֑ם אֱלֹהִ֖ים
מַחֲסֶה־לָּ֣נוּ סֶֽלָה׃

Confiai nele, ó povo, em todo tempo. O salmista, que confiava pessoalmente em Deus e nele esperava silenciosamente (vss. 1 e 6), agora recomenda que todos tenham a mesma atitude. Ele era uma espécie de oficial que deixou registrado o seu exemplo.

Veja o leitor como a palavra "confiar" é usada em Sl 2.12.

Derramai perante ele o vosso coração. O primeiro sentido, aqui, é de uma *súplica intensa*. O *coração* é o homem interior, o *ser essencial*, e derramá-lo é uma figura de oração intensa. Além disso, podemos ter aqui a imagem de um vaso que era derramado (1Sm 1.15; Lm 2.19; 1Pe 5.7), a fim de ser novamente cheio. As graças divinas encheriam o coração esvaziado, e haveria ótimas respostas às orações. "As lições experimentadas pelo salmista eram agora destacadas para encorajamento e consolo de toda a congregação.... A substância do ensino, em uma palavra, é Deus como um refúgio" (William R. Taylor, *in loc.*).

Deus é o nosso refúgio. Ver o vs. 7, quanto à ideia do "refúgio" e também Sl 46.1, onde são oferecidas as notas expositivas principais. Os homens nascem para a tribulação, como as fagulhas sobem para o céu (Jó 5.7), pelo que não somente o salmista, mas também *todo* o povo de Israel, precisava de Deus para encontrar refúgio, defesa, uma torre alta, fortaleza, asas protetoras, a Rocha — expressões simbólicas comuns nos salmos. A essa lista, o poeta adicionou no vs. 7 a ideia de *glória* (honra).

■ **62.9** (na Bíblia hebraica corresponde ao **62.10**)

אַ֤ךְ ׀ הֶ֥בֶל בְּנֵֽי־אָדָם֮ כָּזָ֪ב בְּנֵ֫י אִ֥ישׁ בְּמֹאזְנַ֥יִם לַעֲל֑וֹת
הֵ֝֗מָּה מֵהֶ֥בֶל יָֽחַד׃

Somente vaidade são os homens plebeus. Começam aqui versículos que soam como a literatura de sabedoria dos hebreus, da qual participam os Salmos 1, 34, 36, 37, 39, 73, 91, 96, 97, 112, 127, 128 e 133. Alguns desses salmos classificam-se também em outras categorias, como é caso do salmo presente. O poeta parou para pensar acerca da frivolidade do homem, sem importar se ele pertencia às classes altas ou humildes da sociedade. Os das classes *baixas* não valiam mais do que um *sorvo de ar*. E os que ocupavam posições elevadas eram apenas *ilusão*. E então, quando ambas as classes eram pesadas na balança, nada pesavam, isto é, "subiam na balança", o que significa que eram mais leves que um sopro de vento.

Os inimigos do salmista eram homens desse naipe, dotados de pequena importância e pouca consideração, e Deus cuidaria para que fossem humilhados por haverem perseguido a um homem bom. A *humilhação* mostraria claramente o seu pequeno valor.

Pesado foste na balança, e achado em falta.

Daniel 5.27

"Homens comuns não podiam prestar nenhuma ajuda. Eles são apenas *vaidade*. É loucura confiar neles. Pois, embora se mostrem cheios de boa vontade, eles não têm capacidade de ajudar a quem quer que seja. Os ricos são *uma mentira*. Eles prometem muito, mas realizam quase nada. Despertam esperança, mas essa esperança é apenas um escárnio. Ponham-se ambos numa balança, com a verdade no outro prato, e será visto que eles nada pesam" (Adam Clarke, *in loc.*). O poder pertence somente a Deus (vs. 11), pelo que, em qualquer necessidade, olhemos somente para ele.

O salmista advertiu que é tolice confiar no homem. Ele descreveu quão transitória e frágil é a vida humana. Os homens são tão insignificantes que nem ao menos podem fazer a balança pender na direção deles.

■ **62.10** (na Bíblia hebraica corresponde ao **62.11**)

אַל־תִּבְטְח֣וּ בְעֹשֶׁק֮ וּבְגָזֵ֪ל אַל־תֶּ֫הְבָּ֥לוּ חַ֑יִל כִּֽי־יָנ֑וּב
אַל־תָּשִׁ֥יתוּ לֵֽב׃

Não confieis naquilo que extorquis. Provavelmente estão em vista aqui homens de *elevada posição*, porquanto confiavam na opressão dos mais fracos, através da qual obtinham poder e dinheiro. Mostravam-se ativos na *extorsão,* usando seu poder para ameaçar e subjugar a outros. Eles se rebaixavam ao *furto* e não se importavam em matar para obter vantagens materiais e para se divertir. Eles punham o coração nas riquezas. O poeta, pois, convocou os homens a não seguir o mau exemplo dos ricos e poderosos, porque, além de esse ato implicar *iniquidade,* pela qual os homens têm de pagar, finalmente, o que eles ganham com tudo isso realmente redunda em *nada*. Portanto, para que pagar tão caro por algo que não produz resultado algum, no final das contas? O homem comum, uma vez oprimido, deve esperar a ajuda de Deus e nele obter livramento, quando cair em qualquer espécie de provação (vs. 11).

É provável que o salmista, sendo ele mesmo um homem em elevada posição, mas não através de atos duvidosos, tenha tentado obter o apoio de outras pessoas à sua causa contra os opressores; e, assim sendo, este versículo provavelmente é de natureza *política*, e não apenas espiritual. Ele prometeu a seus possíveis apoiadores a bênção divina, caso eles tomassem as decisões certas.

As riquezas são especialmente enganadoras, pelo um homem fará bem em não permitir que seu coração anele por elas.

Exorta aos ricos do presente século que não sejam orgulhosos, nem depositem a sua esperança na instabilidade da riqueza, mas em Deus que tudo nos proporciona ricamente para nosso aprazimento.

1Timóteo 6.17

Cf. esta parte do versículo, igualmente, com Pv 11.28; 23.5 e 27.24.

"... todos os opressores chegam a um mau fim, e toda a propriedade adquirida pela injustiça carrega a maldição de Deus sobre ela" (Adam Clarke, *in loc.*). Ver Lc 12.15,16. Ver no *Dicionário* o artigo intitulado *Riquezas,* onde forneço amplos comentários e ilustrações.

Buscai, pois, em primeiro lugar, o seu reino e a sua justiça, e todas estas cousas vos serão acrescentadas.

Mateus 6.33

■ **62.11** (na Bíblia hebraica corresponde ao **62.12**)

אַחַ֤ת ׀ דִּבֶּ֬ר אֱלֹהִ֗ים שְׁתַּֽיִם־ז֥וּ שָׁמָ֑עְתִּי כִּ֥י עֹ֝֗ז לֵאלֹהִֽים׃

Uma vez falou Deus. A *fonte originária* das verdadeiras riquezas, da proteção, da ajuda e da força para qualquer tarefa ou empreendimento, reside exclusivamente em Deus, pois ele é o Elohim (o Poder).

Falou Deus. Talvez tenhamos aqui uma referência literária. Deus falou em algum livro sagrado, ou em algum provérbio inspirado. Ou então o poeta sacro reivindicava inspiração pessoal para o que escrevia, assegurando que essa não era a primeira vez em que era usado como instrumento de Deus, por meio de revelação. Cf. 1Co 2.13. Sócrates pensava que os poetas podiam ser inspirados, mas queixou-se de que quase qualquer um sabe o que os autores estão tentando dizer, mais do que os próprios autores. Mas a inspiração do poeta ficava aquém da inspiração divina. O poeta reivindicou *isso*. Seja como for, "uma inspiração divina, dada por mais de uma vez, reveste-se de peso especial. O conteúdo dessa revelação não consiste em duas ou mais coisas separadas, mas em uma só: a onipotência e a bondade de Deus, que trabalham juntas para o bem do homem. Se alguns escritores de sabedoria (por exemplo, Jó e o autor do livro de Eclesiastes) questionavam essa máxima, ou seja, a *invariabilidade* do governo da *Providência de Deus,* essa ideia nunca deixou de ser um artigo de fé dos círculos ortodoxos. Cf. Lc 13.1-5" (William R. Taylor, *in loc.*). Ver sobre *Lei Moral da Colheita segundo a Semeadura,* no *Dicionário.*

O Targum, não querendo admitir que o poeta tivesse sua própria inspiração particular, diz aqui: "Por duas vezes ouvi da boca de Moisés, o grande mestre... etc." Cf. Dt 28.1-68.

Uma vez... duas vezes. Provavelmente essas palavras significam "vezes repetidas". "A união do poder e do amor é provada ao poeta pela retidão e justiça de Deus" (Ellicott, *in loc.*).

■ **62.12** (na Bíblia hebraica corresponde ao **62.13**)

וּלְךָֽ־אֲדֹנָ֥י חָ֑סֶד כִּֽי־אַתָּ֥ה תְשַׁלֵּ֗ם לְאִ֣ישׁ כְּֽמַעֲשֵֽׂהוּ׃

E a ti, Senhor, pertence a graça. Ademais, o poder e a misericórdia (a benignidade) pertencem somente a Deus. As demais fontes são falsas, pois não passam de imitações. Através de seu poder e de sua benignidade, Deus faz bem no mundo, sempre recompensando ou punindo os homens, de acordo com o que cada um merece. Portanto, temos aqui uma assertiva das operações da lei da semeadura e da colheita, sem questionamentos e sem levantar dúvidas e exceções, conforme fez Jó. Ver no *Dicionário* o artigo chamado *Providência de Deus*. "A misericórdia de Deus não é uma indulgência indiscriminada a todos, antes é uma misericórdia discriminadora; uma misericórdia inteiramente justa, harmônica com a natureza de Deus. Ele se mostra misericordioso para com os misericordiosos (Mt 5.7), e vingativo para com os opressores destituídos de misericórdia (vss. 3 e 4; Rm 2.6 e Ap 22.12)" (Fausset, *in loc.*).

O comentário acima é bom. Mas precisamos lembrar que o julgamento divino é remediador, e não apenas retributivo. Misericórdia, amor e julgamento são sinônimos, em última análise. Quando julga, Deus ama porque pode fazer maior bem dessa maneira, havendo ocasiões em que essa é a única maneira de beneficiar aos homens. Em outras palavras, o julgamento é um dedo da mão amorosa de Deus. O julgamento faz bem. Não é apenas destruidor. Ver as notas em 1Pe 4.6, no *Novo Testamento Interpretado*. Pensando nos atos de Deus dessa maneira, sabemos por que a Deus se chama de *Amor*, e também acrescentamos algumas novas dimensões sobre a *providência divina*. Não encontramos descanso nos esquemas humanos, mas podemos encontrar descanso nele, quando o conhecemos melhor.

SALMO SESSENTA E TRÊS

Quanto a *informações gerais* que se aplicam a todos os salmos, ver a introdução ao Salmo 4, onde apresento *sete* comentários que elucidam a natureza do livro. Quanto às *classes* dos salmos, ver o gráfico no início do livro, que atua como uma espécie de frontispício da coletânea.

Este salmo tem sido chamado de *cântico de confiança*, tal como o Salmo 62. Mas com igual propriedade poderia ser classificado como *salmo de lamentação*. As notas de introdução ao Salmo 62 também podem ser aplicadas ao salmo presente. Tal como no Salmo 62, o poeta sagrado não iniciou sua composição com um clamor pedindo ajuda (o que é típico dos salmos de lamentação). Pelo contrário, inicia com uma expressão de profunda confiança em Yahweh (típica dos salmos de confiança). Somente no vs. 8 o salmista começa a queixar-se de seus inimigos, e isso se estende até o fim do vs. 10. Até o vs. 8 temos um excelente salmo de confiança. O salmo reflete uma mentalidade de elevada espiritualidade, e não como alguém que se contentava em conhecer e obedecer à lei, isto é, com a letra da lei. Antes, o homem tinha uma busca espiritual definida, aproximando-se do que é místico (vs. 6). Seu misticismo, contudo, não estava divorciado da lei e de suas cerimônias. Sua mistura especial de qualidades espirituais o tornava uma pessoa distinta.

Subtítulo. O subtítulo deste salmo é: "Salmo de Davi, quando no deserto de Judá". Isso tem sido interpretado como a fuga de Davi de Saul, ou de Absalão (1Sm 22 e 23, ou 2Sm 15 a 17). Mas as notas expositivas de introdução aos salmos não faziam parte do original das composições; antes, foram adições de editores posteriores. Esses escritores de épocas mais recentes conjecturaram sobre as circunstâncias históricas que poderiam ter inspirado os salmos, bem como sobre a autoria. Cerca de metade dos salmos tem sido atribuída a Davi, sem dúvida um grande exagero. Mas certamente ele escreveu alguns salmos, visto ser o *mavioso salmista de Israel* (2Sm 23.1).

UMA ALMA SEDENTA BUSCA A DEUS (63.1-11)

■ **63.1** (na Bíblia hebraica corresponde ao **63.1,2**)

מִזְמוֹר לְדָוִד בִּהְיוֹתוֹ בְּמִדְבַּר יְהוּדָה:

אֱלֹהִים אֵלִי אַתָּה אֲשַׁחֲרֶךָּ צָמְאָה לְךָ נַפְשִׁי כָּמַהּ
לְךָ בְשָׂרִי בְּאֶרֶץ־צִיָּה וְעָיֵף בְּלִי־מָיִם:

Ó Deus, tu és o meu Deus forte. *Elohim* (o Poder) era o Deus do poeta sagrado. A crença em seu poder e em sua graça levou o salmista a *buscar desde cedo* a Deus, provavelmente uma referência superficial às orações matinais e aos sacrifícios efetuados no templo a cada dia, mas dando a entender principalmente a *ânsia* do salmista por entrar em contato com o Senhor. Por isso mesmo, o poeta estava sempre preparado, cedo ou tarde, para buscar espiritualmente a Deus. Outrossim, ele tinha uma alma *sedenta* por Deus, que nunca lhe permitia fatigar-se.

> *Como suspira a corça pelas correntes das águas, assim, por ti, ó Deus, suspira a minha alma.*
>
> Salmo 42.1

A *sede* é um apetite insistente que continua a informar-nos sobre nossa *necessidade* de água, sem a qual não sobreviveríamos. Assim sendo, em um sentido real, nenhum homem pode sobreviver sem Deus. Ver no *Dicionário* o artigo chamado *Sede*.

> *Bem-aventurados os que têm fome e sede de justiça, porque serão fartos.*
>
> Mateus 5.6

O homem que foi o autor deste salmo era, definitivamente, um místico ou quase místico. Ele não tinha uma atitude legalista, mas buscava a presença de Deus. Cf. o vs. 8, bem como um poeta de mente semelhante, no Salmo 42. Ver no *Dicionário* o artigo *Misticismo*. A definição básica dessa palavra é o contato com um poder ou presença mais elevada que a pessoa que faz a busca. Ver no *Dicionário* o artigo chamado *Desenvolvimento Espiritual, Meios do*.

"A essência residual da devoção religiosa é que o objeto da dedicação do indivíduo seja o *Tudo*... Nosso poeta concordou prontamente com o santificado Fenelon, o qual disse: 'Devemos pertencer a Deus sem reservas. E depois de nos termos encontrado com Deus, nada mais haverá pelo que procurar'" (J. R. P. Sclater, *in loc.*).

O poeta sacro acordou-se com a excelente expectativa de chegar mais perto de Deus, naquele dia. A luz da alvorada também foi a luz que brilhou em sua alma.

Numa terra árida, exausta, sem água. O salmista, que vivia próximo ao deserto da Judeia, sabia como um homem pode morrer rapidamente no deserto, por falta de água. E *este mundo* se parece extraordinariamente com o deserto, especialmente em termos espirituais. Meus amigos, a *espiritualidade* sem o toque místico pode tornar-se um deserto seco. Muitas *igrejas* de nossos dias são desertos, nos quais a forma de espiritualidade está contida, mas sem a presença do Espírito Santo.

■ **63.2** (na Bíblia hebraica corresponde ao **63.3**)

כֵּן בַּקֹּדֶשׁ חֲזִיתִךָ לִרְאוֹת עֻזְּךָ וּכְבוֹדֶךָ:

Assim eu te contemplo no santuário. *Cedo pela manhã*, o salmista anelava por entrar em contato com o poder de Deus e a sua glória. Ele ia ao templo para participar dos ritos e das cerimônias, mas esperava ali obter um réstia da glória de Deus. E também não se contentava com as aparições ocasionais da glória *shekinah* (ver a respeito no *Dicionário*). Em outras palavras, ele queria a glória *shekinah* em seu coração, que era o templo do Espírito de Deus (2Co 3.18). Ver no *Dicionário* os artigos chamados *Glória* e *Glória de Deus*, quanto às ideias envolvidas. "O salmista esperava, através da proximidade do templo e seus símbolos, receber da presença poderosa e majestática de Deus (cf. Is 6.1-5; Ez 1.26-28) alguma certeza de que Deus lhe era favorável, em suas aflições (cf. 27.4)" (William R. Taylor, *in loc.*).

> Desperta, minha alma, junto com o sol,
> Para cumprires teus deveres diários;
> Livra-te da preguiça embotada e de teu despertar jubiloso,
> Para ofereceres teus sacrifícios matinais.
>
> Desperta, e levanta-te, meu coração,
> Enquanto os anjos fazem sua parte,
> Que por toda a noite mostraram-se incansáveis,
> Entoando louvores ao Rei Eterno.
>
> Thomas Ken

Aquele que despertava, cedo pela manhã, abandonou o deserto e correu para as águas da vida, por meio da comunhão com o Deus Eterno. O coração daquele homem tornou-se um templo de louvores. "O anelo sedento por Deus e o discernimento quanto à comunhão com ele, da parte do homem verdadeiramente piedoso, como aquele que aparece neste salmo, não têm rivais no saltério" (Oesterley, *in loc.*, que esqueceu de mencionar o Salmo 42, igualmente brilhante).

■ **63.3** (na Bíblia hebraica corresponde ao **63.4**)

כִּי־ט֣וֹב חַ֭סְדְּךָ מֵחַיִּ֗ים שְׂפָתַ֥י יְשַׁבְּחֽוּנְךָ׃

Porque a tua graça é melhor do que a vida. O Poder, Elohim, é o Deus que nos dispensa todas as coisas boas, o Benfeitor universal. Sua benignidade é a fonte de todo bem dos homens. Assim sendo, o poeta sagrado continuou louvando com *lábios jubilosos.* "... o homem tinha um senso tão grande da bem-aventurança do favor divino, ou seja, do seu favor vinculado ao pacto, que pensou que essa graça era superior à própria vida. Isso requer gratidão exibida durante a vida inteira. O amor é a fonte que mana sem parar, da qual procedem todas as coisas boas" (Ellicott, *in loc.*).

> O Eterno, Primeiro e Último,
> Cujo poder a tudo ultrapassou,
> Cuja sabedoria mostra ser infinita,
> E que mostrou ser infinitamente bom.
> Adaptado de Robert Browning,
> em uma meditação sobre a Véspera do Natal

Os homens profanos louvam o poder, a glória, a honra, as riquezas e os prazeres. O homem espiritual louva a Deus, em quem ele encontra, em proporções infinitas, mais satisfação que os homens mundanos podem encontrar em seus deleites.

"A vida sem o amor de Deus nada é senão a morte. O homem que não participa do amor de Deus está morto, mesmo quando está vivo. Todos os aprazimentos da vida, da saúde, das riquezas, das honrarias, das amizades etc., nada são sem o amor de Deus" (John Gill, *in loc.*).

Ver no *Dicionário* o verbete intitulado *Amor,* onde ofereço detalhadas notas expositivas e poemas ilustrativos.

> O verdadeiro amor é o dom que Deus deu
> Somente ao homem abaixo dos céus.
> Sir Walter Scott

> O amor governa a corte, o acampamento, o sepulcro,
> E os homens lá embaixo, e os santos lá em cima.
> Pois o amor é o céu, e o céu é amor.
> Sir Walter Scott

■ **63.4** (na Bíblia hebraica corresponde ao **63.5**)

כֵּ֣ן אֲבָרֶכְךָ֣ בְחַיָּ֑י בְּ֝שִׁמְךָ֗ אֶשָּׂ֥א כַפָּֽי׃

Assim cumpre-me bendizer-te enquanto eu viver. Por causa do grande amor de Deus, o coração do poeta se abria em louvores e ações de graças a Deus, o que haveria de continuar enquanto ele estivesse vivo. Seu zelo jamais se esfriaria, seu bom propósito jamais hesitaria. Ele vivificaria suas mãos em orações de gratidão, tanto no templo de Jerusalém como em seu próprio lar. Essa era a maneira comum pela qual os hebreus oravam. Ele erguia suas mãos, oferecendo petições e entregando a própria vida ao Poder lá do alto. Suas orações e seu agradecimento seriam feitos em nome do Deus Todo-poderoso. Ver as notas expositivas sobre *Nome,* em Sl 31.3, e sobre *seu Santo Nome,* em Sl 30.4 e 33.21. O *nome* de Deus representa tudo quanto Deus é e pode fazer, toda a sua revelação (Sl 20.1,5), e era considerado dotado de poder, somente por ser pronunciado. "Os judeus piedosos, em todos os lugares para onde tinham sido dispersos, em todas as orações e louvores, e quando faziam contratos ou entravam em acordos, estendiam as mãos na direção de Jerusalém, onde o verdadeiro Deus tinha o seu templo, e onde manifestava a sua presença" (Adam Clarke, *in loc.*).

O *sumo sacerdote,* como era natural, erguia as mãos ao abençoar o povo de Israel. Nosso Sumo Sacerdote ergue as mãos em nosso favor, e essa é uma aplicação cristã do salmo. O Targum fala da *Palavra de Deus,* que abre as mãos em súplica a Deus Pai, transformando este salmo em uma composição messiânica. Ver Jo 14.13,14 e 16.23,24,26, quanto às eficazes orações dos homens, oferecidas no nome do Senhor. Ver Sl 28.2, quanto a um versículo similar, com um gesto típico de oração.

■ **63.5** (na Bíblia hebraica corresponde ao **63.6**)

כְּמ֤וֹ חֵ֣לֶב וָ֭דֶשֶׁן תִּשְׂבַּ֣ע נַפְשִׁ֑י וְשִׂפְתֵ֥י רְ֝נָנ֗וֹת יְהַלֶּל־פִּֽי׃

Como de banha e de gordura farta-se a minha alma. Aqui a linguagem retrata um banquete com acepipes abundantes, onde os participantes são capazes de consumir os melhores pratos. Nas refeições sacrificiais, a porção de Yahweh era o sangue e a gordura. Ver as leis que governavam essa questão, em Lv 3.17. O poeta imaginou uma refeição na qual o homem consegue obter os pratos finos de Yahweh, por ser ele o homem escolhido por Deus. A questão retrata apenas um *ideal,* e não algo que realmente poderia acontecer. Porém, em um sentido espiritual, o homem bom desfruta o melhor, porquanto a fonte originária é Yahweh. Não havia restrições quanto ao tutano, mas devemos pensar que a medula é uma fábrica de células vermelhas do sangue. Talvez os hebreus soubessem disso. Pelo menos, o tutano e a gordura faziam parte do prato preferido de um *gourmet*. Em Is 25.6 encontramos a mesma referência, falando sobre a salvação de Deus:

> *O Senhor dos Exércitos dará neste monte a todos os povos um banquete de cousas gordurosas, uma festa com vinhos velhos, pratos gordurosos com tutanos, e vinhos velhos bem clarificados.*

Cf. Sl 23.5. O banquete era uma figura simbólica comum, empregada pelos rabinos para falar sobre as glórias celestiais, depois que a teologia dos hebreus já havia avançado a ponto de postular uma existência pós-túmulo, na qual homens piedosos são recompensados. Ver Lc 14.5 ss.

■ **63.6** (na Bíblia hebraica corresponde ao **63.7**)

אִם־זְכַרְתִּ֥יךָ עַל־יְצוּעָ֑י בְּ֝אַשְׁמֻר֗וֹת אֶהְגֶּה־בָּֽךְ׃

No meu leito, quando de ti me recordo. A maioria dos homens espirituais deve apreciar o que aqui é dito. A noite é um *tempo propício* para a meditação, para os pensamentos espirituais, para a busca de iluminação, para a tentativa de provocar sonhos espirituais. Quando um homem encontra dificuldades para conciliar o sono, pode tirar vantagem das horas tranquilas da noite para buscar a presença de Deus. O poeta sagrado falou sobre essa atividade, durante as mudanças das *vigílias.* Os hebreus dividiam a noite em três vigílias: a primeira, ou cabeça (*rosh*); a do meio (*tikhon,* Jz 7.10) e a da manhã (*boker,* Êx 14.24). O fato de todas as vigílias serem mencionadas mostra-nos que o poeta, em sua busca mística, *poderia* estar desperto a qualquer hora. Ele participava do templo e de seu culto (frequentava os cultos da igreja); conhecia a lei e a observava (era um estudioso da Bíblia). Mas também tinha um *toque místico* em sua fé. Ver no *Dicionário* os artigos chamados *Misticismo; Desenvolvimento Espiritual, Meios do* e *Vigílias.* O Targum fazia o poeta meditar sobre a lei quando estava acordado, mas podemos ter certeza de que havia mais do que isso envolvido na questão.

Os gregos antigos também contavam com três vigílias noturnas (*Ilíada* 10.V.252,253), mas para os romanos a noite era dividida em *quatro* sessões (ver Mt 14.25). Atualmente, contamos com as "horas", e em alguns lugares vigias noturnos continuam acordando pessoas, com seus chamados e ruídos.

■ **63.7** (na Bíblia hebraica corresponde ao **63.8**)

כִּי־הָיִ֣יתָ עֶזְרָ֣תָה לִּ֑י וּבְצֵ֖ל כְּנָפֶ֣יךָ אֲרַנֵּֽן׃

Porque tu me tens sido auxílio. Deus, que é nossa ajuda, é quem nos protege com suas asas, tal como a ave-mãe reúne seus filhotes. Vemos essa figura simbólica em Sl 17.8; 36.7; 57.1 e 61.4. O homem que medita sobre Deus recolhe-se sob as asas celestiais, tanto para ser *protegido* de seus inimigos (vs. 9) como para obter *comunhão* com o Senhor. Quando um animal voraz e destrutivo aparece, o pássaro-filhote sabe onde esconder-se, e a ave-mãe sabe o que fazer. Por semelhante modo, o homem espiritual demonstra propensão natural pelas realidades divinas. Ele busca o Santo dos Santos em seu coração.

O Targum diz aqui: "Regozijar-me-ei à sombra da glória *shekinah*", isto é, na presença de Deus, o que constitui um sábio comentário. Ver no *Dicionário* o artigo chamado *Shekinah.* Tal homem, protegido e gozando de comunhão especial com Deus, também desfruta uma alegria toda especial. Há alegria em servir a Jesus.

Alegres, alegres, nós te adoramos, ó Deus,
Deus da glória, Deus do amor.
Corações desabrocham como flores perante ti,
Louvando-te, o Sol deles lá no alto.

Henry van Dyke

■ **63.8** (na Bíblia hebraica corresponde ao **63.9**)

דָּבְקָה נַפְשִׁי אַחֲרֶיךָ בִּי תָּמְכָה יְמִינֶךָ׃

A minha alma apega-se a ti. O Livro de Orações da Inglaterra tem aqui a ideia certa: "Pendura-se em ti". A *King James Version* fala sobre "seguir arduamente a ti". Essas são palavras próprias de um homem espiritual de primeira linha. Sua alegria consiste em sua espiritualidade, e sua espiritualidade está alicerçada sobre a *comunhão* com o Espírito, e não sobre as formas externas da fé. Ademais, são palavras de um indivíduo que "tem estado ali". Ele tinha experimentado aquilo sobre o qual falava, e não falava meramente de teorias e potencialidades excelentes. A alma daquele homem estava grudada no Ser divino. Sua busca era diligente e ele obtivera redundante sucesso. Ele estava na presença de Deus. Diz certo hino evangélico: "Hoje andei por onde Jesus andou, e senti ali a sua presença".

> *Conheçamos, e prossigamos em conhecer ao Senhor: como a alva a sua vinda é certa; e ele descerá sobre nós como a chuva, como chuva serôdia que rega a terra.*
>
> Oseias 6.3

A tua destra me ampara. Quanto à *mão direita* de Yahweh-Elohim, que é uma mão protetora, ver Sl 20.6. Quanto ao homem que, sendo assim protegido, torna-se *inabalável*, ver Sl 55.22. Esse pensamento vem antes da conversa sobre os inimigos que ameaçavam a vida do salmista (vss. 9 e 10). Era uma situação grave, mas a mão direita de Elohim afastou o perigo. O salmista passaria incólume pela experiência. Ele não enfrentaria nenhum desastre! Oh, Senhor, concede-nos tal graça!

"... Ele não cairia nas armadilhas preparadas para ele, nem tropeçaria em alguma pedra de tropeço posta no caminho. Antes, pôr-se-ia de pé e suportaria as aflições, tentações e dificuldades. Portanto, ele foi *capacitado* a seguir de perto ao Senhor... O salmista havia alcançado uma condição feliz, confortável e segura!" (John Gill, *in loc.*).

Citando John Gill, o grande comentarista evangélico inglês de dois séculos atrás, lembrei-me de um sonho que tive há duas noites, a saber, na manhã cedo de 1º de outubro de 1996. John Gill apareceu-me nesse sonho. Sua presença encorajou-me a prosseguir no ideal de comentar a Bíblia, resistindo às tensões do trabalho árduo.

> Oh, Senhor, deixa-me andar contigo,
> Em veredas humildes de serviço voluntário;
> Ensina-me teu segredo, ajuda-me a suportar
> As tensões do trabalho, as pressões dos cuidados.
>
> Washington Gladden

John Gill, a propósito, foi um trabalhador prodigioso, que detém o recorde de volume de publicações (contagem de páginas por autor) sobre a Bíblia inglesa. Alguns homens têm estado (e talvez alguns poucos continuam estando) tão envolvidos na obra do Senhor que preferem esse trabalho ao próprio Senhor. Não penso que isso retrata o caso de John Gill. Ver o artigo sobre *John Gill*, na *Enciclopédia de Bíblia, Teologia e Filosofia*.

■ **63.9** (na Bíblia hebraica corresponde ao **63.10**)

וְהֵמָּה לְשׁוֹאָה יְבַקְשׁוּ נַפְשִׁי יָבֹאוּ בְּתַחְתִּיּוֹת הָאָרֶץ׃

Porém, os que me procuram a vida para a destruir. Os candidatos à posição de assassinos sofreriam desastre, mas os intérpretes discordam quanto à natureza desse desastre. Não há concordância sobre como interpretar as palavras "nas profundezas da terra".

1. Isso poderia indicar a *morte física* prematura, em alusão à história de Coré e daqueles que com ele se rebelaram. Ver Sl 55.15 e Nm 16.31-35.
2. Outros intérpretes estão certos de que temos aqui uma referência clara ao *sheol*, retratado como uma espécie de *câmara subterrânea* que seria o lugar de residência final dos homens maus, ou seja, dos *espíritos* dos homens maus. Nada nos é adiantado quanto a qualquer forma de castigo, a não ser que se tratava de um lugar onde imperava a tristeza. A teologia dos hebreus chegaria finalmente a essa ideia, que concorda bem de perto com o que diz o capítulo 16 do Evangelho de Lucas. Cristo trouxe esperança àquele lugar miserável (1Pe 3.18—4.6), sendo esse um motivo tipicamente neotestamentário, embora missões de salvação no hades sejam encontradas universalmente nas histórias de vários povos, incluindo os gregos e os romanos. Ver no *Dicionário* ou na *Enciclopédia de Bíblia, Teologia e Filosofia* os artigos intitulados *Hades* e *Descida de Cristo ao Hades*.

Cf. Sl 139.15 e Ef 4.9.

■ **63.10** (na Bíblia hebraica corresponde ao **63.11**)

יַגִּירֻהוּ עַל־יְדֵי־חָרֶב מְנָת שֻׁעָלִים יִהְיוּ׃

Serão entregues ao poder da espada. Este versículo, como é óbvio, descreve uma morte física prematura e violenta, e parece dizer que as *profundezas da terra* (vs. 9) devem ser consideradas apenas uma ideia paralela, e não algo além dela. Os homens tirânicos e sedentos de sangue terminariam devorados pelos chacais, sem ao menos receber um sepultamento decente. Não devemos exagerar a importância desse ato de ficar sem sepulcro, insistindo que o versículo anterior fala sobre o hades, a câmara no interior da terra, o lar dos espíritos maus que daqui partiram. É demasiado refinamento supor que, visto que o corpo dos ímpios não será sepultado, então o vs. 9 *deva* referir-se ao recebimento da *alma* deles no hades, não estando em pauta a morte física e o sepultamento do corpo. Por outra parte, talvez as ideias sobre o hades tivessem atingido, entre os hebreus, o ponto da câmara subterrânea. Essa noção era preparatória para as noções posteriores e apocalípticas sobre o seol.

"As raposas caçam carcaças de animais e os encontram onde caíram, isto é, em buracos e trincheiras no campo de batalha, conforme aconteceu com Aristomenes, segundo o relato de Pausânias (*Messênica*, 1.4. pág. 251). Isso também acontecerá aos seguidores do anticristo, cuja carne será comida pelas aves do céu (ver Ap 19.17,18)" (John Gill, *in loc.*). Outras versões dizem aqui "raposas", mas nossa versão portuguesa está certa ao dizer "chacais".

■ **63.11** (na Bíblia hebraica corresponde ao **63.12**)

וְהַמֶּלֶךְ יִשְׂמַח בֵּאלֹהִים יִתְהַלֵּל כָּל־הַנִּשְׁבָּע בּוֹ כִּי יִסָּכֵר פִּי דוֹבְרֵי־שָׁקֶר׃

O rei, porém, se alegra em Deus. Em contraste com os ímpios e contra quem os iníquos planejavam esquemas ousados, o rei, que estava sendo perseguido, haveria de regozijar-se em Deus, recebendo vida longa e próspera. Além disso, seus aliados, isto é, aqueles que lhe tinham jurado lealdade, compartilhariam de sua alegria.

Quem por ele jura. Estas palavras poderiam significar "aqueles que tinham jurado lealdade ao rei" ou então "aqueles que tinham jurado lealdade a Yahweh", o verdadeiro Rei de Israel, representado pelo rei Davi. Mas os caluniadores, homens mentirosos e violentos, que não tinham jurado lealdade a Deus, teriam a boca fechada e sofreriam os desastres descritos nos vss. 9 e 10.

Naturalmente, tornou-se costumeiro jurar pela vida do rei, e isso passou a ser sinal de lealdade absoluta. Ver Gn 42.15,16. Cf. também 1Sm 1.26; 17.55 e Judite 11.7. Ao jurar pelo rei, um homem ligava sua vida a dele, aceitava a sua autoridade e mostrava-se preparado para morrer por ele. Este versículo tem sido cristianizado, tornando-se uma predição sobre o anticristo e seus seguidores. Ver Ap 21.8.

SALMO SESSENTA E QUATRO

Quanto a *informações gerais* que se aplicam a todos os salmos, ver a introdução ao Salmo 4, onde apresento *sete* comentários que elucidam a natureza do livro. Quanto a classes dos salmos, ver o gráfico existente no início do comentário sobre o livro, que atua como uma espécie de frontispício da coletânea. Dou ali dezessete classes e listo os salmos pertencentes a cada uma delas.

Este é um *salmo de lamentação*. Segue o padrão típico desses salmos: um clamor urgente pedindo ajuda; a descrição dos inimigos; imprecações; notas de ação de graças porquanto a oração foi respondida, ou em breve o seria. Nos salmos de lamentação, os inimigos podem ser invasores estrangeiros, inimigos pessoais dentro do acampamento de Israel, ou enfermidades físicas. Neste salmo, são inimigos pessoais. O poeta era vítima de terríveis sofrimentos, embora não nos seja dito por quê. Ele estava metido em um conflito mortal, que só poderia ser remediado pela intervenção divina. O poeta invocou a ação da *Lex Talionis*, a maldição que requeria um castigo consoante o crime cometido ou planejado contra outrem. Ver no *Dicionário* o artigo chamado *Lex Talionis*. As *flechas de Deus* (vs. 7) tinham de fazer oposição aos golpes provocados pelos inimigos do salmista. Talvez esses golpes fossem maldições aplicadas mediante magia negra ou outras coisas igualmente sinistras. Os críticos fazem este salmo ser pós-exílico.

Subtítulo. O subtítulo deste salmo é bastante simples: "Ao mestre de canto. Salmo de Davi". Não se tentou definir as circunstâncias históricas que provocaram a composição deste salmo. Temos aqui o mesmo subtítulo que aparece no Salmo 41, onde o leitor deve examinar as notas expositivas.

O APELO A DEUS (64.1,2)

■ **64.1** (na Bíblia hebraica corresponde ao **64.1,2**)

לַמְנַצֵּ֗חַ מִזְמ֥וֹר לְדָוִֽד׃

שְׁמַע־אֱלֹהִ֣ים קוֹלִ֣י בְשִׂיחִ֑י מִפַּ֥חַד א֝וֹיֵ֗ב תִּצֹּ֥ר חַיָּֽי׃

Ouve, ó Deus, a minha voz nas minhas perplexidades. Os urgentes apelos dos salmos de lamentação são bastante similares entre si. Aqui, como em muitos outros salmos de lamentação, temos o grito pedindo ajuda, solicitando que Elohim *ouça* a petição. Esse ouvir o levaria a *preservar* a vida do poeta da morte certa, aquilo que os hebreus mais *temiam,* a morte prematura pelas mãos de algum inimigo. Ver sobre o apelo para que Deus *ouça*, em Sl 41.1; 13.3; 17.1; 20.1; 27.7; 28.2; 30.10; 38.16; 54.2; 55.2; 61.1; 64.1; 69.16; 84.8; 102.1; 119.149; 140.6; 143.1,7.

Nas minhas perplexidades. Ou seja, temos aqui uma oração de queixa. No hebraico temos, literalmente, as palavras "em minha meditação". Mas devemos pensar em um clamor eivado de grandes sentimentos.

Preserva-me a vida. Palavras escolhidas corretamente, pois era a vida física que estava em perigo, e não a *alma* (a tradução que aparece em algumas versões).

"... introduzidas com um clamor de queixume dirigido a Deus, lamentando que uma multidão de malfeitores tinha conspirado contra ele. Ele disse a Deus que precisava de proteção" (Allen P. Ross, *in loc.*).

■ **64.2** (na Bíblia hebraica corresponde ao **64.3**)

תַּ֭סְתִּירֵנִי מִסּ֣וֹד מְרֵעִ֑ים מֵ֝רִגְשַׁ֗ת פֹּ֣עֲלֵי אָֽוֶן׃

Esconde-me da conspiração dos malfeitores. Os inimigos enfrentados pelo poeta sagrado eram hostis, brutais, homens que se disfarçavam de amigos dentro do acampamento de Israel, mas tomavam conselho secreto sobre como poderiam eliminar eficazmente o salmista. Estavam envolvidos em alguma espécie de *insurreição*, algum tipo de *esquema* atrevido. Participavam de uma liga secreta (no hebraico, *sod;* ver Sl 25.14) e tinham reuniões ruidosas (no hebraico, *rigshah,* Sl 2.2). Esses homens faziam do pecado o seu trabalho e dedicavam-se diariamente às suas atividades. Isso se tornara a sua ocupação. Eles se tinham transformado em criminosos profissionais, saindo em busca de novas vítimas todos os dias. Cf. Sl 2.22.

DESCRIÇÃO DOS INIMIGOS (64.3-6)

■ **64.3**

אֲשֶׁ֤ר שָׁנְנ֣וּ כַחֶ֣רֶב לְשׁוֹנָ֑ם דָּרְכ֥וּ חִ֝צָּ֗ם דָּבָ֥ר מָֽר׃

Afiam a língua como espada. O poeta sagrado usou aqui outra metáfora comum que encontramos por diversas vezes: a língua dos homens é como espada, cortante e mortífera, enquanto eles preparam planos fatais para pôr fim e tirar a vida de outras pessoas. Quanto a palavras que se assemelham a *espadas,* ver Sl 55.21; 57.4; 59.7 e 64.3. Quanto ao uso próprio ou impróprio da língua nos Salmos, ver Sl 5.9; 12.2; 15.3; 17.3; 34.12; 35.28; 36.3; 39.11; 55.21; 57.4; 59.7 e 64.4. Para detalhes e ilustrações, ver no *Dicionário* o artigo chamado *Linguagem, Uso Apropriado da.*

> Isto é uma calúnia, cujo fio
> É mais afiado que o de uma espada.
> Shakespeare

Apontam, quais flechas, palavras amargas. Esta é outra metáfora comum para falar sobre o uso prejudicial da língua. Quanto a palavras como *flechas, setas* etc., cf. Sl 57.4; 58.7 e 120.4. Ver no *Dicionário* o verbete chamado *Flecha.* Corações amargos atiram palavras amargas para ferir e matar. "... declarações difamatórias são aqui representadas como flechas mortalmente envenenadas, pois é a isso que se faz alusão" (Adam Clarke, *in loc.*). O Targum diz aqui: "veneno amargo e mortífero".

■ **64.4** (na Bíblia hebraica corresponde ao **64.5**)

לִיר֣וֹת בַּמִּסְתָּרִ֣ים תָּ֑ם פִּ֝תְאֹ֗ם יֹרֻ֥הוּ וְלֹ֣א יִירָֽאוּ׃

Para, às ocultas, atingirem o íntegro. A projeção das flechas mortíferas é feita em segredo, um truque comum dos ímpios. Os ataques feitos de surpresa são, com frequência, mais eficazes. De súbito, flechas chispam no ar, não podendo mais voltar, e cumprem seus maus propósitos. O homem bom é ferido e sofre dores e morre. Os ímpios não *temem* por fazerem outros homens temer. Os ímpios atiram de uma posição de emboscada (tradução da *Revised Standard Version*). Todos já vimos coisas assim em operação. Faz parte da natureza humana agir em segredo e usar vantagens ocultas para prejudicar outras pessoas. Alguns seres humanos mostram-se totalmente destituídos de escrúpulos quanto à maneira como usam as palavras, não temendo o homem nem respeitando a Deus e ao seu mandamento contrário a isso. Eles não temem repreensões nem castigos. São uma lei para si mesmos.

Alguns estudiosos pensam que essas palavras amargas envolvem alguma *maldição* escudada na magia negra. Cf. Sl 58.3-5, onde também se pode obter essa ideia. Somente a intervenção divina pode desviar o poder do mal que esses pecadores costumam cozinhar.

■ **64.5** (na Bíblia hebraica corresponde ao **64.6**)

יְחַזְּקוּ־לָ֨מוֹ ׀ דָּבָ֬ר רָ֗ע יְֽ֭סַפְּרוּ לִטְמ֣וֹן מוֹקְשִׁ֑ים אָ֝מְר֗וּ מִ֣י יִרְאֶה־לָּֽמוֹ׃

Teimam no mau propósito. Aqueles homens ímpios estavam promovendo *maus propósitos,* armando ciladas secretas para apanhar o homem piedoso fora de guarda, como se fosse um animal qualquer, e pensavam, a todo o tempo, que nenhum homem, e muito menos Deus, estava olhando. Esses homens tinham forças, e "se fortaleciam no seu plano maléfico... o que, é evidente, significa que providenciavam tudo cuidadosamente e estavam preparados para executar o seu plano com resolução" (Ellicott, *in loc.*). Os conspiradores passavam em revista cada detalhe, incluindo o problema de se seriam detectados ou não. Chegavam à conclusão de que poderiam realizar o que lhes agradava, e estariam a salvo de empecilhos e de serem descobertos, ou, caso fossem, nada sofreriam: o velho problema da *impunidade*. Pensavam que, em vista de Deus não se vingar imediatamente, ele se mostra indiferente para com aquilo que os homens fazem. Ver Sl 10.11-13 e, sobre a suposta indiferença de Deus, ver Sl 10.1; 28.1 e 59.4.

■ **64.6** (na Bíblia hebraica corresponde ao **64.7**)

יַחְפְּֽשׂוּ־עוֹלֹ֗ת תַּ֭מְנוּ חֵ֣פֶשׂ מְחֻפָּ֑שׂ וְקֶ֥רֶב אִ֝֗ישׁ וְלֵ֣ב עָמֹֽק׃

Projetam iniquidade, inquirem tudo o que se pode excogitar. O raciocínio sobre a *impunidade* baseava-se na ideia de que nenhum homem seria esperto o suficiente para deslindar seus planos ou para descobrir, por meio de *investigação*, o que eles tinham feito. E, visto que Deus é indiferente, eles estariam seguros e viveriam para traçar planos em outras oportunidades. Seus planos eram bem pensados: eles eram *espertos*. Eram criminosos profissionais. Seus pensamentos eram *profundos* demais para os homens sondarem, pelo que contavam com a proteção natural de serem mais espertos do que suas vítimas ou do que aqueles que tentassem defendê-las. "Seus planos tinham sido concebidos com esperteza, nas profundezas inescrutáveis do coração humano" (William R. Taylor, *in loc.*).

O original hebraico deste versículo é incerto e têm sido propostas várias correções ao texto. Apresentei aqui uma das interpretações padronizadas.

"Eles faziam de seu *estudo* a busca dos mais consumados planos de vilania" (Fausset, *in loc.*). Diz o Targum: "Eles rebuscavam iniquidades a fim de destruir o justo". Eram inventores de coisas malignas (Rm 1.30).

Não têm eles sinceridade nos seus lábios; o seu íntimo é todo crimes; a sua garganta é sepulcro aberto, e com a língua lisonjeiam.

Salmo 5.9

DEUS CERTAMENTE AGIRÁ (64.7-10)

■ **64.7** (na Bíblia hebraica corresponde ao **64.8**)

וַיֹּרֵם אֱלֹהִים חֵץ פִּתְאוֹם הָיוּ מַכּוֹתָם׃

Mas Deus desfere contra eles uma seta. Deus tem as suas próprias setas (cf. o vs. 3). E também tem seus próprios raciocínios e planos contrários. Subitamente, aqueles que atiraram setas contra homens inocentes serão atingidos pelas setas de Deus, por seus severos julgamentos. Serão feridos e morrerão, agonizantes. Tudo isso ilustra a *Lei Moral da Colheita segundo a Semeadura* e também a *Lex Talionis*, ou seja, o castigo de acordo com a severidade do crime (ver a respeito no *Dicionário*). Quanto às flechas de Deus (retribuições, castigos etc), cf. Sl 7.13; 18.14; 21.12; 45.5; 77.17; 120.4; 127.4 e 144.6.

Instruções sangrentas que estiverem sendo ensinadas voltam para servir de praga a seus inventores. Essa justiça concorda com os ingredientes de nosso cálice envenenado, e passa pelos nossos próprios lábios.

Shakespeare

■ **64.8** (na Bíblia hebraica corresponde ao **64.9**)

וַיַּכְשִׁילוּהוּ עָלֵימוֹ לְשׁוֹנָם יִתְנֹדֲדוּ כָּל־רֹאֵה בָם׃

Dessarte não serão levados a tropeçar. A *Lex Talionis* exerceria pleno efeito. Línguas caluniadoras derrubariam os caluniadores, porquanto suas palavras despertariam outros que tirariam vingança. Além disso, Deus enviaria pragas contra eles e lhes taparia a boca. "Por causa de sua língua, ele os levará à ruína" (*Revised Standard Version*). Então as pessoas verão que o mal que atingiu os pecadores foi enviado por Deus e balançarão a cabeça contra os pecadores, em derrisão. Esta última porção do versículo também tem sido traduzida por "fugirão" daqueles pecadores, temerosos de que as pragas que os atingiram também caiam contra eles, se porventura ficarem por perto. O hebraico original do texto é incerto e admite mais de uma interpretação. A língua daqueles homens ímpios era qual flecha (vs. 3). Mas Deus tinha suas próprias flechas, que atirou contra eles, eliminando os pecadores-arqueiros (vs. 7); e isso foi apenas uma justa retribuição divina. O poeta sagrado, pois, cria na ordem moral das coisas e não entrava em questionamentos por causa das exceções que encontrava lá fora, onde ímpios prosperavam e piedosos morriam.

"Todos os planos, conselhos e maldições que eles proferiram e planejaram contra mim, ricochetearão contra eles mesmos" (Adam Clarke, *in loc.*).

Meneiam a cabeça. Ou movimentam a própria cabeça, em atitude de derrisão (no dizer de Jarchi). Os justos se regozijam por ver a justiça sendo servida, o que também encontramos em Sl 52.6 e 58.10. Em Jr 31.18, essas palavras são usadas para indicar a ideia de *lamentação*.

■ **64.9** (na Bíblia hebraica corresponde ao **64.10**)

וַיִּירְאוּ כָּל־אָדָם וַיַּגִּידוּ פֹּעַל אֱלֹהִים וּמַעֲשֵׂהוּ הִשְׂכִּילוּ׃

E todos os homens temerão. Como obra retributiva de Deus, aqueles homens altivos foram humilhados, pois eram pecadores astutos que foram rebaixados, embora antes parecessem *invencíveis*. Homens de igual quilate temerão que o mesmo juízo de Deus os apanhe de repente, por causa de alguma infração. E os outros homens, piedosos, ao ver a cena, erguerão cânticos de louvor a Deus por causa de sua exata retribuição. Eles considerarão o que Deus fizera e tomarão o acontecido como uma severa lição objetiva sobre a lei da colheita segundo a semeadura. Algum dia, talvez chegasse a vez deles sofrerem a punição divina, pelo que deveriam caminhar retamente, a fim de evitar desgraças. Homens piedosos compreenderão as operações de Deus e se esforçarão para não labutar contra o inevitável. Dessarte, a iniquidade fora *ocultada* por mentes astuciosas, mas Deus derrubou todo o castelo por elas arquitetado, despedaçando-o com a sua luz. "O juízo divino exerceria um efeito duradouro sobre o povo" (Allen P. Ross, *in loc.*).

■ **64.10** (na Bíblia hebraica corresponde ao **64.11**)

יִשְׂמַח צַדִּיק בַּיהוָה וְחָסָה בוֹ וְיִתְהַלְלוּ כָּל־יִשְׁרֵי־לֵב׃

O justo se alegra no Senhor. Quanto à alegria ou regozijo no Senhor, ver os julgamentos de Deus contra os pecadores, um tema bastante comum no livro de Salmos. Questionamos a espiritualidade dessa atitude, da perspectiva cristã; mas os hebreus não encontravam dificuldade nessa questão. Cf. Sl 52.6-9, cujas notas expositivas ilustram o assunto.

Um dos resultados para quem vê o julgamento retributivo de Deus contra os injustos é a *confiança* renovada dos homens bons. Quanto ao uso da palavra "confiança" nos Salmos, ver Sl 2.12. Além disso, os bons se *gloriarão*, ou seja, ficarão jubilosos, glorificando a Deus pelos seus feitos. A Septuaginta e a Vulgata Latina dizem que eles "brilharão", pois a causa dos piedosos será justificada diante dos homens, pelo poder de Deus. Os homens são glorificados na justiça divina, pelo que os piedosos terão *rostos rebrilhantes*.

Bem-aventurado o homem que põe no Senhor a sua confiança, e não pende para os arrogantes, nem para os afeiçoados à mentira.

Salmo 40.3

Alegrai-vos no Senhor, e regozijai-vos, ó justos; exultai, vós todos que sois retos de coração.

Salmo 32.11

"Eles verão que Deus não abandona os seus seguidores à malícia de homens maus" (Adam Clarke, *in loc.*).

SALMO SESSENTA E CINCO

Quanto a *informações gerais* que se aplicam a todos os salmos, ver a introdução ao Salmo 4, onde apresento *sete* comentários que elucidam a natureza do livro. Quanto a *classes* dos salmos, ver o gráfico no início do comentário do livro, que atua como uma espécie de frontispício da coletânea. Ali apresento dezessete classes e listo os salmos pertencentes a cada uma delas.

Este é um *salmo de ação de graças*, e a questão que está sendo celebrada é a de uma boa colheita. Em tais ocasiões, os israelitas se reuniam no templo e proferiam palavras de agradecimento, entoavam hinos acompanhados por instrumentos musicais, e ofereciam sacrifícios e votos. Uma boa colheita era uma *questão nacional* que comprovava a providência divina, o que explica a celebração em âmbito nacional. A estação do ano era a primavera, que trazia esperança renovada (vss. 9-13). A natureza sorria e os homens alegravam-se. O povo sempre orava por boas colheitas, o que requeria boas chuvas, nada de tempestades desastrosas, e fertilidade do solo. Até hoje, a despeito de toda a tecnologia, dependemos pesadamente das chuvas. A seca é uma ameaça constante e uma das armas constantemente usadas por Deus para atingir um povo desobediente. Assim sendo, os israelitas acreditavam que um bom agricultor também deveria ser um homem piedoso, ou seu trabalho fracassaria.

"Neste salmo, pensamentos sobre as bênçãos da natureza e sobre a misericórdia de Deus são entretecidos, formando uma rica unidade, o que mostra como a piedade era capaz de ver, no mais baixo, o mais elevado, no exterior, o interior, e no transitório, o eterno" (A. Deichert, *Kommentur zum Alten Testament*, p. 221). A mente dos hebreus nunca esquecia a soberania de Deus em cada nível da vida, algumas vezes exagerando, como quando postulava Deus como a única causa e desprezava causas secundárias. Mas os hebreus jamais supunham que a natureza estivesse divorciada de Deus, conforme o pensamento comum dos deístas. Por conseguinte, quando não havia boa colheita, Deus estava envolvido na questão. E quando a colheita fracassava, Deus era a causa do acontecimento, devido ao pecado dos homens ou a alguma razão enigmática.

Os salmos de agradecimento faziam parte da liturgia e eram entoados no templo. Cf. Sl 107, 116 e 118. Listo 22 salmos entre os salmos de agradecimento (os quais, naturalmente, falam sobre várias situações, e não meramente sobre a colheita). Como é óbvio, muitos outros salmos contêm agradecimentos a Deus, embora não sejam, principalmente, salmos de agradecimento.

Subtítulo. Neste salmo encontramos o seguinte subtítulo: "Ao mestre de canto. De Davi. Cântico". Esta nota de introdução, preparada por algum editor subsequente (os subtítulos não faziam parte dos salmos originais), é a mesma que aparece nos Salmos 41 e 64, excetuando o fato de que aqui temos o acréscimo de uma palavra, "cântico". Ela servia para lembrar que os salmos eram musicados, acompanhados por instrumentos musicais, e tornavam-se importante parte do culto efetuado no templo de Jerusalém. O saltério é o antigo hinário dos hebreus. Ver a explicação sobre o subtítulo do Salmo 41. Os subtítulos originais não tentavam vincular ao salmo alguma circunstância histórica, mas a Vulgata Latina e a Septuaginta acrescentam aqui: "De Jeremias ou de Ezequiel, para o povo da dispersão, quando estavam prestes a retornar à sua pátria". Contudo, tais adições não passam de conjecturas.

■ **65.1** (na Bíblia hebraica corresponde ao **65.1,2**)

לַמְנַצֵּחַ מִזְמוֹר לְדָוִד שִׁיר׃

לְךָ דֻמִיָּה תְהִלָּה אֱלֹהִים בְּצִיּוֹן וּלְךָ יְשֻׁלַּם־נֶדֶר׃

A ti, ó Deus, confiança, e louvor em Sião! No templo, no monte Sião, eram entoados louvores; eram compostos hinos para serem acompanhados por instrumentos musicais. O ministério da música fazia parte importante do culto do templo. Cantores e músicos profissionais, escolhidos dentre os levitas, ocupavam-se dessa atividade. Ver 1Cr 25. Assim Elohim foi informado de que, em Sião, louvores acompanhados por instrumentos musicais o aguardavam. As cerimônias no templo de Jerusalém incluíam a oferta e o cumprimento de *votos,* um aspecto comum do culto no templo. Ver no *Dicionário* o artigo chamado *Voto,* quanto a maiores detalhes.

Uma tradução literal seria "o louvor faz silêncio", o que não faz sentido para nós. Essa palavra, entretanto, vem de uma raiz que quer dizer "é apropriado", sendo esse o sentido do versículo. Por isso, algumas versões portuguesas dizem "é devido o louvor". As versões, de modo geral, apoiam tal tradução. *Os votos seriam cumpridos.* "Todas as oferendas e sacrifícios devem ser feitos a ti. Todos os espíritos humanos têm obrigação de viver e servir a ti" (Adam Clarke, *in loc.*).

"Deus sempre nos confere novas causas para que o louvemos. O louvor produz o repouso da alma em seu Deus, conforme se lê em Sl 45.1,5" (Fausset, *in loc.*).

Por que estás abatida, ó minha alma? Por que te perturbas dentro em mim? Espera em Deus, pois ainda o louvarei.

Salmo 42.5

■ **65.2** (na Bíblia hebraica corresponde ao **65.3**)

שֹׁמֵעַ תְּפִלָּה עָדֶיךָ כָּל־בָּשָׂר יָבֹאוּ׃

Ó tu que escutas a oração. Toda carne humana e todas as nações apresentar-se-ão diante do Benfeitor, Elohim, porquanto todos os povos são carentes. A reputação de Elohim os atrai. E o lugar onde ele se manifestava era o monte Sião, onde se localizava o seu templo. As pessoas são chamadas aqui de *carne,* a qual é notoriamente débil e, assim, esse vocábulo relembra a dependência na qual vivem os seres humanos. A teologia ensina que apenas Deus é *independente.* A "independência" é um atributo divino. E um dos atributos humanos é a "dependência".

Este versículo tem sido cristianizado para falar da missão da igreja entre os povos gentílicos, bem como das realizações a longo prazo do evangelho. "Este versículo pode ser considerado uma profecia sobre o chamamento dos gentios... bem como da ida deles para a casa de Deus. Ver Is 56.7; Zc 8.21-23" (John Gill, *in loc.*).

■ **65.3** (na Bíblia hebraica corresponde ao **65.4**)

דִּבְרֵי עֲוֹנֹת גָּבְרוּ מֶנִּי פְּשָׁעֵינוּ אַתָּה תְכַפְּרֵם׃

Por causa de suas iniquidades. Todas as pessoas, fracas e pecaminosas, achegavam-se ao templo porque ali podiam ser oferecidos sacrifícios em favor de todos os homens. As iniquidades *prevalecem* sobre um homem, ou seja, perturbam a sua vida, deixando-o culpado e sujeito à retribuição divina. Esses males podiam ser anulados mediante os sacrifícios levíticos apropriados. O salmista atribuiu as aflições do povo à transgressão, à *violação* dos mandamentos tão conhecidos existentes na lei mosaica. Essa lei era o *guia* do povo (ver Dt 6.4 ss.). Tornava Israel um povo *distinto* (Dt 4.4-8) e servia de livro de texto do homem, em toda a sua conduta (ver o sumário a respeito em Sl 1.2). Os povos pagãos podiam aprender essas coisas em suas peregrinações a Sião, e, caso se convertessem ao judaísmo, podiam participar do pacto juntamente com Israel.

Nossas transgressões. Devemos pensar aqui em todas as espécies de pecados, faltas, erros e crimes. O texto poderia ser traduzido por "palavras ímpias", o que enfatiza os pecados da língua. Transgressões são violações contra leis conhecidas.

Tu no-las perdoas. Ou seja, mediante a expiação, através de sacrifícios apropriados. Ver no *Dicionário* o verbete intitulado *Perdão,* quanto a detalhes completos, segundo os pontos de vista do Antigo e do Novo Testamento. Naturalmente, este versículo tem sido cristianizado para falar sobre o perdão dos pecados através da missão de Cristo, do cumprimento dos tipos veterotestamentários e da eliminação do sistema sacrificial.

■ **65.4** (na Bíblia hebraica corresponde ao **65.5**)

אַשְׁרֵי תִּבְחַר וּתְקָרֵב יִשְׁכֹּן חֲצֵרֶיךָ נִשְׂבְּעָה בְּטוּב בֵּיתֶךָ קְדֹשׁ הֵיכָלֶךָ׃

Bem-aventurado aquele a quem escolhes. Todos os que chegam a Sião, para participar do culto no templo, são "bem-aventurados", ou seja, *felizes,* e isso em circunstâncias afortunadas. Deus *escolhe* os candidatos. Ver no *Dicionário* o artigo chamado *Eleição*. Mas o texto já havia deixado claro que todos os povos são convidados ("todos os homens" do vs. 2). É um erro pressionar textos como este a serviço do exclusivismo. Sabemos que a eleição é um ensino das Escrituras, tanto do Antigo quanto do Novo Testamento, mas outro tanto se dá no caso do livre-arbítrio e da responsabilidade humana. Ver no *Dicionário* o verbete denominado *Livre-arbítrio,* quanto ao outro lado da moeda.

Bem-aventurado. Ver notas expositivas completas em Sl 1.1.

E aproximas de ti. Do templo e da presença do Deus do templo. Ninguém pode aproximar-se dele sem ter sido trazido (Jo 6.44). Por outra parte, há a graça geral, mediante a qual todos os homens são atraídos, de modo que quem desejar pode aproximar-se (Jo 3.16; Ap 22.17).

Ficaremos satisfeitos. Ou *refrigerados* pela bondade (os benefícios) que o templo confere. Bondade desfrutada por aqueles que tinham o privilégio de adorar no templo, bênçãos tanto espirituais quanto temporais. O adorador tinha ali os meios de obter a perfeição de Deus, o seu perdão e o seu favor. Ele também desfrutava, no templo, uma comunhão especial com outros adoradores em períodos de júbilo, durante a época das festividades, tomando parte nas refeições (porções dos sacrifícios) oferecidas aos participantes. Cf. Lv 7.11-17.

Feliz a nação cujo Deus é o Senhor, e o povo que ele escolheu para sua herança.

Salmo 33.12

Este versículo tem sido cristianizado por alguns intérpretes, e somos lembrados de que o próprio crente se tornou o templo de Deus (ver Ef 2.21).

OS ESPANTOSOS FEITOS DO PODER DE DEUS (65.5-8)

■ **65.5** (na Bíblia hebraica corresponde ao **65.6**)

נוֹרָאוֹת ׀ בְּצֶדֶק תַּעֲנֵנוּ אֱלֹהֵי יִשְׁעֵנוּ מִבְטָח כָּל־
קַצְוֵי־אֶרֶץ וְיָם רְחֹקִים׃

Com tremendos feitos nos respondes em tua justiça. Estas palavras têm sido interpretadas como "feitos tremendos" (*Revised Standard Version*) ou como "coisas terríveis" (*King James Version*). Podem ser uma referência aos terríveis atos de Deus contra os pagãos, que assediavam o povo do pacto. Em resposta à oração, os juízos divinos sobrevirão a tais inimigos. Mas a referência não precisa ser negativa, e a nossa versão portuguesa provavelmente está certa ao deixar implícito que Deus faz coisas positivas e prodigiosas por todos os povos. Ver os vss. 1, 2 e 5. Esse é o contexto geral. Provavelmente devemos pensar aqui na grande exibição de Deus da *providência positiva* sobre toda a terra, incluindo o que acontecia no templo de Israel. No vs. 6 vemos os atos da criação como parte desse quadro. Ver no *Dicionário* o artigo chamado *Providência*.

Ó Deus, Salvador nosso. Encontramos esta ou outra designação parecida em vários pontos dos Salmos: 3.8; 9.14; 18.46; 38.22; 50.23; 62.1,2,7; 79.9; 85.4; 119.74; 140.7; 149.4. Ver as notas expositivas sobre Sl 62.2.

Esperança de todos os confins da terra. Os críticos veem nesta declaração as atitudes do judaísmo posterior, segundo as quais se pensava que a fé em Yahweh se tornaria universal, atraindo, finalmente, todas as nações. Essa fé se estenderia aos mares mais distantes, lugares desconhecidos pelos israelitas, mas sobre os quais devem ter ouvido da parte dos marinheiros fenícios. Esse versículo tem sido entendido como uma profecia direta sobre a missão entre os povos gentílicos e sobre o alcance mundial do evangelho cristão. Cf. Is 66.16,18,23. O ponto culminante dessa linha de raciocínio aparece em versículos do Novo Testamento como Fp 2.10 e Ef 9.9,10. Ver na *Enciclopédia de Bíblia, Teologia e Filosofia* o artigo denominado *Mistério da Vontade de Deus*.

■ **65.6** (na Bíblia hebraica corresponde ao **65.7**)

מֵכִין הָרִים בְּכֹחוֹ נֶאְזָר בִּגְבוּרָה׃

Que por tua força consolidas os montes. As obras de Deus serão grandes na propagação de sua fé e salvação, tais como o foram na criação original. A nova criação estará à altura da antiga. Os elevados montes serviam como ilustração desse poder. "Vemos aqui o arquiteto divino do mundo, vestido para entrar em seus labores, à moda das descrições tipicamente orientais. Ver Sl 18.32. Ele está fixando firmemente as montanhas em seus respectivos lugares (cf. Sl 75.3). Os impérios, como se fossem montes, devem a sua estabilidade a Deus" (Ellicott, *in loc.*).

> Vacilem a terra e todos os seus moradores, ainda assim, eu firmarei as suas colunas.
>
> Salmo 75.3

■ **65.7** (na Bíblia hebraica corresponde ao **65.8**)

מַשְׁבִּיחַ שְׁאוֹן יַמִּים שְׁאוֹן גַּלֵּיהֶם וַהֲמוֹן לְאֻמִּים׃

Que aplacas o rugir dos mares. O Deus Todo-poderoso estende a sua salvação a todos os povos (vs. 5). Ele mostrou o seu poder na criação física, o que se evidenciou em como ele fundou as montanhas (vs. 6). Outra evidência desse poder encontra-se em como ele controla os mares, o que sugere *os povos*, que são como os mares desassossegados. Ele também controla os povos (vs. 7). Mas o autor sagrado falava sobre o poder divino de *salvar*, e o seu poder na natureza só é apresentado como uma ilustração da forma pela qual ele opera.

"... o literal passa para o figurado. Dos mares empolados, o pensamento do poeta passa às anarquias em redor do globo terrestre e também às selvagens paixões dos homens. A literatura de muitos povos contém essa metáfora. Cf. Is 17.12." (Ellicott, *in loc.*).

■ **65.8** (na Bíblia hebraica corresponde ao **65.9**)

וַיִּירְאוּ יֹשְׁבֵי קְצָוֹת מֵאוֹתֹתֶיךָ מוֹצָאֵי־בֹקֶר וָעֶרֶב
תַּרְנִין׃

Os que habitam nos confins da terra. Os povos que habitam nos limites mais extremos da terra temem diante das maravilhosas obras de Deus na natureza, o que inspira profundo respeito. Deus controla as idas e as vindas da alvorada e do crepúsculo, e estes fenômenos, personalizados, regozijam-se na providência constante de Deus, que mantém as rotinas da natureza. Por sua vez, todos os povos regozijam-se juntamente com a alvorada e o crepúsculo, ao contemplarem aquilo de que ele é capaz. Todos os povos, de todos os lugares, voltam-se para Deus, com fé, porquanto ele é o Poder no qual podemos confiar. "Os homens não se voltarão, solicitando ajuda, para alguém que não lhes inspira certeza. Visto que o pecado é uma preocupação interior, o poder da natureza deve ser o fato que opera milagres interiores" (J. R. P. Sclater, *in loc.*, com adaptações).

"A exibição divina de seu terrível poder, em favor de seu povo, finalmente impressionará de tal maneira os povos do mundo, que eles se voltarão para o Senhor (Is 66.16,18,23)" (Fausset, *in loc.*).

AS BÊNÇÃOS DE DEUS NOS CAMPOS E NOS REBANHOS (65.9-13)

■ **65.9** (na Bíblia hebraica corresponde ao **65.10**)

פָּקַדְתָּ הָאָרֶץ וַתְּשֹׁקְקֶהָ רַבַּת תַּעְשְׁרֶנָּה פֶּלֶג אֱלֹהִים
מָלֵא מָיִם תָּכִין דְּגָנָם כִּי־כֵן תְּכִינֶהָ׃

Tu visitas a terra e a regas. "Deste versículo até o fim do salmo presente, há uma série das mais excelentes figuras poéticas do mundo" (Adam Clarke, *in loc.*)

A *providência* na qual os homens das extremidades da terra confiam, o Poder, aquele que ordena todos os elementos da natureza, continua visitando a terra e conferindo-lhe os seus benefícios.

Visitas a terra. O Criador não abandonou a sua criação, sendo o Deus teísta, e não o Deus deísta. Ver no *Dicionário* os artigos intitulados *Teísmo* e *Deísmo*. Deus é retratado como quem percorre todo o globo terrestre, buscando as necessidades em toda a terra, dirigindo as nuvens, fazendo fluir as águas e viver as plantas.

A água, doadora de vida, é dada com abundância, por meio da chuva, do orvalho e do rio de Deus (ver Sl 46.4), o qual, como se fosse os antigos rios do Éden, faz a terra inteira transformar-se em um paraíso. Dessa maneira toda a terra torna-se fértil e outorga abundância ao homem. O poeta abre o seu coração e fala sobre os benefícios da providência divina. Ele tinha contemplado o quadro maior; tinha visto o amor de Deus. Ele vê que coisa alguma pode interpor-se entre ele próprio e o Salvador. Ele via o amor de Deus permeando todas as coisas e acalmando o conflito eterno, impondo a paz, a serenidade espiritual e o bem-estar da vida eterna. Que outros falem sobre os trovões que rolam e sobre os relâmpagos que ferem, ou sobre os terrores do julgamento. O poeta preferia falar sobre as misericórdias de Deus, e que tema impressionante é esse para o seu cântico! Ele jamais poderia enumerar todas as suas misericórdias. Elas são mais do que as estrelas na cúpula celestial, e mais do que a areia nas praias banhadas pelo mar. Quanto a misericórdias tão grandes, o que poderia dar de volta o nosso salmista? Ele o amará, ele o servirá, enquanto a vida perdurar. Anteriormente ele anelava pela alegria da terra, buscando paz e descanso. Agora procurava exclusivamente a Deus, porquanto Deus dá o melhor que existe.

> Amor divino, que ultrapassas a todos os amores,
> Alegria celeste, desce até a terra.
> ...
>
> Respira, oh, respira teu Espírito amoroso
> em todo peito perturbado!
> Que todos nós tenhamos herança em ti,
> Que encontremos aquele segundo descanso.
>
> Charles Wesley

■ **65.10** (na Bíblia hebraica corresponde ao **65.11**)

תְּלָמֶיהָ רַוֵּה נַחֵת גְּדוּדֶיהָ בִּרְבִיבִים תְּמֹגְגֶנָּה צִמְחָהּ
תְּבָרֵךְ׃

Regando-lhe os sulcos, aplanando-lhe as leivas. O poder divino estabeleceu todas as *leis naturais* que possibilitam a vida na terra, incluindo o conjunto mais fundamental, as leis que governam o desenvolvimento dos vegetais, o elemento mais fundamental. Sem vegetação não haveria homens nem animais, e a terra seria tão estéril quanto Marte. Em confiança, o agricultor põe-se a arar a terra e planta as suas sementes. Então Elohim intervém e envia as suas chuvas que amolecem os torrões de terra e regam as sementes. Um milhar de mistérios está envolvido enquanto a planta lança os seus rebentos, o que os antigos absolutamente não entendiam, e a nossa própria ciência moderna compreende tão pouco ainda. Os rebentos se *multiplicam* (assim dizem a Septuaginta e a Vulgata Latina), e assim prossegue o milagre da vida. As multidões das gotas da chuva (diz o hebraico, literalmente) são evidências da contínua providência divina, sem a qual pereceriam todos os seres vivos (plantas e animais). As folhas tenras brotam da terra, e o Senhor as nutre e lhes protege da geada. O seu sol eleva-se sobre o horizonte e dá às plantas o poder de crescer e ser bem-sucedidas. "Ele cuida dos jovens botões, e é o seu terno cuidado que forma a planta. Por meio de sua bondade abundante, os grãos maduros aparecem, até que um único grão produz trinta, sessenta, cem e até mesmo mil vezes mais" (Adam Clarke, *in loc.*).

■ **65.11** (na Bíblia hebraica corresponde ao **65.12**)

עִטַּרְתָּ שְׁנַת טוֹבָתֶךָ וּמַעְגָּלֶיךָ יִרְעֲפוּן דָּשֶׁן׃

Coroas o ano da tua bondade. Chega a época da colheita e o ano agrícola é coroado pela bondade de Deus. A carruagem de Deus, que tinha cruzado os céus cuidando da colheita, destila gordura. Todo o ciclo do ano foi acompanhado pela bondade divina. Deus preparou um ano próspero e produziu em abundância produtos agrícolas e outros. Suas *veredas*, palavra que no hebraico se deriva do verbo "rolar" ou "revolver" e com frequência se refere à trilha feita por uma roda, falam da carruagem divina que faz circular o globo, provendo os processos necessários que permitem às plantações crescer. Assim sendo, rolam as estações do ano, e o resultado é a abundância de vida. Talvez a figura simbólica retrate como o *sol* se desloca sobre a carruagem de Deus e passa pelos doze sinais do zodíaco, produzindo as estações do ano e dando luz e calor suficiente para manter as coisas vivas. "A rotação da terra em torno de seu eixo, a revolução anual em sua órbita, e o curso da lua, que acompanha a terra, são, todas elas, *rodas* ou órbitas de Deus, que destilam a gordura ou produzem a fertilidade sobre a superfície terrestre" (Adam Clarke, *in loc.*).

O versículo é cristianizado e transformado em uma figura do sucesso dos processos espirituais de Deus no mundo todo. A providência geral de Deus, física ou espiritual, evidencia-se nos processos da natureza e do Espírito Santo.

> *Tu estendes o céu como uma cortina, pões nas águas o vigamento da tua morada, tomas as nuvens por teu carro, e voas nas asas do vento; fazes a teus anjos ventos. Fazes a teus ministros, labaredas de fogo.*
>
> Salmo 104.2-4

■ **65.12** (na Bíblia hebraica corresponde ao **65.13**)

יִרְעֲפוּ נְאוֹת מִדְבָּר וְגִיל גְּבָעוֹת תַּחְגֹּרְנָה׃

Destilam sobre as pastagens do deserto. As terras de pastagem vivem repletas da umidade de Deus, e a vida brota por toda a parte. As colinas enfeitam-se de alegria, porquanto a sinfonia da vida prossegue. O que era deserto medra como a rosa, a terra ressecada é regada, e inesperada abundância brota do solo. "A veia poética do salmista personaliza a cena vernal e ele ouve as colinas, os prados e os vales levantar a voz em gritos de alegria, porquanto a primavera, e depois o verão, chegaram. O poeta estava familiarizado com o antigo mito de que o Senhor visita a terra, circulando o globo terrestre em sua carruagem, cujas rodas, enquanto passam pelos campos, enriquecem a produção" (William R. Taylor, *in loc.*).

"O frescor e a beleza da vida vegetal, que de súbito, como por milagre, encobre as faldas das colinas nas terras orientais, assemelham-se a um belo manto lançado sobre os ombros, como se os ornasse para alguma festividade" (Ellicott, *in loc.*).

"As *colinas* enfeitam-se com exultação. A metáfora parece ter sido extraída das cambalhotas dos cordeiros, do empinar-se dos cabritos e da dança dos pastores, na estação do verão, que inspira os homens à alegria" (Adam Clarke, *in loc.*).

■ **65.13** (na Bíblia hebraica corresponde ao **65.14**)

לָבְשׁוּ כָרִים הַצֹּאן וַעֲמָקִים יַעַטְפוּ־בָר יִתְרוֹעֲעוּ אַף־יָשִׁירוּ׃

Os campos cobrem-se de rebanho. Os *prados*, que o inverno deixara despidos, agora são vestidos por rebanhos. Os *vales*, estéreis durante o inverno, agora são revestidos de grão, e assim erguem a voz em cânticos de júbilo, juntando-se ao entoar das pequenas colinas (vs. 12). O verão chegou, e é a fruição da primavera. E é assim que a natureza inteira, abençoada por Deus, canta juntamente um hino à providência divina, que está por trás de toda a manifestação de vida. Dessa maneira, o poeta sagrado atravessou todas as estações do ano, assegurando-nos que Deus nada abandonara à influência maléfica do inverno. O negócio de Deus é transmitir *vida*, e o seu sol e as suas chuvas garantem *vida abundante*. Todos os meses do ano Deus circula o globo em sua carruagem, suprindo todas as necessidades da natureza; e o homem é a sua criatura favorita na natureza, pelo que também é o principal beneficiário de suas graças. Por semelhante modo, os processos espirituais rolam, pelo que disse Jesus:

> *Eu vim para que tenham vida e a tenham em abundância.*
>
> João 10.10

"O salmista concluiu que a natureza toda clama de *alegria* (vs. 13). Uma frutificação abundante testifica a bênção de Deus" (Allen P. Ross, *in loc.*).

A natureza tem inspirado alguns dos mais nobres cânticos humanos, e a primavera nunca falha em tocar as cordas do coração humano. Cada estação do ano tem sua própria inspiração, até mesmo o temido inverno que os homens devem suportar. Mas a primavera é a época em que a vida se impõe, inspirando confiança nos homens de que Deus cuida de tudo. E o verão consolida o avanço da primavera.

SALMO SESSENTA E SEIS

Quanto a *informações gerais* que se aplicam a todos os salmos, ver a introdução ao Salmo 4, onde apresento *sete* comentários que elucidam a natureza do livro. Quanto às *classes* dos salmos, ver o gráfico no início do comentário, que atua como uma espécie de frontispício. Dou ali dezessete classes e listo os salmos pertencentes a cada uma delas.

Este é um *salmo de ação de graças*, adaptado à liturgia do louvor no templo, entoado e acompanhado por instrumentos musicais, sacrifícios e votos. Trata-se de um hino que louva o poder de Deus e exalta seu terno cuidado pelo povo ligado a ele por uma relação de aliança. Mas, tal como o Salmo 65, é universal em seu escopo, pois os louvores a Deus só são completos quando soam de "toda a terra" (vs. 1).

"Eis aqui um salmo de ação de graças preparado para ser usado em uma ocasião na qual um indivíduo rico e de boa posição social (vss. 13-15) apresentou oferendas de voto no templo de Jerusalém. Este salmo faz parte da liturgia de tal ofício, compartilhada, em sua execução, tanto por um coro, ou por coros, além do próprio indivíduo e de um *porta-voz sacerdotal...* O papel mais importante é desempenhado pelo indivíduo da figura nos vss. 13-20. Ele tinha vindo ao templo para cumprir seus votos, e isso na presença de todo o povo, que se reuniria para a ocasião, a fim de proclamar o que Deus tinha feito em seu favor" (William R. Taylor, *in loc.*). Visto que o adorador era um homem abastado, suas oferendas tinham de ser mais abundantes do que as daqueles de menor posição social. O salmista havia sido particularmente abençoado por Deus e se tornara um exemplo de providência divina especial. Mas o poeta teve o cuidado de falar-nos sobre as operações de Deus em prol de todos os homens (vs. 1), daqueles que estiveram no mar Vermelho, quando a necessidade era tão urgente (vss. 5-7), e daqueles que estavam exilados (vss. 8-12). Todos os homens são assim convocados para juntar-se no hino de louvor, porquanto Deus não olvidara ninguém. Mas o homem especialmente abençoado tinha um papel de solista, pelo que também levantou a sua voz em tom de júbilo (vss. 13 ss.).

Subtítulo. Neste salmo o subtítulo é bastante simples: "Ao mestre de canto. Cântico. Salmo". Os editores posteriores que produziram essas observações introdutórias (elas não faziam parte original dos salmos) não se importaram em investigar as circunstâncias históricas que o produziram, nem averiguaram quem poderia ter sido o autor. Muitos estudiosos antigos sugeriam que esse subtítulo foi criado devido à restauração de Israel, terminado o cativeiro babilônico. Mas outros pensam também no livramento da servidão aos egípcios, e que ambos os eventos inspiraram a composição deste hino.

■ 66.1

לַמְנַצֵּחַ שִׁיר מִזְמוֹר הָרִיעוּ לֵאלֹהִים כָּל־הָאָרֶץ:

Aclamai a Deus, toda a terra. A *terra inteira* é convidada aqui a entoar um cântico de alegria e louvor a Elohim, o Poder sobre todas as coisas, o Benfeitor universal. Cf. a natureza universal de Sl 65.2, onde *toda a carne* é convocada a entoar o hino de louvor. Naquele versículo, amplio as implicações desta chamada universal, consolidada na missão de Cristo, na terra, no hades e nos céus, em sua missão tridimensional. Ver na *Enciclopédia de Bíblia, Teologia e Filosofia* os artigos chamados *Missão Tridimensional de Cristo*, sob o título de *Mistério da Vontade de Deus*, seção VII.

"Essa noção da universalidade do governo de Deus, ligada ao reconhecimento desse fato por parte de todos os povos da terra, aparece também em outros salmos (ver Sl 47.7,8; 65.2; 98.4 e 100.1), e podemos tomar isso como sinal da influência da profecia exílica e pós-exílica sobre o salmista (cf. Is 52.10,15; 54.5; 60.1-3; 62.2 e 66.18)" (William R. Taylor, *in loc.*). A universalidade da mensagem bíblica, e sua firme aplicação a todos os homens (pois Deus amou os homens de tal maneira), dá aos homens de todos os lugares uma razão para o grito de júbilo que aparece neste versículo. O hebraico original diz aqui literalmente: "Que todos os homens o louvem com um hino glorioso".

Deveria haver louvores a Deus mediante clamores (vs. 1); mediante cânticos (vss. 2 e 4); e mediante o ato de falar (vss. 3 e 4). O júbilo é o tema, e as espantosas obras de Deus inspiram os homens a esse louvor (vs. 5). John Gill (*in loc.*) salientou corretamente que não pode haver júbilo, como o que figura neste salmo, a menos que incluamos as dimensões maiores de Cristo e seu evangelho. Ver Ap 14.1-7.

■ 66.2

זַמְּרוּ כְבוֹד־שְׁמוֹ שִׂימוּ כָבוֹד תְּהִלָּתוֹ:

Salmodiai a glória do seu nome. Este hino exalça a glória do nome de Deus (ver Sl 31.3; ver *Nome Santo*, em Sl 30.4 e 33.21) e "louva gloriosamente" a Elohim. O louvor deve ser pleno de glória. Essa é a ideia central do salmo, porquanto exalta o Deus glorioso, alto em sua posição, bem como Benfeitor de todos os homens. Diz aqui, literalmente, o original hebraico: "Louvai-o com um hino glorioso". Este salmo tem como objeto o Ser glorioso de Deus e está elevado de termos exaltados para corresponder a essa exaltação. "Que seus atos gloriosos e misericordiosos sejam o assunto de vossos cânticos" (Adam Clarke, *in loc.*). Cf. Is 9.6 e 7.14, onde o seu nome é "glória". Este hino de louvor é glorioso "quando cantamos os seus louvores com graça em nosso coração; quando nós, com uma só mente e a uma boca glorificamos a ele; e quando honramos ao Filho tal como honramos ao *Pai*" (John Gill, *in loc.*). "O louvor deve ser glorioso porque o nome de Deus é honroso. Este louvor de triunfo não deve depender de uma expressão espontânea ou miscelânea" (J. R. P. Sclater, *in loc.*).

> Glórias ao Pai e ao Filho,
> E também ao Espírito Santo.
> Tal como foi no princípio,
> É agora, e sempre será,
> Mundo sem fim. Amém.
>
> Charles Meineke

■ 66.3

אִמְרוּ לֵאלֹהִים מַה־נּוֹרָא מַעֲשֶׂיךָ בְּרֹב עֻזְּךָ יְכַחֲשׁוּ לְךָ אֹיְבֶיךָ:

Dizei a Deus: Que tremendos são os teus feitos! Cf. algo similar em Sl 65.5. Ali está em vista a providência positiva de Deus, a qual é terrível e leva os homens ao temor. Pois Elohim é a nossa *salvação*, e os povos das extremidades mais distantes da terra recorrem a ele como Benfeitor universal. Os feitos poderosos de Deus constrangem todos os homens à obediência e à lealdade. Eles virão voluntária ou relutantemente, mas, ao final, todos virão (ver Fp 2.10; cf. Êx 8.8-15,25-30). Alguns virão espontaneamente, mas as operações de Deus tornam voluntários os que não queriam vir. As pragas do Egito fizeram Faraó ceder, mas a bondade de Deus é um poder maior de atração do que os seus julgamentos. E até os juízos divinos são remediadores (ver 1Pe 4.6). Não existe poder como o do amor. Até o juízo divino é o amor aplicado com severidade.

> *Bastou-lhe ouvir-me a voz, logo me obedeceu;*
> *os estrangeiros se me mostram submissos.*
>
> Salmo 18.44

■ 66.4

כָּל־הָאָרֶץ יִשְׁתַּחֲווּ לְךָ וִיזַמְּרוּ־לָךְ יְזַמְּרוּ שִׁמְךָ סֶלָה:

Prostra-se toda a terra perante ti. *Toda a terra.* O elemento universal tem continuação aqui. A terra inteira se submeteu a Deus, tanto os que vieram voluntariamente quanto os que foram forçados a isso pelo poder e pelo amor do Senhor. E, tendo chegado, uniram-se em solene adoração. Ver no *Dicionário* o verbete intitulado *Adoração*, bem como o detalhado artigo de mesmo nome, na *Enciclopédia de Bíblia, Teologia e Filosofia*. "A grandeza dos feitos de Deus compele todos os homens a lhe serem obedientes" (William R. Taylor, *in loc.*). Mas não há feito maior e mais extraordinário que se possa comparar à obra da redenção.

"Alguns poucos anos atrás, estavam sendo efetuadas as provas nacionais da Track and Field Championships. Estava em andamento a corrida de dez mil metros. Essa corrida era efetuada pelas ruas da cidade e, em alguns trechos, os atletas tinham dúvidas quanto ao trajeto. Chegando a um dos locais duvidosos, todos os 128 competidores tomaram o caminho errado. Isto é, todos menos um que sentiu que os atletas haviam desviado do caminho certo. E fez um sinal a outros para que o seguissem. Somente quatro corredores o atenderam, e os demais continuaram pela pista errada. Jesus Cristo está continuamente fazendo sinais para o seguirmos por um caminho diferente, mas os *outros* não dão atenção aos seus sinais. Segui a Jesus, meus amigos. Ele conhece o caminho, pois ele é o Caminho" (Pastor Claude).

Aquele corredor da história deu um sinal, mas somente quatro corredores o seguiram. No salmo presente, as maravilhosas obras e o poder de Deus nos acenam com um sinal, e *toda a terra*, finalmente, compreende e segue pelo caminho certo.

E então também vemos que esse caminho se caracteriza pela adoração e pelo louvor jubiloso. O *nome* de Deus é louvado e glorificado. Ver sobre *Nome* em Sl 31.3, e sobre *Nome Santo*, em Sl 30.4 e 33.21.

Canta salmos a ti. Está em vista o cântico da *graça remidora*, como passa a demonstrar o salmo, falando da redenção do Egito e, mais tarde, da redenção do exílio babilônico.

> *Lembrar-se-ão do Senhor e a ele se converterão os confins da*
> *terra; perante ele se prostrarão todas as famílias das nações.*
>
> Salmo 22.27

Selá. Ver sobre esta misteriosa palavra em Sl 3.2.

■ 66.5

לְכוּ וּרְאוּ מִפְעֲלוֹת אֱלֹהִים נוֹרָא עֲלִילָה עַל־בְּנֵי אָדָם:

Vinde e vede as obras de Deus. Todos os povos foram convidados a vir e observar as poderosas obras de Elohim, as terríveis coisas que ele faz entre os homens, confirmadas pelos registros históricos. Com essas palavras, o poeta sagrado introduziu sua ilustração da experiência do mar Vermelho. "Não é segredo aquilo que Deus pode fazer. O que ele fez por outros, pode fazer por ti." Assim nos lembra o autor deste hino. No passado, nações aprenderam sobre o poder divino, observando os acontecimentos históricos.

> *Vinde, contemplai as obras do Senhor, que assolações efetuou*
> *na terra.*
>
> Salmo 46.8

"A Igreja, o tempo todo, apela para o mundo: 'Vinde e vede' (conforme disse Jesus aos dois discípulos de João Batista, e conforme disse Filipe a Natanael, em Jo 1.39,46). As maravilhas de Deus devem ser vistas por todos, e o ato de vê-las é o primeiro passo para *acreditarmos* no seu Autor divino (Sl 65.5-8)" (Fausset, *in loc.*).

66.6

הָפַ֤ךְ יָ֨ם ׀ לְֽיַבָּשָׁ֗ה בַּ֭נָּהָר יַֽעַבְר֣וּ בְרָ֑גֶל שָׁ֝֗ם נִשְׂמְחָה־בּֽוֹ׃

Converteu o mar em terra seca. Uma grande obra foi feita por Deus às margens do mar Vermelho (historicamente, o mar de Juncos), águas um tanto para dentro do continente, afastadas do mar Vermelho (um nome popularizado pela Septuaginta). Ver no *Dicionário* o verbete chamado *Mar Vermelho*. As palavras gregas da Septuaginta, *erutha thalassa*, são uma tradução errada do hebraico, que diz *mar de juncos*. O egípcio diz "alagadiço de papiros". Ver Nm 33.10,11.

Às margens do mar Vermelho o impossível foi feito, porque para Deus nada é impossível (Mt 19.26). O que era um *dilúvio* (assim diz literalmente o original hebraico) transformou-se em *terra seca*. Dessa forma os israelitas puderam atravessar o mar Vermelho com os pés enxutos, no que parecia ser uma barreira impossível de cruzar. A vida deles parecia perdida, mas eles foram salvos de súbito. Por essa razão, vós, todos os povos, louvai ao Senhor, porque estais tratando com o mesmo poder miraculoso.

O livro de Deuteronômio repete a história do livramento de Israel da escravidão aos egípcios, e assim esse evento tornou-se um lembrete permanente de como Deus opera quando confiamos nele. Ver Dt 4.20, quanto à libertação de Israel naquele ponto da história. Quanto ao *poder de Yahweh*, que tirou Israel do Egito, ver Nm 23.22.

Ali nos alegramos nele. O *terrível acontecimento,* uma vez revertido, tornou-se tema de um hino de alegria. Ver Êx 14.21,22, quanto à narrativa.

> Quando Israel saiu da servidão,
> À frente deles havia um mar.
> O Senhor estendeu sua poderosa mão,
> E fez o mar recuar.

O Targum faz este versículo referir-se a um milagre posterior, a travessia do Jordão, por parte dos filhos de Israel (ver Js 3.17). Os hebreus antigos algumas vezes chamavam os rios de mares. Talvez a referência do salmista seja ampla o bastante para tratar de ambos os acontecimentos. "Dilúvio" (no hebraico, *nahar*), que geralmente representa o rio Eufrates, mas aqui, tal como em Sl 74.15, representa ou o rio Jordão ou o mar Vermelho" (Ellicott, *in loc.*).

66.7

מֹ֘שֵׁ֤ל בִּגְבוּרָת֨וֹ ׀ עוֹלָ֗ם עֵ֭ינָיו בַּגּוֹיִ֣ם תִּצְפֶּ֑ינָה הַסּוֹרְרִ֓ים ׀ אַל־יָר֖וּמוּ לָ֣מוֹ סֶֽלָה׃

Ele, em seu poder, governa eternamente. O poder de Deus é ilimitado, infenso à passagem do tempo e universal. Seus olhos estão atentos tanto à obediência quanto à infração de suas regras. Quanto aos "olhos de Yahweh", ver Sl 34.15. Essa figura de linguagem aponta para a *onisciência* de Deus. Coisa alguma lhe está oculta, coisa alguma é negligenciada, coisa alguma passa sem recompensa ou retribuição. Os que se *rebelam* serão convocados a prestar contas. Caso se mostrem orgulhosos, serão humilhados.

> *Digo aos soberbos: Não sejais arrogantes;*
> *e aos ímpios: Não levanteis a vossa força. Não levanteis altivamente a vossa força, nem falei com insolência contra a Rocha.*
>
> Salmo 75.4,5

Ver também Sl 58.7 e 1Pe 5.6. O Targum adverte que eles não serão exaltados em si mesmos *para sempre*. Essa arrogância chegará ao fim.

Selá. Quanto aos vários significados vinculados a esta palavra, ver Sl 3.2.

PERSEGUIÇÕES CONTRA ISRAEL NA BABILÔNIA? (66.8-12)

66.8

בָּרְכ֖וּ עַמִּ֥ים ׀ אֱלֹהֵ֑ינוּ וְ֝הַשְׁמִ֗יעוּ ק֣וֹל תְּהִלָּתֽוֹ׃

Bendizei, ó povos, o nosso Deus. Todos os povos são convidados a manter-se afastados dos arrogantes e a não seguir o seu mau exemplo. Pelo contrário, devem oferecer sacrifícios de ação de graças, *abençoar a Deus*, ter a boca cheia de louvores, ou seja, manifestar as qualidades que distinguem o piedoso do rebelde. Os povos devem bendizer o "nosso Deus", Yahweh, o Deus de Israel que exerce controle e é o Criador e o sustentador de todos os homens, em todos os lugares. Ver esse toque universal nos vss. 1 e 4, onde comento a questão. As misericórdias de Deus, demonstradas a todos, revelam que ele deve ser bendito por todos.

66.9

הַשָּׂ֣ם נַ֭פְשֵׁנוּ בַּֽחַיִּ֑ים וְלֹֽא־נָתַ֖ן לַמּ֣וֹט רַגְלֵֽנוּ׃

O que preserva com vida a nossa alma. Deus *guardara Israel entre os viventes* (*Revised Standard Version*) em repetidas ocasiões, quando a identidade desse povo poderia ter sido perdida. Uma dessas ocasiões foi a travessia do mar Vermelho. Outra foi quando os exilados estiveram na Babilônia, o que pode ser refletido nos vss. 8 a 12. Israel foi severamente testado (vs. 10), mas não aniquilado. Em um sentido comparativo, Israel não teve os pés "resvalados", ou seja, não *escorregou*. Ver as notas expositivas em Sl 55.22. Ver também os vss. 11 e 12, quanto a uma ampliação do tema. A "alma de Israel foi posta na vida", a tradução literal do original hebraico, a nossa versão portuguesa traduz por "preserva com vida". Mas também obtemos aí a ideia de um ato divino protetor, no qual a *mão divina* se mostrou ativa, pondo os filhos de Israel em um *lugar seguro*. Cf. Ez 37 e Sl 30.3: "Da cova fizeste subir a minha alma; preservaste-me a vida para que não descesse à sepultura".

66.10

כִּֽי־בְחַנְתָּ֥נוּ אֱלֹהִ֑ים צְ֝רַפְתָּ֗נוּ כִּצְרָף־כָּֽסֶף׃

Pois tu, ó Deus, nos provaste. Israel foi comparativamente abalado por testes severos, causados por Elohim, mas não foi fatalmente abalado. Cf. Sl 62.2: "... não serei grandemente abalado". Quanto a Deus como a Rocha sobre a qual um homem é edificado, ver Sl 42.9. Os testes severos não tinham por intuito aniquilar, mas purificar, tal como a boa prata passa sete vezes pelo fogo refinador. Cf. Zc 13.9; Ml 3.2; Is 48.10 e 1Pe 1.7.

> *... prata refinada em cadinho de barro, depurada sete vezes.*
> Salmo 12.6

É digno de nota que todos os julgamentos de Deus têm essa natureza; até mesmo o julgamento dos perdidos, os quais, finalmente, serão restaurados (ver 1Pe 4.6). Pelo menos, essa é a minha fé. ver o artigo chamado *Restauração*, na Enciclopédia de Bíblia, Teologia e Filosofia. Orígenes certamente estava correto ao observar que ver apenas retribuição no julgamento é condescender diante de uma teologia inferior.

66.11

הֲבֵאתָ֥נוּ בַמְּצוּדָ֑ה שַׂ֖מְתָּ מוּעָקָ֣ה בְמָתְנֵֽינוּ׃

Tu nos deixaste cair na armadilha. Aqui é usada a *metáfora do caçador*. Elohim submete a teste o seu povo quando eles erram, ou disciplina-os quando não cometem nenhum erro. Ele os apanha como um animal inocente, em sua rede. Ali eles se debatem e agonizam. Cf. Sl 9.15; 22.15; 31.4; 37.7,8; 57.6; 66.11 e 140.5. A maior parte dessas referências fala dos atos de homens injustos que perseguem os justos. Suas redes são fatais, porquanto, quando o caçador chega e encontra um animal em sua rede, ele o mata, a fim de ficar com a carne e com o couro. Mas as redes de Deus são disciplinadoras e têm por intuito curar ou restaurar.

Oprimiste as nossas costas. A *Revised Standard Version* diz que Deus "depositou aflições" sobre os nossos lombos. Cf. Sl 129.1-3.

Colocar uma carga sobre a parte inferior das costas é o mesmo que sujeitar um homem a um peso muito difícil de carregar. O homem preferiria ter essa carga sobre os ombros, onde ele tem forças para suportar o peso. O Targum diz que uma *corrente* ata o peso à parte inferior das costas, algo incomum e desagradável, podemos estar certos. A metáfora provavelmente foi extraída daquilo que o homem faz com os animais de carga, atando pesos sobre suas costas. Se um homem tivesse de carregar uma carga em suas costas, a parte inferior das costas seria o pior lugar para colocá-la. Isso se refere a um *teste severo*. Todavia, o vocábulo hebraico tem sentido mais amplo do que a nossa palavra, pelo que também pode revestir-se de diferentes sentidos, conforme se vê abaixo.

> *Obscureçam-se-lhes os olhos, para que não vejam; e faze que sempre lhes vacile o dorso.*
>
> Salmo 69.23

Ver no *Dicionário* o artigo chamado *Lombos*. A palavra hebraica é bastante lata e fala de coisas que não associaríamos à parte inferior das costas. Um dos significados vinculados à palavra hebraica (*mothen*) é *força*, que se ajustaria bem a este versículo. Deus testa severamente a *força* do indivíduo piedoso e o debilita por meio de testes. Outra palavra hebraica, *chatats*, tem esse significado. Ver Gn 35.11. Mas ali parece haver um eufemismo para os órgãos sexuais. Ver outro uso (com uma palavra diferente) em Sl 38.7.

■ 66.12

הִרְכַּבְתָּ אֱנוֹשׁ לְרֹאשֵׁנוּ בָּאנוּ־בָאֵשׁ וּבַמַּיִם וַתּוֹצִיאֵנוּ לָרְוָיָה׃

Fizeste que os homens cavalgassem sobre as nossas cabeças. Elohim, usando homens como instrumentos, seja para punir os israelitas por causa do pecado, seja para discipliná-los e ensinar-lhes lições que eles precisavam aprender, fazia esses homens "cavalgar sobre a cabeça" deles. Temos aqui uma metáfora militar. O exército derrotado, recuando diante do inimigo, cai no chão e é pisado, e seus inimigos pisam sobre a cabeça dos soldados, tão rapidamente avançavam os seus cavalos. "Permitiste-nos cair sob o domínio de nossos inimigos. 'Eles nos têm tratado como uma infantaria derrotada', era quando a cavalaria inimiga passava por sua cabeça, humilhando-os e destruindo suas fileiras desordenadas, pisando-os ao chão" (Adam Clarke, *in loc.*).

Alguns intérpretes supõem que os vss. 8 a 12 representem o triste estado de Israel no exílio babilônico.

Outras metáforas de teste são empregadas: a passagem pelo fogo e pela água, que ficam sem restrições definitivas. Poderíamos imaginar uma inundação ou uma floresta incendiada como possíveis instâncias. Estão em pauta perigos extremos, especialmente os potencialmente fatais que quase sempre deixam os sobreviventes feridos. Os ímpios são tiranos terríveis que matam ou aleijam suas vítimas, mas diz-se que *Elohim* é a *causa* dos atos desses tiranos. A teologia dos hebreus era fraca quanto a causas secundárias (como os atos de homens malignos), atribuindo tudo à *causa única*, Deus.

> *Quando passares pelas águas eu serei contigo; quando pelos rios, eles não te submergirão; quando passares pelo fogo, não te queimarás, nem a chama arderá em ti.*
>
> Isaías 43.2

... nos trouxeste para um lugar espaçoso. Esta tradução concorda com a *Revised Standard Version*, pois outras versões portuguesas dizem "um lugar de abundância", ou coisa parecida. O hebraico literal fala em "saturação". Outras versões falam em "liberdade". É provável que tenha prosseguimento aqui a metáfora militar. O homem que poderia ser apanhado na rede armada pelos inimigos nela cairia sem se dar conta do que estava acontecendo. Mas se ele estivesse "em um espaço aberto", isso já não aconteceria. O homem seria apanhado em uma emboscada armada pelo inimigo, mas isso não ocorreria em um espaço aberto. Ou então uma inundação ou um incêndio poderia ocorrer em uma floresta, o que serviria de armadilha para um homem, mas, se ele estivesse em campo aberto, teria oportunidade de escapar. Nesse caso, a figura de linguagem ensinaria a ideia de *segurança*, por motivo de cuidados especiais da parte de Elohim. A versão árabe diz aqui "descansar", com a ideia de descansar do perigo.

Menos provavelmente, poderíamos compreender um *lugar rico*, ou a Judeia, ou Jerusalém, ou o lugar do templo, que tinha as riquezas culturais e religiosas de Israel. Mediante uma aplicação cristã, teríamos as riquezas de Cristo, como o destino do crente. Ver Ef 3.8.

O HINO PESSOAL DO POETA (66.13-20)

A VOLTA DE ISRAEL DA BABILÔNIA?

■ 66.13

אָבוֹא בֵיתְךָ בְעוֹלוֹת אֲשַׁלֵּם לְךָ נְדָרָי׃

Entrarei na tua casa com holocaustos. *Se* as orações do salmista pedindo livramento de seus inimigos fossem atendidas, se ele sobrevivesse, então teria boas razões para ir ao templo oferecer sacrifícios e manifestar seu agradecimento de forma toda especial. Ele celebraria a sua vitória oferecendo votos, prometendo certas coisas a Yahweh-Elohim, porquanto Deus tinha feito tanta coisa por ele. Ver no *Dicionário* o verbete intitulado *Voto,* onde o leitor obterá completa compreensão sobre a questão.

Além dos hinos comunais e do louvor universal, o poeta sagrado ofereceria seu próprio hino pessoal, que ele comporia especialmente para a ocasião. E também ofereceria suas próprias ofertas e se mostraria generoso, por ser um homem de consideráveis riquezas, de quem muito se poderia esperar.

"Enquanto a terra estivesse louvando ao Senhor, por que haveria ele de cantar? Essa não era a atitude do salmista. Nessa conjuntura, o seu enfoque foi estreitado para as dimensões de sua própria alma. Deliberadamente, ele se fez parte desse louvor planetário... Ele exibiu a própria piedade contra o pano de fundo da própria perturbação. O período de aflição tinha passado, mas ele não esquecera que, em meio à angústia, tomara a iniciativa de fazer votos... Portanto, ele ofereceu louvores como parte do clamor unânime de alegria do mundo (vss. 13-15)" (J. R. P. Sclater, *in loc.*).

Alguns intérpretes veem aqui a volta de Israel da Babilônia, e talvez os votos do homem, que ele agora pagava, representem os votos da nação inteira. Muitos judeus devem ter feito votos solenes a Yahweh, *se* ele restaurasse a nação a Jerusalém.

"Com frequência votamos, se nos livrasses de nossa servidão, que só a ti adoraríamos e serviríamos. Agora ouviste nossas orações e nos livraste. Portanto, cumpriremos a promessa que a ti fizemos" (Adam Clarke, *in loc.*).

■ 66.14

אֲשֶׁר־פָּצוּ שְׂפָתָי וְדִבֶּר־פִּי בַּצַּר־לִי׃

Que proferiram os meus lábios. Na Babilônia, o poeta e seus compatriotas passavam por aflição. Muitas famílias haviam sido destruídas; lares tinham sido perdidos; o templo de Jerusalém fora destruído; o culto havia sido descontinuado. Em meio àquela devastação, muitos tinham feito votos a Deus. Essa é a maneira pela qual alguns intérpretes entendem aqui a palavra "angústia". Foi a grande angústia do exílio babilônico. Ver no *Dicionário* sobre *Cativeiro Babilônico*, quanto a detalhes completos.

Proferiram. Literalmente, o original hebraico diz "abriram-se". O homem havia aberto o coração e falado tudo quanto sentia. Seus votos, pois, foram feitos com sinceridade. Tendo passado a angústia, ele se apressou em cumprir as promessas. É possível que a palavra "proferiram" (abriram-se) também signifique que os votos do autor sagrado se tornaram uma *questão pública*, que não podia ser negligenciada. Ver Jz 11.33 ss., quanto ao voto insensato feito por Jefté, que ele cumpriu com grande perda pessoal. Em Israel, os votos eram considerados uma questão seriíssima.

■ 66.15

עֹלוֹת מֵחִים אַעֲלֶה־לָּךְ עִם־קְטֹרֶת אֵילִים אֶעֱשֶׂה בָקָר עִם־עַתּוּדִים סֶלָה׃

Oferecer-te-ei holocaustos de vítimas cevadas. Além de ter cumprido seus *votos* (vs. 13), o poeta também fez ricas ofertas, acima de qualquer coisa requerida pela lei mosaica. "Acima e além das ofertas votadas (Dt 23.21-23), ele trouxe holocaustos inteiros (vs. 15). Os animais sacrificados incluíram toda espécie de animais, como cordeiros gordos, carneiros e bois" (William R. Taylor, *in loc.*). Quanto aos tipos de oferendas legítimas, ver as notas expositivas em Lv 7.37. Quanto aos *cinco* tipos de animais que podiam ser sacrificados, ver Lv 1.14-16. Esses eram os animais *nobres*. Havia outros animais considerados limpos, isto é, que podiam ser ingeridos pelos filhos de Israel. E havia os animais imundos, ou seja, os que não podiam ser consumidos. Ver no *Dicionário* o artigo chamado *Limpo e Imundo*. "Tais holocaustos dificilmente poderiam ter sido votados por uma única pessoa. A comunidade é que falara. Ademais, o carneiro não servia de sacrifício em lugar de qualquer indivíduo, mas era particularmente apropriado para o sumo sacerdote (ver Lv 9.2), para o chefe de uma tribo (Nm 7) e para um nazireu (Nm 6.14). O *incenso* aqui referido é a fumaça dos sacrifícios que subia no ar" (Ellicott, *in loc.*).

Por outro lado, o rico poeta pagou do próprio bolso todos aqueles sacrifícios e assim possibilitou que houvesse uma refeição comunal. A gordura e o sangue foram oferecidos a Yahweh. *Oito porções* cabiam aos sacerdotes oficiantes (ver Lv 6.26; 7.11-24; 7.28-38; Nm 18.8; Dt 12.17,18). O restante foi distribuído aos participantes do evento. Se a celebração era em honra ao retorno dos cativos do exílio babilônico, então deve ter sido realmente uma grande festividade! Houve cântico de hinos, gritos, danças e ingestão de vinho. Os hebreus eram um povo feliz, que apreciava cânticos, danças e vinho, no que se distinguiam muito dos evangélicos atuais.

"Devemos lembrar que as ofertas queimadas eram, diferentemente dos sacrifícios compulsórios pelo pecado, um reconhecimento voluntário do senso pessoal de gratidão. Repetidas vezes, por ocasião das festas, acompanhadas pelo som das trombetas, tais oferendas davam uma dramática exibição pública do ímpeto interior de um homem, que assim manifestava seu agradecimento" (J. R. P. Sclater, *in loc.*). Dessa forma o salmista cumpriu as promessas que fizera quando estava angustiado (vss. 13 e 14).

■ 66.16

לְכוּ־שִׁמְעוּ וַאֲסַפְּרָה כָּל־יִרְאֵי אֱלֹהִים אֲשֶׁר עָשָׂה לְנַפְשִׁי׃

Vinde, ouvi, todos vós que temeis a Deus. Ao oferecer seus sacrifícios, o salmista *conclamou a todos* que ouvissem por que ele fazia tudo aquilo. Ele estava cumprindo suas promessas e fez da questão uma cerimônia pública. Todos quantos temiam a Deus estariam interessados, porque eles, igualmente, eram homens espirituais. Ver no *Dicionário* o artigo chamado *Temor*, quanto a notas expositivas sobre o assunto, pois o "temor" a Deus era um termo que descrevia a *espiritualidade geral* daqueles que guardavam a lei. Quanto ao papel desempenhado pela lei mosaica em Israel, ver sobre Sl 1.2, onde apresento uma nota de sumário. O nosso homem estivera em angústia. Visto que ele acreditava no poder da oração, por isso mesmo orou. Suas orações foram respondidas, e assim, agora, ele estava cumprindo o seu voto. Ele queria que o povo conhecesse a história toda. Cf. os atos e as atitudes da mulher, à beira do poço, em certa experiência do Senhor Jesus (Jo 4.29). Jesus instruiu o endemoninhado liberto a fazer a mesma coisa (ver Mc 5.19).

> Tomarei o cálice da salvação, e invocarei o nome do Senhor.
> Cumprirei os meus votos ao Senhor, na presença de todo o seu povo.
>
> Salmo 116.13,14

"Dessa maneira, ele tencionava ensiná-los pelo seu *exemplo*, sempre mais poderoso do que os *preceitos*" (Adam Clarke, *in loc.*).

■ 66.17

אֵלָיו פִּי־קָרָאתִי וְרוֹמַם תַּחַת לְשׁוֹנִי׃

A ele clamei com a boca. Quanto ao uso devido da *língua*, ver Sl 5.9; 12.2; 15.3; 17.3; 34.12; 35.28; 36.3; 39.9; 55.21 e 64.4. Ver no *Dicionário* o verbete intitulado *Linguagem, Uso Apropriado da*. O hebraico diz aqui "exaltação estava debaixo de minha língua", o que equivale à moderna expressão "na ponta da língua". Em outras palavras, o salmista estava preparado, todos os momentos, a prestar louvores ao seu grande benfeitor. Seu coração era o armazém de bênçãos, e sua língua era o instrumento para a liberação dos louvores. Sua língua *celebrava* os atos divinos de amor e misericórdia. A abundância de seu coração é que falava através de sua língua (ver Mt 12.34).

■ 66.18

אָוֶן אִם־רָאִיתִי בְלִבִּי לֹא יִשְׁמַע אֲדֹנָי׃

Se eu no coração contemplara a vaidade. O *pecado* poderia impedir o fluxo dos louvores. Se o coração fosse corrupto, como poderia a língua prestar louvores apropriados? A tradução literal seria: "Vi iniquidade em meu coração", o que, conforme Gunkel, significa: "Eu disse em meu coração, o Senhor não me ouvirá". Um coração cheio de dúvidas dificilmente pode ser a origem do louvor apropriado. Se o homem, tal como seus inimigos, formasse esquemas malignos no coração, já estaria afastado dos louvores. Que coisa boa poderia ele dizer a Elohim? Seja como for, o versículo atua como um protesto de inocência, porquanto o homem estava muito ocupado nos louvores, o que significa que não podia ter maus desígnios no coração. Cf. Jó 35.1,13; Is 1.15; 59.2,3 e Jo 9.31.

> Aquilo que pedimos, dele recebemos, porque guardamos os seus mandamentos, e fazemos diante dele o que lhe é agradável.
>
> 1João 3.22

A integridade do coração deve preceder o ato de falar. "O ponto é claro. O povo de Deus deveria purificar seu coração, e então orar a ele. E então ele não reteria os atos de seu amor leal" (Allen P. Ross, *in loc.*).

■ 66.19

אָכֵן שָׁמַע אֱלֹהִים הִקְשִׁיב בְּקוֹל תְּפִלָּתִי׃

Entretanto Deus me tem ouvido. Elohim havia *ouvido e abençoado* o salmista, liberando os cativos e enviando-os de volta para casa, como prova de sua inocência e sinceridade. O favor divino lhes foi concedido, porquanto neles não havia hipocrisia. "Uma prova segura de que sua oração era reta" (Adam Clarke, *in loc.*). "Ele não tinha vivido uma vida de vícios e de maldades, nem era um hipócrita; doutra sorte, Deus não teria ouvido as suas orações" (John Gill, *in loc.*).

> Teu toque tem ainda o poder antigo,
> Nenhuma palavra tua cai por terra inútil.
> Ouve nesta solene hora da noite,
> E, em tua compaixão, cura-nos a todos.
>
> Henry Twell

■ 66.20

בָּרוּךְ אֱלֹהִים אֲשֶׁר לֹא־הֵסִיר תְּפִלָּתִי וְחַסְדּוֹ מֵאִתִּי׃

Bendito seja Deus. *A Doxologia*. O salmista abençoou o grande benfeitor, que não desviou o rosto quando o homem orara; antes, derramou seu *amor constante* e o enviou de volta para casa, terminado o cativeiro. Ver no *Dicionário* os artigos chamados *Misericórdia* e *Amor*.

> Lançando sobre ele toda a vossa ansiedade, porque ele tem cuidado de vós.
>
> 1Pedro 5.7

Ver Sl 80.4 e Lm 3.8,44, quanto a fatores que entravam as respostas divinas às nossas orações.

> Mas a misericórdia do Senhor é de eternidade a eternidade sobre os que o temem, e a sua justiça sobre os filhos dos filhos.
>
> Salmo 103.17

"Deus não havia rejeitado a oração do salmista, nem havia retirado dele a sua graça" (Ellicott, *in loc.*). "Nossas orações são ouvidas não por causa de nossos méritos, mas pela misericórdia divina" (Muis, *in loc.*).

SALMO SESSENTA E SETE

Quanto a *informações gerais* que se aplicam a todos os salmos, ver a introdução ao Salmo 4, onde apresento *sete* comentários que elucidam a natureza do livro. Quanto a *classes* dos salmos, ver o gráfico no início do comentário, que atua como uma espécie de frontispício da coletânea. Dou ali dezessete classes e listo os salmos pertencentes a cada uma delas.

Este é um *salmo de ação de graças,* louvando a Elohim pela boa colheita que tinha sido experimentada. As circunstâncias deste salmo são semelhantes às do Salmo 65. Ver as notas de introdução ali, que também se aplicam aqui. Uma boa colheita era um acontecimento nacional necessário para que a vida fosse sustentada, pelo que, quando Deus concedia tal graça, havia festividade nacional com agradecimentos, sacrifícios e cumprimento de votos, cânticos, danças e folguedo geral. O salmo à nossa frente refere-se a como a colheita havia sido boa, e como uma celebração ocorrera no encerramento do ano agrícola (vs. 6). O vs. 1 foi tomado por empréstimo da conhecida e geralmente repetida bênção de Nm 6.23-26. Deus se mostrara gracioso; fizera seu rosto brilhar sobre o povo. Havia razão para festividades. Provavelmente este hino foi entoado durante a Festa dos Tabernáculos, assumindo importância especial depois do exílio babilônico. Ver Dt 16.13-16; Lv 23.34-36 e Nm 29.12-38.

Nessa ocasião havia *alegria pela colheita* (Is 9.3). Peregrinações eram feitas a Jerusalém para cumprir as cerimônias apropriadas e pagar os votos. Era um tempo de quase selvagens celebrações, e tão liberais que, posteriormente, um oitavo dia foi adicionado para acalmar o povo e fazer voltar sua mente a um arcabouço mais sério. Cf. Sl 113 a 119; 136. Este salmo também exibe um notável espírito missionário (vs. 4), onde as nações são chamadas a participar dos cânticos e das celebrações, visto que as graças divinas são universais, e aquelas conferidas a Israel também pertenciam a todos os povos. O benévolo governo de Deus tem extensões universais.

Subtítulo. Neste salmo encontramos o seguinte subtítulo: "Ao mestre de canto. Para instrumento de corda. Salmo. Cântico". O subtítulo do Salmo 4 é virtualmente idêntico, excetuando o fato de que aquele salmo é atribuído a Davi (o que também é uma verdade quanto a este, pelo menos em algumas das versões da Bíblia). Além disso, o subtítulo anterior é idêntico, com exceção de que ali os instrumentos que deveriam acompanhar a execução não foram mencionados. Quanto a maiores informações, ver aqueles salmos. As tradições nos levam a crer que este salmo foi composto por ocasião do retorno dos cativos da Babilônia. Escrito em uma atmosfera internacional, assumiu conotação universal (vss. 2-4). Pelo menos com esse tanto de tradição os críticos modernos concordam. Este salmo é pós-exílico. Os subtítulos não fazem parte original dos salmos e não se revestem de autoridade canônica, sendo adições feitas por editores posteriores.

AÇÃO DE GRAÇAS POR UMA BOA COLHEITA (67.1-7)

■ **67.1** (na Bíblia hebraica corresponde ao **67.1,2**)

לַמְנַצֵּחַ בִּנְגִינֹת מִזְמוֹר שִׁיר׃

אֱלֹהִים יְחָנֵּנוּ וִיבָרְכֵנוּ יָאֵר פָּנָיו אִתָּנוּ סֶלָה׃

Seja Deus gracioso para conosco. Este versículo é uma adaptação da *bênção sacerdotal* de Nm 6.24-26, onde ofereço as notas expositivas principais. A realização de uma boa colheita era um feito especial (e necessário) que exibia a misericórdia e graça de Deus. Ver no *Dicionário* os artigos chamados *Misericórdia* e *Graça.* A época de uma boa colheita era um tempo notável, quando o rosto divino brilhava sobre os homens, o que fala de seu favor especial. Deus estava feliz com os homens. Ele abençoava os homens de maneira *significativa.* Ver Nm 6.25.

> *Há muitos que dizem: Quem nos dará a conhecer o bem? Senhor, levanta sobre nós a luz do teu rosto.*
>
> Salmo 4.6

O Rosto Brilhante de Deus. Está em foco o favor divino, que espanta as trevas da necessidade e da dúvida, traz a esperança de um novo e radioso dia, e faz recuar as sombras da pobreza. O rosto brilhante de Deus, pois, fala de aprovação e da felicidade da bênção divina. No sentido cristão, o rosto brilhante de Deus fala de seu favor desmerecido, de sua rica graça e de seu favor livre, que nos abençoou com a vinda de seu Filho, o prometido Filho de Abraão, para cumprir as alianças, para encher de abundância todas as nações, para trazer paz e perdão, bem como bênçãos eternas. O Targum diz aqui "e faz o esplendor de seu rosto brilhar *sempre* sobre nós".

Selá. Quanto aos significados possíveis desta palavra, transliterada do hebraico para o português, ver Sl 3.2.

■ **67.2** (na Bíblia hebraica corresponde ao **67.3**)

לָדַעַת בָּאָרֶץ דַּרְכֶּךָ בְּכָל־גּוֹיִם יְשׁוּעָתֶךָ׃

Para que se conheça na terra o teu caminho. O cântico da colheita imediatamente foi empregado com um propósito missionário, porque Israel, "lá fora", no cativeiro babilônico, tornou-se sensível para com as necessidades dos outros povos. A experiência ampliou a visão dos judeus. Ademais, Deus é universal e suas bênçãos são obviamente espalhadas por todas as nações, favorecendo a *todos os povos.* O *caminho de Deus* era mais perfeitamente revelado em sua lei, e no templo e seu culto. Assim sendo, o poeta sagrado queria que todos os povos participassem das celebrações.

Ver uma nota de sumário quanto aos usos da lei, em Sl 1.2. A possessão da lei mosaica *distinguia* Israel dentre as nações (Dt 4.4-8), mas essa nação passou a ver-se como um *instrumento* de Deus para o bem de outras nações. Em outras palavras, foi gradualmente *universalizada* e, por isso, aproximou-se da natureza de Deus, o Pai de todos os homens em todos os lugares.

> Ó Sião, apressa o alto cumprimento de tua missão,
> Para dizer ao mundo inteiro que Deus é luz.
> Que aquele que fez todas as nações não quer
> Que uma só alma pereça, perdida nas sombras da noite.
>
> Mary A. Thomson

Deus tem o *seu caminho.* O homem segue esse caminho e toda a sua vida fica envolvida. O evangelho é chamado de *o caminho* (ver At 19.9). Ver no *Dicionário* o verbete intitulado *Caminho,* que discute os usos metafóricos da palavra.

A tua salvação. A *King James Version* diz aqui "saúde salvadora". Deus é o médico da alma, aquele que deu a vida e a sustenta, incluindo a vida espiritual. As promessas de Deus a Abraão terão cumprimento em uma escala universal. Ver Gn 22.18; 26.4; Is 60.3. Quanto à salvação dada, ou de quem vem a salvação, ver Sl 62.2, onde ofereço uma lista de referências e explicações. "O propósito desta oração é que os caminhos da salvação de Deus sejam conhecidos pelo mundo inteiro" (Allen P. Ross, *in loc.*).

■ **67.3** (na Bíblia hebraica corresponde ao **67.4**)

יוֹדוּךָ עַמִּים אֱלֹהִים יוֹדוּךָ עַמִּים כֻּלָּם׃

Louvem-te os povos, ó Deus. Note o leitor a *declaração enfática* aqui: o pedido do poeta sagrado de que os *povos* louvassem a Elohim foi imediatamente mudado para "os povos, todos". A oração do salmista é que todos os povos encontrem a *salvação* de Deus e, assim sendo, tenham razões para *louvar* ao Senhor. Note o leitor, igualmente, que a palavra "louvar" é repetida por duas vezes, pois esse é o resultado natural para quem tiver recebido alguma grande bênção. Encontramos aqui, pois, a ideia de magnanimidade de espírito, o que fez desaparecer as inclinações do salmista para o *exclusivismo.* Um dos sinais do crescimento espiritual de um crente é que seus limites teológicos se expandem. Deus amou o *mundo* de tal maneira, e os homens, tornando-se mais semelhantes a Deus, participam dessa qualidade sobre uma base mais ampla.

Dizer que temos aí o "mundo dos eleitos" é atolar-se no exclusivismo, o que é prejudicial para o espírito. Na verdade, os que fazem Jo 3.16 aplicar-se somente aos eleitos e proferem absurdos como dizer que Deus não amou o mundo inteiro demonstram total falta de visão, uma autolimitação que conserva a teologia oculta no porão de uma casa. O livro de Jonas é o João 3.16 do Antigo Testamento. Vemos que Deus amou os assírios e até demonstrou consideração pelo gado que ali vivia (ver Jn 4.11). É claro que Deus amava os habitantes de Nínive, povo arqui-inimigo de Israel. Como, pois, poderia não amar o mundo? Além disso, meus amigos, é inútil falar sobre um amor que fracassa. Finalmente, o amor de Deus cumprirá todos os propósitos divinos, tocando em cada indivíduo, sem exceção. Ver na *Enciclopédia de Bíblia, Teologia e Filosofia* o verbete chamado *Mistério da Vontade de Deus*.

Pequenas Teologias. O calvinismo, em sua forma especial de cegueira, diz que o amor de Deus não é universal, e, não sendo *universal,* supostamente falha no tocante a *todas* as pessoas. O arminianismo, em sua forma especial de cegueira, diz que o amor de Deus é universal, e deveria, supostamente, afetar todos os seres humanos, mas falhou porque os homens são fracos. Meus amigos, o amor de Deus tem de ser *maior* do que essas pequenas teologias. Ver no *Dicionário* o verbete chamado *Amor*.

> O amor de Deus é real universalmente
> — não apenas potencialmente.
> O amor de Deus será absolutamente
> eficaz, finalmente.
>
> Limites de pedra não podem conter o amor.
> E o que o amor pode fazer,
> isso o amor ousa fazer.
>
> Shakespeare

Nisso consiste o evangelho, as boas-novas dirigidas aos homens. O resto não se constitui em muitas boas-novas, para a *maioria* dos homens. Essa não é uma teologia tolerável. Naturalmente, ao longo de sua narrativa, a Bíblia também apresenta teologias inferiores, mas, em sua mensagem total, as Escrituras olham para além das suas limitações. Cristo veio para preencher *todas as coisas,* ou seja, veio ser tudo para todos (Ef 4.10). Ver como essa passagem inclui todas as esferas da atividade do Logos: vs. 6 (a terra); vss. 8 e 9 (o hades e os céus). Foi dessa maneira que Cristo cumpriu uma missão tridimensional e continua a cumpri-la. Os objetivos de suas três missões são idênticos: para que ele seja tudo para todos, isto é, para que "preenchesse todas as coisas".

Que Deus seja louvado por sua provisão sem limites! Quanto mais limitamos as operações do amor de Deus, mais caímos em pequenas teologias. Portanto, devemos dar espaço para o Espírito movimentar-se. As limitadas teologias dos homens levantam cercas em redor de Deus.

■ **67.4** (na Bíblia hebraica corresponde ao **67.5**)

יִשְׂמְחוּ וִירַנְּנוּ לְאֻמִּים כִּי־תִשְׁפֹּט עַמִּים מִישׁוֹר
וּלְאֻמִּים בָּאָרֶץ תַּנְחֵם סֶלָה:

Alegrem-se e exultem as gentes. Continua aqui a *universalidade* do salmo. As nações favorecidas se alegrarão e, em júbilo, explodirão em cânticos alegres. Elas aceitarão que o Justo Juiz lhes ensine os seus caminhos. Ele se tornará o seu *Guia*. O poeta, por conseguinte, descreve os benefícios da graça.

> *O Senhor te guiará continuamente, fartará a tua alma até em lugares áridos, e fortificará os teus ossos; serás como um jardim regado, e como um manancial, cujas águas jamais faltam.*
> Isaías 58.11

A bondade de Deus estende-se ao seu governo universal. A graça de Deus põe as pessoas (vs. 2) debaixo da sua lei. Sob o Novo Testamento, debaixo de sua *graça*. As nações reconhecerão seu governo beneficente no mundo. Em todas as coisas, ele é o guia, mostrando-lhes o que está certo e o que está errado. Seus decretos, por toda a criação, são certos e beneficiam aqueles em favor de quem foram baixados. Sua bondade é demonstrada inclusive por meio de boas colheitas, mas isso é apenas uma lição objetiva sobre como ele opera neste mundo. Ver no *Dicionário* o verbete chamado *Alegria*.

> Antigo de dias, que se senta entronizado na glória,
> Diante de ti todos os joelhos se dobram, todas as vozes oram.
> Teu amor tem abençoado a história do vasto mundo,
> Com luz e vida, desde o primeiro dia no Éden.
>
> William. C. Doane

Selá. Quanto aos possíveis sentidos desta misteriosa palavra, ver Sl 3.2.

■ **67.5** (na Bíblia hebraica corresponde ao **67.6**)

יוֹדוּךָ עַמִּים אֱלֹהִים יוֹדוּךָ עַמִּים כֻּלָּם:

Louvem-te os povos, ó Deus. Este versículo repete o vs. 3, onde ofereço notas expositivas. O poeta repetiu o sentimento como um refrão de hino. Essas palavras reforçam a mensagem universal do autor sacro. O ardor da mente do salmista levou-o a reiterar uma declaração de valor. O Targum diz aqui: "O povo confessará", em vista do novo favor desfrutado, o qual é ampliado no vs. 6.

■ **67.6** (na Bíblia hebraica corresponde ao **67.7**)

אֶרֶץ נָתְנָה יְבוּלָהּ יְבָרְכֵנוּ אֱלֹהִים אֱלֹהֵינוּ:

A terra deu o seu fruto. "Quando todos os povos louvarem a Deus, então a própria terra será libertada de sua maldição e produzirá fruto em abundância. A bênção de Lv 26.4 tornar-se-á realidade, primariamente na terra santa, e, finalmente, no globo terrestre inteiro" (Fausset, *in loc.,* com algumas adaptações).

"A terra foi amaldiçoada por causa do pecado do homem, mas essa maldição será totalmente removida por Jesus Cristo" (Adam Clarke, *in loc.*). Devemos relembrar que o pecado era concebido como se estivesse por trás de todos os estados prejudiciais. Assim sendo, a própria terra foi amaldiçoada por causa dos males morais dos homens. Isso pode ser moralmente revertido. Há a salvação da ciência. Os homens têm aprendido a melhorar a fertilidade da terra e têm erigido grandes sistemas de represas para garantir água em tempos de seca. E quando não dependem das chuvas, dependem da neve para encher os seus reservatórios. Portanto, tudo depende de Deus quanto ao avanço da ciência. Esses avanços devem ser bem acolhidos por nós, embora não devamos permitir que substituam as realidades espirituais. O poeta sacro nunca perdeu de vista a espiritualidade das bênçãos físicas. Este versículo, como é natural, tem sido cristianizado para falar sobre a missão de Cristo, que endireitará o mundo, abrindo caminho para a bênção material.

> Aramos os campos, e espalhamos sobre a terra a boa semente;
> Mas ela é alimentada e regada pela mão do Deus
> Todo-poderoso.
> Ele envia a neve no inverno, o calor para inchar a semente,
> A brisa e a luz do sol,
> Bem como a chuva suave e refrescante.
>
> Mattias Claudius

■ **67.7** (na Bíblia hebraica corresponde ao **67.8**)

יְבָרְכֵנוּ אֱלֹהִים וְיִירְאוּ אֹתוֹ כָּל־אַפְסֵי־אָרֶץ:

Abençoe-nos Deus. O *grande benfeitor* que tem poder, porque seu nome é *Elohim,* continua abençoando "Israel" (nós) e todos os confins da terra (as nações), para que aprendam a *temê-lo,* um sinal que distinguia Israel entre as nações. Ver no *Dicionário* o verbete intitulado *Temor,* quanto a notas expositivas completas sobre o conceito. Mas o que começou em Israel acabou abrangendo todos os povos, e esse era o plano de Deus desde o começo, conforme aprendemos nas provisões do *Pacto Abraâmico* (ver as notas em Gn 15.28). *Nele,* seriam abençoadas todas as famílias da terra, mas não sem a sua espiritualidade. Em Cristo, a espiritualidade de Deus foi universalizada, tanto na teoria como na prática.

> Nós te agradecemos, pois, ó Pai,
> Por tudo quanto é resplendente e bom:
> O tempo da semeadura e da colheita,
> Nossa vida, nossa saúde, nosso alimento.
>
> Mattias Claudius

O salmista apanhou a visão de um dia mais abençoado, e esse dia foi abençoado, porquanto transcendeu a Israel. Foi em Israel que Deus começou, e não onde ele terminou.

> Um Deus, uma lei, um elemento,
> e um só evento divino distante,
> Na direção do qual toda a criação se move.
>
> Tennyson

"A conclusão sumaria o salmo: a bênção de Deus sobre o Israel literal e espiritual será a precursora da conversão do mundo" (Fausset, *in loc.*).

SALMO SESSENTA E OITO

Quanto a *informações gerais* que se aplicam a todos os salmos, ver a introdução ao Salmo 4, onde apresento *sete* comentários que elucidam a natureza do livro. Quanto a *classes* dos salmos, ver o gráfico no início do comentário do livro, que atua como uma espécie de frontispício da coletânea. Dou ali dezessete classes e listo os salmos pertencentes a cada uma delas.

Este salmo é uma espécie de salmo ímpar, que não se presta a ser classificado em uma única classe. É um hino litúrgico, empregado nas celebrações efetuadas no templo de Jerusalém, e talvez fosse um cântico usado para celebrar o assentar triunfal de Deus no monte Sião. Talvez tenha como pano de fundo histórico ou literário a conquista de Sião por Davi, bem como a mudança da arca da aliança para a nova capital (2Sm 5.6-8; 2Sm 6). Entretanto, alguns eruditos pensam ser melhor enfatizar o retorno dos cativos chegados da Babilônia. Este salmo, sem dúvida, prestava-se para ser entoado em qualquer dia de cortejo triunfal. Ver os vss. 24 e 25. Poderíamos relacioná-lo corretamente aos Salmos 24 e 27, nos quais vemos a aclamação e celebração do reinado do Senhor. Isso faria deste salmo um *salmo real;* e, no entanto, ainda parece ser mais amplo do que isso, se considerarmos a sua totalidade. Ele inclui certos elementos messiânicos, embora não seja, especificamente, um salmo messiânico. De qualquer modo, o seu motivo principal é a possessão do Senhor de seu reinado em Sião. Os críticos estabelecem a composição do salmo durante o período pós-exílico, mas suas referências históricas remontam a um tempo ainda mais antigo.

Subtítulo. Neste salmo temos o seguinte subtítulo: "Ao mestre de canto. Salmo de Davi. Cântico", idêntico ao do Salmo 4, exceto pelo fato de que omite referência aos instrumentos musicais usados para acompanhar o cântico. Também é igual ao do Salmo 66, exceto pela informação de que Davi compôs o hino, o que falta no Salmo 66. Ver as notas na introdução a esses dois salmos. Cerca de metade dos salmos é atribuída a Davi pelos editores que compuseram os subtítulos. Mas eles laboraram após seu tempo, e suas anotações não faziam parte das composições poéticas. Além disso, provavelmente, em sua esmagadora maioria, esses subtítulos consistem apenas em conjecturas. Mas Davi deve ter composto *alguns* dos salmos, visto ter sido *o mavioso salmista de Israel* (ver 2Sm 23.1).

■ **68.1** (na Bíblia hebraica corresponde ao **68.1,2**)

לַמְנַצֵּחַ לְדָוִד מִזְמוֹר שִׁיר׃

יָקוּם אֱלֹהִים יָפוּצוּ אוֹיְבָיו וְיָנוּסוּ מְשַׂנְאָיו מִפָּנָיו׃

Levanta-se Deus. *Sumário.* "O maior triunfo ao qual este salmo está relacionado é a ascensão de Cristo, pois Sl 68.18 foi parafraseado e aplicado a Cristo por parte de Paulo (Ef 4.8).

O salmista passou em revista a história de Israel desde as perambulações pelo deserto até a ocupação e conquista da Terra Prometida. Ele enfatizou a escolha divina de Sião, do que resultou Israel ter conquistado os povos cananeus e ter recebido presentes ou despojos da parte dos cativos. Essa é a razão pela qual ele entoou louvores. Deus marchava triunfalmente em favor dos oprimidos. E Davi conclamou outros para que se unissem a ele em louvores a seu poderoso Senhor" (Allen P. Ross, *in loc.*).

Esse *prelúdio* (vss. 1-3) abre com as palavras que Moisés dera como sinal para o levantamento da arca, quando os israelitas reiniciaram suas perambulações pelo deserto (Nm 10.35). Nos Salmos, as palavras serviram para alertar o povo quanto ao cortejo em que eles estavam ocupados. As palavras funcionam como uma espécie de desafio a possíveis inimigos, para que "limpassem o caminho" e não fizessem vã oposição ao trabalho de Deus. Elohim, o Poder, se levantara. Ele avançou, mas permitiu que seus inimigos fugissem com vida, enquanto pudessem. Aqueles que o odiavam certamente seriam *dispersos* e fugiriam. Dessa forma é proclamado o inevitável triunfo das obras de Deus. Ver Nm 10.35, quanto a outras ideias.

Quando triunfam os justos, há grande festividade; quando, porém, sobem os perversos, os homens se escondem.
Provérbios 28.12

■ **68.2** (na Bíblia hebraica corresponde ao **68.3**)

כְּהִנְדֹּף עָשָׁן תִּנְדֹּף כְּהִמֵּס דּוֹנַג מִפְּנֵי־אֵשׁ יֹאבְדוּ רְשָׁעִים מִפְּנֵי אֱלֹהִים׃

Como se dissipa a fumaça, assim tu os dispersas. Elohim é o poder irresistível diante do qual nenhum ser ou esquema humano pode resistir. Ele é como um grande vento que sopra a fumaça para longe, ou um fogo que dissolve a cera com facilidade. Portanto, os opositores, homens ímpios, perecem. Do ponto de vista histórico, a referência é para Israel uma marcha de vitória que, finalmente, terminou na possessão da Terra Prometida. Essa parecia ser uma tarefa impossível, mas o poder de Deus conseguiu realizar esse feito. Assim também Israel, ao avançar na história, enfrentou muitas tarefas impossíveis, havendo graça divina suficiente para todos os israelitas.

Sua graça é grande o bastante para enfrentar as grandes coisas —
As ondas furiosas que avassalam a alma,
Os ventos uivantes que nos deixam atônitos e sem respiração,
As tempestades súbitas acima de nosso controle da vida.
Annie Johnson Flint

"Quão amargo é para o orgulho dos aparentemente terríveis inimigos saber que eles não têm maior estabilidade do que a fumaça que é impelida ou que a cera que se dissolve. Pelo contrário, o Messias e o seu povo, que antes pareciam como a cera (Sl 22.14), finalmente serão 'como o sol quando sai em sua força', ao passo que todos os adversários do Senhor perecerão" (Fausset, *in loc.*).

... serão aniquilados e se desfarão em fumaça.
Salmo 37.20

Derretem-se como cera os montes, na presença do Senhor de toda a terra.
Salmo 97.5

Ouvi-me, vós que conheceis a justiça, vós, povo, em cujo coração está a minha lei; não temais o opróbrio dos homens, nem vos turbeis por causa das suas injúrias.
Isaías 51.7

■ **68.3** (na Bíblia hebraica corresponde ao **68.4**)

וְצַדִּיקִים יִשְׂמְחוּ יַעַלְצוּ לִפְנֵי אֱלֹהִים וְיָשִׂישׂוּ בְשִׂמְחָה׃

Os justos, porém, se regozijam. "Os justos, a salvo dos ímpios, regozijam-se grandemente. 'Quando triunfam os justos há grande festividade' (Pv 28.12). Ver também Pv 29.2" (Allen P. Ross, *in loc.*).

Canto ao grande poder de Deus,
Que fez os montes se elevarem;
Que espalhou os mares inundantes,
E que edificou os exaltados céus.

Joseph Parker

As declarações deste versículo, para que os justos se "regozijassem", "exultassem" e "folgassem de alegria", denotam "a grandeza, a frequência, o fervor, a plenitude e a continuação da alegria deles" (John Gill, *in loc.*). O *acúmulo* de termos procura expressar algo que não tem descrição adequada.

■ **68.4** (na Bíblia hebraica corresponde ao **68.5**)

שִׁירוּ לֵאלֹהִים זַמְּרוּ שְׁמוֹ סֹלּוּ לָרֹכֵב בָּעֲרָבוֹת בְּיָהּ שְׁמוֹ וְעִלְזוּ לְפָנָיו׃

Cantai a Deus. O *regozijo* (vs. 3) irrompe em cânticos. A congregação avançava em cortejo, na direção do templo. Os cantores e músicos iam à frente, e o povo em geral os seguia. Ver 1Cr 25, quanto à importância do ministério da música em Israel. O culto dos hebreus era cheio de alegria, mesmo quando estavam sendo oferecidos sacrifícios solenes. *Elohim* era o objeto dos cânticos, porquanto estava sendo louvado por causa de tudo quanto fizera em favor de Israel. Ele é retratado como quem cavalgava as nuvens, pois sua posição estava muito acima dos homens. Os hinos eram assim entoados ao "Deus exaltado". Deus é aqui tratado por seu nome especial *Yah*, abreviação de *Yahweh*, o *Deus Eterno*. Deus intervém na história humana, está sempre à frente dela, e sempre a segue de perto. A palavra "aleluia" incorpora esse nome divino e significa "louvado seja Yah". Ver no *Dicionário* o verbete chamado *Deus, Nomes Bíblicos de*.

Yah (Êx 15.2), *Yahy* e *Yeho* têm sido encontrados entre os nomes divinos dos documentos de Ras Shanra, do norte da Mesopotâmia, o que significa que esses nomes não foram inventados pelos israelitas. Antes, os filhos de Israel os tomaram por empréstimo e lhes deram nova significação. Yahweh tornou-se o nome predominante para Deus, entre os israelitas. Jeová, por sua vez, foi uma invenção artificial, para que se pudesse falar em Deus sem incorrer na culpa de pronunciar em vão os nomes divinos.

Yahweh é o Deus que cavalga as nuvens (cf. Dt 33.26), uma figura provavelmente tomada por empréstimo dos poemas mitológicos dos cananeus, que exaltavam a Aleyan Baal, que significa precisamente "o senhor que cavalga as nuvens". Não devemos surpreender-nos diante de tais empréstimos. Afinal de contas, nossos nomes para Deus também foram emprestados de fontes pagãs, tanto a palavra portuguesa *Deus* quanto o termo britânico *God*. Mas damos a esses nomes nossos próprios sentidos.

Não há outro, ó amado, semelhante a Deus! que cavalga sobre os céus para a tua ajuda, e com a sua alteza sobre as nuvens.
Deuterônomio 33.26

Cf. igualmente Sl 104.3 e Is 19.1. Essas são figuras poéticas de majestade exaltada, dando a entender poder ilimitado. Elohim é digno de ser louvado por causa de suas *realizações* distintivas, especialmente aquelas efetuadas em favor do povo de Israel. O autor sagrado passará agora a arrolar algumas dessas realizações.

■ **68.5** (na Bíblia hebraica corresponde ao **68.6**)

אֲבִי יְתוֹמִים וְדַיַּן אַלְמָנוֹת אֱלֹהִים בִּמְעוֹן קָדְשׁוֹ׃

Pai dos órfãos e juiz das viúvas. Louvemos a Yahweh por causa das coisas que ele tem feito em nosso favor. Ele tem sido um *Pai* para os órfãos; tem garantido que as viúvas não sejam defraudadas nos tribunais, servindo de *Juiz* justo delas. Ele tem realizado essas obras como o Deus que reside em seus elevados céus. Ele está entronizado bem no alto, mas continua trabalhando em sua criação. É o Deus teísta que criou todas as coisas, mas não abandonou a sua criação. Ele intervém na história humana; recompensa e pune. Ele não se parece com o deus dos deístas, que abandonou a criação à mercê das leis naturais. Ver no *Dicionário* os artigos denominados *Teísmo* e *Deísmo*. O versículo à nossa frente combina a transcendência e a imanência de Deus, embora não tente explicar como podemos reconciliar os dois conceitos. Ver no *Dicionário* os verbetes chamados *Imanência de Deus* e *Transcendente, Transcendência*. Os versículos que se seguem continuam a listar as coisas especiais que Deus faz.

■ **68.6** (na Bíblia hebraica corresponde ao **68.7**)

אֱלֹהִים מוֹשִׁיב יְחִידִים בַּיְתָה מוֹצִיא אֲסִירִים
בַּכּוֹשָׁרוֹת אַךְ סוֹרְרִים שָׁכְנוּ צְחִיחָה׃

Deus faz que o solitário more em família. Aos que estão desolados, Yahweh-Elohim cuida para que tenham um lar onde morar. A palavra hebraica por trás de "solitário" poderia ser traduzida "sem filhos", apontando assim para a má sorte, tão temida em Israel, de não ter filhos e herdeiros. Mas, examinando o versículo seguinte, é melhor falar em *exilados*. O braço divino se estendeu e recolheu essas pessoas, como fez com os cativos na Babilônia. Ademais, o lar que lhes proveu foi Jerusalém, e não simples casas individuais. A referência é, antes, às vagueações pelo deserto. Israel perambulou sem lar, no deserto; mas Deus finalmente lhes conferiu uma terra, ou melhor, uma *pátria*. Assim sendo, cada família teve sua faixa de terras, e foram estabelecidos lares tribais e individuais. Isso cumpriu a grande promessa do pacto abraâmico (ver as notas em Gn 15.18).

Tira os cativos. Pode estar em vista aqui qualquer tipo de prisioneiro. Israel ficou aprisionado no Egito; homens justos às vezes sofrem prisões. Isso aconteceu a José. Um prisioneiro sem dúvida alguma é um pobre indivíduo. Está reduzido a zero. Mas quando Elohim o tira da prisão, ele então *enriquece* (ideia que aparece na *Revised Standard Version*). A *King James Version* refere-se antes às *cadeias* que prendem os prisioneiros. A palavra hebraica em questão acha-se somente aqui em todo o Antigo Testamento e vem de uma raiz que significa "amarrar". Mas essa palavra hebraica também pode significar "prosperar", e a maioria dos eruditos modernos prefere esse significado. O Targum fala sobre a maneira *pomposa* em que os prisioneiros são tirados de seu cativeiro pela mão de Deus.

Pelo *lado negativo*, os ímpios, em contraste com os justos, ficam a habitar em uma terra ressequida. A alusão pode ser aos israelitas errantes do deserto, que não entraram na Terra Prometida por causa de sua incredulidade, o que significa que Deus simplesmente os deixou ficar no deserto. As lições morais e espirituais são óbvias. Alguns eruditos fazem essa referência dizer respeito aos que preferiram ficar na Babilônia, porquanto foi pequeno o remanescente que voltou à Palestina, embora todos os judeus pudessem fazê-lo. Essa parte do versículo tem sido cristianizada e transformada em uma metáfora do que acontece com os que rejeitam a Cristo. A casa dos tais é deixada desolada. Eles mesmos são dispersos por toda a terra, e todo o lugar onde eles moram é uma terra seca. Ver Lc 19.4.

■ **68.7** (na Bíblia hebraica corresponde ao **68.8**)

אֱלֹהִים בְּצֵאתְךָ לִפְנֵי עַמֶּךָ בְּצַעְדְּךָ בִישִׁימוֹן סֶלָה׃

Ao saíres, ó Deus, à frente do teu povo. Até este ponto, as referências históricas mostravam-se vagas. Mas agora, nos vss. 7 a 10, temos três ambientes históricos inequívocos: a libertação da escravidão egípcia; a conquista da Terra Prometida; e o estabelecimento de Jerusalém como a capital política e religiosa de Israel. Todas as coisas cooperavam juntamente para o bem (ver Rm 8.28), visto que Deus conduziu o povo de Israel através de todas as vicissitudes da vida, e, finalmente, chegou o dia em que o povo de Israel pôde marchar avante, em um cortejo, para mostrar sua força perante as nações da terra. Por isso, os israelitas prestavam louvor singular e contínuo. A jornada pelo deserto foi, essencialmente, um período de testes. Seu prolongamento foi um juízo. Ver no *Dicionário* o artigo chamado *Quarenta*, quanto ao simbolismo do número de anos que eles permaneceram no deserto. Ver também o artigo chamado *Número (Numeral, Numerologia)*. Quanto a detalhes completos, ver o verbete *Vagueação no Deserto por Israel*.

O autor sacro ilustra os cuidados de Deus por seu povo, no *passado*, e esperava que os filhos de Israel louvassem a Deus por isso, bem como pelos benefícios que eles tinham no presente. Bendito seja o Senhor, que diariamente nos cumula de benefícios (vs. 19). As vagueações pelo deserto foram um tempo de milagres, como a coluna de nuvens que liderava os israelitas durante o dia, ou a coluna de fogo que os guiava durante a noite. Ademais, houve as provisões miraculosas de água (pois eles estavam longe dos sistemas de irrigação dos egípcios, bem como das águas do rio Nilo), e de alimento, como aconteceu com o *maná*.

O salmista sabia que seus leitores lembrariam os pontos fundamentais da história, pelo que não se preocupou em entrar em detalhes. Ele estava dando lições sobre os benefícios divinos, sobre o poder divino, sobre o louvor e a gratidão humana. Com essas coisas em mente, eles marchariam triunfalmente até o templo, que era o alvo de seu cortejo!

■ **68.8** (na Bíblia hebraica corresponde ao **68.9**)

אֶרֶץ רָעָשָׁה אַף־שָׁמַיִם נָטְפוּ מִפְּנֵי אֱלֹהִים זֶה סִינַי
מִפְּנֵי אֱלֹהִים אֱלֹהֵי יִשְׂרָאֵל׃

Tremeu a terra; também os céus gotejaram. O poeta não podia mencionar a história do Sinai sem tecer algum comentário. Foi ali que o poder de Deus mais se manifestou, quando a lei foi outorgada a Israel. A terra foi abalada e os céus derramaram-se em terríveis tempestades. O Sinai estremeceu diante da presença de Deus, do Deus de

Israel, o Todo-poderoso. Cf. os vss. 7 e 8 com Jz 5.4,5. Ver também Dt 22.2-5. Quanto à história original, ver Êx 19 e 20. Foi no Sinai que Deus concedeu a lei mosaica, o manual de fé e conduta de Israel. Ver no *Dicionário* o artigo detalhado sobre *Lei no Antigo Testamento*. Ver as notas em Sl 1.2, quanto a um *sumário* do que a lei significava para Israel. Naturalmente, os rabinos sempre ensinaram que o maior de todos os milagres dessa narrativa foi a própria lei, e não as manifestações sobrenaturais.

■ **68.9** (na Bíblia hebraica corresponde ao **68.10**)

גֶּשֶׁם נְדָבוֹת תָּנִיף אֱלֹהִים נַחֲלָתְךָ וְנִלְאָה אַתָּה כוֹנַנְתָּהּ׃

Copiosa chuva derramaste, ó Deus. Os *poderosos aguaceiros* que caíram, estando Israel no Sinai, simbolizavam a restauração e o refrigério do povo. A herança de Deus tinha-se enlanguescido. Mas as chuvas fizeram reviver o espírito deles, embora continuassem no deserto. Essas chuvas falavam da terra de que os filhos de Israel estavam prestes a apossar-se, de que eles teriam chuvas suficientes para o povo, para os animais e para as plantações, e de que não seria necessário haver irrigação, como sucedia no Egito. E, naturalmente, também "choveu" o maná, e essa foi outra provisão divina, embora, provavelmente, não seja a provisão que está em pauta aqui. A narrativa do livro de Êxodo não menciona a chuva, mas a *densa nuvem* (ver Êx 19.16) presume essa chuva. A história original não fala da chuva a cair no deserto, quando Israel o atravessou, pois a água manava da Rocha (ver Êx 17.6). Parece melhor entender essas chuvas como as que ocorreram no Sinai, e, posteriormente, na Terra Prometida. *Metaforicamente*, como é óbvio, a chuva é a água da vida, e, *profeticamente*, Cristo, a vida do homem, nos vem à mente. Ver Jo 7.37. Ver no *Dicionário* o verbete chamado *Água*.

■ **68.10** (na Bíblia hebraica corresponde ao **68.11**)

חַיָּתְךָ יָשְׁבוּ־בָהּ תָּכִין בְּטוֹבָתְךָ לֶעָנִי אֱלֹהִים׃

Aí habitou a tua grei. Elohim havia conduzido o seu povo de Israel a um lugar de bênçãos abundantes, a saber, a Terra Prometida. Até os pobres foram beneficiados, porque cada família tinha sua própria faixa de terras na Terra Prometida. As bênçãos de Yahweh beneficiaram todos os indivíduos. Nenhum ser humano foi deixado de fora das bênçãos, pelo que esse foi um notável exemplo de como opera o amor de Deus. Talvez a palavra "necessitados" se refira ao povo todo, porquanto no deserto, sem residências, eram todos pobres e necessitados. Assim, os *pobres coletivos* tornaram-se os *afortunados coletivos*.

Grei. Estão em pauta as criaturas vivas, mas também podemos pensar em hostes, como em 2Sm 23.11,13. "Todos os seres com vida" pode ser a ideia central do vocábulo. O certo é que todos eram abençoados. Algumas versões portuguesas falam em *rebanho*, e isso preserva a noção de criaturas vivas, embora aplicando a palavra a pessoas, algo que a palavra "rebanho" pode fazer.

■ **68.11** (na Bíblia hebraica corresponde ao **68.12**)

אֲדֹנָי יִתֶּן־אֹמֶר הַמְבַשְּׂרוֹת צָבָא רָב׃

O Senhor deu a palavra. O sentido deste versículo é um tanto obscuro. Yahweh baixa a *ordem* (a palavra). Podia ser de *atacar* os inimigos, que precisavam ser expulsos da Terra Prometida. Por isso, Israel declarou guerra santa (ver Dt 7.1-5; 20.10-20). Ou então foi baixada a ordem para os filhos de Israel se *regozijassem*, porque os seus inimigos tinham sido expulsos da terra ou aniquilados. Seja como for, a palavra de Yahweh, a sua ordem, estava totalmente relacionada à conquista da terra e à jubilosa celebração porque a tarefa já estava concluída. Esse versículo tem sido aplicado aos tempos do cristianismo, quando foi proferida a ordem evangélica (a Grande Comissão); mas isso está fora de lugar aqui. A Septuaginta e a Vulgata Latina fazem este versículo tornar-se profético, mas esse é um entendimento equivocado.

A falange das mensageiras das boas-novas. As "mensageiras", aqui, de acordo com o hebraico original, aponta para um grupo feminino, pelo que alguns intérpretes imaginam que um *grupo de donzelas* assumiu a liderança na celebração dos cânticos, os quais eram acompanhados por muitas danças, gritos e o toque de instrumentos musicais. Se esse é, realmente, o sentido (ver Êx 15.20,21; 1Sm 18.6,7; Jz 5.12 e 11.34), então o que temos aqui é uma ordem divina para que houvesse celebrações, e não para entrar em guerra. Mas, visto que a palavra "falange" pode significar "exército", voltamos à primeira ideia.

■ **68.12,13** (na Bíblia hebraica corresponde ao **68.13,14**)

מַלְכֵי צְבָאוֹת יִדֹּדוּן יִדֹּדוּן וּנְוַת בַּיִת תְּחַלֵּק שָׁלָל׃

אִם־תִּשְׁכְּבוּן בֵּין שְׁפַתָּיִם כַּנְפֵי יוֹנָה נֶחְפָּה בַכֶּסֶף וְאֶבְרוֹתֶיהָ בִּירַקְרַק חָרוּץ׃

Reis de exércitos fogem, e fogem. Está em foco a derrota dos *pequenos reis* que havia na terra de Canaã. Quanto a uma lista das nações que foram expulsas dali, ver Êx 33.2 e Dt 7.1. Davi, posteriormente, aniquilou ou confinou *oito* povos inimigos (ver 2Sm 10.19), e foi somente então que a tarefa dada por Deus a Israel se completou. Até então restavam muitos bolsões de resistência, e houve muita fustigação contra Israel por parte de recém-chegados.

Diz aqui o texto hebraico, literalmente: "Reis da terra, fugi! Fugi!" Essas palavras poderiam preservar um antigo grito de batalha, agora repetido nas aclamações da celebração. Houve grandes despojos, e as vitórias foram tão completas que até mesmo mulheres podiam entregar-se ao saque. Residências foram estabelecidas e muitos bens foram recolhidos.

As asas da pomba são cobertas de prata. Essas palavras referem-se a itens escolhidos do meio dos despojos. As pombas voavam dos campos de batalha e suas asas eram recobertas de prata, ou seja, traziam muitas riquezas. As penas de suas asas eram feitas de ouro amarelo, o que aumenta ainda mais o poder da símile. Cf. Jz 5.16, que se dirige à tribo sem glória que preferiu ficar sentada em casa aos perigos da batalha. Eles permaneceram perto de suas ovelhas e em segurança.

Uma alusão aos tempos de Débora confunde os acontecimentos (a vitória obtida por aquela juíza), mas podemos supor que as palavras dela tiveram aplicação natural aos exércitos dos dias de Josué. As tribos de Rúben e Gade foram as únicas que se negaram a ir à guerra.

Outra distorção deste versículo é a que faz de Israel a pomba com asas douradas, apresentando-a assim como *recoberta de riquezas*, por causa do saque. Cf. Sl 74.19. Mas alguns estudiosos pensam que a pomba é o Espírito Santo, que distribui as riquezas de Cristo.

■ **68.14** (na Bíblia hebraica corresponde ao **68.15**)

בְּפָרֵשׂ שַׁדַּי מְלָכִים בָּהּ תַּשְׁלֵג בְּצַלְמוֹן׃

Quando o Todo-poderoso ali dispersa os reis. O hebraico original deste versículo é obscuro, e assim todas as traduções refletem apenas conjecturas sobre o que o poeta pretendia dizer. A neve do monte Zalmom, perto de Siquém (cf. Jz 9.48), pode referir-se à neve que caiu sobre uma montanha, como ajuda a Israel, impedindo assim a defesa do local. Ou pode significar que o povo de Deus se sentiu refrigerado, *literalmente*; ou então essa declaração é uma *figura simbólica* que se refere às *bênçãos* de Deus, da mesma forma que pode referir-se à chuva. A severidade da tempestade de neve, rara nos invernos da Palestina, intensifica o simbolismo.

Zalmom. Ver no *Dicionário* o artigo com este nome, quanto a detalhes. A palavra significa "sombreada" ou "escura", e isso contrasta com o belo branco da neve. Assim sendo, Deus transformou a noite em dia, mas essa pode ser uma interpretação fantasiosa. Além do mais, há intérpretes que ampliam muito o sentido do versículo, fazendo-o referir-se ao purgatório: "Deus extinguiu as chamas do purgatório, por amor aos justos". Ver na *Enciclopédia de Bíblia, Teologia e Filosofia* o artigo chamado *Purgatório*.

■ **68.15,16** (na Bíblia hebraica corresponde ao **68.16,17**)

הַר־אֱלֹהִים הַר־בָּשָׁן הַר גַּבְנֻנִּים הַר־בָּשָׁן׃

לָמָּה תְּרַצְּדוּן הָרִים גַּבְנֻנִּים הָהָר חָמַד אֱלֹהִים לְשִׁבְתּוֹ אַף־יְהוָה יִשְׁכֹּן לָנֶצַח׃

O monte de Deus é Basã. "O Senhor preferiu ter como lugar de habitação a colina mais modesta de Sião aos picos mais altaneiros e impressionantes de *Basã*. A referência primária, neste caso, provavelmente é ao monte Hermom, o pico mais imponente entre aqueles ocupados pelos Baals cananeus. O monte Hermom poderia tornar-se o sítio do templo de Yahweh" (William R. Taylor, *in loc.*, com uma adição). Ver no *Dicionário* o verbete intitulado *Basã*. O poderoso monte Hermom olhava com inveja para a minúscula colina de Sião e não podia encontrar razão para a escolha divina (vs. 16). Basã tinha muitos picos que poderiam ter servido como local da construção do templo, que ultrapassavam o insignificante monte de Sião. Diriam os montes: "Será que Yahweh ficará ali, naquele minúsculo lugar, para sempre? Não reverterá ele essa escolha nada sábia e se voltará para nós?"

Por que olhais...? Esse verbo pode significar "saltar" (conforme traduzido pela *King James Version*). Se essa tradução está correta, então as colinas perto de Basã podem ser retratadas como leões agachados, prontos para saltar sobre a presa, a saber, Israel, que passa por eles para ir a Sião. Aquelas feras olhavam fixamente para Sião, com inveja.

■ 68.17 (na Bíblia hebraica corresponde ao 68.18)

רֶכֶב אֱלֹהִים רִבֹּתַיִם אַלְפֵי שִׁנְאָן אֲדֹנָי בָם סִינַי בַּקֹּדֶשׁ:

Os carros de Deus são vinte mil. Torna-se clara a pergunta apresentada no versículo anterior. As colinas próximas de Basã foram rejeitadas, e isso foi dramaticamente demonstrado pela vasta companhia de pessoas que marchava na direção de Sião. Uma inumerável companhia de anjos, dirigindo carros de combate, descia colina abaixo, reivindicando-a como habitação de Deus. Isto posto, Yahweh tinha avançado do Sinai, onde manifestara sua presença, para Sião, onde continuaria a manifestar sua glória. A figura simbólica é a de um *exército triunfante* que se apossava de uma cidadela, a qual se tornara um *lugar santo*, porquanto ali Yahweh se fazia presente. Foi assim que o Rei ascendeu ao seu trono, e é assim que chegamos ao coração deste salmo, um salmo real que celebra a entronização do Rei. Hostes angelicais são retratadas a dirigir carros de combate e a descer sobre o monte, enquanto suas contrapartes humanas ascendem pelo mesmo monte.

O Targum diz aqui: "Os carros de Deus são vinte mil com chamas requeimantes, e dois mil anjos os guiam". Assim a glória foi transferida do Sinai para Sião, e ambos os eventos foram acompanhados por ministros angelicais. "Sião não cedeu a preferência nem mesmo diante do Sinai, visto que Sião incluía o Sinai em seu interior. Os anjos que tinham ministrado no Sinai habitam continuamente em Sião. Os querubins no templo eram seus representantes visíveis" (Fausset, *in loc.*).

■ 68.18 (na Bíblia hebraica corresponde ao 68.19)

עָלִיתָ לַמָּרוֹם שָׁבִיתָ שֶּׁבִי לָקַחְתָּ מַתָּנוֹת בָּאָדָם וְאַף סוֹרְרִים לִשְׁכֹּן יָהּ אֱלֹהִים:

Subiste às alturas, levaste cativo o cativeiro. Este versículo é usado em Ef 4.8, em referência à *ascensão de Cristo*. Mas Paulo seguiu a interpretação de seus dias, conforme estava contida no Targum, e não conforme a interpretação primária do original hebraico, em relação ao Salmo 68. Diz ali o Targum: "Ascendentes ao *firmamento*, ó profeta Moisés! Levaste cativo o cativeiro; ensinaste as palavras da lei. Deste dons aos filhos dos homens". Paulo, porém, substituiu Moisés por Jesus e deu uma distorção cristã aos dons que foram distribuídos. Cristo, como conquistador da morte e das forças de Satanás, distribuiu dons entre seus súditos reais. Ver Ef 4.11. Além disso, temos a interpretação evangélica que faz dos *cativos* as almas boas que estavam no hades e foram transferidas para o céu, juntamente com Cristo, por ocasião de sua ascensão. No entanto, no texto da epístola aos Efésios, não há o menor indício sobre isso. Este, meus amigos, é um notável exemplo de *eisegese*, e não de exegese. Em outras palavras, o texto é forçado a dizer isso, a fim de fornecer prova a uma mera suposição.

A figura tem origem militar. Os cativos são forças em *oposição* a Deus. O texto simplesmente diz que as forças ímpias foram *totalmente derrotadas*, por ocasião da morte, ressurreição e ascensão de Cristo. Isso lhe deu completa vitória, e assim ele foi capaz de distribuir dons (despojos) aos justos. Além disso, parece fora de lugar fazer dos cativos almas más no hades, que Cristo, em sua missão redentora, levou para o céu como seus cativos. Mesmo assim, este parece ser um sentido melhor do que o anterior, visto que um bom sentido é retido na palavra *cativos* (ex-inimigos). Seja como for, ver a explicação completa sobre Ef 4.8, no *Novo Testamento Interpretado*.

O Sentido do Original Hebraico. Tendo averiguado qual é a interpretação cristã do texto, seguindo os comentários do Targum sobre a passagem, vejamos agora qual o sentido simples do original. "Levando cativo" provavelmente é uma referência vaga e generalizada à conquista da terra e aos vários *povos inimigos* que foram derrotados. Poeticamente, *remanescentes* desses povos (os cativos) foram retratados como quem fora levado pela colina de Sião acima, como ilustrações da vitória de Yahweh sobre os seus inimigos, o que tornou possível a subida pelo monte santo. A prática seguida nas guerras antigas era exibir os cativos em um cortejo para mostrar "o que fizemos àqueles pobres coitados". Os cativos, assim sendo, tornavam-se *troféus de guerra* a serem exibidos diante dos olhares dos cidadãos que assistiam aos cortejos de vitória. Por isso diz claramente a *Revised Standard Version*: "Tu subiste pelo alto monte, levando cativos em teu séquito e recebendo dons entre os homens". Segundo essa versão, Yahweh obtém dons, em lugar de dá-los, embora, como é óbvio, seu despojo fosse distribuído entre o seu povo.

Até mesmo rebeldes. A referência histórica é aos poderosos e teimosos jebuseus, que, finalmente, Davi conseguiu desalojar de suas fortalezas na colina. Foi ali, entre os difíceis jebuseus, que o Senhor veio habitar, a despeito da oposição deles. Generalizando o fator literal e histórico, em qualquer século, o poder de Yahweh derrota a oposição e cumpre os seus propósitos. Sião continuava a ser, portanto, o centro da presença e do poder de Deus, bem como o lugar de onde ele distribui dons espirituais aos fiéis. A oposição de homens ímpios não pode frustrar os propósitos divinos.

Salmodiai a Deus, cantai louvores; Sldiai ao nosso Rei; cantai louvores. Deus é o Rei de toda a terra.

Salmo 47.6,7

Dentro do contexto do original hebraico, pois, temos a entronização de Yahweh em Sião. No contexto cristão, entretanto, temos a ascensão e a subsequente entronização de Cristo nos céus. Ver Cl 2.15, quanto a outra aplicação cristã. E ver também 1Co 15.54.

■ 68.19 (na Bíblia hebraica corresponde ao 68.20)

בָּרוּךְ אֲדֹנָי יוֹם יוֹם יַעֲמָס־לָנוּ הָאֵל יְשׁוּעָתֵנוּ סֶלָה:

Bendito seja o Senhor. *Uma Esplendorosa Aplicação.* Ao subir a colina de Sião a fim de ser entronizado, Yahweh recebeu dons da parte dos homens. Agora, porém, nós o vemos a distribuir favores aos fiéis. Ele distribuiu dons de maneira *abundante*, pelo que o povo ficou *sobrecarregado* de presentes. Por esse motivo, agradecemos a ele e abençoamos o seu nome. Tudo isso serve de prova de que Elohim é o Deus da nossa *salvação*. Quanto a isso, ver notas expositivas e referências providas em Sl 62.2. No sentido hebraico, temos todos os benefícios da lei (ver uma nota de sumário em Sl 1.2). No sentido cristão, temos todos os benefícios providos por Cristo em sua *salvação* (ver a respeito no *Dicionário*). Suas riquezas foram distribuídas. Quanto a esse conceito, ver Ef 1.7,18 e 3.8. As riquezas de Cristo são a *herança* dos justos.

Leva o nosso fardo. Essa tradução da *Revised Standard Version* e de nossa versão portuguesa substitui a "carga de benefícios" da *King James Version*. A ideia, pois, é que Yahweh é nosso *portador de fardos*, ajudante nas nossas angústias, nosso apoiador diário em qualquer tribulação. Deus como nossa salvação seria um paralelo desse pensamento, caso em que a palavra "salvação" adquire o sentido de "livramento". "Deus é quem carrega nossas cargas e nos liberta da morte. Davi estava convencido de que a entrada de Deus em Sião, em favor de seu povo, resultaria na completa destruição do inimigo de ambos" (Allen P. Ross, *in loc.*, com uma interpretação menos inspirada, mas, provavelmente, a pretendida por este versículo). Essa interpretação harmoniza-se com a declaração do versículo seguinte. O Targum faz com que o "fardo" sejam os preceitos da lei, postos continuamente sobre os ombros dos justos. Mas isso parece remoto ao texto. Ou então a ideia poderia ser que Yahweh continuamente impõe fardos (aflições e problemas) sobre os justos a fim de submetê-los a teste; mas este também é um pensamento distante. Antes, Yahweh é o "portador dos fardos".

68.20 (na Bíblia hebraica corresponde ao 68.21)

הָאֵל ׀ לָנוּ אֵל לְמוֹשָׁעוֹת וְלֵיהוִה אֲדֹנָי לַמָּוֶת תּוֹצָאוֹת׃

O nosso Deus é o Deus libertador. Este versículo dá prosseguimento à ideia do vs. 19, de que Elohim é o "portador de fardos". Ele é o Deus da nossa *salvação,* ou seja, do nosso *livramento,* e também é o Deus das alianças, mediante as quais dá muitas provisões físicas e espirituais para o seu povo (outra ideia vinculada à salvação). As notas expositivas em Sl 62.2 oferecem explicações sobre a palavra "salvação". Deus é quem nos permite "escapar da morte" (*Revised Standard Version*). A ele pertencem "as questões da vida e da morte" (*King James Version*). A nossa versão portuguesa prefere ficar com a ideia da *Revised Standard Version*. Certamente não está vem vista a morte do hades, para além do sepulcro. Está em foco a morte física *prematura,* o que parecia deveras espantoso para a mente dos hebreus.

É o Deus libertador. Outras versões dizem "salvações", no plural, algo que as traduções deixam de observar. Muitos livramentos estão aqui em pauta. "Por mais numerosos que sejam os males ameaçadores, que nos destroem, Deus tem às suas ordens incontáveis meios de livramento" (Fausset, *in loc.*). Haverá múltiplos livramentos de múltiplas provações. Haverá muitas fontes originárias de morte potencial e muitos livramentos dessas fontes de morte. Faz parte da fé padronizada dos hebreus, dos cristãos e dos pagãos que Deus tem poderes sobre as questões da vida e da morte, que é ele quem estabelece o dia da morte e a sua maneira. Assim sendo, nossos dias estão numerados ou determinados. Mas as próprias Escrituras e a experiência dos homens mostram, que o dia da morte de alguém, no caso de *muitos,* posto que não no caso de todos, pode variar. Ezequias obteve quinze anos extras ao clamar e orar voltado para a parede. Ver 2Rs 20.1-11. Muitas pessoas idosas, que entraram em rotinas entediantes, sem produzir coisa alguma, podem viver mais alguns anos, ou mesmo morrer no dia de amanhã, sem ferir nenhum princípio espiritual ou violar alguma determinação divina. Naturalmente, Deus sabe quando essa gente morrerá, mas conhecimento prévio não é a mesma coisa que preordenação. Deus pode saber que eles viverão alguns poucos anos mais, ou então que eles morrerão hoje.

Outra coisa deve ser dita aqui. Algumas pessoas idosas *insistem* em continuar vivendo. Sua força de vontade até parece ter o poder de fazer-lhes continuar vivas, porém, em muitos casos, tal vida ganha é apenas dor. Tanto para as próprias pessoas como para os que delas cuidam, ao custo de esforços e dinheiro desnecessários. Além disso, onde está a fé? É melhor partir e estar com o Senhor. Insistir em viver mais e mais, a qualquer custo e em qualquer estado de saúde, é uma atitude tipicamente materialista.

68.21 (na Bíblia hebraica corresponde ao 68.22)

אַךְ־אֱלֹהִים יִמְחַץ רֹאשׁ אֹיְבָיו קָדְקֹד שֵׂעָר מִתְהַלֵּךְ בַּאֲשָׁמָיו׃

Sim, Deus parte a cabeça dos seus inimigos. Deus tem nas mãos as questões da vida e da morte (vs. 20), o que pode significar longa vida para os bons, mas também vida curta para os iníquos (vs. 21). A morte prematura era tida como punição imposta pelo poder divino. Alguns homens idosos podem continuar indefinidamente em seus pecados, mas seu tempo finalmente chegará. Seja como for, a vida é extremamente passageira, o que quer dizer que o julgamento divino não perde um único passo.

E o cabeludo crânio. É provável que a figura aqui seja a dos inimigos de Israel, que fizeram um voto de continuar combatendo contra os descendentes de Jacó. Eles permitiam que seus cabelos crescessem como sinal do voto tomado, talvez até verem a destruição de Israel. Tais pessoas atraem contra si mesmas a pesada mão de Deus e são esmagadas por ela. Note-se que Deus fere essas pessoas *na cabeça,* onde está localizado o símbolo do voto precipitado que fizeram. Tal golpe é justo porque fere o aparelho de pensar, que, de outra sorte, continuaria maquinando planos diabólicos. A figura simbólica pode ser a de um daqueles capacetes equipados com decorações como de cabelos, que supostamente faziam os homens ficar parecendo com feras. A arma de Deus atingiria os tais homens exatamente naquela massa cabeluda, e o homem iníquo arriaria. Certas "transgressões" (contra leis conhecidas) são fatais. No entanto, "Vinde cada alma oprimida pelo pecado, pois há misericórdia com o Senhor".

68.22 (na Bíblia hebraica corresponde ao 68.23)

אָמַר אֲדֹנָי מִבָּשָׁן אָשִׁיב אָשִׁיב מִמְּצֻלוֹת יָם׃

Disse o Senhor: De Basã os farei voltar. O povo de Deus pode ser seguido e caçado todo o caminho até *Basã* (ver a respeito no *Dicionário*). Mas o poder de Deus é suficiente para trazê-los de volta em segurança, depois de qualquer fuga. Mediante uma hipérbole poética, o autor fez Elohim trazer o seu povo das profundezas do mar. Mas talvez as "profundezas do mar", neste caso, devam ser entendidas metaforicamente como uma *tribulação profunda*. Ou então a referência é à passagem em seco pelo mar Vermelho. Esse foi um livramento miraculoso do mar, e Deus pode continuar fazendo tais prodígios em favor de seu povo.

Se se esconderem no cume do Carmelo, de lá buscá-los-ei, e de lá os tirarei, e se dos meus olhos se ocultarem no fundo do mar, de lá darei ordem à serpente, e ela os morderá.

Amós 9.3

No livro de Amós, o assunto é julgamento, em vez de livramento, mas se emprega o mesmo tipo de expressão poética.

"Ele livrou seu povo de Ogue, rei de Basã, em uma ocasião anterior (ver Nm 21.33-35), pelo que continuou prometendo essa forma de livramento... 'Das profundezas do mar', ou seja, das condições mais miseráveis e desesperadoras, das profundezas do pecado e da miséria; para fora da impotência e da desesperança" (John Gill, *in loc.*). O Targum, olhando para o distante futuro, vê nesse versículo a promessa de ressurreição.

Alguns estudiosos consideram Basã qualquer ponto a *leste,* ao passo que o mar (Mediterrâneo) seria qualquer ponto a *oeste,* ou seja, *de qualquer lugar.* Isto é em seguida cristianizado para falar do alcance universal da missão de Cristo. Seu poder pode trazer homens de qualquer lugar para qualquer lugar. Onde quer que os homens se encontrem, até mesmo no hades, Jesus tem poder de alcançá-los.

68.23 (na Bíblia hebraica corresponde ao 68.24)

לְמַעַן ׀ תִּמְחַץ רַגְלְךָ בְּדָם לְשׁוֹן כְּלָבֶיךָ מֵאֹיְבִים מִנֵּהוּ׃

Para que banhes o teu pé em sangue. A matança dos inimigos de Israel seria tão grande que rios de sangue banhariam o campo de batalha. Os soldados de Israel, no espírito de vingança e na alegria perversa, caminhariam pelo sangue. Então os cães seguiriam o exemplo deixado por eles e lamberiam o sangue, obtendo assim o "seu quinhão". Essa última observação logicamente degrada o inimigo. O sangue deles valia tão pouco que, finalmente, se tornou a porção dos cães. Ora, acreditava-se que a vida residia no sangue. Assim, no fim, os cães obteriam a sua vida. O exemplo do sangue de Jezabel, em ocasião anterior, que foi lambido pelos cães, veio à mente do poeta sagrado. O mesmo aconteceu, em ocasião ainda anterior, ao horrendo Acabe. Ver 1Rs 22.38 e 2Rs 9.35,36, quanto a essas narrativas. Ver algo similar em Ap 14.20.

Alegrar-se-á o justo quando vir a vingança; banhará os pés no sangue do ímpio.

Salmo 58.10

Ver as notas expositivas sobre esse versículo, quanto a maiores informações e ilustrações.

O CORTEJO PARA O TEMPLO (68.24-27)

68.24 (na Bíblia hebraica corresponde ao 68.25)

רָאוּ הֲלִיכוֹתֶיךָ אֱלֹהִים הֲלִיכוֹת אֵלִי מַלְכִּי בַקֹּדֶשׁ׃

Viu-se, ó Deus, o teu cortejo. O *cortejo,* por essa altura dos acontecimentos, entrou no recinto do templo. Esse é o cortejo do Deus e Rei do poeta. Os que estavam qualificados a entrar onde os sacerdotes ministravam, no santuário, o Lugar Santo, assim o fizeram. As multidões ficaram no átrio, mas sabiam o que ocorria no interior da nave. "A esperança do livramento nacional foi mantida viva na adoração do santuário, que o poeta passa a descrever. Um cortejo solene avança na direção do templo, e temos aqui uma descrição do que sucedia, por parte de alguém obviamente interessado no ritual, familiarizado com ele como estava" (Ellicott, *in loc.*). Cf. Sl 24.7-10.

■ **68.25** (na Bíblia hebraica corresponde ao **68.26**)

קִדְּמוּ שָׁרִים אַחַר נֹגְנִים בְּתוֹךְ עֲלָמוֹת תּוֹפֵפוֹת׃

Os cantores iam adiante. Nenhum cortejo, ou mesmo culto formal no templo, seria efetuado sem o acompanhamento apropriado de cânticos e instrumentos musicais. Os cantores seguiam na vanguarda da procissão, e os músicos com seus instrumentos seguiam na retaguarda. Além disso, havia donzelas tocando instrumentos musicais, mas elas não podiam adentrar o santuário, cujo acesso se limitava aos sacerdotes e levitas. Havia gritos e danças, e em breve haveria muita festividade, e o vinho fluiria como o rio Amazonas. Ver a importância do ministério da música em 1Cr 25. Os músicos eram profissionais, em um mister que passava de geração para geração. As mulheres não participavam da profissão dos levitas, mas, informalmente, tomavam parte dos cortejos. Ver no *Dicionário* o verbete intitulado *Música, Instrumentos Musicais*.

Donzelas com adufes. Ou seja, elas tocavam *tamborins* (ver Êx 15.20 e Jz 11.34). Cf. 1Sm 18.6,7, quanto à participação das mulheres nos cortejos de Israel. Ver também Êx 15.20. O Targum interpreta a questão incluindo Moisés no mar Vermelho, com Miriã e as mulheres tocando tamborins, mas isso é apenas um anacronismo.

■ **68.26** (na Bíblia hebraica corresponde ao **68.27**)

בְּמַקְהֵלוֹת בָּרְכוּ אֱלֹהִים יְהוָה מִמְּקוֹר יִשְׂרָאֵל׃

Bendizei a Deus nas congregações. Elohim era bendito por toda a congregação, que não se esqueça também de seu nome, Yahweh, o Deus Eterno, a quem eram dirigidos louvores. Eles eram o povo da Israel, a *estirpe* da nação, ou seja, o povo derivado daquele tronco. Este versículo informa o que eles cantavam, ou, pelo menos, o âmago desses cânticos.

Estirpe de Israel. Ver Is 48.1 e 51.1. Parece que o sentido destas palavras é que o povo de Israel se derivava das "cabeceiras" dos antigos patriarcas, comparando-se a nação a um grande rio que vinha de longe e terminava, naquele dia, no cortejo ao templo. Deus, naturalmente, é a fonte das águas vivas, bem como a fonte de todos os homens espirituais.

... abandonam o Senhor, fonte das águas vivas.

Jeremias 17.13

As fontes jorram água viva, e qualquer coisa que metaforicamente possamos dizer sobre a água aplica-se também às fontes. Ver no *Dicionário* o verbete chamado *Água*, que inclui os usos metafóricos desse termo.

Há uma fonte cheia de sangue
Tirado das veias do Emanuel.
Os pecadores que mergulham nesse dilúvio,
Perdem todas as suas manchas de culpa.

William Cowper

■ **68.27** (na Bíblia hebraica corresponde ao **68.28**)

שָׁם בִּנְיָמִן צָעִיר רֹדֵם שָׂרֵי יְהוּדָה רִגְמָתָם שָׂרֵי זְבֻלוּן שָׂרֵי נַפְתָּלִי׃

Ali está o mais novo, Benjamim. *Uma Completa Representação.* Naquele cortejo, Benjamim e Judá representavam o sul (reino de Judá), enquanto Zebulom e Naftali representavam o norte (reino de Israel). E assim, apesar de muitas tribos não estarem presentes, havia uma representação nacional, *simbólica*. Fazia muito tempo que as tribos do norte se haviam perdido e sido absorvidas pela Assíria; e é provável que, quando o autor sacro escreveu, o cativeiro babilônico já tivesse ocorrido. Esse cortejo, pois, deu-se depois de terminado o cativeiro babilônico, e apenas alguns poucos representavam o reino do norte. As descrições históricas provavelmente viram o culto do primeiro templo, embora o segundo templo já estivesse de pé quando o salmista compôs o seu hino. Os detalhes dados lançam luz abundante, visto ser esse um dos poucos relatos de um ato cerimonial em nossas fontes hebraicas. Cf. Eclesiástico 50.5-21.

O mais novo, Benjamim. A tribo de Benjamim virtualmente perdeu sua identidade. O que restou misturou-se com a tribo mais numerosa de Judá. Por conseguinte, após o cativeiro assírio, Judá tornou-se a nação de Israel, e, nos livros posteriores do Antigo Testamento, passou a ser chamada de Israel. Benjamim tinha sido virtualmente aniquilado por ocasião do incidente em Gibeá (ver Jz 20.48). O primeiro rei, Saul, pertencia à tribo de Benjamim, mas isso não impediu que a tribo desaparecesse. O apóstolo Paulo também pertencia a essa tribo (ver Rm 11.1). Ver no *Dicionário* o verbete chamado *Tribo (Tribos de Israel)*.

Que os precede. Essa é a tradução correta do texto sagrado. A *King James Version* diz aqui "com seu governante". Mas isso não tem sentido algum no contexto, sendo um trecho no mínimo obscuro, se é isso o que, realmente, quer dizer. Alguns, entretanto, insistem que essas palavras enfocam Saul, o primeiro rei de Israel. Porém, é muito difícil ver por que o poeta sagrado se importaria em fazer tal referência a Saul em um hino pós-exílico. Outros estudiosos cristianizam o termo "governante", transformando-o em uma referência a Cristo, mas certamente essa interpretação labora em erro.

Se não postularmos uma composição pós-exílica para este salmo, será difícil explicar por que apenas quatro das doze tribos de Israel foram mencionadas. Quando lemos as listas dos que retornaram da Babilônia para a Terra Prometida, é como um "quem é quem" de Judá.

■ **68.28** (na Bíblia hebraica corresponde ao **68.29**)

צִוָּה אֱלֹהֶיךָ עֻזֶּךָ עוּזָה אֱלֹהִים זוּ פָּעַלְתָּ לָּנוּ׃

Reúne, ó Deus, a tua força. *Grandes realizações* foram efetuadas por Elohim, no passado, mas continuava havendo muitas coisas para serem feitas, pelo que o poeta conclamou a Deus que continuasse agindo. Isso garantiria a consolidação da nação, após o cativeiro, e produziria um novo Israel. É provável que o segundo templo já estivesse de pé quando o salmista escreveu, dizendo que antigos inimigos estariam dispostos a destruir novamente o templo. Este versículo (e também o seguinte) faziam parte do hino que foi entoado. Este versículo tem sido cristianizado para fazer o salmo dirigir-se ao Messias, o qual traria ainda maiores vitórias no futuro do que as havidas no passado. O vs. 29 mostra que haverá vitórias universais, quando monarcas pagãos trarão seus presentes ao Rei dos reis.

■ **68.29** (na Bíblia hebraica corresponde ao **68.30**)

מֵהֵיכָלֶךָ עַל־יְרוּשָׁלָ͏ִם לְךָ יוֹבִילוּ מְלָכִים שָׁי׃

Oriunda do teu templo em Jerusalém. *O novo templo* (o segundo) tinha sido construído, consolidando assim o novo Israel (formado, essencialmente, da tribo de Judá) na Terra Prometida, terminado o cativeiro babilônico. Dado esse passo, o poeta conclamou Deus a estabelecer seu culto em Jerusalém. Esse culto se tornaria famoso, e reis do mundo inteiro viriam prestar lealdade ao Rei, diante do templo. Parte do hino composto pelo salmista, que era entoado nos cortejos para o templo, menciona essas coisas. Essa era a esperança de Israel, e essas eram as palavras dos profetas de Israel.

"Os gloriosos livramentos, concedidos por Deus ao seu povo, pelo Deus que habitava em Sião, garantiam a futura subjugação do mundo inteiro sob o seu mando" (Fausset, *in loc.*).

"Este versículo é um poderoso argumento para atribuir este salmo à época da reconstrução do templo, ou à sua rededicação após as poluções praticadas por Antíoco Epifânio" (Ellicott, *in loc.*).

Este versículo tem sido cristianizado para falar sobre o templo espiritual, a igreja, bem como sobre os eventos relativos ao triunfo do evangelho no mundo.

■ **68.30** (na Bíblia hebraica corresponde ao **68.31**)

גְּעַר חַיַּת קָנֶה עֲדַת אַבִּירִים בְּעֶגְלֵי עַמִּים מִתְרַפֵּס בְּרַצֵּי־כָסֶף בִּזַּר עַמִּים קְרָבוֹת יֶחְפָּצוּ׃

Reprime a fera dos canaviais. Sempre haveria forças *contrárias*. Isto posto, o poeta não se olvidou de incluir no hino uma petição de que tais forças fossem derrotadas, de modo que os planos de Deus não falhassem. Certas nações *deleitavam-se na guerra*, e estariam esperando a oportunidade de atacar, a qualquer momento em que Israel se debilitasse ou elas se fortalecessem.

Fera dos canaviais. Temos aqui uma referência óbvia ao Egito, "a fera do junco", pois o singular concorda com o original hebraico. Essa fera era o crocodilo ou o hipopótamo, símbolo da força daquele povo. Em seguida, temos a menção aos *touros* e aos *novilhos*, que significam, respectivamente, os fortes e os fracos, ou os príncipes e o povo comum. Todos esses se uniriam para derrotar Israel, e haveria um ataque lançado pelo sul. Os *touros* foram mencionados, por causa da adoração ao boi do Egito, universalmente conhecida. Ver no *Dicionário* o artigo intitulado *Ápis*.

O Egito estava entre os países que se deleitavam na guerra, pelo que o salmista solicitou de Deus que as forças daquele povo fossem espalhadas (*King James Version*) ou pisadas aos pés (*Revised Standard Version*). Meditemos sobre os seguintes pontos:

1. Então o Egito estaria sujeito ao pagamento de tributos e canalizaria sua prata a Jerusalém.
2. Mas o significado parece ser antes que aquele povo (o Egito), que apreciava coletar tributos, seria sujeitado a pagar tributos, conforme o vs. 31 passa a dizer-nos.
3. A referência à prata pode significar que os egípcios eram tão ricos nesse metal que com ele decoravam vestes e sandálias. O hebraico original do vs. 30 é obscuro, pelo que tem sido variegadamente traduzido.
4. Ellicott, *in loc.*, vê ainda outro significado: "Repreende aos que avançam em sua marcha para obter prata", ou seja, despojos, e assim recolhes as riquezas de outras nações para si mesmos.

■ **68.31** (na Bíblia hebraica corresponde ao **68.32**)

יֶאֱתָיוּ חַשְׁמַנִּים מִנִּי מִצְרָיִם כּוּשׁ תָּרִיץ יָדָיו לֵאלֹהִים׃

Príncipes vêm do Egito. Temos aqui outro versículo que se presta a diversas interpretações:

1. A *King James Version* vê este versículo como se falasse de reis (especificamente do Egito e da Etiópia) que viessem pagar tributos e lealdade ao Rei Yahweh.
2. Isso pode ser espiritualizado, dando a entender, pois, que eles se converteriam e contribuiriam com tudo quanto era deles para sua nova lealdade.
3. A *Revised Standard Version* fala em tributo diretamente pago: o Egito traria o bronze, e a Etiópia estenderia as mãos para Elohim, dando-lhe tributos formados por várias espécies de produtos não especificados. Poder-se-ia pensar que esse "tributo trazido" subentendesse a conversão, embora isso não tenha sido dito. Somos informados aqui que os futuros inimigos de Israel não serão bem-sucedidos em seus ataques; pelo contrário, serão derrotados e sujeitados a pagar tributos.
4. Ou então o tributo aqui referido é *apenas espiritual*. As nações que se converterem a Deus viriam a Jerusalém, tornando-se súditos voluntários, espiritualmente falando, e unindo-se ali ao culto a Yahweh.
5. Este versículo é então cristianizado para mostrar como o evangelho de Cristo sujeitará a ele todas as nações, bem como o tributo oferecido será a adoração e a lealdade da alma.

A Etiópia corre a estender mãos cheias para Deus. Por temor, assim farão os etíopes, pagando tributos, antes que alguma outra calamidade os atinja. Ou então virão adorar a Yahweh ansiosamente. Esses povos expressarão apressada submissão, quer materialmente, quer espiritualmente, ou mesmo de ambas as formas.

Príncipes. Ou seja, no hebraico, *hashmanim*, nobres ricos. Foi desse termo que os macabeus assumiram seu nome de *asmoneanos*.

UMA NOBRE DOXOLOGIA (68.32-35)

■ **68.32** (na Bíblia hebraica corresponde ao **68.33**)

מַמְלְכוֹת הָאָרֶץ שִׁירוּ לֵאלֹהִים זַמְּרוּ אֲדֹנָי סֶלָה׃

Reinos da terra, cantai a Deus. Encontramos aqui uma das mais excelentes doxologias da literatura universal.

Este hino foi composto e o salmista convidou todos os povos a cantar e render graças a Yahweh-Elohim, o Rei de toda a terra. Ambos os nomes divinos, no hebraico, são usados neste versículo: Elohim, o Todo-poderoso, e Yahweh, o Deus Eterno. É esperado triunfo completo. Este versículo tem sido cristianizado para falar sobre o sucesso universal do evangelho:

> ... para que ao nome de Jesus se dobre todo joelho, nos céus, na terra e debaixo da terra.
>
> Filipenses 2.10

Meus amigos, haverá uma reverência evangélica que produzirá benefícios espirituais aos que reverenciarem. E note o leitor que isso ocorrerá nas *três* grandes esferas: na terra, debaixo da terra (no hades) e nos céus. A missão de Cristo é *tridimensional*. Cf. Ef 4.7-10, que tem as mesmas três dimensões, onde Cristo se torna tudo para todos. Ver na *Enciclopédia de Bíblia, Teologia e Filosofia* o artigo chamado *Restauração*. Cristo tem alcançado e continuará alcançando homens *em qualquer lugar*.

Selá. Quanto aos possíveis sentidos desta palavra, ver Sl 3.2.

■ **68.33** (na Bíblia hebraica corresponde ao **68.34**)

לָרֹכֵב בִּשְׁמֵי שְׁמֵי־קֶדֶם הֵן יִתֵּן בְּקוֹלוֹ קוֹל עֹז׃

Àquele que encima os céus. Elohim dirige tudo quanto acontece no céu, pelo que não será grande a tarefa de controlar o futuro de Israel. Ele é o Criador, e sua *voz é criativa*. Por isso mesmo, ele emite sua voz e dá ordens diretivas que moldam os eventos. Ele troveja nos céus e assusta os homens. E estes cumprem a vontade dele, motivados pelo temor. Ele faz soar sua voz graciosa, e então eles cumprem o que ele diz, em amor.

> Eis que os céus e os céus dos céus são do Senhor, teu Deus, a terra e tudo o que nela há.
>
> Deuteronômio 10.14

Ver também 1Rs 8.27.

> Não há outro, ó amado, semelhante a Deus! que cavalga sobre os céus para a tua ajuda, e com a sua alteza sobre as nuvens.
>
> Deuteronômio 33.26

Este versículo foi cristianizado para falar sobre como Cristo tomou seu lugar à mão direita de Deus, por ocasião de sua ascensão (ver Hb 1.10; Ef 4.10). Essa *voz* é considerada o evangelho, mas o Targum pensa que é a voz da profecia. A voz diz o que se seguirá (vs. 34).

Os céus da antiguidade. Desde os tempos mais antigos, Elohim esteve no controle das coisas, e sua voz criou os céus e a terra. E ele continua controlando todas as coisas, e o futuro está seguro em suas mãos.

■ **68.34** (na Bíblia hebraica corresponde ao **68.35**)

תְּנוּ עֹז לֵאלֹהִים עַל־יִשְׂרָאֵל גַּאֲוָתוֹ וְעֻזּוֹ בַּשְּׁחָקִים׃

Tributai glória a Deus. O nome de Elohim significa força; confessemos que essa é a sua suprema possessão, e todas as criaturas humanas, em comparação a ele, são débeis e ineficazes. Portanto, atribuamos poder ao Poder, e esperamos que ele faça o que é correto e benévolo, conforme sempre fez. Seu poder está no firmamento, nos céus, operando nos lugares mais excelsos. Sendo esse o caso, a força de Deus também alcança os lugares baixos, como a terra.

> Levantai, levantai agora as vossas vozes!
> O mundo inteiro regozija-se agora!
> O Senhor triunfou gloriosamente,
> O Senhor reinará vitoriosamente.
> ...
> Ó Vitorioso, ajuda-nos em nossa luta,
> guia-nos através da morte para reinos de luz;
> Passamos em segurança por onde caminhaste;
> Em ti morremos para ressuscitar para Deus.
>
> John M. Neale

■ **68.35** (na Bíblia hebraica corresponde ao **68.36**)

נוֹרָא אֱלֹהִים מִמִּקְדָּשֶׁיךָ אֵל יִשְׂרָאֵל הוּא נֹתֵן עֹז
וְתַעֲצֻמוֹת לָעָם בָּרוּךְ אֱלֹהִים׃

Ó **Deus, tu és tremendo nos teus santuários.** Elohim é poderoso e terrível tanto em seu santuário celeste como em seu santuário terrestre. Seu poder se irradia do alto e de baixo. O Poder reside em Israel, pois ele é o Deus deles, pelo que as suas manifestações vêm principalmente dali, se estivermos falando da esfera terrestre. Ele concede poder e força a seu povo, garantindo um brilhante e bem-sucedido futuro.

O Senhor dá força ao seu povo, o Senhor abençoa com paz ao seu povo.

Salmo 29.11

Faz forte ao cansado, e multiplica as forças ao que não tem nenhum vigor. Os jovens se cansam e se fatigam, e os moços de exaustos caem. Mas os que esperam no Senhor renovam as suas forças, sobem com asas como águias, correm e não se cansam, caminham e não se fatigam.

Isaías 40.29-31

Por conseguinte, aquele que recebe tal poder deve ser invencível, pois conta com o apoio do Deus irresistível.

Bendito Seja Deus! "A ocasião inteira da ascensão ao templo termina assim, com uma doxologia" (William R. Taylor). E assim se encerra um dos mais nobres salmos de todo o saltério. Cada linha contém uma palavra de esperança, uma nova de vitória. As cordas do coração de um homem bom continuam ressoando do começo ao fim.

SALMO SESSENTA E NOVE

Quanto a *informações gerais* que se aplicam a todos os salmos, ver a introdução ao Salmo 4, onde apresento *sete* comentários que elucidam a natureza do livro. Quanto às *classes* dos salmos, ver o gráfico no início do livro, que atua como uma espécie de frontispício da coletânea. Dou ali dezessete classes e listo os salmos pertencentes a cada uma delas.

Este é um *salmo de lamentação*. Tipicamente, esses salmos começam com um clamor a Deus, pedindo auxílio, ante os ataques de inimigos. Então segue-se uma descrição dos inimigos, que podem ser invasores estrangeiros de Israel, ímpios israelitas no acampamento de Israel, ou alguma enfermidade. Os inimigos enfrentados neste salmo estavam dentro do acampamento de Israel e fizeram falsas acusações contra o poeta sagrado, querendo que ele restaurasse o que, alegadamente, teria furtado (vs. 4). Ao mesmo tempo, o salmista era afligido por alguma enfermidade que seus inimigos naturalmente atribuíam a um suposto julgamento de Deus. Finalmente, esses salmos contêm no final uma nota de louvor e triunfo, e, embora alguns terminem em um tom de desespero, o que também é verdade, em alguns casos, nesta vida física, o Salmo 69 tem um excelente hino e sua própria nota de louvor (vss. 34-36).

Este salmo fala sobre o livramento de Sião em um tempo de aflição, e, pela primeira vez nos salmos, essa aflição tem paralelo nos próprios problemas do salmista. Em outras palavras, as suas experiências tornam-se uma espécie de miniatura das tribulações de Sião. Cf. Sl 9.13-20; 51.18,19 e 102.12,13, quanto a algo similar. Portanto, temos aqui algo que se aproxima de uma filosofia da história. 1 e 2Crônicas têm a contribuição literária de apresentar a filosofia da história dos hebreus. A história começa em algum ponto dentro do tempo (e não é circular); segue uma série de eventos, dirigindo-se a um alto e glorioso alvo. A história, ainda segundo essa filosofia, é *guiada* teisticamente, não sendo produto do acaso. Ver no *Dicionário* o verbete chamado *Teísmo*. O Criador não abandonou a sua criação à mercê das leis naturais (conforme afirmam os deístas). Pelo contrário, Deus está na história, intervindo, recompensando os bons e punindo os maus. Os homens são moralmente responsáveis.

A data deste salmo não pode ser determinada de modo absoluto, mas à base do vs. 9 compreendemos que existia um templo (ou o primeiro ou o segundo) na época de sua composição. Sião, porém, sofria tribulações, e isso pode indicar os tempos perturbados de Esdras e Neemias. Se os vss. 34-36 forem vistos como uma adição por parte de um editor subsequente, então deveremos supor que a parte maior do salmo tenha sido escrita em algum tempo anterior.

Subtítulo. Neste salmo encontramos o seguinte subtítulo: "Ao mestre de canto. Segundo a melodia: Os lírios de Davi". "Lírios", nesse caso, corresponde à palavra hebraica *sosanim*, que pode falar da primavera, ou essa pode ter sido a principal palavra do hino. Talvez os salmos caracterizados por essa palavra estivessem associados à Páscoa, o que nos faz lembrar da redenção da servidão. O Salmo 45 contém a mesma palavra, mas é atribuído a Coré. Quanto a outras ideias sobre a palavra hebraica *sosanim*, ver as notas do subtítulo do Salmo 45. Cerca de metade dos salmos é atribuída a Davi, um grande exagero, sem dúvida, mas pelo menos alguns foram compostos por ele, visto ter sido o mavioso salmista de Israel (ver 2Sm 23.2). Devemos relembrar que as notas de introdução aos salmos foram escritas por editores posteriores, pelo que não faziam parte original dos salmos e não têm nenhuma autoridade canônica. A maior parte do que encontramos nesses subtítulos compõe-se de meras conjecturas, nem sempre muito refinadas.

APELO A DEUS (69.1-3)

■ **69.1** (na Bíblia hebraica corresponde ao **69.1,2**)

לַמְנַצֵּחַ עַל־שׁוֹשַׁנִּים לְדָוִד׃

הוֹשִׁיעֵנִי אֱלֹהִים כִּי בָאוּ מַיִם עַד־נָפֶשׁ׃

Salva-me, ó Deus. "Davi pleiteou que Deus o salvasse da destruição, porquanto ele levou a reprimenda e a rejeição de seus irmãos, por amor ao Senhor. Tendo orado para que Deus retribuísse a desumanidade de seus opressores, ele olhava para o futuro, para louvores universais e para a restauração" (Allen P. Ross, *in loc.*).

Cf. Sl 3.7; 6.4; 20.9; 22.21; 28.9; 31.2; 54.1; 57.3; 59.2; 60.5; 71.2; 80.2; 86.2; 106.47; 108.6; 118.25; 119.24; 138.7, quanto ao mesmo apelo, "salva-me". Então, em Sl 62.2, ver Deus como a nossa *salvação*, quanto a referências e o que essa expressão significa. O salmista precisava de *livramento* (salvação) de um duplo inimigo: homens hostis que o acusavam de coisas que ele não havia feito, e de uma enfermidade física que lhe ameaçava a vida. Ver os vss. 4, 26 e 29, quanto a essas duas perturbações. A morte estava próxima. Os cuidados de Deus se faziam urgentes.

As águas. Esta é uma metáfora comum para tribulações sérias que avassalam a vida e a arrebatam. As tribulações podem ser como o mar tempestuoso. Cf. o vs. 15 e 18.4,16; 32.6; 40.2; 42.7 e Jn 2.5. O trecho hebraico original diz aqui, literalmente, "águas que sobem até o pescoço" (*Revised Standard Version*), e não "até a alma", conforme a *King James Version* e a nossa versão portuguesa. A figura simbólica é a de um homem prestes a morrer afogado, o que explica a urgência do caso.

■ **69.2** (na Bíblia hebraica corresponde ao **69.3**)

טָבַעְתִּי בִּיוֵן מְצוּלָה וְאֵין מָעֳמָד בָּאתִי בְמַעֲמַקֵּי־מַיִם וְשִׁבֹּלֶת שְׁטָפָתְנִי׃

Estou atolado em profundo lamaçal. Águas profundas e lama formavam o meio ambiente metafórico do salmista, porque, afinal, ele tinha duas espécies de tribulações, as quais poderiam ser fatais: inimigos que lhe caçavam a vida; e alguma terrível enfermidade. Ele era como um homem que afundava em um atoleiro. Não tinha lugar seguro onde se firmar de pé. Era como um homem sobrecarregado pelas ondas do mar, pelas torrentes poderosas de um rio, que o tivessem apanhado de surpresa.

Tirou-me de um poço de perdição, dum tremedal de lama; colocou-me os pés sobre uma rocha e me firmou os passos.

Salmo 40.2

Os vss. 1 e 2 são considerados messiânicos, e aquele que apresentara a petição é chamado de Cristo; mas isso é uma aplicação, e não uma interpretação. "... as aflições são, com frequência, comparadas a águas, nas Escrituras. Assim também as tristezas e os sofrimentos de Cristo são aptamente simbolizados por águas profundas e inundações que a tudo invadem, e com razão são chamados de *batismo*, pelo próprio Cristo (ver Lc 12.50)" (John Gill, *in loc.*).

■ **69.3** (na Bíblia hebraica corresponde ao **69.4**)

יָגַעְתִּי בְקָרְאִי נִחַר גְּרוֹנִי כָּלוּ עֵינַי מְיַחֵל לֵאלֹהָי׃

Estou cansado de clamar. Um intenso e prolongado clamor havia deixado o salmista exaurido, e sua garganta estava ressecada de tanto gemer. Seus olhos estavam ficando enevoados, depois de ter esperado em vão que Elohim o ajudasse. Ali havia poder, mas esse poder não era posto à disposição *dele*. No entanto, ele continuava orando, porque a oração reveste-se de poder, e grande poder, quando aprendemos a explorá-la. Os hebreus eram um povo emotivo, que dava demonstrações disso em alta voz, sem importar se a emoção era a alegria ou a angústia.

> *Um abismo chama outro abismo, ao fragor das tuas catadupas; todas as tuas ondas e vagas passaram sobre mim.*
> Salmo 42.7

Os meus olhos desfalecem. Um grande esforço dos olhos, depois de um tempo prolongado, debilita a acuidade visual; e o poeta sagrado usou esse fato para dizer-nos, *metaforicamen*te, que os seus olhos quase se tinham cegado, depois de muito ter olhado para Deus sem receber recompensa, o que significa que ele muito orou ansiosamente.

> *Esmorecem os meus olhos de tanto esperar por tua promessa, enquanto digo: Quando me haverás de consolar?*
> Salmo 119.82

Ver também Lm 4.17 e Sl 40.12, quanto a essa figura de linguagem. Alguns estudiosos veem nessas descrições as patéticas condições dos cativos na Babilônia, mas o poema parece ser pós-exílico, conforme demonstra o hino final, vss. 34-36.

> Vede como me ajoelhei com meus braços
> Levantados a noite inteira, em um ar sem resposta,
> Atordoado e admirado com tanto desejo,
> Branco com a total agonia do muito orar.
> F. Myers

Secou-se-me a garganta. O salmista estava doente, além de estar sendo atacado por inimigos. Provavelmente, sua enfermidade causava uma febre que lhe ressecara a garganta, ou essa declaração indica uma garganta seca pelo muito chorar. Ou então a referência é *figurada:* choro em demasia, agonia em demasia, ansiedade em demasia por causa das tribulações.

O APURO DO SALMISTA (69.4-12)

■ **69.4** (na Bíblia hebraica corresponde ao **69.5**)

רַבּוּ מִשַּׂעֲרוֹת רֹאשִׁי שֹׂנְאַי חִנָּם עָצְמוּ מַצְמִיתַי אֹיְבַי שֶׁקֶר אֲשֶׁר לֹא־גָזַלְתִּי אָז אָשִׁיב׃

São mais que os cabelos de minha cabeça. O poeta era vítima de uma *conspiração* por parte de grande número de adversários. Eles o *odiavam;* eram *insistentes;* eram *assassinos*. Eram tão numerosos que podiam ser comparados aos cabelos que ele tinha na cabeça. Eram mentirosos. Haviam feito falsas acusações contra um homem justo. Tinham-no acusado de haver furtado algo, o que ele não fizera e o que não é definido no texto sagrado. Queriam matá-lo, em um ato de vingança pessoal, ou apresentariam o seu caso diante dos tribunais da lei, tentando fazer com que os juízes ordenassem a sua execução. Eram homens poderosos e mortíferos, que estavam dispostos a destruí-lo. Eles o haviam atacado com mentiras e calúnias, além da mais pura invenção, levantando falsas acusações que não tinham base nos fatos. Cf. Sl 35.11:

> *Levantam-se iníquas testemunhas, e me argúem de coisas que eu não sei. Pagam-me o mal pelo bem.*
> Salmo 35.11,12

Isso pode ser confrontado com o caso do Senhor Jesus (ver Jo 15.18-25). Jesus percorreu Israel fazendo o bem, sem furtar qualquer ser humano de suas propriedades ou bens. Ele servia à alma deles e trouxe-lhes uma luz resplandecente. Não obstante, foi atacado como se fosse um malfeitor. Enfrentou inimigos implacáveis (Lc 19.14,27), tais como os inimigos do salmista. A versão siríaca usa aqui outra figura de linguagem: "Meus inimigos são mais numerosos do que os meus ossos". Ver Sl 40.12, quanto à figura simbólica do *vasto número de cabelos* que há na cabeça de uma pessoa.

Os que com falsos motivos são meus inimigos. Esses inimigos espalhavam mentiras e notícias distorcidas acerca do salmista. Cf. Sl 35.1 e Jr 15.10. Eles eram seguidores dos que contam *grandes mentiras* na diplomacia internacional ou nos negócios particulares.

Por isso tenho de restituir o que não furtei. O homem estava sendo forçado a restituir algo que ele não tinha furtado. Isso significa que algo de valioso seria tomado do salmista, como uma fazenda, gado etc., coisas que lhe seriam furtadas por meio de falsas acusações. O poeta teria de desistir de possessões que, segundo alegavam seus inimigos, ele havia furtado. A legislação mosaica requeria a devolução do que fosse furtado, e mais 20% como compensação (ver Lv 6.2-7). Os ladrões eram classificados como *opressores* (Lv 19.13). O código de Hamurabi, por sua vez, era ainda mais severo com os ladrões do que a legislação mosaica e, em alguns casos, cobrava a punição capital dos ofensores (lei 22). Um ladrão podia ser morto, e seu executor nada sofreria (Êx 22.1,3,4). Ver no *Dicionário* o artigo geral chamado *Crimes e Castigos*.

■ **69.5** (na Bíblia hebraica corresponde ao **69.6**)

אֱלֹהִים אַתָּה יָדַעְתָּ לְאִוַּלְתִּי וְאַשְׁמוֹתַי מִמְּךָ לֹא־נִכְחָדוּ׃

Tu, ó Deus, bem conheces a minha estultice. Elohim estava bem consciente de qualquer insensatez que o salmista tivesse cometido; ele conhecia todos os seus *erros,* os quais, realmente, existiam, porquanto nenhum homem está livre do pecado. E coisa alguma está oculta da mente divina. Havia pecados no salmista, mas não os pecados de que ele estava sendo injustamente acusado. O poeta sagrado não era um ladrão e, portanto, nada tinha a restaurar. O homem estava enfermo e, naturalmente, em consonância com a atitude dos hebreus da época, seus críticos diziam que ele estava sendo punido por Deus, por causa de suas iniquidades. O próprio autor sagrado poderia dizer: "Esta enfermidade foi causada por meus atos tolos, mas não por causa dessas acusações". A mente dos hebreus não admitia a possibilidade de que a enfermidade viesse de fontes desconhecidas e enigmáticas, nem levava o caos em consideração. Portanto, para eles, uma enfermidade não podia ser apenas uma ação disciplinadora ou treinadora, sem que houvesse pecado por trás dela. A teologia hebreia, no que diz respeito à enfermidade, era deficiente. Cf. isso à declaração de Paulo em 2Co 12.8. Ali ele fala sobre uma enfermidade não causada por pecado, que atuava como medida disciplinadora. Deus era tido como a *causa final* de toda a enfermidade, pelo que também não se aceitava a cura natural, porquanto isso cheirava a presunção. Como poderia um homem tentar anular aquilo que Deus causara? Portanto, orações eram oferecidas em favor dos doentes, e, se isso não funcionasse, eles eram abandonados em sua triste condição. Mas nos tempos do Novo Testamento, meios naturais começavam a ser aceitos nas curas. Os médicos antigos não eram grandemente respeitados, mas também não eram rejeitados nos tempos de Jesus. Lucas foi o "médico amado" (Cl 4.14), o que mostra que a profissão médica era aceita nos círculos cristãos.

Quanto à *confissão de pecados,* cf. Sl 32.3-5 e 51.3-5.

As tentativas para cristianizar este salmo e transformá-lo em um salmo messiânico têm falhado neste versículo. É uma tolice tentar aplicar estas palavras a Jesus Cristo.

■ **69.6** (na Bíblia hebraica corresponde ao **69.7**)

אַל־יֵבֹשׁוּ בִי קֹוֶיךָ אֲדֹנָי יְהוִה צְבָאוֹת אַל־יִכָּלְמוּ בִי מְבַקְשֶׁיךָ אֱלֹהֵי יִשְׂרָאֵל׃

Não sejam envergonhados por minha causa. O poeta tinha seus apoiadores e amigos, e temia que homens ímpios, bem-sucedidos em suas tentativas ousadas de prejudicar, *envergonhassem* tanto a ele mesmo como a seus amigos. Quanto a esse conceito, ver Sl 25.1; 35.26 e 37.19. "Muitos perderiam a sua fé se o salmista não fosse vindicado" (William R. Taylor, *in loc.*). "... o espírito de coletividade do reino dos céus, que vincula grande hediondez ao pecado, porque pode prejudicar os irmãos. Yahweh seria desonrado aos olhos dos pagãos se parecesse estar desconsiderando a sua parte do pacto, que foi assinado em favor dos bons" (Ellicott, *in loc.*). Os que acreditam que o salmo foi escrito durante o cativeiro babilônico pensam que os babilônios ficariam chocados diante de tal injustiça, em um caso conhecido de fraude.

Yahweh-Elohim dos Exércitos. Um título do Deus da aliança, e que deixa entendido o seu poder, posto dentro de uma metáfora militar. Ver no *Dicionário* o artigo chamado *Yahweh Sabaoth,* ou seja, *Senhor dos Exércitos.*

■ **69.7** (na Bíblia hebraica corresponde ao **69.8**)

כִּי־עָלֶיךָ נָשָׂאתִי חֶרְפָּה כִּסְּתָה כְלִמָּה פָנָי׃

Pois tenho suportado afrontas por amor de ti. Quando um *homem bom é caluniado,* isso equivale a Deus ser caluniado, porque os dois pertencem ao mesmo pacto. Ver no *Dicionário* o artigo chamado *Pactos.* Por amor a Elohim ele tinha sido envergonhado, porquanto o Senhor ainda não o havia salvado das mãos de seus adversários, e ele era diariamente envergonhado diante deles. Deus tinha deixado de agir e se mostrara aparentemente indiferente para com a causa do salmista. Ver Sl 10.1; 28.1 e 59.4, quanto à *indiferença* de Deus. Envergonhado diante de seus inimigos, Jó queixou-se da indiferença de Deus. Assim, o Deus teísta tornou-se um Deus deísta. Ver na *Enciclopédia de Bíblia, Teologia e Filosofia* os verbetes chamados *Teísmo* e *Deísmo.* Considerando o vs. 9, podemos ser levados a compreender que o poeta e seus amigos sofriam por causa de algum motivo religioso. Pelo menos, havia princípios morais em jogo. O poeta e seus amigos estavam corretos diante da lei; seus inimigos, pelo contrário, não tinham razão. Estas palavras ajustam-se admiravelmente bem ao Messias. Ver Mt 27.67 e Is 50.6, mas este salmo não é, especificamente, messiânico.

■ **69.8** (na Bíblia hebraica corresponde ao **69.9**)

מוּזָר הָיִיתִי לְאֶחָי וְנָכְרִי לִבְנֵי אִמִּי׃

Tornei-me estranho a meus irmãos. O salmista e seus amigos imediatos foram isolados e tornaram-se estranhos à comunidade. As mentiras de seus inimigos estavam sendo aceitas como verdades. Assim sendo, o "homem mau" foi separado e isolado. Ademais, ele era um homem enfermo, e isso o assinalava como um homem que havia pecado contra Deus. As pessoas guardavam distância dele e até os seus parentes chegados, isto é, seus meios-irmãos, filhos de sua mãe, mas não de seu pai. Essas eram as circunstâncias comuns naqueles dias de poligamia. Cf. isso com Sl 31.11; 38.11; 41.9; 50.20 e 55.12,13, quanto a queixas similares de outros salmistas. Ver também Ct 1.6.

■ **69.9** (na Bíblia hebraica corresponde ao **69.10**)

כִּי־קִנְאַת בֵּיתְךָ אֲכָלָתְנִי וְחֶרְפּוֹת חוֹרְפֶיךָ נָפְלוּ עָלָי׃

Pois o zelo da tua casa me consumiu. Com base neste versículo, aprendemos que o poeta era um homem muito piedoso que com frequência ia ao templo entoar hinos, oferecer sacrifícios e fazer ou cumprir votos. Ele estava tão envolvido em sua fé religiosa que a casa de Deus é aqui retratada como algo que o consumia. "... consome-me como uma chama com sua intensidade (Sl 119.139)" (Fausset, *in loc.*).

> *O meu zelo me consome, porque os meus adversários se esquecem da tua palavra.*
> Salmo 119.139

As injúrias. Isto é, acusações de ter cometido alguma falha, de praticar a injustiça, de ter feito alguma repreensão, de reprimir a alguém, de desmascarar, de desgraçar a outrem, ou de blasfemar. Ver o vs. 19, onde temos o emprego da mesma palavra-raiz, mas que em algumas versões é traduzida de modo diferente.

Este versículo talvez deixe entendido que alguma espécie de questão religiosa estava em vista. Os que creem estar em vista o tempo do cativeiro babilônico pensam que os pagãos zombavam dos hebreus piedosos, por causa de seu intenso desejo de voltar a Jerusalém e construir outro templo.

Uma Aplicação Messiânica. Paulo fez uso dessas palavras: "As afrontas dos que te afrontam caíram sobre mim" (Rm 15.3) e fez com que elas se aplicassem aos iníquos que perseguiram a Cristo. Mas ao perseguirem a Cristo, eles também blasfemavam de Deus Pai. Por semelhante modo, o poeta, que era um homem bom, ao ser repreendido por homens perversos, desfrutou a companhia de seu Deus na experiência. O salmista era zeloso pela lei e pela boa ordem, pela pureza e pela honra, pela veracidade e pela justiça. Aqueles que o perseguiam blasfemavam desses princípios morais por meio de mentiras e fraude.

Ver a parte do *zelo consumidor,* usado por Jesus, e sua campanha constante de prática do bem e de disciplina dos malvados (Jo 2.14,17).

■ **69.10,11** (na Bíblia hebraica corresponde ao **69.11,12**)

וָאֶבְכֶּה בַצּוֹם נַפְשִׁי וַתְּהִי לַחֲרָפוֹת לִי׃

וָאֶתְּנָה לְבוּשִׁי שָׂק וָאֱהִי לָהֶם לְמָשָׁל׃

Chorei, em jejum está a minha alma. O salmista, buscando intensamente a Deus, inclusive por meio de *jejum* (ver a respeito no *Dicionário),* foi escarnecido por seu zelo e foi chamado de hipócrita, porque era um homem doente que merecia a tribulação que o vitimava. O homem se vestia de cilício e jejuava, talvez em conexão com a sua enfermidade, arrependido dos pecados que pensava serem a causa de sua condição de saúde. Mas os seus oponentes generalizavam a questão e faziam dele um pecador extremo, incluindo aí a acusação de furto (vs. 4). Quanto ao cilício como um sinal de lamentação, ver Gn 37.34; 1Rs 21.27; Ne 9.1; Ed 4.1-4; Sl 30.11; 35.13; Lm 2.10 e Dn 9.3. Ver também, no *Dicionário,* o artigo chamado *Pano de Saco.* Mas os ímpios desprezam o homem, sentado em seu monte de cinzas, vestido com tecido cru e sem se alimentar.

Os estudiosos que veem este salmo como messiânico relembram-nos as muitas reprimendas que Jesus sofreu às mãos de pecadores crassos. Ver Mt 11.18,19; Mc 3.20,21.

> *As minhas vestes eram pano de saco; eu afligia a minha alma com jejum, e em oração me reclinava sobre o peito.*
> Salmo 35.13

O *pobre salmista* tornou-se uma figura *proverbial,* tema constante da conversa dos habitantes de Jerusalém. Transformou-se, igualmente, em um *caso notório.* Pensavam que ele era um hipócrita, que recebia o que merecia, pelo que seus jejuns e sinais de lamentação serviam de afronta contra Deus e contra os homens. Por isso, criaram um provérbio que se adaptasse ao seu caso, e até indivíduos degenerados, como os beberrões (vs. 12), repetiam esse provérbio.

> *Tu nos fazes opróbrio dos nossos vizinhos, escárnio e zombaria aos que nos rodeiam. Pões-nos por ditado entre as nações.*
> Salmo 44.13,14

■ **69.12** (na Bíblia hebraica corresponde ao **69.13**)

יָשִׂיחוּ בִי יֹשְׁבֵי שָׁעַר וּנְגִינוֹת שׁוֹתֵי שֵׁכָר׃

Tagarelam sobre mim os que à porta se assentam. Indivíduos *alcoólatras* são mencionados como representantes da classe social mais vil, e exemplos de como um homem pode deslizar para uma vida degenerada. Até esses indivíduos pensavam ser engraçado degradar alguém "pior do que eles mesmos", o salmista, o homem enfermo, acusado de furto, o qual, como era óbvio, era um hipócrita.

À porta se assentam. Este era um lugar *eminentemente público,* de julgamento e de comércio, um ótimo local para pedir esmolas, provavelmente o que tais pessoas estavam fazendo. A bebida os tinha reduzido à pobreza e lhes destruíra totalmente as células do cérebro. Contudo, eles eram bons o bastante para zombar de alguém ainda *inferior,* o poeta, segundo pensavam. No portão da cidade havia vadios e tipos nojentos, mesmo que não afligidos pelo vício do alcoolismo. Toda aquela turba se juntava à diversão das zombarias. Eram homens de cérebros doentios que chegavam mesmo a fazer canções espirituosas, para revestir suas "declarações engraçadas". Cf. Jó 30.9; Is 5.11,12 e Lm 3.14, que dizem algo similar.

RENOVAÇÃO DO APELO (69.13-21)

■ **69.13** (na Bíblia hebraica corresponde ao **69.14**)

וַאֲנִ֤י תְפִלָּתִֽי־לְךָ֨ ׀ יְהוָ֡ה עֵ֤ת רָצ֗וֹן אֱלֹהִ֥ים בְּרָב־חַסְדֶּ֑ךָ
עֲ֝נֵ֗נִי בֶּאֱמֶ֥ת יִשְׁעֶֽךָ׃

Quanto a mim, porém, Senhor. O salmista reiterou seu apelo pedindo ajuda, o qual ele havia interrompido para contar sobre as multidões insultuosas de seus inimigos. Agora, cansado de falar sobre aqueles homens miseráveis, ele declarou: "Quanto a mim, minha necessidade consiste em invocar-te, pelo que renovo o meu apelo". Ele voltou ao relacionamento com Deus, na esperança de que suas orações alcançassem o trono divino e revertessem sua situação. Impulsionado de novo pela descrição de sua triste sorte, ele fez um novo e apaixonado apelo, solicitando auxílio e livramento de suas aflições. E voltou a um tempo aceitável, a um tempo oportuno, que era *agora mesmo*, considerando sua grande necessidade. Nada ele tinha que pleitear, na terra cá embaixo ou no céu lá em cima, exceto o grande amor de Deus e sua grande necessidade. Seu zelo anterior havia abortado em um fracasso redundante. Ele não obteve resposta às suas orações. Pelo momento, porém, desfez-se de seu desespero e frustração e começou a orar novamente. O *tempo aceitável*, naturalmente, é o tempo em que Deus age, e o poeta esperava que este houvesse chegado. Quanto ao tempo favorável e *gracioso*, ver Is 49.8. O hebraico original deste versículo diz aqui literalmente: "em um tempo de graça". Cf. o *"ano aceitável"* de Is 61.2. O tempo aceitável é divinamente limitado, pelo que ele deve apressar-se, a fim de não perder a sua oportunidade de ouro.

> Quanto a mim, eis a minha oração, que dirijo a ti,
> neste momento de tua graça, ó Deus da abundância.
> Relembra-te de tua aliança misericordiosa.
> Apressa-te em sair em meu socorro!

Pela riqueza da tua graça. A graça divina era a grande esperança do poeta sacro. Com grande amor, Elohim responderia ao salmista e evitaria o desastre que já se mostrava iminente. O amor divino pode fazer mais em um único instante do que as negociações humanas em uma era inteira. O poeta precisava do *poder divino*, pelo que se voltou para a graça de Deus. Os atos mais nobres são sempre inspirados pelo amor, enquanto os atos vis repousam sobre o egoísmo humano.

> O círculo do amor de Deus não teve começo, e não terá fim. O amor de Deus inspira.

> O que o amor pode fazer, isso o amor ousa fazer.
> Shakespeare

Ver no *Dicionário* o verbete chamado *Amor*.

■ **69.14** (na Bíblia hebraica corresponde ao **69.15**)

הַצִּילֵ֣נִי מִ֭טִּיט וְאַל־אֶטְבָּ֑עָה אִנָּצְלָ֥ה מִ֝שֹּׂנְאַ֗י
וּמִמַּֽעֲמַקֵּי־מָֽיִם׃

Livra-me do tremedal. Este versículo é essencialmente idêntico ao vs. 2, o qual faz parte do primeiro apelo. Ver as notas expositivas ali. Aqui, porém, é omitido o fato de que o salmista não tinha onde firmar-se, sendo acrescentada a menção àqueles que *odiavam* (os quais o tinham colocado naquela desesperadora situação).

> Laços de morte me cercaram, torrentes de impiedade me impuseram terror. Cadeias infernais me cingiram, e tramas de morte me surpreenderam.
> Salmo 18.4,5

Ver também Sl 144.6. O primeiro apelo não recebeu resposta da parte de Deus, pelo que o poeta enviou um segundo apelo, repetindo alguns pontos, mas inserindo elementos diferentes.

■ **69.15** (na Bíblia hebraica corresponde ao **69.16**)

אַל־תִּשְׁטְפֵ֤נִי ׀ שִׁבֹּ֣לֶת מַ֭יִם וְאַל־תִּבְלָעֵ֣נִי מְצוּלָ֑ה
וְאַל־תֶּאְטַר־עָלַ֖י בְּאֵ֣ר פִּֽיהָ׃

Não me arraste a corrente das águas. Este versículo elabora sobre os vss. 2 e 14. Continuam as águas que fluem por sobre a cabeça, sem importar se do mar ou do rio. Mas agora essas águas são vistas como capazes de "engolir" o homem, como uma espécie de monstro marinho. Além disso, as areias movediças tornaram-se um *abismo* que devora o homem como se fosse uma espécie de monstro terrestre oculto. A alusão, obviamente, é ao *seol*. Ver no *Dicionário* o artigo chamado *Seol e Hades*. Mas aqui não há nenhum ensino sobre uma existência pós-túmulo, que seja prejudicial ao poeta sagrado. Os inimigos do salmista, porém, estão em todos os lugares, mortíferos e sempre presentes.

Poço. Quantas mortes estúpidas têm ocorrido quando adultos e, especialmente, crianças caem em poços! Os poços são como armadilhas armadas para os que de nada suspeitam. Os inimigos do salmista tinham preparado toda espécie de armadilhas para ele.

■ **69.16** (na Bíblia hebraica corresponde ao **69.17**)

עֲנֵ֣נִי יְ֭הוָה כִּי־ט֣וֹב חַסְדֶּ֑ךָ כְּרֹ֥ב רַ֝חֲמֶ֗יךָ פְּנֵ֣ה אֵלָֽי׃

Responde-me, Senhor. O salmista enviou ao céu outro apelo. O homem necessitava de *resposta* imediata, o livramento da morte certa. Ele dependia do amor constante de Deus para suprir a sua necessidade e também carecia de *misericórdia abundante*. Em outras palavras, somente uma genuína *intervenção divina* poderia salvá-lo naquela hora de crise. O clamor que rogava misericórdia (vs. 13) é aqui renovado. "Há uma *multidão* dessas ternas misericórdias em favor dos filhos dos homens" (Adam Clarke, *in loc.*).

> *Compadece-te de mim, ó Deus, segundo a tua benignidade; e, segundo a multidão das tuas misericórdias.*
> Salmo 51.1

■ **69.17** (na Bíblia hebraica corresponde ao **69.18**)

וְאַל־תַּסְתֵּ֣ר פָּ֭נֶיךָ מֵֽעַבְדֶּ֑ךָ כִּֽי־צַר־לִ֝י מַהֵ֥ר עֲנֵֽנִי׃

Não escondas o teu rosto do teu servo. As *palavras favoritas* de apelo, nos salmos de lamentação, foram empregadas neste versículo: *Não escondas o teu rosto!* Ver Sl 13.1; 27.5,9; 30.7; 55.1; 89.46; 102.2 e 143.7. Nos comentários sobre os salmos, já listei bons e maus lugares de refúgio, a proteção de Deus e sua aparente *indiferença*. Quanto a esse conceito, ver Sl 10.1; 28.1; 59.4. Além disso, encontramos também a expressão "Responde-me!" Ver as notas expositivas sobre essa ideia em Sl 64.1, onde teço comentários e referências bíblicas. O poeta sagrado precisava da imediata ação divina, porquanto estava "em aperto", e isso de duas espécies, descritas nas notas expositivas do vs. 1.

Pois estou atribulado. "Em apertos e dificuldades, pressionado por todos os lados; encerrado pela assembleia dos iníquos que dele zombavam, pelas tropas de demônios que contra ele lançavam dardos inflamados" (John Gill, *in loc.*).

■ **69.18** (na Bíblia hebraica corresponde ao **69.19**)

קָרְבָ֣ה אֶל־נַפְשִׁ֣י גְאָלָ֑הּ לְמַ֖עַן אֹיְבַ֣י פְּדֵֽנִי׃

Aproxima-te de minha alma. Encontramos neste versículo três palavras-chave que compõem o apelo do salmista:

1. *Aproxima-te de mim!* A presença de Yahweh anulava a temível presença dos inimigos do salmista. Ver Sl 22.11: "Não te distancies de mim, porque a tribulação está próxima...".
2. *Redime a minha alma!* Não está em pauta a redenção evangélica, mas o livramento de uma morte violenta e prematura. A melhor palavra é "resgata", mas em algumas traduções, essa é dada como a terceira palavra, como no caso de nossa versão portuguesa. Ver sobre Sl 26.11.
3. *Resgata-me!* O salmista estava oprimido com o perigo e as zombarias constantes de homicidas. Ele não podia continuar vivendo daquela maneira. Elohim tinha de exercer o seu poder e libertá-lo. Sem isso, a sua vida não era digna de ser vivida.

■ **69.19** (na Bíblia hebraica corresponde ao **69.20**)

אַתָּ֤ה יָדַ֗עְתָּ חֶרְפָּתִ֣י וּ֭בָשְׁתִּי וּכְלִמָּתִ֑י נֶ֝גְדְּךָ֗ כָּל־צוֹרְרָֽי׃

Tu conheces a minha afronta. O poeta sagrado apontou para os seus sofrimentos, todos eles conhecidos por Elohim. Ele tinha sido sujeitado ao *opróbrio* (ver o vs. 9, quanto a notas expositivas completas). As palavras dos vss. 9 e 19 são traduzidas de maneiras variegadas, embora partam da mesma raiz hebraica. O salmista fora *envergonhado,* o que já havia sido dito no vs. 6. Dou ali notas expositivas com referências a outros lugares nos salmos onde essa ideia é apresentada. Ele tinha sido *desonrado.* Ver Sl 35.26 e 71.13. Embora não fosse culpado das acusações contra ele assacadas, foi desonrado por mentiras e acusações falsas. Finalmente, em lugar da proximidade da presença de Deus, pela qual ele orava no vs. 18, seus inimigos estavam sempre por perto, não lhe dando descanso.

Temos aqui "... um montão de palavras que expressam a grandeza do opróbrio lançado contra ele, e as injúrias feitas à sua pessoa e ao seu caráter. Tudo isso era conhecido por Deus, podendo levar o Senhor a erguer-se e julgar o caso" (John Gill, *in loc.,* com algumas adaptações).

Elohim sabia o que os perseguidores do salmista estavam fazendo e também os conhecia pessoalmente. Com tal conhecimento, em breve responderia às orações do salmista e retribuiria contra os seus inimigos. Certamente eles colheriam o que haviam semeado com tanta diligência. Ver no *Dicionário* o artigo chamado *Lei Moral da Colheita segundo a Semeadura.*

■ **69.20** (na Bíblia hebraica corresponde ao **69.21**)

חֶרְפָּה שָׁבְרָה לִבִּי וָאָנוּשָׁה וָאֲקַוֶּה לָנוּד וָאַיִן וְלַמְנַחֲמִים וְלֹא מָצָאתִי׃

O opróbrio partiu-me o coração e desfaleci. Uma vez mais o salmista usou a palavra "opróbrio", a qual explico nos comentários sobre o vs. 9. Os *insultos* (*Revised Standard Version*) atirados contra ele partiram-lhe o coração, porquanto ele esperava mais da natureza humana, e especialmente de compatriotas hebreus, do que aquele tipo de oposição e ódio. Ele procurou por alguém que ficasse ao seu lado, que tivesse piedade dele, mas não achou uma única pessoa. *Caluniadores,* ele encontrou muitos; *consoladores,* nenhum sequer. "Os homens para quem ele se voltou não tinham *misericórdia,* mesmo que não zombassem abertamente dele" (J. R. P. Sclater, *in loc.*).

Este versículo e, naturalmente, o contexto geral, têm sido cristianizados, sendo tomados como messiânicos, ao descrever a vida e os sofrimentos de Cristo. Ver Mt 26.38 e Pv 22.14. Ver também Mc 14.33 e Jr 30.12,15. "... Seus discípulos o abandonaram e fugiram; os sacerdotes, os escribas e o povo comum, que vieram vê-lo crucificado, zombavam dele; os ladrões que tinham sido crucificados juntamente, escarneciam dele; e o Pai celeste escondeu dele o rosto. Somente algumas *poucas mulheres* se postaram à distância e lamentavam por ele" (John Gill, *in loc.*).

■ **69.21** (na Bíblia hebraica corresponde ao **69.22**)

וַיִּתְּנוּ בְּבָרוּתִי רֹאשׁ וְלִצְמָאִי יַשְׁקוּנִי חֹמֶץ׃

Por alimento me deram fel. O termo hebraico correspondente relaciona-se à "cabeça", pelo que é provável que lhe tenha sido servido o suco da flor chamada papoula, cientificamente denominada *Papver arenarium,* que cresce como mato na Palestina. "Fel" foi a tradução da Septuaginta, e as traduções, de modo geral, seguem essa versão antiga. Ver no *Dicionário* o artigo chamado *Absinto.* Uma erva muito amarga e venenosa está em vista aqui. Devemos imaginar essa erva venenosa, misturada com o pão ou o alimento servido a alguém. A palavra hebraica aqui usada significa, literalmente, "pão medicinal", ou seja, alimento servido às pessoas que sofrem infortúnios, aflições ou a perda de entes queridos. Ver 2Sm 12.17; 13.5,7,10. Aqueles homens iníquos eram hipócritas que fingiram ajudar o poeta em sua aflição, mas o suposto pão de simpatia que lhe serviram era venenoso e amargo. Além disso, deram-lhe *vinagre,* o qual, com seu gosto ácido, aumentara a sede, em lugar de diminuí-la. Talvez esteja em pauta uma bebida composta pela mistura de vinagre e água. Mais provavelmente, ainda, talvez esteja em foco o *vinho azedo* (ver Rt 2.14). Essa mistura era geralmente rejeitada pelo gosto insuportável; era proibida aos nazireus como um luxo (ver Nm 6.3). O poeta talvez fosse um nazireu, ou então devemos entender o texto metaforicamente — o que lhe fora oferecido era repelente.

O banquete onde as carnes tornavam-se absinto.

Tennyson

Citações no Novo Testamento. Este versículo é citado nos quatro evangelhos: Mt 27.34,48; Mc 15.36; Lc 23.36 e Jo 19.29, pelo que este salmo parece ser messiânico. Partindo daí, alguns intérpretes cristianizam todo o salmo, transformando-o em um salmo messiânico. Os críticos veem nisso um caso de *Acomodação* (ver a respeito no *Dicionário*).

MALDIÇÕES CONTRA OS INIMIGOS DO POETA (69.22-28)

■ **69.22** (na Bíblia hebraica corresponde ao **69.23**)

יְהִי־שֻׁלְחָנָם לִפְנֵיהֶם לְפָח וְלִשְׁלוֹמִים לְמוֹקֵשׁ׃

Sua mesa torne-se-lhes diante deles em laço. Visto que tinham servido alimento e bebida de maneira tão maliciosa, que colhessem o que haviam semeado. Portanto, que a mesa deles se lhes tornasse em laço, e que suas festas de sacrifício fossem *armadilhas.* Em outras palavras, em vez de seus atos redundarem em bem, que eles mesmos saíssem prejudicados, porquanto Elohim estava olhando para eles e amaldiçoava-os pelo que tinham feito a um justo. Em vez de serem abençoados por seus atos, que essas ações se transformassem em danos, tal como um animal que é apanhado em um laço ou armadilha, e seu corpo é então usado como produto do comércio. A mente dos povos orientais considera essa maldição poderosa, em primeiro lugar porque certas *palavras* proferidas eram assim consideradas. Em segundo lugar, porque Deus ou os deuses estavam por trás dessas palavras, tornando-as uma maldição *eficaz.* Portanto, amaldiçoar a outrem era considerado algo muito sério. Definitivamente, os antigos não concordavam com certo sentimento moderno: "Varas e pedras podem quebrar-me os ossos, mas meras palavras nunca me ferirão".

A vida torna-se amarga pelo rancor ou pela inimizade, e o poeta sagrado lançou de volta contra os seus oponentes o que eles tinham lançado primeiramente contra ele. Em outras palavras, ele tomou vingança, uma atitude contrária à atitude da mente cristã (Rm 12.19-21), mas algo rotineiro no Oriente, incluindo o povo de Israel.

Este versículo tem sido cristianizado para indicar que o sistema de sacrifícios da lei mosaica foi anulado por Cristo. Visto que os judeus crucificaram a Cristo, a morte dele tornou-se o único sacrifício, e todos os outros perderam o valor, exceto como símbolos.

Ver no *Dicionário* os artigos denominados *Lex Talionis* (retribuição segundo a gravidade do crime cometido); *Lei Moral da Colheita segundo a Semeadura* e também *Maldição.*

■ **69.23** (na Bíblia hebraica corresponde ao **69.24**)

תֶּחְשַׁכְנָה עֵינֵיהֶם מֵרְאוֹת וּמָתְנֵיהֶם תָּמִיד הַמְעַד׃

Obscureçam-se-lhes os olhos. Os *olhos* são essenciais para uma vida graciosa, e o *dorso* era considerado a fonte da força física. Ver em Sl 66.11 notas expositivas completas sobre os *lombos,* bem como os usos metafóricos do termo. O salmista queria que Elohim ferisse os seus inimigos em dois pontos vitais, os olhos e o dorso, isto é, em sua visão e em suas forças físicas. Queria que seus inimigos andassem como homens fracos e cegos, sem poder e sem visão. Essa maldição é deveras amarga porque, se tal fosse cumprida, deixaria aqueles homens inúteis e em aflição. O autor sagrado queria que Yahweh-Elohim os cobrisse de punições. Ele estava atrás de uma *supermatança.* Eles eram oponentes amargos, que lhe haviam despertado amargura e ânsia por vingança. Ele desejava para eles "olhos sem visão e membros trêmulos (cf. Na 2.10 e Dn 5.6), que são expressões de terror e desamparo" (Ellicott, *in loc.*). Cf. Dt 33.11. "... enche-os de horror e pavor e tremor, como estarão quando Cristo voltar entre nuvens (Ap 1.7). Cf. Rm 11.10" (John Gill, *in loc.*).

■ **69.24** (na Bíblia hebraica corresponde ao **69.25**)

שְׁפָךְ־עֲלֵיהֶם זַעְמֶךָ וַחֲרוֹן אַפְּךָ יַשִּׂיגֵם׃

Derrama sobre eles a tua indignação. As imprecações ou maldições continuam, mais severas do que nunca. Agora o poeta sacro invoca uma direta importunação e injúria divina. A ira de Deus haveria de atingir em cheio os inimigos do salmista. Ver no *Dicionário* o verbete intitulado *Ira de Deus.* A ira do salmista requeimava, e ele queria ver seus adversários queimando também. Não há aqui nenhum ensino sobre um inferno de fogo (embora este versículo tenha sido cristianizado para ensinar precisamente isso). Essa interpretação é anacrônica, porquanto nenhuma doutrina de punição para além do sepulcro existia na teologia dos hebreus quando este salmo foi escrito. Mas essas palavras pertencem ao tipo de descrições que, posteriormente, foram empregadas como *metáforas* para indicar o castigo dos ímpios depois da vida terrena. "Raramente se pode achar outro catálogo de tão *iracundas imprecações*. Estes versículos representam um perigoso excesso de zelo religioso" (J. R. P. Sclater, *in loc.*).

Derrama. A ira divina deveria sobrevir sobre os oponentes do salmista como as águas de um *rio poderoso,* uma figura simbólica usada em 1Enoque para falar sobre as chamas do hades. O autor do livro de Apocalipse preferiu a figura simbólica de um *lago,* o que deu origem à noção do lago de fogo. Ver Ap 19.20 e 20.10.

■ **69.25** (na Bíblia hebraica corresponde ao **69.26**)

תְּהִי־טִירָתָם נְשַׁמָּה בְּאָהֳלֵיהֶם אַל־יְהִי יֹשֵׁב׃

Fique deserta a sua morada. A maldição se estenderia às famílias e às residências dos homens perversos. Isso é típico entre os orientais, os quais raramente deixavam viva a família de um homem mau, quando os matavam. Era costume aniquilar a família dos oponentes, e não apenas os próprios ofensores. Este versículo foi citado em At 1.20, tendo como alvo a pessoa do traidor, Judas Iscariotes. Não bastava que ele mesmo fosse julgado. O julgamento tinha de ser *coletivo*.

As suas tendas. O original hebraico significa aqui *círculo,* dando a entender um *acampamento*. Será que o poeta sacro desejava que até as *aldeias* de seus inimigos fossem destruídas? Provavelmente estão em vista tribos nômades que armavam suas tendas em um círculo. Esse círculo formava a aldeia. O poeta sagrado, pois, queria que o *círculo* inteiro fosse aniquilado. Este versículo tem sido cristianizado para referir-se à destruição de Jerusalém, no ano 70 d.C., quando a "aldeia inteira" foi destruída pelos romanos. Mas isso já é uma *eisegese,* e não uma exegese, ou seja, é ler no texto aquilo que não está escrito ali.

■ **69.26** (na Bíblia hebraica corresponde ao **69.27**)

כִּי־אַתָּה אֲשֶׁר־הִכִּיתָ רָדָפוּ וְאֶל־מַכְאוֹב חֲלָלֶיךָ יְסַפֵּרוּ׃

Pois perseguem a quem tu feriste. Em primeiro lugar, Elohim havia ferido o salmista com alguma enfermidade, por causa de seus pecados. Em seguida, os ímpios também atingiram o salmista com mentiras, calúnias, maldições e imprecações. Isso deixara o salmista totalmente alquebrado, o que o levou a clamar por vingança. No tocante aos pecados que tinham sido a causa de sua enfermidade, ele se arrependeria. E, no tocante a seus oponentes, o salmista revidaria, com a ajuda de Deus, e poria fim neles. "A quem tu feriste, eles afligem ainda mais" (*Revised Standard Version*). O poeta sagrado, combinando arrependimento e retaliação (divinamente impulsionada) poria fim a todas as suas tribulações. Este versículo tem sido cristianizado para falar das aflições com que o Pai afligiu o Filho, por ser este o portador do pecado; e as perseguições causadas por seus inimigos terrenos completaram o terrível círculo de dor. Ver Is 53.4: "Certamente ele tomou sobre si as nossas enfermidades, e as nossas dores levou sobre si; e nós o reputávamos por aflito, ferido de Deus, e oprimido".

■ **69.27** (na Bíblia hebraica corresponde ao **69.28**)

תְּנָה־עָוֹן עַל־עֲוֹנָם וְאַל־יָבֹאוּ בְּצִדְקָתֶךָ׃

Soma-lhes iniquidade à iniquidade. A *Revised Standard Version* diz: "Punição à punição", ou seja, um ferimento múltiplo e contínuo, até que nada mais reste. Essas palavras também podem ser entendidas como "soma-lhes pecado a pecado", até que a conta esteja cheia e o julgamento divino se tenha saciado. Ou então "soma-lhes culpa à culpa", de forma que cada culpa atraia o seu próprio castigo, ou seja, múltiplas punições para múltiplos pecados.

E não gozem da tua absolvição. A alusão, aqui, é à corte de justiça a que aqueles homens seriam levados; ou seja, o tribunal de Deus. Tais homens seriam condenados e executados. O resultado do julgamento do poeta ainda esperava sentença (vs. 4), mas o poeta queria que o resultado do tribunal divino fosse prefixado; aqueles miseráveis não seriam absolvidos, pois somente dessa maneira a *justiça* poderia ser servida.

■ **69.28** (na Bíblia hebraica corresponde ao **69.29**)

יִמָּחוּ מִסֵּפֶר חַיִּים וְעִם צַדִּיקִים אַל־יִכָּתֵבוּ׃

Sejam riscados do livro dos vivos. Os criminosos e os traidores eram riscados da lista dos cidadãos das cidades-estados. Em outras palavras, perdiam os direitos como cidadãos, e alguns deles eram até exilados. Essa é a figura por trás da declaração bíblica. Daí, era pequena a distância para imaginar que Deus guarda livros de "cidadania". A morte prematura tiraria o nome dos ímpios desses livros, ou seja, eles seriam anulados como partícipes do pacto. E também era pequeno o passo para imaginar que Deus tem um livro da *cidadania celestial,* do qual o nome de uma pessoa poderia ser riscado. Foi assim que os hebreus chegaram a acreditar que a alma humana sobrevive diante da morte biológica e vai para outra esfera de vida.

É nesse último estágio que encontramos a questão sobre o livro da vida, no Novo Testamento. Ver no *Dicionário* o artigo chamado *Livro da Vida,* quanto a uma explicação mais detalhada. Originalmente, temos o livro da vida dos cidadãos de Israel, o povo em relação de aliança com Deus. O pecado podia eliminar um homem dessa aliança. A lei, que *transmitia vida* (Dt 4.1; 5.33; 6.2; Ez 20.1), poderia terminar *provocando a morte* do indivíduo, caso certas provisões fossem violadas. Conforme a teologia foi avançando, essa morte tornou-se a morte espiritual, pelo que por um corolário necessário ao livro da vida (posteriormente) foi o castigo pós-vida daqueles cujos nomes não estavam ali registrados. Conforme se pode perceber, a doutrina do livro da vida não era simples. Antes, ela passou por um processo de desenvolvimento, o que também é verdade no tocante a diversas outras doutrinas. Para saber o que significa uma declaração doutrinária qualquer, precisamos considerar o tempo em que ela foi proferida. Com base nisso, podemos determinar o que ela significava *na época* em que foi feita. Talvez significasse outra coisa, em tempos posteriores ou anteriores.

A *época* em que foi escrito o atual versículo foi antes que a cidadania espiritual tivesse sido imaginada. Por conseguinte, disse William R. Taylor (*in loc.*), muito corretamente: "O registro divino no qual os nomes dos vivos eram mantidos, e dos quais aqueles nomeados para a morte eram apagados". A antiga teologia dos hebreus não visualizava uma existência pós-vida. Isso começou a ser falado nos Salmos e nos Profetas. A ideia da imortalidade foi consolidada nos livros pseudepígrafos e apócrifos, no período intermediário entre os dois Testamentos, e foi ainda mais bem descrita no Novo Testamento. Portanto, ter o nome *apagado* do livro da vida, neste versículo, equivale simplesmente a sofrer uma *morte prematura,* algo tremendamente temido pelos hebreus.

Referências. Ver Êx 32.32; Jr 22.30; Ez 13.9; Fp 4.3; Lc 10.20; Ap 3.5; 13.8 e 21.27. O artigo sobre o assunto provê ainda outras referências. O ato de apagar um nome significava exclusão (por meio da morte física) dos privilégios do pacto e da teocracia. 2Macabeus 7.14, de maneira tipicamente judaica, a maneira exclusivista, limitava a ressurreição aos justos, o que significa que os nomes dos homens, uma vez apagados, não seriam escritos ali em outra oportunidade. Mas o evangelho cristão olha para adiante dessa marca, e admite que os nomes, uma vez apagados do livro da vida, possam ser rescritos. Caros leitores, Deus pode chamar os homens do exílio e restaurar-lhes a cidadania. Esse é o sentido da *Descida de Cristo ao Hades* (ver a respeito na *Enciclopédia de Bíblia, Teologia e Filosofia*). Ver 1Pe 3.18—4.6. Portanto, penso que Deus está sempre fazendo coisas boas que ultrapassam as expectativas das pessoas, e assim será sempre. O amor de Deus é muito grande, muito poderoso e muito *eficaz*. Nossas teologias continuam tentando, em vão, detratar a eficácia da missão de Cristo, impondo-lhe toda espécie de limites. Mas quanto mais aprendemos, tanto mais vemos que esses limites são artificiais, mesmo quando se encontram na Bíblia, nos estágios iniciais do desenvolvimento teológico.

Não tenham registro com os justos. Essas palavras significam que eles seriam eliminados dos benefícios do pacto. O poeta sacro não estava pensando em uma futura vida abençoada na qual eles não chegariam a participar. A teologia posterior dos hebreus empregava essa parte do versículo como texto de prova para isso, não permitindo que esses homens, assim eliminados, viessem a participar da ressurreição (ver II Ml 7.14). Em seguida, de acordo com uma teologia posterior, essas pobres almas foram considerados a sofrer no hades, quando então os homens declararam: "Agora está fixado". Mas veio Jesus e disse: "Coisa alguma está fixada. Eu estabeleço a diferença". O evangelho é mais amplo do que os homens permitem; portanto, que o leitor agradeça a Deus que seu amor é *eficaz* para com todos, e não apenas potencialmente eficaz. É precisamente isso que devemos esperar da parte de Deus, de Elohim, o Poder. O Deus da maioria dos crentes do cristianismo continua excessivamente pequeno.

■ **69.29** (na Bíblia hebraica corresponde ao **69.30**)

וַאֲנִי עָנִי וְכוֹאֵב יְשׁוּעָתְךָ אֱלֹהִים תְּשַׂגְּבֵנִי׃

Quanto a mim, porém, amargurado e aflito. *Em contraste* com aqueles indivíduos selvagens e malignos, cujos nome serão apagados do livro de Deus, o poeta sentia-se um pobre e miserável homem, carregado de tristeza, porquanto sua aflição prosseguia cada vez pior. Foi por isso que ele pleiteou pela *salvação* de Deus, ou seja, livramento de todas as suas tribulações, e também queria ser *exaltado* acima dos vermes que o cercavam qual praga. Ver Sl 62.2, quanto a notas expositivas e referências sobre Deus, nossa salvação. Naquele trecho, há uma lista de referências. Não devemos injetar a salvação evangélica neste texto. O salmista orava simplesmente para ser libertado de suas provações terrenas e escapar da morte prematura. Quanto a um tratamento geral sobre a palavra *Salvação,* no Antigo e no Novo Testamento, ver sobre esse título no *Dicionário.*

Este versículo tem sido cristianizado para falar sobre a exaltação de Cristo sobre os seus inimigos, e sua exaltação final no céu. Mas o "alto refúgio" que aparece neste versículo, dentro do antigo contexto hebraico, tem o sentido de ser colocado em lugar elevado, como uma fortaleza, onde homens iníquos não podem assediar. "... um lugar seguro, fora do alcance dos inimigos" (Ellicott, *in loc.*).

"Minha opressão me rebaixou. Minha salvação, porém, me soerguerá bem alto" (Adam Clarke, *in loc.*).

LOUVOR DE CONCLUSÃO (69.30-36)

■ **69.30** (na Bíblia hebraica corresponde ao **69.31**)

אֲהַלְלָה שֵׁם־אֱלֹהִים בְּשִׁיר וַאֲגַדְּלֶנּוּ בְתוֹדָה׃

Louvarei com cânticos o nome de Deus. O salmista agradece pela resposta favorável à sua oração. Alguns salmos de lamentação acabam em desespero, e algumas vezes é assim que as coisas realmente terminam, se considerarmos somente o seu aspecto físico. Vá visitar um cemitério e ficará admirado de ver quantos jovens morrem cedo, alguns deles em meio a grandes dores e sofrimentos. Naturalmente, o evangelho ultrapassa essa visão e transforma a dor em alegria. Mas alguns salmistas não enxergavam sob essa perspectiva. Seja como for, o autor do salmo presente (tal como os autores da maioria dos salmos de lamentação) tinha recebido, ou em breve receberia (conforme pensava), resposta à sua oração. Isso quer dizer que sua miséria estava prestes a ser transformada em alegria, porquanto ele seria libertado de sua enfermidade física *e,* igualmente, dos inimigos que lhe ameaçavam a vida.

O Nome. Quanto a notas completas sobre o nome divino, e o que ele significava para os salmistas, ver Sl 31.3. Quanto aos *nomes santos,* ver 30.4 e 33.21. Os antigos pensavam que as *palavras* tinham poder, até mesmo um poder mágico, capaz de efetuar grandes coisas quando pronunciadas. Outro tanto sucedia no caso de *nomes.* Quanto mais, portanto, teria um *nome divino,* como Yahweh ou Elohim, quando pronunciado? Metaforicamente, pois, o nome representa tudo quanto Deus é e pode fazer. A esse nome beneficente, o salmista haveria de louvar. Ele iria ao templo de Jerusalém, ofereceria sacrifícios, entoaria hinos, ouviria os levitas tocando instrumentos musicais e cumpriria publicamente os votos que fizera. Ele publicaria o seu sucesso e daria a Elohim todo o crédito. Ver no *Dicionário* o verbete chamado *Ações de Graças,* quanto a detalhes.

■ **69.31** (na Bíblia hebraica corresponde ao **69.32**)

וְתִיטַב לַיהוָה מִשּׁוֹר פָּר מַקְרִן מַפְרִיס׃

Será isso muito mais agradável ao Senhor. *Sacrifícios versus Louvor.* Conforme a espiritualidade dos hebreus foi-se aprimorando, eles passaram a ver as fraquezas de um sistema religioso baseado no sacrifício de animais. Quanto a passagens do Antigo Testamento que refletem essa crescente consciência, ver Sl 40.6; 50.8-14; 51.16,17; Am 5.21-24 e Jr 7.21-23. Como é natural, foi no Novo Testamento que esse sistema de sacrifícios de animais chegou ao fim, ao fazer Cristo substituir todo o sistema do Antigo Testamento. Isso pareceu ser a blasfêmia mais desabrida para os fundamentalistas da época. Os fundamentalistas, como é óbvio, acham que as coisas nunca se modificam, e que toda mudança é heresia ou até algo pior. Eles têm um Deus estagnado, uma contradição de termos e uma crença ridícula. Seja como for, o poeta não havia abandonado o sistema de sacrifícios, conforme podemos supor à base do vs. 9. Mas já havia chegado ao ponto de reconhecer que as realidades espirituais, como as ações de graças, são os maiores sacrifícios que Elohim pode esperar da parte dos homens. "Ele queria dar às coisas principais o primeiro lugar, subordinando os ritos tradicionais ao exercício da adoração espiritual" (William R. Taylor, *in loc.*). Oferecer ações de graças de todo o coração é muito melhor do que oferecer um touro com seus chifres e suas unhas. Podemos estar certos de que a sua atitude "liberal" foi severamente criticada, e tal atitude pode ter sido uma das razões de suas dificuldades e da perseguição que estava sofrendo da parte de outras pessoas.

Os chifres e as unhas dos animais eram enfeitados antes do sacrifício, a fim de atrair a atenção das pessoas, ou a menção dessas partes dos animais queria dizer que o animal *inteiro* seria sacrificado. Os animais limpos, usados nos sacrifícios, precisavam ter cascos divididos, além do que não podiam ter defeito algum. O poeta sagrado, pois, salientava todos os requisitos que acompanhavam os animais a serem sacrificados, e colocava em dúvida o uso espiritual de tão intermináveis regras. "Acabemos com essas regras e vamos diretamente ao espírito da coisa", dizia ele, na realidade.

■ **69.32** (na Bíblia hebraica corresponde ao **69.33**)

רָאוּ עֲנָוִים יִשְׂמָחוּ דֹּרְשֵׁי אֱלֹהִים וִיחִי לְבַבְכֶם׃

Vejam isso os aflitos e se alegrem. Os humildes e os oprimidos veriam *quatro* coisas que os deixariam jubilosos:

1. O salmista fora livrado de suas tribulações, e, presumivelmente, seus inimigos tinham sido apropriadamente castigados. Isso lhes daria esperança em qualquer teste que enfrentassem.
2. Então ficariam satisfeitos com a espiritualidade do salmista, que fora exibida em sacrifícios e ação de graças.
3. Eles veriam que o salmista pusera forte ênfase nas ações de graças, e talvez pudessem apreciar o avanço na espiritualidade que fora assim representada. O resultado seria que eles buscariam a Deus de alguma forma diligente, conforme tinha feito o poeta. Eles veriam a *utilidade* para quem possuísse uma boa espiritualidade.
4. Eles compreenderiam que Elohim, embora bem alto no céu, estava atento aos homens, e a *oração funcionava.*

■ **69.33** (na Bíblia hebraica corresponde ao **69.34**)

כִּי־שֹׁמֵעַ אֶל־אֶבְיוֹנִים יְהוָה וְאֶת־אֲסִירָיו לֹא בָזָה׃

Porque o Senhor responde aos necessitados. Este versículo salienta a *quarta* coisa listada acima, o que os aflitos ou necessitados (*Revised Standard Version*) aprenderiam ao observar o caso do poeta sagrado: a *eficácia da oração.* Ver no *Dicionário* o artigo chamado *Oração,* quanto a maiores detalhes. A oração pode consistir em adoração e agradecimento, mas usualmente consiste em "pedir e receber". Yahweh (o nome divino usado neste versículo), ouve os necessitados e dá atenção a uma classe deles, os que estão *aprisionados.* Alguns estudiosos pensam que isso se refere aos cativos hebreus, na Babilônia, mas tal ideia não parece ajustar-se ao "ambiente do templo" que transparece no salmo. O mais provável é que devamos pensar em alguns dos oprimidos que tinham sido aprisionados por homens ímpios e desarrazoados, os quais eram perseguidores de homens como o poeta e seus companheiros. Eles vinham orando por longo tempo para que Elohim os libertasse por algum meio que estivesse fora de seu conhecimento e controle. Outros eruditos pensam que o poeta tomou essa ideia por empréstimo da literatura inspirada na esperança de retornar do cativeiro babilônico, do qual Is 65.17 ss. é o mais nobre exemplo. Nesse caso, o salmista pediu por empréstimo uma ideia e uma expressão, embora usasse essas coisas com diferente aplicação.

Este versículo é considerado metafórica e profeticamente uma referência aos tempos cristãos, durante os quais homens seriam aprisionados por amor de Cristo. Além disso, figuradamente, havia cativos ou pecadores que os oprimiam. Ademais, os pecadores tornam-se escravos de seus pecados, bem como das forças malignas que os inspiram, mas podem ser livrados.

■ **69.34** (na Bíblia hebraica corresponde ao **69.35**)

יְהַלְלוּהוּ שָׁמַיִם וָאָרֶץ יַמִּים וְכָל־רֹמֵשׂ בָּם׃

Louvem-no os céus e a terra. *Todas as criaturas, terrenas e celestes,* são convocadas aqui a louvar e agradecer a Elohim pelo que ele havia feito pelo poeta e também pelo que ele está sempre fazendo por todos os homens de todos os lugares, em sua benevolência universal. Até os animais mudos foram convocados a engrossar o coro de louvor, bem como os habitantes do mar, que nossos olhos não podem ver. Pois Deus é o benfeitor de todos. Deus, o Criador, não abandonou a sua criação. Ele continua presente para abençoar; ele intervém nas atividades humanas e governa com uma benevolência universal. Ele ouve as orações e age de acordo com os pedidos que os homens lhe oferecem. Ver no *Dicionário* o verbete intitulado *Teísmo*.

■ **69.35** (na Bíblia hebraica corresponde ao **69.36**)

כִּי אֱלֹהִים יוֹשִׁיעַ צִיּוֹן וְיִבְנֶה עָרֵי יְהוּדָה וְיָשְׁבוּ שָׁם וִירֵשׁוּהָ׃

Porque Deus salvará Sião. Este salmo foi composto em um meio ambiente como o templo (vs. 31). Mas agora encontramos palavras que se ajustam ao cativeiro babilônico, com homens orando em favor do livramento de Sião e também pela reconstrução das cidades destruídas de Judá, para que uma vez mais possam habitar ali, tendo-as novamente como sua possessão. O vs. 33 menciona os prisioneiros, e isso se ajusta ao meio ambiente babilônico.

Observações:

1. Alguns intérpretes supõem que a conclusão deste salmo foi uma adição posterior, por parte de algum editor, refletindo um tempo posterior. Isso significaria que, quando a parte maior do salmo foi escrita, o cativeiro ainda não tinha ocorrido, o que explicaria o meio ambiente parecido com o do templo de Jerusalém.
2. Ou então o corpo principal do salmo foi composto depois de terminado o cativeiro babilônico, pelo que tem um ambiente do segundo templo. Esse acréscimo posterior simplesmente refere-se a um tempo anterior, mas não muito anterior. O livramento de Judá ainda estava fresco na mente de todos.
3. Ou então os prisioneiros não eram cativos na Babilônia, e a oração pela reconstrução de Judá refere-se a uma destruição anterior, ou mesmo a uma destruição metafórica, mas não à destruição ocorrida durante o cativeiro babilônico. Essa ideia, porém, é a menos satisfatória de todas.

Os vss. 34-36 são um hino que celebra o poder libertador de Deus, que libertou a nação ou, pelo menos, alguns indivíduos. Isto posto, o poeta equiparou a sua vida à vida nacional, sendo a sua uma miniatura da vida de Israel. Ou então foi algum editor posterior, e não o autor original, que fez essa equiparação. Seja como for, é provável que a segunda das três interpretações acima seja a correta.

Quanto a outras passagens que equiparam a vida de algum indivíduo à vida nacional, ver Sl 9.13-20; 51.18,19; 102.12,13.

■ **69.36** (na Bíblia hebraica corresponde ao **69.37**)

וְזֶרַע עֲבָדָיו יִנְחָלוּהָ וְאֹהֲבֵי שְׁמוֹ יִשְׁכְּנוּ־בָהּ׃

Também a descendência dos seus servos as herdará. Israel (Judá) uma vez mais possuía a Terra Prometida, tendo o remanescente voltado à terra de Canaã, terminado o cativeiro babilônico. A predição do salmista, ou a de algum editor posterior, foi que essa feliz condição de "nova posse" da terra continuaria, visto que o olho profético podia ver muitas gerações seguintes na Terra Prometida. Mas o olho profético não pôde ver outro período de tempo durante o qual Israel seria exilado por outra potência mundial, a dos romanos. Seja como for, o período entre os cativeiros babilônico e romano encerrava propósitos divinos, embora tenha havido uma interrupção das gerações nos anos 70 e 132 d.C. (Tt destruiu Jerusalém e Adriano enviou Israel, uma vez mais, à dispersão).

Aqueles que amassem o *nome* habitariam na Terra Prometida e desfrutariam seus benefícios. Ver Sl 31.2, quanto ao *nome*, e ver Sl 30.4 e 33.21, quanto ao *nome santo*. O mandamento supremo é o que ordenava aos israelitas que amassem a Deus:

Amarás, pois, o Senhor teu Deus de todo o teu coração, de toda a tua alma, e de toda a tua força.

Deuteronômio 6.5

Este é o grande e primeiro mandamento. O segundo, semelhante a este, é: Amarás o teu próximo como a ti mesmo.

Mateus 22.38,39

O Decálogo original (ver no *Dicionário* o verbete denominado *Dez Mandamentos*) não continha o *primeiro mandamento*. Esse primeiro mandamento é uma *espiritualização* dos mandamentos, a sua essência. Cf. Rm 13.8-10. Ver o artigo detalhado no *Dicionário* chamado *Amor*, quanto a ilustrações.

O vs. 36 foi espiritualizado para referir-se ao novo Israel (a Igreja), que prosseguirá de geração em geração para sempre, ou seja, na vida eterna.

SALMO SETENTA

Quanto a *informações gerais* que se aplicam a todos os salmos, ver a introdução ao Salmo 4, onde apresento *sete* comentários que elucidam a natureza do livro. Quanto às *classes* dos salmos, ver o gráfico no início do comentário, que atua como uma espécie de frontispício da coletânea. Dou ali dezessete classes e listo os salmos pertencentes a cada uma delas.

Este é um *salmo de lamentação*. Os salmos de lamentação tipicamente começam com um apelo urgente pela ajuda divina. Em seguida, descrevem os inimigos que atacam e ameaçam a vida do salmista. Esses inimigos podem ser invasores estrangeiros ou homens hostis dentro do acampamento de Israel. Ou podem ser alguma enfermidade física que ameace a integridade do corpo físico. Ademais, a maioria desses salmos termina com uma nota de louvor e agradecimento, visto que a oração fora ouvida e respondida ou, segundo se esperava, logo o seria. Alguns poucos salmos de lamentação terminam em uma nota de desespero, o que também é comum na vida humana. Este salmo não tem nenhuma nota de louvor, apenas de apelo renovado. Mas também não termina tristemente. A questão fica no ar. O salmista continuou esperando pela intervenção divina.

Este minúsculo salmo, que consiste em apenas cinco versículos, é semelhante a Sl 40.13-17, embora contenha variantes importantes. Provavelmente estamos tratando de uma única composição original, que, depois de ter sido repetidamente copiada, terminou em duas versões, que podem ter feito parte de coletâneas separadas. Uma das variantes é Sl 40.13-17; a outra é este Salmo 70. Quando as duas coletâneas são postas juntamente (com outras) naquilo que constitui atualmente o nosso saltério, vemos que foram preservadas duas recensões. Os críticos supõem que o Salmo 70 seja mais próximo do original do que Sl 40.13-17.

Subtítulo. Temos aqui o seguinte subtítulo: "Ao mestre de canto. De Davi. Em memória". A nota de introdução é virtualmente idêntica à do Salmo 38, onde ofereço notas expositivas a respeito. A única diferença é que não há nenhuma atribuição ao mestre de canto.

O salmista, sem importar quem tenha sido, precisava ser livrado imediatamente de alguma situação adversa, pois homens ímpios o perseguiam e o ameaçavam de morte. Cerca de metade de todos os salmos tem sido atribuída a Davi, um grande exagero, e devemos lembrar que os subtítulos foram compostos por editores posteriores e não faziam parte dos salmos originais, pelo que não se revestem de nenhuma autoridade canônica. Contudo, não há que duvidar de que Davi tenha escrito alguns salmos, pois foi *o mavioso salmista de Israel* (ver 2Sm 23.1).

■ **70.1** (na Bíblia hebraica corresponde ao **70.1,2**)

לַמְנַצֵּחַ לְדָוִד לְהַזְכִּיר׃

אֱלֹהִים לְהַצִּילֵנִי יְהוָה לְעֶזְרָתִי חוּשָׁה׃

Praza-te, ó Deus, em livrar-me. Os cinco versículos deste salmo são idênticos ao Sl 40.13-17, com exceção de algumas variantes comentadas a seguir. Quanto a todos os versículos, ver a exposição no Salmo 40.

O vs. 1 é igual a Sl 40.13, exceto pelo fato de que aqui Deus é chamado de *Elohim*, e, mais adiante, de *Yahweh*, ao passo que em Sl 40.13 Deus é sempre chamado pelo nome divino de *Yahweh*.

■ **70.2** (na Bíblia hebraica corresponde ao **70.3**)

יֵבֹ֤שׁוּ וְיַחְפְּר֨וּ ׀ מְבַקְשֵׁ֬י נַפְשִׁ֗י יִסֹּ֣גוּ אָ֭חוֹר וְיִכָּלְמ֑וּ חֲ֝פֵצֵ֗י רָעָתִֽי׃

Sejam envergonhados e cobertos de vexame. Este versículo é igual a Sl 40.14, excetuando que temos naquele salmo as palavras "sejam à uma" (ou seja, todos eles), antes da palavra "envergonhados".

■ **70.3** (na Bíblia hebraica corresponde ao **70.4**)

יָ֭שׁוּבוּ עַל־עֵ֣קֶב בָּשְׁתָּ֑ם הָ֝אֹמְרִ֗ים הֶאָ֥ח ׀ הֶאָֽח׃

Retrocedam por causa da sua ignomínia. Este versículo é virtualmente igual a Sl 40.15, onde são dadas as notas expositivas.

■ **70.4** (na Bíblia hebraica corresponde ao **70.5**)

יָ֘שִׂ֤ישׂוּ וְיִשְׂמְח֨וּ ׀ בְּךָ֗ כָּֽל־מְבַ֫קְשֶׁ֥יךָ וְיֹאמְר֣וּ תָ֭מִיד יִגְדַּ֣ל אֱלֹהִ֑ים אֹ֝הֲבֵ֗י יְשׁוּעָתֶֽךָ׃

Folguem e em ti se rejubilem. Este versículo é igual a Sl 40.16, exceto pelo fato de que aqui o nome divino é *Elohim*, ao passo que no Salmo 40 é *Yahweh*.

■ **70.5** (na Bíblia hebraica corresponde ao **70.6**)

וַאֲנִ֤י ׀ עָנִ֣י וְאֶבְיוֹן֮ אֱלֹהִ֪ים חֽוּשָׁ֫ה־לִּ֥י עֶזְרִ֣י וּמְפַלְטִ֣י אַ֑תָּה יְ֝הוָ֗ה אַל־תְּאַחַֽר׃

Eu sou pobre e necessitado. Em vez das palavras "apressa-te em valer-me", que vemos neste versículo, em Sl 40.17 lemos: "o Senhor cuida de mim". Neste salmo encontramos os nomes divinos *Elohim* e *Yahweh*, enquanto no Salmo 40 encontramos *Adonai* e *Elohim*. Ver no *Dicionário* o artigo chamado *Deus, Nomes Bíblicos de*. Neste salmo temos a repetição do clamor para que Deus se apresse, extraído do vs. 1. É difícil determinar o que dizia o salmo original, de onde as duas versões descendem, mas a verdade é que as diferenças são mínimas.

SALMO SETENTA E UM

Quanto a *informações gerais* que se aplicam a todos os salmos, ver a introdução ao Salmo 4, onde apresento *sete* comentários que elucidam a natureza do livro. Quanto a *classes* dos salmos, ver o gráfico no início do comentário, que atua como uma espécie de frontispício da coletânea. Apresento ali dezessete classes e listo os salmos pertencentes a cada uma delas.

Este é um *salmo de lamentação*, em muito o grupo mais numeroso. Um homem idoso orou pedindo livramento de inimigos pessoais. Os salmos de lamentação tipicamente começam com um clamor pedindo ajuda; em seguida, são descritos os inimigos que assediavam o salmista; e, finalmente, aparecem ações de graças pela oração respondida, ou pela resposta esperada para breve.

Muitos salmos de lamentação têm pesadas imprecações, pelo que vários estudiosos falam em "salmos de imprecação". Este salmo distingue-se dos outros salmos de lamentação por um interesse humano quase único. O homem aflito tinha avançada idade, e seu grito de desespero chega a dar dó. Ele estava afundando nos dilúvios do submundo (vs. 20), para em breve desaparecer. Vemo-lo debatendo-se ali e implorando a ajuda de Deus. A idade avançada tinha-lhe ressecado as energias e a fonte de esperança. Contudo, quando ele considera o passado, por toda a sua longa vida, e vê todas as bênçãos que havia recebido, sua voz levanta-se em ações de graças, a despeito das muitas tribulações e aflições.

"Esta comovente característica pessoal, com sua profunda veia piedosa, dá a este salmo um lugar especial no saltério" (William R. Taylor, *in loc.*). O salmista havia passado por vários períodos críticos em sua vida, mas esta última crise parecia assinalar o seu fim. Portanto, ele clamou em altas vozes e multiplicou seus apelos. Seus inimigos se reuniram e concluíram que era também o tempo de ele sofrer seu *golpe de misericórdia*, o qual ansiavam desferir. Portanto, naquela hora de carência desesperadora, ele se voltou uma vez mais para aquele que nunca o tinha decepcionado. Uma característica deveras curiosa do salmo é que o homem fez um voto de que, se fosse libertado, usaria suas habilidades musicais para prestar louvores a Deus (vs. 22). Isso pode indicar que o homem era um profissional, um músico levita, sobre quem lemos em Lv 25.

Subtítulo. Visto que não tem subtítulo, este é um daqueles salmos aos quais chamamos de "salmos órfãos", para os quais os editores posteriores não proveram notas introdutórias. Outros salmos "órfãos" são os de número 1, 2, 10, 33, 43, 71, 91, 93-97, 99, 104-107, 111-119, 135-137 e 146-150, num total de 34. Devemos relembrar que os subtítulos são obras de editores subsequentes; não fazem parte das composições originais e por isso não se revestem de autoridade canônica. Editores posteriores conjecturaram sobre as circunstâncias históricas que podem ter inspirado os salmos e tentaram identificar supostos autores.

Este salmo tem alguns notáveis empréstimos, a saber, dos Salmos 22, 31, 35, 40 e 41. Talvez tenham ocorrido pelos autores desses outros salmos, mas são tantos os empréstimos que temos a impressão de que o poeta que compôs o Salmo 71 foi quem se inspirou em outros salmos. Há notas expositivas desses empréstimos à medida que eles aparecem.

UM HOMEM IDOSO APELA PEDINDO AJUDA (71.1-21)

■ **71.1,2**

בְּךָֽ־יְהוָ֥ה חָסִ֑יתִי אַל־אֵב֥וֹשָׁה לְעוֹלָֽם׃

בְּצִדְקָתְךָ֗ תַּצִּילֵ֥נִי וּֽתְפַלְּטֵ֑נִי הַטֵּֽה־אֵלַ֥י אָ֝זְנְךָ֗ וְהוֹשִׁיעֵֽנִי׃

Em ti, Senhor, me refugio. Os vss. 1-3 foram tomados por empréstimo de Sl 31.1-3. Quanto aos vários empréstimos feitos, ver o último parágrafo da introdução a este salmo.

Os *vss. 1 e 2* são essencialmente idênticos a Sl 31.1,2a, mas este salmo acrescenta a expressão "livra-me". O leitor também observará que a divisão por versículos é levemente diferente. Na maioria dos casos, esses empréstimos são simples cópias com alguma variação, mas em algumas ocasiões envolvem adaptações que acarretam grandes diferenças. Ver Sl 31.1-3, onde adiciono alguns poucos comentários quanto às diferenças. No *Livro II*, ou seja, Salmos 42 a 72, o nome divino geralmente usado é *Elohim*, mas aqui temos o nome divino *Yahweh*, que provavelmente foi apenas copiado do Salmo 31, parte do *Livro I*, cujo nome divino usual é esse. Ver no *Dicionário* o artigo chamado *Deus, Nomes Bíblicos de*.

■ **71.3**

הֱיֵ֤ה לִ֨י ׀ לְצ֥וּר מָע֡וֹן לָב֗וֹא תָּ֭מִיד צִוִּ֣יתָ לְהוֹשִׁיעֵ֑נִי כִּֽי־סַלְעִ֖י וּמְצוּדָתִ֣י אָֽתָּה׃

Sê tu para mim uma rocha habitável. Este versículo tem paralelo em Sl 31.2b,3. Mas o copiador deixou de fora a frase que diz: "por causa do teu nome, tu me conduzirás e me guiarás", que encerra 31.3. Além disso, temos neste versículo um trecho do texto massorético que os críticos rejeitam como corrupção: "ordenaste que eu viesse continuamente", o que é retido em algumas traduções mais antigas, como a *King James Version*. A maioria das traduções modernas segue a Septuaginta, falando em "fortaleza", e não nas palavras que acabamos de citar. Ver no *Dicionário* o verbete intitulado *Massora (Massorah); Texto Massorético* quanto a explicações desse texto hebraico padronizado. Os manuscritos hebraicos dos Papiros do Mar Morto demonstram que, *ocasionalmente*, as versões, especialmente a Septuaginta, retêm textos mais antigos que o massorético, tendo sido traduzidas de manuscritos ainda mais antigos que aqueles usados no

71.4

אֱלֹהַי פַּלְּטֵנִי מִיַּד רָשָׁע מִכַּף מְעַוֵּל וְחוֹמֵץ׃

Livra-me, Deus meu, das mãos do ímpio. Os vss. 1-4 estão obviamente baseados em Sl 31.8-10; contudo, em contraste com os vss. 1-3, que são essencialmente simples cópias de Sl 31.1-3, temos aqui *adaptações* com algum propósito. O resultado é que encontramos aqui variações mais significativas que nos vss. 1-3.

As palavras aqui citadas são uma adaptação do Salmo 31.8: "Não me entregaste na mão do inimigo". O Salmo 71 faz dessas palavras uma petição. O Salmo 31 trata a questão como um assunto que já tinha sido resolvido. Além disso, o Salmo 71 faz um paralelismo com a primeira cláusula que não se acha no Salmo 31: "das garras do homem injusto e cruel". É que o idoso poeta enfrentava oposição e perseguição da parte de homens cruéis e injustos. Eles lhe tinham armado laços. Ver sobre a metáfora do "laço" em Sl 66.11, onde ofereço referências e notas expositivas apropriadas. Os inimigos do salmista foram retratados como *caçadores cruéis*, que apanhavam suas presas por meio de truques, as matavam e usavam os produtos do seu corpo no comércio. Em seguida, o Salmo 71 deixa de lado uma frase que há no Salmo 31, de acordo com algumas versões: "e puseste meus pés em um lugar espaçoso", o que anoto *in loc*.

Os intérpretes ligam este versículo às traições de Absalão ou de Aitofel, mas isso é apenas uma conjectura. Até os editores do subtítulo, no caso do Salmo 71, não se arriscaram a conjecturar. Ver o subtítulo na introdução a este salmo.

71.5

כִּי־אַתָּה תִקְוָתִי אֲדֹנָי יְהוִה מִבְטַחִי מִנְּעוּרָי׃

Pois tu és a minha esperança, Senhor Deus. Este versículo reflete, mas não copia, Sl 31.10. O poeta já tinha sido jovem, e mesmo então passara por diversos períodos de crise que lhe poderiam ter tirado a vida. Agora ele estava idoso e, uma vez mais, atravessava um período crítico. Ele havia perdido as forças da juventude, mas ainda tinha *esperança* em Yahweh, que sempre o livrara. Ver no *Dicionário* o verbete chamado *Esperança*. No caso do Salmo 71, não temos a esperança evangélica da vida eterna. Pelo contrário, o salmista, embora homem idoso, considerava a morte nas mãos dos inimigos uma morte prematura. Ele continuava tendo razões pelas quais viver. Tendo sempre confiado em Yahweh, achava impróprio que sua vida fosse interrompida por uma morte violenta. Por conseguinte, *esperava* que uma intervenção divina o salvasse da morte cruel e lhe permitisse terminar em paz o curso de sua vida. Yahweh era o Deus de sua juventude, e assim ele esperava que Deus fosse o Deus Eterno de sua velhice, o qual lhe daria mais alguns anos de vida. Ele tinha *confiado* em Yahweh quando jovem e, agora que era um homem velho, continuava a *confiar* no Senhor. Sobre como essa palavra é usada nos salmos, ver as notas em Sl 2.12, onde apresento uma nota de sumário. Ver as notas sobre *Esperança*, em Sl 25.5,21; 33.20; 39.7 e 62.5. Ver os vss. 17 e ss., que têm mais ou menos a mesma mensagem deste versículo.

71.6

עָלֶיךָ נִסְמַכְתִּי מִבֶּטֶן מִמְּעֵי אִמִּי אַתָּה גוֹזִי בְּךָ תְהִלָּתִי תָמִיד׃

Em ti me tenho apoiado desde o meu nascimento. Talvez este versículo seja um reflexo de Sl 31.10, mas não uma cópia. O poeta sagrado ampliou a ideia que já havia apresentado no vs. 5. Mesmo em sua *juventude*, quando outros jovens aproveitavam o tempo para gozar a vida, aquele homem confiava em Yahweh e conduzia sua vida em consonância com a sua lei. Ver Sl 1.2, quanto à lei como o manual dos hebreus, no tocante às doutrinas e à conduta. O nosso homem também acreditava na providência divina. Desde o seu nascimento, Yahweh já tinha planos para ele, e no sentido espiritual, foi o seu *Parteiro*. Cf. o caso de João Batista em Lc 1.15, e o caso de Paulo em Gl 1.15. Ver no *Dicionário* o artigo chamado *Providência de Deus*.

"As maravilhas da ajuda de Deus, na juventude do salmista, eram para ele um tema interminável de louvor. Cf. Sl 109.1 e Jr 17.14" (William R. Taylor, *in loc*.).

Os meus louvores. Ver no *Dicionário* o verbete com esse nome, quanto a plenas notas expositivas. Muitos benefícios divinos, desde a juventude do salmista, tinham merecido os louvores dele, e ele continuava *louvando* o Senhor.

Este versículo parece ter sido tomado por empréstimo de Sl 22.10, que diz: "A ti me entreguei desde o meu nascimento; desde o ventre de minha mãe tu és meu Deus".

O Sl 22.11 nos apresenta o apelo para que Yahweh não rejeitasse esse homem que desfrutava a assistência divina desde o nascimento; e isso, naturalmente, é o tema central deste salmo.

"Esta alusão ao nascimento e a um retrospecto da vida desde a mais tenra infância não é imprópria para a personificação de Israel como indivíduo; antes, presta-se tanto para o indivíduo como para a comunidade da qual ele é porta-voz. Portanto, com frequência essa tem sido uma aplicação tratada como epítome da história da igreja cristã" (Ellicott, *in loc*.).

71.7

כְּמוֹפֵת הָיִיתִי לְרַבִּים וְאַתָּה מַחֲסִי־עֹז׃

Como um portento. A ideia não é que tenha havido um milagre de preservação (pois, aparentemente, o salmista era um homem muito idoso), mas, antes, é que havia algo negativo, um *monstro*. Os homens apontavam para o poeta como alguém a quem deveriam evitar, mas Deus era o seu refúgio. Rejeitado pelos homens como se fosse um presságio do mal, ele encontrava no Ser divino a razão para continuar vivendo. Provavelmente, parte daquilo que tanto admirava a outros homens eram os sofrimentos do salmista. Eles não queriam aproximar-se dele, com medo de que alguma maldição também os apanhasse. "... um terrível exemplo de vingança divina" (William R. Taylor, *in loc*.).

O meu forte refúgio. Quanto a esta metáfora, ver Sl 46.1.

71.8

יִמָּלֵא פִי תְּהִלָּתֶךָ כָּל־הַיּוֹם תִּפְאַרְתֶּךָ׃

Os meus lábios estão cheios do teu louvor. Tendo encontrado em Deus o seu refúgio, o poeta fez sua vida habitar em Deus. E, assim, ele tinha um coração repleto de louvores a Deus, o que expressava com frequência. Sua mente estava ocupada com a glória de Deus o dia inteiro. "Sua vida vivia cheia dos louvores de Deus, o que mostra que seu *coração* fora afetado pela bondade de Deus, que ele tinha uma profunda impressão e consciência da bondade de Deus, e assim, da abundância do coração, a boca dele falava. A boca dele, pois, vivia cheia de louvores espontâneos. As misericórdias divinas eram renovadas a cada manhã, e assim continuavam a ser pelo dia todo, pois as bondades do Senhor permanecem para sempre" (John Gill, *in loc*.).

71.9

אַל־תַּשְׁלִיכֵנִי לְעֵת זִקְנָה כִּכְלוֹת כֹּחִי אַל־תַּעַזְבֵנִי׃

Não me rejeites na minha velhice. Agora o salmista era um homem idoso e precisava da contínua Presença. O processo do envelhecimento começa com o fracasso gradual dos poderes mentais e físicos. Um homem vai-se "debilitando". Ele não é mais nem a *metade do homem* que era antes, conforme diz uma canção popular. Se um homem leva uma vida piedosa, e outros homens o rejeitam, então que recurso lhe resta? Ele terá de fugir para Deus. E foi isso que o nosso poeta fez. Conforme dizia minha mãe: "As pessoas de idade simplesmente atravancam o caminho". Era isso que acontecia no caso do salmista, e pior ainda. Ele tinha inimigos terríveis que esperavam sua morte em breve, e alguns estavam terrivelmente ocupados tentando fazer com que isso acontecesse. Havia muita gente, "lá fora", que havia brindado o nosso homem com o *desejo* e a *maldição da morte*.

Os *vss*. 9-11 aparentemente dependem de Sl 41.6-8. Já vimos como o autor deste salmo inspirou-se em vários salmos, copiando quase diretamente alguns versículos e usando outros como fonte de ideias. Ver o último parágrafo da introdução e também o vs. 1, quanto a uma ilustração sobre isso. Quanto a propósitos ilustrativos, notamos que foi na idade já avançada de Davi que Absalão promoveu sua rebelião. Se Joabe não estivesse presente para intervir, é provável que Absalão tivesse logrado êxito. Assim também, o salmista fora piedoso em sua juventude (vs. 5) e continuava a sê-lo, pelo que pensava ter crédito com Deus. Observamos o incrível fenômeno de pessoas idosas terem seus seguros de vida e saúde cancelados, à base de alguma questão técnica, uma forma flagrante de injustiça social. Até mesmo membros íntimos da família tentam tirar vantagem dos idosos e enfermos, só por poderem fazer isso. Essa é uma espécie de ataque dos fortes contra os fracos e, quando há dinheiro envolvido, tudo pode acontecer.

Justamente quando as pessoas mais precisam de ajuda, quando já são idosas e estão débeis, pessoas ímpias as atraiçoam. O salmista rogou a Yahweh que o livrasse desses exemplos perversos.

■ 71.10,11

כִּי־אָמְרוּ אוֹיְבַי לִי וְשֹׁמְרֵי נַפְשִׁי נוֹעֲצוּ יַחְדָּו׃

לֵאמֹר אֱלֹהִים עֲזָבוֹ רִדְפוּ וְתִפְשׂוּהוּ כִּי־אֵין מַצִּיל׃

Pois falam contra mim os meus inimigos. Agora obtemos uma boa descrição dos inimigos do homem idoso. Eles observavam o velho homem como se fossem urubus. Falavam e agiam contra ele. Esperavam vê-lo morto, e *logo*. Então atacariam as propriedades dele. Não somos informados sobre o que esperavam ganhar com a morte do salmista, mas o certo é que não se tinham envolvido no jogo do ódio em troca de nada. Provavelmente o homem estava enfermo, pelo que seus inimigos diziam: "Vejam o que Deus fez com ele! Deus o abandonou (vs. 11). Por que deveríamos cuidar dele? Além disso, ele não tem amigos que possam fazer-nos cessar em nossos ataques. É chegado o momento de terminar com ele". Aqueles homens ímpios tinham estabelecido uma emboscada metafórica. Cf. Sl 41.5-8, quanto a sentimentos similares.

São muitos os que dizem de mim: Não há em Deus salvação para ele.

Salmo 3.2

Uma Ideia Equivocada. Costumam dizer os homens: "A prosperidade material é prova do favor divino. A adversidade é prova de seu desprazer". Mas não é assim que Deus age, exceto em casos de julgamento especial. "Deus nunca manifesta seu prazer ou seu desprazer mediante o bem ou o mal secular" (Adam Clarke, *in loc.*). "Assim falou Aitofel, quando Davi fugia de Absalão (2Sm 17.2)" (Fausset, *in loc.*).

■ 71.12

אֱלֹהִים אַל־תִּרְחַק מִמֶּנִּי אֱלֹהַי לְעֶזְרָתִי חוּשָׁה

Não te ausentes de mim, ó Deus. Este versículo nos faz lembrar de Sl 22.11. O salmista pede que Deus *se apresse*, pois o seu caso era urgente. Ver sobre essa ideia em Sl 14.1; 22.19; 31.22; 38.22; 40.13; 70.1,5. O caso do salmista era urgente porque ele era um homem idoso e já decrépito. Seus inimigos estavam perto de aplicar-lhe o *golpe de misericórdia*. Se Yahweh não se apressasse a descer do trono, encontraria o homem morto.

Quanto à ideia expressa nas palavras "não te ausentes de mim", ver Sl 10.1. A presença de Deus protege e consola, além de garantir o sucesso. É uma teologia bíblica estabelecida que Deus, embora transcendental, é também imanente. Ver no *Dicionário* os artigos chamados *Transcendente, Transcendência* e *Imanência de Deus*. Sl 22.11 também encerra a petição de que Deus não se distancie do salmista, não deixando de ouvir a sua oração. Ver também Sl 35.22; 38.21.

Sou teu, salva-me; pois eu busco os teus preceitos.

Salmo 119.94

■ 71.13

יֵבֹשׁוּ יִכְלוּ שֹׂטְנֵי נַפְשִׁי יַעֲטוּ חֶרְפָּה וּכְלִמָּה מְבַקְשֵׁי רָעָתִי׃

Sejam envergonhados e consumidos. O trecho de Sl 35.4,26 é bastante parecido com este versículo. Sl 40.13,14 também é quase igual, e as notas expositivas que ali aparecem também se aplicam aqui. O salmista queria uma aplicação imediata da *Lei Moral da Colheita segundo a Semeadura* (ver a respeito no *Dicionário*). Ele havia sido envergonhado por seus acusadores, pelo que deveria saber o que é ser envergonhado; fora consumido por eles; fora escarnecido e desgraçado; eles procuraram prejudicá-lo de diferentes maneiras, o que é ilustrado por variegadas descrições. Era isso o que eles agora mereciam sofrer, em conformidade com a *Lex Talionis* (castigo de acordo com a gravidade do pecado cometido), que comento no artigo do *Dicionário* assim intitulado.

O nosso homem fora sujeitado à *desgraça pública*, o que, para a mente oriental, era muito difícil de suportar, algo considerado quase idêntico à própria morte. Até hoje há pessoas que cometem suicídio quando isso lhes acontece, mesmo quando merecem essa desgraça. Cf. Jó 29.7-10; 30.1,9-15. "Eles serão envergonhados, o que fala de uma declaração profética" (Adam Clarke, *in loc.*).

Envergonhem-se e juntamente sejam cobertos de vexame os que se alegram com o meu mal; cubram-se de pejo e ignomínia os que se engrandecem contra mim.

Salmo 35.26

O salmista clamou por uma terrível *vingança* (ver a respeito no *Dicionário*).

■ 71.14

וַאֲנִי תָּמִיד אֲיַחֵל וְהוֹסַפְתִּי עַל־כָּל־תְּהִלָּתֶךָ׃

Quanto a mim, esperarei sempre. Em meio aos ataques que o vitimavam, o homem decidiu continuar *esperando* (ver o vs. 5) e louvando Deus, "mais e mais", esperando Yahweh resolver o caso. Em outras palavras, ele continuaria agindo como sempre, confiando que Yahweh cuidaria dele como homem *idoso*, da mesma maneira que fizera quando era *jovem*. Essa não seria uma tarefa tão grande para o Ser divino. O salmista já tinha visto os *atos salvadores* de Deus e pensava não ser tão velho a ponto de não poder testemunhar outras intervenções da mão divina. A *esperança* era tudo quanto lhe restava, e ele não haveria de desfazer-se dela. A esperança reaparece, em forma mais desenvolvida, nos vss. 15-21. "Conforme abundarem as bênçãos, assim abundarão os meus louvores" (Adam Clarke, *in loc.*).

■ 71.15

פִּי יְסַפֵּר צִדְקָתֶךָ כָּל־הַיּוֹם תְּשׁוּעָתֶךָ כִּי לֹא יָדַעְתִּי סְפֹרוֹת׃

A minha boca relatará a tua justiça. Este versículo desenvolve a ideia de louvor e ação de graças, apresentada no versículo anterior, tal como os vss. 15-21 desenvolvem a ideia da esperança. Yahweh tinha realizado seus feitos justos, ajudando o homem bom e castigando os pecadores. O homem que seguisse a lei mosaica seria *distinto* dos pecadores (Dt 4.4-8). Estaria envolvido em uma vida caracterizada por atos bons e seria sensível para com a justiça social, bem como para com a espiritualidade. Dessa maneira, teria *razões* para regozijar-se e agradecer por motivo da *retidão* de Deus, da qual ele participava. Ele esperava que esse fator finalmente pusesse fim aos seus inimigos, porquanto estavam maduros para a vingança, algo que a justiça de Deus requer da parte dos homens.

Da tua salvação. Uma vez mais encontramos a noção de salvação temporal, a preservação da vida física, que nada a ver com a salvação evangélica, a esperança da vida eterna para o além-túmulo. Quanto a um desenvolvimento do tema e referências, ver as notas expositivas em Sl 62.2. O idoso poeta não haveria de sofrer morte prematura (o que era um terror para a mente dos hebreus), mas desejava apenas mais alguns anos de idade, vividos em *paz*.

Eram inúmeros os *atos de justiça* e os *feitos de salvação* de Deus, a ponto de ultrapassarem o conhecimento do poeta. Sendo esse o caso, ele ainda poderia ser testemunha de muitas manifestações divinas, e assim escapar do mal que seus inimigos contra ele perpetravam.

Cf. Sl 40.5, que contém as mesmas ideias essenciais. As notas que aparecem ali também se aplicam aqui. É provável que o idoso poeta tenha tomado de empréstimo a sua ideia daquele versículo, quando escreveu este versículo, mesmo que não tenha usado o mesmo fraseado.

■ 71.16

אָבוֹא בִּגְבֻרוֹת אֲדֹנָי יְהוִה אַזְכִּיר צִדְקָתְךָ לְבַדֶּךָ׃

Sinto-me na força do Senhor Deus. O idoso e cansado salmista, enfermo e perseguido, não tinha mais forças próprias. Portanto, decidiu prosseguir na *força do Senhor*. Este é um excelente sentimento e deve ser compartilhado por muitas pessoas idosas, que já viveram a maior parte da vida e agora estão reduzidas a nada. O homem estava alquebrado, quase lançado no desespero, mas de súbito o vemos levantar-se e prosseguir no caminho, na força dada pelo Senhor.

> *Os jovens se cansam e se fatigam, e os moços de exaustos caem, mas os que esperam no Senhor renovam as suas forças, sobem com asas como águias, correm e não se cansam, caminham e não se fatigam.*
>
> Isaías 40.30,31

Cf. Sl 5.7 e 53.13.

O idoso homem provavelmente fazia referência a uma esperada visita ao templo, onde ofereceria louvores e sacrifícios, e cumpriria e faria votos, *caso* Yahweh, de alguma maneira, o libertasse de suas tribulações. Ali chegando, o salmista "faria menção" de tudo quanto Deus tinha realizado por ele, oferecendo ações de graças apropriadas.

Mas o salmista só falaria sobre as obras justas de *Yahweh*, porquanto na sociedade humana ele só encontraria fraude e coisas desagradáveis. Ele nada encontrara em seus inimigos que fosse digno de louvor, e também não encontrara em si mesmo coisa alguma de que pudesse vangloriar-se.

Este versículo tem sido cristianizado para falar da retidão em Cristo, a quem apelamos quanto à nossa salvação.

■ 71.17

אֱלֹהִים לִמַּדְתַּנִי מִנְּעוּרָי וְעַד־הֵנָּה אַגִּיד נִפְלְאוֹתֶיךָ׃

Tu me tens ensinado, ó Deus. O homem já fora jovem, e desde então os atos retos de Deus estavam diante de seus olhos. Ele os vinha observando fazia longo tempo. Além disso, como jovem piedoso, ele estava sempre louvando os feitos de Yahweh, muitos dos quais tiveram aplicação pessoal à sua própria vida. O passado deixara o salmista confiante de que havia um futuro brilhante à sua frente, embora ele não pudesse ver como isso seria possível, de acordo com a razão humana. A cena é tocante, pois podemos estar certos de que o salmista não tinha seguro-saúde nem fundo de aposentadoria nos quais se apegar nos anos finais de vida. E nem os membros de sua família ou seus amigos estavam interessados no bem-estar "daquele velho", e sem dúvida o teriam deixado sozinho para que morresse. Ademais, além de todos esses problemas, ele tinha inimigos ativos que promoviam abertamente a sua morte. A despeito de todos esses pontos *negativos*, porém, havia um ponto extremamente positivo: ele prosseguia na força de Yahweh, que o tinha levado ao lugar em que estava naquele dia.

> Cá meu Ebenézer ergo.
> Dá-me teu coração, diz o Pai lá no alto,
> Não há dom tão precioso para ele como o nosso amor.
> Em breve ele sussurrará, onde quer que estejas,
> Agradecido, confia em mim, e dá-me teu coração.
>
> Eliza E. Hewitt

"Tenho contado contigo como meu *instrutor* contínuo, e tu começaste a ensinar-me teu amor desde a minha mais tenra infância. Ademais, quando ele ensina, não demoramos a aprender" (Adam Clarke, *in loc.*).

Ensino. Como aplicação, vemos quão importante é o ensino, e devemos lembrar também que a própria Grande Comissão é metade ensino (ver Mt 28.20). Ver no *Dicionário* o artigo chamado *Ensino*. Ver também *Desenvolvimento Espiritual, Meios do*. Há múltiplas maneiras de ajudar a nossa fé: o estudo, a oração, a santificação, a prática das boas obras e o toque místico, através do qual vemos a presença de Deus. E quando vemos a Deus em qualquer grau, somos transformados.

■ 71.18

וְגַם עַד־זִקְנָה וְשֵׂיבָה אֱלֹהִים אַל־תַּעַזְבֵנִי עַד־אַגִּיד זְרוֹעֲךָ לְדוֹר לְכָל־יָבוֹא גְּבוּרָתֶךָ׃

Não me desampares, pois, ó Deus. A força da juventude *tinha desaparecido;* os amigos tinham morrido; os parentes mostravam-se indiferentes; os inimigos estavam assediando; a idade avançada tinha chegado, com suas dores intermináveis e enfermidades; o homem estava de cabelos brancos, e isso *não* se parecia com a neve sobre o telhado, nem com a lareira crepitando vivamente no interior da casa, conforme diz um ditado popular. Havia neve no telhado, mas a fogueira no interior da casa quase tinha desaparecido. O homem apenas soltava um pouco de fumaça. Portanto, que poderia ele fazer? Ele se voltou para o Poder (Elohim) e clamou por mudança.

Ele queria mostrar à geração mais jovem a força de Yahweh, conforme ele mesmo a tinha conhecido em *sua* mocidade. Além disso, queria deixar garantido que as gerações do porvir seriam informadas a respeito disso. Ele diria isso com o seu hino, e hoje estamos lendo e comentando a esse respeito, mais de dois mil anos desde que a crônica foi escrita! A força de Yahweh o tinha livrado por muitas vezes dos tempos de crise, e também lhe havia dado muitas bênçãos e vitórias positivas. Ele não tinha certeza de que a geração mais jovem conhecia a "religião dos tempos antigos", conforme diz o hino. Os vss. 19 e 21 nos dão uma ideia sobre o que o homem publicaria a todos os povos: o poder de Deus para livrar de tribulações terríveis; a retidão; o reavivamento; a honra e a consolação. Muitos livros e discursos poderiam ser produzidos para descrever esses tópicos.

> Até a avançada idade, todo o meu povo provará
> Meu amor soberano, eterno e imutável.
> E quando cabelos brancos adorarem sua testa,
> Como cordeiros ainda assim serão levados ao meu peito.
>
> Hino português, autor não identificado

"Sl 129.1 mostra que isso pode ter sido uma oração nacional, e não apenas uma oração individual" (Ellicott, *in loc.*).

A tua força. Literalmente, o original hebraico diz aqui "o teu braço", sendo o braço um símbolo da força. Ver Êx 6.6; 16.16; Sl 44.13; 77.15; 98.1. Ver também o simbolismo da *mão direita*, em Sl 20.6.

■ 71.19

וְצִדְקָתְךָ אֱלֹהִים עַד־מָרוֹם אֲשֶׁר־עָשִׂיתָ גְדֹלוֹת אֱלֹהִים מִי כָמוֹךָ׃

Ora, a tua justiça, ó Deus, se eleva até aos céus. *Elohim* dá abundantes evidências do poder de *seu braço* (vs. 18). E a sua justiça também é muito significativa porque, juntamente com o poder de Deus, "se eleva até aos céus". Tem domínio em todas as esferas que designamos vagamente pelos termos céus, terra e debaixo da terra. Não existe deus semelhante a Deus, nenhum obreiro de poder que se possa comparar a Elohim. O salmista queria mostrar essas coisas às gerações mais jovens e às gerações vindouras (vs. 18). Cf. Êx 15.11, onde se lê: "Ó Senhor, quem é como tu entre os deuses? Quem é como tu glorificado em santidade, terrível em feitos gloriosos, que operas maravilhas?"

Cf. Sl 36.5 e 57.10. Quem é Deus como Elohim, "na grandeza e no poder, em poder e misericórdia, um Deus de justiça, verdade e fidelidade; nas perfeições da natureza; nas obras de suas mãos, o que significa que ele deve ser louvado e reverenciado e adorado, como ele é? Ver Sl 89.6,7" (John Gill, *in loc.*). "A misericórdia de Deus preenche todos os lugares e todo o espaço. Coroa nos céus o que é primeiramente governado na terra" (Adam Clarke, *in loc.*).

■ 71.20

אֲשֶׁר הִרְאִיתַנוּ צָרוֹת רַבּוֹת וְרָעוֹת תָּשׁוּב תְּחַיֵּינוּ וּמִתְּהֹמוֹת הָאָרֶץ תָּשׁוּב תַּעֲלֵנִי׃

Tu, que me tens feito ver muitas angústias e males. Ao longo da vida, o salmista não foi isentado da tribulação. De fato, durante o caminho ele viveu períodos de amarga tribulação, e no presente estava no meio da pior tribulação que já havia atravessado, e com menor força para enfrentá-la. Portanto, esperava que, pelo poder de Elohim, a vida lhe fosse "restaurada". Ele esperava novamente ser salvo *vivo* da tribulação, em vez de ser avassalado e morrer.

Tu. Note o leitor como o autor sagrado, com sua doutrina que dizia que Deus era a *única causa* de todas as coisas, atribuiu a ele tudo pelo qual ele havia passado e estava passando. A teologia dos hebreus era fraca quanto a *causas secundárias*. Até mesmo aqueles homens que o assediavam de alguma maneira cumpriam uma determinação divina. Isso não significava, contudo, que tais homens não seriam julgados. Ficamos presos em um paradoxo. Como Deus poderia julgar àqueles a quem ele inspirara a fazer o mal? Nossa teologia, que postula causas secundárias, resolve esse problema. Deus nada tinha a ver com o que aqueles homens repulsivos estavam fazendo.

De novo me tirarás dos abismos da terra. O sentido natural destas palavras é que o homem, como antes, seria libertado da morte física. Mas alguns estudiosos veem aqui o *hades*, a residência dos espíritos humanos que partiram da terra. Se esse foi, realmente, o caso, então tal lugar era encarado com horror pelo homem justo, que nada de bom via ali. Deus o havia chamado para *salvá-lo* de ir para aquele lugar horrendo, conforme tinha feito antes. Ver no *Dicionário* o artigo chamado *Hades*, que mostra que o termo não representava nenhuma doutrina simples. Antes, esse vocábulo representa uma ideia em crescimento. Não temos certeza exata do estágio de desenvolvimento a que essa ideia havia chegado quando o poeta compôs o salmo que ora consideramos. O *sheol* é o nome hebraico para aquele lugar, que os antigos pensavam estar abaixo da superfície da terra, em uma espécie de câmara subterrânea. Ver a ilustração sobre o que os hebreus pensavam a respeito da cosmologia no artigo chamado *Astronomia* no *Dicionário*.

De novo me tirarás. Poderíamos ser tentados a dizer que aqui temos um equivalente, no Antigo Testamento, a uma missão de misericórdia no hades, um paralelo de 1Pe 3.18—4.6, que fala sobre a missão salvadora de Cristo ali. Mas provavelmente isso é tentar arrancar demais desta expressão. Provavelmente o autor quis meramente dar a entender "tirar dali", pois o salmista potencialmente foi posto ali através da morte. Ademais, é provável que ele esteja apenas falando da morte física. A existência de uma câmara subterrânea para receber os espíritos dos mortos, *e* missões de misericórdia em tal lugar, eram um motivo quase universal na literatura religiosa. Seria realmente muito admirável se as Escrituras hebraico-cristãs nada dissessem sobre *essa esperança*. Ver na *Enciclopédia de Bíblia, Teologia e Filosofia* o artigo detalhado chamado *Descida de Cristo ao Hades*. Cf. as declarações de Sl 9.13 e 30.3.

Abismos da terra. Literalmente, *abismos de água*, provavelmente uma alusão à noção hebraica de que a terra repousava sobre um abismo, tal como "acima do firmamento" havia um mar de águas. Ver no *Dicionário* o artigo chamado *Astronomia*, que ilustra a ideia. Ver Gn 1.7, quanto à ideia de que Deus, na criação, separou esses dois vastos corpos de água.

Alguns eruditos veem aqui uma alusão à ressurreição dos mortos, mas isso parece remoto. Mais remoto ainda é tornar este salmo um salmo messiânico, embora possa haver uma *aplicação* nesse sentido. Seja como for, o poeta tinha sido livrado de seus *mares de tribulação* em diversas oportunidades, e assim orou para que a libertação ocorresse de novo.

■ **71.21**

תִּרֶב ׀ גְּדֻלָּתִי וְתִסֹּב תְּנַחֲמֵנִי׃

Aumenta a minha grandeza. O salmista continuou descrevendo os benefícios derivados da força de Yahweh. Ele fora alvo de zombarias, mas a sua *honra* seria vindicada e ele se elevaria na estima de todos quantos o conhecessem. Talvez seus acusadores o apresentassem ao tribunal, e ele ganharia a causa, ou algum julgamento de Deus contra os seus críticos lhes fecharia a boca. Seja como for, o homem seria elevado da desonra para a honra, ou, pelo menos, essa era a sua crença. Então o poeta, uma vez *vindicado*, seria *consolado*, e atribuiria essa possibilidade a um ato divino. Os seus acusadores recuariam para o segundo plano, e o poeta avançaria, passando de vilão a herói. As pessoas, uma vez mais, pôr-se-iam ao seu lado, e ele reconquistaria amizades, recebendo consolação da parte de Deus e dos homens.

LOUVOR AGRADECIDO FINAL (71.22-24)

■ **71.22**

גַּם־אֲנִי ׀ אוֹדְךָ בִכְלִי־נֶבֶל אֲמִתְּךָ אֱלֹהָי אֲזַמְּרָה לְךָ בְכִנּוֹר קְדוֹשׁ יִשְׂרָאֵל׃

Eu também te louvo com a lira. Além de entoar louvores a Deus, oferecer sacrifícios, e fazer e cumprir votos, o idoso poeta *tocaria seu instrumento musical* com maestria, acompanhando a si mesmo. Isso talvez indique que o homem era um levita músico, um músico profissional, um membro da guilda musical de Israel para servir no culto do templo. Ver 1Cr 25. O homem podia tocar ao menos dois instrumentos, a *harpa* e a *lira*. Os músicos profissionais tornavam-se mestres em mais de um instrumento, de modo geral. Ver no *Dicionário* o verbete intitulado *Música, Instrumentos Musicais*, quanto a detalhes e comentários sobre quais tipos de música eram apropriados na adoração ao Ser divino.

Ó Santo de Israel. Este é um título divino empregado com frequência no livro de Isaías, mas usado somente por três vezes nos Salmos: 71.22; 78.41 e 89.18. Os hebreus atribuíam elevadas qualidades morais a Deus, em contraste com os gregos, que faziam suas divindades serem tão más quanto eles mesmos, além de muito mais espertas em maldade. Esse título subentende o Deus que executa justiça e realiza atos justos em Israel e por todo o orbe. O termo parece ter-se originado em Israel. Cf. 6.3.

■ **71.23**

תְּרַנֵּנָּה שְׂפָתַי כִּי אֲזַמְּרָה־לָּךְ וְנַפְשִׁי אֲשֶׁר פָּדִיתָ׃

Os meus lábios exultarão. Os lábios do salmista louvariam a Deus com júbilo, porquanto, uma vez mais, ele fora libertado de uma crise potencialmente fatal. Elohim seria o objeto de seus cânticos em altas vozes, acompanhados de instrumentos musicais e gritos, visto ser ele o Poder que o *livrara da morte*. Não há aqui nenhum laivo da *redenção* evangélica, da salvação da alma, conforme este versículo tem sido cristianizado.

O Senhor resgata a alma dos seus servos, e dos que nele confiam, nenhum será condenado.

Salmo 34.22

John Gill, cristianizando o versículo, disse: "Pois a redenção da alma é excessivamente preciosa; sendo resultado da sabedoria infinita, fruto da graça divina e devida ao sangue e ao sacrifício de Cristo".

■ **71.24**

גַּם־לְשׁוֹנִי כָּל־הַיּוֹם תֶּהְגֶּה צִדְקָתֶךָ כִּי־בֹשׁוּ כִי־חָפְרוּ מְבַקְשֵׁי רָעָתִי׃

Igualmente a minha língua celebrará a tua justiça. A língua, a harpa e a lira (vss. 22 e 24) unem-se em altos louvores; o culto do templo é assim animado e alegre, e o tema dos cânticos é a retidão de Elohim, seus atos beneficentes e poderosos em favor dos homens. Ademais, os hinos cantados não ignoram que Elohim faz justiça e submete à vergonha e à desgraça os ímpios, deixando seguro que aqueles que prejudicam a outros serão, eles mesmos, prejudicados. Os perseguidores do idoso poeta colheriam o que haviam semeado, porquanto a justiça divina tinha feito as coisas dessa forma. Ver no *Dicionário* a *Lei Moral da Colheita segundo a Semeadura*.

O idoso poeta, que tinha por hábito louvar a Deus dessa maneira, quando era libertado de períodos críticos que lhe ameaçavam a vida, agora, uma vez mais liberto, louvava a Deus com voz mais altissonante e mais longamente.

> Minha mente e alma concordando bem,
> Fazem música como antes
> — somente que mais vasta.

Cf. o vs. 13, parte do qual foi incorporada neste versículo derradeiro do Salmo 71.

SALMO SETENTA E DOIS

Quanto a *informações gerais* que se aplicam a todos os salmos, ver a introdução ao Salmo 4, onde apresento *sete* comentários que elucidam a natureza do livro. Quanto a *classes* dos salmos, ver o gráfico no início do comentário, que atua como uma espécie de frontispício da coletânea. Dou ali dezessete classes e listo os salmos pertencentes a cada uma delas.

Este salmo é um *hino* composto sob a forma de oração, que solicita que a bênção de Deus esteja sobre o rei de Israel. Portanto, trata-se de um *salmo real,* que muitos intérpretes também classificam como *messiânico.* O motivo deste salmo pode ter sido uma cerimônia de coroação ou então a comemoração anual desse ato. Nada existe no salmo que nos ajude a identificar o rei específico em vista, mas as tradições atribuem a autoria do salmo a Salomão. "Tal como outros salmos reais (2, 18, 20, 21, 45, 89, 101, 110 e 132), esta oração pode ter sido recitada em alguma ocasião festiva, como a festa do Ano Novo, o aniversário do monarca, ou algum outro aniversário real, mas não demonstra nenhuma ligação com o culto do templo (isto é, associada a hinos entoados por ocasião da subida ao trono de algum rei, celebrada no templo)" (William R. Taylor, *in loc.*).

Este hino contém as usuais hipérboles orientais de tais louvores ao rei: sua vida extraordinariamente longa (vs. 5); o prolongado domínio de seu reinado (vss. 8-11); e a durabilidade de sua fama (vs. 17). Este salmo é bastante nacionalista, uma das marcas das composições poéticas pré-exílicas. Com seu retrato idealizado do monarca hebreu, o hino prestou-se facilmente à interpretação messiânica, pelo que as hipérboles que nele aparecem são aplicadas literalmente ao Messias. O Targum e muitos rabinos viam aqui predições messiânicas, e os intérpretes cristãos seguem essa orientação; mas o salmo não aparece citado no Novo Testamento, conforme seria de esperar.

Subtítulo. O subtítulo do Salmo 72 diz somente: "Salmo de Salomão". Dois salmos são atribuídos à pena desse terceiro rei de Israel: 72 e 127. As notas de introdução foram acrescentadas por editores posteriores, não fazendo parte das composições originais, pelo que não se revestem de autoridade canônica. Representam conjecturas, em sua maior parte, que passaram a tradições fixas, dizendo-nos algo sobre a natureza dos salmos, atribuindo-lhes alguma circunstância histórica específica, e identificando autores. É provável que, ocasionalmente, os detalhes dados tivessem algum toque genuíno, mas poucos críticos levam a sério esses subtítulos, exceto como uma atividade das tradições do povo hebreu.

ORAÇÃO PARA QUE O REI FOSSE JUSTO (72.1-4)

72.1

לִשְׁלֹמֹה אֱלֹהִים מִשְׁפָּטֶיךָ לְמֶלֶךְ תֵּן וְצִדְקָתְךָ לְבֶן־מֶלֶךְ׃

Concede ao Rei, ó Deus, os teus juízos. Naqueles *tempos brutais,* quando grandes injustiças eram perpetradas por homens selvagens e ímpios em Israel, que agiam sem nenhuma restrição, era importante que um rei tivesse a consciência inspirada por Deus, a fim de executar a justiça no país. O rei precisava ser justo, e seu filho tinha de demonstrar retidão. O reinado tradicionalmente passava de pai para filho, e assim seria um instrumento na mão divina, visando reinados justos. Muitos salmos de lamentação falam sobre homens brutais, que planejavam a destruição do próximo e reuniam em torno de si considerável número de seguidores, o que servia somente para transformar a sociedade em um caos, provocando o temor em muitos. Reinados justos traziam prosperidade generalizada (vs. 17); mas o oposto só poderia produzir caos e destruição, seja dentro das fronteiras de Israel, seja em decorrência de invasões estrangeiras. "O rei precisava ser o garantidor da justiça em favor dos impotentes (vss. 12-15)" (*Oxford Annotated Bible,* comentando o vs. 1). Esperava-se que o monarca punisse os que exploravam o pobre, em lugar de ser ele o principal explorador, fenômeno tão frequente na política moderna.

Ao filho do Rei. O rei pertencia à linhagem real. Ele não era um usurpador, mas um membro de reconhecida *família real.* É possível que o "filho", neste caso, seja o rei em questão. Nesse caso, enfatiza-se que esse "filho" chegara a ser rei porque pertencia à linhagem real. Seu pai também tinha sido rei. As tradições fazem desses reis Davi e Salomão, mas o próprio salmo não identifica os personagens reais.

72.2

יָדִין עַמְּךָ בְצֶדֶק וַעֲנִיֶּיךָ בְמִשְׁפָּט׃

Julgue ele com justiça o teu povo. O rei seria um homem bom, *universalmente.* Julgaria o povo em geral com justiça e seria um campeão dos pobres e das classes menos favorecidas, que geralmente são tão facilmente explorados. O rei não roubaria o dinheiro dos pobres, nem seria o líder de grupos interesseiros, para beneficiá-los ou a si mesmo.

"Sem importar se Salomão está em vista ou não neste salmo, o fato é que a oração que ele fez em seu sonho, em Gibeom (ver 1Rs 3.9), é o melhor comentário destes versículos. Cf. também Is 11.4 e 32.1" (Ellicott, *in loc.*).

Dá, pois, ao teu servo coração compreensivo para julgar o teu povo, para que prudentemente discirna entre o bem e o mal; pois, quem poderia julgar a este grande povo?

1Reis 3.9

72.3

יִשְׂאוּ הָרִים שָׁלוֹם לָעָם וּגְבָעוֹת בִּצְדָקָה׃

Os montes trarão paz ao povo. Os *pontos mais altos* de Jerusalém, incluindo o monte Sião, são personificados aqui e vistos trazendo bênçãos e prosperidade ao povo. O rei estava entronizado no templo, no monte, e assim, durante todo o seu reinado, as bênçãos viriam do "alto". O rei não era um sacerdote, pelo que não ministrava no templo, mas o poder do sacerdócio estava por trás dele, e o sumo sacerdote seria seu conselheiro. O poder que prestava apoio ao monarca seria a retidão. Dessa maneira ele se desempenharia bem a sua incumbência. Sem essa retidão, haveria o caos, conforme tantas vezes demonstra a política. "Quanto à mesma proeminência dada às colinas, como uma das características da Palestina, uma terra que não somente era montanhosa, mas também era um *montão de colinas,* cf. Jl 3.18" (Ellicott, *in loc.*).

Este versículo tem sido cristianizado para falar do reinado de Cristo durante o milênio.

Uma Linguagem Figurada. Talvez as colinas e os montes simbolizem os príncipes e outras autoridades subordinadas ao rei. Na qualidade de seus delegados, eles levariam ao povo de Israel a prosperidade. Mas alguns estudiosos fazem reis e autoridades estrangeiras ser referidos aqui como as colinas e os montes; e, nesse caso, nações estrangeiras adicionariam prosperidade a Israel. Contudo, não parece ser isso o que está em foco aqui. Outros intérpretes acreditam que essas colinas e montes são as igrejas cristãs, ou então autoridades eclesiásticas que abençoam o povo. Mas essa já é uma interpretação bastante remota.

72.4

יִשְׁפֹּט עֲנִיֵּי־עָם יוֹשִׁיעַ לִבְנֵי אֶבְיוֹן וִידַכֵּא עוֹשֵׁק׃

Julgue ele os aflitos do povo. Este versículo retorna à ideia do vs. 2: os que padeciam de necessidade especial, como os pobres e seus filhos, que não tinham nenhum poder ou defesa, atrairiam a atenção do rei justo, e ele quebraria em pedaços os opressores, mantendo os direitos dos carentes. Os políticos sempre falam bem aos pobres e fazem grandes promessas, mas não *realizam* muita coisa de valor permanente. E a justiça? Esqueça-se dela, leitor! O dinheiro e o poder é que estabelecem as leis ou desobedecem a elas. *Poder é direito,* conforme alguém já disse de modo muito observador. Cf. Is 11.4, que contém sentimentos similares a estes: "Mas julgará com justiça os pobres, e decidirá com equidade a favor dos mansos da terra; ferirá a terra com a vara de sua boca, e com o sopro dos seus lábios matará o perverso".

Este versículo tem sido cristianizado para falar dos benefícios trazidos por Deus através do evangelho, administrados por meio das igrejas; ou então para enfocar o reino milenar de Cristo.

ORAÇÃO POR UM REINADO LONGO E BENEFICENTE (72.5-7)

72.5

יִירָאוּךָ עִם־שָׁמֶשׁ וְלִפְנֵי יָרֵחַ דּוֹר דּוֹרִים׃

Ele permanecerá enquanto existir o sol. Diz aqui a Septuaginta: "Viva ele". Essa tradução é preferida por alguns intérpretes. Mas diz o texto hebraico: "Que eles te temam!" As hipérboles orientais sempre desejaram longa vida, e até mesmo a vida eterna, para o rei. Portanto, aqui se deseja que o rei viva tanto quanto o sol e a lua percorrerem seus cursos, um tempo realmente longo, se não mesmo eterno. O *sol* era um símbolo de *permanência*. Essa figura é repetida no vs. 17. A lua serve ao mesmo propósito. Ver também o vs. 7, onde é repetida a figura de linguagem, e cf. Sl 89.7. Os trechos de Is 60.19,20 e Ap 21.23 e 22.5 antecipam um tempo em que tanto o sol quanto a lua deixarão de existir, mas o salmista não estava pensando nesses termos.

Temor. Assim diz o original hebraico, sendo essa a preferência de alguns tradutores. Ver no *Dicionário* o artigo chamado *Temor*. O rei, na qualidade de representante de Deus, precisava ser temido pelo povo, o que impediria o povo de cair em excessos. "O temor a Deus, continuando eternamente em resultado de seu domínio, implica, necessariamente, a eternidade de seu reinado. Cf. o vs. 17 e Sl 89.36,37" (Fausset, *in loc.*).

Através das gerações. O poeta não contemplou grandes desastres em Israel, e pensava em termos da continuação eterna dessa nação. Assim sendo, a monarquia em Israel prosseguiria, o rei prosseguiria, a sucessão real prosseguiria, e a justiça também prosseguiria.

Este versículo tem sido cristianizado para falar sobre o reino eterno de Cristo.

A sua posteridade durará para sempre, e o seu trono como o sol perante mim. Ele será estabelecido para sempre como a lua, e fiel como a testemunha no espaço. Selá.

Salmo 89.36,37

72.6

וְיֵרֵד כְּמָטָר עַל־גֵּז כִּרְבִיבִים זַרְזִיף אָרֶץ׃

Seja ele como a chuva. As chuvas são aqui usadas como a bondade e as bênçãos abundantes que o rei, segundo se esperava, traria aos seus súditos. A chuva cai em todos os lugares e beneficia a todos. Ela é a fonte originária de toda a vida. Ver no *Dicionário* o artigo chamado *Água*. "O governo do monarca deveria ser tão benéfico como a chuva que refrigera a terra, *cobrindo-a* de bênçãos e promovendo a verdura. Mediante o uso de uma imagem simbólica similar, as palavras derradeiras de Davi (ver 2Sm 23.4) descreveram um bom governo.

A campina ceifada. A palavra hebraica correspondente significa "poda" (ver Jz 6.37). O que mais provavelmente está em vista é uma colheita do feno, que foi ceifada. Assim, sobre a "campina ceifada" cai a chuva. Ou a referência pode ser à erva dos prados, que está prestes a ser cortada, pois o tempo para isso havia chegado.

Este versículo, naturalmente, transforma-se em um versículo messiânico, como são as palavras de 2Sm 23.5.

O que o sol durante o dia devora,
O orvalho noturno, com seu gotejar perolado,
Pela manhã renova.

Dryden

Eis que o lavrador aguarda com paciência o precioso fruto da terra, até receber as primeiras e as últimas chuvas.

Tiago 5.7

72.7

יִפְרַח־בְּיָמָיו צַדִּיק וְרֹב שָׁלוֹם עַד־בְּלִי יָרֵחַ׃

Floresça em seus dias o justo. Esperava-se que o *rei justo* trouxesse retidão e paz em seu reinado. E seus súditos, como o próprio reino, durariam para sempre, da mesma maneira que a lua nunca desaparecerá, antes continuará realizando sua missão, eternamente. A obediência à lei promete prosperidade e longa vida, pelo que, como é óbvio, a retidão do rei tinha de estar *alicerçada sobre a lei*. Ver em Sl 1.2 um sumário das coisas que se esperava que a lei fizesse pelo povo de Israel, sendo ela o manual de conhecimento e conduta do homem, durante o período do Antigo Testamento.

O justo. A *Revised Standard Version* e algumas versões portuguesas dizem "justiça", o que é apoiado por alguns poucos manuscritos hebraicos, pela Septuaginta, por Jerônimo e pela versão siríaca. Mas a maior parte dos manuscritos do hebraico diz "o justo", o que mostra que é o homem bom que deve florescer. Ver no *Dicionário* o artigo chamado *Manuscritos do Antigo Testamento*, que dá informações sobre como os textos são escolhidos quando aparecem variantes. Ver também o texto hebraico padronizado no verbete chamado *Massora (Massorah); Texto Massorético*.

ORAÇÃO PELO DOMÍNIO MUNDIAL DO REI (72.8-14)

72.8

וְיֵרְדְּ מִיָּם עַד־יָם וּמִנָּהָר עַד־אַפְסֵי־אָרֶץ׃

Domine ele de mar a mar. As terras governadas por esse *rei ideal* serão imensas, da mesma forma que o período de seu governo deverá ser imenso. A vaga expressão "de mar a mar" pode ser do mar Morto ao mar Mediterrâneo, porém o mais provável é que o poeta sagrado tenha deixado a expressão propositadamente vaga, para que nossa mente não se limitasse à cena palestina. Onde quer que as ondas do mar batam nas praias, ali dominará o rei. Além disso, ele governará do rio até os confins da terra. A alusão pode ser ao rio Nilo, que supostamente marcaria a fronteira sudoeste de Israel, em consonância com o pacto abraâmico. Ou a alusão pode ser ao rio Eufrates, que delimitava a fronteira norte de Israel. Mas essa palavra sem dúvida tem um sentido figurado, tal como a referência aos *mares*. Onde quer que algum rio deságue suas correntes, poderia ir dali até o infinito, e ali se encontrariam lugares onde o rei governa. Naturalmente, no tempo de Salomão, Israel atingiu sua maior expansão, embora nunca tenha conquistado terras tão para sudoeste como as margens do rio Nilo.

Este versículo é idêntico a Zc 14.8, mas é provável que ambos se tenham derivado de uma expectativa comum, não sendo cópia um do outro. O autor sagrado usava uma linguagem figurada para indicar "grandeza de extensão", pelo que suas palavras não deveriam ser limitadas a localizações geográficas específicas. Estamos falando acerca dos "confins da terra", ou seja, os limites extremos do mundo, uma frase familiar do Antigo Testamento usada por cinco outras vezes no saltério: Sl 2.8; 22.27; 59.13; 67.7 e 98.3. Se aplicarmos tudo isso à situação histórica do salmista, teremos de dizer que ele estava usando típicas hipérboles orientais, tal como fizera no concernente à natureza "eterna" do reinado. Alguns intérpretes, entretanto, preferem pensar que esta linguagem é literal, atinente ao tempo e ao reinado do Messias.

Ver 1Rs 4.21,24 acerca de uma declaração sobre a extensão do poder de Salomão. Essa extensão, como é óbvio, ficava muito aquém das antecipações da linguagem poética deste versículo. O Targum e muitos rabinos, antigos e modernos, veem este versículo como profético e messiânico.

72.9

לְפָנָיו יִכְרְעוּ צִיִּים וְאֹיְבָיו עָפָר יְלַחֵכוּ׃

Curvem-se diante dele os habitantes do deserto. Os que habitavam lugares distantes, como os *desertos*, também estariam sujeitos ao rei. Coisa alguma estaria fora de seu poder. Em lugar de "deserto", a *Revised Standard Version* diz "inimigos", pois aqui essa versão moderna restaura o original hebraico com uma conjectura. Nesse caso, o sentido da frase é que todos os inimigos do rei serão trazidos para debaixo de seu poder. Nenhum rei poderia ter um grande reino sem o concurso da guerra. Ele tinha de reduzir os adversários ao aniquilamento, ou deveria confiná-los. Somente assim um rei poderia expandir o seu reino. Veja o leitor como Davi precisou derrotar *oito* nações para conseguir o poder que obteve. Meus comentários sobre essa questão são oferecidos em 2Sm 10.19. Por meio das vitórias de Davi, a Salomão foi dado um reino muito extenso, e talvez ele mesmo o tenha ampliado mais ainda, posto ter sido um homem pacífico.

As palavras "os habitantes do deserto" são usadas algures para indicar *animais selvagens* (Sl 74.14 e Is 23.13), e, nessa circunstância, Ellicott (*in loc.*) vê uma alusão à necessidade que o rei teve de dominar povos *selvagens*, ou tribos nômades que vagueavam de lugar para lugar, saqueando e matando. A Septuaginta diz aqui "etíopes".

Lambam o pó. Os povos conquistados eram humilhados. Para eles não havia demonstrações de misericórdia. "Um sinal de submissão abjeta, para os reis orientais, era beijar e até lamber o pó, conforme fez L. Piso (*Valerian. Max.* vii.1.6. Cf. Is 49.23)" (Fausset, *in loc.*). Os povos não aniquilados eram reduzidos à servidão ou, algumas vezes, ao pagamento de tributo. Esses eram os caminhos brutais dos antigos, cujo exemplo tem sido aperfeiçoado nos tempos modernos, com o uso de armas superiores.

72.10

מַלְכֵי תַרְשִׁישׁ וְאִיִּים מִנְחָה יָשִׁיבוּ מַלְכֵי שְׁבָא וּסְבָא אֶשְׁכָּר יַקְרִיבוּ׃

Paguem-lhe tributos os reis de Társis e das ilhas. Agora o poeta mencionou especificamente alguns lugares que foram sujeitados ao rei. Ele não estava contradizendo sua linguagem vagamente universal, mas apenas dando ilustrações de alguns locais onde reinava o rei, em seu governo universal.

Társis. Ver Sl 48.4-7, bem como, no *Dicionário*, o artigo com este nome, pontos 4 e 5. A Espanha ficava na direção *oeste* até onde os hebreus conheciam, embora os fenícios, ao que tudo indica, tivessem atingido o novo mundo muito antes das navegações de Cristóvão Colombo e Magalhães.

E das ilhas. Esta é uma designação abrangente que indica as ilhas e costas do mar Mediterrâneo. Cf. Dn 9.18 e Is 11.11.

Sabá. Ver a respeito no *Dicionário*. A área coincide com o atual Iêmen, na parte sudoeste da Arábia. Salomão recebeu em seu palácio a rainha de Sabá (2Rs 10).

Sebá. Uma área no alto Egito, provavelmente a noroeste da Etiópia, entre o Nilo Azul e o Nilo Branco, que em nossos tempos modernos é Sudão egípcio. Ver Gn 10.7 e, no *Dicionário*, o artigo com esse nome. O conteúdo e os nomes locativos dos vss. 8-11 sugerem Salomão como o rei em vista neste salmo; e isso veio a tornar-se parte da tradição, mas nada há de conclusivo quanto a essa questão. Além disso, visto que Salomão não exercia seu poder de rei sobre todos os lugares mencionados, os intérpretes voltam a dar uma explicação messiânica. Ou então, de forma hiperbólica, Salomão reinava sobre tão vasto reino.

72.11

וְיִשְׁתַּחֲווּ־לוֹ כָל־מְלָכִים כָּל־גּוֹיִם יַעַבְדוּהוּ׃

E todos os reis. Deixando para trás sua ilustração, o salmista volta a falar em um sentido universal. *Todos os reis* e *todas as nações* haverão de servir ao rei. Assim sendo, temos de dizer que qualquer referência *histórica* foi expressa mediante uma hipérbole tipicamente oriental, ou então que o verdadeiro sentido do salmo é profético e messiânico. Ou então podemos reter ambas as ideias e dizer: História = *hipérbole*; profecia = *literal*. "Todos os reis o servirão, porque ele é o Salvador dos necessitados" (Fausset, *in loc.*). Cf. Is 49.23 e 50.3,11,16. Ver também Is 2.2; Ap 11.15 e 14.4. Os judeus afirmavam, no tocante ao que lemos aqui, que no mundo vindouro todos os gentios se tornarão prosélitos voluntários, vindo livre e naturalmente, movidos por um desejo do coração (*Bemidbar Rabba*, s. 13. fol. 209; *Midrash Megillat Esther*, fol. 86.2).

> *Reis serão os teus aios, e rainhas as tuas amas; diante de ti se inclinarão com o rosto em terra e lamberão o pó dos teus pés; saberás que eu sou o Senhor, e que os que esperam em mim não serão envergonhados.*
>
> Isaías 49.23

72.12

כִּי־יַצִּיל אֶבְיוֹן מְשַׁוֵּעַ וְעָנִי וְאֵין־עֹזֵר לוֹ׃

Porque ele acode ao necessitado que clama. O salmista voltou ao tema dos pobres e necessitados, visto nos vss. 2 e 4. Embora tão poderoso que estaria governando em todos os lugares, enquanto reis de toda a parte vinham prestar-lhe homenagem e trazer-lhe tributo, mesmo assim o rei continuava pensando nos pobres, a fim de fazer-lhes justiça. Os reis da terra eram ricos e poderosos. Não precisavam da ajuda do grande rei. Mas as classes humildes certamente careciam dessa ajuda. Hoje em dia o povo pobre sai a esmolar, e nem o coração dos crentes evangélicos é grandemente tocado. Os católicos enfatizam atos de caridade e nos envergonham quanto a essa categoria de ato cristão. Israel sempre se mostrou forte quanto a atos de caridade, mas não se pode dizer que muitos reis fizeram muito em favor dos pobres, exceto servirem a si mesmos. Mas o rei a quem o poeta sacro descreveu sempre se mostrou cuidadoso quanto às demonstrações de misericórdia. Ele era o ajudador dos pobres. O rei certificava-se de que as classes humildes não eram exploradas, e que tinham, ao menos, o suficiente para comer e um lugar adequado para morar.

Os fariseus faziam um grande espetáculo ao dar esmolas em público, mas em particular devoravam as casas das viúvas (ver Mt 23.14). O rei ideal não se parecia com os fariseus. Como rei, ele não tinha promessas de campanha a cumprir, apenas promessas em seu coração a observar. Seu coração segregava-lhe para dar e, afinal de contas, a verdadeira medida de um homem é a sua generosidade, o que é apenas outro nome para amor. Ver no *Dicionário* os verbetes chamados *Caridade* e *Amor*.

72.13

יָחֹס עַל־דַּל וְאֶבְיוֹן וְנַפְשׁוֹת אֶבְיוֹנִים יוֹשִׁיעַ׃

Ele tem piedade do fraco e do necessitado. O bom rei tinha piedade dos pobres e salvava a vida dos necessitados. Tinha programas eficazes de caridade para cuidar dos pobres, e, conforme era de se esperar, ensinava alguns deles a trabalhar. Uma porcentagem bastante alta de pobres é formada por aqueles que têm defeitos mentais e baixas taxas de inteligência, incapazes de fazer muito em nosso atual mundo de trocas. Foi por isso que Jesus disse: "Os pobres sempre os tende convosco" (Mt 26.11). E, naturalmente, há pessoas preguiçosas cuja falta de ambição, e não de talentos, relegou-as à pobreza. O bom rei de alguma maneira sabia como separar os preguiçosos dos desprivilegiados mentalmente. Mas uma coisa é certa: ele continuou a ser generoso. E o poeta fez esses aspectos da personalidade do rei aparecerem em seus hinos, imortalizando seus atos, embora não tenha registrado por escrito o seu nome.

72.14

מִתּוֹךְ וּמֵחָמָס יִגְאַל נַפְשָׁם וְיֵיקַר דָּמָם בְּעֵינָיו׃

Redime as suas almas da opressão e da violência. *O bom rei* continuava trabalhando em prol dos pobres e necessitados, certificando-se de que as classes mais abastadas não explorariam os primeiros; que eles não sofressem de fraudes em contratos particulares, casos de tribunal ou em qualquer negócio que fizessem. Alguns podem até ter sido executados por homens ímpios, ou mortos publicamente por ordem do tribunal. Mas o *sangue deles* era *precioso* à vista do rei e ele não permitiria que tão flagrantes injustiças fossem praticadas. Cf. Sl 116.15. "Para o rei, a vida de seu povo é cara, pelo que ele os protege de toda a violência" (Ellicott, *in loc.*). Se alguém fosse ameaçado de morte, ou se algum homem brutal cometesse assassinato, o rei tomaria providências para que a retribuição apropriada fosse executada.

Precioso lhe é o sangue deles. Neste caso, "sangue" deve ser entendido como "vida". Os antigos hebreus pensavam que o sangue continha o princípio da vida, mas o *sangue da vida* é uma metáfora comum. "O rei procurava impedir o derramamento de sangue, ou, se fosse derramado, ele vingaria a morte das pessoas que lhe eram preciosas" (John Gill, *in loc.*).

ORAÇÃO PELA PROSPERIDADE DO REI (72.15-17)

72.15

וִיחִי וְיִתֶּן־לוֹ מִזְּהַב שְׁבָא וְיִתְפַּלֵּל בַּעֲדוֹ תָמִיד כָּל־הַיּוֹם יְבָרֲכֶנְהוּ׃

Viverá, e se lhe dará do ouro de Sabá. "Viverá" é uma forma abreviada de "Viva o rei!" (1Sm 10.24; 2Sm 16.17). O sujeito da exclamação é a pessoa do rei, e não o homem pobre que o rei protegia (vss. 12-14). O assunto havia mudado. O rei demonstrara ser um homem justo e *benfeitor* do povo, incluindo os pobres e indefesos. Esse é o homem que o povo quer que permaneça no trono por longo tempo. Esse tipo de rei é um *pássaro raro*, conforme se diz em uma expressão idiomática moderna. Um rei bom ficará cada vez mais rico, porque até o ouro de Sabá é dele. Ver no vs. 10 sobre essa palavra. Provavelmente temos aqui uma referência à rainha que trouxe presentes para Salomão, daquele lugar, incluindo ouro. O rei continuaria a receber presentes e tributos de lugares distantes. Ele continuaria *recolhendo* das boas obras por ele praticadas, de acordo com a *Lei Moral da Colheita segundo a Semeadura* (ver a respeito no *Dicionário*). Somos aqui informados sobre Sabá como o lugar originário do ouro, embora isso tivesse sido mencionado entre as coisas que a citada rainha trouxe daquele lugar (ver 1Rs 10.2,10).

Oração Recomendada. Todo o povo tinha prosperado diante da bondade do rei. Por essa razão, o salmista conclamou todos os cidadãos do país a orar para que Elohim continuasse a abençoar o monarca. Ademais, essas orações deveriam ser oferecidas continuamente, o dia inteiro!

O Ouro de Sabá. O historiador grego Agatarcides fala da grande quantidade de ouro que existia naquele lugar, de modo que até os cidadãos do país enfeitavam suas casas com esse metal. No entanto, o ouro parece ter sido trazido de outros lugares. Sabá tinha um rico comércio com a Índia, e era isso que possibilitava tais luxos.

Parte do ouro de Sabá terminava em Jerusalém, provavelmente como pagamento de um tributo. Não é provável que os habitantes daquele país fossem tão generosos que dessem ouro para os estrangeiros. Elohim, porém, cuidaria para que o tributo continuasse chegando, por causa da benevolência do rei para com o seu povo.

72.16

יְהִי פִסַּת־בַּר בָּאָרֶץ בְּרֹאשׁ הָרִים יִרְעַשׁ כַּלְּבָנוֹן פִּרְיוֹ וְיָצִיצוּ מֵעִיר כְּעֵשֶׂב הָאָרֶץ:

Haja na terra abundância de cereais. Este versículo é difícil no original hebraico, pelo que temos diferentes versões que tentam explicá-lo. A *Revised Standard Version* e as traduções portuguesas, como a que estamos usando, concordam. Havia *abundância de cereais* na terra de Israel. Os cereais mostravam-se abundantes nos topos dos montes, e na área fértil do Líbano também havia muito cereal, belo e tradicionalmente produtivo. Ver Sl 92.12; 104.16; Ct 4.11; 5.15; Is 35.2; 60.13 e Os 14.5-7. Mas a palavra "Líbano" é aqui compreendida por alguns como uma referência ao *Styrax officinalis*, o estoraque, valioso devido à sua goma fragrante. E algumas das referências dadas acima também são compreendidas dessa maneira. Há várias emendas que confundem o quadro, pelo que fico com as versões mencionadas, que dão um sentido inteligível ao hebraico, ainda que talvez não tenham a variante correta. Talvez estejam em foco os famosos cedros do Líbano, que o poeta sagrado viu como representação da fertilidade e força da natureza. Isto posto, o salmista teria orado para que, em Israel, a agricultura florescesse como os cedros do Líbano. A Septuaginta e a Vulgata Latina nos dão uma figura grotesca, imaginando que o cereal das terras baixas crescia tanto que chegava a tornar-se mais *alto* que os montes do Líbano. As riquezas básicas da maioria dos países antigos repousavam sobre a agricultura, e isso continua verdadeiro na maioria dos países. Naturalmente, existem países com subsolo rico em petróleo, que podem importar qualquer coisa que queiram, incluindo toda espécie de alimentos e acepipes. Mas a antiga nação de Israel era essencialmente um país voltado para a agricultura. Eles tinham o mar a seu lado, uma fonte de grandes riquezas, mas os hebreus eram um povo que habitava *próximo* ao mar, embora não fosse um povo *voltado para* o mar. Grande parte das riquezas de Israel (excetuando a agricultura) vinha de saques obtidos em atividades guerreiras. Além disso, outra grande fonte de riquezas era o tributo pago por povos derrotados.

Das cidades floresçam os habitantes como a erva da terra. Temos aqui a descrição simbólica de uma grande população. Pois assim como era importante que um homem tivesse muitos filhos, também era importante que um país tivesse muitos cidadãos. Portanto, existem duas espécies de fertilidade: 1. a da terra, quanto a produtos agrícolas; 2. a das mulheres, provendo muitos cidadãos. E ambos os tipos eram tidos como bênçãos especiais da parte de Deus, resultando de seu favor.

Este versículo tem sido cristianizado para falar da missão do Messias, que é frutífera, pois muitos homens passam a fazer parte da comunidade espiritual através do novo nascimento.

Cf. esta parte do versículo com Sl 92.13 e Jó 5.25.

72.17

יְהִי שְׁמוֹ לְעוֹלָם לִפְנֵי־שֶׁמֶשׁ יִנּוֹן שְׁמוֹ וְיִתְבָּרְכוּ בוֹ כָּל־גּוֹיִם יְאַשְּׁרוּהוּ:

Subsista para sempre o seu nome. Este versículo reitera as hipérboles dos vss. 5 e 7, onde o *sol eterno* novamente se torna o símbolo da vida interminável e do reinado do bondoso rei. Agora vemos o *nome* do rei retendo seu encanto e graça para sempre, ou seja, enquanto perdurar o sol. Para que o texto forneça um espírito de literalidade, temos de aplicar essas declarações ao Messias, e os intérpretes não hesitam em fazê-lo. Seu nome é quase como o nome de Deus, visto que deixara um inesquecível exemplo de bondade e governo correto, vinculado à generosidade para com todos os homens, especialmente no caso dos pobres.

Universalidade Novamente. O rei era homem bondoso demais para ser confinado a uma nação isolada. Seu poder e sua vida tinham importância universal. Cf. o vs. 8. Todas as nações seriam abençoadas nele, o mesmo que fora dito com respeito a Abraão. Ver sobre *Pacto Abraâmico*, em Gn 15.18. É fácil ver o Messias nesse tipo de afirmação e é precisamente o que faz a maioria dos intérpretes. Nesse caso, o Messias dá continuidade ao antigo pacto, incorpora-o no novo, e torna suas provisões absolutamente universais. "Assim sendo, o monarca seria, pessoalmente, uma fonte de bênçãos para o seu povo, o qual nunca se cansará de bendizê-lo" (Ellicott, *in loc.*).

> Que nos governes por longo tempo,
> E nos deixes governantes de teu sangue,
> Como nobre, até o dia derradeiro!
> Muitos filhos de nossos filhos digam:
> "Ele operou por seu povo um bem permanente".

DOXOLOGIA QUE ENCERRA O LIVRO II DOS SALMOS (72.18-20)

72.18

בָּרוּךְ יְהוָה אֱלֹהִים אֱלֹהֵי יִשְׂרָאֵל עֹשֵׂה נִפְלָאוֹת לְבַדּוֹ:

Bendito seja o Senhor Deus, o Deus de Israel. Muito provavelmente, *esta doxologia* foi acrescentada por um editor posterior, tal como o colofão. Ver como o Livro I dos Salmos foi encerrado por uma doxologia mais breve (Sl 41.13). Os vss. 18 e 19 formam uma bênção. Seu propósito é ser um final apropriado para o Livro II dos Salmos, e não somente para o Salmo 72. O Deus dos Salmos é chamado Elohim (o Todo-poderoso) e Yahweh (o Deus eterno). *Ele é o Deus de Israel*, bem como o benfeitor da nação. Ele já tinha feito muitas coisas maravilhosas em favor do povo, e, de fato, dos povos de todas as nações, porquanto alguns salmos enfatizam a *universalidade* de Yahweh-Elohim. Ver Sl 66.1 e 67.2 como exemplos. Além disso, ver os vss. 19 e ss. Suas obras são inúmeras, e ele é o *único* verdadeiro benfeitor, tal como é igualmente a *causa única* das coisas. Portanto, nossos louvores devem ser dirigidos a ele. Se alguém praticou uma boa ação, então atribuímos a Deus o fato de ter inspirado alguém a esse ato, tal como os atos maus dos homens são atribuídos a Deus como a causa única. Ver as notas sobre *Tu*, em Sl 71.20. Para a mente dos antigos hebreus havia apenas um poder, tanto para o bem quanto para o mal. Isso criou um dilema e um paradoxo teológico, que foi abrandado mediante a postulação de *causas secundárias*.

O Livro II do saltério é constituído pelos Salmos 41 a 72. Por conseguinte, o Salmo 73 dá início ao Livro III, constituído pelos Salmos 73–89. Ver a introdução aos livros quanto aos *cinco* livros do saltério, sob VI.B.

72.19

וּבָרוּךְ שֵׁם כְּבוֹדוֹ לְעוֹלָם וְיִמָּלֵא כְבוֹדוֹ אֶת־כָּל הָאָרֶץ אָמֵן וְאָמֵן:

O seu glorioso nome. Ver Sl 31.3, quanto ao *nome*, e ver Sl 33.21, quanto ao *nome santo*, no tocante a completas anotações sobre o significado e o poder de um nome, especialmente o *Nome*. Ver também Sl 8.1 e 20.1. Aqui, o nome de Deus é *glorioso para sempre*. O nome é o do Deus *Benfeitor*, universal em seu escopo, e povos de todos os lugares continuam falando sobre seus feitos e seus atos de bondade. Seu nome é universal, pois Yahweh-Elohim enche a terra inteira com a sua glória. Portanto, exclamamos: *Amém e Amém!* Que as coisas sejam assim!"

> *A terra se encherá do conhecimento do Senhor, como as águas cobrem o mar.*
>
> Isaías 11.9

72.20

כָּלּוּ תְפִלּוֹת דָּוִד בֶּן־יִשָׁי׃

Findam as orações de Davi, filho de Jessé. *O Colofão.* Estas palavras constituem as notas de algum editor posterior, seja de quem escreveu a doxologia (vss. 18,19), seja mesmo de outro editor, mas estão fora de lugar aqui. Existem dezoito salmos ou mais atribuídos, pelas tradições judaicas, a Davi, daqui até o Salmo 150. São os Salmos 86, 101, 103, 108-110, 122, 124, 131, 133, 138-145. É provável que esse editor tivesse consciência de uma coletânea de salmos onde o Salmo 72 fosse, realmente, o último atribuído a Davi. Talvez houvesse uma coletânea que encerrasse somente salmos atribuídos a Davi, e o Salmo 72 fosse o último deles. Mas quando a coletânea ficou completa — 150 salmos — então esse colofão ficou perdido no meio da coletânea final. Alguns eruditos supõem que o Salmo 72 tenha sido, realmente, o salmo que Davi escreveu em último lugar, embora outros tenham sido preservados na coletânea e colocados após este. Isso parece, entretanto, ser uma ideia arquitetada, com pouca chance de estar correta. Outra ideia, ainda mais remota, é a que diz que, *quando as orações de Davi forem cumpridas,* então teremos um término apropriado para elas. Isso evita mencionar o Salmo 72 como o fim de qualquer coletânea. O original hebraico não suporta esse tipo de manipulação. Talvez tenha havido uma coletânea de salmos que separava os salmos atribuídos a Davi daqueles atribuídos a outros autores, como Asafe, Moisés, Salomão etc., e o Salmo 72 era o último dessa coletânea separada. Seja como for, que um editor subsequente fez tal declaração não tem sentido algum, exceto como uma peça de curiosidade, que nos faz indagar como seriam as primeiras coletâneas dos salmos, antes de terem sido todos reunidos em cinco livros, em uma única grande coletânea.

SALMO SETENTA E TRÊS

Quanto a *informações gerais* que se aplicam a todos os salmos, ver a introdução ao Salmo 4, onde apresento *sete* comentários que elucidam a natureza do livro. Quanto a *classes* dos salmos, ver o gráfico no início do comentário, que atua como uma espécie de frontispício da coletânea. Dou ali dezessete classes e listo os salmos pertencentes a cada uma delas.

Este salmo é classificado como um *salmo de sabedoria,* mas outros estudiosos, parece que com igual razão, preferem falar em um *salmo de confiança.* Sendo um salmo de sabedoria, parece-se um tanto com o livro de Jó e examina a justiça de Deus. "Como pode uma pessoa reconciliar a crença em Deus, segundo a qual ele é visto como *justo,* com as óbvias desigualdades de seu governo no mundo? Cf. Sl 37" (*Oxford Annotated Bible,* introdução ao salmo).

Este salmo tem uma qualidade espiritual mais distinta que a maioria dos salmos e pode ser comparado ao Salmo 63. "Este salmo penetrou profundamente no coração interior da religião" (Fleming James). Entre as realizações mais maduras da luta da fé, no Antigo Testamento, o Salmo 73 ocupa um lugar de destaque. Encontramos aqui uma notável odisseia espiritual, bastante semelhante à que vemos no livro de Jó. O homem era piedoso, mas não podia reconciliar essa qualidade com a sua enfermidade (vs. 14), ao passo que os ímpios gozavam de boa saúde e prosperavam além de qualquer coisa que o salmista já houvesse experimentado. No templo, porém, ele teve uma poderosa experiência mística e chegou a compreender a natureza efêmera da vida dos pecadores. Também obteve uma nova visão de como Deus é a força da vida, e passou a experimentar a presença divina (vs. 23). É provável que o vs. 24 seja uma declaração de fé na imortalidade. Nesse caso, o poeta que compôs o Salmo 73 foi capaz de olhar para além daquilo que outros autores viram quanto a uma questão muito importante, com grande ligação com o *Problema do Mal* (ver a respeito no *Dicionário),* ou seja, por que os homens sofrem, e por que sofrem como sofrem.

Subtítulo. O subtítulo diz somente: "Salmo de Asafe". Ver sobre esse nome no *Dicionário.* Asafe é identificado como autor de doze salmos, a saber: 50, 73 a 83. Alguns estudiosos postulam a existência de dois homens chamados Asafe, devido a considerações sobre possíveis datas de salmos que apresentam seu nome no subtítulo. Todavia, devemos lembrar que as notas de introdução aos salmos não faziam parte das composições originais, pelo que também não se revestem de autoridade canônica. Ademais, foram editores subsequentes que produziram esses subtítulos, baseados em meras conjecturas quanto a questões como autoria e outros materiais históricos, que podem ter inspirado as composições.

Os Cinco Livros dos Salmos. Este salmo dá início ao Livro III, constituído pelos Salmos 73 a 89. Ver a introdução ao livro de Salmos quanto aos cinco livros do saltério, sob a seção VI.B. A coletânea final dos salmos foi dividida em cinco livros, em imitação ao Pentateuco. Entretanto, os salmos não foram organizados cronologicamente, nem as divisões seguem qualquer consideração objetiva. Em outras palavras, os salmos não foram agrupados em cinco livros seguindo critérios de conteúdo, por exemplo. Na realidade, a divisão nesses cinco livros é bastante arbitrária.

FÉ NA BONDADE DE DEUS (73.1-3)

73.1

מִזְמוֹר לְאָסָף אַךְ טוֹב לְיִשְׂרָאֵל אֱלֹהִים לְבָרֵי לֵבָב׃

Com efeito Deus é bom para com Israel. Este versículo é, na realidade, uma espécie de declaração da *posição final* a que chegará o poeta, *após* os raciocínios que aparecem doravante. A despeito de todas as tribulações, desgraças, injustiças evidentes e desastres que há "lá fora", a despeito do *Problema do Mal* (ver a respeito no *Dicionário),* o salmista descobriu que Deus é bom, e aos dotados de coração limpo (e que obedecem a seus mandamentos e buscam sua presença) isso é comprovado. O vs. 2 mostra que o homem chegou a essa posição otimista somente depois de ter feito investigações. Dúvidas o tinham avassalado, e somente um exame sério da questão, combinado a uma elevada experiência espiritual, salvou sua fé em um Deus bom neste mundo mau. "O salmista começou abruptamente ao declarar a *conclusão* à qual fora conduzido após melhores pensamentos no santuário (vs. 17)".

> Certamente os deuses são bons, assim quero pensar,
> Se ao menos me permitissem tal pensamento.
> Mas a virtude sempre apertada, e o vício em triunfo,
> É o que faz os homens tornar-se ateus.
>
> Dryden

Os de coração limpo. Cf. Sl 24.4, que aponta para aqueles que amam o bem e odeiam o mal. Cf. Mt 5.8 e 15.18-20. A lei (ver a nota de sumário em Sl 1.2) dava aos homens coração puro sob bases veterotestamentárias.

A *Providência de Deus,* em seus aspectos positivos (ver a respeito no *Dicionário),* já havia demonstrado isso ao salmista, por meio de seu homem interior, levando-o a esperar novamente em Deus.

73.2

וַאֲנִי כִּמְעַט נָטוּי רַגְלָי כְּאַיִן שֻׁפְּכָה אֲשֻׁרָי׃

Quanto a mim, porém, quase me resvalaram os pés. Os pés do salmista quase escorregaram para dentro do ateísmo, ou para dentro de alguma outra coisa má, que ele via acontecendo neste mundo. Deus é aqui chamado de Todo-bom; é declarado que ele é Todo-poderoso, aquele que pode deter o mal e promover o bem, *se* ao menos quiser fazer assim. Além disso, ele prevê tudo quanto acontece, e, portanto, pode fazer qualquer ajuste no futuro, que considere benéfico fazer, porquanto, afinal de contas, ele tem o poder para tanto. Porém, que vemos neste mundo? "O mal triunfando e os bons sendo perseguidos." Portanto, *onde está Deus?* Como ele poderia governar o mundo dessa maneira? Há declarações melhores e mais completas quanto à natureza do *Problema do Mal,* no *Dicionário.* Nesse problema, o *mal moral* está envolvido: as coisas que os homens fazem uns contra os outros, as quais ferem e matam. E o *mal natural* também está envolvido: os males que ocorrem na natureza, como terremotos, dilúvios, incêndios, desastres de todo o tipo, enfermidades e, finalmente, a morte.

O salmista estava pisando em *terreno escorregadio,* enquanto meditava sobre todas essas coisas. Foram necessários raciocínios espirituais e grande experiência espiritual para impedi-lo de cair.

Seus passos também se "derramaram", conforme diz literalmente o hebraico, falando de fraqueza e instabilidade. O homem tinha quase abandonado sua confiança teológica na bondade de Deus e em seu justo reinado neste mundo.

■ 73.3

כִּי־קִנֵּאתִי בַּהוֹלְלִים שְׁלוֹם רְשָׁעִים אֶרְאֶה׃

Pois eu invejava os arrogantes. O salmista estava doente no corpo e no coração (vs. 14) e, no entanto, os ímpios viviam bem e prosperavam. Agora ele reconhecia que os ímpios eram *insensatos*, mas antes ele não tinha certeza disso. Eles eram as pessoas que possuíam o tipo de coisas que os homens buscam, enquanto ele, que buscava a Deus, parecia ter sido abandonado em sua miséria. E o que vexava mais claramente o poeta era a prosperidade de que os ímpios desfrutavam. Ver idêntico problema em Sl 17.14; 37.1,35; 92.7; Jó 12.6; 21.17; Ec 8.14; Jr 12.1-3; Hc 1.13; Ml 3.15. Não obstante, os piedosos eram exortados a não invejar os ricos maus: ver Sl 37.1; Pv 3.21; 23.17; 24.1,19. "Por que as pessoas que se opõem a Deus geralmente vivem melhor do que aquelas que nele confiam? O problema era tão avassalador que o homem quase perdeu a fé" (Allen P. Ross, *in loc.*). Ver no *Dicionário* o artigo chamado *Inveja*. E ver o paralelo bem próximo de Jó 21.4-12.

A FELICIDADE DOS HOMENS MAUS (73.4-12)

■ 73.4

כִּי אֵין חַרְצֻבּוֹת לְמוֹתָם וּבָרִיא אוּלָם׃

Para eles não há preocupações. Os *ricos arrogantes*, além de serem tão abastados, adoecem os pobres ao serem observados e não sofrem dor alguma. O corpo deles é saudável e *robusto*, enquanto o homem bom jaz em algum lugar, doente, desanimado e desesperado. Portanto, onde está Deus? Este versículo envolve o *mal moral*: os homens ricos usualmente conseguiram riquezas roubando, enganando, subornando e ameaçando. Mas Deus nada faz para deter esse processo. E este versículo também envolve o *mal natural*: o homem bom está enfermo, mas o homem mau está saudável para desfrutar seus lucros ganhos desonestamente.

■ 73.5

בַּעֲמַל אֱנוֹשׁ אֵינֵמוֹ וְעִם־אָדָם לֹא יְנֻגָּעוּ׃

Não partilham das canseiras dos mortais. Além de não viverem enfermos, aqueles ricos arrogantes também não experimentavam as tribulações de outros homens, ou, pelo menos, não as experimentavam por enquanto. Eles não lutam com as pragas físicas, mentais e financeiras que outros homens enfrentam.

> Tentados e testados, com frequência nos admiramos,
> Por que deve ser assim o dia inteiro.
> Enquanto outros que vivem ao nosso redor nunca
> têm uma preocupação, embora vivam errado.
>
> Um hino

Os ímpios não se sentem apertados como outros homens se sentem: "... feridos por Deus, corrigidos e castigados por ele, conforme são todos os seus filhos. A vara de Deus não está sobre os ímpios. Jó 21.9" (John Gill, *in loc.*). E se Deus não se opõe aos ímpios, podemos estar certos de que os homens piedosos, que os temem, também não se opõem.

■ 73.6

לָכֵן עֲנָקַתְמוֹ גַאֲוָה יַעֲטָף־שִׁית חָמָס לָמוֹ׃

Daí a soberba que os cinge como um colar. Os ricos arrogantes estão cativos pelo colar de seu orgulho. A *Revised Standard Version* é que traduziu pela primeira vez "cadeia" como "colar". Nesse caso, provavelmente devemos compreender aqui uma *peça decorativa de joalheria*, e não uma corrente que iniba os movimentos. Por igual modo, a violência é que os veste. Coisas que Deus odeia são as decorações do homem arrogante, as coisas que ele exibe a seus semelhantes. Paulo disse algo similar em Fp 3.19: "O destino deles é a perdição; o deus deles é o ventre, e a glória deles está na sua infâmia; visto que só se preocupam com as cousas terrenas".

> O orgulho é o colar que usam,
> A violência é o mando deles.
>
> Ellicott, *in loc.*

"Cadeias de ouro e anéis de ouro eram insígnias de magistratura e poder civil. Essas cadeias lhes ornavam o pescoço, braceletes lhes rodeavam os pulsos, e anéis, os dedos, como sinais de seu ofício" (Adam Clarke, *in loc.*). Os ricos gastavam grandes somas em dinheiro em tais decorações. Ver Ct 1.10.

■ 73.7

יָצָא מֵחֵלֶב עֵינֵמוֹ עָבְרוּ מַשְׂכִּיּוֹת לֵבָב׃

Os olhos saltam-lhes da gordura. Os ricos arrogantes ficam tão nédios de comer alimentos ricos, que seus olhos incham de gordura. Olha-se para os rostos deles, e eles parecem *inchados*, devido a alguma enfermidade, mas é somente gordura. Além disso, em seu íntimo, eles entretêm toda espécie de insensatez que cogitam praticar, por terem o dinheiro e o poder de participar de qualquer tipo de prazer, atos prejudiciais, violência e insolência. Eles se deixam arrebatar por sua maldade e orgulho, e acabam envolvidos em toda espécie de ação má.

> Triunfantes, eles vivem na abastança,
> E seus rostos estão sempre animados,
> Quão bom é o aspecto deles,
> e quão bom é o espetáculo que dão.
> Eles caminham pomposamente,
> com um duplo queixo.
>
> Dryden, com alguma adaptação

"As más imaginações de seu coração transbordam" (Ellicott, *in loc.*). "Seus planos maus desconhecem limites" (Allen P. Ross, *in loc.*). "A obesidade externa reflete sua carnalidade interior e autoindulgente (cf. Sl 17.10)" (Fausset, *in loc.*).

O original hebraico, na última cláusula, está em dúvida, mas poderia significar: "Eles têm mais do que o seu coração poderia desejar" (*King James Version*); ou então: "do coração brotam-lhes fantasias" (*Revised Standard Version* e a nossa versão portuguesa).

■ 73.8

יָמִיקוּ וִידַבְּרוּ בְרָע עֹשֶׁק מִמָּרוֹם יְדַבֵּרוּ׃

Motejam e falam maliciosamente. Aqueles *insuportáveis pecadores* zombam dos justos, falam com malícia e tratam o próximo com violência e palavras orgulhosas e atrevidas. Em vez de obedecer à lei (ver Sl 1.2, sumário), eles são uma lei para si mesmos, vivendo essencialmente sem nenhum código moral, aos quais pensam que somente os fracos dão alguma atenção. Em vez de "motejam", algumas versões dizem "são corruptos", outra maneira de compreender o mesmo hebraico original. Diz o hebraico, literalmente, que eles "falam opressivamente do alto". O autor sagrado se referia à posição de superioridade a que seu orgulho os havia elevado. "Não demonstram equidade, leniência ou misericórdia. São cruéis e vindicam seus atos selvagens a si mesmos e a outros" (Adam Clarke, *in loc.*). Os puritanos, ao fugir da perseguição religiosa, ajuntaram ao decálogo os pecados tão comuns entre os ricos e os poderosos: ganância, glutonaria, orgulho, ira, concupiscência, inveja e preguiça. Eles conheceram homens similares aos que são denunciados neste contexto.

■ 73.9

שַׁתּוּ בַשָּׁמַיִם פִּיהֶם וּלְשׁוֹנָם תִּהֲלַךְ בָּאָרֶץ׃

Contra os céus desandam a boca. Não contentes em blasfemar do homem, eles voltaram suas palavras iracundas contra o próprio Deus (os céus). Entrementes, a língua deles (eles mesmos, personificados no órgão de fala) ficou marchando impávida pela face da terra. Quanto ao uso apropriado da linguagem, que eles violavam tão abertamente, ver Sl 5.9; 12.2; 15.3; 17.3; 34.12; 35.28; 36.3; 39.9; 55.21; 64.4 e 66.17. Ver no *Dicionário* o artigo intitulado *Linguagem, Uso*

Apropriado da, que fornece abundantes informações, referências e ilustrações sobre o assunto.

Eles blasfemavam de Deus; ridicularizavam a fé religiosa; escarneciam do culto no templo; negavam a providência divina; desprezavam a lei; e não tinham fé nem interesse pela vida eterna. Temos aqui uma "imagem de um imenso orgulho, voltado contra os céus e trombeteando seus próprios louvores por todo o mundo" (Ellicott, *in loc.*).

Contra os céus. Está em vista, particularmente, *Elohim*, o Poder dos céus, mas também podem estar incluídos os exércitos angelicais. Eles não tinham tempo para teologias que falam sobre elevados poderes, nos quais não devem nem mesmo ter acreditado; ou, se porventura, acreditassem, eram *ateus práticos,* não permitindo que nenhuma consideração dessa natureza fizesse diferença em sua vida.

■ **73.10,11**

לָכֵן ׀ יָשִׁיב עַמּוֹ הֲלֹם וּמֵי מָלֵא יִמָּצוּ לָמוֹ:

וְאָמְרוּ אֵיכָה יָדַע־אֵל וְיֵשׁ דֵּעָה בְעֶלְיוֹן:

Por isso o seu povo se volta para eles. Aqueles homens eram indivíduos dotados de grande poder; por isso outros os louvavam, por temerem ser feridos com suas armas de ódio. Os homens comuns temiam criticá-los por qualquer coisa. E é até provável que muitos dentro do populacho estivessem tão enganados pelas palavras vãs daqueles homens que os louvassem sinceramente, como se fossem modelos de justiça. O hebraico original de ambos os versículos (10 e 11) é difícil, se não mesmo totalmente ininteligível. Por essa razão, as traduções apelam para emendas e conjecturas. Tanto aqueles orgulhosos homens como seus seguidores costumam perguntar: "Como sabe Deus? Acaso há conhecimento no Altíssimo?" (vs. 11). Eles duvidavam da existência de Deus no céu, e, mesmo que houvesse Deus, estavam certos de que o Senhor não dava atenção a eles nem ao que faziam, pelo que continuavam agindo conforme entendiam, sem temer julgamento algum. Eram deístas e ateus práticos. E mesmo que acreditassem em algum Ser supremo, não viam como isso poderia aplicar-se a eles. Tal Ser poderoso sem dúvida mantinha-se distante e divorciado de seu universo. Na *Enciclopédia de Bíblia, Teologia e Filosofia,* ver os artigos denominados *Deísmo* e *Teísmo*. O deísmo postula que o Criador abandonou sua criação ao governo das leis naturais. Portanto, no que diz respeito a esse sistema de ideias, Deus não intervém nos negócios humanos, não recompensa nem pune. Cf. o vs. 11 com Sl 10.11 e Jó 22.13.

Diz ele, no seu íntimo: Deus se esqueceu, virou seu rosto e não verá isto nunca.

Salmo 10.11

"Os apóstatas, ao descobrir que não são punidos e continuam a prosperar, concentram-se em sua apostasia e logo passam a negar completamente a *Providência de Deus*" (Fausset, *in loc.*).

Altíssimo. Ver no *Dicionário* o verbete assim denominado, e também Sl 7.17. Falar sobre Deus, o Deus Altíssimo, ou qualquer outro tipo de deus torna-se lugar comum para esses tolos jactanciosos. Eles vivem insensatamente dizendo que Deus não existe. Ver Sl 14.1.

■ **73.12**

הִנֵּה־אֵלֶּה רְשָׁעִים וְשַׁלְוֵי עוֹלָם הִשְׂגּוּ־חָיִל:

Eis que são estes os ímpios. O poeta sagrado ofereceu-nos demorada descrição dos pecadores ímpios, que tanto prosperavam devido a ganância e subornos, por causa de sua violência e arrogância, e agora nos diz: "Eis que são estes os ímpios, os quais também prosperam, ao passo que homens bons continuam pobres e oprimidos. Portanto, onde está a justiça? Onde está Deus, enquanto tudo isso acontece? Que sucedeu à aplicação de sua lei? Que ocorreu à lei da colheita segundo a semeadura?"

Algo na ordem da criação está errado; os pássaros cantam contra nós; o sol nos requeima. A natureza nos espezinha e o temor ofusca a nossa mente. Sim, algo na ordem da criação está errado. Quem tem feito a escrituração de todas essas crises, de toda essa transição, de toda essa dor?

Russell Champlin

Sem nenhuma preocupação no mundo, homens ímpios e arrogantes continuam a prosperar. E onde está Deus? "Coisa alguma os perturba; eles não sofrem perturbação externa e seus pecados não os agoniam; não têm um único pensamento quanto ao mundo vindouro" (John Gill, *in loc.*).

AUTOBIOGRAFIA ESPIRITUAL DO POETA (73.13-20)

■ **73.13**

אַךְ־רִיק זִכִּיתִי לְבָבִי וָאֶרְחַץ בְּנִקָּיוֹן כַּפָּי:

Com efeito, inutilmente conservei puro o coração. Esta seção e a seguinte (vss. 21-28) são as que impressionam mais profundamente os intérpretes. O salmista foi forçado a buscar e encontrar uma espiritualidade mais profunda, para que pudesse solucionar por si mesmo a agonia do problema do mal. Ele não encontrou a resposta a essa indagação em livros nem em sua própria experiência passada. Mas encontrou uma espécie de resposta na presença de Deus, conforme vemos no livro de Jó, embora essa resposta tenha consistido em *sentir* que Deus está sentado em seu trono, e tudo vai bem no mundo, sem nenhuma proposição intelectual que tente convencer-nos a mente. É bom estar perto de Deus (vss. 21-28). Mas, antes de chegar a esse ponto, o salmista fez uma pausa para contar-nos um pouco de sua odisseia espiritual.

O poeta sagrado era homem de *mãos limpas* e *coração puro.* A *vida* dele caracterizava-se pela pureza, porquanto ele seguia todas as coisas prescritas na lei mosaica e cumpria fielmente tudo quanto era requerido no culto do templo. Ele era puro em termos cerimoniais, rituais e espirituais. *Lavava as mãos na inocência,* provavelmente em referência a algum ato ritualista (cf. Sl 26.6 e Dt 21.6,7), mas sua alma também era limpa por meio da justiça interior. Ele era tudo quanto os ímpios não eram, e, no entanto, os últimos gozavam de boa saúde e tinham muito dinheiro, enquanto ele mesmo estava enfermo, oprimido e empobrecido. E agora precisava descobrir *por quê*. Poderia encontrar uma resposta na vereda espiritual pela qual trilhava, ou teria de buscar uma comunhão ainda mais profunda com a presença divina?

Lavo as mãos na inocência, e, assim, andarei, Senhor, ao redor do teu altar.

Salmo 26.6

■ **73.14**

וָאֱהִי נָגוּעַ כָּל־הַיּוֹם וְתוֹכַחְתִּי לַבְּקָרִים:

Pois de contínuo sou afligido. *Embora fosse um homem justo, embora andasse limpo, embora fosse espiritual em tudo quanto era requerido pela lei de Deus e pela consciência dos homens,* o poeta vivia em crise o dia inteiro. Era perseguido por uma série de coisas que a mente divina, a única causa, enviava contra ele. Por quê? Quando chegava a manhã, que deveria trazer luz e esperança, ele simplesmente se afundava mais ainda no desespero. Mesmo de manhã ele sentia as chibatadas do látego de Deus. Vimos no vs. 5 que o salmista falou de modo geral sobre os justos que vivem doentes e sofrem tribulações, e agora no vs. 14 ele fez a questão assumir aspectos pessoais. Ele andava perturbado, vexado, sentia-se perseguido e enfermo. E, não obstante, a doutrina hebreia ensinava que os judeus vivem saudáveis por longos anos e prosperam, ao passo que os ímpios sofrem enfermidades, são em número pequeno e morrem prematuramente. Que aconteceu à palavra de Deus e às suas promessas? A experiência parecia provar que Deus pune os justos, mas se esquece de castigar os iníquos.

Somos para os deuses o que as moscas são para os meninos. Eles nos matam por simples esporte.

Shakespeare

Ora, se os ímpios prosperam e os justos sofrem, por que alguém deveria querer ser bom? O poeta precisava descobrir a resposta para essa indagação.

■ **73.15**

אִם־אָמַרְתִּי אֲסַפְּרָה כְמוֹ הִנֵּה דוֹר בָּנֶיךָ בָגָדְתִּי:

Se eu pensara em falar tais palavras. O autor sagrado, pelo menos por enquanto, evita *blasfemar.* Se continuasse a falar naqueles termos, acabaria poluindo toda a geração mais jovem, que se mostraria sensível diante de sua *nova filosofia*. De fato, ele ofenderia e prejudicaria *todo* o povo de Israel. Ele tinha o senso de obrigação de não se tornar demais atrevido em sua fala. "Filhos tinham de ser defendidos, uma expressão usada no Antigo Testamento para exprimir a relação íntima de Israel com Deus. Cf. Êx 4.22,23; Dt 14.1; Is 1.2; 45.11; Os 11.1, onde encontramos a doutrina da paternidade de Deus. Ver também Sl 103.13" (William R. Taylor, *in loc.*). Além disso, o salmista não queria aprovar uma vida profana, como a vida que alguém deveria seguir para obter as coisas desejadas. Cf. Jó 15.4: "Tornas vão o amor de Deus, e diminuis a devoção a ele devida".

Mas J. R. P. Sclater (*in loc.*) vê aqui outro significado. Se ele "falasse assim", estaria compreendendo a *teologia popular,* isto é, estaria repetindo o que as pessoas pensavam e diziam, seguindo uma "antiga linha" de pensamentos. Mas o poeta se levantaria contra tudo isso e tentaria apresentar novas perguntas, a fim de tentar obter novas respostas. Nesse caso, cumpriria as suas obrigações diante dos filhos de Deus, porquanto proveria novas respostas a antigos problemas. Ele seria infiel para com Israel se não se lançasse a novas aventuras, a fim de tentar prover novas respostas para o problema do mal. Ele sentia a responsabilidade de expressar-se, sem importar o resultado desses esforços, sem importar as críticas que recebesse por mostrar-se tão ousado, tão inovador. O vs. 16 quase certamente confirma isso como a interpretação correta.

■ 73.16

וָאֲחַשְּׁבָה לָדַעַת זֹאת עָמָל הִיא בְעֵינָי׃

Em só refletir para compreender isso. O salmista lançou-se à aventura da sua investigação, porquanto, como Erasmo de Roterdã, calculou que a *livre investigação* é tanto legítima quanto necessária. Ele tinha um difícil problema teológico para ser resolvido e não se sentia satisfeito com as respostas dadas pelo tradicionalismo. Mas, iniciando sua aventura, viu de modo bem claro que dizer qualquer coisa inteligente acerca do problema do mal não seria uma tarefa fácil. De fato, isso poderia desgastá-lo. Os filósofos e os teólogos continuam trabalhando sobre esse problema com resultados nada definitivos. As dimensões do problema do mal ultrapassam as dimensões do conhecimento e da experiência humana, e outro tanto permanece verdade até hoje.

Se dissermos que tudo é uma questão de colheita conforme a semeadura, a lei do carma, já teremos dito algo de significativo, mas essa resposta não é suficiente. Se dissermos que a *imortalidade* cuida de tudo, então teremos outra resposta significativa, mas nem isso nos segreda por que homens *inocentes* (como Jó) sofrem como sofrem nesta vida, no *agora*. Tudo parece tão sem sentido! Mas também devemos pensar em *lições por aprender* e em *disciplina,* e essas são boas respostas, mas existe sofrimento tão radical e aparentemente tão desnecessário que ainda restam muitas perguntas acerca da questão. Apresentei no *Dicionário* um artigo detalhado sobre a questão, intitulado *Problema do Mal*. Ao salmista restou *dolorosa perplexidade*. E coisa alguma é tão dolorosa e nos deixa tão perplexos como o problema do mal.

"Como reconciliar a prosperidade dos ímpios e as aflições dos justos com as perfeições e a *Providência de Deus* no governo do mundo, mediante o mero poder da razão, sem consultar os oráculos sagrados... era tarefa difícil demais para ele, por demais laboriosa e cansativa, um trabalho para o qual ele não era idôneo" (John Gill, *in loc.*).

■ 73.17

עַד־אָבוֹא אֶל־מִקְדְּשֵׁי־אֵל אָבִינָה לְאַחֲרִיתָם׃

Até que entrei no santuário de Deus. *Consultando o Oráculo Divino.* Vexado diante de respostas inadequadas, o salmista voltou-se para os oráculos do templo, possivelmente a consulta do Urim e do Tumim, os oráculos místicos do sumo sacerdote, ou de alguma outra pessoa conhecida por seu discernimento espiritual. Ver no *Dicionário* o verbete chamado *Adivinhação*. Os hebreus condenavam os praticantes da adivinhação, quando esses eram pagãos; mas tinham seus próprios esquemas, que praticavam livremente. O poeta, pois, invocou o *toque místico* para tentar resolver o problema. Ver o artigo chamado *Misticismo*, na Enciclopédia de Bíblia, Teologia e Filosofia. Existem formas naturais de misticismo, negativas e positivas, e qualquer homem que vive próximo do Espírito de Deus pratica um misticismo positivo. O misticismo consiste em fazer contato com algum poder superior ao próprio indivíduo.

Dificilmente é adequada a explicação de que o poeta sagrado meramente obteve *boas instruções* no templo. Outrossim, ficamos profundamente desapontados com o que se segue, exceptuando os vss. 23 a 26, que projetam grande luz sobre a questão. Reafirmar meramente que os ímpios *finalmente* têm uma má conclusão era uma resposta antiga, para a qual dificilmente uma pessoa precisaria consultar o oráculo. Mas essa foi apenas uma das "respostas" obtidas pelo poeta sacro.

■ 73.18

אַךְ בַּחֲלָקוֹת תָּשִׁית לָמוֹ הִפַּלְתָּם לְמַשּׁוּאוֹת׃

Tu certamente os pões em lugares escorregadios. É inútil alguém ser rico e poderoso, porquanto tal homem acha-se em uma vereda *escorregadia,* sendo inevitável a sua queda. A queda aponta para a perda das riquezas, a perda da saúde, a enfermidade e a morte, algum acidente que provoque o fim, talvez até a morte prematura, que os hebreus tanto temiam. O homem que se encontra em um lugar escorregadio cai *de repente*. "A abastança é como uma vereda escorregadia. Poucos andam por ela sem cair" (Adam Clarke, *in loc.*). A palavra "destruição", usada neste versículo, aponta para a morte física. O autor sagrado não estava expondo nenhuma doutrina de que a alma vai para o hades e ali é punida. O homem rico e arrogante era, realmente, alguma coisa quando estava vivo, mas sua queda o reduzia a nada. Por conseguinte, para que invejá-lo em seu breve tempo de prazer? Deve haver mais na vida do que isso. A brevidade da vida humana anula qualquer vantagem em ser rico e poderoso e em usar as riquezas e o poder para praticar o mal. Portanto, a resposta é boa, mas apenas parcial.

Os pensadores sempre souberam o que o poeta escreveu aqui. Até este ponto, ele nada *descobrira* de novo. Talvez ouvir algum homem santo no templo, repetindo as respostas tradicionais, desse maior poder a elas. Portanto, o salmista reiterou o que já era tradicional. Esta resposta não toca no problema do homem bom que *sofre,* o que, em muitos casos, nada tem a ver com o que é ou faz o homem rico, ou com o que lhe sucede. Ver o vs. 14. O salmista estava fisicamente enfermo e padecia de outras pragas. Saber que um homem mau termina sua vida no desastre não alivia isso nem lança luz sobre o problema. Cada vez em que um homem fala sobre o problema do sofrimento, obtemos respostas inadequadas.

■ 73.19

אֵיךְ הָיוּ לְשַׁמָּה כְרָגַע סָפוּ תַמּוּ מִן־בַּלָּהוֹת׃

Como ficam de súbito assolados! Este versículo dá prosseguimento às ideias ventiladas no versículo anterior e enfatiza o fato de que a queda do homem mau é *repentina*. Um acidente qualquer arrebata-lhe a vida em um instante. Uma doença exige mais tempo, porém é igualmente eficaz. Ele *sofre* nos últimos dias de vida, embora por longo tempo (conforme os padrões humanos) tenha gozado de boa saúde e boa vida. Considere o leitor os exemplos do Faraó, às margens do mar Vermelho, dos habitantes de Sodoma e Gomorra e da perda de Senaqueribe diante de Jerusalém. E então considere a coluna de falecimentos nos jornais, todos os dias.

De súbito. Diz o original hebraico, literalmente, "no piscar" (dos olhos). Você está vendo o homem mau. Você pisca e então não o vê mais. Ele desapareceu enquanto você fechou os olhos por um centésimo de segundo.

Estou escrevendo estes comentários em Salt Lake City, no Estado americano de Utah, minha terra natal. Estou aqui para passar alguns poucos meses (atualmente estamos em outubro de 1996). Visito o lado oeste da cidade, onde fui criado e passei os primeiros dezoito anos de minha vida. Onde era a minha casa, há somente um terreno vazio e abandonado. Uma grande estrada passa agora por ali, e foi removida boa parte do quarteirão onde a casa estava. Outras casas da vizinhança continuam ali, mas seus habitantes morreram há muito. Minha avó, meu avô, meu pai e minha mãe viveram ali. Todos desapareceram e suas casas também foram removidas por máquinas e tratores. Ausente por mais de quarenta anos, fazer uma visita dessas mais parece um retorno mediante uma máquina do tempo. Quase eu dizia: "É como voltar em uma reencarnação diferente", mas isso poderia ofender alguns de meus leitores. Seja como for, amigos, é tudo muito estranho. Coisas e pessoas, antes tão importantes, agora se foram. Quem se lembrará de nós, depois de quase cinquenta anos desaparecidos? Por semelhante modo, quando o poeta sagrado deu uma boa olhada para a natureza efêmera da vida, parou de preocupar-se com o homem rico, com o seu poder, com a sua influência, com as suas más obras. Ele estava morto e tinha desaparecido.

■ 73.20

כַּחֲלוֹם מֵהָקִיץ אֲדֹנָי בָּעִיר ׀ צַלְמָם תִּבְזֶה׃

Como ao sonho, quando se acorda. O salmista continuou a meditar sobre a natureza efêmera dos ímpios. Ele quase atribui desígnios sinistros a Deus, como se, durante todo o tempo, ele estivesse apenas *brincando* com os ricos, como um gato faz com um ratinho, somente para devorá-lo no final. Os ímpios são como as imagens irreais de um sonho. Você acorda, e aquilo que era tão impressionante no sonho desaparece antes que você possa tomar um gole de café.

A segunda parte deste versículo é a que realmente chama nossa atenção. Deus *despreza* as imagens irreais de um sonho, ou seja, os ricos arrogantes que são meras sombras da realidade, mas não a própria realidade. O salmista conta-nos aqui a história do homem rico, de como ele prejudicava e matava outros, como servia a si mesmo, o que era semelhante a um sonho mau que só existia como sombra da realidade, para em seguida desaparecer completamente com o nascer do sol. As *sombras* dos mortos não são mencionadas aqui (conforme dito na teologia posterior dos hebreus), as quais desapareceram no hades, onde vagueavam ao redor como fantasmas sem mente. Antes, os mortos simplesmente desapareceram como as imagens de um sonho. Quem poderia sentir inveja disso?

Enquanto o homem arrogante vivia, tudo estava bem para ele, que pensava que a vida boa continuaria para todo o sempre.

> Feliz aquele que em modesta lida,
> Isento da ambição e da miséria,
> No regaço do amor e da virtude
> A vida passa. Mais feliz ainda
> Se, das turbas ruidosas afastado,
> À sombra do carvalho, entre os que adora,
> Sente a existência deslizar tranquila,
> Como as águas serenas do ribeiro.
> Mas, que digo!
> Nem esse, infindos males,
> Comuns a todos, seu viver não poupam.
>
> Soares Passos, Portugal

"Suas possessões eram *irreais*; suas privações eram *reais*" (Adam Clarke, *in loc.*).

É BOM VIVER PERTO DE DEUS (73.21-28)

■ 73.21

כִּי יִתְחַמֵּץ לְבָבִי וְכִלְיוֹתַי אֶשְׁתּוֹנָן׃

Quando o coração se me amargou. As atitudes anteriores do salmista, ficou reconhecido, eram tolas e obtusas. Quando ele contemplou os ricos arrogantes, chegou a invejar o que eles tinham. Sua própria vida foi *amargurada* pelo que viu. Mas a iluminação que ele obteve no templo transformou-lhe a mente.

O coração... as entranhas. O hebraico original diz aqui "coração" e "rins", mas as traduções falam em *alma* e *coração*, ou então em *espírito* e *coração*, ou então, como faz a nossa versão portuguesa, em *coração* e *entranhas*. O coração era considerado a sede do *conhecimento* humano, ao passo que os rins ou entranhas seriam a sede das *emoções*. Ver no *Dicionário* os artigos chamados *Coração; Rins e Órgãos Vitais*. Essas palavras foram empregadas de muitas maneiras, que não sumario aqui.

O coração ficou *amargurado* por aquilo que o homem viu. Seus rins foram espetados como que por agulhas aguçadas, ou seja, ele sentiu dor em seu homem interior. O oráculo e as instruções recebidas no templo eliminaram suas estúpidas reações. Provavelmente devamos entender que as dores e os recuos do *homem bom*, bem como sua falta de saúde, *também* causaram no homem pensamentos aflitivos. O homem contemplava o mundo de um ponto de vista realista-pessimista. O *pessimismo*, em sua definição mais fundamental, significa que "a própria existência é um mal". Ver sobre esse termo na *Enciclopédia de Bíblia, Teologia e Filosofia*.

■ 73.22

וַאֲנִי־בַעַר וְלֹא אֵדָע בְּהֵמוֹת הָיִיתִי עִמָּךְ׃

Eu estava embrutecido e ignorante. Nosso homem tinha assumido uma atitude estúpida e até *brutal*. Era tão ignorante como um boi mudo. Tinha uma cabeça de porco, conforme diz uma expressão idiomática moderna. Seu conhecimento e suas atitudes não eram as de um homem espiritual iluminado, nem mesmo se pareciam com o conhecimento e as atitudes dos homens comuns. Ele se tornara, por assim dizer, um membro do reino animal. "Ele confessou que a amargura de alma e o ressentimento no coração o tinham tornado um sujeito estúpido e ignorante. Sua sensibilidade para com Deus fora ofuscada" (J. R. P. Sclater, *in loc.*). No entanto, ele estava certo de que tinha razão, uma característica de pessoas cheias de preconceitos e dogmas. "Ele se transformara em um homem parecido com uma fera, irracional" (Fausset, *in loc.*).

Uma Luz Melhor (73.23,24)

■ 73.23

וַאֲנִי תָמִיד עִמָּךְ אָחַזְתָּ בְּיַד־יְמִינִי׃

Todavia, estou sempre contigo. Por meio deste versículo, tem-se a impressão de que o discernimento do poeta ultrapassou os argumentos tradicionais. Estando continuamente na presença do Senhor, e tendo recebido no templo de Jerusalém alguma espécie de *iluminação*, ele foi fortalecido pelo Ser divino: a mão de Deus segurou sua *mão direita*. Ele recebeu algum tipo de fortalecimento e orientação além do que preveem os meros ensinos. "O salmista obteve uma consciência cortante da presença e da realidade de Deus. Cf. Sl 63.8" (William R. Taylor, *in loc.*).

> *A minha alma apega-se a ti: a tua destra me ampara.*
> Salmo 63.8

No Salmo 63, a *mão direita* de Deus segurou o nosso homem. Neste salmo, a sua própria mão direita foi tomada pelo Ser divino, pelo que ele recebeu ajuda *inexplicável*.

> *A paz de Deus, que excede todo o entendimento, guardará os vossos corações...*
> Filipenses 4.7

Essas são *categorias místicas*. Estar na presença de Deus nos confere um conhecimento sobrenatural, que não pode ser expresso mediante argumentos racionais. Trata-se de algo *inefável*, mas seus efeitos são poderosos sobre a alma. As experiências místicas são *otimistas* e levam um homem a saber que Deus está em seu trono e que tudo vai bem no mundo, embora argumentos teológicos não possam ser apresentados como evidência. Nosso poeta chegou à mesma conclusão a que chegou Jó no tocante ao problema do mal. Ele sentiu em seu coração que o Juiz de toda a terra agiria corretamente (Gn 18.25), mesmo que não contasse com argumentos racionais para "provar" isso. Ele sentia, acreditava e se consolava, porquanto a presença de Deus tanto se aproximara dele. O salmista, por semelhante modo, recuperara sua serenidade, seu coração estava em paz, sua alma estava enlevada de otimismo. Jesus segurou a mão de Pedro, quando este começou a *afundar* no mar, e o resgatou, e essa foi, por igual modo, a experiência do salmista (ver Mt 14.31). Ver na *Enciclopédia de Bíblia, Teologia e Filosofia* o artigo detalhado chamado *Misticismo*.

O poeta sagrado estava "sobre o coração de Deus, em suas mãos, sob seus olhares, sob suas asas de proteção e cuidado, sem permissão para abandoná-lo ou dele desligar-se... em união com Deus... seguro pela sua mão direita como um pai toma seu filho pequeno pela mão e o ensina a andar. O ímpio, porém, escorregou porque se achava em uma vereda escorregadia. Mas um homem bom nunca falhará" (John Gill, *in loc.*, com alguma adaptação).

73.24

בַּעֲצָתְךָ תַנְחֵנִי וְאַחַר כָּבוֹד תִּקָּחֵנִי׃

Tu me guias com o teu conselho. O conselho orientador de Deus continuaria a conduzir o salmista e, mais tarde, este seria conduzido diretamente à presença de Deus, a qual sentira de maneira toda especial no templo. O homem seria *recebido na glória*. Este texto recebe duas interpretações principais:

1. Não fala sobre a imortalidade, mas tão somente de uma *honraria* posterior que o poeta receberia quando Deus o livrasse de sua aflição e rebeldia. Assim, temos "glória" traduzida como *honra,* uma tradução positiva do hebraico. Além disso, poderíamos traduzir "glória" como *gloriosamente*. Haveria de chegar um tempo em que o salmista venceria suas tribulações e dúvidas e seria guiado a uma honra mais elevada entre os homens, de maneira gloriosa. Mas tudo isso aconteceria aqui mesmo, na terra. Se esse é o significado (ao qual o texto dá apoio), então não temos, neste versículo, um texto de prova em favor da imortalidade. Essa doutrina só surgiu mais tarde, dentro do pensamento hebreu, começando pelos Salmos e pelos Profetas. Recebeu maior desenvolvimento nos livros pseudepígrafos e apócrifos e, finalmente, sua última demão de tinta nas páginas do Novo Testamento.

2. *Por outro lado,* um respeitável número de intérpretes, incluindo liberais e críticos, tomam este versículo como uma clara referência à esperança no pós-vida, um paralelo a Sl 49.15, que pode ser outra afirmação sobre essa verdade. Note o leitor a palavra "receber". O salmista nunca ocuparia um lugar de honra e estima na sociedade deles. Mas seria "recebido" por Yahweh-Elohim em sua moradia eterna. O vocábulo hebraico assim traduzido é a mesma palavra usada nos livros pseudepígrafos de Enoque e Elias, que descrevem seus arrebatamentos *para o céu*. Ver Gn 5.24 e 2Rs 2.3,5,9,10, quanto às narrativas sobre eles no Antigo Testamento. É justo dizer, portanto, que este salmo, que pode ter sido composto em data bastante avançada, já aceitava essa teologia, supondo que *outros* homens bons, além de Enoque e Elias, pudessem ser "recebidos na glória".

As Crenças do Salmista. Algumas dessas crenças foram inspiradas pela experiência mística vivida pelo salmista no templo.

É um erro usar os livros do Antigo Testamento para falar sobre teologias finais, e isso é tanto mais verdadeiro no caso dos livros *poéticos*. Encontramos no Antigo Testamento *estágios* diversos da teologia, os quais não deveriam ser forçados a conter afirmações teológicas *finais*. No Antigo Testamento, as doutrinas ainda estão em progresso e não oferecem sua forma definitiva. Não obstante, encontramos ali estas crenças:

1. Nos *vss. 2-5*, o salmista fala sobre como o caos opera neste mundo, onde os ricos e os ímpios prosperam, enquanto o homem bom sofre miséria. Neste mundo predomina o caos (ver Rm 8.20), sendo essa uma das causas do problema do mal. Mas o poeta sacro esforçava-se por olhar adiante dessa marca, na tentativa de obter melhores respostas.
2. Os ímpios seriam aniquilados. Ver o vs. 27. Mas não há aqui nenhum ensino de que haverá um julgamento dos pecadores terminada esta vida. Isso corresponde a um desenvolvimento posterior da teologia dos hebreus.
3. Os bons são recebidos nas mansões de Deus.
4. Essas ideias ajudam-nos a compreender melhor o problema do mal. A iniquidade tem sua época própria, antes de ser aniquilada. A bondade, porém, prossegue para sempre. Por conseguinte, é vindicado o justo governo de Deus, embora, ao longo do caminho, o sofrimento fosse uma terrível realidade. Ainda assim, não obtivemos a resposta de por que (em muitos casos) há tanto sofrimento sem razão alguma. Será que o caos se intromete na questão? E, em caso positivo, por que Deus permite que o caos opere neste mundo? Ainda não somos capazes de responder por que os inocentes sofrem, e por que sofrem da maneira como sofrem, aqui e agora.
5. A lei da colheita segundo a semeadura é um grande fator, mas não pode ser a causa de todo o sofrimento.
6. Deus é tudo e atua em todos (vs. 25). Esse conceito, embora não destrinçado conforme gostaríamos, obviamente está relacionado ao alívio de nossa mente no tocante aos sofrimentos.
7. No vs. 26, o poeta antecipa uma herança celeste, aproximando-se da salvação evangélica. É que ele se movimentava na direção de uma teologia superior.
8. Deus é o *Summum Bonum* de toda a existência humana (vs. 26).

73.25

מִי־לִי בַשָּׁמָיִם וְעִמְּךָ לֹא־חָפַצְתִּי בָאָרֶץ׃

Quem mais tenho eu no céu? Para o salmista, Deus tornara-se *tudo*. Ele não buscava consolo celestial nem alguma ajuda terrena acima disso. Deus não ocupava o *primeiro lugar* entre os valores do salmista, mas era tudo para ele. Esse conceito reaparece em Ef 4.7-13. Cristo, em sua missão tridimensional (na terra, no hades e no céu) torna-se "tudo para todos" e, ao mesmo tempo, preenche todas as coisas. Ato contínuo, dons e benefícios fluem dele, e toda a criação — e não somente um grupo seleto de pessoas — se ergue e o chama de bendito. A perfeição e a *unidade* chegam dessa maneira. Tem havido o máximo de benefício universal, e o Logos é o grande benfeitor.

"Deus tornou-se, para o salmista, o bem supremo" (William R. Taylor, *in loc.*). Ver no *Dicionário* o artigo *Summum Bonum*. O salmista passara por sofrimentos, dúvidas e dores, mas Deus se tornara para ele o "Grande Não Obstante", conforme Lutero intitulou o Salmo 72. Os ímpios prosperam, os inocentes sofrem, predomina o caos aparente, mas "não obstante" Deus intervém e estabelece a diferença em favor do bem.

"Nenhum ser humano pode dizer o que o poeta disse, caso não tenha tomado a Deus como sua porção em *ambos* os mundos" (Adam Clarke, *in loc.*). "Além de ti, não tenho nenhum deleite sobre a terra" (Ellicott, *in loc.*).

73.26

כָּלָה שְׁאֵרִי וּלְבָבִי צוּר־לְבָבִי וְחֶלְקִי אֱלֹהִים לְעוֹלָם׃

Ainda que a minha carne e o meu coração desfalecem. O salmista residia neste mundo em um corpo frágil, o qual estava fracassando e, finalmente, falharia. Sua força (coração) entraria em pane, mas isso não o deixara sem *forças,* visto que ele encontrou forças em Elohim (o Poder). No hebraico, em lugar de "fortaleza", encontramos o vocábulo "rocha". Ver sobre essa figura de linguagem em Sl 42.9, e, quanto ao fato de que o homem bom não pode ser abalado, ver Sl 55.22 e 66.9. Essa condição duraria "para sempre", o que usualmente, no Antigo Testamento, significa "por longo tempo", enquanto a vida perdurar. Mas retornando ao vs. 24, temos de supor que o poeta tivesse apanhado um vislumbre da *vida interminável,* que há depois do sepulcro.

A minha herança. A alusão provavelmente é à porção que coube a cada família e, portanto, a cada indivíduo que entrou na Terra Prometida. Todas as famílias ali tinham suas próprias terras. Mas o salmista tomou a figura como se fosse a vida eterna e vê uma *eterna porção* como sua, uma crença *preliminar* na salvação evangélica nos salmos. "Somente as possessões espirituais dos judeus perdurarão para sempre" (Allen P. Ross, *in loc.*). Ver no *Dicionário* o verbete chamado *Herança* e os artigos chamados *Vida Eterna* e *Salvação*.

Conforme podemos ver, o salmista estava "irrompendo" para uma teologia mais elevada, e isso se tornara possível mediante sua instrutiva e mística experiência no templo de Jerusalém.

73.27

כִּי־הִנֵּה רְחֵקֶיךָ יֹאבֵדוּ הִצְמַתָּה כָּל־זוֹנֶה מִמֶּךָּ׃

Os que se afastam de ti, eis que perecem. Neste ponto, o salmista reiterou a lamentável doutrina de aniquilamento em relação aos ímpios. Os que estão "afastados de Deus", em contraste com os que estão próximos ao Senhor, simplesmente perecerão. Elohim os fará chegar ao fim, por terem sido *falsos* para com ele. O hebraico original diz aqui, literalmente, "aqueles que se prostituem", porquanto fazem o papel de meretrizes, mostrando-se traidores diante de Elohim, como faria uma esposa falsa. Este versículo, pois, usa a figura da *infidelidade marital,* um tema muito enfatizado no livro de Oseias. O salmista escreveu antes que a teologia dos hebreus tivesse postulado a sobrevivência dos ímpios diante da morte física e seu confinamento no hades, onde eles levariam uma vida miserável, sob julgamento.

Ver no final dos comentários sobre o vs. 24 as *oito* crenças centrais apresentadas pelo poeta, após a iluminação recebida em sua experiência mística no templo. O aniquilamento dos ímpios era uma das crenças que o ajudavam a solucionar o *Problema do Mal* (ver a respeito no *Dicionário*). Naturalmente, o salmista não tinha grande compreensão desse ponto. Nem mesmo as experiências místicas fornecem toda a verdade sobre a questão. A verdade é adquirida por estágios. A busca pela verdade é como o trabalho na mineração. É preciso escavar para encontrar alguma coisa. Mas ocasionalmente Deus *revela* uma verdade, por causa de sua bondade, em consonância com sua vontade. Além disso, chegamos a lograr grandes joias de verdade por meio da graça divina. O poeta sacro teria ficado muito surpreendido se soubesse que, mais tarde, a sobrevivência consciente dos ímpios seria uma noção participante da teologia. Também se surpreenderia se soubesse que, posteriormente, a punição seria prometida aos ímpios depois da vida terrena. Finalmente, ficaria *muito* surpreendido se visse como a doutrina avançaria até que o Messias chegasse ao hades em uma missão misericordiosa e salvadora, para tirar homens *dali* (ver 1Pe 3.18—4.6). Ver na *Enciclopédia de Bíblia, Teologia e Filosofia* o verbete chamado *Descida de Cristo ao Hades*. A Igreja Evangélica Ocidental ainda não avançou em sua teologia até esse ponto, mas a Igreja Ortodoxa Oriental desde os seus primórdios ensina essa doutrina misericordiosa e plena de esperança.

■ **73.28**

וַאֲנִי ׀ קִרֲבַת אֱלֹהִים לִי־טוֹב שַׁתִּי ׀ בַּאדֹנָי יְהוִה מַחְסִי לְסַפֵּר כָּל־מַלְאֲכוֹתֶיךָ׃

Quanto a mim, bom é estar junto a Deus. Os ímpios escorregarão (vs. 19) e cairão, sendo reduzidos a nada; mas os bons se aproximarão cada vez mais de Deus, entrarão em suas mansões celestiais (vs. 24) e obterão uma herança no céu (vs. 26), no pós-túmulo. O homem bom é aquele que tiver depositado sua confiança em Yahweh-Elohim. Quanto a como a palavra "confiança" é usada no livro de Salmos, ver as notas expositivas em Sl 2.12. Entrementes, os ímpios procuram evitar o temor de Elohim, conforme nos diz o Targum. Todavia, através desse *Temor* (ver a respeito no *Dicionário*) eles obtêm uma bênção celestial, a verdadeira razão da existência humana.

O meu refúgio. Assim diz a Revised Standard Version, acompanhada pela nossa versão portuguesa. Quanto a este conceito, ver as notas expositivas em Sl 46.1. Quanto à palavra "refúgio", algumas traduções dizem "confiança". A palavra hebraica em questão significa abrigo, refúgio, ou, metaforicamente, lugar de confiança e esperança.

Tendo sido tão abençoado por meio de sua experiência com a presença de Deus e na sua vida em geral, o salmista pôde espalhar as boas-novas por todos os lugares. Todas as obras de Deus haviam sido vindicadas. Existem respostas razoáveis ao problema do mal. Além disso, há todas as obras positivas que beneficiam a todos os homens de todos os lugares. Elohim usa o seu poder para abençoar e emprestar progresso à causa do homem. As próprias experiências pessoais do salmista figuravam entre essas obras de Deus, e ele era uma testemunha viva da bondade das obras divinas.

SALMO SETENTA E QUATRO

Quanto a *informações gerais* que se aplicam a todos os salmos, ver a introdução ao Salmo 4, onde apresento *sete* comentários que elucidam a natureza do livro. Quanto às *classes* dos salmos, ver o gráfico no início do comentário, que atua como uma espécie de frontispício da coletânea. Dou ali dezessete classes e listo os salmos pertencentes a cada uma delas.

Este é um *salmo de lamentação,* de longe o grupo mais numeroso dos salmos. Tipicamente, esses salmos começam com um apelo por ajuda, porquanto o salmista se achava em alguma grave aflição; continuam descrevendo os inimigos que estão sendo enfrentados (que podem ser invasores estrangeiros de Israel, inimigos dentro do acampamento do povo de Deus ou alguma enfermidade física); e muitos desses salmos de lamentação usam amargas imprecações contra os inimigos. Além disso, a maioria desses salmos termina em uma elevada nota de louvor, ou porque as orações foram respondidas favoravelmente, ou porque se espera que logo o sejam. Alguns salmos de lamentação terminam em desespero, uma experiência comum nesta vida. Este salmo é uma oração que roga o livramento de inimigos nacionais, pelo que se revela uma lamentação em grupo. Inimigos tinham devastado e incendiado o templo. Muitos pensam que o evento em questão é a conquista dos babilônios, em 587 a.C. Mas alguns intérpretes postulam um desastre posterior, vendo no salmo evidências de um tempo pós-exílico, talvez durante o período dos macabeus.

Alguns intérpretes pensam estar em vista algum desastre de menor envergadura, em cuja descrição foram usadas as palavras "profanado e arruinado" com respeito ao templo, em vez das fortes palavras "devastado e incendiado". Isso poderia significar que o templo não foi totalmente destruído, mas poderia ser restaurado sem que tivesse de ser reconstruído inteiramente. Isso está mais em consonância com o que sabemos sobre o período dos macabeus. Seja como for, as ruínas atingiram outros lugares sagrados espalhados pela Terra Prometida (vs. 8), pelo que está envolvida neste salmo alguma *catástrofe* real.

Nos vss. 12 a 17, o poeta irrompe em um hino de louvor, pelo que podemos presumir que tenha havido um remédio para a lamentável situação. Taylor prefere ficar com a invasão babilônica de Jerusalém, crendo que somente esse acontecimento justifica a linguagem bastante radical usada nos vss. 3-7. Temos nos escritos de Josefo (*Antiq.* XI.7.1) a menção a uma poluição do templo durante o período persa, mas essa questão é por demais vaga para basearmos o salmo sobre tal evento. Eusébio refere-se a uma deportação de judeus da Palestina, promovida por Artaxerxes III, e também à dificuldade com os persas; porém, uma vez mais, não temos um pano de fundo certo para o Salmo 74. A contaminação do templo de Jerusalém, por parte de Antíoco Epifânio IV, atrai a atenção de alguns intérpretes (167 a.C.). Cf. 1Macabeus 1.29-64; 4.36-61, mas isso não parece radical o suficiente para corresponder aos termos usados neste salmo. Portanto, parece melhor atribuir o salmo ao século VI a.C. e supor que os babilônios fossem os inimigos envolvidos.

Subtítulo. Temos aqui o seguinte subtítulo: "Salmo didático de Asafe", ou seja, instruções dadas por esse salmista. Seu nome foi citado como autor em doze salmos, por parte de editores posteriores que compuseram esses subtítulos. Quanto a notas expositivas completas, ver o subtítulo ao Salmo 73.

■ **74.1**

מַשְׂכִּיל לְאָסָף לָמָה אֱלֹהִים זָנַחְתָּ לָנֶצַח יֶעְשַׁן אַפְּךָ בְּצֹאן מַרְעִיתֶךָ׃

Por que nos rejeitas, ó Deus, para sempre? Este salmo começa em uma atitude de desespero, tal como sucede aos Salmos 22 e 60. O apelo ocorre sob a forma de uma oração (vs. 2) pedindo que Deus se lembre da congregação de Israel, que fora escolhida e redimida para uma vida digna de ser vivida. Depois que os babilônios acabaram com Jerusalém e áreas circunvizinhas, em Judá, não havia muito mais para destruir. Então o povo de Judá foi deportado para a Babilônia, e, setenta anos depois, somente um pequeno remanescente retornou. Isso significou que, para a vasta maioria, a vida dos hebreus tinha terminado. A introdução provê diversas conjecturas sobre qual desastre nacional foi retratado pelo Salmo 74.

Por que se acende a tua ira...? O hebraico diz aqui, literalmente, "narinas", como em Sl 18.18. Devemos pensar na fumaça que sai das narinas de Deus, um símbolo de grande cólera. O cativeiro babilônico foi tomado como ato divino, implementado pelos estrangeiros. Foi considerado um golpe potente contra a pecaminosidade do povo de Judá, tendo sido tema de muitas profecias. Elohim era considerado a única causa. A teologia dos hebreus era fraca quanto a causas secundárias. Portanto, todo o bem e todo o mal originavam-se do céu, em última análise, e não da terra. A *fumaça da ira,* portanto, é tida como pertencente a Deus.

Contra as ovelhas do teu pasto? Deus pune o seu próprio povo, as suas ovelhas, embora, na qualidade de grande Pastor, poderíamos esperar dele somente atos de benevolência. Naturalmente, atos de julgamento são benévolos, porquanto têm por finalidade operar o bem e curar a enfermidade do pecado, que se apega aos homens como uma praga. Ver 1Pe 4.6, quanto a esse princípio. A metáfora sobre o Pastor e suas ovelhas exprime um relacionamento íntimo, enquanto as ovelhas se tornam totalmente dependentes dele. Ver também essa figura em Sl 23; 79.13; 100.3; Jr 23.1; Ez 34.21. Ver no *Dicionário* os verbetes chamados *Pastor* e *Ovelha*.

■ 74.2

זְכֹ֤ר עֲדָתְךָ֨ ׀ קָנִ֪יתָ קֶּ֡דֶם גָּ֭אַלְתָּ שֵׁ֣בֶט נַחֲלָתֶ֑ךָ הַר־צִ֝יּ֗וֹן זֶ֤ה ׀ שָׁכַ֬נְתָּ בּֽוֹ׃

Lembra-te da tua congregação. Israel havia sido redimido da escravidão no Egito (Êx 15.16), tendo sido *comprado dali fazia longo tempo*. Essa redenção visava dar uma herança a Yahweh e também dar uma herança a Israel, na Terra Prometida. O monte Sião tornou-se o local do templo onde se manifestava a presença de Deus. Será que Deus esquecera todo o labor, todas as realizações, somente para permitir que os babilônios pagãos destruíssem tudo? O poeta sacro esperava que não. Essa foi a resposta que ele invocou que Yahweh-Elohim "lembrasse", rememorando o passado triunfante, para que houvesse um futuro triunfante. Do começo ao fim, Elohim é a única causa. Ele fez as coisas ser como eram, para que ele refizesse tudo, transformando a totalidade em algo inteiramente diferente. Quanto às *memórias de Deus*, ver os vss. 2,10,18 e 22.

A tribo da tua herança. Diz literalmente o original hebraico, retido pela *King James Version*: "a vara da tua herança". A extensão da herança, sob a forma de terras, foi medida por meio de uma vara; isto posto, no original hebraico, a vara significa a própria herança. Cf. Jr 10.16; 51.19 e Is 63.17. Mas alguns estudiosos pensam que a vara se refere ao cajado de um pastor, ou então ao cetro de um rei, símbolo de seu poder de governar. Mas parece que a ideia de herança é a preferida. Ver Ez 40.3. Todavia, a palavra hebraica que significa "vara" também quer dizer "tribo", palavra preferida por algumas traduções, como é o caso de nossa versão portuguesa. Além disso, temos a expressão "tribo da herança", isto é, todas as tribos de Israel, redimidas por Deus. Ver Is 63.17; Jr 10.16 e 51.9.

Israel é a Tribo da sua Herança. "Somos os descendentes daquele povo a quem tomaste para ti mesmo, os filhos de Abraão, Isaque e Jacó. Nunca te reconciliarás conosco?" (Adam Clarke, *in loc.*).

Monte Sião. Ver sobre Sião no *Dicionário,* onde apresento elaborado artigo. O monte Sião tornou-se símbolo de toda a nação de Israel sob o governo de Deus.

■ 74.3

הָרִ֣ימָה פְ֭עָמֶיךָ לְמַשֻּׁא֣וֹת נֶ֑צַח כָּל־הֵרַ֖ע אוֹיֵ֣ב בַּקֹּֽדֶשׁ׃

Dirige os teus passos para as perpétuas ruínas. O salmista invocou Deus para dirigir os seus passos até o santuário! Ali ele encontraria somente ruínas. Mas pense nisso! aquele era *seu* santuário, e fora dado a *seu* povo, como *sua* herança!

As perpétuas ruínas. O hebraico diz aqui, literalmente, *antigas* ou *de longa data,* o que subentende que as ruínas estavam ali fazia alguns anos quando o poeta escreveu o salmo. Comparativamente era uma "história antiga", mas ainda assim uma história de dor; e o salmista queria que Elohim sentisse toda a dor que ele mesmo sentia.

Naturalmente, o Asafe do tempo de Davi não pode ter escrito isso, pelo que alguns intérpretes postulam outro Asafe, que viveu nos tempos do cativeiro babilônico. Mas isso é levar por demais a sério o subtítulo, o qual somente tentava conjecturar questões como autoria e eventos históricos que teriam inspirado as composições.

"Deus foi invocado para contemplar imediatamente as desolações do templo. Uma expressão um tanto semelhante pode ser encontrada em Gn 29.1, à margem" (Ellicott, *in loc.*). Portanto, estamos tratando de uma expressão idiomática, com a qual não estamos familiarizados, mas que é inteligível. Em Gênesis o significado dessa expressão é "seguiu seu caminho" ao falar sobre Jacó. O Targum mostra Deus levantando seus pés para atacar as nações e colocar um ponto final na insolência delas.

■ 74.4

שָׁאֲג֣וּ צֹ֭רְרֶיךָ בְּקֶ֣רֶב מוֹעֲדֶ֑ךָ שָׂ֖מוּ אוֹתֹתָ֣ם אֹתֽוֹת׃

Os teus adversários bramam. Os babilônios *rugiam* como um bando de animais selvagens no santuário de Deus, demonstrando desdém e ódio. Judá não foi capaz de detê-los nem de impedir a matança, o saque e a deportação que se seguiu. Ver no *Dicionário* o artigo chamado *Cativeiro Babilônico,* quanto a detalhes completos. O lugar era *santo,* mas os babilônios o *profanaram;* e Elohim os enviara para fazer tudo aquilo porque Israel (Judá) tinha entrado em uma apostasia irreversível.

Teus adversários. Em primeiro lugar, eles eram inimigos de Elohim e, depois, inimigos de Judá. Mas esse fato não fez a mente divina evitar a tragédia. O inimigo, por causa disso, implantou insígnias militares em redor do terreno do templo, afirmando que o local era deles. Elohim sentou-se nas imediações para observar, mas não tomou providência alguma. O hebraico diz aqui, literalmente, "sinais como sinais", o que parece não fazer sentido e deixa os intérpretes a matutar. A palavra hebraica para "insígnias" e para "sinais" é a mesma. Ellicott (*in loc.*) conjecturou que o poeta quisesse falar dos ídolos que os pagãos tinham estabelecido no templo, mas não teve coragem de contar a história inteira. Assim, em vez de escrever "ídolos como sinais", evitou a primeira palavra. Mas as insígnias militares falam de como o lugar foi conquistado, o que empresta um significado fácil à frase.

■ 74.5

יִ֭וָּדַע כְּמֵבִ֣יא לְמָ֑עְלָה בִּֽסֲבָךְ־עֵ֝֗ץ קַרְדֻּמּֽוֹת׃

Parecem-se com os que brandem. O original hebraico é incerto aqui, pelo que há várias conjecturas sobre seu significado. A *King James Version* diz "um homem tornou-se famoso ao levantar os machados contra o espesso da floresta", o que pode falar da devastação das florestas de Judá, por parte dos babilônios. A *Revised Standard Version,* entretanto, fornece uma ideia mais provável, ao dizer: "Na entrada superior eles derrubaram a treliça de madeira com machados". Mas "treliça de madeira" significa, literalmente, "o espesso da floresta". Para obter a tradução "com machados", os tradutores tiveram de suprir uma preposição que não existe no hebraico original. E para obter a palavra "entrada", os mesmos tradutores também tiveram de emendar o texto no início. A tradução Atualizada de Almeida fica essencialmente com a *King James Version,* enquanto a tradução da Imprensa Bíblica Brasileira fica com a *Revised Standard Version.* Kimchi refere-se às árvores grossas como árvores que foram plantadas no terreno do templo. Ou estão em mira as colunas de madeira do templo, cortadas no Líbano por famosos madeireiros, a fim de serem usadas no templo. Tudo isso soa bem, mas ninguém sabe realmente o que o vs. 5 está tentando dizer. Talvez os babilônios que cortaram as árvores de Israel, suas florestas ou as colunas de madeira usadas na construção do templo, ou aquelas árvores que foram plantadas no terreno do templo, sejam referidos como os homens *famosos.* Eles tinham sido famosos madeireiros antes da invasão e então, por ocasião da invasão, usaram suas habilidades para prejudicar Israel. Ou, por assim dizer, tornaram-se madeireiros por causa de seu "trabalho" em Jerusalém.

Allen P. Ross (*in loc.*) refere-se às toras belamente esculpidas que entraram na construção do templo. Esse trabalho feito por *entalhadores habilidosos* foi reduzido a nada pelos machados brandidos pelos babilônios. Assim sendo, os homens famosos na verdade eram *infames.* Ou, por outro lado, os entalhadores habilidosos que colocaram troncos no templo são os homens famosos do texto. Caros leitores, deixemos de lado a confusão e prossigamos para os versículos seguintes.

■ 74.6,7

וְ֭עֵת פִּתּוּחֶ֣יהָ יָּ֑חַד בְּכַשִּׁ֥יל וְ֝כֵֽילַפֹּ֗ת יַהֲלֹמֽוּן׃

שִׁלְח֣וּ בָ֭אֵשׁ מִקְדָּשֶׁ֑ךָ לָ֝אָ֗רֶץ חִלְּל֥וּ מִֽשְׁכַּן־שְׁמֶֽךָ׃

E agora a todos esses lavores de entalhe. Este versículo parece confirmar a ideia de Allen P. Ross sobre como devemos interpretar o vs. 5, ou então aqui nos movemos para um novo item, interrompendo a ideia anterior. Seja como for, a referência aqui é clara. O templo de Salomão dispunha de paredes interiores artisticamente lavradas com painéis de cedro. Esses lavores eram decorados com querubins, palmeiras e flores (1Rs 6.29). Parece que todo esse trabalho artístico do templo foi reduzido a nada, embora saibamos que o templo foi incendiado pelos babilônios em 587 a.C. (ver 2Rs 25.8,9). Talvez a destruição por meio de machados e depois pelo fogo tenham sido estágios sucessivos da destruição. Os vss. 6 e 7, por conseguinte, dão a sequência da destruição por meio de machados e fogo. Antes de incendiar o prédio, entretanto, os babilônios removeram todos os metais preciosos (Jr 52.12-17; 2Rs 25.13; 2Cr 37.18). Quanto a toda essa lamentável história, Ver 1Rs 6 e 7, bem como o artigo chamado *Cativeiro Babilônico*, no *Dicionário*.

"Os babilônios derrubaram as muralhas de Jerusalém. E as colunas de bronze, bem como as bases, e o mar de bronze, eles quebraram em pedaços e levaram o bronze para a Babilônia. As bacias, as pás, os apagadores, os garfos, as panelas, as taças e todos os utensílios feitos de ouro e de prata eles levaram embora, e também os móveis do Santo dos Santos, incluindo a arca da aliança" (Adam Clarke, *in loc.*).

Foi assim que a habitação do *Nome* (ver Sl 30.4; 31.3,21) foi totalmente atacada e destruída. Era a casa de Deus, mas o Senhor não fez cessar a destruição, por causa da avançada apostasia de Israel (Judá).

Conforme mostrei na introdução ao salmo, houve outras invasões e destruições, mas somente a invasão babilônica parece adaptar-se à severidade dos versículos diante de nós. O templo foi poluído, mas não destruído durante o período dos macabeus.

■ 74.8

אָמְרוּ בְלִבָּם נִינָם יָחַד שָׂרְפוּ כָל־מוֹעֲדֵי־אֵל בָּאָרֶץ׃

Disseram no seu coração. A selvagem matança e a destruição, com saques sem limites e crimes de sangue, espalharam-se por todo o território de Judá, em cumprimento à política de terra arrasada dos babilônios. Os babilônios não derrotavam seus inimigos. Estes eram *aniquilados*. Seus nomes eram removidos da face da terra. Os lugares de reunião, longe da capital, e também os oráculos, eram destruídos como objetos especiais do ódio, e nos lares, as mulheres e as crianças eram tratadas de maneira indizível. Em vez de "lugares santos", algumas traduções dizem aqui "sinagogas", mas isso é um anacronismo. Talvez estejam em vista santuários locais e os cultos ali efetuados. "Temos aqui uma breve narrativa, mas nada lhe falta quanto a um caráter completo. Os que ouvem a história nunca mais a esquecem" (J. R. P. Sclater, *in loc.*).

Talvez reuniões religiosas fossem efetuadas nas casas dos levitas e dos profetas, onde a lei era lida e orações eram oferecidas. Tais casas em sentido algum eram sinagogas, mas foram precursoras das sinagogas. Alguns autores judeus dizem que nada menos de 460 (e alguns falam em 480) dessas casas foram destruídas, mas não se sabe quão precisa é essa tradição (ver *Talm. Hieros. Cetubot*, fol. 35.3, e *Megeillah*, fol. 73.4).

■ 74.9

אוֹתֹתֵינוּ לֹא רָאִינוּ אֵין־עוֹד נָבִיא וְלֹא־אִתָּנוּ יֹדֵעַ עַד־מָה׃

Já não vemos os nossos símbolos. Provavelmente estão em vista insígnias militares. O exército de Judá fora devastado, e nenhum de seus pendões seria mais visto em Jerusalém. Pendões inimigos tinham tomado o lugar daqueles (vs. 4). A palavra hebraica que significa "presságio" pode estar em vista, e isso talvez se adapte melhor ao restante do versículo. Cf. Sl 86.17; 1Sm 10.7; 2Rs 19.29; Jr 44.28. Talvez o salmista estivesse dizendo que havia em Jerusalém profetas que interpretavam presságios ou faziam *leituras psíquicas* e declarações proféticas, na tentativa de ajudar pessoas aflitas. Nesse caso, qualquer dessas atividades havia sido completamente cessada pelos invasores pagãos. Devemos lembrar que, se os hebreus condenavam radicalmente a adivinhação por parte de outras nações, eram bastante ativos em suas próprias variedades de adivinhação, algumas das quais em nada se diferenciavam dos métodos usados por outros povos. Ver no *Dicionário* o artigo chamado *Adivinhação*.

Já não há profeta. O ofício profético se tornara muito poderoso, quase substituindo o culto no templo, e estiveram envolvidos muitos hebreus, pertencentes ou não às fileiras dos levitas. Quanto ao desaparecimento dos profetas, ver também Am 8.11,12; Ez 7.26. Cf. 1Sm 28.6,15.

Quem saiba até quando. Jeremias tinha predito por quanto tempo perduraria o cativeiro na Babilônia, isto é, setenta anos. Mas a publicação dessa profecia evidentemente não foi muito espalhada. Ou então foi publicada, mas o povo de Israel, estupefato diante da catástrofe, não deu atenção à previsão ou não compreendeu o que havia sido dito. Ver Jr 25.11,12. Ou talvez o povo de Israel tenha ouvido e compreendido, mas não acreditou no que o profeta dissera.

APELOS RENOVADOS (74.10,11)

■ 74.10

עַד־מָתַי אֱלֹהִים יְחָרֶף צָר יְנָאֵץ אוֹיֵב שִׁמְךָ לָנֶצַח׃

Até quando, ó Deus, o adversário nos afrontará? Jeremias havia dito que o opróbrio perduraria por *setenta anos* (ver a respeito no vs. 9), mas essa informação, logicamente, não foi ouvida ou levada em conta. E assim os apelos continuavam subindo ao céu, pois as pessoas queriam saber se haveria fim naquelas aflições e, se houvesse, *quando?* Os hebreus amarguravam-se pelo que os pagãos diziam contra eles, sua fé religiosa e o nome de Deus. Quanto a notas sobre o *nome de Deus*, ou a prática pela qual Yahweh-Elohim era chamado de *o Nome*, ver Sl 30.4; 31.3 e 33.21. Esses apelos eram paradoxais. O próprio Elohim, de acordo com a crença popular e as palavras dos profetas, tinha causado a perturbação, enviando os babilônios para acabar com a apostasia em Judá. É preciso muita fé para alguém acreditar que julgamentos severos são "bons" e *remediadores*, mas esse é um dos grandes ensinamentos sobre os julgamentos divinos. Ver 1Pe 4.6, no *Novo Testamento Interpretado*.

■ 74.11

לָמָּה תָשִׁיב יָדְךָ וִימִינֶךָ מִקֶּרֶב חוֹקְךָ כַלֵּה׃

Por que retrais a tua mão...? *A mão revertedora de Deus* não foi empregada. Antes, ele a pôs de volta nas amplas dobras de suas vestes, um quadro tipicamente oriental. A alusão evidente é a Êx 4.7. Por que Deus não estendeu a mão para destruir o inimigo? A *Revised Standard Version*, seguida pela nossa versão portuguesa, diz: "Por que conservas a tua destra em teu peito?", ou seja, por que a tua mão se mantém inativa diante de tudo quanto está acontecendo em Jerusalém? Quanto à aparente *indiferença* de Deus, ver Sl 10.1; 28.1 e 59.4.

A tua destra...? Quanto a este símbolo de "poder", ver Sl 20.6. Quanto ao *braço* de Deus, que é usado como símbolo semelhante, ver Sl 77.15 e 89.10. Deus tinha o poder, mas não a vontade de salvar Jerusalém dos babilônios. Ele parecia indiferente, mas a verdade é que estava permitindo que o juízo tivesse livre curso. Ele se mostrava severo, mas essa severidade haveria de curar Israel de sua apostasia.

A *veste oriental mais externa* não tinha mangas, e as mãos de Deus estavam escondidas dentro de suas amplas dobras, que atuavam como mangas, em tempos de frio. Para que qualquer ação fosse realizada, as mãos tinham de ser tiradas dentre as dobras do tecido. Deve-se presumir que as mãos fossem guardadas fora de visão, entre as dobras do pano, e isso em qualquer tempo, e não apenas na época do frio, quando as dobras eram usadas para aquecer os braços e as mãos.

LOUVORES A DEUS (74.12-17)

■ 74.12

וֵאלֹהִים מַלְכִּי מִקֶּדֶם פֹּעֵל יְשׁוּעוֹת בְּקֶרֶב הָאָרֶץ׃

Ora, Deus, meu rei, é desde a antiguidade. Elohim é o Rei dos reis, exercendo autoridade nos céus, lá em cima, tanto quanto na terra, cá embaixo, e é igualmente o Deus da *salvação*. Quanto a este conceito, ver no Sl 62.2 uma discussão e uma lista de referências bíblicas. A palavra, no Antigo Testamento, fala de livramento e segurança, bem como de participação nas bênçãos dos pactos, mas não fala da salvação evangélica, da vida eterna em outra dimensão da existência.

Visto que Elohim é esse tipo de Deus e tem comprovado ser Todo-poderoso, exercendo domínio sobre todas as coisas, o salmista continuava esperando que houvesse uma espécie de reversão do desastre que os babilônios tinham provocado.

Rei. Cf. Sl 44.4 e Hc 1.12. Ver também Sl 3.2 e 10.16.

Tu és meu rei, ó Deus; ordena a vitória de Jacó.

Salmo 44.4

Os reis antigos usualmente eram *guerreiros* que obtinham grande dose de poder. O rei precisava ser um soldado por excelência, um matador experiente. Ele era escolhido para libertar o povo do assédio constante dos invasores. Sem esse tipo de rei, aquele povo pereceria. Portanto, Elohim, como um de seus títulos, é chamado de Capitão dos Exércitos, e isso se ajusta bem à antiga ideia das qualificações de um monarca.

■ 74.13

אַתָּה פוֹרַרְתָּ בְעָזְּךָ יָם שִׁבַּרְתָּ רָאשֵׁי תַנִּינִים
עַל־הַמָּיִם:

Tu, com o teu poder, dividiste o mar. A referência, neste caso, pode ser ao êxodo e à divisão do mar Vermelho (ver Êx 14.21; Sl 66.6). O fato de que Israel foi libertado da servidão ao Egito é um tema muito comum de Deuteronômio, repetido por mais de vinte vezes. Ver Dt 4.10. A vitória no mar Vermelho foi o encerramento do processo de redenção. Nesse caso, o monstro leviatã (vs. 14) simboliza o Egito. Ou, por outro lado, a referência, a começar por este versículo, é ao antigo mito da criação, comum na área da Mesopotâmia, onde assumiu diversas formas. A ideia básica era a de um conflito primevo entre o Deus Altíssimo (como Marduque, na Babilônia, e como Yahweh, em Israel), que teria combatido contra *Tiamate*, o monstro que representava o *caos*. A história acádica da criação, chamada *Enuma Elish*, conta como o Altíssimo dividiu as águas, partindo as cabeças dos monstros marinhos. E havia a história paralela dos *Amores e Guerras de Baal e Anate* (Baal significa "Senhor"), que também relatava os conflitos dos poderes divinos contra o caos. *Yam* era o Deus-mar. Os dragões eram os monstros marinhos, como *Tanim*, que é o nome ugarítico para leviatã. Ver também alusões a esses tipos de histórias em Gn 1.1,2; Sl 89.9-12; Is 27.1; 51.9,10; Jó 7.12; 9.13,14; 26.12. Ver no *Dicionário* o verbete chamado *Enuma Elish,* onde apresento a essência das antigas histórias da criação e como elas são paralelas, em muitos pontos, às narrativas dos hebreus.

Alguns eruditos, infelizes diante de tais empréstimos alegados, supõem que esses antigos relatos pagãos tivessem sido tomados por empréstimo do livro de Gênesis. Provavelmente, a verdade é que todas essas histórias tomaram por empréstimo elementos de um primitivo fundo de literatura e ideias, apresentados sob variegadas versões. E a versão hebraica terminou com uma expressão refinada e mais elevada, onde os deuses foram substituídos por Deus, o Poder, *Elohim*. Seja como for, a ênfase dos hebreus recai sobre o *poder*, e era disso que Israel precisava, em uma crise como a descrita no Salmo 74: a libertação da Babilônia (vs. 13). Eruditos evangélicos conservadores ignoram esse tipo de coisa, mas devemos estar mais interessados na verdade do que no conforto mental. Ademais, o que importa se antigas ideias (excetuando as dos hebreus) foram incorporadas na narrativa bíblica? Nossa ciência e nossa fé há muito ultrapassaram o lugar até onde a teologia dos hebreus levou os homens. Temos prosseguido, quanto a muitos pontos, e não meramente quanto a uma particularidade. Eis por que o Novo Testamento era necessário e por que temos de continuar investigando. Deus é o Deus de *toda a verdade*, a qual não pode chegar ao fim nem ser estagnada.

■ 74.14

אַתָּה רִצַּצְתָּ רָאשֵׁי לִוְיָתָן תִּתְּנֶנּוּ מַאֲכָל לְעָם לְצִיִּים:

Tu despedaçaste as cabeças do crocodilo. Temos aqui uma menção a *leviatã*, oculta na tradução portuguesa "crocodilo". Ver no *Dicionário* o artigo com esse título, onde apresento detalhes e referências que não repito aqui. Os eruditos se debatem diante da identidade ou descrição desse animal e confundem o quadro, tentando fazer o crocodilo ou outro animal terrestre ajustar-se às várias referências. Ver Jó 41.1 e notas. Na verdade, porém, estamos abordando uma criatura sobrenatural, e não meramente terrena. Leviatã é, quase certamente, equivalente a *Yam,* o monstro marítimo do *Poema de Baal,* de origem ugarítica, no qual encontramos outra versão da mesma história. Elohim teria partido as cabeças (sete cabeças, de acordo com alguns eruditos) e então dado a carne às criaturas do deserto. Uma emenda diz "tubarões do mar", e isso talvez esclareça uma dúbia referência ao texto massorético (ver no *Dicionário* o verbete intitulado *Massora (Massorah); Texto Massorético*).

A referência poética aqui é a uma *derrota total*. Não devemos pensar em tubarões a comer a carne de algum gigantesco monstro marinho. Elohim é o grande Poder que derrota até mesmo monstros temíveis, e não teria dificuldade alguma em reverter a tribulação produzida pelo cativeiro babilônico.

Visto que Elohim fora capaz de derrotar o *caos cósmico,* não lhe seria difícil derrotar o caos babilônico.

Alguns pensam que *leviatã* aqui representa o Egito, e assim continuamos com a ideia apresentada no vs. 13, do Êxodo. "... leviatã, o monstro mitológico de sete cabeças, símbolo do poder do Egito" (Allen P. Ross, *in loc.*). Nesses casos, os alimentos referidos no vs. 14, que foram dados ao povo, ou às feras do deserto, eram os cadáveres dos egípcios. O mesmo é ilustrado por uma figura diferente: o poder de Elohim para fazer qualquer coisa. Naquela época, o leviatã era uma fera feroz e temida, mas terminou servindo de pasto para os tubarões! Deus poderia fazer o mesmo à Babilônia.

■ 74.15

אַתָּה בָקַעְתָּ מַעְיָן וָנָחַל אַתָּה הוֹבַשְׁתָּ נַהֲרוֹת אֵיתָן:

Tu abriste fontes e ribeiros. Cf. Gn 1.6-8. A existência e criação de fontes é ensinada em Gn 7.11. Levando adiante a história do livro de Êxodo, isso aparece como menção ao fato de que Moisés fez sair água da rocha, um ato do poder de Elohim. Ver Êx 17.5,6; Nm 20.11 e Jó 28.10. A versão caldaica faz os rios Arnom e Jaboque participarem dessas referências. Deus tem poder para produzir água no deserto. E também tem poder de ressecar rios. Portanto, poderia fazer qualquer coisa que lhe parecesse bem, e o poder dos babilônios em breve se acabaria. Alguns veem aqui a retenção das águas do rio Jordão, mas reter águas será a mesma coisa que secá-las? Talvez, *poeticamente,* onde acontecem todas as coisas fantasiosas.

Talvez a referência seja ao fato de que, em Israel, águas poderosas (rios) durante a primavera logo se ressecavam sob o calor escaldante do sol de verão. Os hebreus viam o poder de Deus por trás dos wadis. Note o leitor que Js 2.10 diz "secou" ao referir-se às águas do mar Vermelho, e em Js 4.23 e 5.1 é dito o mesmo sobre as águas do rio Jordão. O Targum fala da secagem de rios e vaus produzida pela passagem da neve que vinha do monte Hermom. Deus controla as condições da natureza, pelo que também pode controlar as atividades humanas. Ele poderia deter o dilúvio babilônico, secá-lo e restaurar Israel, o que, finalmente, fez.

■ 74.16

לְךָ יוֹם אַף־לְךָ לָיְלָה אַתָּה הֲכִינוֹתָ מָאוֹר וָשָׁמֶשׁ:

Teu é o dia, tua também a noite. *O dia e a noite* pertencem, igualmente, ao poder de Elohim, e isso nos faz voltar à história da criação, que alguns estudiosos supõem ser o assunto deste salmo o tempo todo. O poder de Elohim controla o dia e a noite, o sol e a lua, e todas as condições da natureza nos céus e na terra. Por conseguinte, não seria um grande feito para Deus controlar a Babilônia. A noite do cativeiro babilônico poderia ser transformada no dia da restauração de Israel. Ver Gn 1.3-5.

A luz. Isto é, a iluminação provida pelas *luminárias* (segundo lemos na *Revised Standard Version*). Elohim controla todas as luminárias do céu — o sol, a lua, as estrelas e os planetas — bem como aquelas que só aparecem de vez em quando, como cometas, meteoritos etc. Assim sendo, o cometa Babilônia, que viera riscando o céu desde o norte, poderia ser enviado de volta. Além disso, Deus tinha enviado o cometa Babilônia para castigar Israel em sua apostasia. Ele poderia curar a apostasia de Israel e remover para longe o castigo. É por isso que, nos vss. 16-18, temos um "apelo ao Deus da história, ao Deus da *natureza*. Deus não somente opera maravilhas, mas o próprio universo é obra de suas mãos" (Ellicott, *in loc.*). Deus reina na história, na criação e na natureza. Ele também reina no mundo, entre os homens, aos quais controla segundo a sua vontade.

A *luminária* de nota especial aqui, além do sol, é a lua. Ver Gn 1.16. Aben Ezra vê aqui a *lua,* e Jarchi espiritualizou a questão, fazendo essas luminárias representarem a lei mosaica. Os intérpretes cristãos espiritualizam mais ainda e fazem o sol ser Cristo; mas todas essas interpretações vão além das sugestões feitas no texto sagrado.

■ 74.17

אַתָּה הִצַּבְתָּ כָּל־גְּבוּלוֹת אָרֶץ קַיִץ וָחֹרֶף אַתָּה יְצַרְתָּם:

Fixaste os confins da terra. As operações divinas, no tocante à terra, também ilustram o poder de Elohim.

Os confins. "Está em pauta a terra, em todas as direções, até os seus limites extremos, ou seja, de *polo a polo,* conforme costumamos dizer" (Ellicott, *in loc.*). Cf. Jó 38.8 e Sl 24.2. Deus é o autor de todas as *divisões geográficas* da terra. Alguns estudiosos pensam que está incluída nesta palavra a distribuição de territórios entre povos específicos. Ver Dt 33.8 e At 17.26.

Verão e inverno. Ou seja, Elohim controla todas as *estações do ano,* em seus ciclos. Para os antigos, isso parecia um mistério, e, no entanto, até hoje, os homens das ruas não tomam consciência de que essas mudanças climáticas ocorrem devido à *inclinação* da Terra sobre o seu próprio eixo, que segue um ir e vir regular. As distâncias relativas entre a Terra e o sol, produzidas pela órbita ovalada em torno do sol, não resultam em estações do ano. Cf. Gn 8.22. Todas as espécies de coisas que acontecem na natureza eram maravilhas para os hebreus, cuja ciência natural nunca avançou muito. Por conseguinte, eles davam a Elohim o crédito por praticamente tudo. O Poder que controlava as estações do ano e os outros mistérios da natureza sem dúvida poderia controlar os babilônios. O inverno do cativeiro babilônico poderia ser seguido pelo verão da restauração da nação de Israel à Terra Prometida.

APELO FINAL PELA INTERVENÇÃO DE YAHWEH-ELOHIM (74.18-23)

■ 74.18

זְכָר־זֹאת אוֹיֵב חֵרֵף יְהוָה וְעַם נָבָל נִאֲצוּ שְׁמֶךָ׃

Lembra-te disto. O poeta sagrado começou lançando um apelo a *Yahweh* e em seguida mudou o nome divino para *Elohim,* no vs. 22. Ele apelou à *memória* de Yahweh. Os babilônios, pagãos que eram, tinham blasfemado do nome de Deus, e não somente da fé de Israel. O salmista, pois, estava dizendo: "Senhor, foste o real perdedor quando Jerusalém caiu!" ele retornou às ideias constantes no vs. 10. As notas expositivas que ofereço ali também se aplicam aqui.

A questão era radical, pois, afinal, o povo arrogante que tinha blasfemado do nome divino era um povo ímpio e insensato que não merecia o favor de Deus. Ver sobre *insensato* (ímpio), em Sl 14.1; 39.8 e 53.1. Os babilônios eram leais a falsos deuses e, no entanto, *Elohim* os escolhera para disciplinar os israelitas e curá-los de sua apostasia. Os babilônios sem dúvida não reverenciavam o Deus de Israel. Por isso o salmista rogou que Deus mudasse de ideia, derrotando aqueles insensatos babilônios e restaurando a Israel.

Quanto ao *nome de Deus,* bem como às implicações do uso desse nome, ver Sl 31.3. Ver também Sl 30.4 e 33.21, quanto ao *nome santo.* Em seguida, examinar os comentários sobre o vs. 10 deste salmo.

"... o objeto da reprimenda do inimigo era o Ser que tinha feito todas aquelas maravilhas, bem como o Autor de todo este maravilhoso mundo" (Ellicott, *in loc.*).

O poeta chega assim ao mesmo tipo de apelo que fará no vs. 22. Ver também o vs. 2 deste salmo, quanto à *memória de Deus.* Portanto, encontramos o assunto nos vss. 2, 10, 18 e 22.

Tem blasfemado o teu nome. Ver no *Dicionário* o verbete chamado *Blasfêmia.*

■ 74.19

אַל־תִּתֵּן לְחַיַּת נֶפֶשׁ תּוֹרֶךָ חַיַּת עֲנִיֶּיךָ אַל־תִּשְׁכַּח לָנֶצַח׃

Não entregues à rapina a vida de tua rola. Israel é aqui comparado a uma humilde e indefesa *rola,* um toque de ternura. Babilônia era como um gavião feroz e sem misericórdia, que atacava aves sem defesa; e a ave tão ferozmente aleijada era Israel. A metáfora de Israel como uma *rola* é empregada somente aqui em todo o Antigo Testamento. Atrás desse tão pequeno pássaro havia uma multidão de inimigos, referindo-se às numerosas hordas de babilônios, cada qual disposto a matar e ferir, a saquear e incendiar. Em seguida, essa metáfora passou a indicar a "congregação dos pobres". Agora, porém, eles são encarados como um *povo,* mas destituído de forças para defender-se, tal como a rola não tem nenhuma proteção contra o gavião. A congregação do Poder (Elohim) fora reduzida à congregação dos *pobres,* mansa e humilde de espírito, indefesa e miserável.

Perpetuamente. Os castigos divinos são para algum tempo e têm algum propósito específico em mira. Isto posto, há um tempo para os castigos *cessarem.* Aqui o autor nos leva de volta às ideias do vs. 10. As notas dadas ali se aplicam também aqui. O profeta Jeremias havia dito que o exílio perduraria por setenta anos. Mas os israelitas, em sua ignorância ou por não terem dado ouvidos ao profeta, agonizavam sob a carga da tristeza, como se o exílio nunca mais terminasse. Ver sobre a aparente *indiferença* de Deus em Sl 10.1; 28.1 e 58.4.

■ 74.20

הַבֵּט לַבְּרִית כִּי מָלְאוּ מַחֲשַׁכֵּי־אֶרֶץ נְאוֹת חָמָס׃

Considera a tua aliança. O salmista apelou para o *pacto* que Elohim firmara com Israel. Por meio desse pacto e por meio da lei mosaica, Israel se tornara um povo distinto (ver Dt 4.4-8). Ver no *Dicionário* o artigo *Pactos*; e ver em Gn 15.18 *Pacto Abraâmico;* ver sobre *Pacto Mosaico* na introdução a Êx 19; e ver sobre *Pacto Palestino* na introdução a Dt 29. O poeta sacro dizia que Yahweh-Elohim estaria traindo seus acordos com Israel se permitisse que a Babilônia completasse seus propósitos, eliminando do mundo a identidade de Israel, o que, usualmente, era o destino que ocorria aos inimigos dos babilônios. Esse fim era obtido pela deportação dos povos conquistados, ao mesmo tempo que várias outras nações vinham ocupar o terreno vago. Fora dessa maneira que a nação de Israel (a parte norte) deixou de existir. Os poucos israelitas que permaneceram na Terra Prometida casaram-se com pagãos, transformando-se nos samaritanos. Isso poderia ter acontecido a Judá, não fora a intervenção divina que finalmente ocorreu. Israel, pois, continuou a existir mediante o minúsculo fragmento de Judá que retornou à Terra Prometida. A grande maioria da antiga nação de Judá se perdeu na Babilônia.

Os lugares tenebrosos da terra. Não temos certeza do que isso significa. Talvez todos os lugares que os pagãos haviam dominado fossem considerados as *cavernas* dos animais selvagens, lugares *obscuros e assustadores.* A terra está repleta de tais lugares. Talvez a referência seja a cavernas e esconderijos onde os israelitas se esconderam para escapar das hordas babilônicas. Os atos das vítimas eram vãos. Os babilônios, pois, invadiram até esses lugares, pois não havia nada que escapasse à atenção deles.

Todavia, é provável que Adam Clarke (*in loc.*) tenha captado a ideia do poeta sagrado, ao dizer: "Os lugares tenebrosos da terra, como as cavernas, as masmorras e os bosques etc., estavam cheios de ladrões, cortadores de gargantas e assassinos, destruindo continuamente o teu povo, de forma que parece que a Semente Santa será inteiramente cortada da promessa de teu pacto, e, assim sendo, está destinada a perecer". Em outras palavras, a terra tinha-se tornado um inferno vivo para Judá. Este versículo tem sido universalizado e cristianizado para falar de todas as forças negras do paganismo, encabeçado pela malignidade cósmica que procura danificar os bons, especialmente a Igreja.

■ 74.21

אַל־יָשֹׁב דַּךְ נִכְלָם עָנִי וְאֶבְיוֹן יְהַלְלוּ שְׁמֶךָ׃

Não fique envergonhado o oprimido. Várias traduções dizem aqui "retorne", indicando que os cativos *oprimidos* finalmente retornariam a Jerusalém. Isso pode indicar que o poeta sagrado já sabia desse retorno e seu salmo foi composto como um retrospecto. Seja como for, ele orou para que aqueles que estivessem "esmagados" (conforme diz, literalmente, o original hebraico) não sofressem nenhuma outra *vergonha.* Quanto a ser envergonhado pelos inimigos, ver Sl 25.1; 35.26; 37.19; 69.6. Se o povo de Israel voltasse *inteiramente diminuído* em número e riquezas, de que adiantaria retornar a Jerusalém? Conforme as coisas aconteceram, eles obtiveram a ajuda de Ciro, e assim foram capazes de construir novamente a cidade de Jerusalém, e, nesse sentido, a oração constante neste salmo foi respondida. Eles escaparam de qualquer outra vergonha *mortífera.*

■ 74.22

קוּמָה אֱלֹהִים רִיבָה רִיבֶךָ זְכֹר חֶרְפָּתְךָ מִנִּי־נָבָל כָּל־הַיּוֹם׃

Levanta-te... lembra-te. Talvez Elohim estivesse confortavelmente sentado em seu trono, enquanto observava com pouco ou nenhum interesse o que acontecia em Jerusalém. Quiçá ele tivesse esquecido suas alianças (vs. 20). Assim sendo, o poeta conclamou para que ele "levantasse" e "lembrasse". Quanto a outros apelos para que Elohim *levante*, ver Sl 3.7; 7.6; 9.19; 12.5; 17.13; 44.23 (onde Deus é apresentado como se estivesse dormindo!); 68.1; 82.8 e 132.8. A linguagem aqui usada, naturalmente, é antropomórfica e antropopatética. Em outras palavras, confere a Deus *atributos* e *emoções* tipicamente humanos. Ver no *Dicionário* os verbetes chamados *Antropomorfismo* e *Antropopatismo*. Quando tentamos falar sobre Deus, caímos no dilema da linguagem humana, tendo de empregar palavras que se revestem de algum sentido para nós. Isso humaniza Deus. Reduzir Deus a uma pessoa o torna menor do que ele realmente é; mas não fazer isso o torna difícil de descrever. Ver também os verbetes denominados *Via Negationis* e *Via Eminentiae*.

"A causa de Israel é a causa de Deus" (William R. Taylor, *in loc.*). Portanto, se Elohim defendesse o seu povo, isso seria uma autodefesa e significaria a sobrevivência dos pactos. Cf. isso com a rememoração referida no vs. 18. Os *insensatos* da Babilônia, que haviam blasfemado, tiveram de ser repreendidos e postos em seus devidos lugares.

"Os vss. 22 e 23 mostram que este salmo foi composto em meio ao dia obscuro que ele descreve. Termina com uma oração que, por enquanto, não trazia nenhum raio de esperança maior do que a oração subentende e, aparentemente, foi dirigida a ouvidos surdos" (Ellicott, *in loc.*).

Pleiteia a tua própria causa. Ou seja, a razão pela qual Israel existia; o povo escolhido como instrumento para propagar a mensagem divina; os pactos e o que eles significavam; a nação por meio da qual o Messias viria; a redenção de todos os povos; a salvação, o *destino divinamente determinado* da raça humana.

■ **74.23**

אַל־תִּשְׁכַּח קוֹל צֹרְרֶיךָ שְׁאוֹן קָמֶיךָ עֹלֶה תָמִיד׃

Não te esqueças da gritaria dos teus inimigos. Enquanto lembrava Israel, visando o seu *bem* (vss. 18 e 23), Elohim foi solicitado a relembrar os ímpios, visando o seu *mal*. Deus deveria recordar as palavras blasfemas e os atos atrevidos. Ele veria Jerusalém incendiada e o templo destruído e queimado. Consideraria todos os atos daqueles *insensatos* da Babilônia (vs. 22) e os feriria em um ato de vingança. Eles colheriam o que haviam semeado. A justiça seria feita. Israel se levantaria de novo, enquanto a Babilônia ficaria no pó, transformada em uma relíquia arqueológica que os arqueólogos escavariam e perguntariam: "O que estas pedras significam?" Entrementes, Israel continuaria existindo como nação, parte dela transformando-se na igreja cristã e vivendo para um *dia eterno*, novo e glorioso. Os pactos seriam ampliados, desenvolvendo-se no novo pacto. O Messias viria e cumpriria as promessas feitas através dos profetas.

SALMO SETENTA E CINCO

Quanto a *informações gerais* que se aplicam a todos os salmos, ver a introdução ao Salmo 4, onde apresento *sete* comentários que elucidam a natureza do livro. Quanto às *classes* dos salmos, ver o gráfico no início do comentário, que atua como uma espécie de frontispício da coletânea. Dou ali dezessete classes e listo os salmos pertencentes a cada uma delas.

Este é um *salmo de ação de graças*. Se muitos salmos incluem esse elemento do agradecimento, cerca de 22 deles são, essencialmente, de ação de graças. Temos aqui um *agradecimento nacional* por causa dos poderosos atos de Deus em favor de Israel. Este salmo tornou-se um hino da comunidade e encontrou seu caminho até a liturgia do templo. O saltério era o antigo hinário do povo de Israel. Existem diversos elementos, como os vss. 2 e 3, um oráculo de Deus, e vs. 9, um extrato do agradecimento pessoal de alguém. Também há alguma profecia, ou profecia aparente, nos vss. 7,8,10 e, talvez, nos vss. 6 e 7 (que formam uma unidade). Isso levou Gunkel a rotular o salmo como uma "profecia litúrgica", que Weiser preferiu intitular de "liturgia de culto". O tema principal, porém, é a afirmação de que Elohim sustenta a ordem moral das coisas tanto cósmicas quanto deste mundo.

Subtítulo. Temos neste salmo o seguinte subtítulo: "Ao mestre de canto. Segundo a melodia: Não destruas. Salmo de Asafe. Cântico". "Não destruas" é tradução do original hebraico *Al Tachete*. O restante do subtítulo consiste em notas que temos visto repetidamente nos subtítulos. O Targum comenta: "Não destruas o teu povo"; mas alguns estudiosos preferem dizer: "Não corrompas". E, nesse caso, as palavras já não foram endereçadas a Deus. Talvez um período de pestilência ameaçasse o povo de Israel com alguma praga atribuída ao poder divino. Mas há estudiosos que pensam ser esta uma referência à peça musical particular em que o salmo deveria ser entoado, e que recebia esse nome. A Asafe, a tradição judaica atribuía doze salmos: 73 a 83 e 50. Naturalmente, os subtítulos não fazem parte original dos salmos e não se revestem de autoridade canônica. Editores posteriores puseram-se a conjecturar sobre as circunstâncias que podem ter inspirado as várias composições poéticas, e quais podem ter sido os seus autores. Provavelmente, há algum material histórico válido incluído nesses comentários, mas é difícil dizer que parte é fidedigna.

UMA PALAVRA PRELIMINAR DE AGRADECIMENTO (75.1)

■ **75.1** (na Bíblia hebraica corresponde ao **75.1,2**)

לַמְנַצֵּחַ אַל־תַּשְׁחֵת מִזְמוֹר לְאָסָף שִׁיר׃

הוֹדִינוּ לְּךָ אֱלֹהִים הוֹדִינוּ וְקָרוֹב שְׁמֶךָ סִפְּרוּ נִפְלְאוֹתֶיךָ׃

Graças te rendemos, ó Deus. Uma *palavra de agradecimento* é dada por duas vezes, para efeito de ênfase, e logo em seguida o poeta sagrado diz-nos por que estava tão inspirado a agradecer: porque o Deus do Nome (Yahweh-Elohim) tinha feito maravilhas em favor do povo de Israel. Ver sobre *nome de Deus* em Sl 31.3 e sobre *nome santo*, em 30.4 e 33.21. Ver no *Dicionário* o verbete intitulado *Ações de Graças*. A palavra de agradecimento era proferida por toda a congregação, porquanto era a congregação histórica e presente que tinha sido beneficiada. Isto posto, houve um *agradecimento nacional*. Portanto, "nós" te rendemos graças, ó Deus.

"Este salmo celebra a vitória antecipada. O salmista reconheceu que Deus estabelecerá julgamento no tempo determinado, e o julgamento divino destruirá os ímpios e exaltará os justos. Com base nisso, advertiu os ímpios a submeter-se a Deus, o único capaz de livrar" (Allen P. Ross, *in loc.*). "As maravilhas operadas em prol de Israel traziam consigo a antiga convicção de que o nome de Deus é uma palavra poderosa, capaz de salvar. Cf. Sl 34.18; 105.1 e 145.18" (Ellicott, *in loc.*). Ver também Dt 4.7; Is 30.27 e Sl 119.51.

Alguns eruditos supõem que este salmo celebre a volta de Israel do cativeiro babilônico, e que é isso que está em vista, especificamente, mediante a expressão "as tuas maravilhas". Porém, a referência parece ser mais geral, e não podemos extrair do salmo esse cenário.

A VOZ DE DEUS (75.2-5)

■ **75.2** (na Bíblia hebraica corresponde ao **75.3**)

כִּי אֶקַּח מוֹעֵד אֲנִי מֵישָׁרִים אֶשְׁפֹּט׃

Pois disseste: Hei de aproveitar o tempo determinado. No tempo escolhido por Deus, Elohim abençoa ou amaldiçoa, e em *tudo* certifica-se de que o seu julgamento exibe equidade. Julgarei "com justiça". A palavra "eu", oculta em nossa versão portuguesa, é enfática no original hebraico, porquanto a verdadeira justiça não é esperada da parte dos homens. A palavra "eu" apresenta-nos um oráculo de Deus. De repente, Deus fala, anunciando um julgamento que seguiria as linhas da *Lei Moral da Colheita segundo a Semeadura* (ver no *Dicionário*). A conexão com o tema do agradecimento, neste salmo, parece ser que Elohim é retratado a ouvir o agradecimento expresso por Israel e a responder com uma promessa de julgar os inimigos e abençoar o seu povo. Alguns intérpretes, entretanto, supõem que o salmo se componha de elementos heterogêneos e que não seja necessário vincular entre si esses elementos, como se o poeta tivesse escrito segundo uma sequência lógica de ideias. Seja como for, notáveis entre as "maravilhas" (vs. 1), estão os *julgamentos* de Deus (vs. 2).

■ **75.3** (na Bíblia hebraica corresponde ao **75.4**)

נְמֹגִים אֶרֶץ וְכָל־יֹשְׁבֶיהָ אָנֹכִי תִכַּנְתִּי עַמּוּדֶיהָ סֶּלָה׃

Vacilem a terra e todos os seus moradores. A terra aqui é vista a apoiar-se sobre *colunas,* as quais descem até abismos aquáticos. E esses abismos apoiavam-se no quê? Ver no *Dicionário* o que os hebreus pensavam sobre a cosmologia, no artigo chamado *Cosmologia.* Deus seria aquele que firmava as colunas para impedir que a terra caísse de seu apoio. Quando chegam julgamentos divinos severos, de modo que a terra balança e há uma destruição generalizada, então Deus firma o conjunto inteiro, a fim de que a terra não perca totalmente o equilíbrio e seja destruída.

Este versículo ensina a imensidão da obra julgadora de Deus, mas também sua imensa misericórdia, por não permitir que ocorra um aniquilamento. A ideia de que a terra repousa sobre colunas (ver Jó 9.6) é paralela às passagens que supõem haver uma espécie de *fundação* ou *alicerce* (Sl 18.15; 104.5; 1Sm 2.8; Is 24.18; Mq 6.2; Jr 31.8; Jó 38.3-6; Pv 8.29). A noção de que a terra repousa (ou flutua) sobre um alicerce líquido encontra-se em Sl 24.2; 136.6 e Gn 1.9,10. Os intérpretes, querendo evitar essas ideias crassas, supõem que os escritores sagrados tenham escrito em um sentido simbólico, poético ou metafórico. Por outra parte, sabemos, através de referências paralelas, que os antigos hebreus realmente cultivavam tais ideias, as quais são referidas na Bíblia, conforme ilustrado nesta passagem. Em quais pontos essas declarações assumem um sentido poético, é muito difícil dizer.

■ **75.4** (na Bíblia hebraica corresponde ao **75.5**)

אָמַרְתִּי לַהוֹלְלִים אַל־תָּהֹלּוּ וְלָרְשָׁעִים אַל־תָּרִימוּ קָרֶן׃

Digo aos soberbos: Não sejais arrogantes. Elohim repreende aqui aos *insensatos,* aos quais pode esmagar em um único momento. O poeta esperava que Deus assim agisse, e continuava na expectativa desse acontecimento. Quando Deus demora a tomar providências contra os ímpios, o justo começa a orar, pedindo vingança. O oráculo de Deus promete retribuir, mas não diz *quando* será essa retribuição. Elohim dirige-se aos insensatos diretamente e adverte-os a parar suas obras insensatas, ou conforme diz a nossa versão portuguesa: "Não sejais arrogantes". Ele também lhes diz que deixem de usar seus chifres e parem de utilizá-los para prejudicar outras pessoas. Os chifres conferiam a alguns animais, como o touro, o bode, o carneiro etc., vantagens que certos animais não tinham em um combate, e eram, no Antigo Testamento, um símbolo de força e dignidade. Os babilônios possuíam *grandes chifres,* que usavam para prejudicar os povos vizinhos, e dispunham de grande força e dignidade diante dos homens, mas nem por isso Yahweh-Elohim estava impressionado. Ele quebraria os chifres da Babilônia, não nos enganemos a esse respeito. Os persas foram os instrumentos de Deus para a destruição da Babilônia, tal como os babilônios tinham sido instrumentos de Deus para a destruição da apóstata nação de Israel.

Quanto ao chifre como símbolo de *honra,* ver Sl 112.9. Quanto ao chifre como símbolo de *força,* ver Mq 4.13 e Dt 33.17.

Os arrogantes não permanecerão à tua vista; aborreces a todos que praticam iniquidade.

Salmo 5.5

■ **75.5** (na Bíblia hebraica corresponde ao **75.6**)

אַל־תָּרִימוּ לַמָּרוֹם קַרְנְכֶם תְּדַבְּרוּ בְצַוָּאר עָתָק׃

Não levanteis altivamente a vossa força. *Yahweh-Elohim* novamente avisou os insensatos babilônios que recolhessem seus chifres, não os levantando alto, a fim de ameaçar outros povos. Alguns reis usavam chifres em suas coroas, combinando as ideias de autoridade e poder. Mas isso tornava essas coroas bastante pesadas, e os monarcas, tentando sustentar a coroa sobre a cabeça por considerável tempo, acabavam com o pescoço duro ou dolorido. Mas aqueles reis demonstravam sua altivez no pescoço, razão pela qual levantavam alto seus chifres. Uma figura como essa provavelmente está por trás das palavras do vs. 5.

"Levantar alto os chifres, metáfora extraída do mundo animal, indicava atitude desafiadora e fanfarrona e demonstrava autoconfiança. Além disso, os ímpios não deveriam falar com o pescoço altivo, ou seja, em teimosa rebeldia contra Deus" (Allen P. Ross, *in loc.*).

Nem faleis com insolência contra a Rocha. O hebraico diz aqui, literalmente, "com um pescoço arrogante"; mas esta última palavra (no hebraico, *athack*) também pode significar *duro.* Contudo, a ideia de "pescoço duro" geralmente era expressa por outras palavras. Ver no *Dicionário* o verbete chamado *Dura Cerviz.*

O JULGAMENTO DE DEUS (75.6-8)

■ **75.6** (na Bíblia hebraica corresponde ao **75.7**)

כִּי לֹא מִמּוֹצָא וּמִמַּעֲרָב וְלֹא מִמִּדְבַּר הָרִים׃

Porque não é do Oriente, não é do Ocidente. O oráculo divino tinha terminado (vss. 2-5). Agora o poeta tomou em mãos a causa e fez algumas observações sobre o julgamento de Deus. Ver no *Dicionário* vários artigos sobre o tema do *Julgamento.* Em primeiro lugar, *Elohim* é o Juiz. Ele tomaria todas as decisões sobre quem estava certo e a quem ferir. Os julgamentos humanos, dos quatro extremidades da terra, não farão a menor diferença, afinal de contas. Os arrogantes são leis para si mesmos, mas isso é apenas uma situação temporária. Quando Deus finalmente julgar, nenhuma ajuda poderá vir para qualquer ímpio dos quatro pontos da bússola, mas Deus derrubará por terra os arrogantes. Se um homem tiver de ser vindicado e exaltado, isso virá da parte do Juiz celeste. Por conseguinte: 1. O *julgamento* virá exclusivamente de Deus, e não de outro lugar sobre a terra; 2. A *ajuda* também virá de Deus, e não de outro lugar da terra; 3. A *exaltação,* por igual modo, virá de Deus, e não de outra fonte humana. Este terceiro fator é especialmente referido no texto, e os outros dois são corolários necessários.

Somente *três* direções são mencionadas nesta passagem, especificamente: leste, oeste e sul. Os intérpretes esforçam-se por completar a cena, emendando superficialmente a Septuaginta e a Vulgata Latina: "Não do leste, não do oeste, nem do deserto dos montes".

O deserto pode representar o *sul,* e as montanhas, o *norte,* pelo que, dessa maneira, as quatro direções terão sido mencionadas. Isso, entretanto, é forçar uma linguagem poética para que a passagem diga com exatidão o que na realidade não foi dito. Mas mesmo assim, esse artifício requer a mudança da forma de "dos montes" para "ou montes", a fim de que a passagem se refira a duas direções. Tais refinamentos são um grande desperdício de tempo.

■ **75.7** (na Bíblia hebraica corresponde ao **75.8**)

כִּי־אֱלֹהִים שֹׁפֵט זֶה יַשְׁפִּיל וְזֶה יָרִים׃

Deus é o juiz. Julgamento, ajuda e exaltação vêm da parte de Deus. Ele toma as decisões. É ele quem humilha ou exalta. Essa era a teoria dos piedosos, e o poeta esperava que fosse provada no tocante aos babilônios e ao miserável caso de Israel, humilhado na poeira. Ademais, o Juiz divino nunca incorre em equívoco, conforme já vimos no vs. 2. Cf. Dn 2.21; Lc 1.52 e 14.11.

Pois todo o que se exalta será humilhado; e o que se humilha será exaltado.

Lucas 14.11

■ **75.8** (na Bíblia hebraica corresponde ao **75.9**)

כִּי כוֹס בְּיַד־יְהוָה וְיַיִן חָמַר מָלֵא מֶסֶךְ וַיַּגֵּר מִזֶּה אַךְ־שְׁמָרֶיהָ יִמְצוּ יִשְׁתּוּ כֹּל רִשְׁעֵי־אָרֶץ׃

Porque na mão do Senhor há um cálice. O salmista ilustrou sua declaração do versículo anterior com uma metáfora que envolve a ideia de *beber vinho.* O divino Farmacêutico misturou uma bebida poderosa, que tinha o vinho como base. Trata-se de um vinho espumante, mais fermentado do que o usual. Diz o hebraico, literalmente, "vinho que fermenta", e não "vinho vermelho", conforme fazem algumas traduções. Ademais, esse vinho é misturado com algo temível, que não é mencionado, pelo que a bebida se torna extremamente tóxica, a ponto de derrubar um homem. Quanto ao *vinho espumante,* cf. Jó 21.20; Is 51.17 e Jr 25.15. Esse vinho misturado não pode ser comparado a nenhuma bebida alcóolica conhecida. Trata-se de uma beberagem estupefaciente. "... a alusão, aqui, é àquela poção alcóolica de drogas estupefacientes, dadas a beber aos criminosos antes de sua execução. Ver uma passagem paralela em Jr 25.15-26" (Adam Clarke, *in loc.*).

Os ímpios sofrerão o cálice da ira de Deus até as próprias borras, ou seja, deverão *beber tudo*, e, assim, sofrer o justo julgamento.

> *Disse o Senhor, o Deus de Israel: Toma da minha mão este cálice do vinho do meu furor, e darás a beber dele a todas as nações...*
>
> Jeremias 25.15

"Esse vinho contém muitos ingredientes temíveis e chocantes... O cálice inteiro que Deus mediu e encheu será derramado, finalmente, e todos ficarão embriagados... pelos ímpios" (John Gill, *in loc.*). O mesmo autor passa a falar em seguida sobre a punição eterna, mas o poeta não tinha esta última doutrina em vista, nesse momento bíblico.

■ **75.9** (na Bíblia hebraica corresponde ao **75.10**)

וַאֲנִי אַגִּיד לְעֹלָם אֲזַמְּרָה לֵאלֹהֵי יַעֲקֹב:

Quanto a mim, exultarei para sempre. O poeta sagrado manteve o bom ânimo, embora Elohim ainda não houvesse saído do trono, nem tivesse tirado a mão das dobras de suas vestes (Sl 74.11) para ferir o inimigo. Talvez ele tivesse preparado aquela bebida revoltante e estupefaciente para os babilônios (75.8), mas, nesse caso, a beberagem ainda não estava em evidência. Não obstante, de boa-fé essa coisa terrível haveria de acontecer em favor de Israel e contra os babilônios, e o salmista deu graças a Deus com sinceridade, louvando Elohim por estar defendendo seu povo. Foi ao Deus de Jacó que o salmista agradeceu, porquanto Judá descendia daquele que se tornara Israel.

Exultarei para sempre. O trecho hebraico literal diz: "Declararei". Compreendemos que o salmista declarará "o louvor" a Deus. Ver no *Dicionário* o verbete chamado *Louvor*. Ou então a declaração pode ser dos *justos juízos* de Deus, aquilo que o salmista vinha descrevendo. O Targum diz-nos o que o salmista declarará: os *pensamentos* de Deus em favor de seu povo, suas *misericórdias*, suas *obras maravilhosas* (vs. 1) e sua *bondade*.

■ **75.10** (na Bíblia hebraica corresponde ao **75.11**)

וְכָל־קַרְנֵי רְשָׁעִים אֲגַדֵּעַ תְּרוֹמַמְנָה קַרְנוֹת צַדִּיק:

Abaterei as forças dos ímpios. Aqueles *chifres* que foram elevados tão alto, em arrogância, contra os pobres vizinhos da Babilônia (vss. 4 e 5), seriam *cortados* pelo poder de Elohim, e isso poria fim à ameaça que vinha do nordeste. Em seguida, os justos veriam crescer seus chifres, para proteger-se e atacar, e assim assustar os pagãos ao redor de suas fronteiras. Esses chifres seriam *exaltados* não pelos homens, mas pelo próprio Elohim. Esse é um tipo de exaltação inteiramente diferente da exaltação dos chifres da Babilônia, algo feito em favor próprio. A força de Israel estava em Deus. O "eu" (oculto no verbo "abaterei") do texto massorético provavelmente aponta para Elohim, que agora falava; mas essa primeira pessoa foi desnecessariamente mudada para a terceira (ele). O salmista não teria coragem de dizer que *ele* cortaria os chifres da poderosa Babilônia, como se *alguma* força humana, muito menos a dele, pudesse resistir à grande potência da época. Por conseguinte, não há possibilidade de que o "eu" que aparece neste texto se refira ao salmista. Cf. algo similar em Zc 1.18 ss. e Lm 2.3.

Este versículo tem sido cristianizado para fazer o poder do chifre referir-se a Cristo, que daria a vitória a todo o povo de Deus, derrotando os demônios e as hostes de Satanás.

> *Olha que hoje te constituo sobre as nações, e sobre os reinos, para arrancares e derribares, para destruíres e arruinares, e também para edificares e para plantares.*
>
> Jeremias 1.10

SALMO SETENTA E SEIS

Quanto a *informações gerais* que se aplicam a todos os salmos, ver a introdução ao Salmo 4, onde apresento *sete* comentários que elucidam a natureza do livro. Quanto a *classes* dos salmos, ver o gráfico no início do comentário, que age como uma espécie de frontispício. Ali dou dezessete classes e listo os salmos pertencentes a cada uma delas.

Este é um *hino de Sião*, que celebra a vitória final de Deus sobre as nações da terra, de forma similar ao Salmo 46. Também existem afinidades com o Salmo 48. Parece que o exército de Israel havia obtido uma vitória especial, a qual, naturalmente, fora atribuída ao poder e favor de Yahweh-Elohim, que recebera assim os agradecimentos e louvores pelo acontecido. Muitos comentaristas supõem que tenhamos aqui uma alusão à derrota de Senaqueribe diante de Jerusalém, em 701 a.C. Esse hino passou, com o tempo, a ser usado no culto do templo de Jerusalém, com sua forma original um tanto modificada. Alguns estudiosos detectam uma conexão com a festividade do Ano Novo e a cerimônia de entronização de Yahweh. Nesse caso, o salmo assume um colorido *real*, e, naturalmente, alguns intérpretes veem nele elementos messiânicos ou o tornam um salmo messiânico; mas isso, por certo, já é um exagero.

Subtítulo. Temos aqui o seguinte subtítulo: "Ao mestre de canto, com instrumentos de corda. Salmo de Asafe. Cântico". A palavra hebraica aqui traduzida por "instrumentos de corda" é *Neginoth*. Ela também foi usada nas observações introdutórias ao Salmo 67. O subtítulo ao Salmo 61 é virtualmente igual, mas foi atribuído a Davi. Doze salmos foram atribuídos a Asafe, por parte de editores posteriores, que compilaram as notas de introdução aos Salmos 73 a 83 e 50. Mas essas observações não fazem parte das composições originais nem têm autoridade canônica. Entretanto, ocasionalmente algo histórico é afirmado nessas observações; mas quase todas elas não passam de conjecturas.

O DEUS GLORIOSO E TERRÍVEL (76.1-12)

Deus é Conhecido em Judá (76.1-3)

■ **76.1** (na Bíblia hebraica corresponde ao **76.1,2**)

לַמְנַצֵּחַ בִּנְגִינֹת מִזְמוֹר לְאָסָף שִׁיר:

נוֹדָע בִּיהוּדָה אֱלֹהִים בְּיִשְׂרָאֵל גָּדוֹל שְׁמוֹ:

Conhecido é Deus em Judá. É provável que Judá e Israel sejam sinônimos aqui, porquanto Judá se tornou Israel após o cativeiro assírio (ver a respeito no *Dicionário*) de Israel, a nação do norte. Seja como for, Elohim é louvado por sua proximidade do povo de Judá, do que resultou ter-lhes dado grandes vitórias militares, como o Senhor dos Exércitos, o Capitão dos Exércitos e o controlador do que acontece nos campos de batalha. "... Judá herdou todos os privilégios do pacto com Deus, agora que o reino das dez tribos deixara de existir" (Fausset, *in loc.*). A apostasia havia eliminado o reino do norte — Israel —, mas o reino do sul — Judá (as duas tribos de Judá e Benjamim) — dera prosseguimento à história do povo em pacto com Deus.

■ **76.2** (na Bíblia hebraica corresponde ao **76.3**)

וַיְהִי בְשָׁלֵם סֻכּוֹ וּמְעוֹנָתוֹ בְצִיּוֹן:

Em Salém está o seu tabernáculo. Salém (ver a respeito no *Dicionário*) é um antigo nome poético para Jerusalém. Sião era uma colina proeminente do local, na qual o templo fora construído. Esse templo era a tenda ou tabernáculo de Elohim, o lugar onde Deus se manifestava. Ver no *Dicionário* o verbete chamado *Sião*. Foi por causa da presença de Deus em Judá que se tornou possível a grande vitória militar aludida neste salmo. "Salém (que significa *paz*) era o antigo nome de *Jebus*, posteriormente conhecida como Jerusalém. Ali foi levantado o tabernáculo, e, mais tarde, o templo, edificado sobre o monte Sião. O templo tornou-se a *morada* do Senhor" (Adam Clarke, *in loc.*). Algures, o termo "Salém" é usado somente em Gn 14.18 e Hb 7.1,2. Quanto à *moradia* de Deus, cf. Sl 74.7; 84.1 e 132.5-7. Jerusalém sempre foi considerada a moradia de Deus. Davi conquistou a cidade e tornou-a capital de Israel. Ato contínuo, levou ali um *tabernáculo provisório* (2Sm 6.17), o qual foi substituído pelo templo de Salomão, não muito tempo depois.

■ **76.3** (na Bíblia hebraica corresponde ao **76.4**)

שָׁמָּה שִׁבַּר רִשְׁפֵי־קָשֶׁת מָגֵן וְחֶרֶב וּמִלְחָמָה סֶלָה:

Ali despedaçou ele os relâmpagos do arco. Elohim, o *Habitante divino* de Jerusalém (monte Sião) agora é pintado como o grande guerreiro que obtivera grande vitória em favor de Judá, e que, tentativamente, tenho identificado na introdução a este salmo. Uma conjectura comum, que tem alguma coisa a ser dita em seu favor, é a vitória de Judá sobre Senaqueribe, obtida em Jerusalém, no ano de 701 a.C. Ver no *Dicionário* o verbete intitulado *Senaqueribe,* quanto a detalhes.

Arco. Ver no *Dicionário* o verbete chamado *Flecha.* O arco e a flecha são símbolos da guerra conduzida à distância. Quanto às *flechas do ímpio,* ver Sl 57.4; 58.7; 64.3; 120.4. Quanto às *flechas de Deus,* ver Sl 64.7, onde apresento notas expositivas e referências. O paralelo de "flechas", aqui, é a palavra "relâmpagos", que pode ser uma alusão às flechas inflamadas que atravessam o céu como pequenos cometas. Ver Sl 7.13. A palavra hebraica correspondente a "relâmpagos" é a mesma usada para indicar a "pestilência", em Hc 3.5, que era uma das flechas metafóricas de Deus, como instrumentos de seu julgamento. Elohim, em seu ato de poder, ao proteger Judá, *partiu* todas as flechas lançadas pelo inimigo. E também quebrou os escudos e as espadas do inimigo, fazendo uma obra completa. Deus é o campeão das batalhas e obteve, na ocasião celebrada neste salmo, notável vitória por meio dos exércitos de Judá, naturalmente, mas também fez intervenção divina para além das armas humanas. A lista de armas destruídas é sumariada no termo *batalha.* A batalha era do Senhor.

Ver o uso metafórico desses termos em Ef 6.10 ss. Este versículo tem sido cristianizado para fazer Elohim ser aqui o Cristo que derrotou todos os inimigos da igreja, dando aos crentes a vitória espiritual. Zc 9.10 é um versículo similar. Ver Sl 46.9, que diz: "Ele põe termo à guerra até aos confins do mundo, quebra o arco e despedaça a lança; queima os carros no fogo".

Selá. Ver Sl 3.2, quanto aos possíveis significados desta misteriosa palavra hebraica.

A Derrota dos Inimigos de Sião (76.4-6)

■ **76.4** (na Bíblia hebraica corresponde ao **76.5**)

נָאוֹר אַתָּה אַדִּיר מֵהַרְרֵי־טָרֶף:

Tu és ilustre, e mais glorioso. O salmista proveu aqui uma descrição detalhada da derrota do inimigo, vencido pela majestade de Elohim. Deus foi descrito através das palavras "glorioso" (vs. 4) e "terrível" (vss. 7 e 12). "Naturalmente, esse é o mais elevado tributo que pode ser prestado àquele cuja atividade consiste em ser um terror, e por duas vezes o cumprimento é feito diretamente a ele — glorioso e terrível és tu (vss. 4 e 7)" (J. R. P. Sclater, *in loc.*). Por conseguinte, alto louvor foi prestado a Elohim, o qual assumira a posição de Capitão e Senhor dos Exércitos. Na antiguidade, os reis eram escolhidos por suas habilidades como guerreiros, porquanto, naqueles tempos brutais, um povo precisava combater e matar para sobreviver. Era uma questão de matar ou ser morto, e exigiam-se matadores habilidosos como líderes. Portanto, os homens transferiam para Elohim as qualidades que apreciavam em seus reis. Essa linguagem, naturalmente, é antropomórfica, isto é, qualidades e atributos humanos eram conferidos a Deus. Ver no *Dicionário* o verbete chamado *Antropomorfismo,* quanto a explicações completas.

Mais glorioso do que os montes eternos. O hebraico original diz aqui, literalmente, "montes de presa", que foi emendado conforme lemos no texto. Cf. Hc 3.6. O *texto massorético* foi assim modificado, como uma conjectura, para que desse um significado mais apropriado ao contexto. Ver no *Dicionário* o verbete chamado *Massora (Massorah); Texto Massorético,* quanto a uma discussão sobre o texto hebraico padronizado, do Antigo Testamento. Há aqui uma alusão às colinas em torno de Jerusalém, que se tornaram "montes de presa", onde Yahweh-Elohim reduziu os inimigos de Judá à *carnificina.* Ver no *Dicionário* o verbete intitulado *Senhor dos Exércitos.* Normalmente, os montes no território de Judá eram habitados por presas naturais, animais selvagens como leões, leopardos etc., mas esses montes ficaram repletos de homens selvagens ansiosos por destruir a Judá. Esses inimigos também eram predadores. Elohim terminou com eles, a fim de salvar a Judá. Eles tinham saído para transformar Judá em presa, mas os invasores terminaram presas de Elohim.

Em suas vitórias sobre os montes, Elohim adquiriu maior glória do que já possuía, naquele dia. O povo de Judá apreciava muito suas belas colinas, tão repletas de caça, da qual tiravam vantagem em suas caçadas. Mas quando Elohim esteve caçando os inimigos naquelas colinas, então ele se tornou muito mais amado e glorioso do que os animais que os filhos de Israel ali caçavam.

Os montes eternos. Essa frase tem sido aproveitada pelos nativos de Salt Lake City para referir-se às Montanhas Rochosas que circundam a cidade. Por isso, os habitantes daquela cidade costumam dizer: "A histórica praça Templo, à sombra dos montes eternos, encruzilhada do Oeste".

■ **76.5** (na Bíblia hebraica corresponde ao **76.6**)

אֶשְׁתּוֹלְלוּ אַבִּירֵי לֵב נָמוּ שְׁנָתָם וְלֹא־מָצְאוּ
כָל־אַנְשֵׁי־חַיִל יְדֵיהֶם:

Despojados foram os de ânimo forte. Os que se apresentaram contra Jerusalém formavam um exército poderoso e bem treinado nas lides da guerra, muito acima da capacidade do exército de Judá, o que explica a necessidade de uma *intervenção divina.* Mas foi o poderoso exército babilônico que, uma vez derrotado, acabou sendo *despojado.* Portanto, *afundaram-se no sono,* um eufemismo para a "morte". Todos eles morreram, conforme o poeta sagrado não se demorou a deixar registrado. Foi uma vitória completa e inesperada. Elohim, sendo mais majestático e poderoso do que as fortalezas do inimigo, que havia sido enviado às colinas da Judeia, aniquilou aquele poder e trouxe paz a Sião. O adversário foi prontamente destruído (vs. 5) pela repreensão de Elohim.

Nenhum... pode valer-se das próprias mãos. As *mãos* são os símbolos do poder que os homens têm para usar. Elohim terminou com o poder deles extinguindo-lhes a vida. Cf. Js 8.20; Êx 14.31 e Dt 32.36. Shakespeare falou a respeito do "companheiro de minhas mãos", ou seja, alguém que poderia ser usado como ajuda. Os fortes tornaram-se fracos, e afundaram em um sono eterno. Quanto ao sono da morte, ver também Sl 8.3; Jr 51.39,57; Na 3.18; 2Rs 19.35. Homens poderosos perderam as próprias mãos.

■ **76.6** (na Bíblia hebraica corresponde ao **76.7**)

מִגַּעֲרָתְךָ אֱלֹהֵי יַעֲקֹב נִרְדָּם וְרֶכֶב וָסוּס:

Ante a tua repreensão, ó Deus de Jacó. Foi a palavra de Elohim que fez parar os inimigos de Judá. Seu comando derrubou os cavaleiros dos cavalos, e eles caíram no profundo sono da morte, conforme vimos no versículo anterior. "A mesma palavra hebraica foi usada para o sono profundo de Sísera (Jz 4.21). O cântico de Débora e o capítulo 15 do livro de Êxodo podem ter estado na mente do autor de Is 43.17" (Ellicott, *in loc.*). Mediante uma licença poética, o salmista fez os carros de combate e os cavalos, e não meramente os cavaleiros, cair no mesmo sono profundo. Todos mergulharam no mesmo silêncio profundo e permanente. "Todos foram sufocados numa mesma noite. Quanto à destruição dessa poderosa hoste, o leitor é solicitado a examinar as notas em 2Rs 19" (Adam Clarke, *in loc.*).

O Julgamento Celeste (76.7-9)

■ **76.7** (na Bíblia hebraica corresponde ao **76.8**)

אַתָּה נוֹרָא אַתָּה וּמִי־יַעֲמֹד לְפָנֶיךָ מֵאָז אַפֶּךָ:

Tu, sim, tu és terrível. O terrível guerreiro, Elohim, ficou irado, e ninguém mais pôde resistir a ele. Ele enviou suas flechas inflamadas e feriu o exército inimigo com sua poderosa espada. Deus governa o mundo e mostra-se paciente. Mas essa paciência se esgota. Portanto, Deus levanta-se do trono, puxa a mão de dentro das dobras de suas longas vestes (ver Sl 74.10), agarra sua espada e dá nos invasores um único poderoso golpe, e eles caem no sono permanente da morte. Ver no *Dicionário* o verbete chamado *Ira de Deus.* "No momento em que a ira de Deus se acende, o juízo divino é executado. Quão terrível é essa consideração! Se 185 mil homens foram destruídos em um único instante, como poderia você, um pobre, miserável e débil pecador, resistir à vontade dele e fazer recuar os seus relâmpagos?" (Adam Clarke, *in loc.*). Ver 2Rs 19.35 ss. quanto à narrativa. Ver também Na 1.6 e Ap 6.16,17.

■ **76.8** (na Bíblia hebraica corresponde ao **76.9**)

מִשָּׁמַיִם הִשְׁמַעְתָּ דִּין אֶרֶץ יָרְאָה וְשָׁקָטָה:

Desde os céus fizeste ouvir o teu juízo. O juízo divino desceu *desde os céus.* Foi uma intervenção divina óbvia. Elohim governa os céus e a terra. O decreto saiu dos céus, porque os céus são o seu quartel-general. A voz de Deus trovejou sobre a terra. Todos os homens, de todos os lugares, temeram e tremeram. Então tudo se acalmou. O golpe tinha logrado efeito. Tudo havia afundado naquele sono profundo. É assim que os juízos de Deus ferem os homens com espanto e terror. O jactancioso e ímpio Senaqueribe ficou desanimado, desolado, humilhado e, finalmente, emudeceu em sua admiração. O anjo do Senhor tinha passado por ali naquele dia, o qual foi imortalizado na descrição do historiador e no hino do poeta. Cf. Sl 46.6,9,10 e Is 14.7.

■ **76.9** (na Bíblia hebraica corresponde ao **76.10**)

בְּקוּם־לַמִּשְׁפָּט אֱלֹהִים לְהוֹשִׁיעַ כָּל־עַנְוֵי־אֶרֶץ סֶלָה׃

Ao levantar-se Deus para julgar. O golpe celeste foi desferido em favor da *justiça*. Algumas vezes, a justiça requer severa *retribuição*. Os invasores estavam ali para matar; e, por isso mesmo, foram mortos. Eles sofreram os inevitáveis efeitos da *Lei Moral da Colheita segundo a Semeadura* (ver a respeito no *Dicionário*). Os oprimidos foram libertados da ameaça pelo poder de Deus, e não por seus próprios esforços. Os opressores foram aniquilados. A justiça foi feita. A declaração aqui tem uma natureza geral. Todos os mansos ou oprimidos da terra são defendidos pelo Juiz supremo. Elohim se preocupa com os indivíduos e as nações aflitas. Ele exerce seu governo, e isso opera em favor de negócios retos com todos os homens. Os homens obtêm o que dão a seus semelhantes. Por outra parte, a misericórdia adia um castigo merecido, e o amor dá benefícios desmerecidos. Julgamento é amor operando através da severidade que algumas vezes se faz necessária para curar os rebeldes.

Selá. Quanto aos possíveis sentidos desta misteriosa palavra hebraica, ver Sl 3.2.

O Cumprimento dos Votos (76.10-12)

■ **76.10** (na Bíblia hebraica corresponde ao **76.11**)

כִּי־חֲמַת אָדָם תּוֹדֶךָּ שְׁאֵרִית חֵמֹת תַּחְגֹּר׃

Até a ira humana há de louvar-te. De quais maneiras isso pode expressar a verdade?
1. Os males dos homens, uma vez julgados por Deus, provam a justa natureza dos juízos divinos. Então os homens louvam ao Senhor por haver ele endireitado as coisas. A equidade e a retribuição são fatores importantes no governo universal de Elohim.
2. Da parte dos homens, não esperamos justiça neste mundo. Mas esperamos a justiça de Deus. Ele compensa as contas que forem deixadas insolúveis neste mundo. Emanuel Kant arquitetou daí um argumento em favor da existência de Deus e da existência e sobrevivência da alma humana, frente à morte biológica. Fica claro que, neste mundo, a justiça raramente é feita: os homens escapam à punição contra os seus crimes, e os indivíduos bons não são recompensados. Por conseguinte, deve haver um Deus que seja sábio e poderoso o bastante para cuidar que a justiça seja feita em outra dimensão. Ademais, a alma humana precisa sobreviver para receber o que merece, de bom ou de mau. Que isso venha a ser feito, deve redundar na glória e no louvor de Deus. Essa é uma verdade, mas não uma verdade que tenha sido antecipada pelo salmista. Ele não nos forneceu indicações de que a justiça seria servida na existência pós-túmulo, visto que não antecipava uma vida para depois do túmulo. Isso surgiu posteriormente na teologia dos hebreus.
3. O julgamento deve ser visto como parte integral da *providência divina*, pelo que é algo que deve ser louvado, juntamente com todas as suas outras obras. Ver no *Dicionário* o artigo chamado *Providência de Deus*. Quando Deus julga a ira do homem, realiza uma boa obra de providência negativa. Ou seja, a ira do homem já causou toda espécie de caos. Isso precisa ser entravado, pelo que o julgamento divino necessariamente se segue. Então vemos Deus fazer retroceder a ira humana, e isso é algo que merece ser louvado pelos homens.
4. Falando severamente, conforme fazem alguns de meus irmãos: O homem, em sua ira, faz toda espécie de coisas malignas. Portanto, Deus o pune severamente. Algo que começou como coisa má terminou como coisa boa. Portanto, devemos a Deus todo o louvor. É bom que Deus castigue os homens com severidade. Eles merecem. A ira de Senaqueribe serve somente para que Deus manifeste a sua glória. Seu julgamento apropriado é algo que homens bons louvarão.
5. O julgamento divino que castiga a ira humana, por parte de alguns estudiosos, aparece como o *julgamento eterno*, mas não é esse o pensamento do versículo. É a interpretação cristianizada e popular do versículo. É legítimo fazer disso uma *aplicação* da declaração. Muitos intérpretes da Igreja Ocidental deixam a questão nesse ponto. Louvamos a Deus porque ele faz as pessoas queimar para sempre! Tal ato é justo! A Igreja Oriental, entretanto, vê o próprio julgamento como aplicação remediador, e não somente um castigo que esmaga para sempre. Não existe algo como justiça crua, sem a mitigação do amor e da misericórdia. Não existe algo como a *justiça nua*.
6. Deus transforma as más intenções do homem em boas intenções, pelo menos no fim. Para exemplificar: o cativeiro babilônico foi uma coisa terrível, que causou intenso sofrimento. Por outra parte, curou Judá da apostasia e levou à luz de um novo dia. Portanto, o mal foi, de fato, um instrumento produtor do bem.
7. O julgamento é um dedo da amorosa mão de Deus. O julgamento opera ferozmente, mas essa própria severidade cura e restaura, e não somente toma vingança. O julgamento divino, portanto, tem aspecto remediador, e não somente retributivo. Ver 1Pe 4.6 no *Novo Testamento Interpretado*. Meus amigos, essa é uma grande verdade, mas não antecipada pelo autor do salmo. Na *Enciclopédia de Bíblia, Teologia e Filosofia* ver o verbete chamado *Julgamento de Deus dos Homens Perdidos*, quanto a uma detalhada descrição dessa ideia.

■ **76.11** (na Bíblia hebraica corresponde ao **76.12**)

נִדֲרוּ וְשַׁלְּמוּ לַיהוָה אֱלֹהֵיכֶם כָּל־סְבִיבָיו יוֹבִילוּ שַׁי לַמּוֹרָא׃

Fazei votos, e pagai-os ao Senhor vosso Deus. Os que são livrados das garras de homens ímpios e recebem bênçãos positivas de Deus têm muita razão para louvar a Deus. Parte de seu louvor consiste em fazer e cumprir votos. Ver no *Dicionário* o artigo chamado *Voto*, quanto a detalhes. Os homens faziam votos particulares, porém o mais provável é que tenhamos aqui os votos formalizados do culto do templo, onde agradecimentos especiais eram prestados pelos grandes favores recebidos. Este salmo entrou no culto do templo. Devemos relembrar que os salmos constituíam o antigo hinário de Israel. Os votos incluíam ofertas que eram levadas ao templo, para sustentar o ministério. Ver 2Cr 32.23. Tais atos faziam parte do temor devido ao Senhor. Ver no *Dicionário* o verbete chamado *Temor*, quanto a comentários a respeito.

Cf. Sl 56.13,14; Jn 1.16; Ec 5.4,5. O Targum diz aqui: "Que eles tragam oferendas à casa do santuário do Deus Terrível".

Os votos que fiz, eu os manterei, ó Deus; render-te-ei ações de graças.

Salmo 56.12

■ **76.12** (na Bíblia hebraica corresponde ao **76.13**)

יִבְצֹר רוּחַ נְגִידִים נוֹרָא לְמַלְכֵי־אָרֶץ׃

Ele quebranta o orgulho dos príncipes. A palavra hebraica aqui traduzida por "quebranta" é *yibetzor*, que se refere ao ato do viticultor que remove ramos indesejáveis para que o restante da vinha medre mais forte. Cf. Sl 48.4-6. Quanto a essa imagem, ver Jl 3.13; Is 18.5 e Ap 14.17 ss. Elohim é o colhedor cruel no tocante aos ímpios. Ele os separará dos justos mediante severo julgamento. Embora algumas versões digam aqui "espírito", em lugar de "orgulho", essa palavra significa respiração, ou seja, o hálito de vida. Isso será cortado e eles ficarão sem respiração, isto é, *mortos*. Não há aqui referência ao espírito dos homens, à alma eterna, a qual seria vista como julgada em algum julgamento após a vida terrena. Isso ainda não fazia parte da teologia dos hebreus. Pelo contrário, os príncipes (ou seja, líderes) geralmente eram cheios de si, egocêntricos. O trecho, portanto, afirma que Deus quebra o orgulho dos reis. Comentou John Gill (*in loc.*): "... tira-lhes a respiração, ou vida, o que ele pode fazer tão facilmente como um homem corta um cacho de uvas da vinha. Essa palavra refere-se à destruição dos iníquos".

É tremendo aos reis da terra. Esses receberão duro tratamento, para que saibam que, na realidade, só existe um potentado. O Rei dos reis é terrível para com os reis deste mundo. Senaqueribe serviu de temível exemplo do que este versículo fala aqui. "Todos estão sob o seu domínio. Todos têm de prestar-lhe contas. Mesmo aqueles que o homem não pode levar às barras da justiça, Deus levará" (Adam Clarke, *in loc.*).

SALMO SETENTA E SETE

Quanto a *informações gerais* que se aplicam a todos os salmos, ver a introdução ao Salmo 4, onde apresento *sete* comentários que elucidam a natureza do livro. Quanto às *classes* dos salmos, ver o gráfico no início do comentário sobre o livro, que age como uma espécie de frontispício da coletânea. Dou ali dezessete classes e listo os salmos pertencentes a cada uma delas.

Este é um *salmo de lamentação*, o grupo mais numeroso dos salmos. Trata-se de uma oração pedindo livramento dos ataques de inimigos pessoais. Os salmos de lamentação tipicamente começam com um clamor pedindo ajuda; então descrevem os inimigos que estão assediando, como invasores estrangeiros, homens perversos no acampamento de Israel ou alguma enfermidade física que ameaça com a morte. Algumas vezes, aparece mais de um tipo de inimigo. *Imprecações* contra os inimigos são comuns nesse tipo de salmo, ao ponto de alguns deles terem sido chamados de *salmos de imprecação*. E então, finalmente, eles usualmente terminam em uma nota de louvor, porque a oração do salmista foi respondida, ou então o salmista pensa que logo será, pelo que agradece em antecipação. Mas alguns desses salmos terminam em um tom de desespero, e isso também corresponde à experiência humana. No salmo presente, a natureza exata da tribulação não foi desvendada.

Um Salmo Misto. Os vss. 1-10 seguem o padrão de um típico salmo de lamentação, mas os vss. 11-20 são um hino de louvor. O assunto é o louvor a Deus por seus atos de salvação em favor de Israel. Talvez tenhamos dois salmos reunidos para formar um só, pois os dois foram compostos por autores diferentes, mas foram unidos por editores posteriores. Ou então, o hino é um *encorajamento* para os aflitos, individuais ou comunais, confiarem em Elohim, que, no passado, havia satisfeito todas as necessidades de Israel.

Subtítulo. Neste ponto o seguinte subtítulo: "Ao mestre de canto, Jedutum. Salmo de Asafe". Esse subtítulo é idêntico ao do Salmo 39, onde anoto seus elementos, excetuando-se o fato de que aquele salmo foi atribuído a Davi, ao passo que este foi atribuído a Asafe.

■ **77.1** (na Bíblia hebraica corresponde ao **77.1,2**)

לַמְנַצֵּחַ עַל־יְדִיתוּן לְאָסָף מִזְמוֹר׃

קוֹלִי אֶל־אֱלֹהִים וְאֶצְעָקָה קוֹלִי אֶל־אֱלֹהִים וְהַאֲזִין
אֵלָי׃

Elevo a Deus a minha voz, e clamo. Alguma tribulação ou tragédia não especificada assediava o poeta sagrado, o qual enviou urgente clamor a Elohim, em alta voz, solicitando livramento. O salmista clamou e rogou que Deus o *ouvisse*, um apelo comum nos salmos de lamentação. Anoto essa questão em Sl 64.1, onde forneço uma lista de referências que dizem a mesma coisa. "O salmista Asafe clamou ansiosamente, durante a noite, baseado em seu espírito perturbado, perscrutando sua alma em busca de uma resposta para sua aflição. Ele encontrou conforto ao meditar sobre o êxodo de Israel do Egito. Essa meditação animou a coragem do salmista e levou-o a tentar fazer Deus demonstrar novamente o seu grande poder" (Allen P. Ross, *in loc.*).

O hebraico literal é mais vívido do que as traduções:

- Minha voz a Deus — e deixai-me clamar;
- Minha voz a Deus — e ele me ouve.

"A repetição, neste caso, assinala a ansiedade do salmista. A palavra "voz" mostra que o salmo não resultou de uma meditação particular, mas de profunda tribulação mental, que forçou o homem a falar em *voz alta*" (Adam Clarke, *in loc.*).

■ **77.2** (na Bíblia hebraica corresponde ao **77.3**)

בְּיוֹם צָרָתִי אֲדֹנָי דָּרָשְׁתִּי יָדִי לַיְלָה נִגְּרָה וְלֹא תָפוּג
מֵאֲנָה הִנָּחֵם נַפְשִׁי׃

No dia da minha angústia procuro o Senhor. O autor sagrado não declara o que estava errado, mas suas palavras revelam que a questão em foco era *radical,* sem importar do que se tratasse. Ele orou a noite inteira, com as mãos estendidas, um gesto comum em tempos antigos e modernos, que ajuda no pleito sincero de um homem. Além disso, se as mãos do homem estavam estendidas, então ele também estava de pé, uma posição comum assumida pelos hebreus em oração. Essa posição ajuda uma pessoa a ficar desperta e faz a oração tornar-se mais poderosa. Andar para cá e para lá também auxilia numa oração mais intensa e poderosa. Portanto, temos aqui: O homem orou em voz alta; ele ficou de pé e estendeu os braços em atitude de súplica. A alma do salmista estava tão agoniada que ele não podia conciliar o sono. Ficar deitado de costas na cama, orando em silêncio, é uma maneira segura de cair no sono, em lugar de receber respostas da parte de Deus.

Parece até que o poeta sagrado sofrera uma grande perda pessoal. O *Problema do Mal* (ver a respeito no *Dicionário*) tinha atingido o salmista. Não o consolava que as massas populares padecessem dos mesmos sofrimentos. Não lhe parecia ser um consolo dizer que "o homem nasce para o enfado como as faíscas das brasas voam para cima" (Jó 5.7).

> Essa perda é comum e não faria
> minha própria perda parecer menos amarga. Antes, a faria ainda mais amarga. Isso faria
> as perdas serem comuns demais! Nunca a manhã
> se passou para tornar-se noite,
> sem que algum coração se espatifasse.
>
> Tennyson

A perplexidade de um indivíduo encontra consolo na perplexidade universal? O coração do salmista recusava consolar-se. Talvez alguns amigos tenham chegado a fim de ajudar. Mas coisa alguma podia estancar a dor. A vida do homem foi traspassada pela espada da tristeza. Ele era pouco mais do que um cadáver ambulante.

Minha Dor Entrou Noite Adentro. Assim diz a *King James Version*, e alguns rabinos entendiam o hebraico dessa maneira, em vez de mãos estendidas durante a noite. Kimchi, aceitando o original hebraico dessa maneira, fez disso uma *ferida* da alma, e não um ferimento literal do corpo. "A *King James Version* faz a palavra hebraica significar *ferimento*, em vez de *mão* (cf. Jó 23.2), mas isso não é provável" (William R. Taylor, *in loc.*).

O que fica óbvio é que tinha acontecido algo de terrível, e o poeta sagrado não suportava a carga de tristeza.

■ **77.3** (na Bíblia hebraica corresponde ao **77.4**)

אֶזְכְּרָה אֱלֹהִים וְאֶהֱמָיָה אָשִׂיחָה וְתִתְעַטֵּף רוּחִי
סֶלָה׃

Lembro-me de Deus e passo a gemer. Em sua tremenda dor, tal como todos os homens piedosos, o salmista voltou-se para Deus, mas continuou a gemer de tristeza. A paz que ultrapassa todo o entendimento (ver Fp 4.7) não passou por onde ele estava. O homem *desmaiou* em sua alma, sentindo-se avassalado. Alguns intérpretes, examinando o vs. 15, supõem que o poeta aludisse à dor de Jacó diante da perda de José, para indicar o tipo de dor que *ele* estava sentindo.

Não faz muito tempo, em Guaratinguetá, cidade onde moro no Brasil, houve um caso de afogamento que ilustra bem o texto presente. Dois amigos de infância foram pescar no rio Paraíba. Um deles sabia nadar, mas o outro não. Eram homens jovens, em seus 20 anos. O que não sabia nadar era casado, tinha uma filha pequena, e sua esposa estava esperando outro bebê para dentro de apenas duas semanas. O homem que sabia nadar não estava satisfeito com a viagem de pescaria naquele rio, pois sabia que havia correntezas perigosas abaixo da superfície da água. Mesmo assim, os dois foram pescar. O barco emborcou quando bateu em algo grande dentro do rio, e os dois jovens caíram na água.

O que sabia nadar ignorou os gritos de socorro do que não sabia, embora este tivesse vindo à superfície por três vezes, implorando para ser salvo, por causa de sua esposa e de sua filha, e do bebê que em breve nasceria. O outro homem, entretanto, continuou ignorando os pedidos de socorro do primeiro, porquanto calculou que não poderia salvar o companheiro e a si mesmo também. Portanto, ele se salvou e deixou que o outro morresse afogado. Então, ao ouvir as más notícias, o drama temível começou no lar do homem que não sabia nadar. Já era noite. Ninguém conseguiu dormir. O pai do homem que morrera pulou no rio e ficou procurando pelo corpo a maior parte da noite, na esperança de ao menos encontrar o cadáver do filho. Somente dois dias depois, foi encontrado o cadáver, que tinha sido levado pela correnteza até quase Lorena, uma cidade vizinha. Na verdade, toda a família do morto sentiu-se avassalada, a ponto de desmaiar. Assim sendo, perguntamos: Por quê?

Quanto ao jovem que morreu, dois dias antes ele tivera um sonho no qual sua filha se afogava no rio Paraíba. Ele tentou salvá-la, mas falhou, e ela morreu. Como é óbvio, ele havia sonhado com a sua própria morte, mas pôs uma filha sua no lugar, um truque que os sonhos algumas vezes empregam.

O Poeta Começou a Duvidar. A fé do salmista começou a balançar. Isso, conforme cremos, também significa que podemos duvidar. Nossas expressões espirituais abrem espaço em ambas as direções. O profeta Baha Ullah declarou que é natural que um homem bom duvide quando está em tribulação profunda, mas isso não nos deve perturbar. A fé volta com o tempo. E Deus tem paciência com nossas tristezas e dúvidas.

■ **77.4** (na Bíblia hebraica corresponde ao **77.5**)

אָחַזְתָּ שְׁמֻרוֹת עֵינָי נִפְעַמְתִּי וְלֹא אֲדַבֵּר׃

Não me deixas pregar os olhos. *O homem com insônia* manteve os olhos bem abertos, porquanto atribuía a Elohim, como a *única causa*, qualquer tribulação pela qual passasse. Sua tristeza era tão profunda que ele perdeu a capacidade de falar, provavelmente por causa da paralisação de suas cordas vocais, as quais podem ser afetadas por emoções profundas. Ver as notas expositivas em Sl 73.24, quanto aos *nove* fatores vinculados ao *Problema do Mal*, segundo foram vistos pelo salmista. Ver sobre esse título no *Dicionário*, quanto a uma discussão completa. Pequenas dificuldades podem fazer uma pessoa rir, mas grandes dificuldades deixam a pessoa estupefacta. Pequenos problemas fazem as pessoas falar muito a respeito. Mas grandes problemas calam a boca, emudecem.

A mente do salmista ficou atônita, e ele sobrevivia como se estivesse em meio a um horrível pesadelo, do qual não conseguia despertar. Ele fora apanhado na horrenda rede do problema do mal, como se fosse um inseto preso à teia de uma aranha venenosa. Ele já havia sido ferroado e vivia os últimos estágios de uma agonia fatal.

■ **77.5** (na Bíblia hebraica corresponde ao **77.6**)

חִשַּׁבְתִּי יָמִים מִקֶּדֶם שְׁנוֹת עוֹלָמִים׃

Penso nos dias de outrora. *Em sua atual miséria*, o salmista tentava relembrar o passado mais brilhante, quando o poder de Deus construía em lugar de derrubar, quando havia bênçãos em vez de maldições. Mas ele atribuía ambos os lados da moeda a Elohim, porquanto sua teologia era fraca quanto a causas secundárias. Mas mesmo quando fazemos causas secundárias entrar na questão, isso não nos ajuda a compreender por que os homens sofrem, e por que sofrem da maneira que sofrem. Ver o vs. 11, onde o poeta sagrado voltou a lembrar suas atividades passadas. Naturalmente, estava em vista o *passado de Israel*, quando Elohim fazia coisas positivas estupendas. Por que tais atividades haviam cessado?

Cf. o ato de lembrar-se deste versículo com algo similar em Dt 32.7. Diz aqui o Targum: "Mencionei os bons dias da antiguidade, os bons anos de eras passadas".

■ **77.6** (na Bíblia hebraica corresponde ao **77.7**)

אֶזְכְּרָה נְגִינָתִי בַּלָּיְלָה עִם־לְבָבִי אָשִׂיחָה וַיְחַפֵּשׂ רוּחִי׃

De noite indago o meu íntimo. O salmista comunicava-se com seu homem mais interior, o verdadeiro "eu", e efetuava essa atividade durante as horas da noite. Ele não era capaz de conciliar o sono, pelo que também continuava a pensar e meditar, procurando encontrar alguma espécie de resposta *interior*, já que, *externamente*, não havia resposta para o seu problema. Ele sondava seu espírito, e seu *espírito sondava*, sendo que esta última forma corresponde literalmente ao hebraico original.

Ellicott apresenta esta impressionante tradução, procurando imitar o original hebraico:

Deixai-me relembrar as palavras repisadas à noite;
Deixai-me queixar em meu próprio coração,
E meu espírito pergunta e pergunta.

Falando sobre *música*, tocando harpa ou cantando, ele segue o texto massorético. Ver no *Dicionário* o artigo chamado *Massora (Massorah); Texto Massorético.* A música pode ajudar na meditação, induzindo a estados alterados da consciência nos quais a alma, "perscrutando", pode tornar-se mais eficaz. *Cântico* é alterado para "coração", mediante uma pequena emenda que goza do apoio de algumas versões e poderia representar o texto original. Algumas vezes, as versões estão corretas, contra o texto hebraico padronizado. Os Papiros do Mar Morto, manuscritos hebraicos muito mais antigos que o texto massorético que serviu de base para as traduções do Antigo Testamento, algumas vezes concordam com as versões, especialmente no caso da Septuaginta, e não com os manuscritos hebraicos de datas posteriores. Ver no *Dicionário* o verbete intitulado *Mar Morto, Manuscritos (Rolos) do*.

■ **77.7** (na Bíblia hebraica corresponde ao **77.8**)

הַלְעוֹלָמִים יִזְנַח אֲדֹנָי וְלֹא־יֹסִיף לִרְצוֹת עוֹד׃

Rejeita o Senhor para sempre? O drama individual torna-se agora um drama nacional. Talvez o poeta sagrado tenha identificado um paralelismo entre sua tragédia pessoal e a tragédia da nação. Ver o vs. 15. O salmista tinha sido *rejeitado*, e outro tanto havia acontecido à nação de Judá. Os favores de tempos antigos haviam cessado. As obras maravilhosas de antigamente tinham secado como se fossem um wadi durante o verão. O Targum indaga, como que na incredulidade: "Será possível que o Senhor nos tenha repelido?" Teria Deus esquecido sua boa vontade, suas promessas, suas alianças, sua misericórdia, seu amor e sua graça? "Os períodos de silêncio de Deus sempre foram motivo de perplexidade para o espírito humano, mais ainda que suas terríveis manifestações" (Ellicott, *in loc.*). Deus não respondia nem a orações pessoais nem a orações nacionais. Em sua dor e tristeza, o salmista estava perplexo. Contrastando o passado com o presente, que poderia sentir o salmista exceto o mais puro desânimo? A glória do Senhor se havia afastado.

■ **77.8** (na Bíblia hebraica corresponde ao **77.9**)

הֶאָפֵס לָנֶצַח חַסְדּוֹ גָּמַר אֹמֶר לְדֹר וָדֹר׃

Cessou perpetuamente a sua graça? Deus é o Deus de amor, mas seu *amor constante* parecia não mais ter aplicação. Algumas traduções dizem aqui "misericórdia", em vez de "graça". Ver no *Dicionário* os verbetes chamados *Misericórdia* e *Amor*. Pense o leitor sobre o dia em que Deus deixará de amar! Que dizer sobre o livro de Jonas ou sobre João 3.16? A estrela guia deslizou de seu lugar, nos céus.

Já não vemos os nossos símbolos; já não há profeta; nem, entre nós, quem saiba até quando. Até quando, ó Deus, o adversário nos afrontará?

Salmo 74.9,10

Havia muitas e grandes *promessas* no antigo pacto, mas agora tudo isso não parecia mais representar coisa alguma. Porventura, essas promessas cessaram para o tempo todo?

Eis que já hoje sigo pelo caminho de todos os da terra; e vós bem sabeis de todo o vosso coração, e de toda a vossa alma, que nem uma só promessa caiu de todas as boas palavras que falou de vós o Senhor vosso Deus: todas vos sobrevieram, nem uma delas falhou.

Josué 23.14

77.9 (na Bíblia hebraica corresponde ao 77.10)

הֲשָׁכַח חַנּוֹת אֵל אִם־קָפַץ בְּאַף רַחֲמָיו סֶלָה׃

Esqueceu-se Deus de ser benigno? Este versículo repete as ideias essenciais dos vss. 7 e 8. Estão em mira o esquecimento e a *indiferença* de Deus (ver em Sl 10.1; 28.1 e 59.4). As orações tornaram-se inúteis. O Deus misericordioso esquecera sua misericórdia. Ele tinha perdido a paciência. Deixara de dispensar sua bondade, contra os seus costumes de milênios:

> *Senhor, Senhor Deus compassivo, clemente e longânimo, e grande em misericórdia e fidelidade.*
>
> Êxodo 34.6

Ver também Sl 103.8, bem como o apelo similar, em Is 63.11-15.

Terá ele reprimido..? Parece que esta metáfora foi extraída de uma fonte, a origem de águas vitais. A fonte havia secado, deixando os habitantes das proximidades desesperados por água. O território transformou-se em deserto, e as pessoas morriam de sede. A aflição tornou-se intolerável.

Selá. Quanto a esta misteriosa palavra hebraica, ver as notas expositivas em Sl 3.2.

77.10 (na Bíblia hebraica corresponde ao 77.11)

וָאֹמַר חַלּוֹתִי הִיא שְׁנוֹת יְמִין עֶלְיוֹן׃

Então disse eu: Isto é a minha aflição. A *mão direita* de Deus (ver Sl 20.6; cf. o *braço de Deus*, em Sl 77.15; 89.10) tinha ficado parada e esquecido suas obras de poder em favor de Israel. Nos *anos passados*, a *mão do Altíssimo* (ver Sl 7.17 e o artigo no *Dicionário*) escrevera a história do povo em relação de pacto. A escrita da Bíblia tinha cessado; os atos evidentes de Deus tinham sido interrompidos. Para todos os propósitos *práticos*, Israel não tinha mais Deus e se tornara como um povo pagão abandonado. Por conseguinte, o poeta *adoeceu* ou foi vencido pela tristeza (*Revised Standard Version*). A *King James Version* diz que o poeta relembrou os anos em que a mão direita de Deus estivera ativa. A *Revised Standard Version* afirma que a mão direita de Deus "havia mudado". O hebraico original do versículo é obscuro, e os tradutores fazem o que podem acerca do sentido do original. Alguns veem o poeta sagrado soltando gritos desesperados, profanando o conceito de Deus e blasfemando de suas obras. "Sou culpado de pôr em dúvida o seu amor e de descrer em suas promessas; inclino-me para a iniquidade", que é como a palavra "enfermidade" é interpretada por alguns. A mão direita de Deus deixou de dispensar bênçãos, e agora castigava, ou então simplesmente deixou de agir em prol do povo de Israel.

HINO DE LOUVOR (77.11-20)

77.11 (na Bíblia hebraica corresponde ao 77.12)

אַזְכִּיר מַעַלְלֵי־יָהּ כִּי־אֶזְכְּרָה מִקֶּדֶם פִּלְאֶךָ׃

Recordo os feitos do Senhor. O salmista voltou às suas memórias. Acrescentou discernimentos históricos a seus argumentos. As antigas tradições de Israel estavam repletas de narrativas sobre como o Todo-poderoso agira em favor deles. Havia uma longa história de intervenção divina nos documentos sagrados. Muitas *maravilhas* tinham sido efetuadas. Tudo aquilo tinha mudado, e o direito cessara de operar (vs. 10), mas o salmista, por relembrar o passado, esperava ver o reinício das atividades de Deus. Os versículos que se seguem desenvolvem o tema detalhadamente, daqui até o final do salmo (vs. 20), e assim o autor se engajou em "memórias encorajadoras", na tentativa de dissipar a tristeza que ele estava sentindo. É como se diz em uma moderna expressão idiomática: "Ele estava tentando despertar a esperança".

Recordo. O quê? "... as obras de criação e providência, o seu governo do mundo e, particularmente, os seus cuidados e a preservação do próprio povo, ao qual ele não rejeitou e nem mesmo poderia fazê-lo. Essas coisas ele disse para fortalecer a sua fé" (John Gill, *in loc.*).

O nosso homem clamava em alta voz, esperando alguma manifestação da bondade de Deus, queixando-se e quase blasfemando, conforme fez Jó, por causa de sua forte aflição.

> Perdoa estes clamores selvagens e admirados,
> As confusões de uma juventude dilapidada,
> Perdoa-lhes onde eles falham na confiança,
> E, em tua sabedoria, torna-me sábio.
>
> Tennyson

"... a rememoração é o verdadeiro caminho para recuperar a esperança e a fé" (Fausset, *in loc.*).

77.12 (na Bíblia hebraica corresponde ao 77.13)

וְהָגִיתִי בְכָל־פָּעֳלֶךָ וּבַעֲלִילוֹתֶיךָ אָשִׂיחָה׃

Considero também nas tuas obras todas. O ato de *relembrar* transformou-se em profunda meditação. O salmista estava aplicando a mente e a alma à tarefa de recuperar a fé, a esperança e a confiança. Ele não queria relembrar apenas superficialmente as experiências do passado. Rebuscava a alma à procura de evidências de brasas vivas que ainda restassem, e ele abanaria as brasas até que elas irrompessem em chamas de novo. Ele juntaria memória sobre memória e encontraria forças nesse ato de relembrar-se. Cf. Sl 145.4-7,11,12. O Targum diz aqui: "Meditarei em todas as tuas boas obras, e falarei das causas de todas as tuas maravilhas".

> *Meditarei no glorioso esplendor da tua majestade, e nas tuas maravilhas.*
>
> Salmo 145.5

77.13 (na Bíblia hebraica corresponde ao 77.14)

אֱלֹהִים בַּקֹּדֶשׁ דַּרְכֶּךָ מִי־אֵל גָּדוֹל כֵּאלֹהִים׃

O teu caminho, ó Deus, é de santidade. O caminho de Deus é santo, e bastaria isso para distingui-lo das divindades pagãs, que são imagens um pouco expandidas de suas ímpias contrapartidas humanas. O Deus santo também é *poderoso*, pois um de seus três nomes principais é *Elohim*, que significa *Poder*. A parte do versículo que diz que o *caminho de Deus é santo* poderia ser traduzida por "teu caminho está no santuário", e é assim que diz o texto massorético, com seus pontos vocálicos. Nesse caso, Deus se manifesta no seu santuário e encabeça o yahwismo, uma fé distinta entre as nações. Seja como for, "Elohim é metafisicamente ímpar e moralmente majestático" (William R. Taylor, *in loc.*), e seu povo, seguindo seu exemplo, também é ímpar, por obedecer à lei divina (ver Dt 4.4-8). O texto massorético talvez sugira que, para compreender Elohim, um homem precisa ir ao santuário de Deus. Ali esse homem aprende, medita e é instruído. Assim sendo, dúvidas e temores se dissolvem, e novas luzes descem sobre a alma humana. Cf. Hc 2.20; Sl 11.4; 18.6 e 29.2. O caminho de Deus está nos céus, exaltado muito acima dos nossos caminhos (ver Is 55.9). Seu caminho é compreendido em seu santuário, mesmo que não consigamos percebê-lo como evidentes neste mundo, onde reinam o caos e a tristeza.

> *Justo é o Senhor em todos os seus caminhos, benigno em todas as suas obras. Perto está o Senhor...*
>
> Salmo 145.17,18

77.14 (na Bíblia hebraica corresponde ao 77.15)

אַתָּה הָאֵל עֹשֵׂה פֶלֶא הוֹדַעְתָּ בָעַמִּים עֻזֶּךָ׃

Tu és o Deus que operas maravilhas. As *maravilhas de Elohim*, algumas das quais foram acontecimentos miraculosos, tornaram-se lições de como o Ser divino opera, e o que o Ser divino requer dos homens, não somente quanto a Israel, mas também quanto a todos os povos nas fronteiras de Israel que observaram esses acontecimentos. Antes de mais nada, o êxodo vem à nossa mente e, então, lembramos as perambulações pelo deserto, milagres periódicos que pontuam a história inteira. Além disso, meditemos sobre a conquista da Terra Prometida, um feito realizado contra possibilidades intransponíveis, pelo menos do ponto de vista humano. O salmista continuou a meditar sobre essas coisas para elevar o ânimo de seu espírito e recuperar a fé, repelindo suas dúvidas blasfemas.

"Todo ato de Deus, tanto na natureza quanto na graça, tanto na criação quanto na providência, é *maravilhoso*... Para o observador geral, sua *força* é o fator mais evidente. Para o investigador da natureza, é sua *sabedoria*. Mas para os cristãos, o que mais se torna óbvio são sua *misericórdia* e o seu *amor*" (Adam Clarke, *in loc.*).

■ **77.15** (na Bíblia hebraica corresponde ao **77.16**)

גָּאַ֣לְתָּ בִּזְר֣וֹעַ עַמֶּ֑ךָ בְּנֵֽי־יַעֲקֹ֖ב וְיוֹסֵ֣ף סֶֽלָה׃

Com o teu braço remiste o teu povo. O *braço* divino (ver Sl 89.10) realizou o milagre da redenção às margens do mar Vermelho, bem como as coisas que se seguiram, para consolidar o milagre. Sobre como Yahweh tirou Israel do Egito (um tema repetido por mais de vinte vezes no livro de Deuteronômio), ver Dt 4.20. Quanto à *mão poderosa* do Senhor, ver Dt 9.26 e notas adicionais em Sl 20.6. Proeminência foi dada aos israelitas que descendiam de Jacó através de *José*, um acontecimento comum nos salmos atribuídos a Asafe. Talvez Asafe tivesse vindo dessa parte de Israel (a parte norte), e naturalmente, fazia tal ênfase. Ver Sl 80.1 e 81.4,5. Sem dúvida alguma, está em pauta todo o Israel, embora os filhos de José, ou seja, as tribos de Efraim e Manassés, sejam as tribos *especificadas*.

■ **77.16** (na Bíblia hebraica corresponde ao **77.17**)

רָא֬וּךָ מַּ֤יִם ׀ אֱלֹהִ֗ים רָא֣וּךָ מַּ֣יִם יָחִ֑ילוּ אַ֝֗ף יִרְגְּז֥וּ תְהֹמֽוֹת׃

Viram-te as águas, ó Deus. As *águas*, neste caso, são as do mar Vermelho, as quais se amontoaram, permitindo que Israel passasse pelo meio delas, mas voltaram ao leito natural, matando os egípcios afogados. Esse evento sempre foi relembrado em Israel como uma das obras mais poderosas de Elohim, tendo inspirado incontáveis autores até nossa própria época.

Quando Israel veio da escravidão,
Havia um mar à frente deles.
O Senhor estendeu sua poderosa mão,
E varreu o mar do caminho.

O poeta não testemunhara esse acontecimento, mas confiava na palavra dos que o tinham visto. Uma vez que eles o tinham *visto*, ele creu. Muito daquilo em que acreditamos baseia-se em questões históricas, e, se a base é histórica, temos de colocar nossa fé naquilo que outras pessoas conheceram em primeira mão. A fé pode existir muito bem sem eventos históricos, pois, afinal de contas, é melhor a fé que mana da alma do indivíduo. Não obstante, os eventos históricos atuam como ilustrações da verdade e *fortalecem* a nossa fé. Cf. Sl 114.3 e Hc 3.8-10.

Note o leitor a qualidade da poesia neste ponto: as águas do mar são retratadas como se temessem aproximar-se de Elohim. Ele nem ao menos precisou falar. Elas o viram aproximar-se e fugiram. Elas tiveram receio; ficaram perturbadas na presença do Ser divino. Assim sendo, todos os seres humanos, o mar e a terra estremecem perante Deus quando ele manifesta seu poder e sua glória.

■ **77.17,18** (na Bíblia hebraica corresponde ao **77.18,19**)

זֹ֤רְמוּ מַ֨יִם ׀ עָב֗וֹת ק֭וֹל נָתְנ֣וּ שְׁחָקִ֑ים אַף־חֲ֝צָצֶ֗יךָ יִתְהַלָּֽכוּ׃

ק֤וֹל רַעַמְךָ֨ ׀ בַּגַּלְגַּ֗ל הֵאִ֣ירוּ בְרָקִ֣ים תֵּבֵ֑ל רָגְזָ֖ה וַתִּרְעַ֣שׁ הָאָֽרֶץ׃

Grossas nuvens se desfizeram em água. As *violentas tempestades*, referidas nestes versículos, podem ser apenas embelezamentos poéticos. O registro escrito no livro de Êxodo não diz nada sobre tempestades que acompanharam o evento. Mas tanto Filo quanto Josefo (ver *Antiq.* ii.16.3) dizem que essa era parte de uma antiga tradição e, portanto, talvez corresponda a fatos. As nuvens derramaram sua água, e não meramente gotejaram, como é usual. Então Elohim atirou suas *flechas*, da maneira mais espetacular que se possa imaginar. Talvez *flechas* indiquem relâmpagos, o que, no vs. 1 deste salmo, é uma menção paralela. O "ribombar do trovão" encheu os céus, um paralelo aos *trovões* mencionados neste versículo. Os trovões eram tão poderosos que soaram como vendavais, emprestando voz aos ventos. Os relâmpagos eram tão coruscantes e imensos que iluminaram o mundo inteiro. Em seguida, houve terremotos que fizeram tremer a terra toda, um comentário adicional do vs. 18, sem paralelo no vs. 17. Essas descrições, como é natural, são hipérboles orientais expressas de forma poética.

Na redondeza. Provavelmente temos aqui uma tradução correta, embora esta seja a única ocasião em que a palavra hebraica envolvida pode ser assim traduzida. A palavra usualmente significa "rodas". Nesse caso, os trovões eram tão poderosos quanto os carros de combate, rolando para cá e para lá nos céus. Isso também resulta em uma excelente figura poética.

O poeta leu a história, creu nela e reviveu-a na memória a fim de fortalecer sua fé que já começava a murchar. Ele não era testemunha ocular dessas coisas, mas confiava nas palavras de outras pessoas.

Não resta sobre a terra
Nenhum homem vivo que conheceu (considerai isto!)
Ninguém que viu com seus olhos,
e manuseou com suas mãos,
aquele que foi desde o princípio,
A Palavra da Vida.
Como será quando ninguém puder dizer:
"Eu vi".

Robert Browning

■ **77.19** (na Bíblia hebraica corresponde ao **77.20**)

בַּיָּ֤ם דַּרְכֶּ֗ךָ וּֽשְׁבִילְךָ֮ בְּמַ֣יִם רַבִּ֑ים וְ֝עִקְּבוֹתֶ֗יךָ לֹ֣א נֹדָֽעוּ׃

Pelo mar foi o teu caminho. O *caminho de Elohim* passava bem pelo meio do mar, enquanto poderes secundários teriam afundado ali. Ele fez um caminho no mar, que ninguém mais poderia ter feito. Contudo, suas pegadas permaneceram invisíveis. Somente os olhos da fé poderiam vê-las. Foi um grande acontecimento espiritual, e não um mero evento físico. As obras de Deus podem não deixar vestígios visíveis, exceto para os olhos dos que nele confiam. Cf. Jó 9.11 e 23.8,9. Elohim preparou o caminho e então liderou seu povo, como se fossem suas ovelhas, através do mar Vermelho (vs. 20).

O Caminho de Deus Pertence somente a Ele. Deus é o desbravador de estradas. E os homens de fé seguem pelo caminho de Deus. Ele abriu caminho através de um mar que *não pode ser atravessado*; mas os homens que têm fé para tanto podem atravessar esse mar. "Fizeste uma vereda através do mar, teu caminho atravessou a multidão das águas. Tuas pisadas são desconhecidas, mas elas estão ali. Seu caminho não pode ser descoberto" (Adam Clarke, *in loc.*), mas homens de fé seguem por ele. Os ímpios egípcios entraram naquelas águas e não puderam descobrir o caminho de Deus, pelo que se afundaram no esquecimento.

Jesus, Salvador, pilota a minha vida,
Pelo mar tempestuoso da vida.
Ondas desconhecidas rolam à minha frente,
Escondendo rochas e recifes traiçoeiros.
Mapas e bússola vêm de ti;
Jesus, Salvador, pilota a minha vida.

Edward Hopper

■ **77.20** (na Bíblia hebraica corresponde ao **77.21**)

נָחִ֣יתָ כַצֹּ֣אן עַמֶּ֑ךָ בְּֽיַד־מֹשֶׁ֥ה וְאַהֲרֹֽן׃

O teu povo, tu o conduziste, como rebanho. *Israel era o rebanho de Deus*, que ele tirou da escravidão no Egito. Israel era o seu rebanho, quando se aproximou das águas temíveis. Os subpastores foram Moisés e Arão. Eles chegaram à beira-mar, estando o mar à frente e o exército egípcio avançando por trás. O braço poderoso de Deus se ergueu, e as águas foram divididas. Um caminho se formou no meio do mar, e os homens, admirados, seguiram por aquele caminho em segurança. O *Pastor* divino não perdeu *uma única ovelha*. Cf. Sl 23; 78.52; 79.13; 100.3, e ver no *Dicionário* o verbete intitulado *Pastor*. Quanto à liderança do Senhor durante o êxodo, ver Êx 13.21; 15.13 e 78.52,53. Quanto à liderança de Moisés e Arão, ver Nm 33.1. Cf. Os 12.13; Is 63.11,12 e Mq 6.4. Nos países orientais, o pastor lidera, em vez de tanger as ovelhas. O povo de Israel não teria atravessado o mar Vermelho se Yahweh não houvesse seguido à *frente* deles, tornando aquela vereda um caminho *possível* e *seguro*. Oh, Senhor, concede-nos tal graça!

> Salvador, como um pastor nos lidera,
> Muito precisamos de teu terno cuidado.
> Em teus agradáveis pastos nos alimenta,
> Para nosso uso prepara nossos apriscos.
>
> Dorothy A. Thrupp

SALMO SETENTA E OITO

Quanto a *informações gerais* que se aplicam a todos os salmos, ver a introdução ao Salmo 4, onde apresento *sete* comentários que elucidam a natureza do livro. Quanto às *classes* dos salmos, ver o gráfico no início do comentário, que atua como uma espécie de frontispício do saltério. Dou ali dezessete classes e listo os salmos pertencentes a cada uma delas.

Este é um *salmo didático* (ou seja, composto especialmente para conferir *instruções*). Esta composição faz parte de um grupo de salmos preparados para serem usados nas principais festividades dos filhos de Israel, os quais se relacionam com os tratos históricos de Deus com o povo hebreu. O salmo enfatiza o tema do povo de Israel em sua desobediência e ingratidão, mencionando especialmente o desvio dos efraimitas (vss. 9-11), que levou Deus a rejeitá-los em favor de Judá, a qual se tornou então a tribo mais poderosa (vss. 67-69).

"Este salmo continua a tradição de passar o registro das maravilhosas obras de Deus, feitas na antiguidade, de uma geração a outra. O salmista, de nome Asafe, implorou à sua geração que observasse a lei mosaica e não esquecesse as obras de Deus nem se rebelasse. Eles não deveriam fazer conforme tinham feito seus antepassados no deserto, que foram mortos devido à indignação do Senhor, ou como fez uma geração posterior quando Silo foi saqueada, antes que o Senhor escolhesse a Davi. Este salmo é uma triste narrativa do episódio em que seus antepassados esqueceram como o Senhor, graciosamente, os livrara" (Allen P. Ross, *in loc.*).

"Esta é uma balada didática e, tal como os Salmos 105, 106 e 114, usa algumas das antigas tradições (o êxodo e os primeiros anos na terra de Canaã) para ensinar lições religiosas. Portanto, não se trata de mera recapitulação de eventos passados. O alvo é mostrar como Deus operava através da história de Israel e como isso se aplicava à presente geração" (William R. Taylor, *in loc.*). Este salmo foi escrito quando o templo de Salomão permanecia de pé (vs. 69) e nenhum grande desastre havia ainda atingido Judá. A dinastia davídica continuava reinando em Jerusalém, a tribo de Efraim já havia caído, e isso permitira que a superioridade de Judá se tornasse um fato.

Subtítulo. Temos neste salmo o seguinte subtítulo: "Salmo didático de Asafe". No original hebraico, "Masquil de Asafe". "Masquil" significa "instrução". As tradições judaicas atribuíam doze salmos a Asafe, 73 a 83 e 50, mas devemos lembrar que essas notas introdutórias foram trabalho de editores posteriores e não faziam parte original dos salmos propriamente ditos. Alguns incidentes históricos podem ter sido identificados, relativamente às composições poéticas, mas a maioria não passava de conjecturas; e outro tanto pode ser dito em relação à autoria das composições.

O POVO PRECISAVA ESCUTAR (78.1-8)

■ 78.1

מַשְׂכִּיל לְאָסָף הַאֲזִינָה עַמִּי תּוֹרָתִי הַטּוּ אָזְנְכֶם לְאִמְרֵי־פִי׃

Escutai, povo meu, a minha lei. Israel precisava receber instruções. Era a *lei mosaica* que fazia de Israel um povo *distinto* (ver Dt 4.4-8). A lei era o guia de Israel (Dt 6.4 ss.) e dava aos filhos de Israel *longevidade* e *prosperidade* (Dt 4.1,4-8; 5.33; 6.4 ss.). Quanto a um sumário de ideias sobre como a lei se relacionava a Israel, ver as notas em Sl 1.2.

Escutai. Ver Sl 49.1, onde encontramos quase o mesmo apelo para que os filhos de Israel ouvissem. Ver também Pv 4.1,10,20; 5.1. Em Sl 64.1, Elohim é invocado a ouvir os clamores de Israel, que sofria aflições. Poucas pessoas sabiam ler, e o número de livros era exíguo. A instrução era dada oralmente, em sua maior parte.

A minha lei. No hebraico temos aqui a palavra *torah*, um preceito, um estatuto, derivado da palavra básica que significa "lançar a sorte sagrada". Originalmente, era uma referência a oráculos, uma prática de *adivinhação oracular*. Essa palavra passou a indicar instrução e então tornou-se o título da lei mosaica, especificamente do Pentateuco. A mesma palavra é usada em sentido amplo para falar do conteúdo geral das Escrituras e revelações de Israel.

O poeta sagrado falaria somente sobre as tradições, os preceitos da lei que o tinham *inspirado*. Por conseguinte, *cada palavra* teria a autoridade de Yahweh. O salmista fora impulsionado pelo Espírito de Deus, e sua palavra era inspirada.

■ 78.2

אֶפְתְּחָה בְמָשָׁל פִּי אַבִּיעָה חִידוֹת מִנִּי־קֶדֶם׃

Abrirei os meus lábios em parábolas. Parábolas são "declarações misteriosas". Ver Sl 49.4, quanto a expressões quase idênticas. A palavra "parábola" pode significar provérbio, poema, declaração profética ou oráculo (Nm 23.7), ou mesmo uma declaração de sabedoria ou instrução (Pv 10.1). As declarações misteriosas provavelmente significam somente coisas "ocultas no passado", e não coisas obscuras ou difíceis de entender. Este versículo é citado um tanto livremente em Mt 13.35 para introduzir ou comentar algumas das parábolas do Senhor Jesus. O termo hebraico quer dizer "pontos com nós", transmitindo a ideia de algo difícil de compreender, mas esse não parece ser o sentido pretendido aqui pelo autor sacro.

A palavra "enigmas", usada em nossa versão portuguesa, é fiel ao sentido do vocábulo, mas o uso que o salmista fez aqui dificilmente dá apoio a esse sentido no contexto. Provavelmente salmos, hinos, sermões — que supostamente trariam instruções significativas — pudessem ser encabeçados com o termo "declarações misteriosas" ou "enigmas". Os leitores, então, pesquisariam esse material, na tentativa de solucionar quebra-cabeças. Em outras palavras, o termo provavelmente foi usado como *artifício literário*. "Surge, porém, uma dificuldade, criada pelo fato de que este salmo trata de uma questão histórica, mas não é nem um provérbio (*mashal*) nem um enigma (*chidah*)" (Ellicott, *in loc.*). Esse autor observou o uso *vago* de tais palavras. Cf. esses "pontos com nós" com Nm 12.8. Em Hc 2.6, a palavra parece significar "sarcasmo", o que ilustra como algumas palavras podem ser elásticas.

> Antigas verdades nas sombras do passado se escondem,
> Nuvens místicas ocultam-nas de olhos curiosos;
> Contudo, te agradecemos que as trouxeste de volta
> e as revelaste nos recessos de nossa alma.
>
> Russell Champlin

■ 78.3

אֲשֶׁר שָׁמַעְנוּ וַנֵּדָעֵם וַאֲבוֹתֵינוּ סִפְּרוּ־לָנוּ׃

O que ouvimos e aprendemos. As *tradições* foram bem preservadas. As palavras de instrução, baseadas em acontecimentos passados, eram transmitidas de geração em geração. Não havia falhas na transmissão, mas muitas no campo da obediência, conforme este salmo passa a demonstrar. O salmista era um elo na cadeia da transmissão e desempenhou fielmente sua tarefa. O "nós" oculto nos verbos "ouvimos" e "aprendemos" é pleno de esperança. Toda a congregação ouviu. Não existiu ausência de informações e ensino. O poeta sagrado esperava que todos os filhos de Israel se juntassem a ele nesse "nós", ansiando por ouvir e obedecer ao que fora dito. "Ouvimos a lei. Conhecemos os fatos" (Adam Clarke, *in loc.*). "O senso de tradição era forte, e o autor não se desviaria dele. Seu propósito era instruir, e não entreter. Ele chegou mesmo a advertir que nem tudo quanto estava pronto para dizer seria aceitável ao orgulho deles; mas isso não o deteria" (J. R. P. Sclater, *in loc.*). Cf. essa atitude com o que acontece em tantas igrejas atuais, onde o entretenimento é, definitivamente, mais importante do que a instrução.

■ 78.4

לֹא נְכַחֵד מִבְּנֵיהֶם לְדוֹר אַחֲרוֹן מְסַפְּרִים תְּהִלּוֹת יְהוָה וֶעֱזוּזוֹ וְנִפְלְאוֹתָיו אֲשֶׁר עָשָׂה׃

Não o encobriremos a seus filhos. Asseverou um homem espiritual: "A pior coisa que um pai pode fazer é conhecer os ensinamentos e não os transmitir a seus filhos". O poeta sagrado tinha a mesma atitude desse homem espiritual. Ele sabia tudo sobre a história sagrada, a lei e as obras poderosas de Yahweh. Portanto, passou a ensinar essas coisas de forma sistemática, por palavra de boca e por literatura, transmitindo seu conhecimento à mais vasta audiência de Israel que pudesse encontrar. É admirável que um salmo de sua autoria tenha entrado na liturgia do templo de Jerusalém, e hoje em dia, *nós* o estejamos lendo! Isto posto, seus esforços foram recompensados com uma bênção universal e uma fantástica distribuição. Cf. Dt 4.9; 6.6; 11.19 e 32.46, trechos que contêm mensagens semelhantes à deste versículo. Note o leitor que Yahweh é o autor das *obras maravilhosas* que assinalaram toda a história de Israel.

Aplicai o vosso coração a todas as palavras que hoje testifico entre vós, para que ordeneis a vossos filhos que cuidem de cumprir todas as palavras desta lei.

Deuteronômio 32.46

■ 78.5

וַיָּקֶם עֵדוּת ׀ בְּיַעֲקֹב וְתוֹרָה שָׂם בְּיִשְׂרָאֵל אֲשֶׁר צִוָּה אֶת־אֲבוֹתֵינוּ לְהוֹדִיעָם לִבְנֵיהֶם׃

Ele estabeleceu um testemunho em Jacó. Yahweh foi o Autor da lei, e o primeiro a propagá-la. Os pais da nação de Israel a receberam e imediatamente a transmitiram a seus filhos. A partir daí, a prática foi seguida pelas gerações sucessivas de Israel.

Ver também Êx 13.14. "Jacó", neste caso, é paralelo a "Israel", e a mensagem a seus filhos começou com o Pentateuco, e, nos anos que se seguiram, mais literatura foi sendo reunida. Ver no *Dicionário* o verbete intitulado *Cânon do Antigo Testamento*.

Um testemunho... uma lei. Quanto à tríplice designação da lei, ver Dt 6.1. Temos aqui somente duas palavras, que poderiam ser um simples *paralelismo*. Tomadas juntamente, elas falam sobre o corpo geral dos documentos religiosos de Israel. Posteriormente, vieram a significar, especificamente, o Pentateuco. É provável que a lei *signifique* o testemunho estabelecido em Israel, ou seja, o testemunho que Yahweh deu de si mesmo e de seus ensinos espirituais. Esse testemunho assumiu forma escrita, tornando assim mais fácil a transmissão, visto que as tradições orais estão sujeitas a mudanças e perversões. No vs. 7 temos os *mandamentos*; no vs. 10 temos a *aliança* baseada na lei mosaica; e no vs. 11 temos os *milagres*. Esses testemunhos autenticaram a mensagem e ajudaram a fazer de Israel aquilo em que ele se tornou. Os vss. 12 ss. descrevem com detalhes os milagres ou *maravilhas* que Yahweh realizou.

"O fato mais importante na vida do povo hebreu foi o que nosso poeta citou como *testemunho* e *lei*. Não há compreensão nem de suas histórias nem de suas tentativas de entender a história à parte desse fato... Voltando às suas origens, eles sempre acharam Deus como o Criador e o Legislador. A lei foi estabelecida não para agradar o Legislador, mas para prover o povo de Israel com um padrão de continuidade explícita, dentro da ordem da lei. A vida, para os indivíduos, não era improvisada para satisfazer emergências. Isso ocorreria se o povo seguisse o padrão que Deus lhe dera. A lei agia como uma proteção contra eles mesmos, contra seus irmãos e contra seus inimigos. Não havia alternativa à lei. O povo podia perecer, mas a lei permaneceria" (J. R. P. Sclater, *in loc.*). A isso deveríamos acrescentar que a lei deveria fazê-los viver por longos anos e prosperamente. Ver Sl 1.2, quanto a um sumário sobre as funções da lei, em Israel.

■ 78.6

לְמַעַן יֵדְעוּ ׀ דּוֹר אַחֲרוֹן בָּנִים יִוָּלֵדוּ יָקֻמוּ וִיסַפְּרוּ לִבְנֵיהֶם׃

A fim de que a nova geração os conhecesse. Adam Clarke (*in loc.*) acompanha a menção a cinco gerações e, naturalmente, os poucos mencionados devem lembrar que jamais haveria fim no processo de transmissão. Alguns estudiosos fazem o vs. 6 referir-se à época dos juízes, mas não precisamos considerar a exatidão desse cálculo. O que precisamos saber é que jamais haveria fim da transmissão. Esse processo continuaria ininterruptamente, porquanto cada geração sentia que o que estava sendo dito revestia-se de imensa importância. "O que um homem sente ser de importância vital, ele se esforça por apresentar a seus familiares" (Hengstenberg).

A posteridade o servirá; falar-se-á do Senhor à geração vindoura.

Salmo 22.30

Em tudo isso, não devemos esquecer que o que era *falado* era também praticado, e que um pai estabelecia o exemplo da prática da lei a seus filhos. Ver no *Dicionário* o verbete chamado *Exemplo*. Um pai deve a seu filho *três* coisas: exemplo, exemplo, exemplo.

■ 78.7

וְיָשִׂימוּ בֵאלֹהִים כִּסְלָם וְלֹא יִשְׁכְּחוּ מַעַלְלֵי־אֵל וּמִצְוֹתָיו יִנְצֹרוּ׃

Para que pusessem em Deus a sua confiança. Se os pais dissessem: "Foi Deus quem fez isto. Somos atualmente uma nação por motivo do seu poder. A lei nos torna distintos de outras nações", então os filhos, apropriando-se da mensagem, teriam *esperança* no tocante à fé e ao futuro. Os filhos não esqueceriam as obras de Elohim, mas guardariam seus mandamentos. O resultado prático de relembrar e transmitir seria a observância da lei mosaica. E a nação acharia a graça de Elohim suficiente para seu conjunto especial de provações, porquanto Israel nunca se veria livre de tribulações e provações.

Envia tua luz e tua verdade,
Oh, permite que elas me guiem.
Oh, permite que elas me levem ao teu santo monte.

Charles F. Gounod

Cf. Dt 4.40; 31.11 e 33.9.

■ 78.8

וְלֹא יִהְיוּ ׀ כַּאֲבוֹתָם דּוֹר סוֹרֵר וּמֹרֶה דּוֹר לֹא־הֵכִין לִבּוֹ וְלֹא־נֶאֶמְנָה אֶת־אֵל רוּחוֹ׃

E que não fossem, como seus pais, geração obstinada e rebelde. Chegamos agora ao *tema principal* do salmo. A transmissão das tradições históricas, de geração em geração, visava deter a rebeldia, ajudando as gerações mais jovens a não imitar o *mau exemplo do deserto*, ou outro mau exemplo qualquer que os pais tivessem perpetrado. As boas palavras da lei e a observação das obras admiráveis de Elohim tinham por finalidade vencer as más tendências dos homens e mantê-los obedientes aos pactos com Deus.

Os pais da nação de Israel que erraram *não firmaram seu coração* (vs. 8), em contraste com a lei (vs. 5), a qual *fora firmada*, formando significativo paralelismo. A lei foi preparada visando o bem, mas eles prepararam o coração para o mal. Cf. 1Co 10.6-11; Hb 3.7-14; e os vss. 37 e 57 deste salmo. Quanto às ideias de *teimosos* e *rebeldes*, ver Dt 21.9.

A DESOBEDIÊNCIA DOS PAIS (78.9-20)

■ 78.9

בְּנֵי־אֶפְרַיִם נוֹשְׁקֵי רוֹמֵי־קָשֶׁת הָפְכוּ בְּיוֹם קְרָב׃

Os filhos de Efraim. Entre vários maus exemplos do passado que envolveram perda de coragem, do que resultou a traição, temos o caso de *Efraim*. As referências históricas não são claras: 1. Talvez os efraimitas tivessem sido condenados por sua recusa em atacar a terra de Canaã (Nm 14.1-10). 2. Ou a referência é à débil cooperação deles na subsequente invasão e ocupação da Terra Prometida, nos tempos de Josué (Jz 1.22-26). A tribo de Efraim, embora adequadamente armada e dotada de arqueiros habilidosos, voltou as costas quando deveria ter-se atirado à batalha. 3. Outro incidente é salientado, a saber, a derrota de Efraim perante Gate (1Cr 7.21), embora essa terceira possibilidade seja mais duvidosa. Se a primeira possibilidade está em foco, então Efraim tornou-se símbolo do fracasso coletivo. Temos aqui um caso de fé quebrada, pois, se uma tribo falhasse, isso significava que todas as tribos falhariam, ou, pelo menos, seriam debilitadas. Um mau exemplo foi estabelecido, e a massa da nação foi afetada negativamente. Ver as notas expositivas sobre o vs. 6. O fracasso coletivo do reino do norte terminou no cativeiro assírio, o que deixou o sul (essencialmente, Judá) reduzido a essa tribo, que passou a ser conhecida como Israel.

■ 78.10

לֹא שָׁמְרוּ בְּרִית אֱלֹהִים וּבְתוֹרָתוֹ מֵאֲנוּ לָלֶכֶת׃

Não guardaram a aliança de Deus. O *pacto abraâmico* (ver Gn 15.18) prometia uma terra pátria, mas essa pátria não seria conseguida sem luta. "Como podemos pensar em ganhar uma grande recompensa se evitarmos a luta?", perguntou o autor de certo hino evangélico. A lei mosaica requeria obediência, e isso fazia parte do *pacto mosaico,* comentado na introdução a Êx 19. Sem a Terra Prometida a nação de Israel não poderia cumprir os ideais de um povo distinto que propagasse a lei entre os gentios.

Este versículo é geral, referindo-se a todas as tribos de Israel, e não somente a Efraim. Também é uma menção geral às muitas ocasiões de desobediência mediante as quais Israel perdeu seu caráter distintivo, especialmente na prática da *idolatria*, quando o povo de Israel se mostrou *infiel* para com Yahweh. Instâncias particulares foram o fracasso de todas as tribos em obedecer à lei outorgada no monte Sinai (ver Êx 24.7) e também em entrar na Terra Prometida (ver Nm 14). Ademais, o pacto da circuncisão foi negligenciado durante as perambulações pelo deserto (Js 5), e isso sem dúvida fez parte da desobediência geral que provocou vários incidentes específicos.

■ 78.11

וַיִּשְׁכְּחוּ עֲלִילוֹתָיו וְנִפְלְאוֹתָיו אֲשֶׁר הֶרְאָם׃

Esqueceram-se das suas obras. Os *apóstatas* e *quase apóstatas* acharam conveniente esquecer as poderosas obras de Elohim e suas maravilhas (milagres), juntamente com os requisitos de sua lei. Nesse esquecimento, produziram muitos fracassos, alguns deles atos diretos de apostasia. Contrastar esse olvido com a conclamação para que Israel *lembrasse* e tivesse ouvidos atentos (vs. 1), bem como *tornasse conhecido* o glorioso passado de Israel à geração seguinte (vss. 2 ss.). Já vimos o mandamento para Israel não esquecer, no vs. 7, significando que haveria *esperança* no tocante às gerações mais jovens.

■ 78.12

נֶגֶד אֲבוֹתָם עָשָׂה פֶלֶא בְּאֶרֶץ מִצְרַיִם שְׂדֵה־צֹעַן׃

Prodígios fez na presença de seus pais. Este versículo expande a declaração do vs. 11. As obras maravilhosas incluíram o que Elohim fez em prol de Israel, ao tirá-lo da servidão egípcia. Ver o poder de Yahweh que livrou Israel do Egito, anotado em Nm 23.22. Deuteronômio apresenta esse tema por mais de vinte vezes.

No campo de Zoã. Ver Nm 13.22. Trata-se da clássica Tanis, uma corrupção da palavra Tsoan, isto é, o *país baixo,* como a Septuaginta e a Vulgata Latina traduzem o texto hebraico neste ponto. Ver no *Dicionário* sobre *Zoã,* onde ofereço artigo detalhado, cuja substância não repito aqui. Tanis era uma cidade real do baixo Egito, a leste do ramo tanítico do rio Nilo. O nome que os egípcios lhe davam era *Ha-awar,* que significa "a mansão da partida". É possível que esse nome aqui represente o Egito inteiro. Gósen, o lugar onde habitava Israel, fazia parte da área geral que pertencia a Zoã. Por conseguinte, foi *dali* que Israel partiu, no início de sua marcha para fora do Egito. Em Zoã os milagres de Moisés foram realizados na presença de Faraó.

■ 78.13

בָּקַע יָם וַיַּעֲבִירֵם וַיַּצֶּב־מַיִם כְּמוֹ־נֵד׃

Dividiu o mar, e fê-los seguir. Tendo escapado de Zoã (e do Egito em geral) e testemunhado os milagres de Yahweh feitos através de Moisés e Arão naquele lugar, Israel avançou em direção ao mar Vermelho, a fim de testificar ainda outra maravilha, a divisão das águas. Sl 77.16-20 descreve esse evento longamente. Portanto, quanto a ilustrações e informações, ver essa passagem.

Como num dique. Ver Sl 33.7. Testemunhar as águas paradas como se fossem um dique aumentou a maravilha do acontecimento. Somente Elohim podia fazer tal coisa, mudando o curso da natureza. Ver sobre Êx 15.8, quanto à referência original ao erguimento das águas. Ver também o vs. 19 daquele capítulo, quanto ao afogamento dos soldados inimigos, enquanto Israel se encontrava em segurança.

■ 78.14

וַיַּנְחֵם בֶּעָנָן יוֹמָם וְכָל־הַלַּיְלָה בְּאוֹר אֵשׁ׃

Guiou-os de dia com uma nuvem. De dia e à noite, as maravilhas de Yahweh eram evidentes, tanto na nuvem que guiava os israelitas durante o dia como na "luz" que os conduzia à noite. Quanto a detalhes completos, ver no *Dicionário* o artigo intitulado Pilar de Fogo e de Nuvens. Ver Êx 13.21,22; Ne 9.12,19. O fenômeno divino tanto iluminava quanto guiava os filhos de Israel. O Senhor estava presente no fenômeno, e isso era um tipo de Cristo, a Luz do mundo, o nosso guia constante. A nuvem também serviu de protetor dos raios quentes do sol no deserto. Portanto, em Cristo também dispomos de *proteção* de todo o mal e de todo o caos que assediam a humanidade. A geração mais jovem dos filhos de Israel foi convocada a relembrar essas coisas, a fim de permanecer mais próxima da lei e ser um povo distinto entre as nações, bem como servir de instrumento de instrução a todos os povos. Quanto ao caráter *distintivo* de Israel, ver Dt 4.4-8.

■ 78.15

יְבַקַּע צֻרִים בַּמִּדְבָּר וַיַּשְׁקְ כִּתְהֹמוֹת רַבָּה׃

No deserto fendeu rochas. A água quase inexistia no deserto, pelo que se fazia necessária a provisão divina. E ela foi conferida sob a forma de uma rocha fendida. A água que dali saiu era tão abundante que brotava como que "do abismo", uma alusão à abundância das águas do mar. A imagem mais provável é que, ao furar a rocha, tivesse sido atingido algum grande mar subterrâneo. Os antigos hebreus acreditavam que a terra repousava sobre o fundamento de grandes águas, os mares subterrâneos, sendo provável que o autor sacro estivesse aludindo a essa crença. Quanto aos textos do Antigo Testamento relacionados à questão da rocha e da água, ver Êx 17.6 e Nm 20.1-13. Esse milagre ocorreu uma vez em Refidim (registrada no livro de Êxodo) e outra vez em Cades (registrada no livro de Números), e ambos os prodígios foram vistos à luz do dia, para que ninguém se equivocasse a respeito. Ambos tipificam Cristo, como a *Rocha* e a fonte das *águas vivas,* ao passo que a fenda causada na rocha fala da crucificação de Jesus (ver 1Co 10.4). Ver sobre *Rocha,* em Sl 42.9. Ver também o artigo do *Dicionário* assim intitulado.

> Oh, segura, para a Rocha que é mais alta do que eu,
> Minha alma em seus conflitos e tristezas voaria;
> Tão pecaminosa, tão cansada, teu, teu eu seria.
> Tu, bendita Rocha dos séculos, oculto-me em ti.
>
> William O. Cushing

■ 78.16

וַיּוֹצִא נוֹזְלִים מִסָּלַע וַיּוֹרֶד כַּנְּהָרוֹת מָיִם׃

Da pedra fez brotar torrentes. Este versículo expande o anterior, ao falar da grande abundância de água suficiente para vários milhões de pessoas! Portanto, nisso temos um quadro do abundante amor e misericórdia de Deus, suficientes para *toda a humanidade.* Uma inscrição próxima ao Sinai diz:

> Ferindo a rocha, fluiu um grande rio,
> Moisés, pastor deles, um homem manso e humilde,
> Deu água para os sedentos beberem.

Não está em pauta a ocasião em que Moisés bateu na rocha por duas vezes, e a palavra aqui está no singular, "rocha", pelo que está em vista o primeiro milagre, quando Moisés apenas falou e a água fluiu. Mas talvez esse tipo de observação seja um refinamento exagerado, e uma única rocha simbolize ambos os milagres. Deixo ao encargo dos leitores examinar o artigo no *Dicionário,* quanto aos detalhes. Ver na *Enciclopédia de Bíblia, Teologia e Filosofia* o artigo chamado *Rocha Espiritual* (ver 1Co 10.4). Essa é uma aplicação cristianizada da história contida no Antigo Testamento.

78.17

וַיּוֹסִיפוּ עוֹד לַחֲטֹא־לוֹ לַמְרוֹת עֶלְיוֹן בַּצִּיָּה׃

Mas, ainda assim, prosseguiram em pecar contra ele. Apesar de tais maravilhas, como o êxodo, a travessia do mar de Sargaços e a água que manou da rocha, em sua rebeldia, a antiga geração de hebreus continuou a pecar e até se misturou com espantosa idolatria, louvando a divindades pagãs e quebrando assim o pacto com Yahweh. Embora tão privilegiados, estavam descontentes no deserto e seu coração transbordava de queixumes. Dessa forma, provocaram o *Altíssimo* (ver a respeito no *Dicionário* e em Sl 7.17). Escolheram para si mesmos o opróbrio, voltando-se para os "deuses falsos" do paganismo e abandonando o Deus Altíssimo dos hebreus. Até mesmo na cena da doação da água, o povo de Israel, sedento como estava, demonstrara espírito de rebeldia, atitude que floresceu conforme o tempo foi passando.

"Eles continuaram pecando, tal como tinham feito antes do primeiro envio de água, miraculosamente provida, e tentavam a Deus dizendo: 'Está o Senhor no meio de nós, ou não?' (Êx 17.2,7). E tal como foi então no tocante à água para beber, assim também aconteceu no que se referiu à carne" (Fausset, *in loc.*). "... Eles exibiram sua impiedade, insensatez e vaidade, porquanto não cometeram um pecado leve contra Deus. O que fizeram foi altamente provocante e exasperador (John Gill, *in loc.*, que prosseguiu salientando que eles não teriam sobrevivido à experiência no deserto sem o cuidado constante de Yahweh).

78.18

וַיְנַסּוּ־אֵל בִּלְבָבָם לִשְׁאָל־אֹכֶל לְנַפְשָׁם׃

Tentaram a Deus nos seus corações. Depois de os filhos de Israel se rebelarem acerca da água, tornaram a rebelar-se no tocante à carne. Isto posto, continuaram submetendo Elohim a teste, para verem se estava mesmo presente e continuaria a realizar maravilhas em favor deles. Isso quer dizer que eles combinavam a *rebeldia* com o *desafio*. "Presunçosamente murmuraram e exigiram, quando deveriam ter pedido humildemente aquilo de que precisavam. Puseram Deus à prova, inclinados claramente a abandonar o yahwismo, *caso* Deus não realizasse o que pediam" (Fausset, *in loc.*). Ver Êx 16.1-3 e Nm 11.4-35, quanto à narrativa bíblica. Cf. Tg 4.3, quanto a uma aplicação neotestamentária que fala das orações presunçosas que não obtêm resposta.

78.19

וַיְדַבְּרוּ בֵּאלֹהִים אָמְרוּ הֲיוּכַל אֵל לַעֲרֹךְ שֻׁלְחָן בַּמִּדְבָּר׃

Falaram contra Deus, dizendo. O Salmo 23.5 refere-se a como Deus pode servir uma mesa na presença de inimigos. Poderia ele também servir uma mesa farta em um deserto? Este seria um milagre difícil. O primeiro fornecimento seria um milagre moral; o segundo, um milagre físico. Mas Elohim (o *Poder*) foi capaz de realizar ambos. Contudo, é necessária uma fé sincera para acreditar nisso, bem como intervenções divinas para torná-lo verdadeiro. Algumas vezes, nossa fé precisa deixar o terreno das teorias, sendo vindicada pelos fatos. De outra maneira, os homens escorregam para a incredulidade ou mesmo para a apostasia. Elohim ansiava por dar ao povo as codornizes e o maná, mas não gostou da atitude exigente do rebelde povo de Israel. É fácil criticar os antigos hebreus por causa de seus pecados óbvios e estúpidos, mas a rebelião nunca deixou de ser praticada por nós, e quantos dentre nós já deslizaram para o vazio espiritual porque nossa fé era fraca demais para nos sustentar? Além disso, nas igrejas de hoje em dia vemos pessoas "presentes" que na verdade não estão ali de todo o coração. Ademais, vemos igrejas inteiras que se desviaram para o *entretenimento*, esquecidas da *razão* da existência da igreja de Cristo.

78.20

הֵן הִכָּה־צוּר וַיָּזוּבוּ מַיִם וּנְחָלִים יִשְׁטֹפוּ הֲגַם־לֶחֶם יוּכַל תֵּת אִם־יָכִין שְׁאֵר לְעַמּוֹ׃

Com efeito feriu ele a rocha. *O mesmo tipo* de queixa e exigência estava envolvido nos dois milagres: o milagre da água e o milagre dos alimentos. Embora Deus tivesse realizado o primeiro desses milagres, que deve ter sido uma visão maravilhosa, eles exigiram um segundo "milagre de alimento", de maneira zombeteira. A pergunta retórica: "Pode ele...?" na realidade significou: "Sabemos que ele não pode fazer isso. Sabemos que ele não tem esse poder. E *se* ele assim fizer, então deverá fazê-lo imediatamente, pois estamos exigindo isso *agora*!" A multidão era realmente muito grande, e algo de *estupendo* deveria ser feito por Deus. Eles tinham parado de confiar no Deus estupendo. O deus deles tornara-se pequeno demais, e eles substituíram o Deus Todo-poderoso por esse deus apequenado da imaginação. Eles também devem ter pensado que Elohim teria má vontade. Eles tinham perdido de vista a graciosa provisão de Deus, segundo a qual a vontade é dirigida a atos caracterizados pela misericórdia e pelo amor.

O MANÁ E AS CODORNIZES (78.21-31)

78.21

לָכֵן שָׁמַע יְהוָה וַיִּתְעַבָּר וְאֵשׁ נִשְּׂקָה בְיַעֲקֹב וְגַם־אַף עָלָה בְיִשְׂרָאֵל׃

Ouvindo isto o Senhor ficou indignado. Yahweh, ouvindo todas aquelas queixas e a depreciação de seu poder, ficou muito irado. A ira de Deus tornou-se como um incêndio contra Jacó (Israel). Sua indignação, qual fogo, cresceu até tornar-se uma imensa língua de fogo, e algo drástico estava prestes a acontecer. Ver no *Dicionário* o verbete intitulado *Ira de Deus*. Tal como acontece por muitas vezes nas Escrituras, temos aqui um *antropomorfismo* (ver a respeito no *Dicionário*): atributos humanos são conferidos a Deus. Além disso, encontramos também um *antropopatismo* (ver também no *Dicionário*): emoções humanas atribuídas a Deus. É difícil uma pessoa não cair nessas armadilhas. Como poderíamos falar sobre Deus sem usar uma linguagem humana que se origine nas condições humanas? Ver os artigos chamados *Via Negationis* e *Via Eminentiae*, quanto à maneira negativa e positiva de falar a respeito de Deus. Quanto ao *fogo* da ira divina, ver os vss. 30 e 31; em Nm 11.10,33,34; Sl 18.8, não se trata de um fogo literal (ver Nm 11.1), e devemos considerar as chamas do julgamento, expressão que teve origem nesses termos.

Quando a teologia dos hebreus progrediu para incluir a punição no hades, o fogo foi usado para falar dessa ideia. No livro de 1Enoque, as chamas do inferno foram acesas pela primeira vez. Então o Novo Testamento levou adiante essa figura, mas mentes pedantes fizeram disso um fogo literal. Mas fazer uma alma imaterial sofrer queimaduras de fogo literal é como tentar jogar uma pedra no sol.

78.22

כִּי לֹא הֶאֱמִינוּ בֵּאלֹהִים וְלֹא בָטְחוּ בִּישׁוּעָתוֹ׃

Porque não creram em Deus. Os rebeldes israelitas tinham perdido a fé no poder e nas promessas de Deus. Chegaram a desvalorizar os pactos com o Senhor. Eles pararam de confiar em seu poder de salvar. Ver sobre Deus como o Salvador, bem como a sua salvação vista em Sl 62.2, onde há notas e referências a esse conceito contido no saltério. Ver Nm 11.1, quanto ao contexto histórico. Ver também Êx 14.13. Cf. Hb 3.12-18, quanto à aplicação cristã da questão. Quanto às *oito* murmurações de Israel, ver a introdução a Nm 11, bem como as notas adicionais em Nm 14.32.

78.23,24

וַיְצַו שְׁחָקִים מִמָּעַל וְדַלְתֵי שָׁמַיִם פָּתָח׃

וַיַּמְטֵר עֲלֵיהֶם מָן לֶאֱכֹל וּדְגַן־שָׁמַיִם נָתַן לָמוֹ׃

Nada obstante, ordenou às alturas. O maná desceu como que das *nuvens* (King James Version), tal como sucede à chuva. Ou então, conforme diz nossa versão portuguesa, acompanhando a *Revised Standard Version*, o maná desceu do "céu", onde Deus reside, porquanto Elohim foi a fonte divina do maná.

Este é o único lugar do saltério onde o maná é mencionado. Quanto a especulações a respeito de *se* era exatamente o maná, ver sobre *Maná*, no *Dicionário*, onde ofereço um artigo detalhado. Ver também na *Enciclopédia de Bíblia, Teologia e Filosofia* sobre *Maná Escondido*, a aplicação da questão no Novo Testamento. A referência no Novo

Testamento é Ap 2.17. Naturalmente, a questão foi cristianizada para falar de Cristo como a origem de toda a alimentação espiritual, que sustenta nossa alma. O maná era o "grão do céu", isto é, que não foi plantado nem colhido pelos homens, mas antes resultou de um ato verdadeiramente divino. Alguns naturalizam a questão, conforme mostro no artigo a respeito, mas o poeta pensava em termos miraculosos. Cf. a expressão "pão do céu", em Sl 105.40. Ver também Ne 9.15 e Jo 6.31,32. Ver Êx 16.4,14, quanto ao acontecimento. As "portas do céu" abriram uma possível alusão à crença dos hebreus de que há muitas águas acima do firmamento. Assim sendo, tal como a água foi obtida mediante a rachadura da rocha até chegar ao subsolo da terra (ver o vs. 15), o maná foi obtido pela abertura das portas superiores, que dão acesso ao mar que ali existe. Só que desta vez, em vez de água, foi obtido maná (alimento). Dessa forma *todas* as necessidades dos israelitas foram satisfeitas, mesmo quando eles não mereciam tal provisão. O vs. 24 é citado em Jo 6.31.

Provisão, Merecida e Desmerecida. "Que significa alguém ser amado por Deus? Em primeiro lugar, sugiro que significa que não obtemos aquilo que merecemos. O outro lado da moeda é a noção que obtemos aquilo que não merecemos. Recebemos então algo que é *pura bênção*, pelo qual não trabalhamos e nada fizemos, algo que não merecemos. Para exemplificar, consideremos uma mulher que ajudava a mãe idosa a limpar a casa. Quando jogou fora algo que pensava ser apenas lixo, jogou fora também uma sacola que continha quarenta mil dólares que sua mãe havia escondido ali. Quando o equívoco foi descoberto, o lixo, incluindo o dinheiro, já tinha sido jogado no incinerador. Miraculosamente, um auxiliar viu algumas notas no monte de lixo. Em vez de guardar o dinheiro para si, ele convocou outros trabalhadores, os quais, trabalhando juntos, encontraram 39.980 dólares, perdendo-se apenas vinte dólares do total! Havia no meio do dinheiro um envelope com o endereço da idosa senhora. E foi assim que ela recebeu de volta algo que não merecia, sem nenhum esforço da parte dela. Foi além da sua imaginação alguém ter encontrado e devolvido o que parecia estar perdido para sempre. Ser amado por Deus é receber bênçãos acima de nossa imaginação. É receber o amor, a graça e o perdão de Deus a despeito de dificilmente merecermos isso. Qualquer coisa que você preferir fazer com a sua vida, certifique-se em permitir que Deus o ame!" (Pastor Claude Ponting). A isso eu adiciono: Oh, Senhor, conceda-nos tal graça!

78.25

לֶחֶם אַבִּירִים אָכַל אִישׁ צֵידָה שָׁלַח לָהֶם לָשֹׂבַע׃

O pão dos anjos. A palavra hebraica correspondente a anjos é *ábiyr*, que significa apenas "poderosos" (tradução preferida por alguns), mas quase certamente estão em mira os anjos. O pão miraculoso é declarado como "pão dos anjos", visto que provinha dos *céus* (vss. 23 e 24). Somente aqui, em toda a Bíblia, o maná foi assim chamado. Quanto aos anjos como poderosos, comparar com Sl 103.20. Não devemos compreender literalmente a metáfora, supondo que o texto implique que os anjos precisam comer, tal como os seres humanos. A tradição rabínica comum dizia que os anjos não comem. Cf. Êx 16.4. Alguns, examinando Jó 24.22 e 34.30, fazem o versículo dizer "pão dos nobres", mas dificilmente era isso o que o poeta tinha em mente. As versões em geral optam por "anjos", conforme fazem quase todos os rabinos e o Targum, que diz: "Os filhos dos homens comeram alimento que desceu da habitação dos anjos". Mas referir-se às três Pessoas da Trindade (conforme alguns estudiosos) é realmente afastar-se bastante do sentido dessas palavras.

78.26

יַסַּע קָדִים בַּשָּׁמָיִם וַיְנַהֵג בְּעֻזּוֹ תֵימָן׃

O vento do Oriente... o vento sul. Os ventos sopraram as codornizes, as quais, segundo muitos intérpretes, seriam aves literais, e não figuradas, pois Deus age de "muitas maneiras diferentes". Havia superpopulação de codornizes, pelo que Deus enviou o vento para tangê-las na direção de um Israel faminto. Ver Nm 11.31 (o vento que soprou as codornizes veio da direção do mar); e Êx 16.13 (o grande número de aves que esteve envolvido). Os ventos primeiramente *reuniram* essas aves e então as *direcionaram* ao lugar certo. Os pregadores até hoje ficam impressionados (e com inveja) da grande quantidade de aves reunida. Foi assim que Israel, tirado de Zoã, uma grande cidade-armazém do Egito, identificada como a cidade de Ramsés, recebeu provisão dos *armazéns do céu*.

78.27

וַיַּמְטֵר עֲלֵיהֶם כֶּעָפָר שְׁאֵר וּכְחוֹל יַמִּים עוֹף כָּנָף׃

Também fez chover sobre eles carne como poeira. É enfatizada aqui a abundante provisão das codornizes. 1. Era como a chuva, em que inúmeras gotas perfaziam o total. 2. Era como as inumeráveis partículas de poeira que compõem uma tempestade de poeira, algo tão comum no deserto, conforme qualquer um nas proximidades é capaz de perceber. 3. Quanto ao número, essas aves eram como o número ilimitado das partículas de areia nas praias. Naturalmente, o poeta sagrado engajou-se em uma hipérbole tipicamente oriental, mas o número das codornizes era de fato prodigioso, podemos ter certeza. Os historiadores falam dos números enormes de codornizes que habitavam aquela região. Portanto, havia alimentos em abundância nas proximidades, mas aquelas aves teriam de ser divinamente guiadas ao lugar certo, para que a refeição fosse servida. As codornas voam baixo, pelo que são facilmente apanhadas, mas têm de se aproximar dos homens para poderem ser apanhadas.

Alguns estudiosos supõem que, em lugar das codornizes, devêssemos pensar em uma espécie de gafanhoto. Usualmente, podemos depender do que John Gill dizia em suas informações; e ele fala que tais gafanhotos eram "deliciosos"; mas poderíamos confiar em sua palavra *nesse ponto?* Por um breve período, trabalhei na Estrada de Ferro Union Pacific, e um de meus colegas de trabalho era um grego que simplesmente apreciava muito comer certas variedades de insetos. Ele tinha somente palavras de louvor e entusiasmo para com as *refeições de insetos*. Nunca confiei em sua palavra e também nunca a submeti a teste. Conheci um missionário evangélico que comia formigas na África e afirmava serem muito gostosas. Algumas pessoas, no norte do Brasil, consomem as formigas *tanajuras*, mas eu nunca tive coragem de participar dessa forma de refeição.

Outros estudiosos falam de uma espécie gigantesca de ganso, como a ave citada no presente texto. Esse pássaro migrava da Índia e para lá voltava, mas tal suposição não atrai muito apoio da parte dos intérpretes. Ficarei com a maioria e concordarei que estão em foco aqui codornizes. Visto que o maná aparece aqui como o *pão dos anjos*, alguns supõem que as codornizes representam a *abundância material* e como os homens costumam abusar dessa abundância; esse parecer, contudo, não recebe apoio do texto sagrado. Naturalmente, as riquezas deste mundo têm asas, e assim podem voar para longe de súbito e para sempre, como acontece a alguns ricos que perdem tudo. Todos sabemos como o dinheiro voa, mas o texto não dá a entender tal coisa.

Caros leitores, o que o texto à nossa frente ensina é uma lição sobre a *abundância*. Podemos retirar grandes somas do banco celestial, se tivermos fé para assim fazer e *se* nossas respectivas missões assim o exigirem. Quando, porém, o egoísmo está envolvido nas retiradas, as portas do banco celeste automaticamente se cerram.

78.28

וַיַּפֵּל בְּקֶרֶב מַחֲנֵהוּ סָבִיב לְמִשְׁכְּנֹתָיו׃

Fê-los cair no meio do arraial. A provisão alimentar ficou à *disposição* dos filhos de Israel. O número incrível de codornizes caiu diretamente sobre a cabeça dos hebreus. O acampamento ficou coalhado de aves. O autor sagrado nos diz aqui que houve algo de miraculoso na provisão. Tudo ultrapassou a imaginação dos hebreus. Então a provisão veio bem a tempo. Havia grande necessidade de alimentos e, *de súbito*, ocorreu a provisão alimentar. Por que as codornizes caíram precisamente no "meio do arraial" e exatamente naquele momento? Será que as aves ficaram exaustas de lutar contra o vento e não conseguiam seguir adiante? A violência do vento oriental e sul as atirou precisamente ali? Ou será que o Anjo do Senhor lhes ordenou: "Descei!" Qualquer que tenha sido a causa, o *resultado* foi divino. Ver Êx 16.13: "À tarde subiram codornizes, e cobriram o arraial...".

Cf. Nm 11.4. Todos os homens espirituais sabem o que significa ser "apanhado pelo divino". E a maioria dos homens espirituais sabe quão fácil é ter a fé debilitada na rotina da vida que algumas vezes nos amortece. Nm 11.31 diz-nos que as aves se amontoaram sobre o solo, pelo que foi formada uma camada de dois côvados (um metro, mais ou menos) de codornizes. Portanto, a provisão alimentar foi inacreditável. E quando chegam os anos de vacas magras, costumamos gemer e dizer: "Que aconteceu aos bons anos de antigamente?"

■ 78.29,30

וַיֹּאכְלוּ וַיִּשְׂבְּעוּ מְאֹד וְתַאֲוָתָם יָבִא לָהֶם׃

לֹא־זָרוּ מִתַּאֲוָתָם עוֹד אָכְלָם בְּפִיהֶם׃

Então comeram e se fartaram a valer. O resultado foi que não somente todos os filhos de Israel foram saciados, mas também se fartaram de tanto comer, a ponto de todo o desejo de carne cessar. Mas antes de cessarem de comer, todos se tornaram os mais desgraçados glutões que se possa imaginar, pelo que tiveram de ser *punidos* pelo Senhor. O quadro mostra uma glutonaria ilimitada. Eles agiram como um bando de animais selvagens que tinham apanhado presas indefesas, despedaçando e devorando até que a cena começou a causar desgosto. Yahweh ficou enojado com o que viu. Aqueles loucos glutões foram castigados sem demora, enquanto a carne ainda estava entre os seus dentes. Ver Nm 13.33. A cena fez *acender-se* a ira de Yahweh, e ele atacou como se tudo fosse uma imensa conflagração. Dessa forma a provisão alimentar foi abundante e imediata, mas outro tanto foi a retaliação contra a concupiscência que causava desgosto e provocou tanta glutonaria.

■ 78.31

וְאַף אֱלֹהִים עָלָה בָהֶם וַיַּהֲרֹג בְּמִשְׁמַנֵּיהֶם וּבַחוּרֵי יִשְׂרָאֵל הִכְרִיעַ׃

Quando se elevou contra eles a ira de Deus. Ver sobre *Ira de Deus* no *Dicionário*. Algumas vezes a paciência divina se prolonga, e assim os homens começam a pensar que Deus é indiferente para com os males que eles praticam. Ver sobre a alegada indiferença do Senhor em Sl 10.1; 28.1 e 59.4. Mas o caso à nossa frente revela o *extremo oposto*. Os intérpretes ficam perplexos diante deste versículo e apresentam várias explicações para a natureza e o modo súbito do julgamento divino. São oferecidas explicações naturais e sobrenaturais. Talvez as codornizes carregassem na carne alguma espécie de bactéria ou vírus mortífero, e talvez tenha sido isso que as fez arriar sobre o acampamento de Israel tão repentinamente. Contudo, isso não parece ser muito ético; o Todo-poderoso enviar aos filhos de Israel aves infectadas!

Outra possibilidade é que a glutonaria dos hebreus foi tão irrestrita que eles sofreram um choque comunal, com a ajuda do Anjo do Senhor. Mas isso parece bastante improvável, a menos que realmente houvesse um ato divino no caso. Ou talvez Deus também tenha enviado grande quantidade de leões, ou outros animais selvagens, que fizeram dos israelitas um repasto. Ou então foi enviado fogo divino do céu, como aconteceu no caso das confrontações de Elias com os falsos profetas de Baal. Os críticos naturalmente afirmam que estamos tratando com uma hipérbole oriental, e não deveríamos levar a história muito a sério, embora algo incomum tenha acontecido naquele dia. Alguns eruditos chegam ao ponto de dizer que a história envolve um pouco de mitologia. Os homens gostam de fabricar histórias fantásticas para chocar ou entreter. É melhor, portanto, ficar com os acontecimentos incomuns daquele dia e não tentar explicar todos os detalhes. O autor do livro de Números não tentou satisfazer a nossa curiosidade sobre a questão; por conseguinte, é melhor deixá-la dessa maneira.

Seja como for, o versículo ensina que até os mais nobres e os mais fortes fisicamente não resistiram ao ataque divino, pelo que caíram com os humildes e os débeis. Foi quase um julgamento universal, mas, como é óbvio, muitos israelitas sobreviveram, pois, ao contrário, a história do povo de Israel teria terminado ali mesmo. "A saúde e a juventude não permaneceram de pé diante do impacto do ataque divino" (Fausset, *in loc.*). Portanto, houve grande desperdício de vidas humanas. Os ofensores foram *sepultados*, uma forma comum de a maioria dos povos antigos, incluindo os hebreus, desfazer-se de corpos mortos. Somente os ricos perfuravam túmulos escavados na rocha, embora ali houvesse muitas áreas rochosas e também colinas com fendas e rachaduras naturais. Os mortos eram depositados em tais lugares, incluindo os cadáveres de pessoas pobres. Kimchi falou sobre os *homens escolhidos* (os nobres e os líderes) que foram mortos, e o Targum diz que até os jovens foram exterminados pela terrível praga, sem importar no que ela tenha consistido.

O DESVIO DE ISRAEL (78.32-39)

■ 78.32

בְּכָל־זֹאת חָטְאוּ־עוֹד וְלֹא־הֶאֱמִינוּ בְּנִפְלְאוֹתָיו׃

Sem embargo disso, continuavam a pecar. 1. A despeito de todos os *milagres* que tinham guiado os israelitas, eles voltaram a cair na incredulidade e em toda espécie de pecados crassos. 2. Apesar dos *severos julgamentos* divinos, como a praga que os atingiu por causa do incidente com as codornizes, os filhos de Israel nunca aprenderam a lição, mas continuaram em uma trilha de perversidade, provocando Yahweh. A história de Israel, ao longo do caminho, foi extremamente frustrante, mas a graça e a misericórdia de Deus não os abandonaram, e Deus periodicamente os trazia de volta ao reto caminho (vss. 34 e 35). Eles entravam na fé espiritual e caíam de novo, eram julgados e eram abençoados. Portanto, a *massa* dos eventos formava uma situação que acabava funcionando, e é assim que acontece a quase todos os crentes.

Os vss. 32 e 33 aludem a Nm 14.11,12,28-35. A vaidade dos filhos de Israel era grande, apesar das *obras maravilhosas* de Deus. Portanto, sacudimos a cabeça diante da estupidez espiritual deles. Mas podemos estar certos de que outros sacodem a cabeça diante de nossa estupidez espiritual. Deus continua relembrando que não passamos de carne (vs. 39); e nós mesmos não deveríamos olvidar esse fato. Os que nos criticam também não passam de carne; portanto, demos a eles uma chance. Somos apenas carne, pelo que outros também nos devem dar um crédito.

"Eles não eram atraídos pelas misericórdias de Deus nem respeitavam mais ao Senhor por causa de seus juízos! Todavia, podemos cessar de admirar-nos desses fatos, se conhecermos realmente o nosso próprio coração" (uma declaração muito bem pensada de Adam Clarke, *in loc.*).

■ 78.33

וַיְכַל־בַּהֶבֶל יְמֵיהֶם וּשְׁנוֹתָם בַּבֶּהָלָה׃

Por isso ele fez que os seus dias se dissipassem num sopro. Quando as pessoas deveriam estar vivendo em triunfo, os anos delas são de tal maneira consumidos com tribulações e tristezas, e elas sofrem de morte prematura. E, além disso, muitos homens morrem de uma grande variedade de pragas e enfermidades. A lição deste versículo é a perda de oportunidade em meio a grandes oportunidades. Cf. Nm 14.29,35; 26.64,65.

Num sopro. Esta é uma metáfora comum para indicar uma vida breve, ou seja, a duração e a superficialidade de qualquer vida humana, embora alguém possa viver por muitos anos. Poucos segundos, ou mesmo décimos de segundos, são gastos para sorver o ar na respiração e tornar a expirá-lo, e de quão pouco valor é um único sorvo de ar. A figura simbólica aqui provavelmente fala da respiração humana, e não do sopro da brisa na natureza. Até mesmo o sopro da brisa nada representa, mas a respiração humana certamente serve de metáfora grávida do "pouco e superficial", bem como do "breve e inconsequente" da vida humana.

Em súbito terror. A história de Israel sempre foi um relato de muitos choques de pragas e desastres, de invasões por parte de exércitos inimigos, e os historiadores e profetas sempre viram os pecados dos hebreus como a causa de suas agonias. O ciclo era *julgamento-arrependimento-restauração*. E o número de vezes em que esse ciclo se repetiu foi enorme. "Terror" provavelmente se refere aos tempos de julgamento desse ciclo, ocasiões em que a ira de Deus caía sobre os filhos de Israel, o que resultaria em mais uma fase de restauração. Mas o reino do norte, Israel, finalmente sucumbiu diante da Assíria, quando houve grande matança e os sobreviventes foram deportados. Os israelitas do norte nunca voltaram do exílio assírio, e assim terminou o último ciclo, e a restauração do reino do norte, Israel, não se seguiu. Pode-se esperar apenas que indivíduos tenham sido restaurados em seu íntimo.

■ 78.34

אִם־הֲרָגָם וּדְרָשׁוּהוּ וְשָׁבוּ וְשִׁחֲרוּ־אֵל׃

Quando os fazia morrer, então o buscavam. Este versículo fala sobre a parte do ciclo chamada "restauração", descrita no último parágrafo dos comentários sobre o vs. 33. A mente dos hebreus tinha compreensão limitada sobre o *problema do mal* (ver a respeito no *Dicionário*). Para a mente deles, o pecado era a causa de toda enfermidade e recuo. Além disso, Deus era para eles a única causa, e assim o Ser divino era a origem de todo bem e de todo mal, mesmo quando estavam envolvidos enigmas e o povo não sabia por que coisas estranhas aconteciam. Assim vemos um povo que era castigado e abençoado, abençoado e castigado, sempre por Yahweh, segundo a crença deles. Havia ainda causas secundárias, como a *má vontade* do homem e os desastres naturais, aparentemente governados somente pelo caos. Jó tentou atingir um ponto além dessa mentalidade, porquanto sabia que era *inocente*, embora estivesse desesperadamente enfermo. Por que os homens sofrem, e por que sofrem conforme sofrem? A despeito de nosso avanço no campo teológico, nunca fomos capazes de dar uma resposta adequada a essa indagação, embora algumas respostas se revistam de considerável força. Seja como for, o caso à nossa frente era claro para a mente do poeta sagrado. Israel vivia constantemente nesse ciclo de julgamento-arrependimento-restauração, e o pecado era a causa reiterada de tudo isso.

Historicamente falando, este versículo aponta especificamente para todos os julgamentos destruidores que ocorreram entre o envio dos espias à terra de Canaã e a morte de Moisés. Cf. Nm 14.39,40; 21.7. "Eles oraram diante de Deus, mas com frequência isso era feito por falsos professos que sofriam angústias; ver Is 21.16 e Os 5.15" (John Gill, *in loc.*).

■ 78.35

וַיִּזְכְּרוּ כִּי־אֱלֹהִים צוּרָם וְאֵל עֶלְיוֹן גֹּאֲלָם׃

Lembravam-se de que Deus era a sua rocha. Quanto à figura simbólica da "rocha", ver Sl 42.9, onde há notas expositivas e referências. A tribulação trouxe uma santa lembrança que causou o arrependimento, pelo que houve restauração; e isso significa que mais um ciclo se completara. Cf. Dt 32.15-18.

Redentor. Não devemos entender esta palavra no sentido evangélico, a salvação para além da sepultura, mas, sim, como um livramento temporal das provações e dos desastres, bem como a participação nas bênçãos do pacto, por direito pertencentes a Israel. Sl 19.14 tem as mesmas descrições do Ajudador divino, a Rocha e o Redentor. Ofereço ali notas expositivas que também se aplicam aqui. O título Redentor veio a ser mais usado na história posterior dos hebreus. Aparece por treze vezes em Is 40—66, e por quatro outras vezes no restante do Antigo Testamento. O significado básico do vocábulo é "agir como um parente", alguém que resgata a outrem de alguma aflição. Essa forma participial refere-se a um "ajudador amigável" ou a um "salvador da tribulação". Para maiores detalhes, ver no *Dicionário* o artigo *Redenção (Redentor)*.

"Eles brincavam de esconde-esconde com Deus, apesar de tantas experiências trágicas no deserto (vs. 31)... Oculto por trás da máscara do esquecimento, havia o rosto da mentira e do engano. Os vss. 36 e 37 sumariam bem o julgamento que sobreveio, por causa do conflito entre os que *resistiam* à lei e o *Legislador*" (J. R. P. Sclater, *in loc.*).

■ 78.36

וַיְפַתּוּהוּ בְּפִיהֶם וּבִלְשׁוֹנָם יְכַזְּבוּ־לוֹ׃

Lisonjeavam-no, porém de boca. Eles prestavam o que chamamos "culto dos lábios", isto é, o culto que consiste em "dizer coisas boas" que não se refletiam em ações. Mas até esse mero culto de lábios era repleto de mentiras e fraudes. Dificilmente correspondia à espiritualidade que mana do coração. Eles "lisonjeavam" Yahweh em seus cultos. Diziam coisas boas, mas agiam de modo contrário ao que diziam. O termo hebraico aqui traduzido por "lisonjeavam" é traduzido por outros como "enganavam". Cf. Ez 33.31. Qualquer arrependimento provocado pelo sofrimento só durava enquanto perdurassem os sofrimentos. Em tempos de tensão, faziam-se promessas que nunca eram cumpridas em tempos de paz. Eles possuíam mente enganadora e língua mentirosa. As palavras aproximavam-se de Yahweh, mas o coração estava distante dele (ver Is 29.13). O Targum diz: "Eles o atraíam com sua boca". A versão árabe diz: "Eles o amavam com boca", mas o coração deles estava desviado e cheio de ódio.

■ 78.37

וְלִבָּם לֹא־נָכוֹן עִמּוֹ וְלֹא נֶאֶמְנוּ בִּבְרִיתוֹ׃

Porque o coração deles não era firme. O coração desviado levava o povo de Israel a afastar-se das condições e provisões do pacto. Ver no *Dicionário* o artigo chamado *Pactos* e, especialmente, *Pacto Abraâmico*, em Gn 15.38, e *Pacto Mosaico* (anotado na introdução à Êx 19). O *coração* fala da "mente" de uma pessoa, mas também se refere a sua "vontade" e seus "propósitos". Ver no *Dicionário* o verbete intitulado *Coração*. O coração deles não era "firme", e o espírito deles era "inconstante", conforme vemos no vs. 8 deste salmo. "Quando o coração labora em erro, a vida toda é errada" (Adam Clarke, *in loc.*).

Sua aliança. Está particularmente em vista o pacto *mosaico*, embora os pactos formassem um pacote, o pacote de tratos de Yahweh com Israel. O povo de Israel não permaneceu firme em seu acordo com Moisés e Yahweh acerca da obediência à lei. Eles eram muito mais desobedientes à lei do que observadores. Ver a nota de sumário sobre como Israel se relacionava à lei, em Sl 1.2. Ver também no *Dicionário* o verbete chamado *Lei no Antigo Testamento*.

■ 78.38

וְהוּא רַחוּם יְכַפֵּר עָוֹן וְלֹא־יַשְׁחִית וְהִרְבָּה לְהָשִׁיב
אַפּוֹ וְלֹא־יָעִיר כָּל־חֲמָתוֹ׃

Ele, porém, que é misericordioso. O amor, a misericórdia e a compaixão de Yahweh salvaram o dia para Israel, porquanto nessas virtudes havia perdão e paciência. "Deus os perdoava repetidamente, restringindo sua ira" (Allen P. Ross, *in loc.*). Ellicott (*in loc.*) brinda-nos com uma paráfrase instrutiva:

Mas ele, o Compassivo, perdoa a iniquidade e não destrói, e por muitas vezes desviou deles a sua ira.

Misericordioso. Uma palavra que, no original hebraico, vem da mesma raiz que "útero", pelo que John Gill (*in loc.*) vê aqui o amor terno de uma mãe pelo filho desviado, do que podemos compreender por qual razão "as misericórdias de Deus são tão ternas e abundantes. Essas misericórdias são muitas. Deus é rico e pleno de misericórdia, pronto a perdoar... o perdão dos pecados *flui* das ternas misericórdias de Deus". Cf. Nm 14.10,20; 1Rs 8.30,34,36,39 e 50.

Perdoaste a iniquidade de teu povo, encobriste os seus pecados todos. A tua indignação, reprimiste-a toda, do furor da tua ira te desviaste.

Salmo 85.2,3

Ver também Is 12.1. Eles tinham empilhado os seus pecados como se fossem um vasto tesouro, mas de alguma maneira, repetidamente, Yahweh foi capaz de desviar a sua espada, e não os golpeou.

■ 78.39

וַיִּזְכֹּר כִּי־בָשָׂר הֵמָּה רוּחַ הוֹלֵךְ וְלֹא יָשׁוּב׃

Lembra-se de que eles são carne. A palavra "carne" grita para nós sobre "temporalidade, enfermidade, fraqueza, limitações, fragilidade, pecaminosidade", e Yahweh compreende o que está implícito nessa palavra mais do que nós compreendemos. A mera condição de *ser humano* realmente envolve pequenez e humildade. A esse pensamento, o poeta sacro adicionou ainda outra metáfora quanto à natureza efêmera dos mortais: "um vento que passa". Cf. o vs. 33, uma tomada de *fôlego* da respiração humana. A brisa que sopra, toca no rosto de alguém, e então se vai para não mais voltar, é símbolo de quão rapidamente a vida vem e vai. Então um homem toma um único sorvo de ar e, tão rapidamente quanto começou, esse ato termina. E quão triviais são todas essas coisas. Que é mais um sopro de vento que passa? Que é mais um ato de inspiração e expiração? "Ele lembrava que eles eram apenas humanos, com vidas fugidias" (Allen P. Ross, *in loc.*).

Que é uma vida?
É apenas um corpo nu, coberto de pano.
É um fantasma, mantido pelo alimento.

E um ser vil, que enoja a si mesmo.
Quando essa vida se cansa de si mesma,
Passa e se reduz a nada.

Russell Champlin

A fragilidade do homem excita a misericórdia e a gentileza divina. Cf. Sl 103.14-16. Jó apelou para o mesmo fato em seu clamor por misericórdia (ver Jó 10.20,21).

O Targum diz "filhos da carne", ou seja, entidades *caracterizadas* por uma natureza frágil, fraca, mortal, "nascidas de tal fragilidade", dotadas de uma fraqueza *inerente;* incapazes de suportar o impacto da ira de Deus, tão facilmente esmagadas pelo peso de sua mão.

Pois ele conhece a nossa estrutura, e sabe que somos pó.
Salmo 103.14

O ÊXODO EM RETROSPECTO (78.40-55)

■ 78.40

כַּמָּה יַמְרוּהוּ בַמִּדְבָּר יַעֲצִיבוּהוּ בִּישִׁימוֹן׃

Quantas vezes se rebelaram contra ele no deserto. Os hebreus sempre se mostraram sensíveis diante da história; eram ótimos historiadores e até criaram uma filosofia da história: a história é linear; tem um começo no tempo, segue por uma vereda; não é circular (conforme diziam os estoicos); nem é uma ilusão (conforme supunham alguns pensadores orientais); e é divinamente orientada, recebendo impulsos teístas e sofrendo intervenções divinas. E possui um alvo: Yahweh. Ver na *Enciclopédia de Bíblia, Teologia e Filosofia* o artigo chamado *Filosofia da História.* Foi essa sensibilidade diante da história que levou os escritores hebreus, de prosa ou poesia, de história ou profecia, a ilustrar continuamente suas mensagens mediante referências históricas.

A *frequência* de ilustrações extraídas das experiências de Israel no deserto surpreende. Essa frequência permeia o Antigo Testamento e é transportada para o Novo Testamento (1Co 11). Talvez o que tenha inspirado esse uso frequente das experiências de Israel no deserto foram os muitos milagres tão infantilmente negligenciados pela mente carnal, de modo que as lições de obediência nunca eram aprendidas, a despeito das divinas lições objetivas que deveriam inspirar a mente dos filhos de Israel. Em outras palavras, havia uma espécie de *crassa estupidez* envolvida na questão, que continuava surpreendendo a mente hebraica piedosa. Além disso, Israel saíra ainda há pouco do Egito, onde foram realizados milagres surpreendentes em série. Não obstante, Israel mantinha-se em atitude de rebeldia, alicerçada sobre uma incrível capacidade de "esquecer" as maravilhas de Yahweh. Portanto, aqui "o salmista se lança a uma revisão do êxodo, dando atenção especial à questão das pragas. Nos vss. 54 e 55, entretanto, encontramos Israel já estabelecido na terra de Canaã (William R. Taylor, *in loc.*).

Quantas vezes. Quanto às oito murmurações de Israel, ver a introdução a Nm 11 e ver as notas adicionais em Nm 14.32. Alguns intérpretes são capazes de dividir as histórias de tal maneira que chegam ao número de dez atos de rebeldia. O poeta sagrado, porém, contenta-se em falar sobre as "muitas vezes" em que os israelitas se rebelaram, sem citar um número exato de vezes em que isso ocorreu. Cf. Sl 95.9,10 e Is 63.10. Ver Nm 14.22, que também fornece o número dez. Por essa razão aquela geração de israelitas foi chamada de "a provocação" do tempo das tentações, quando o ser humano provocou o Ser divino, ou então "submeteu-o a testes", conforme diz o texto do livro de Números. Ver Hb 3.8,15, onde encontramos o termo descritivo "provocação".

... se rebelaram. Temos aqui uma tradução correta, muito melhor do que o "provocaram" da *King James Version.* A pessoa rebelde *manifesta-se contra* um ou mais princípios que ela conhece, mas dos quais se desvia, motivada pelo ódio e pela perversidade. Esse é o *homem errado* que age contrariamente ao *caminho direito.* Ver no *Dicionário* o artigo chamado *Rebelião.*

■ 78.41

וַיָּשׁוּבוּ וַיְנַסּוּ אֵל וּקְדוֹשׁ יִשְׂרָאֵל הִתְווּ׃

Tornaram a tentar a Deus, agravaram. Eles *tornaram atrás,* ou seja, resolveram não cumprir suas promessas concernentes ao pacto mosaico (vs. 37), caíram na mentira e no engano, e terminaram em *franca rebelião* (vs. 40). Todos os verbos aqui usados exibem a tendência ao desvio, em pensamento e ações, e o resultado foi o desastre. Tornaram a tentar a Deus, por repetidas vezes, e isso concorda com as *dez murmurações* (vs. 40). Se procurarmos pecados específicos, veremos a quebra da lei em vários pontos, incluindo a *idolatria* (ver a respeito no *Dicionário)* e o fracasso em levar avante a conquista da terra, o que era necessário para o cumprimento do *Pacto Abraâmico* (ver Gn 15.18) e do *Pacto Palestino* (comentado na introdução a Dt 29). Cf. Nm 14.3,4; Êx 17.7.

Agravaram. Ez 9.4 tem a palavra para indicar o ato de fazer uma marca na testa. Pode significar "gravar" a fogo. Aqui poderia dizer "lançar um estigma sobre", ou seja, "trazer descrédito" ao nome e aos planos divinos por sua rebeldia. A Septuaginta e a Vulgata usam a palavra "exasperaram". Adam Clarke sugere as ideias de "acusar" ou "desafiar". Tudo isso refere-se a uma rebeldia radical. Note o leitor a gravidade da situação. O *Santo de Israel* foi assim ofendido e rejeitado. Os atos profanos dos filhos de Israel eram contrários à santidade. Ver no *Dicionário* o verbete intitulado *Santo de Israel.*

■ 78.42

לֹא־זָכְרוּ אֶת־יָדוֹ יוֹם אֲשֶׁר־פָּדָם מִנִּי־צָר׃

Não se lembraram do poder dele. *Memória espiritual fraca* era uma das grandes características do povo rebelde de Israel. É feita uma referência geral às muitas *falhas de memória* da mente carnal deles, que apagava as *maravilhas* realizadas primeiramente no Egito, depois no Sinai e, finalmente, nas perambulações pelo deserto. A referência particular aqui é às *dez pragas do Egito.* Mas o autor sacro não se importa em fazer uma enumeração completa ou seguir uma ordem histórica e cronológica. Ele simplesmente oferece alguns exemplos, escolhidos bastante ao acaso. Ver no *Dicionário* o verbete intitulado *Pragas do Egito.* As dez pragas resultaram no fato de que o Faraó cedeu diante das demandas de Moisés, bem como permitiu a saída do povo israelita do Egito. Mas, logo em seguida, lamentando sua decisão, o Faraó enviou seus exércitos em perseguição aos filhos de Israel; e assim o incidente no mar de Juncos foi necessário para completar a *redenção,* ou seja, para livrar o povo de Israel do poder do Egito e da morte certa. Ver no *Dicionário* o verbete chamado *Redenção (Redentor),* especialmente a seção IV. Ali a redenção inclui a ideia do resultado: Israel tornou-se uma nação estabelecida na Terra Prometida, em cumprimento ao *pacto abraâmico.*

■ 78.43

אֲשֶׁר־שָׂם בְּמִצְרַיִם אֹתוֹתָיו וּמוֹפְתָיו בִּשְׂדֵה־צֹעַן׃

De como no Egito operou ele os seus sinais. Esta é uma *declaração geral* acerca das dez pragas. Tais milagres são chamados na Bíblia de "sinais" ou "maravilhas". São milagres de ensino. Foram exibições do poder miraculoso de Yahweh, mas também ensinavam algo sobre o Ser divino a Moisés e ao Faraó, bem como a responsabilidade humana diante desse Poder. Assim sendo, por diversas vezes é dito que o Faraó pecou, e ele mesmo confessou, mais de uma vez, que havia pecado em sua oposição ao Deus de Israel. Ver Êx 9.27,34 e 10.16. Os milagres operados por Jesus também foram sinais de sua *autoridade;* e o mesmo se deu no tocante a Moisés. Mas o Poder que havia por trás desses milagres era o Poder contra o qual os pecados foram cometidos. Essas *obras maravilhosas* são agora contrastadas com a rebeldia dos filhos de Deus. Foi assim que Israel caiu na mesma estupidez em que o Faraó havia caído, pecando diante das maravilhas operadas em favor deles.

No campo de Zoã. Ver as notas expositivas no *Dicionário,* sobre esta localidade. Ver também Sl 78.12, onde há ideias adicionais.

Em seu *esboço* (a seguir), o autor sacro não menciona as pragas de número três, cinco, seis e nove. Além disso, a ordem das que são mencionadas não segue os textos do livro de Êxodo (capítulos 7—12).

■ 78.44

וַיַּהֲפֹךְ לְדָם יְאֹרֵיהֶם וְנֹזְלֵיהֶם בַּל־יִשְׁתָּיוּן׃

E converteu em sangue os rios deles. Quanto a esta praga, ver Êx 7.14-25. A transformação da água em sangue foi a *primeira praga do Egito.* No *Dicionário,* no artigo intitulado *Pragas do*

Egito, ofereço ao leitor uma apresentação simples, mas que fornece detalhes suficientes sobre cada praga e como cada uma deve ser interpretada. Os que quiserem ainda mais detalhes devem seguir os comentários apresentados no livro de Êxodo. Tendo oferecido material adequado, mantenho aqui comentários abreviados. Cada praga era uma demonstração do poder e da graça de Yahweh, uma ilustração de julgamento e bênção andando de mãos dadas. O impacto dessas pragas era convencer Israel da obrigação e do privilégio de deixar-se guiar por Yahweh, obedecer a ele, e crescer nas provisões da aliança, para o próprio bem deles, e não meramente para a glória de Deus.

■ 78.45

יְשַׁלַּח בָּהֶם עָרֹב וַיֹּאכְלֵם וּצְפַרְדֵּעַ וַתַּשְׁחִיתֵם׃

Enviou contra eles enxames de moscas. A praga das moscas foi a de número quatro e está registrada em Êx 8.20-32. A praga das rãs foi a *segunda* e está registrada em Êx 8.1-15. A Bíblia enfatiza o *poder de destruição* das pragas do Egito. Ver nas notas do versículo anterior como o leitor poderá obter amplas informações sobre os itens citados no texto presente, bem como as razões pelas quais o poder divino foi exibido dessas maneiras.

■ 78.46

וַיִּתֵּן לֶחָסִיל יְבוּלָם וִיגִיעָם לָאַרְבֶּה׃

Entregou às larvas as suas colheitas. Esses insetos não são mencionados em Êx 10.1-20, a descrição da *oitava praga*, mas a palavra assim traduzida é compreendida, pela maioria dos eruditos, como referência paralela aos *gafanhotos*. Há um artigo distinto sobre esses insetos e sobre a tremenda destruição provocada por eles, no artigo do *Dicionário* denominado *Praga de Gafanhotos*. No hebraico, *chasil*, "larva", provavelmente é uma referência ao gafanhoto em seu estado de larva. A Septuaginta e a Vulgata dizem aqui "ruína" (causada pelos gafanhotos). Há também outras conjecturas quanto a diferentes espécies de insetos. A tradução da Imprensa Bíblica Brasileira diz *lagartas*. Ver as notas expositivas sobre o vs. 44, onde dou as razões por trás das pragas.

■ 78.47

יַהֲרֹג בַּבָּרָד גַּפְנָם וְשִׁקְמוֹתָם בַּחֲנָמַל׃

Com chuvas de pedras lhes destruiu as vinhas. A praga da saraiva é mencionada em Êx 9.13-35, como a *sétima praga*. Há versões, portuguesas e outras, que dizem aqui *geada*, o que não é mencionado no livro de Êxodo. Ou o salmista contava com uma fonte informativa diferente para ser usada em sua narrativa, ou então, por licença poética, adicionou um pouco aqui e acolá, como as larvas do versículo anterior, e (conforme algumas versões) a *geada* deste versículo. Alguns críticos opinam que as diferenças são grandes o bastante para postular uma fonte informativa distinta. Por outra parte, o poeta pode ter escrito de memória, o que pode ter originado uma lista reduzida de pragas, à qual permitiu adições ocasionais. As coisas entregues à memória caracteristicamente ignoram certos detalhes e adicionam outros. Alguns eruditos emendam a palavra equivalente a *geada* ou *saraiva*, oferecendo a tradução *dilúvio devastador* (assim fez Ludwig Kohler, *in loc.*). A raiz da palavra parece ser "cortar", pelo que pode estar em vista qualquer tipo de golpe destruidor divino. E outras versões (como a nossa versão portuguesa) dizem "chuva de pedras", paralelo à menção geral à *saraiva*.

■ 78.48

וַיַּסְגֵּר לַבָּרָד בְּעִירָם וּמִקְנֵיהֶם לָרְשָׁפִים׃

Entregou à saraiva o gado deles. Continuam aqui as descrições sobre a *sétima praga*. A saraiva veio combinada com temíveis tempestades elétricas. Ver Êx 9.13-35, que nos dá a mesma informação. Hc 3.5, ao traduzir a mesma palavra hebraica, dá *pestilência*, o que pode considerar algumas enfermidades contagiosas. Cf. Dt 32.24. A Septuaginta refere-se a uma enfermidade que assolou o gado, e não à destruição pela saraiva. A maioria dos intérpretes, entretanto, prefere ficar com as ideias de saraiva e tempestades elétricas. Ver Êx 9.23,24: "... fogo desceu sobre a terra...", talvez uma referência aos raios que caíam sobre o solo.

■ 78.49

יְשַׁלַּח־בָּם חֲרוֹן אַפּוֹ עֶבְרָה וָזַעַם וְצָרָה מִשְׁלַחַת מַלְאֲכֵי רָעִים׃

Lançou contra eles o furor da sua ira. A morte dos primogênitos egípcios é mencionada aqui (ver Êx 11.1—12.51) e foi a *décima praga*. A ira de Deus foi mediada através de uma "legião de anjos portadores de males". Essa frase, literalmente, no original hebraico, diz: "uma companhia de mensageiros de coisas más". Ver no *Dicionário* o verbete chamado *Anjo*. Os anjos eram vistos como agentes tanto de coisas boas quanto de coisas más que Yahweh, a causa única, administrava. Em Êx 11.4 e 12.2,23,29 é o próprio Yahweh quem age, mas em Êx 12.23 encontramos a mediação angelical. Cf. o anjo destruidor em 2Sm 24.16 e 1Cr 21.15. A Septuaginta e a Vulgata dizem aqui "anjos maus", mas não devemos pensar em seres demoníacos de qualquer espécie. Antes, os anjos de Deus é que faziam coisas prejudiciais aos homens, efetuando o julgamento divino. Naturalmente, os hebreus não hesitavam em retratar Deus como um destruidor e ocasionador de coisas más, conforme o caso de Jó ilustra tão graficamente. Matar os primogênitos do Egito foi realmente um castigo seriíssimo, pelo que a morte de seres humanos é atribuída a Deus; e nos admiramos ao pensar por que crianças inocentes tiveram de sofrer.

Note o leitor como essa, a mais séria de todas as pragas, inspirou o poeta sagrado a acumular frases: "furor da sua ira... cólera... indignação... calamidade". O exagerado refinamento dos rabinos atribui a cada um desses termos uma praga separada, que não foi listada pelo salmista; mas a verdade é que todos esses vocábulos falam da décima e pior das pragas, e os vss. 50 e 51 continuam martelando esse tema.

■ 78.50

יְפַלֵּס נָתִיב לְאַפּוֹ לֹא־חָשַׂךְ מִמָּוֶת נַפְשָׁם וְחַיָּתָם לַדֶּבֶר הִסְגִּיר׃

Deu livre curso à sua ira. A ira de Yahweh seguiu uma *vereda* predeterminada, que varreu o Egito, atingindo a uma criança aqui e outra ali, mas poupando os filhos de Israel. Não houve misericórdia. Nenhum filho primogênito foi poupado entre os egípcios, pelo que naquele país houve uma grita universal de dor.

Pestilência. Não devemos pensar que houve entre o gado (ver Êx 9.3) uma praga, talvez alguma forma de vírus, que acabou espalhando-se para os seres humanos. Nem houve uma pestilência *geral* (Êx 9.15). Está em pauta um mal misterioso, mas por que ele foi tão *seletivo* é difícil de explicar. Pelo contrário, devemos compreender que a praga foi dirigida e dada por Deus, daí sua aplicação e eficácia especial. Em outras palavras, houve uma intervenção divina especial no décimo milagre. Não foi uma praga comum que tivesse matado um bando de crianças.

■ 78.51

וַיַּךְ כָּל־בְּכוֹר בְּמִצְרָיִם רֵאשִׁית אוֹנִים בְּאָהֳלֵי־חָם׃

Feriu todos os primogênitos no Egito. Aqui é revelada qual *praga* específica estava sendo descrita. Yahweh-Elohim, através de seus anjos da morte, "feriu" os primogênitos do Egito, as "primícias da virilidade". A praga (vs. 5) atingiu os primogênitos como se fosse um corisco de energia e foi enviada pela mão divina.

Nas tendas de Cão. Ver sobre este nome no *Dicionário*. Em Gn 10.6, Cão aparece como o pai de Cuxe, Mizraim e Pute (todas essas nações localizadas na parte nordeste da África). Portanto, foi apenas natural que Cão tivesse sido designado como o antepassado desses povos. Por quatro outras vezes aparece a mesma referência no Antigo Testamento. Ver no *Dicionário* dois artigos que esclarecem a questão: *Cão* e *Nações*. Os críticos duvidam da exatidão dessas designações, especialmente por não acreditarem na historicidade dessas antiquíssimas personagens bíblicas. Cão era "sinônimo poético para indicar o Egito" (*Oxford Annotated Bible*, comentando este versículo).

■ 78.52

וַיַּסַּע כַּצֹּאן עַמּוֹ וַיְנַהֲגֵם כַּעֵדֶר בַּמִּדְבָּר׃

Fez sair o seu povo como ovelhas. No caso dos egípcios, a vereda de Yahweh era uma vereda de morte (vs. 50). Mas, como Pastor, ele preparou outra vereda para Israel, tirando-os do Egito e levando-os à experiência no deserto. Portanto, Yahweh foi o grande traçador de veredas, embora suas providências tenham guiado a condições inteiramente diferentes. Israel foi *remido*. Quanto ao fato de Yahweh liderar os filhos de Israel como se fossem um rebanho, ver Sl 79.13. Ver no *Dicionário* o verbete chamado *Pastor*. Cf. Êx 12.37 e 15.22. "Conduzido pelas mãos de Moisés e Arão (Sl 72.20)... indo à frente deles como a coluna de nuvens, durante o dia, e como a coluna de fogo, à noite, mantendo-os juntos como se fossem um rebanho, não permitindo que se espalhassem, se desviassem ou se perdessem, dirigindo o caminho deles pelo deserto nunca antes trilhado, através de todos os caminhos tortuosos e rodopiantes, protegendo-os dos perigos e dos inimigos" (John Gill, *in loc.*).

■ **78.53**

וַיַּנְחֵם לָבֶטַח וְלֹא פָחָדוּ וְאֶת־אוֹיְבֵיהֶם כִּסָּה הַיָּם׃

Dirigiu-o com segurança, e não temeram. A *primeira grande crise* ao longo do caminho, depois de os filhos de Israel terem saído do Egito, foi a travessia do mar de Juncos. Ver no *Dicionário* o artigo chamado *Êxodo (o Evento)* quanto a uma ilustração da vereda tomada e uma caracterização geral. Eles não tinham razão para temer, porquanto a mão divina os acompanhava. Eles foram conduzidos com toda a "segurança" e, embora o mar tenha avassalado seus adversários, nem um único israelita foi prejudicado. Ver Êx 14.13,26-31. Embora os filhos de Israel tivessem temido durante a crise, seus temores logo foram acalmados. Eles sabiam que estavam em meio a grande intervenção divina, e a alegria tomou conta do coração deles. Ao passar por entre as duas muralhas de água, acumuladas de cada lado, eles tiveram um momento especial de fé. Quando já tinham atravessado em segurança, as águas tombaram ruidosamente sobre o Egito, de forma que poucos ou ninguém escapou. Os egípcios mostraram-se inimigos implacáveis e tinham saído atrás dos israelitas para matá-los. A morte estava presente, mas atingiu os próprios egípcios. O que planejaram para outros, eles mesmos receberam, um notável incidente da *Lei Moral da Colheita segundo a Semeadura*, que o leitor deve examinar no *Dicionário*.

> Sua graça é grande o bastante para satisfazer
> grandes coisas —
> As ondas que batem na praia e avassalam a alma,
> Os ventos uivantes que nos deixam atônitos
> e sem respiração,
> As tempestades súbitas que nossa vida
> não consegue controlar.
>
> Annie Johnson Flint

■ **78.54**

וַיְבִיאֵם אֶל־גְּבוּל קָדְשׁוֹ הַר־זֶה קָנְתָה יְמִינוֹ׃

Levou-os até à sua terra santa. Está em vista a terra montanhosa de Canaã, como em Êx 15.17 e Dt 3.25. O monte Sinai não está aqui em pauta, conforme o Targum diz equivocadamente. A marcha pelo deserto levou às fronteiras da terra santa, que fora designada como pátria para Israel, uma das principais provisões do *Pacto Abraâmico* prestes a ter cumprimento (ver Gn 15.18). Não poderia haver nação sem terra pátria, e não havia terra pátria sem conquista. A vereda aberta por Yahweh para seu povo levou à terra de Canaã (ver sobre vereda no vs. 52). Sião e as colinas da Judeia aparecem como o significado, da parte de alguns intérpretes, mas a referência parece ser à "experiência da fronteira". Naturalmente, essa experiência foi o primeiro passo dado na direção de Sião, mas não parece ser o intuito do escritor sacro, neste ponto. O vs. 55 refere-se à conquista da terra santa como consequência natural da experiência da fronteira.

A sua destra adquiriu. Quanto à *destra*, ver Sl 20.6, onde dou notas e referências. A poderosa destra de Deus tinha obtido para Israel os territórios que ele agora possui, incluindo a Terra Prometida.

■ **78.55**

וַיְגָרֶשׁ מִפְּנֵיהֶם גּוֹיִם וַיַּפִּילֵם בְּחֶבֶל נַחֲלָה וַיַּשְׁכֵּן בְּאָהֳלֵיהֶם שִׁבְטֵי יִשְׂרָאֵל׃

Da presença deles expulsou as nações. Quanto a uma lista dos povos que viviam na terra de Canaã, antes da chegada dos hebreus, ver Gn 15.18-21; Êx 3.8 e Dt 7.1. Quanto a uma lista das nações que foram expulsas de seus territórios por Israel, ver Êx 33.2 e Dt 7.1. Foi assim que o Pastor divino levou seu rebanho às terras de pastagem. E então os filhos de Israel conquistaram as terras que lhes haviam sido determinadas, e as distribuíram entre tribos, subtribos, clãs e famílias. Todas as famílias receberam terras, e estas se tornaram a herança que foi passando de geração para geração. Ver Nm 34.2; Sl 16.6; 105.11; Js 13.6-8;32 e 14.1-5. No *Dicionário*, ver os verbetes chamados *Tribo, Localização das*, e também *Tribo (Tribos de Israel)*. O poeta fala de notáveis provisões, e estas só foram conseguidas pela intervenção divina, porque o exército de infantaria de Israel não tinha chances contra as cidades fortificadas dos povos de Canaã. Por conseguinte, havia razão para que os israelitas se mostrassem agradecidos e louvassem a Deus, *e também* para que andassem em obediência à lei, o manual de Yahweh para o conhecimento e a conduta.

ISRAEL EM CANAÃ (78.56-66)

■ **78.56**

וַיְנַסּוּ וַיַּמְרוּ אֶת־אֱלֹהִים עֶלְיוֹן וְעֵדוֹתָיו לֹא שָׁמָרוּ׃

Ainda assim tentaram o Deus Altíssimo. Ver o vs. 41, que é essencialmente igual ao que lemos neste versículo, exceto pelo fato de que aqui encontramos o título *Altíssimo*, enquanto lá temos a expressão "Santo de Israel". No *Dicionário* há artigos sobre ambos os títulos. O tempo em questão é a época dos juízes de Israel. Ver Jz 2.7-13. O período histórico havia mudado, mas a mensagem é essencialmente a mesma: a rebeldia do povo de Israel; as apostasias periódicas; a pecaminosidade insensata; os castigos sofridos; a misericórdia de Yahweh; a restauração. Isto posto, estamos reiterando o mesmo ciclo antigo: pecado-julgamento-arrependimento-reconciliação. "... rebelaram-se, após a morte de Josué e, nos dias dos juízes, adoraram e serviram os deuses das nações e se esqueceram do Senhor, seu Deus, que tinha feito tantas coisas grandes por eles. Eles não observaram os testemunhos de Deus, ou seja, as leis de Deus que testificavam e declaravam sua mente e sua vontade; não observaram sua palavra e suas ordenanças que testificavam de sua graça e do caminho da salvação..." (John Gill, *in loc.*). Ver como a lei se aplica ao povo de Israel (uma nota de sumário) em Sl 1.2. Quanto à *tríplice designação* da lei, ver Dt 6.1.

■ **78.57**

וַיִּסֹּגוּ וַיִּבְגְּדוּ כַּאֲבוֹתָם נֶהְפְּכוּ כְּקֶשֶׁת רְמִיָּה׃

Tornaram atrás, e se portaram aleivosamente. Ou seja, mantiveram-se em desobediência à lei e aos princípios gerais do yahwismo, e seguiram as religiões pagãs escandalosas, com sua declarada idolatria. Ver no *Dicionário* o verbete chamado *Idolatria*. Cf. o vs. 8. Aqueles miseráveis pecadores da época dos juízes imitaram seus pais no tempo da provocação no deserto.

Como um arco enganoso. "Os arcos usados pelos hebreus, tal como os usados por outras nações antigas quando não estavam com a corda, eram tortos ao contrário de quando estavam com a corda, o que torna o simbolismo ainda mais expressivo da *disposição de um homem*, em quem não podemos confiar em um momento de necessidade" (Ellicott, *in loc.*). A tortura para trás, como é evidente, dava ao arco maior propulsão quando era encordoado corretamente. Mas um arco ao contrário não podia prestar serviço a um guerreiro. Todo guerreiro precisava de um arco bom e forte, e não de um arco que o desapontasse em tempos de guerra. Israel se tornara uma nação de guerreiros espirituais desapontadores. Parece que os arcos ao contrário podiam subitamente mudar de posição e atingir o arqueiro. Cf. Os 7.16, que compara os hebreus infiéis a um arco enganador, potencialmente perigoso para ser usado, ou então insuficientemente forte para o serviço proposto. O Targum fala sobre arcos desapontadores que atiram flechas apenas a curta distância. Arama falou sobre um arco que se quebra ao ser entesado, fazendo a flecha reverter a direção e matar o arqueiro.

■ **78.58**

וַיַּכְעִיסוּהוּ בְּבָמוֹתָם וּבִפְסִילֵיהֶם יַקְנִיאוּהוּ׃

Pois o provocaram com os seus altos. Ver sobre o título "altos", no *Dicionário*. Era apenas natural que pessoas religiosas, de qualquer sistema religioso, edificassem santuários e altares em lugares altos, que, presumivelmente, chegavam mais perto do céu e de Deus (ou dos deuses). Provavelmente alguns desses lugares serviam para a adoração exclusiva de Yahweh, enquanto outros se prestavam à adoração exclusiva dos deuses pagãos. E também havia "santuários ecumênicos", que promoviam mais de um tipo de fé religiosa. Portanto, o yahwismo estava misturado com outras fés, surgindo daí um sincretismo repelente. Cf. 1Sm 9.12 com 1Rs 15.14; 22.43; 2Rs 18.4 e 23.8. Cf. Dt 32.16.21; Jz 2.12,20. O artigo sobre *Lugares Altos* adiciona detalhes que ilustram a questão que temos à nossa frente.

E o incitaram a zelos. A idolatria é referida como um adultério espiritual, e Israel aparece como a esposa infiel. Yahweh, o marido, ficou com ciúmes e a expulsou de casa. O livro de Oseias enfatiza o tema. O artigo sobre *Adultério* comenta essa metáfora.

■ **78.59**

שָׁמַע אֱלֹהִים וַיִּתְעַבָּר וַיִּמְאַס מְאֹד בְּיִשְׂרָאֵל׃

Deus ouviu isso e se indignou. O indignado marido, Yahweh, veio a desprezar a esposa infiel, Israel. Portanto, ele a "rejeitou totalmente", conforme diz a *Revised Standard Version*. Nossa versão portuguesa usa um termo muito incisivo, "se aborreceu de Israel". "Eles se mostraram infiéis conforme se tinham mostrado seus antepassados. Portanto, o castigo da nova geração foi idêntico" (Fausset, *in loc.*). Cf. o vs. 21. Ver também Jz 3.7,8,12-14; 4.1,2; 10.6-8 e 13.1. No livro de Juízes encontramos muitos ciclos de pecado-julgamento-restauração, e os juízes usualmente tomavam a forma de livramento temporário diante de inimigos que se esforçavam ao máximo para tornar miserável a vida de Israel, em meio a brutalidades, assassinatos e crimes hediondos. Israel vivia sempre no pingue-pongue da escravidão-livramento, escravidão-livramento. O arrependimento que os israelitas experimentavam era prontamente anulado por outro surto de idolatria. O jogo doentio nunca cessava.

■ **78.60**

וַיִּטֹּשׁ מִשְׁכַּן שִׁלוֹ אֹהֶל שִׁכֵּן בָּאָדָם׃

Abandonou o tabernáculo de Silo. Ver no *Dicionário* o verbete chamado *Tabernáculo,* especialmente a quinta seção, quanto às perambulações do povo de Israel e seus pontos de parada.

Silo. Ver sobre este local no *Dicionário*. O lugar antigo é assinalado pela moderna Seilun, cerca de 36 quilômetros ao norte de Jerusalém. Fora um antigo centro de adoração a Yahweh. A arca fora guardada ali (ver Js 18.1; Jz 21.19; 1Sm 1.3; 3.21; 4.3 etc.). Finalmente, Silo foi saqueada e a arca foi capturada (1Sm 4.4-11). Muita gente morreu na oportunidade, incluindo os sacerdotes Hofni e Fineias. Essa desastrosa derrota, infligida pelos filisteus, ocorreu por causa de um julgamento divino, e o local nunca mais recuperou a antiga posição. Quando se recuperou a arca, ela foi enviada a Quiriate-Jearim. E ali permaneceu, até que Davi a removeu para Jerusalém. Havia um tabernáculo temporário ali, e então, na época de Salomão, a arca ficou repousando no templo.

A destruição de Silo também é mencionada em Jr 7.14; 26.6, mas nessas passagens não há detalhes explicativos. O santuário foi trazido à baila porque poderíamos pensar que ele perduraria por longo tempo, pois gozava da proteção de Yahweh. Mas até mesmo Silo foi finalmente destruída, em razão da apostasia do povo de Israel. O povo de Deus conseguiu *azedar* o yahwismo em muitos lugares. Os cativeiros assírio e babilônico (ver a respeito no *Dicionário*) foram causados por revoltas de Yahweh contra seu povo apóstata. O próprio poeta que compôs este salmo teria olhado com desgosto esses acontecimentos, que só ocorreram bem depois de seu tempo.

> Se você permitir que Deus o guie,
> E nele esperar em todos os seus caminhos,
> Ele o dará forças, sem importar a ocasião,
> E o sustentará através dos dias maus.
>
> George Neumark

■ **78.61**

וַיִּתֵּן לַשְּׁבִי עֻזּוֹ וְתִפְאַרְתּוֹ בְיַד־צָר׃

E passou a arca da sua força ao cativeiro. Está em foco a *arca da aliança* (ver a respeito no *Dicionário),* onde Yahweh se manifestava. O lugar, portanto, era um lugar de força, porque onde estivesse Yahweh ali se manifestava também o seu poder. A arca foi conduzida ao local da batalha pelos israelitas, a fim de garantir a vitória, visto que, presumivelmente, Yahweh iria juntamente com o seu lugar de manifestação. O *Senhor dos Exércitos* (ver 1Rs 18.15, quanto a notas expositivas) se agradava em ajudar Israel a obter suas vitórias militares. A despeito dessa crença, os filisteus não tiveram dificuldades em destruir Silo e levar embora a arca da aliança. No entanto, a arca nada trouxe aos filisteus senão tribulações, pelo que, posteriormente, eles se alegraram em devolvê-la aos israelitas.

Note o leitor que a arca é chamada aqui "da sua força", porquanto a presença de Deus na arca trazia parte da glória divina aos homens. Ver no *Dicionário* o artigo chamado *Shekinah*. Ver 1Sm 4.4-11, quanto à remoção da arca de Silo.

Onde quer que o Senhor dê sua força, ali ele também confere sua glória. Cf. 1Cr 16.11; Sl 29.1; 96.6,7 e Lm 2.1. O Targum relembra que as duas tábuas da lei estavam guardadas dentro da arca, e que obedecer à lei era a garantia de graça e glória.

■ **78.62**

וַיַּסְגֵּר לַחֶרֶב עַמּוֹ וּבְנַחֲלָתוֹ הִתְעַבָּר׃

Entregou o seu povo à espada. A *derrota militar,* acompanhada por muitas perdas de vida, foi um fator constante na história de Israel, e a causa sempre foi considerada o julgamento divino contra o pecado. Os vss. 62-64 provavelmente referem-se especificamente a derrotas sofridas às mãos dos filisteus, nos dias dos juízes. Ver 1Sm 4.10,11. Os sacerdotes Hofni e Fineias estavam entre os que morreram. Povos estrangeiros tornaram-se o chicote na mão divina que castigava Israel.

■ **78.63**

בַּחוּרָיו אָכְלָה־אֵשׁ וּבְתוּלֹתָיו לֹא הוּלָּלוּ׃

O fogo devorou os jovens deles. A descrição da matança efetuada pelos filisteus tem prosseguimento. Os rapazes, cheios de força e inteligência, não foram poupados, nem foram poupadas as lindas donzelas israelitas. Em vez de casar-se, conforme muito desejavam, e completar a vida frutífera com muitos filhos (o ideal feminino), elas encontraram a morte; e os maridos potenciais (os rapazes) morreram juntamente com elas. Tudo isso mostra quão esbraseada ficara a ira de Yahweh, indignado diante da cena nacional. Deus fez então os filisteus obter em tremenda vitória militar. Eles agiram como bem entenderam no meio de Israel. Não demonstraram piedade, e gostavam de matar; e assim a matança tornou-se o nome do jogo.

A referência aqui não é Nadabe e Abiú (Lv 10), que morreram por causa de seus pecados especiais (conforme Jarchi mencionou ser a interpretação de alguns rabinos). Pelo contrário, está em vista principalmente a flor da juventude de Israel. Não se ouviu o cântico nupcial (conforme diz a *Revised Standard Version*). Pelo contrário, houve grande choro e lamentação pelos jovens que haviam morrido com tanta brutalidade. "A desolação e a miséria foram assinaladas pela ausência dos alegres cânticos nupciais" (Ellicott, *in loc.*). O versículo pode indicar que tantos jovens foram mortos que não sobraram maridos potenciais para casar com as donzelas; mas podemos ter certeza de que muitas delas também foram insensatamente mortas.

■ **78.64**

כֹּהֲנָיו בַּחֶרֶב נָפָלוּ וְאַלְמְנֹתָיו לֹא תִבְכֶּינָה׃

Os seus sacerdotes caíram à espada. Os próprios sacerdotes levitas não foram poupados. Hofni e Fineias estavam entre as vítimas. A mulher de Fineias morreu de parto prematuro e, assim, não pôde presenciar o funeral do marido. Não houve viúvas que se lamentassem, conforme acontece entre os povos orientais, causando uma barulheira. Ver 1Sm 4.22. Outros sacerdotes também faleceram, e, ao que tudo indica, devemos entender que naquele tempo de grande tristeza nacional, as cerimônias usuais de lamentação foram suspensas. Na ocasião, os filisteus levaram cativa a arca da aliança. Os sacerdotes de Silo morreram à espada e, quando chegaram as notícias, as esposas dos sacerdotes não choraram, porque morreram no mesmo dia.

78.65

וַיִּקַץ כְּיָשֵׁן ׀ אֲדֹנָי כְּגִבּוֹר מִתְרוֹנֵן מִיָּיִן׃

Então o Senhor despertou como de um sonho. Entrementes, Satanás nada fez, pois, afinal de contas, fora Deus quem enviara a ordem aos filisteus para que efetuassem a terrível matança e desgraça contra Israel. Então o Senhor aproveitou o tempo para dar um cochilo e deixar as coisas como deveriam ficar. Quanto à indiferença divina, ver Sl 10.1; 28.1 e 59.4. Naturalmente, pintar Yahweh como quem dormia foi um crasso *antropomorfismo* (ver a respeito no *Dicionário*), tomado por empréstimo dos costumes pagãos. Por isso, Elohim é exortado a *acordar!* Ver Sl 35.23; 44.23. 1Rs 18.27 mostra que Elias *mofou* dos sacerdotes pagãos de Baal com a ideia de que o deus deles talvez tivesse feito uma viagem ou estivesse dormindo.

A figura simbólica aqui é deveras estranha, porque vemos Yahweh a dormir; mas então, de súbito, ele desperta de seu estupor, que era como o estupor de um homem que se embebedara e agora se recuperava da ingestão excessiva de bebidas alcoólicas! Hoje em dia não falamos dessa maneira sobre Deus, nem mesmo na linguagem poética. William R. Taylor refere-se a este versículo como uma "figura ousada" de linguagem; mas nós a achamos ridícula e imprópria. O bêbado desperta e fica irritado por causa do efeito do vinho em seu cérebro, e isso o faz gritar de raiva. Nessa ira, ele fará a vida de alguém tornar-se miserável. Cf. Sl 104.15. Adam Clarke (*in loc.*) não coopera muito para limpar a cena, ao assegurar-nos que o homem em questão não estava realmente embriagado, mas apenas estimulado pelo vinho. A figura simbólica seria arruinada se supuséssemos que um *homem sóbrio* se deitara para dormir (e não por ter bebido em excesso), e então despertou, tomou um gole e assim ganhou coragem para entrar na batalha.

78.66

וַיַּךְ־צָרָיו אָחוֹר חֶרְפַּת עוֹלָם נָתַן לָמוֹ׃

Fez recuar a golpes os seus adversários. Ao despertar, irritado pelo vinho em excesso que agitara o seu cérebro, o homem precipitou-se contra os inimigos com toda a ira, e assim acabou com eles. Ele os feriu nas "partes traseiras", porque essa foi a parte que ficou exposta quando fugiram (*King James Version*); mas a *Revised Standard Version* nos poupa essa figura e simplesmente diz conforme a nossa versão portuguesa: "fez recuar a golpes os seus adversários" e eles retrocederam para vergonha eterna. Quanto à vergonha passada pelo perdedor, ver Sl 25.1; 35.26; 37.19; 69.6; 74.21. Estão em vista as vitórias de Saul e Davi sobre os filisteus, pelas quais Yahweh, como Capitão dos Exércitos (ver 1Rs 18.15), recebeu o crédito. Para conseguir a liberdade de Israel, Davi precisou derrotar oito povos inimigos, sobre o que comento em 2Sm 10.19. E aqueles que não exterminou, Davi confinou. Foi assim que seu filho, Salomão, pôde ter um glorioso reino de paz quase todo o tempo e expandiu as fronteiras de Israel, para além do que Davi tinha feito. Portanto, no tempo de Davi e de Salomão, Israel atingiu sua época áurea, que nunca mais foi igualada. Yahweh, naturalmente, foi visto como quem proveu as *vitórias* que tornaram tudo isso possível. Cf. 1Sm 7.10,11; 13.3 e 14.23.

Adam Clarke fez os ferimentos nas partes traseiras dos filisteus referir-se a *hemorroidas* que Yahweh enviou contra os filisteus (ver 1Sm 5.6-10); e isso, naturalmente, foi uma causa de "dor e vergonha", como qualquer um que sofre dessa condição pode testificar.

78.67

וַיִּמְאַס בְּאֹהֶל יוֹסֵף וּבְשֵׁבֶט אֶפְרַיִם לֹא בָחָר׃

Além disso, rejeitou a tenda de José. Os vss. 67,68 refletem os sentimentos do Senhor contra Efraim, a mais forte tribo do norte. Ela se tornou a principal tribo de Israel após a morte de Salomão. Ver 1Rs 12.1-13.34; 2Rs 17.1-23; Is 7.1-8.22. Gradualmente, porém, a tribo de Efraim foi perdendo sua posição de "cão líder", e Judá se tornou a tribo mais forte e, finalmente, a única a sobreviver ao cativeiro babilônico. Sob os juízes, Efraim fora a tribo mais poderosa. Ao rejeitar Deus essa tribo, a estrada estava sendo aberta para a cena futura. Além disso, Silo (localizada no território de Efraim), que também foi rejeitada como santuário nacional, foi substituída por Sião. Isto posto, os centros de poder, tanto religioso quanto civil, mudaram para Jerusalém. Cf. o vs. 60. Ver nos vss. 9-11 algumas das razões por trás dessa mudança. Efraim tornou-se símbolo do fracasso coletivo no norte, que acabou levando ao cativeiro assírio, em 722 a.C. Antes disso, porém, houve a divisão das porções norte e sul da nação de Israel em duas nações. E, dali por diante, o norte — Israel — e o sul — Judá — iam em direções opostas.

78.68

וַיִּבְחַר אֶת־שֵׁבֶט יְהוּדָה אֶת־הַר צִיּוֹן אֲשֶׁר אָהֵב׃

Escolheu antes a tribo de Judá. Longo tempo antes do cativeiro assírio, Judá já havia substituído Efraim como a tribo mais poderosa. As fortunas de Israel deveriam ficar na região de Judá, e isso continua sendo verdade até hoje. O monte Sião substituiu Silo; a arca acabou guardada no templo de Salomão. As festividades anuais levavam todos os homens a Jerusalém, obrigatoriamente. Ver no *Dicionário* o verbete intitulado *Sião*. Yahweh "escolheu a tribo de Judá e o monte Sião para ser, ao mesmo tempo, a sede do santuário e da monarquia (vss. 69-71)" (Fausset, *in loc.*).

78.69

וַיִּבֶן כְּמוֹ־רָמִים מִקְדָּשׁוֹ כְּאֶרֶץ יְסָדָהּ לְעוֹלָם׃

E construiu o seu santuário. Quase certamente temos aqui uma referência ao magnífico templo de Salomão, que se tornou símbolo da glória que viera residir em Jerusalém e Judá. Tal como a glória do tabernáculo, que estivera guardado em Silo, não podia comparar-se à glória do templo de Salomão, assim também Efraim não podia comparar-se a Judá. Cf. 1Rs 6.1-38, uma detalhada descrição das grandes riquezas e outras excelências do templo. Essa estrutura projetava sua cabeça na direção do céu, e o próprio globo terrestre tornou-se o seu alicerce. Sem dúvida temos nessas declarações exageros poéticos que foram permitidos ao salmista. Os *lugares altos* dos pagãos (que também foram adotados pela nação do norte, Israel) (ver o vs. 58) não podiam comparar-se ao templo que realmente atingia a presença de Deus com seu culto. A teologia posterior dos hebreus chegou a imaginar que o templo (ver Hb 8.5) era uma cópia do templo celestial, onde Deus teria sua verdadeira moradia. Este versículo, naturalmente, é cristianizado para falar da igreja, o novo templo de Deus (ver Ef 2.20-22).

78.70

וַיִּבְחַר בְּדָוִד עַבְדּוֹ וַיִּקָּחֵהוּ מִמִּכְלְאֹת צֹאן׃

Também escolheu a Davi, seu servo. Davi foi a figura-chave na grande modificação. Poderoso guerreiro, foi capaz não somente de levar a tribo de Judá à posição de supremacia, mas também de subjugar todos os inimigos de Israel (ver as notas em 2Sm 10.19). Ele entregou o povo de Israel a seu filho, Salomão, em paz e franca prosperidade, e Salomão inaugurou a época áurea de Israel. Davi começou humildemente cuidando de ovelhas e, antes de sua história terminar, tornou-se o pastor de Israel. Quanto à escolha divina de Davi, ver 1Sm 16.1-23. Os versículos finais deste salmo expressam a confiança na dinastia davídica em Jerusalém para reverter um passado tristonho. Embora José e Efraim tivessem sido "repelidos, Judá e o monte Sião tornaram-se amados, e Davi, o servo de Yahweh, tornou-se o pastor de Jacó e assumiu a liderança da nação, dotado de coração reto e de uma mão habilidosa. Havia todo um processo para rejeitar a infidelidade, mas também para amar e mostrar-se solícito" (J. R. P. Sclater, *in loc.*). Os versículos finais, naturalmente, sem serem assim tão diretos, servem de apelo para que o povo de Israel seguisse a dinastia davídica e assim aguardasse coisas melhores. Esses versículos são cristianizados para falar do Filho maior de Davi, o Messias, em quem a dinastia davídica se realizaria de forma perpétua.

78.71

מֵאַחַר עָלוֹת הֱבִיאוֹ לִרְעוֹת בְּיַעֲקֹב עַמּוֹ וּבְיִשְׂרָאֵל נַחֲלָתוֹ׃

Tirou-o do cuidado das ovelhas e suas crias. Houve tempo em que as responsabilidades de Davi consistiam somente em cuidar de ovelhas, especialmente das ovelhas que estavam prestes a dar à luz os cordeiros, pois deles dependia a continuação do rebanho. Agora, porém, ele fora guindado à posição de pastor de Israel e cuidava da sobrevivência de toda a nação. Ele terminou cuidando da *herança de Yahweh*, e não da herança de seu pai, Jessé. Assim também Cristo, a quem Davi tipificava, no dizer de Is 40.11, "apascentará o seu rebanho; entre os seus braços recolherá os cordeirinhos, e os levará no seio; as que amamentam, ele guiará mansamente". "A incredulidade e a desobediência que atraíram o desastre na batalha de Afeque (ver 1Sm 4.1-11) assinalaram um ponto nevrálgico que atraiu um novo sacerdócio e um novo santuário, bem como um rei que conduziria o povo, a *herança* de Deus (ver Sl 78.62; 79.1 e comentários sobre Dt 4.20)" (Allen P. Ross, *in loc.*). Este versículo tem sido cristianizado para falar do grande Pastor e Rei, o Messias. Ver Lc 1.32,33; Ap 15.4; Is 9.6,7.

■ 78.72

וַיִּרְעֵם כְּתֹם לְבָבוֹ וּבִתְבוּנוֹת כַּפָּיו יַנְחֵם׃

E ele os apascentou. Davi possuía coração correto e mão direita firme para ocupar a posição de pastor de Israel. Sua alma não estava corrompida pelos pecados que o salmista tão laboriosamente descreveu por todo o salmo. Antes, Davi era um homem segundo o coração de Deus (1Sm 13.14) e obteve esse coração piedoso da parte de Deus. Ademais, Davi tinha mãos habilidosas tanto na guerra como na paz. Fazia coisas que promoviam a causa de Israel. "O pastor, com seu cajado e seu bordão na mão, guia as ovelhas (ver Sl 23.4). Assim também Davi exibiu suas habilidades não somente mediante conselhos, mas de acordo com a execução de suas mãos" (Fausset, *in loc.*).

A integridade do seu coração. Ver o artigo no *Dicionário* quanto ao uso metafórico do termo "coração". Ver também sobre a palavra *Mão,* no artigo intitulado *Usos Metafóricos.* Cf. 1Rs 9.4, que também contém a expressão "com integridade de coração".

Este versículo tem sido cristianizado para falar da liderança mais ampla do Messias. Ver Is 52.13.

É assim que este longo salmo, tão entristecedor em suas descrições dos pecados nacionais de Israel, termina com uma nota exultante de expectativa. Espera-se que a salvação de Israel resida na dinastia davídica. Neste salmo não há nenhuma clara referência à divisão da nação de Israel nas partes norte e sul — respectivamente, Israel e Judá —, embora as sementes dessa divisão estivessem visíveis desde há muito tempo: vss. 9-11 e 67,68.

SALMO SETENTA E NOVE

Quanto a *informações gerais* que se aplicam a todos os salmos, ver a introdução ao Salmo 4, onde apresento sete comentários que elucidam a natureza do livro. Quanto às *classes* dos salmos, ver o gráfico no início do comentário, que atua como uma espécie de frontispício. Ofereço ali dezessete classes e listo os salmos pertencentes a cada uma delas.

Este é um *salmo de lamentação,* fazendo parte de um grupo de salmos que lamentam a opressão exercida por inimigos nacionais. Há uma oração para que Yahweh-Elohim livrasse o povo de Israel dessa angústia. A ocasião parece ser a mesma que a do Salmo 74. Ver a introdução àquela composição. Tal como no caso daquele salmo, os intérpretes especulam quanto a exatamente qual desastre lançou o povo de Israel na miséria e na lamentação. "Esse lamento da comunidade foi ocasionado pelo assalto contra Judá por parte de alguns gentios cujos nomes não são fornecidos. O país foi devastado (vs. 7). Jerusalém foi arruinada e o templo foi contaminado (vs. 1). Ocorreu tremenda matança. O sangue fluiu como um rio. Houve devastações por toda parte. A severidade do que é dito, na opinião de alguns intérpretes, aponta para o assédio dos babilônios e o eventual cativeiro de Judá.

Os *salmos de lamentação* (que de longe formam o grupo mais numeroso dos salmos) tipicamente começam com um clamor por livramento do inimigo que estava sendo enfrentado. Além disso, são dadas algumas informações sobre o tipo específico de inimigo que estava atacando, como um inimigo estrangeiro, inimigos surgidos dentro do próprio acampamento de Israel, ou uma enfermidade física. Algumas vezes, em um único salmo, há mais de um tipo de inimigo. Com grande frequência, os salmos de lamentação contêm amargas *imprecações* contra os inimigos. Além disso, eles usualmente terminam com uma nota de louvor, pois fica subentendido que as orações feitas foram respondidas, ou então o autor cria que estavam prestes a ser respondidas. No salmo à nossa frente, o clamor pedindo ajuda vem após a descrição geral de destruição: vss. 5 e 9.

Subtítulo. Neste salmo encontramos o simples subtítulo "Salmo de Asafe". Tradições posteriores identificam esse personagem como autor de doze salmos: 73 a 83 e 50. Mas essas adições (os subtítulos) não faziam parte original dos salmos e não têm autoridade canônica. Podem, ocasionalmente, tocar em algum evento histórico válido que inspirou as composições, e talvez identifiquem corretamente os autores, mas o mais provável é que isso aconteça com certa raridade.

A MORTIFICAÇÃO DE JUDÁ (79.1-4)

■ 79.1

מִזְמוֹר לְאָסָף אֱלֹהִים בָּאוּ גוֹיִם בְּנַחֲלָתֶךָ טִמְּאוּ אֶת־הֵיכַל קָדְשֶׁךָ שָׂמוּ אֶת־יְרוּשָׁלַ͏ִם לְעִיִּים׃

Ó Deus, as nações invadiram a tua herança. "Queixando-se que Jerusalém fora devastada, que os santos foram mortos e que os inimigos foram encorajados a zombar, o salmista pleiteou que o Senhor não se lembrasse de seus pecados, mas os livrasse por amor do seu nome. Este salmo, em vários sentidos, é parecido com o Salmo 74" (Allen P. Ross, *in loc.*).

Invadiram. O inimigo era um exército estrangeiro, provavelmente o babilônico, que tinha espalhado destruição generalizada, em conexão com o cativeiro babilônico (ver a respeito no *Dicionário*).

A tua herança. Elohim era o proprietário da Terra Prometida e do povo que agora ali residia. Eles constituíam a herança do Senhor. Ver Dt 4.20 e, no *Dicionário,* o verbete chamado *Herança*. Ver também Êx 15.17; Sl 72.2. Nesta última referência, desenvolvo o tema com maiores detalhes.

Profanaram o teu santo templo. O verbo "profanar", aqui usado, parece significar algo menor que *destruição* e aponta para outros inimigos que não os babilônios. Mas note o leitor que o mesmo verbo hebraico é usado em 2Rs 23.8 para descrever a contaminação dos lugares altos por parte de Josias, em 621 a.C., e sabemos que o que ele fez foi destruir os lugares altos. Talvez tão cedo quanto 597 a.C. (2Rs 24.8-17), a destruição material de Jerusalém ainda fosse pequena, e talvez contaminações tenham sido efetuadas naquela época. Seja como for, as descrições certamente parecem apontar para uma devastação de Jerusalém que só aconteceu historicamente no tempo da invasão dos babilônios. Quanto ao que ocorreu em 587 a.C., Ver 2Rs 25.8-10. Cf. Mq 3.12; Jr 26.18; 51.51 e Lm 1.10.

As contaminações praticadas por Antíoco Epifânio (ver 1Macabeus 1.38 e 3.45) não foram radicais o suficiente para merecer a linguagem do vs. 1. Ver no *Dicionário* o verbete chamado *Antíoco Epifânio.*

■ 79.2

נָתְנוּ אֶת־נִבְלַת עֲבָדֶיךָ מַאֲכָל לְעוֹף הַשָּׁמָיִם בְּשַׂר חֲסִידֶיךָ לְחַיְתוֹ־אָרֶץ׃

Deram os cadáveres dos teus servos por cibo às aves. Além de imensos danos às propriedades, o povo em geral sofreu grande matança e os poucos que sobreviveram foram, ato contínuo, levados para a Babilônia. Muitos dos mortos sofreram a desgraça adicional de não serem sepultados, pelo que se tornaram alimento para os predadores alados.

Teus santos. As formas singular e plural do vocábulo hebraico assim traduzidas (os *chasidim*) são encontradas em vários salmos, referindo-se aos hebreus piedosos que tinham alcançado algum grau de santificação, em obediência à lei. Ver Sl 30.4. Basicamente, a palavra significa "leal", e pensamos na lealdade à lei, obediência aos aspectos morais e cerimoniais. Termos como "piedoso", "fiel" e "santo" foram empregados para traduzir esse vocábulo hebraico. Não é mister referir-nos aos tempos dos macabeus e aos *chasidim* que viveram no período deles. Ver Sl 16.10, quanto a outras notas expositivas. Ver Is 6.3, onde Deus é chamado "santo". Ali está em pauta a santidade, o que, em um sentido secundário, pode aplicar-se aos homens. Arão foi assim chamado (ver Sl 106.16), tal como o foram os nazireus (ver Nm 6.18). No tempo dos macabeus, entretanto, essa palavra referia-se aos judeus ortodoxos, em contraste com os judeus liberais.

79.3

שָׁפְכ֬וּ דָמָ֨ם ׀ כַּמַּ֗יִם סְֽבִ֘יב֤וֹת יְֽרוּשָׁלִָ֗ם וְאֵ֣ין קוֹבֵֽר׃

Derramaram como água o sangue deles. Uma torrente de sangue cercou Jerusalém, a infeliz trilha dos martirizados. Houve tantos mortos que sepultar a todos tornou-se impossível, ideia que já vimos no vs. 2. 1Macabeus 7.17 contém quase o mesmo fraseado, acerca da má obra de Antíoco Epifânio, tempos depois. Porém o mais provável é que esse texto seja uma citação livre deste versículo. Para os hebreus, alguém não receber um enterro digno era uma calamidade. Ver Dt 28.26; 2Rs 9.10; Jr 7.33; 8.2; 9.22; 14.16; 19.7 e 22.18,19. "A vergonha envolvida em tudo aquilo! Cadáveres insepultos, aves de rapina, animais devorando a carne dos santos de Deus, sangue vertido como água, e ninguém restava, entre as ruínas, para limpar o lixo ou dar sepultamento decente aos mortos. Tudo isso, no dizer do poeta sagrado, acontecera por ordem de Deus, porquanto Israel era sua herança" (J. R. P. Sclater, *in loc.*).

79.4

הָיִ֣ינוּ חֶ֭רְפָּה לִשְׁכֵנֵ֑ינוּ לַ֥עַג וָ֝קֶ֗לֶס לִסְבִיבוֹתֵֽינוּ׃

Tornamo-nos o opróbrio dos nossos vizinhos. Os israelitas que sobreviveram foram maltratados de todas as maneiras possíveis e, ademais, submetidos a zombarias, apupos e ridicularização. Este versículo é virtualmente idêntico a Sl 44.13, onde notas adicionais são encontradas. Tudo isso foi atribuído a Yahweh-Elohim, por causa do pecado e da apostasia, porquanto os inimigos de Israel se tornaram o látego de Deus, para que abandonassem as suas poluções. "O opróbrio era o mesmo de que já tinham sido vítimas antigamente, e tocava a parte mais vulnerável da fé deles, a saber, que eles eram os favorecidos de Deus e, no entanto, que se visse o que lhes acontecera! O quanto os pagãos se divertiam em meio à poeira, à morte e ao mau cheiro da cidade demolida!" (J. R. P. Sclater, *in loc.*). Os idumeus, os filisteus, os fenícios, os amonitas e os moabitas, todos se revezavam gloriando-se do povo derrotado e subjugado, e seus insultos contra os israelitas misturavam-se às blasfêmias contra Deus" (Adam Clarke, *in loc.*, com algumas adaptações).

> *Contra os filhos de Edom, lembra-te, Senhor, do dia de Jerusalém, pois diziam: Arrasai, arrasai-a até aos fundamentos.*
> Salmo 137.7

Ver o vs. 8 desse mesmo salmo, quanto ao pano de fundo histórico.

APELO PELA INTERVENÇÃO DIVINA (79.5-13)

79.5

עַד־מָ֣ה יְ֭הוָה תֶּאֱנַ֣ף לָנֶ֑צַח תִּבְעַ֥ר כְּמוֹ־אֵ֝֗שׁ קִנְאָתֶֽךָ׃

Até quando, Senhor? Finalmente, neste salmo, aparece o grito de socorro, o que, usualmente, vem em primeiro lugar nos salmos de lamentação. A oração foi ditada pelo desespero, perguntando por *quanto tempo mais* continuaria a agonia, provocada pela ira de Yahweh. *Ele* era a causa real por trás da miséria, e os babilônios eram apenas instrumentos seus. Notemos aqui a *ira ciumenta* de Yahweh, repetindo a figura do adultério espiritual e do marido irado, conforme vimos em Sl 78.58, cujas notas expositivas se aplicam aqui. A ira divina era como uma imensa fogueira que continuava a queimar sem parar, sem alívio e sem fim em mira. Cf. Sl 74.9, quanto a uma espera interminável e desesperada pela melhoria. Embora o julgamento divino deva começar pela casa de Deus (1Pe 4.17), contudo, não precisa prosseguir para sempre, e quem poderia justificar a matança e a destruição insensata do santuário sagrado? Cf. Dt 4.24. Cf. também 1Macabeus 1.64 e 2Macabeus 8.29.

79.6

שְׁפֹ֤ךְ חֲמָתְךָ֨ ׀ אֶֽל־הַגּוֹיִם֮ אֲשֶׁ֪ר לֹא־יְדָ֫ע֥וּךָ וְעַ֥ל מַמְלָכ֑וֹת אֲשֶׁ֥ר בְּ֝שִׁמְךָ֗ לֹ֣א קָרָֽאוּ׃

Derrama o teu furor sobre as nações. Em vez de derramar sua ira como um rio de fogo contra a própria herança (vs. 1), o poeta requereu que a mesma ira aniquilasse os babilônios. Afinal de contas, eram eles os pagãos envolvidos na idolatria que não conheciam a Deus. Não invocavam o nome de Yahweh-Elohim, mas sempre faziam suas petições aos ídolos sem vida. Aqueles ídolos que nada representavam agora ganhariam o crédito pelo que acontecera a Israel, e o inimigo se vangloriaria da própria brutalidade. O plural aqui, "nações", provavelmente é retórico, pois devemos entender que havia apenas um adversário, a saber, a Babilônia. Agora a culpa pela catástrofe é posta diretamente sobre os pagãos, pois certamente eles eram *causas secundárias*; não obstante, a teologia dos hebreus só via Deus como a grande fonte de tão grande mal, pois, em última análise, ele era tido como a única causa. "Tal atitude para com os inimigos políticos é comum nas páginas do Antigo Testamento. Cf. Dt 20.10-18; Sf 3.8; Jr 10.25; Ez 25.1-17. Ver também Sl 109.1-31 e 139.1-24" (William R. Taylor, *in loc.*). Alguns intérpretes consideram os vss. 6,7 uma profecia da retribuição contra os babilônios.

79.7

כִּ֭י אָכַ֣ל אֶֽת־יַעֲקֹ֑ב וְֽאֶת־נָוֵ֥הוּ הֵשַֽׁמּוּ׃

Porque eles devoraram a Jacó. Este versículo expande a ideia contida no vs. 6. Jacó (Israel, que agora existia somente como a tribo de Judá) fora *devorado* pela feroz fera do nordeste como se fosse algum pequeno animal selvagem. Coisa alguma restara da bela cidade de Jerusalém com seu templo magnificente. Só restaram os ossos da carcaça. O julgamento divino espalhara desolação. Ver algo similar em Jr 10.24,25: *"Castiga-me, ó Senhor, mas em justa medida, não na tua ira, para que não me reduzas a nada. Derrama a tua indignação sobre as nações que não te conhecem, e sobre os povos que não invocam o teu nome; porque devoraram a Jacó, devoraram-no, consumiram-no e assolaram a sua morada"*.

Ver algo semelhante em 1Macabeus 1.38,39 e 3.4,5.

79.8

אַֽל־תִּזְכָּר־לָנוּ֮ עֲוֺנֹ֪ת רִאשֹׁ֫נִ֥ים מַ֭הֵר יְקַדְּמ֣וּנוּ רַחֲמֶ֑יךָ כִּ֖י דַלּ֣וֹנוּ מְאֹֽד׃

Não recordes contra nós as iniquidades de nossos pais. Os vss. 8,9 culpam os pecados e a tendência de desvio de Judá pelas coisas que tinham acontecido, sendo essa a doutrina padrão do Antigo Testamento, que envolve a *Lei Moral da Colheita segundo a Semeadura* (ver a respeito no *Dicionário*). Quanto à expressão "iniquidades de nossos pais", o texto hebraico diz, literalmente "iniquidades dos antigos". Cf. Lv 26.45, "aliança com os seus antepassados". Ver também Êx 20.5 e Lv 26.39. E ver Is 64.9 e Dt 5.9, quanto a sentimentos similares aos expressos neste versículo.

Em lugar de *temíveis inimigos* que viriam contra eles, o poeta agora solicita que Yahweh-Elohim viesse prontamente ao encontro dos que tinham restado em Judá, a fim de salvá-los, preservá-los e restaurá-los, de modo que essa tribo-nação sobrevivesse para ver um dia melhor. Ao "nosso encontro" são palavras que indicam resgatar, vir em socorro, ter misericórdia visando o bem. Compaixão e misericórdia tinham de vir ao encontro dos judaítas, pois, de outro modo, nada mais restaria para ser destruído e nada haveria para continuar. O poeta personalizou a *compaixão* de Yahweh, que seria o mensageiro divino, o anjo divino que salvaria o que restara de Judá. Yahweh enviara seu *destruidor*, cuja missão tinha terminado. Agora haveria uma missão de misericórdia, sob pena de a herança de Yahweh desaparecer da face da terra. Cf. Dn 9.16, que parece combinar este versículo com o vs. 4.

Estamos sobremodo abatidos. Diz o original hebraico, literalmente, "estamos muito finos", isto é, *poucos* restaram, e a cidade não vale mais grande coisa. A cidade tornara-se inabitável. Cf. Lm 5.7.

Antepassados. Podemos estar seguros de que o povo da época participou dos pecados de seus antepassados, pelo que a punição era justa. Ademais, a situação se tornara *irrecuperável*, antes mesmo de o golpe divino nivelar tudo. Isso levanta a antiga questão de os filhos sofrerem pelos pecados dos pais. Ver sobre *morrer pelos próprios pecados*, em Dt 24.16 e Ez 18.20. Além disso, ver sobre *morrer ou sofrer pelos pecados dos pais*, em Êx 20.5.

79.9

עָזְרֵ֤נוּ ׀ אֱלֹ֘הֵ֤י יִשְׁעֵ֗נוּ עַל־דְּבַ֥ר כְּבֽוֹד־שְׁמֶ֑ךָ וְהַצִּילֵ֥נוּ וְכַפֵּ֥ר עַל־חַ֝טֹּאתֵ֗ינוּ לְמַ֣עַן שְׁמֶֽךָ׃

Assiste-nos, ó Deus e Salvador nosso. Deus tinha destruído a própria herança (vs. 1). Agora, porém, foi solicitado a salvar o que restara, para a glória de seu próprio nome. Quanto ao *nome de Deus*, ver Sl 31.3. Quanto ao *nome santo*, ver Sl 30.4 e 33.21. Quanto ao Deus da *salvação*, que algumas vezes é chamado *Salvação*, ver Sl 62.2, onde ofereço notas expositivas e referências sobre onde essa expressão se encontra no saltério. Está em pauta a ideia de *livramento*, o que significa que o povo de Israel poderia continuar no *pacto* e assim cumprir os seus ideais como nação, com a bênção de Yahweh. A causa da invasão, por parte dos babilônios, eram os pecados de Israel. Assim também agora, mediante arrependimento, tais pecados seriam *perdoados*. Ver no *Dicionário* o artigo chamado *Perdão*. Dessa forma, a reputação divina seria salva entre os povos vizinhos de Israel, pois seu aparente ato irracional, ao destruir sua herança, seria revertido. E quando os babilônios fossem dominados, o povo reconheceria que Yahweh é que tinha agido contra Israel. E, finalmente, o amor de Deus por Israel viria à tona.

O vs. 9 admite a culpa da atual geração, e não somente dos antepassados (vs. 8). Cf. Sl 65.1-3.

■ 79.10

לָ֤מָּה ׀ יֹאמְר֣וּ הַגּוֹיִם֮ אַיֵּ֪ה אֱֽלֹהֵ֫יהֶ֥ם יִוָּדַ֣ע בַּגֹּיִ֑ים
לְעֵינֵ֗ינוּ נִקְמַ֖ת דַּֽם־עֲבָדֶ֣יךָ הַשָּׁפֽוּךְ׃

Por que diriam as nações? Ao observar o que tinha acontecido a Judá, os gentios perguntariam: "Onde está Elohim, o Deus deles?" Cf. Sl 42.3,10; 115.2; Jl 2.17; Mq 7.10. E os povos pagãos teriam a resposta a essa indagação quando a ira de Deus se voltasse contra eles, por causa de seus *pecados*, incluindo o pecado de terem maltratado a Israel. Quanto à vingança de Deus, ver Sl 94.1 e, no *Dicionário*, o verbete intitulado *Vingança*. Israel queria ver a vingança de Deus contra a Babilônia, tal como esse povo vira o que Elohim fizera a Israel. "O salmista tem em mente aqui Dt 32.12, mas especialmente Jl 2.17, que é repetido *verbatim*, ou seja, 'Que sucedeu à sua mui celebrada onipotência e ao seu amor infalível a esse povo?' (Dt 9.28)" (Fausset, *in loc.*). Quanto à vingança a ser efetuada, ver Dt 32.43. Cf. Ap 6.9; 16.6,7 e 19.2, quanto a declarações e esperanças similares. "Justiça" é a palavra que domina o versículo. A justiça requer a punição de todos os culpados. Mas o amor também entra no quadro, para reverter o curso da dor. De qualquer modo, julgamento é outro nome para o amor, visto ser um dedo da mão amorosa de Deus. Finalmente, esse castigo cura e abençoa.

■ 79.11

תָּב֣וֹא לְ֭פָנֶיךָ אֶנְקַ֣ת אָסִ֑יר כְּגֹ֥דֶל זְ֝רוֹעֲךָ֗ הוֹתֵ֥ר בְּנֵ֥י תְמוּתָֽה׃

Chegue à tua presença o gemido do cativo. Os poucos que não morreram, foram levados cativos para a Babilônia e foram aprisionados, o que significa que seus *gemidos* ascendiam dali aos ouvidos de Elohim, tornando-se uma oração de desespero. Os clamores dos cativos talvez excitassem o Poder para salvar os condenados à morte, ou eles permaneceriam no miserável estado de detenção e servidão a uma potência estrangeira.

A grandeza do teu poder. Somente o poder de Deus, simbolizado pelo "braço", conforme dizem outras versões, poderia servir a alguma coisa. Portanto, estas palavras solicitam a intervenção divina. Ver a metáfora sobre *braço*, em Sl 77.15 e 89.10. Quanto à *destra* (braço direito), ver Sl 20.6. O Targum fala sobre Elohim a *libertar* os prisioneiros.

Os sentenciados à morte. Aqui, o original hebraico literal diz, graficamente, "filhos da morte", ou seja, aqueles caracterizados pelos sofrimentos que terminariam na morte, ou numa contínua *morte em vida*. Só encontramos essa frase aqui e em Sl 102.20. Além disso, a expressão "o gemido dos cativos" encontra-se somente ali, além do texto presente. Cf. uma situação semelhante em Êx 2.23,24. Ver também Pv 31.6,8.

■ 79.12

וְהָ֘שֵׁ֤ב לִשְׁכֵנֵ֣ינוּ שִׁ֭בְעָתַיִם אֶל־חֵיקָ֑ם חֶרְפָּתָ֥ם אֲשֶׁ֖ר חֵרְפ֣וּךָ אֲדֹנָֽי׃

Retribui, Senhor, aos nossos vizinhos. A *ira de Deus* devastara a nação de Israel, mas a ira de Deus contra a Babilônia seria *sete vezes* maior, se o poeta pudesse fazer Elohim agir como esperava. Os babilônios mereciam tal tratamento por causa das zombarias e blasfêmias contra um povo prostrado (ver o vs. 4). O *opróbrio*, na realidade, refletia em Deus, porquanto Israel era a herança do Senhor (vs. 1), e os povos culpados riam-se dele e perguntavam "Onde está ele?" (vs. 10). Quanto à questão do sete vezes mais, ver Gn 4.15; Lv 26.21,28 e Pv 6.31. Alguns intérpretes supõem termos aqui uma *declaração profética*. O tempo da Babilônia era curto. Outras potências fariam a ela o que ela havia feito a seus vizinhos. Cf. Is 65.6,7. Naturalmente, contrastamos com a mensagem deste versículo o tema do amor cristão. Ver Rm 12.19 ss.

■ 79.13

וַאֲנַ֤חְנוּ עַמְּךָ֨ ׀ וְצֹ֥אן מַרְעִיתֶךָ֮ נ֤וֹדֶ֥ה לְּךָ֗ לְע֫וֹלָ֥ם
לְדֹ֥ר וָדֹ֑ר נְ֝סַפֵּ֗ר תְּהִלָּתֶֽךָ׃

Quanto a nós, teu povo. Da mesma forma que tipicamente terminam os salmos de lamentação, este salmo se encerra com uma nota de louvor, onde o poeta faz um voto a Deus. Ver no *Dicionário* o verbete chamado *Voto*. Haveria louvor e agradecimentos, principalmente quando o povo judeu voltasse a Jerusalém, onde Judá levaria adiante a história de Israel. Assim seria possível às gerações futuras continuar no pacto, reverberando o louvor prestado por seus antepassados. A *restauração* teria de ocorrer, ou os poucos sobreviventes na Babilônia morreriam, e esse seria o fim do povo em pacto com Deus, a morte das ovelhas do rebanho de Elohim (quanto a esta figura simbólica, ver Sl 74.1). Ver Sl 23.1, quanto à metáfora da pastor. Ver também Sl 95.7 e 100.3. Dou informações adicionais da metáfora em Sl 78.52. Este versículo tem sido cristianizado por apresentar Cristo como o grande Pastor das ovelhas (ver Jo 10), e por fazer emergir a igreja de Israel como o *novo rebanho*.

> Nenhum poder na terra ou nos céus
> Pode separar-nos de teu amor, pois
> Teu amor nunca falha, ó Poderoso,
> A ti sejam louvor e glória.
> A ti, desde agora e para sempre, para sempre.
>
> Charles H. Gabriel

SALMO OITENTA

Quanto a *informações gerais* que se aplicam a todos os salmos, ver a introdução ao Salmo 4, onde apresento *sete* comentários que elucidam a natureza do livro. Quanto às classes dos salmos, ver o gráfico no início do comentário, que age como uma espécie de frontispício. Dou ali dezessete classes e listo os salmos pertencentes a cada uma delas.

O Salmo 80 é um *salmo de lamentação*, fazendo parte de um *lamento em grupo* que levanta uma oração pedindo o livramento de inimigos nacionais. Cf. Sl 74 e 79. Este salmo produz um testemunho especial da confiança de Israel em Yahweh-Elohim, desde o começo da composição, chamando-o de *Pastor*. Nessa capacidade, o autor sacro invocou a Deus para que efetuasse uma vitória notável sobre inimigos estrangeiros. A Septuaginta, no final deste salmo, refere-se aos assírios, mas é quase impossível determinar com certeza quem eram os inimigos que assediavam Israel e provocaram a composição do salmo. É evidente que, quando este salmo foi redigido, existiam ainda tanto a parte norte como a parte sul de Israel, mas atribuir ao salmo uma data exata é impossível. "Tanto nos séculos IX como VIII a.C., houve numerosas ocasiões em que um apelo como o deste salmo poderia ter sido apropriadamente proferido. Cf. 2Rs 6.24,25; 7.32,33; 13.22; 15.17-22,27-31; 17.1-6" (William R. Taylor, *in loc.*). Este salmo, como é evidente, tinha por intuito ser usado pela congregação de Israel e tornou-se parte do antigo hinário hebreu usado na liturgia do templo. Note os plurais nos vss. 3, 7 e 19.

Subtítulo. Neste salmo e subtítulo diz: "Ao mestre de canto. Segundo a melodia: Os lírios. Testemunho de Asafe. Salmo". Cf. o título de introdução ao Salmo 45. No hebraico, em lugar de lírios, temos as palavras *sosanim* (lírios) *edute*, e é no Salmo 45 que apresento as ideias sobre o que significa esta palavra como título de salmos. Os salmos que contêm, no subtítulo, a palavra hebraica *sosanim* podem ter estado vinculados à Páscoa, à estação da primavera. O termo hebraico *edute,* por sua vez, deriva-se de uma raiz que significa "testemunho". Ver Sl 23.1. Os salmos que contêm a palavra "lírios" no subtítulo são os de número 45, 60, 69 e 80. Doze salmos são atribuídos a Asafe: 73 a 83 e 50. Os subtítulos não faziam parte original dos salmos, mas foram adições de escribas posteriores, na tentativa de dar informes sobre as circunstâncias históricas que os teriam inspirado e informações sobre a provável autoria.

APELO INICIAL A DEUS (80.1-3)

■ **80.1** (na Bíblia hebraica corresponde ao **80.1,2**)

לַמְנַצֵּחַ אֶל־שֹׁשַׁנִּים עֵדוּת לְאָסָף מִזְמוֹר׃

רֹעֵה יִשְׂרָאֵל הַאֲזִינָה נֹהֵג כַּצֹּאן יוֹסֵף יֹשֵׁב הַכְּרוּבִים הוֹפִיעָה׃

Dá ouvidos, ó pastor de Israel. Este cântico é uma celebração festiva em memória do livramento concedido pelo Senhor, ou da esperança de que o livramento logo se cumpriria. O poeta sacro orou que o Senhor restaurasse e salvasse Israel de uma desgraça histórica, de alguma tremenda calamidade que pudesse ser efetuada por um inimigo estrangeiro. "O poeta descreveu a bênção e a maldição da nação como uma vinha que florescia, mas acabou sendo destruída" (Allen P. Ross, *in loc.*).

Yahweh foi convocado a "dar ouvidos", isto é, escutar, uma forma comum de endereçamento a Yahweh-Elohim, da parte do agoniado povo de Israel. Ver as notas expositivas em Sl 64.1. Quanto à ideia de "dar ouvidos", ver também Sl 5.1; 17.1; 31.2; 39.12; 55.1; 71.2; 78.1; 84.8; 86.1; 116.2 e 143.1.

O Pastor de Israel. Essa descrição ou título exato de Yahweh-Elohim aparece somente aqui em todo o Antigo Testamento, mas a figura do pastor divino é comum. Ver Sl 23.1-3; 74.1; 78.52; 79.13; Gn 49.24 e Dt 40.11. Ver no *Dicionário* o artigo chamado *Pastor*. O título destaca como Yahweh-Elohim: 1. possuía amor e *cuidado* por seu rebanho, que era a sua herança (ver Sl 79.1); 2. era um *protetor* especial; 3. era a fonte de todo bem-estar, o *suprimento* de cada necessidade; 4. era um agente que *perseguia* inimigos que atacassem e que aliviava toda aflição; 5. era o poder que conduz a coisas melhores; e 6. Tudo isso distinguia Israel dos demais povos da terra (ver Dt 4.4-8).

José. É difícil determinar a razão exata do uso deste nome próprio aqui. 1. É possível que o nome represente *todo* o povo de Israel. 2. Ou talvez o nome enfatize aquele que deu origem às tribos de Efraim e Manassés, que faziam parte da parte norte de Israel. Talvez este salmo se tenha originado em uma dessas tribos, ou o autor sacro pertencesse a uma delas. Ver Sl 78.67,68. *Israel,* nesse caso, aponta para a divisão do país em duas metades, a do norte (Israel) e a do sul (Judá). 3. Israel pode representar a totalidade dos filhos de Israel (1Rs 12.16), e outro tanto se poderia dizer no tocante a Judá (ver Jr 2.14; Ne 10.33). Isso quer dizer que o autor deu o nome de algumas poucas tribos representativas (vss. 1 e 2), e devemos entender que essas *poucas* tribos representam a nação *inteira.* 4. Talvez José represente o norte, e Benjamim (vs. 2) o sul. Ver os comentários sobre o vs. 2, a seguir. Nesse caso, todo o povo de Israel sofria aflição, por causa dos assédios de algum inimigo estrangeiro, pelo que precisava dos cuidados do Pastor, a fim de ser libertado e restaurado.

Querubins. Ver a respeito em Sl 99.1.

■ **80.2** (na Bíblia hebraica corresponde ao **80.3**)

לִפְנֵי אֶפְרַיִם וּבִנְיָמִן וּמְנַשֶּׁה עוֹרְרָה אֶת־גְּבוּרָתֶךָ וּלְכָה לִישֻׁעָתָה לָּנוּ׃

Efraim, Benjamim e Manassés. Ver as notas no vs. 1, quanto a teorias sobre por que apenas algumas tribos foram mencionadas na petição do salmista a Elohim. Talvez José represente o norte, e Benjamim, o sul. José e Benjamim eram irmãos de pai e mãe, filhos de Raquel, e *neles* todo o Israel estava presente. Efraim e Manassés eram filhos de José e tornaram-se cabeças das tribos do norte. Se o autor sacro pertencesse a uma dessas três tribos (e não a Judá), em seus preconceitos regionais, poderia ter falado de *Israel* nesses termos.

Benjamim, naturalmente, deixara de existir, para todos os propósitos práticos, tendo sido absorvido por Judá. Portanto, a tribo de Benjamim pode ter continuado, após o cativeiro babilônico.

"As tribos mencionadas mostram que este salmo foi produto do reino do norte, Israel. Cf. Sl 78.67,68" (*Oxford Annotated Bible,* comentando os vss. 1-3). Não é provável que o reino do norte, na oportunidade, estivesse no cativeiro assírio, conforme sugere a Septuaginta. E se o reino do norte não mais existisse, é improvável que o poeta sagrado tivesse usado nomes típicos do norte para designar o sul (Judá), que era tudo quanto restava do antigo povo de Israel.

Yahweh-Elohim, o Pastor, foi chamado para despertar a si mesmo, para sacudir de si a aparente *indiferença* (ver Sl 10.1; 28.1 e 59.4), usando sua plena *força,* e assim *salvar* Israel da matança que estava sendo efetuada por alguma potência estrangeira inimiga. Quanto ao Deus *sonolento,* ver Sl 78.65. Temos aqui reflexos do *teísmo* (ver a respeito no *Dicionário*). O conceito hebraico de Deus era que, após a criação, ele continuava presente para julgar ou abençoar, ou seja, o mundo é teisticamente orientado por Deus, em sua providência positiva e negativa. Contrastar isso com o *deísmo* (ver também no *Dicionário*), posição que imagina um Deus divorciado de sua criação, que a deixou entregue aos cuidados das leis naturais.

■ **80.3** (na Bíblia hebraica corresponde ao **80.4**)

אֱלֹהִים הֲשִׁיבֵנוּ וְהָאֵר פָּנֶיךָ וְנִוָּשֵׁעָה׃

Restaura-nos, ó Deus. A nação restaurada de Israel contaria com a face brilhante de Elohim, ou seja, teria a garantia de escapar de qualquer inimigo fatal que se levantasse novamente em poder e prosperidade. Essa seria a *salvação* de Deus. Quanto a este conceito, ver Sl 62.2, onde é enfatizada a ideia de Deus como Salvador, e onde ofereço notas expositivas e referências adicionais.

Esse refrão, "restaura-nos", aparece três vezes neste salmo, nos vss. 3, 7 e 19. Essa restauração vem de algum desastre, mas não da catástrofe do cativeiro assírio, do qual o reino do norte, Israel, nunca foi restaurado; e o cativeiro babilônico não está em mira aqui. A nação do norte, Israel, havia sido castigada o suficiente para carecer de *restauração*, e isso quer dizer que se tratava de uma questão muito séria.

Faze resplandecer o teu rosto. O rosto de Yahweh-Elohim se tornaria então como o sol doador de vida. A figura refere-se ao favor divino, à restauração, à bênção e ao bem-estar, tudo através do poder divino. Cf. a bênção aarônica em Nm 6.25, e ver Sl 4.6. Cf. Sl 31.16. Devemos pensar aqui em uma bênção sacerdotal, na qual Yahweh é o Sumo Sacerdote.

Faze resplandecer o teu rosto sobre o teu servo: salva-me por tua misericórdia.

Salmo 31.16

DESCRIÇÃO DA SORTE DE ISRAEL (80.4-7)

■ **80.4** (na Bíblia hebraica corresponde ao **80.5**)

יְהוָה אֱלֹהִים צְבָאוֹת עַד־מָתַי עָשַׁנְתָּ בִּתְפִלַּת עַמֶּךָ׃

Ó Senhor Deus dos Exércitos. *Pecados nacionais* tinham causado o desastre. Agora, ao que se pode presumir, o arrependimento permitia que Deus conferisse aos filhos de Israel perdão e restauração. Por conseguinte, a intensa ira de Elohim logo passaria e seria substituída por uma bênção poderosa. Pelo menos essa era a esperança do poeta sagrado, pela qual ele também orava. Potências estrangeiras destruidoras sempre eram vistas como látegos na mão divina. O castigo já se prolongara por tempo suficiente, e o salmista clamou pela breve interrupção. Aquilo era o bastante. A punição poderia ultrapassar a gravidade do crime se prosseguisse indefinidamente. Em algum ponto, a misericórdia divina teria de intervir, pois do contrário Israel seria reduzido a nada, e a herança de Deus se perderia (ver 79.1). Cf. Sl 13.2 e Êx 10.3. Neste caso, seria "até quando tu soltarás fumaça, em tua ira?" Portanto, a ira divina foi expressa em termos de *fogo* e *fumaça,* uma figura metafórica comum que finalmente se apegou aos sofrimentos no hades, terminados o tempo do Antigo Testamento, no período intermediário entre este e o Novo Testamento.

Yahweh-Elohim é retratado como dirigindo o exército de Israel, o *General.* Quanto a esse conceito, ver as notas expositivas em 1Rs 18.15. O título *completo* é comum nos escritos proféticos, mas não se acha no Pentateuco e nos livros de Josué ou Juízes. Contudo há instâncias desse título nos livros históricos. Está em pauta a soberania universal de Deus, com a ideia de que ele poderia ferir os inimigos de Israel com alguma espécie de golpe de guerra. Talvez os exércitos celestes também estivessem incluídos no exército do Senhor. Deus estava irado contra Israel (ver 74.1 e 79.5), mas a esperança do poeta era que ele faria sua ira virar-se contra os inimigos de Israel.

A *King James Version* e nossa versão portuguesa dão a entender que a ira de Deus se voltara *contra* as orações de seu povo, impedindo que fossem respondidas e efetuando o contrário do que eles pediam. A *Revised Standard Version*, porém, parece indicar que até as orações de Israel deixavam Elohim irado, porquanto o povo ainda não estava em posição de ser libertado do desastre que o havia abatido. Segundo esperavam os filhos de Deus, a fumaça que subia (como incenso) das orações de Israel apagaria as chamas da ira de Deus. Mas, pelo contrário, ela avivava mais ainda esse fogo. "Infelizmente, Deus fazia a fumaça das orações receber a oposição da fumaça de sua ira" (Hengstenberg, *in loc.*).

■ **80.5** (na Bíblia hebraica corresponde ao **80.6**)

הֶאֱכַלְתָּם לֶחֶם דִּמְעָה וַתַּשְׁקֵמוֹ בִּדְמָעוֹת שָׁלִישׁ׃

Dá-lhes a comer pão de lágrimas, e a beber copioso pranto. A "provisão" outorgada pelo Pastor ao povo de Israel era de lágrimas para comer e para beber, ou seja, nada a não ser tristeza e dor. A expressão "pão de lágrimas" também se encontra em Sl 42.9; 102.9; 1Rs 22.27 e Is 30.30, ou seja, um número suficiente de vezes para alertar-nos de que essa era uma metáfora poética comum na literatura hebreia. A medida dessa horrível provisão era "plena" (*Revised Standard Version*) ou "grande" (*King James Version*). Nossa versão portuguesa, entretanto, diz "copiosa".

Temos aqui um triste contraste com o tipo de provisão referida no Salmo 23, por tantas vezes chamado Salmo do Pastor. Em vez da mesa preparada na presença de inimigos, os inimigos destruíam ativamente o acampamento de Israel.

Medida. Nossa versão portuguesa engole uma palavra que em hebraico significa "a terceira parte", e, provavelmente, é o *efa* (ver Êx 16.36; Is 5.10). Mas a expressão é idiomática e quer dizer "muito". Jarchi faz o *shalish* ser um vaso de beber, e alguns poucos outros rabinos atribuem o mesmo significado à palavra.

Talvez a figura simbólica aqui pretendida seja mergulhar o pão em uma terrina cheia de lágrimas, em vez de em um molho de carne ou vinho. Ver Jo 13.26,27,30.

■ **80.6** (na Bíblia hebraica corresponde ao **80.7**)

תְּשִׂימֵנוּ מָדוֹן לִשְׁכֵנֵינוּ וְאֹיְבֵינוּ יִלְעֲגוּ־לָמוֹ׃

Contendas. Algumas versões dizem "escárnio", tradução baseada na versão siríaca, e não no original hebraico, que fala em "contenda". O texto massorético (ver o verbete chamado *Massora (Massorah); Texto Massorético*) é o texto hebraico padrão, mas seus mais antigos manuscritos datam do século IX d.C. Dispomos de manuscritos bem mais antigos na Septuaginta. Os Papiros do Mar Morto, que são manuscritos hebraicos, demonstram que algumas vezes as versões, especialmente a Septuaginta, preservam textos originais que o texto massorético perdeu. Ver no *Dicionário* os verbetes intitulados *Mar Morto, Manuscritos (Rolos) do* e *Manuscritos do Antigo Testamento*, para maiores informações.

Algumas emendas, com base nas versões ou em simples conjecturas, são apontadas como melhores que o próprio texto massorético, embora isso não ocorra com frequência.

A conduta zombeteira dos inimigos de Israel também aparece em trechos como Sl 39.8; 44.13; 79.4 e outras referências. Os inimigos *riam-se* da situação e sorte dos israelitas e lançavam indiretas contra Yahweh, porque o *seu povo* tinha caído em desgraça e sofrimentos. "Eles nos veem na bondade e na severidade de Deus. Todos os nossos vizinhos se reúnem para zombar de nós e execrar-nos. Somos odiados por todos e espezinhados por todos. Somos amaldiçoados" (Adam Clarke, *in loc.*).

■ **80.7** (na Bíblia hebraica corresponde ao **80.8**)

אֱלֹהִים צְבָאוֹת הֲשִׁיבֵנוּ וְהָאֵר פָּנֶיךָ וְנִוָּשֵׁעָה׃

Restaura-nos, ó Deus dos Exércitos. Este versículo é o refrão repetido (aparece nos vss. 3, 7 e 19), com a pequena adição de que aqui Elohim é chamado "dos Exércitos", tal como no vs. 4, mas não no refrão original. Ver os comentários do vs. 4, quanto ao significado dessa adição. O refrão, pois, antecede, e então encerra a descrição da amarga sorte de Israel (vss. 4 e 7). "Após terem sido humilhados às mãos de seus vizinhos e de seus inimigos, houve uma pausa solene, e então, se pudermos imaginar, e conforme provavelmente foi cantado, seguiu-se repetida afirmação de esperança imorredoura, de luz que brilha para além das trevas, e de salvação para além do desespero" (J. R. P. Sclater, *in loc.*).

ISRAEL COMO VIDEIRA ASSOLADA (80.8-13)

■ **80.8,9** (na Bíblia hebraica corresponde ao **80.9,10**)

גֶּפֶן מִמִּצְרַיִם תַּסִּיעַ תְּגָרֵשׁ גּוֹיִם וַתִּטָּעֶהָ׃

פִּנִּיתָ לְפָנֶיהָ וַתַּשְׁרֵשׁ שָׁרָשֶׁיהָ וַתְּמַלֵּא־אָרֶץ׃

Trouxeste uma videira do Egito. Israel é agora comparado a uma *videira* que Yahweh-Elohim trouxe do Egito. A metáfora é desenvolvida até o vs. 13, inclusive. Portanto, temos uma parábola veterotestamentária da videira. Cf. Is 5.17; Jr 2.21; Ez 17.1-10; Os 10.1. A metáfora foi transportada para o Novo Testamento em Mt 21.33-42 e Jo 15, e é provável que tenham sido os textos do Antigo Testamento que sugeriram a metáfora. Ademais, essa era uma metáfora rabínica comum. A agricultura era uma fonte de comparações e parábolas, visto que os hebreus formavam, essencialmente, uma cultura agrícola, e não científica ou industrial.

Para que a videira fosse plantada, era mister que houvesse um território, e para que esse território fosse provido, era preciso livrar a terra das ervas daninhas (os pagãos). Estava em jogo o cumprimento do *Pacto Abraâmico* (anotado em Gn 15.18). O território foi preparado quando a nação de Israel expeliu dali oito plantas daninhas, ou seja, oito nações pagãs. Ver sobre isso em Êx 33.2 e Dt 7.1. O vs. 9 deste salmo é uma referência direta à "preparação" da terra para o plantio da videira. As ervas daninhas foram arrancadas do campo, para que uma planta nobre pudesse medrar sem competição. Foram esses preparativos cuidadosos e laboriosos que tornaram possível à videira lançar raízes profundas. Mas uma vez que as raízes foram lançadas, a videira espalhou-se por toda a terra, uma referência à divisão da Terra Prometida entre as tribos e famílias de Israel. A boa videira cobre a terra através dos processos de plantio, poda, enxerto e inoculação. O viticultor precisava ser habilidoso em todos os processos do cultivo. O divino viticultor tinha feito Israel (a videira) preencher inteiramente a terra, e também medrar e florescer.

■ **80.10** (na Bíblia hebraica corresponde ao **80.11**)

כָּסּוּ הָרִים צִלָּהּ וַעֲנָפֶיהָ אַרְזֵי־אֵל׃

Com a sombra dela os montes se cobriram. A videira cobriu as colinas e os vales, as planícies e as margens dos rios. Tornou-se forte, saudável e prolífica, tão robusta que tinha ramos como se fossem árvores de *cedro* em miniatura. Isto posto, como um cedro do Líbano, a videira espalhou-se e seu aspecto era de uma videira saudável e forte. Seus galhos e ramos tornaram-se os "cedros de Deus", o que corresponde, literalmente, ao original hebraico.

■ **80.11** (na Bíblia hebraica corresponde ao **80.12**)

תְּשַׁלַּח קְצִירֶהָ עַד־יָם וְאֶל־נָהָר יוֹנְקוֹתֶיהָ׃

Estendeu ela a sua ramagem até ao mar. A grande videira ocupou o território inteiro, com suas colinas (vs. 10); o mar (Morto e Mediterrâneo); os rios (Jordão e outros). Talvez seja um refinamento excessivo identificar áreas geográficas. A mensagem é que a videira simplesmente conquistou todo o território. Talvez não devamos ver nada tão exato como as *fronteiras* de Israel, nas palavras do texto. Mas alguns veem pelo menos o rio Eufrates (nordeste) e o mar Mediterrâneo (oeste), que eram fronteiras naturais de Israel. Ver as dimensões da Terra Prometida no Pacto Abraâmico, em Gn 15.18. Alguns estudiosos fazem os montes referir-se à fronteira sul, e os cedros do Líbano à fronteira norte.

Sumário de possíveis fronteiras: as colinas (vs. 10, leste); o rio (Eufrates, nordeste); o mar (Mediterrâneo, oeste); os cedros (do Líbano, norte); as colinas (de acordo com outros intérpretes, sul). Sim, a videira era saudável, robusta e próspera.

■ **80.12** (na Bíblia hebraica corresponde ao **80.13**)

לָמָּה פָּרַצְתָּ גְדֵרֶיהָ וְאָרוּהָ כָּל־עֹבְרֵי דָרֶךְ׃

Por que lhe derrubaste as cercas. *De súbito,* porém, as cercas que rodeavam a videira foram "derrubadas", e assim qualquer um podia invadir a plantação e produzir uma confusão. Em outras palavras, Israel tinha perdido o controle de suas fronteiras e, desprotegido, sofreu brutalidade da parte de seus adversários. "A palavra para *cerca,* usada aqui e em Sl 89.40 e Is 5.5, não se refere às muralhas de uma cidade, mas ao tipo de cerca levantada para proteger as videiras" (Allen P. Ross, *in loc.*). Em tempos de poderes militares relativamente pequenos, as cercas serviam de proteção razoável, se contassem com guardas e sentinelas apropriados. Em outras palavras, as cercas tinham de ser vigiadas. Não constituíam proteção suficiente por si mesmas.

> Algo existe que
> Não ama uma cerca,
> Que a quer derrubada.
>
> Robert Frost

As cidades fortificadas de Israel contavam com muralhas, e, naturalmente, pode haver aqui uma referência à derrubada dessas muralhas. Mas Yahweh-Elohim era a verdadeira Muralha de Israel, e ele tinha removido sua proteção. Ele também havia retirado as sentinelas, deixando Israel inteiramente vulnerável. Videiras sem defesa ou cercas atraíam a atenção dos passantes e de vários tipos de animais. Israel atraíra inimigos por causa de seus pecados.

■ **80.13** (na Bíblia hebraica corresponde ao **80.14**)

יְכַרְסְמֶנָּה חֲזִיר מִיָּעַר וְזִיז שָׂדַי יִרְעֶנָּה׃

O javali da selva a devasta. *Ilustrando* suas declarações, o salmista refere-se a dois tipos de feras que invadiam a videira agora desprotegida: o javali da floresta e animais não identificados que vieram encher a barriga. A *Revised Standard Version* faz do javali e dos animais selvagens uma referência paralela, pelo que um único exemplo foi dado. Embora o javali fosse um animal comum na antiga Palestina, temos neste versículo a única referência a ele em todo o Antigo Testamento. Ele estava entre os animais imundos (ver Dt 14.8), pelo que serve de figura apropriada dos "inimigos imundos" de Israel, os pagãos. Na Índia, porcos do mato e búfalos causavam toda a sorte de confusão em plantações e pomares, e para mantê-los à distância era preciso postar sentinelas em lugares estratégicos. Portanto, o "problema dos animais" destruidores era e continua sendo crítico para os fazendeiros e os criadores de animais.

> Em vingança, porque os homens negligenciavam
> os sacrifícios oferecidos a ela,
> Oencus enviou um porco monstruoso para os campos
> Que derrubou as colheitas e arrasou as florestas.
>
> Homero, *Ilíada*

Os *intérpretes* tentam identificar esse javali, sugerindo vários adversários de Israel, como o rei da Assíria, Edom, Roma, o cativeiro romano, e tanto a Roma pagã como a Roma papal, mas tais interpretações em pouco ou nada nos ajudam, servindo, quando muito, de ilustrações.

APELO POR AJUDA RENOVADA (80.14-19)

■ **80.14** (na Bíblia hebraica corresponde ao **80.15**)

אֱלֹהִים צְבָאוֹת שׁוּב־נָא הַבֵּט מִשָּׁמַיִם וּרְאֵה וּפְקֹד גֶּפֶן זֹאת׃

Ó Deus dos Exércitos, volta-te, nós te rogamos. Este versículo é bastante parecido com os refrões dos vss. 3, 7 e 19. Provavelmente o poeta alterou um pouco o versículo, mas talvez estejam corretos os críticos que supõem que o próprio texto sagrado estivesse corrompido. Algumas traduções simplesmente introduzem o mesmo refrão (como o dos vss. 3, 7 e 19), neste lugar, supondo que isso emenda devidamente um texto duvidoso. Por outra parte, a introdução da parábola da videira já seria suficiente para alterar o texto. Assim, em vez de "brilhar" sobre seu povo, *Elohim dos Exércitos* "olha dos céus" para baixo, restaurando a videira e perseguindo os animais selvagens e outros invasores da videira. Lemos no Targum: "Na misericórdia, lembra-te da tua videira". O versículo é cristianizado quando Cristo visita a videira e a restaura com o seu evangelho. Note o leitor que o Senhor da videira, o Capitão dos Exércitos, tinha abandonado a *sua videira,* pelo que uma agoniada nação de Israel teve de chamá-lo de volta para que restaurasse o dano feito em sua ausência. O abandono da videira, por parte de Yahweh-Elohim, foi provocado pela rebeldia de Israel. Eles tinham derrubado, com grande efeito, as muralhas protetoras ao redor.

Esta vinha. A palavra hebraica assim traduzida é achada somente aqui em todo o Antigo Testamento, e o seu significado é duvidoso. Temos as traduções "tronco" (*King James Version*) e "vinha" (*Revised Standard Version* e nossa versão portuguesa). A Septuaginta e a Vulgata Latina traduzem a palavra como um verbo no imperativo, "protege", ou seja, "protege com a tua mão direita o que plantaste", tradução seguida pela nossa versão portuguesa. O hebraico literal deixa os eruditos consternados, à procura de alguma emenda: "... plantado e sobre o filho que criaste para ti mesmo". Se essa forma corresponde ao texto verdadeiro, temos um abandono abrupto da figura da videira (Israel). A vinha torna-se agora o *Filho de Deus,* um sentido bastante comum e emocional. Ver o vs. 17. Cf. isso com Êx 4.22,23. A *King James Version* diz aqui: "o ramo que fortaleceste para ti mesmo", preservando a metáfora da videira, mas a *Revised Standard Version* simplesmente omite a segunda parte do versículo, como uma introdução ao vs. 17. A segunda parte é declarada messiânica tanto pelos antigos rabinos quanto pelos cristãos modernos. A versão siríaca, a Vulgata Latina e a Septuaginta dizem "o Filho do homem". Se isso está correto, então esta é a primeira vez, em todo o Antigo Testamento, que esse título messiânico aparece. Prosseguindo com este modo de interpretação, aparece aqui a exaltação de Cristo à mão direita de Deus. Mas isso se revela um exagero na interpretação do texto, como *eisegesis,* e não *exegese.* Ou seja, é tentar ler no texto o que a pessoa pensa que está ali. Cf. Zc 3.8; Is 44.14 e 49.5. Alguns traduzem a palavra *Filho* por "ramo" (tal como faz a *King James Version*), o que preserva a metáfora original. O Targum diz: "o Rei Messias, a quem fortaleceste para ti mesmo". Ver outros comentários na exposição sobre o vs. 17.

■ **80.15** (na Bíblia hebraica corresponde ao **80.16**)

וְכַנָּה אֲשֶׁר־נָטְעָה יְמִינֶךָ וְעַל־בֵּן אִמַּצְתָּה לָּךְ׃

Protege o que a tua mão direita plantou. A destra de Deus tinha plantado e sustentado a videira. Foi o poder do Senhor que deu origem e continuidade à videira. Ver sobre *mão direita* em Sl 20.6, onde ofereço ideias e referências. Foi a mão direita de Deus (através de povos pagãos) que devastou a videira. Agora, o mesmo poder divino poderia restaurá-la. Portanto, ao longo do caminho, Yahweh-Elohim era e continua sendo a força ativa.

■ **80.16** (na Bíblia hebraica corresponde ao **80.17**)

שְׂרֻפָה בָאֵשׁ כְּסוּחָה מִגַּעֲרַת פָּנֶיךָ יֹאבֵדוּ׃

Está queimada de fogo, está decepada. O *rosto divino,* que deveria brilhar sobre eles (ver os vss. 3, 7 e 19), fez uma carranca, atraindo cortes, queimaduras e destruição generalizada, em vez de paz e prosperidade. O original hebraico deste versículo tem sido entendido de diferentes formas. A *King James Version* aplica essas declarações a Israel, ao passo que a *Revised Standard Version* faz delas um desejo de que os inimigos de Israel pereçam, em vista do que tinham feito. Nesse caso, a versão portuguesa concorda com a *King James Version*. Isto posto, o versículo continua a ideia do vs. 13, a selvagem destruição sofrida por Israel, como se um animal feroz, saído da floresta, fosse o autor da destruição. Como era usual, a *causa única* foi Yahweh-Elohim, que agora aparece no lugar do javali, seu instrumento de destruição.

> *Tu, sim, tu és terrível; se te iras, quem pode subsistir à tua vista?*
>
> Salmo 76.7

"... cuja destruição foi devida à ira de Deus contra os seus pecados; ele fez uma carranca na direção deles" (John Gill, *in loc.*).

■ **80.17** (na Bíblia hebraica corresponde ao **80.18**)

תְּהִי־יָדְךָ עַל־אִישׁ יְמִינֶךָ עַל־בֶּן־אָדָם אִמַּצְתָּ לָּךְ׃

Seja a tua mão sobre o povo da tua destra. Alguns eruditos supõem que partes do vs. 15 tenham sido inseridas neste versículo. Portanto, as notas expositivas oferecidas ali se aplicam também aqui, pelo que não entro em grandes detalhes. Note o leitor no vs. 15 que a mão direita de Deus, que representa o seu poder, foi que plantou a vinha (Israel). Aqui (vs. 17), há a solicitação de que a mão direita de Deus fosse colocada sobre o *homem* (Israel), que também é chamado *Filho do homem*, ou seja, um frágil ser humano caracterizado pelos atributos de mortalidade e debilidade. A esperança do poeta, portanto, era de que a poderosa mão que plantara a videira e lhe dera começo — mas no momento a estava destruindo, por causa dos pecados nacionais de Israel — agora restaurasse e curasse a nação, revertendo assim o triste processo de destruição produzido por inimigos estrangeiros de Israel. Naturalmente a fraca nação de Israel, meramente humana, precisava ser fortalecida pelo poder de Elohim, para que, nessa força, achasse restauração, paz e prosperidade. Essa parece ser a simples e lógica interpretação. Os intérpretes antigos e modernos, hebreus ou cristãos, têm tornado este versículo messiânico, vendo aqui uma predição do Filho do homem. Descrevi isso nos comentários sobre o vs. 15. Algumas edições da *King James Version* escreveram as palavras Filho do Homem com iniciais maiúsculas, uma interpretação forçada da tradução. "Nas palavras *filho do homem,* alguns estudiosos veem uma referência ao Messias. Mas o paralelismo e o contexto mostram que o poeta estava pensando em Israel como uma comunidade, da qual a *vinha* servia de emblema" (Ellicott, *in loc.*). Em contraste, temos os comentários de Adam Clarke, que diz: "Parece estar aqui tencionado o Cristo. Este é o primeiro lugar, no Antigo Testamento, onde o título Filho do homem é aplicado a ele". Quanto a outros comentários, ver a exposição sobre o vs. 15.

■ **80.18** (na Bíblia hebraica corresponde ao **80.19**)

וְלֹא־נָסוֹג מִמֶּךָּ תְּחַיֵּנוּ וּבְשִׁמְךָ נִקְרָא׃

E assim não nos apartaremos de ti. Se fosse assim *abençoado*, se a destruidora mão direita de Elohim revertesse suas ações e passasse a abençoar, em lugar de amaldiçoar, então o bendito e privilegiado Israel *retornaria* a ele e nunca mais se apartaria em pecado e apostasia. Em outras palavras, a lição seria aprendida. Mas porventura Israel aprendeu a lição de forma permanente? Israel se tornara um povo piedoso, dedicado à oração, sempre buscando o rosto sorridente de Yahweh? Isso acontecia ocasionalmente, mas agora tudo cairia por terra novamente. E então o rosto sorridente de Deus se transformaria mais uma vez em carranca, e os filhos de Israel reviveriam o antigo processo de pecado-julgamento-restauração, sempre acompanhado de intensos sofrimentos.

O pecado tinha atraído morte generalizada. A restauração traria *vida,* tanto física quanto espiritual. O poeta disse "Dá-nos vida!", porquanto Israel invocava o nome de Deus. Ver sobre *nome,* em Sl 31.3; e sobre *nome santo,* em Sl 30.4 e 33.21.

> *Tu, que me tens feito ver muitas angústias e males, me restaurarás ainda a vida, e de novo me tirarás dos abismos da terra.*
> Salmo 71.20

■ **80.19** (na Bíblia hebraica corresponde ao **80.20**)

יְהוָה אֱלֹהִים צְבָאוֹת הֲשִׁיבֵנוּ הָאֵר פָּנֶיךָ וְנִוָּשֵׁעָה׃

Restaura-nos, ó Senhor Deus dos Exércitos. Este versículo é idêntico aos vss. 3 e 7, pelo que o refrão é repetido pela *terceira vez.* Isso significa que o hino termina com uma nota triunfal, e a esperança no *Deus eterno* se acende de novo. As notas expositivas sobre os vss. 3 e 7 aplicam-se também aqui. "Mediante delicada gradação no estilo de endereçamento a Deus, o refrão chega a seu tom final, expressando a ideia de confiança completa" (Ellicott, *in loc.*). "Salvos: do poder e da opressão dos caldeus; da culpa e da condenação do pecado; da ira de Deus; do desprazer eterno do Senhor. Assim sendo, ó Deus, salva-nos!" (Adam Clarke, *in loc.*).

"Não ousaremos buscar escape mediante o recuo a uma piedade fácil. Contudo, da perspectiva cristã, que mais poderíamos reivindicar como nossa esperança, do que este solene refrão do poema?" (J. R. P. Sclater, *in loc.*).

> Os caminhos de Deus parecem escuros, mas mais cedo ou mais tarde,
> Eles tocam nas colinas rebrilhantes do dia.
> O mal não pode prevalecer para sempre;
> Os bons bem podem dar-se ao luxo de esperar:
> O dia deles certamente virá.
> Whittier, com algumas adaptações

SALMO OITENTA E UM

Quanto a *informações gerais* que se aplicam a todos os salmos, ver a introdução ao Salmo 4, onde apresento *sete* comentários que elucidam a natureza do livro. Quanto às *classes* dos salmos, ver o gráfico no início do comentário, que atua como uma espécie de frontispício da coletânea. Ofereço ali dezessete classes e listo os salmos pertencentes a cada uma delas.

Este salmo pertence à *classe litúrgica,* ou seja, é um *hino* que convoca o povo de Israel à adoração formal no templo de Jerusalém. A festividade especialmente em vista (vs. 3) provavelmente é a Festa dos *Tabernáculos* (ver a respeito no *Dicionário*). Ver Dt 16.13-15. Este salmo tem sido chamado de "litúrgico profético". Ele se divide em duas partes: vss. 1-5a, que parecem fazer parte de um hino mais longo, e então os vss. 5b-16, que parecem ser uma declaração profética que reflete os anseios e esperanças do povo de Deus. As palavras deste salmo, combinando admoestação e apelo, são postas diretamente na boca de Yahweh-Elohim, pelo que temos aqui o divino orador.

A Mishnah (*Tamid* 7.4) diz-nos que este salmo era entoado pelos levitas no templo, no quinto dia da semana, todas as semanas; mas também fica claro que o hino fazia parte da celebração de uma festa religiosa, provavelmente a Festa dos Tabernáculos.

A menção a José no vs. 5 pode indicar que o hino se originou no reino do norte (Israel), mas nenhuma data aproximada pode ser confirmada. Buttenwieser sugeriu que este é um dos mais antigos salmos dentre as composições pré-exílicas do saltério.

Subtítulo. Neste caso encontramos as seguintes palavras: "Ao mestre de canto. Segundo a melodia: Os lagares. Salmo de Asafe", idênticas ao subtítulo do Salmo 8 (ver ali as notas expositivas), exceto pelo fato de que o Salmo 81 é atribuído a Asafe, ao passo que o Salmo 8 é atribuído a Davi. Doze salmos são atribuídos a Asafe: 73 a 83, 50.

LOUVORES A DEUS (81.1-5a)

■ **81.1** (na Bíblia hebraica corresponde ao **81.1,2**)

לַמְנַצֵּחַ עַל־הַגִּתִּית לְאָסָף׃

הַרְנִינוּ לֵאלֹהִים עוּזֵּנוּ הָרִיעוּ לֵאלֹהֵי יַעֲקֹב׃

Cantai de júbilo a Deus, força nossa. Este salmo é reflexo de uma celebração em memória ao livramento de Israel por parte do Senhor. Associa-se tradicionalmente à Festa dos Tabernáculos. Ver Lv 23.33-36,39-43; Dt 16.13-15. Alguns estudiosos, baseados no vs. 5, citam a Páscoa como a ocasião em que o salmo era empregado. Mas o júbilo do hino está mais em harmonia com a Festa dos Tabernáculos. Israel havia sido libertado da escravidão ao Egito, e isso inspirou muitas passagens poéticas e prosaicas do Antigo Testamento que passaram a atuar como memoriais do evento. O livro de Deuteronômio relembra, por mais de vinte vezes, como Israel foi "tirado do Egito". Ver Dt 4.20.

"O salmista convocou a congregação para *cantar* em alta voz ao Senhor, a *força* deles (cf. Sl 22.19; 28.7,8; 46.1; 59.9,17; 118.14), e para entoar louvores com acompanhamento de instrumentos musicais" (Allen P. Ross, *in loc.*). E foi assim que este salmo se tornou um hino litúrgico, empregado regularmente no culto do templo e por ocasião de festividades nacionais.

O Deus de Jacó. Neste versículo, a nação de Israel é intitulada de "Jacó", pois é dele que descendia (vs. 5). "José", por sua vez (vs.

5), sugere que o salmo se tenha originado no reino do norte, contudo não há nenhuma indicação de que as regiões norte e sul do país já se tivessem separado, à época da composição.

Os hebreus eram um povo ruidoso. O hino deveria ser cantado em voz alta, acompanhado por gritos de alegria. Os músicos levitas (ver 1Cr 25) cantavam, mas a certos intervalos a congregação ajuntava a sua voz.

Yahweh-Elohim seria uma ajuda bem presente em tempos de tribulação, tal como o foi no êxodo. Ver os vss. 14-16 e cf. Sl 46.1.

■ **81.2** (na Bíblia hebraica corresponde ao **81.3**)

שְׂאוּ־זִמְרָה וּתְנוּ־תֹף כִּנּוֹר נָעִים עִם־נָבֶל׃

Salmodiai e fazei soar o tamboril. Os cantores levitas, que eram profissionais, são exortados pela congregação a pegar seus instrumentos musicais e cantar o hino ou salmo de libertação. O *tamboril*, a *harpa* e o *saltério* eram os instrumentos musicais usados nos acompanhamentos, mas também era comum empregar instrumentos de sopro. Ver no *Dicionário* a discussão sobre esses instrumentos, no verbete intitulado *Música, Instrumentos Musicais*.

> A música exalta cada alegria, suaviza cada tristeza,
> Expele enfermidades, abranda cada dor,
> Subjuga o poder do veneno e da praga.
>
> John Armstrong

O ministério da música era um aspecto importante no culto do templo, e uma classe de levitas era nomeada tanto para cantar quanto para tocar os instrumentos musicais. Essa profissão de levitas músicos passava de pai para filho, através das gerações. Ver 1Cr 25.

Cf. Sl 33.2. "O uso de todos esses instrumentos musicais, juntamente com os cânticos, ajudava a criar uma melodia agradável. Eles eram usados nos tempos do Antigo Testamento e aumentavam a alegria espiritual e a melodia no coração. Cf. Ap 5.8; 14.2,3 e 15.2" (John Gill, *in loc.*). "O poema abre com uma nota de jubilosa festividade, pois os recursos musicais do povo eram mobilizados formando um grande grupo musical. Se esse hino era entoado por ocasião da festa da colheita, era uma atribuição de louvores a Deus, por suas provisões do campo e do vinho... Seu ritmo, ao que tudo indica, era pontuado por gritos de alegria" (J. R. P. Sclater, *in loc.*).

■ **81.3** (na Bíblia hebraica corresponde ao **81.4**)

תִּקְעוּ בַחֹדֶשׁ שׁוֹפָר בַּכֵּסֶה לְיוֹם חַגֵּנוּ׃

Tocai a trombeta, na lua nova. A trombeta também era usada para acompanhar o hino. A trombeta era feita com o chifre de uma cabra selvagem, conforme sabemos através da Mishnah, Rosh ha-Shanah 3.3,4 e Nm 29.1. A palavra "festa" usada neste versículo aponta para as *três* festas anuais, às quais todos os membros masculinos do povo hebreu precisavam estar presentes, peregrinando até Jerusalém. As festas eram a Páscoa, a festa das semanas (o Pentecoste) e a Festa dos Tabernáculos, mas somente a Páscoa e os tabernáculos ocorriam perto do meio do mês, quando havia lua cheia. Ver Dt 16.16, bem como no *Dicionário* o artigo chamado *Festas (Festividades) Judaicas*. O toque da trombeta, que ocorria no começo de cada mês (quando havia lua nova), era feito nas trombetas de prata, e não na trombeta de chifre (ver Nm 10.10). Mas no *sétimo mês* (que era o Ano Novo civil) usava-se a trombeta de chifre de cabra.

"Quando a *lua nova* era vista pela primeira vez, moldando seu arco translúcido contra a luz mortiça do começo do dia, um trombeteiro a *saudava;* e quando a *lua cheia* se elevava acima do horizonte oriental, uma trombeta de chifre anunciava a abertura formal da festividade. Era uma visão jubilosa, que enchia o coração, e um povo agradecido unia seus risos à música" (J. R. P. Sclater, *in loc.*).

Os hebreus, em contraste com os babilônios, não eram nem matemáticos nem astrônomos, pelo que não tinham capacidade de determinar com antecedência o tempo exato da lua nova e da lua cheia. Adivinhar o dia aproximado era suficiente para eles.

"... tocar a trombeta, ou a cada lua nova, ou no primeiro dia do mês, era religiosamente observado pelos judeus (ver 2Rs 4.23), ou então, por ocasião da lua nova do primeiro dia do sétimo mês, o mês de tisri, dia que era o dia memorial de tocar as trombetas (ver Lv 23.34), pelo que diz o Targum: 'Tocai a trombeta no mês de tisri', quando começava o novo ano" (John Gill, *in loc.*). Está em pauta a Festa dos Tabernáculos (Dt 16.13-15), mas alguns estudiosos preferem pensar na Páscoa. O mês de tisri corresponde ao nosso setembro-outubro. Ver Lv 23.33.

■ **81.4** (na Bíblia hebraica corresponde ao **81.5**)

כִּי חֹק לְיִשְׂרָאֵל הוּא מִשְׁפָּט לֵאלֹהֵי יַעֲקֹב׃

É preceito para Israel. A festa e seu modo de celebração eram governados pela lei, as instruções mosaicas. Ver Nm 10.10 e Lv 23.24. Quanto às leis que governavam a festa da *Páscoa*, ver Êx 12.18,19. Quanto às leis que governavam os *tabernáculos*, ver Lv 23.24,34. A *lei* era o nome do jogo, em Israel. Coisa alguma era deixada ao acaso em Israel. A lei era o manual de todas as ideias e de toda a conduta.

Anelos de Deus Atinentes a seu Povo (81.5b-16)

■ **81.5** (na Bíblia hebraica corresponde ao **81.6**)

עֵדוּת בִּיהוֹסֵף שָׂמוֹ בְּצֵאתוֹ עַל־אֶרֶץ מִצְרָיִם שְׂפַת לֹא־יָדַעְתִּי אֶשְׁמָע׃

A José. No Egito, Israel se submetera a trabalho escravo. Seus ombros carregavam pesadas cargas, e suas mãos ocupavam-se em fabricar "cestos". A voz libertadora de Deus chamara a nação de Israel para longe das cargas, dos vasos e dos cestos. O livro de Deuteronômio diz, por mais de vinte vezes, que Deus libertou Israel da servidão aos egípcios. Ver Dt 4.20, quanto a comentários. Os vasos eram instrumentos para transportar líquidos e para cozinhar. Os cestos eram cheios de tijolos para construções, para mencionar somente algumas das utilidades desses objetos.

Instruções divinas quanto às festas, sua natureza e como elas deveriam prosseguir começaram ainda no Egito, antes que Israel deixasse o país, ficasse a vaguear pelo deserto e então ocupasse a Terra Prometida.

Ao sair contra a terra do Egito. A referência, aqui, é ao anjo da morte, que *passou por sobre o Egito*, matando os primogênitos das famílias egípcias. Ver Êx 11.4. Uma voz especial entregara as instruções relativas à Páscoa, uma voz que Israel nunca antes tinha ouvido. Era a voz da libertação e da redenção, e também a voz que acompanhou Israel em suas perambulações pelo deserto. A *King James Version* labora aqui em erro, ao falar sobre os egípcios, cuja língua os hebreus não entenderiam. Naturalmente, em redor da festa da Páscoa, os judeus compreendiam esse idioma. Mas a referência é à voz de Yahweh. O salmista, pois, informa-nos que Israel nunca ficou sem um guia de confiança, que continuava a falar com eles, dando-lhes instruções e encorajamentos apropriados. Naturalmente, Moisés e Arão eram os porta-vozes de Deus, e alguns estudiosos pensam que essa voz era dos dois irmãos. Mas a verdade é que eles não tinham voz para o povo, exceto a voz divina, que falava por intermédio de Moisés e Arão.

■ **81.6** (na Bíblia hebraica corresponde ao **81.7**)

הֲסִירוֹתִי מִסֵּבֶל שִׁכְמוֹ כַּפָּיו מִדּוּד תַּעֲבֹרְנָה׃

Livrei os seus ombros do peso. O povo de Israel estivera sujeito ao trabalho escravo no Egito. Seus ombros tinham suportado o peso de cargas pesadas, e suas mãos ocuparam-se do fabrico de vasos de barro e cestas. Deuteronômio ressalta por mais de vinte vezes o fato de que Yahweh chamou seu povo dali. Ver os comentários a respeito em Dt 4.20. Sem dúvida, os hebreus tinham de fabricar cestos e vasos que depois eram obrigados a carregar. Por isso o Targum fala de como Yahweh libertou os filhos de Israel de "amassar o barro" para fabricar vasos. Cf. Êx 1.11 e 5.5-11.

■ **81.7** (na Bíblia hebraica corresponde ao **81.8**)

בַּצָּרָה קָרָאתָ וָאֲחַלְּצֶךָּ אֶעֶנְךָ בְּסֵתֶר רַעַם אֶבְחָנְךָ עַל־מֵי מְרִיבָה סֶלָה׃

Clamaste na angústia e te livrei. Israel tinha passado por diversas aflições em suas perambulações pelo deserto, e assim invocou Yahweh para que os ajudasse. Yahweh livrou-os bem depressa, porque neles tinha sua herança (7.1), e com eles firmara seu pacto (ver no *Dicionário* o artigo intitulado *Pactos*). "O recital do trato passado de Deus com o povo de Israel, usualmente na Festa dos Tabernáculos (ver Dt 31.10-13; Ne 8.18), parece seguir-se aqui como se a festa estivesse realmente acontecendo, e a multidão estivesse ouvindo o salmista" (Ellicott, *in loc.*).

Do recôndito do trovão. Consideremos aqui estes quatro pontos:
1. Esta expressão poética bastante obscura provavelmente refere-se à coluna de nuvens que guiava Israel durante o dia. Yahweh deu a seu povo o abrigo de uma nuvem tempestuosa. Sl 105.39 diz: "Ele estendeu uma nuvem que lhes servisse de toldo". Ver no *Dicionário* o artigo intitulado *Colunas de Fogo e de Nuvem,* quanto a maiores detalhes.
2. Mas alguns eruditos veem aqui uma referência geral, a voz de Yahweh que saía das tempestades do céu e guiava os filhos de Israel pelo caminho certo.
3. Outros referem-se aos trovões e relâmpagos que ocorreram no monte Sinai, quando a lei foi dada e tornou-se orientação para Israel em todas as coisas. Ali Deus foi ouvido, embora não fosse visto. "O monte Sinai pode ser a localidade em pauta (ver Êx 19.16-19; 20.18)" (William R. Taylor, *in loc.*).
4. Ou a referência pode ser tão geral que envolva todas essas ideias, e a mensagem é que Deus falava de maneiras admiráveis, até mesmo através de nuvens tempestuosas e lugares ocultos. Alguns estudiosos chegam a recuar até as pragas da escuridão e das tempestades que feriram o Egito, antes mesmo que Israel partisse dali (ver Êx 3.7-10).

Águas de Meribá. Ver no *Dicionário* o verbete com este nome, onde ofereço amplos detalhes. Em Êx 17.1-7 o povo submeteu Yahweh a teste. Mas aqui Yahweh foi quem testou o povo de Israel. Cf. Nm 20.1-13. "Meribá" significa *querela* ou *contenda,* referindo-se às queixas de Israel contra o Senhor e contra Moisés, pela falta de água para beber.

Selá. Quanto a possíveis significados desta misteriosa palavra, ver Sl 3.2.

■ **81.8** (na Bíblia hebraica corresponde ao **81.9**)

שְׁמַע עַמִּי וְאָעִידָה בָּךְ יִשְׂרָאֵל אִם־תִּשְׁמַע־לִי׃

Ouve, povo meu, quero exortar-te. Visto que Deus exercia um cuidado especial por seu povo, agora o poeta conclama Israel a *ouvir* o Senhor, visto que lhe tinha uma admoestação a fazer, com o intuito de impedir-lhes o afastamento da voz divina. Nos salmos de lamentação, os salmistas conclamavam Yahweh-Elohim a ouvir, mas aqui o poeta convida o povo de Israel a ouvir e obedecer à mensagem divina. Cf. o ato de ouvir de Deus, em Sl 64.1, onde ofereço notas expositivas e referências. O ato remidor de Yahweh, que comprou esse povo do Egito, além dos muitos outros favores divinos conferidos no trajeto para a Terra Prometida, deve ter servido como incentivo à atenção e à obediência. "Ouve, ó meu povo. A voz divina repete aqui as advertências tão frequentemente reiteradas durante a perambulação pelo deserto" (Ellicott, *in loc.*). Cf. Sl 50.7, onde temos um versículo muito parecido e cujas anotações também se aplicam aqui. Cf. Êx 20.2.

Ah! Se tivesses dado ouvidos aos meus mandamentos! Então seria a tua paz como um rio, e a tua justiça como as ondas do mar.

Isaías 48.18

■ **81.9** (na Bíblia hebraica corresponde ao **81.10**)

לֹא־יִהְיֶה בְךָ אֵל זָר וְלֹא תִשְׁתַּחֲוֶה לְאֵל נֵכָר׃

Não haja no meio de ti deus alheio. Temos aqui o mandamento contra a *idolatria* (ver a respeito no *Dicionário*). Era um mandamento fundamental, que fazia parte do *decálogo* (ver Êx 20.2-5). Estar livre dessa mancha era a primeira coisa que distinguia Israel de seus vizinhos politeístas e idólatras. Ver sobre a distinção dos israelitas como seguidores da lei de Yahweh. Ver a nota de sumário sobre como Israel se relacionava à lei mosaica, em Sl 1.2. Ver no *Dicionário* os verbetes chamados *Dez Mandamentos* e *Monoteísmo*. "Uma devoção exclusiva ao Senhor era a marca de água de todo o verdadeiro israelita" (William R. Taylor, *in loc.*).

A idolatria era estranha a tudo quanto Israel defendia e também era o fator que mais enegrecia seu caráter em períodos de desvio ou apostasia.

■ **81.10** (na Bíblia hebraica corresponde ao **81.11**)

אָנֹכִי יְהוָה אֱלֹהֶיךָ הַמַּעַלְךָ מֵאֶרֶץ מִצְרָיִם הַרְחֶב־פִּיךָ וַאֲמַלְאֵהוּ׃

Eu sou o Senhor, teu Deus. Israel fora tirado da escravidão ao Egito pelo único verdadeiro Deus, Yahweh-Elohim, e não pelos ídolos e falsos deuses dos pagãos. Eles tinham uma dívida de gratidão e deveriam pagá-la, e o monoteísmo estrito, acompanhado pela devoção sincera, era o começo desse pagamento. Ver Dt 4.20, quanto a notas detalhadas e referências sobre o livramento de Israel do Egito. "O mais forte motivo para os filhos de Israel obedecerem ao mandamento constante no vs. 9, de não terem deuses estranhos, era que Yahweh, e não algum outro, era o Libertador de Israel. Cf. Dt 32.12" (Fausset, *in loc.*).

"A *nota entristecedora* de um cântico fúnebre pode levar a mente dos homens a *questionar* Deus, mas era a nota alegre da dança que fazia o coração dos homens *esquecê-lo*" (J. R. P. Sclater, *in loc.*).

Abre bem a tua boca. Estamos informados de que era costume na Pérsia um rei, desejando favorecer um súdito ou visitante, abrir a boca do tal e entupi-la de coisas boas, como acepipes escolhidos e até joias! Ser objeto de tal *entupimento real* era uma elevada honraria na Pérsia. Neste salmo, temos à nossa frente uma promessa condensada de provisões divinas. Cf. Dt 7.12,13; 8.7,9; 11.13,16. Yahweh era o Mestre Provedor. "Que vossos desejos sejam o mais profundos possíveis, e eu vos satisfarei, se fordes fiéis a mim. Nada que é bom vos faltará" (Adam Clarke, *in loc.*). "Não tendes necessidade de apelar a nenhum deus estranho. Em mim tendes tudo" (Fausset, que então se refere a Gn 15.1 e a Sl 16.5).

O Senhor é o meu pastor: nada me faltará.

Salmo 23.1

A figura simbólica por trás deste versículo provavelmente não é a corte persa, embora esta seja útil à guisa de ilustração. Talvez esteja em vista a mãe-passarinho, que enche os filhotes de todas as sortes de coisas deliciosas, como vermes! O Targum faz Yahweh encher a boca do povo com a *lei* e, juntamente com ela, "toda coisa boa".

■ **81.11** (na Bíblia hebraica corresponde ao **81.12**)

וְלֹא־שָׁמַע עַמִּי לְקוֹלִי וְיִשְׂרָאֵל לֹא־אָבָה לִי׃

Mas o meu povo não me quis escutar a voz. A despeito da história passada de estupendas obras realizadas por Yahweh-Elohim, e das promessas de uma grande provisão a ser adicionada às provisões passadas, e apesar da exortação urgente para que o povo de Israel "ouvisse", o povo mostrou-se negligente e frio. A voz que os convocara do Egito e os guiara pelo deserto foi anulada pelas vozes do paganismo, da idolatria e do egoísmo. Havia corrupções internas e externas que prejudicaram, quase fatalmente, o yahwismo em Israel. Foi por isso que Israel assumiu uma atitude muito radical e "não quis Yahweh", conforme o poeta sagrado nos assegura. Ver as notas expositivas sobre o vs. 10, segundo parágrafo. Contudo, a "ingratidão de Israel e suas tribulações subsequentes não diminuíram a benevolência do Senhor (vss. 11-16)" (William R. Taylor, *in loc.*). Por isso chamamos a graça divina de "favor desmerecido", e é isso o que está por trás do evangelho. Ver no *Dicionário* o verbete denominado *Graça*.

Rejeitastes todo o meu conselho, e não quisestes a minha repreensão; também eu me rirei na vossa desventura.

Provérbios 1.25,26

Cf. Êx 32.1 e Dt 32.15-18, onde encontramos sentimentos similares.

■ **81.12** (na Bíblia hebraica corresponde ao **81.13**)

וָאֲשַׁלְּחֵהוּ בִּשְׁרִירוּת לִבָּם יֵלְכוּ בְּמוֹעֲצוֹתֵיהֶם׃

Assim, deixei-os andar na teimosia do seu coração. Os filhos de Israel eram notoriamente teimosos, pelo que se revelavam os seus próprios piores inimigos. Como vingança, pois, Yahweh entregou-os a seus vícios e tolices, a suas próprias paixões, para que sofressem as consequências. Esta foi uma notável operação da *Lei Moral da*

Colheita segundo a Semeadura (ver a respeito no *Dicionário*). "O pior julgamento que poderia sobrevir a qualquer indivíduo é que ele seja entregue às próprias concupiscências" (Fausset, *in loc.*). Tal ato tira a capacidade de salvar do Salvador e o poder de Elohim, até onde diz respeito a esse indivíduo. Israel, dessa maneira, podia manter sua ridícula liberdade, para não servir a Deus e imitar os piores pagãos (ver Rm 1.24,26,28). Temos uma famosa citação dos rabinos, que ilustra bem o texto presente: "Tudo está nas mãos de Deus, exceto o temor a Deus". Em outras palavras, os homens têm esse "temor" em *suas* mãos. Ver no *Dicionário* o artigo chamado *Temor* (partes 1 a 3). Ver também as notas expositivas em Sl 34.9 e 36.1.

Sigam os seus próprios conselhos. Isso faz parte integral do fenômeno de ser entregue à própria obstinação e aos próprios pecados. Precisamos de iluminação e instrução da parte do Ser divino. Mas quando tomamos essas coisas em nossas próprias mãos, não permitindo que Deus aja em nosso favor, só podemos esperar a *ruína*. Cf. esse sentimento com Jr 7.24 e Is 65.2.

> *... andaram nos seus próprios conselhos, e na dureza do seu coração maligno; andaram para trás, e não para diante.*
> Jeremias 7.24

Quando os homens agem assim, na hora da necessidade só encontram a si mesmos para vir em seu próprio socorro, o que significa, em última análise, que eles não dispõem de ajuda e se afundam em *calamidades*. Em primeiro lugar, Deus retira a graça contra a qual abusaram. Então, sem nenhum freio, eles começam a preencher todas as más imaginações de seu coração iníquo. E é assim que se precipitam na própria destruição.

■ **81.13** (na Bíblia hebraica corresponde ao **81.14**)

לוּ עַמִּי שֹׁמֵעַ לִי יִשְׂרָאֵל בִּדְרָכַי יְהַלֵּכוּ׃

Ah! se o meu povo me escutasse. Este versículo nos faz retroceder ao vs. 8. Israel foi convocado para *ouvir* as instruções de Yahweh. Então as coisas terminaram em toda espécie de desastres. Israel nunca gozou de paz. Algum invasor vivia fustigando a terra santa. Foi por isso que o poeta sacro declarou: "Oh, se Israel tivesse escutado". Cf. Is 48.18. Este versículo volta a atenção para o futuro, mas anula o bem que poderia ter-se seguido, mediante um passado lamentável que requeria punição, e não bênção. Quanto a versículos que contêm declarações e sentimentos similares, ver Dt 5.29; 32.29; Is 48.18 e Mt 23.37. É questão muito séria ter um futuro glorioso anulado por causa de um passado desviado.

Cf. também Sl 23.20-22 e Hb 3.6-8. A lei tinha dado instruções específicas. Não havia nenhum mistério. Israel simplesmente se mostrava rebelde e ignorante. Ou seja, o povo de Israel estava coberto de *transgressões* e manifestava-se contra o que era conhecido como correto.

■ **81.14** (na Bíblia hebraica corresponde ao **81.15**)

כִּמְעַט אוֹיְבֵיהֶם אַכְנִיעַ וְעַל צָרֵיהֶם אָשִׁיב יָדִי׃

Eu, de pronto, lhe abateria o inimigo. Um povo arrependido e restaurado de pronto teria a mão de Deus operando em seu favor, fazendo o inimigo bater em retirada, e o resultado seria a paz e a prosperidade. Ver sobre a *mão direita* de Deus, em Sl 20.6, onde ofereço notas expositivas e referências. Ver sobre *mão* em Sl 10.12; 21.8; 38.2; 74.11; 89.13; 106.26 e 139.10. A mão *protege; destrói* o inimigo; *orienta; consola; alimenta*. O Targum dá *golpear* em lugar de "mão", e vê os inimigos de Israel derrotados. Ver também a figura do *braço* de Deus em Sl 77.15 e 89.10.

■ **81.15** (na Bíblia hebraica corresponde ao **81.16**)

מְשַׂנְאֵי יְהוָה יְכַחֲשׁוּ־לוֹ וִיהִי עִתָּם לְעוֹלָם׃

Os que aborrecem ao Senhor se lhe submeteriam. Os que odiavam a Yahweh, ou seja, os inimigos de Israel, golpeados por sua mão poderosa (vs. 14), terminariam implorando-lhe misericórdia e perdão. Mas alguns estudiosos pensam que o pronome "lhe" aponta para Israel. Nesse caso, os humilhados invasores pediriam misericórdia a Israel. A *Revised Standard Version* diz "submeteriam", tal como a nossa versão portuguesa, ao passo que a tradução da Imprensa Bíblica Brasileira diz *adulariam*. Cf. Sl 18.44: "Bastou-lhe ouvir-me a voz, logo me obedeceu; os estrangeiros se me mostram submissos".

E isto duraria para sempre. Consideremos estes quatro pontos:
1. Alguns intérpretes pensam que estas palavras se referem ao castigo que atingiria os que odeiam a Deus. Isso seria *fatal* para eles. Eles encontrariam a morte, sua *sorte* (*Revised Standard Version*) permanente. Não há aqui referência à punição eterna, que só tardiamente entrou na teologia dos hebreus (ver Dn 12.12). Tal doutrina foi desenvolvida nos livros apócrifos e pseudepígrafos do período intermediário; e então recebeu sua demão final de tinta nas páginas do Novo Testamento. As chamas do inferno foram acesas pela primeira vez no pensamento judaico no livro pseudepígrafo de 1Enoque.
2. Seja como for, a maioria dos intérpretes vê aqui uma referência a Israel, pois o sujeito mudou dos povos pagãos para o povo de Deus. Nesse caso, Israel teria uma existência longa e próspera, uma vez que fosse restaurado, por meio do arrependimento. Não há aqui nenhuma ideia de bem-aventurança eterna para além do sepulcro, porque essa doutrina também não havia penetrado ainda no pensamento dos hebreus. "... essa nação continuaria existindo e prosperando" (Ellicott, *in loc.*). "... isso deve ser entendido sobre o tempo ou estado feliz e condição de Israel, que assinalaria uma longa continuação de terem eles escutado o Senhor e andado em seus caminhos. Particularmente, eles desde há muito estariam desfrutando a terra de Canaã, a qual foi dada a Abraão e sua descendência como possessão perpétua que eles receberam devido à sua obediência (Gn 17.18; Is 1.10)" (John Gill, *in loc.*).
3. Esta parte do versículo tem sido cristianizada para referir-se à recompensa eterna dos justos.
4. Seja como for, este versículo ensina que era bom negócio Israel obedecer, e mau negócio desobedecer ao Senhor, e que existem galardões e punições distribuídos pela mão de Deus.

■ **81.16** (na Bíblia hebraica corresponde ao **81.17**)

וַיַּאֲכִילֵהוּ מֵחֵלֶב חִטָּה וּמִצּוּר דְּבַשׁ אַשְׂבִּיעֶךָ׃

Eu o sustentaria com o trigo mais fino. Este versículo dá continuidade ao tema do *favor divino* para com Israel, que acabara de ser mencionado na segunda metade do vs. 15. Para os bons são o melhor pão de trigo, bolos e o mais fino mel. Os justos serão alimentados pela graça divina. Quanto a referências ao trigo e ao mel, juntos, ver Dt 32.13,14. Diz o original hebraico, literalmente, "a gordura do trigo", ou seja, o mais fino e o melhor do trigo. O mel das rochas não significa, literalmente, o mel que as abelhas ajuntam nas fendas das rochas. Antes, a expressão é poética e significa "os mais doces acepipes". Ver Jó 29.6, quanto a algo similar. Como resultado desse tratamento, Israel teria intensa *satisfação*. O Targum diz aqui "o melhor pão de trigo", ou seja, o mais fino pão que pode ser fabricado. Essas coisas simbolizam provisões excelentes, o suprimento de cada necessidade. Aben Ezra refere-se ao *maná do céu*, uma boa ilustração. Canaã produzia bastante trigo, pelo que, provavelmente, devemos pensar na provisão abundante da Terra Prometida, que seria posta no regaço de uma nação restaurada. Aquela era uma terra de *leite e mel*, outra referência a um bom e abundante suprimento (ver Êx 3.8; Dt 32.13; 1Sm 14.25,26). O mel que saía da rocha é comparado à água que dali fluía, mas isso só pode ser concebido como comparação, não como uma referência exata. O versículo inteiro tem sido cristianizado para aludir ao Messias e às suas provisões. Ver 1Co 10.4.

SALMO OITENTA E DOIS

Quanto a *informações gerais* que se aplicam a todos os salmos, ver a introdução ao Salmo 4, onde apresento *sete* comentários que elucidam a natureza do livro. Quanto às *classes* dos salmos, ver o gráfico no início do comentário, que atua como uma espécie de frontispício da coletânea. Ali dou dezessete classes e listo os salmos pertencentes a cada uma delas.

Este salmo é uma liturgia que descreve os juízos de Deus contra os deuses pagãos. Alguns o classificam como um *salmo didático*. Seja como for, temos aqui certos problemas teológicos, "ideias perenes, mas cujas formas externas não são mais compreendidas" (Thomas K. Cheyne). Observaremos esses problemas conforme avançar a exposição. William R. Taylor afirma que sabemos pouco sobre certas coisas neste salmo e espera que as conjecturas propostas cheguem o mais perto possível da verdade. Este salmo servia de hino, conforme depreendemos do vs. 8 e a Mishnah declara especificamente, afirmando que era entoado no templo de Jerusalém pelos levitas, no terceiro dia de cada semana (assim diz *Tamid* 7.4). Aparentemente, o salmo também era empregado na liturgia do Ano Novo e provavelmente em outras ocasiões nas quais Yahweh deveria ser exaltado acima de outros deuses. O principal problema consiste em como interpretar a palavra "deuses" que figura no vs. 1, lugar onde apresento as várias ideias propostas a respeito. A própria variedade de interpretações indica quão pouco realmente sabemos sobre a época em que este hino foi composto, bem como sobre a natureza exata da teologia dos hebreus, em períodos específicos. Sabemos que, afinal de contas, os hebreus abandonaram o conceito da existência de deuses secundários, juntamente com o *henoteísmo* (ver a respeito no *Dicionário*), mas é muito difícil precisar quando isso ocorreu.

Subtítulo. O subtítulo é apenas "Salmo de Asafe". Doze salmos são atribuídos a ele: 73 a 83 e 50. Alguns deles têm uma simples referência a Asafe como o alegado autor. Ver as notas na introdução ao Salmo 79.

O CONCÍLIO DOS DEUSES (82.1)

■ 82.1

מִזְמוֹר לְאָסָף אֱלֹהִים נִצָּב בַּעֲדַת־אֵל בְּקֶרֶב אֱלֹהִים יִשְׁפֹּט׃

Deus assiste na congregação divina. As palavras "Deus" e "divina", segundo as quais Elohim (o Poder) aparentemente preside ao concílio dos elohim (os poderes), têm ocasionado consternação e diferentes interpretações, como se vê a seguir:

1. Os *deuses* seriam *anjos,* seres celestiais poderosos considerados divinos, mas sob hipótese alguma tidos como deidades. Assim dizem a versão siríaca e Sl 8.5 e 97.7.
2. Os *deuses* seriam os *deuses nacionais* dos pagãos, mas que receberam vida somente na linguagem poética, mostrando que Elohim é o único Deus vivo e verdadeiro, e todos os outros "conceitos" de Deus lhe estão sujeitos. Yahweh-Elohim brande a autoridade absoluta.
3. Os *deuses* seriam "juízes humanos", os quais recebem o título hebraico de *elohim* porquanto governam em lugar de Elohim. Ver Êx 21.6 e 22.18.
4. Os *deuses* seriam *divindades reais,* mas sempre sujeitas a Elohim, o Deus Altíssimo. Ver o vs. 6.

Em favor da última e quarta interpretação, observa-se que era conceito comum, no antigo Oriente Próximo e Médio, o mundo ser governado por um concílio de deuses (cf. Sl 89.5-7). Portanto, o poeta sagrado presumivelmente teve uma visão na qual Elohim, o Deus de Israel, aparece presidindo esse concílio e proferindo julgamento sobre todos os outros membros, por causa de falhas que eles perpetraram entre os homens. Ver outras referências que também podem ser assim interpretadas: Sl 29.1; 58.1; 103.20,21; 148.2; 1Rs 22.19-22; Jó 1.6-12; 2.1-6; Dn 7.9,10; 20.13,20,21. Esse conceito projeta luz sobre o trono de Deus, no céu: Sl 11.4; 103.19; e Is 66.1. E também lança luz sobre a supremacia de Yahweh-Elohim sobre todos os deuses: Sl 89.5-8; 95.3; 97.7,9; Êx 15.11; Dt 3.24; 1Rs 8.23.

O problema é que desconhecemos o ponto, dentro do tempo, em que a teologia dos hebreus abandonou o politeísmo e fez os *elohim* serem ou anjos ou juízes humanos. Ademais, mesmo depois que a corrente principal da teologia hebreia tomou essa atitude, continuou havendo, sem dúvida, autores que não acompanharam tal modificação, mas mantiveram alguma forma de politeísmo. É possível que o salmo à nossa frente preserve uma ideia que ainda não havia sido abandonada. Um passo natural na direção do monoteísmo foi o *henoteísmo* (ver a respeito no *Dicionário*), que significa que, para nós, há um só Deus (com quem temos de tratar), enquanto outros deuses podem existir para outros povos, com quem eles têm de tratar. Mas não é essa a ideia que temos à frente. Ver no *Dicionário* o artigo intitulado *Monoteísmo.*

Seja como for, qualquer que tenha sido a teologia acerca dos *elohim,* neste salmo, o ensino é que deve haver *justiça* na criação de Deus, tanto nos céus quanto na terra, e *Elohim* garante isso em seu governo universal.

Congregação. Pode estar em pauta o concílio celestial dos deuses, ou então a congregação de Israel, na qual juízes humanos, representantes de Elohim, têm autoridade, dependendo de como entendamos o termo "deuses". Ou então cumpre-nos pensar nos *deuses* como quem operava através de contrapartidas humanas, ou seja, autoridades entre os homens. Cf. Jo 10.34. Ver a exposição sobre os vss. 6 e 7 deste salmo, ambos importantes para compreendermos o vs. 1.

ELOHIM DIRIGE A PALAVRA AO CONCÍLIO (82.2-7)

■ 82.2

עַד־מָתַי תִּשְׁפְּטוּ־עָוֶל וּפְנֵי רְשָׁעִים תִּשְׂאוּ־סֶלָה׃

Até quando julgareis injustamente...? A maneira como interpretamos este versículo depende de como encaramos a questão dos "deuses" referidos no vs. 1. Elohim podia estar acusando seus anjos de insensatez (ver Jó 4.18). Ou então acusava as hostes celestes, os *deuses,* de orientar mal suas contrapartidas humanas, sobre quem exerciam autoridade, e a quem, supostamente, deveriam dirigir retamente. Cf. o crime envolvido com um incidente um tanto similar, Gn 6.1-4. Os deuses são vistos como quem usava de parcialidade e, assim sendo, julgavam falsamente e inspiravam suas contrapartidas humanas a fazer o mesmo. Ou então o Senhor dirigia-se diretamente aos juízes humanos, chamados aqui de *elohim* porquanto operavam em lugar de Elohim. Eles "usavam de respeito humano para com certas pessoas e julgavam impiamente", ou, de acordo com o trecho hebraico original, "levantavam o rosto", expressão derivada do costume oriental de os homens prostrarem-se perante um rei ou um juiz. A autoridade constituída, pois, favorecia a alguns, dizendo-lhes palavras boas. Ao homem que jazia prostrado no solo, seria dada a ordem: "Levanta-te e mostra o teu rosto". Cf. Pv 18.5 e 2Cr 19.7. Israel deveria ter uma justiça *incorruptível,* mas esse princípio fora violado. Ver Eclesiástico 7.6 e Jo 7.24. Quanto a demonstrar parcialidade para com o ímpio, ver Dt 1.17. Ver no *Dicionário* o artigo intitulado *Respeito (Acepção) a Pessoas,* onde são apresentados detalhes abundantes.

Selá. Ver Sl 3.2, quanto aos possíveis sentidos desta misteriosa palavra.

■ 82.3

שִׁפְטוּ־דַל וְיָתוֹם עָנִי וָרָשׁ הַצְדִּיקוּ׃

Fazei justiça ao fraco e ao órfão. *Instâncias de julgamento justo* seriam: defender o pobre, que não tem dinheiro, poder e influência para resistir aos ricos e opressores sem escrúpulos; fazer o papel de pai para os órfãos e dar apoio às viúvas; em geral, servir aos necessitados e destituídos de amigos. Cf. a solene maldição de Dt 27.19. Cf. Êx 22.22; Dt 10.18; Is 1.17; Jr 22.3 e Jó 29.12. Aprendemos assim que certos homens recebem autoridade para defenderem poderosamente os bons, e não para perverterem causas e empreendimentos egoístas.

Por conseguinte, a *autoridade* tem por finalidade servir ao próximo de maneira justa, e não promover o "próprio eu" e o interesse de grupos. Ver Lv 19.15; Dt 25.1 e Pv 17.13. Existe a lei da colheita segundo a semeadura, que governa todos os atos humanos. Ver no *Dicionário* o verbete intitulado *Lei Moral da Colheita segundo a Semeadura.*

■ 82.4

פַּלְּטוּ־דַל וְאֶבְיוֹן מִיַּד רְשָׁעִים הַצִּילוּ׃

Socorrei o fraco e o necessitado. Este versículo expande as ideias do vs. 3. Os *fracos* (miseráveis) e os que passam por necessidade especial merecem, de acordo com a avaliação divina, tratamento especial. Os humildes não devem ser mais humilhados ainda. Pelo contrário, o poder existe para elevar os homens, e os que estão investidos de autoridade devem ser elevadores de homens. Não existe maior classe servidora que a dos políticos, pois ela é nomeada ou eleita para servir ao próximo. No entanto, não existe classe mais corrupta que a dos políticos. Cf. Is 1.17; 10.1,2. Ver também Jó 19.12.

82.5

לֹא יָדְעוּ וְלֹא יָבִינוּ בַּחֲשֵׁכָה יִתְהַלָּכוּ יִמּוֹטוּ
כָּל־מוֹסְדֵי אָרֶץ׃

Eles nada sabem, nem entendem. Os *deuses* que agem maldosamente (ver o vs. 1) não têm conhecimento nem luz, a despeito de sua elevada posição. E isso por terem pervertido o conhecimento, colocando-o ao serviço do mal. Platão sempre vinculava a sabedoria à bondade, pois quem é *sábio*? E quem é *mau*? Esses dois adjetivos são termos contraditórios que não podem ser expressos juntos na mesma sentença. Os alegados sábios que são maus na realidade são insensatos, pois se ocupam em toda forma de atos tolos, que, no fim, os esmagarão.

Vacilam todos os fundamentos da terra. Ou seja, as "colunas" (ver Sl 75.3). Os hebreus imaginavam que a terra repousava sobre colunas que, por sua vez, apoiavam-se sobre as águas por baixo da terra. Mas sobre o que repousavam as águas subterrâneas, era um detalhe não conjecturado. É provável que a palavra "fundamentos", neste caso, seja um termo metafórico. O significado é que a corrupção, instalada em lugares altos, põe em perigo toda a ordem moral — do céu à terra. A *justiça* está à testa das instituições, tanto divinas quanto humanas. Se não houver justiça, todo o sistema de benignidade tropeça e pode até entrar em colapso. A injustiça *solapa* a lei e a ordem (cf. Sl 11.3). Juízes corrompidos pela *cegueira moral,* embora tenham a reputação de sábios, abalam os fundamentos da bondade.

Uma de minhas fontes informativas, da Inglaterra do século XIX, queixa-se de um lorde inglês corrupto que estava causando dificuldades. Esse homem já encontrou seu destino eterno, mas há muitas pessoas com atitudes semelhantes que operam nos círculos políticos atuais e estão abalando os fundamentos da ordem moral. O atual presidente dos Estados Unidos (estou escrevendo em fins de 1996) tem-se envolvido em escândalos sérios, bem como seus principais auxiliares. Mas a *economia* americana está equilibrada, e, portanto, quem se importa com questões morais? Na verdade, as trevas morais algumas vezes obscurecem até os mais argutos intelectos.

82.6

אֲנִי־אָמַרְתִּי אֱלֹהִים אַתֶּם וּבְנֵי עֶלְיוֹן כֻּלְּכֶם׃

Eu disse: Sois deuses. O Deus Altíssimo, Elohim, agora dirige-se aos *deuses secundários* (elohim) e chama-os de *filhos* do Altíssimo (ver no *Dicionário* sobre este título; ver também Sl 7.17). Ver o vs. 1, quanto às diferentes interpretações do termo *deuses*. Os vss. 6 e 7 parecem favoráveis à quarta interpretação, embora poucos a apoiem.

Enfrentamos um novo problema ao tomar conhecimento do que significa a palavra "filhos" aqui. Ela pode ter o sentido de: 1. filhos por criação; 2. filhos por alta autoridade, delegada da parte do Pai; 3. alguma forma de *geração* celestial, um tanto ou quanto análoga à geração humana. Esta terceira ideia não deve ser associada à teologia dos hebreus, mas, antes, à mitologia grega e romana, em que encontramos a geração divina de outros deuses e semideuses por parte de mulheres humanas. Cf. Gn 6.1-4, quanto a indícios de um elemento bastante estranho na teologia dos hebreus de data muito antiga, o qual foi posteriormente negligenciado ou, pelo menos, não enfatizado.

Tal como no caso dos deuses (vs. 1), podemos estar tocando em alguma noção hebreia que se perdeu quando as doutrinas da corrente principal lançaram raízes. A expressão "filhos do Altíssimo" acha-se somente aqui, mas podemos compará-la com Gn 6.2,4; Jó 1.6; 2.1 e 38.7. Talvez somente uma "dignidade divinamente determinada" pudesse ter feito o salmista chamar os deuses de *filhos*; mas a questão permanece na dúvida. Quando lemos o Talmude, topamos com toda espécie de crença que a teologia central dos judeus finalmente deixou de lado. Não é impossível que Sl 82.1,6,7 toque em uma dessas crenças.

Não devemos, contudo, perder de vista o *ensino principal* destes versículos, atolando-nos em aspectos teológicos. Essas elevadas autoridades (os deuses; sem importar de que natureza), por sua própria elevadíssima posição, têm a obrigação moral de praticar a justiça e a bondade. Devem prestar conta ao Poder Superior, Elohim, que é retratado como Pai deles.

82.7

אָכֵן כְּאָדָם תְּמוּתוּן וּכְאַחַד הַשָּׂרִים תִּפֹּלוּ׃

Todavia, como homens, morrereis. Esses *deuses,* embora seres divinos, são aqui ameaçados pela *morte*. Sabemos que os deuses não morrem; mas Elohim tem, como um de seus poderes, o de extinguir a vida, até de seres *imortais*. Parece ser esse o ensino do versículo. Neste caso, pois, o ensino dá apoio à quarta interpretação do vs. 1. "Fica implícito que aqueles assim chamados não são homens, pois de outra sorte a previsão de uma morte *como homens* não teria sentido" (William R. Taylor, *in loc.*). Alguns estudiosos, entretanto, falam em *morte prematura* de elevados oficiais, a despeito de sua autoridade, pois isso os teria elevado acima da sorte dos homens comuns. Nesse caso, estão em mira meros seres humanos, os quais, porém, *semelhantes a deuses,* teriam vida longa e próspera. "Vosso alto ofício não vos pode garantir a imortalidade" (Adam Clarke, *in loc.*). Isso resulta em um bom sentido, e não ofende nossos credos, mas será exatamente o que o salmista estava querendo dizer? A crassa injustiça dos elevados poderes reduz esses filhos de Deus à sorte comum dos homens miseráveis, a saber, a morte o *fim*. Ver Hb 9.27.

Como qualquer dos príncipes. Temos aqui *príncipes humanos*. Como é natural, os príncipes morrem. Assim sendo, suas contrapartidas celestes também podem morrer, se Elohim assim decretar. Ambos eram culpados de injustiça e de toda espécie de crimes, pelo que a morte é o fim natural deles. As autoridades celestes morrem, tal e qual as autoridades terrestres, a menos que sejam moralmente superiores. Essa parece ser a crença do poeta, mas não expressa necessariamente a verdade, só porque ele disse tal coisa. Isto posto, o problema permanece de pé e, com ele, a controvérsia acerca do sentido destes versículos. Mas é bastante possível que o poeta sagrado tivesse crenças não aceitas por nós nem pelo judaísmo atual. Não devemos permitir que essa possibilidade escape à nossa atenção.

> Os rios sagrados fluem de volta para suas fontes,
> Pelo que o direito e todas as coisas perdem
> o seu curso.
> Homens espertos estão no concílio,
> e não mais habita
> A fé inspirada por Deus, como antes acontecia.
>
> Eurípedes, Med. 409

CONCLUSÃO LITÚRGICA (82.8)

82.8

קוּמָה אֱלֹהִים שָׁפְטָה הָאָרֶץ כִּי־אַתָּה תִנְחַל
בְּכָל־הַגּוֹיִם׃

Levanta-te, ó Deus, julga a terra. *Elohim,* o verdadeiro e elevado Deus, é agora convocado a corrigir a confusão que os deuses e suas contrapartidas humanas criaram. Os habitantes da *terra* serão julgados, e podemos supor que, juntamente com ela, os poderes do céu cairão de forma permanente. Eles não terão uma segunda oportunidade de espalhar sua corrupção à face do planeta. O resultado será que Elohim herdará toda a terra e assim firmará seus alicerces, que haviam sido abalados (vs. 5). Quanto à ideia de "julgar a terra", cf. Sl 9.8; 58.11; 67.4 e Gn 18.25.

Qual julgamento está em vista aqui? Consideremos estes três pontos:

1. Algum tipo de julgamento que sobreviria no dia do Ano Novo, para melhorar a situação da nação de Israel.
2. Os julgamentos periódicos de Deus contra Israel e as nações, colocando as coisas em boa ordem.
3. O julgamento do fim de nossa era, quando ocorrerão restauração universal e justiça final.

> Saibas bem disto,
> Quando meio-deuses caírem,
> É que Deus chegará!
>
> Linhas sugeridas por um poema de Emerson

A Justiça Havia Sido Pervertida. Por essa razão, o Juiz de todos teve de brandir o seu cetro, governar sozinho e pôr em ordem as coisas e as residências no céu e na terra. Este versículo tem sido cristianizado para fazer com que Cristo, o Juiz, tome conta da terra, como sua possessão, através da propagação do evangelho; mas, quando muito, isso é apenas uma aplicação, e não uma interpretação do texto. Cf. Sl 7.7,8; 9.19; 10.12; 48.1,9-11; 49.5; Is 3.13.

> *Clamaram em grande voz, dizendo: Até quando, ó Soberano Senhor, santo e verdadeiro, não julgas nem vingas o nosso sangue...?*
>
> Apocalipse 6.10

O problema da justiça não será solucionado definitivamente enquanto Deus não houver julgado a terra. Nossa moderna compreensão das coisas realmente nos levou *além* desse entendimento? Emanuel Kant alicerçou um argumento moral sobre a *necessidade* de que a justiça, finalmente, seja cumprida. Tem de haver um após vida para que as almas sejam devidamente condenadas ou recompensadas, visto ser óbvio que raramente a justiça é feita na terra. Além disso, deve haver um grande Juiz, suficientemente sábio e poderoso para efetuar o julgamento, e a esse Juiz chamamos *Deus*. Isto posto, a moralidade prova tanto a existência de Deus quanto a imortalidade da alma.

SALMO OITENTA E TRÊS

Quanto a *informações gerais* que se aplicam a todos os salmos, ver a introdução ao Salmo 4, onde apresento *sete* comentários que elucidam a natureza do livro. Quanto às *classes* dos salmos, ver o gráfico no início do comentário, que atua como uma espécie de frontispício da coletânea. Ofereço ali dezessete classes e listo os salmos pertencentes a cada uma delas.

Este é um *salmo de lamentação* (em muito o grupo maior de salmos). Temos aqui uma lamentação em grupo que solicita que Yahweh-Elohim livre Israel de inimigos estrangeiros. Várias conjecturas têm sido apresentadas sobre qual inimigo estaria sendo enfrentado: o tempo de Josafá, rei de Judá (ver 2Cr 20.1-37); o tempo de Neemias, terminado o cativeiro babilônico (ver Ne 1.1-3; 4.7,8); o tempo de Judas Macabeu (ver 1Macabeus 5.1-68); ou a ameaça babilônica (ver no *Dicionário* o artigo chamado *Cativeiro Babilônico*). Os salmos de lamentação tipicamente começam com um apelo a Deus, pedindo socorro; descrevem os inimigos que estão sendo enfrentados e mencionam *imprecações* contra eles; e terminam com uma nota de esperança e louvor pela resposta à oração, ou por uma resposta esperada para breve. Algumas vezes tais salmos terminam em desespero, algo típico da experiência humana.

Subtítulo. O subtítulo aqui também é bastante simples: "Cântico. Salmo de Asafe". Doze salmos foram atribuídos a Asafe (ou à tradição que o circunda) por parte de editores posteriores, que compilaram os subtítulos: 73 a 83, 50. Entretanto, tais comentários introdutórios, que não faziam parte dos originais, usualmente são meras conjecturas, e dizem respeito a questões como autoria e referências históricas, mas não se revestem de autoridade canônica.

APELO A DEUS PEDINDO AJUDA (83.1)

■ **83.1** (na Bíblia hebraica corresponde ao **83.1,2**)

שִׁיר מִזְמוֹר לְאָסָף׃

אֱלֹהִים אַל־דֳּמִי־לָךְ אַל־תֶּחֱרַשׁ וְאַל־תִּשְׁקֹט אֵל׃

Ó Deus, não te cales. "O salmista lamentou o grande perigo representado pelos muitos inimigos que martelavam Judá a fim de esmagar a nação. O autor orou para que Deus brandisse o seu poder a fim de destruir os inimigos, conforme tinha feito em tantas vitórias anteriores" (Allen P. Ross, *in loc.*).

O Deus Silencioso e Indiferente. Israel (Judá) estava sendo devastado por um exército estrangeiro, e Elohim deveria estar ameaçando em altos brados e efetuando vingança de forma ativa. No entanto, ele estava *silente* e *inativo*. Ver sobre a *indiferença* de Deus, um tema frequente nos salmos de lamentação, em Sl 10.1; 28.1 e 59.4. Quanto ao apelo a um Deus *sonolento*, ver Sl 78.65. Essas metáforas, naturalmente, são altamente antropomórficas, ou seja, conferem à deidade atributos humanos. Ver sobre *Antropomorfismo* no *Dicionário*. Quanto a clamores endereçados a Yahweh-Elohim, ver Sl 28.1; 35.22 e 39.12. Ver também Is 62.7.

PERIGOS DA LIGA QUE SE OPUNHA A ISRAEL (83.2-8)

■ **83.2** (na Bíblia hebraica corresponde ao **83.3**)

כִּי־הִנֵּה אוֹיְבֶיךָ יֶהֱמָיוּן וּמְשַׂנְאֶיךָ נָשְׂאוּ רֹאשׁ׃

Os teus inimigos se alvoroçam. Em contraste com o Deus silencioso e tranquilo, os inimigos de Israel "rugiam como o mar", a tradução literal do original hebraico. A Septuaginta e a Vulgata Latina preservam o original literalmente. Cf. Sl 46.3. Ao odiar a Israel, eles odiavam o Deus de Israel, pelo que ataques contra o povo em pacto com Deus eram ataques contra o próprio Yahweh-Elohim.

Eles "levantaram a cabeça", como se fossem erupções vulcânicas, talvez a alusão do trecho. Ou, por outro lado, poderíamos pensar em um grande monstro marinho, ou animal feroz, que levantou a cabeça ao carregar sua presa. Cf. Jz 8.28. A ideia é a de um adversário exaltado, orgulhoso e arrogante, com pescoço altivo e olhar de superioridade. Nos olhos dos soldados inimigos havia o desejo de matar, e eles se precipitaram contra Israel para satisfazer *essa* concupiscência.

■ **83.3** (na Bíblia hebraica corresponde ao **83.4**)

עַל־עַמְּךָ יַעֲרִימוּ סוֹד וְיִתְיָעֲצוּ עַל־צְפוּנֶיךָ׃

Tramam astutamente contra o teu povo. Está em pauta aqui um *inimigo específico*, mas aliado a outros inimigos. Juntos eles tinham traçado planos astutos, a fim de prejudicar a Israel (Judá) o máximo possível. As ideias ferviam diabolicamente e concebiam grande sucesso, de forma que os poderes demoníacos obteriam a vitória naquele dia. Diz o original hebraico, literalmente, "eles fizeram seus planos ser astutos". Eram especialistas na combinação de astúcia com violência. "... Eles planejavam de forma coerente com seu caráter, sendo a descendência da antiga serpente, a mais astuta de todas as feras do campo, traçando planos espertos e esquemas astuciosos" (John Gill, *in loc.*).

Contra os teus protegidos. O amor de Deus parecia ter falhado porque os entes queridos haviam sido atacados e devastados, enquanto aquele que os amava permanecia em silêncio e inativo (vs. 1). Os protegidos se *ocultavam* à sombra das asas do Altíssimo (ver Sl 17.8), mas o incrível era que os inimigos não encontraram dificuldade em violar esse esconderijo dos santos do Senhor. Eles estavam guardados como pedras e metais preciosos, no tesouro divino; mas o inimigo não teve dificuldades em arrombar o tesouro e roubar-lhe a vida. O Targum diz: "contra as coisas ocultadas nos tesouros", provavelmente uma alusão às riquezas acumuladas no templo de Jerusalém. Cf. Ez 7.22: "Desviarei deles o meu rosto, e profanarão o meu recesso; nele entrarão profanadores, e o saquearão".

■ **83.4** (na Bíblia hebraica corresponde ao **83.5**)

אָמְרוּ לְכוּ וְנַכְחִידֵם מִגּוֹי וְלֹא־יִזָּכֵר שֵׁם־יִשְׂרָאֵל עוֹד׃

Dizem: Vinde, risquemo-los de entre as nações. O intuito do inimigo era cometer *genocídio*. Eles não estavam interessados em ter apenas um dia de vitória no campo de batalha. Estavam decididos a aniquilar todo o povo. É chocante ver como Israel, através de sua história, tem despertado esse tipo de ódio, até mesmo no século XX, quando o mundo testemunhou a "solução final" de Hitler, a tentativa de destruir um povo inteiro. Cf. Jr 48.2. Naturalmente, vários povos que tinham o mesmo intuito deixaram de existir. De fato, Davi conseguiu aniquilar ou confinar a *oito* nações que ocupavam a Palestina antes e depois de Israel. Ver 2Sm 10.19. Os sobreviventes foram, afinal, absorvidos por outras nações, pelo que vários atos de genocídio foram perpetrados *por Israel*. A Assíria, por sua vez, removeu da existência o reino do norte, Israel. Os poucos sobreviventes foram levados à Assíria e então absorvidos pelos pagãos. O mesmo quase aconteceu a Judá (o reino do sul), por meio dos babilônios, mas pela graça de Deus um remanescente retornou após setenta anos e conseguiu dar continuidade à história de Israel, através de um fragmento de uma das doze tribos, Judá. Quando examinamos a história das guerras antigas, vemos que a *intenção* era o genocídio, mas em muitos casos faltava poder para realizar um trabalho tão completo.

Não haja mais memória do nome de Israel. Uma forma espúria de imortalidade consiste em alguém ser *relembrado*, ou seja, continuar existindo na mente de outras pessoas. Os inimigos de Israel, entretanto, não queriam permitir nem ao menos essa forma espúria de continuação. Quão breve os mortos são esquecidos! Certo poeta relembrou uma bela jovem da região ocidental dos Estados Unidos. Leve de passos era ela; mas quem se lembraria, uma vez que ela morreu, exceto em seu verso? A jovem foi reduzida a poucas linhas de um poema; mas se, Judá fosse aniquilado, nem ao menos seria lembrado por um poeta. Cf. o plano de Hamã, relatado em Et 3.6,9.

■ **83.5** (na Bíblia hebraica corresponde ao **83.6**)

כִּי נוֹעֲצוּ לֵב יַחְדָּו עָלֶיךָ בְּרִית יִכְרֹתוּ׃

Pois tramam concordemente. Este versículo repete parte do vs. 3, para efeito de ênfase. O plano foi bem arquitetado; era do tipo que poderia lograr bom êxito. Foi elaborado por uma confederação, formada mediante aliança. Seus membros estavam dedicados à sua causa e morreriam para que o plano obtivesse sucesso, se necessário fosse.

Firmam aliança contra ti. Yahweh-Elohim era o verdadeiro objeto das más manipulações, pois os atacados diretos eram o seu povo, a sua *herança* (ver Sl 79.1). Os aliados pagãos "cortaram um pacto", conforme diz o hebraico literal. O costume aludido é mencionado em Gn 15.17, onde ofereço notas expositivas detalhadas. Dois partidos entraram em acordo; então cortaram o animal sacrificado em duas partes e caminharam entre as duas metades, selando assim um pacto de maneira gráfica. Ato contínuo, as partes do animal foram postas sobre o altar; certas porções foram oferecidas à deidade (como a gordura e o sangue, que foram queimados e subiram sob a forma de fumaça) e o restante tornou-se a carne de um banquete comunal de regozijo, devido ao acordo que tinha acabado de ser feito. Contrastar Sl 50.5, o pacto dos justos, que conta com a aprovação de Deus.

A Aliança Profana (83.6-8)

■ **83.6** (na Bíblia hebraica corresponde ao **83.7**)

אָהֳלֵי אֱדוֹם וְיִשְׁמְעֵאלִים מוֹאָב וְהַגְרִים׃

As tendas de Edom e os ismaelitas. Encontramos aqui a enumeração dos tradicionais inimigos de Israel. O intuito do autor sagrado era histórico, ou seja, mostrar quais povos, *com o passar do tempo,* atacaram Israel. Mas ele não quis dizer que esses povos, em uma única ocasião, reuniram-se para eliminar Israel da face da terra.

No *Dicionário,* dou artigos sobre cada um dos povos aqui mencionados, incluindo informações sobre como atacaram Israel, em tempos diferentes. Faço aqui um esboço abreviado dos fatos. Não há registro histórico de nenhuma época em que esses povos se tenham reunido para pôr fim a Israel (Judá). Na enumeração dos inimigos, o poeta parece seguir um padrão geográfico, olhando primeiramente para o sul, depois para o leste, depois para oeste e finalmente para o norte.

Primeiro são nomeados os que habitavam em tendas, como Edom, os ismaelitas, Moabe e os hagarenos (vs. 6). Quanto à antipatia desses povos pelos filhos de Israel, ver Sl 137.7; Is 34.5,6; Ez 35.1-15.

Ismaelitas. Ou beduínos, os quais são vistos em Gn 25.18 como quem tinha largo espectro de atividades. A única ação ofensiva desse povo contra um povoado hebreu foi a parte que eles desempenharam no enterro de José (ver Gn 37.25-28). E pode ter havido outros povos que acabaram não sendo citados nas Escrituras canônicas.

Moabe. Este povo estava localizado a leste do mar Morto. Eles atacaram Josafá, rei de Judá (ver 2Cr 20.1-29; ver também 2Rs 1.1 e 3.4-27). Também figuram entre os inimigos de Jeoaquim (2Rs 24.2).

Hagarenos. Foram inimigos de Israel durante os dias de Saul. Viviam a leste de Gileade (ver 1Cr 5.10).

Todos esses nomes contam com artigos separados no *Dicionário,* e o leitor poderá encontrar muitos detalhes ali.

■ **83.7** (na Bíblia hebraica corresponde ao **83.8**)

גְּבָל וְעַמּוֹן וַעֲמָלֵק פְּלֶשֶׁת עִם־יֹשְׁבֵי צוֹר׃

Gebal. Não se trata de Biblos, na costa fenícia, mas da região ao sul do mar Morto, perto de Petra. É a única referência bíblica a esse povo, embora haja várias menções à *outra* Gebal, um povo fenício. Ver no *Dicionário* o segundo ponto do artigo chamado *Gebal,* quanto ao povo mencionado aqui, e o primeiro ponto quanto à outra Gebal. A única ocasião em que esse povo é citado é quando fizeram oposição a Israel.

Amom. Este povo vivia na região a leste do rio Jordão, ao norte de Moabe. Foram inimigos de Israel no tempo dos juízes de Israel (ver Jz 3.13) e também mais tarde, nos dias de Jeoaquim (2Rs 24.2).

Amaleque. É provável que tenhamos aqui uma referência aos beduínos da região do Neguebe, no sul da Palestina. Eles são mencionados em Êx 17.8-16 e Dt 25.17-19 e aparecem novamente nos lugares que descrevem a conquista da Terra Prometida (ver Jz 3.13; 6.3; 1Sm 14.48).

Filístia. Ocupava a planície marítima de Canaã, entre Jope e Gaza. Os filisteus foram adversários perenes de Israel, durante os seus primeiros dias na Terra Prometida. Ver Jz 3.3 e 31. Ver também 1Sm 4.1. O profeta Amós os condenou (Am 1.8).

■ **83.8** (na Bíblia hebraica corresponde ao **83.9**)

גַּם־אַשּׁוּר נִלְוָה עִמָּם הָיוּ זְרוֹעַ לִבְנֵי־לוֹט סֶלָה׃

Assíria. É provável que este nome aponte para a Mesopotâmia e/ou as áreas persas (ver Judite 2.1), e não para o império assírio que caiu em 612 a.C., quando Nínive sucumbiu diante dos babilônios. Um uso mais restrito desse nome locativo também se encontra em Ed 6.22.

Filhos de Ló. São constituídos pelos moabitas e amonitas (ver Dt 2.9,19). Posteriormente, foram de especial ajuda para a Assíria. Essa declaração parece fazer dos filhos de Ló os principais participantes da coligação, mas a referência é artificial, pelo que não está em vista nenhum exército unido, mas tão somente uma espécie de pesquisa histórica geral dos inimigos de Israel, através dos séculos. Ver também Gn 19.36-38, quanto aos filhos de Ló.

IMPRECAÇÕES CONTRA A ALIANÇA PROFANA (83.9-18)

■ **83.9** (na Bíblia hebraica corresponde ao **83.10**)

עֲשֵׂה־לָהֶם כְּמִדְיָן כְּסִיסְרָא כְיָבִין בְּנַחַל קִישׁוֹן׃

Faze-lhes como fizeste a Midiã. Nestes versículos o salmista mostra o que gostaria que acontecesse a todos os inimigos de Israel, destacando exemplos das derrotas desgraçadas de alguns adversários de Israel, *no passado,* para servir de lições objetivas do que deveria suceder a todos eles, incluindo a presente coligação hipotética. De maneira um tanto confusa, *duas* vitórias significativas são apresentadas nos vss. 9 a 11:

1. Houve a inesperada e atordoante vitória de *Gideão* sobre os midianitas, o que é registrado em Jz 7 e 8.
2. Então houve a brilhante vitória de *Débora* e *Baraque* sobre Sísera, registrada nos capítulos 4 e 5 do livro de Juízes. *Jabim* foi o monarca de Hazor, e o general de seu exército foi Sísera. Ver no *Dicionário* o artigo chamado *Jabim,* número dois. A localidade da batalha foi *Quisom* (ver a respeito no *Dicionário*). Era um wadi que fluía e flui para noroeste, através da planície de Esdrelom, e deságua no mar Mediterrâneo, perto da moderna cidade de Haifa.

■ **83.10** (na Bíblia hebraica corresponde ao **83.11**)

נִשְׁמְדוּ בְעֵין־דֹּאר הָיוּ דֹּמֶן לָאֲדָמָה׃

En-Dor. Esta localidade (ver Jz 5.19, quanto à área em geral) não é mencionada nos capítulos 4 e 5 de Juízes, mas foi o campo de batalha da vitória de Débora e Baraque. Não ficava distante de Taanaque e Medito, que Débora celebrou em seu cântico de vitória. Para maiores detalhes ver no *Dicionário* o verbete intitulado *En-Dor.*

Adubo para a terra. Fica implícito nessas palavras que aos cadáveres dos inimigos não se deu sepultura, pelo que seus corpos se tornaram bons fertilizantes do solo, pois somente para isso prestavam. Naturalmente, essa circunstância foi uma situação bastante degradante para os envolvidos, para nada dizer sobre suas famílias, que nem ao menos tiveram a chance de sepultar os cadáveres. Diz o Targum: "Eles se tornaram como *esterco,* pisados sobre a terra", embora não saibamos dizer se temos aí uma avaliação correta sobre o que aconteceu.

■ **83.11** (na Bíblia hebraica corresponde ao **83.12**)

שִׁיתֵמוֹ נְדִיבֵמוֹ כְּעֹרֵב וְכִזְאֵב וּכְזֶבַח וּכְצַלְמֻנָּע כָּל־נְסִיכֵמוֹ׃

Neste ponto, o poeta retorna à vitória de Gideão (vs. 9a). *Orebe* e *Zeebe* eram os líderes dos exércitos midianitas (ver Jz 7.25), e Zeba e Zalmuna eram os reis midianitas (ver Jz 8.5,6,12,18). Deve ter havido temível oposição contra os israelitas, mas Gideão venceu o adversário porque Yahweh estava com ele. O salmista esperava que todos os adversários de Israel também fossem reduzidos a nada. Gideão atacou uma força de quinze mil homens em Carcor e aprisionou os dois reis midianitas. E, ao ouvir que esses reis tinham matado seus irmãos, prontamente os executou. Um fantástico total de 120 mil midianitas pereceu.

Os Desejos da Aliança Profana (83.12)

■ **83.12** (na Bíblia hebraica corresponde ao **83.13**)

אֲשֶׁר אָמְרוּ נִירֲשָׁה לָּנוּ אֵת נְאוֹת אֱלֹהִים׃

Que disseram: Apoderemo-nos das habitações de Deus. Aqueles homens miseráveis tinham esperança de apossar-se dos pastos de Israel (e, portanto, de Deus). Por isso o poeta sacro proferiu contra eles uma maldição para que tivessem um fim desgraçado, tal como acontecera aos inimigos de Gideão e Débora. Este versículo fala da aliança profana, retornando ao tema do vs. 8. É provável que "habitações", neste caso, seja uma referência à totalidade da terra de Canaã. Se Israel fosse obliterado, *todas* as suas terras se tornariam a possessão de povos estrangeiros, os quais se aproveitariam dessas terras e dos animais domesticados de Israel. Cf. Sl 79.7. Cf. também 2Cr 20.11.

Prosseguem as Imprecações (83.13-18)

■ **83.13** (na Bíblia hebraica corresponde ao **83.14**)

אֱלֹהַי שִׁיתֵמוֹ כַגַּלְגַּל כְּקַשׁ לִפְנֵי־רוּחַ׃

Como folhas impelidas por um redemoinho. A maldição de Elohim contra os inimigos de Israel fazia deles meras folhas arrebatadas pelo tufão. Alguns pensam aqui em certo tipo de arbusto baixo que, quando está seco, é partido pelo vento perto do solo. Sendo redondo, o vento então o empurra como se fosse uma bola. O hebraico diz, literalmente, "coisa rolante", o que dá asas à imaginação dos intérpretes para pensar que tipo de coisa rolante poderia estar em pauta. Estamos informados de que existem tipos desse arbusto, na Palestina, tão comuns como na parte ocidental dos Estados Unidos. "Na estação certa do ano, milhares desses arbustos chegam rolando pelas planícies, saltando impulsionados pelo vento... Até hoje os árabes, que chamam a planta de *'akhub*, empregam o fenômeno da mesma maneira figurada: Que sejas empurrado como o *'akhub*, pelo vento!" (Thomson, *Land and Book*, 536).

Como a palha ao léu do vento. O ceifeiro lança os grãos no ar, e o vento pega a palha e a sopra, separando-a do grão, e isso representa os ímpios, que em breve serão removidos e não mais serão vistos. O vento padeja os pecadores e os reduz a nada. Elohim é a força por trás do vento, pois tudo está sob o seu controle. Yahweh é o redemoinho que espalha os iníquos.

■ **83.14** (na Bíblia hebraica corresponde ao **83.15**)

כְּאֵשׁ תִּבְעַר־יָעַר וּכְלֶהָבָה תְּלַהֵט הָרִים׃

Como o fogo devora um bosque. Agora a ira de Deus é retratada como se fosse o *fogo*. Esta é uma metáfora muito comum que deu origem à noção de que o julgamento no hades se dará mediante chamas literais. Tentar danificar almas imateriais com chamas literais é como tentar atingir o sol com uma pedrada. Todavia, o julgamento mediante o fogo literal só entrou na teologia dos hebreus no livro de 1Enoque, onde, conforme os eruditos bem o sabem, as chamas do inferno foram acesas pela primeira vez. Ali a figura é a de um *rio* de fogo, que terminou sendo um *lago de fogo* no livro de Apocalipse (19.20 e 20.10). A primeira metáfora do poeta é a de um simples queimar de um bosque, mediante incêndio, algo visto muitas vezes por ano na antiga Palestina. Então ele imaginou um fogo que fez explodir em chamas as faldas das montanhas, uma visão também comum na antiguidade. A madeira queima e se consome, e outro tanto sucede às florestas nos lados das montanhas. O fogo é destruidor, irresistível e purificador. Mas o poeta, com a sua metáfora, entendia uma *destruição feroz*, que deixaria os inimigos de Israel reduzidos a cinzas. As palavras do poeta são brutais, porquanto ele clamava por *vingança*, a fim de que aqueles que causaram sofrimentos viessem eles próprios a sofrer. Nisso teríamos o cumprimento da *Lei Moral da Colheita segundo a Semeadura* (ver a respeito no *Dicionário*). Cf. Is 10.17,18 e Zc 12.6, quanto a figuras similares de linguagem. No livro de Isaías, todo o império assírio seria consumido pelo fogo de Yahweh em *um único* dia.

"Na Palestina, os espinheiros e os arbustos espinhosos cresciam com tanta força que os lados dos montes tinham primeiramente de ser queimados a fogo, antes que se pudesse usar o arado" (Thomson, *Land and Book*, pág. 341). Além disso, naturalmente, havia incêndios florestais que eram e são iniciados por meio de raios, e provavelmente essa é a figura simbólica tencionada no versículo. O poeta esperava que o raio de Elohim queimasse os pagãos que perseguiam o povo de Israel. O poeta, pois, esperava pela aplicação da *Lex Talionis*, ou seja, a retribuição conforme a gravidade do crime cometido. Ver no *Dicionário* o verbete intitulado *Lex Talionis*.

■ **83.15** (na Bíblia hebraica corresponde ao **83.16**)

כֵּן תִּרְדְּפֵם בְּסַעֲרֶךָ וּבְסוּפָתְךָ תְבַהֲלֵם׃

Assim, persegue-os com a tua tempestade. Continuam aqui *as metáforas de vingança e imprecação*. Tempestades violentas e tufões de vento representam agora os terrores que Yahweh-Elohim enviaria contra os inimigos de Israel. As execrações proferidas pelos sacerdotes eram tidas como dotadas de poder especial. Ver o caso de Balaão, em Nm 22.6. Presumivelmente, os deuses e Deus davam muita atenção a tais declarações.

John Gill (*in loc.*), cristianizando este versículo, faz essas tempestades seguir os ímpios até a outra vida. Cf. Jó 27.20,21 e Sl 11.6: "Fará chover sobre os perversos brasas de fogo e enxofre, e vento abrasador será a parte do seu cálice".

■ **83.16** (na Bíblia hebraica corresponde ao **83.17**)

מַלֵּא פְנֵיהֶם קָלוֹן וִיבַקְשׁוּ שִׁמְךָ יְהוָה׃

Enche-lhes o rosto de ignomínia. Quanto à *vergonha* que enevoa o rosto dos que sofrem castigo, ver Sl 25.1; 35.26; 37.19; 69.6; 74.21 e 78.66. Aqui, a maldição supostamente exerce efeito *remediador*, levando os ímpios a buscar a face de Yahweh. O retorno ao Senhor sempre será melhor do que a devastação, e sabemos que todos os juízos de Deus têm por finalidade curar, e não meramente castigar. Anotei esse princípio no *Novo Testamento Interpretado*, em 1Pe 4.6. É verdade que temos em vista aqui a *submissão* a Yahweh, mas qualquer ato desses deve render resultados benéficos. "Podemos ter isso como um desejo mais nobre e uma esperança mais ampla, a esperança profética de uma união de nações e a crença na paternidade comum de Deus" (Ellicott, *in loc.*). Ver na *Enciclopédia de Bíblia, Teologia e Filosofia* o artigo chamado *Restauração*.

■ **83.17** (na Bíblia hebraica corresponde ao **83.18**)

יֵבֹשׁוּ וְיִבָּהֲלוּ עֲדֵי־עַד וְיַחְפְּרוּ וְיֹאבֵדוּ׃

Sejam envergonhados e confundidos perpetuamente. Mas agora, contrastando com o que se lê no versículo anterior, temos os ímpios confundidos para sempre, sem esperança de um tempo em que pudessem buscar a salvação em Yahweh. Isso significa que nenhum remédio seria encontrado e que a punição divina haveria de aniquilá-los e apagaria seus nomes para sempre. Não podemos usar este versículo como texto de prova em favor da punição eterna, o que é feito com tanto afã por alguns que o cristianizam. Essa doutrina ainda não havia entrado no pensamento dos hebreus. Cf. Dn 12.2, onde chegamos a essa doutrina entre os hebreus, embora sem o adorno das chamas, a "contribuição" de 1Enoque, o livro pseudepígrafo que acendeu as chamas do inferno pela primeira vez no pensamento dos hebreus. Nosso autor não estava interessado em mostrar-se evangélico e misericordioso. Ele queria ver o esmagamento cabal dos adversários de Israel, em um castigo sem remédio, embora, por um momento, tenha sugerido um raio de esperança no vs. 16.

"Alguns estudiosos objetam às execrações que aparecem no livro de Salmos, mas isso porque não consideram todos os fatores envolvidos. Nenhuma dessas execrações se refere nem à *alma* nem ao *estado eterno*. Meramente tecem referência à baderna nos atuais atos voluntários. Suponhamos que as potências da Europa continental se aliassem e tentassem juntas subjugar a Grã-Bretanha para destruir a fé protestante. Haveria um cristão em nossa terra que não se sentiria justificado em enfrentá-los com execrações similares ou idênticas?

Prostrada minha alma, eu dirigiria a Deus cada uma dessas execrações contra tais invasores. Selá" (Adam Clarke, *in loc.*).

■ **83.18** (na Bíblia hebraica corresponde ao **83.19**)

וְיֵדְעוּ כִּי־אַתָּה שִׁמְךָ יְהוָה לְבַדֶּךָ עֶלְיוֹן עַל־כָּל־הָאָרֶץ׃

E reconhecerão que só tu. Se as execrações funcionassem, conforme o poeta sagrado esperava, então Yahweh seria elevado entre as nações como o Deus Altíssimo, e seu reinado universal seria reconhecido. Isso seria justo e apropriado, e também cumpriria sua providência negativa, bem como da *Lei Moral da Colheita segundo a Semeadura* (ver no *Dicionário*). Ver também sobre *Altíssimo*, e em Sl 7.17, quanto a ideias adicionais. "Eles aprenderiam, pelo caminho difícil, que somente Deus é o Senhor Soberano" (Allen P. Ross, *in loc.*). "O encerramento da oração do salmista é que fosse exaltado o poder universal e onipotente do Senhor" (William R. Taylor, *in loc.*). Ver no *Dicionário* o verbete intitulado *Soberania de Deus*. "Em outras palavras, a seu próprio modo, isso é um testemunho de fé na inviolabilidade da lei moral, a cuja harmonia todos os homens devem chegar finalmente" (J. R. P. Sclater, *in loc.*). "Para que eles reconheçam e se convertam a ti. Aqui não há malícia alguma" (Adam Clarke, *in loc.*).

SALMO OITENTA E QUATRO

Quanto a *informações gerais* que se aplicam a todos os salmos, ver a introdução ao Salmo 4, onde apresento *sete* comentários que elucidam a natureza do livro. Quanto às *classes* dos salmos, ver o gráfico no início do comentário, que atua como uma espécie de frontispício. Ofereço ali dezessete classes e listo os salmos pertencentes a cada uma delas.

Este é um dos *cânticos de Sião*, o alvo anelado dos peregrinos. A lei mosaica requeria que todos os hebreus do sexo masculino peregrinassem a Jerusalém e ao templo, três vezes por ano, para participar das maiores festividades religiosas anuais: a Páscoa, o Pentecoste e os tabernáculos. Mas podemos ter certeza de que, conforme Israel se expandiu, esse ideal foi paulatinamente abandonado. Não obstante, sempre houve pessoas devotas que anelavam ir a Jerusalém e participar das festividades e do culto do templo.

"O autor do Salmo 84, tal como o autor do Salmo 73, sentia que a moradia do Senhor era um lugar bem-aventurado que o inspirava a composição de poemas. O poeta esperava que ali o participante experimentasse a *presença* do Deus vivo (vss. 2,7,11,12). Fleming James chamava este salmo de "salmo supremo do santuário" (*Thirty Psalmists*, pág. 72). Talvez ele tenha sido composto por alguém que esteve presente em uma daquelas peregrinações e possuía memórias queridas de peregrinações anteriores, ou por alguém que havia feito a jornada e se gloriava dos esplendores de Jerusalém e seu templo. Em ambos os casos, encontramos no autor uma piedade marcante e um espírito sensível para com as realidades de Deus. Não somos capazes de conjecturar qual festival esteve envolvido na composição deste salmo. Mas o vs. 6 menciona a "primeira chuva", e isso apontaria para fins do mês de outubro e, talvez, para a Festa dos Tabernáculos (15-21 de tisri).

Subtítulo. Encontramos aqui o seguinte subtítulo: "Ao mestre de canto. Segundo a melodia: Os lagares. Salmo dos filhos de Coré". Este subtítulo é similar ao do Salmo 8, com exceção de que aquele foi atribuído a Davi, enquanto o salmo presente pertenceria aos filhos de Coré. O Salmo 81 também conta com o mesmo subtítulo, embora seja atribuído a Asafe. Os subtítulos não faziam parte original dos salmos, mas foram acrescentados por editores subsequentes, que tentaram adivinhar a autoria e outros pormenores, como acontecimentos históricos que inspiraram a composição dos poemas. Os filhos de Coré aparecem como autores dos seguintes onze salmos: 42; 44 a 49; 84 e 85; 87 e 88. Talvez esteja em foco Coré, bisneto de Levi (ver Nm 16.1-50; 1Cr 6.31-38; 2Cr 20.19).

ANELO PELOS TABERNÁCULOS DO SENHOR (84.1,2)

■ **84.1** (na Bíblia hebraica corresponde ao **84.1,2**)

לַמְנַצֵּחַ עַל־הַגִּתִּית לִבְנֵי־קֹרַח מִזְמוֹר׃
מַה־יְּדִידוֹת מִשְׁכְּנוֹתֶיךָ יְהוָה צְבָאוֹת׃

Quão amáveis são os teus tabernáculos. "Este salmo é companheiro dos Salmos 42 e 43, porquanto expressa o mesmo anelo pelo lugar formal de adoração. Tecnicamente, é um cântico de peregrinação, embora não faça parte da coletânea de salmos de peregrinação (Salmos 120 a 134). Ele declara a bem-aventurança de um crente que se dirige, cheio de fé, ao templo, para orar ao Senhor" (Allen P. Ross, *in loc.*).

A habitação do Senhor, o templo de Deus, onde ele se manifestava a sua presença, é declarada aqui como lugar *amorável*. A palavra hebraica assim traduzida pode significar tanto "amado" quanto "amorável". O poeta sagrado mostrou-se entusiasmado acerca de tudo o que o templo representava, e foi ali buscar a presença de Deus, e não meramente participar de cerimônias e sacrifícios. O salmo destaca esse fato. Ver os vss. 2, 7, 11 e 12.

Tabernáculos. Ou seja, "habitações". Cf. Sl 43.3. Os lugares onde o Senhor se manifestava tornavam-se *amoráveis*. O templo era o principal desses lugares. Mas a forma plural, "tabernáculos", foi usada poeticamente e aponta especificamente para o *templo*. Os homens espirituais aprendem que todos precisamos do toque místico em nossa espiritualidade. Não basta orar, ler a Bíblia e obedecer aos mandamentos. Na presença do Senhor há alegria e progresso espiritual. Ver no *Dicionário* o verbete intitulado *Misticismo*. Precisamos manter contato e comunhão com algo maior que nós mesmos, além dos rituais da fé; e nisso consiste a essência do verdadeiro misticismo.

Envia a tua luz e a tua verdade, para que me guiem e me levem ao teu santo monte, e aos teus tabernáculos.

Salmo 43.3

Cf. Is 32.18 e 33.20,24.

Senhor dos Exércitos! Quanto a esta expressão, examiná-la no *Dicionário* e também em 1Rs 18.5. Os "exércitos" aqui referidos são os do céu e da terra, e a metáfora militar não é enfatizada. Está em vista a universalidade de Deus, o seu domínio total.

■ **84.2** (na Bíblia hebraica corresponde ao **84.3**)

נִכְסְפָה וְגַם־כָּלְתָה נַפְשִׁי לְחַצְרוֹת יְהוָה לִבִּי וּבְשָׂרִי יְרַנְּנוּ אֶל אֵל־חָי׃

A minha alma suspira e desfalece. O peregrino, lá fora, relembrando as agradáveis visitas ao templo, ou aquele que chegasse a Jerusalém para mais uma visita à cidade, nunca perdia o entusiasmo pelas coisas de Deus que o templo oferecia. Ele amava os ritos e as cerimônias, mas ficava ainda mais interessado por tocar, uma vez mais, as vestes celestes de Yahweh, isto é, sentir novamente a tão próxima presença de Deus. Em seu coração havia anelos tais que o espírito desfalecia dentro dele, e ele tentava suportar as fortes emoções espirituais que emanavam de sua alma. Seu coração e seu corpo clamavam por Deus, em uma profunda espiritualidade que raramente testificamos. Portanto, temos aqui menção a *alma... coração... corpo* (carne), que apontam para o ser completo do poeta.

Amarás, pois, o Senhor teu Deus de todo o teu coração, de toda a tua alma, e de toda a tua força.

Deuteronômio 6.5

Suspira. O hebraico original diz aqui, literalmente, "empalidece", como acontece com aquele que está prestes a desmaiar. Uma profunda emoção tomava conta do indivíduo, pelo que ele se sentia desmaiar, sob a aura da presença do Senhor. Ver Sl 63.1, quanto a outro anelo fervoroso pelo Ser divino.

Desejai ardentemente, como crianças recém-nascidas, o genuíno leite espiritual, para que por ele vos seja dado crescimento para salvação.

1Pedro 2.2

"Todos os desejos de minha alma e de meu corpo, todo *apetite* e querer, tanto animal quanto espiritual, anelam por te servir" (Adam Clarke, *in loc.*).

Deus vivo. Ou seja, Yahweh, o Deus eterno, o único Deus verdadeiro e vivo, em contraste com os ídolos e as divindades imaginárias dos pagãos. Ver Sl 42.1-5, onde também encontramos a expressão

Deus vivo, e sentimentos similares. Os homens podiam aproximar-se dele através de sacrifícios, mas o poeta não se contentava somente com isso.

A FELICIDADE DOS QUE HABITAM NO TEMPLO (84.3,4)

■ **84.3** (na Bíblia hebraica corresponde ao **84.4**)

גַּם־צִפּוֹר ׀ מָצְאָה בַיִת וּדְרוֹר ׀ קֵן לָהּ אֲשֶׁר־שָׁתָה
אֶפְרֹחֶיהָ אֶת־מִזְבְּחוֹתֶיךָ יְהוָה צְבָאוֹת מַלְכִּי וֵאלֹהָי׃

O pardal encontrou casa. Todos os seres vivos precisam de alguma habitação onde morar. O pardal constrói seu ninho com materiais humildes, mas esse ninho lhe serve apropriadamente. A andorinha precisa de um tipo diferente de ninho e esforça-se para armá-lo. Contentes, os passarinhos encontram refúgio em seus ninhos. A verdadeira habitação do homem é a presença de Deus, a qual se manifestava ocasionalmente no templo. Portanto, o poeta sagrado corria para o templo como seu lar real à face da terra. Os ninhos dos passarinhos tornam-se seus altares, os lugares onde eles põem e chocam seus ovos e onde criam seus filhotes. Não há aqui indícios de que os pássaros tinham permissão de construir os ninhos perto dos terrenos do templo, muito menos perto dos altares. O poeta estava falando metaforicamente. Que os pássaros construíam ninhos perto do templo, sem dúvida também era verdade, e esse é o fato que sugeriu a metáfora. Encontramos uma crônica similar em Herodes, *Hist.* 1.159, onde lemos sobre Aristodico, que fez um circuito em torno do templo, em Branquidae, e encontrou ninhos de andorinhas e de outras aves nas proximidades, e até nos terrenos do templo. Aeliano fala acerca de um pássaro que construiu seu ninho no templo de Esculápio. Alguns estudiosos supõem que os *pássaros* simbolizassem os sacerdotes, os quais residiam em pequenos espaços dentro da estrutura do templo. Em certo sentido, os sacerdotes eram *pássaros aninhados,* e o poeta pode ter invejado a posição privilegiada deles.

O pardal. A palavra hebraica assim traduzida, *tsippor,* refere-se a certo número de *passarinhos,* um vocábulo que figura por cerca de quarenta vezes no Antigo Testamento. A andorinha, *deror,* devido à sua etimologia, aponta para um pássaro de voo rápido e cheio de circunvoluções (ver Pv 26.2), e pode ser uma das aves assim chamadas. Assim sendo, tanto as aves pequenas como as maiores tinham altares como casas; e outro tanto sucede ao homem. O siríaco traduz essa palavra por *pombo* e *rolinha,* havendo ainda outras possibilidades. Os hebreus não tinham nomes científicos para as aves e para os animais, pelo que ficamos na dúvida quanto às identificações exatas desses nomes.

Os teus altares. Ver sobre esta palavra no *Dicionário,* especialmente a seção IV.

Senhor dos Exércitos, Rei meu e Deus meu! Note o leitor os vários nomes divinos mediante os quais o salmista se dirige ao Ser divino, cada qual com seu próprio sentido especial. Essa *pluralidade* de nomes originou-se de um coração inchado, que o tornou espiritualmente verboso. O Deus de muitos nomes tem recursos infinitos e abençoa com *abundância.*

■ **84.4** (na Bíblia hebraica corresponde ao **84.5**)

אַשְׁרֵי יוֹשְׁבֵי בֵיתֶךָ עוֹד יְהַלְלוּךָ סֶּלָה׃

Bem-aventurados, Senhor, os que habitam em tua casa. Os peregrinos que visitavam Jerusalém e iam ao templo eram *bem-aventurados,* ou seja, eram *felizes,* emocional e espiritualmente. A presença de Deus os deixava em *êxtase,* que é uma das categorias do misticismo. A palavra "habitam", aqui usada, refere-se ao *sacerdócio* do templo, que vivia no templo. "A Mishnah registra que havia sacerdotes de plantão no templo, os quais dormiam na 'câmara do coração' (*Tamid* 1.1). E também havia abrigos na área do templo... ver Ne 13.4-9. Quanto a anelos semelhantes pela segurança e paz do templo, cf. Sl 23.6; 27.4 e 65.4" (William R. Taylor, *in loc.*). Também existe o templo do coração, onde o Espírito Santo veio habitar (1Co 6.19,20) e onde um homem pode comungar com a presença de Deus e encontrar bem-aventurança. Os sacerdotes, pois, eram os passarinhos do templo, pois ali residiam; mas qualquer homem cujo coração esteja preparado pode armar seu ninho na presença de Deus e contar com o Espírito Santo em seu coração, o que o transforma em um templo.

As pessoas assim privilegiadas viverão em louvor contínuo, devido à felicidade, paz, segurança e provisão. Portanto, o Targum diz aqui "bem-aventurados são os retos", ampliando ainda mais a referência.

Ofereçamos a Deus, sempre, sacrifício de louvor, que é o fruto de lábios que confessam o seu nome.

Hebreus 13.15

A *chamada especializada* para habitar no templo era bem-aventurada, mas qualquer indivíduo pode especializar-se em buscar a presença de Deus. Os homens espirituais conhecem essas coisas.

A ALEGRIA DOS PEREGRINOS A SIÃO (84.5-7)

■ **84.5** (na Bíblia hebraica corresponde ao **84.6**)

אַשְׁרֵי אָדָם עוֹז־לוֹ בָךְ מְסִלּוֹת בִּלְבָבָם׃

Bem-aventurado o homem cuja força está em ti. Os homens espirituais são, igualmente, os indivíduos *fortes,* e são fortalecidos por Yahweh. Eles vivem por mais tempo e melhor, e a vida deles é condimentada com aprazimentos divinos. Eles são *felizes,* e sua felicidade, concedida pelo Espírito Santo, que vive dentro deles, é subproduto de sua fé e conduta. Eles têm a esperança da vida eterna, e essa esperança ilumina-lhes o coração todos os dias. *Há alegria para quem serve a Jesus,* conforme diz um antigo hino evangélico. Os peregrinos avançam na direção de Sião. Sua caminhada os conduz para lá. É por isso que a *Revised Standard Version,* em vez de "caminhos aplanados", diz "Sião", visto estarmos tratando com as alegrias dos peregrinos que viajaram até aquele lugar. Alguns rabinos antigos também supriam as palavras "para Sião", conforme fazem certas traduções modernas. Cf. Dt 16.16. Os homens para lá se dirigiam, a fim de comparecer perante o Senhor, e alguns esperavam experimentar a presença do Senhor durante a visita que faziam ali. Ritos e cerimônias podem ser interessantes, mas a alma clama por algo mais. Ver no *Dicionário* o verbete chamado *Misticismo.*

> No segredo de sua presença,
> Como a minha alma deleita-se em esconder-se!
> Oh, quão preciosas são as lições
> Que aprendo aos pés de Jesus.
> Os cuidados terrenais nunca poderão vexar-me,
> Nem provações me podem rebaixar.
>
> Ellen Lakshmi Goreh

Havia uma *mui amada rota,* bastante conhecida, que levava a um santuário sagrado; e os indivíduos piedosos tinham alegria só de pensar nela; e tinham mais alegria ainda em seguir pelo caminho que os conduziria ao lugar mais amado da face da terra, o templo de Jerusalém. Os católicos romanos, os católicos ortodoxos e os anglicanos têm santuários sagrados, mas os evangélicos são como aranhas espalhadas em campos de fragmentação. Como tantos se reúnem diante dos santuários até hoje, gozando de muitas alegrias ao longo do caminho! O papa João Paulo II, quando foi ferido, buscou em um santuário de Portugal ajuda e cura e então parou para conversar com uma das primas de Fátima. Ele se importava com a comercialização do santuário? Ele estava ali em negociações sérias. O príncipe Charles, da Inglaterra, visitou um santuário em St. Agnes, para obter cura para um ombro machucado. Talvez os evangélicos tenham perdido alguma coisa por não conservarem essas tradições históricas, cada um em sua própria pequena igreja democrática, fazendo suas próprias coisas. E, não esqueçamos, os evangélicos sempre criticam os que são diferentes deles.

■ **84.6** (na Bíblia hebraica corresponde ao **84.7**)

עֹבְרֵי בְּעֵמֶק הַבָּכָא מַעְיָן יְשִׁיתוּהוּ גַּם־בְּרָכוֹת יַעְטֶה
מוֹרֶה׃

O qual, passando pelo vale árido. O caminho de Jerusalém passava pelo vale de Baca, lugar que em certos períodos do ano ficava bem regado, uma das bênçãos de Deus, e onde os peregrinos se alegravam em estar. Esse era um trecho da *rota sagrada* pela qual eles enveredavam, e só por estarem a caminho já se enchiam de júbilo. Talvez tenhamos aqui uma referência às *primeiras chuvas* do mês de outubro, o que pode significar que a festa citada neste salmo fosse a dos tabernáculos, que ocorria no mês de tisri. Ao que tudo indica, Baca era, usualmente, um lugar desértico, mas quando os peregrinos passavam pelo local Deus os abençoava com chuvas, fazendo aquele deserto isolado florescer como a rosa. Os termos *Baca* e *vale de Baca* têm ocasionado várias dificuldades de interpretação, pelo que convido o leitor a examinar no *Dicionário* os dois artigos chamados *Baca* e *Baca, Vale de*.

"Quando os seguidores de Deus estão passando pelo deserto deste mundo, Deus abre para eles fontes no deserto e poços em lugares secos. Eles bebem da fonte da salvação. E não se veem destituídos de *pastores*. Deus cuida, dando aos seus seguidores *mestres* segundo o seu próprio coração, que os alimentam com conhecimento. E enquanto esses mestres saciam a sede de sua gente, eles mesmos bebem água. Deus os cumula com os seus benefícios, e o povo se cobre de bênçãos" (Adam Clarke, *in loc.*, com uma excelente aplicação deste versículo).

"... as chuvas benignas transformavam o deserto em um jardim, o que quer dizer que a resolução e a fé transformam as desvantagens em proveito" (Ellicott, *in loc.*).

> Chego ao jardim sozinho,
> Quando o orvalho ainda está nas rosas,
> E a voz que ouço, ferindo-me a audição,
> É a voz do Filho de Deus.
> E ele anda comigo e conversa comigo,
> E me diz que eu lhe pertenço.
> E a alegria que partilhamos,
> enquanto ali nos demoramos,
> Ninguém antes já experimentou.
>
> C. Austin Miles

■ **84.7** (na Bíblia hebraica corresponde ao **84.8**)

יֵלְכוּ מֵחַיִל אֶל־חָיִל יֵרָאֶה אֶל־אֱלֹהִים בְּצִיּוֹן׃

Vão indo de força em força. Os peregrinos avançavam de força em força, pois eram homens "cuja força era o Senhor, que ficava mais forte de dia para dia, e não se fatigavam com a jornada para Sião (cf. Is 40.31; Pv 4.18)" (William R. Taylor, *in loc.*). "Cada dificuldade ultrapassada aumentava a coragem e o vigor" (Ellicott, *in loc.*).

> Ele não se cansava na luta terrena,
> Mas avançava aumentando as suas forças;
> Sua alma sentia-se capaz e vencia
> todas as batalhas,
> Montado de todo coração na vida eterna.
>
> Matthew Arnold

Aparece diante de Deus em Sião. A versão siríaca e a Septuaginta dizem aqui "Deus de deuses"; e uma leve emenda no texto hebraico pode dar-nos esse sentido. Alguns estudiosos supõem que isso correspondesse ao hebraico original, mas o texto massorético fez uma emenda para evitar a possível referência politeísta. Ver no *Dicionário* o verbete intitulado *Massora (Massorah); Texto Massorético*, quanto a informações sobre o texto hebraico padronizado. Algumas vezes, as versões antigas retêm algum texto mais antigo que o texto hebraico conhecido atualmente, conforme tem sido demonstrado pelos manuscritos em hebraico dos Papiros do Mar Morto. O manuscrito hebraico mais antigo, por trás do texto massorético, data do século IX d.C. Era apenas lógico esperar que, algumas vezes, as versões antigas tivessem retido um texto superior ao dos últimos manuscritos em hebraico. Ver no *Dicionário* o verbete chamado *Mar Morto, Manuscritos (Rolos) do*. Cf. a referência poética controvertida em Sl 82.1. A palavra "deuses", que aparece então naquelas versões antigas, caso corresponda mesmo ao original, pode ser uma referência poética a alegados deuses pagãos, e não uma afirmação dogmática de que tais divindades realmente existem.

Sem importar como dizia o texto original, o fato é que a mensagem do trecho é bastante clara. A peregrinação guia a Elohim, em Sião, e é para ele que conduzem todas as veredas espirituais. A alegria da viagem é intensificada pela alegria da chegada. Esperava-se que a presença de Deus fosse sentida por ocasião da festa religiosa, pois essa festa seria um evento bem-aventurado. Cf. Zc 14.16, o aparecimento milenar de todas as nações diante de Deus.

A PETIÇÃO DOS PEREGRINOS (84.8,9)

■ **84.8,9** (na Bíblia hebraica corresponde ao **84.9,10**)

יְהוָה אֱלֹהִים צְבָאוֹת שִׁמְעָה תְפִלָּתִי הַאֲזִינָה אֱלֹהֵי יַעֲקֹב סֶלָה׃

מָגִנֵּנוּ רְאֵה אֱלֹהִים וְהַבֵּט פְּנֵי מְשִׁיחֶךָ׃

Senhor Deus dos Exércitos, escuta-me a oração. Tendo chegado ao destino, os *peregrinos* agora se dirigem a Deus, ao qual tinham proposto visitar, em seu templo. Orações eram oferecidas; votos eram feitos; sacrifícios eram executados, e havia intensa festividade, com cânticos, instrumentos musicais e provavelmente danças. Os vss. 8,9 dão evidência do uso litúrgico deste salmo; e alguns eruditos supõem que esse elemento tenha sido adicionado por alguns editores subsequentes, para adaptar o salmo a esse propósito. O Capitão dos Exércitos (Senhor Deus dos Exércitos; ver o vs. 1) é, igualmente, o Deus de Jacó, ou seja, de Israel, cujos varões tinham feito a viagem, conforme o faziam três vezes a cada ano, na Páscoa, no Pentecoste e nos Tabernáculos.

Escudo nosso. Yahweh é tanto um Deus *protetor* quanto *abençoador*. Ver no *Dicionário* o verbete chamado *Escudo*, no tocante a explicações, inclusive a metafórica. Ver também Sl 3.3; 5.12; 18.35; 28.7; 33.20; 35.2; 59.11; 76.3; 91.4; 115.9-11; 119.114 e 144.2. Ver ainda, no *Dicionário*, o artigo chamado *Armadura, Armas*.

Contempla. Quando o rosto de Elohim brilha sobre um homem, esse homem é abençoado para sempre. Quanto a isso, ver Sl 31.16; 67.1; 80.1,3,7,19; 119.13. Cf. a bênção aarônica, em Nm 6.25. Deus é o sol da vida espiritual de um homem.

O rosto do teu ungido. Possivelmente está em pauta o sumo sacerdote que oficiaria durante a festa, ou então o rei que certamente se faria presente para saudar as multidões que participavam da peregrinação. Haveria um cumprimento especial do júbilo da adoração, e isso atingiria o alvo da peregrinação. Grandes vitórias sempre brindam nosso coração com uma felicidade especial, que nos encoraja a continuar na luta.

Este versículo tem sido cristianizado para fazer com que o "ungido", aqui referido, seja Cristo. Cristo, pois, receberia as bênçãos ilimitadas de Deus, através de seu rosto brilhante, e assim seria capaz de transmitir luz a todos os fiéis. Ademais, Cristo seria o líder dos peregrinos, em sua jornada para o céu, a habitação de Deus. Ver Sl 2.2, quanto ao *Ungido*, e ver no *Dicionário* o verbete chamado *Unção*.

CONFIANÇA NO SENHOR (84.10-12)

■ **84.10** (na Bíblia hebraica corresponde ao **84.11**)

כִּי טוֹב־יוֹם בַּחֲצֵרֶיךָ מֵאָלֶף בָּחַרְתִּי הִסְתּוֹפֵף בְּבֵית אֱלֹהַי מִדּוּר בְּאָהֳלֵי־רֶשַׁע׃

Pois um dia nos teus átrios vale mais que mil. O peregrino estava tomado de alegria e assim comparou "todas as outras coisas" a Jerusalém e ao seu templo. Um *único* dia no santuário era melhor do que mil dias (três anos!) em qualquer outro lugar. Algumas pessoas preferem estar na igreja a estar em qualquer outro lugar, mas não são muitos os que pensam assim. Conheci a esposa de um diácono, a qual era fiel à frequência à igreja; porém, referindo-se ao marido, ela declarou: "Ele é aquele que prefere estar na igreja a estar em qualquer outro lugar". Ela também afirmou: "Sempre haverá uma Betel (uma igreja batista de Salt Lake City, Estado de Utah, Estados Unidos), e ele sempre estará ali". Entretanto, aquela igreja batista não mais existe, e tanto o diácono como a sua esposa desde então foram para o céu, a sua Betel celestial. Portanto, estou conjecturando que ainda pode ser dito a respeito daquele idoso diácono: "Ele prefere estar ali do que em qualquer outro lugar".

Prefiro estar à porta da casa do meu Deus. Diz o trecho hebraico original: "Prefiro estar de pé no limiar", provavelmente referindo-se a *porteiros* (ver a respeito no *Dicionário*). O papel de porteiro era hereditário. Ver 1Cr 26.1-32. Entre os levitas coraítas era distribuída a tarefa de porteiros, além de outros trabalhos manuais. Mas seria mais vantajoso um homem ter um trabalho manual, no templo, do que ser um príncipe "lá fora".

"Ele preferia adorar a Deus à companhia gentil, alegre, honrosa e nobre de homens profanos. Ele preferia adorar a Deus ao júbilo das festas, ao entretenimento público, ao palco, à plataforma de orador e aos bailes... Leitor, quantas vezes já sacrificaste tuas diversões, deleites carnais e prazeres em lugar dos benefícios de ouvir um sermão piedoso, capaz de sondar o coração? Que tua consciência diga a verdade" (Adam Clarke, *in loc.*). O que diria aquele homem bom, se pudesse voltar para visitar uma de nossas igrejas modernas, onde o entretenimento tomou o lugar da adoração, e isso no âmbito da própria *igreja*?

Nas tendas da perversidade. Ou seja, nos lugares mundanos, onde os homens se honram mutuamente, em vez de honrar a Deus; em lugares de diversão e deboche. Talvez o autor falasse sobre hebreus hipócritas e profanos, que tinham pouco uso para as "questões atinentes ao templo"; ou sobre pagãos que honravam a toda espécie de divindades e, em seus templos e em qualquer outro lugar, levavam existências caracterizadas pelo deboche. Cf. Sl 42.3 e 120.5.

■ **84.11** (na Bíblia hebraica corresponde ao **84.12**)

כִּי שֶׁמֶשׁ וּמָגֵן יְהוָה אֱלֹהִים חֵן וְכָבוֹד יִתֵּן יְהוָה לֹא יִמְנַע־טוֹב לַהֹלְכִים בְּתָמִים:

Porque o Senhor Deus é sol e escudo. Acabamos de ver Yahweh-Elohim ser chamado de escudo. Ver o vs. 9, quanto a notas expositivas completas a respeito. Mas este é o único lugar, em todo o Antigo Testamento, onde Deus é chamado de "sol". Cf. algo semelhante em Ml 4.2. Ver também Is 60.19,20. Não há aqui indícios de que Yahweh-Elohim era considerado um deus-sol, algo tão comum nos países do Oriente. Aqui, o sol como representação simbólica de Deus é apenas uma figura poética. Até os antigos povos sabiam que sem o sol não pode haver vida. Portanto, temos em Deus *luz* e *vida*. Eis a razão pela qual não estamos nem um pouco interessados nos alegados benefícios das tendas dos ímpios (vs. 10). Os peregrinos, no templo de Jerusalém, tinham algo da luz e da vida de Deus, pelo que se contentavam em estar ali, promovendo a causa espiritual. Ele é a nossa "luz e salvação" (Sl 27.1; cf. Is 60.19,20). É provável que os hebreus, para evitar qualquer indicação de que poderiam estar adorando o sol, em imitação ao que os pagãos costumavam fazer, evitassem a metáfora, e assim ela só aparece aqui em todo o Antigo Testamento.

O Suprimento de Todas as Necessidades. Yahweh, que é nosso *sol* (ver Sl 84.11), nosso *escudo* (ver Sl 84.9) e nossa *salvação* (ver a nota de sumário em Sl 62.2), é também nosso benfeitor universal, pelo que não negará coisa alguma àqueles que andarem em conformidade com a sua lei (sumariada em Sl 1.2). A lei era o padrão do *andar reto*. Ver no *Dicionário* o verbete chamado *Andar*. Porém, existem coisas más que Deus impedirá no caso dos piedosos, e que estes poderão encontrar nas tendas dos ímpios (vs. 10).

Os vss. 10-12 ensinam "a superioridade da vida no templo, em relação à vida em qualquer outro lugar" (*Oxford Annotated Bible*, comentando o vs. 10).

■ **84.12** (na Bíblia hebraica corresponde ao **84.13**)

יְהוָה צְבָאוֹת אַשְׁרֵי אָדָם בֹּטֵחַ בָּךְ:

Ó Senhor dos Exércitos, feliz o homem que em ti confia. Ver em Sl 16.2 e 32.10 as palavras "favor" e "coisas boas". "Outro requisito para receber as bênçãos de Deus é a *confiança*" (Allen P. Ross, *in loc.*). Sobre como este vocábulo é usado nos salmos, ver Sl 2.12. O homem que aprende a confiar é *feliz*, porquanto derrotou as falácias das coisas boas do mundo, nas quais a alma não encontra satisfação. O *Capitão dos Exércitos* exerce controle universal, pelo que possibilita a realização desse ideal. Este versículo tem sido cristianizado para incluir bênçãos tanto temporais quanto espirituais, incluindo as bênçãos próprias da vida eterna, mediante a salvação que há em Cristo. Depositar a confiança no Senhor é um tema frequente nos salmos. Cf. Sl 4.5; 9.10; 13.5 e 21.7.

"Nenhum sumário sobre a questão precisa ir além da natureza *inclusiva* do vs. 12. Cada expressão da experiência com Deus permanece sem impedimento, em seu próprio direito. Cada indivíduo encontra sua própria medida de felicidade à sua própria maneira, pelo menos enquanto for alguém que continua confiando" (J. R. P. Sclater, *in loc.*). Cf. Jr 17.5,7 e Is 26.3,4. Diz aqui o Targum: "Bem-aventurado o homem que confia na Palavra". Essa asserção tem sido cristianizada para apontar para o Logos, o Cristo.

> Louvado seja Deus, de quem fluem todas as bênçãos;
> Louvai-o, todas as criaturas aqui debaixo;
> Louvai-o lá em cima, vós, hostes celestes.
> Louvai ao Pai, ao Filho e ao Espírito Santo.
>
> Thomas Ken

SALMO OITENTA E CINCO

Quanto a *informações gerais* que se aplicam a todos os salmos, ver a introdução ao Salmo 4, onde apresento *sete* comentários que elucidam a natureza do livro. Quanto às *classes* dos salmos, ver o gráfico no início do comentário sobre o livro, que atua como uma espécie de frontispício da coletânea. Dou ali dezessete classes e listo os salmos pertencentes a cada uma delas.

O Salmo 85 é um *salmo de lamentação*, o que, de longe, forma o grupo mais numeroso de salmos. É uma lamentação em grupo, um pleito para que Elohim livre Israel de sérias dificuldades internas. Esse tipo de salmo usualmente começa com um grito pedindo socorro; em seguida, são descritos os inimigos que estavam sendo enfrentados, que podiam ser pagãos atacando Israel; inimigos pessoais dentro do acampamento de Israel; ou alguma enfermidade física. Com frequência, os salmos de lamentação contêm imprecações contra vários inimigos envolvidos. Usualmente terminam com uma nota de louvor e ação de graças, porquanto a oração feita tinha sido respondida, ou o salmista cria que em breve o seria. Algumas vezes, o salmo termina em desespero, o que também é típico da experiência humana.

Este salmo é uma lamentação grupal por causa das condições nacionais, embora não haja nenhuma evidência de que um invasor pagão esteja em pauta. Talvez houvesse uma falha grave na colheita (vs. 12), aperto econômico ou alguma outra dificuldade indeterminável. Além disso, nada existe neste salmo que nos dê uma ideia precisa sobre quando ele foi composto. Alguns estudiosos supõem que este salmo seja uma oração feita na festividade do Ano Novo ou, talvez, que seja uma liturgia profética.

Subtítulo. O subtítulo diz: "Ao mestre de canto. Salmo dos filhos de Coré". Trata-se das mesmas observações que podem ser encontradas no Salmo 42, exceto pelo fato de que a palavra "instrução" (no hebraico, *masquil*) é ignorada. Onze salmos foram atribuídos aos filhos de Coré por parte de editores posteriores, que escreveram os subtítulos: os de número 42; 44 a 49; 84 e 85; 87 e 88.

AS BENEFICÊNCIAS PASSADAS DO SENHOR (85.1-3)

■ **85.1** (na Bíblia hebraica corresponde ao **85.1,2**)

לַמְנַצֵּחַ לִבְנֵי־קֹרַח מִזְמוֹר:

רָצִיתָ יְהוָה אַרְצֶךָ שַׁבְתָּ שְׁבוּת יַעֲקֹב:

Favoreceste, Senhor, a tua terra. Israel (Judá) estava atravessando uma séria t*ribulação* nacional, a qual, entretanto, é difícil de determinar por qualquer dado existente no próprio salmo, embora o vs. 12 indique uma falha na colheita. Tornou-se necessário um apelo urgente, o qual foi registrado nos vss. 4-7. Os vss. 1-3 referem-se à benevolência passada de Yahweh, que o poeta esperava repetir-se novamente muito em breve. Diz a *King James Version*: "trouxeste de volta o cativeiro de Jacó", em referência ao retorno de Judá da Babilônia, terminado o cativeiro, mas nossa versão portuguesa traduz essa frase por "restauraste a prosperidade de Jacó", o que poderia referir-se a qualquer número de boas providências divinas em favor da sorte de Israel ou Judá. Cf. Jó 42.10, que contém a mesma declaração: "Mudou o Senhor a sorte de Jó". "... reverteu seu estado de aflição" (Fausset, *in loc.*).

> *Oxalá de Sião viesse já a salvação de Israel!*
> *Quando o Senhor restaurar a sorte do seu povo.*
>
> Salmo 14.7

85.2 (na Bíblia hebraica corresponde ao 85.3)

נָשָׂאתָ עֲוֺן עַמֶּךָ כִּסִּיתָ כָל־חַטָּאתָם סֶלָה׃

Perdoaste a iniquidade de teu povo. O pecado foi perdoado e esquecido, pelo que Israel foi libertado de qualquer culpa de julgamento ou retribuição divina. Todo pecado tinha sido *perdoado*. Ver no *Dicionário* o artigo chamado *Perdão*. Essa é a razão pela qual o favor divino tinha sido grande no passado, em qualquer ocasião. As aflições nacionais e pessoais sempre foram causadas pelo *pecado*, de acordo com a mentalidade dos hebreus. Portanto, a presente aflição, qualquer que tenha sido, foi tida como causada por alguma espécie de culpa coletiva.

Perdoaste a iniquidade. Literalmente, ela foi "retirada", "posta fora do caminho", "esquecida", "ocultada". A alusão parece ser ao bode Azazel, que levava os pecados do povo para o deserto.

Iniquidade. A palavra hebraica correspondente é *'avah*, algo *distorcido* ou *pervertido*.

Seus pecados todos. No hebraico, temos aqui a palavra *chattath*, que é qualquer tipo de ofensa, individual ou crônica. Cf. Sl 32.1,2,5 e 78.38, quanto ao mesmo tipo de jogo de palavras que indicam todas as espécies de pecados.

Selá. Quanto aos significados vinculados a esta misteriosa palavra hebraica, ver Sl 3.2.

85.3 (na Bíblia hebraica corresponde ao 85.4)

אָסַפְתָּ כָל־עֶבְרָתֶךָ הֱשִׁיבוֹתָ מֵחֲרוֹן אַפֶּךָ׃

A tua indignação, reprimiste-a toda. A feroz ira de Elohim tinha-se acendido por causa de alguma ofensa de Israel (Judá), mas os pecados foram perdoados, as ofensas foram esquecidas, e assim o castigo passou e foi transformado em bênção. "A ira de Yahweh foi uma *realidade* para o salmista (Sl 2.5,12; 6.1; 7.6; 21.9)" (William R. Taylor, *in loc.*). Este versículo parece ter sido tomado por empréstimo de Êx 32.12. As notas oferecidas ali também se aplicam aqui. A ira foi *coletada* e então *levada adiante*, pois a metáfora do vs. 2 continua aqui.

O APELO POR LIVRAMENTO (85.4-7)

85.4 (na Bíblia hebraica corresponde ao 85.5)

שׁוּבֵנוּ אֱלֹהֵי יִשְׁעֵנוּ וְהָפֵר כַּעַסְךָ עִמָּנוּ׃

Restabelece-nos, ó Deus da nossa salvação. "A grande era do passado, uma espécie de época áurea, não foi destacada do presente por condições que não podiam ser reproduzidas. O Senhor Deus não muda, nem pela perda de poder nem por qualquer veneta fantasiosa. É a *insensatez humana* e o pecado que atrai a miséria contra o indivíduo. Por conseguinte, está ao alcance do homem criar condições que produzem a mudança. Não era uma época nova e diferente que o poeta queria. Era uma *restauração* da época antiga, um bom relacionamento entre um Deus justo e um povo justo" (J. R. P. Sclater, *in loc.*).

"... uma restauração passada, inspirada por uma oração que pedia nova restauração. Revivificados, eles novamente seriam capazes de *regozijar-se* e experimentar seu *amor infalível*" (Allen P. Ross, *in loc.*).

O passado pode ensinar lições valiosas, mas, se os homens insistem em repetir seus erros, as punições continuarão repetindo-se. O teste pelo qual Israel estava passando evidenciava que as lições do passado não haviam sido aprendidas. O pecado continuava criando confusão. Cf. Os 3.5; 2Co 3.16; Rm 1.26. O autor assumiu uma posição teísta. Deus criou e não abandonou o seu universo; ele está sempre presente, pronto para recompensar ou castigar os homens. A sua providência, negativa e positiva, está em operação; sua soberania é operativa. Ver no *Dicionário* os artigos *Teísmo*; *Providência* e *Soberania*.

85.5 (na Bíblia hebraica corresponde ao 85.6)

הַלְעוֹלָם תֶּאֱנַף־בָּנוּ תִּמְשֹׁךְ אַפְּךָ לְדֹר וָדֹר׃

Estarás para sempre irado contra nós? A *severidade* da provação que caíra sobre Israel é *demonstrada* em como ela persistia, o que significava, para o poeta, que a rebeldia de Israel era contínua e sem descanso. Parecia até que os raios de Deus não somente continuariam ferindo aquela geração, mas prosseguiriam futuro adentro, sem que a tempestade da ira divina chegasse a abrandar-se. O salmista preocupava-se com sua própria geração, mas também com as gerações vindouras, porquanto tinha forte identidade com sua nação. Cf. declarações similares em Sl 74.1; 77.7; 79.5; 80.4 e Êx 34.6,7. A restauração dentro do presente tristonho ocorreria se houvesse *reciprocidade*. Seria necessária uma santa reação à santidade celestial. O passado bom não era irrecuperável, mas manter-se-ia distante de um povo desviado.

Porque não passa de um momento a sua ira; o seu favor dura a vida inteira. Ao anoitecer pode vir o choro, mas a alegria vem pela manhã.

Salmo 30.5

"Já sofremos por longo tempo. Nossos pais sofreram, e nós os substituímos em suas aflições. Não faças a tua ira ter-nos como alvo de geração em geração" (Adam Clarke, *in loc.*). Ver sobre morrer ou sofrer pelos pecados dos pais, em Êx 20.5. E ver sofrer ou morrer pelos próprios pecados, em Dt 24.16; Ez 18.20.

85.6 (na Bíblia hebraica corresponde ao 85.7)

הֲלֹא־אַתָּה תָּשׁוּב תְּחַיֵּנוּ וְעַמְּךָ יִשְׂמְחוּ־בָךְ׃

Porventura não tornarás a vivificar-nos...? A graça de Deus, paralelamente ao seu amor, poderia reverter a lamentável situação, pelo que o profeta clamou pedindo uma intervenção divina. O reavivamento, pois, teria o *regozijo*. A longa noite de tristeza terminaria, e o sol faria surgir um novo dia. Quanto à *alegria* dos piedosos, cf. Sl 9.2,15; 13.5 e 14.7. A sentença de morte estivera a ameaçá-los por muito tempo, e eles tinham temido a *extinção*. O que faria Deus sem a sua herança (Israel) (ver Sl 79.1)? O hebraico original diz aqui literalmente: "Não te *volverás* para nos reavivar?" Ver Sl 71.20; 80.18; Dt 32.29; Os 6.2.

Reaviva-nos novamente, enche cada coração com o teu amor;
Que cada alma seja reacendida com fogo descido do alto.

William P. Mackay

Alguns defendem que esta porção bíblica se debruça sobre a restauração da Babilônia, e também sobre a restauração final e nacional de Israel, em Cristo (Rm 11.15; Ez 37.1-10). São boas aplicações, mas não interpretações do texto.

85.7 (na Bíblia hebraica corresponde ao 85.8)

הַרְאֵנוּ יְהוָה חַסְדֶּךָ וְיֶשְׁעֲךָ תִּתֶּן־לָנוּ׃

Mostra-nos, Senhor, a tua misericórdia. A misericórdia divina poderia anular a ira divina, e o livramento divino poderia anular a dor presente, tal e qual as *provisões divinas*, no passado, tinham-se mostrado eficazes. "A alegria no Senhor é um dos primeiros aspectos do fruto da vida (ver At 2.46; 8.39; 16.34; Gl 5.22; Rm 5.11). A alegria santa é uma fonte de *força* (Ne 8.10)" (Fausset, *in loc.*).

Concede-nos a tua salvação. Ou seja, livramento das aflições temporais e restauração às bênçãos do pacto, ou seja, vida longa e próspera, e privilégios do culto no templo. Quanto a notas expositivas completas sobre *Salvação* e sobre *Deus da Salvação*, ver Sl 62.2, onde ofereço explicações e referências.

Senhor, fala comigo para que eu possa falar,
Em reverberações vivas, os teus tons.
Como tens buscado, deixa-me buscar,
Teus filhos errados, perdidos e isolados.

Frances R. Havergal

A BONDADE DO SENHOR (85.8-13)

85.8 (na Bíblia hebraica corresponde ao 85.9)

אֶשְׁמְעָה מַה־יְדַבֵּר הָאֵל יְהוָה כִּי יְדַבֵּר שָׁלוֹם
אֶל־עַמּוֹ וְאֶל־חֲסִידָיו וְאַל־יָשׁוּבוּ לְכִסְלָה׃

Escutarei o que Deus, o Senhor, disser. Agora uma voz individual ergue-se dentro do cântico, talvez a voz de um dos sacerdotes; e, tal como a voz de Isaías, fala de consolação a Jerusalém (ver Is

40.2). Fala de paz aos *santos* que abandonassem a sua insensatez. Essa voz prometeu o amor constante de Deus e a sua salvação, que se demorava nas proximidades. Ela lhes prometeu a glória. Seriam eles capazes de aceitar o desafio? O sacerdote parecia um intérprete; ele ouvia o que Deus dizia, e transmitia ao povo o recado divino. Ouvia a palavra de paz, e assim falava palavras de paz. Exortou os *santos* a deixar para trás sua insensatez, a fim de que as palavras divinas não caíssem por terra.

Seus santos. Quanto a notas expositivas sobre o termo "santos", conforme usado nas páginas do Antigo Testamento, ver Sl 79.2.

Jamais caiam em insensatez. Essas palavras foram emendadas pela Septuaginta para "aos seus santos, para aqueles que se voltarem para eles de todo o coração", tradução seguida pela *Revised Standard Version*. Israel tinha por hábito voltar à insensatez, depois de ter sido beneficiado por uma restauração, pelo que a antiga síndrome do pecado-julgamento-restauração nunca deixou de girar. "Não haverá restauração exceto para aqueles que se reconhecerem como *povo de Deus* (assumindo sua devida identidade), aqueles cuja vida estiver sendo levada na santidade, aqueles que abandonarem a confiança tola em si mesmos. A oração de restauração foi proferida, mas sua resposta só pode ser ouvida pelos que a merecerem" (J. R. P. Sclater, *in loc.*).

Ó ensina-me, Senhor, para que eu ensine
As coisas preciosas que me instruíres.
Dá asas às minhas palavras para que elas atinjam
As profundezas ocultas de muitos corações.

Frances R. Havergal

■ **85.9** (na Bíblia hebraica corresponde ao **85.10**)

אַךְ קָרוֹב לִירֵאָיו יִשְׁעוֹ לִשְׁכֹּן כָּבוֹד בְּאַרְצֵנוּ׃

Próxima está a sua salvação dos que o temem. Os que temem devidamente a Yahweh, *esses* são os que experimentam a sua salvação. Ver no *Dicionário* a palavra *Temor,* quanto a completas explicações e referências que mostram como esse termo é usado no Antigo Testamento. O termo refere-se à *espiritualidade básica* de uma pessoa. Além disso, ver sobre *Salvação* e sobre *Deus da salvação* em Sl 2.2, onde ofereço explicações e referências. Naturalmente, a salvação é um livramento terreno, com bênçãos resultantes nos pactos, mas este versículo tem sido considerado profético e tem sido cristianizado para refletir a salvação evangélica, incluindo a vida eterna na habitação de Deus. Ver no *Dicionário* o verbete intitulado *Salvação*.

A glória. O salmista falava sobre a glória da presença de Deus no templo de Jerusalém e então sobre a glória no templo do coração. Cf. Sl 63.2; Ez 10.18; 43.4; Zc 2.5. "Glória significa a manifestação da presença de Deus (ver Is 60.1,2). Essas ideias exprimiam o cumprimento final de Israel em torno de Cristo. Tal promessa de paz e salvação, através da glória Daquele que habita entre os homens, pode ter estado na mente do apóstolo João quando ele escreveu João 1.14" (Allen P. Ross, *in loc.*, profetizando e cristianizando o texto). O poeta contemplava uma *utopia*, que, naturalmente, só pôde ser realizada em Cristo, pelo que é natural dar a tais sentimentos um viés cristão.

O salmista viu o favor do pacto uma vez mais descer e dispensar a bênção divina, que ultimamente estivera ausente, para consternação do povo de Israel. A retidão trará paz e prosperidade, uma ideia hebraica padrão. Mas, como é óbvio, nem sempre as coisas acontecem dessa maneira. Até os inocentes sofrem. Existem enigmas nos retrocessos. Ver no *Dicionário* o verbete chamado *Problema do Mal*.

Cf. Ag 2.6,7; Ml 3.1 e Dn 9.24. Ver também At 10.35 e 13.26. *Icabode* (a glória do Senhor se foi plenamente) tinha sido escrito sobre a nação de Israel. Mas isso seria substituído pela glória da presença divina, com benefícios acompanhantes de natureza temporal e espiritual. Ver Hb 1.3; Jo 1.14; Lc 2.32; Fp 2.6-11 e 1Co 2.8.

■ **85.10** (na Bíblia hebraica corresponde ao **85.11**)

חֶסֶד־וֶאֱמֶת נִפְגָּשׁוּ צֶדֶק וְשָׁלוֹם נָשָׁקוּ׃

Encontraram-se a graça e a verdade. *Se Israel retornasse a Yahweh,* então "o amor constante e a fidelidade se encontrariam, e a retidão e a paz oscular-se-iam uma à outra". Essas harmonias divinas e seus resultados naturais só poderiam ser conferidos ao povo de Israel restaurado. Cf. Sl 40.11; 89.14 e 97.2.

"O que esta metáfora está dizendo? Porventura não é que uma *alienação* desnatural tinha ocorrido entre esses quatro emblemas alegóricos?... A *graça* e a *verdade* — a *retidão* e a *paz* formam pares naturais. A *verdade* é o âmago de todas as virtudes, e, quando ela é assim poderosa, temos a *integridade* destemida, o oposto da frouxidão e da trapaça, do capricho e dos cálculos carnais" (J. R. P. Sclater, *in loc.*).

Encontraram-se. "Essa expressão é usada sobre aqueles que *devem* ser amigos, mas aos quais as circunstâncias separaram por algum tempo (ver Pv 22.2)" (Ellicott, *in loc.*).

A justiça e a paz se beijaram. É o beijo da *reconciliação* e também do *companheirismo renovado,* que tinha terminado por culpa da insensatez. É como a esposa desviada que volta ao legítimo esposo. O amor é restaurado. A alienação termina. A alegria volta. A espiritualidade normal ganha a batalha. A harmonia toma o lugar da contenda.

A luz matutina está rompendo,
As trevas vão desaparecendo.
Os filhos de Deus estão despertando
Para as lágrimas de penitência.

Samuel F. Smith

Este versículo tem sido cristianizado para falar sobre o perdão que recebemos em Cristo, sobre a união do Noivo com a Noiva, sobre as bênçãos celestiais, sobre a vida eterna, sobre o nosso lar celeste. Ver Lc 1.72,78; Tt 3.5; 1Pe 1.3; Ef 2.7-10; Ef 5; Rm 3.25,26 e 1Jo 1.9.

■ **85.11** (na Bíblia hebraica corresponde ao **85.12**)

אֱמֶת מֵאֶרֶץ תִּצְמָח וְצֶדֶק מִשָּׁמַיִם נִשְׁקָף׃

Da terra brota a verdade. A *fidelidade* é a reação humana necessária às exigências de Yahweh, particularmente as demandas de sua lei (sumariada em Sl 1.2). A *retidão* é a parte desempenhada por Yahweh, para ser dada aos homens e para transformá-los, pelo que é vista como que a descer do céu. Esse é outro par natural de virtudes, e elas se encontram quando na presença de Deus. É então que Deus se mostra realmente fiel e reto. E os homens tornam-se tanto fiéis quanto retos, pelo que se verifica a união de Deus Pai com seus filhos em uma espiritualidade básica.

A *fidelidade* medra na terra como uma planta saudável, ou como uma fonte que irrompe até a superfície e envia jatos de água no ar. A retidão olha do céu para baixo e aprova o que vê. "Quando a salvação do Senhor chega, há perfeita harmonia entre o mundo terrestre e o mundo celeste. Os atributos divinos (mencionados no vs. 10) se tornarão as virtudes da humanidade" (William R. Taylor, *in loc.*).

"Em consequência dessa maravilhosa *reconciliação,* a verdade de Deus prevalecerá entre os homens" (Adam Clarke, *in loc.*, o qual prossegue a fim de cristianizar o versículo: "As sementes dessa reconciliação foram abundantemente semeadas pela prédica de Cristo e seus apóstolos, os quais propagaram a verdadeira religião por todo o mundo").

"A verdade (fidelidade) é pintada como que manando da terra, por causa da renovação da fertilidade. Foi assim que, embora tivesse sido abalada, a convicção da fidelidade de Deus para com o homem se restabeleceu" (Ellicott, *in loc.*). O sol tinha-se ocultado por trás das nuvens dos pecados de Israel, mas agora retornara com plena força para assegurar a produção, visto que o arrependimento arredara as nuvens.

Da harmonia, da celestial harmonia,
Começou este arcabouço universal;
De harmonia em harmonia,
Através de toda a escala das notas ela passou,
O diapasão fechou-se plenamente no Homem.

■ **85.12** (na Bíblia hebraica corresponde ao **85.13**)

גַּם־יְהוָה יִתֵּן הַטּוֹב וְאַרְצֵנוּ תִּתֵּן יְבוּלָהּ׃

Também o Senhor dará o que é bom. Yahweh está empenhado no negócio de dar aquilo que é bom:

Porque o Senhor Deus é sol e escudo; o Senhor dá graça e glória; nenhum bem sonega aos que andam retamente.

Salmo 84.11

A terra se tornará produtiva porque a *fertilidade* fora restaurada. Talvez este versículo dê a entender que a calamidade enfrentada por Israel era um *fracasso na colheita*, um verdadeiro desastre para uma nação agrícola. Seja como for, a produção espiritual de Israel havia sofrido abatimento na colheita; mas agora o Senhor uma vez mais garantiria a produtividade, ou seja, uma vida espiritual renovada e florescente.

E a nossa terra produzirá o seu fruto. Cf. Sl 84.11 e Tg 1.17. Ver também Sl 67.6. O Antigo Testamento demora-se em relatar as *bênçãos materiais* da terra que tornam um povo saudável e feliz (ver Lv 26.3-13 e Dt 28.1-14). Mas o aspecto espiritual nunca é perdido de vista. De fato, torna-se claro, no presente contexto, que a produtividade renovada da terra (vs. 12) depende da espiritualidade renovada, da *fidelidade* (vs. 11). Ver também o vs. 13; é a retidão que prepara o caminho pelo qual o homem deve caminhar e no qual ele é abençoado.

Summum Bonum. Ver sobre este termo no *Dicionário*. O Senhor é o verdadeiro "supremo bem" do homem, bem como o propósito de sua existência. Quando um homem quebra a harmonia com esse princípio, o desastre está a caminho. A esterilidade é produto natural do homem. O texto convoca o ser humano a algo mais do que ser apenas natural. Existe um lado espiritual do homem que não pode ser negligenciado sem perigo. A *frutificação* é um corolário da espiritualidade.

Este versículo tem sido cristianizado para falar sobre os bons efeitos da encarnação de Cristo, por meio da qual todas as bênçãos celestiais foram acumuladas sobre uma terra estéril.

A terra deu o seu fruto, e Deus, o nosso Deus, nos abençoa.
Salmo 67.6

■ **85.13** (na Bíblia hebraica corresponde ao **85.14**)

צֶ֖דֶק לְפָנָ֣יו יְהַלֵּ֑ךְ וְיָשֵׂ֖ם לְדֶ֣רֶךְ פְּעָמָֽיו׃

A justiça irá adiante dele. Uma nova metáfora é introduzida aqui. A retidão de Deus (implantada e cultivada no homem) torna-se agora uma construtora de estradas. Há um *caminho pelo qual se deve seguir*, e a retidão é o engenheiro e construtor da estrada. O caminho tornar-se-á plano. O homem pode caminhar por ali, *caso participe da santidade de Deus*. Isso reverteria o curso do pecado, que causou alguma espécie de calamidade que desabara sobre Israel.

> Quando andamos com o Senhor,
> À luz de sua Palavra,
> Que glória ele lança em nosso caminho.
>
> J. H. Sammis

"A retidão é um arauto que limpa o caminho para a chegada do Senhor (cf. Sl 89.14 e Is 58.8)" (William R. Taylor, *in loc.*, com outra interpretação possível de uma cláusula bastante obscura).

"O fato de que o Senhor dará o que é bom, e de que a retidão assinalará o caminho para os passos do homem, não é pouca coisa a ser reivindicada. Se os homens de nossa época condescendessem em fazer essa reivindicação, então as razões para o temor e a infelicidade não teriam de ser buscadas longe, e a razão para a desesperança seria óbvia" (J. R. P. Sclater, *in loc.*). Cf. o versículo com Is 11.3-5. Yahweh estabeleceu os passos do homem na senda da retidão, *e a retidão prepara o caminho para a continuação da jornada espiritual.*

> Severo Legislador — Contudo usas
> A mais benigna graça da divindade.
> Também desconhecemos algo tão justo
> Como o sorriso de teu rosto.
> As flores riem-se diante de ti...
> Impedes que as estrelas se desviem.
> O céu, por meio de ti, é forte.
>
> Wordsworth, com algumas adaptações

Isto posto, tal como se dá com a maioria dos salmos de lamentação, este salmo termina com uma nota de triunfo e louvor. O poeta teceu elevada poesia, magnífica e nobre, para descrever um tema sublime. E ele nos deixa na esperança, a mãe de tantas outras graças. Ele nos deixa esperando em Deus, a única verdadeira fonte das expectações humanas.

SALMO OITENTA E SEIS

Quanto a *informações gerais* que se aplicam a todos os salmos, ver a introdução ao Salmo 4, onde apresento *sete* comentários que elucidam a natureza do livro. Quanto às *classes* dos salmos, ver o gráfico no início do comentário, que atua como uma espécie de frontispício da coletânea. Ofereço ali dezessete classes e listo os salmos pertencentes a cada uma delas.

Este é um *salmo de lamentação*, que em muito é o grupo mais numeroso dos salmos. Trata-se de uma oração pedindo livramento de inimigos pessoais. Esta espécie de salmo tipicamente começa com um grito pedindo socorro; em seguida, descreve os inimigos que estavam sendo confrontados e geralmente conta com uma série de imprecações contra os adversários; e termina com uma nota de louvor e agradecimento, embora alguns terminem em um tom de desânimo, o que também caracteriza a experiência humana. Este salmo parece ser uma queixa individual, e não um lamento pela nação inteira. Contudo, não fica claro quem eram os inimigos do poeta sagrado. Ele estava passando por um aperto de alguma espécie (vs. 7), e isso o deixara pobre e necessitado (vs. 1). Talvez o vs. 5 subentenda que a tribulação foi lançada contra o salmista como punição por algum pecado. O poeta era um homem intensamente espiritual, mas não era poeta de primeira linha. Quase todos os versículos refletem outros salmos ou outras porções do Antigo Testamento. Não obstante, ele fez um bom trabalho ao compilar materiais já conhecidos. A variedade de nomes divinos usados mostra-nos que ele estava fazendo empréstimos de diversas fontes informativas.

Subtítulo. Temos aqui o seguinte simples subtítulo: "Oração de Davi". As notas introdutórias não faziam parte original dos salmos e não se revestem de autoridade canônica. Elas procuram conjecturar sobre a autoria e as circunstâncias históricas que podem ter inspirado as composições. Cerca de metade dos salmos é atribuída a Davi, um grande exagero, sem dúvida. Mas é certo que Davi foi o autor de alguns deles, já que era chamado o *mavioso salmista de Israel* (ver 2Sm 23.1).

ORAÇÕES EM MEIO A GRANDES TRIBULAÇÕES (86.1-7)

■ **86.1**

תְּפִלָּ֗ה לְדָ֫וִ֥ד הַטֵּֽה־יְהוָ֣ה אָזְנְךָ֣ עֲנֵ֑נִי כִּֽי־עָנִ֖י וְאֶבְי֣וֹן אָֽנִי׃

Inclina, Senhor, os teus ouvidos, e responde-me. O convite para que o *Senhor* ouvisse é uma introdução comum nos salmos de lamentação. Ver Sl 64.1. Isso pode dar a entender certa *indiferença* da parte de Deus (ver as notas a respeito em Sl 10.1; 28.1; 59.4 e 82.1). Sl 17.6 e 40.17 são paralelos próximos deste versículo.

Aflito. Outras traduções dizem aqui "pobre".

Necessitado. Isto é, cheio de desejos não cumpridos, cercado por inimigos, carente de proteção, com necessidade de respostas às orações, devido a problemas urgentes. O salmista sofria de *aflições* indefinidas. "Nossa miséria desperta a misericórdia do Senhor" (Fausset, *in loc.*). "O homem nasce para o enfado, tal como as faíscas das brasas voam para cima" (Jó 5.7), e essas faíscas parecem não se mover em nenhuma outra direção. Talvez nossas dificuldades palmilhem por "sendas enevoadas de glória", conforme disse Wordsworth, mas na maior parte das vezes tais dificuldades nos parecem inúteis e fúteis, sem nenhuma virtude remidora.

Neste versículo, *o nome divino* hebraico é *Yahweh*, o Deus eterno. Ver no *Dicionário* o artigo chamado *Deus, Nomes Bíblicos de*. O autor deste salmo lançou mão de certa variedade de nomes divinos, adicionando evidências ao fato de que ele copiou quase todos os versículos de outros salmos ou outras passagens bíblicas. O nome *Yahweh* foi usado por quatro vezes neste salmo: vss. 1, 6, 11 e 17.

■ **86.2**

שָֽׁמְרָ֣ה נַפְשִׁי֮ כִּֽי־חָסִ֪יד אָ֥נִי הוֹשַׁ֣ע עַ֭בְדְּךָ אַתָּ֣ה אֱלֹהָ֑י הַבּוֹטֵ֥חַ אֵלֶֽיךָ׃

Preserva a minha alma. A *vida do salmista* deveria ser preservada, pois ele não era culpado de pecado algum que pudesse ser apontado como causa de suas dificuldades. Mas a possível menção ao "perdão", no vs. 5, contradiz essa declaração. Seja como for, o autor sacro, embora sem nenhum pecado grave, e embora afirmasse ser homem *piedoso,* estava sendo severamente assediado por um ou mais inimigos que, provavelmente, lhe ameaçavam a vida. A palavra "alma", neste caso, diz respeito à *vida física*. Nenhum ser humano podia prejudicar a sua alma. A ousada afirmação, "eu sou piedoso", é única em todo o Antigo Testamento, pois somente Deus podia falar dessa maneira. Cf. Jr 3.12, onde era Deus quem falava. Seja como for, o santo homem era servo de Deus, e essa era uma razão adicional por que deveria ser protegido. Cf. Sl 25.20. O termo "santo", aqui usado, leva alguns intérpretes a pensar neste salmo como messiânico, visto que isso não podia ser corretamente dito acerca de nenhum ser humano; mas essa opinião, sem dúvida, importa em um exagero.

Que em ti confia. Quanto a uma completa explicação sobre como o verbo "confiar" é usado nos salmos, ver Sl 2.12. O homem era *santo;* era *um servo* de Deus; um *homem que confiava* — três razões pelas quais deveria ser protegido.

O *nome divino* usado aqui, no original hebraico, é *Elohim,* o Poder. O poeta usa certa variedade de nomes divinos, porquanto provavelmente copiava porções de outros salmos e trechos de outras passagens do Antigo Testamento para compilar este salmo. Suas fontes informativas continham uma variedade de nomes divinos, e isso, naturalmente, foi transportado para a sua composição poética. Elohim é um nome divino usado por *quatro* vezes neste salmo: vss. 2, 10, 12 e 14.

■ **86.3**

חָנֵּנִי אֲדֹנָי כִּי אֵלֶיךָ אֶקְרָא כָּל־הַיּוֹם:

Compadece-te de mim, ó Senhor. O salmista clamou pedindo *misericórdia,* ou a *graça de Deus,* para que fosse salvo no dia da provação. Ele tinha chegado ao fim de seus recursos. E agora precisava de uma intervenção divina. Cf. Sl 57.1. Sua oração subia ao céu *diariamente,* porque cada dia trazia uma ameaça de morte. O texto massorético diz aqui, conforme a nossa versão portuguesa, "de contínuo", ou seja, uma oração contínua e muito repetida, por causa da gravidade do caso. Quanto ao texto hebraico padronizado, ver no *Dicionário* o artigo chamado *Massora (Massorah); Texto Massorético*. Quanto às orações frequentes do poeta, cf. Sl 55.1,17.

Neste versículo, o nome divino hebraico é *Adonai,* tratamento conferido a um superior por parte de um inferior. Esse nome, algumas vezes, toma o lugar de Yahweh. Quanto à variedade de nomes divinos que foram usados pelo salmista, e o que essa circunstância pode significar, ver o último parágrafo das notas expositivas no vs. 2. *Adonai* é usado por sete vezes neste salmo. Ver o vs. 4, quanto às referências.

■ **86.4**

שַׂמֵּחַ נֶפֶשׁ עַבְדֶּךָ כִּי אֵלֶיךָ אֲדֹנָי נַפְשִׁי אֶשָּׂא:

Alegra a alma do teu servo. Uma imediata resposta e ajuda de Deus faria o poeta *regozijar-se.* Sua vida física seria prolongada e ele não teria de enfrentar a *morte prematura* que os hebreus tanto temiam. Note o leitor que o salmista, uma vez mais, chamou a si mesmo de "servo de Deus". No vs. 2, ele chamou a si mesmo de santo, servo e homem de confiança — tudo calculado para encorajar Deus a prestar atenção a seu triste caso, a fim de ajudá-lo. Ver Sl 25.1.

Neste versículo, o nome *divino* hebraico, conforme vimos no fim das notas expositivas do vs. 3, é *Adonai,* usado por sete vezes neste salmo: vss. 3-5, 8, 9, 12 e 15. Quanto a uma possível razão por trás da variedade de nomes divinos usados neste salmo, ver o último parágrafo das notas expositivas sobre o vs. 2.

■ **86.5**

כִּי־אַתָּה אֲדֹנָי טוֹב וְסַלָּח וְרַב־חֶסֶד לְכָל־קֹרְאֶיךָ:

Pois tu, Senhor, és bom e compassivo. O Senhor está sempre pronto a *perdoar.* Talvez o autor sagrado tivesse pensado que suas dificuldades resultassem de pecado, mas isso parece ser contradito no vs. 1. De qualquer maneira, sabemos que os inocentes também sofrem, conforme ilustrado no caso de Jó. Ver no *Dicionário* o verbete chamado *Problema do Mal*. Os homens sofrem devido ao mal moral: abusos da natureza, como enfermidades, incêndios, inundações, terremotos, desastres naturais e, finalmente, a morte, que tem a reputação de ser o pior mal natural. O artigo penetra detalhadamente na questão dos sofrimentos. Um de nossos grandes problemas teológico-filosóficos consiste em saber *por que* os homens sofrem, e *por que* sofrem conforme sofrem. O Senhor também é abundantemente misericordioso e atende a todas as necessidades humanas, e aqueles que a ele apelam, em busca de misericórdia, não ficarão desapontados nem envergonhados.

"Esta oração baseava-se no fato de que Deus é *bondoso,* pronto a *perdoar* e tem *amor abundante* (cf. Êx 34.6)" (Allen P. Ross, *in loc.*). A bondade universal de Deus controla sua outorga universal de misericórdia. Outrossim, sua graça mostra-se *abundante*. Assim sendo, o poeta sagrado, que se considerava um *homem piedoso,* servo de Deus e alguém que sabia *confiar,* não seria negligenciado e nem sua oração teria permissão de cair inútil, por terra. Este versículo pode ser comparado a Sl 130.4 e Êx 34.6. Quanto a expressões similares, ver Êx 20.6; 34.6-9 e Nm 14.18,19.

O nome divino hebraico, neste versículo, é novamente *Adonai.* Ver o vs. 3. Ver a variedade de nomes divinos usados neste salmo e por que isso aconteceu, no último parágrafo das notas expositivas do vs. 2. *Adonai* figura por sete vezes neste salmo: vss. 3-5, 8, 9, 12 e 15.

■ **86.6**

הַאֲזִינָה יְהוָה תְּפִלָּתִי וְהַקְשִׁיבָה בְּקוֹל תַּחֲנוּנוֹתָי:

Escuta, Senhor, a minha oração. Cf. Sl 5.2; 28.2; 55.1. O poeta tomou quase todas as declarações por empréstimo de outros salmos ou de outros trechos do Antigo Testamento, e isso significa que este salmo é, essencialmente, uma compilação de ideias extraídas de outros lugares. O vs. 1 também é bastante semelhante a este versículo. O poeta sagrado usou aqui uma forma peculiar da palavra, empregando o plural feminino, talvez com a intenção de mostrar que ele orou baseado em sua *fraqueza*. Essa forma é usada somente aqui, em todo o Antigo Testamento.

O nome divino hebraico, neste versículo, é *Yahweh,* tal como se vê no vs. 1. Quanto a por que o autor usou uma variedade de nomes divinos, ver os comentários sobre o último parágrafo do vs. 2. Yahweh é empregado quatro vezes neste salmo: vss. 1, 6, 11 e 17.

■ **86.7**

בְּיוֹם צָרָתִי אֶקְרָאֶךָּ כִּי תַעֲנֵנִי:

No dia da minha angústia clamo a ti. Ver Sl 17.6 e 77.2, quanto a declarações semelhantes. A oração fervorosa do salmista estava alicerçada sobre a confiança na misericórdia de Elohim, que estava pronto a iniciar um novo dia para o salmista, retirando a maldição do julgamento. As dificuldades não permanecem para sempre. Perduram por somente um dia, ou por algum tempo particular. Então é apropriado que um homem ore, e o Senhor mesmo convida e encoraja seu povo a clamar a ele em oração, quando necessário (ver Sl 50.15). Ele não se assemelha a um ídolo que não possa responder às nossas orações, pelo que a sua resposta já está a caminho, antes mesmo que a peçamos. Essa é uma razão muito encorajadora que nos faz continuar orando. Jesus, por exemplo, era sempre ouvido (Jo 11.41,42), e isso estabeleceu o precedente. Portanto, entrega tuas cargas ao Senhor e deixa-as com ele.

O SENHOR INCOMPARÁVEL (86.8-10)

■ **86.8**

אֵין־כָּמוֹךָ בָאֱלֹהִים אֲדֹנָי וְאֵין כְּמַעֲשֶׂיךָ:

Não há entre os deuses semelhante a ti, Senhor. Este versículo deve ser comparado com Sl 77.13; Êx 15.11 e Dt 3.24, que dizem coisas semelhantes.

Entre os deuses. Poderíamos entender essas palavras como entre os deuses hipotéticos a quem os pagãos inutilmente adoravam. Como é óbvio, Yahweh-Elohim-Adonai, na qualidade de único Deus vivo, era incomparável. Por outra parte, podemos ter aqui uma referência politeísta ou henoteísta proveniente da época em que o monoteísmo dos hebreus ainda não havia prevalecido completamente. Ver a exposição em Sl 82.1, que fornece várias interpretações sobre os "deuses". O Targum refere-se aqui aos deuses como se fossem anjos, conforme o termo hebraico, *elohim,* algumas vezes pode significar;

mas não é provável que o poeta se preocupasse em garantir-nos que os anjos não podem comparar-se a Deus. O grande Poder, incomparável como é, obviamente poderia solucionar os pequenos problemas que o salmista estava enfrentando, e essa é uma das razões pelas quais ele fez a referência ao que é incomparável. Esse tipo de Ser tem de ser um solucionador de problemas.

Nada existe que se compare às tuas obras. O Deus incomparável faz *obras* incomparáveis, e entre elas poderia estar a solução dos problemas do salmista. E entre essas obras estão as soluções para os *nossos* problemas. Quanto aos pagãos, eles permaneciam no esquecimento, porquanto seus deuses não eram entidades, e eram *inoperantes*. "Após expressar sua convicção na disposição de Deus ouvir as orações, o salmista prosseguiu para expressar sua confiança no poder divino para salvar" (Ellicott, *in loc.*). Quanto a essa parte do versículo, cf. Dt 3.24 e 2Sm 7.22.

> *Que Deus há, no céu ou na terra, que possa fazer segundo as tuas obras, e segundo os teus poderosos feitos?*
> Deuteronômio 3.24

Neste versículo, o nome divino hebraico é *Adonai,* usado por sete vezes neste salmo (ver o vs. 4). Ver no vs. 2 deste salmo a razão pela qual foi usada neste salmo grande variedade de nomes divinos.

86.9

כָּל־גּוֹיִם ׀ אֲשֶׁר עָשִׂיתָ יָבוֹאוּ ׀ וְיִשְׁתַּחֲווּ לְפָנֶיךָ אֲדֹנָי וִיכַבְּדוּ לִשְׁמֶךָ׃

Todas as nações que fizeste virão. *Adonai* (o Senhor) é o Criador de todas as nações, até mesmo das nações que estavam dilapidando seu templo com a *idolatria*. Assim sendo, finalmente todas as nações serão conduzidas a ele e terminarão por *adorá-lo*. Na verdade, somente o bem pode resultar. O trecho de Fp 2.10 ss. diz a mesma coisa; e pensar que isso será uma adoração forçada, sem nenhum resultado benéfico para os pagãos, reflete uma má ideia, pois a própria palavra *adorar* subentende aquilo que é bom. Ver na *Enciclopédia de Bíblia, Teologia e Filosofia* o artigo chamado *Restauração*. E ver no *Dicionário* o verbete intitulado *Mistério da Vontade de Deus*. Ademais, não devemos reduzir declarações proféticas como a que encontramos neste versículo a alguns poucos representantes das nações que se misturarão com os judeus durante o milênio. É melhor confessar que a missão de Cristo realizará muito mais do que a maioria das denominações cristãs antecipa.

Que o Deus de Israel é, igualmente, o Criador de todas as nações, ver também Gn 10.1-32; Dt 32.8. Quanto ao fato de que o Deus de Israel algum dia será reconhecido universalmente, ver Sl 22.27-29; 65.2; 66.4; 67.7; 98.4; Is 42.6; 43.7; 45.22,23; 66.23; Zc 8.20-23 e 14.16. "Esse poeta bastante obscuro, que compôs o salmo que ora comentamos, mostrou ser um homem de ideias muito amplas" (William R. Taylor, *in loc.*). E devemos ter a coragem de ser, nós mesmos, homens de ideias amplas, quando falamos do evangelho de Cristo e do que ele realizará. Ver Rm 15.9-12; Ef 1.9,10 e 4.8-10.

> Aproxima tua grande salvação,
> Tu, Cordeiro, que pelos pecadores foste morto;
> Preenche a lista dos teus eleitos,
> Toma o poder em tuas mãos e reina.
> Aparece, Desejado das nações,
> Traz de volta para casa os teus exilados.
> Mostra nos céus o teu sinal prometido,
> Tu, Príncipe e Salvador que virás.
>
> Henry Alford

Neste versículo, o *nome divino* hebraico é *Adonai*. Ver o vs. 3, quanto às sete referências a esse nome divino, somente neste salmo. Ver o vs. 2, último parágrafo, quanto à variedade de nomes divinos usados neste salmo, e a razão possível dessa circunstância.

86.10

כִּי־גָדוֹל אַתָּה וְעֹשֵׂה נִפְלָאוֹת אַתָּה אֱלֹהִים לְבַדֶּךָ׃

Pois tu és grande e operas maravilhas. Este versículo repete, essencialmente, a segunda parte do vs. 8. Cf. também Sl 72.18; 77.14 e 83.18. "Só tu és Deus" é frase essencialmente igual à primeira parte do vs. 8. Aqui a afirmação monoteísta parece clara. Esta parte do versículo é igual a Dt 6.4 e Is 44.6. Notamos, ao longo deste salmo, que os versículos do poeta sacro são paralelos a outros salmos e outras passagens do Antigo Testamento, e virtualmente nada é de sua própria composição. Todavia, ele nos ofereceu uma boa compilação.

"O malho da grandiosidade de Deus quebrará a rocha do coração dos pagãos" (Hengstenberg, numa excelente declaração, mas devemos lembrar que Deus não faz meramente punir. Por trás de cada golpe, brilha o amor divino, com a intenção de restaurar).

Neste versículo, o nome divino hebraico é *Elohim,* que também aparece nos vss. 2, 12 e 14, totalizando quatro menções ao nome. Ver no último parágrafo dos comentários sobre o vs. 2, por que o autor tanto variava nos nomes divinos. Ver no *Dicionário* o artigo chamado *Deus, Nomes Bíblicos de*.

PETIÇÃO DE AÇÃO DE GRAÇAS (86.11-13)

86.11

הוֹרֵנִי יְהוָה ׀ דַּרְכֶּךָ אֲהַלֵּךְ בַּאֲמִתֶּךָ יַחֵד לְבָבִי לְיִרְאָה שְׁמֶךָ׃

Ensina-me, Senhor, o teu caminho. Este versículo deve ser comparado a Sl 26.3 e 27.11, de onde o poeta sacro, ao que tudo indica, tomou por empréstimo suas ideias. Ver também Sl 25.5. A expressão "dispõe-me o coração" encontra-se somente aqui em todo o saltério. O mais provável é que estejamos manuseando com uma expressão idiomática no hebraico que, quando literalmente traduzida, não nos fornece um sentido claro. Talvez signifique algo como "dá-me singeleza mental", o que o tornaria similar a Jr 32.39: "Dar-lhes-ei um só coração e um só caminho, para que me temam todos os dias, para seu bem e bem de seus filhos".

"Une todos os meus poderes e concentra-os em teu serviço. Sem dúvida há memórias de Dt 6.5 e 10.12. Cf. Jr 32.29, trecho sobre o qual, evidentemente, a expressão está fundamentada. Uma *vontade não dividida* é igualmente essencial quanto à moral e quanto à religião" (Ellicott, *in loc.*). "A indecisão mental e a divisão nos afetos estragam qualquer trabalho. O coração deve estar unido para que o trabalho possa ser um só... Essa é uma oração que deveria ser proferida por todo crente" (Adam Clarke, *in loc.*).

Andando na Verdade. Para os hebreus, isso significava uma conduta coerente, baseada na observância da lei. Ver Sl 1.2, quanto a um sumário de elementos desse modo de andar. Ver no *Dicionário* o artigo chamado *Andar*. É difícil pensar na fé dos hebreus sem a predominância da *lei*, a regra da fé e da conduta. Um homem era *ensinado* sobre a correta vereda pelos preceitos da lei e andava corretamente diante de Deus quando praticava conforme o que fora ensinado. Ele dava cada passo ao longo do caminho da obediência a várias centenas de mandamentos, positivos e negativos, que a lei, finalmente, veio a abarcar, depois que os rabinos comentaram a totalidade da legislação mosaica.

Para só temer o teu nome. A expressão *temor de Deus* era virtualmente usada para abranger todos os elementos da espiritualidade do Antigo Testamento. Ver no *Dicionário* o verbete intitulado *Temor,* quanto a detalhes. Existe um real temor ao Ser divino que protege o indivíduo de laborar em erro. Além disso, há uma confiança reverente que podemos ter em respeito pelo Ser divino.

86.12

אוֹדְךָ ׀ אֲדֹנָי אֱלֹהַי בְּכָל־לְבָבִי וַאֲכַבְּדָה שִׁמְךָ לְעוֹלָם׃

Dar-te-ei graças, Senhor, Deus meu. Cf. Sl 9.1. Ver no *Dicionário* o verbete chamado *Louvor*. Encontramos aqui um *voto*. Ver a respeito disso no *Dicionário*. "O poeta voltou a louvar a grandeza de Deus de todo o seu coração (vs. 11), porquanto o amor de Deus o tinha libertado da morte" (Allen P. Ross, *in loc.*). Cf. os vss. 12,13 a Sl 56.13 e 47.9,10. Quanto ao *nome,* ver Sl 31.3 e quanto ao *nome santo,* ver Sl 30.4 e 33.21. O "nome" representava a essência da deidade, incluindo seus atributos e a pessoa essencial, e bastava proferir o nome para pensar que se tinha o poder de efetuar qualquer coisa. Contrastar o *coração singelo* que aparece neste versículo com o coração dúplice dos hipócritas (ver Sl 12.2 e Tg 4.18). Quanto à harmonia do ser humano com o Ser divino, ver Sl 85.10,11 e 86.11. "Louvarei com cada faculdade de meu coração e minha alma... com um coração unido ao Senhor, que se *apega* a ele. Cf. Sl 103.1" (John Gill, *in loc.*).

Neste versículo encontramos dois *nomes divinos*: *Adonai* (ver os vss. 3 e 4) e *Elohim* (ver o vs. 10). O primeiro é usado sete vezes neste salmo, e o segundo, quatro vezes. Ver no vs. 2 por que o poeta usou uma variedade de nomes divinos (último parágrafo).

■ 86.13

כִּי־חַסְדְּךָ גָּדוֹל עָלָי וְהִצַּלְתָּ נַפְשִׁי מִשְּׁאוֹל תַּחְתִּיָּה׃

Pois grande é a tua misericórdia para comigo. Duas razões gerais são oferecidas pelo louvor ardente do versículo anterior: 1. O *amor constante* de Deus operava em favor do salmista, em todos os aspectos da sua vida. 2. O poeta, especificamente, havia sido salvo de algum perigo, ou seja, da morte prematura.

As palavras "poder da morte" provavelmente referem-se somente ao sepulcro, embora, posteriormente, a mesma expressão tenha passado a referir-se ao lugar onde os espíritos partidos deste mundo iam viver. No original hebraico encontramos a expressão "poder do sheol (hades)". Este era dividido em dois compartimentos, um para os ímpios e outro para os justos. Ato contínuo, punições e recompensas foram associadas aos distintos compartimentos do sheol (hades), e é nesse ponto que encontramos a doutrina no capítulo 16 do Evangelho de Lucas.

Prosseguindo, em harmonia com o motivo universal, 1Pe 3.18—4.6 pinta uma missão de misericórdia de Cristo naquele lugar, entre sua morte e ressurreição. Essa ideia pode haver sido influenciada, nem que seja apenas estilisticamente, por 1Enoque. O livro apócrifo do Novo Testamento, chamado Evangelho de Pedro, confere à missão de misericórdia de Cristo no hades uma distorção universal, como também o faz o Evangelho de Nicodemos, onde temos Cristo *esvaziando* o hades de todas as suas vítimas.

Tradicionalmente, a Igreja Ortodoxa Oriental e os anglicanos incorporaram a missão de misericórdia em suas doutrinas e liturgias. Lutero incorporou-a em sua liturgia da Páscoa, ensinando que Cristo é o *único caminho,* mas ele pode e realmente chega ao hades para salvar, o que é uma maravilha, considerando que Lutero foi um fiel representante da teologia ocidental, a qual, infelizmente, acabou por rejeitar essa dimensão da missão de Cristo. Ver os artigos chamados *Hades* e *Descida de Cristo ao Hades* (o primeiro deles no *Dicionário*, e o segundo na *Enciclopédia de Bíblia, Teologia e Filosofia*). Conforme pode ser visto nesta descrição, a doutrina do seol (hades) passou por um longo processo de evolução, durante um período de muitos séculos, e isso também acontece com várias outras doutrinas importantes. Como é óbvio, o Novo Testamento leva muitas ideias importantes a seu patamar mais elevado, e a verdade está sempre em desenvolvimento. A palavra *estagnação* é desconhecida no dicionário divino, embora seja uma *palavra dominante* nas denominações cristãs. A arrogância do homem sempre trancou a verdade em uma caixa hermética.

A expressão "do mais profundo poder da morte", ou seja, "do mais profundo sheol", tem paralelo em Dt 32.22. Além disso, encontramos a frase "na mais profunda cova" em Sl 88.6. E Sl 63.9 apresenta esta afirmação: "abismar-se-ão nas profundezas da terra". Ver também Is 44.23; Ez 26.20; 31.14 e 32.18. Poderíamos pensar que os autores dessas passagens viam gradações no sheol, conforme a teologia posterior dos hebreus passou por gradações no céu; mas os poetas sagrados estavam apenas usando fraseologias populares, e não fazendo uma profunda exposição sobre o sheol (hades).

"É evidente, com base no versículo seguinte, que o que está em foco é o *perigo da morte* por meios violentos" (Ellicott, *in loc.*). Até o normalmente ultraconservador Ross vê aqui apenas uma menção à "morte", e não algum ensino complicado em relação ao destino da alma, o qual ainda não havia entrado na teologia dos hebreus.

UM GRITO POR SOCORRO (86.14-17)

■ 86.14

אֱלֹהִים זֵדִים קָמוּ־עָלַי וַעֲדַת עָרִיצִים בִּקְשׁוּ נַפְשִׁי
וְלֹא שָׂמוּךָ לְנֶגְדָּם׃

Ó Deus, os soberbos se têm levantado contra mim. Homens violentos e iníquos, que não tinham Elohim defronte de seus olhos, cultivavam intenções homicidas contra o poeta e esperavam uma boa oportunidade para mandá-lo para o hades, ou seja, lançá-lo em uma morte prematura. Este versículo define o seol (hades) do versículo anterior. Essa palavra hebraica significa "morte", conforme expliquei e conforme diz a nossa versão portuguesa, ao passo que a palavra "vida", que aparece neste versículo, é traduzida por algumas versões por "alma". Vida, neste caso, olha para o homem físico total, e não para sua alma imaterial. A teologia dos hebreus finalmente avançou para a doutrina da alma ou do espírito, em alguns poucos lugares nos salmos e nos profetas. Dn 12.2 situa o julgamento condenatório e a recompensa em um período pós-vida. Esta doutrina foi desenvolvida nos livros apócrifos e pseudepígrafos, e então, mais ainda, nas páginas do Novo Testamento. Portanto, uma vez mais, encontramos uma doutrina bíblica que passou por desenvolvimento. Ver no *Dicionário* o verbete *Alma*, e na *Enciclopédia de Bíblia, Teologia e Filosofia* o artigo chamado *Imortalidade,* onde apresento excelentes artigos sobre o tema. Em nossos dias, a própria ciência está investigando a questão. Ver na *Enciclopédia* o verbete chamado *Experiências Perto da Morte*.

Quanto a homens "soberbos e violentos" ver Sl 119.21. Era um bando de homens rudes e violentos, que faziam do homicídio um negócio lucrativo. O texto sagrado não deixa claro se esses homens ímpios eram hebreus desviados ou pagãos. Mais provavelmente eram hebreus desviados. Eles não tinham consideração alguma nem por Deus nem pelos seres humanos. Eles não olhavam para Deus diante de seus olhos, mas eram leis para si mesmos, e a lei deles os ensinava a prejudicar o próximo e a servir a si mesmos.

Sl 54.3 é quase idêntico a este versículo, sendo provável que o autor sagrado simplesmente tenha incorporado aquele versículo aqui. Quase a totalidade deste salmo foi extraída de outros salmos e de outras passagens do Antigo Testamento.

Jarchi faz este versículo referir-se às maquinações de Doegue e Aitofel contra Davi, mas quaisquer referências históricas (a menos que se trate de simples aplicações do texto) são, quando muito, precárias.

O nome divino hebraico neste versículo é *Elohim,* que ocorre por quatro vezes no salmo: vss. 2, 10, 12 e 14. Ver nas notas expositivas do último parágrafo do vs. 2 por que o salmista usou tão grande variedade de nomes divinos.

■ 86.15

וְאַתָּה אֲדֹנָי אֵל־רַחוּם וְחַנּוּן אֶרֶךְ אַפַּיִם וְרַב־חֶסֶד
וֶאֱמֶת׃

Mas tu, Senhor, és Deus compassivo e cheio de graça. *Adonai,* também chamado *El* (o Poder), ou seja, o Senhor Deus, não permitiria que aqueles homens demoníacos e perversos cumprissem seus planos maus quanto ao poeta sagrado. Deus interviria e salvaria sua vida. Isso era a verdade por ser o Senhor um Deus pleno de compaixão, misericordioso e lento em irar-se, que se mantinha abundante em seu amor e fidelidade constante. Note o leitor como o autor sagrado vai juntando palavra por palavra, na tentativa de chegar a uma descrição adequada do amor e da misericórdia de Deus, que se lhe mostravam favoráveis. Cf. Êx 34.6, sobre o qual provavelmente estava alicerçado. Portanto, temos aqui as seguintes descrições: misericordioso, gracioso, lento em irar-se, abundante em amor e fidelidade constante. O autor apresentou um carrada de expressões, mas não temos razões para duvidar de sua sinceridade. O homem, que estava sendo ameaçado de morte por parte de seus inimigos, certamente era sincero em seus louvores a Deus. "... longânimo na doação da salvação; ele os suportava e queria ser gracioso para com eles, procurando levá-los ao arrependimento e salvá-los (ver 2Pe 3.9,15), mostrando-se abundante em misericórdia e bondade (ver o vs. 5) e também na verdade, isto é, cumprindo todas as suas promessas. Ver Êx 34.6, trecho ao qual essas palavras se referem" (John Gill, *in loc.,* com uma boa cristianização do versículo). "Aqui o salmista reverte à mesma base da esperança do vs. 5: o caráter de Deus como um caráter *pleno de misericórdia* para com todos quantos o invocam" (Fausset, *in loc.*).

São dois os nomes divinos hebraicos que aparecem neste versículo: *Adonai,* usado por sete vezes neste salmo (ver os vss. 3 e 4) e *El* (forma singular de *Elohim*), que significa "o Poder", usado somente aqui. Quanto a razões pelas quais o salmista usou tantos nomes divinos, ver o último parágrafo dos comentários sobre o vs. 2 deste salmo.

86.16

פְּנֵה אֵלַי וְחָנֵּנִי תְּנָה־עֻזְּךָ לְעַבְדֶּךָ וְהוֹשִׁיעָה לְבֶן־אֲמָתֶךָ:

Volta-te para mim, e compadece-te de mim. Neste ponto, *Adonai-Yahweh-Elohim-El* é invocado para tornar *realidade*, na vida do poeta, todos os poderes e bênçãos potenciais que ele tinha descrito tão laboriosamente no versículo anterior. "Volta-te para mim", disse ele, "e aplica a mim tudo quanto sei que podes fazer". Esse voltar-se de Deus daria ao salmista *forças* para vencer aquele momento de crise. Além disso, ele era *servo* de Deus e, caso sofresse morte prematura, Deus seria o perdedor. Ademais, ele era filho de alguma bem conhecida hebreia piedosa, e esse fator também laborava em seu favor. É de grande ajuda ter uma mãe piedosa, e o poeta estava seguro de que Deus consideraria a morte de um homem bom, nascido de uma mulher boa, uma perda que não poderia ser tolerada.

Cf. Sl 25.16, sobre o qual ele parece repousar. Quanto a versículos similares aos vss. 15,16 deste salmo, ver Êx 34.6; Ne 9.17; Sl 103.8; 116.16; 145.8; Jl 2.13; Jn 4.2. Em tempos de perigo, os homens piedosos sempre clamam a Deus, pedindo-lhe *forças*.

> Precioso Senhor, toma minha mão, guia-me, faze-me resistir,
> Estou cansado, estou fraco, estou desgastado;
> No meio do temporal, no meio da noite,
> Guia-me até a luz.
> Toma minha mão, precioso Senhor, guia-me para casa.
>   Thomas Dorsey

O homem era um *seguidor* de Deus, mas não podia alcançá-lo. Por isso, precisou pedir que Deus desse meia-volta e viesse a seu encontro, para assim aplicar sua misericórdia. Deus encontraria o homem debilitado. Teria de fortalecê-lo onde ele estava. O homem não era capaz de heroísmos! Oh, Senhor, concede-nos tal graça! "Tal como estou, sem nenhum apelo, exceto teu sangue, que foi vertido por mim" (Charlotte Elliott).

86.17

עֲשֵׂה־עִמִּי אוֹת לְטוֹבָה וְיִרְאוּ שֹׂנְאַי וְיֵבֹשׁוּ כִּי־אַתָּה יְהוָה עֲזַרְתַּנִי וְנִחַמְתָּנִי:

Mostra-me um sinal do teu favor. O *sinal* do favor de Deus que nosso poeta buscava era que aqueles que o odiavam vissem-no *fortalecido e seguro* pela misericórdia de Deus, e assim retrocedessem envergonhados, abandonando os planos malignos acerca da vida dele. Isso só poderia acontecer mediante a ajuda e a consolação de *Yahweh*, nome divino que, no original hebraico, é usado neste versículo. O poeta solicitava algum acontecimento indefinido, uma clara intervenção divina que fosse óbvia a todos e impedisse sua morte prematura. Talvez o *sinal* solicitado fosse a *intervenção divina* que não foi definida neste versículo. "Não um oráculo favorável no templo, nem um sonho ou bom presságio, mas alguma demonstração da graça do Senhor que impressionasse os inimigos do salmista" (William R. Taylor, *in loc.*). "... algum sinal de cuidado e amor providencial contínuo" (Ellicott, *in loc.*). "... *livramento* que outras pessoas vissem e reconhecessem ser obra de Deus" (Allen P. Ross, *in loc.*). A marca com que Deus distinguiria o homem diria: "Ele pertence a mim; deixai-o em paz".

E se envergonhem. Ver Sl 25.1; 35.26; 37.19; 69.6; 74.21; 78.66; 83.16. Este versículo parece estar firmado sobre Sl 6.10 e 35.4.

O nome divino hebraico usado neste versículo é *Yahweh*.

Sumário. Nomes divinos que, no original hebraico, aparecem neste salmo: 1. *Adonai*, usado sete vezes (vss. 3-5,8,9,12 e 15); 2. *Yahweh*, usado quatro vezes (vss. 1,6,11 e 17); 3. *Elohim*, usado quatro vezes (vss. 2,10,12 e 14); e 4. *El*, usado uma vez (vs. 15).

SALMO OITENTA E SETE

Quanto a *informações gerais* que se aplicam a todos os salmos, ver a introdução ao Salmo 4, onde apresento *sete* comentários que elucidam a natureza do livro. Quanto às *classes* dos salmos, ver o gráfico no início do comentário, que atua como uma espécie de frontispício da coletânea. Ali ofereço dezessete classes e listo os salmos pertencentes a cada uma delas.

Este é um *cântico de Sião*, que exalta esse lugar e seu templo como a mãe de todos os crentes, de todos os lugares. Este cântico é, realmente "um dos mais impressionantes" do saltério (Gunkel). É sucinto e enigmático, dotado de estilo distintivo, repleto de amor a Jerusalém e ao culto de Yahweh. Os vss. 4-6 são universais e podem ser comparados a certas passagens exaltadas do livro de Isaías. Os convertidos ao judaísmo deveriam ser tratados como judeus por natureza. Os direitos conferidos aos membros da diáspora podem indicar que o poeta tinha vivido longe do centro de adoração por algum tempo, porquanto ganhara simpatia por "outras pessoas", e não somente por aquelas que viviam no lugar principal dos oráculos divinos. Os vss. 4-6 podem apontar para uma data pós-exílica como a época da composição. A experiência levara o judaísmo a uma atitude menos exclusivista, e a teologia dos hebreus fora universalizada. Talvez este salmo, entre outros, fosse usado pelos peregrinos que visitavam a capital da nação. O vs. 7 indica o uso formal deste salmo.

Subtítulo. Neste salmo o subtítulo diz: "Salmo dos filhos de Coré. Cântico". Ver o subtítulo do Salmo 85, que é quase idêntico.

87.1,2

לִבְנֵי־קֹרַח מִזְמוֹר שִׁיר יְסוּדָתוֹ בְּהַרְרֵי־קֹדֶשׁ:

אֹהֵב יְהוָה שַׁעֲרֵי צִיּוֹן מִכֹּל מִשְׁכְּנוֹת יַעֲקֹב:

Fundada por ele sobre os montes santos. A cidade santa, Sião, estava construída sobre o monte santo, pelo que era a mais bem fundamentada cidade do mundo, segundo a estimativa do poeta sagrado. Ver no *Dicionário* o artigo chamado *Sião*. A referência é à cidade de Jerusalém e às suas colinas. Cf. Sl 125.2 e 133.3. Os alicerces de qualquer edifício ou cidade são muito importantes, quanto mais se foi o Senhor quem fundou o lugar e pôs ali seu nome e sua presença. Note o leitor o estilo sucinto. As sentenças começam abruptamente e lhes falta um verbo principal. Ellicott tentou reconstruir a essência dos vss. 1 e 2, duplicando o seu estilo sucinto:

> Seus fundamentos sobre a colina santa
> Yahweh ama, a saber, as portas de Sião,
> Mais do que todas as habitações de Jacó.

Yahweh fundou a Sião, e suas "portas" (vs. 2) equivalem a ela. Cf. Jr 14.2. Yahweh ama sua cidade nas colinas, e todos os homens piedosos compartilharão esse sentimento. Ela está acima de todos os demais lugares de Israel (Jacó) e até do mundo inteiro, aliás. As "portas" falam dos centros da vida econômica dessas cidades antigas, mas aqui está em pauta a cidade inteira. Cf. Rt 3.11 e Is 14.31. Ver também Sl 78.68, quanto a um amor especial por Jerusalém. As "habitações de Jacó" significam qualquer lugar onde os israelitas habitassem, primariamente as vilas e aldeias da Palestina. Se a data da composição permitir, talvez a referência seja aos lares dos hebreus, durante a diáspora. Yahweh cuidava de todo o seu povo, mas Jerusalém era um lugar todo especial, quase um paraíso.

"Espiritualmente falando, Sião foi fundada quando foi escolhida para ser a sede do santuário, seu verdadeiro fundamento. A palavra no plural, "montes", foi usada porque Sião fazia parte de uma cadeia montanhosa. Sião emprestava santidade à cadeia inteira. A santidade dos montes subentende sua separação de outras colinas que eram sagradas para Deus" (Fausset, *in loc.*). Estes versículos têm sido cristianizados para aludir, profética e espiritualmente, à igreja cristã.

87.3

נִכְבָּדוֹת מְדֻבָּר בָּךְ עִיר הָאֱלֹהִים סֶלָה:

Gloriosas cousas se têm dito de ti, ó cidade de Deus! Foi neste versículo que Agostinho se inspirou para dar título ao tratado *A Cidade de Deus*. O trecho também inspirou o nobre hino intitulado *Sião, Cidade de Nosso Deus*. Cf. Sl 46.4, quanto à mesma expressão, e ver algo similar em Sl 48.1,2,8; 101.8; Is 60.14.

Coisas Gloriosas Acerca de Sião. 1. O Senhor a fundou. 2. Ela se tornou o centro da fé dos hebreus, o yahwismo. 3. O principal oráculo divino foi estabelecido ali. 4. O magnífico templo de Salomão veio coroar seu cume. 5. Ela se tornou um santuário universal. 6. Era o lugar da lei, seu ensino e disseminação. 7. Era um lugar de justiça. 8. Era ali que se manifestava a presença de Deus. 9. Ela simbolizava a residência de Deus no céu. 10. Era o lugar onde mais se manifestava a alegria religiosa. 11. Era um lugar de bondade, onde se concentravam homens bons.

Ver os versículos seguintes, que expressam algo dessa glória de Sião: Sl 132.13 (o lugar da habitação do Senhor); Sl 48.2 (a alegria de toda a terra); Is 2.3 (o centro do ensino e envio da lei às nações); Jr 31.23 (um lugar de justiça).

Este salmo prossegue a fim de mostrar que Sião era o lugar de onde o yahwismo se espalhava em *alcance universal*. A Igreja secundou a Sião, espalhando as boas-novas do evangelho cristão, e isso também torna Sião *gloriosa*. Ver o vs. 4.

> Coisas gloriosas são ditas a teu respeito, Sião.
> Sião, cidade de nosso Deus;
> Aquele cuja palavra não pode ser quebrada,
> Formou-te para seres a sua habitação.
> Fundada sobre a Rocha dos séculos,
> Que pode abalar teu seguro repouso?
> Rodeada pelas muralhas da salvação,
> Podes sorrir para todos os teus inimigos.
>
> John Newton

John Gill lembra o Rei dos reis e sua habitação celestial; seu evangelho e sua Igreja; a salvação dos gentios, e assim vê elementos proféticos e messiânicos neste salmo. Todos os *cânticos de Sião* contêm alusões messiânicas, mesmo quando não são classificados como messiânicos.

Selá. Quanto aos possíveis significados desta palavra, ver Sl 3.2.

OS CIDADÃOS DE SIÃO (87.4-6)

■ 87.4

אַזְכִּיר ׀ רַהַב וּבָבֶל לְיֹדְעָי הִנֵּה פְלֶשֶׁת וְצוֹר עִם־כּוּשׁ
זֶה יֻלַּד־שָׁם׃

Dentre os que me conhecem. Quem fala aqui é Yahweh. Ele trata dos judeus da dispersão, e também, provavelmente, dos prosélitos, seguidores do yahwismo, "lá fora", distantes da capital, a gloriosa Sião. As nações mencionadas neste versículo eram inimigos incansáveis de Israel, acompanhados segundo o registro histórico. Mas agora eram membros do rebanho universal e prestavam lealdade ao culto do templo de Jerusalém. Esses povos haviam sido "conquistados" para a verdadeira fé. Cf. Is 19.24,25. O autor teve o cuidado de mencionar países próximos e distantes, procurando impressionar-nos com o apelo universal que o yahwismo tinha conseguido.

Raabe. Este era um termo para o dragão primevo (ver Sl 89.10 e também o *Dicionário*). Ver os pontos 2 e 3 do artigo quanto a plenas informações. O nome veio a significar poderes demoníacos, especialmente associados às religiões pagãs. O termo acabou designando o Egito. O elo de ligação fica em Is 30.7, obscurecido na versão portuguesa. Não se sabe, porém, como foi que o vocábulo acabou sendo vinculado ao Egito, mas podemos imaginar um sacerdote ou profeta de Israel a chamar o Egito de "aquele grande monstro do sul", ou alguma outra declaração que tenha originado essa associação. John Gill sugeriu que a associação tivesse sido *verbal*, pois a palavra egípcia para o delta do Nilo era *raab*, que significa "pera", pois o delta tinha o formato de uma pera. Nesse caso, a palavra que aqui se encontra, *Raabe*, foi associada a *raab*, por causa dos sons das palavras envolvidas. Seja como for, no presente texto o significado da questão é que até naquele caminho do sul, no Egito, o lugar dos monstros com formato de pera, havia aderentes do yahwismo.

Babilônia. Ver a respeito no *Dicionário*. A palavra pode revestir-se aqui de sentido geral, referindo-se à totalidade da área da Mesopotâmia. Seja como for, a Babilônia, mesmo depois de ter sido derrotada como império, permaneceu um centro cultural e comercial no qual muitos judeus se instalaram. Portanto, podia haver muitos adeptos do yahwismo naquele lugar, que prestavam lealdade ao templo de Jerusalém (Sião).

Filístia. Ver a respeito no *Dicionário*. Até mesmo onde Israel era tão odiado, e onde muitas antigas batalhas tinham ocorrido, havia convertidos ao judaísmo que prestavam lealdade a Sião.

Tiro. Ver a respeito no *Dicionário*. Ver também Sl 83.7. Era uma das principais cidades da Fenícia. A cidade havia ajudado Salomão a construir o templo, o que significa que nem sempre se mostrara hostil a Israel (Judá). Os fenícios eram os senhores dos mares, e evidentemente, em suas aventuras, chegaram à América do Norte. Há historiadores brasileiros, como Gustavo Barroso, que admitem a possibilidade de os fenícios terem chegado à América do Sul, no interior da Amazônia. As línguas dos indígenas locais desconhecem o som representado pelo "L", e, no entanto, falavam no rio Solimões, o que a vários eruditos brasileiros soa como corruptela de "Salomão". Porventura os fenícios teriam chegado à Amazônia, a serviço de Salomão? Além disso, perto de Manaus, às margens do rio Negro, o rio que banha a capital do Amazonas, eu, o tradutor desta obra sobre o Antigo Testamento, vi inscrições gravadas em grandes pedras que margeiam o rio Negro. Não sei dizer se essas inscrições correspondem à antiga escrita fenícia, mas que são uma inscrição em alguma língua antiga, não há que duvidar.

Era uma questão de prestígio ser fenício. Os alfabetos ocidentais também tiveram origem ali, através de muitas modificações, por meio do hebraico, do grego e do latim. Porém, de maior prestígio ainda era pertencer a Sião. Seja como for, eram nativos hebreus e prosélitos que eram leais a Sião e faziam parte da comunidade universal do yahwismo.

Etiópia. Este é o vocábulo usado no Antigo Testamento para referir-se à região e ao povo do alto rio Nilo, ao sul do Egito, ou seja, ao sul da primeira catarata. No hebraico, o nome é *Khush*, ou seja, Cuxe, em português. Ver no *Dicionário* o artigo chamado *Etiópia*.

Interpretações fantasiosas que equiparavam o Egito à "antiguidade", a Babilônia à "força", Tiro às "riquezas" etc. não têm nenhuma aplicação a este texto. Esta passagem ensina que o yahwismo se tornara universal; e, apesar de tudo, não havia lugar na terra como Sião, a capital de Israel.

Lá nasceram. A referência aqui é um tanto obscura. Talvez as palavras signifiquem que havia indivíduos nascidos em cada um dos lugares acima mencionados, com o tempo, passaram a adotar a fé dos hebreus. Ou então, os judeus ou prosélitos que havia naqueles lugares, embora tivessem nascido ali, eram cidadãos genuínos de Sião, e assim compartilhavam plenamente os benefícios de Sião. Nesse caso, temos um singular coletivo: os judeus da diáspora, referidos como se fossem uma única pessoa.

■ 87.5

וּלֲצִיּוֹן ׀ יֵאָמַר אִישׁ וְאִישׁ יֻלַּד־בָּהּ וְהוּא יְכוֹנְנֶהָ עֶלְיוֹן׃

E com respeito a Sião se dirá. Este versículo reforça o anterior. A *cidadania* era muito cobiçada em Sião e, no entanto, aqueles "estrangeiros" (judeus da diáspora e seus convertidos) eram cidadãos tanto quanto os cidadãos natos. Portanto, "este e aquele" equivale a "lá nasceram" do vs. 4. Mas alguns intérpretes compreendem a frase "lá nasceram" como menção aos cidadãos "lá de fora", ao passo que "este e aquele" diria respeito aos nascidos em Sião. No entanto, não parece que o autor sacro estivesse estabelecendo distinção entre os homens quanto a direitos de nascimento. Portanto, o autor sagrado enfatizava a ideia de universalidade. O judaísmo tinha crescido e o yahwismo se tornara universal. Adam Clarke (*in loc.*) extraiu uma lição espiritual da questão. Era uma honra ser um cidadão de Sião, sem importar de que modo; mais honroso, entretanto, era ter *nascido ali*. Mas ter nascido "do alto", como cidadão da Sião celestial, é a maior honraria que há na face da terra.

"Todo homem, espiritualmente nascido, deriva dali o seu nascimento (Gl 3.26)" (Fausset, *in loc.*).

O *Altíssimo* (ver a respeito no *Dicionário*) estabeleceu Sião como sua capital e lugar de manifestação, pelo que coisa alguma poderia ser dita que lhe desse ainda mais prestígio.

■ 87.6

יְהוָה יִסְפֹּר בִּכְתוֹב עַמִּים זֶה יֻלַּד־שָׁם סֶלָה׃

O Senhor, ao registrar os povos. *Quando registrava* todos os cidadãos de todos os lugares, Yahweh fez uma menção honrosa sobre cada um deles, dizendo: "Este homem nasceu lá" (isto é, em Sião), ou seja, é um cidadão daquele lugar. Está em pauta a antiga prática do registro de cidadãos. Cf. Sl 56.8; 69.28; 139.16; Êx 32.32; Is 4.3;

Dn 12.1 e Ml 3.16. Há registros para vários outros propósitos. Ver Jr 22.30; Ez 13.9; Ed 2.62; Ne 7.5 e 2Cr 2.17. Essas listas de cidadania podem ter sido um ponto de orgulho para o povo de Jerusalém, por terem nascido *ali,* ao passo que outros chegaram posteriormente e eram considerados cidadãos de segunda categoria. No entanto, não há nenhuma intenção como essa aqui. Todos os cidadãos achavam-se em pé de igualdade, visto que Sião era a *mãe* de todos, sem importar onde seus corpos tivessem nascido.

Selá. Quanto a possíveis significados desta misteriosa palavra, ver Sl 3.2.

■ 87.7

וְשָׁרִים כְּחֹלְלִים כָּל־מַעְיָנַי בָּךְ׃

Todos os cantores saltando de júbilo entoarão. Este cântico de Sião foi usado liturgicamente, pelo que era acompanhado de instrumentos musicais. Ver 1Cr 25, quanto a grupos musicais (profissionais) formados por levitas. Tal profissão passava de geração em geração, por ter sido um ofício hereditário.

Cf. Sl 68.25; 1Rs 10.12 e Ez 40.44. A *Revised Standard Version* diz aqui "cantores e dançarinos" (em lugar de "cantores", conforme lemos em nossa versão portuguesa, ou como tocadores de instrumentos musicais, segundo se lê em outras versões). Quanto às *danças religiosas,* ver Sl 30.11; 150.4 e 2Sm 6.14. Na verdade, a palavra hebraica pode ser entendida como *dançarinos,* sendo essa a preferência de alguns intérpretes. Ver Jz 21.21,23, onde por certo esse é o sentido da palavra hebraica. A dança é uma expressão de emoções, incluindo a emoção da *alegria.* A alegria animal é o sentimento usual que a dança representa; mas alguns estudiosos supõem que também expresse a alegria espiritual. Seja como for, a dança sempre fez parte do culto de adoração dos templos pagãos. Ver no *Dicionário* o artigo chamado *Dança,* quanto a informações completas.

Todas as minhas fontes estão em ti. É provável que essas palavras representem o título ou a primeira linha de um hino entoado em Sião. "Fontes" aponta para os mananciais da vida e da alegria. Ver Sl 36.9; Is 12.3; Os 12.3 e Pv 5.16. Ou talvez mais especificamente, neste caso, como uma metáfora, esteja em pauta a ideia de "toda a minha descendência", ou seja, os cidadãos de Sião, referidos nos vss. 4-6. "... fontes... de alegria, paz e consolação estão com ele. As fontes da salvação estão nele, e tanto a graça como a glória vêm dele. Ele é a fonte de toda a graça agora, bem como a fonte de toda a felicidade no outro mundo" (John Gill, cristianizando o versículo e fazendo de *Cristo* a fonte).

"As fontes terrenas não produzem nenhum deleite puro. Todas elas são misturadas, e suas águas são turbulentas. Mas as fontes espirituais são refrigerantes, satisfatórias e deleitosas" (Adam Clarke, *in loc.*). Ver no *Dicionário* o verbete intitulado *Fonte,* quanto a informações completas, incluindo usos metafóricos.

SALMO OITENTA E OITO

Quanto a *informações gerais* que se aplicam a todos os salmos, ver a introdução ao Salmo 4, onde apresento *sete* comentários que elucidam a natureza do livro. Quanto às *classes* dos salmos, ver o gráfico no início do comentário, que atua como uma espécie de frontispício da coletânea. Ofereço ali dezessete classes e listo os salmos pertencentes a cada uma delas.

Este é um *salmo de lamentação,* de longe o maior dos grupos. Trata-se de uma oração desesperada pedindo a cura de um corpo enfermo. Sobre o tema "doença", ver os Salmos 6, 22, 28, 30 e 38. Os salmos de lamentação tipicamente começam com um grito de socorro; então falam dos inimigos que estavam sendo confrontados; geralmente contêm uma série de imprecações contra esses inimigos; e então terminam em uma nota de louvor e ação de graças pelas respostas à oração, ou porque o salmista pensava estar a caminho a resposta. Este salmo, no entanto, termina em desespero, o que também é veraz de acordo com a experiência humana. Outro salmo que termina em tom de desespero é o Salmo 31.1-12, dividido em três seções, que, originalmente, devem ter formado uma composição distinta. Ver as notas em Sl 31.12. O *Livro de Oração Comum,* em inglês, selecionou este salmo como apropriado para as orações noturnas da Sexta-feira da Paixão. Provavelmente a escolha foi feita "por ser um nobre exemplo de fé que confia completamente em Deus, a despeito de todo o desencorajamento, e apega-se a Deus mais apaixonadamente, quando o Senhor parece ter-se retirado completamente da cena" (A. F. Kirkpatrick). Neste caso, provavelmente a lamentação é de um indivíduo e aborda a enfermidade física, parte do *Problema do Mal* (ver a respeito no *Dicionário*).

A enfermidade faz parte do mal natural, coisas que a natureza projeta contra os homens e os fazem sofrer. A enfermidade em foco não pode ser identificada de modo absoluto, e parece ser algo que desde a mocidade debilitava o pobre homem, talvez a lepra ou a paralisia. Seja como for, os amigos do homem não aguentavam mais o aspecto dele e o tinham abandonado. Para ele, porém, o Senhor continuava a ser a única base de esperança, razão pela qual ele continuava orando. Ele se esforçava na busca da vitória que vence o mundo (ver 1Jo 5.4). Neste salmo há uma incomum descrição do *sheol*. Ver os vss. 4-6 e 10-12. Parece que aqui a doutrina dos hebreus sobre o seol finalmente ultrapassou a simples ideia da *sepultura,* que é tudo quanto está envolvido nessa palavra, na maioria dos salmos. Esse ponto, entretanto, é controvertido. O vs. 10 pode refletir o primeiro passo para fora do nada total, dentro do pensamento dos hebreus.

Subtítulo. Neste salmo há um subtítulo bastante longo, a saber: "Cântico. Salmo dos filhos de Coré. Ao mestre de canto. Para ser cantado com cítara. Salmo didático de Hemã, ezraíta". Onze salmos foram atribuídos aos filhos de Coré: 42; 44 a 49; 84 e 85; 87 e 88. Os comentários introdutórios não faziam parte original dos salmos, mas foram produtos de editores posteriores, pelo que não se revestem de autoridade canônica. Procuram conjecturar sobre questões como autoria e pano de fundo histórico que possa ter inspirado as composições poéticas.

"Para ser cantado" é tradução das palavras hebraicas *maalate leanote*. "Maalate" parece significar "dançar com alegria"; e "leanote" significa "resposta", podendo referir-se aos cânticos que eram cantados responsivamente.

Um homem não identificado, chamado Hemã, foi nomeado como o autor da composição, e ele era ezraíta; mas a Septuaginta diz aqui "israelita". Vários indivíduos foram assim chamados no Antigo Testamento, conforme demonstra no *Dicionário* o artigo chamado *Hemã*. Mas é inútil precisar qual deles seria o Hemã aqui referido. Alguns estudiosos pensam que a palavra hebraica *maalate* significa "enfermidade"; e, se essa opinião está certa, então a palavra foi suprida do contexto do próprio salmo, visto que o poeta sagrado estava realmente muito enfermo.

■ 88.1 (na Bíblia hebraica corresponde ao 88.1,2)

שִׁיר מִזְמוֹר לִבְנֵי קֹרַח לַמְנַצֵּחַ עַל־מָחֲלַת לְעַנּוֹת
מַשְׂכִּיל לְהֵימָן הָאֶזְרָחִי׃

יְהוָה אֱלֹהֵי יְשׁוּעָתִי יוֹם־צָעַקְתִּי בַלַּיְלָה נֶגְדֶּךָ׃

Ó Senhor, Deus da minha salvação. O enfermo havia clamado a Yahweh-Elohim *dia e noite* e por longo tempo. Parece que ele tinha alguma espécie de doença degenerativa desde a juventude (ver o vs. 15). Suas orações nunca haviam sido respondidas. De fato, este salmo termina em *mais orações,* e não em ação de graças por ter o salmista obtido alívio de sua condição doentia. Isso naturalmente corresponde à experiência humana. Existem enigmas no sofrimento e no *Problema do Mal* em geral (ver a respeito no *Dicionário*). Existe um mal moral, que consiste no mal que os homens podem causar a seus semelhantes. E existe também o mal natural: inundações, incêndios, terremotos, desastres naturais, enfermidade e finalmente a morte, que algumas pessoas consideram o campeão de todos os males.

O homem continuava a orar porque Deus é o Deus da salvação (do livramento), e somente ele tem o poder de fazer qualquer coisa acerca da condição humana. Ver sobre *salvação* e sobre *Deus da salvação* em Sl 62.2, onde há notas expositivas e referências. Certa ocasião acompanhei um caso semelhante. Um pastor morreu, deixando esposa e filhas. Uma das filhas tinha uma séria condição cardíaca, que lhe causava muita dor e lhe ameaçava a vida. Após a morte do pastor, a mãe viúva se associou a outra igreja, porque tinha a convicção de que somente as orações daquela igreja particular poderiam ajudar a filha enferma. Ela continuava orando. A igreja também continuava orando, sem nunca ter obtido resposta, enquanto acompanhei o caso. Por isso eu considerava aquele caso tão triste; e este salmo provavelmente é o mais triste de todo o saltério, pois as orações iam ninguém sabe para onde, mas continuavam indo. Mas, visto que a oração tem poder, nós também continuamos orando.

■ **88.2** (na Bíblia hebraica corresponde ao **88.3**)

תָּבוֹא לְפָנֶיךָ תְּפִלָּתִי הַטֵּה־אָזְנְךָ לְרִנָּתִי׃

Chegue à tua presença a minha oração. O autor sagrado continuava orando, pedindo que Elohim, o Poder, inclinasse os ouvidos em sua direção. Mas o Poder aparentemente se mantinha *indiferente* para com a sua necessidade (ver sobre isso em Sl 10.1; 28.1; 59.4; 82.1). Embora Deus parecesse distante, o homem continuava a orar. Sua oração parecia fraca, e ele mesmo estava debilitado. Sua oração, entretanto, era inútil, e ele se sentia impotente; mas continuava orando, fervorosa e sinceramente.

As orações são filhas de Zeus, tão murchas, tão aleijadas, de olhos tão deformados.

Homero, *Ilíada*, ix.498

Quem poderia importar-se com aquelas orações murchas e aleijadas? Quem poderia respeitar uma oração de olhos deformados? Mas orar era tudo quanto o homem podia fazer, pelo que continuava orando. Ele nada tinha para pleitear, exceto a infinita graça de Deus diante de sua grande necessidade. Ele pleiteava *na presença de Elohim*, porquanto quem haveria de querer ouvi-lo orar na igreja ou em uma esquina de rua? Ele era um homem deformado, cujos amigos o tinham abandonado. Tudo quanto lhe restava era orar, o que poderia tocar um Deus distante.

■ **88.3** (na Bíblia hebraica corresponde ao **88.4**)

כִּי־שָׂבְעָה בְרָעוֹת נַפְשִׁי וְחַיַּי לִשְׁאוֹל הִגִּיעוּ׃

Pois a minha alma está farta de males. A alma (vida) do homem estava sobrecarregada de males, e o tempo de vida que lhe restava agora parecia curto. Seus sofrimentos não lhe tinham dado descanso, e ele agora já se inclinava por sobre o sepulcro. O quadro reflete a mais completa impotência e desânimo, mas o homem continuava orando. Sua vida estava prestes a extinguir-se no *sheol*, acerca do qual ele nos oferece uma série de descrições vívidas. Alguns estudiosos supõem que tenha sido Hemã quem aventou o conceito de aquele lugar representar algo mais que o sepulcro, existente para além da vida física. Mas, ao examinar as suas metáforas, apesar de confessarmos sua beleza e graça, e o fato de serem bastante incomuns, no conjunto não parece haver coisa alguma que nos leve a pensar na vida para além do sepulcro. O vs. 10, entretanto, talvez reflita a crença em fantasmas sem mente, a esvoaçar pelo sheol, sem autoconsciência, sem identidade, o primeiro passo para afastar-se do nada.

A doutrina do sheol como um lugar que existe depois da vida terrena entrou tarde na teologia dos hebreus, ficando subentendida em alguns salmos e nos livros dos profetas. Somente em Dn 12.2, em todo o Antigo Testamento, temos uma clara afirmação do pós-vida, com seus castigos ou recompensas. Essa ideia foi desenvolvida nos livros pseudepígrafos e apócrifos, e então mais ainda no Novo Testamento. O pobre homem não tinha nenhuma esperança na morte, mas somente esperava a extinção. O sepulcro parece cortar o relacionamento entre o homem e seu Deus (vss. 10-12).

■ **88.4** (na Bíblia hebraica corresponde ao **88.5**)

נֶחְשַׁבְתִּי עִם־יוֹרְדֵי בוֹר הָיִיתִי כְּגֶבֶר אֵין־אֱיָל׃

Sou contado como os que baixam à cova. Segundo a sua própria estimativa, bem como a de outras pessoas, o homem já havia falecido, visto que tão pouca vida restava nele, e, como era óbvio, seu caso era terminal. Suas forças físicas estavam, realmente, no fim, pois a enfermidade o havia traspassado com mil flechas. Ele estava praticamente morto e quase não tinha esperança. Mas com a pouca esperança que lhe restava, ele continuava orando.

A ti clamo, ó Senhor; Rocha minha, não sejas surdo para comigo; para que não suceda, se te calares acerca de mim, seja eu semelhante aos que descem à cova.

Salmo 28.1

Cf. Sl 22.15. A *cova*, outra referência ao *sheol*, era vista como uma grande câmara subterrânea. "Cova é sinônimo de *sepultura*; cf. o vs. 6; 28.1; 30.3,9; 69.15; 143.7. Ele estava abandonado como um morto, sem o cuidado de Deus (vs. 5)" (Allen P. Ross, *in loc.*).

■ **88.5** (na Bíblia hebraica corresponde ao **88.6**)

בַּמֵּתִים חָפְשִׁי כְּמוֹ חֲלָלִים שֹׁכְבֵי קֶבֶר אֲשֶׁר לֹא זְכַרְתָּם עוֹד וְהֵמָּה מִיָּדְךָ נִגְזָרוּ׃

Atirado entre os mortos. Atirado entre os mortos, ele foi esquecido, tal como sucede aos soldados mortos em batalha quando as coisas saem erradas para um exército. Os soldados agora estão todos mortos, e quem poderia cuidar deles? Seus cadáveres são despejados na fossa comum, e eles são esquecidos. O próprio Elohim os esquece. Agora não são mais entidades vivas, porque não têm mais respiração nem há sangue circulando em suas veias. Não passam de uma massa de carne podre, terrível, horrenda, fedorenta, inútil, desprezível, digna de comiseração. A *mão* de Deus, o seu *poder,* não lhes pode mais fazer bem nenhum. Estão fora de Deus e do bem. Ver sobre *mão* em Sl 81.14 e sobre *mão direita* em Sl 20.6. Ver também sobre *braço*, em Sl 77.15 e 89.10. Se o símbolo do poder de Deus é a *mão*, contudo, no caso dos mortos, nem mesmo esse seu *poder* adianta alguma coisa. Nesse ponto se achava a teologia dos hebreus, quando este salmo foi escrito. Os hebreus ainda não haviam desenvolvido uma doutrina da alma imaterial. Os mortos em batalha eram lançados na vala comum. Quem mais se importava com eles? Cf. Ez 32.20-32 e 31.12, onde encontramos declarações similares.

Enquanto um homem está vivo, é responsável diante de Deus como seu escravo. Mas, quando morre, fica livre dessa servidão. Cf. Jó 3.19. Mas qual é o bem, se um homem é reduzido a *nada?* Alguns intérpretes tentam ler outra coisa neste versículo, além do *nada; e* fazem isso apelando para outras passagens, mas isso nos desvia do que o salmista tentava dizer-nos. Como é óbvio, tal atividade nos conduz à esperança, mas neste salmo tal pensamento é um anacronismo. O estado de fraqueza física do poeta sagrado o reduzira a quase nada. O sepulcro terminaria o trabalho. O vs. 10 encerra um aparente primeiro passo, dentro da teologia dos hebreus, para longe do nada absoluto a que as pessoas eram reduzidas no *sheol*.

■ **88.6** (na Bíblia hebraica corresponde ao **88.7**)

שַׁתַּנִי בְּבוֹר תַּחְתִּיּוֹת בְּמַחֲשַׁכִּים בִּמְצֹלוֹת׃

Puseste-me na mais profunda cova. A "mais profunda cova" talvez não passe da sepultura, ou então o poeta estava apresentando uma visão expandida do *sheol*, passando a ver ali algo mais do que o nada, o que comento no vs. 10 deste salmo. Mas este versículo, isolado, talvez não possa ser visto por tal ângulo. As regiões onde predominavam as trevas e a profundidade podem ser apenas mórbidas figuras poéticas do buraco ao qual o corpo do poeta seria lançado. Ver Lm 3.55, quanto à mesma expressão. Quanto às *trevas do sheol*, ver os vss. 12 e ss. e também Sl 143.3; Lm 3.6 e Jó 10.21,22. Sem importar qual fosse a intenção do salmista, o certo é que ele falava do total *abandono* a que ficam relegados os mortos, tanto da parte dos homens como da parte de Deus. Por conseguinte, se ele estava vendo o *sheol* como algo mais do que um sepulcro, certamente não viu muita coisa, nem divisou ali alguma esperança. Cf. as "partes inferiores da terra", em Sl 63.9 e 86.13, bem como o mais profundo inferno de Ez 16.20. Quando examinamos as passagens bíblicas que falam sobre o *sheol*, estamos tratando com uma noção em processo de desenvolvimento, e não com um ensino que permaneceu intacto do começo ao fim.

Talvez não esteja em vista o *sheol* literal, mas o bárbaro costume de lançar prisioneiros em uma masmorra escura, fazendo-os debilitar-se até a morte, num processo de total desesperança. Leão Africanus (*Description Africai*, 50.3, pág. 413) afirma ter visto milhares de cristãos serem assim tratados, com o cruento detalhe adicional de estarem acorrentados uns aos outros com cadeias. Tais masmorras com frequência se tornavam a cena da morte coletiva, após a angústia coletiva.

Os intérpretes que vinculam a melancolia deste versículo à "punição" dos perdidos perdem completamente de vista o alvo. Em *primeiro lugar,* o poeta certamente não era um homem iníquo que pudesse ser tratado dessa maneira no pós-vida. Em *segundo lugar,* a teologia dos hebreus ainda não havia chegado ao ponto em que o *sheol* era encarado como lugar de recompensa para os bons e de punição para os iníquos.

■ **88.7** (na Bíblia hebraica corresponde ao **88.8**)

עָלַי סָמְכָה חֲמָתֶךָ וְכָל־מִשְׁבָּרֶיךָ עִנִּיתָ סֶּלָה׃

Sobre mim pesa a tua ira. Temos aqui menção à *ira de Deus,* não no pós-vida, mas, sim, administrada nesta vida física, expressa através de alguma enfermidade que o homem carregaria através de toda a sua existência terrena, desde a sua *juventude,* conforme vemos no vs. 15 deste salmo. Poderíamos presumir que o homem lançava a culpa de sua enfermidade sobre um ou mais pecados que tivesse cometido, talvez até pecados desconhecidos para a sua mente consciente. Yahweh era então visto como a *única causa* e, se alguém adoecesse (de acordo com a teologia padrão dos hebreus), tal homem deveria ter pecado em algum ponto de sua vida para merecer tal agonia. Assim também, no livro de Jó, seus "consoladores molestos" voltavam a atiçar, por vezes sem conta, a ideia de que sua enfermidade era um castigo contra o pecado, a colheita do que ele havia semeado. Ver no *Dicionário* o verbete chamado *Lei Moral da Colheita segundo a Semeadura.* No entanto, Jó se declarava inocente e queria saber *por que* estava sofrendo. No sofrimento de Jó havia muito mais do que julgamento contra o pecado. Existem outras razões para o sofrimento, talvez até disciplina e edificação do caráter, mas também há *enigmas.* A história de vida de nosso poeta se parece bastante com a de Jó. Ele não confessava seus pecados a fim de encontrar alívio para os sofrimentos. Talvez ele nem fosse como os hebreus comuns, que sempre viam o pecado como a causa das enfermidades físicas. Este salmo não chega a examinar as minúcias da questão, conforme faz o livro de Jó. Ver no *Dicionário* o verbete chamado *Problema do Mal,* quanto a uma discussão sobre por que os homens sofrem e por que sofrem da maneira como sofrem.

Com todas as tuas ondas. O sofrimento se abatia sobre o autor sagrado como um homem que recebe o impacto das ondas do mar, e era Deus quem estava por trás da tempestade marinha. Isso fala muito sobre a intensidade do sofrimento. Em algumas culturas, tais pessoas com frequência se tornam suicidas potenciais. Em nossos próprios dias, nos Estados Unidos, testemunhamos o espetáculo de certo médico que ajuda pacientes desesperados a escapar das dores por meio da morte assistida pelo médico, isto é, a *eutanásia* (ver a respeito no *Dicionário).* Sem dúvida há muitos outros médicos, ao redor do mundo, que fazem a mesma coisa, mas não permitem que seus nomes sejam divulgados. Os teólogos e os filósofos debatem a ética desses atos, e eu mesmo não estou certo sobre qual é a postura certa. Mas os hebreus não eram um povo com tendências suicidas e, embora haja alguns casos raros na Bíblia, esse nunca foi um fenômeno generalizado em Israel. Ver no *Dicionário* o artigo chamado *Suicídio.* De qualquer maneira, as ondas de dor eram *avassaladoras.* Assim sendo, o salmista continuava orando, embora não houvesse nenhum resultado positivo para suas orações. O poeta se parecia com um marinheiro enfrentando uma tempestade fatal no meio do oceano. Tudo estava perdido, o navio afundava, e nenhum socorro se aproximava.

■ **88.8** (na Bíblia hebraica corresponde ao **88.9**)

הִרְחַקְתָּ מְיֻדָּעַי מִמֶּנִּי שַׁתַּנִי תוֹעֵבוֹת לָמוֹ כָּלֻא וְלֹא אֵצֵא׃

Apartaste de mim os meus conhecidos. O homem, enfermo desde a juventude, portava uma espécie de enfermidade degenerativa de grau tal que o tornara repelente a seus antigos amigos. Portanto, além de seus outros problemas, ele se tornara um pária social. Alguns identificam essa enfermidade com a lepra, mas nesse caso ele teria sido formalmente separado da comunidade. Ver sobre a *sara'at* na introdução a Lv 13. Provavelmente, a lepra tradicional estava incluída nessa palavra hebraica, que abrangia grande leque de outras aflições cutâneas, incluindo mofos e fungos que aparecem nas roupas e paredes das casas. Talvez a dificuldade do salmista fosse a paralisia. Seja como for, é inútil tentar determinar exatamente o seu problema. O que fica claro é que sua doença o privara das amizades normais e o deixara a morrer sozinho. Jó tinha feito o mesmo tipo de queixa que encontramos neste versículo. Ver Jó 19.13-19 e cf. Sl 88.18 e 31.11. Sua enfermidade era repelente, e assim era todo o seu caso, para Deus e para os homens, pelo menos segundo o seu próprio entendimento. Ele era evitado como se fosse um objeto de *horror* (cf. Jó 30.10).

Estou preso. Isto poderia significar um informal ostracismo social, ou uma quarentena formal por causa da *sara'at,* conforme exigia a legislação mosaica. Ver Lv 13.1-6,45,46. Talvez a expressão seja metafórica, conforme se vê em Jó 3.23; 13.27 e 19.8.

Não vejo como sair. Ou seja, de sua prisão, sem importar qual tenha sido ela, ou de sua condição geral. Ele fora apanhado na *armadilha* de sua enfermidade e de sua quase fatal condição, e somente *Elohim* lhe poderia ser de algum bem. Sua condição desconhecia *escapatória* (conforme pode ser traduzido o original hebraico), a menos que houvesse intervenção divina. O nosso homem caíra em total melancolia mental, o que com frequência acontece a pessoas gravemente enfermas.

Este versículo tem sido espiritualizado para indicar a repelente e incurável condição espiritual que separava o salmista de qualquer graça divina, porque nele havia pecado ainda não perdoado.

■ **88.9** (na Bíblia hebraica corresponde ao **88.10**)

עֵינִי דָאֲבָה מִנִּי עֹנִי קְרָאתִיךָ יְהוָה בְּכָל־יוֹם שִׁטַּחְתִּי אֵלֶיךָ כַפָּי׃

Os meus olhos desfalecem de aflição. *Diariamente,* ele levantava uma oração *contínua,* sendo essa sua única esperança. E ele a exercia diligentemente. Mas de nada adiantava. Suas orações eram altos *lamentos,* mas ele não obtinha misericórdia da parte de Deus. Seus olhos ficavam molhados de tanto chorar. Cf. Sl 6.7 e 31.9. "O homem inteiro devia orar para ser ouvido por Deus" (Fausset, *in loc.),* mas o homem inteiro orava e não era ouvido, o que certamente se revela um *enigma* para nós. Quanto à questão de *orar sem cessar,* ver 1Ts 5.17 e, no *Dicionário,* o artigo chamado *Oração.* "... embora suas tribulações continuassem e até aumentassem, ele não deixava jamais de orar" (John Gill, *in loc.).*

> A oração é o desejo sincero da alma,
> Que fica mudo ou é expresso,
> É o movimento de uma chama oculta
> Que tremula no peito.
>
> Montgomery

O SENHOR É QUESTIONADO (88.10-12)

■ **88.10** (na Bíblia hebraica corresponde ao **88.10**)

הֲלַמֵּתִים תַּעֲשֶׂה־פֶּלֶא אִם־רְפָאִים יָקוּמוּ יוֹדוּךָ סֶּלָה׃

Mostrarás, tu, prodígios aos mortos...? O enfermo dirigiu-se diretamente a Yahweh-Elohim e lhe fez algumas perguntas centralizadas em torno da teologia dos hebreus, a qual pregava que os mortos são inteiramente inúteis. Nesse caso, que adiantaria para Deus contar com homens mortos? Este salmo pode continuar a teologia normal dos hebreus do total aniquilamento dos mortos, bons e maus, no sepulcro. Nesse caso, o *sheol* importaria meramente em destruição. Nesse caso, teríamos aqui o primeiro passo para longe daquele lugar como se ele apontasse somente para o sepulcro. Note o leitor que temos dois vocábulos para indicar os mortos, neste versículo. Há os "mortos" e há os "finados", que também pode ser traduzido por "fantasmas". A primeira dessas palavras hebraicas é *mooth,* que vem de uma raiz que significa "morrer" ou "matar". Essa palavra pode referir-se a um *cadáver* ou à *destruição.* E a segunda palavra é *rapha,* que pode referir-se aos gigantes da Palestina que os hebreus expeliram ou extinguiram. Esta palavra pode significar somente *morto,* pelo que algumas versões traduzem ambas as palavras como "morto", levando alguns a supor que tenhamos aqui um paralelismo poético ou dois sinônimos, no hebraico. Mas o sentido básico da segunda palavra é estar em estado de *lassidão,* ou seja, estar fraco, enfermo.

A palavra também pode ser traduzida como *fantasma*. Nesse caso, temos a primeira referência clara ao segundo passo da teologia dos hebreus acerca do *sheol*.

Os mortos não estão absolutamente mortos no pós-vida, mas seriam como fantasmas destituídos de mentalidade a esvoaçar em um local lúgubre. Não devemos pensar em nenhuma distinção, entre os *rapha*, de homens bons e de homens maus, e certamente não há nenhuma ideia de recompensa para os bons e de castigo para os maus. O argumento do salmista é que, no *sheol*, entidades fantasmagóricas destituídas de mentalidade são incapazes de louvar a Deus. Portanto, o que Deus ganharia mediante a "morte" de seres humanos, mesmo que fossem entidades a esvoaçar pelo *sheol*, sem nada saber, sem dar louvor, na realidade esquecidas por Deus e pelos homens, já que, na verdade, não são verdadeiros seres vivos?

"Eles seriam formas lânguidas, enfermiças, deitadas de costas, cortadas de todas as esperanças e interesses no ar superior, e até mesmo de tudo esquecidas, mas retendo sensações suficientes para torná-los conscientes da monotonia melancólica da morte. Cf. Is 38.18; Eclesiástico 17.27,28 e Baruque 2.17" (Ellicott, *in loc.*).

É importante notar, quanto a um verdadeiro entendimento deste versículo, que o poeta não distinguiu os *rapha* dos homens bons e dos homens maus. Ele deve ter pensado em si mesmo como um homem bom, mas isso não significa que seu "fantasma" não acabaria naquele *sheol* melancólico e sem esperança. Atualmente se estabelece a diferença, na ciência psíquica e na espiritual, entre os *fantasmas* e os *espíritos*. O fantasma é um fragmento psíquico da personalidade humana, mas não uma pessoa real. Tem a capacidade de certos atos, como assombrar uma casa, por exemplo, causando certas manifestações mecânicas, mas não é um espírito no verdadeiro sentido da palavra. Ver no *Dicionário* o artigo intitulado *Fantasma*, especialmente o terceiro ponto, chamado *Identificação dos Fantasmas*.

Parece-nos possível que os hebreus, movendo-se da teologia do corpo somente (sem a sobrevivência da alma), primeiramente tenham descoberto os *fantasmas* e, somente mais tarde, os *espíritos*. Ainda mais tarde, os hebreus disseram que havia bons espíritos no *sheol* recebendo recompensas, e espíritos maus recebendo castigos, e é nesse ponto que encontramos a doutrina no capítulo 16 do Evangelho de Lucas. Em seguida, 1Pe 3.18—4.6 menciona a missão misericordiosa de Cristo entre os espíritos maus no hades, aqueles que tinham sido *desobedientes* nos dias de Noé, mas receberam uma missão misericordiosa através do Messias, o que concorda com o que esperaríamos da parte do Deus de amor. Ver detalhes sobre essas questões nos artigos Hades (no *Dicionário*) e *Descida de Cristo ao Hades* (na *Enciclopédia de Bíblia, Teologia e Filosofia*).

Uma vez mais, verificamos que as ideias teológicas se expandem. Não se pode examinar a Bíblia e encontrar ali uma palavra ou uma ideia, para então dizer: "É isso que a Bíblia sempre quis dizer". É preciso acompanhar uma palavra ou uma ideia através de seu desenvolvimento teológico, o qual se torna evidente quando se compara uma passagem com outra. E o Novo Testamento *salta à frente* do Antigo Testamento quanto a *muitas ideias*, e não meramente quanto à ideia do *sheol* ou *hades*.

Selá. Ver em Sl 3.2 sobre os vários significados atribuídos a esta palavra.

■ **88.11** (na Bíblia hebraica corresponde ao **88.12**)

הֲיְסֻפַּר בַּקֶּבֶר חַסְדֶּךָ אֱמוּנָתְךָ בָּאֲבַדּוֹן׃

Será referida a tua bondade na sepultura? Os *fantasmas* destituídos de mente, no *sheol*, não teriam poder de declarar coisa alguma sobre o *amor constante* de Deus. Primeiro, porque o *sheol* no princípio não era visto como um lugar onde esse amor se manifestava. Em segundo lugar, porque a teologia dos hebreus do período histórico inicial afirmava que o amor só opera no plano terreno. Assim sendo, quando um homem morria e se tornava apenas um fantasma, estava condenado a uma vida sem sensações, em um lugar melancólico, não totalmente morto, mas também não vivo. A vida é maior do que os hebreus supunham, e outro tanto podemos dizer com respeito ao amor de Deus, que está operando sempre e em todos os lugares. Essa ideia, quanto a alguns aspectos, aproxima-se da moderna doutrina mitológica dos *mortos-vivos*, o tipo de vida atribuído aos vampiros.

Os vampiros não estão vivos, mas também não estão absolutamente mortos. Eles desfrutam uma espécie de imortalidade ridícula, uma vida que não vale a pena ser vivida, pois não é vida na acepção legítima da palavra. Não estou dizendo que os *fantasmas* concebidos pelos hebreus se parecem com os vampiros mitológicos. Estou apenas apontando que há certas ideias similares que envolvem uma possível "vida para além-túmulo". Além disso, no Zaire, temos certas crenças similares. Os nativos dali acreditam que um *espírito* só pode continuar a viver enquanto tiver descendentes através dos quais possa manifestar-se. Portanto, se sua linhagem acabar, ele deixará de existir, porquanto lhe falta avenida de manifestação. Eis uma das razões pelas quais a poligamia é tão importante na África. A poligamia garante a um homem uma espécie de existência, porquanto ele tem mais representantes na terra, mediante os quais se pode manifestar. Portanto, temos ali um mui pobre grau de sobrevivência, o grau nem pode ser considerado verdadeira imortalidade, pois os espíritos dependeriam de pessoas vivas para terem continuação, não há promessa de uma vida independente no além, e certamente não há céu em nenhum sentido. Tais espíritos são *prisioneiros da terra*, uma doutrina comum no espiritismo.

Naturalmente, os reais paralelos da antiga ideia dos hebreus sobre o hades eram as ideias dos gregos e dos romanos. Eles também imaginavam fantasmas destituídos de mentalidade, que esvoaçavam em uma espécie de mundo do nada. Gradualmente, os espíritos e as filosofias a respeito também adquiriram vida consciente. O *sheol* dos hebreus, tal como o *hades* dos gregos, teve crescimento evolutivo paralelo.

Note o leitor a atmosfera melancólica deste versículo. Fantasmas insensíveis podem sobreviver à morte biológica, mas eles vão para um lugar onde o amor de Deus se mostra inoperante, e onde nada se sabe sobre a fidelidade de Deus, manifestada em suas obras. Em outras palavras, trata-se de um lugar sem Deus, porquanto não é um lugar de vida real.

Sepultura. Algumas versões dizem aqui "Abadom". Ver esta palavra no *Dicionário* quanto a explicações plenas. A destruição é personificada e transformada em um monstro destruidor que governa a não existência do *sheol*. Ali as atividades terrenas se esboroam no nada, e as atividades que há no *sheol* nem são dignas de menção. A desesperança e o esquecimento são as palavras-chave daquele lugar melancólico. E é um erro cristianizar este versículo e fazer Abadom ser sinônimo de Satanás, que estaria envolvido em punir os espíritos maus, por ordem de Deus.

"Portanto, temos aqui mencionada a *graça do pacto*, sobre a qual o sepulcro nada conhece. A morte rompe o relacionamento do pacto. Assim sendo, conceitos como 'fidelidade', 'maravilhas', 'amor' e 'retidão' são todos usados em sentido limitado, aplicando-se somente às relações do pacto" (Ellicott, *in loc.*, o qual acertou bem no alvo no tocante àquilo em que os hebreus antigos realmente acreditavam).

■ **88.12** (na Bíblia hebraica corresponde ao **88.13**)

הֲיִוָּדַע בַּחֹשֶׁךְ פִּלְאֶךָ וְצִדְקָתְךָ בְּאֶרֶץ נְשִׁיָּה׃

Acaso nas trevas se manifestam as tuas maravilhas? Deus opera *maravilhas* na cena terrestre, mas os fantasmas, no *sheol*, não têm consciência de nada acontecido no passado, e não são testemunhas das obras de Deus naquele lugar. Eles vivem nas *trevas*, e nenhuma luz brilha ali. Eles se encontram na *Terra do Esquecimento*, olvidados por Deus e pelos homens. Uma de minhas fontes informativas mostra o poeta fazendo perguntas retóricas, *esperando ouvir* que a *vida* do além é muito melhor do que ele fora induzido a acreditar. Porém, não há no texto sagrado o menor indício quanto a isso. Antes, o homem questiona Yahweh-Elohim com uma voz de acusação: "Tu me estás permitindo morrer e, no entanto, eu era um homem bom. Não mereço morte prematura. Se eu descer ao sheol, não serei capaz de louvar-te ali; não poderei mais acompanhar tuas obras; não me lembrarei mais de ti e tu não te lembrarás mais de mim. Portanto, por que não curas o corpo e me dás uma extensão de vida que seja digna de ser vivida?" O poeta mostrava-se assim amargo não porque, "algum dia", ele seria reduzido ao nada, mas porque Deus estava com imensa pressa sobre a questão, e não lhe permitia viver sua vida em utilidade, terminando seu curso com alegria.

A *Terra do Esquecimento* é um nome ímpar para o *sheol*, encontrado somente neste trecho bíblico. Deus esquece os fantasmas; os fantasmas esquecem tudo; os homens, mesmo na terra, esquecem os mortos. Cf. a "Planície do Esquecimento", da *República* de Platão (X.621). Naturalmente, ali o esquecimento é da memória. Os *espíritos autênticos* têm a memória arrebatada antes de reencarnarem, porque, conforme Platão disse: "Como pode um homem carregar a carga da memória de um passado interminável sobre os seus ombros? Portanto, o indivíduo renasce *como se* fosse a primeira vez. Aqueles que bebessem do rio Lethe (e todos, menos alguns poucos, são obrigados a fazer isso) perderiam suas memórias, porque as águas desse rio eram as águas do *esquecimento*". Em Virgílio, *Eneida*, (vi.713), encontramos uma pequena referência a isso:

> Todas aquelas almas estão reunidas em torno do rio, e esperam que novos corpos mortais lhes sejam dados ao acaso.

Vemos aqui claramente que a noção dos hebreus sobre o *sheol*, como um lugar de *esquecimento*, é bastante parecida com o *hades* dos gregos, embora o paralelismo seja apenas parcial. Para os gregos, havia no hades espíritos reais, que se esqueciam do passado mas não eram fantasmas destituídos de mente. A teologia dos hebreus finalmente chegou aos mesmos pensamentos das nações gregas, mas não foi incorporada a reencarnação no sistema, senão já no tempo da *Cabala* (ver na *Enciclopédia de Bíblia, Teologia e Filosofia*).

O APELO É RENOVADO (88.13,14)

■ **88.13** (na Bíblia hebraica corresponde ao **88.14**)

וַאֲנִי ׀ אֵלֶיךָ יְהוָה שִׁוַּעְתִּי וּבַבֹּקֶר תְּפִלָּתִי תְקַדְּמֶךָּ׃

Mas eu, Senhor, clamo a ti por socorro. O salmista deixa agora para trás seus pensamentos melancólicos sobre um *sheol* melancólico e volta a pensamentos melancólicos sobre sua inútil e dolorosa vida terrena. Ele renova sua oração. Continua orando, na esperança de ser ouvido por *Yahweh*. E relembra sua oração contínua, o que já vimos no vs. 9. Ele permanecia "estendendo suas mãos", em atitude de súplica. E nada acontecia. Contudo, ele não cessava de orar. O homem costumava usar os momentos convencionais de oração, como "pela manhã", quando orações eram oferecidas no templo, todos os dias: Êx 29.38-42; Sl 5.3; 59.16. Louvores eram oferecidos a cada manhã e tarde, como parte das sessões de oração (ver Sl 92.2). Sl 55.17 menciona orações oferecidas três vezes por dia: pela manhã, ao meio-dia e à tardinha. Cf. isso com Dn 6.10. O poeta sagrado sentia-se por demais enfermo para ir ao templo orar, mas isso não significa que ele ignorasse os tempos convencionais de oração. Todavia, o texto deixa claro que ele clamava e orava *o dia inteiro*. Somente Yahweh poderia fazer algo acerca de sua *desesperadora condição*.

O salmista esperava que, de alguma maneira, suas orações atingissem o céu e assim se mostrassem eficazes.

> Nenhuma oração é feita só no mundo,
> Pois o Espírito Santo intercede;
> E Jesus, no trono eterno,
> Intercede pelos pecadores.
>
> Montgomery

Cedo pela manhã, o salmista já estava nas escadarias do templo de Deus, por assim dizer, trazendo uma vez mais a sua petição por cura e pela extensão de sua vida. Cf. a parábola de Jesus sobre o *juiz injusto*, em Lc 18.1-8, que nos ensina sobre como persistir na oração e assim obter respostas mediante a força da pura *insistência*.

■ **88.14** (na Bíblia hebraica corresponde ao **88.15**)

לָמָה יְהוָה תִּזְנַח נַפְשִׁי תַּסְתִּיר פָּנֶיךָ מִמֶּנִּי׃

Por que rejeitas, Senhor, a minha alma? Isto é, a alma do salmista era "repelida", como se fosse algo nojento e inútil. Cf. Sl 43.2. A Septuaginta faz Yahweh rejeitar as *orações do salmista*, o que correspondia a uma realidade, mas o original hebraico faz o próprio *salmista* ser rejeitado. O homem repelido não podia ver o rosto brilhante e disposto a beneficiá-lo. Em outras palavras, ele estava totalmente abandonado. É conforme diz um antigo hino: "Nada existe, neste vasto mundo, que seja tão ruim como estar sozinho".

Em contraste com isso, vemos a esperança cristã expressa nas palavras deste poema:

> Exatamente quando dele preciso, Jesus está perto,
> Exatamente quando falho, exatamente quando temo;
> Pronto para ajudar-me, pronto a animar-me.
> Exatamente quando mais preciso dele.
>
> William C. Poole

A ENFERMIDADE DO POETA (88.15-18)

■ **88.15** (na Bíblia hebraica corresponde ao **88.16**)

עָנִי אֲנִי וְגֹוֵעַ מִנֹּעַר נָשָׂאתִי אֵמֶיךָ אָפוּנָה׃

Ando aflito e prestes a expirar desde moço. O homem *enfermo* chegou agora a seu apelo final, na tentativa de obter a atenção de Yahweh, salientando quão terrivelmente enfermo ele estava. Na terra ele nada possuía para apelar, exceto sua própria imensa necessidade, bem como a infinita graça de Deus. Desde sua mocidade ele andava enfermo. Ele possuía uma espécie de doença degenerativa crônica. Deus nunca o favorecera com a cura, e ele agora estava quase morto. Não obstante, não havia nenhuma intervenção divina. Sua saúde sempre fora precária, e agora o que lhe restava de vida estava num equilíbrio precário. Seus males são aqui descritos como os "terrores" de Deus, porquanto toda enfermidade era tida como tendo como causa o pecado, sendo, dessa maneira, um justo juízo de Deus. Jó objetava à teoria da "enfermidade apenas" como causa dos sofrimentos, mas nosso poeta não parece ter avançado em sua teologia até o estágio do "questionamento", onde ele poderia submeter a teste a teoria do pecado-enfermidade-julgamento. Ver no *Dicionário* o artigo chamado *Problema do Mal*, quanto a um amplo tratamento sobre por que os homens sofrem e por que sofrem como sofrem.

Estou desorientado. Esta é a tradução de nossa versão portuguesa. Outras versões dizem "estou desamparado". O original hebraico mesmo é incerto. Diz a *King James Version* "distraído", e diz a *Revised Standard Version* "impotente". A palavra cognata significa "roda", algo que "gira". Por isso John Gill deu "estremeço" ou "morro de uma concussão", ou seja, de repetidos *golpes* desfechados por Yahweh, que deixaram o homem estonteado. A figura que nos vem à mente é a de um boxeado encostado às cordas, sendo surrado a valer.

■ **88.16** (na Bíblia hebraica corresponde ao **88.17**)

עָלַי עָבְרוּ חֲרֹונֶיךָ בִּעוּתֶיךָ צִמְּתוּתֻנִי׃

Por sobre mim passaram as tuas iras. Novamente, Yahweh recebe o crédito pelo tratamento brutal que o salmista estava recebendo. A feroz ira de Deus passava sobre o homem como um forte vento, ou como ondas do mar. "Assédios temíveis me procuram destruir" (no dizer da *Revised Standard Version*), "terrores me têm cortado" (segundo a *King James Version*). O hebraico literal diz: "me têm extinguido", mas o verbo é variegadamente compreendido e por isso traduzido de modos bem diferentes. Cf. o vs. 7 deste salmo, que é bastante similar a este versículo. A Septuaginta diz "tem-me assustado", mas essa é uma tradução fraca demais. Seja como for, a ira de Yahweh era como um dilúvio que *avassalava* o salmista. Talvez possamos dizer que o homem estava sendo "decepado", o que preserva a brutalidade da palavra e seu possível significado básico.

■ **88.17** (na Bíblia hebraica corresponde ao **88.18**)

סַבּוּנִי כַמַּיִם כָּל־הַיֹּום הִקִּיפוּ עָלַי יָחַד׃

Eles me rodeiam como água, de contínuo. Os terrores ou assaltos de Yahweh caíam ao redor do homem *diariamente*, como dilúvios terríveis, ameaçando afogá-lo na dor. Eles o rodeavam como inimigos mortíferos. Cf. a metáfora do dilúvio com Sl 18.16. "... como águas provenientes de muitos lugares, de todos os quadrantes, que se uniam... inúmeros males o rodeavam (Sl 22.12,16; 40.12)" (John Gill, *in loc.*).

■ **88.18** (na Bíblia hebraica corresponde ao **88.19**)

הִרְחַקְתָּ מִמֶּנִּי אֹהֵב וָרֵעַ מְיֻדָּעַי מַחְשָׁךְ׃

Para longe de mim afastaste amigo e companheiro. Já pudemos averiguar que o homem fora abandonado por Deus e pelos homens (vs. 8). O pobre homem se tornara uma abominação para os amigos. Nem amante (mulher) nem amigo (homem) nada queriam com aquele indivíduo repelente. Seus amigos tinham sido "postos no escuro", isto é, haviam-se escondido, desaparecendo das vistas. Mas o original hebraico poderia ser traduzido como: "As trevas agora constituem meus conhecidos" (cf. Jó 17.14). Por isso comentou Ellicott (*in loc.*): "As trevas são minhas amigas". As trevas eram a única coisa que não o tinham abandonado. Há um toque de ironia na expressão do pobre homem. Já vimos que o rosto de Deus não brilhava sobre ele (ver o vs. 14). Por conseguinte, a luz de Deus havia desaparecido; os amigos do homem o tinham abandonado, mas as trevas se tornaram sua companhia constante. Ele sofrera perda total e tivera ganho *aparente*, que não passava de uma piada.

> Oh, tristeza, viverás comigo?
> Não como amante casual, mas como esposa,
> Companheira de meu peito, e metade de minha vida?
> Confesso-o. Isso tem de ser.
>
> Tennyson

O Salmo Termina em um Tom de Desespero. Quase todos os salmos de lamentação acabam com uma nota de fé e louvor, porquanto as orações pedindo ajuda foram respondidas, ou porque o salmista esperava que logo o fossem. Mas este e o Salmo 31.12 (que termina como um salmo de lamentação) acabam em total desespero. Isso também combina com a experiência humana. Não obstante, o salmista continuava orando. E isso também deveria ser verdade na experiência humana.

"O que o poeta sagrado fazia era ver a vida e a morte contra o pano de fundo de uma esperança que nunca foi totalmente extinta pelas escuras sombras do sofrimento. Que o sofrimento seja uma ajuda à esperança é um profundo mistério: que seja uma ajuda ao conhecimento já é menos complicado. Que o sofrimento possa levar à esperança e ao conhecimento de uma mais profunda apreensão da relação do homem para com Deus — *ante e post mortem* — esse já é um sutil testemunho do amargo poema do autor. Que melhor razão poderia ser encontrada para conferir-lhe um lugar no saltério?" (J. R. P. Sclater, *in loc.*).

SALMO OITENTA E NOVE

Quanto a *informações gerais* que se aplicam a todos os salmos, ver a introdução ao Salmo 4, onde apresento *sete* comentários que elucidam a natureza do livro. Quanto às classes dos salmos, ver o gráfico no início do comentário, que atua como uma espécie de frontispício da coletânea. Ofereço ali dezessete classes e listo os salmos pertencentes a cada uma delas.

Este salmo é uma oração real pedindo livramento das mãos de seus inimigos. O rei estava passando por dificuldades, mas esperava uma solução da parte de Yahweh. Este salmo, em sua totalidade, é uma *lamentação*, mas não segue essa classificação de modo rígido. Temos aqui um hino de louvor a Yahweh (vss. 5-8); um oráculo que promete sucesso a Davi (ou à linhagem de Davi; vss. 19-37). E, em seguida, temos uma lamentação por um rei de Judá (vss. 38-51). Mas, apesar de sua diversidade, a maioria dos eruditos defende a integridade deste salmo, ou seja, ele originalmente formava uma única unidade, não se compondo de várias unidades reunidas em um único salmo. Os vss. 38-45 apontam para um grande desastre em Judá, e o cativeiro babilônico parece ser o único fato histórico que pode explicar a linguagem severa. Este salmo contém algumas alusões messiânicas (conforme se vê no vs. 3), e o *Livro de Orações Comuns* na língua inglesa emprega este salmo como uma oração noturna do Dia de Natal.

Subtítulo. O subtítulo deste salmo diz como segue: "Salmo didático de Etã, ezraíta". "Didático" é tradução do vocábulo hebraico *masquil*; e "Etã", ao que se presume, deve ser identificado com o homem mencionado em 1Rs 4.31, pertencente à família de Zera, o qual esteve entre os célebres sábios que foram ultrapassados por Salomão, chamados ezraítas (ver 1Cr 2.6). É provável que, quando editores posteriores inventaram os subtítulos, este homem tenha sido confundido com Etã (ou Judutum), o cantor. Ver no *Dicionário* o artigo chamado *Etã*, quanto a cidades e homens assim chamados. Seja como for, os subtítulos não eram partes originais dos salmos e não se revestem de autoridade canônica. São apenas conjecturas sobre questões como autoria e circunstâncias históricas que podem ter inspirado as composições.

INTRODUÇÃO SOB A FORMA DE HINO (89.1-4)

■ **89.1** (na Bíblia hebraica corresponde ao **89.1,2**)

מַשְׂכִּיל לְאֵיתָן הָאֶזְרָחִי׃

חַסְדֵי יְהוָה עוֹלָם אָשִׁירָה לְדֹר וָדֹר אוֹדִיעַ אֱמוּנָתְךָ בְּפִי׃

Cantarei para sempre as tuas misericórdias, ó Senhor. Este versículo encerra declarações comuns encontradas em vários salmos, como o *amor constante* e a *fidelidade* de Yahweh, que garantirão o cumprimento das promessas feitas a Davi e à sua linhagem. O poeta sacro fez dessas qualidades divinas o tema preliminar de seu hino, e dirigiu-se diretamente a Yahweh como aquele que concede tais benefícios aos homens. Ele queria que seu hino fosse ouvido por todas as gerações, visto que a linhagem de Davi deveria continuar para sempre. Tal como a maioria dos salmos de instrução, este se aproveita de vários temas e se torna uma espécie de composição sagrada de retalhos que reverberam vários salmos e outras passagens do Antigo Testamento. Portanto, a este salmo falta originalidade, mas isso não prejudica a mensagem que ele anuncia. Contudo o propósito lírico logo se perde em uma lamentação fúnebre sobre como foi a queda de Judá, mediante a opressão. "Diante do problema capaz de causar perplexidade das aflições e da derrota do rei ungido, o salmista implora para o Senhor lembrar seu juramento e por fim o desastre... Assim sendo, o salmo torna-se um estudo do conflito aparentemente milenar entre as promessas do Deus fiel e amoroso, e a negra realidade das catástrofes que com tanta frequência ocorrem" (Allen P. Ross, *in loc.*).

O *hino* prolonga-se até o vs. 18, pelo que não temos aqui um comum salmo de lamentação.

■ **89.2** (na Bíblia hebraica corresponde ao **89.3**)

כִּי־אָמַרְתִּי עוֹלָם חֶסֶד יִבָּנֶה שָׁמַיִם תָּכִן אֱמוּנָתְךָ בָהֶם׃

Pois disse eu: A benignidade está fundada para sempre. O *amor constante* e a *fidelidade* de Yahweh continuam como temas do poeta sagrado. O *amor constante* de Deus sempre existiu e sempre existirá. A *fidelidade* é tão firme quanto o próprio firmamento, e embora o salmo o não diga, é tão duradoura quanto ele. Esses fatores faziam Israel ser o que sempre foi, estabeleciam a linhagem de Davi (vs. 3) e continuariam a operar, anulando o cativeiro de Judá e dando a Israel um novo começo.

Repetição de Palavras-chaves: benignidade (vss. 1, 2, 14, 24, 28, 33 e 49); *misericórdia* (vss. 1, 2, 5, 8, 33, 49); *trono* (de Davi) (vss. 4, 14, 29, 36, 44); *Davi, meu servo* (vss. 3, 20, cf. o vs. 40); *Ungido* (vss. 20, 38, 51); *aliança* (vss. 3, 28, 34, 39).

"O salmista toca tão fortemente na nota da inviolabilidade da promessa divina somente para fazer a deprecação da presente negligência da parte de Deus parecer ainda mais notável" (Ellicott, *in loc.*).

> Há uma luz sobre a montanha e
> O dia está na primavera, quando nossos olhos veem
> A beleza e a glória do Rei.
> Cansado está nosso coração de esperar, e
> A vigília noturna parecia tão longa,
> Mas o dia de triunfo está rompendo, e
> Nós o saudaremos com uma canção.
>
> Henry Burton

■ **89.3** (na Bíblia hebraica corresponde ao **89.4**)

כָּרַתִּי בְרִית לִבְחִירִי נִשְׁבַּעְתִּי לְדָוִד עַבְדִּי׃

Fiz aliança com o meu escolhido. *Yahweh fala* aqui da aliança estabelecida com o escolhido Davi, em seu juramento de que sempre haveria uma linhagem de Davi. Portanto, neste ponto o salmo torna-se messiânico, sendo provável que haja uma *profecia* que olha até o fim da linhagem e encontra o Escolhido, Cristo, governando do trono de Davi. Se isso não exprime uma verdade, então o poeta não tinha justificativa em suas expectativas. Quanto a Davi como *rei ideal*, Ver 1Rs 15.3. Quanto ao *Pacto Davídico*, ver 2Sm 7.4. Ver no *Dicionário* o verbete intitulado *Pactos*. O Deus fiel e amoroso, que assim jurara a Davi, *agora* tinha de conceder a Judá livramento de todas as suas dificuldades, ou todo o programa divino seria reduzido a nada.

Cf. Sl 89.35; Is 42.1; 49.3 e 53.11. Ver a exposição de Sl 89.35 para maiores detalhes sobre as ideias contidas neste versículo.

■ **89.4** (na Bíblia hebraica corresponde ao **89.5**)

עַד־עוֹלָם אָכִין זַרְעֶךָ וּבָנִיתִי לְדֹר־וָדוֹר כִּסְאֲךָ סֶלָה׃

Para sempre estabelecerei a tua posteridade. Assim como o amor constante e a fidelidade de Yahweh são *eternos*, estendendo-se a todas as gerações, também é o pacto que ele firmou com Davi e, naturalmente, com a sua descendência, ou com a linhagem de reis davídicos, terminando no reino messiânico. Aqui (vs. 4) temos um juramento divino que não acompanha o fraseado do pacto original, mas é naturalmente compreendido. "Essa aliança, de forma incontestável, tem em vista Jesus Cristo. Ele é o descendente ou a posteridade que existirá para todo o sempre ou se assentará no trono de Davi" (Adam Clarke, *in loc.*). Quanto ao *pacto davídico*, ver os vss. 3, 4, 27-29, 35-37 e 39. Ver as notas no vs. 3, quanto a outras referências sobre a questão.

O autor sagrado projetava para nós a *certeza* de que o Deus que se movia ao longo da história de Israel não poderia deixar aquela nação derrotada diante dos adversários. Havia coisas demais em jogo.

> Aquele que ficou imóvel o arcabouço
> Deste mundo redondo, e construiu com leis fortes
> O sólido refúgio da aflição,
> Sim, as torres da retidão.
>
> Wordsworth

O Criador do mundo seria também aquele que cumpriria a aliança com Davi.

LOUVORES A YAHWEH (89.5-18)

■ **89.5** (na Bíblia hebraica corresponde ao **89.6**)

וְיוֹדוּ שָׁמַיִם פִּלְאֲךָ יְהוָה אַף־אֱמוּנָתְךָ בִּקְהַל קְדֹשִׁים׃

Celebram os céus as tuas maravilhas, ó Senhor. Alguns intérpretes supõem que, para compor este hino de louvor a Yahweh, o salmista tenha tomado por empréstimo e incorporado vários materiais mais antigos. As alusões aos montes Tabor e Hermom (vs. 12) poderiam referir-se à origem deste hino na parte norte da nação, Israel. Os vss. 5-18 não têm relação direta com os versículos que falam na perturbação — vss. 38-45 — mas provavelmente foram introduzidos a fim de garantir-nos que Deus está sentado em seu trono e, finalmente, tudo estaria bem com Judá. Yahweh é o operador de *maravilhas* (vs. 5), pelo que o salmista esperava receber ainda outra evidência sobre isso, em *seus próprios dias*. Os céus são aqui personificados e assim falam de louvor a Yahweh, ou, mais provavelmente ainda, o autor sagrado falava das *hostes celestiais*, os seres angelicais que fazem parte do séquito de Deus. Ver o termo "santos" nos vss. 5 e 7. No vs. 6 eles são chamados *filhos de Deus*, expressão que comento logo a seguir.

Maravilhas. Estão em foco aqui as obras de Deus na criação e no governo dos céus, e nos muitos milagres que ele realizou em favor de Israel ao longo dos séculos, a começar pela libertação do cativeiro egípcio, continuando através das perambulações pelo deserto e, posteriormente, na Terra Prometida, com suas intervenções periódicas.

■ **89.6** (na Bíblia hebraica corresponde ao **89.7**)

כִּי מִי בַשַּׁחַק יַעֲרֹךְ לַיהוָה יִדְמֶה לַיהוָה בִּבְנֵי אֵלִים׃

Pois quem nos céus é comparável ao Senhor? Cf. Sl 86.8, que é bastante parecido com este versículo. Se Yahweh é incomparável nos céus, quanto mais o é na terra. Pois quem se compara ao Senhor? Ver sobre esse sentimento em Sl 35.10; 71.19; 77.13; 89.6; 113.5; Êx 15.11 e Mq 7.18. Já tínhamos sido informados quanto a seu incomparável amor constante e quanto à sua fidelidade (vss. 1 e 2); e também quanto à sua aliança com a linhagem de Davi (vs. 3). Além disso, somos relembrados de suas incomparáveis *maravilhas* (vs. 5). Agora, Yahweh é comparado aos seres celestiais, às hostes angelicais, aos filhos de Deus. Alguns estudiosos supõem que a expressão *filhos de Deus* nos leve de volta ao Sl 82.1, os *deuses*, em distinção aos simples anjos. Ver a exposição ali. Mas outros eruditos não encontram motivos pelos quais os anjos não estão em vista aqui. Os *elohim* (deuses) são os anjos, pelo menos em muitos textos bíblicos. Ver Sl 29.1. Os seres celestiais, por maiores que sejam, são apenas testemunhas (como os homens na terra) quando comparados a Yahweh. Eles dão testemunho, tal como fazem os homens, das poderosas obras de Deus e de sua soberania. Como os homens, os anjos são seres criados e, embora revestidos de altíssima glória, naturalmente vivem subordinados ao Criador. Ver no *Dicionário* o verbete *Anjo*. Deus é incomparavelmente superior aos anjos, o que prossegue com a ideia principal deste hino de louvor, onde a incomparabilidade de Deus é declarada de variadas maneiras.

■ **89.7** (na Bíblia hebraica corresponde ao **89.8**)

אֵל נַעֲרָץ בְּסוֹד־קְדֹשִׁים רַבָּה וְנוֹרָא עַל־כָּל־סְבִיבָיו׃

Deus é sobremodo tremendo na assembleia dos santos. Como um Ser tão elevado e incomparável, Yahweh deve ser temido pelos anjos e pelos homens igualmente. A espiritualidade do Antigo Testamento começa por aí, conforme anoto em Sl 34.9 e 36.1. O próprio concílio dos deuses (*elohim*) e dos anjos, sem importar como sejam identificados, e a despeito de serem eles os conselheiros celestes de Deus, deve temer o *Altíssimo* (ver as notas expositivas em Sl 7.17). Ele é "grande e terrível, acima de todos quantos o rodeiam" (*Revised Standard Version*). Diz literalmente o original hebraico: "grandiosamente terrível". Ver Jó 1.6, quanto a um quadro da *corte celeste* metafórica.

> Deus é sublime no concílio dos santos,
> E terrível entre aqueles que o circundam.
>
> Paráfrase de Elliott

Diz o Targum: "... Ele deve ser temido acima de todos os anjos que estão de pé ao redor dele".

■ **89.8** (na Bíblia hebraica corresponde ao **89.9**)

יְהוָה אֱלֹהֵי צְבָאוֹת מִי־כָמוֹךָ חֲסִין יָהּ וֶאֱמוּנָתְךָ סְבִיבוֹתֶיךָ׃

Ó Senhor Deus dos Exércitos. Este versículo é uma pequena recapitulação dos vss. 1, 2, 5 e 7. Salienta-se aqui a *força de Deus*, suas *maravilhas* que assumem poder miraculoso. Além disso, temos em nosso meio, sempre óbvios, seu *amor constante* (ignorado neste versículo) e sua *fidelidade* (referida nos vss. 1, 2, 5, 8, 33 e 49). Todas as coisas cooperam juntamente para enfatizar a natureza *incomparável* de Deus, a qual se estende em todas as direções e é multifacetada. "Não somente Deus é incomparável nos céus, mas ele é também o poderoso e o exaltado na natureza e na história" (Ellicott, *in loc.*).

Deus dos Exércitos. Ver no *Dicionário* o artigo intitulado *Senhor dos Exércitos*, e Ver também 1Rs 18.15. Em Sl 80.4, ofereço notas expositivas adicionais.

Esperava-se que esse tipo de Deus tirasse Judá de seu cativeiro e trouxesse Israel de volta à vida, através dessa única tribo; e o poeta sacro nos conduz na direção dessa consideração. Outra intervenção divina seria necessária para que ocorresse essa *nova maravilha*.

> Ao bruxulear a luz das estrelas, podemos ver a manhã;
> E as luzes dos homens estão empalidecendo
>   nos esplendores de sua aurora;
> Pois os céus orientais estão resplandecendo
>   como que com a luz de um fogo secreto,
> E o coração dos homens desperta
>   com os soluços de um profundo desejo.
>
> Henry Burton

■ **89.9** (na Bíblia hebraica corresponde ao **89.10**)

אַתָּה מוֹשֵׁל בְּגֵאוּת הַיָּם בְּשׂוֹא גַלָּיו אַתָּה תְשַׁבְּחֵם׃

Dominas a fúria do mar. *Yahweh controla os mares*, entidades temidas e poderosas, desconhecidas dos hebreus, um povo que vivia perto do mar, mas que não era um povo marítimo. As flutuações do mar, como seus temporais e calmarias periódicas, deixavam os hebreus totalmente admirados e assustados. Eles não eram conquistadores do mar, como os fenícios. Mas o grande conquistador do mar era seu Deus, Yahweh, o Criador e controlador dos oceanos. Provavelmente o versículo se refere ao *constante* controle divino necessário para manter os mares em seus devidos lugares e em suas respectivas funções, o que estava fora do alcance dos homens. Os pagãos diziam como *Yam*, o deus dos mares, tinha sido conquistado por *Baal*, no conflito entre os deuses; e alguns estudiosos veem aqui uma alusão a esse fato. Seja como for, as *maravilhas* de Yahweh (vs. 5) incluem o governo dos mares.

A fúria do mar. Diz o hebraico, literalmente: "o orgulho empolado do mar" (ver Sl 46.3), pelo que o poder do mar é representado como um "orgulho empolado" que Yahweh precisava humilhar. "O poder, o orgulho e a elevação do mar, quando ele se agita e espumeja, e se enraivece, e torna-se turbulento e ameaçador contra os navios que nele estão, ameaçando tudo com ruína e destruição" (John Gill, *in loc.*).

■ **89.10** (na Bíblia hebraica corresponde ao **89.11**)

אַתָּה דִכִּאתָ כֶחָלָל רָהַב בִּזְרוֹעַ עֻזְּךָ פִּזַּרְתָּ אוֹיְבֶיךָ׃

Calcaste a Raabe, como um ferido de morte. Yahweh despedaça *Raabe*. Ver sobre esta palavra no *Dicionário*. "Raabe (arrogância). Esse não é um nome simbólico para o Egito, como em Sl 87.4, mas um lembrete do antigo mito acádico da criação, segundo o qual Tiamat foi dominado por Marduque. A força maligna do *dragão*, conquistada, de acordo com as tradições hebreias, por Yahweh, é chamada aqui de *Raabe* (ver Jó 9.13; 26.12; Is 51.9 e cf. Sl 74.13-15)" (William R. Taylor, *in loc.*).

A carcaça de Raabe foi espalhada aos pedaços, isto é, esse monstro ficou totalmente arruinado e, em geral, Yahweh espalhava todos os inimigos com seu poderoso braço. Quanto ao *braço poderoso* de Deus, ver Sl 77.15 e 89.10. Cf. a sua *mão* em Sl 81.14 e a sua *mão direita* em Sl 20.6. Assim sendo, os autores sagrados empregaram várias metáforas antropomórficas para falar do poder de Deus em suas várias operações. Ver no *Dicionário* o artigo chamado *Antropomorfismo*. Usamos os atributos humanos para descrever o Ser divino, por causa de nosso dilema, pois não sabemos como falar sobre aquilo que nos é superior. Além disso, atribuímos a Deus nossas emoções. Ver no *Dicionário* o artigo denominado *Antropatismo*. Quanto essas descrições nos aproximam da realidade é difícil dizer, mas nos agarramos às nossas limitações humanas. Quanto aos modos gerais de falar sobre Deus, ver no *Dicionário* os verbetes intitulados *Via Negationis* e *Via Eminentiae*.

■ **89.11** (na Bíblia hebraica corresponde ao **89.12**)

לְךָ שָׁמַיִם אַף־לְךָ אָרֶץ תֵּבֵל וּמְלֹאָהּ אַתָּה יְסַדְתָּם׃

Teus são os céus, tua a terra. A criação do universo é obra das mãos de Deus, o qual pertence a ele. Ele é o Criador, o controlador e o proprietário de todas as coisas, e nesses fatos temos esplêndidas ilustrações de sua natureza *incomparável*. Cf. Sl 116.15 (primeira parte); Sl 24.1 (pertencem a Yahweh); e Sl 24.2 (ele os fundou). Ver também Sl 33.5 e 50.10,12, quanto a declarações similares. O Deus incomparável finalmente restaurará Judá do cativeiro e fará vir à tona um novo povo de Israel, que prosseguirá governado pela linhagem de Davi, o que levaria ao Messias. Promessas feitas a Davi são destacadas nos vss. 19-37, e então os vss. 38-51 contêm o apelo em favor da restauração, descrevendo a terrível destruição que Judá tinha sofrido. O hino a Yahweh introduz esse assunto sombrio. A Babilônia estava perturbando o mundo de Deus, bem como o povo de Deus dentro do mundo. Em algum lugar, em algum tempo, tal perturbação precisava chegar ao fim.

■ **89.12** (na Bíblia hebraica corresponde ao **89.13**)

צָפוֹן וְיָמִין אַתָּה בְרָאתָם תָּבוֹר וְחֶרְמוֹן בְּשִׁמְךָ יְרַנֵּנוּ׃

O Norte e o Sul, tu os criaste. O autor falava sobre os pontos *extremos* da Terra Prometida daquela época, e assegurou-nos que Deus criou tudo o que conhecemos. Cf. Jó 26.7. O *Tabor* era um lugar eminente do sul da Galileia, chegando a uma elevação de 562 metros. *Hermom* era um monte com o cume recoberto de neve, a nordeste do território de Dã, que atingia uma elevação de 2.775 metros. Esses dois montes eram características notáveis da terra de Canaã e serviam de marcos de fronteiras, a leste e a oeste. Ver sobre esses nomes próprios no *Dicionário*. Tendo falado sobre as extremidades da Palestina, é provável que o autor sagrado quisesse que pensássemos no mundo inteiro. Yahweh estava em todos os lugares, controlando sua criação, e controlaria e finalmente esmagaria a ameaça babilônica. *Universalizando* as referências geográficas, o poeta simplesmente fala do *norte* e do *sul*, sem especificar lugares, ao passo que, em vez de leste e de oeste, oferece-nos dois excelentes marcos, por causa de suas elevações relativamente altas. A universalização feita pelo autor serve para mostrar-nos que Deus controla a terra inteira, embora ele soubesse bem pouco sobre a sua real extensão. Era típico dos autores bíblicos falar sobre a *terra* em termos da área do mar Mediterrâneo, a região do mundo que eles conheciam.

Exultam em teu nome. Já que Deus controla a terra inteira, ele também controlaria a Babilônia e restauraria Judá para começar um novo Israel. Isto posto, o poder de Yahweh nos dá razão para regozijar-nos. O poder de Deus é *benévolo*, contrastando com o poder dos homens malignos.

■ **89.13** (na Bíblia hebraica corresponde ao **89.14**)

לְךָ זְרוֹעַ עִם־גְּבוּרָה תָּעֹז יָדְךָ תָּרוּם יְמִינֶךָ׃

O teu braço é armado de poder. Os símbolos do poder universal de Deus são: um *braço poderoso* (repetição depois do vs. 10), ver Sl 77.15 e 89.10; uma *mão levantada*, ver Sl 81.14; a *mão direita* (ver Sl 20.6). Em cada uma dessas referências, há notas e outras referências onde as mesmas figuras são empregadas. Ver as notas do vs. 10, quanto a outros detalhes e propósitos de tais referências. Naquele momento, Judá estava arruinada e o povo ou continuava no cativeiro, na Babilônia, ou já havia voltado à Terra Prometida, mas estava devastado. Somente o poder de Yahweh podia fazer-lhes algum bem. A "mão direita" de Deus, a poderosa mão "levantada", estava prestes a golpear o inimigo. "... levantada em julgamento contra homens iníquos e em defesa do seu povo. Essa mão estava levantada alto o bastante para atingir os céus e era poderosíssima contra os adversários. Ver Sl 118.16; Is 26.11 e Mq 5.9. O Targum ajunta: 'para construir a casa do santuário'" (John Gill, *in loc.*).

■ **89.14** (na Bíblia hebraica corresponde ao **89.15**)

צֶדֶק וּמִשְׁפָּט מְכוֹן כִּסְאֶךָ חֶסֶד וֶאֱמֶת יְקַדְּמוּ פָנֶיךָ׃

Justiça e direito são o fundamento do teu trono. O trono de Deus é elevado e poderoso. E se fosse um trono como o do deus supremo dos gregos, Zeus, seria uma ameaça até para os homens bons, porquanto Zeus governava por puro capricho e sem nenhuma justiça. Em contraste, o trono de Yahweh era um lugar de onde sempre emanavam retidão e justiça. Para alguns indivíduos "poder é direito", e o poder faz o tudo, independentemente de nossos padrões morais. Mas o poder de Yahweh era, de fato, *justo*, de acordo com a maneira como compreendemos essa palavra. Há uma base moral para a *soberania de Deus*, o que garante que o poder de Deus será usado em favor do bem e não para facilitar o mal. Parte desse bem seria a restauração de Judá e o julgamento de Babilônia.

Os arautos que iam adiante de Yahweh, enquanto ele avançava entre os homens, eram seu *amor constante* e sua *fidelidade*. Esse tipo de amor é mencionado nos vss. 1, 2, 14, 24, 28, 33 e 49. Sua fidelidade é mencionada nos vss. 1, 2, 5, 8, 33 e 49. Os arautos anunciavam que Yahweh estava chegando, e nós já sabemos o que podemos esperar da parte do Senhor.

O fundamento. Literalmente, o original hebraico diz aqui "colunas". Assim como a terra repousaria sobre colunas, outro tanto sucederia no caso do trono de Deus. Cada coluna é uma qualidade moral e, consideradas juntamente, elas fazem o poder divino ser dispensado de maneiras corretas, prejudiciais somente aos ímpios, que devem ser julgados como retribuição.

Trono. O trono de Davi é mencionado nos vss. 4, 14, 29, 36 e 44, e essa é a manifestação terrena do trono celeste de Deus, sujeito ao Trono Superior, tal como todos os tronos humanos estão. O trono de Deus se fundamenta na retidão e na justiça, altas qualidades morais.

Note o leitor as elevadas qualidades morais associadas a Yahweh, em contraste com os deuses dos pagãos que inspiravam homens pecaminosos: justiça, retidão, amor, fidelidade. Esses são *atributos divinos*. Ver no *Dicionário* o verbete intitulado *Atributos de Deus*. Esses atributos morais são como anjos ajudadores, companheiros celestes de Deus e seus arautos na terra.
Cf. Pv 16.12; Is 9.7 e Sl 25.10.

Todas as veredas do Senhor são misericórdia e verdade para os que guardam a sua aliança e os seus testemunhos.
Salmo 25.10

■ **89.15** (na Bíblia hebraica corresponde ao **89.16**)

אַשְׁרֵי הָעָם יוֹדְעֵי תְרוּעָה יְהוָה בְּאוֹר־פָּנֶיךָ יְהַלֵּכוּן:

Bem-aventurado o povo que conhece. É mister existir um povo que corresponda às qualidades morais de Deus, a fim de receber benefícios positivos de sua mão, e que o represente na terra. Esse povo escolhido é Israel, o qual deveria continuar através de Judá, uma vez que essa tribo voltasse do cativeiro babilônico. Esse é um povo *feliz*, por causa de sua retidão e bondade, neles implantadas pelo Ser divino, razão pela qual é um povo altamente favorecido na terra. Eles dão o *brado festivo* (*Revised Standard Version*) porquanto participam da alegria das festividades contínuas da retidão e da paz. Naturalmente, temos uma alusão ao culto do templo, que incluía várias festividades. Esse povo haveria de caminhar à luz que brilha do rosto de Deus. Quanto à sua conduta, ver no *Dicionário* o verbete chamado *Andar*. Quanto ao *resplendor* do rosto de Deus, que iluminava o povo de Israel bem como o caminho pelo qual eles deveriam avançar, ver Sl 31.16; 67.1; 80.1,3,7,19; 104.15 e 119.135. Ver também Nm 6.25, a referência básica sobre a qual as outras questões provavelmente repousam.

Os vivas de júbilo. "A referência é aos cânticos e aos clamores, com a música de acompanhamento, que eram característicos das festividades religiosas (cf. Sl 27.6; 33.3; 47.5; 1Sm 4.5; 2Sm 6.15" (William R. Taylor, *in loc.*).

Desperta minha alma, ao som jubiloso,
E canta os louvores de teu grande Redentor;
ele com justiça pede de mim um cântico,
 sua longanimidade, oh! quão livre!
Longanimidade, longanimidade,
Oh! quão livre!

Samuel Medley

■ **89.16** (na Bíblia hebraica corresponde ao **89.17**)

בְּשִׁמְךָ יְגִילוּן כָּל־הַיּוֹם וּבְצִדְקָתְךָ יָרוּמוּ:

Em teu nome de contínuo se alegra. Continuamente, o povo feliz de Israel haveria de exultar no nome de Yahweh, e não somente nas ocasiões festivas. Eles exaltariam a retidão de Deus como parte do motivo de sua exultação. Essa é a retidão que derruba os inimigos, e isso, por sua vez, levantará Judá para tornar-se o novo Israel, após o retorno do cativeiro babilônico.

Nome. Ver sobre *nome* em Sl 31.3. Ver sobre *nome santo* em Sl 30.4 e 33.21. Ali ofereço notas expositivas e outras referências sobre os mesmos temas. O *nome* representava a essência da *deidade* com sua natureza exaltada e seus atributos. Bastava a um israelita proferir o *Nome* e, segundo eles pensavam, isso teria poder de fazer qualquer coisa. As qualidades morais de Deus garantiam para o povo santo uma vida boa, livre de assédios de exércitos estrangeiros e de corrupções internas. Mas o povo de Israel precisava esforçar-se para participar dessas qualidades.

■ **89.17** (na Bíblia hebraica corresponde ao **89.18**)

כִּי־תִפְאֶרֶת עֻזָּמוֹ אָתָּה וּבִרְצוֹנְךָ תָּרִים קַרְנֵנוּ:

Porquanto tu és a glória de sua força. Israel derivava de Yahweh a sua força, e, ao mesmo tempo, Yahweh era a glória dessa força. Os homens gloriam-se na força, mas é uma vergonha quando a força é empregada com maus propósitos. Todavia, os homens podem gloriar-se, sem nenhuma restrição, na santa força de Deus, que é posta a trabalhar somente em favor de causas boas. A palavra hebraica literalmente traduzida por "glória" é *ornamento*. O ornamento de Israel era Yahweh, porquanto ele fazia com que a nação fosse o que deveria ser, e fazia a força tornar-se eficaz no interesse dessa nação. Além do mais, esse poder derrubaria os pagãos que perverteram os caminhos da justiça. Cf. esta parte do versículo com Jr 9.23,24 e 1Co 1.31.

No teu favor avulta o nosso poder. O original hebraico diz aqui, literalmente, "nosso chifre é exaltado". O *chifre*, que se refere aos animais que usam chifres para combater, pode relacionar-se a qualquer poder, tanto o poder de um povo como o poder de um rei. Ver Sl 75.4. O vs. 24 desse mesmo salmo refere-se ao chifre de um *rei* (Davi, ou alguém pertencente à sua linhagem). Quando Judá voltou da Babilônia, a linhagem de Davi teve prosseguimento e será eternizada na pessoa do Messias. É apenas natural que, profeticamente falando, este versículo se refira a Cristo, o chefe de nossa salvação. Cf. Is 2.2; 49.8 e Sl 30.6,7.

■ **89.18** (na Bíblia hebraica corresponde ao **89.19**)

כִּי לַיהוָה מָגִנֵּנוּ וְלִקְדוֹשׁ יִשְׂרָאֵל מַלְכֵּנוּ:

Pois ao Senhor pertence o nosso escudo. A ideia do *chifre* (emblema de força) sugere que Yahweh seja a arma ofensiva e defensiva de Israel. Algum dia a maré babilônica seria revertida, e Israel (através de Judá) haveria de impor-se novamente. O Senhor protegeria o minúsculo remanescente, transformando-o de novo em uma nação governada pela linhagem de Davi. Quando algum descendente de Davi subia ao trono, o Santo de Israel reiniciava seu reinado visível em Jerusalém. Cf. esse título com Sl 71.22-24 e 78.41. Quanto ao título *Santo de Israel*, cf. Sl 16.10; 71.22 e 78.41. Esse título relembra os atributos divinos descritos neste salmo, sobre os quais comentei no vs. 14. O *Nome Santo* aparece em Sl 30.4 e 33.21. Ver 2Sm 7.10, quanto ao Santo de Israel.

Escudo. Alguns estudiosos pensam que temos aqui uma arma de *defesa*, pois para isso servia o escudo, no caso de um guerreiro antigo. Quanto a essa metáfora, ver Sl 3.3; 7.9,10; 84.8-10. A proteção e a salvação pertencem a Yahweh. Quanto a Deus como a salvação ou o provedor da salvação, ver Sl 62.2, onde ofereço notas expositivas e outras referências sobre o tema. "Yahweh é a fonte originária do poder teocrático" (Ellicott, *in loc.*). Israel vivia sempre envolvido em conflito, pelo que, nas páginas do Antigo Testamento, há metáforas militares, incluindo o fato de que Yahweh era o Senhor dos Exércitos, comentado em 1Rs 18.15.

PROMESSAS FEITAS A DAVI (89.19-37)

■ **89.19** (na Bíblia hebraica corresponde ao **89.20**)

אָז דִּבַּרְתָּ־בְחָזוֹן לַחֲסִידֶיךָ וַתֹּאמֶר שִׁוִּיתִי עֵזֶר
עַל־גִּבּוֹר הֲרִימוֹתִי בָחוּר מֵעָם:

Outrora falaste em visão aos teus santos. Nos *vss*. 38-51, o salmista revela a deplorável condição em que os babilônios deixaram Judá, destruindo suas cidades e deportando o seu povo. Antes disso, porém, ele havia composto o exaltado hino a Yahweh, a fim de mostrar que ele é Deus incomparável e exerce controle universal. Fica implícito, nessas noções, que em Deus há poder para reverter o curso desastroso e fazer raiar um novo dia para Israel. Além disso, nos vss. 5-18 prestou-se grande louvor a Yahweh, que, segundo o povo confiava, devolveria o passado glorioso de Israel e até estabeleceria um novo Israel, através do remanescente de Judá. Nos vss. 19-37 encontramos um sumário das promessas feitas a Davi.

"Esse *oráculo* das promessas do Senhor a Davi foi antecipado nos vss. 3 e 4, sendo uma expressão poética das palavras de Natã ao rei Davi em 2Sm 7.4-17. Essa parte do salmo, tal como os vss. 5-18, parece ser anterior ao século VI a.C., refletindo um período de tranquilidade e prosperidade em Judá. No uso litúrgico, essa parte do salmo pode ter sido entoada por um solista" (William R. Taylor, *in loc.*).

A menção ao rei (chifre; poder), no vs. 17, levou o poeta sagrado a expandir o tema e trazer ao primeiro plano antigas promessas concernentes a Davi e à sua linhagem.

Falaste em visão. Portanto, Deus ofereceu um *oráculo*, divinamente *inspirado*, ou seja, plenamente *autorizado*. Ver no *Dicionário* o artigo chamado *Visão (Visões)*. Uma das maneiras de conhecermos as coisas espirituais é através das experiências místicas. Ver no *Dicionário* o verbete intitulado *Misticismo*; e ver na *Enciclopédia de*

Bíblia, Teologia e Filosofia o artigo chamado *Conhecimento e a Fé Religiosa, O,* sobre como tomamos conhecimento das coisas.

Aos teus santos. A referência é ao profeta *Natã,* que recebeu o oráculo sobre o qual se baseiam os versículos seguintes. Ele foi um dos *santos* do Altíssimo, por ser porta-voz do Santo de Israel (vs. 18). Quanto aos crentes do Antigo Testamento, chamados *santos,* ver as notas expositivas sobre Sl 79.2.

A um herói concedi. Está em pauta a pessoa de Davi, o rei de Israel, e, por extensão, seus descendentes governantes, terminando a linhagem no homem verdadeiramente poderoso, o Messias.

O poder de socorrer. Estas palavras correspondem ao texto massorético, que não faz muito sentido. Ver no *Dicionário* o verbete chamado *Massora (Massorah); Texto Massorético,* quanto ao texto padronizado da Bíblia em hebraico. Outras versões dizem "coroa". O rei tinha de ser coroado, e, no presente contexto, isso seria feito pela autoridade divina, porque estamos diante de um governo teocrático.

Exaltei um escolhido. O rei de Israel tinha um lugar garantido no plano divino, pelo que fora *escolhido* dentre outros candidatos possíveis e então fora exaltado. A questão inteira fora divinamente orientada e impulsionada, e nada ficara ao sabor do acaso. Cf. Sl 132.1-12. Ver sobre *Pacto Davídico,* em 2Sm 7.14; e quanto a Davi como *rei ideal,* ver 1Rs 15.3. Ver também Is 42.1 e Lc 22.35, onde obtemos uma visão messiânica do assunto. Ver igualmente os trechos de Hb 1.4,5 e Lc 1.35, no que diz respeito à exaltação e unção de Davi. "A intenção de Deus vinha de antigamente. Ele exaltou alguém escolhido dentre o povo. E prometeu que sua mão sempre haveria de proteger o ungido" (J. R. P. Sclater, *in loc.*).

■ **89.20** (na Bíblia hebraica corresponde ao **89.21**)

מָצָאתִי דָּוִד עַבְדִּי בְּשֶׁמֶן קָדְשִׁי מְשַׁחְתִּיו׃

Encontrei Davi, meu servo. Após o passo inicial, a *unção de Davi* foi a primeira etapa para consolidar o plano divino. Este versículo é citado em At 13.22. Cf. 1Sm 16.12,13; 2Sm 2.4; 5.3 e 12.7, e ver no *Dicionário* o artigo intitulado *Unção,* quanto a detalhes completos. A expressão "meu santo óleo" acha-se somente aqui. Naturalmente, o óleo da unção era considerado uma substância sagrada, aspecto aqui enfatizado. Ver Êx 30.25. O óleo ou azeite é símbolo do Espírito Santo. Ver no *Dicionário* o artigo intitulado *Azeite.* "O Messias foi *ungido* desde o ventre de Maria e por ocasião de seu batismo com o Espírito, e isso sem medida (ver Lc 1.35; 4.18; Mt 1.20; 3.16; Jo 1.14,16; 3.34)" (Fausset, *in loc.*).

> Faz descer o Espírito livremente,
> Até que o deserto e a cidade
> Se tornem um Templo para adorar-te;
> Envia o teu Espírito, ó Senhor.
>
> Edward R. Siff

■ **89.21** (na Bíblia hebraica corresponde ao **89.22**)

אֲשֶׁר יָדִי תִּכּוֹן עִמּוֹ אַף־זְרוֹעִי תְאַמְּצֶנּוּ׃

A minha mão será firme com ele. Uma vez mais encontramos a *mão* e o *braço* de Yahweh como instrumentos de poder. Ver os comentários sobre o vs. 13. Ora, esse foi o poder que estabeleceu Davi como rei, e essa operação aparece como uma obra divina. Também seria necessária uma intervenção divina para trazer Judá de volta do cativeiro babilônico, restabelecer a linha de Davi e começar novamente. Finalmente, o Messias apareceria em meio a essas providências divinas. O poder de Deus tanto *fortaleceria* quanto *estabeleceria* a renovação. Israel ficaria forte e livre de ataques estrangeiros e de corrupções internas. Cf. os vss. 24 e 37 deste salmo e também 1Sm 18.12,14 e 2Sm 5.10.

> Seja a tua mão sobre o povo da tua destra, sobre o filho do homem que fortaleceste para ti.
>
> Salmo 80.17

■ **89.22** (na Bíblia hebraica corresponde ao **89.23**)

לֹא־יַשִּׁא אוֹיֵב בּוֹ וּבֶן־עַוְלָה לֹא יְעַנֶּנּוּ׃

O inimigo jamais o surpreenderá. Ou então, conforme diz a *Revised Standard Version,* "não o ultrapassará por espertezà", ou seja, não obterá vantagem sobre ele por meio de astúcia ou engano. O "inimigo", por definição, são os "filhos da iniquidade", aqueles cuja própria natureza é serem maus e praticarem atos de violência e ódio. O rei nunca seria humilhado perante homens de maus desígnios porque, através de sua unção, sempre estaria "um passo adiante ", conforme dizemos em uma expressão idiomática popular. A Septuaginta e a Vulgata Latina dizem aqui: "não tirarão vantagem de", deixando-o *empobrecido e carente*. Símaco diz: "não o desviarão", o que parece chegar bem perto do sentido do original hebraico. A versão siríaca diz: "não o enganará", ou seja, não obterá vantagem inesperada sobre ele. Ver 2Sm 7.10.

"É uma observação digna de atenção o fato de que Davi nunca foi derrubado. Ele finalmente vencia todo adversário que contra ele se levantava... Deus derrotou todos os adversários que se atreviam contra ele" (Adam Clarke, *in loc.*). Quanto aos *oito* povos inimigos que ele derrotou, aniquilou ou isolou, ver 2Sm 10.19. Suas vitórias, pois, prepararam o caminho para que seu filho, Salomão, reinasse em paz e até expandisse os territórios de Israel. O resultado foram tempos de prosperidade sem precedente, pelo que o povo de Israel pôde desfrutar sua época áurea.

■ **89.23** (na Bíblia hebraica corresponde ao **89.24**)

וְכַתּוֹתִי מִפָּנָיו צָרָיו וּמְשַׂנְאָיו אֶגּוֹף׃

Esmagarei diante dele os seus adversários. A verdadeira causa das vitórias de Davi era a *única causa,* a saber, Yahweh, que prometeu derrotar os inimigos de Israel diante de sua face. A versão portuguesa diz aqui, corretamente, "esmagarei". A referência parece ser a um *cadinho,* onde se pulveriza o grão. E assim aconteceu que Davi, com a ajuda de Deus, pulverizava os adversários e, pela primeira vez, livrou as fronteiras de Israel de ataques estrangeiros. Os muitos odiadores foram "atingidos" por golpes fatais e não se levantaram novamente nos dias de Davi e Salomão. Foram a nocaute, conforme se diz na linguagem do boxe moderno. O Senhor dos Exércitos (ver 1Rs 18.15) era o líder dos exércitos de Davi e também a espada contra a revolta no reino davídico.

■ **89.24** (na Bíblia hebraica corresponde ao **89.25**)

וֶאֱמוּנָתִי וְחַסְדִּי עִמּוֹ וּבִשְׁמִי תָּרוּם קַרְנוֹ׃

A minha fidelidade e a minha bondade o hão de acompanhar. Davi foi abençoado e protegido pela fidelidade e pelo amor constante de Deus. Quanto à *fidelidade,* ver os vss. 1, 2, 5, 8, 33 e 49. Quanto ao *amor constante,* ver os vss. 1, 2, 14, 24, 28 e 33. Esses fatores morais reaparecem neste salmo por repetidas vezes, em diferentes conexões. No vs. 14, essas qualidades são metaforicamente apresentadas como *arautos* de Deus. Aqui são personificadas para agir como *guardas* de Davi, sua casa e seus exércitos.

Nome. Ver as notas no vs. 16 e em Sl 31.3, onde há ideias e referências. Ver sobre *Nome Santo* em Sl 30.4 e 33.21. Deixo ao encargo do leitor verificar os comentários naquelas referências, pois não as repito aqui. O Targum dá o seu nome como a Palavra de Deus, e isso, naturalmente, sugere uma interpretação messiânica do versículo. O nome residia supremamente em Jesus e, naturalmente, o Messias tinha seu próprio poderoso nome.

> Toma contigo o nome de Jesus,
> Filho da tristeza e do ai;
> ele dar-te-á alegria e consolação
> Toma-o, portanto, por onde quer que fores.
>
> Toma contigo o nome de Jesus,
> Como escudo contra toda armadilha;
> Se tentações te cercarem,
> Sopra o Nome Santo em oração.
>
> Lydia Baxter

■ **89.25** (na Bíblia hebraica corresponde ao **89.26**)

וְשַׂמְתִּי בַיָּם יָדוֹ וּבַנְּהָרוֹת יְמִינוֹ׃

Porei a sua mão sobre o mar. Cf. Sl 72.8, que é bastante parecido com este versículo. O "mar", neste caso, é o Mediterrâneo. Os "rios" poderão ser o Eufrates e seus canais ou, talvez, o Eufrates e o Tigre. O oráculo predizia um reino expandido para Israel, um extenso domínio que se estenderia desde o extremo norte, como nunca tinha acontecido antes de Davi. Na época de Davi e Salomão, as fronteiras de Israel quase atingiam as fronteiras prometidas no pacto abraâmico (ver as notas em Gn 15.18), excetuando a parte sul até o rio Nilo, que também fazia parte da promessa feita a Abraão, mas até hoje não se cumpriu. Alguns intérpretes pensam que o rio Nilo é um desses "rios", mas sabemos que nem Davi nem Salomão jamais ampliaram seus domínios até ali. O *ribeiro do Egito* (ver a respeito no *Dicionário*) formava a fronteira sul de Israel, e esse rio, algumas vezes, era chamado de *rio do Egito*, mas o Nilo não está em vista.

Este versículo ilustra como o poder de Yahweh operava junto a Davi e seu reino, e a esperança do salmista é que outro tanto aconteceria ao remanescente de Judá que retornasse do cativeiro babilônico (estão em vista os vss. 38-51).

Este versículo tem sido cristianizado para falar sobre a grande propagação do evangelho em benefício de todas as raças, e não meramente de Israel (Judá).

■ **89.26** (na Bíblia hebraica corresponde ao **89.27**)

הוּא יִקְרָאֵנִי אָבִי אָתָּה אֵלִי וְצוּר יְשׁוּעָתִי׃

Ele me invocará, dizendo: Tu és meu pai. O *rei*, que deveria ser abençoado, prosperar e resistir a todos os inimigos, clamou a Yahweh, e certamente seria ouvido em qualquer aflição. A certeza disso se reflete nas descrições divinas oferecidas:

1. *Deus é Pai.* O estudioso da Bíblia pode ver isso em Sl 103.13 e no artigo do *Dicionário* chamado *Paternidade de Deus*, onde mostro o ensino do Antigo e do Novo Testamento sobre a questão. Ver também Sl 68.5. Cf. 2Sm 7.14, onde o Senhor aparece como o pai da dinastia davídica.
2. *Yahweh é Elohim*, ou seja, o *Poderoso*. Ele podia realizar o que fosse necessário. Ele possuía os recursos para tanto. Ver no *Dicionário* o artigo chamado *Deus, Nomes Bíblicos de*.
3. *Deus é a Rocha.* Quanto a esta figura simbólica, ver Sl 42.9, onde ofereço notas expositivas e referências. Ver também Sl 28.1,2.
4. Deus é a Rocha de nossa *salvação*. Quanto a Deus como nossa salvação, ou chamado de *Salvação*, ver Sl 62.2, onde há notas expositivas e outras referências sobre o tema.

Deus como Pai esteve associado à teologia do período exílico e pós-exílico. Ver Jr 3.14,15; Is 63.16, mas obviamente houve outras indicações claras a esse respeito. Por certo, quando Deus chamava Israel de *filho* (ver Êx 4.22,23), o resultado era o mesmo. Ver Sl 2.7, trecho considerado messiânico, e cf. Jo 5.18 e Rm 8.3,32. Ver também Jo 20.17; 2Co 1.3; Ef 1.3 e 1Pe 1.3.

■ **89.27** (na Bíblia hebraica corresponde ao **89.28**)

אַף־אָנִי בְּכוֹר אֶתְּנֵהוּ עֶלְיוֹן לְמַלְכֵי־אָרֶץ׃

Fá-lo-ei, por isso, meu primogênito. Davi, como filho primogênito de Deus, é, naturalmente, uma expressão *metafórica*, que significa que ele desfrutava preeminência e favor especial de Deus, tal como o primogênito literal obtinha herança maior e privilégios especiais. Ver Gn 8.13-20 e Dt 21.15-17. Em Êx 4.22, a nação de *Israel* é chamada de primogênito de Deus. Ver também Jr 31.9. Isso dá a entender um amor especial, mesmo que não tenha sido expresso. Tal amor impulsionaria Davi para a frente, porquanto seu Pai sempre estaria próximo para ajudar. E assim encontramos a interessante situação de que o *filho mais jovem* de Jessé se tornou o *filho primogênito* de Deus. Ele era pequeno em relação à sua família terrena, mas elevado na família divina.

Este versículo é, naturalmente, uma predição messiânica. "Cristo, no seu sentido mais elevado, é o Filho primogênito e unigênito do Pai: Sl 2.7; Cl 1.15,18. Por isso diz o Credo Niceno: "O primogênito de todas as criaturas, gerado por seu Pai antes de todos os mundos, o primogênito dentre os mortos". Essa declaração indica prioridade e dignidade superlativa. Cf. Hb 1.6. É óbvio, por conseguinte, que ele é mais *elevado que os reis da terra* (Sl 72.11). É somente em um sentido típico que tal linguagem pode ser aplicada a Davi (1Cr 14.17). Mediante a união com o Messias, Israel poderia atingir seu destino original (ver Dt 28.1). 'O Senhor teu Deus te estabelecerá acima de todas as nações da terra'" (Fausset, *in loc.*).

Antigamente, este versículo era interpretado como messiânico pelos eruditos judeus, pelo que lemos em *Shemot Raba*, s. 19, vol. 104.4:

Salve o brilho da alegre manhã de Sião!
Alegria às terras que estavam engolfadas pelas trevas;
Caladas sejam as subidas da tristeza e da lamentação.
Sião, triunfalmente, começa seu reinado suave.

Thomas Hastings

■ **89.28** (na Bíblia hebraica corresponde ao **89.29**)

לְעוֹלָם אֶשְׁמוֹר־לוֹ חַסְדִּי וּבְרִיתִי נֶאֱמֶנֶת לוֹ׃

Conservar-lhe-ei para sempre a minha graça. A dinastia davídica duraria para sempre, tendo sido isso garantido pelo *amor constante* de Deus. Ver as menções a esse respeito nos vss. 1, 2, 14, 24, 28, 33 e 49. Além disso, o *pacto davídico* (ver as notas expositivas em 2Sm 7.4) servia de outra garantia. Ver no *Dicionário* o verbete chamado *Pactos*. Essa dinastia continuou após o retorno do minúsculo remanescente de Judá da Babilônia, mas não demorou muito para ser cortada pela dispersão romana. Profeticamente falando, porém, na pessoa do Messias, a dinastia davídica recebeu continuação eterna. Ver 2Sm 7.12,13,16 e os vss. 35-37 deste salmo, que dizem enfaticamente a mesma coisa. Ver também Is 55.3.

Em breves momentos, o autor nos mostraria as agonias de Israel (Israel fora reduzido à tribo de Judá), nos vss. 38-51, mas ele já nos estava garantindo que os dias maus passarão e deveria haver uma restauração, por causa do pacto com Davi e do profundo amor de Deus.

■ **89.29** (na Bíblia hebraica corresponde ao **89.30**)

וְשַׂמְתִּי לָעַד זַרְעוֹ וְכִסְאוֹ כִּימֵי שָׁמָיִם׃

Farei durar para sempre a sua descendência. Esta é outra *declaração enfática* quanto à eternidade da linhagem de Davi, repetindo ideias que vimos no vs. 28, que serão reafirmadas nos vss. 36 e 37. Agora o autor sacro adiciona uma metáfora, a saber, a duração interminável dos céus: a linhagem de Davi será tão duradoura como *os céus*. Por conseguinte, o trono de Davi deveria continuar tal como continuaria o trono de Yahweh nos céus, uma declaração importantíssima que só pode ser expressão da verdade se pensarmos nela como messiânica. Ver o vs. 36, que é virtualmente igual a este e contém ideias e notas expositivas adicionais.

Razões pelas Quais a Linhagem Messiânica Duraria para Sempre. 1. Por causa do *amor constante* e da *fidelidade* de Deus (vss. 24 e 28). 2. Por causa do *pacto* de Deus com Davi (vs. 28) e de sua *unção* especial (vs. 20). 3. Por causa do *desígnio messiânico* dessa linhagem (vs. 29). 4. Por toda a passagem, o *poder* de Deus faria isso tornar-se verdade (vss. 21 e 23).

Os versículos que se seguem adicionam algumas outras razões, sobre as quais comentarei ao longo do caminho.

A *descendência* antitípica do Messias é o seu povo crente e, especialmente, os reis que governariam. Eles perdurariam para sempre: Sl 22.30; 1Jo 2.17. Seu trono também é sempiterno: Sl 89.37, e, antes disso, Sl 72.4,7,17 e Dt 11.21. Ver também Is 9.7, quanto a uma aplicação messiânica especial. Ver o vs. 36, quanto à *descendência* de Davi.

Como os dias do céu. Cf. Dt 11.21 e Sl 72.5. Ver o vs. 36 deste salmo, que dá prosseguimento ao mesmo tempo da duração eterna dos céus, refletida sobre a terra. Provavelmente estão em pauta os céus estrelados *e* os céus imateriais onde Deus habita. O trono de Davi tinha de refletir as glórias do trono de Deus, um trono eterno, glorioso, brilhante como o sol (vs. 36).

■ **89.30** (na Bíblia hebraica corresponde ao **89.31**)

אִם־יַעַזְבוּ בָנָיו תּוֹרָתִי וּבְמִשְׁפָּטַי לֹא יֵלֵכוּן׃

Se os seus filhos desprezarem a minha lei. *Condições*. O plano poderia ser anulado mediante a desobediência, pelo esquecimento da *lei*, a qual tradicionalmente era o guia dos hebreus quanto a toda vida e conduta (Dt 6.4 ss.). Ver Sl 1.2, quanto a um sumário de ideias sobre a importância da lei para Israel. Ver também o artigo intitulado *Lei no Antigo Testamento*.

E não andarem nos meus juízos. A maneira de andar tinha de concordar com os *mandamentos,* uma palavra paralela para lei. Ver no *Dicionário* o verbete chamado *Andar.* Todos escorregam e caem, mas o que Deus requer é o hábito da obediência, uma vida *caracterizada* pela obediência, e não pela rebelião.

Os vss. 30-35 são uma espécie de elaboração de 2Sm 7.13-15, provavelmente parafraseada de propósito pelo autor deste salmo. "O poeta sagrado reconheceu o pecado de Israel nos tempos passados, mas também considerou os sofrimentos do exílio como tendo sido a punição prevista. Mas o pecado fora expiado, pelo que o poeta estava perplexo de que Israel continuava afligido" (Ellicott, *in loc.*). O vs. 33 mostra-nos que, apesar da contínua rebelião do povo de Israel, o amor de Deus seria mais forte ainda e impediria a queda final. Sempre haveria restauração do povo errado. Ademais, havia aquele *pacto inquebrantável* (vs. 34).

■ **89.31** (na Bíblia hebraica corresponde ao **89.32**)

אִם־חֻקֹּתַי יְחַלֵּלוּ וּמִצְוֹתַי לֹא יִשְׁמֹרוּ׃

Preceitos... mandamentos. Provavelmente estes dois vocábulos devem ser entendidos como simples sinônimos da lei, mencionada no versículo anterior. Ver sobre a tríplice designação da lei, em Dt 6.1. Ver sobre o *estatuto eterno* em Êx 29.42; 31.16; Lv 3.17 e 16.29. A lei concede *vida* (ver Dt 4.1; 5.33; 6.2; Ez 20.1). A lei incorporava o moral e o cerimonial, ou ritualista, mas a mente dos hebreus fazia de todos os mandamentos *obrigações morais.* Pode haver aqui uma alusão ao Pentateuco, mas o autor não estava fazendo primariamente uma referência literária. Israel *profanou* o pacto, mas Deus não podia profanar essa aliança (ver o vs. 34).

> Salvador, é uma rendição completa,
> Deixo tudo para seguir-te;
> És meu Líder e meu Defensor,
> E assim será desta hora em diante.
>
> Nada de retenções, nada poupado,
> Prazeres, riquezas, tudo deve fugir;
> Espírito Santo, toma posse de mim!
> Não sou mais eu — antes, tu em mim.
>
> Rebecca S. Pollard

■ **89.32** (na Bíblia hebraica corresponde ao **89.33**)

וּפָקַדְתִּי בְשֵׁבֶט פִּשְׁעָם וּבִנְגָעִים עֲוֹנָם׃

Então punirei com vara as suas transgressões. A *punição* era certa, certificando que o mal seria castigado. Mas os castigos divinos também são remediadores. Deus não tenciona esmagar e, sim, curar. Ver no *Dicionário* o artigo chamado *Lei Moral da Colheita segundo a Semeadura.* As recompensas do *yahwismo* eram grandes, mas grandes também eram as suas obrigações. A obediência ocupava lugar de destaque, porque o yahwismo se pautava pela lei. A lei nada significava sem a obediência a ela. Esse era o âmago do *pacto mosaico,* anotado na introdução a Êx 19. Cf. 2Sm 7.14, sobre o qual ele está fundamentado. Ver também Is 53.8 e Hb 12.6.

■ **89.33** (na Bíblia hebraica corresponde ao **89.34**)

וְחַסְדִּי לֹא־אָפִיר מֵעִמּוֹ וְלֹא־אֲשַׁקֵּר בֶּאֱמוּנָתִי׃

Mas jamais retirarei dele a minha bondade. *A Garantia Divina.* Ver as notas no vs. 29, sobre por que a linhagem de Davi deveria continuar para sempre. Temos aqui a repetição de *uma* dessas razões, o *amor constante* do Senhor, mencionado nos vss. 1, 2, 14, 24, 28, 33 e 49. O amor viria em socorro daquele povo desobediente e errante. O amor de Deus sai em socorro de todos os pecadores, sem exceção (Jo 3.16). O livro de Jonas, que é o João 3.16 do Antigo Testamento, aborda o mesmo tema. Ver Jn 4.11. O amor de Deus abarca até os animais irracionais! Ver no *Dicionário* o verbete chamado *Amor,* quanto a informações completas, com ilustrações e poesias. Deus escolheu vasos de barro. O tesouro é guardado no que é precário, mas o material precário é preservado e protegido. Um vaso feito de argila é valioso por causa do tesouro que guarda, mas vai sendo gradualmente transformado até ter um valor próprio. Ver 2Co 4.7. É o amor de Deus que atrai os homens a Deus e ali os conserva. É esse amor que transforma o homem à imagem do Filho (ver Rm 8.29, bem como o artigo da *Enciclopédia de Bíblia, Teologia e Filosofia,* chamado *Transformação segundo a Imagem de Cristo*).

> Amor divino, que ultrapassa todos os amores,
> Alegria do céu, desce até a terra.
> Fixa entre nós tua habitação humilde,
> E coroa todas as tuas misericórdias fiéis.
> ...
>
> Transformado de glória em glória
> Até que tomemos nossos lugares no céu,
> Até que lancemos diante de ti nossas coroas,
> Perdidos em admiração, amor e louvor.
>
> Charles Wesley

A minha fidelidade. A fidelidade de Deus serve de outra garantia do Pacto Mosaico. Ver sobre isso nos vss. 1, 2, 5, 8, 33, 49 e os comentários no vs. 29, onde apresento uma nota de sumário.

■ **89.34** (na Bíblia hebraica corresponde ao **89.35**)

לֹא־אֲחַלֵּל בְּרִיתִי וּמוֹצָא שְׂפָתַי לֹא אֲשַׁנֶּה׃

Não violarei a minha aliança. Aqui o poeta sagrado repete outra razão pela qual Israel (Judá) não pode ser rejeitado, nem a linhagem davídica pode ser anulada: o *Pacto Davídico.* Ver o vs. 29, quanto a um sumário das razões, sendo esta uma entre outras. As provisões e promessas desse pacto saíram dos lábios divinos e não podem ser alteradas em nenhum sentido, nem mesmo pela desobediência humana. Yahweh não podia *violar* sua própria palavra, que servia de alicerce do pacto. Diz aqui o hebraico, literalmente, "não profanarei". O que é divino não pode ser profanado. O pacto davídico era divino porque Deus o estabeleceu diretamente com o homem. "Meus profetas declararam isso e eu não alterarei o que está saindo de minha boca" (Adam Clarke, *in loc.*).

Não violarei. Embora Israel (Judá) tivesse profanado a lei de Deus com sua desobediência (ver o vs. 31), Yahweh não seguiria esse mau exemplo. Manteria de pé a aliança, a qualquer custo. "Assim como Deus não muda em sua natureza e em suas perfeições, nem em seu amor e afetos, nem em seus conselhos e propósitos, assim também não muda em suas alianças e promessas. Elas permanecem e têm uma realização certa e imutável. O que foi dito pelo Senhor tem cumprimento seguro (ver Lc 1.45)" (John Gill, *in loc.*).

■ **89.35** (na Bíblia hebraica corresponde ao **89.36**)

אַחַת נִשְׁבַּעְתִּי בְקָדְשִׁי אִם־לְדָוִד אֲכַזֵּב׃

Uma vez jurei por minha santidade. A declaração de Deus envolveu um *juramento divino* que assegurou ainda mais que o pacto com Davi não podia ser desfeito. Ver no *Dicionário* o artigo chamado *Voto.* Este versículo repete, em sua essência, o vs. 3 deste mesmo salmo. A linguagem usada, naturalmente, foi antropomórfica, pois o poeta sacro atribui a Deus os tipos de coisas que compõem a formação e o comportamento dos homens. Ver no *Dicionário* o artigo chamado *Antropomorfismo.* A base do juramento divino foi a *santidade* de Deus, a qual não admitiria mentiras ou enganos na questão. Os homens juram com reservas no coração e com o mau intuito de usar desses juramentos somente para manipular o próximo. Deus, entretanto, nunca manipula um juramento seu. O juramento seria cumprido em sua inteireza.

"A humanidade veio a aprender que, em comparação com as violações dos pactos tolos e prodigiosos por parte da humanidade, a lei de Deus, seu pacto prometido, tem prosseguido sem violação alguma" (J. R. P. Sclater, *in loc.*). "O ato de jurar foi atribuído a Deus segundo os homens costumam jurar, mas isso foi feito em condescendência à fraqueza de seu povo, para remover dúvidas e hesitações do coração deles, relativamente a coisas eternas e espirituais" (John Gill, *in loc.*). Isso foi atribuído a Deus mediante linguagem antropomórfica.

■ **89.36** (na Bíblia hebraica corresponde ao **89.37**)

זַרְעוֹ לְעוֹלָם יִהְיֶה וְכִסְאוֹ כַשֶּׁמֶשׁ נֶגְדִּי׃

A sua posteridade durará para sempre. Este versículo repete o vs. 29, exceto pelo fato de que os céus são substituídos aqui pelo sol. Os céus provavelmente referem-se tanto à residência imaterial de Deus como aos céus estrelados dos quais o sol faz parte, por ser, ele mesmo, uma estrela, porém muito próxima de nós, o que nos dá a impressão de ser muito maior do que as demais. O fato é que o nosso sol é apenas uma estrela de tamanho *médio*. Seja como for, é a nossa principal fonte luminosa, bem como a origem de toda vida biológica sobre a terra. Sabemos hoje em dia, pela ciência moderna, que o sol perecerá algum dia, embora isso só venha a ocorrer dentro de bilhões de anos. Mas os hebreus não sabiam disso, pelo que o sol se tornou símbolo de algo sem fim; e nesse sentido o sol é usado aqui. Assim sendo, a *descendência divina*, o povo de Deus, a linhagem dos reis davídicos, o Rei final, não pode, passar, tanto quanto o sol não pode passar. Isso fazia parte do *pacto davídico*.

E o seu trono como o sol perante mim. Primeiramente perene, mas também glorioso, dispensando luz e vida, provendo salvação para toda a humanidade. O trono de Davi incorporaria os pontos essenciais do trono celeste de Deus, postado acima das estrelas, parecido com o sol rebrilhante.

> *Subsista para sempre o seu nome, e prospere enquanto resplandecer o sol; nele sejam abençoados todos os homens, e as nações lhe chamem bem-aventurado.*
>
> Salmo 72.17

Ver Ml 4.2, quanto ao *Sol da Justiça*, por certo uma versão messiânica do tipo de coisas que se vê nos vss. 29 e 36.

> Sol da minha alma! Tu, querido Salvador,
> Não será noite, se estiveres próximo;
> Oh, que nunca se levante uma nuvem nascida na terra,
> E que te esconda dos olhos de teu servo.
>
> John Keble

■ **89.37** (na Bíblia hebraica corresponde ao **89.38**)

כְּיָרֵחַ יִכּוֹן עוֹלָם וְעֵד בַּשַּׁחַק נֶאֱמָן סֶלָה:

Ele será estabelecido para sempre como a lua. O poeta sagrado adiciona aqui a ideia da natureza eterna do trono de Davi ao usar a *lua* como símbolo de algo que não pode acabar. Cf. Sl 72.5, que tem tanto a figura do sol como a figura da luz (conforme fazem os vss. 36 e 37). Os hebreus antigos tinham uma cosmologia muito deficiente, supondo que o sol e a lua fossem luzes penduradas nos céus, relativamente próximas da terra. Eles não faziam ideia da vastidão do espaço, nem tinham noção de que a terra gira em torno do sol, ou que a lua orbita ao redor da terra. Mas esses *luminares misteriosos*, obras especiais da criação de Deus, eram concebidos como muito antigos e potencialmente eternos. Eles se tornaram *testemunhas* do poder e da graça de Deus, e também da eternidade que esperavam no tocante ao trono de Davi. "Portanto, enquanto durarem o sol e a lua, e enquanto o arco-íris aparecer no firmamento, assim perdurará o reinado espiritual de Davi, e sua descendência prosperará e aumentará" (Adam Clarke, *in loc.*).

Como uma pequena emenda, podemos obter as palavras: "O testemunho dos céus é seguro", que a *Revised Standard Version* coloca à margem.

Selá. Ver os possíveis significados desta misteriosa palavra hebraica, em Sl 3.2.

PEDIDO DE SOCORRO A DEUS (89.38-51)

■ **89.38** (na Bíblia hebraica corresponde ao **89.39**)

וְאַתָּה זָנַחְתָּ וַתִּמְאָס הִתְעַבַּרְתָּ עִם־מְשִׁיחֶךָ:

Tu, porém, o repudiaste e o rejeitaste. Neste caso, o "ungido" de Deus é o povo de Israel, o rei e a linhagem real. Yahweh os repeliu por causa de sua desobediência. Chegamos agora ao *lamento* em face de Judá ter sido rejeitado por Deus, do que resultou o cativeiro babilônico. Já vimos o hino de louvor a Yahweh, por parte do salmista (vss. 5-18), e também sua longa exposição sobre as glórias da linhagem e do trono de Davi, os quais, segundo a promessa de Deus, durariam para sempre (vss. 19-37). Depois de ter feito essas elevadas considerações, o autor sacro mergulha nas profundezas do desespero e admira-se em como essas coisas antigas podiam ser verazes à luz da atual calamidade de Judá, quando a nação continuava na Babilônia ou tinha voltado para a desolação da Terra Prometida, como um minúsculo remanescente de Judá. Como poderia Yahweh renovar alguma coisa a partir de tão miserável fragmento? Mas o autor sagrado pleiteia que Yahweh fizesse precisamente isso, restaurando as glórias do passado.

"O salmista, tendo esboçado as sanções divinas acerca da casa de Davi, agora passa a fazer sua lamentação. Esquecido de qualquer responsabilidade que porventura coubesse à família real por causa da catástrofe que desabara sobre Judá, o autor sacro descreve o estado humilhado do rei (vss. 38-45) e, quase como uma repreensão, solicita a Deus que se lembre de seu pacto (vss. 46-51)" (William R. Taylor, *in loc.*). "Deus é repreendido por haver violado o pacto. Israel do presente é contrastado com o *prometido* glorioso destino" (Ellicott, *in loc.*).

Repudiaste... rejeitaste... Te indignaste. Note o leitor a série de fortes expressões.

A completa devastação da invasão babilônica, a destruição e a matança, e então o pequeno remanescente levado para o cativeiro, deixaram o poeta sagrado *estupefato*. A culpa caiu sobre Yahweh. Ele era a causa real de tudo quanto havia acontecido. A Babilônia foi apenas o instrumento usado por Deus. "A ousadia dessa exposição *escandaliza* os expositores judeus. Mas ver uma linguagem similar em Sl 44.9,22" (Ellicott, *in loc.*). Por outra parte, se Deus trouxesse Judá de volta à Terra Prometida, depois de tudo quanto havia acontecido, transformando-o em um novo Israel, então seu poder e sua glória seriam ainda mais exaltados; e justamente algo parecido estava ocorrendo. No entanto, a dispersão na época dos romanos (anos 70 e 138 d.C.) arruinou novamente a situação, o que somente em nossa própria época (1948) foi revertido de maneira bastante débil. Continuamos esperando a *restauração* maior e mais importante do povo de Israel.

"A seção final do poema exibe uma violenta alteração de postura. Após uma promessa do Senhor, de que o trono de Davi perduraria tanto como o sol, a lua e as estrelas, há uma série de oito versículos que descrevem a completa reversão de tal prospecto" (J. R. P. Sclater, *in loc.*). Alguns críticos supõem que a questão pode ser facilmente explicada, considerando que o Salmo 89 seja, de fato, uma colcha de retalhos de composições poéticas, formando uma unidade, e que os versículos finais se derivam de um poeta diferente dos autores de porções anteriores. Por outra parte, talvez o que eu acabei de dizer, no parágrafo acima, seja uma explicação adequada, através da qual a integridade do salmo possa ser conservada.

Ungido. Ou seja, o rei Davi (ver Sl 28.8,9 e 84.9) ou um descendente dele.

■ **89.39** (na Bíblia hebraica corresponde ao **89.40**)

נֵאַרְתָּה בְּרִית עַבְדֶּךָ חִלַּלְתָּ לָאָרֶץ נִזְרוֹ:

Aborreceste a aliança com o teu servo. A linguagem aqui usada é extremamente forte e insultuosa. O poeta teve coragem de dirigir-se a Yahweh de um modo que tem escandalizado os judeus através dos séculos. Yahweh aborreceu o pacto com Davi ao permitir que invasores estrangeiros devastassem Jerusalém e levassem para o exílio os poucos sobreviventes da matança. Essa palavra, "aborreceste", tem sido traduzida de outras maneiras, como "desprezaste" e, na *Revised Standard Version*, "renunciaste". O original hebraico, porém, diz "lançaste fora". Cf. Lm 2.7. A Septuaginta diz "te livraste", como se fosse algo indesejável que se tornara nojento.

Profanaste-lhe a coroa. Longe de ter sido eternamente glorificada, a *coroa real* de Davi foi lançada em terra por homens profanos, os quais a pisaram como sinal de total desprezo. Não são acusados aqui os babilônios, mas Yahweh, a única causa, que usara os babilônios como instrumentos. Os intérpretes veem outras derrotas de Judá aqui; mas o texto é tão radical que somente a invasão e o cativeiro babilônico se adaptam às descrições. O pacto era obviamente *santo*, porquanto foi criação de Yahweh-Elohim, que o confirmou e estabeleceu, e então foi *profanado* por ele, através da ação dos pagãos. Isso era algo que o poeta sagrado tomava como incompreensível, porquanto culpava Deus por aquilo que a apostasia de Judá havia causado, empregando a doutrina da *única causa*. A teologia dos judeus era fraca quanto a causas secundárias, pelo que *todos* os acontecimentos eram atribuídos a Deus.

89.40 (na Bíblia hebraica corresponde ao 89.41)

פָּרַצְתָּ כָל־גְּדֵרֹתָיו שַׂמְתָּ מִבְצָרָיו מְחִתָּה׃

Arrasaste os seus muros todos. Todas as muralhas da cidade de Jerusalém foram niveladas, deixando a capital e outras cidades de Judá abertas para os atos mais desgraçados, como atos de violência, estupros e assassinatos. Ninguém foi poupado, nem homem, nem mulher, nem criança. Todos foram contaminados e esmagados pela ira dos babilônios. Judá tinha cidades fortificadas, mas nenhuma delas permaneceu intacta. O quadro é de total desesperança, na presença de um adversário brutal e sem misericórdia. "Permitiste que a terra fosse desnudada de todas as suas defesas. Não há nenhum lugar forte nas mãos de teu povo" (Adam Clarke, *in loc.*). Cf. Is 5 e Sl 80.12. Ver também Jó 16.14.

89.41 (na Bíblia hebraica corresponde ao 89.42)

שַׁסֻּהוּ כָּל־עֹבְרֵי דָרֶךְ הָיָה חֶרְפָּה לִשְׁכֵנָיו׃

Despojam-no todos os que passam pelo caminho. Qualquer indivíduo ou grupo de soldados que passasse pelas cidades de Judá, depois que os babilônios tivessem deixado essas cidades indefesas, podia fazer o que melhor lhe parecesse. Eles podiam saquear e maltratar os sobreviventes, e a ninguém caberia protestar. É assim que podemos imaginar a figura de vários saqueadores indo a Jerusalém e outras cidade de Judá, tirando vantagem da destruição que ali havia. O que os babilônios não tinham levado, os saqueadores agora roubavam; as desgraças que os babilônios não haviam causado, os saqueadores agora impingiam. As populações *vizinhas* tornaram-se saqueadoras e aumentaram os ultrajes contra as pessoas, mediante sua salada de violências. Os registros históricos mostram-nos que os sírios, os amonitas, os samaritanos e os idumeus contavam-se entre os que praticavam esses atos desgraçados. E provavelmente houve outros saqueadores também. Este versículo tem sido cristianizado para falar das perseguições contra Cristo e sua Igreja, mas isso é anacrônico, embora sirva como aplicação, posto que não como interpretação.

89.42 (na Bíblia hebraica corresponde ao 89.43)

הֲרִימוֹתָ יְמִין צָרָיו הִשְׂמַחְתָּ כָּל־אוֹיְבָיו׃

Exaltaste a destra dos seus adversários. Em vez de usar sua *mão direita* (ver a respeito em Sl 20.16) para abater o inimigo e salvar a Judá, Yahweh exaltou a destra (símbolo de poder) de seus inimigos para esmagar a sua própria herança. Na realidade, a mão direita de Yahweh tornou-se a mão direita dos babilônios, porquanto ele era a causa real das desgraças que atingiram os hebreus, segundo a antiga maneira de eles pensarem. Ver sobre a *mão poderosa do Senhor*, em Dt 9.26. Em vez de ter feito os inimigos de Judá chorar diante de suas perdas, Deus fê-los regozijar-se em suas vitórias devastadoras. Em outras palavras, o mundo virou de cabeça para baixo.

> Algo de errado ocorreu na ordem da criação; os pássaros cantam contra nós, o sol nos requeima; a natureza nos espezinha e os temores nos deixam perplexos. Sim, algo na ordem da criação saiu errado. Quem está mantendo a escrituração sobre todas essas crises, toda essa transição, toda essa dor?
> Russell Champlin

Cf. Sl 22.7,8 e 41.8.

89.43 (na Bíblia hebraica corresponde ao 89.44)

אַף־תָּשִׁיב צוּר חַרְבּוֹ וְלֹא הֲקֵימֹתוֹ בַּמִּלְחָמָה׃

Também viraste o fio da sua espada. O rei de Judá, ou aquele que representava o povo de Judá, especialmente seus exércitos, teve suas espadas *embotadas* por Yahweh. Nas guerras modernas, diríamos que "as armas de fogo dispararam pela culatra". A palavra hebraica aqui traduzida por "fio" é *tsur*, ou seja, "rocha". Temos aqui uma reminiscência da idade da pedra, quando instrumentos e armas eram feitos de pedras. A palavra, porém, foi "modernizada" tanto nas traduções mais antigas quanto em nossas próprias traduções hodiernas. Por isso pensamos em espadas de metal, cegas, e não em espadas de fios de pedra. Somos informados de que os gauleses, quando invadidos pelos romanos, sofreram grande desvantagem porque ainda não haviam descoberto como endurecer o metal de seus armamentos. Assim sendo, seus instrumentos de guerra se entortavam quando recebiam golpes, reduzindo sua eficácia e tempo de utilização. Yahweh também havia reduzido a habilidade de lutar dos soldados hebreus, pelo que eles se tornavam vítimas fáceis das hordas invasoras.

Israel caiu em batalha como se fosse um enxame de moscas. Parece que seria tarefa de Yahweh derrotar os pagãos; em vez disso, porém, ele fortificou a mão direita dos estrangeiros invasores (vs. 42), ao mesmo tempo que embotou as armas de Israel, tudo contribuindo para a vitória babilônica. O poeta sagrado mostrou-se amargurado diante da cena toda.

> Éramos para os deuses como as moscas
> São para os meninos.
> Eles nos matavam por esporte.
> Shakespeare

89.44 (na Bíblia hebraica corresponde ao 89.45)

הִשְׁבַּתָּ מִטְּהָרוֹ וְכִסְאוֹ לָאָרֶץ מִגַּרְתָּה׃

Fizeste cessar o seu esplendor. A glória da linhagem davídica foi derrubada por terra pelos babilônios, em razão do que a glória dessa linhagem *cessou*, o que era algo incrível para a mente dos hebreus. Em 722 a.C., a nação do norte, Israel, havia deixado de existir. Agora fora a vez da nação do sul, Judá! O trono de Davi, pois, foi lançado por terra. A primeira parte deste versículo diz: "sua glória cessou". Em lugar de "glória", nossa versão portuguesa diz "esplendor". Mediante uma emenda, a *Revised Standard Version* diz aqui: "Tiraste o cedro de sua mão", o que significa mais ou menos a mesma coisa, embora em linguagem mais poética. Diz literalmente o original hebraico: "Fizeste cessar o seu brilho", talvez dando a entender "o brilho do sol", conforme prometido no vs. 36. Houve tempo em que a linhagem de Davi era brilhante e alta como o firmamento, mas agora fora derrubada por terra. "Não restaram nem o rei nem o seu trono" (Adam Clarke, *in loc.*).

89.45 (na Bíblia hebraica corresponde ao 89.46)

הִקְצַרְתָּ יְמֵי עֲלוּמָיו הֶעֱטִיתָ עָלָיו בּוּשָׁה סֶלָה׃

Abreviaste os dias da sua mocidade. O rei de Judá, em suas tribulações, tornou-se prematuramente *envelhecido*, a pior coisa depois de morrer prematuramente. A referência, contudo, poderia ser ao reino de Judá, que era comparativamente jovem em relação a outros estados. Foi cortado em sua juventude, seus dias foram abreviados por sua apostasia. Mas talvez haja aqui uma alusão ao brevíssimo reinado do jovem monarca Joaquim (ver 2Rs 24.8-17). Ele tinha apenas 18 anos quando começou a reinar, e em três meses tudo estava terminado. Ver sobre ele no *Dicionário*. "Os últimos quatro reis de Judá governaram por bem pouco tempo, coletivamente falando, e todos morreram à espada ou no cativeiro" (Adam Clarke, *in loc.*). Ver no *Dicionário* o verbete intitulado *Reino de Judá,* quanto a informações completas, incluindo uma lista dos reis e breves descrições de seus reinados. Ver sobre os reis de números 17 a 20.

Este versículo tem sido cristianizado para falar sobre Jesus e sua breve vida terrena, porquanto ele foi cortado cedo na vida, quando era ainda jovem. Mas o versículo certamente não é messiânico.

89.46 (na Bíblia hebraica corresponde ao 89.47)

עַד־מָה יְהוָה תִּסָּתֵר לָנֶצַח תִּבְעַר כְּמוֹ־אֵשׁ חֲמָתֶךָ׃

Até quando, Senhor? Esconder-te-ás para sempre? A *severidade* da linguagem aqui usada aponta para o tempo do cativeiro babilônico, quando então tudo se perdeu. E não há nenhuma indicação da humilde restauração depois da volta do remanescente à Terra Prometida. O profeta Jeremias (25.11,12) havia predito que o cativeiro perduraria por *setenta* anos, porém o mais provável é que essa profecia não fosse largamente conhecida, e, mesmo que fosse, poucos hebreus teriam crido nela. Portanto, em meio à agonia, parecia que o cativeiro nunca teria fim. Isso explica o apelo desesperado do poeta sagrado para que Yahweh abreviasse o tempo do exílio e retirasse sua ira que queimava como fogo. As chamas do inferno foram acesas em 1Enoque, durante o período intertestamentário, e figuras de linguagem como a deste versículo ("tua ira como fogo") provavelmente sugeriam que a punição no hades fosse como fogo, que algumas mentes prosaicas transformaram em fogo literal. A fé do poeta não estava extinta. Esforçava-se por sobreviver, mas o poeta fora apanhado por uma amargura compreensível.

> Dupla, dupla labuta e tribulação;
> As chamas queimam e o caldeirão ferve.
> Shakespeare

■ **89.47** (na Bíblia hebraica corresponde ao **89.48**)

זְכָר־אֲנִי מֶה־חָלֶד עַל־מַה־שָּׁוְא בָּרָאתָ כָל־בְּנֵי־אָדָם׃

Lembra-te de como é breve a minha existência! O poeta sagrado, tal como qualquer outro homem, teria uma vida breve; por isso, ele personalizou a questão: "Lembra-te de como meu tempo é curto". A *Revised Standard Version* apresenta aqui uma declaração impessoal: "Lembra-te, Senhor, de qual é a medida da vida". Nossa versão portuguesa, entretanto, prefere ficar com uma referência pessoal. Seja como for, a segunda parte do versículo generalizou a questão: Deus criou *todos os homens* para a vaidade, ou para o nada, pois a vida deles dura tão pouco.

O ponto da reflexão sobre a brevidade da vida é que tanto Judá quanto o rei de Judá provaram a veracidade dessa observação, sendo em breve reduzidos ao nada. É como se o poeta estivesse dizendo: "Tudo é fútil!" Uma nação inteira havia morrido, e, no entanto, Yahweh parecia indiferente à questão. Pior ainda, Deus mesmo era a *causa* da futilidade. O poeta, vendo defeitos em todas as demais coisas, reconhecia grande defeito no próprio ato divino da criação do homem. Ao homem foi dado tão breve tempo para viver, e que adianta viver?

> *Dá-me a conhecer, Senhor, o meu fim, e qual a soma dos meus dias, para que eu reconheça a minha fragilidade.*
> Salmo 39.4

"Se não nos livrares prontamente, alguém da atual geração verá a tua salvação? Teria todo o remanescente de nossas tribos sido criado em vão? Nunca verão eles a felicidade?" (Adam Clarke, *in loc.*).

Note o leitor que o salmista não apelou para a sobrevivência da alma diante da morte biológica. Ele não apelou para a imortalidade como uma consolação, a qual, de fato, é a única consolação para esta mui breve vida humana. Sem esse fato, o viver diário seria realmente fútil. Uma breve vida física tem elevado propósito *caso* ela se encaixe em um plano mais elevado, no qual reina a imortalidade. Nos Salmos e Profetas, começa a aflorar a doutrina da sobrevivência da alma diante da morte física, mas é notável quão poucas vezes essa doutrina transparece nas páginas do Antigo Testamento. Ver no *Dicionário* o artigo chamado *Alma*, e ver na *Enciclopédia de Bíblia, Teologia e Filosofia* o verbete intitulado *Imortalidade*.

■ **89.48** (na Bíblia hebraica corresponde ao **89.49**)

מִי גֶבֶר יִחְיֶה וְלֹא יִרְאֶה־מָּוֶת יְמַלֵּט נַפְשׁוֹ מִיַּד־שְׁאוֹל סֶלָה׃

Que homem há que viva, e não veja a morte? Nenhum homem está isento da morte, conforme Sócrates disse: "Todos os homens são mortais". Por conseguinte, todos os seres humanos vivem uma vida brevíssima (vs. 47) e logo são reduzidos a nada. Nenhum poder é capaz de livrar o homem do poder do sheol, ou seja, da sepultura. Portanto, a vaidade da vida humana é declarada universal. Quanto à vaidade da vida, ver Sl 39.5; Jó 7.6-10; 14.1,2; Ec 1.2. Cf. este versículo a Sl 49.7-10 e a Eclesiástico 41.3,4. O poeta sempre soube da brevidade da vida humana, mas quando viu uma nação inteira morrer, isso lhe pareceu demasiado. Ele sabia, por meio da história do povo hebreu, que a nação do norte, Israel, tinha morrido em 722 a.C. Mas isso já tinha acontecido fazia agora bastante tempo e era fácil de aceitar. Mas quando ele viu a nação do sul morrer diante dos próprios olhos, isso lhe pareceu demais. Foi então que ele compreendeu claramente que até as nações têm vida curta, e, no caso de Judá, até em contradição com as muitas promessas de Deus.

Homem. No hebraico, "herói" ou "campeão", a palavra usada em Jr 22.30 para indicar o *rei*. Cf. Is 22.17. Até o campeão do povo encaminha-se para a futilidade, e a *mão* do sheol em breve se estenderá na direção dele. *Mão* é sinônimo de "poder" e, assim sendo, o homem está condenado por um poder mais elevado e permanece impotente diante desse poder. O poeta provavelmente pensava no hades (no hebraico, *sheol*) como uma finalidade, um *aniquilamento,* e não como um lugar onde ele, como homem bom, pudesse encontrar uma vida razoavelmente feliz. A teologia dos hebreus, porém, finalmente veio a pintar um homem bom no sheol como alguém abençoado, conforme se vê no capítulo 16 do Evangelho de Lucas; mas esse pensamento, quando o salmo presente foi composto, ainda não havia entrado na teologia dos hebreus.

> Conta todas as alegrias que tuas horas têm visto,
> Conta todos os dias em que estiveste livre de angústia,
> E sabe que, sem importar o que tenha acontecido,
> Teria sido melhor se não existisses.
> Lord Byron

"Tal como um homem vive, com igual certeza deverá morrer. Que ele seja forte e poderoso, tal como significa a palavra hebraica aqui traduzida por *homem*, contudo enfermo e débil ele se tornará. Ele pode ter sido importante, mas se tornará sem importância; rico, mas será pobre; príncipe ou aldeão, reto ou ímpio, pessoas de todas as classes sociais, status e condições, idade ou sexo, todos devem morrer. Pois todos pecaram, e a morte é a determinação de Deus" (assim escreveu John Gill, *in loc.*, procurando encorajar-nos). O Targum indaga: "Qual é o homem que, estando vivo, não verá o anjo da morte?"

Selá. Quanto a possíveis significados desta misteriosa palavra, ver Sl 3.2.

■ **89.49** (na Bíblia hebraica corresponde ao **89.50**)

אַיֵּה חֲסָדֶיךָ הָרִאשֹׁנִים אֲדֹנָי נִשְׁבַּעְתָּ לְדָוִד בֶּאֱמוּנָתֶךָ׃

Que é feito, Senhor, das tuas benignidades de outrora...? O *amor constante* de Deus é mencionado nos vss. 1, 2, 14, 24, 28, 33 e 49. O amor de Deus, que nunca desistiu nem diminuiu fez a história de Israel ser o que tem sido. Esse é um dos fatores que garante a continuação (e *eternidade*) da linhagem davídica (ver o vs. 29, quanto a um sumário de fatores). O poeta sagrado, pois, perguntou agora o que tinha acontecido àquele tão poderoso amor que se mostrara eficaz em todos os propósitos divinos. Ele indagou *Adonai* (o Senhor celeste) sobre a questão. Perguntou ao Ser Supremo qual realidade cerca a questão. O Senhor lhe respondeu em verdade (vs. 49), sem enganá-lo jamais (vs. 35). Deus prestou juramento em favor da veracidade de suas declarações (vs. 35). Portanto, por que a palavra do Senhor não se cumpriu? Este versículo também menciona o juramento divino. A fé do salmista manteve-se firme por tempo bastante para ele renovar um forte apelo a Yahweh, de modo que o Senhor lhe desse alguma forma de explicação para a calamidade que se apossara da nação de Judá. Os antepassados tinham-se mostrado triunfantes. A linhagem de Davi continuava; mas agora (nos tempos *modernos,* para o poeta sagrado) todo o plano de Deus havia ruído por terra.

> Ontem é história; amanhã é mistério; hoje é o presente, razão pela qual o chamamos de presente... Se gastarmos todo o dia de hoje lembrando as coisas que se passaram, ou tentando antecipar o que trará o amanhã, então poderemos perder a rica bênção de hoje. 'Este é o dia que o Senhor fez; regozijemo-nos, e alegremo-nos nele' (Sl 118.24).
> Pastor Claude Ponting

■ **89.50** (na Bíblia hebraica corresponde ao **89.51**)

זְכֹר אֲדֹנָי חֶרְפַּת עֲבָדֶיךָ שְׂאֵתִי בְחֵיקִי כָּל־רַבִּים עַמִּים׃

Lembra-te, Senhor, do opróbrio dos teus servos. Além de todas as outras calamidades que *Adonai* (o elevado Senhor) podia notar, certamente ele deveria observar que seus servos estavam sendo vítimas do ridículo por parte de invasores e saqueadores. O povo de Judá estava sendo insultado, e o poeta guardava no coração os insultos, como representante do seu povo.

"Nossos inimigos, sabendo de nossa confiança em ti, tendo por muitas vezes ouvido nos jactarmos a teu respeito, mas vendo agora o estado vil a que fomos reduzidos, zombam de nós e da nossa confiança, e, de fato, blasfemam de ti. Isso me fere a alma. Não posso continuar ouvindo tais blasfêmias. Todos aqueles povos poderosos estão blasfemando do Deus de Jacó" (Adam Clarke, *in loc.*). "Carrego o peso das *multidões hostis* no meio da minha terra. A invasão final de Nabucodonosor teve a ajuda dos sírios, dos moabitas e dos amonitas (ver 2Rs 24.2)" (Fausset, *in loc.*).

> *Retribui, Senhor, aos nossos vizinhos, sete vezes tanto, o opróbrio com que te vituperaram.*
> Salmo 79.12

Diz o Targum: "Trago em meu peito todas as reprimendas de muita gente". O homem sentia-se ferido em seu *homem interior* (significado metafórico de *peito*). Hoje em dia, em vez de "peito", usamos a palavra "coração", pelo que é comum ouvir-se dizer "ferido no coração".

■ **89.51** (na Bíblia hebraica corresponde ao **89.52**)

אֲשֶׁר חֵרְפוּ אוֹיְבֶיךָ יְהוָה אֲשֶׁר חֵרְפוּ עִקְּבוֹת מְשִׁיחֶךָ׃

Com que, Senhor, os teus inimigos têm vilipendiado. Doía no coração do salmista a reprimenda dos inimigos de Judá contra o rei dessa nação, e ele era o *ungido* do Senhor. Às injúrias, foram adicionados insultos. Quanto ao significado de *ungido*, ver os comentários sobre o vs. 38. A referência pode ser ampla o bastante para incluir o rei, a linhagem real e o povo escolhido por Deus.

Os passos do teu ungido. "Cada passo dado pelo povo de Israel era sujeito a reprimendas. Os escritores rabínicos ligam este versículo com a *demora* do Messias, visto que ela trazia opróbrio aos que por ele em vão esperavam" (Ellicott, *in loc.*).

Talvez esses *passos* sejam de natureza *histórica:* "Eles rebuscam toda a história de teu povo; acompanham até os tempos mais presentes e encontram a desobediência de Israel por toda a parte, e assim falam de uma repreensão merecida. Mas o siríaco diz: 'Teus inimigos têm repreendido a lentidão dos passos dos pés de teu Messias, ó Senhor. Temos confiado nele como nosso grande Libertador, e diariamente esperamos sua vinda, mas não aparece o libertador, e nossos inimigos zombam de nossa confiança'" (Adam Clarke, *in loc.*).

O Targum também transmite a ideia de que Israel era alvo de motejos por causa de suas expectativas messiânicas, que nunca se realizavam. Mas este versículo parece ter uma natureza histórica, e não profética. "Deus havia esquecido a má sorte de seus servos, permitindo o insulto, o escárnio, a zombaria a que seu povo fora abandonado, porque a bondade de Deus se tinha retirado?" (J. R. P. Sclater, *in loc.*).

Ver no *Dicionário* sobre *Problema do Mal* — por que os homens sofrem e por que sofrem como sofrem.

CONCLUSÃO DE BÊNÇÃO AO LIVRO III DO SALTÉRIO (89.52)

■ **89.52** (na Bíblia hebraica corresponde ao **89.53**)

בָּרוּךְ יְהוָה לְעוֹלָם אָמֵן וְאָמֵן׃

Bendito seja o Senhor para sempre! Amém, e amém. Com esta breve doxologia, termina o Livro III, constituído pelos Salmos 73 a 89 do saltério. Ver as notas em Sl 41.13, onde temos bênção similar, no fim do Livro I do saltério. Cf. Sl 72.18,19 e 106.48, quanto a doxologias semelhantes, que terminam os outros livros do saltério. Os cinco livros são: 1. Sl 1 a 41; 2. Sl 42 a 72; 3. Sl 73 a 89; 4. Sl 90 a 106; 5. Sl 107 a 150. A *doxologia final* é o Salmo 150, em sua inteireza. O arranjo em cinco livros imita o Pentateuco e foi obra de editores posteriores, que forçaram, de modo bastante artificial, o saltério, para que tivesse essa disposição. Os livros não seguem temas, autoria ou qualquer outro fator comum para se distinguirem entre si. As versões antigas oferecem doxologias finais diferentes e mais elaboradas, como faz a versão siríaca: "Bendito seja o nome do Senhor neste mundo. Amém e Amém. Bendito seja o nome do Senhor no mundo vindouro. Amém e Amém". Adam Clarke (*in loc.*) adiciona sua própria doxologia, dizendo: "A isso o leitor não achará difícil subscrever seu próprio Amém, assim seja". O Targum tem uma doxologia parecida, juntando este mundo e o mundo futuro na questão. Naturalmente, as doxologias foram trabalho de editores posteriores, e não faziam parte integrante dos salmos que fechavam cada livro do saltério.

> Fique tranquilo, ele nunca te falhou em todo o passado,
> E será que agora vai te abandonar para afundar, afinal?
>
> Não será assim, porque te esconderá embaixo de suas asas.
> Lá, doce e seguramente, podes cantar.
>
> Os ventos adversos sopram furiosamente contra a minha vida.
> Meu barco pequeno com angústia se agita.
> Meus planos falharam, e todas as minhas esperanças parecem arruinadas.
> Então ele levanta-se e fala a palavra de paz.
> "Sejam as águas calmas!"
> Noite escura, mais do que eu poderia aguentar,
> Mas ele levanta-se e fala a palavra de poder.
> "Sejam as águas calmas!"
> É o Senhor.
>
> L.S.P.

> Hoje a noite, minha alma, fica tranquila e dorme;
> As tempestades furiosas agitam as profundezas de Deus.
> Mas são as profundezas de Deus, não tuas,
> Portanto, fica tranquila e dorme.
>
> Hoje a noite, minha alma, fica tranquila e dorme;
> O amor de Deus é forte enquanto as horas
> Da noite se arrastam tão devagar.
> É o amor de Deus, não teu,
> Portanto, fica tranquila e dorme.
>
> Hoje a noite, minha alma, fica tranquila e dorme;
> O céu de Deus confortará aqueles que choram.
> É o céu de Deus, não teu,
> Portanto, fica tranquila e dorme.
>
> Annie Johnson Flint

> Afinal, uma alvorada gloriosa — mas quando?
> Oh, quem pode dizer?
> A montanha mais íngreme tornar-se-á uma planície.
> A terra seca será satisfeita com chuva abundante.
> Os portões de bronze serão quebrados e
> Transformados numa escada para as estrelas.
> Mas quem tem a paciência para esperar?
> Estas coisas virão no dia apontado por Deus.
> Pode ser que não será amanhã,
> Mas poderia ser.
>
> Annie Johnson Flint

SALMO NOVENTA

Quanto a *informações gerais* que se aplicam a todos os salmos, ver a introdução ao Salmo 4, onde apresento *sete* comentários que elucidam a natureza do livro. Quanto às *classes* dos salmos, ver o gráfico no início do comentário, que age como uma espécie de frontispício.

Este salmo é uma *oração* pedindo a libertação de Israel da adversidade nacional, uma espécie de lamentação grupal, mas é, ao mesmo tempo, um grande hino. Ele não segue o modelo típico dos salmos de lamentação, com o clamor pedindo ajuda, uma descrição dos adversários, imprecações contra eles, e uma nota final de louvor e agradecimento, por causa das respostas à oração ou porque se acreditava que a resposta divina estava a caminho. Não obstante, esses elementos estão presentes, mas em uma ordem de apresentação diferente da costumeira. Além disso, o salmo eleva-se acima das lamentações comuns, sendo "uma das mais preciosas gemas do saltério" (William R. Taylor) e também "um cântico impressionante de elevação e poder quase ímpar" (Kitt).

Subtítulo. Este salmo tem o seguinte subtítulo: "Oração de Moisés, homem de Deus". Ver Dt 33.1; Js 14.6; 1Cr 23.14; 2Cr 30.16 e Ed 3.2, onde Moisés também é chamado de "homem de Deus". *Moisés* aparece somente no subtítulo deste salmo, embora o Targum lhe atribua os dez salmos seguintes, o que não reflete a verdade dos fatos. Os subtítulos não faziam parte das composições originais, e por isso não têm autoridade canônica; são meras conjecturas de editores posteriores quanto a questões como autoria e condições históricas que possam ter inspirado as composições. Se Moisés realmente escreveu o Salmo 90, então este é um dos mais antigos da coletânea, mas é insensatez basear-se no subtítulo.

Nos dezessete salmos do Livro IV do saltério (Salmos 90 a 106), apenas três não são anônimos: o Salmo 90 foi atribuído a Moisés, e os Salmos 101 e 103 foram atribuídos a Davi.

Este salmo dá início ao quarto livro do saltério. Ver as notas sobre a questão dos *Cinco Livros*, no parágrafo final dos comentários do Salmo 89.

ORAÇÃO CONGREGACIONAL (90.1-17)

O Deus Eterno e o Homem Mortal (90.1-12)

■ **90.1**

תְּפִלָּה לְמֹשֶׁה אִישׁ־הָאֱלֹהִים אֲדֹנָי מָעוֹן אַתָּה הָיִיתָ
לָּנוּ בְּדֹר וָדֹר:

Senhor, tu tens sido o nosso refúgio. O salmista faria o contraste entre a eternidade de Deus e a temporalidade do homem, mas essa mortalidade do homem é *guardada* dentro da imortalidade de Deus, visto que Deus é a *habitação* do homem por todas as gerações.

"Os vss. 1-6 discutem a disparidade entre o Deus Eterno e os seres humanos finitos. Em atitude de humildade, o salmista reconheceu que Deus é a eterna *habitação* do homem, ou seja, seu *abrigo protetor*, pois Deus vai de eternidade a eternidade (vss. 1,2). Em *todas as gerações*, as pessoas se refugiam nele" (Allen P. Ross, *in loc.*). Assim sendo, temos consciência de que somente Deus é *independente*, um dos atributos divinos, ao passo que os homens são sempre *dependentes*, um dos mais notáveis atributos humanos. Note o leitor o nome divino aqui usado: *Yahweh*. Ver no *Dicionário* o artigo intitulado *Deus, Nomes Bíblicos de*.

> Nosso Deus, nosso socorro em eras passadas,
> Nossa esperança para anos por vir,
> Nosso abrigo das fúrias da tempestade,
> Nosso lar eterno!
>
> Sob a sombra de teu trono
> Continuamos a habitar seguros;
> Suficiente é somente o teu braço,
> E nossa defesa é segura.
>
> Nosso Deus, nosso socorro em eras passadas,
> Nossa esperança para anos por vir,
> Sê tu nosso guia enquanto durar a vida,
> E nosso lar eterno!
>
> Isaac Watts

■ **90.2**

בְּטֶרֶם ׀ הָרִים יֻלָּדוּ וַתְּחוֹלֵל אֶרֶץ וְתֵבֵל וּמֵעוֹלָם
עַד־עוֹלָם אַתָּה אֵל:

Antes que os montes nascessem. Deus aqui aparece antes da sua criação. Houve tempo em que somente *Elohim* (o Poder) existia. Deus não era meramente um arquiteto que tomou material já existente para formar sua criação. Ele mesmo criou a matéria e então a dispôs em consonância com seu plano. Ver sobre Hb 11.3 no *Novo Testamento Interpretado* quanto a amplas explicações. Ver o artigo geral do *Dicionário* intitulado *Criação*, especialmente a seção II, *Origens da Criação*, para uma discussão das várias teorias sobre a questão.

Para alguns eruditos, entretanto, os hebreus não ensinavam que Deus criou a partir do nada ou com base em sua própria energia, mas apenas organizou matéria já existente, o que combina com a ideia dos gregos. O versículo que temos à frente, contudo, certamente ensina que Deus já existia quando sua criação ainda não existia. Ver no *Dicionário* o artigo chamado *Êx Nihilo*.

Seja como for, o propósito do salmista não era provar nenhum ponto teológico. Antes, era mostrar quão insignificante é o homem, quando contrastado ao incomparável Elohim. Partindo dessa ideia, o autor sacro extrairá certo número de corolários e lições, espirituais e morais.

A terra teve uma origem. Falamos sobre as "colinas eternas", e os montes são usados para falar do "para sempre", no passado e no futuro. Mas quando examinamos a questão com cuidado, encontramos ali somente Deus, eterno; ou quando sondamos o futuro, também descobrimos que Deus continuará a existir eternamente. E, no futuro, se alguma coisa perdurar por toda a eternidade, será isso por seu ato gracioso, e não por causa de uma natureza inerente. Quanto a outras referências sobre os anos (ou vida) de Deus, como "sem fim", ver Sl 9.7; 10.16; 29.10; 102.24,27; 135.13; 146.10; Jó 36.26. Existem paralelos cananeus nos quais *El*, o cabeça do panteão dos cananeus, é referido como sem começo e sem fim, o que significa que os hebreus não eram os únicos a dominar esse pensamento.

As *montanhas* são símbolos de duração perpétua da eternidade ou da força. Ver Gn 49.26 e Pv 8.25. A *Revised Standard Version* tem, em Sl 76.4, as *montanhas eternas*, por meio de uma emenda. "As montanhas, por sua altura majestática e por sua estabilidade inabalável, dão a impressão de antiguidade e imutabilidade. Ver Gn 49.9, onde se lê sobre as 'colinas eternas'. Ver também Dt 33.15 e Hc 3.6" (Fausset, *in loc.*). Cf. o EU SOU de Deus, que comento no *Dicionário*.

■ **90.3**

תָּשֵׁב אֱנוֹשׁ עַד־דַּכָּא וַתֹּאמֶר שׁוּבוּ בְנֵי־אָדָם:

Tu reduzes o homem ao pó. O homem se pavoneia no palco desta vida, desempenha seu papel fugidio, mas então, subitamente, ouve a voz de Deus a dizer-lhe: "Volta". E assim ele retorna ao pó, de onde veio. Essa é a *destruição* do corpo e, de acordo com a antiga teologia dos hebreus, da própria pessoa. Nos Salmos e Profetas, a ideia da existência da alma, bem como da sua sobrevivência diante da morte física, *começou* a surgir nas Escrituras. "O ponto de vista de que o destino final do homem é o *pó* nos faz lembrar Gn 3.19" (William R. Taylor, *in loc.*). Ver também Sl 103.14; 104.29 e Ec 12.7.

> Somos feitos do estofo de que são feitos os sonhos,
> E nossa vida termina como que no sono.
>
> Shakespeare

"Há inúmeras referências nas Escrituras sobre a natureza frágil e fugidia da existência humana. Pensamentos sobre a mortalidade humana percorrem, como um triste refrão, muitos dos salmos. Esses pensamentos tocam com paixão a mente e o coração dos profetas, e inspiram passagens que nos fazem pensar. 'Que é o homem?', pergunta alguém, enquanto contempla o pôr do sol, no fim do dia. As sombras se espessam, a luz e o dia se vão, e, por semelhante modo, o ser humano... Os cientistas prometem mais dias de vida para os seres humanos. As estatísticas provam que, nos países civilizados, a morte está sendo cada vez mais adiada. Mas, se a ciência nos mantém vivos por mais tempo, também nos empresta uma sensação cada vez maior de nossa insignificância. Veja como a astronomia tem feito o homem tornar-se um anão, bem como ao seu mundo! O homem, nascido de mulher, vive breve tempo, cheio de inquietação. Nasce como a flor, e murcha; foge como a sombra, e não permanece' (Jó 14.1,2). Por isso perguntamos: 'Não haverá estabilidade? Não haverá coisa alguma que permaneça?'. O salmista tinha uma resposta engatilhada: 'O Senhor é nossa habitação em todas as gerações'" (J. R. P. Sclater, *in loc.*). Assim é que um homem foge para o Ser Eterno, e nele lhe é dada a vida eterna. Poderíamos pedir mais do que isso?

■ **90.4**

כִּי אֶלֶף שָׁנִים בְּעֵינֶיךָ כְּיוֹם אֶתְמוֹל כִּי יַעֲבֹר
וְאַשְׁמוּרָה בַלָּיְלָה:

Pois mil anos, aos teus olhos. *Mil anos* representam um tempo muito longo para o homem, mas para Deus eles são como nada. Um homem vive setenta anos e, quando chega a essa idade, olha para sua vida passada, como se tudo não passasse de um dia. Sua vida inteira pode ser compactada em uma única palavra: "Ontem". E assim qualquer vida humana, por longa que seja, é, na realidade, como uma única *vigília* da noite. Na antiga nação de Israel, as vigílias ocupavam o período entre o pôr do sol e o nascer do sol. Esse período estava dividido em *três* vigílias, pelo que cada qual durava cerca de quatro horas. Ver sobre essa questão nos trechos de Sl 63.6; 119.148; Êx 14.24 e Jz 7.19. Meu sogro viveu até os 101 anos e esteve enfermo por diversos desses anos. Seus sofrimentos nos fizeram comentar: "Por quanto tempo?" Será que os sofrimentos dele nunca terminariam? Mas quando, finalmente, ele morreu, depois de haver completado 101 anos, a família toda podia lembrar-se do passado e dizer: "Isso foi apenas ontem!"

> Todos os teus ontens iluminaram a estrada dos insensatos,
> quando eles estavam a caminho do pó.
>
> Francis Bacon

Quanto à ideia de uma *longa vida desejável*, ver as notas expositivas em Gn 5.21. Meus amigos, é grande coisa ter uma missão dada por Deus e ter sido ungido para tanto. Também é grande coisa ter tempo suficiente para cumprir nossa missão e não ser cortado pela *morte prematura*. Oh, Senhor, concede-nos tal graça!

Ver 2Pe 3.8, que se baseia neste versículo.

Um Uso Tolo deste Versículo. A ciência nos mostra quão antiga é a terra. alguns intérpretes utilizam este versículo para ensinar que a criação envolveu mil anos para *cada dia* da atividade criadora divina. Mas seis mil anos (um milênio para cada um dos seis dias da criação) não são uma gota do balde das eras geológicas.

■ **90.5,6**

זְרַמְתָּם שֵׁנָה יִהְיוּ בַּבֹּקֶר כֶּחָצִיר יַחֲלֹף:
בַּבֹּקֶר יָצִיץ וְחָלָף לָעֶרֶב יְמוֹלֵל וְיָבֵשׁ:

Tu os arrastas na torrente, são como um sono. Os sonhos são os vagabundos da noite. Eles vêm e vão. Alguns sonhos são repletos de significados, e outros são lugar comum. Mas a luz da alvorada os faz descer à mente subconsciente. Provavelmente Shakespeare tomou essa ideia por empréstimo do vs. 3. A *inundação* arrasta e varre o que parecia permanente; pois tudo não passa de um momento de fragilidade. Além disso, há a erva que floresce na terra fértil. Ela parece saudável; parece boa; parece uma característica permanente da paisagem. Entretanto, se lhe falta um pouco de água, ela morre; e se o sol a cresta por muito tempo, ela é queimada; quando chega a noite, a erva murcha e morre (vs. 6). E se os elementos naturais não a destroem, então o homem, com seus instrumentos cortantes, acaba por cortá-la e derrubá-la. A erva pode ser destruída quando um homem colhe o trigo, pelo que aquilo que é bom também pode ser um mal. O poeta sagrado fala sobre as *vicissitudes* que podem apagar-nos a vida e, por meio de suas metáforas, instrui-nos sobre a *fragilidade* da vida. Ver Sl 39.4.

Quanto à *metáfora da erva*, cf. Sl 37.2; 102.4,11; 103.15,16; Jó 14.2; Is 40.6-8. Era apenas natural que um povo dedicado ao trabalho agrícola a tivesse usado. Era algo que podia ser observado todos os dias, tal como a morte pode ser observada todos os dias. No Novo Testamento, ver a metáfora da erva em 1Pe 1.24. Há manhã e há tarde, há o florescer e há o declínio da vida, e todo homem tem sua época na qual floresce e murcha.

■ **90.7**

כִּי־כָלִינוּ בְאַפֶּךָ וּבַחֲמָתְךָ נִבְהָלְנוּ:

Pois somos consumidos pela tua ira. Além da brevidade da vida, há pecados que precisam ser tratados (vs. 8), bem como a breve vida humana, que envolve muito castigo divino. Há certas formas de calamidade nacional que serviram de pano de fundo para este salmo, visto ser ele um *lamento nacional*. A *ira* de Deus está envolvida na fragilidade da vida humana, e temos de acreditar também no *plano divino* que simplesmente fez a vida humana tão curta. O poeta não olha para a futura vida eterna, mas deixa o homem em sua natureza miserável e na minúscula vida que ele tem a viver neste mundo. Antes de a morte chegar, porém, o homem é *perturbado* pelo Ser divino, consumido pela sua ira. Ele sofre sob o látego divino. Está sempre esperando com temor pelas coisas. A primeira coisa que pensamos quando uma criança adoece é: "Ela pode morrer!" e esse pensamento infunde temor em nosso coração. Ou então pensamos: "Essa criança pode acabar fraca e prejudicada!" e isso é igualmente uma consideração temível. "A dor, a enfermidade e a doença são provas de nosso desvio da retidão original". A ira de Deus descarrega-se contra todos os *pecadores*. Mesmo que tenhamos uma vida prolongada, vamos sendo consumidos lentamente, e até parece que vivemos somente para morrer:

> Nossas vidas que se desgastam ficam mais breves ainda,
> E dias e meses se escoam;
> E cada pulsar do coração que sentimos
> Deixa-nos um pulsar a menos até o fim.
>
> Adam Clarke, *in loc.*

Ver no *Dicionário* sobre o *Problema do Mal*. Por que os homens sofrem, e por que sofrem como sofrem? O mal pode ser *moral*, isto é, as terríveis coisas que os homens praticam uns contra os outros. E o mal também pode ser *natural*, incluindo as coisas que a natureza faz contra os homens, como enfermidades, dilúvios, incêndios, terremotos e, o pior mal de todos, a morte.

"A mudança para a primeira pessoa do plural demonstra que o poeta não estava meramente moralizando a brevidade da vida humana, mas proferindo um cântico fúnebre sobre a glória de Israel que havia desaparecido. Em vez de mostrar-se superior às *vicissitudes* da vida, a raça em pacto com Deus tinha compartilhado dessas vicissitudes" (Ellicott, *in loc.*). Talvez este salmo tenha sido escrito após o cativeiro babilônico, quando a nação de Judá morreu, e não meramente quando algum indivíduo faleceu. Kimchi referiu-se ao salmo presente como dirigido a Judá, quando o seu povo foi para o cativeiro. Mas outros estudiosos pensam estar em vista as vagueações pelo deserto. Ver Nm 14.33,35.

■ **90.8**

שַׁתָּ עֲוֹנֹתֵינוּ לְנֶגְדֶּךָ עֲלֻמֵנוּ לִמְאוֹר פָּנֶיךָ:

Diante de ti puseste as nossas iniquidades. As iniquidades e os pecados secretos estavam todos diante do rosto de Elohim, o qual os olhava com ira. A luz da fisionomia do Senhor ilumina todas as coisas, incluindo os pecados secretos, e há uma retribuição exata para todos os erros cometidos. Assim sendo, Israel caiu na armadilha da fragilidade e da perturbadora mortalidade descrita no vs. 7. Normalmente, a "luz do rosto de Deus" significa favor, mas aqui está em foco o olhar iluminado da ira. Ver sobre o *rosto brilhante* de Deus em Sl 84.9, onde ofereço notas expositivas e referências.

> As trevas não são trevas para ele. Onde quer que Deus esteja,
> há uma profusão de luz, pois Deus é luz.
>
> Adam Clarke, *in loc.*

"Certa ferocidade contra o erro e os malfeitores está envolvida no real ardor em prol da bondade. Isso é necessário para que haja sanidade moral; e, se porventura, perdemos esse ardor, precisaremos recuperá-lo. A *ira*, em conexão com Deus, só será digna de objeção se for arbitrária, particular e pessoal" (W. H. Moberly, *in loc.*). Tendo assim falado, não devemos esquecer que a ira visa a cura, e não meramente a retribuição, conforme anoto em 1Pe 4.6, no *Novo Testamento Interpretado*.

■ **90.9**

כִּי כָל־יָמֵינוּ פָּנוּ בְעֶבְרָתֶךָ כִּלִּינוּ שָׁנֵינוּ כְמוֹ־הֶגֶה:

Pois todos os nossos dias se passam na tua ira. O salmista retorna aqui à *brevidade* e à *futilidade* da vida humana. Temos apenas alguns poucos dias de vida, e até esses poucos dias são vividos sob a ira de Deus, que pesa sobre nós a cada dia. Assim sendo, nossos poucos dias multiplicam-se em poucos anos, e eles se escoam como uma história que pode ser contada em poucos minutos. A Vulgata Latina muda a figura simbólica e fala da temporalidade e fragilidade desta vida, como se fora uma *teia de aranha*. Muitas espécies de aranhas renovam suas teias a cada dia, ao passo que outras apenas reparam os lugares quebrados. As aranhas *comem* a antiga teia para prover uma maneira econômica de fabricar a nova teia. Todas as versões da Bíblia falam aqui da aranha, embora nenhum manuscrito hebraico conhecido contenha essa metáfora. A harmonia entre as versões poderia indicar que esse era o texto original, ao passo que o texto massorético padronizado perdeu a menção à aranha. O texto massorético mais antigo pertence ao século IX d.C., pelo que há ocasiões em que as versões preservaram textos mais antigos que da Bíblia hebraica atualmente conhecida. Ver no *Dicionário* o artigo chamado *Massora (Massorah); Texto Massorético,* quanto a maiores informações. Os manuscritos hebraicos dos Papiros do Mar Morto concordam *em certas porções* com as versões (especialmente a Septuaginta), contra os manuscritos tipicamente posteriores de nossa Bíblia hebraica atual. Ver no *Dicionário* o verbete intitulado *Mar Morto, Manuscritos (Rolos) do*.

Como um breve pensamento. Esta é uma tradução mais exata do trecho hebraico. A *King James Version* diz "como um conto". Nossos anos chegam ao fim e terminam em um breve *pensamento,* o que provavelmente reflete o que acontece por ocasião da morte, quando a pessoa dá o último suspiro. O Targum diz: "A golfada de ar da boca no tempo do inverno". Por alguns segundos a respiração pôde ser *vista,* porquanto as partículas de água se enregelaram. O ar, entretanto, como é natural, não pode ser visto. Cf. Tg 4.14, que fala sobre a "neblina".

■ **90.10**

יְמֵי־שְׁנוֹתֵינוּ בָהֶם שִׁבְעִים שָׁנָה וְאִם בִּגְבוּרֹת שְׁמוֹנִים שָׁנָה וְרָהְבָּם עָמָל וָאָוֶן כִּי־גָז חִישׁ וַנָּעֻפָה׃

Os dias de nossa vida sobem a setenta anos. Os setenta anos tradicionais da vida humana são citados aqui. As pessoas, no antigo povo de Israel, nem se aproximavam desse número de anos de vida, em *média*. Mas isso acontecia a alguns indivíduos mais saudáveis e vigorosos, e esses que faziam parte da elite tornaram-se o padrão do tempo esperado de vida. Davi viveu exatamente até os *setenta anos* (ver 2Sm 5.4), e assim alguns atribuíram a ele este salmo. Solon também estimou em setenta anos a duração de vida de uma pessoa (Laércio em *Vita Solon,* pág. 36). Ver também Heródoto, *Hist.* 1. cap. 6, par. 58; e Plínio *Epístola* 1.1. Eliano (*Var. Hist.* 1.4, cap. 1) falou sobre um povo chamado os Berbiccae, que matavam as pessoas quando elas chegavam aos setenta anos, se é que fossem suficientemente fortes para viver tantos anos, porquanto esse era o tempo divinamente marcado para um homem viver, e ninguém tinha o direito de viver mais do que isso.

Algumas pessoas particularmente fortes podiam atingir os oitenta anos, mas, se isso sucede, têm de pagar por seu feito sendo fracos e enfermiços, terminando seu curso de vida desejando ter morrido antes. Há algo que pode ser dito em favor de "requeimar", em lugar de "enferrujar".

Minha vela está queimando em ambas as extremidades,
Ela não perdurará a noite inteira;
Mas ah! meus inimigos, e ah! meus amigos,
Ela está dando uma luz admirável.

Edna St. Vincent Millay

John Gill mencionou certo cavalheiro de seus dias que chegou a avançada idade, mas se lamentava ter atingido aquela idade com "muita dor e pouco prazer".

Nem se apressando, nem vadiando...

Christina G. Rossetti

Vamos beber, dançar, rir e repousar,
Vamos rodopiar até a hora da meia-noite,
Pois amanhã morreremos.

Dorothy Parker, com adaptações

Uma vida mais longa é a mesma coisa que uma vida mais breve. Chegará o tempo em que a vida deverá ser cortada e alçar voo, como quando uma ave é solta de sua gaiola. A ave era e tem sido um símbolo tradicional da alma, mas neste versículo não há o menor indício de que a alma voará para Deus por ocasião de sua morte. Por isso, o comentário de Adam Clarke é bom, mas anacrônico no que diz respeito ao tempo em que foi composto este salmo: "O corpo é logo cortado, mas *nós* nos vamos voando. O espírito *imortal* tem asas e levanta voo para o mundo eterno".

■ **90.11**

מִי־יוֹדֵעַ עֹז אַפֶּךָ וּכְיִרְאָתְךָ עֶבְרָתֶךָ׃

Quem conhece o poder da tua ira? O hebraico original, neste versículo, é bastante obscuro, e outro tanto sucede às traduções que tentam arrancar dele algum significado. Emendas têm sido feitas, mas com resultados incertos. Os comentadores tomam a liberdade de dizer quase qualquer coisa que querem aqui. Uma das ideias é que as aflições desta vida não são dignas de ser comparadas às misérias que esperam os pecadores irreconciliados com Deus e têm de enfrentar a sua ira até o fim da vida. Ou então um homem que compreende corretamente a ira de Deus haverá de temê-lo, em concordância com essa sua compreensão, para assim evitar alguma punição severa. Em outras palavras, o *temor* a Deus o ajudará a evitar as manifestações maiores da ira de Deus. Essa tradução faz bom sentido, mas não podemos ter certeza de que era isso que o autor sagrado pretendia dizer. Ou simplesmente, nenhum homem pode realmente compreender a poderosa ira de Deus. Ellicott nos oferece a seguinte paráfrase:

Quem compreende a tua ira,
E em uma medida que condiga com a reverência,
Quem compreende a tua ira?

Ellicott traduziu a palavra "temor" como se significasse "reverência". A ira e a cólera de Deus são tomadas como paralelismos poéticos. Temos aqui um triste lamento sobre a ignorância dos caminhos de Deus, bem como a insensibilidade humana para com esses caminhos; e isso termina por ferir o Senhor.

■ **90.12**

לִמְנוֹת יָמֵינוּ כֵּן הוֹדַע וְנָבִא לְבַב חָכְמָה׃

Ensina-nos a contar os nossos dias. Encontramos aqui uma das melhores declarações de todo o saltério. Todos os homens, tanto os justos quanto os ímpios, dispõem de um tempo limitado. Mas é o justo que aprende a usar sua breve vida a fim de obter um "coração sábio". "Visto que a vida é tão breve e por ser vivida sob a ira de Deus contra o pecado, o salmista, representando o povo de Deus, implorou a Deus sabedoria na enumeração de seus dias (cf. Sl 39.4), ou seja, tomar consciência de quão poucos eles seriam (cf. Sl 39.5,6). A expressão *nossos dias* ocorre em Sl 90.9,10,14, e a palavra isolada, *dias,* aparece no vs. 15" (Allen P. Ross, *in loc.*).

Este versículo tem sido cristianizado para indicar "viver por toda a eternidade", mas o poeta sagrado não estava falando sobre a vida vindoura. Antes, estava interessado em agir da melhor maneira possível na breve vida terrena que lhe seria dada. Contudo, o salmista não explicou a utilidade de viver bem por setenta anos, *se,* depois desse tempo, nada mais existiria. Mas de algum modo, os hebreus pensavam que isso era possível, e assim a lei mosaica tinha como um de seus objetivos a longa vida física, desfrutando as bênçãos da aliança com Deus. Ver como a lei dá *vida,* em Dt 4.1; 5.33; 6.2 e Ez 20.1. Somente bem mais tarde, a teologia dos hebreus passou a interpretar isso como a vida da alma, para além do sepulcro.

Coração sábio. Quanto a amplas explicações sobre este assunto, ver o artigo intitulado *Sabedoria,* no *Dicionário*. A sabedoria consiste em obter conhecimento e saber usá-lo bem. Com base no Antigo Testamento, o conhecimento deve ser da lei de Deus, e sua boa utilização requer uma mudança de coração, efetuada pelo Espírito. Naturalmente, um modo de usar bem o conhecimento era participar e beneficiar-se do culto no templo de Jerusalém.

A Satisfação com o Amor Constante de Deus (90.13-17)

■ **90.13**

שׁוּבָה יְהוָה עַד־מָתָי וְהִנָּחֵם עַל־עֲבָדֶיךָ׃

Volta-te, Senhor! Até quando? Temos aqui uma breve oração, que poderia ser uma versão sucinta de uma oração mais longa, e é similar às notas concludentes de muitos salmos de lamentação, porém mais longa que na maioria dos salmos. Alguns críticos pensam que essa porção do Salmo 90 era originalmente uma composição separada. Talvez o próprio autor da primeira parte do salmo a tenha acrescentado para dar um fim apropriado ao restante, que, essencialmente, é um salmo de lamentação, bem como um hino de alta categoria, algo parecido com a ordem dos hinos de sabedoria.

Neste versículo, Yahweh é retratado como ausente de seu povo, que sofria reveses. Sem dúvida, o pecado era a causa de Yahweh ter-se afastado do acampamento de Israel. Castigo era a palavra de ordem. E isso sempre ocorria quando Israel se desviava para algum tipo de mal. Havia sempre a antiga síndrome de pecado-juízo-restauração. As dificuldades que o povo de Israel enfrentava são indefinidas, mas parece estar em pauta alguma espécie de tribulação nacional. O plural domina tudo. Alguns estudiosos traduzem a palavra "volta-te" por "abandona", ou seja, abandona a tua ira (ver Êx 32.12). Mas o sentido pode ser conforme se vê em Sl 6.4: "Volta-te para seu servo, dá-lhe atenção, resolve os seus problemas".

Até quando? Estas palavras subentendem a pergunta: "Até quando teu desprezar perdurará e nós sofreremos a tua ira?" Cf. Sl 74.10.

Tem compaixão dos teus servos. Ou seja, cessa o teu castigo e apressa-te em administrar alguma bênção positiva. Cf. Dt 32.36. O povo esperava uma resposta rápida da parte do Senhor, para que sua desesperada situação fosse prontamente resolvida.

"De acordo com G. K. Chesterton, há dois pecados contra a esperança: a *presunção* e o *desespero*. A presunção é a atitude de que nada está sendo feito, a menos que *nós* mesmos o estejamos fazendo. O desespero é a atitude que sente que tudo mais falha quando *nós* falhamos. Precisamos assegurar-nos de que Deus está presente, mesmo quando ele se mantém invisível, e de que ele opera tudo para o bem daqueles que o amam" (J. R. P. Sclater, *in loc.*). "A compaixão era a única esperança deles" (Allen P. Ross, *in loc.*), e esse é outro nome para o *amor*. O *amor constante* de Deus é referido continuamente nos salmos. Ver o vs. 14.

■ **90.14**

שַׂבְּעֵנוּ בַבֹּקֶר חַסְדֶּךָ וּנְרַנְּנָה וְנִשְׂמְחָה בְּכָל־יָמֵינוּ׃

Sacia-nos de manhã com a tua benignidade. O povo de Israel clamava para ser *satisfeito* com o *amor constante* de Yahweh. Isso faria a dor passar e acrescentaria bênçãos divinas. Então os israelitas poderiam *regozijar-se* após uma longa noite de sofrimentos e, de fato, terminar sua vida em alegria, porquanto os maus dias tinham passado.

Ao anoitecer pode vir o choro, mas a alegria vem pela manhã.
Salmo 30.5

Bebi profunda alegria,
E não beberei outro vinho hoje à noite.

Percy B. Shelley

"Que tenhamos a tua misericórdia em breve, sim, pela manhã. Que ela agora brilhe sobre nós, e parecerá como a manhã de nossos dias, e exultaremos em ti todos os dias de nossa vida" (Adam Clarke, *in loc.*).

"Os vss. 14 e 15 parecem sugerir que a nação estava experimentando um período de castigo particularmente severo, por causa do pecado, uma *noite* de tribulação. A *manhã* sugere uma nova era de alegria para o povo de Deus" (Allen P. Ross, *in loc.*). O *dia* torna-se aqui uma profecia, por Kimchi e Jarchi, a salvação e o triunfo de Israel. E, naturalmente, esse dia é cristianizado, a fim de significar a nossa era do evangelho.

■ **90.15**

שַׂמְּחֵנוּ כִּימוֹת עִנִּיתָנוּ שְׁנוֹת רָאִינוּ רָעָה׃

Alegra-nos por tantos dias quantos nos tens afligido. Israel vinha sofrendo por *longo tempo*. O poeta pediu que por um tempo correspondentemente longo o povo fosse abençoado. A noite perdurara por muito tempo; e, assim sendo, que o dia também *perdurasse*. Este versículo subentende um prolongado período de provação, o que exigia um prolongado período de paz e prosperidade. Talvez estejam em vista os setenta anos do período do cativeiro babilônico, mas isso é mera conjectura. É impossível identificar as circunstâncias históricas que provocaram a composição dos salmos.

"Na vida de um crente há uma mistura de aflições e alegrias, que é como um quadro em branco e preto, com uma proporção apropriada de ambas as cores. Assim sendo, a prosperidade e a adversidade têm sua vez apropriada, mas essas mudanças de sorte operam juntamente para o bem daqueles que amam o Senhor... e, além disso, há recompensas no céu! Quanto a esta atual adversidade, não pode haver comparação com as alegrias do céu, pelo que não podemos falar em devidas *proporções*. Ver Rm 8.18 e 2Co 4.17" (John Gill, *in loc.*).

■ **90.16**

יֵרָאֶה אֶל־עֲבָדֶיךָ פָעֳלֶךָ וַהֲדָרְךָ עַל־בְּנֵיהֶם׃

Aos teus servos apareçam as tuas obras. Veja o leitor as *obras admiráveis* de Elohim, em Sl 88.10-12. A providência *negativa* tinha afligido o povo de Israel. Agora o poeta conclamava Elohim para que providenciasse uma grande e *positiva* providência. Ver no *Dicionário* o artigo chamado *Providência de Deus*. Isso redundaria em uma glória especial para Israel. A presença de Deus seria a mediadora dessa glória e sua principal essência. "Estás trabalhando para nós, bem o sabemos. Mas permite que tua obra apareça! Permite agora que seja demonstrado, em teu *livramento*, que os teus pensamentos para conosco estão plenos de misericórdia e amor" (Adam Clarke, *in loc.*). "tua obra que nos salva e alegra (vs. 15 e cf. Sl 92.4 e Hc 3.2)" (Fausset, *in loc.*). A glória e a alegria duradouras desceriam até gerações futuras, aos filhos que por tanto tempo tinham sofrido. Ver o vs. 15, quanto à dor e à alegria proporcionais.

Este versículo tem sido cristianizado e aplicado aos filhos de Deus trazidos aos pés de Cristo por meio do evangelho. Seja como for, os filhos da antiga dispensação e os filhos da nova dispensação são filhos de Abraão e participantes de sua aliança. Ver os detalhes sobre esse pacto em Gn 15.18.

■ **90.17**

וִיהִי נֹעַם אֲדֹנָי אֱלֹהֵינוּ עָלֵינוּ וּמַעֲשֵׂה יָדֵינוּ כּוֹנְנָה
עָלֵינוּ וּמַעֲשֵׂה יָדֵינוּ כּוֹנְנֵהוּ׃

Seja sobre nós a graça do Senhor nosso Deus. A *King James Version* diz aqui, em vez de *graça*, "beleza", e a *Revised Standard Version* prefere "favor". O termo hebraico por trás da palavra "graça" tem ambos os sentidos. O que está em foco é seu *rico trato* com os homens, o que se torna ainda mais específico mediante o uso das palavras "as obras de nossas mãos". Se o Salmo 90 está historicamente baseado na volta de Israel do cativeiro babilônico, então essas obras significam o que foi feito para *restaurar a nação de Israel* por intermédio da tribo de Judá; a reconstrução do país, bem como do templo e seu culto e, naturalmente, todo tipo de projetos *pessoais, familiares, do clã*, quando o povo de Israel recuperou o que havia sido destruído. A vida tribal seria reativada; as vidas pessoais receberiam novo significado. Note o leitor a repetição retórica das palavras "as obras de nossas mãos", para efeito de ênfase, e elas não devem ser apagadas como redundantes. "... confere-nos sucesso em tudo quanto fizermos em nossos interesses temporais e espirituais. Cf. Dt 24.19" (Fausset, *in loc.*).

A Grande Aplicação. Qualquer indivíduo espiritual é capaz de sentir o que este versículo tenta ensinar. Todos nós temos *obras* e projetos que estão perto de nosso coração. Todos recebemos nossas respectivas missões e também unções especiais para realizá-las. Mas sabemos que todo esforço humano é vão, se Deus não edificar a nossa casa:

Se o Senhor não edificar a casa, em vão trabalham os que a edificam.

Salmo 127.1

A *obra protestante* da *ética* transformou o trabalho honesto em um exaltado princípio moral; e assim realmente deve ser. Nenhum homem tem direito ao ócio.

O ócio é, tão somente, o refúgio das mentes fracas e o feriado dos insensatos. Não há lugar na civilização para o ocioso. Nenhum de nós tem direito ao lazer.

Henry Ford

Não há futuro para o preguiçoso.
Um homem sem ambições é como uma mulher sem beleza.
Joseph Conrad

Ver no *Dicionário* o verbete intitulado *Trabalho, Dignidade e Ética do,* quanto a ilustrações e poemas.

Para servir à era presente, minha chamada cumprir;
Oh, que todas as minhas forças sejam engajadas,
no cumprimento da vontade de meu Mestre!
Arma-me com zeloso cuidado, para viver sob
os teus olhos,
E prepara teu servo para dar-te uma estrita
prestação de conta!

Charles Wesley

SALMO NOVENTA E UM

Quanto a *informações gerais* que se aplicam a todos os salmos, ver a introdução ao Salmo 4, onde apresento *sete* comentários que elucidam a natureza do livro. Quanto às *classes* dos salmos, ver o gráfico no início do comentário, que atua como uma espécie de frontispício. Dou ali dezessete classes e listo os salmos pertencentes a cada uma delas.

Este é um *salmo de sabedoria,* sendo uma meditação sobre Deus como o *protetor* dos fiéis. Há cerca de uma dúzia desses salmos, além de partes de outros salmos. Eles participam da literatura de sabedoria dos antigos hebreus. Ver no *Dicionário* o artigo chamado *Sabedoria,* seção intitulada *Sabedoria, Literatura de,* para uma caracterização geral dessa literatura. Este salmo tem afinidades com o Salmo 46 e é um salmo de *confiança,* segundo a classificação de alguns eruditos. Ele também se reveste de qualidades didáticas, que formam ainda outro grupo. Seu tema central pode ser sumariado nas palavras de Paulo: "Se Deus é por nós, quem será contra nós?" (Rm 8.31). Se este salmo pode ser usado como um comentário sobre o *Problema do Mal* (ver a respeito no *Dicionário*) de maneira muito positiva e otimista, não pode ser usado como um tratado teológico sobre o tema. Este hino ao Deus da proteção lista os tipos comuns de dificuldades que os homens mortais enfrentam, e vê a vitória por todos os lados para aqueles que confiam. Não entra, entretanto, no problema das exceções — aqueles tempos de agonia em que o protetor celestial parece ignorar-nos. Alguns estudiosos supõem que este poema fosse uma peça de literatura contra ataques demoníacos. O Talmude Babilônico refere-se a ele como uma "canção contra ocorrências más" ou como um cântico contra as "pragas" (*Shebuoth* 15b). Mas o hino à nossa frente por certo é muito mais do que essas estreitas classificações tolerariam.

A composição poderia provir de qualquer época, dentro da história de Israel, mas sua conexão com a literatura de sabedoria sugere uma data pós-exílica, quando esse tipo de literatura começou a florescer.

Subtítulo. Este salmo é um daqueles aos quais editores posteriores não adicionaram nenhum subtítulo. São os chamados "salmos órfãos", por carecerem de notas introdutórias. Na verdade, entretanto, todos os salmos originalmente não tinham subtítulos, os quais foram acrescentados por editores muito posteriores. Os subtítulos não se revestem de autoridade canônica e usualmente são apenas conjecturas quanto a questões como autoria e acontecimentos históricos que podem ter inspirado as composições. Existem 34 salmos "órfãos", a saber: Salmos 1 e 2; 10; 33; 43; 71; 91; 93 a 97; 104 a 107; 111 a 119; 135 a 137; 146 a 150.

Uso Pessoal. Pessoalmente tenho usado três salmos em minhas orações diárias: Salmo 23 (o salmo do *suprimento* abundante); Sl 91 (o salmo de *proteção*); e Salmo 103 (o salmo da *saúde física*).

DEUS, MEU REFÚGIO E FORTALEZA (91.1-16)

Nenhum Mal te Sobrevirá (91.1-13)

■ 91.1

יֹשֵׁב בְּסֵתֶר עֶלְיוֹן בְּצֵל שַׁדַּי יִתְלוֹנָן׃

O que habita no esconderijo do Altíssimo. Este é um *salmo de proteção.* Alguns estudiosos afirmam que a leitura deste salmo é eficaz nos exorcismos. Seja como for, nós, os crentes, almejamos uma proteção mais ampla do que os exorcismos, e a leitura deste salmo só pode ser benéfica. Ela deve ser incorporada em nossas orações diárias.

"Visto que o salmista estava convencido de que há segurança em confiar no Deus Altíssimo, ele se encorajava de que seria livrado de vários ataques assustadores da parte do Maligno. O poeta sabia que o Senhor tinha nomeado anjos para que o guardassem e o protegessem. Este salmo é um belo testemunho sobre a segurança na vida" (Allen P. Ross, *in loc.*).

Esconderijo. Literalmente, no original hebraico, temos a palavra "abrigo". Esta palavra algumas vezes se refere ao templo de Jerusalém (como em Sl 27.5; 31.20; 61.4). A referência aqui poderia ser aos adoradores no santuário, que encontravam ali a presença divina, bem como paz e também proteção. O termo, entretanto, pode ser metafórico, como em Sl 32.7 e 119.114. O que se abriga no lugar onde o *Altíssimo* (ver a respeito no *Dicionário*) provê proteção está a salvo de todos os alarmas. Está inteiramente seguro o homem que vive à sombra do *Todo-poderoso* (ver a respeito no *Dicionário*). Este título de Deus só é encontrado no saltério aqui e em Sl 68.14. Ver sobre a *sombra das asas* do Senhor em Sl 17.8; 36.7; 57.1 e 63.7; e cf. Sl 121.5. Ver as notas expositivas sobre o *Altíssimo,* em Sl 7.1. Ver sobre as *asas de proteção* no vs. 4 deste salmo.

Que comunhão, que alegria divina,
Repousando nos braços eternos,
Que bênção, que paz é a minha,
Repousando nos braços eternos.
Repousando em Jesus, repousando em Jesus,
Em segurança e fora do alcance
de todos os alarmas.

As imagens de abrigo e sombra retratam vividamente a segurança, a paz e a confiança. O abrigo torna-se um esconderijo, um local seguro de todo temor e de todo o perigo. Assim sendo, mediante o acúmulo de termos, o poeta sacro exibe a paz que ele tinha alcançado. Os nomes de Deus aqui usados expressam seus atributos de poder infinito e majestade, e isso só servia para aumentar mais ainda o senso de confiança do salmista. O lugar onde estava o esconderijo de Deus pode aludir ao Santo dos Santos. Nesse caso, foi-nos assegurado o *acesso final* a Deus, em quem se encontram a segurança e a paz.

■ 91.2

אֹמַר לַיהוָה מַחְסִי וּמְצוּדָתִי אֱלֹהַי אֶבְטַח־בּוֹ׃

Diz ao Senhor: Meu refúgio e meu baluarte. Yahweh é o *refúgio* do ser humano (ver as notas expositivas a respeito em Sl 46.1, onde são dadas outras referências). O poeta sacro havia fugido para um lugar onde tribulações e calamidades não podiam atingi-lo, e resolveu ficar ali de maneira permanente. Seu refúgio também se tornou um *baluarte* (ver a respeito em Sl 18.2; 31.3; 71.3 e 144.2). Algumas vezes a *rocha* é incluída nessa expressão, o que é anotado em Sl 42.9. Além disso, ver *Torre Forte,* em Sl 61.3. Esses termos militares mostram que Yahweh age como o *Senhor dos Exércitos* (ver as notas a respeito em 1Rs 18.15) e provê ampla proteção para os ataques de todo e qualquer inimigo. Além disso, finalmente, Yahweh é também Elohim (o Poder), contra quem nenhuma força pode mostrar-se eficaz. Ver no *Dicionário* sobre *Deus, Nomes Bíblicos de.* Com seu belo acúmulo de imagens, os vss. 1 e 2 expressam, de forma admirável, o fato de que há *segurança* para o homem que confia em Yahweh. A segurança é algo que cabe à *intervenção divina,* segundo a qual as vicissitudes da vida, com seu caos, não têm permissão de atingir o homem bom. Devemos orar todos os dias contra o caos, pois o caos é um fator dentro do *Problema do Mal* (ver a respeito no *Dicionário*): por que os homens sofrem, e por que sofrem conforme sofrem? Até um homem *inocente* pode sair ferido, conforme demonstra o livro de Jó.

"Ele os circunda como as montanhas de Jerusalém; sua salvação são muralhas e baluartes para o seu povo; sim, ele os cerca com uma parede de fogo (ver Sl 125.2; Is 26.1; Zc 2.5). Ele põe uma guarnição militar inteira em redor deles (ver 1Pe 1.5)... portanto, é nele que devemos confiar, pois ele é o Deus da graça quanto a coisas temporais e espirituais" (John Gill, *in loc.*).

[Texto manuscrito caligráfico de Salmo 91:1-11:]

> Aquele que habita no esconderijo do Altíssimo, à sombra do Onipotente descansará. Direi do Senhor: Ele é meu refúgio, a minha Fortaleza, e Nele confiarei. Porque ele te livrará do laço do passarinheiro e da peste perniciosa. Ele te cobrirá com suas penas, e debaixo de suas asas estarás seguro: a sua Verdade é escudo e broquel. Não Temerás espanto noturno, nem seta que voa de DIA, nem peste que ande na escuridão, nem mortandade que assole ao meio Dia. Mil cairão ao teu lado, e dez mil à tua direita, mas tu não serás atingido. Somente com teus olhos olharás e verás a recompensa dos ímpios. Porque tu, ó Senhor, és o meu refúgio! O Altíssimo é tua habitação. Nenhum mal te sucederá, nem praga ALGUMA chegará à tua tenda. Porque aos seus anjos dará ordem a teu respeito para te guardarem em todos os teus CAMINHOS.
>
> A PROVIDÊNCIA DE DEUS — Salmo 91, 1-11

A *Providência de Deus* é exercida:
- na determinação dos caminhos e circunstâncias dos homens (1Sm 2.7,8; Sl 75.6,7);
- na prosperidade dos santos (Gn 24.48,56);
- na determinação do período da vida humana (Sl 31.15; At 17.26);
- na direção de todos os acontecimentos (Js 7.14; 1Sm 6.7-10,12; Pv 16.33);
- para a glória de Deus (Is 63.14);
- para o bem dos santos (Rm 8.28).

Os santos devem confiar nela (Mt 6.33,34; 10.9; 29.31).

Luz que brilha nas trevas

Deus se move de forma misteriosa
Para realizar suas maravilhas.
Implanta seus passos no mar,
E cavalga por cima do tufão.

No profundo, em minas insondáveis
De habilidades que nunca falham,
ele entesoura seus grandes desígnios,
E põe em obras sua vontade soberana.

— William Cowper

■ 91.3

כִּי הוּא יַצִּילְךָ מִפַּח יָקוּשׁ מִדֶּבֶר הַוּוֹת:

Pois ele te livrará do laço do passarinheiro. O *Deus da proteção* é agora visto a livrar de perigos específicos, poeticamente referidos, em primeiro lugar, como o *laço do passarinheiro*. Ver Sl 66.11, quanto à mesma metáfora. Provavelmente estão em foco os perigos criados pelo homem. Há terríveis ultrajes que os homens perpetram uns contra os outros. Mas Deus intervém e detém os ímpios irracionais, destruindo seus maus desígnios e suas obras. Ver também Sl 10.15; 124.7 e Ec 9.12. A figura de linguagem fala de desastres *inesperados*, que são muitos neste mundo e contra os quais carecemos de proteção divina especial. O problema do mal opera através das más obras, mediante as perversões *morais*, coisas que os homens perpetram uns contra os outros; e também opera através das calamidades *naturais*, abusos da natureza como incêndios, dilúvios, terremotos, enfermidades e a morte. O mal natural é referido aqui pelas palavras "peste perniciosa". Diz o hebraico original, literalmente, "pestilência das calamidades", isto é, acontecimentos prejudiciais e até mesmo fatais, provavelmente aqueles acidentes tolos, as enfermidades e outras coisas ruins que acontecem à parte da vontade do homem. Mas os vss. 6 e 7 talvez elaborem a questão; e, nesse caso, a vontade pervertida do homem, e não somente a natureza, imiscui-se em tais calamidades. Este salmo, bastante realista, fala das *muitas* perturbações e perigos que os homens enfrentam, pelo que precisamos de uma proteção muito poderosa. Encontramos tal proteção no Ser divino. Sim, as dificuldades do homem são *muitíssimas* e extremamente *variadas*. Portanto, um homem deve ter alguma maneira incomum de proteger-se. Ver também o vs. 10, que expande o tema.

Pragas. Perdas do controle próprio que atuam como uma praga; a pestilência do pecado, que destrói; enfermidades que fulminam inesperadamente e sem dar descanso; a praga do coração, que destrói um homem começando pelo lado de dentro; ruína espiritual; perigos físicos; acidentes; maquinações malignas de homens, promovidas pela vontade pervertida dos indivíduos.

■ 91.4

בְּאֶבְרָתוֹ יָסֶךְ לָךְ וְתַחַת־כְּנָפָיו תֶּחְסֶה צִנָּה וְסֹחֵרָה אֲמִתּוֹ:

Cobrir-te-á com as suas penas. Retornamos aqui à figura das *asas de proteção*, sugeridas no vs. 1. Ver Sl 17.8; 36.7; 57.1; 63.7 e cf. 121.5. Está em pauta a figura de uma ave-mãe que reúne os filhotes sob as suas asas, quando aparece algum perigo. Embora uma raposa possa facilmente romper a barreira protetora das asas de uma ave-mãe, o homem bom pode confiar seguramente nas *asas divinas*. A ave pode oferecer uma proteção apenas parcialmente eficaz, mas, quando Yahweh abre as asas por sobre seus "filhos", a defesa é segura e nos resguarda de todos os perigos. Diz aqui a Septuaginta: "Ele te cobrirá com a sombra de seus ombros". Isso prove uma excelente figura de proteção, embora não seja a que aparece no versículo presente. Os pais carregam os filhos fracos ou doentes nas costas ou nos ombros. O Senhor carregou Israel no deserto. Ver Dt 32.11,12, quanto à figura das asas, onde a águia está envolvida.

É pavês e escudo. Quanto à metáfora de Deus como o nosso *escudo*, ver notas expositivas completas em Sl 3.3; 7.9,10; 84.8; 89.18. O poeta volta a uma metáfora militar. Ver o vs. 2, quanto a outras metáforas. "Pavês" era um escudo pequeno e redondo, ao passo que o escudo cobria o corpo inteiro e tinha um formato comprido. Deus serve de qualquer tipo de escudo, com qualquer finalidade, e a sua *verdade* atua como essa proteção. A verdade é a Lei de Deus (ver o sumário a respeito em Sl 1.3), bem como as promessas que ele confere nos seus pactos. Ver no *Dicionário* o verbete chamado *Pactos*. O homem bom conhece a verdade, obedece a ela e é protegido por ela. "Essa verdade contém promessas para todos os tempos e circunstâncias, as quais serão invariavelmente cumpridas no caso daqueles que confiam no Senhor. O cumprimento de uma promessa relativa à defesa e apoio é, para a alma do crente, aquilo que os melhores escudos são para o corpo" (Adam Clarke, *in loc.*).

Cf. Ef 6.16, onde o escudo aparece como a *fé*. Trata-se de uma fé que detém os dardos inflamados do maligno.

■ 91.5

לֹא־תִירָא מִפַּחַד לָיְלָה מֵחֵץ יָעוּף יוֹמָם:

Não te assustarás do terror noturno. À noite acontecem coisas assustadoras, mas que não nos deveriam espantar. Furtos, assassinatos, violências sexuais. Todos os tipos de homens violentos operam sob a escuridão. Além disso, enfermidades inesperadas atacam durante a noite, quando o corpo físico se mostra mais vulnerável. Um exército invasor pode tirar vantagem de um inimigo despreparado que esteja dormindo. "A noite é o tempo dos terrores; é um tempo de traições, saques, furtos e assassinatos. O homem piedoso deita-se e dorme tranquilamente, pois deixa seu corpo, alma e espírito, e sua substância material, nas mãos de Deus. Ele sabe que aquele que guarda Israel não dormitará nem dormirá, pelo que Deus está estacionado à sua porta como um guarda" (Adam Clarke, *in loc.*, com uma referência a Sl 121.4).

Uma Oração Noturna. "Bendito Senhor, toma-nos sob a tua proteção esta noite; e preserva-nos das enfermidades, da morte repentina, da violência do fogo, do fio da espada, do desígnio de homens ímpios e da influência de espíritos maliciosos!" (Essa era a oração em família, usada pelo dr. Clarke).

Nem da seta que voa de dia. O tempo em que o salmista viveu era brutal e violento. A guerra era uma constante. Quantos jovens eram mortos pela seta que voava durante o dia! A seta era uma arma temível, com frequência usada como símbolo da violência da guerra. O poeta sacro usou-a como símbolo de *qualquer perigo* que pudesse ferir a um homem de súbito, durante o dia. Spurgeon errou muito quando fez esta seta representar a punição de Deus que derruba a um homem. Pelo contrário, Deus é o protetor de seu povo, das setas que cruzam o ar durante o dia. Diferentemente dos deuses pagãos, que nem entidades eram, Yahweh é um protetor eficaz para o seu povo, durante o dia e durante a noite. Em Sl 11.2 as flechas representam os planos dos homens malignos, e em Sl 64.3 representam as palavras dos malfeitores. Alguns estudiosos veem aqui os *encantamentos mágicos* dos ímpios, que podem prejudicar os inocentes, mas isso parece muito distante da realidade dos fatos. Ademais, não é provável que as setas representem aqui os raios do sol. Cf. Sl 121.6. Jarchi identifica as setas como *demônios*.

■ **91.6**

מִדֶּבֶר בָּאֹפֶל יַהֲלֹךְ מִקֶּטֶב יָשׁוּד צָהֳרָיִם:

Nem da peste que se propaga nas trevas. Este versículo parece ser um paralelismo poético do versículo anterior, reiterando os perigos noturnos e diurnos. Aqui temos a pestilência que ataca durante as trevas, buscando vítimas. Ver o vs. 3, onde comento longamente sobre a "peste perniciosa". A destruição é a que fere ao meio-dia, e com isso somos levados de volta à referência militar e suas *flechas*. Isso é anotado com detalhes no vs. 5, incluindo os significados variegados sugeridos pelos intérpretes. O Targum continua com sua interpretação demoníaca: "... uma companhia de demônios que destrói ao meio-dia". Mas alguns preferem referir-se aos ventos quentes do deserto, que destroem a vegetação e ressecam os rios, deixando os homens sedentos, famintos e desesperados.

É verdade que os antigos contavam com demônios que atacavam a qualquer período do dia ou da noite, e também tinham pragas específicas. Até os deuses e semideuses participavam do ato, causando toda espécie de dor aos homens. Assim é que, nas obras de Teócrito (*Id.* 1. vs. 15), encontramos o seguinte: "Não é legítimo, não é legítimo, ó pastor, tocar a flauta ao meio-dia. Temos Pã, o qual, naquela hora, vai dormir, a fim de descansar das fadigas da caça. Naquele horário ele se mostra *perigoso*, e sua ira facilmente se acende".

■ **91.7**

יִפֹּל מִצִּדְּךָ אֶלֶף וּרְבָבָה מִימִינֶךָ אֵלֶיךָ לֹא יִגָּשׁ:

Caiam mil ao teu lado. Havia destruição por todos os lados; o assassinato era generalizado; acidentes ocorriam por toda a parte; as enfermidades atacavam velhos e jovens; os hospitais estavam repletos; havia homicídios nas estradas e pragas nas escolas; não havia paz nem para o justo nem para o ímpio. Na *guerra*, milhares de homens pereciam diariamente, mas para o homem bom, que confia em Yahweh, *mil* podiam cair diante dele, ou mesmo *dez mil* à sua direita, nenhuma calamidade tocaria no homem oculto no santuário de Deus.

Em minha própria família algo semelhante aconteceu, contra o que constantemente citei este versículo como um escudo que protege alguém do perigo. Um de meus filhos estava vendo a morte quase semanalmente e, em certas ocasiões, diariamente. Quando caminhava pela calçada, via alguém ser atropelado por um veículo. Na estrada, passava constantemente por acidentes fatais. A morte se aproximou por várias vezes. Acontecia com tanta frequência que ele, na verdade, estava ficando calejado diante da morte. Quando ele me telefonava de Santos, eu esperava ouvi-lo descrever uma nova calamidade. Foi uma coisa terrível. Portanto, eu continuava repetindo para ele: "Mil podem cair ao teu lado, e dez mil à tua direita, mas a morte não chegará perto de ti". Eu repreendia qualquer espírito maligno que pudesse estar causando todas aquelas coisas. Eu orava contra o caos e continuava a citar este versículo. Gradualmente, os ataques malignos tornaram-se menos frequentes, até que cessaram por completo. Assim sendo, o agradecimento a Deus substituiu o temor, e a confiança acalmou nosso espírito.

Entre os povos antigos corria a crença de que os deuses podiam ser adorados a qualquer tempo, mas os demônios só podiam ser abordados e honrados ao meio-dia. Isso supostamente acontecia porque os demônios se mostravam muito ativos durante a noite, e nenhum homem ousaria aproximar-se deles. Ao meio-dia, porém, os demônios estavam mais relaxados e portanto mais acolhedores a qualquer petição humana. Vivemos em um mundo de poderes estranhos e misteriosos, e temos de resguardar-nos no santuário, para escapar à colheita das forças malignas.

■ **91.8**

רַק בְּעֵינֶיךָ תַבִּיט וְשִׁלֻּמַת רְשָׁעִים תִּרְאֶה:

Somente com os teus olhos contemplarás. Como pode um ser humano escapar de todos esses males? Como pode sentir-se seguro em um ambiente hostil e precário? Ele precisa voltar-se para Deus. Precisa distanciar-se do ímpio, sobre quem estão caindo todos os tipos de desastres. Precisa levar a sério os senhores do bem e do mal, apegando-se ao senhor do bem. O homem bom pode ver o desastre cair sobre o homem mau, porquanto este último está sendo castigado pela retribuição divina, em consonância com a *Lei Moral da Colheita segundo a Semeadura* (ver a respeito no *Dicionário*).

Assim sendo, a palavra encorajadora é a seguinte: "Não somente estarás em segurança, mas também verás a justiça ser feita. Aqueles que te molestam e prejudicam não terão permissão de escapar com seu jogo doentio". Israel passou pelas águas do mar Vermelho sem ser prejudicado, mas também *viu* a destruição dos egípcios, o que lhe provou existir tanto uma providência negativa quanto uma providência positiva. Deus criou todas as coisas, mas também intervém em sua criação; ele recompensa, mas também pune. Em outras palavras, ele é um Deus *teísta*, e não deísta. Ver no *Dicionário* os verbetes intitulados *Teísmo* e *Deísmo*, quanto a explicações sobre esses conceitos.

William Dobbie, governador de Malta, era o responsável pela defesa daquela ilha-fortaleza durante a Segunda Guerra Mundial. Mas tratava-se de uma tarefa humanamente impossível. Embora Malta fosse um lugar densamente povoado, os navios enviados com alimentos eram constantemente afundados pelas forças do eixo (alemães e italianos). Perecer de fome era uma ameaça diária. Eles possuíam apenas quatro aviões ultrapassados e dezesseis canhões antiaéreos. Mas o governador, que era homem profundamente religioso, continuava confiando em Deus. Em um momento de desespero, as forças militares britânicas enviaram ao governador um telegrama que continha apenas uma referência bíblica, Dt 3.22. Os defensores de Malta imediatamente leram em suas Bíblias: "Não os temais, porque o Senhor vosso Deus é o que peleja por vós". Coisas miraculosas começaram a acontecer, e assim Malta foi salva. O povo da ilha viu, com os próprios olhos, a destruição das forças inimigas. Dobbie publicou sua história em um livro, anos mais tarde. No início do livro, citou Sl 46: "Deus é o nosso refúgio e fortaleza, socorro bem presente nas tribulações". E deu ao livro o título *Um Socorro Bem Presente nas Tribulações*.

■ **91.9**

כִּי־אַתָּה יְהוָה מַחְסִי עֶלְיוֹן שַׂמְתָּ מְעוֹנֶךָ:

Pois disseste: O Senhor é o meu refúgio. Como pode um homem evitar as coisas más que têm sido mencionadas? Como pode evitar o temor? Como pode atravessar tempos difíceis sem desmaiar? Ele fez do *Altíssimo* (ver a respeito no *Dicionário*) o Capitão da sua vida. *Refugiou-se* nele (ver o vs. 2). Fixou *residência* no santuário de Deus (vss. 1 e 9). Escondeu-se à sombra das asas do Senhor (vs. 4). Tinha Deus por seu *escudo* (vs. 4). "O salmista estava valendo-se da proteção conferida àquele que confia em Deus... e disse pessoalmente: 'Sim, isso é a verdade que me diz respeito, pois tu, Yahweh, és realmente o meu refúgio'" (Ellicott, *in loc.*). "Todo homem piedoso pode esperar tal proteção da parte de seu Deus e Pai" (Adam Clarke, *in loc.*).

91.10

לֹא־תְאֻנֶּה אֵלֶיךָ רָעָה וְנֶגַע לֹא־יִקְרַב בְּאָהֳלֶךָ׃

Nenhum mal te sucederá. Aquele que tornou as coisas mencionadas no vs. 9 uma realidade em sua vida pode ter confiança de estar isento de qualquer e todo mal e de que nenhuma praga se aproximará de *sua residência* (literalmente, de sua tenda), embora as pessoas estejam morrendo como moscas por todos os lados. Minha mãe costumava usar este versículo como uma oração frequente, quando eu e meu irmão estávamos crescendo, mas especialmente no verão, quando a poliomielite matava crianças aos montões. Eu, pessoalmente, tenho prosseguido nessa prática, requerendo do Senhor a segurança e a saúde de meus filhos. É conforme diz um antigo hino: "A quem posso recorrer, senão ao Senhor?"

Este versículo provavelmente é uma alusão às muitas pragas que sobrevieram ao Egito enquanto os filhos de Israel estavam seguros em suas tendas. Ver no *Dicionário* o artigo chamado *Pragas do Egito*.

O poeta sagrado, naturalmente querendo fazer uma clara representação sobre a proteção divina, não se perde em exceções, quando homens *inocentes* sofrem sem razão alguma, ou por razões inteiramente triviais. O sofrimento dos inocentes faz parte do *Problema do Mal* em geral (ver a respeito no *Dicionário*).

91.11

כִּי מַלְאָכָיו יְצַוֶּה־לָּךְ לִשְׁמָרְךָ בְּכָל־דְּרָכֶיךָ׃

Porque aos seus anjos dará ordens a teu respeito. *Anjos Guardiães.* Era não somente natural, mas também *necessário* que o salmista chegasse à questão dos anjos guardiães em sua discussão sobre a proteção divina. Ver no *Dicionário* os verbetes intitulados *Anjo* e *Anjo Guardião*. Provavelmente nossos melhores homens são os que se mantêm mais próximos de seus respectivos anjos guardiães. Esses seres celestes são *guias*, e não meramente *protetores*. Eles podem inspirar-nos com discernimento e conhecimento. São mestres, e muitas das coisas que atribuímos à mente subconsciente podem ser devidas à atividade dos anjos guardiães-guias-professores. Ver a seção XI, *Tarefas dos Anjos*, no artigo do *Dicionário* denominado *Anjos*. Ver também a divisão chamada *O Ministério dos Anjos*. Os vss. 11 e 12 foram citados pelo diabo, diante do Senhor Jesus, em Mt 4.6 e Lc 4.10,11. Mas ele lhes conferiu uma estranha distorção, contra a vontade de Deus. Contudo, fica evidente que é aprovado por Deus, que nos criou e nos fez como somos, que a sua vontade opere através do poder dos anjos, bem como através de outros meios, como é apenas natural.

As modernas pesquisas psíquicas confirmam a existência de espíritos que agem como nossos guardiães, guias e professores. O "eu" superior da pessoa, o seu espírito, é uma espécie de anjo guardião, que cuida do "homem mortal" que desempenha seu papel no palco deste mundo. Mas não há razão alguma para duvidar da realidade espiritual de entidades "distintas", que estão interessadas em nosso bem-estar e que intervêm e trabalham em favor de Deus. Ver Hb 1.14. Há um *ministério* angelical, e não meramente uma tarefa protetora dos anjos.

Perto de cada homem, quando ele nasce, posta-se um bom espírito, um guia santo na vida.

Menandro

As Veredas. Estamos falando das veredas do dever; veredas de serviço amoroso; veredas de aprendizado; veredas de vida geral. Além disso, há veredas de pecados a serem evitados; veredas de atos insensatos; veredas de infidelidade; veredas maldosas; veredas dos demônios. Nossos anjos ajudam-nos a seguir as veredas certas e a evitar as veredas más. Cf. Mt 7.13,14.

91.12

עַל־כַּפַּיִם יִשָּׂאוּנְךָ פֶּן־תִּגֹּף בָּאֶבֶן רַגְלֶךָ׃

Eles te sustentarão nas suas mãos. Este versículo prossegue com a ideia da *proteção,* que é o tema central deste salmo, mas os elementos sugeridos no versículo anterior são verídicos e ilustram a proteção divina, segundo o artigo chamado *Anjo*. O filho do general George Patton, que também era general do exército americano, combateu durante a guerra da Coreia. Ele estava no meio de uma batalha, e a sua morte, juntamente com a morte daqueles que o acompanhavam, parecia certa. Ele tinha de chegar a um local seguro e não havia esperança. Ele levantou a Deus uma rápida oração. Então saiu da trincheira e correu. Ele contou que, por incrível que possa parecer, tudo em redor silenciou. Nenhum tiro foi disparado, e nenhum adversário parecia notar o que ele estava fazendo. Era como se ele estivesse sozinho no campo de batalha. E ele correu à vontade para seu lugar de refúgio. Mais tarde declarou: "Nunca esquecerei aquele momento!" E assim acontece, igualmente, conosco. Há muitos momentos de intervenção divina em nossa vida, tempos de proteção especial, e muitos outros benefícios que vão além de nossa capacidade.

Podemos ter certeza de que o homem bom conta com a presença de seu anjo, o qual *manipula* as coisas, conforme as necessidades do homem. Nossos anjos arranjam as circunstâncias que nos cercam. Assim oramos, oramos e oramos, mas nada acontece. Não há coriscos vindos do céu, nenhuma iluminação repentina, nenhuma manifestação divina. Mas nossos anjos estão *arranjando as circunstâncias,* e logo fica claro o que devemos fazer, e então dizemos: "Oh, Senhor, continua a conferir-nos tal graça!" Ademais, há aquelas *coincidências* impossíveis que acontecem ao nosso redor. São pequenos relâmpagos que brilham do céu e nos dizem: "Viste isso, homem cheio de dúvidas? Vês como faço coisas que são totalmente inesperadas? Posso fazer qualquer coisa, portanto pede-me que te mostre alguma coisa!" Por conseguinte, respondo: "Muito bem, Senhor, mostra-me toda espécie de coisas, e eu te louvarei para sempre".

Andarás seguro no teu caminho, e não tropeçará o teu pé.
Provérbios 3.23

Pedra. Temos aqui menção a pecado, perigo, obstáculo, demora indesejada, reversão, fracasso, equívoco, ato insensato, ataque de um inimigo, enfermidade, desastre natural, falta de dinheiro, pobreza, arrogância, erro, falta de propósito definido, tentação que não pode ser vencida, promessa de Deus tolamente aplicada, promessa divina que não está sendo aplicada de forma alguma, materialismo, calamidade, morte prematura.

91.13

עַל־שַׁחַל וָפֶתֶן תִּדְרֹךְ תִּרְמֹס כְּפִיר וְתַנִּין׃

Pisarás o leão e a áspide. Aqui, *animais perigosos* tornam-se *metáforas* que representam perigos, reversões e tragédias que o homem bom pode sofrer. Um *leão* oculto na floresta pode realmente ser pisado por um homem descuidado! Poderia um homem sobreviver diante de tal situação? Mas a metáfora envolve mais do que isso: O homem bom pode sair lá fora, escolher seu leão e pisá-lo aos pés, mais ou menos como Sansão faria. Mas que meu leitor não conte com isso. A ideia encerrada na metáfora é que o homem protegido por Deus pode fazer coisas que são tidas como impossíveis ou extremamente improváveis.

Ou então alguma *áspide* venenosa pode ser pisada por um homem descuidado, e isso também seria uma má situação. Mas o homem divinamente protegido pode sair lá fora, encontrar a áspide venenosa e pisar propositadamente sobre ela; e, no entanto, a boca da áspide continuaria fechada. Alguns evangélicos fanáticos tomam literalmente as palavras que se encontram no final do Evangelho de Marcos, e organizam o "culto da cobra", no qual distribuem serpentes mortais entre os membros, de pessoa para pessoa, achando que exercem grande fé com esse "rito". Naturalmente, este versículo ficou misturado no término espúrio de Mc 16.18, e isso tem servido para encorajar ainda mais o culto às serpentes. Desnecessário é dizer que muitos membros desses cultos têm morrido em tais ritos. E eles dizem que essas mortes se devem "à falta de fé", mas quem dá ouvidos a essa falta de bom senso?

Leãozinho. Talvez um homem perturbe um leão velho, bem alimentado e em repouso, e então consiga escapar do leão idoso. Mas quem enfrentaria um leão jovem e faminto? Naturalmente, Sansão conseguiu tal feito e matou o leão (Jz 14.5,6), mas o texto sagrado deixa claro que foi o Espírito de Deus que lhe permitiu realizar o feito. De jovens leões, os homens mantêm-se afastados, e nunca houve um "culto aos leões", no qual as crianças da escola dominical ficassem a montar ao redor, na igreja. Metaforicamente, porém, homens têm pisado perigos maiores ainda do que jovens leões.

Certas serpentes nos metem medo e procuramos evitá-las, mantendo-nos a longa distância ou fugindo quando elas aparecem. Meu tio esteve certa ocasião nas colinas perto de Pocatello, Estado de Idaho, Estados Unidos, onde havia muitas cascavéis. Então ouviu o barulho da cauda de uma delas e, embora fosse muito forte (pois finalmente se tornou um conhecido boxeador peso-pesado), ele se voltou e correu o caminho até a cidade, e nem olhou para trás!

E houve também o caso de um caçador insensato que encontrou uma bola de cascavéis que se tinham reunido para hibernar durante o inverno. Ele ficou orgulhoso pela descoberta e levou a bola para os outros caçadores que estavam reunidos em torno de uma fogueira. Ele colocou a bola perto demais do fogo, e logo as cobras, em hibernação, arrastavam-se por toda a parte, enquanto os caçadores fugiam em todas as direções.

"Deus capacitou seus servos, como Sansão, Davi e Daniel, a obter vitórias sobre leões literais (ver Jz 14.5; 1Sm 17.34,35 e Dn 6.23), um tipo de vitória espiritual que os santos recebem sobre demônios parecidos com leões e sobre inimigos humanos (2Tm 2.17; Êx 4.3,4)" (Fausset, *in loc.*).

A áspide... a serpente. O primeiro destes animais era uma cobra pequena, mas extremamente mortífera, conhecida no Egito e na Arábia, mas não na Palestina. O segundo era uma cobra grande, também bastante venenosa. Não está em pauta algum monstro marinho, conforme dizem aqui certas traduções. Cf. Dt 32.33 e Êx 7.10.

O SENHOR CONSOLA COM SUAS PALAVRAS (91.14-16)

■ 91.14

כִּי בִי חָשַׁק וַאֲפַלְּטֵהוּ אֲשַׂגְּבֵהוּ כִּי־יָדַע שְׁמִי׃

Porque a mim se apegou com amor. O primeiro e grande mandamento é que *amemos a Deus* (ver Dt 6.5), embora o decálogo original não contivesse esse mandamento. Ver Rm 13.9,10, sobre como o amor é o cumprimento de toda a lei. Se um homem consegue amar a Deus, é-lhe garantida a proteção prometida neste salmo. Não somente ele será livrado das tribulações, mas também será exaltado e honrado em tudo quanto fizer. Naturalmente, é preciso que o homem seja altamente espiritual para que consiga amar diretamente a Deus. É fácil amar ao Senhor Jesus Cristo, porquanto ele se aproximou de nós. Mas também podemos amar os homens, os filhos de Deus, e assim amar a Deus indiretamente.

... se apegou com amor. Diz aqui a *Revised Standard Version*: "apega-se a mim em amor"; e a *King James Version* diz: "firmou em mim o seu amor". Em termos práticos, ama a Deus o homem que guarda os seus mandamentos, pois guardá-los, e isso de todo o coração, é amar a Deus. Ver Dt 6.5,6; Jo 14.15 e 1Jo 5.2. O homem que ama a Deus, qualquer que seja o grau desse amor, contanto que genuíno, será livrado dos ataques dos inimigos e das tribulações e será exaltado nos céus, onde reside o objeto de seu amor.

Os vss. 14-16 são uma comunicação divina que confirma as conclusões extraídas acima, da primeira porção do Salmo 91. O poeta declarou o que achou por bem sobre proteção e prosperidade, e Deus, o protetor e prosperador, confirma o que o salmista disse. Quando finalmente se empregou este salmo no ritual do templo de Jerusalém, provavelmente foi um sacerdote quem entoou essas palavras, como porta-voz de Yahweh. Aben Ezra imaginou Deus a dirigir essas palavras aos anjos, os quais garantirão que elas tenham cumprimento entre os homens todos os dias, na vida prática.

Conhece o meu nome. Ver em Sl 31.3 sobre como o termo "nome" era usado, e ver também sobre *Nome Santo*, em Sl 30.4 e 33.21. Ver ainda Sl 8.1 e 20.1.

■ 91.15

יִקְרָאֵנִי וְאֶעֱנֵהוּ עִמּוֹ־אָנֹכִי בְצָרָה אֲחַלְּצֵהוּ וַאֲכַבְּדֵהוּ׃

Ele me invocará, e eu lhe responderei. O homem bom é servido pelos *anjos*, os quais fazem as promessas de Deus operar em sua vida. Além disso, ele recebe o instrumento adicional da *oração*, mediante a qual pode chegar aos céus e tocar em Deus diretamente. O homem que invocar será ouvido; o homem que for ouvido obterá respostas. Ele será liberado de todos os inimigos e perturbações, de todos os desastres e do caos, e também será honrado ou exaltado, conforme vimos no versículo anterior.

"O Senhor conhece o seu povo e o visita na época da adversidade. Ele os visita em suas aflições e lhes concede sua graciosa presença, apoiando-os e certificando-lhes que não serão avassalados pelas aflições. Ele os sustenta em todas as questões e faz todas as coisas cooperarem juntamente para o bem. Ele honra suas promessas e seu povo... Concede-lhes comunhão e os conduz a seu próprio reino e glória" (John Gill, *in loc.*).

"Eu o glorificarei. Derramarei sobre ele toda a honra, a honra que só pode vir de Deus. E mostrarei a outros homens quanto o prezo" (Adam Clarke, *in loc.*).

Ver no *Dicionário* o verbete denominado *Oração*. Além de ser nossa arma ofensiva contra o mal, a oração também é nosso instrumento positivo para obter a proteção e a bênção de Deus. E a oração é um dos *meios* do desenvolvimento espiritual. Ver no *Dicionário* o artigo chamado *Desenvolvimento Espiritual, Meios do*.

Doce hora da oração,
Que tuas asas alcem minha petição,
Àquele cuja verdade e fidelidade
Ocupa-se a abençoar a alma que espera.
E como ele me ordena a buscar a sua face,
Crendo em sua palavra e confiando em sua graça,
Deixarei com ele todos os meus cuidados.

William W. Walford

■ 91.16

אֹרֶךְ יָמִים אַשְׂבִּיעֵהוּ וְאַרְאֵהוּ בִּישׁוּעָתִי׃

Saciá-lo-ei com longevidade. A interpretação cristã deste versículo é que o homem bom receberá *longa vida* na esfera terrestre e *vida eterna* na outra vida. E isso é uma verdade, sem importar se a visão do poeta sagrado atingiu ou não essas alturas. Receber a vida eterna é a proteção e prosperidade máxima da alma. Os hebreus temiam a *morte prematura*, e as múltiplas proteções de Deus garantiriam isso, dando uma *boa vida* para ser vivida até o fim, sem que a enfermidade e a debilidade física atacassem o crente.

Saciá-lo-ei. O indivíduo que vive por muitos anos, e bem, fica satisfeito com a vida que teve, mas terrivelmente frustrado se sua vida for cortada antes que sua missão se cumpra. Portanto, Senhor, concede-nos vida longa, concede-nos essa graça! Quanto à desejabilidade de atingir uma longa vida física, ver Gn 5.21, onde amplio o tema.

A minha salvação. Quiçá o salmista tenha tido alguma espécie de visão sobre a existência pós-túmulo, onde ele sobreviveria e participaria de alguma esfera celeste; ou talvez ele tenha usado o vocábulo "salvação" para indicar somente o livramento de todos os inimigos e provações, acompanhado das bênçãos terrestres do povo em aliança com Deus. Ver sobre a *salvação* e sobre o *Deus da Salvação* em Sl 62.2, onde apresento notas expositivas e referências ao tema. Ver o artigo detalhado sobre *Salvação*, no *Dicionário*. Cf. Sl 50.23.

Tenciono chegar a Deus,
Pois é para Deus que me dirijo tão depressa,
Pois no peito de Deus, meu próprio lar,
Depositarei minha alma, finalmente.

Johannes Agricola

A promessa de uma *longa vida*, apesar de concordar com os sentimentos gerais do Antigo Testamento, é especialmente apropriada no fim deste salmo, o qual, desde o começo, fala sobre a proteção de perigos que ameaçavam a vida" (Ellicott, *in loc.*).

Esta colina, embora alta, cobiço subir por ela;
A dificuldade não me servirá de empecilho,
Pois percebo que o caminho da vida está aqui;
Vamos, encoraja-te meu coração, não desmaies e nem temas:
Melhor que em meio a dificuldades, subas pelo reto caminho,
Do que com facilidade tomes o caminho errado, cujo fim é um ai.

John Bunyon, em *O Peregrino*

344 Salmos ■ ATI

SALMO NOVENTA E DOIS

Quanto a *informações gerais* que se aplicam a todos os salmos, ver a introdução ao Salmo 4, onde apresento *sete* comentários que elucidam a natureza do livro.

Quanto às *classes* dos salmos, ver o gráfico no início do comentário sobre o livro, que atua como uma espécie de frontispício da coletânea. Dou ali dezessete classes e listo os salmos pertencentes a cada uma delas.

Este é um *salmo de ação de graças*, escrito em gratidão pelo livramento de inimigos pessoais. Algum hebreu desconhecido mas piedoso tinha boas razões para louvar ao Senhor. As referências a seus problemas anteriores são vagas por demais para sabermos quais problemas eram esses. Talvez ele se tenha recuperado de alguma enfermidade, ou então indivíduos insensatos e malfeitores o estivessem perseguindo, e o Senhor os colocou em seus devidos lugares. O vs. 3 deixa claro que este salmo foi transformado em um hino e se tornou parte do culto do templo. A Mishnah (*Tamid* 7.4) afirma que os levitas costumavam entoar este salmo no templo de Jerusalém, aos sábados, mas é difícil julgar a exatidão dessa informação. Seja como for, os Salmos 90 a 99 têm um papel importante no culto da sinagoga.

Subtítulo. O subtítulo do Salmo 92 diz o seguinte: "Salmo. Cântico para o dia de sábado". Não há nenhuma espécie de tentativa para identificar o autor, e os editores subsequentes, que inventaram os subtítulos, não foram muito exatos. Da mesma forma, as circunstâncias históricas destacadas como fatores que inspiraram os escritos por muitas vezes não passam de conjecturas. Os subtítulos não faziam parte original dos salmos e não se revestem de nenhuma autoridade canônica.

É BOM AGRADECER A DEUS (92.1-4)

■ **92.1** (na Bíblia hebraica corresponde ao **92.1,2**)

מִזְמוֹר שִׁיר לְיוֹם הַשַּׁבָּת׃

טוֹב לְהֹדוֹת לַיהוָה וּלְזַמֵּר לְשִׁמְךָ עֶלְיוֹן׃

Bom é render graças ao Senhor. Uma das principais virtudes dos hebreus era a *gratidão*, da qual resultavam *agradecimentos*, porquanto o ser humano sempre tem alguma razão por mostrar-se agradecido ao Senhor. Um homem bom sempre era grato a Deus, ao passo que o ímpio e o pagão se queixavam continuamente. Os gregos louvavam as virtudes masculinas da sabedoria, da coragem, do domínio próprio e da justiça, ao passo que os hebreus encontravam virtudes e atos simples e comuns. Este salmo não nos fornece um quadro detalhado nem um esboço bem delineado da piedade, mas enfatiza algumas características que um homem bom deve ter, entre eles a *gratidão*. Sir Thomas Browne tinha algo semelhante a dizer: "Não faças da tua cabeça um depositário de coisas mortas, mas deixa que ela seja cheia das misericórdias de Deus. Não registres na mente apenas coisas estranhas, mas ocorrências que demonstrem misericórdia. Que teus diários fiquem grossos com lembranças de deveres cumpridos e asteriscos de reconhecimento... contemples para além do mundo e antes da era de Adão".

Render graças a Deus é uma boa prática, porque reflete o favor divino e, no caso do poeta, a *intervenção* divina em benefício de um homem necessitado. Yahweh (o Deus eterno) é aquele que recebe os nossos louvores, e ele é o Deus *Altíssimo* (comentado em Sl 7.17; ver o artigo com esse nome, no *Dicionário*). A *gratidão* é uma excelente virtude, e nos diz algo sobre o caráter do homem bom. Esse homem não endurece o próprio coração, antes se enternece diante de Deus. Sua mente também não se torna mundana nem profana. Ele sabe de onde deriva o bem.

> *Toda boa dádiva e todo dom perfeito é lá do alto, descendo do Pai das Luzes, em quem não pode existir variação, ou sombra de mudança.*
> Tiago 1.17

A gratidão mostra que um homem é *otimista*, e que rejeitou a falácia do *pessimismo* (ver na *Enciclopédia de Bíblia, Teologia e Filosofia*), que prega que a vida mesma é um mal e não tem características boas. Finalmente, a atitude de agradecimento é boa porque reconhece que Deus é bom, e este é um de seus principais atributos, que o faz doar coisas a um mundo necessitado que ele ama (Jo 3.16).

Sumário. Dar graças a Deus, refletir a gratidão é: 1. uma boa prática, digna dos homens espirituais; 2. uma evidência do fator divino interventor; 3. algo merecido pelo Deus eterno e supremo, causa de todas as coisas boas; 4. uma virtude excelente para o homem piedoso; 5. reflexo de um caráter não endurecido, sensível às realidades divinas; 6. reflete o otimismo e rejeita o pessimismo, reconhecendo a bondade de Deus, base de todos os benefícios dos homens. Ver no *Dicionário* os artigos intitulados *Gratidão* e *Ações de Graças*.

■ **92.2** (na Bíblia hebraica corresponde ao **92.3**)

לְהַגִּיד בַּבֹּקֶר חַסְדֶּךָ וֶאֱמוּנָתְךָ בַּלֵּילוֹת׃

Anunciar de manhã a tua misericórdia. As ações de graças servem para mostrar o *amor constante* de Deus, um tema comum nos salmos. É recomendável agradecer a Deus cedo pela manhã, em nossas orações matinais e, novamente, à noite, em nossas orações vespertinas. Isso deve fazer parte de nossas devoções diárias, tal como acontecia nas reuniões de Israel no templo de Jerusalém. "Manhã... as noites. A referência possivelmente é feita aos cultos no templo, provavelmente o *tamidh*, as ofertas queimadas feitas a cada manhã e a cada tarde (ver Êx 29.38-42)" (William R. Taylor, *in loc.*). Esses cultos eram acompanhados por orações e ações de graças, o toque de instrumentos musicais e muito regozijo.

Deve haver tanto ardor em nossos louvores quanto há constância nas doações divinas. Ele nos dá em *amor*, e nós temos gratidão a darlhe, por causa desse amor a Deus e a nossos semelhantes (ver Sl 91.14). Ver no *Dicionário* o detalhado verbete intitulado *Amor,* que inclui poesia ilustrativa.

O poeta sacro começava e terminava seus dias com ações de graças; e Deus estava constantemente presente, pelo que ele não estava observando certos tempos especiais.

É quase impossível exagerar a importância dos últimos pensamentos à noite, e dos primeiros pensamentos pela manhã. Nossos pais e mães, que nos ensinaram a dizer nossas orações à noite e pela manhã, eram psicólogos mais sábios do que podiam supor. As ideias que dominam nossa mente, quando ela está tranquila, são as ideias mais determinantes da personalidade" (Leslie Weatherhead, *Psychology and Life*).

A abundante misericórdia de Deus preserva o homem bom durante a noite, pelo que Deus seja louvado. Ao amanhecer, a mesma misericórdia abundante de Deus preserva o homem bom durante o dia, pelo que Deus seja louvado.

> *Por meio de Jesus, pois, ofereçamos a Deus, sempre, sacrifício de louvor, que é o fruto de lábios que confessam o seu nome.*
> Hebreus 13.15

■ **92.3** (na Bíblia hebraica corresponde ao **92.4**)

עֲלֵי־עָשׂוֹר וַעֲלֵי־נָבֶל עֲלֵי הִגָּיוֹן בְּכִנּוֹר׃

Com instrumentos de dez cordas, com saltério. Quanto a descrições sobre os instrumentos musicais que os hebreus empregavam em seus cultos religiosos, ver no *Dicionário* o artigo denominado *Música, Instrumentos Musicais*. Este versículo menciona três instrumentos de cordas, mas os hebreus também dispunham de instrumentos de sopro e percussão. Este versículo fala em "solenidade" da harpa, mas não devemos esquecer que os hebreus eram um povo de cânticos, danças e vinho, e suas festividades eram vívidas e jubilosas. A música executada no templo era tocada por profissionais, todos pertencentes à tribo dos levitas, cujo ofício era hereditário. Ver 1Cr 25. O fato de os hebreus terem profissionalizado o ministério da música revela a grande importância que eles davam a essa atividade humana. Ver Cl 3.16, quanto à música cristã, o que comento detalhadamente no *Novo Testamento Interpretado*.

■ **92.4** (na Bíblia hebraica corresponde ao **93.5**)

כִּי שִׂמַּחְתַּנִי יְהוָה בְּפָעֳלֶךָ בְּמַעֲשֵׂי יָדֶיךָ אֲרַנֵּן׃

Pois me alegraste, Senhor, com os teus feitos. Quanto às *obras* de Yahweh realizadas através dos homens, ver notas elaboradas em

Sl 90.17. Observe o leitor que temos aqui, no original hebraico, a palavra "feito", no singular, mediante a qual o salmista provavelmente se reportava a algo específico pelo qual ele agradecia a Deus. Possivelmente o livramento de alguma enfermidade, de algum inimigo pessoal ou de algum perigo. Foi *esse feito* que pôs o salmista a dar graças a Deus, no que ele sentia grande *alegria*. Ademais, temos aqui a *obra* de Yahweh, o que, provavelmente, aponta para suas maravilhas e benefícios em geral. Esse "feito" do Senhor fazia parte das obras de Deus em *geral*. "Teu feito, ou seja, alguma manifestação recente do poder do Senhor em favor do salmista. *As obras de tuas mãos* falam de todos os feitos do Senhor, na criação e na providência. Essas coisas fizeram o poeta cantar de alegria" (William R. Taylor, *in loc.*).

> Aprende sua lei e aceita a sua verdade,
> Canta os seus louvores com língua hábil,
> Enquanto o coração está jovem,
> Enquanto o coração está jovem.
>
> — Edith Sanford Tillotson

"Estou deleitado em tua conduta para comigo, com a obra da tua providência, com as obras de tua graça, com tuas obras da criação" (Adam Clarke, *in loc.*).

A CONDENAÇÃO DOS ÍMPIOS (92.5-11)

■ **92.5** (na Bíblia hebraica corresponde ao **92.6**)

מַה־גָּדְלוּ מַעֲשֶׂיךָ יְהוָה מְאֹד עָמְקוּ מַחְשְׁבֹתֶיךָ׃

Quão grandes, Senhor, são as tuas obras! Os feitos do Senhor são, uma vez mais, exalçados. Eram realmente "grandes", resultado da providência divina universal. Ver no *Dicionário* o verbete chamado *Providência de Deus*. Os "pensamentos" de Deus (planos, propósitos) são deveras profundos, compondo a câmara secreta de onde se originam todas as ideias e atos. Deus pensa e, por conseguinte, o mundo veio à existência. Ele pensa, e sua providência negativa e positiva governa o mundo.

> *Quão insondáveis são os seus juízos e inescrutáveis os seus caminhos. Quem, pois, conheceu a mente do Senhor? ou quem foi o seu conselheiro?*
>
> Romanos 11.33,34

Não é que o homem piedoso compreenda, realmente, os pensamentos de Deus, mas ele é sensível para aprender e tenta obedecer às leis de Deus, que revelam parte desses pensamentos. Ver Sl 1.2, quanto a um sumário do que a lei significava para o povo de Israel. Em contraste, o pecador mostra-se completamente obtuso em relação a Deus, seus pensamentos, seus feitos e sua lei (vs. 6). Quanto aos profundos pensamentos de Deus, ver também Is 55.8,9. O homem bom reconhecia o elemento divino na história, mas o ímpio era perseguido por pensamentos de caos e acaso. "... Seus pensamentos sobre a natureza, a providência e a graça... exibem a sabedoria, o poder e a bondade de Deus. Seus conselhos, propósitos e desígnios são insondáveis e irretorquíveis. Ver Sl 104.24 e 1Co 2.10" (John Gill, *in loc.*).

■ **92.6** (na Bíblia hebraica corresponde ao **92.7**)

אִישׁ־בַּעַר לֹא יֵדָע וּכְסִיל לֹא־יָבִין אֶת־זֹאת׃

O inepto não compreende. Os *pagãos* e os hebreus ímpios nada sabiam sobre os pensamentos, planos, conselhos e modos de *agir* de Deus. Quanto ao homem tolo ou estúpido, ver Sl 49.10 e 94.8. O termo hebraico aqui traduzido por *inepto* só é encontrado novamente na Literatura de Sabedoria. Ver o artigo intitulado *Sabedoria*, seção III. "Temos aqui uma menção ao homem porco, ao homem urso, aos homens em quem o intelecto nunca pareceu existir, que não compreendem as obras de Deus" (Adam Clarke, *in loc.*). Esses são os que caminham celeremente para a destruição, embora possam florescer por algum tempo. O salmista pode estar dando a entender aqui que homens desse naipe tinham provocado as dificuldades pelas quais ele passava, das quais Yahweh, tão gloriosamente, o tinha livrado. Cf. Sl 49.10,11 e 73.22. "A intimidade do Senhor é para os que o temem" (Sl 25.14).

Inepto. O indivíduo *estúpido* se parece com um porco. Vive somente para *comer* (prosperar materialmente). Basicamente, este vocábulo significa "gordura" e deve ser entendido como "grosseiro", "estúpido". *Homem inepto,* onde "inepto" se deriva de uma raiz que significa *comer,* ou seja, homem de natureza animal, que passa todos os dias apenas a comer e engordar.

Não compreende. Os malignos podem prosperar por algum tempo, mas em breve são cortados como é cortada a erva, murcham como a flor, e desaparecem como uma nuvem de fumaça, sem jamais terem aprendido coisa alguma dos valores espirituais. Ou então a palavra "isto", que se encontra neste versículo, olha para trás, referindo-se aos profundos pensamentos de Deus e seus feitos maravilhosos.

■ **92.7** (na Bíblia hebraica corresponde ao **92.8**)

בִּפְרֹחַ רְשָׁעִים כְּמוֹ עֵשֶׂב וַיָּצִיצוּ כָּל־פֹּעֲלֵי אָוֶן לְהִשָּׁמְדָם עֲדֵי־עַד׃

Ainda que os ímpios brotam como a erva. As pessoas ímpias são como a relva abundante que nasce nos campos, que "medra" tão rápida e abundantemente, mas está sujeita aos abusos da natureza e, assim sendo, em breve está reduzida a nada. Os raios do sol ou a geada atacam com facilidade a erva dos campos. O florescimento da erva é na verdade uma zombaria, porquanto a *destruição* não está longe. Vêm então os agricultores e põem a erva ressecada e arrancada na fogueira, ao passo que o trigo, que cresce perto e vale alguma coisa, continua desenvolvendo-se. Quanto ao uso emblemático da erva dos campos, cf. Sl 1.3,4. Os homens interessados unicamente nas sensações da vida física pertencem apenas à ordem natural, florescendo por pouco tempo, para então desaparecerem em breve período de tempo. Eles desaparecem por meio do decreto divino, que requer a destruição e o aniquilamento de tão espúria vegetação. Quanto à erva, ver Sl 90.5. Quanto ao seu curto florescimento, ver Sl 49 e 73, que enfatiza o tema. O favor de Deus não se manifesta necessariamente na prosperidade externa, embora fosse uma teologia hebraica comum a que falava sobre essa circunstância. Cf. o florescimento do homem justo, nos vss. 12-14 deste salmo.

> *Esses, todavia, como brutos irracionais, naturalmente feitos para presa e destruição, falando mal daquilo em que são ignorantes, na sua destruição também hão de ser destruídos.*
>
> 2Pedro 2.12

Ver também Tg 5.5, que diz algo similar ao que se lê no atual versículo.

■ **92.8** (na Bíblia hebraica corresponde ao **92.9**)

וְאַתָּה מָרוֹם לְעֹלָם יְהוָה׃

Tu, porém, Senhor, és o Altíssimo eternamente. Em contraste com a vida fugidia dos ímpios, que, a despeito do florescimento temporário, termina em nada, Yahweh está sempre no seu céu, promovendo coisas com seus pensamentos profundíssimos e exercendo seus grandes poderes para realizar maravilhas. Os ímpios são incapazes de encontrar, durante seu período de vida, *algo de valor do Ser divino,* porquanto conservam a mente ocupada nas coisas terrenas, com resultados previsíveis e desastrosos. Este versículo, naturalmente, fica aquém de João 3.16 e do evangelho cristão, com sua oportunidade universal (ver 1Pe 4.6) e resultados universais (ver Ef 1.9,10). Estava a caminho uma revelação maior, um poder maior entre os homens. "Dentre uma fraqueza evidente, Yahweh aperfeiçoa a força. Quando os ímpios estão *elevados,* então é que estão às vésperas da destruição" (Fausset, *in loc.*) "O vs. 8 forma um elo admirável entre os vss. 1-7 e os vss. 9-15. Em contraste com os ímpios que florescem por breve tempo (vs. 7), o Senhor reina com supremacia absoluta, *para sempre*. Ele soergue o homem bom para que floresça" (Allen P. Ross, *in loc.*, com algumas adaptações). Quanto à destruição final dos ímpios, cf. Sl 1.4,5; 5.5,6 e 11.5,6.

■ **92.9** (na Bíblia hebraica corresponde ao **93.10**)

כִּי הִנֵּה אֹיְבֶיךָ יְהוָה כִּי־הִנֵּה אֹיְבֶיךָ יֹאבֵדוּ יִתְפָּרְדוּ כָּל־פֹּעֲלֵי אָוֶן׃

Eis que os teus inimigos, Senhor... perecerão. Este versículo repete, com variedade de expressões, as mensagens transmitidas no vs. 7, as quais mostram com que rapidez e facilidade perecem os pecadores, por decreto de Yahweh. Os inimigos do poeta sagrado eram, igualmente, inimigos de Deus; e o Senhor trata com esses inimigos de conformidade com sua maldade, dentro do tempo divinamente determinado, que nunca está muito distante. Eles são *dissipados* como a palha do campo, então são reunidos e lançados no fogo pelos agricultores, os quais têm um trabalho muito mais sério a fazer do que se ocupar com a sorte da erva sem valor. Os que permanecem em estado de inimizade com Deus não podem perdurar por muito tempo, ainda que, quando florescentes, pareçam imunes à ira do Senhor. Ver no vs. 8 as notas que mostram que essa maneira de pensar não se equipara aos ditames e promessas do evangelho cristão. De fato, no *novo plano* de Deus, o julgamento é restaurador, e não apenas retributivo.

Orígenes certamente estava correto quando insistiu que, se virmos apenas a retribuição no julgamento divino, estaremos condescendendo com uma teologia inferior.

O salmista pensava e escrevia de acordo com a teologia dos hebreus do seu tempo, a qual era obviamente deficiente de várias maneiras.

Serão dispersos. A figura aqui usada é a do padejamento do grão, processo no qual o vento sopra a palha e a separa dos grãos, espalhando-a por todos os lados. Cf. Jó 4.11. A versão siríaca diz aqui: "Serão espalhados na era vindoura, e separados da congregação dos justos". Ver Sl 1.4,5; Mt 3.12 e 13.30.

■ **92.10** (na Bíblia hebraica corresponde ao **92.11**)

וַתָּרֶם כִּרְאֵים קַרְנִי בַּלֹּתִי בְּשֶׁמֶן רַעֲנָן׃

Porém tu exaltas o meu poder como o do boi selvagem. "Poder", neste versículo, é tradução da palavra hebraica que significa "chifre". O uso da palavra *chifre*, no original hebraico, deriva-se do fato de que certos animais usam eficazmente os chifres como armas defensivas e ofensivas contra inimigos. Cf. Sl 75.4,5. O "boi selvagem" é aqui especificado pelo salmista como um desses animais cornudos, que nos deram a figura. O justo é fortalecido pelo Senhor e assim pode combater contra os seus inimigos e sobreviver, enquanto eles perecem. "O chifre de um animal retrata a força (Sl 89.17,24; 112.9), e o *azeite* das festividades retrata a restauração e a vitalidade. Visto que Deus é exaltado (92.8), ele abençoará, igualmente, o seu povo. Outrossim, os justos verão a total destruição dos ímpios (vss. 11; cf. o vs. 7)" (Allen P. Ross, *in loc.*).

Derramas sobre mim o óleo fresco. O original hebraico é um tanto incerto, pelo que há várias conjecturas. Poderia significar "estou misturado", provavelmente uma referência ao óleo da unção, podendo significar "estou ungido". Mas "estou úmido" é outro sentido possível, o que daria no mesmo resultado de ter sido ungido. Ou então, conforme lemos em nossa versão portuguesa, o que significa a mesma coisa, referindo-se à unção. Alguns estudiosos supõem que a unção com óleo seja aquela aplicada aos *enfermos*, por parte do sacerdote levita. E isso, por sua vez, significaria que a dificuldade que enfrentada pelo poeta sacro, da qual ele fora livrado, era uma doença terrível. E quem não agradeceria se fosse curado de alguma enfermidade? Cf. Lv 14.10-18.

Provavelmente não está em pauta a unção de um sacerdote ou profeta. O homem não se tornava um sacerdote figurado em sua restauração, embora isso faça sentido. Ele simplesmente fora curado mediante a unção saudável de Yahweh, o qual "sara todas as tuas enfermidades" (Sl 103.3). Metaforicamente, podemos ter aqui uma referência ao fato de que o homem obteve graças diversas da parte do Espírito Santo, o que o tornou uma pessoa melhor, uma vez curado, além de ter escapado do poder de seus adversários. Em outras palavras, o salmista começou a florescer espiritualmente, e não apenas materialmente.

■ **92.11** (na Bíblia hebraica corresponde ao **92.12**)

וַתַּבֵּט עֵינִי בְּשׁוּרָי בַּקָּמִים עָלַי מְרֵעִים תִּשְׁמַעְנָה אָזְנָי׃

Os meus olhos veem com alegria os inimigos. A *esperança de vingança* estava entre os motivos do poeta. Certos pecadores tinham-lhe causado danos e zombado dele. Floresciam, enquanto ele continuava pobre. Faziam negócios escusos e engajavam-se em atos violentos, para obter vantagens sobre outras pessoas. Eram *pecadores notórios*, e se riam do justo. Finalmente, contudo, o homem teve o prazer de ver a *queda* (*Revised Standard Version*) de seus adversários. Alguns deles sofreram morte violenta, assassinados por seus companheiros; a lei se livrou de outros dentre eles; e a enfermidade e a morte despacharam a outros. Alguns perderam todo o dinheiro e terras e, com isso, todo o poder que tinham na sociedade. Os ouvidos do poeta *ouviram* o triste fim dos ímpios. Ele ficou com os olhos e os ouvidos *cheios*, conforme se diz em uma moderna expressão inglesa, e se regozijou com o que viu e ouviu. A *Revised Standard Version* e as versões portuguesas põem, corretamente, a questão inteira no passado ou no presente, em contraste com o que faz a *King James Version*, que projeta tudo para o futuro. Esse sentimento não concorda com a atitude gentil recomendada em Rm 12.19 ss., mas é inútil esperar que o poeta sacro demonstrasse atitudes cristãs, quando nem mesmo nós, que somos crentes, geralmente as possuímos. O antigo coração carnal continua a regozijar-se na queda de um inimigo, seja ele um inimigo lá fora, no mundo, seja um membro da igreja. Aben Ezra fala aqui da "vingança de Deus", conforme se vê em Sl 58.10, pois os inimigos do salmista também eram inimigos de Deus.

A FELICIDADE DOS JUSTOS (92.12-15)

■ **92.12** (na Bíblia hebraica corresponde ao **92.13**)

צַדִּיק כַּתָּמָר יִפְרָח כְּאֶרֶז בַּלְּבָנוֹן יִשְׂגֶּה׃

O justo florescerá como a palmeira. Em contraste com a palha dos ímpios, que para nada presta exceto ser espalhada ou queimada (vs. 9), os justos são como a *palmeira* saudável, que resiste a todas as enfermidades e elementos da natureza, e floresce; ou como o poderoso cedro do Líbano, a árvore perene. O cedro retrata vitalidade, resistência, vida longa e frutificação (vs. 14). Está em vista a tamareira, notória por sua aparência agradável, frutificação e longevidade. A expressão "cedro do Líbano" é usada com frequência nas páginas do Antigo Testamento (ver Sl 29.5; 104.16 e Jz 9.15). O *cedro* era árvore que se notabilizava por sua beleza e vigor. Ver Sl 72.16. "O cedro, um emblema do poder real, tornou-se um tipo de grandeza imperial das almas virtuosas" (Ellicott, *in loc.*). O cedro atingia uma idade muito elevada e ficava prodigiosamente volumoso. Então, "figuras de flores estavam sobre as cortinas do tabernáculo, e as paredes interiores do templo de Salomão continham entalhes representando *palmeiras* e figuras de querubins" (Fausset, *in loc.*). Ver no *Dicionário* os verbetes chamados *Palmeira* e *Cedro*.

■ **92.13** (na Bíblia hebraica corresponde ao **92.14**)

שְׁתוּלִים בְּבֵית יְהוָה בְּחַצְרוֹת אֱלֹהֵינוּ יַפְרִיחוּ׃

Plantados na casa do Senhor. Temos neste versículo a figura dos justos como árvores plantadas nos átrios do templo de Jerusalém, em contraste com a erva dos campos e a palha que simbolizam os pecadores. Estando no terreno do templo, essas árvores são vistas a florescer na presença de Deus. Ver a símile dos justos como árvores, em Sl 1.3 e 52.8. A versão siríaca diz aqui: "Seus filhos serão plantados na casa do santuário do Senhor e florescerão nos átrios do nosso Deus". Pode não haver alusão alguma ao fato de que palmeiras e cedro tinham sido plantados ali; mas o poeta sagrado fala *como se* isso fosse verdade, e faz disso uma metáfora. A casa de Deus é, para os crentes, o que um solo rico e com muito húmus é para uma árvore. Ambos florescem nesse tipo de solo, os crentes, espiritualmente, e as árvores, fisicamente.

■ **92.14** (na Bíblia hebraica corresponde ao **92.15**)

עוֹד יְנוּבוּן בְּשֵׂיבָה דְּשֵׁנִים וְרַעֲנַנִּים יִהְיוּ׃

Na velhice darão ainda frutos. Mesmo uma árvore *velha*, mas *boa*, continuará produzindo frutos. Essas árvores boas continuarão "cheias de seiva" (*Revised Standard Version*) e "verdes", a cor da *vida*. O poeta esperava chegar saudável à idade avançada, sem que a morte prematura o cortasse no meio de seus anos, ou que a idade provecta e a decrepitude arruinassem tudo. A mentalidade dos hebreus dava grande importância a ficar velho e continuar saudável na velhice. Quanto a mim, porém, não posso dizer, aos 62 anos de idade, que não estou participando dessa mesma atitude. Que bem faz em alguém morrer jovem? "Continuarão florescendo na idade avançada, cheios de seiva e verdejantes serão, aludindo à grande frutificação da tamareira, bem como ao fato de que a frutificação dessa árvore perdura por longo tempo" (Ellicott, *in loc.*). Digo, portanto: Senhor, concede-nos essa graça, não apenas para satisfazer a curiosidade de viver por muitos anos, mas para a promoção de nossas missões.

"Eles bebem do rio do prazer e do favor divino e, estando nos átrios do Senhor, vivem em uma festa contínua, e assim medram e florescem. A alusão é à força e à florescência proverbiais da palmeira" (John Gill, *in loc.*, com uma alusão à *Praeferat Herodis palmetis pinguibus* e a Horácio, *Epist.* 1.2 e *Epist.* 2.v.148). "Diante de tais sentimentos, Paulo, em sua prisão, e os mártires na fogueira, e uma longa sucessão de homens e mulheres humildes... poderiam clamar um altissonante AMÉM!" (J. R. P. Sclater, *in loc.*).

■ **92.15** (na Bíblia hebraica corresponde ao **92.16**)

לְהַגִּיד כִּי־יָשָׁר יְהוָה צוּרִי וְלֹא־עַוְלָתָה בּוֹ׃

Para anunciar que o Senhor é reto. Um homem idoso mas saudável, que continua produzindo frutos, deseja chegar ao céu e, *nessa condição* (se é que ele é um homem espiritual), mostrar que o Senhor é *reto* e cuida dos que lhe pertencem, conferindo-lhes seus favores. Ele julga com justiça, derrubando os iníquos e fazendo os bons prosperar espiritualmente, mesmo quando atingem avançada idade. Ele é o seu *protetor*, o seu firme alicerce, a sua *Rocha* (ver sobre essa figura de linguagem em Sl 42.19, onde ofereço notas expositivas e referências).

"O Senhor não é injusto e não permitirá que o pecador escape das devidas consequências de seus pecados, que ele se livre da retribuição, ou alcance idade avançada sentindo-se bem espiritualmente, mas usando o tempo em vantagem própria. Ademais, Deus não é injusto a ponto de permitir que o homem bom morra jovem ou chegue à idade avançada cheio de dores e assim reduzido à decrepitude e à inutilidade. Essas são palavras bravas e belas, e que elas sejam eficazes! O poeta percebeu que há certas recompensas para os justos, e ele queria recolher essas recompensas. Deus não é injusto a ponto de tolerar que os ímpios prosperem (ver o vs. 7) e que os justos sejam afligidos. Além disso, naturalmente, há aquela coroa de justiça, no dia final" (John Gill, *in loc.*). Cf. Dt 32.4, que é similar a este versículo.

Deus Opera na História e na Vida dos Indivíduos. H. A. L. Fisher foi um famoso historiador e fez contribuições significativas através de seu ensino e de suas obras escritas. No entanto, ele via a história apenas como uma série de *ondas* desconexas e, geralmente, sem nenhuma significação, que continuavam chegando como uma maré arbitrária. Se houvesse alguma *harmonia* e *designio* nos fatos históricos, Fisher declarava que essas coisas estavam "ocultas" para ele. Ele via a história sempre como algo contingente e imprevisível. Quão diferente é a atitude dos hebreus acerca da história, a qual é vista por eles como impulsionada e dirigida por Deus, e a qual tem em Deus o grande planejador. Grande erudição é algo maravilhoso e útil, mas cai no vazio, se não encontra Deus.

SALMO NOVENTA E TRÊS

Quanto a *informações gerais* que se aplicam a todos os salmos, ver a introdução ao Salmo 4, onde apresento *sete* comentários que elucidam a natureza do livro.

Quanto às *classes* dos salmos, ver o gráfico no início do comentário, que age como uma espécie de frontispício da coletânea. Dou ali dezessete classes e os salmos pertencentes a cada uma delas.

Este salmo é um *hino* que exalta Deus como Rei, pelo que com toda a razão poderia ser denominado *salmo real*. Ele dá início a uma coletânea de hinos composta pelos Salmos 93 e 95 a 99, que tratam do reino universal do Deus de Israel. Provavelmente esses hinos foram compostos para serem usados nas festividades, talvez incluindo a Festa dos Tabernáculos, mas eram especialmente relativos à festa do Ano Novo, quando era enfatizado o tema do reinado de Deus. O Salmo 47 é bastante parecido com este, quanto às ideias fundamentais. William R. Taylor supõe que esses salmos fossem entoados por ocasião do Ano Novo dos hebreus, como parte da cerimônia solene da subida ao trono. Ver Sl 24, 47 e 68. Era natural que os antigos hebreus pensassem em Deus em termos da figura de um *rei*, visto ser ele a maior autoridade e poder que eles conheciam. Portanto, temos aqui as figuras da corte celeste, dos súditos do Rei etc.

O principal deus de um panteão era sempre pintado como um rei sobre subordinados e delegados que cumpriam sua vontade na terra e nos céus. As festas da fertilidade misturavam-se com a ideia de que o rei celeste tinha como uma de suas responsabilidades a direção da natureza, com suas estações e ciclos, pois, de outro modo, a terra cairia em terrível calamidade. A literatura dos cananeus apresenta tais figuras, e é possível que os hebreus as tenham tomado por empréstimo, para, em seguida, engrandecê-las em Yahweh. Uma história "teológica" semelhante pode ser vista na literatura mítica dos egípcios, babilônios, gregos e romanos.

"A celebração da festividade do Ano Novo, com sua ideia central do *reinado* de Yahweh, começou bem cedo na história de Israel e perpetuou-se durante o período pós-exílico e, sem dúvida, mais além (ver Fiebig, *Rosh ha-shana*, págs. 45-56). Os hinos e ritos sem dúvida sofreram mudanças e readaptações com o passar dos anos, especialmente através de refinamentos no pensamento religioso. Portanto, neste salmo, encontramos evidências de datas do fim do período pré-exílico e do início do período pós-exílico. Antigos e crus elementos dos antigos mitos desapareceram nos elevados conceitos de Deus, conforme fica óbvio no Salmo 93" (William R. Taylor, *in loc.*). Yahweh é visto como o Rei *universal*, uma ideia típica do judaísmo posterior.

Subtítulo. Este salmo não tem subtítulo, o que também ocorre no Salmo 91, onde ofereço comentários sobre essa característica. Da coletânea total de 150 salmos, 34 não apresentam subtítulos.

O TRONO DE YAHWEH PERDURA PARA SEMPRE (93.1,2)

■ **93.1**

יְהוָה מָלָךְ גֵּאוּת לָבֵשׁ לָבֵשׁ יְהוָה עֹז הִתְאַזָּר
אַף־תִּכּוֹן תֵּבֵל בַּל־תִּמּוֹט׃

Reina o Senhor. Revestiu-se de majestade. Os críticos acreditam que o pano de fundo histórico dos salmos de entronização é a batalha dos deuses contra monstros míticos do abismo primevo (cf. Sl 74.13-17), o que, na literatura dos hebreus, é refinado, pois o monoteísmo toma o lugar dessas noções pagãs e Yahweh aparece como o vitorioso sobre todas as forças hostis, tornando-se o Rei universal. E assim as forças da natureza passaram para o domínio de Deus, como as ondas do mar (vs. 3). Quando Israel tomava por empréstimo alguma ideia, tratava de refiná-la.

"Chegara o momento solene, quando o Senhor é simbolicamente representado a sentar-se em seu *trono*, no Santo dos Santos do templo de Jerusalém. Assim como os monarcas terrenos, em sua ascensão ao trono, usam trajes magníficos e oficiais, e penduram neles armas que simbolizam a sua autoridade, Yahweh é vestido de *majestade* e enfeitado com *poder*. A consequência do governo vitorioso de Deus é que o mundo de seu reino é inabalavelmente *estabelecido*, e seu trono é firmado" (William R. Taylor, *in loc.*). Ver Sl 96.10, quanto ao *mundo inabalável*.

Revestiu-se de majestade. Um rei não podia assumir o ofício real sem as vestes apropriadas, cuja finalidade era inspirar respeito, solenidade e temor. As vestes do Senhor eram *majestade* e *poder*, atributos divinos. Na cinta havia a espada e outras armas, símbolos de vitórias passadas e de seu poder atual contra todos os adversários possíveis.

Yahweh Tornou-se Rei. Cf. Sl 92.1 e 99.1. Ver também 2Sm 15.10; 1Rs 1.11; 2Rs 9.13, onde encontramos cenas similares. "As vestes e os ornamentos, juntamente com a espada, faziam parte da cerimônia de inauguração do reinado de um monarca. Ver Sl 45.3" (Ellicott, *in loc.*). "O salmista previu o Senhor a reinar (cf. Sl 47.8; 96.10; 99.1 e 146.10). No Antigo Testamento, o vestuário era considerado uma extensão da pessoa, pelo que a expressão 'revestiu-se de majestade' (cf. Sl 104.1) descreve o Senhor como majestoso e poderoso em seu reinado" (Allen P. Ross, *in loc.*).

93.2

נָכ֣וֹן כִּסְאֲךָ֣ מֵאָ֑ז מֵֽעוֹלָ֥ם אָֽתָּה׃

Desde a antiguidade está firme o teu trono. O *Rei*, tendo tomado posse do reino e avantajado de todos os direitos e poderes, estabeleceu o seu trono. Isso aconteceu desde a "antiguidade", porque o fato de ele ter-se tornado Rei foi um ato da eternidade passada. E essa circunstância não pode sofrer mutação; o trono de Deus é eterno. Nenhum poder nos céus ou na terra pode destroná-lo. Nenhum *Zeus* apareceria para destronar seu pai, *Cronos*, conforme encontramos na mitologia grega. Houve tempo no qual Zeus não era o rei dos céus. Ele teve um antecessor. Isso não é verdade na literatura dos hebreus, no tocante a Yahweh. Ele é eterno, e eternos são o seu reino e a sua autoridade (o seu *trono*).

> Sob a sombra do teu trono,
> Continuamos podendo habitar seguros.
> Suficiente é o teu braço,
> E nossa defesa é certa.
>
> Isaac Watts

Cf. Sl 96.10. Todos os poderes morais, legais e espirituais foram consolidados sob o seu domínio. Ele sempre esteve em seu trono celestial, e a terra participará de benefícios celestes. Cf. Is 66.1. O reino de Deus está isento das provocantes vicissitudes da terra, que causam mudanças.

> Louvado seja a Majestade
> Entronizado lá no alto,
> Mas para cada coração,
> Tão perto.

YAHWEH, SENHOR DAS ÁGUAS PRIMEVAS (93.3,4)

93.3

נָשְׂא֤וּ נְהָר֨וֹת ׀ יְֽהוָ֗ה נָשְׂא֣וּ נְהָר֣וֹת קוֹלָ֑ם יִשְׂא֖וּ נְהָר֣וֹת דָּכְיָֽם׃

Levantam os rios, ó Deus... fragor. Esta última palavra refere-se às ondas que batem na praia do mar. Está em vista o mar, com suas ondas raivosas, o que se torna símbolo de qualquer tipo de poder contrário ou de qualquer perturbação. Esses vagalhões são personalizados, "levantando as suas vozes", clamando gritos de destruição. Note a repetição dessa figura de linguagem por três vezes aqui, e por duas vezes mais no vs. 5. Estão em vista a *hostilidade* e as ameaças, tal como se vê em Is 17.12,13. É provável que estejam com a razão os eruditos que tomam os *vagalhões* como substitutos dos deuses, das forças da natureza, dos céus e dos mitos antigos. "De acordo com a mitologia dos cananeus, Baal atingiu uma posição de poder combatendo e vencendo Yam, o mar (no hebraico, *yam* significa "mar"). Mas nestes dois versículos (3 e 4), que contêm uma polêmica contra o baalismo, o Senhor Elohim, e não Baal, é mais poderoso do que o mar" (Allen P. Ross, *in loc.*). E então, nos mitos da criação, temos os deuses em conflito, e o Deus Supremo vencendo o *Caos*.

Os grandes monstros do abismo (os deuses) são variegadamente chamados de Tiamat, Leviatã e Raabe, e possuíam seu séquito de ajudantes. Cf. Sl 89.10; Is 51.9 e Jó 9.13. Aqui, esses inimigos, dentro da adaptação dos mitos feita pelos hebreus, são os portentosos vagalhões do mar, que se tornam símbolos de qualquer poder hostil, pessoal ou impessoal. Yahweh, vencedor desses monstros, reina supremo e sempre continuará a reinar.

93.4

מִקֹּל֨וֹת ׀ מַ֤יִם רַבִּ֗ים אַדִּירִ֣ים מִשְׁבְּרֵי־יָ֑ם אַדִּ֖יר בַּמָּר֣וֹם יְהוָֽה׃

Mas o Senhor nas alturas é mais poderoso. A *metáfora* do mar e seus vagalhões (repetida por três vezes no versículo anterior) continua e é repetida aqui. Yahweh é, neste versículo, declarado mais poderoso do que todos aqueles deuses (vagalhões do mar) e, de fato, sobre qualquer poder imaginável nos céus e na terra. Portanto, podemos estar certos de que o seu trono está estabelecido e é eterno, e nenhum poder pode usurpar o seu *reino*.

"Não se trata de uma fé sem base. Foi Deus quem, por ocasião da criação, reduziu as inundações à boa ordem. Foi ele quem deu a lei aos homens e ordenou que o templo fosse santificado. Seus testemunhos são firmes, sem importar o que mais seja abalado. Os reis da terra são seres *mortais*. O poder deles é fugidio, mas esse não é o caso do Senhor do céu" (J. R. P. Sclater, *in loc.*, considerando a mensagem do vs. 5).

"Os mais poderosos impérios não podem prevalecer em nada contra ele. Por conseguinte, aqueles que nele confiam nada têm a temer" (Adam Clarke, *in loc.*).

> Vinde todas as terras das ilhas do mar,
> Louvai a Yahweh que está ascendendo para o alto.
> Caídas são as máquinas de guerra e o distúrbio,
> Gritos de salvação estão rasgando o céu.
>
> Thomas Hastings

93.5

עֵדֹתֶ֨יךָ ׀ נֶאֶמְנ֬וּ מְאֹ֗ד לְבֵיתְךָ֥ נַאֲוָה־קֹ֑דֶשׁ יְ֝הוָ֗ה לְאֹ֣רֶךְ יָמִֽים׃

Fidelíssimos são os teus testemunhos. O *Criador* da ordem natural, que derrubou todos os deuses e forças hostis imagináveis, foi também o Criador da ordem moral, quando deu ao homem as suas leis. Ver Sl 1.2, quanto a um sumário do que a lei (supostamente) significava para Israel. Ver a tríplice designação da lei em Dt 6.1. A ordem natural foi posta em sua devida altura pela ordem moral, e a ordem moral requeria que a santidade de Deus se manifestasse e se desenvolvesse no homem.

> *Santos sereis, porque eu, o Senhor vosso Deus, sou santo.*
>
> Levítico 19.2

A legislação mosaica era o manual de santidade de Israel, em todos os seus contatos, e parte dessa lei dizia respeito ao culto no templo de Jerusalém, ou casa do Senhor, conforme temos no versículo presente. Da mesma maneira que o Senhor é santo, assim deve ser, para sempre, a sua casa. Os deuses corruptos dos povos pagãos, tão celebrados em seus mitos, foram derrubados de forma permanente, e a santidade tomou conta do único santuário legítimo. Os deuses pagãos governariam mediante um poder corrupto, mas Yahweh governa em poder, dirigido pela santidade e pela retidão. Uma prova da superioridade do Deus de Israel é sua santidade, que deve ser um dos principais fatores em qualquer são conceito de Deus.

Yahweh, na qualidade de Rei, marchava avante por ocasião do Ano Novo e renovava suas reivindicações à lealdade do seu povo e, de fato, de todos os povos. São firmes os seus *decretos*, palavra que alguns preferem a "testemunhos". Esse vocábulo abrange conceitos como *leis, promessas* e *advertências*. Mas podemos estar certos de que está em vista a *lei* que contém os *decretos* morais de Deus. Qualquer e toda declaração de Yahweh é autoritativa e podemos confiar nela para ser posta em prática pelo seu povo. O templo de Jerusalém precisava estar livre de qualquer coisa profana; o povo de Deus tinha de viver livre, pois o Senhor reina na retidão.

O *poder de Yahweh* manifesta-se nos céus e na terra, e ele chama os homens a si mesmo, porquanto isso é bom para eles. Robert Morrison era um jovem missionário que estava viajando para a China, de navio. O proprietário do navio, que via pouco valor em tais esforços "heroicos", perguntou ao jovem missionário se ele pensava que poderia causar alguma impressão em um povo tão numeroso como os chineses. A essa pergunta, Morrison respondeu: "Não, senhor, mas espero que Deus cause".

"Nenhuma decoração pessoal ou simplicidade de vestes podem tomar o lugar dessas vestes celestiais — a santidade" (Adam Clarke, *in loc.*). Cf. Zc 14.20; Ap 21.27 e Hb 12.14. O Deus Todo-poderoso, santo e misericordioso, realiza a sua obra.

> Deus cumprirá sua vontade graciosa;
> ele abre uma vereda através do mar furioso,
> E envia o maná às vastidões de areia.
>
> Anônimo

SALMO NOVENTA E QUATRO

Quanto a *informações gerais* que se aplicam a todos os salmos, ver a introdução ao Salmo 4, onde apresento *sete* comentários que elucidam a natureza do livro.

Quanto às *classes* dos salmos, ver o gráfico no início do comentário, que atua como uma espécie de frontispício da coletânea. Dou ali dezessete classes e listo os salmos pertencentes a cada uma delas.

Este é um *salmo de lamentação*, de longe o grupo mais numeroso dos salmos. Provavelmente foi o lamento de um indivíduo, mas se tornou o lamento de toda a congregação de Israel. Quanto ao indivíduo, ver os vss. 16-23. Quanto ao grupo, ver os vss. 5, 10 e 14. Os salmos de lamentação tipicamente iniciam com um clamor pedindo socorro; descrevem os inimigos que estão sendo confrontados; proferem imprecações contra esses inimigos; e então terminam com uma nota de louvor e ação de graças, porquanto as orações feitas foram respondidas, ou o salmista pensava que a resposta já estava a caminho. Alguns desses salmos terminam em uma nota de desespero, o que também é verdade no que tange à experiência humana.

Este salmo divide-se em duas partes distintas que originalmente podem ter sido composições separadas. Essas partes, muito bem definidas, são os vss. 1-15 e os vss. 16-23. É possível que as duas composições tenham sido reunidas pela primeira vez na Septuaginta. Talvez uma lamentação individual tenha sido reunida com o lamento de um grupo e, nesse caso, eis por que o Salmo 94 apresenta esse tipo de dualidade. Seja como for, o lamento feito pela comunidade ocupa a primeira porção do salmo, ao passo que o lamento do indivíduo ocupa a segunda. Como é óbvio pela leitura do salmo, inimigos diferentes estavam sendo enfrentados pelo indivíduo e pelo grupo.

Subtítulo. Este salmo, tal como 33 outros, não apresenta notas de introdução feitas por editores posteriores. Quanto a comentários sobre essa circunstância, ver sob o *subtítulo* na introdução ao Salmo 91.

O LAMENTO DA CONGREGAÇÃO DE ISRAEL (94.1-7)

■ 94.1

אֵל־נְקָמוֹת יְהוָה אֵל נְקָמוֹת הוֹפִיעַ׃

Ó Senhor, Deus das vinganças. A congregação de Israel clama aqui por vingança contra elementos rudes e violentos da sociedade hebreia (ver os vss. 5-7). Ver no *Dicionário* o artigo chamado *Vingança*. O clamor por vingança era urgente, primeiramente endereçado a Yahweh-Elohim e então somente a Elohim (o Poder). Para que houvesse a vingança desejada, seria necessária uma manifestação especial do Poder divino, a fim de que houvesse destruição decisiva. O termo "Deus das vinganças" ocorre somente aqui em toda a Bíblia. Mas a frase parecida, "vingança do Senhor", é bastante comum. Ver Dt 32.35,41,43; Is 35.4; 47.3. Mq 5.15; Jr 51.36 e Ez 25.14.

A *vingança*, quando merecida, consiste em *justiça retributiva*, pelo menos na Bíblia, embora os homens se deleitem na matança a que chamam de vingança, por razões falsas, imaginárias ou inadequadas. A vingança divina faz parte da providência negativa de Deus. Ver no *Dicionário* o verbete intitulado *Providência de Deus*. Seja como for, a vingança pertence ao Senhor (ver Rm 12.19, que cita Dt 32.35). Naturalmente existe a vingança exigida pela justiça humana, quando efetuada pelas autoridades civis apropriadas e por causa de alguma decisão judicial que visa alcançar a justiça. Nesse caso, a vingança é efetuada como se fosse ordenada por Deus, conforme mostra o capítulo 13 da epístola aos Romanos.

Para não se olvidar de seu próprio povo, Yahweh tinha de vingar os erros cometidos contra eles. A justiça requer que um homem receba conforme a sua semeadura; e isso também se aplica às nações.

Resplandece. Usualmente pensamos em Deus a rebrilhar, ou na luz de seu rosto como uma luz positiva; mas há também o resplendor de sua ira, que apanha os homens fora de guarda. Ver Sl 35.16, onde ofereço notas expositivas e referências. Cf. Sl 80.1. Até os anjos no céu estremecem diante da presença assustadora de Yahweh.

■ 94.2

הִנָּשֵׂא שֹׁפֵט הָאָרֶץ הָשֵׁב גְּמוּל עַל־גֵּאִים׃

Exalta-te, ó juiz da terra. Yahweh é retratado aqui sentado em seu trono, bastante indiferente para com o que sucedia a seu povo. Ver sobre a aparente *indiferença* de Deus, em Sl 10.1; 28.1; 59.4 e 82.1. Portanto, o poeta clamou a Deus e instou para que ele se levantasse de seu trono e entrasse em ação. Ele é o juiz e deve julgar, ou só poderá haver caos nesta terra, onde a justiça, positiva ou negativa, raramente se cumpre. Quanto a *julgar a terra*, ver Sl 50.4; 98.9; Gn 18.25; Is 33.22. Os orgulhosos (ver Is 2.12; Jó 40.11,12; Pv 15.25) são os objetos especiais da vingança divina. Alguns pensam estar em foco aqui os babilônios, mas os vss. 5-7 por certo apontam para alguns hebreus violentos que tinham conseguido tomar o poder em Israel.

Emanuel Kant baseou um *argumento moral* na necessidade de justiça, a fim de postular a existência de Deus e da alma humana. A justiça raramente se cumpre neste mundo. Os homens fazem o bem e não são recompensados. Ou os homens praticam maldades e não são punidos. Deve haver um *Deus* que endireite as coisas, após a morte, porquanto somente ele é suficientemente sábio e poderoso para efetuar a verdadeira justiça. Além disso, deve haver almas que sobrevivam à morte biológica para receber a justiça feita.

Cf. Sl 28.4. O Juiz ergueu-se para examinar o caso, e será ele mesmo quem deverá passar a sentença condenatória. Sua retribuição é justa, por estar alicerçada sobre o que cada indivíduo e cada nação tiver praticado. Existe a *Lex Talionis* (ver a respeito no *Dicionário*), ou retribuição de acordo com a gravidade de cada caso. Cada indivíduo colherá o que tiver plantado. Ver no *Dicionário* o verbete intitulado *Lei Moral da Colheita segundo a Semeadura*. Deus precisa dar uma "má recompensa" aos "homens maus", conforme diz o Targum neste versículo.

■ 94.3

עַד־מָתַי רְשָׁעִים יְהוָה עַד־מָתַי רְשָׁעִים יַעֲלֹזוּ׃

Até quando, Senhor... exultarão os perversos? Homens arrogantes, destruidores e iníquos prosperam, a despeito de cometerem grandes males e causarem sofrimento aos justos. Parece que Yahweh nunca endireitará a questão errada e injusta. Estaria Deus registrando por escrito toda aquela dor? Nesse caso, por que Deus não age prontamente e não fere aqueles homens violentos? Note o leitor os três "até quando" deste salmo, dois neste versículo e um no seguinte. Cf. Sl 6.3, onde se lê:

Também a minha alma está profundamente perturbada; mas tu, Senhor, até quando?

A alegria contínua e o júbilo dos homens violentos pareciam completamente fora de lugar diante de um governo divino reto, especialmente quando tais homens se opunham ao próprio Deus (cf. Sl 73.3-12). Diz o Targum: "Por quanto tempo ficarão eles sentados na tranquilidade e na prosperidade?"

■ 94.4

יַבִּיעוּ יְדַבְּרוּ עָתָק יִתְאַמְּרוּ כָּל־פֹּעֲלֵי אָוֶן׃

Proferem impiedades e falam cousas duras. Indivíduos *violentos e arrogantes* têm um linguajar violento e arrogante, "derramando suas palavras arrogantes" ou, literalmente, "Eles derramam, eles falam uma coisa arrogante" (cf. Sl 31.18). Ver no *Dicionário* o verbete denominado *Linguagem, Uso Apropriado da*. E sobre o mesmo tema, ver também Sl 5.9; 12.2; 15.3; 34.12; 35.28; 36.3; 39.9; 55.21; 64.4; 66.17 e 73.9. Da abundância da maldade no vil coração é que a boca deles falava. Eles se jactavam de seus poderes mal aplicados, de sua violência e de seu ódio. Faziam do homicídio um esporte. "Eles se cuspiam ao falar, diziam coisas temerárias (ver Sl 75.5; 31.18; Jd 15)" (Fausset, *in loc.*). Tais pessoas ostentam os males que praticam, porque nisso está a sua glória.

O destino deles é a perdição, o deus deles é o ventre, e a glória deles está na sua infâmia.

Filipenses 3.19

A linguagem deles é dura, cheia de jactâncias e ameaças, que eles se esforçam por pôr em prática. Eles se vangloriam em seu poder e autoridade, os quais exercem para prejudicar a outros, enquanto eles mesmos prosperam em sua vida fácil.

94.5

עַמְּךָ יְהוָה יְדַכְּאוּ וְנַחֲלָתְךָ יְעַנּוּ׃

Esmagam o teu povo, Senhor. Aqui o salmista começa a fornecer-nos alguma descrição dos inimigos da congregação. Alguns estudiosos supõem que estejam em vista aqui as hordas babilônicas, pois elas quebraram Israel (Judá) em pedaços, ou o esmagaram. Ver Is 3.15, onde a mesma palavra tem seu paralelo na frase "esmagais o meu povo e moeis a face dos pobres". Mas este versículo, bem como os vss. 6 e 8, quase certamente fala aos homens ímpios que havia *dentro* do acampamento de Israel, os quais tinham adquirido o controle sobre o governo de Israel. Esses homens arrogantes estavam promovendo sérios *abusos sociais* contra as viúvas e crianças, matando os órfãos e cometendo outros atos de violência, conforme se vê no versículo seguinte.

Oprimem a tua herança. A nação é chamada de "herança" de Yahweh, com certa frequência, no Antigo Testamento. O povo da aliança com Deus tinha sua herança na Terra Prometida e em Yahweh, e Yahweh os considerava sua herança. Ver Sl 28.9 e Dt 4.20. Ver também Sl 37.9,11,22,29,34, quanto a como o povo em pacto com Deus herdou a Terra Prometida. Aqueles homens iníquos imitavam o temível Faraó, rei do Egito (ver Gn 15.13 e Êx 1.12). Ver o vs. 14, quanto à herança de Yahweh, novamente mencionada. No Novo Testamento, em 1Pe 5.3, a igreja é chamada de herança de Deus.

94.6

אַלְמָנָה וְגֵר יַהֲרֹגוּ וִיתוֹמִים יְרַצֵּחוּ׃

Matam a viúva e o estrangeiro, e aos órfãos assassinam. São mencionados aqui três crimes ultrajantes cometidos por aqueles indivíduos perversos que se tinham apossado do governo da sociedade hebreia:

1. A exploração e até mesmo a matança das viúvas, certamente tendo em vista a usurpação de suas propriedades e possessões. As viúvas tradicionalmente têm sido elementos débeis e indefesos, tornando-se presas fáceis de indivíduos inescrupulosos.
2. A exploração e até mesmo a matança de estrangeiros, provavelmente de residentes estrangeiros, que tinham certos direitos como cidadãos (ver Êx 20.10; 22.21; Dt 1.16; 10.18 e 14.29).
3. A matança de órfãos indefesos por terem perdido pai e mãe, ou então órfãos que tinham perdido somente o pai e cuja mãe era incapaz de defendê-los.

O poeta estava somente exemplificando o que aqueles perversos costumavam fazer, não tendo completado a lista dos crimes. Alguns eruditos veem aqui os ultrajes da guerra, mas isso parece menos provável. Líderes justos eram chamados para proteger os elementos mais fracos da sociedade (ver Sl 72.4,12-14). Os pecadores sabiam como atingir a sociedade e onde obter o benefício mais fácil e maior.

94.7

וַיֹּאמְרוּ לֹא יִרְאֶה־יָּהּ וְלֹא־יָבִין אֱלֹהֵי יַעֲקֹב׃

E dizem: O Senhor não o vê. Embora fossem culpados de *crimes ultrajantes,* eles pensavam vãmente que nunca seriam chamados a prestar conta, nem pelos homens nem por Deus. Não acreditavam na lei espiritual da colheita segundo a semeadura. Tinham poder demasiado para serem convocados aos tribunais e serem acusados por outras pessoas, e não acreditavam na existência de Deus (caso em que seriam ateus) ou não acreditavam que Deus interviesse no mundo dos homens (caso em que seriam deístas). Ver sobre os termos *Ateu* e *Deísmo* na *Enciclopédia de Bíblia, Teologia e Filosofia*. Eles eram *ateus práticos,* mesmo que cressem em um Ser supremo de algum tipo. Acreditavam na *indiferença* de Deus diante dos atos humanos (ver as notas a respeito em Sl 10.1; 28.1; 59.5 e 82.1).

Cf. Sl 10.11; 59.7 e 73.11, que dizem mais ou menos a mesma coisa. Eles eram culpados de um ateísmo prático e *grosseiro*. E eram brutais e maus como animais selvagens.

O CONHECIMENTO QUE DEUS TEM DOS HOMENS (94.8-11)

94.8

בִּינוּ בֹּעֲרִים בָּעָם וּכְסִילִים מָתַי תַּשְׂכִּילוּ׃

Atendei, ó estúpidos dentre o povo. Para evitar o severo julgamento divino que certamente estava a caminho, aqueles homens brutais e cruéis teriam de chegar a uma espécie de *compreensão,* o que os levaria a reconhecer Deus e mudar a sua conduta. Eles teriam de abandonar sua noção de que Deus era *indiferente* diante de seus crimes, pois, do contrário, acabariam descobrindo, de súbito, que ele, desagradado e cheio de ira, tinha perfeita consciência do que eles faziam. Ver a exposição sobre Sl 92.6, quanto à descrição daqueles homens animalescos, e cf. Sl 73.22. Poderiam os *insensatos* tornar-se *sábios*? Isso não acontece muito geralmente, especialmente quando os homens corromperam a si mesmos e não lhes resta nenhuma fibra moral. Alguns deles, se não mesmo a maioria, são dominados por influências demoníacas e já perderam o livre-arbítrio. Portanto, tais indivíduos estão privados da capacidade de responder a qualquer convocação para a santidade, a menos que algum homem espiritual intervenha e os liberte da possessão demoníaca. Ver na *Enciclopédia de Bíblia, Teologia e Filosofia* o verbete denominado *Possessão Demoníaca*.

94.9

הֲנֹטַע אֹזֶן הֲלֹא יִשְׁמָע אִם־יֹצֵר עַיִן הֲלֹא יַבִּיט׃

O que fez o ouvido, acaso não ouvirá? Yahweh *fez o ouvido,* e ele faz o homem perceber o que é bom e o que é mau. Aquele que deu aos homens tais capacidades requererá que os homens usem esses sentidos para o bem, e, caso não o façam, então a justiça virá na forma de retribuição divina. "Tudo quanto se puder encontrar de excelente na *criatura* deve derivar do Criador. Deus, disse Jerônimo, é *todo olhos,* porque vê tudo; *todo mãos,* pois faz todas as coisas; *todo pés,* pois está presente em todos os lugares; *todo ouvidos,* porque ouve tudo, até os pensamentos dos homens" (Adam Clarke, *in loc.*). As evidências provam a existência anterior de uma mente e de uma vontade, pelo que a mente humana e a vontade humana se derivam do Ser divino.

Fez o ouvido. Literalmente, diz o original hebraico, "plantou o ouvido". A figura de linguagem alude ao agricultor que cultiva o campo e planta a semente, do que resultará um tipo específico de vegetal. O homem estúpido, entretanto, mostra-se contrário e traiçoeiro ao plantio, porque foi plantado por Deus para o bem e, no entanto, por seu próprio plantio, assegurou-se de que ervas daninhas dali resultassem. Outra maneira de dizer isso é que Deus criou o homem à sua *imagem* (ver Gn 1.26,27), mas homens iníquos desfiguram propositadamente essa imagem.

94.10

הֲיֹסֵר גּוֹיִם הֲלֹא יוֹכִיחַ הַמְלַמֵּד אָדָם דָּעַת׃

Porventura quem repreende as nações, não há de punir? Se Yahweh castiga os *pagãos,* quanto mais não castigará os depravados entre seu próprio povo, que tinham mais conhecimentos bíblicos e mais oportunidades que os primeiros. Esse conhecimento e essas oportunidades impõem uma responsabilidade, mas aqueles ímpios hebreus eram uma lei para si mesmos, obedecendo somente aos ditames de suas próprias corrupções interiores. O Ser divino *ensina* aos homens, mas, se eles não querem saber desse ensino, isso se deve à própria corrupção deles. Diz o Targum: "Seria possível que ele desse a lei a seu povo e, quando eles tivessem pecado, não fossem corrigidos por ele?" A luz foi dada aos pagãos, por meio da natureza, e eles têm de prestar contas a Deus, conforme demonstra o primeiro capítulo da epístola aos Romanos. Mas a revelação direta foi dada somente ao povo de Israel, pelo que a sua responsabilidade era duplicada. Este versículo fala da responsabilidade moral. Essa responsabilidade só será razoável se o homem tiver *livre-arbítrio* para responder, pois, de outro modo, a responsabilidade será uma zombaria. Ver no *Dicionário* o verbete intitulado *Livre-arbítrio*. Os pagãos sofreram com o dilúvio e os julgamentos especiais que sobreviveram às cidades de Sodoma e Gomorra. A história sagrada demonstra que, durante todo o tempo, Israel foi corrigido, e algumas dessas correções foram severas. Assim, pois, os homens depravados da época do salmista não seriam exceções ao *modus operandi* do Ser divino.

94.11

יְהוָה יֹדֵעַ מַחְשְׁבוֹת אָדָם כִּי־הֵמָּה הָבֶל׃

O Senhor conhece os pensamentos do homem. A *audição de Yahweh* é tão sensível que ele pode ouvir até os pensamentos dos homens. Ele descobre ali grande vaidade, que propositadamente erra o caminho e corrompe a boa natureza do homem, dada por Deus, transformando-o em um ser depravado. Paulo citou este versículo em 1Co 3.20. Nos pensamentos dos homens existem esquemas malignos, desejos de ferir e matar, e o planejamento desses atos, para que possam ser efetuados fácil e eficazmente. "Visto que o homem possui todo o seu conhecimento somente devido à dádiva gratuita de Deus, este, a fonte originária da inteligência, deve conhecer os pensamentos dele" (Fausset, *in loc.*).

Pensamentos vãos. O hebraico diz aqui, literalmente, "respiração". Ver em Sl 39.4-6. O homem não passa de vaidade, e assim também são todos os seus pensamentos. Mas o homem, na realidade, é só um "sopro", e outro tanto se pode dizer com relação aos seus pensamentos, ou seja, algo tão leve, tão superficial, tão vazio. "... vãos, perversos, perniciosos e prejudiciais, e o mesmo se pode dizer com relação ao que os homens produzem; e isso se reduz a nada. O Senhor desaponta os planos humanos e frustra os seus desígnios... Cf. Sl 39.5,6 e 52.9. A versão siríaca diz aqui: 'são um vapor', com o que podemos confrontar Tg 4.14" (John Gill, *in loc.*).

O JULGAMENTO E SUAS OBRAS VARIEGADAS (94.12-15)

■ 94.12

אַשְׁרֵי הַגֶּבֶר אֲשֶׁר־תְּיַסְּרֶנּוּ יָּהּ וּמִתּוֹרָתְךָ תְלַמְּדֶנּוּ׃

Bem-aventurado o homem, Senhor, a quem tu repreendes. Quando os homens temem o castigo de Deus, isso, na verdade, é uma *boa medida;* e os que recebem esse castigo de bom grado são beneficiados. Os julgamentos divinos contra o pecador e contra o justo não são apenas retributivos; são também remediadores, conforme 1Pe 4.6 certamente ensina.

> *Filho meu, não menosprezes a correção que vem do Senhor, nem desmaies quando por ele és reprovado; porque o Senhor corrige a quem ama, e açoita a todo filho a quem recebe.*
> Hebreus 12.5,6

Note o leitor que as consolações deste versículo são endereçadas aos pecadores *crassos*, que desde há muito tinham abandonado a aliança de Israel com o Senhor e caído em toda espécie de atos violentos e brutais. A lei tem suas demandas morais. Se essas exigências não forem satisfeitas, o julgamento divino cairá sobre o culpado. Mas esse julgamento visa a restauração, e não somente a punição (retribuição). Essa é uma lei universal, a expressão de todos os terríveis atos de Deus. Pois o julgamento é um dedo da mão amorosa de Deus. Seu intuito é fazer algum bem, e não meramente tirar vingança. Não se engane o leitor quanto a isto: Deus tira vingança; mas o próprio julgamento tem por finalidade reformar a pessoa julgada.

O vs. 13 está em total concordância com essa linha de pensamento. O homem iníquo pode *descansar* de seus dias perturbados, mas o ímpio que não se arrepende cairá no abismo do nada e será aniquilado (a ideia equivocada da teologia dos hebreus da época). Alguns intérpretes objetam à minha linha de interpretação neste ponto e fazem este versículo aplicar-se somente aos santos perseguidos, bem como aos homens bons que estavam sendo punidos por seus pecados. Em seguida, aplicam o versículo seguinte aos ímpios e fazem-nos cair no abismo, sem terem tido uma chance para extrair benefício de seu castigo. Mas essa interpretação é míope e, se foi isso que o salmista quis dizer, então sua teologia também era míope. A cruz de Cristo certamente foi um severo julgamento, mas rendeu um *bem universal*, contanto que os homens se arrependam.

Quanto à correção dos homens, da parte de Deus, cf. Pv 3.11,12 (citado em Hb 12.5,6); Jó 5.17; 33.14-30; Jr 10.34 e 30.11.

Se os vss. 12 e 13 *contrastam* os tipos de punição que recebem os bons e os maus, com *propósitos diferentes,* então tenho para dizer que o evangelho cristão aprimorou o conceito de julgamento, e isso não seria de estranhar, pois é fato conhecido que o Novo Testamento melhorou muitas das ideias do Antigo Testamento. Ver na *Enciclopédia de Bíblia, Teologia e Filosofia* o verbete chamado *Julgamento de Deus dos Homens Perdidos*.

■ 94.13

לְהַשְׁקִיט לוֹ מִימֵי רָע עַד יִכָּרֶה לָרָשָׁע שָׁחַת׃

Para lhe dares descanso dos dias maus. O *homem mau* pode descansar de seus castigos, quando se arrepende; o homem bom também pode descansar das aflições causadas tanto por seus adversários quanto por Deus, o qual também castiga o homem bom quando ele erra. Mas o homem mau que se recusa a deixar-se ensinar por seus castigos acabará caindo no *abismo*. "Esta última palavra é frequentemente usada para indicar o *sheol* (ver Sl 16.10; 49.9; Jó 33.24), mas aqui, tanto quanto em Sl 7.15 e 9.15, trata-se de um aparelho (uma armadilha) para apanhar caça" (William R. Taylor, *in loc.*). Nesse caso, está em foco uma punição temporal, um desastre ou calamidade que apanha o homem mau, tal como um pobre animal é apanhado em uma armadilha para então ser morto pelo caçador. Se compreendermos aqui o *sheol*, teremos de pensar que o *aniquilamento* dos ímpios ali era a doutrina padrão dos hebreus da época. Eles não tinham nenhuma visão de uma vida de recompensa ou punição para além do sepulcro. Essas doutrinas surgiram somente mais tarde, e nos dias de Daniel havia uma ideia ainda imperfeita sobre elas, mas, pelo menos, já se lançara um começo. Ver Dn 12.2.

■ 94.14

כִּי לֹא־יִטֹּשׁ יְהוָה עַמּוֹ וְנַחֲלָתוֹ לֹא יַעֲזֹב׃

Pois o Senhor não há de rejeitar o seu povo. Surge em cena o julgamento, como também as perseguições. Os ímpios perseguem; o homem nasce para a tribulação, mas o Senhor nunca esquece sua *herança*. Ver o vs. 5, quanto à *herança* de Yahweh. No momento da composição deste salmo, homens maus ocupavam o governo, e homens bons eram perseguidos, tendo a vida ameaçada. Mas o último capítulo seria escrito pela pena divina e, portanto, conforme disse Sócrates: "Nenhum dano pode sobrevir a um homem bom", com o que quis dar a entender "nenhum dano permanente". Os dias maus passarão, e um novo dia raiará. Portanto, os bons serão *abençoados* (vs. 12), ou seja, eles serão felizes em tudo quanto fizerem, em seu estado restaurado. *Arama* faz este versículo ser messiânico, e muitos intérpretes cristãos seguem essa ideia. Essa será a "bênção final" de Israel.

■ 94.15

כִּי־עַד־צֶדֶק יָשׁוּב מִשְׁפָּט וְאַחֲרָיו כָּל־יִשְׁרֵי־לֵב׃

Mas o juízo se converterá em justiça. "O direito continuará sendo o direito" foi a maneira como Lutero traduziu a primeira parte deste versículo, e eruditos modernos como Kittel e Weiser pensam que com essa tradução ele acertou o alvo em cheio. A *Revised Standard Version*, porém, diz: "A justiça retornará aos justos", ou seja, a causa deles será vindicada, e seus perseguidores serão lançados no abismo (vs. 13). "Os justos" são palavras que requerem uma leve emenda, mas algumas versões apoiam essa tradução. *Isso* será feito no fim, a despeito dos abusos dos homens no presente momento. Ver no *Dicionário* o artigo chamado *Massora (Massorah); Texto Massorético*. Ocasionalmente, as versões exibem um texto correto contra o texto hebraico padronizado, que repousa sobre manuscritos pertencentes ao século IX d.C. Os Papiros do Mar Morto comprovam o que acabamos de dizer. Seja como for, os erros do texto massorético não atingem elevada porcentagem, mas nem sempre essa fonte está correta. Algumas vezes, as versões antigas refletem manuscritos hebraicos mais antigos e melhores que predataram a atividade dos massorah (os *transmissores*), os quais iniciaram suas atividades em cerca de 500 d.C.

Quando a *retidão* retornar, então os homens bons a seguirão, e começará uma nova era, a era messiânica, de acordo com o pensamento de alguns intérpretes. Portanto, conforme Lutero dizia, em última análise: "Sem importar o que aconteça, o direito deve permanecer direito". O Juiz de toda a terra fará o que é certo (ver Gn 18.25). Os que acreditam que está em mira o cativeiro babilônico referem-se ao decreto de Ciro, o qual, inspirado por Deus, libertou a nação de Israel. Todavia, conforme já vimos, no momento eram homens ímpios, e não dominadores estrangeiros, que controlavam Israel e provocavam tribulação. Ver os vss. 5, 6 e 10.

A LAMENTAÇÃO DE UM INDIVÍDUO (94.16-23)

■ 94.16

מִי־יָקוּם לִי עִם־מְרֵעִים מִי־יִתְיַצֵּב לִי עִם־פֹּעֲלֵי אָוֶן׃

Quem se levantará a meu favor...? Pode ser verdade que agora chega à nossa frente uma *composição separada*, que veio a ser associada a uma composição prévia (vss. 1-15). Seja como for, os verbos no plural, na seção anterior, passam a ser usados aqui no singular, refletindo algum hebreu piedoso que estava sendo perseguido por inimigos pessoais. Esse lamento individual é similar ao de alguns *salmos de confiança*, pelo que também não tem sido classificado somente como um lamento. Ver as notas de introdução ao presente salmo. Tal como se dava com a nação de Judá, assim também o indivíduo que aqui lamenta corria perigo de sofrer uma aplicação errônea da justiça. Portanto, tornava-se necessária a intervenção divina para salvá-lo de uma séria calamidade. Os vss. 17 e 21 mostram que o homem corria perigo de morte. Talvez alguns homens malignos o tivessem apresentado em tribunal e buscassem uma decisão de punição capital, por parte de um juiz. Ver os vss. 20 e 21. Mas o salmista permanecia confiante, e assim, conforme sucede à maioria dos salmos de lamentação, este termina com uma nota de louvor e confiança.

O salmista estava sendo perseguido por homens malignos que procuravam arrebatar-lhe a vida, talvez através de um tribunal de justiça, por meio do pronunciamento de sentença de morte. "Quem", pois, se apresentaria para dar um bom testemunho em favor do homem inocente? Alguém tinha de "levantar-se" para contradizer as mentiras e fraudes de seus perseguidores. Ele era inocente, mas os perseguidores estavam cheios de esquemas e atos maus. E como não aparecesse nenhuma testemunha em sua defesa, o poeta sagrado apelou para Yahweh (vs. 17). Talvez a *cena forense* fosse metafórica, e o homem estivesse realmente apelando para o tribunal do céu em sua defesa. Nesse caso, permanece em dúvida a natureza exata da perseguição. Os intérpretes que ficam aqui com a perseguição movida pelos babilônios perdem completamente de vista o significado do caso.

"Quem se levantará?, ou seja, quem defenderá a causa do justo? Cf. 2Sm 23.11, que fala sobre o caso de Samá, filho de Agé, o hararita. Ver também Sl 2.2" (Ellicott, *in loc.*). Cf. Sl 35.1 e Zc 3.1-5. O Targum erra do alvo ao fazer esta seção referir-se à *guerra* declarada contra os judeus por alguma potência estrangeira, ao passo que a presente seção, que é singular, seria a nação inteira de Judá.

■ 94.17

לוּלֵי יְהוָה עֶזְרָתָה לִּי כִּמְעַט שָׁכְנָה דוּמָה נַפְשִׁי׃

Se não fora o auxílio do Senhor. A vida do salmista ter-se-ia perdido no *sheol*, a terra do silêncio, se Yahweh não se tivesse *levantado* em defesa do homem. A palavra "silêncio" provavelmente refere-se ao *sheol*, conforme se vê em Sl 31.17 e 115.17. É ali que não se ouve nenhum som de louvor. Ver Sl 6.5; 30.9; 88.10-12. Os hebreus ainda não haviam avançado para a doutrina do *sheol*, segundo a qual os justos sobrevivem à morte física e levam uma vida feliz, e segundo a qual aquele é um lugar de punição para os perdidos. Os livros pseudepígrafos chegam até esse ponto, e o capítulo 16 do Evangelho de Lucas retoma a questão a partir daí. Então 1Pe 3.18—4.6 apresenta Cristo em sua missão de misericórdia naquele lugar horrendo, e foi a partir dali que a doutrina se desenvolveu de um estágio para outro. O Evangelho de Nicodemos (um livro apócrifo e pseudepígrafo do Novo Testamento) faz Cristo *esvaziar* aquele lugar de modo absoluto, e talvez cheguemos aí à *verdade final* da questão, conforme deduzimos de Ef 1.9,10 (ver na *Enciclopédia de Bíblia, Teologia e Filosofia* o artigo chamado *Mistério da Vontade de Deus*).

> Todas as dádivas boas ao nosso redor,
> São enviadas do céu, lá em cima;
> Portanto, te agradecemos, Senhor,
> Oh, todos os homens, agradeçam a ele!
> Agradecei-o por seu amor.
>
> Matthias Claudius

■ 94.18

אִם־אָמַרְתִּי מָטָה רַגְלִי חַסְדְּךָ יְהוָה יִסְעָדֵנִי׃

Quando eu digo: Resvala-me o pé. Quanto ao *pé que escorrega*, cf. Sl 73.2. O resvalo espiritual do pé, bem como a misericórdia sustentadora do Senhor são vividamente retratados na história dos pés de Pedro que afundavam nas águas, quando o Senhor estendeu a mão e o salvou do perigo. Ver Mt 14.30,31 e cf. Sl 66.9. O homem espiritual sabe dessas coisas. Todo homem espiritual já experimentou mais de uma intervenção e um livramento divino, em tempos de tensão, e agora ora por mais uma divina *ajuda especial*.

O poeta sagrado estava extremamente debilitado, e seus inimigos eram incomparavelmente fortes. O caso era desesperador, mas uma intervenção do Senhor reverteu o que normalmente aconteceria, o fim da vida do salmista. "Os fins dos recursos de seu povo são a oportunidade do Senhor. Pois é então que ele tem oportunidade de levantar-se e agir, e é precisamente isso o que ele faz. Ele lança um sólido alicerce de esperança, e segura nos braços o seu povo que afundava" (John Gill, *in loc.*). A "moderna" declaração: "O fim dos recursos do homem é a oportunidade de Deus" tem, pelo menos, 250 anos de idade, e talvez o próprio John Gill a tenha cunhado.

> Repousando, repousando nos Braços Eternos,
> Repousando, repousando, são e seguro,
> De todo o alarma.

■ 94.19

בְּרֹב שַׂרְעַפַּי בְּקִרְבִּי תַּנְחוּמֶיךָ יְשַׁעַשְׁעוּ נַפְשִׁי׃

Nos muitos cuidados que dentro em mim se multiplicam. Quando o homem bom estava sobrecarregado de pensamentos perturbados, cheio de cuidados, quando os "cuidados de seu coração eram muitos", foi então que as consolações de Yahweh *animaram* o seu coração. O hebraico diz aqui, literalmente: "Na multidão de meus pensamentos dentro de mim". Devemos compreender que esses pensamentos eram perturbadores, refletindo perigo e desespero. A Vulgata Latina diz "aflitos", e a Septuaginta diz "de tristeza". Mas exatamente quando ele estava prestes a afundar no desespero, a luz e a consolação divina brilharam em redor dele.

Cuidados. No original hebraico, temos aqui uma raiz de vocábulo que descreve os ramos de uma árvore, grossos e enrodilhados, uma massa complicada, o que aponta para muitos pensamentos estressantes.

... Me alegram. O original hebraico diz literalmente "me tocam", referindo-se ao "toque consolador" do Ser divino, que acalenta e acalma. Essa palavra, no hebraico, é usada em Is 66.11, falando de uma mãe que consola o filhinho em seu seio, e em Jr 16.7, falando do *cálice da consolação* dado aos que lamentam em um funeral (conforme Ellicott, *in loc.*, nos relembra). Yahweh mostrou-se ao salmista e infundiu-lhe coragem para viver, restaurando-lhe a alegria.

O FIM MAU DOS HOMENS ÍMPIOS (94.20-23)

■ 94.20

הַיְחָבְרְךָ כִּסֵּא הַוּוֹת יֹצֵר עָמָל עֲלֵי־חֹק׃

Pode acaso associar-se contigo o trono da iniquidade...? Os *governantes injustos*, uma vez dotados de poder, podem até criar suas próprias leis e fazer os homens obedecer, ou sofrer se não o fizerem. O salmista seria julgado por um tribunal injusto, que defendia leis ruins, criadas por homens iníquos, os quais tiravam vantagem *por meio da legislação*. Essas leis eram claras contradições às leis divinas. Isso nos faz relembrar Trasímaco, que disse em um diálogo de Platão: "Poder é direito". O poder faz o que quer, por mais que isso contradiga o que nossa consciência aponta como correto. Tais homens dificilmente podem ser "aliados" de Deus, ou seja, eles dificilmente agem em seu favor. Pelo contrário, são destruidores da lei e do povo da lei, e ninguém pode detê-los. Somente uma intervenção divina pode endireitar as coisas.

O trono da iniquidade. Uma expressão muito feliz para indicar um governo opressor e injusto, conforme têm aparecido tantos na história da humanidade. E, mesmo quando as leis e as constituições são boas, os pecadores conseguem corromper a sua administração, ou substituem essa legislação por sua própria perversidade. A classe política, considerada como um todo, é uma mestra na corrupção e na manipulação, conforme estamos cansados de testemunhar.

O poeta sagrado falava de um *tribunal injusto,* mas podemos ter certeza de que aqueles que controlavam esses tribunais também eram autoridades do governo, igualmente corruptas. A palavra "iniquidade" aqui usada significa literalmente "calamidade", e é exatamente isso o que os governantes pervertidos trazem à sociedade. Cf. Sl 57.1 e 91.3. Em Pv 10.3, a palavra significa "desejo ilegítimo", sentido que alguns estudiosos preferem aqui também. As versões siríaca e árabe deixam claro que a *iniquidade* dos ímpios era "contra a lei de Deus".

■ **94.21**

יָגוֹדּוּ עַל־נֶפֶשׁ צַדִּיק וְדָם נָקִי יַרְשִׁיעוּ׃

Ajuntam-se contra a vida do justo. O *tribunal reúne-se* e os indivíduos corruptos entram trajando pomposamente as suas vestes, mas são como abutres prontos a devorar outra vítima. Estão ali para matar, e não para apresentar justo veredicto. A vítima tinha propriedades que eles desejavam; ou então estes se vingavam de algum erro real ou imaginário que o homem havia perpetrado. Eles já tinham resolvido que a punição capital aplicada ao pobre homem serviria melhor às suas finalidades, pelo que antes de começar o julgamento já haviam resolvido executá-lo. Não há testemunhas em favor do homem, que ousem levantar-se e falar, e, se houvesse, ele sofreria a mesma calamidade. Alguns estudiosos veem aqui uma profecia messiânica sobre o julgamento injusto a que o Senhor Jesus foi submetido, mas isso só pode ser verdade como aplicação ilustrativa, não como exegese do versículo. A Septuaginta usa a figura da *caça* ao homem, para persegui-lo e matá-lo, como se ele fosse um animal, e não um homem. Alguns estudiosos veem aqui a figura de *tropas que carregavam* o inimigo na guerra, mas isso não satisfaz as expressões dos vss. 20 e 21.

> Não o que sinto ou faço
> Pode dar-me a paz com Deus;
> Nem todas as minhas orações, suspiros e lágrimas
> Podem aliviar minha carga tremenda.
> Só tua intervenção, Senhor, tem valor.
>
> Horatius Bonar, com alguma adaptação

■ **94.22**

וַיְהִי יְהוָה לִי לְמִשְׂגָּב וֵאלֹהַי לְצוּר מַחְסִי׃

Mas o Senhor é o meu baluarte e o meu Deus. Yahweh era tudo para o salmista: seu baluarte ou *fortaleza* (ver Sl 9.9 e 46.7); sua *rocha* (ver Sl 42.9); e também seu *refúgio* (ver Sl 46.1). Cf. Deus como *torre forte* (ver Sl 61.3), uma metáfora parecida. Ver no *Dicionário* os artigos chamados *Forte, Fortificação; Rocha e Refúgio,* onde ofereço notas expositivas mais completas.

■ **94.23**

וַיָּשֶׁב עֲלֵיהֶם אֶת־אוֹנָם וּבְרָעָתָם יַצְמִיתֵם יַצְמִיתֵם יְהוָה אֱלֹהֵינוּ׃

Sobre eles faz recair a sua iniquidade. Aqueles abutres seriam eliminados no final. Seus planos e esquemas atrairiam súbita destruição, tal como a que eles lançaram contra as suas vítimas. A própria iniquidade deles os vitimaria. Em outras palavras, a lei da semeadura e da colheita acabaria com eles, por decreto divino. Alguns intérpretes veem aqui as destruições causadas pelos babilônios, que haviam aniquilado muitas outras nações, mas essa conjectura só pode servir de ilustração. O poeta sacro falava sobre inimigos pessoais, juízes iníquos e autoridades corruptas do estado.

Quanto a outros versículos que tratam da destruição dos ímpios, ver Sl 1.4,5; 5.5,6 e 11.5.6.

> *Quanto ao perverso, as suas iniquidades o prenderão, e com as cordas do seu pecado será detido.*
>
> Provérbios 5.22

> *A tua malícia te castigará, e as tuas infidelidades te repreenderão.*
>
> Jeremias 2.19

"... essa parte final do salmo cumpre a primeira parte, e prova que Deus é um Deus da vingança, a quem ela pertence, e ele a exercerá no tempo devido" (John Gill, *in loc.*).

SALMO NOVENTA E CINCO

Quanto a *informações gerais* que se aplicam a todos os salmos, ver a introdução ao Salmo 4, onde apresento *sete* comentários que elucidam a natureza do livro.

Quanto às *classes* dos salmos, ver o gráfico no início do comentário, que atua como um frontispício da coletânea. Dou ali dezessete classes e listo os salmos pertencentes a cada uma delas.

Este salmo é uma *liturgia* que descreve o reinado de Deus. "Este breve esboço de um culto abre com um hino que celebra o reinado de Deus (vss. 1-7a, cf. Sl 93) e se encerra com um *oráculo* apresentado por um sacerdote ou profeta do templo, advertindo a congregação contra a desobediência às leis de Deus (vss. 7b-11). Cf. Sl 81.6-16" (*Oxford Annotated Bible,* introdução ao Salmo 95). O salmo, na verdade, é composto de dois hinos de louvor (vss. 1-5 e 6 e 7), sem dúvida entoados em um cortejo. O primeiro era entoado enquanto a congregação se movimentava na direção do templo, e o segundo quando entrava nos recintos sagrados, em resposta ao convite: "Oh, vinde, vamos adorar!" Um coro, ou talvez dois, era empregado nos cânticos. Se eram dois coros, então eles distribuíam os cânticos: um dos coros entoava os vss. 1-5, e o outro os vss. 6 e 7. É perfeitamente possível que este salmo fosse empregado por ocasião da festividade do Ano Novo. Ver a introdução ao Salmo 93, a *Entronização de Yahweh* como Rei universal. Terminadas essas peças dos coros, um sacerdote ou profeta do templo entregava sua advertência sobre a guarda da lei (vss. 7b-11). Provavelmente, esse sacerdote ou profeta, que sem dúvida tinha uma boa voz de cantor profissional, entoava os versículos como um solo, e isso deve ter sido uma apresentação deveras impressionante. Não devemos esquecer que cantores profissionais levitas e outros músicos conduziam a música no templo, e que seus oficios eram passados de pai para filho. Eles eram homens bem habilitados, pois do contrário jamais seriam empregados em tão augusto serviço. Ver 1Cr 25, quanto às guildas de músicos levitas profissionais.

Os Salmos 93 e 95 a 99 constituem uma pequena coletânea de salmos assemelhados que abordam a questão do reinado de Deus e o entronizamento de Yahweh. Provavelmente foram poemas compostos em conexão com a festa do Ano Novo, na qual o entronizamento era anualmente celebrado a fim de encorajar a dedicação ao Senhor, pela nação de Israel e pelos judeus individuais. Esses salmos enfatizavam a *universalidade* do reinado de Yahweh.

Provavelmente este hino foi escrito em tempos pós-exílicos, visto que apresenta Deus como o Rei universal, um conceito que exigiu algum tempo para desenvolver-se no pensamento hebreu. Mas a primeira parte da composição pode ser de origem pré-exílica, com sua forte ênfase sobre a lei e a murmuração do povo contra a lei. Todavia, esse tipo de mensagem também pertence aos tempos pós-exílicos, pois então os judeus se tinham tornado sensíveis ao que podia acontecer a um povo que não obedecia a lei. Cf. Ag 1.2; 2.14-17; Ml 2.17; 3.14; Is 57.11; 58.2 e 59.9.

Subtítulo. Este salmo, juntamente com 33 outros salmos, não tem subtítulo. Quanto a essa circunstância, ver as notas expositivas sobre o *Subtítulo* do Salmo 91. Hb 4.7 atribui este salmo a Davi, mas essa é mais uma convenção literária, visto que cerca de metade dos salmos a ele foram atribuídos, sem dúvida um grande exagero. Ver Sl 91.11.

A LITURGIA CONGREGACIONAL (95.1-11)

Louvemos ao Senhor (95.1-7)

■ **95.1**

לְכוּ נְרַנְּנָה לַיהוָה נָרִיעָה לְצוּר יִשְׁעֵנוּ׃

Vinde, cantemos ao Senhor, com júbilo. Quanto às duas divisões distintas deste salmo, ver as notas de introdução. Em primeiro lugar temos o hino dividido em duas partes, provavelmente cantado por dois coros. Começamos com um deles, entoando uma canção de *convite*. A congregação de Israel é convidada a avançar na direção do templo, para participar de ritos provavelmente relacionados às celebrações do Entronizamento de Yahweh por ocasião da festa do Ano Novo. A congregação avançava e cantava junta, conclamando a todos que ruidosamente se alegrassem no Senhor, o qual é nossa *Rocha* (ver notas expositivas a respeito em Sl 42.9), o qual é também nossa *Salvação* (ver notas expositivas em Sl 62.2, onde dou ideias e referências). O ruído jubiloso era produzido pelos cânticos em voz alta, sem inibições, e pelo toque das trombetas e de outros instrumentos musicais. Era uma ocasião de alegria e júbilo, na qual todos cantavam e gritavam, e pelo menos as mulheres dançavam. "Seguindo a maneira típica dos orientais, eles exprimiam as emoções com altas exclamações de júbilo" (William R. Taylor, *in loc.*).

Quanto a outros *salmos de entronização*, ver os Salmos 47, 93, 96 a 99. Alguns intérpretes fazem deste um salmo messiânico, e a entronização do Messias é a razão para toda a alegria e os cânticos.

■ 95.2

נְקַדְּמָה פָנָיו בְּתוֹדָה בִּזְמִרוֹת נָרִיעַ לוֹ:

Saiamos ao seu encontro, com ações de graças. *Estando no caminho dos recintos do templo*, os coros continuavam a cantar, as trombetas continuavam a soar, os instrumentos musicais de vários tipos continuavam a tocar, e as mulheres continuavam a dançar. Um *ruído alegre* se fazia ouvir, e o tema dos cânticos era o *agradecimento*, pois aos homens se permitia a aproximação da presença de Deus, do seu templo, onde algumas vezes se manifestava a *shekinah* (ver a respeito no *Dicionário*), a glória da presença divina. Além disso, devemos pensar na lei e no culto que distinguia Israel das demais nações da terra (ver Dt 4.4-8); e isso também dava motivos para as manifestações de alegria. Nossos cultos de adoração podem tornar-se demasiado austeros, pois, afinal, estamos tratando com questões importantes; mas o verdadeiro perigo em nossos dias não é que haja austeridade em demasia, mas, sim, que domine o *trivial*, e até o que é *corrompido*, quando a música e as atitudes mundanas banem o Espírito de nosso meio. Mas se a austeridade demasiada é a dificuldade, então é bom aprendermos uma lição da alegria dos hebreus. Naturalmente, poderíamos deixar de fora as danças. Browning apanhou no ar a disposição feliz de vida quando escreveu:

> Não acho a terra cinzenta, mas rosada;
> O céu não é tristonho, mas de uma cor alegre.
> Se eu me baixar, fá-lo-ei para apanhar uma flor.
> E quando me levanto e contemplo,
>   vejo que o céu está todo azul.

Saiamos ao seu encontro. Literalmente, o hebraico original diz "antecipemos o seu rosto", expressão que demonstra pressa e zelo. Cf. Sl 21.3; 79.8 e 88.13. Ver no *Dicionário* o artigo chamado *Ações de Graças*.

■ 95.3

כִּי אֵל גָּדוֹל יְהוָה וּמֶלֶךְ גָּדוֹל עַל־כָּל־אֱלֹהִים:

Porque o Senhor é o Deus supremo. *Yahweh é um grande Poder*, dizia um dos coros, e é, igualmente, *o Grande Rei acima de todos os deuses*. Para uma discussão sobre o que poderia significar o termo *deuses* para a cultura dos hebreus, ver a exposição sobre Sl 82.1. Qualquer que seja o significado desse termo, o Rei ocupa posição de superioridade sobre todos os deuses, é mais poderoso do que todos e, por conseguinte, merece uma cerimônia anual de entronizamento que faça o povo relembrar-se de sua *soberania* (ver a respeito no *Dicionário*). Logo aprenderemos que a soberania e o reinado universal do Senhor estão alicerçados sobre o fato de que ele é o Criador (vs. 5). Por conseguinte, quaisquer que sejam os seres e os poderes porventura existentes, se são seres reais, são todos criaturas, seres criados, inferiores a Deus em última instância. Sl 96.4,5 mostra-nos um pouco da teologia posterior dos hebreus, quando o monoteísmo conquistou a mente e o coração de todo o povo de Israel, e os *deuses* eram simples *ídolos*. Mas esse foi um desenvolvimento relativamente tardio, e não necessariamente o que está em pauta no salmo presente.

Por outra parte, se este salmo é mesmo pós-exílico (conforme pensa a maioria dos críticos), então Sl 96.4,5 é um paralelo direto do versículo presente e pode ser usado como comentário. Naturalmente, o povo de Israel estava sempre escorregando para a apostasia e adorava a ídolos *como se* representassem deidades reais. Mas o salmista não aprovaria tal interpretação, pois o uso que ele fez da palavra *deuses* foi convencional, e não teológico.

■ 95.4,5

אֲשֶׁר בְּיָדוֹ מֶחְקְרֵי־אָרֶץ וְתוֹעֲפוֹת הָרִים לוֹ:
אֲשֶׁר־לוֹ הַיָּם וְהוּא עָשָׂהוּ וְיַבֶּשֶׁת יָדָיו יָצָרוּ:

Nas suas mãos estão as profundezas da terra. O reinado do Senhor é visto através da extensão de seu domínio. A "força das montanhas também lhe pertencem", ou então, conforme diz a *Revised Standard Version*, "as alturas dos montes são dele". Assim sendo, ele governa as alturas e as profundidades, até onde o homem é capaz de imaginar, para cima ou para baixo. Ademais, os mares lhe pertencem e compõem uma parte de seus domínios (vs. 5), por ser ele o seu Criador, além de ter formado, igualmente, a "terra seca". Assim sendo, com uma série de declarações bastante amplas, o poeta sagrado fala sobre o governo universal de Yahweh. O salmista deixou de mencionar os céus, mas certamente confiava que lembraríamos dos céus como domínios do Senhor, mesmo que nunca os tivesse mencionado. Existem alguns lugares onde os homens nunca estiveram, como o fundo dos mares ou o cume de certos picos, e isso ainda era mais verdadeiro no caso dos povos antigos do que hoje em dia. Mas a terra, até hoje, continua tendo lugares inacessíveis, e os mares nunca foram explorados em grande escala. Quando os exploradores se dirigem a algum lugar onde os homens nunca estiveram, chegam ali com bandeiras e celebram sua identidade nacional. Poucos homens chegam a ver tais bandeiras, mas elas continuam onde foram fincadas, a dizer: "Tal homem, de tal país, esteve aqui". Deus, porém, fincou suas bandeiras em lugares inacessíveis por todo o mundo e nos mares, e essas bandeiras falam de seu domínio universal. O homem já pôs sua bandeira até na Lua, mas, se o poeta tivesse desenvolvido mais ainda a sua metáfora, poderia ter dito que as bandeiras de Deus estão por todas as estrelas, bem como no mais alto céu. "O Senhor é o poderoso Criador. Todos os deuses são apenas imagens destituídas de poder (Sl 115.3-8)" (*Oxford Annotated Bible*).

"Deus governa e dispõe de todas as coisas, conforme ele acha por bem fazer. Ele é o Senhor absoluto da natureza universal. Por conseguinte, não há nenhum outro objeto de adoração ou confiança" (Adam Clarke, *in loc.*).

■ 95.6

בֹּאוּ נִשְׁתַּחֲוֶה וְנִכְרָעָה נִבְרְכָה לִפְנֵי־יְהוָה עֹשֵׂנוּ:

Vinde, adoremos e prostremo-nos. Por esta altura, o cortejo chegou ao terreno do templo, e é lançado o convite para o povo de Israel engajar-se na adoração que deveria incluir os atos de prostrar-se, orar, oferecer sacrifícios e apresentar votos. Os atos:

1. *Adorar*, derivado da palavra hebraica *nishtachaveh*, que literalmente significa "prostrar-se".
2. *Prostrar-se*, derivado da palavra hebraica *nichraah*, que significa "agachar-se", "dobrar as pernas", "assumir uma posição de solicitude".
3. *Ajoelhar-se*, derivado da palavra hebraica *nibrachah*: "pôr os joelhos no chão", a típica postura de súplica.

Todas essas coisas eram ordenadas e seguidas, porquanto os homens estavam na presença de Yahweh, o qual impunha respeito, pois nele se acha tado o propósito de existir e de viver. Yahweh era assim declarado o *Criador* de todas as coisas, pelo que merecia a homenagem e a adoração oferecidas. Na qualidade de Criador, ele era também o benfeitor bniversal. Uma vez mais, por ocasião da festa do Ano Novo, Yahweh era cerimonialmente entronizado como Rei de toda a nação judaica e de todos os corações.

"Ajoelhar-se. A prática de ajoelhar-se, no Oriente, era usada somente em momentos de humilhação, e é mencionada pela primeira vez, na Bíblia, em 2Cr 6.13. Era também uma prática seguida por Daniel (ver Dn 6.10)" (Ellicott, *in loc.*).

Temos aqui um "vívido retrato de uma cena de homenagem reverente no templo. Tal devoção era devida ao Rei divino, por ser ele o nosso Deus, e sermos nós o povo de seu pasto. Essa fé evocava a confiança deles em sua orientação na história e no livramento deles de todas as suas vicissitudes" (William R. Taylor, *in loc.*).

■ 95.7

כִּי הוּא אֱלֹהֵינוּ וַאֲנַחְנוּ עַם מַרְעִיתוֹ וְצֹאן יָדוֹ הַיּוֹם
אִם־בְּקֹלוֹ תִשְׁמָעוּ׃

Ele é o nosso Deus, e nós, povo do seu pasto. O Criador é o benfeitor universal; ele é o Pastor, e seu povo é o rebanho que ele guarda e a quem ele satisfaz todas as necessidades e desejos. Eles são as ovelhas de sua mão, e ele age alimentando-as e protegendo-as. Quanto ao Pastor, cf. Sl 74.1; 79.13; 100.3. Ele os guia, cuida delas e protege-as.

Mão. Por meio de sua mão, Deus alimenta e protege as suas ovelhas, mas por meio dela também as conta, certificando-se de que nenhuma se perdeu ou se desviou. As ovelhas tinham de passar debaixo da mão do Pastor, que as contava (ver Jr 33.13). Se o rebanho não fosse grande demais, um pastor podia chamar as ovelhas pelo nome, um toque de intimidade e amizade (ver Jo 10.3). Este versículo tem sido cristianizado para referir-se ao Pastor, que é o Cristo, bem como à sua Igreja, o rebanho. João 10 é a declaração clássica dessa doutrina.

Oxalá ouvísseis hoje a sua voz! De acordo com o texto massorético, essa declaração está ligada ao que fora mencionado antes e, assim sendo, refere-se à voz do Pastor, que chama as ovelhas e lhes confere orientações, para que o sigam corretamente. Ao que parece, os animais são capazes de entender a linguagem humana e responder com atos a comandos verbais, pelo menos os mais simples, que não sejam por demais complicados. Mas, ainda que a declaração se ligue ao que fora dito antes, as palavras que se seguem são as ordens dadas pelo Pastor.

"O costume oriental de liderar os rebanhos com a voz sem dúvida é aludido em Jo 10.4" (Ellicott, *in loc.*). Mas a Septuaginta liga as palavras com aquilo que vem depois, e esse arranjo é seguido por muitas traduções. Nesse caso, a seção que termina com a imagem do Pastor tinha acabado, e, de modo bastante abrupto, uma nova seção fora iniciada. Ver o vs. 8, quanto a essa nova seção e seu engaste literário.

> Não temas, pequeno rebanho,
> Sobre a colina varrida pela tempestade;
> O Pastor conhece a tua vereda,
> ele continua guiando os teus passos.
> Sua mão ferida pelo cravo te guardará
> E guiará em segurança.
> Não temas, pequeno rebanho.
> Finalmente, ele te levará a teu lar.
>
> Adelaide A. Pollard

■ 95.8

אַל־תַּקְשׁוּ לְבַבְכֶם כִּמְרִיבָה כְּיוֹם מַסָּה בַּמִּדְבָּר׃

Não endureçais o vosso coração, como em Meribá. O sacerdote agora se adiantava para cantar o seu solo. Era sua responsabilidade advertir o povo, que se reunira para celebrar a entronização, a qual fazia parte das festividades do Ano Novo, para lembrar o dever de cumprir a lei. Eles deveriam rejeitar de modo absoluto o mau exemplo dado no deserto, onde seus pais vaguearam por cerca de quarenta anos e constantemente provocaram a Yahweh, com seus lapsos e murmurações. Aqueles foram dias de *corações duros* e *provocações*. Ver no *Dicionário* o artigo intitulado *Provocação*, quanto a detalhes e ilustrações.

"De repente, no meio daqueles sentimentos de júbilo, irrompe uma outra voz, mas de advertência. Era um solene lembrete de que alguns tinham adorado, mas depois se esqueceram, de que alguns tinham entrado nas alianças solenes, mas depois traíram essas alianças. Não era uma interrupção fantasiosa de piedade presente, mas uma advertência baseada na história. Ficou registrado no livro de Êxodo como os antepassados deles tinham sido retirados do Egito e receberam toda espécie de ajuda divina; mas, quando chegaram as adversidades, eles murmuraram e rebelaram-se" (J. R. P. Sclater, *in loc.*).

Em Meribá... no dia de Massá. Esses adjetivos locativos são as transliterações das palavras hebraicas que significam *provocação*

e *tentação*. Ver Êx 17.1-7; Nm 20.13 e cf. Dt 33.8. Ver especificamente Êx 17.7, quanto a esses dois nomes locativos e as exposições sobre a questão. O povo de Israel murmurou em Refidim, porque não havia ali água para eles. Quanto a referências do Novo Testamento à *provocação*, ver Hb 3.8 e 15. Ver Sl 81.7 e 106.32, quanto a *Meribá*.

■ 95.9

אֲשֶׁר נִסּוּנִי אֲבוֹתֵיכֶם בְּחָנוּנִי גַּם־רָאוּ פָעֳלִי׃

Quando vossos pais me tentaram. "As murmurações dos antepassados serviam de evidência de que o coração deles estava endurecido e surdo para o trato gracioso do Senhor, no livramento do Egito. Mas a dureza de coração não cessou com novas experiências com a bondade do Senhor. Pelo contrário, continuou" (William R. Taylor, *in loc.*).

Quanto ao fato de que Israel foi livrado do Egito por um poder divino especial, tema repetido por mais de vinte vezes em Dt, ver o trecho de 4.20 desse livro. Quanto às murmurações de Israel, ver a introdução a Nm 11 e 14.22, que os rabinos listam como *dez incidentes*.

... me tentaram, pondo-me à prova. A murmuração e a rebeldia dos filhos de Israel submeteram Yahweh a teste. A figura de linguagem por trás dessa declaração é o teste e a purificação de metais mediante repetidos refinamentos. "Esse termo é usado para indicar as atitudes e os atos dos homens diante da providência divina, tanto em um bom como em um mau sentido (Ml 3.10,15)" (Ellicott, *in loc.*).

Eles "viram as obras" de Deus, os milagres da provisão de água e pão do céu, depois de testemunhar todos aqueles milagres no Egito e o livramento ocorrido às margens do mar Vermelho. No entanto, olhavam tudo com escárnio e desperdiçaram sua oportunidade. Cf. Is 49.15. Eles continuavam testando a paciência divina bem no meio de admiráveis demonstrações do poder divino. "Eles tinham recebido amplas *provas* do poder de Yahweh para salvar e para destruir. Viram que não havia nada difícil para Deus" (Adam Clarke, *in loc.*). A culpa deles foi agravada pela estupidez e pela rebelião. Ver Nm 14.22. Ao cantar o seu solo, o sacerdote estava mostrando que o Rei só podia ser servido por adoradores autênticos, que tivessem coração responsivo. Portanto, o povo de Israel deveria dar ouvidos à advertência que vinha dos tempos das perambulações pelo deserto. Cf. 1Co 10.9,10.

■ 95.10

אַרְבָּעִים שָׁנָה אָקוּט בְּדוֹר וָאֹמַר עַם תֹּעֵי לֵבָב הֵם
וְהֵם לֹא־יָדְעוּ דְרָכָי׃

Durante quarenta anos estive desgostado com essa geração. O antigo povo de Israel chegou às fronteiras mesmas da Terra Prometida, mas tropeçou no temor e na incredulidade. Eles pensavam que a tarefa de conquistar a terra de Canaã era impossível. Isto posto, rejeitaram o bom conselho de Josué e Calebe, aceitaram o mau conselho dos outros dez espias e voltaram a internar-se no deserto, por onde tinham chegado. E aí ficaram vagueando sem alvo durante quarenta anos. Quando finalmente chegou a hora da segunda tentativa de entrada na Terra Prometida, aquela geração inteira, excetuando os dois fiéis espias, *havia morrido no deserto*. A lição não poderia ser mais clara. O próprio Moisés, símbolo da antiga dispensação, que sofreu um lapso ele próprio, recebeu a permissão de ver, mas não de entrar no território da nova pátria.

Foi assim que Yahweh ficou "desgostado" com o povo de Israel. Mas outras traduções chegam mais perto do original hebraico, com a tradução "enojado", como se os israelitas fossem alguma coisa nojenta. Ver as notas expositivas em Hb 3.17, no *Novo Testamento Interpretado*. O povo de Israel tinha errado em seu coração, ou, literalmente, era um povo de *coração vagabundo*, o que correspondeu às suas perambulações literais pelo deserto. Quanto à *morte* daquela geração no deserto, ver Dt 1.35 e 2.14. A versão siríaca diz que o povo de Israel tinha *ídolos no coração*, quando Yahweh é quem deveria estar ali governando.

Não conhece os meus caminhos. Ou seja, leis, estatutos e orientações específicas, dadas diretamente como a motivação para atos apropriados. A lei tornou-se o código de ensinamentos e orientações morais, o manual para Israel. Ver Sl 1.2, quanto a um sumário do que a lei deveria significar para a nação de Israel. Apesar das abundantes oportunidades, os retos caminhos do Senhor foram rejeitados, pelo que aquela geração, que saíra do Egito, morreu toda no deserto. Eles contavam com uma liderança óbvia e poderosa, mas conseguiram tomar o caminho errado em seu coração e em seus atos. "Eles não tinham conhecimento simpático nem apreciação pelos caminhos de Deus" (William R. Taylor, *in loc.*).

"O termo hebraico *yada,* "conhecer", é usado aqui, tanto quanto em muitas outras porções das Escrituras, para expressar *aprovação*. Eles conheciam os caminhos de Deus, intelectualmente, mas não *gostavam* deles, não os *aprovavam* e, portanto, não caminhavam por eles... Aquele povo *ingrato* não aprovava os caminhos de Deus, nem aceitava os desígnios de Deus para segui-los. Eles não prestavam atenção aos seus milagres, nem reconheciam os seus benefícios" (Adam Clarke, *in loc.*).

■ 95.11

אֲשֶׁר־נִשְׁבַּעְתִּי בְאַפִּי אִם־יְבֹאוּן אֶל־מְנוּחָתִי׃

Por isso jurei na minha ira. Yahweh é aqui retratado antropomorficamente como quem fizera um juramento solene que não podia ser quebrado. Deus se encheu de *ira* contra um povo que se tornara repelente (vs. 10): "Eles não entraram na terra do descanso". Ver Nm 14.22,23. A terra era a promessa que tinham recebido de um descanso seguro (ver Nm 14.30; Dt 12.9) e também era o fim de suas vagueações pelo deserto. Portanto, o que pôs fim às suas vagueações não foi o descanso, mas a morte. Metaforicamente, nos tempos do salmista, esse descanso pode ter representado uma das seguintes coisas:

1. O lugar de descanso, no templo de Jerusalém, onde se reuniam os verdadeiros adoradores judeus, o descanso do Senhor e o bem-estar da alma.
2. O descanso na grandeza de Deus e a participação em seus benefícios (cf. Sl 116.7).

"Dessa maneira, as lições do passado de Israel são aplicadas *hoje em dia*. O pecado da inconstância poderia ter-lhes custado o acesso tanto ao templo como ao favor divino" (William R. Taylor, *in loc.*). Este versículo tem sido *cristianizado* para falar do céu e da perda da bênção eterna, visto que Canaã pode retratar o "descanso no além". Ver Hb 4.2-11, quanto à aplicação cristã da história.

Robert Lynd, em seu livro intitulado *Dr. Johnson and Company*, descreveu certo homem chamado Boswell, misto de contradições, ora piedoso, ora profano, alguém que gostava de contrastar uma coisa com a outra, mostrando-se firme figura religiosa, mas cedendo diante de cada tentação que lhe ocorria. Israel era um tanto parecido com isso.

Com essa nota solene, termina este salmo de entronização, relembrando ao povo que haveria nova cerimônia de entronização no Novo Ano, quando Yahweh, uma vez mais, seria declarado o Rei universal, o Rei de Israel e o Soberano de cada coração individual. Mas a cerimônia estaria vazia se não houvesse pessoas que a levassem a sério, em sua própria vida. Os benefícios requeriam um coração responsivo. O conhecimento exigia reação favorável. A lei demandava obediência, pois, de outro modo, a presença de Deus voaria e deixaria o lugar *Ichabod* (ver 1Sm 4.21). *Ichabod* (a glória do Senhor foi embora) ficou gravada sobre aquela antiga geração. E também ameaçava a nova geração na Terra Prometida, por ocasião da festa do entronizamento.

> Senhor de todos os seres, entronizado a distância,
> tua glória brilha do sol e das estrelas;
> Centro e sol de todas as esferas,
> Contudo, a cada coração amoroso, quão próximo.
>
> Sol de nossa vida, teus raios vivificadores
> Espalha em nossa vereda o resplendor do dia;
> Estrela de nossa esperança, tua luz abrandada
> Encoraja as longas vigílias da noite.
>
> Oliver Wendell Holmes

SALMO NOVENTA E SEIS

Quanto a *informações gerais* que se aplicam a todos os salmos, ver a introdução ao Salmo 4, onde apresento *sete* comentários que elucidam a natureza do livro.

Quanto às *classes* dos salmos, ver o gráfico no início do comentário, que atua como uma espécie de frontispício da coletânea. Ofereço ali dezessete classes e listo os salmos pertencentes a cada uma delas.

Este é um *hino* que celebra o reinado de Deus, apresentando estrutura similar à do Salmo 95. Ver a introdução àquele salmo quanto a ideias que também se aplicam aqui. "Este salmo deveria ser estudado à luz do que foi dito em Sl 93.1-5 e 95.1-11. Há razões para acreditarmos que, à semelhança daqueles salmos, este era entoado durante o cortejo, por ocasião da cerimônia de *entronização*, o principal acontecimento da festividade do Ano Novo. Embora possamos dizer que este salmo consiste em três *hinos separados* (vss. 1-6; vss. 7-9; vss. 10-13), também é possível considerá-lo um único hino, com três motivos distintos, cada um dos quais relacionado a um ou mais dos principais estágios de todo o procedimento" (William R. Taylor, *in loc.*).

Os Salmos 93 e 95 a 99 constituem uma pequena coletânea de salmos semelhantes, que celebram a entronização de Yahweh; provavelmente estavam associados à festividade do Ano Novo, quando essa entronização era anualmente celebrada, encorajando a dedicação da nação e do indivíduo ao Rei do universo. Esses salmos enfatizam a *universalidade* do poder de Yahweh.

O salmo parece pertencer aos tempos pós-exílicos, salientando ideias do judaísmo posterior, que também podem ser vistas em Is 40.18-26; 41.3,24; 44.6-8; 56.6-8; 60.14, especificamente a ideia do reinado universal de Yahweh, a nulidade dos deuses (ídolos) que os pagãos usavam e seu contraste com o Deus de Israel, sendo eles mais leves que a vaidade.

Subtítulo. Este salmo também não conta com um subtítulo. Há 34 salmos sem subtítulo. Quanto a essa circunstância, ver as notas expositivas na introdução ao Salmo 91, na seção *Subtítulo.* Este, portanto, é um dos salmos considerados "órfãos", isto é, despojados de comentários introdutórios, feitos por editores posteriores.

UM NOVO CÂNTICO É ENTOADO A YAHWEH (96.1-13)

■ 96.1

שִׁירוּ לַיהוָה שִׁיר חָדָשׁ שִׁירוּ לַיהוָה כָּל־הָאָרֶץ׃

Cantai ao Senhor um cântico novo. O *cortejo para o templo*, para a cerimônia de entronização, a principal característica da festa do Ano Novo, começava com o coro convidando a congregação a *cantar*. Devemos pensar nas danças, nos louvores, no toque das trombetas, no toque de instrumentos musicais e na dança das mulheres. Ver Sl 95.1. A chamada era dirigida não somente a Israel, mas também a "todas as terras", visto que o Rei de Israel era o Rei universal dos céus e da terra, desenvolvimento de uma doutrina hebraica posterior que entrou no Novo Testamento e se progrediu ainda mais.

Um cântico novo. Nada há de novo, estritamente falando, neste salmo, mas tão somente um antigo tema foi refeito, dando-lhe novo arcabouço, com suas notas coloridas e jubilosas. *Yahweh* (o nome divino do texto) deve ser entronizado na nação, no mundo e em cada coração. Isso constituía um exercício anual para manter sempre fresca na memória do povo a realeza de Deus. "Novo, isto é, de excelência peculiar, pois nesse sentido o termo *novo* é reiteradíssimo empregado nas Escrituras" (Adam Clarke, *in loc.*). Cf. Sl 33.3. Esse novo cântico parece ter sido uma espécie de *clamor lírico* de ordem nacional e religiosa, após a restauração do cativeiro babilônico. Ver Is 42.10, que tem algo de similar a este versículo. Cf. também 1Cr 16.23. Quanto ao povo de todos os lugares, convidados a participar das festividades, ver Sl 97.1 e 149.1. Este versículo, segundo alguns estudiosos, é entendido como uma promessa messiânica, pois nele todos os homens convertidos se unirão no novo pacto (ver Ef 1.9,10).

> Que todo o mundo, em cada esquina, cante
> Ao meu Deus e Rei.
> A Igreja, com salmos, deve clamar,
> Nenhuma porta pode mantê-la do lado de fora.
> Mas, acima de tudo, todo coração deve entoar
> A parte mais alta.
> Que o mundo inteiro, em cada canto, entoe
> Hinos a meu Deus e Rei.
>
> George Herbert

96.2,3

שִׁירוּ לַיהוָה בָּרֲכוּ שְׁמוֹ בַּשְּׂרוּ מִיּוֹם־לְיוֹם יְשׁוּעָתוֹ׃

סַפְּרוּ בַגּוֹיִם כְּבוֹדוֹ בְּכָל־הָעַמִּים נִפְלְאוֹתָיו׃

Cantai ao Senhor, bendizei o seu nome. Uma vez mais é lançado o convite para que se cante a Yahweh e se bendiga o seu *nome*, porquanto ele é digno, e seu nome representa tudo quanto ele é e faz pelos homens. Quanto ao *nome*, ver Sl 31.3, e quanto a *nome santo*, ver Sl 30.4 e 33.21. O nome do Senhor era tão poderoso que o simples fato de pronunciá-lo, *Yahweh*, era considerado dotado de efeitos e poderes especiais.

A sua salvação. Quanto a notas expositivas completas e referências sobre Yahweh como a nossa salvação, e sobre o conceito da salvação, ver Sl 62.2. Este salmo mostra que o nome do Senhor se tornara universal e merecia o respeito e a adoração de todos os homens de todos os lugares.

Este versículo torna-se messiânico, na opinião de alguns intérpretes, que veem aqui a pregação do evangelho cristão por todo o mundo. "Seu nome, Jesus, Emanuel, Mediador, Salvador... um mandamento dirigido a todos os ministros do evangelho, cujo trabalho é demonstrar a salvação de Cristo, apontando para ele como o Salvador" (John Gill, *in loc.*).

> Proclamai a todos os povos, línguas e nações,
> Que Deus, em quem eles vivem e se movem, é amor;
> Contai como ele se humilhou para salvar sua criação perdida,
> E como Jesus morreu na terra para que os homens pudessem viver.
>
> Mary A. Thomson

"Quantas maravilhas serão operadas por ele, quando aparecer pela segunda vez!" (John Gill, *in loc.*).

Ver o artigo detalhado do *Dicionário* chamado *Glória*.

96.4,5

כִּי גָדוֹל יְהוָה וּמְהֻלָּל מְאֹד נוֹרָא הוּא עַל־כָּל־אֱלֹהִים׃

כִּי כָּל־אֱלֹהֵי הָעַמִּים אֱלִילִים וַיהוָה שָׁמַיִם עָשָׂה׃

Porque grande é o Senhor e mui digno de ser louvado. Yahweh é *grande*, pelo que merece *louvores excelsos*. Ele deve ser temido acima de todos os *deuses*. Este salmo foi composto em um período no qual Israel já contava com um *monoteísmo* bem firmado (ver no *Dicionário*), de maneira que a referência aos *deuses* não pode significar deuses subordinados ou inferiores dos pagãos, como se realmente existissem. Ver Sl 82.1, onde dou um sumário dos possíveis significados da palavra *elohim*, quando ela não aponta para Elohim, o Deus de Israel. Ver também as notas expositivas em Sl 95.3. O termo "temível", usado aqui, antes da palavra "deuses", não significa que essas divindades fossem verdadeiras, conforme o vs. 5 passa a demonstrar. Os deuses dos pagãos eram meros *ídolos*, coisas vãs, sem poder algum, não tendo nenhuma vida, formados de materiais inanimados como pedra, madeira ou metal. Ver no *Dicionário* o termo *Idolatria*.

Essas não entidades nada mereciam da parte do homem, visto que eram mera ficção da mente humana. Paulo (ver 1Co 10.20) supunha que os *demônios* se escondessem por trás da adoração idólatra, e esses demônios eram reais; mas seres malignos estariam envolvidos na idolatria, conforme rezava uma antiga ideia dos hebreus. Este salmo, entretanto, não está tecendo nenhuma referência a tais coisas.

Ídolos. Literalmente, o original hebraico diz *elilim*, "nulidades", um jogo de palavras com a palavra *El* (Deus). Esse termo hebraico tem sido variegadamente traduzido como ídolos, vaidades, demônios e não entidades. Portanto, El torna-se um não el nas mãos dos pagãos, ou seja, um não deus.

Os Ídolos São Coisas Inúteis. Ver Sl 97.7; Is 40.25; 44.9-20,24. Em contraste, o verdadeiro Deus, Yahweh, o Criador de todas as coisas, agora as sustém (ver Cl 1.16,17). Além disso, ele é um Deus teísta, não deísta. Em outras palavras, Deus não somente criou todas as coisas, mas continua presente em seu mundo, intervindo, recompensando, punindo e exercendo providência tanto negativa quanto positiva. Ver no *Dicionário* sobre *Providência de Deus* e *Teísmo*, quanto a amplas explicações sobre esses dois assuntos. O ensino do *Deísmo* (também um dos verbetes do *Dicionário*) diz que, se algum poder criou as coisas que vemos, esse poder abandonou a sua criação ao governo das leis naturais. Ou seja, Deus seria indiferente diante de sua criação.

Sl 95.3-6 mostra que nos inclinamos diante de nosso Criador, o Deus universal, e não diante dos chamados deuses, que são apenas ídolos, e este salmo, de forma menos elaborada, repete o tema.

96.6

הוֹד־וְהָדָר לְפָנָיו עֹז וְתִפְאֶרֶת בְּמִקְדָּשׁוֹ׃

Glória e majestade estão diante dele. Os membros do seu séquito, ou seus arautos, são a *honra* e a *majestade*, ao passo que a *força* e a *beleza* são os arautos que habitam em seu santuário, onde ele manifesta a sua presença. Apolinário diz aqui: "Pureza e glória majestática adornam o seu santuário". "O universo inteiro exibe a majestade de Yahweh, mas principalmente o seu santuário em Israel, onde ela é tipificada pelo esplendor caríssimo do edifício e seus ritos" (Ellicott, *in loc.*). Parte do Salmo 96.1-13,35,36 foi incorporada ao louvor, quando Davi trouxe a arca para Jerusalém e ali a instalou. Ver 1Cr 16. Apoiados nessa circunstância, alguns fazem de Davi o autor do Salmo 96, mas isso não é base suficiente para tal conclusão.

"As palavras *força* e *beleza*, e também *glória* e *força* (vs. 7), são aquelas mediante as quais a arca é descrita. Ver Sl 78.61" (Adam Clarke, *in loc.*).

A Metáfora. Yahweh tem *arautos* e *auxiliares*, a saber, Honra, Majestade, Força, Beleza e Glória (vs. 7), que enchem tanto seu santuário celeste quanto o terreno, e esses auxiliares têm maior glória do que qualquer monarca terreno, por mais esplêndido que este possa parecer.

Uma Convocação à Terra Inteira (96.7-9)

96.7

הָבוּ לַיהוָה מִשְׁפְּחוֹת עַמִּים הָבוּ לַיהוָה כָּבוֹד וָעֹז׃

Tributai ao Senhor, ó família dos povos. O salmista acaba de demonstrar que Yahweh tem vários gloriosos atendentes, o que comento nas notas do vs. 6. Todas as nações foram convocadas para unir-se no hino e no louvor a Yahweh por causa de suas qualidades, prestando-lhe lealdade. As palavras "tributai ao Senhor glória e força" falam bem de Deus, quando os judeus vinham adorá-lo, reconhecendo a universalidade de seu poder e reinado, isto é, sua soberania (ver no *Dicionário*). Nos vss. 7-9, o poeta segue a essência das linhas de abertura do Salmo 29. As "famílias dos povos" faziam *peregrinações* para dar seu apoio ao culto do templo. Essas são declarações proféticas, e não meras esperanças idealistas. Cf. Is 40.25; 44.9-20,24 e cf. Sl 97.8. No Salmo 29, essas palavras são dirigidas aos anjos, mas, na adaptação do poeta, foram ditas às nações pagãs que agora abandonavam o seu paganismo. "Algum dia, todo joelho terá de prostrar-se (ver Fp 2.10) perante esse Senhor soberano, cuja santidade impõe profundo respeito" (Allen P. Ross, *in loc.*). Podemos ter certeza de que esse ato de prostração será salvador e restaurador, e não meramente forçado. Somente isso estará em consonância com o amor de Deus, conforme ele opera através do evangelho de Cristo. Cf. Ef 4.8-10, que certamente contém essa mensagem.

> De todos os lugares escuros das raças pagãs da terra,
> Oh, vede como as sombras espessas fogem!
> A voz da salvação
> Desperta cada nação.
> ...
>
> Com gritos, cânticos e ruído de júbilo,
> Seus braços de rebelião são derrubados.
> Finalmente, cada nação,
> O Senhor da salvação
> Eles coroarão, Rei e Redentor.
>
> Mary B. C. Slade

96.8

הָב֣וּ לַ֭יהוָה כְּב֣וֹד שְׁמ֑וֹ שְׂאֽוּ־מִ֝נְחָ֗ה וּבֹ֥אוּ לְחַצְרוֹתָֽיו׃

Tributai ao Senhor a glória devida ao seu nome. A *honra* devida ao nome de Yahweh se manifesta nos sacrifícios e ofertas que os homens trazem ao templo. Os homens louvam a glória de Deus e lhe prestam honra, através de seus atos e vida transformada. O culto do templo simbolizava o culto do coração devoto, e era um lugar apropriado para demonstrar publicamente o que já estava no coração. Foi assim que a esse louvor seguia a apresentação de ofertas que os sacerdotes punham sobre o altar, simbolizando o povo de Israel. Os cânticos continuavam sendo entoados, o povo continuava cantando, os instrumentos musicais continuavam tocando, as trombetas continuavam sendo sopradas, e as mulheres continuavam dançando. O terreno do templo, assim sendo, vibrava com um som jubiloso, terminando nos sacrifícios prescritos. Naturalmente, está em vista o segundo templo, o que se adapta à época em que este salmo foi composto. Este versículo tem sido cristianizado para referir-se ao sacrifício de todo o ser (Rm 12.1,2), e as oferendas e os sacrifícios secundários tornaram-se obsoletos e foram abandonados. "Trazei dádivas ao Soberano, como sinal de lealdade. Ver 2Sm 8.2; Sl 68.29; 72.10 e 76.11" (Fausset, *in loc.*).

96.9

הִשְׁתַּחֲו֣וּ לַ֭יהוָה בְּהַדְרַת־קֹ֑דֶשׁ חִ֥ילוּ מִ֝פָּנָ֗יו כָּל־הָאָֽרֶץ׃

Adorai ao Senhor na beleza da sua santidade. Yahweh estava em suas *vestes santas*, adornado pela santidade, e deveria ser adorado como esse tipo de Deus, em contraste com os *deuses* pagãos, a quem era atribuída toda espécie de perversão e violência. Além disso, ele é o Deus da *força*, e isso pode ser usado negativa ou positivamente, pelo que os homens tremem na presença dele. Homens bons chegam a ter o "temor do Senhor" (anotado no *Dicionário*, no verbete chamado *Temor*), e os ímpios continuam tremendo. Em vez de "tremer", alguns estudiosos preferem dizer "solicitai o seu favor", como correção do texto hebraico, conforme esse texto é conhecido hoje em dia. Cf. Sl 119.58; Zc 7.2; 8.21 e Ml 1.9. Alguns eruditos entendem a ideia de "vestes santas", oculta nas palavras "na beleza de sua santidade", como o santuário, caso em que estaria em pauta o templo, o lugar *apropriado* de adoração.

Tremei. Diz o hebraico, literalmente, "movei-vos diante de seu rosto", afetados por sua fisionomia, forçados a mudar.

Cf. Sl 29.2, cujas notas expositivas também se aplicam aqui. É dever dos homens temer ao Senhor, mas ninguém pode temê-lo corretamente sem o concurso de sua graça; e foi isso que Jesus trouxe, pelo que pode haver aqui um tom profético que se aplica tanto à nação restaurada de Israel como à obra da igreja. Além disso, há a beleza e a perfeição do evangelho, estampadas na face de Jesus Cristo. Portanto, o que foi dado no Antigo Testamento é expandido no Novo.

Ele mesmo resplandece em nossos corações, para iluminação do conhecimento da glória de Deus na face de Cristo.
2Coríntios 4.6

Aclamada a Realeza de Yahweh (96.10-13)

96.10

אִמְר֤וּ בַגּוֹיִ֨ם ׀ יְה֘וָ֤ה מָלָ֗ךְ אַף־תִּכּ֣וֹן תֵּ֭בֵל בַּל־תִּמּ֑וֹט יָדִ֥ין עַ֝מִּ֗ים בְּמֵישָׁרִֽים׃

Dizei entre as nações: Reina o Senhor. A palavra de que Yahweh governava legitimamente tinha-se espalhado por todas as nações; e, quando ele reina, ele estabelece o mundo inteiro e o torna inabalável, porquanto se tornou seu reinado universal. Seu reino não pode ser abalado por adversidade alguma. Não está em vista o mundo físico, embora possa ter sido aludido. E se o próprio *mundo* não pode ser abalado, nem a *ordem mundial* de Yahweh poderá sê-lo. A palavra hebraica aqui usada, traduzida como *nações*, é *tebel*, que significa "mundo habitado". Este versículo tem sido cristianizado para fazer desse mundo o mundo cristão, mas não é isso o que está em pauta aqui. "Quando o Senhor voltar para julgar e reinar sobre a terra, seu reinado será finalmente estabelecido (cf. Sl 92.1) com justiça" (Allen P. Ross, *in loc.*). Cf. Sl 75.3 e Is 24.5. "A paz tomará conta universal do presente estado de desordem (ver Is 2.4)" (Fausset, *in loc.*). Alguns estudiosos pensam estar em vista aqui o futuro distante, depois que os mundos físicos tiverem sido removidos (ver 2Pe 3.10,11), mas o poeta não vislumbrava um futuro tão distante.

96.11

יִשְׂמְח֣וּ הַ֭שָּׁמַיִם וְתָגֵ֣ל הָאָ֑רֶץ יִֽרְעַ֥ם הַ֝יָּ֗ם וּמְלֹאֽוֹ׃

Alegrem-se os céus, e a terra exulte. Os céus aliam-se ao alegre hino da entronização, e os mares rugem com seu próprio ruído, aprovando o cântico universal. Essas expressões poéticas falam novamente da aclamação universal do reino de Yahweh. Não se ouve uma única voz contrária. "A ordem inteira do mundo criado é convocada para aclamar ao Senhor com cânticos jubilosos, visto que através dele o mundo foi criado e estabelecido. Até o próprio *mar*, remanescente do *caos*, 'fechado com uma porta' (cf. Jó 38.8), foi ordenado a rugir os seus louvores" (William R. Taylor, *in loc.*). O mar ruge, e os homens temem. O mar fala do caos e de uma repentina destruição, mas aqui temos um rugido de alegria. As ilhas do mar ouvem aquele som alegre e reúnem-se nos cânticos. Uma *alegria universal* é a mensagem, e essa alegria proclama a retidão do Rei, que acaba de se apossar de seu trono. Ordem, harmonia e bem-estar resultaram desse ato. Este versículo tem sido cristianizado para fomentar o sentido colimado, do ponto de vista profético, quando o reino de Cristo apaziguar o conflito universal.

96.12

יַעֲלֹ֣ז שָׂ֭דַי וְכָל־אֲשֶׁר־בּ֑וֹ אָ֥ז יְ֝רַנְּנ֗וּ כָּל־עֲצֵי־יָֽעַר׃

Folgue o campo e tudo o que nele há. No versículo anterior, vemos o *mar* rugindo louvores, e agora os campos e as árvores dos bosques começam a cantar ao Senhor. A natureza *inanimada* torna-se assim animada para poder louvar o Rei universal que criou todas as coisas. Ademais, a natureza da *vida inferior* também toma parte do coro dos *cantores da natureza*. É com figuras assim poéticas que o autor universalizou seus louvores, pois todas as coisas, em todos os lugares, são vistas sob o controle do Rei Jeová.

Seu louvor, vós, ventos que sopram das quatro direções,
Soprai suave ou com força, e sacudi os topos dos pinheiros,
Com todas as plantas saudai com vossa adoração.
Milton

"A terra contrasta com os céus... o *campo* contrasta com os *bosques*. O mundo físico expressará, inconscientemente, uma alegre simpatia com o mundo moral, pois ambos terão sido livrados 'da servidão da corrupção' (Rm 8.21,23; 2Pe 3.13; Is 44.23; 45.12,13)" (Fausset, *in loc.*).

96.13

לִפְנֵ֤י יְהוָ֨ה ׀ כִּ֬י בָ֗א כִּ֥י בָא֮ לִשְׁפֹּ֪ט הָ֫אָ֥רֶץ יִשְׁפֹּֽט־תֵּבֵ֥ל בְּצֶ֑דֶק וְ֝עַמִּ֗ים בֶּאֱמוּנָתֽוֹ׃

Na presença do Senhor. *Os cânticos de alegre louvor* (vs. 12) seriam feitos *na presença do Senhor*, o qual está nos céus ouvindo e observando, ou em seu templo, onde manifesta a sua presença. Ele avança na direção da terra, a fim de julgar com justiça, quando então cada indivíduo receberá segundo o seu tipo de vida. E a sua *verdade*, tal como aparece em sua Lei, será o padrão de julgamento. Ver Sl 1.2, quanto a um sumário do que a lei significava para Israel. "Cada festividade do Ano Novo relembrava Israel que a ideia do reinado do Senhor não era nenhuma relíquia do passado, nem uma esperança transferida exclusivamente para o futuro, mas, antes, era uma *realidade presente*. O Senhor veio para governar de novo em poder, a cada Novo Ano" (William R. Taylor, *in loc.*).

"Note o leitor a notável repetição, a expressão natural da alegria" (Ellicott, *in loc.*).

A *falsidade* tem prevalecido na terra, mas a *verdade* escreverá o último capítulo. O governo humano, tão deficiente, mesmo quando honesto (o que raramente acontece), será substituído pelo governo integral e justo de Yahweh (ver At 17.31).

A Eficácia dos Cânticos. "Dai-me compor os cânticos de uma nação, e não me importarei com quem fará as leis" (Andrew Fletcher). E eu poderia mui apropriadamente acrescentar: "Deixai-me compor os hinos da Igreja, e não me importarei com quem escreva sua teologia. As leis e a teologia são muito importantes, porém ineficazes, a menos que acendam a imaginação. E, no ato de cantar, se tudo for bem e sabiamente feito, a imaginação é acesa. Porventura já houve algum reavivamento religioso que não se tenha expressado sob a forma de cânticos?... A música secular é importante, mas estamos tratando com algo mais central ainda, quando se trata de cânticos espirituais" (J. R. P. Sclater, *in loc.*).

SALMO NOVENTA E SETE

Quanto a *informações gerais* que se aplicam a todos os salmos, ver a introdução ao Salmo 4, onde apresento *sete* comentários que elucidam a natureza do livro.

Quanto às *classes* dos salmos, ver o gráfico no início do comentário, que atua como uma espécie de frontispício da coletânea. Apresento ali dezessete classes e listo os salmos pertencentes a cada uma delas.

Este é um *hino* que celebra a realeza de Deus. Os Salmos 93 e 95 a 99 constituem uma pequena coletânea de hinos parecidos uns com os outros, que tratam do governo de Deus sobre Israel. Ao que tudo indica, foram compostos para serem usados em conexão com uma ou mais festas, principalmente a festividade do Ano Novo, quando Yahweh era entronizado (anualmente), em cerimônias especiais, que compunham a parte central da celebração. O Salmo 47 é intimamente aparentado desse grupo. Esses salmos enfatizam a *universalidade* do reinado de Yahweh sobre os céus e a terra e sobre todas as criaturas vivas.

No atual salmo *do Rei*, encontramos referências aos seguintes pontos: 1. Yahweh como Rei (vs. 1). 2. Seu trono (vs. 2). 3. A obediência devida a Yahweh, por parte de todos os deuses (vss. 7 e 9).

A maior parte desses versículos depende de outros salmos, mas a composição tem uma graça especial em si mesma, pelo que é uma digna adição aos salmos reais. Este salmo parece parcialmente escatológico. Aponta para o fim da presente dispensação, mas o autor não esquece o reino de Deus no que tange à alma dos homens. "Para ele, o ponto principal é o esplendor interior, a vantagem espiritual e religiosa a ser cumprida quando da segunda vinda do Senhor, que dará a vitória sobre todos os competidores e produzirá o triunfo do verdadeiro conhecimento de Deus, e, acima de tudo, a vitória da retidão" (Kittel, em seu *Die Psalmen*, pág. 317).

Subtítulo. O Salmo 97 é um dos 34 salmos sem subtítulo. Ver sobre essa circunstância na introdução ao Salmo 91, na seção *Subtítulo.*

O SENHOR ESTÁ EM SEU TRONO (97.1-5)

■ **97.1**

יְהוָה מָלָךְ תָּגֵל הָאָרֶץ יִשְׂמְחוּ אִיִּים רַבִּים:

Reina o Senhor. Regozije-se a terra. De fato, mesmo como uma cerimônia religiosa, Yahweh reinava a cada novo ano, por ocasião da festa do Ano Novo, quando era cerimonialmente entronizado. Nessa festa fazia-se menção aos seguintes pontos: seu reinado era reconhecido; havia uma dedicação encorajada da nação a Deus, como Soberano; cada indivíduo da nação de Israel era encorajado a dedicar-se a ele e à sua lei universal. Yahweh como Soberano significa que ele era o grande Benfeitor, formando essas duas qualidades uma combinação divina, em contraste com os soberanos terrenos, usualmente ímpios que buscam apenas os próprios interesses.

Poder Universal. Típico dos salmos de entronização do Rei (Salmos 47, 93 e 95 a 99), o tema deste salmo é o reino universal e o poder de Yahweh, parte típica do pensamento dos hebreus posteriores. Por conseguinte, a *terra* deve regozijar-se diante do reino benéfico e universal de Deus, como devem regozijar-se todas as *terras costeiras* (*Revised Standard Version*) ou as numerosas *ilhas* (nossa versão portuguesa). Ver Sl 72.10; ali, a *Revised Standard Version* também escolheu a palavra *ilhas* como tradução.

O poeta sagrado recebeu uma visão da vinda do Senhor, a qual confirmava a ideia que ele fazia da realeza do Senhor, e passou a fomentar essa ideia. Portanto, o salmista ensinou com base nesse ponto de vista, tornando este um salmo didático. As lições morais transparecem em meio a essa descrição, e a santidade é recomendada, visto que Yahweh julgará em retidão. Quanto à declaração de que *o Senhor reina*, ver Sl 47.8; 93.1; 96.10; 99.1 e 146.10.

"Um largo olhar para as regiões ocidentais, que abrangesse as ilhas e costas do mar Mediterrâneo (ver Sl 72.10)... é característica da literatura dos tempos pós-exílicos. Cf. Is 42.10,11; 51.15" (Ellicott, *in loc.*). À medida que os conhecimentos geográficos de Israel se expandiram, também cresceu a teologia deles quanto ao governo de Yahweh. O conceito da providência divina, em seus aspectos negativo e positivo, cresceu juntamente com o restante. Então a profecia viu um *reinado ainda mais amplo*, e o evangelho cristão espalhou a mensagem a lugares nunca antes ouvidos pelos hebreus.

■ **97.2**

עָנָן וַעֲרָפֶל סְבִיבָיו צֶדֶק וּמִשְׁפָּט מְכוֹן כִּסְאוֹ:

Nuvens e escuridão o rodeiam. Essas nuvens e essa escuridão *místicas* mostram que Yahweh é infinito e incompreensível, e seus pensamentos não podem ser sondados, pois ele é o Ser transcendental. Ver no *Dicionário* o artigo chamado *Transcendência*.

Ó profundidade da riqueza, tanto da sabedoria, como do conhecimento de Deus! Quão insondáveis são os seus juízos e quão inescrutáveis os seus caminhos.

Romanos 11.33

Cf. essas figuras de linguagem com Sl 18.10-12. O quadro simbólico, é claro, foi tomado por empréstimo da teofania no Sinai (ver Êx 19.9,16; 20.21; Dt 4.11; 5.22,23. Cf. Sl 50.1-3).

A base do seu trono. Literalmente, as *colunas do seu trono*. O trono de Deus é retratado apoiado sobre colunas, tal como os hebreus pensavam que a própria terra repousasse sobre colunas que se aprofundavam terra adentro, sobre alguma coisa que ninguém podia entender. Cf. Sl 89.14. As nuvens nos fazem lembrar a ira divina e as misteriosas manifestações divinas que confundem e fazem os homens estremecer de medo. "Em seu sentido mais pleno, essas figuras descrevem a vinda do Senhor para reinar sobre a terra" (Allen P. Ross, *in loc.*), como o desconhecido e temível ser que emerge de seu lugar de esconderijo para manifestar-se visivelmente diante dos homens.

Quanto aos fundamentos (colunas) do trono de Deus, cf. Sl 82.1-8 e 89.14. Quando o transcendental se torna imanente, isso é algo terrível.

■ **97.3**

אֵשׁ לְפָנָיו תֵּלֵךְ וּתְלַהֵט סָבִיב צָרָיו:

Adiante dele vai um fogo. Constantemente o fogo é pintado como parte integrante das teofanias (ver Sl 50.3; Êx 3.20; 13.21; 19.18; Dt 1.33; 4.11). Esse fogo consiste em chamas consumidoras, uma manifestação da ira que requer os adversários de Yahweh e assim prepara o caminho para o seu reinado universal. Wellhausen emenda "inimigos" para "chamas em redor de seus passos", fomentando a imaginação e eliminando a ideia de destruição. Seja como for, está em pauta o aspecto tremendo das manifestações de Deus, algo típico dos livros escatológicos da Bíblia, conforme vemos nos livros de Daniel e Apocalipse. "A tremenda escuridão começa a lampejar pelo *lado de dentro*, mediante um fogo ardente e grandes coriscos de relâmpagos" (Elmer A. Leslie, *in loc.*). "A glória de Deus é encobrir as cousas, mas a glória dos reis é esquadrinhá-las" (Pv 25.2).

Nas trevas e na nuvem,
Sobre os picos antigos do Sinai,
Ele apareceu, enquanto Israel fazia deuses de ouro,
Embora as trombetas continuassem tocando tão alto.

Tennyson

Cf. Sl 1.3; 18.8 e Hc 3.4,5. Dn 7.9,10 "representa o Juiz soberano como quem estivesse em um trono feito de chamas de fogo, como se as rodas de sua carruagem fossem um fogo requeimante, e uma corrente de fogo saísse dessa carruagem e chegasse até defronte do profeta. Cf. 2Ts 1.8 e 2Pe 3.7,10,11. O fogo tem seu pioneiro que destrói todos os empecilhos do caminho e abre para ele uma passagem desimpedida" (Adam Clarke, *in loc.*). Este versículo tem sido cristianizado para referir-se à volta do Senhor Jesus no fim de nossa era, bem como ao evangelho, como um fogo que saiu pelo mundo para preparar-lhe o caminho.

■ 97.4

הֵאִירוּ בְרָקָיו תֵּבֵל רָאֲתָה וַתָּחֵל הָאָרֶץ׃

Os seus relâmpagos alumiam o mundo. *Relâmpagos divinos* iluminam o mundo inteiro e a terra toda inicia um tremor incontrolável. A terra é aqui personalizada, como se representasse um ser sensível. A terra vê a terrível majestade de Deus e treme de medo. Cf. Sl 77.17,18. Ver a figura da terra a tremer, em Sl 77.16. Ver também Ap 11.19 e 16.15, quanto a algo semelhante nas páginas do Novo Testamento.

> Deus se move de maneiras misteriosas,
> Para realizar suas maravilhas;
> Ele implanta seus passos no mar,
> E cavalga sobre a tempestade.
>
> William Cowper

■ 97.5

הָרִים כַּדּוֹנַג נָמַסּוּ מִלִּפְנֵי יְהוָה מִלִּפְנֵי אֲדוֹן כָּל־הָאָרֶץ׃

Derretem-se como cera os montes. As *colinas eternas*, símbolos da estabilidade e do caráter perene da terra (ver Sl 76.4 e 90.2), derretem-se diante da manifestação de fogo do Ser divino. Cf. Na 1.5 e Jz 5.5. Esse tremendo poder nos convence de que estamos tratando aqui com o Senhor de toda a terra, pelo que a sua soberania universal é enfatizada, um tema constante dos salmos de entronização (Salmos 47; 93 e 95 a 99). Ver no *Dicionário* o verbete chamado *Soberania*. A expressão "Senhor de toda a terra" provavelmente foi tomada por empréstimo de Js 3.11-13. Cf. Gn 18.25; Mq 14.13; Zc 4.10 e 6.5. O Deus Yahweh, que tinha começado como um Deus tribal, avançou até conquistar a terra inteira. A universalidade de Yahweh tornou-se um tema comum no judaísmo posterior. Como muitas outras doutrinas, esta também passou por uma evolução. Talvez devamos ver algum simbolismo em figuras como esta: "As colinas simbolizam as alturas do egoísmo e do orgulho intelectual, das riquezas e do poder dos homens. Diante da presença divina tudo se derrete" (Fausset, *in loc.*).

> Envia tua verdade, ó Deus,
> Por tempo demasiado as sombras têm ameaçado,
> Por tempo demasiado temos caminhado
>   pelo caminho obscurecido,
>   tua verdade, ó Senhor, envia-a.
>
> Edward R. Siff

O SENHOR É EXALTADO SOBRE TODOS (97.6-9)

■ 97.6

הִגִּידוּ הַשָּׁמַיִם צִדְקוֹ וְרָאוּ כָל־הָעַמִּים כְּבוֹדוֹ׃

Os céus anunciam a sua justiça. Os céus e a terra unem-se para declarar a *justiça* e a *glória* do Yahweh universal, cujas temíveis manifestações prepararam o caminho de seu retorno à terra como se fossem seus arautos. A *glória* foi vista de maneira notável, e assim os habitantes de toda a terra viram a sua majestade. "Honra e majestade estão diante dele como atendentes inseparáveis" (Fausset, *in loc.*). "Seu aparecimento, para estabelecer a retidão na terra, será anunciado sobre a terra" (Allen P. Ross, *in loc.*).

"A glória de sua justiça, na punição de seus inimigos; os relâmpagos e a trovoada nos céus; os sinais de sua ira e os seus instrumentos; a sua ira revelada do céu (ver Rm 1.18); ou os habitantes do céu, seus instrumentos, os anjos do céu (no dizer de Aben Ezra); os verdadeiros ministros do evangelho, que são os anjos de Cristo... a retidão do Cristo, revelada no evangelho de fé em fé; a glória de seu poder e a graça de sua salvação; a glória de Deus na face de Cristo (ver 2Co 4.6); a glória do próprio Cristo, a sua honra coroada no céu; a glória de seu povo, escolhido e remido. Ver Is 60.5,6" (John Gill, *in loc.*).

■ 97.7

יֵבֹשׁוּ כָּל־עֹבְדֵי פֶסֶל הַמִּתְהַלְלִים בָּאֱלִילִים הִשְׁתַּחֲווּ־לוֹ כָּל־אֱלֹהִים׃

Sejam confundidos todos os que servem imagens de escultura. Em contraste com a realeza universal e a glória de Yahweh, o poeta sagrado agora condenava os substitutos insensatos, como a idolatria, aos quais os pagãos continuavam aferrados. As *imagens de escultura* são, uma vez mais, equiparadas aos *deuses*, conforme se vê em Sl 96.4,5, onde há notas expositivas completas, incluindo os *deuses* mencionados na teologia dos hebreus, com referência a Sl 82.1. Neste ponto, o salmista usa uma linguagem convencional, *como se* os deuses fossem seres reais e pudessem homenagear a Yahweh. Mas ele não estava ferindo o monoteísmo, algo totalmente contrário à teologia do judaísmo posterior, de cujo ponto de vista ele escrevia. Ver no *Dicionário* os artigos denominados *Monoteísmo* e *Idolatria*. Os ídolos eram feitos de madeira, pedra ou metal, ou formados como metais fundidos. Destituídos de vida e mentalidade, eram, no entanto, adorados pelos pagãos. Alguns intérpretes separam a menção aos ídolos da menção aos deuses, e transformam-nos em hostes celestiais, de qualquer tipo que possam ter sido, mas provavelmente concebidos como se fossem *anjos*. Mas não temos aqui um retorno à ideia de Sl 82.1, que reflete as antigas especulações dos hebreus sobre os poderes divinos. Aben Ezra, a Septuaginta, a Vulgata Latina e o siríaco pensam que os *deuses*, no caso presente, são os *anjos*. Seja como for, a universalidade do poder de Yahweh, nos céus e na terra, é enfatizada.

Cristianizando o versículo, somos relembrados de que a *idolatria* não é meramente a adoração a imagens. "Qualquer coisa que interfira entre a alma e Deus é uma manifestação da idolatria e deve ser repelida". Portanto, caros leitores, isso transforma todos nós em idólatras! Minha citação aqui, é de H. F. B. Compston, em seu artigo intitulado *Idolatria*, no *Dicionário da Bíblia*, de Hartings.

Talvez Hb 1.6 esteja baseado neste versículo. Nesse caso, os deuses devem mesmo ser compreendidos como anjos.

■ 97.8

שָׁמְעָה וַתִּשְׂמַח צִיּוֹן וַתָּגֵלְנָה בְּנוֹת יְהוּדָה לְמַעַן מִשְׁפָּטֶיךָ יְהוָה׃

Sião ouve e se alegra. Este versículo é um paralelo bem próximo de Sl 48.11. *Sião* é o lugar da manifestação da presença de Deus, o lugar de seu templo e culto divino, ou seja, a capital da adoração sagrada.

As "filhas de Judá" são as aldeias de Judá. Cf. Nm 21.25; Js 15.45; Jr 49.2. A "justiça de Deus" consiste no fato de que ele vindica a si mesmo, bem como ao povo de Israel, dentro dos eventos históricos. É possível que algum acontecimento recente e poderoso tenha inspirado esses comentários. Está em vista a derrubada da idolatria e do poder dos povos pagãos, conforme demonstra o versículo seguinte. "Toda a terra de Israel, desde há muito desolada, ouvirá os julgamentos que Deus declarou contra os inimigos de seu povo" (Adam Clarke, *in loc.*). Cf. Ap 19.1,2.

■ 97.9

כִּי־אַתָּה יְהוָה עֶלְיוֹן עַל־כָּל־הָאָרֶץ מְאֹד נַעֲלֵיתָ עַל־כָּל־אֱלֹהִים׃

Pois tu, Senhor, és o Altíssimo sobre toda a terra. Yahweh é *o Senhor exaltado*, e a sua posição está acima da terra, onde aqueles falsos deuses eram adorados. É por isso que, em seu juízo (vs. 8), os deuses são rebaixados e Israel se regozija por causa da *vindicação* da honra de Yahweh. Cf. Sl 83.18 e 47.2-10, que correspondem à primeira e à segunda parte deste versículo, respectivamente. Ver no *Dicionário* o artigo chamado *Altíssimo*, e ver também Sl 7.17. "... exaltado não somente sobre os ídolos destituídos de vida, mas também sobre os anjos do céu. Ele estava à mão direita de Deus, onde não existem, nunca existiram nem existirão anjos, autoridades ou qualquer outro poder. Estão todos sujeitos a ele (ver Hb 1.13; 1Pe 3.22)" (John Gill, *in loc.*).

A companhia dos anjos te está louvando lá no alto,
E os homens mortais, e todas as coisas criadas, dão sua resposta.
Toda a glória, louvor e honra, a ti, Rei Remidor,
A quem os lábios das crianças bradam doces hosanas de louvor.

Theodulfo de Orleãs

CONSOLAÇÃO PARA OS JUSTOS (97.10-12)

■ 97.10

אֹהֲבֵי יְהוָה שִׂנְאוּ רָע שֹׁמֵר נַפְשׁוֹת חֲסִידָיו מִיַּד
רְשָׁעִים יַצִּילֵם׃

Vós, que amais o Senhor, detestai o mal. Aqueles que obedecem ao primeiro e maior dos mandamentos (Dt 6.5) ansiarão por odiar todos os males prejudiciais que lhe furtam a glória. Ele é o preservador da vida de seus santos, dos que se santificam porque Deus é santo (ver Lv 11.44). Quanto aos indivíduos espirituais do Antigo Testamento chamados *santos*, ver Sl 16.3; 30.4; 31.23; 34.9; 37.28; 79.2; 89.5; 97.10; 116.15; 145.10; 148.14 e 149.1,5,9.

O original hebraico diz aqui, uma vez emendado: "O Senhor ama aos que odeiam o mal". Esse teste prático da verdadeira religião nunca se tornará obsoleto. O amor a Deus implica no ódio a tudo quanto *ele* odeia. Um autor pagão expressou isso de maneira notável:

"Amar e odiar, dizem eles, originam-se da mesma fonte informativa. Isso deveria ser mais bem conhecido por ti. Meu negócio é odiar os maus e amar e elogiar os bons. E a essa regra me apegarei" (*Diálogos de Luciano com a Filosofia,* personalizada).

Aqueles que cumprem essa condição são preservados pelo Senhor da retidão, pelo que os ímpios não podem prejudicá-los com seus atos maus. "Ele *os ama* e *preserva*, guardando-os de todos os males" (Adam Clarke, *in loc.*). Cf. Sl 34.13,14; Rm 12.9 e 2Tm 2.19. "Por serem fiéis, eles serão libertados dos ímpios" (Allen P. Ross, *in loc.*). Kimchi refere esse livramento à volta de Judá do cativeiro babilônico, o que é uma boa *aplicação* histórica.

■ 97.11

אוֹר זָרֻעַ לַצַּדִּיק וּלְיִשְׁרֵי־לֵב שִׂמְחָה׃

A luz difunde-se para o justo. Um novo dia raiará, trazendo luz para os justos. Essa luz conferirá *alegria* aos retos de coração. Ver no *Dicionário* os verbetes intitulados *Luz* e *Alegria*. O original hebraico diz aqui, literalmente, "a luz é espalhada", o que combina mais com a metáfora da *semeadura,* retida por alguns intérpretes. Mas isso dificilmente faz bom sentido. Não obstante, Milton preservou essa símile improvável:

Agora, manhã, avançando com seus passos róseos no clima oriental, e semeando a terra com pérolas orientais.

Somos levados aqui a pensar em uma *colheita* resultante da semeadura e do cultivo: uma má colheita para os ímpios (vs. 7), mas uma boa colheita para os justos. O sol, naturalmente, faz a semente semeada brotar e prosperar, pois sem os raios do sol não poderia haver vida biológica. Seja como for, o sol traz prosperidade espiritual para o novo dia, e é precisamente isso o que o autor sagrado procurava comunicar.

Oh! dia de descanso e alegria,
Oh! dia de alegria e de luz,
Oh! bálsamo para as preocupações e as tristezas,
Belíssimo e brilhantíssimo.

Christopher Wordsworth

"A luz é semeada para os retos neste mundo, e eles colherão luz e alegria no tempo vindouro, nos dias do Messias" (Kimchi).

■ 97.12

שִׂמְחוּ צַדִּיקִים בַּיהוָה וְהוֹדוּ לְזֵכֶר קָדְשׁוֹ׃

Alegrai-vos no Senhor, ó justos. Os *homens bons* têm toda a razão para se regozijarem ao raiar do novo dia, porque esse dia lhes trará vastos benefícios. O regozijo é *em Yahweh,* por ser ele a fonte e o preservador de tudo. Portanto, só podemos dar graças ao seu santo nome. Quanto a *nome santo,* ver Sl 30.4 e 33.21, e, quanto ao poderoso *nome* de Yahweh, acerca do qual até a mera pronúncia realizava milagres, ver Sl 31.3. Cf. Sl 30.4, que é praticamente igual a este versículo.

Sereis santos, porque eu sou santo.

Levítico 11.44

"Os falsos crentes odeiam a doutrina da santidade. Eles se dispõem a permitir que outras pessoas se santifiquem, mas não anelam por obter a santidade eles mesmos. Há por demais autonegação e carregar da cruz nesse esforço. Eles não se esforçam por conseguir um coração perfeito" (Adam Clarke, *in loc.*).

Quando crentes verdadeiramente espirituais *lembram* a santidade de Deus, *agradecem ao Senhor,* pois ele é o modelo de toda a vida moral. E, ao seguir esse modelo, eles são transformados e chegam a compartilhar uma abundante vida espiritual. Sobre bases cristãs, é dito que esses crentes chegam a compartilhar a imagem de Cristo e a natureza divina (ver Rm 8.29 e 2Pe 1.4). Ao assim dizer, estaremos descrevendo a *salvação* (ver a respeito no *Dicionário*). Ver também *Transformação segundo a Imagem de Cristo,* na *Enciclopédia de Bíblia, Teologia e Filosofia.*

SALMO NOVENTA E OITO

Quanto a *informações gerais* que se aplicam a todos os salmos, ver a introdução ao Salmo 4, onde apresento *sete* comentários que elucidam a natureza do livro.

Quanto às *classes* dos salmos, ver o gráfico no início do comentário, que atua como uma espécie de frontispício da coletânea. Ofereço ali dezessete classes e listo os salmos pertencentes a cada uma delas.

Este é um *hino* que celebra a realeza de Yahweh na face da terra. A referência é ao *futuro,* pois este salmo tem natureza profética. Cf. Sl 46; 47; 48.4-8 e 76.3. Os Salmos 93 e 95 a 99 constituem uma pequena coletânea de salmos de entronização de Yahweh, que provavelmente eram usados na festividade do Ano Novo, quando se celebrava anualmente a cerimônia de entronização. Isso servia para alertar a nação de sua responsabilidade para com seu Deus e Rei, como fiéis súditos. Um tema principal que percorre esses salmos é o senhorio *universal* e realeza do Deus de Israel, um tópico importante no judaísmo posterior. Alguns eruditos supõem que o decreto de Ciro, que permitiu a Judá retornar à Terra Prometida, terminado o cativeiro babilônico, tenha sido o evento que inspirou o hino. Os vss. 4-6 mostram que este salmo tinha por finalidade ser usado no culto do templo. Alguns lhe dão uma interpretação *escatológica,* supondo estar em pauta alguma vinda distante do Senhor, e não meramente o retorno de Israel depois do exílio na Babilônia. Ver os vss. 7-9. Talvez esse retorno se tornasse símbolo do evento maior, que ainda jaz no futuro. Dentro da liturgia cristã, este salmo se posta como alternativa para o *Magnificat* nas orações vespertinas, do *Livro Inglês de Oração Comum.*

Subtítulo. O subtítulo aqui é, simplesmente, "Salmo", sem nenhuma elaboração concernente ao possível autor ou às circunstâncias que podem ter inspirado a composição. Foram editores posteriores que inventaram os subtítulos. Eles não fazem parte das composições originais e não têm nenhuma autoridade canônica.

LOUVANDO A VINDICAÇÃO DE DEUS (98.1-3)

■ 98.1

מִזְמוֹר שִׁירוּ לַיהוָה שִׁיר חָדָשׁ כִּי־נִפְלָאוֹת עָשָׂה
הוֹשִׁיעָה־לּוֹ יְמִינוֹ וּזְרוֹעַ קָדְשׁוֹ׃

Cantai ao Senhor um cântico novo. Cf. o novo cântico deste hino com a mesma coisa dita em Sl 33.3 e 96.1. "Novo", neste caso, não significa algo absolutamente novo, e, sim, algo esplêndido, digno de atenção. Refazer um antigo tema, com certo embelezamento, daria ao tema o verniz de algo novo. As *obras maravilhosas* (ver Sl 96.3) de sua mão direita formam um tema comum. Talvez esteja em mira especificamente o decreto de Ciro (inspirado por Deus), que permitiu a Judá voltar à Terra Prometida após o cativeiro babilônico. Neste caso, a *vitória* assim mencionada é a mesma coisa. O poder por trás desse acontecimento foi a *mão direita* de Yahweh (ver Sl 20.6) e o seu braço (ver Sl 77.15 e 89.10). Deus é visto aqui como a causa de tudo o que os homens fazem. A vitória foi a *salvação* de Israel, que é como a mesma palavra hebraica é traduzida por alguns no vs. 2. Há cerca de 260 referências na Bíblia à ação da mão (ou mão direita) de Deus, que mostra com quanta frequência Deus intervém nos negócios humanos. Ver no *Dicionário* o verbete intitulado *Teísmo*, que fala de um Criador que constantemente aplica a este mundo sua providência negativa e positiva. Ver no *Dicionário* o artigo chamado *Providência de Deus*.

Alguns estudiosos fazem com que a coisa nova aqui mencionada, que inspirou o novo cântico, seja a volta do Senhor à terra, como vitorioso Salvador e Senhor; mas isso é cristianizar o salmo, o que pode ou não ter sido o intuito *profético*.

■ 98.2

הוֹדִיעַ יְהוָה יְשׁוּעָתוֹ לְעֵינֵי הַגּוֹיִם גִּלָּה צִדְקָתוֹ׃

O Senhor fez notória a sua salvação. A *vitória* (vs. 1) do Senhor é a sua *salvação* (vs. 2); a mesma palavra hebraica foi traduzida para conseguir os dois sentidos. Quanto à *salvação* e ao *Deus da salvação*, ver Sl 62.2, onde ofereço notas expositivas e referências. Talvez tenhamos aqui a volta de Judá do cativeiro babilônico como a salvação especial do Senhor. Ver Sl 74.12, quanto a ideias adicionais.

> O maior tema entoado através dos séculos;
> É o maior tema para uma língua mortal;
> O maior tema que o mundo jamais entoou:
> Nosso Deus é capaz de libertar-te.
>
> William A. Ogden

A *vitória* foi uma demonstração franca, na presença dos pagãos, de como Judá, servo de Yahweh, foi livrado ou *vindicado* (*Revised Standard Version*) pela *justiça* divina (versão portuguesa). Os babilônios tinham agido por meio de miseráveis atos de crueldade e injustiça. Mas Yahweh reverteu o curso da maré maligna e anulou o mal praticado pelos invasores pagãos. Quanto à aplicação teológica neotestamentária dessas palavras, ver Rm 3.25,26.

Este versículo tem sido cristianizado para falar da salvação evangélica em favor de todos os povos. Ver no *Dicionário* o artigo chamado *Salvação*.

■ 98.3

זָכַר חַסְדּוֹ וֶאֱמוּנָתוֹ לְבֵית יִשְׂרָאֵל רָאוּ כָל־אַפְסֵי־אָרֶץ אֵת יְשׁוּעַת אֱלֹהֵינוּ׃

Lembrou-se da sua misericórdia e da sua fidelidade. Judá estava exilada naquele cativeiro miserável. A maior parte dos judaítas tinha sido aniquilada e não podia mais ir a lugar algum, exceto para o sepulcro. Os poucos sobreviventes foram levados para a Babilônia, onde passaram setenta longos anos de perseguições e maus tratos. Então Deus levantou Ciro, cujo decreto pôs em liberdade os cativos. Por trás dessa ocorrência estava o *amor constante* de Deus, e esse mesmo fator estava por trás da missão de Cristo em favor de todos os povos (ver Jo 3.16). Cf. Lc 1.54,55,72.

> *Celebrarei as benignidades do Senhor e os seus atos gloriosos, segundo tudo o que o Senhor nos concedeu, e a grande bondade que usou para com a casa de Israel segundo as suas misericórdias e segundo a multidão de suas benignidades.*
>
> Isaías 63.7

Sua fidelidade. Esta palavra, por muitas vezes, acompanha a ideia do *amor constante* de Deus. Ver Sl 89.1,3,33 e 49, onde tais palavras aparecem juntas em um único salmo. Deus se mostrava fiel às promessas da aliança firmada com Abraão. Ver sobre *pacto abraâmico* em Gn 15.28, e ver também sobre *pacto davídico*, em 2Sm 7.4. As promessas feitas pelo Senhor precisavam ser cumpridas, e Judá tinha de continuar representando a nação de Israel, após o cativeiro babilônico.

"Deus cumpriu fielmente tudo quanto havia prometido. Então tudo teve cumprimento na dispensação do evangelho" (Adam Clarke, *in loc.*).

"Essa qualidade de bondade não é atribuída somente a Deus, mas é elogiada como uma das maiores virtudes humanas. Eruditos como T. H. Robinson asseguram-nos que o cultivo da misericórdia e da benignidade no coração humano é a mais alta exigência da moralidade profética" (J. R. P. Sclater, *in loc.*). Ver no *Dicionário* o artigo intitulado *Amor*, quanto a notas expositivas detalhadas e poesias ilustrativas.

O LOUVOR UNIVERSAL A YAHWEH (98.4-6)

■ 98.4

הָרִיעוּ לַיהוָה כָּל־הָאָרֶץ פִּצְחוּ וְרַנְּנוּ וְזַמֵּרוּ׃

Celebrai com júbilo ao Senhor. O *cortejo* seguia caminho na direção do templo, a fim de celebrar a cerimônia de entronização, fazendo de Yahweh, uma vez mais, o Rei de Israel e, de fato, o Rei universal. O coro avançava cantando; as trombetas tocavam; os instrumentos musicais também; as mulheres dançavam. O coro convoca *todos os povos* de todos os lugares a juntar-se ao cântico, no espírito do evento, com uma dedicação correspondente a Yahweh como o Rei da vida. Há grande ruído de alegria, regozijo e atividade frenética. Diz aqui o original hebraico, literalmente, "explodi e cantai em voz alta", como se fossem águas precipitando-se, tal qual o estampido de um raio caído do céu. Cf. Sl 96.1; 97.1 e 100.1, quanto às *expectações universais*.

■ 98.5

זַמְּרוּ לַיהוָה בְּכִנּוֹר בְּכִנּוֹר וְקוֹל זִמְרָה׃

Cantai com harpa louvores ao Senhor. O *acompanhamento musical* era uma questão seriíssima para os hebreus. Ver 1Cr 25, quanto às guildas musicais (levíticas) profissionais, que se ocupavam do ministério da música em Israel. Os levitas músicos eram cantores e sabiam tocar certo número de instrumentos. Provavelmente eles compuseram muitos dos salmos que editores posteriores atribuíram a vários nomes famosos, como Davi, Asafe, Salomão e até Moisés. Ver no *Dicionário* o artigo chamado *Música, Instrumentos Musicais*, onde ofereço detalhes e descrevo os instrumentos musicais mais comuns empregados pelos hebreus na música sacra.

O salmo à nossa frente tinha por finalidade ser usado no templo de Jerusalém. Uma vez que o cortejo chegasse ao terreno do templo, haveria sacrifícios e ofertas, além de votos nacionais e individuais, e então a música continuaria. Cf. Sl 95.3 e 99.4. Ver também Ap 5.8,9 e 14.2,3, e cf. 15.2,3. O coro, profissionalmente treinado, convidava *todos os homens* a aliar-se na adoração ao Senhor.

> Temos uma história para contar às nações,
> E elas voltarão seu coração para o certo,
> Uma história de verdade e misericórdia,
> Uma história de paz e luz.
> Pois as trevas cederão vez à alvorada,
> E a alvorada ao resplendor do meio-dia.
> E o grande reino de Cristo virá à terra,
> O reino de amor e luz.
>
> Colin Sterne

■ 98.6

בַּחֲצֹצְרוֹת וְקוֹל שׁוֹפָר הָרִיעוּ לִפְנֵי הַמֶּלֶךְ יְהוָה׃

Com trombetas e ao som de buzinas. Continua aqui a descrição do acompanhamento musical, mencionando outros instrumentos empregados. Agora faz-se menção aos instrumentos de sopro, os quais, obviamente, tornavam o som jubiloso bem mais alto, e quero dizer realmente *alto*. Você sabia que um saxofone tem a potência de som de dezessete violinos? Esse tremendo sonido, tão repleto de alegria, era proferido "perante o Senhor", ou seja, em sua presença, no templo, pois ele é o Rei universal. Cf. esse título com Sl 5.2; 10.16 e 24.7.

Trombetas. No hebraico, *chatsotsere*, "a trombeta reta". Este é o único lugar no livro de Salmos onde tal instrumento é mencionado. Era uma espécie de instrumento tubular sobre o qual não sabemos coisa alguma com certeza, exceto o que se pode depreender do próprio vocábulo. Josefo (*Antiq. Jd* 1.3, cap. 12, sec. 6) descreve um instrumento chamado *asosra,* que talvez aponte para a mesma coisa. Ele afirmou que o instrumento era ligeiramente mais curto que um côvado, semelhante a um estreito tubo de órgão, porém mais grosso que uma flauta. A *buzina,* o outro instrumento aqui mencionado, era feito de chifre de carneiro, como aquele soprado pelos sacerdotes com vários propósitos. Ver Js 6.4. A trombeta, como é patente, era feita de metal, e não de chifre animal. Ver no *Dicionário* o artigo chamado *Música, Instrumentos Musicais,* seção IV.2, *Instrumentos de Sopro,* quanto aos dois instrumentos mencionados neste versículo.

■ 98.7

יִרְעַם הַיָּם וּמְלֹאוֹ תֵּבֵל וְיֹשְׁבֵי בָהּ׃

Ruja o mar e a sua plenitude. Tal como em Sl 96.11 (ver as notas expositivas ali), o mar rugia sua aprovação sobre a entronização de Yahweh e juntava ao ruído de todos os povos o seu cântico alegre. Mediante essa figura de linguagem, o poeta sacro trouxe à festa a natureza inanimada e fez com que a criação de Yahweh também o louvasse. O vs. 8 continua o louvor da natureza.

> Ouvi! O Poderoso Ser está desperto,
> E com seu eterno movimento produz
> Um som como um trovão perene.
>
> Wordsworth

Em um rugido solene, o mar lança o seu som em tons baixos e cavos, saudando ao Senhor. Todos os habitantes do mundo ouvem o ruído e acrescentam suas vozes à cacofonia.

Alguns intérpretes, ansiosos por cristianizar este versículo, fazem o *mar* simbolizar a promulgação do evangelho por parte das águas! Ou então os mares seriam as nações que se regozijam ao acolher as boas-novas.

■ 98.8

נְהָרוֹת יִמְחֲאוּ־כָף יַחַד הָרִים יְרַנֵּנוּ׃

Os rios batam palmas. "A referência, neste caso, não é ao *abismo primevo,* conforme se vê em Sl 24.2 e 93.3, mas às grandes correntes de água da terra, e a tradução deve ser *rios.* As palavras 'batam palmas' são uma indicação de alegria, figura também usada em Is 55.12, que fala sobre as 'árvores do campo' como sujeito" (William R. Taylor, *in loc.*). Provavelmente a metáfora foi sugerida porque as multidões intensamente jubilosas que participavam da festa batiam palmas acompanhando o ritmo dos hinos entoados. As *colinas* captavam o cântico e reboavam-no de uma para outra, e isso fazia o mundo inteiro vibrar no cântico. Ao usar esses três elementos inanimados da natureza — o mar, os rios e as colinas — o poeta sagrado pretendia conferir-nos um quadro de louvor universal.

> De pico em pico salta o vívido trovão!
> O som não procede de uma única nuvem solitária,
> Mas todo monte tem sua língua.
>
> Byron

Cf. Sl 96.11-13, que é bastante similar a este versículo com seu louvor à natureza. Os compositores dos salmos de entronização obviamente estavam fazendo empréstimos de um fundo comum de literatura, ou uns dos outros. Aben Ezra, seguido por alguns intérpretes, explica cada figura como símbolos de homens; as ilhas do mar com suas populações; o povo no mar a velejar e os turistas em navios; as populações que habitavam as regiões montanhosas; as pessoas que viviam ao longo das margens dos rios. Mas isso só detrata da qualidade poética dos versículos. Sabemos que os homens louvam o Senhor. O autor, contudo, declarava que a própria natureza se une ao louvor, e isso adiciona ao seu tema o reinado universal de Yahweh.

■ 98.9

לִפְנֵי־יְהוָה כִּי בָא לִשְׁפֹּט הָאָרֶץ יִשְׁפֹּט־תֵּבֵל בְּצֶדֶק
וְעַמִּים בְּמֵישָׁרִים׃

Na presença do Senhor. *Todos os elementos,* que acabam de ser mencionados nos vss. 7 e 8, aparecem na presença do Senhor. Agora ele estava em seu santuário, o templo de Jerusalém. O cortejo chega e os sacrifícios são iniciados. Todo o povo e todas as coisas continuam a louvar. O cântico prossegue, as trombetas emitem seu sonido, os instrumentos tocam e as mulheres dançam. O propósito da festividade foi alcançado: Yahweh, uma vez mais, por ocasião da festividade do Ano Novo, foi coroado Rei universal. É ele quem virá, algum dia, para julgar o mundo com justiça, e todos os povos serão tratados por ele com *justiça.* Este versículo é definitivamente messiânico e profético. O Antigo Testamento cederia lugar ao Novo, e o Novo Testamento cederá lugar à eternidade futura. Este versículo é similar a Sl 96.13, e as notas expositivas dadas ali servem para ilustrar o texto presente. Ver também Is 11.

"O Senhor, mediante seu governo justo como Rei e Juiz, fará a terra, que está debaixo da miséria de uma maldição, ficar sob o estado de paz, alegria e bem-aventurança" (Fausset, *in loc.*). "O salmista contemplava a vinda do Senhor e o propósito desse advento. Ele trará salvação (98.3) e justiça" (Allen P. Ross, *in loc.*).

O Cântico de Maria (ver Lc 1.46-55). Parece que esse cântico tomou por empréstimo certo número de elementos do salmo presente. Os hinos que exaltam Yahweh como Rei (93 e 95 a 99) têm certo número de paralelos nos capítulos 40 a 55 do livro de Isaías. Ver alguns exemplos disso em Sl 24.23; 42.10 e 55.12. Portanto, houve um contínuo empréstimo literário, para lá e para cá, de um livro para outro.

SALMO NOVENTA E NOVE

Quanto a *informações gerais* que se aplicam a todos os salmos, ver a introdução ao Salmo 4, onde apresento *sete* comentários que elucidam a natureza do livro.

Quanto às *classes* dos salmos, ver o gráfico no início do comentário, que atua como uma espécie de frontispício da coletânea. Ofereço ali dezessete classes e listo os salmos pertencentes a cada uma delas.

O Salmo 99 é um *hino* que celebra a entronização e a realeza de Yahweh. Os Salmos 93 e 95 a 99 constituem uma pequena coletânea de hinos que celebram a entronização de Yahweh; provavelmente eles eram usados na festividade do Ano Novo, quando a entronização do Senhor era celebrada anualmente, a fim de relembrar ao povo de Israel que Yahweh é o Rei universal e Soberano de todo coração. Isso servia para alertar a nação de suas responsabilidades morais individuais. Um dos principais temas que percorre esses salmos é o senhorio universal e o reinado do Deus de Israel. Esse se tornou um importante tema do judaísmo posterior. A maior parte dos críticos vê estes salmos como pós-exílicos, por causa de sua atitude teológica pertencente ao judaísmo posterior. O hino presente enfatiza a santidade de Deus e, assim sendo, pode ser classificado como um "hino à santidade".

Três Temas Principais do Salmo 99. 1. Yahweh tem um reinado universal no qual ele é exaltado entre todos os povos (vs. 2). 2. Esse Rei universal é amante da justiça (vs. 4). 3. Esse Rei universal, quando limitado a Israel, amava, julgava, castigava e perdoava, e era o que ele é na atualidade, ou seja, "ontem e hoje é o mesmo, e o será para sempre" (Hb 13.8).

Subtítulo. Neste salmo não encontramos subtítulo, o que acontece com outros 33 salmos. Ver as notas sobre essa circunstância, na introdução ao Salmo 91, *Subtítulo.*

OS POVOS DEVEM LOUVAR O NOME DO SENHOR (99.1-3)

■ 99.1

יְהוָה מָלָךְ יִרְגְּזוּ עַמִּים יֹשֵׁב כְּרוּבִים תָּנוּט הָאָרֶץ׃

Reina o Senhor; tremam os povos. *Yahweh Reina.* Ver Sl 97.1, quanto ao mesmo início para um salmo. Deus era novamente entronizado na festividade do Ano Novo, em *reconhecimento* a esse fato. O Senhor reina universalmente (vss. 1-3). Todos os povos devem tremer na sua presença, por causa de sua terrível majestade e de seus incansáveis e justos juízos. O reinado de Deus é moral e espiritual e trata os homens em harmonia com a *Lei Moral da Colheita segundo a Semeadura* (ver a respeito no *Dicionário*). "Ele estabelecerá o seu reino, a despeito de seus inimigos. Que aqueles que se opõem a ele tremam, devido às consequências de suas infrações" (Adam Clarke, *in loc.*).

Acima dos querubins. Quanto a notas expositivas completas sobre essa classe de anjos, ver a respeito no *Dicionário*. Cf. Sl 80.1, onde a figura é usada de outra forma. *A presença do Senhor* é manifestada no Santo dos Santos, por cima da *Arca da Aliança*, que ficava entre as duas imagens de querubins, uma em cada extremidade da arca. A *shekinah* (ver a respeito no *Dicionário*) algumas vezes enchia o Santo dos Santos. Diante do Senhor a terra estremecia, por ser ele (então como agora) o mais elevado poder, pronto para julgar os pecadores que não se submetem ao seu governo.

Cf. 2Sm 6.2. Yahweh primeiramente se manifestou de modo especial ao povo de Israel, mas agora ele é o Senhor universal, e o mundo se tornou seu local de manifestação. Ver Sl 97.5 ss. Ver Sl 47.8; 93.1; 96.10; 97.1; 146.10, quanto a como *Yahweh reina*. "Yahweh é descrito como quem está entronizado entre os querubins recobertos de ouro (Sl 80.1), por sobre a arca da aliança (cf. 1Rs 6.23-28). Portanto, ele é grande em Sião, onde o templo ficava localizado" (Allen P. Ross, *in loc.*). Em seguida, o Senhor toma lugar no Santo dos Santos espiritual, que agora seria a terra inteira.

■ 99.2

יְהוָה בְּצִיּוֹן גָּדוֹל וְרָם הוּא עַל־כָּל־הָעַמִּים׃

O Senhor é grande em Sião. O poder de Deus sobre a terra começa por *Sião*, e ele é um Deus de obras prodigiosas. Seu nome fora propagado por toda a terra e logo ele era o Deus Altíssimo, exaltado sobre todos os povos. Esse conceito é típico do judaísmo posterior; naturalmente, no Novo Testamento, os mesmos conceitos reaparecem e até são ampliados. *Todos os povos* são agora seus súditos e se beneficiam com o justo reinado de Deus. Os antigos deuses e seus ídolos, que eram retratados como poderes imorais, foram substituídos por um conceito apropriado de divindade. Deus é poderoso, mas também é bondoso. Ele governa com severidade, mas também favorece os povos. "Na qualidade de Deus, ele é o Criador de todos os povos, os quais estão nele e por ele vivem, movem-se e têm o seu ser (ver At 17.28)... Ele é o Mediador; ele é o Salvador de todos os povos... Ele é o Rei, mais exaltado que os reis da terra; superior aos céus e aos anjos... Ele é supremamente exaltado sobre todo nome que pode ser nomeado neste mundo, ou no mundo vindouro (ver Ef 1.21)" (John Gill, *in loc.*). Ver no *Dicionário* o artigo chamado *Sião*.

■ 99.3

יוֹדוּ שִׁמְךָ גָּדוֹל וְנוֹרָא קָדוֹשׁ הוּא׃

Celebrem eles o teu nome grande e tremendo. Seu *nome* terrível é, igualmente, o nome mais *santo* que há. Deus não é como o imaginário Zeus, que governava com seu raio irresistível, mas era corrupto e violento e, com frequência, envolvia-se em causas erradas e atos arbitrários. Ver no *Dicionário* o artigo chamado *Santidade*. Ver também o verbete intitulado *Nome* em Sl 31.2, e ver sobre *Nome Santo* em Sl 30.4 e 33.21. A mera *pronúncia* do nome divino teria o poder de operar milagres em qualquer situação. Yahweh era santo em seu nome, em seus caminhos e em suas obras e, portanto, *digno* de ser louvado. A santidade é a base e a razão do louvor dos serafins (ver Is 6.3).

Os *hebreus piedosos* evitavam pronunciar o nome divino, e os escribas, conforme somos informados, antes de escrever tal nome, lavavam as mãos. E no entanto, hoje em dia, de maneira tão negligente, até os crentes dizem "Ó meu Deus", além de usarem outras profanações que envolvem o nome de Deus.

LOUVAI A DEUS PELA SUA JUSTIÇA (99.4,5)

■ 99.4

וְעֹז מֶלֶךְ מִשְׁפָּט אָהֵב אַתָּה כּוֹנַנְתָּ מֵישָׁרִים מִשְׁפָּט
וּצְדָקָה בְּיַעֲקֹב אַתָּה עָשִׂיתָ׃

É rei poderoso que ama a justiça. Platão tinha uma visão clara de que o Poder Superior deve, igualmente, ser o mais *justo*. O rei-filósofo ideal de Platão tinha de ser o mais justo e sábio dos homens, e não somente o mais poderoso, pelo que ele participava na forma ou na *ideia* do Ser divino. Mas na religião politeísta e popular dos gregos, os discernimentos de Platão se faziam conspicuamente ausentes. Os homens imaginavam deuses segundo a própria imagem, que era corrupta. Mas os hebreus resistiam a essa atividade, exceto nos mais antigos livros do Antigo Testamento, onde os caminhos naturalmente violentos dos homens se projetam na pessoa de Deus. Mas a visão se expandiu e se aperfeiçoou, e o Novo Testamento deu prosseguimento ao processo de evolução sobre o que pode ser dito sobre o Ser divino. O *Rei Poderoso*, assim sendo, ama a justiça e julga em conformidade com ela. Ele estabelece a equidade entre os povos e governa em consonância com os elevados padrões de sua lei. Ver Sl 1.2, quanto a um sumário do que a lei deveria significar para o seu povo. O Poder Superior é também o mais elevado poder moral, executando a justiça em Israel e, posteriormente, no mundo todo.

Quanto ao *Poderoso Rei*, ver Sl 98.5,6. O texto massorético diz "a força do rei", frase obscura que tem sido emendada de várias maneiras. Kittle e outros estudiosos dizem "um Forte reina", óbvia referência a Deus como Rei. Se permanecermos com a expressão "a força do Rei", talvez devamos entender que Yahweh governava através de seu governante terreno. Mas, se compreendermos aqui o Rei (o elevado Deus como Rei), a ideia será que ele reina em santidade, e não meramente em razão de seu poder. O poder não é necessariamente direito. Mas quando esse poder é o de Yahweh, então sem dúvida é direito. Ver no *Dicionário* o artigo chamado *Massora (Massorah); Texto Massorético*. Esse é o texto hebraico padronizado do Antigo Testamento.

Perante os Olhos das Nações (vs. 2). Os salmos de entronização a Yahweh (Salmos 93 e 95 a 99) têm essa ênfase universal, típica do judaísmo posterior. Portanto, o yahwismo avançou de Sião a todas as capitais do mundo. O cristianismo fez avançar ainda mais a ideia do reinado universal de Deus. Isto posto, se este versículo faz menção a *Jacó*, devemos pensar aqui em Israel, por ter sido Jacó o patriarca de Israel, e teremos dito muito pouco se deixarmos a questão como ela foi expressa. A justiça praticada por Yahweh em Israel estendeu-se a seu reinado universal.

■ 99.5

רוֹמְמוּ יְהוָה אֱלֹהֵינוּ וְהִשְׁתַּחֲווּ לַהֲדֹם רַגְלָיו קָדוֹשׁ
הוּא׃

Exaltai ao Senhor nosso Deus. O Deus e Rei universal deverá ser exaltado aonde quer que seu nome tenha chegado. Note-se o nome divino: *Yahweh-Elohim*, o Deus *Eterno* que é, igualmente, o *Poder* mais alto. Ver no *Dicionário* o artigo chamado *Deus, Nomes Bíblicos de*. O seu *escabelo* é a própria terra (ver Mt 5.35; Is 66.1). Aqui está especificamente em vista a arca da aliança (vs. 1), mas isso se tornou símbolo do mundo inteiro, onde Deus agora torna sua presença conhecida a todos os homens de todos os lugares. Alguns estudiosos supõem que esteja em pauta o *templo* em geral. Cf. Sl 132.7; Lm 2.1; 1Cr 28.2, então devemos imaginar que Jerusalém e seu templo teriam sido substituídos por todas as capitais do mundo, e todos os santuários teriam sido substituídos pelo santuário universal de Yahweh.

Existem poemas em ugarítico que também apresentam *El* como tendo um escabelo perante o qual os homens devem chegar, pelo que a figura do escabelo parece ter sido bastante disseminada. "Os israelitas, ao adorar, voltavam o rosto na direção da arca, ou seja, naquela direção, sem importar onde se encontrassem" (Adam Clarke, *in loc.*). Yahweh, sentado sobre os querubins, tocava figuradamente com seus pés na arca. Ver 1Cr 28.2 e Sl 132.7. As versões da Septuaginta, da Vulgata, do siríaco e do árabe dizem que o *escabelo* era adorado, o que não passa de rematada tolice. Isso cheira à idolatria, pelo menos como sugestão, posto que talvez não quem com intenção.

Porque ele é santo. Quanto a notas completas sobre essas palavras, ver os comentários no vs. 9, que repete as ideias deste versículo quase com os mesmos termos.

Este versículo é um *refrão* repetido de forma levemente diferente no vs. 9.

UMA LIÇÃO HISTÓRICA (99.6-9)

■ 99.6

מֹשֶׁה וְאַהֲרֹן בְּכֹהֲנָיו וּשְׁמוּאֵל בְּקֹרְאֵי שְׁמוֹ קֹרִאים
אֶל־יְהוָה וְהוּא יַעֲנֵם׃

Moisés e Arão, entre os meus sacerdotes. Os dois grandes *homens da história*, Moisés e Arão, nos tempos da lei, juntamente com

Samuel, sacerdote, profeta e um dos juízes de Israel, foram figuras notáveis que deram bom exemplo a todos, ao invocar o *Nome*. Eles clamaram a Yahweh, e ele respondeu às suas orações. O salmista estava dizendo que Yahweh, em todos os sentidos, era suficiente para os antigos; e, por semelhante modo, era suficiente para todos os povos, em todos os lugares, naqueles tempos "modernos", após o cativeiro babilônico, quando os israelitas tanto careciam de seu auxílio. O poeta sacro estava dizendo que a história de Yahweh nunca se tornará ultrapassada ou obsoleta. O hino segreda: "O que ele fez por outros, fará por nós também".

> Levanta-te, minha alma, levanta-te!
> Desprende-te de teus temores culpados;
> O Sacrifício de sangue,
> Aparece em meu favor.
> Diante do trono minha Garantia se posta,
> Meu nome está escrito em suas mãos.
> Meu nome está escrito em suas mãos.
>
> Charles Wesley

Meu nome está escrito em suas mãos, e não somente os nomes de Moisés, Arão e Samuel. E assim também estão os nomes de todos os homens de todos os lugares (ver Jo 3.16). A oração comove o Senhor e pertence a todos nós, seres humanos. Ver no *Dicionário* o verbete chamado *Oração*. A condição necessária para compartilhar do reino vindouro do Senhor é invocar o seu nome com fé. Moisés, Arão e Samuel sempre obtiveram atenção, e isso foi agora *universalizado*. Dessa maneira, o poeta sagrado *fomentou* a adoração de seus dias colocando-a na mesma categoria da adoração dos dias antigos, na qual vários heróis nacionais de Israel estiveram envolvidos.

"Moisés invocou o nome do Senhor (Êx 32.11,32); outro tanto fez Arão (ver Nm 16.22); e outro tanto fez Samuel (1Sm 7.8,9; 12.18,19), e Deus respondeu a todos eles. E ele respondeu a todo o seu povo, mais cedo ou mais tarde, de uma maneira ou de outra, o que não é um pequeno encorajamento para todos os crentes orarem a ele" (John Gill, *in loc.*).

■ 99.7

בְּעַמּוּד עָנָן יְדַבֵּר אֲלֵיהֶם שָׁמְרוּ עֵדֹתָיו וְחֹק
נָתַן לָמוֹ׃

Falava-lhes na coluna de nuvem. Outro incidente histórico dá prosseguimento à ilustração do poeta sagrado. Ver no *Dicionário* o artigo chamado *Colunas de Fogo e de Nuvens,* quanto a informações completas sobre aquela providência especial de Deus em favor de seu povo. Agora que a providência foi universalizada, atinge qualquer lugar nos céus ou na terra. Ver no *Dicionário* o verbete intitulado *Providência de Deus*. O Senhor estava ali e agora está aqui. A *lei mosaica* foi concedida a Israel, sendo aqui referida pelas palavras "mandamentos" e "lei". Quanto à tríplice designação da lei, ver Dt 6.1. Ver Sl 1.2, quanto a um sumário dos significados da lei para o povo de Israel. Em Israel, a lei era tudo para todos. Essa dádiva da lei também foi um ato providencial de Deus para os homens de todos os lugares. A lei destinava-se inicialmente a Israel, mas acabou sendo uma dádiva a todos os povos. Então a *graça divina* substituiria a lei, que também seria universal em suas aplicações. O Novo Testamento fomentou a ideia da providência divina para todos. Esses eventos históricos serviram de exemplos específicos para os crentes, da mesma maneira que o antigo povo de Israel foi ensinado pelos heróis antigos. Filipe quis ver o Pai, mas o Pai já estava presente, na face de *Jesus* (Jo 14.8,9), e Jesus foi nosso principal herói que nos trouxe a providência divina. Em seguida, os apóstolos originais foram reunidos pelo poder do testemunho que influenciou a vida de cada um deles. Ver Jo 1.43 ss. Assim as antigas operações foram duplicadas e fomentadas pelas modernas, e o poeta procurou encorajar os ouvintes pelos exemplos de tais operações.

■ 99.8

יְהוָה אֱלֹהֵינוּ אַתָּה עֲנִיתָם אֵל נֹשֵׂא הָיִיתָ לָהֶם וְנֹקֵם
עַל־עֲלִילוֹתָם׃

Tu lhes respondeste, ó Senhor, nosso Deus. Yahweh, também chamado aqui de *Elohim* (o Poder; ver o vs. 5), respondeu ao antigo povo de Israel, quando ele o invocou em oração. A providência divina parecia suficiente. Ele também *perdooU* o povo, quando este errou, pois até os heróis da fé tinham seus momentos de fracasso. Algumas vezes eles eram derrotados por forças hostis, incluindo a corrupção interior, pois algumas vezes até um campeão é derrotado. Se os campeões, algumas vezes, sofrem derrotas, então quanto mais aqueles que lhes seguiram as pisadas, mas não compartilhavam os mesmos feitos heroicos. Não obstante, eles também tiveram de sofrer seus castigos, porquanto a lei da colheita segundo a semeadura é universal e não admite exceções. No entanto, esses castigos tinham por finalidade curar, e não meramente cobrar um pagamento ou executar uma vingança.

O poeta sagrado encorajou o povo de Israel ao mostrar-lhes que os heróis do passado eram apenas homens, como os homens de sua geração também eram homens, sujeitos a pecados de comissão e omissão. Mas esses pecados e fracassos não fizeram cessar a *Providência de Deus*, nem naquele momento nem agora. Ver no *Dicionário* o verbete intitulado *Perdão*, e ver Nm 14.17-24, onde há um incidente histórico de perdão divino.

O Senhor também tirava *vingança*. Ver Sl 94.1, mas isso com um bom propósito, e não para destruir, finalmente. Quanto aos erros cometidos por Moisés e Arão, ver Êx 32.35; Nm 20.12; Dt 3.23-27; 9.20. Nenhum erro de Samuel foi registrado na Bíblia, mas esse silêncio não significa que ele nunca tivesse cometido um erro. O Senhor castigava, mas não consumia os castigados, o que prova amplamente a antiga bondade de Deus no trato com o seu povo. O poder de Yahweh continuava presente. Ele é chamado de o *Poder*. Mas a sua bondade também estava presente. A atual comunidade de Israel e, de fato, todos os homens devem esperar pelos atos castigadores de Deus, mas também podem depender do *amor constante* do Senhor em todas as situações. O julgamento divino é um dedo da amorosa mão de Deus. O próprio Samuel teve filhos que erraram, e talvez ele não tenha sido o pai que deveria ter sido. Mas nem mesmo esse fracasso parcial, se realmente foi de Samuel, pôde desfazer o bem que ele havia praticado. O desprazer de Deus é *paternal*, não caprichoso e egoísta. Os pais com frequência têm muitas regras, e isso irrita os filhos; e muitas de suas regras são ditadas para confortar os pais, e não para corrigir os atos errôneos dos filhos.

■ 99.9

רוֹמְמוּ יְהוָה אֱלֹהֵינוּ וְהִשְׁתַּחֲווּ לְהַר קָדְשׁוֹ כִּי־קָדוֹשׁ
יְהוָה אֱלֹהֵינוּ׃

Exaltai ao Senhor nosso Deus. Este versículo, tão similar ao vs. 5, é um *refrão*, tal e qual aquele outro. Vamos *reiterá-lo: Exaltai a Yahweh-Elohim*, e isso por seu poder, por sua vontade, por sua providência contínua. Ele está em seu *santo monte*, isto é, no *templo*, ao passo que no vs. 5 temos a menção ao *escabelo*, que talvez seja a arca. Mas o pensamento é idêntico. A essência da questão é a mesma, ainda que os detalhes sejam diferentes. O elevado e universal Poder é *santo*, uma das principais ênfases do Salmo 99. Encontramos a mesma declaração no vs. 5. A santidade de Deus é um dos temas mais frequentes da Bíblia e, quando Yahweh se tornou o Deus universal, isso em nada foi alterado. Ver os comentários sobre o vs. 5, onde se torna proeminente a santidade de Deus aplicada ao mundo. Ver no *Dicionário* o artigo chamado *Santidade,* quanto a detalhes. "Sede santos, porque ele é santo" (ver Lv 11.44). O povo de Deus, pois, é chamado de *santo* (ver Sl 97.10). Ver no *Dicionário* o artigo denominado *Justiça*. Deixo ao encargo do leitor examinar os detalhes dos artigos referidos, com suas muitas referências.

> Nos cumes dos montes que aparecem,
> Eis que o arauto sagrado se pôs de pé,
> Trazendo notícias boas para Sião:
> ...
>
> O próprio Deus afrouxará seus laços.
> O próprio Deus afrouxará seus laços.
>
> Thomas Kelley

Em Cristo não há leste nem oeste,
nele não há nem sul nem norte,

Mas há somente uma grande comunhão de amor,
Por toda a larga terra.

John Oxenham

SALMO CEM

Quanto a *informações gerais* que se aplicam a todos os salmos, ver a introdução ao Salmo 4, onde apresento *sete* comentários que elucidam a natureza do livro.

Quanto às *classes* dos salmos, ver o gráfico no início do comentário, que atua como uma espécie de frontispício da coletânea. Dou ali dezessete classes e listo os salmos que pertencem a cada uma delas.

O Salmo 100 não é, estritamente falando, um hino de entronização de Yahweh, como Rei universal, mas sua atitude é similar à dos salmos dessa espécie, a saber, os Salmos 93 e 95 a 99. Antes, trata-se de um *hino de louvor*. Outrossim, este salmo atua como uma *doxologia* daquela coletânea. Ver a introdução aos Salmos 93 e 99, quanto à natureza desses salmos. "Este salmo simples era entoado, conforme indicado por seu conteúdo, por um cortejo de adoradores que estavam a ponto de entrar nos portões e nos átrios do templo (vss. 2 e 4). Seu propósito era efetuar um culto de agradecimento e ofertas pacíficas" (William R. Taylor, *in loc.*). Quanto ao conteúdo, este salmo é similar ao Salmo 96, mas sumaria com maior concisão o credo do judaísmo (vss. 3 e 6): 1. Yahweh é Deus; 2. Ele é o Criador; 3. Israel era o povo dele; 4. Yahweh é bom; 5. Sua bondade dura para sempre; 6. Sua fidelidade perdura para todas as gerações. Esse credo ajudou Israel em muitas ocasiões de tensão nacional.

Subtítulo. Neste salmo temos apenas as seguintes palavras como subtítulo: "Salmo de ações de graças". Nenhuma tentativa foi feita para identificar seu autor, nem para descrever as circunstâncias que podem ter inspirado a composição do salmo. Seja como for, os subtítulos foram obras de editores posteriores e não faziam parte das composições originais, pelo que também não se revestem de nenhuma autoridade canônica, usualmente expressando meras conjecturas.

CELEBRAI COM JÚBILO AO SENHOR (100.1-5)

100.1

מִזְמוֹר לְתוֹדָה הָרִיעוּ לַיהוָה כָּל־הָאָרֶץ׃

Celebrai com júbilo ao Senhor. Ver o Salmo 98.4, quanto a uma declaração virtualmente idêntica, a qual, de acordo com algumas traduções, diz "todas as terras" (como é o caso de nossa versão portuguesa), em lugar de "todas as nações". O culto dos hebreus era ruidoso, pois o coro cantava, os instrumentos tocavam, as trombetas sopravam e as mulheres dançavam. Sl 98.5-8 fornece uma descrição completa, pelo que não repito aqui a informação. O povo seguia em cortejo na direção do templo de Jerusalém (vs. 2) e cantava o tempo todo. Eles entoavam hinos dentro dos portões do templo, realizavam sacrifícios e apresentavam votos nacionais e pessoais. Entrementes, prosseguiam o ruído elevado e as ações de graças. Ver no *Dicionário* os verbetes chamados *Alegria*; *Louvor* e *Ações de Graças*. Cf. também Sl 96.1, um tanto mais elaborado, porém idêntico em essência. Este salmo não se refere diretamente à entronização de um rei, nem menciona especificamente a entronização anual de Yahweh por ocasião da festa do Ano Novo, mas atua como uma doxologia para a pequena coletânea que se pautava pelo tema (Ver Sl 93 e 95 a 99).

Todas as terras. Ver Sl 96.1; 97.1 e 98.4. A universalidade do culto a Yahweh é enfatizada aqui, tendo o Senhor se tornado o Rei de todas as nações. Este é um dos principais temas dos salmos de entronização. Foi também um tema muito repetido do judaísmo posterior, e podemos supor com segurança que este salmo seja pós-exílico.

100.2

עִבְדוּ אֶת־יְהוָה בְּשִׂמְחָה בֹּאוּ לְפָנָיו בִּרְנָנָה׃

Servi ao Senhor com alegria. O povo aproximava-se dos átrios do templo e continuava em seus louvores. O coro os exortava a servir "ao Senhor com alegria". Ou, em outras palavras, a fazer tudo o que a lei ordenava acerca do culto a Yahweh, incluindo elaborados ritos de sacrifícios, oferendas e votos. Isso deveria ser cumprido *com alegria*, porquanto não era pouco ser participante das bênçãos da aliança com Deus. Ver sobre *Pacto Abraâmico* em Gn 15.18; sobre *Pacto Palestino* na introdução a Dt 29; e sobre *Pacto Davídico* em 2Sm 7.4. Além disso, ver no *Dicionário* o verbete denominado *Pactos*.

A adoração dos hebreus era *jubilosa*, visto que sempre celebrava os feitos de Yahweh em favor dos homens. Cada vez que Israel adorava, celebrava vitórias. "A religião do verdadeiro Deus pretendia remover a miséria humana e tornar a humanidade feliz. O homem que é crente mas não é feliz não compreende a fé cristã ou não está fazendo dela o uso apropriado" (Adam Clarke, *in loc.*). "A alegria expressa-se em cânticos de júbilo, quando o povo se aproximava de seu santuário (cf. Sl 95.6; 96.8 e Dt 23.2-4")" (William R. Taylor, *in loc.*).

Oh, quem me dera mil vozes para cantar,
Os louvores do meu Grande Redentor,
As glórias do meu Deus e Rei,
Os triunfos da sua graça.

Charles Wesley

100.3

דְּעוּ כִּי־יְהוָה הוּא אֱלֹהִים הוּא־עָשָׂנוּ וְלֹא אֲנַחְנוּ עַמּוֹ וְצֹאן מַרְעִיתוֹ׃

Sabei que o Senhor é Deus. *Yahweh* é *Elohim, o Poder*, e esse Poder foi o Criador de todas as coisas. Ninguém deu origem a si mesmo, e o grande originador de todas as coisas merece o louvor e o agradecimento de suas criaturas, pois a vida agora é boa e conduz à vida eterna. Ato contínuo, o povo criado tornou-se *o povo de Deus*, composto pelas ovelhas do seu pastor. Agora Yahweh é visto como *Pastor*. O Salmo 23 fala disso do começo ao fim, e então o Salmo 80.1 reitera o mesmo tema, e ali dou detalhadas notas expositivas sobre o conceito. Ver no *Dicionário* o verbete chamado *Pastor*. Esse simbolismo é apresentado em outros salmos, mencionado na referência dada acima.

Foi ele quem nos fez. Não foi o homem quem criou a si mesmo, e esta é uma possível tradução do original hebraico, preservada na *King James Version*. Outras versões dizem aqui "e somos dele", o que tem algum apoio nos manuscritos do Antigo Testamento. Assim dizem o Targum e a versão siríaca, bem como Kimchi e Aben Ezra. Por outro lado, declarar que o homem não se criou a si mesmo, embora isso pareça um truísmo autêntico, faz bom contraste com *ter sido criado por Deus*. Ter tido tal origem faz do homem uma criatura subordinada, humilde e ansiosa por louvar ao Criador. Se o homem é oriundo do Ser divino, então deve estar pronto para servir e louvar o Ser divino, por causa de todos os seus benefícios (ver Sl 103.2).

Sim, Deus é bom.
Dez mil vozes na terra e no céu,
Das profundezas do oceano e dos bosques,
Parecem estar clamando: Deus fez a todos nós,
E Deus é bom.

John H. Gurney, seguindo um poema
de Elizabeth L. Follen

Rebanho do seu pastoreio. Quanto a essa figura simbólica, ver Sl 74.1; 79.13; 95.7 e as notas expositivas em Sl 23.1 e 80.1. As ovelhas são animais humildes, fáceis de liderar e de destruir. As ovelhas do pasto divino dependem inteiramente do Pastor para cada necessidade, e esse fato provavelmente inspirou os autores sagrados a empregar tal figura. Ver no *Dicionário* o artigo chamado *Ovelhas*, para um desenvolvimento do tema.

100.4

בֹּאוּ שְׁעָרָיו בְּתוֹדָה חֲצֵרֹתָיו בִּתְהִלָּה הוֹדוּ־לוֹ בָּרְכוּ שְׁמוֹ׃

Entrai por suas portas com ações de graças. O cortejo agora entra no terreno do templo. O tema é o agradecimento ao Senhor, porquanto Deus é bom e criou a todos nós. Cf. Sl 92.13 e 96.8. As *oferendas de ações de graças* eram feitas paralelamente aos votos. Ambos refletiam a *gratidão* por todas as coisas boas recebidas da mão de Deus. Ver no *Dicionário* o artigo chamado *Ações de Graças*. Ver também Dt 12.11 e Lv 23.37,38.

"... sede agradecidos por todas as suas bênçãos e por toda a sua graça, por todas as coisas, em todos os tempos, *abençoai o seu nome*, atribuindo-lhe honra, bênção e glória para sempre (ver Sl 72.19 e cf. Sl 103.1)" (John Gill, *in loc.*).

100.5

כִּי־טוֹב יְהוָה לְעוֹלָם חַסְדּוֹ וְעַד־דֹּר וָדֹר אֱמוּנָתוֹ׃

Porque o Senhor é bom. Ações de graças são feitas verbalmente, mediante oferendas e votos apropriados, porque Yahweh é e se tem revelado *bom*. Seu *amor constante* inspira todos os atos divinos, e isso para *todo o sempre*. Sua *fidelidade* perdura por todas as gerações. Cf. o *amor constante* e a *fidelidade* de Deus, que são os companheiros de Deus, como se fossem seus arautos das boas-novas aos homens. Ver Sl 89.1,2,33,40, onde essas qualidades são colocadas lado a lado, e os vss. 14, 24 e 28, onde o amor constante aparece sozinho, bem como os vss. 5 e 8, onde a fidelidade aparece sozinha. Portanto, são *três os companheiros* do Senhor: a bondade, o amor e a felicidade. Quão diferente era Yahweh dos ídolos que representavam os deuses imaginados pelos pagãos. O poder máximo operava mediante um amor infindo, e o amor era garantido pela fidelidade de Deus. O conceito pagão de que "poder é direito" fica assim eliminado, além do que as qualidades morais não eram características dos deuses pagãos.

Fidelidade. Com base nos costumes hebraicos, isso aponta para a *lei* e suas exigências. Ver Sl 1.2, quanto a um sumário do que a lei significava para Israel. Naturalmente, uma fidelidade acompanha de perto a lei, e o evangelho cristão trouxe a verdade mais fiel em Cristo. Ver no *Dicionário* o detalhado artigo intitulado *Verdade (Na Bíblia e Outras Considerações)*, e também *Verdade, Cristo como*. Para um estudo filosófico, ver acerca da *Verdade* no artigo chamado *Filosofia*, na *Enciclopédia de Bíblia, Teologia e Filosofia*.

SALMO CENTO E UM

Quanto a *informações gerais* que se aplicam a todos os salmos, ver a introdução ao Salmo 4, onde apresento *sete* comentários que elucidam a natureza do livro.

Quanto às *classes* dos salmos, ver o gráfico no início do comentário, que atua como uma espécie de frontispício da coletânea. Dou ali dezessete classes e listo os salmos pertencentes a cada uma delas.

Este é um *salmo real*, que atua como uma espécie de manual para os governantes. O rei se compromete a governar com justiça. É possível que este salmo fosse usado como parte da cerimônia de coroação. Lutero o chamava de "David's Regentesnspiegel", ou seja, "espelho de Davi para os príncipes governantes". Este salmo tornou-se parte integrante da liturgia do templo e lembrava aos governantes suas responsabilidades morais. "Este salmo, em certo sentido, é a contraparte do Salmo 15, que declara os princípios morais seguidos por um *cidadão* de Sião... e o Salmo 101 é uma solene afirmação, por parte de um *magistrado* humano, de sua adesão a esses mesmos princípios" (William R. Taylor, *in loc.*).

Subtítulo. Neste salmo temos o subtítulo muito simples: "Salmo de Davi". As notas introdutórias dos salmos foram adições de escribas posteriores, ou seja, não eram originais. Foram principalmente conjecturas quanto à autoria e às circunstâncias históricas que poderiam ter inspirado as composições.

A DEDICAÇÃO DO REI AO SENHOR (101.1,2a)

101.1,2a

לְדָוִד מִזְמוֹר חֶסֶד־וּמִשְׁפָּט אָשִׁירָה לְךָ יְהוָה אֲזַמֵּרָה׃

אַשְׂכִּילָה בְּדֶרֶךְ תָּמִים

Cantarei a bondade e a justiça. Este cântico foi composto para entoar louvores à *lealdade* e à *justiça* que um monarca terreno supostamente deveria praticar, permitindo que por meio deles fluíssem os princípios morais do Rei Yahweh, o Rei universal (ver Sl 93 e 95 a 99). Ver no *Dicionário* os artigos chamados *Lealdade* e *Justiça*, quanto a plenos detalhes sobre essas qualidades morais. Essas palavras foram postas na boca do monarca, que prometeu um reinado justo, moral e benevolente, rejeitando os maus exemplos da maioria dos reis e governantes. Os políticos sempre louvam essas qualidades e prometem "limpar" a confusão que seus antecessores deixaram para trás, mas geralmente terminam deixando maior confusão ainda e complicando a vida de seus súditos. "Cf. Mt 23.23, onde o fracasso de praticar essas virtudes é lançado contra as classes governantes da Judeia naquela época. Obviamente, essas mesmas virtudes são requeridas de todo homem. Ver Mq 6.8. E, obviamente, essas qualidades pertencem supremamente ao Rei divino" (Ellicott, *in loc.*). Ver as notas expositivas em 1Rs 15.3, quanto a Davi como *rei ideal*. "O salmista cantava as *qualidades do Senhor*, como o amor (no hebraico, *hesed*) e a justiça. São características de seu governo divino (Sl 89.14) e fundamentais para seu reinado eficaz" (Allen P. Ross, *in loc.*).

Apanha teus óculos e finge que vês, como um político sujo, coisas que realmente não estás vendo.

Shakespeare

A VIDA PESSOAL DO REI (101.2b-4)

101.2b

מָתַי תָּבוֹא אֵלָי אֶתְהַלֵּךְ בְּתָם־לְבָבִי בְּקֶרֶב בֵּיתִי׃

Oh! quando virás ter comigo? Um rei precisa de *sabedoria* superior à de outros homens, a fim de dirigir seus passos com retidão, visto ser ele responsável pelo destino de muita gente. Ver no *Dicionário* o artigo chamado *Sabedoria*. O poeta sagrado estava listando as qualidades que ele queria exercer em seu governo e dirigiu-se diretamente a Deus para obtê-las. Visto que o Senhor é santo, o rei também precisava ser santo (ver Lv 11.44). As qualidades divinas exaltam o homem, e o homem espiritual é um bom governante, ao passo que o homem mau se envolverá em todo tipo de coisas prejudiciais. Ele teria um estilo de vida caracterizado pela integridade, que contrastaria violentamente com o estilo de vida dos monarcas orientais envolvidos em toda espécie de excessos, violência e deboche.

Nas palavras deste versículo, o rei conclamou Yahweh a vir ao seu encontro e dar-lhe bons conselhos, de modo que não o deixasse afastar-se de sua boa resolução e de suas promessas. É comum que os governantes invoquem a Deus, pedindo-lhe ajuda e dando-lhe o crédito pelo sucesso, mas a maior parte disso é simples "conversa", que não significa grande coisa. Mas o rei clamou a Yahweh com seriedade, pedindo-lhe socorro. O rei podia querer abençoar e livrar o salmista da tribulação (Êx 20.24), mas ele precisaria de ajuda generalizada, quanto a seus muitos deveres. O ofício ultrapassava a utilidade do homem. Ele precisava da ajuda divina para agir corretamente.

Em minha casa, terei coração sincero. Poderia estar em foco tanto a casa residencial do salmista quanto a "casa do governo, o estado". O bom rei teria o cuidado de levar uma vida boa em *ambas as casas*. No Novo Testamento os anciãos deveriam ter sua própria casa em boa ordem, a fim de poder governar a casa do Senhor (1Tm 3.4). Se um homem se sai mal em sua própria casa, onde influencia apenas algumas *poucas* pessoas, como poderá lograr sucesso quando tiver de governar as *massas humanas*? Cf. Sl 78.72; 1Rs 3.14; 9.4; 11.4; Pv 20.7. "A piedade deveria começar em casa, e espiritualmente falando, exibir-se tanto na residência quanto na igreja" (Ellicott, *in loc.*).

"É mais fácil para a maioria dos homens andar com um coração perfeito na igreja, ou mesmo no *mundo*, do que em suas próprias casas. Quantos homens são mansos como cordeiros entre outras pessoas, ao passo que em suas *casas* são como vespas e tigres" (Adam Clarke, *in loc.*).

Caminho da perfeição... coração sincero. A *bondade* precisa vir de dentro, para que se manifeste eficaz e constantemente do lado de fora. O coração precisa ser influenciado pelo Espírito Santo, porquanto deve estar preparado para exercer boa influência em público. Alguns estudiosos preferem dizer aqui "inculpável", em lugar de "sincero". O rei, pois, queria conservar seu coração tão limpo que ninguém poderia acusá-lo de erros crassos. Ele teria um *coração íntegro*, como alguns estudiosos preferem traduzir essas palavras. Estamos falando aqui de uma *espiritualidade básica*, que envolve muitas manifestações de virtudes dignas de encômios. Com base no

Antigo Testamento, a *lei* se destacava em todas essas questões. Ver Sl 1.2, quanto a um sumário acerca do que a lei significava para Israel. Esse era o manual da espiritualidade básica até que Cristo trouxe seu Espírito, o qual veio residir em nós em sua doutrina superior.

■ 101.3

לֹא־אָשִׁית לְנֶגֶד עֵינַי דְּבַר־בְּלִיָּעַל עֲשֹׂה־סֵטִים שָׂנֵאתִי לֹא יִדְבַּק בִּי׃

Não porei cousa injusta diante dos meus olhos. O *bondoso rei* enfrentaria muitas tentações e muitos maus exemplos. Coisa alguma que fosse vil seria tolerada diante de seus olhos, para que o fizesse pecar ou perpetuar alguma forma de injustiça. Os *olhos* do rei não contemplariam maldade alguma. Já um monarca maldoso cobiçaria com os olhos, e, tendo poder de obter qualquer coisa que lhe agradasse, se apossaria de tudo que o atraísse. O bom monarca, entretanto, resistiria a tal tentação.

> *Porque tudo que há no mundo, a concupiscência da carne, a concupiscência dos olhos e a soberba da vida, não procede do Pai, mas procede do mundo.*
>
> 1João 2.16

Os que *se desviam* da fé dão mau exemplo e encorajam outros a segui-los. O bom rei, entretanto, não se deixaria impressionar por esses maus exemplos, nem se permitiria tentar por seus feitos. De fato, ele *odiaria* as obras dos tais, e mal algum praticado se *apegaria* a ele. O que eles fizessem seria como uma doença mortífera. O homem bom se mostraria imune a tais *enfermidades espirituais*.

Coisas como guerras injustas, alianças profanas, saques, impostos excessivos, luxo exagerado, casas e possessões extravagantes, cortes suntuosas, nada desse jaez tentaria um bom rei. Antes, ele odiaria tais obras e as evitaria como se fossem uma enfermidade mortal, o que elas realmente são para a alma. Cf. Dt 13.17.

Cousa injusta. Literalmente, temos aqui, no original hebraico, "coisas de Belial", ou seja, coisas *sem valor*, coisas ímpias. As coisas de Belial eram os brinquedos dos reis orientais. Mas um bom rei não brincaria com esses jogos.

Aborreço. Cf. Sl 97.10. As notas expositivas ali também se aplicam aqui.

O proceder dos que se desviam. Desviam-se do quê? De Deus e do bem; da moderação e da lei.

■ 101.4

לֵבָב עִקֵּשׁ יָסוּר מִמֶּנִּי רָע לֹא אֵדָע׃

Longe de mim o coração perverso. "Porque como imagina em sua alma, assim ele é" (Pv 23.7). Homens dotados de coração perverso praticam coisas perversas. Mas o bom rei lançará a perversidade de dentro do seu coração, não praticando coisa alguma perversa. Cf. Sl 18.26. O rei bom terá coração inculpável (Sl 78.72; 1Rs 3.14; 9.4; 11.4; Pv 20.7).

> *Com o puro, puro te mostras; com o perverso, inflexível.*
>
> Salmo 18.26

> *Do coração procedem maus desígnios, homicídios, adultérios, prostituição, furtos, falsos testemunhos, blasfêmias. São estas as cousas que contaminam o homem.*
>
> Mateus 15.19,20

O Targum interpreta o versículo como se estivesse falando de concupiscências malignas, corrupção da natureza, pecado residente, tudo o que é odiado pelo crente (ver Rm 7.15).

A Mente é o Construtor. Aquilo em que a mente se demora, isso acaba por acontecer, seja bom ou seja mau. Ver Fp 4.8: "... tudo que é verdadeiro... respeitável... justo... puro... amável... de boa fama... virtude... louvor... seja isso que ocupe o vosso pensamento".

OS SUBORDINADOS DO REI (101.5-7)

■ 101.5

מְלוֹשְׁנִי בַסֵּתֶר רֵעֵהוּ אוֹתוֹ אַצְמִית גְּבַהּ־עֵינַיִם וּרְחַב לֵבָב אֹתוֹ לֹא אוּכָל׃

Ao que às ocultas calunia o próximo. Visto que o rei governa bem, não permitirá que outros corrompam o seu governo. Antes, destruirá os destruidores. Aos que caluniam o próximo, apresentando casos fraudulentos em tribunal (ou prejudicando o próximo de outra maneira qualquer), ele deterá no meio de seus planos ousados. O Targum fala sobre o *tríplice* efeito da língua destruidora: 1. o homem contra o qual se fala; 2. a pessoa a quem a calúnia é comunicada; 3. o próprio caluniador. Portanto, há pecados da língua que prejudicam tremendamente o próximo. Ver sobre *Linguagem, Uso Apropriado da*, no *Dicionário*. Ver o mesmo tema em Sl 5.9; 12.2; 15.3; 17.3; 34.12; 35.28; 36.3; 39.9; 55.21; 64.4; 66.17; 73.9 e 94.4. "Aquele que calunia prejudica tanto o homem contra quem fala como a si mesmo" (Jerônimo). A Septuaginta e a versão siríaca dizem aqui "com ele não comerei". Ver 1Co 5.11. Um bom rei não se mostrará companheiro de más companhias, que promovem a injustiça social.

Além disso, homens de olhar altivo e coração arrogante, que operam independentemente ou como parte do pessoal do governo, não terão permissão de participar do governo do rei bom, nem conseguirão fazer prevalecer seus planos fora do governo, operando maus esquemas.

"Alguém que está procurando governar e dominar a outros, que faz qualquer coisa má para obter poder, que se comporta de maneira insolente em seu ofício" (Adam Clarke, *in loc.*). Cf. Pv 30.10. "O informador, o favorito cheio de si, personagens tão bem conhecidas nas cortes orientais" (Ellicott, *in loc.*). Quanto a olhos altivos, ver Sl 18.27; Pv 6.17 e 30.13.

■ 101.6

עֵינַי בְּנֶאֶמְנֵי־אֶרֶץ לָשֶׁבֶת עִמָּדִי הֹלֵךְ בְּדֶרֶךְ תָּמִים הוּא יְשָׁרְתֵנִי׃

Os meus olhos procurarão os fiéis da terra. Somente os *fiéis* seriam convocados a formar parte do governo. Somente os de coração e caminhos *perfeitos*, tal e qual é o caso do rei (vs. 2), poderão participar do governo. Um bom rei pode ser arruinado por maus subordinados. Por isso, um rei precisa ser bem acessorado. Este versículo é uma reiteração do vs. 2 (ver as notas ali), exceto pelo fato de que agora se fala sobre os ajudantes do monarca, e não sobre ele mesmo. Ministros, conselheiros, prefeitos, bem como todos os subordinados, têm de ser homens dignos.

O rei Luís XIV tinha maus acessores e tentou limpar sua corte política. Disse ele: "Somente a mim pertence o poder de estabelecer leis, de modo absoluto e autocrático. A ordem pública deriva-se inteiramente de mim" (*Depois do Dilúvio*, de Leonard Sidney, pág. 97). Cf. Lv 19.35,36. Ver também Is 1.13 e Pv 21.4.

Este versículo tem sido cristianizado para falar sobre como Cristo buscou homens honestos e bons para servi-lo, e como os ministros cristãos devem exercer cuidado sobre essa questão.

■ 101.7

לֹא־יֵשֵׁב בְּקֶרֶב בֵּיתִי עֹשֵׂה רְמִיָּה דֹּבֵר שְׁקָרִים לֹא־יִכּוֹן לְנֶגֶד עֵינָי׃

Não há de ficar em minha casa. Os que não viviam segundo o código do rei seriam removidos e não permaneceriam na *residência* pessoal do rei nem na casa do governo. Um mentiroso não teria permissão de ocupar posições de autoridade, a ponto de corromper o governo ou causar perturbação. O termo mentiroso inclui o lisonjeiro, homem de palavras falsas e intenções enganadoras.

> *Odioso para mim como os portões do inferno é aquele que esconde uma coisa em sua mente, mas fala outra.*
>
> Homero

Ver no *Dicionário* o artigo chamado *Mentira (Mentiroso)*. Esse artigo provê detalhes e material ilustrativo. Ver também o artigo chamado *Linguagem, Uso Apropriado da*. "Se o homem mau conseguir um de meus empregados, ele não se demorará nele. (Cf. Pv 12.3)" (Fausset, *in loc.*). "Tibério encorajava os lisonjeadores, mas Tito queimou a alguns, baniu outros e vendeu outros como escravos" (Adam Clarke, *in loc.*).

O FIM DOS MALFEITORES (101.8)

101.8

לַבְּקָרִים אַצְמִית כָּל־רִשְׁעֵי־אָרֶץ לְהַכְרִית
מֵעִיר־יְהוָה כָּל־פֹּעֲלֵי אָוֶן׃

Manhã após manhã destruirei todos os ímpios da terra. Tendo limpado a sua corte, o rei passaria a limpar o país inteiro, e nesse afã não demonstraria misericórdia. Se necessário, haveria matança generalizada. Os criminosos seriam simplesmente executados, em vez de serem aprisionados ou banidos. Haveria audições públicas de queixas e justiça instantânea para os culpados. Haveria expurgos em Jerusalém e por toda a Judeia. A lei seria o código seguido, e suas severas penas seriam aplicadas. O rei contaria com executores especiais, que cumpririam suas normas políticas. Aqui, como é claro, temos um negócio comum dos reis orientais, que tinham a reputação de ser incansavelmente brutais. Cf. Jr 21.12. Ver também Sl 46.4; 48.1,8 e 87.3, quanto ao glorioso reino, pleno de justiça, que o rei estabeleceria.

Manhã. Era costume dos tribunais orientais reunir-se sempre pela manhã, e as sentenças eram executadas imediatamente. Ver Jr 21.12; 2Sm 15.2; Lc 22.66 e Jo 18.28.

Este versículo tem sido cristianizado para referir-se ao reino de Deus e seus juízos. Ver Ap 21.27 e At 17.31.

> Vinde, juntai nossa multidão leal.
> Ele desarraigará erros gigantescos.
> É lealdade, lealdade.
> Onde flutuam as bandeiras de Satanás,
> Fazemos soar a nota da trombeta de
> Lealdade, lealdade.
>
> Dr. E. T. Cassel

SALMO CENTO E DOIS

Quanto a *informações gerais* que se aplicam a todos os salmos, ver a introdução ao Salmo 4, onde apresento *sete* comentários que elucidam a natureza do livro.

Quanto às *classes* dos salmos, ver o gráfico no início do comentário, que atua como uma espécie de frontispício da coletânea. Apresento ali dezessete classes e listo os salmos pertencentes a cada uma delas.

Este é um *salmo de lamentação*, em muito o grupo mais numeroso dos salmos. Trata-se de um clamor por ajuda de um homem muito enfermo, que pedia cura física. Quanto a outros "salmos de enfermidade", ver os Salmos 6, 22, 28, 30 e 88. Os salmos de lamentação começam, tipicamente, com um grito pedindo ajuda; em seguida, descrevem os inimigos que estão sendo enfrentados; por muitas vezes há imprecações contra esses inimigos; e, por fim, há uma nota de ação de graças e louvor, porque a oração foi respondida, ou então pensa-se que a resposta já está a caminho. Alguns poucos dentre esses salmos terminam em desespero, o que é bastante verdadeiro na experiência humana.

Este salmo consiste em três porções distintas: vss. 1-11; vss. 12-22 e vss. 23-28. Alguns eruditos pensam que temos à nossa frente um salmo composto, ou seja, vários salmos individuais reunidos com propósitos litúrgicos. Outros estudiosos, contudo, parecem ter conseguido explicar adequadamente como as partes se ajustam umas às outras em um todo harmônico. As seções um e três (vss. 1-11 e vss. 23-28) são lamentações, ao passo que a seção do meio (vss. 12-22) é um hino de entronização, pelo que essa seção parece estar fora de lugar, entre as duas outras. Talvez o próprio salmista tenha tomado por empréstimo material de várias fontes, o que teria resultado na aparente incongruência. De acordo com a liturgia cristã, este salmo transformou-se em um dos sete *salmos penitenciais*. Os outros seis são os de número 6, 32, 38, 51, 130 e 143. Cada um deles serve para atacar um vício específico, o que demonstro no gráfico sobre as classes, mencionado acima. De acordo com esse arranjo, talvez de maneira um tanto forçada, este salmo ataca o pecado de *avareza*.

Subtítulo. Temos aqui um complexo subtítulo: "Oração do aflito que, desfalecido, derrama o seu queixume perante o Senhor". Os subtítulos eram adições introdutórias aos salmos, feitas por editores posteriores, e não faziam parte das composições originais, nem representam autoridade canônica. Em sua maior parte, conjecturam sobre questões como autoria e circunstâncias históricas que podem ter inspirado as composições. Alguns detalhes oferecidos ocasionalmente correspondem aos fatos.

APELO FEITO AO DEUS ENTRONIZADO (102.1-28)

Os Sofrimentos do Salmista (102.1-11)

102.1 (na Bíblia hebraica corresponde ao 102.1,2)

תְּפִלָּה לְעָנִי כִי־יַעֲטֹף וְלִפְנֵי יְהוָה יִשְׁפֹּךְ שִׂיחוֹ׃
יְהוָה שִׁמְעָה תְפִלָּתִי וְשַׁוְעָתִי אֵלֶיךָ תָבוֹא׃

Ouve, Senhor, a minha súplica. Temos aqui a primeira das três porções (ver a introdução), bastante diferente das outras duas porções, pois tem as características de um típico salmo de lamentação). O salmo começa com um urgente apelo a Yahweh. O pobre salmista proferiu seu *grito de socorro*, que ele esperava atrair a atenção divina. Ele esperava também que Yahweh não se mostrasse indiferente (ver Sl 10.1; 28.1; 59.4 e 82.1). Alguma terrível enfermidade tinha atacado o salmista e a vida dele estava por um fio. Cf. expressões similares em Sl 31.2; 39.12; 46.9; 59.16 e 143.7. Quanto à chamada para que Yahweh "ouvisse", ver Sl 64.1, onde ofereço notas expositivas e referências. Ver também Sl 101.2. O Senhor precisava "vir ao encontro" do pobre homem, sob pena de este não sobreviver.

102.2 (na Bíblia hebraica corresponde ao 102.3)

אַל־תַּסְתֵּר פָּנֶיךָ מִמֶּנִּי בְּיוֹם צַר לִי הַטֵּה־אֵלַי אָזְנֶךָ
בְּיוֹם אֶקְרָא מַהֵר עֲנֵנִי׃

Não me ocultes o teu rosto no dia da minha angústia. Quanto ao Deus que "se escondia" e poderia falhar em responder ao apelo do salmista, ver especialmente Sl 69.17, onde apresento notas e referências a outros versículos. Quanto ao rosto brilhante de Yahweh que o poeta sacro procurava, ver Sl 84.9. Cf. Sl 27.9 e 143.7.

Uma Resposta Imediata. Ver Sl 31.2. Temos aqui a linguagem do homem em profunda tribulação. Sua enfermidade avançava, e uma intervenção divina imediata era necessária para salvar o homem. O corpo do homem era consumido pelo fogo, pelas chamas da febre e por uma angústia aguda (ver no vs. 3 a linguagem que exprime um desastre físico). Ver Is 65.24.

> *Exporia ante ele a minha causa, encheria a minha boca de argumentos.*
>
> Jó 23.4

Essas são palavras de alguém que sofria dor sem alívio e queria apresentar seus argumentos diante de Yahweh, a fim de obter uma sentença favorável do Ser divino que o livrasse dos terríveis sofrimentos.

102.3,4 (na Bíblia hebraica corresponde ao 102.4,5)

כִּי־כָלוּ בְעָשָׁן יָמָי וְעַצְמוֹתַי כְּמוֹ־קֵד נִחָרוּ׃
הוּכָּה־כָעֵשֶׂב וַיִּבַשׁ לִבִּי כִּי־שָׁכַחְתִּי מֵאֲכֹל לַחְמִי׃

Porque os meus dias como fumo se desvanecem. O salmista descrevia suas condições físicas, ficando óbvio que alguma enfermidade muito séria e potencialmente ameaçadora tinha tomado conta do seu corpo. Seu *coração* (forças, emoções, homem interior; vs. 4) estava ressecado como o deserto ou como uma fruta podre, que há muito caíra no chão. Ele era como a *erva* que o sol havia ressecado até morrer (vs. 4). O vs. 3 subentende uma febre muito alta e debilitadora que consumia o homem a cada dia, incansavelmente, tal como um fogo que continuasse a fumegar e queimar. Seus *ossos*, que representam o corpo inteiro, pois são o arcabouço do qual todas as coisas dependem, estavam ressecados. Quanto à *figura dos ossos*, cf. Sl 6.2; 22.14; 31.10; 32.3; 38.3; 42.10 e 109.18. A febre era tão severa que os ossos do homem como que requeimavam em um forno. Ele estava sendo consumido naquele forno, e as coisas tinham de parar, ou ele não sobreviveria à experiência. Ele era como a erva cortada no prado, deixada no chão para secar e depois consumida nas fogueiras acesas pelos agricultores. Cf. Sl 121.6.

Até me esqueço de comer o meu pão. A enfermidade usualmente nos rouba o apetite, e, de fato, esse é um sinal de enfermidade. Usualmente o alimento fortalece uma pessoa, mas algumas vezes comer pode tornar-se um ato *enjoativo*, e este era o ponto ao qual o poeta havia chegado. Cf. 1Sm 2.7 e 20.34. Homero, em *Ilíada* xxiv.129, disse algo semelhante. O salmista ficara *emaciado*, a exemplo de Jó (Jó 19.20). O Targum espiritualiza a questão do *pão* e fazem dele "a lei da doutrina" que o homem enfermo chega a negligenciar; mas esta parece uma interpretação bastante desviada.

O Targum e a versão árabe comparam a enfermidade do salmista a uma *frigideira*. Cf. Pv 17.22 e Sl 22.15.

O espírito abatido faz secar os ossos.

Provérbios 17.22

■ **102.5** (na Bíblia hebraica corresponde ao **102.6**)

מִקּוֹל אַנְחָתִי דָּבְקָה עַצְמִי לִבְשָׂרִי׃

Os meus ossos já se apegam à pele. O homem sofria de *severas dores* e por isso continuava gemendo em alta voz o dia todo. Bastaria isso para desgastá-lo, razão pela qual sua pele se apegara aos ossos. Ver a metáfora acerca dos ossos, no vs. 2. Naturalmente, se o homem estivesse emaciado o suficiente, era somente "pele e ossos", conforme se diz em uma expressão idiomática moderna, de forma que, literalmente, até parecia que sua pele estava grudada aos ossos. Cf. Lm 4.8, que diz algo semelhante. "Posso contar todos os meus ossos" (Sl 22.17)" (Fausset, *in loc.*). Parte da fraqueza física era causada pelo jejum forçado do homem. Ver Jó 19.20.

■ **102.6** (na Bíblia hebraica corresponde ao **102.7**)

דָּמִיתִי לִקְאַת מִדְבָּר הָיִיתִי כְּכוֹס חֳרָבוֹת׃

Sou como o pelicano no deserto. Ver Lv 11.18. A identidade do pássaro mencionado permanece em dúvida. A *Revised Standard Version* conjectura ser o *abutre*. Seja como for, o pobre pássaro estava no deserto, morrendo de fome. Os quentíssimos raios de sol o abatiam ainda mais. Ele não encontrava alimentos. O tempo que lhe restava era reduzido. Em breve ele não passaria de um esqueleto ressecado, caído na areia. O pássaro estava ali agachado em melancolia, já tendo desistido de encontrar alimentos e água, e em breve cairia de pura exaustão.

Como a coruja das ruínas. Esta expressão indica desolação e abandono. Quem se importa com uma coruja lá fora, em meio às ruínas, procurando ratos e outros pequenos roedores para devorar? Uma coruja, assim perdida, é a própria figura do abandono e da solidão. Ver Lv 11.17. A vida do poeta estava reduzida a ruínas. "Essa figura expressa a solidão do salmista, cercado por inimigos" (Fausset, *in loc.*, olhando para o vs. 8). "... sentado sozinho, com as suas energias gastas" (Allen P. Ross, *in loc.*).

Ver no *Dicionário* o artigo chamado *Coruja*, que contém detalhes que podem ser usados para ilustrar o texto presente. Essa ave se "deleita em viver em meio a paredes arruinadas, casas arruinadas, na solidão, sem se importar em amizades com outras espécies de aves, nem mesmo com outras aves de sua própria espécie, pelo menos por longo tempo. Ela produz ruídos horríveis e tristonhos, conforme nos diz Virgílio na obra *Eneida*... Jerônimo enfatizou como esse pássaro habita lugares desérticos" (John Gill, *in loc.*).

■ **102.7** (na Bíblia hebraica corresponde ao **102.8**)

שָׁקַדְתִּי וָאֶהְיֶה כְּצִפּוֹר בּוֹדֵד עַל־גָּג׃

Não durmo, e sou como o passarinho. *Continua aqui a metáfora do pássaro.* Já tivemos menção ao abutre, à coruja e, agora, ao passarinho. É verdade que algumas versões dizem "pardal", mas a identidade dessa ave permanece duvidosa, e a *Revised Standard Version* diz apenas *passarinho solitário*. A palavra hebraica *tsippor* é usada praticamente para indicar toda espécie de ave de pequeno tamanho. Qualquer que seja a espécie de pássaro em mira, ele está pousado no alto de uma casa, completamente *sozinho*, e era essa a ideia que o poeta sagrado queria comunicar. O homem, em sua condição

desgraçada, havia sido abandonado por seus antigos amigos, e até por Deus, segundo todas as aparências.

Solitário. O salmista passou noites maldormidas, em dor e solidão. Acordado o tempo todo, continuava procurando, qual um vigia noturno, algum alívio. Ele tomava nota das horas da noite, conforme elas iam passando, e, quando os vigias anunciavam "Vai tudo bem", para ele nada estava bem. Algumas aves armavam seus ninhos dentro do território do templo, segundo todas as aparências (ver Sl 84.3), e Heródoto diz-nos qual era a situação verdadeira do templo em Branquides (*Clio* 1.1, cap. 159). Mas o poeta sagrado estava em seu próprio deserto particular, longe do templo e da ajuda de Deus, ou então assim ele imaginava, em seu desespero.

■ **102.8** (na Bíblia hebraica corresponde ao **102.9**)

כָּל־הַיּוֹם חֵרְפוּנִי אוֹיְבָי מְהוֹלָלַי בִּי נִשְׁבָּעוּ׃

Os meus inimigos me insultam a toda hora. Este versículo nos dá a entender que o salmista tinha inimigos, alguns dos quais eram seus ex-amigos. Os hebreus acreditavam que toda enfermidade é sempre causada por algum pecado, pelo que o homem enfermo está sempre sob o desprazer e o julgamento divino. Com base nessa crença, não estava longe do "pecador" ser perseguido e zombado, pois ele estava sendo corretamente julgado pela sua enfermidade. Jó, com sucesso, pôs em dúvida a teoria da "enfermidade somente". Uma enfermidade pode disciplinar e instruir. Mas existem mistérios nessa questão, e o *caos* também é um fator em algumas enfermidades. As doenças formam um dos elementos do *Problema do Mal* (ver a respeito no *Dicionário*). As calamidades que os homens sofrem podem provir de causas *naturais* (abusos da natureza, como incêndios, inundações, terremotos, doenças, e o campeão de todos esses abusos, segundo a estimativa da maioria dos homens, a morte). Ou então as calamidades nos podem atingir através do *mal moral*, coisas más que os seres humanos pespegam contra o próximo, por causa de sua *vontade perversa*. O poeta sofria por causa tanto do mal natural quanto do mal moral.

Os homens "praguejavam contra ele", ou seja, furiosos, lançavam pragas ao salmista, transformando o seu nome em uma palavra popular de execração. Cf. Is 65.15 e Jr 19.22. A Septuaginta e a Vulgata Latina fazem um juramento ativo ser lançado *contra* o salmista. Os ímpios ansiavam pela morte do salmista, pelo que o amaldiçoavam. Ver At 22.12; 26.11 e Lc 6.11.

Este versículo tem sido cristianizado para falar sobre os escárnios e as zombarias lançadas contra Cristo, na hora de seu teste mais severo.

■ **102.9** (na Bíblia hebraica corresponde ao **102.10**)

כִּי־אֵפֶר כַּלֶּחֶם אָכָלְתִּי וְשִׁקֻּוַי בִּבְכִי מָסָכְתִּי׃

Por pão tenho comido cinza. O homem, literal ou figuradamente, era forçado a comer cinzas, ou seja, "por pão tenho comido cinza", e isso só pode provocar a morte da pessoa, porque as cinzas podem ser um veneno amargo. Cf. a expressão bíblica, em Is 65.25: "Pó será a comida da serpente". Cf. também Gn 3.14. Sl 42.3 diz que *lágrimas* eram o alimento diário do salmista.

Mas enquanto eu bebia do riacho e comia as boas maçãs, todas aquelas coisas, de uma vez, transformaram-se em pó, e fui abandonado sozinho.

Tennyson

Os antigos costumavam misturar vinho com água, mas o pobre salmista, incapaz de parar de chorar, mesmo quando bebia a pouca água ou o pouco vinho que lhe restavam, misturava lágrimas à sua bebida; ou então essa declaração é uma metáfora para indicar um choro convulsivo e intenso que contaminava todas as alegrias da vida. "Lamentações e choro (*lágrimas*; cf. Sl 80.5) eram os elementos contínuos de sua dieta diária" (Allen P. Ross, *in loc.*). Cf. Sl 42.3 e 80.5.

■ **102.10** (na Bíblia hebraica corresponde ao **102.11**)

מִפְּנֵי־זַעַמְךָ וְקִצְפֶּךָ כִּי נְשָׂאתַנִי וַתַּשְׁלִיכֵנִי׃

Por causa da tua indignação e da tua ira. O próprio poeta agora lança a culpa por sua doença sobre *atos pecaminosos*. Esses pecados tinham atraído a indignação divina. Houve tempo em que ele fora elevado na sociedade por Yahweh, mas agora fora derrubado por terra, algo parecido com a experiência de Jó. Talvez o salmista estivesse mesmo sob o juízo divino, ou talvez só tenha falado como falou porque a teologia da época o fazia sentir que não havia outra explicação para o que estava acontecendo. Talvez as ideias de "elevação" e "abatimento" sejam uma metáfora baseada nas atividades da luta livre. Nesse caso, o homem tinha sofrido uma queda muito violenta, que o prejudicara tremendamente, porque Deus o tratara como vítima de uma luta desigual. Era temível ser antagonista de Yahweh, e isso explicava a total ruína do poeta sagrado. Alguns veem nessa metáfora a presença de um *redemoinho*, pois essa é uma força da natureza que primeiro lança uma coisa no ar, para em seguida projetá-la violentamente no chão, despedaçando-a. Cf. Jó 27.20,21 e 30.22: "Levantas-me sobre o vento, e me fazes cavalgá-lo; dissolves-me no estrondo da tempestade".

Sumário de Metáforas Possíveis: 1. As subidas e descidas das vicissitudes da vida, divinamente provocadas. 2. O tratamento violento aplicado por um lutador superior contra seu oponente mais fraco. 3. Os atos de um redemoinho ou tornado violento, que destrói tudo por onde passa. Qualquer que seja a metáfora específica aqui, fica claro que o homem estava sendo terrivelmente atacado por Yahweh.

■ **102.11** (na Bíblia hebraica corresponde ao **102.12**)

יָמַי כְּצֵל נָטוּי וַאֲנִי כָּעֵשֶׂב אִיבָשׁ׃

Como a sombra que declina. Os dias do salmista pareciam as sombras vespertinas que anunciam as trevas da noite. Ainda havia um pouco de luz, mas esta não tardaria a ser consumida pela escuridão da noite. O salmista era como um "homem do crepúsculo", que logo se apagaria. O hebraico diz aqui, literalmente, "sombras que se encompridam", ficando cada vez maiores conforme o dia declina, até que desvanecer completamente. Cf. Sl 109.23. Ver também Ct 2.17.

"O declínio do dia é assinalado pelas sombras que ficam cada vez mais longas (Jr 6.4; Jz 19.8)" (Fausset, *in loc.*). Para o poeta, era como um fim de tarde. As sombras estavam sendo "esticadas", diz, literalmente, o original hebraico, e isso só pode apontar para o fim, bem como para as trevas que em breve predominariam sobre tudo. Assim como as sombras não têm substância, também a essência da vida do homem se havia perdido. Cf. Sl 90.5,6 e Is 54.11.

Secando como a relva. Nestas palavras, o poeta sagrado retorna à metáfora da erva que já vimos no vs. 4 e sobre a qual comentamos.

O Deus Eterno é o Protetor de Sião (102.12-22)

■ **102.12** (na Bíblia hebraica corresponde ao **102.13**)

וְאַתָּה יְהוָה לְעוֹלָם תֵּשֵׁב וְזִכְרְךָ לְדֹר וָדֹר׃

Tu, porém, Senhor, permaneces para sempre. Este salmo divide-se em três seções distintas: vss. 1-11 (Sl de lamentação típico); vss. 12-22 (cântico de Sião); vss. 23-28 (volta ao primeiro tema: lamento). Talvez o poeta tenha reunido três composições separadas, de autores diferentes, em uma única unidade. Estes vss. 12-22 são, de fato, diferentes e dificilmente podem ser chamados de lamentação. Mas podemos imaginar que, visto terem eles prometido proteção a Sião, um homem enfermo como o poeta poderia receber daí alguma consolação, visto ser um cidadão do lugar. Se Deus favorecia a Sião, também poderia favorecê-lo.

Os *vss. 12-22* são bastante similares aos salmos de entronização de Yahweh, os Salmos 93 e 95 a 99 e, originalmente, podem ter sido um salmo distinto que pertencia a essa classe. Ver a introdução aos Salmos 93 e 99, quanto a informações completas a respeito. Aqui, como ali, é enfatizada a universalidade do reinado de Yahweh (ver o vs. 15). Chegará o dia em que todos os reinos do mundo adorarão a Yahweh. Ver também o vs. 22.

Em contraste com homens enfermos (vss. 1-11), Yahweh permanecerá para sempre. Ele não está sujeito às vicissitudes da vida e dos sofrimentos do ser humano, o qual vive sempre em declínio e ameaçado pela extinção. Esse é o tipo de conexão que o poeta queria ver entre os vss. 1-11 e 12-22.

Permaneces para sempre. O reino de Yahweh não pode sofrer nenhum ataque fatal ou deixar de existir. Essa parte do versículo nos liga aos Salmos 93 e 95 a 99, os salmos de entronização de Yahweh. Ele tem um nome que deve perdurar por todas as gerações, sendo conhecido e reverenciado por todos. As *gerações* podem aplicar-se aqui somente a Israel (Judá), mas a ideia é universalizada para referir-se a todas as nações, nos vss. 12-22. Ver, no Sl 31.3 sobre *nome*, e ver Sl 30.4 e 33.21, quanto a *nome santo*. O nome fala sobre tudo quanto Yahweh é e pode fazer, ou seja, seus atributos e poderes ativos. Até mesmo pronunciar o nome de Deus, segundo criam os israelitas, teria poderes surpreendentes e miraculosos, quanto mais o Ser chamado *Yahweh-Elohim*. Ver no *Dicionário* o verbete intitulado *Nome*. Ver sobre *Deus, Nomes Bíblicos de.*

Cf. este versículo a Sl 9.7; 29.10 e Lm 5.19. A *eternidade* é um atributo divino, não inerente a todo ser criado, mas que se tornará um dos atributos dos homens salvos, mediante *dádiva* divina, formando uma *eternidade futura*. Isto posto, somos transformados à imagem de Cristo (Rm 8.29) e também seremos *imortalizados*, quando então compartilharemos da natureza divina (2Pe 1.4).

Senhor de todos os seres, entronizado no alto,
Tua glória flameja do sol e das estrelas;
Centro e alma de todas as esferas,
Mas de cada coração amoroso, quão próximo!
Oliver Wendell Holmes

■ **102.13** (na Bíblia hebraica corresponde ao **102.14**)

אַתָּה תָקוּם תְּרַחֵם צִיּוֹן כִּי־עֵת לְחֶנְנָהּ כִּי־בָא מוֹעֵד׃

Levantar-te-ás e terás piedade de Sião. Era tempo de o Senhor demonstrar favor a Sião. Se isso acontecesse, então o enfermo dos vss. 1-11 também poderia ser favorecido. Alguns eruditos veem aqui menção ao cativeiro babilônico, e isso bem pode exprimir uma verdade, visto que os salmos parecidos, os Salmos 93 e 95 a 99, certamente eram pós-exílicos. A nação *restaurada de Israel* faria de Yahweh o soberano universal. Sião se tornaria a capital religiosa do mundo. Cf. Sl 12.5 e 68.1.

É tempo. Ou seja, um tempo divinamente determinado, no qual, pelo menos para alguns estudiosos, profeticamente falando, os tempos dos gentios se cumprirão e o reino de Cristo será estabelecido (Lc 21.25 e Rm 11.25). Ver também Dn 12.7. O retorno dos exilados na Babilônia poderia servir de tipo da maior restauração da mensagem profética, a restauração final.

Oh, adorai o Rei, todo glorioso lá no alto,
Cantai agradecidos o seu poder e o seu amor.
Nosso Escudo e Defensor, o Antigo de Dias,
Que vive em um pavilhão esplendoroso,
e revestido de louvores.

Robert Grant

■ **102.14** (na Bíblia hebraica corresponde ao **102.15**)

כִּי־רָצוּ עֲבָדֶיךָ אֶת־אֲבָנֶיהָ וְאֶת־עֲפָרָהּ יְחֹנֵנוּ׃

Porque os teus servos amam até as pedras de Sião. Os *servos de Yahweh* têm prazer nas *pedras* e na *poeira* de Sião. Provavelmente isso se refere aos escombros deixados pelos babilônios depois que invadiram Jerusalém, nivelaram as muralhas e destruíram o templo. Até mesmo o que restou daquela destruição era sagrado para os sobreviventes. "Temos aqui uma tocante descrição da devoção dos judeus à sua cidade arruinada, e isso é mais bem ilustrado pela história narrada nos capítulos 3 e 4 do livro de Neemias. Além disso, havia as cenas descritas pelos viajantes que foram até ali e voltaram à Babilônia" (Ellicott, *in loc.*). Ou então essas palavras são as de uma testemunha ocular, passado o cativeiro e antes da reconstrução do templo. Parte desse material arruinado poderia ser usado novamente na restauração. Ver Ne 4.2 e Sl 69.35. "... quanto ao amor e ao carinho que os servos de Yahweh tinham por Sião, mesmo em ruínas, ver Is 66.10" (Fausset, *in loc.*).

A aplicação cristã deste versículo, que faz o "pó" representar os inúmeros convertidos à fé cristã nos tempos do Novo Testamento, e depois, tornando-se material para construir o novo templo, equivoca-se pelo exagero.

■ **102.15** (na Bíblia hebraica corresponde ao **102.16**)

וְיִירְאוּ גוֹיִם אֶת־שֵׁם יְהוָה וְכָל־מַלְכֵי הָאָרֶץ אֶת־כְּבוֹדֶךָ׃

Todas as nações temerão o nome do Senhor. O vs. 12 tem a *geração* de Israel (Judá) como serva de Yahweh. Agora isso é universalizado segundo o estilo dos salmos de entronização (Ver Sl 93 e 95 a 99). Uma das características do judaísmo posterior foi universalizar o yahwismo, transformando Sião na capital do mundo.

"O mesmo resultado da *restauração* da cidade santa, a saber, o reconhecimento do poder e da glória universal de Yahweh, por parte dos povos pagãos, ocupa a grande profecia de Is 40 a 46" (Ellicott, *in loc.*). A porção final de Isaías tem a teologia típica do judaísmo posterior, pelo que Yahweh, como Rei universal, é ali enfatizado. Quanto à restauração de Sião, cf. Sl 68.29-32 e Is 59.19,20. A experiência com os babilônios, embora tremendamente destrutiva, abriu os olhos dos habitantes de Judá para o "mundo lá fora". Sem dúvida, esse foi um dos elementos que influenciaram a teologia mais ampla do judaísmo posterior. Alguns intérpretes cristianizam este versículo a fim de predizer a vinda de Cristo, a grande extensão do evangelho cristão e a era do reino de Deus. Seja como for, a abertura conceitual deu a Israel o que se tornou tão importante em algumas passagens do Novo Testamento, ou seja, o alcance universal da missão de Cristo. Algum dia, Cristo será tudo para todos (ver Ef 4.10), bem como a aplicação de sua missão universal, que abrange cada indivíduo (ver Ef 1.9,10).

> Temos um Salvador para mostrar às nações,
> Alguém que palmilhou a senda da tristeza,
> Para que todos os grandes povos do mundo
> Cheguem-se à verdade de Deus,
> Cheguem-se à verdade de Deus.
>
> Colin Sterne

■ **102.16** (na Bíblia hebraica corresponde ao **102.17**)

כִּי־בָנָה יְהוָה צִיּוֹן נִרְאָה בִּכְבוֹדוֹ׃

Porque o Senhor edificou a Sião. Este versículo, com certeza quase absoluta, refere-se à reconstrução das muralhas e ao segundo templo de Jerusalém, terminado o cativeiro babilônico, embora o versículo tenha sido cristianizado para referir-se à vinda de Cristo, em seu primeiro e segundo advento. Quando Judá estava na Babilônia, tal antecipação era, do ponto de vista humano, improvável, para dizermos o mínimo. Mas tudo quanto se fez mister foi uma ação divina na mente de Ciro que ordenou o decreto restaurador. E tudo quanto Israel teve de fazer foi cumprir o decreto com boa vontade e trabalho árduo, e até isso foi grandemente ajudado pelo rei Ciro, que proveu homens e material para o trabalho ser realizado.

> Sede fortes! Não estamos aqui para brincar, sonhar ou deixar o tempo passar;
> Temos trabalho duro a fazer e cargas para levantar;
> Não eviteis a luta, mas enfrentai-a; é um dom de Deus.
> Sede fortes! Sede fortes!
>
> Maltbie D. Babbock

Muitos dos que foram para o exílio na Babilônia contentaram-se em por lá ficar, pelo que, dentre os sobreviventes, menos ainda foram os que retornaram. Assim, boa parte da nação deixou de ver a *glória de Deus*, que brilhava através do segundo templo, e deixou de ver o novo Israel, que foi levado avante por uma única tribo, Judá.

■ **102.17** (na Bíblia hebraica corresponde ao **102.18**)

פָּנָה אֶל־תְּפִלַּת הָעַרְעָר וְלֹא־בָזָה אֶת־תְּפִלָּתָם׃

Atendeu à oração do desamparado. Uma lição derivada da experiência com a invasão babilônica foi que até a menor oração pode ser ouvida acima do temporal. O povo de Israel, *destituído* na Babilônia, orou e provocou um milagre. Yahweh não desprezou a oração deles, embora fossem fracos como a água, e toda a glória lhes tivesse sido tirada pela crueldade dos pagãos. Que a restauração de Israel dependia das orações dos humildes é a lição mais notável deste versículo, pois na oração há um poder que pode ser manipulado, mesmo pelos *fracos*. Ademais, os fracos estavam em circunstâncias impossíveis. O que poderiam fazer, exceto orar? Não havendo nada mais que *pudessem fazer*, fizeram o que era possível e obtiveram o miraculoso resultado de suas orações.

> A oração é a carga de um suspiro,
> O cair de uma lágrima,
> O olhar dirigido para cima,
> Quando ninguém, senão Deus, pode ouvir.
>
> James Montgomery

Desamparado. Originalmente, o hebraico diz aqui "despido", ou seja, aquele que foi furtado de tudo quanto era precioso e também do último laivo de esperança, em troca de uma esperança impossível em Deus.

> Tudo foi gerado pelo Desespero,
> Sobre uma impossibilidade.
>
> Andrew Marvell

O sacrifício dos perversos é abominável ao Senhor, mas a oração do retos é o seu contentamento.

Provérbios 15.8

■ **102.18** (na Bíblia hebraica corresponde ao **102.19**)

תִּכָּתֶב זֹאת לְדוֹר אַחֲרוֹן וְעַם נִבְרָא יְהַלֶּל־יָהּ׃

Ficará isto registrado para a geração futura. Tal como no vs. 12, provavelmente estão em foco gerações sucessivas de Israel, formando um paralelo com os povos pagãos referidos nos vss. 15 e 22, compondo os súditos universais do reinado de Yahweh. Ademais, temos os *povos* que ainda nasceriam, os quais ouviriam sobre como as orações dos mansos levaram Yahweh a reerguer Sião, depois da devastação. "... *registrado*. Este versículo é interessante por ser o único lugar nos salmos onde se declara que a memória de um grande evento foi preservada em forma *escrita*. A tradição oral é mencionada em Sl 22.30; 44.1 e 78.2" (Ellicott, *in loc.*). Cf. Êx 17.14; Dt 31.10,21. Era uma *obrigação sagrada* certificar-se de que todos os povos conhecessem a restauração de Sião por meio de um registro escrito. Parte do registro seria o detalhe sobre a eficácia da oração que estava por trás desse evento.

■ **102.19** (na Bíblia hebraica corresponde ao **102.20**)

כִּי־הִשְׁקִיף מִמְּרוֹם קָדְשׁוֹ יְהוָה מִשָּׁמַיִם אֶל־אֶרֶץ הִבִּיט׃

Que o Senhor do alto do seu santuário. Yahweh olhou para baixo, de seu alto céu, observou o estado miserável em que estava o seu povo, na Babilônia, e comoveu-se ao contemplar a cena horrenda. Deus é o que mora no alto, mas não tão no alto a ponto de não se preocupar com o que acontece ao seu povo. Deus olhou e logo em seguida se pôs a agir, o que é uma ótima declaração *teísta* (ver no *Dicionário* o artigo chamado *Teísmo*). O Criador continua imanente em sua criação, aplicando providências negativas e positivas, intervindo, recompensando e castigando, em contraste com o conceito *deísta* de Deus, segundo o qual Deus se divorciou de sua criação, deixando que as leis naturais governassem em seu lugar. Cf. Sl 14.2; Dt 26.16; Zc 2.13. "O Deus onisciente a contemplar o seu povo é um ato divino frequentemente mencionado nos salmos. Isso mostra o grande interesse de Deus. O Senhor intervém" (Allen P. Ross, *in loc.*).

"Deus *olha* em um *sentido providencial*. Ele contempla os ímpios... contempla os bons, para chamar a prestar conta de seus atos... com um olhar de amor, graça e misericórdia... Ele atenta na tirania, na barbaridade e na crueldade e em breve dará o pago devido" (John Gill, *in loc.*).

■ **102.20** (na Bíblia hebraica corresponde ao **102.21**)

לִשְׁמֹעַ אֶנְקַת אָסִיר לְפַתֵּחַ בְּנֵי תְמוּתָה׃

Para ouvir o gemido dos cativos. Os cativos eram *prisioneiros* na Babilônia e gemiam sob o peso de sua tristeza. Poucos *sobreviventes* escaparam do ataque bárbaro dos babilônios contra Jerusalém e contra a Judeia, e até mesmo esses temiam por sua vida, porque onde pararia a matança? A palavra "cativos" aqui pode ser geral o bastante para apontar para todos os povos oprimidos, e não somente para os cativos na Babilônia. Onde quer que estivessem os cativos, Yahweh os via e ouvia seus gemidos e orações. Nenhum homem é livre quando outros estão em estado de escravidão. Alguns estudiosos pensam que os *cativos* são os pecadores, prisioneiros de seus pecados, mediante uma interpretação metafórica. A essa pobre gente Deus também liberta. Isso é verdade, mas não parece ser este o intuito do poeta sagrado aqui. Cf. Êx 2.23-25; Sl 12.5; 79.11 e Ez 37. Este versículo é parecido com declarações semelhantes, em Is 61.1,2, e com todo o magnífico ciclo de declarações proféticas, na porção final do livro de Isaías, que refletem a teologia do judaísmo posterior.

> Temos uma mensagem a ser dada às nações,
> Que o Senhor que reina nos céus,
> Enviou seu Filho para nos salvar,
> E mostrar-nos que Deus é amor;
> E mostrar-nos que Deus é amor.
>
> — Colin Sterne

"Cristo os livra das algemas e correntes do pecado, da escravidão à lei, da tirania de Satanás e do temor da morte, e lhes concede a gloriosa liberdade dos filhos de Deus" (John Gill, *in loc.*).

■ **102.21** (na Bíblia hebraica corresponde ao **102.22**)

לְסַפֵּר בְּצִיּוֹן שֵׁם יְהוָה וּתְהִלָּתוֹ בִּירוּשָׁלִָם׃

A fim de que seja anunciado em Sião o nome do Senhor. Em breve, Sião haverá de tornar-se o *centro espiritual* do mundo, e assim o elevadíssimo nome de Yahweh será declarado naquele lugar a todos os povos. "O vs. 21 alude à adoração pública no templo" (William R. Taylor, *in loc.*). Ver Sl 26.7. "Tanto Israel quanto as nações gentílicas que se tiverem convertido por meio de Israel poderão declarar ou *tornar conhecido* o nome do Senhor, correspondente ao vs. 15" (Fausset, *in loc.*). Isso será amplamente concretizado no ministério do evangelho entre os gentios e no reinado subsequente de Yahweh.

> Que catadupa de aleluias
> Preenche toda a terra e o céu!
> Que sonido de mil harpas
> Publica o triunfo lá nas alturas.
> Oh, dia, quando a criação
> E todas as tribos foram feitas.
>
> — Henry Alford

■ **102.22** (na Bíblia hebraica corresponde ao **102.23**)

בְּהִקָּבֵץ עַמִּים יַחְדָּו וּמַמְלָכוֹת לַעֲבֹד אֶת־יְהוָה׃

Quando se reunirem os povos. Todos os povos, *todas as nações*, serão reunidos, formando um só Reino, unido em louvores a Yahweh, e todos o servirão. Em tais declarações será recolhido o tema do Reinado universal de Yahweh, bem como a união de todos os povos em uma fé comum. Cf. Sl 22.27; 78.30-32; Is 45.14 e Ap 11.15. "... os reinos do mundo se tornarão de o serviráo em retidão e santidade, livre e alegremente, em consenso. Reis prostrar-se-ão diante do Senhor e todas as nações o servirão (ver Sl 77.11) e então chegará o tempo em que os prisioneiros serão soltos e o Senhor será louvado em Sião" (John Gill, *in loc.*).

> Deus, o teu Deus haverá de restaurar-te agora.
> ele mesmo aparece como teu Amigo.
> Todos os seus adversários fugirão diante de ti.
> Grande livramento o Rei de Sião enviará,
> Grande livramento o Rei de Sião enviará.
>
> — Thomas Kelley

Continuação do Apelo (102.23-28)

■ **102.23** (na Bíblia hebraica corresponde ao **102.24**)

עִנָּה בַדֶּרֶךְ כֹּחוֹ קִצַּר יָמָי׃

Ele me abateu a força no caminho. Abruptamente, o poeta voltou-se de seu hino de entronização (vss. 12-22) para o cântico de lamentação (vss. 1-11). É provável que aquilo que temos nos vss. 23-28 seja um salmo diferente de lamentação acrescentado à última parte da unidade criada pelo poeta ou algum editor posterior. Assim sendo, temos as três porções do Salmo 102: vss. 1-11, uma lamentação; vss. 12-22, um hino de entronização; vss. 23-28, uma continuação da primeira lamentação ou uma lamentação separada. Seja como for, a primeira lamentação consiste na queixa de um pobre homem enfermo que estava sendo destruído por sua enfermidade, ao passo que esta segunda lamentação continua aquele tema.

O poeta considerava-se sob o julgamento de Deus. Yahweh o tinha enfraquecido e o tinha tornado um homem doente. Os hebreus, com toda a consistência, lançavam toda a culpa sobre o pecado, embora Jó mostrasse que um homem *inocente* pode enfermar por outras razões, algumas conhecidas e outras enigmáticas. A enfermidade era muito severa e tinha *abreviado* os dias do homem, trazendo sobre ele a maior de todas as calamidades, segundo a mente dos hebreus, a *morte prematura*. Assim sendo, se ao homem restavam algumas forças físicas, ele continuava a orar, pedindo intervenção divina, para que terminasse seus dias em paz. A ideia reverte aos vss. 3 e 11.

■ **102.24** (na Bíblia hebraica corresponde ao **102.25**)

אֹמַר אֵלִי אַל־תַּעֲלֵנִי בַּחֲצִי יָמָי בְּדוֹר דּוֹרִים שְׁנוֹתֶיךָ׃

Dizia eu: Deus meu, não me leves na metade de minha vida. Deus dura para sempre, mas a vida de um homem é fugidia. Portanto, é como se o poeta realmente tivesse dito: "Oh, Deus eterno, o que te custaria me dares alguns poucos anos mais de vida, para que eu me parecesse um pouco contigo? Amplia os meus dias; elimina esta ameaça de morte prematura; dá-me alguns *poucos* de teus anos abundantes; cura esta terrível enfermidade; fortalece meu corpo e cura-o. Eu te servirei estes poucos anos extras que tu me concederes".

"Este era um argumento frequentemente usado para induzir Deus a ouvir a oração. Nós somos *frágeis* e estamos *perecendo;* mas tu és *eterno*. Livra-nos, e nós te glorificaremos" (Adam Clarke, *in loc.*). Diz o Targum: "Não me tires no mundo na metade dos meus dias. Leva-me até o mundo por vir". Cf. Sl 90.2.

■ **102.25** (na Bíblia hebraica corresponde ao **102.26**)

לְפָנִים הָאָרֶץ יָסַדְתָּ וּמַעֲשֵׂה יָדֶיךָ שָׁמָיִם׃

Em tempos remotos lançaste os fundamentos da terra. O Deus *eterno* foi também o Criador. Ele lançou os fundamentos da terra, e os céus são obras das suas mãos. Mas até os céus, finalmente, perecerão; pelo que todos, excetuando Deus, são transitórios e dependentes. Admitindo que isso seja uma verdade, não custaria praticamente nada ao Deus eterno permitir que um homem humilde desfrutasse mais alguns poucos anos, livre de sua enfermidade. Cf. o vs. 25 com Is 44.24 e 48.13. "O caráter imperecível e a natureza imutável de Deus são ilustrados em contraste com a mais permanente das coisas materiais. No entanto, até mesmo essas coisas têm duração relativamente curta, quando comparadas ao Deus eterno" (Fausset, *in loc.*). Quão mais miseravelmente breve é a vida de um enfermo, que enfrenta a possibilidade de uma morte prematura. Que o Deus eterno intervenha em seu favor!

Os vss. 25-27 deste salmo são citados em Hb 1.10-12. A ideia da natureza *inabalável* da terra (ver Jr 31.37; Sl 24.2 e 104.5) é aqui contradita, mas o poeta não estava preocupado com finas harmonias entre os textos.

■ **102.26** (na Bíblia hebraica corresponde ao **102.27**)

הֵמָּה יֹאבֵדוּ וְאַתָּה תַעֲמֹד וְכֻלָּם כַּבֶּגֶד יִבְלוּ כַּלְּבוּשׁ תַּחֲלִיפֵם וְיַחֲלֹפוּ׃

Eles perecerão, mas tu permaneces. "A transitoriedade do mundo presente não é um pensamento comum no Antigo Testamento. Cf. Is 34.4 e 51.6. De fato, essa ideia é contrária à ideia de Sl 78.69; 104.5 e Ec 1.4. Mas no Novo Testamento existem numerosas referências ao fim da nossa era (ver Mt 24.25; Mc 13.24,25; 1Co 7.31; Hb 12.26,27)" (William R. Taylor, *in loc.*).

Cf. este curioso paralelo existente na literatura ugarítica: "Os céus se gastarão e perderão a firmeza como a presilha de tuas vestes".

Mas tu permaneces. Diz aqui o hebraico, literalmente, "Tu és ele", ou seja, Deus é aquele que não pode perecer, em contraste com as coisas criadas. "Tu permaneces." A eternidade e a imutabilidade de Deus são aqui salientadas.

Como um vestido. Todos temos consciência de como vestes novas gradualmente envelhecem e acabam puindo-se de velhas, como seu aspecto novo acaba estragando-se, e como sua beleza torna-se bastante sofrível. É então chegado o momento de comprar roupas novas. A ciência nos diz tais coisas hoje em dia, mas mesmo sem a ciência, os antigos percebiam a veracidade da questão. Naturalmente, a matéria não morre, mas em suas transições sofre a morte das formas que tinha assumido. A forma do Criador, entretanto, não muda. Eternidade e imutabilidade são qualidades atribuídas exclusivamente a Deus. Ver no *Dicionário* o verbete intitulado *Atributos de Deus.*

> contigo não há sombra de variação;
> Tu não mudas, tuas compaixões não se alteram.
> Como foste, serás para sempre.
>
> Thomas O. Chisholm

O homem é vítima de uma mudança incessante e de uma decadência visível, mas até o chamado mundo material participa em sua própria forma de imortalidade. A fonte originária da imaginação do poeta, ao que parece, é Is 51.6. Ver também Is 34.4. "Os céus e a terra envelhecem como um vestido, o que, realmente, eles são — as vestimentas do Deus eterno" (Sator, *Resartus* I.xi). Todas as coisas se deterioram e, finalmente, se transmutam em pó, a menos que sejam renovadas; e é Deus quem se ocupa da atividade renovadora na salvação e na restauração. Dessa maneira, ele garante a continuação do que é temporal por sua própria natureza. Dessa forma, o que é novo procede do que é *velho,* e isso por intervenção divina, e não pelo curso natural da natureza.

■ **102.27** (na Bíblia hebraica corresponde ao **102.28**)

וְאַתָּה־הוּא וּשְׁנוֹתֶיךָ לֹא יִתָּמּוּ׃

Tu, porém, és sempre o mesmo. A eternidade e a imutabilidade de Deus, já afirmadas no versículo anterior, são agora enfaticamente *reafirmadas.* A mente dos gregos lutava diante do problema do que é transitório e do que é eterno. Heráclito só via uma coisa permanente, a *mudança.* Por isso ele cunhou a famosa afirmação: *Panta rei,* ou seja, tudo está em estado de fluxo. Nos escritos de Platão, isso aparece como uma das características deste mundo material e temporal; mas, acima e para além deste mundo, ele postulou a existência de um mundo eterno, das formas ou universal. O mundo temporal teria sido criado em *imitação* ao mundo universal. De acordo com essa doutrina, tudo quanto vemos é apenas imitação, outra maneira apenas de dizer "temporal" e, no campo da decadência, "mudança". Emanuel Kant tomava o tema e falava sobre "a coisa em si mesma", que não sofre modificações, ao passo que todas as suas relações, internas e externas, sofrem modificações. A mente dos hebreus não se adaptava bem ao pensamento filosófico e analítico, pelo que os hebreus simplesmente atribuíam toda a eternidade e imutabilidade à pessoa de Deus, e todas as mudanças que ocorrem no mundo ao que está fora de Deus, sem criar nenhum argumento ou raciocínio.

O Caso de David Brainerd. Criado no Estado americano de Connecticut, David Brainerd tornou-se missionário de grande energia na Índia, tendo ali labutado com notável propósito e devoção. Ele se desgastou nesse mister e morreu com a pouca idade de apenas 29 anos! Seus amigos se reuniram em torno de seu leito de morte e entoaram o Salmo 102. Brainerd foi um ser temporal, é verdade, mas suas obras o imortalizaram, e ele foi absorvido pelo Ser divino. Isso lhe deu permanência, em contraste com sua breve vida terrena.

Tudo tem seu ciclo de concepção, crescimento, aperfeiçoamento, decadência, dissolução e morte. O Salmo 90 contrasta a eternidade de Deus com a transitoriedade do ser humano. Contudo, Deus intervém e garante a continuação; há novos ciclos e a juventude é obtida de novo!

"É interessante pensar como a ciência da geologia confirma a imagem aqui descrita pelo salmista, mostrando como a passagem do tempo modifica literalmente a terra de aparência sólida, desnudando-a das vestes que cobrem as colinas, dobrando-as em algum delta de rio ou no fundo do mar" (Ellicott, *in loc.*). Como é óbvio, todas as ciências demonstram a mesma coisa, à sua própria maneira.

Os vss. 25-27 são aplicados a Cristo em Hb 1.10-12, dando a entender que o Logos eterno é o Criador e Sustentador dos universos, do mundo e dos homens. É assim que Deus chega a influenciar o homem temporal. O Logos é, igualmente, o Eu Sou (o "Tu és" do vs. 26). Ver no *Dicionário* o artigo denominado *Eu Sou.* No *Eu Sou,* o homem remido torna-se também um *eu sou.* Ver no *Dicionário* o *Eu Sou do Homem.*

■ **102.28** (na Bíblia hebraica corresponde ao **102.29**)

בְּנֵי־עֲבָדֶיךָ יִשְׁכּוֹנוּ וְזַרְעָם לְפָנֶיךָ יִכּוֹן׃

Os filhos dos teus servos habitarão seguros. Visto que o homem, uma vez convertido, torna-se também um *eu sou* (ver o último parágrafo dos comentários sobre o versículo anterior), tal homem continuará, mas se continuar, terá de ser como servo de *Yahweh,* ou seja, do Deus eterno. O homem que continua também terá *posteridade* contínua. E essa posteridade será *estabelecida* diante de Deus; não cairá em decadência nem desaparecerá.

"O poeta encontrou consolo na reflexão de que as gerações por vir habitariam na segurança do mesmo Senhor" (William R. Taylor, *in loc.*). Esse é um belo pensamento, mas uma forma espúria de imortalidade, que fala sobre a existência de um homem continuar em seus descendentes. Conforme disse um de meus professores de filosofia determinado dia: "Essa forma de imortalidade envelhece depois de algum tempo", dando com isso a entender que perde seu frescor quanto mais tempo é aplicada. Tipicamente, porém, o poeta sagrado, em harmonia com a mente dos hebreus, não olhava para um tempo depois da sepultura, mas para a Terra Prometida, que continuaria a prosperar com os novos habitantes. Ver Sl 37.22 e 69.36. Ver também Is 2.2 e 33.20.

A noção de uma alma imaterial, que sobrevive diante da morte biológica, *começou* a aflorar no pensamento dos hebreus no tempo dos Salmos e dos Profetas. Floresceu no período intermediário (entre o Antigo e o Novo Testamentos), nos livros apócrifos e pseudepígrafos, e mais ainda nas páginas do Novo Testamento. Ver no *Dicionário* o artigo chamado *Alma,* e ver na *Enciclopédia de Bíblia, Teologia e Filosofia* sobre a *Imortalidade* (vários artigos).

> Nosso Deus, nosso socorro em eras passadas,
> Nossa esperança nos anos do futuro.
> Nosso abrigo da fúria da tempestade,
> E nosso lar eterno.
>
> Sob a sombra do teu trono,
> Deixa-nos habitar em segurança.
> Basta-nos o teu braço protetor,
> E nossa defesa estará segura.
>
> Isaac Watts

SALMO CENTO E TRÊS

Quanto a *informações gerais* que se aplicam a todos os salmos, ver a introdução ao Salmo 4, onde apresento *sete* comentários que elucidam a natureza do livro.

Quanto às *classes* dos salmos, ver o gráfico no início do comentário, que atua como uma espécie de frontispício da coletânea. Ofereço ali dezessete classes e listo os salmos pertencentes a cada uma delas.

Este é um *cântico de ações de graças,* por parte de um homem cujas orações tinham sido respondidas e cuja enfermidade fora divinamente curada. Este cântico é igualmente um *hino notável,* pelo que esta composição tem sido classificada dentro dessa categoria. De fato, o Salmo 103 é um dos hinos mais nobres do saltério. Parece ter-se originado de uma profunda gratidão da parte de alguém que havia experimentado o toque da cura divina, de alguém que se aproximara bastante da presença augusta de Deus. Observou Henrich Herkenns: "Dificilmente qualquer outra parcela do Antigo Testamento permite-nos perceber a verdade de que Deus é *amor,* de modo tão íntimo como o Salmo 103" (*Das Buch der Psalmen,* pág. 331).

"O agradecimento do salmista não é diminuído em nada por seu reconhecimento (vss. 14-18) de que os dias do indivíduo são numerados como aqueles da *flor do campo,* pois, contra a temporalidade do homem, ele colocou a eternidade de Deus. E concluiu seu hino convocando tanto os céus quanto a terra a louvar o Senhor (vss. 19-22)" (William R. Taylor, *in loc.*). Não fornece evidências de que este salmo tenha sido usado na liturgia do templo, mas tal silêncio não prova que não o fosse. Uma composição tão notável provavelmente foi empregada nesse sentido.

Uso Pessoal. Tenho usado consistentemente três salmos em minhas orações pessoais: Salmo 23 (de suprimento); Sl 91 (de proteção); e Salmo 103 (de saúde física).

Subtítulo. Temos aqui um subtítulo simples: "Salmo de Davi". As notas introdutórias aos salmos foram adicionadas por editores posteriores e não faziam parte das composições originais, pelo que também não têm nenhuma autoridade canônica. Cerca de metade dos salmos foi atribuída a Davi, um grande exagero, sem dúvida. Mas alguns dos salmos foram genuinamente seus, visto ter sido ele o "mavioso salmista de Israel" (2Sm 22.51).

O POETA INDUZ A SI MESMO A LOUVAR (103.1-5)

■ 103.1

לְדָוִד בָּרֲכִי נַפְשִׁי אֶת־יְהוָה וְכָל־קְרָבַי אֶת־שֵׁם
קָדְשׁוֹ׃

Bendize, ó minha alma, ao Senhor. O salmista estava muito doente. Mas foi tocado pelo poder divino. A presença de Deus chegou bem perto dele. Não admira, pois, que tivesse ficado tão agradecido! Sua enfermidade, que era um vexame e ameaçava a sua vida, foi súbita e permanentemente removida. Ver o vs. 4. Sua vida foi *redimida*, devolvida, visto que suas orações de desespero foram ouvidas e respondidas.

Minha alma... tudo o que há em mim. O salmista agradeceu e bendisse a Yahweh-Elohim de toda a alma e de todo o coração, bem como com todas as faculdades, forças e inteligência. Ele bendisse a Deus com a alma, "sua melhor parte, a alma, que viera diretamente da parte de Deus e agora retornava a ele, que é imaterial e imortal, e vale mais do que o mundo inteiro" (John Gill, *in loc.*). Foi com "tudo que estava dentro de sua alma" que ele agradeceu, expressando plena intensidade e repetindo essas ações de graças.

O salmista *bendisse* aqui por três vezes (vss. 1-2) e, mais adiante, quatro vezes mais (vss. 20-22), o que corresponde de perto às bênçãos da parte do Senhor à alma, na fórmula mosaica de Nm 6.24-26.

Seu santo nome. Visto que o Poder que o curou é também o Poder Santo. Ver sobre *nome santo* em Sl 30.4 e 33.21. Ver acerca do *nome* em Sl 31.3. O nome de Deus era considerado de grande poder, pelo que bastaria a um homem proferi-lo (isto é, *Yahweh*) para obter resultados surpreendentes e até miraculosos. Os hebreus combinavam a bondade suprema, a santidade e o poder em seu conceito de Deus, ao contrário dos pagãos, que faziam os poderes divinos operarem o mal. Que o poder opere o bem, e que bendito seja esse poder.

> Bendito seja o homem, pobre e necessitado, cuja enfermidade foi curada pela súplica insistente. Bendito seja o homem cuja oração foi ouvida, na hora da enfermidade, na hora da necessidade.
>
> Russell Champlin

■ 103.2

בָּרֲכִי נַפְשִׁי אֶת־יְהוָה וְאַל־תִּשְׁכְּחִי כָּל־גְּמוּלָיו׃

Bendize, ó minha alma, ao Senhor. O homem abençoado por Deus tinha recebido muitos benefícios da parte do Senhor e, por essa razão, bendisse novamente a Deus. Esse homem tinha recebido o dom da *vida*, por isso não é de admirar que haja um poder doador da vida, transformador, que o acompanhava ao longo do caminho.

Seus benefícios. Mais literalmente ainda, "ações", que podem ser boas ou más (Jz 9.16; Sl 12.14), mas que, no caso do salmista, tinham sido consistentemente boas. Mesmo quando tinha sido punido por seus pecados (vs. 3) e adoeceu, as punições de Yahweh foram tão gentis que ele foi conduzido a um plano mais elevado de espiritualidade. Os atos de Deus são todos beneficentes, até mesmo os seus juízos.

> Estou pressionando no caminho para cima,
> Novas alturas estou conquistando todos os dias.
>
> Johnson Oatman, Jr.

A bênção é aqui repetida para mostrar o desejo veemente do salmista em mostrar os benefícios que ele havia recebido, de modo que ele não se tornasse culpado do pecado de esquecimento ou ingratidão. As misericórdias de Deus são inúmeras e se renovam a cada manhã. O estoque das misericórdias divinas nunca se acaba. Ver no *Dicionário* o artigo chamado *Gratidão*, quanto a outras ideias.

Bernard L. Manning, do Colégio de Jesus, em Cambridge, na Grã-Bretanha, foi uma brilhante luz espiritual que morreu cedo e assim furtou tanto a erudição quanto a piedade de muitos de seus benefícios. Quando menino pequeno, para evitar o tédio dos sermões que ouvia na igreja, ele costumava ficar sentado em silêncio, folheando seu hinário e selecionando os hinos que eram bons e os que eram ruins, enquanto o pregador prosseguia em sua cantilena. Entre os hinos de valor, está o Salmo 103, adaptado para uso cristão. Algumas vezes um hino pode tanger uma corda do coração, quando nossos raciocínios e explicações fracassam. Assim também nesta exposição do saltério, um livro de inquestionável arte poética, esforcei-me por incluir muitos poemas e hinos que ilustram a exposição.

■ 103.3

הַסֹּלֵחַ לְכָל־עֲוֺנֵכִי הָרֹפֵא לְכָל־תַּחֲלֻאָיְכִי׃

Ele é quem perdoa todas as tuas iniquidades. Era uma noção tipicamente hebraica que as enfermidades sempre têm como causa algum pecado. Mas Jó demonstrou que isso nem sempre é correto. Ele era inocente e, no entanto, sofreu de uma enfermidade física da pior espécie. Nas enfermidades há disciplina e instrução, mas também há caos e insensibilidade. Portanto, que o crente nunca se esqueça de orar, a fim de corrigir os seus erros. A enfermidade faz parte do *Problema do Mal* (ver a respeito no *Dicionário*). O mal consiste no mal *moral* — coisas más que os homens fazem contra o próximo, devido à sua vontade pervertida — e no mal *natural* — abusos da natureza, como os incêndios, as inundações, os terremotos, as enfermidades e a morte.

Será Errada a Cura Natural? É sempre humilhante para o homem espiritual quando a penicilina cura uma infecção que a oração em nada contribuiu para curar. Os hebreus eram contrários à cura natural, porque a julgavam profana. Eles pensavam que somente os faltos de fé recorriam aos médicos para obter suas ervas. Naturalmente, os médicos antigos misturavam com seus processos de cura mágicas e encantamentos duvidosos, e isso espantava os hebreus. Mas, mesmo que não fossem essas coisas, a natureza alegadamente profana das curas naturais teriam sido suficiente para manter afastados os hebreus. Somente no judaísmo muito posterior é que a medicina começou a ser aceita.

Conheci um caso em Manaus, capital do Estado do Amazonas, que ilustra a questão. Havia ali uma missionária pentecostal que tinha uma pústula muito infecciosa, bem no meio da testa. As pústulas são meras infecções bacteriológicas, causadas por estreptococos ou estafilococos, mas que podem tornar-se muito dolorosas e ameaçadoras. Os pregadores pentecostais reuniram-se para curar a pústula. Suas orações encheram a circunvizinhança com exclamações e apelos em vozes altas. Mas os estreptococos ou estafilococos não se afastaram. Portanto, foi chamada uma enfermeira missionária batista, que lhe aplicou algumas injeções de penicilina, as quais fizeram quase imediatamente secar a pústula, apesar de serem medicamentos *profanos*. Meus amigos, nós, os crentes, costumamos orar pelos enfermos. Algumas vezes vemos grandes coisas, e de outras vezes não vemos resultado algum. Há um enigma em tudo isso. Nada há de profano em torno dos medicamentos naturais, pelo que podemos usá-los também. Qualquer coisa capaz de deter a enfermidade é digna de ser usada, sem que precisemos ficar com a consciência culpada por causa disso. Mas se pensarmos, acompanhando os hebreus, que toda enfermidade é causada somente pelo pecado, então talvez temamos fazer as enfermidades retroceder mediante o uso de medicamentos naturais. Contudo, mesmo que isso fosse um pecado, Deus é misericordioso e pode perdoar pecados; assim sendo, podemos usar medicamentos naturais. Ver no *Dicionário* o artigo chamado *Cura*.

Note o leitor a conexão entre o pecado e as enfermidades. Existe aí certa conexão, mas não exclusiva, pois outras coisas podem causar enfermidades.

As enfermidades, da mesma forma que o amor, são multifacetadas. Com frequência estamos mexendo com fatores pouco compreendidos ou mesmo totalmente desconhecidos. Por conseguinte, existem muitos meios de atacar esse mal natural.

> Se eu pensar que o pecado causou a minha dor,
> Posso desdenhar dos medicamentos naturais.
> Por outra parte,

Como poderei saber com certeza,
Qual meio Deus poderá usar para curar?
O perdão dos pecados busco para ter alívio,
Talvez somente assim eu possa curar
minha tristeza.

Russell Champlin

■ 103.4

הַגּוֹאֵל מִשַּׁחַת חַיָּיְכִי הַמְעַטְּרֵכִי חֶסֶד וְרַחֲמִים:

Quem da cova redime a tua vida. A *redenção* aqui mencionada não é a redenção evangélica. Antes, é a salvação de um corpo enfermo, com a restauração da saúde física, e isso por uma intervenção divina, tal como a redenção espiritual é um ato divino, e não uma realização humana. A *destruição*, neste caso, é a destruição do corpo, e não da alma, em alguma existência em um mundo distante, após a morte. Ou então, a destruição é a do *sepulcro*. O salmista queria continuar vivendo fisicamente, e não olhava para além desta vida, vendo sua alma salva do *sheol*, o que pode, algumas vezes, ser o sentido da palavra *cova*. O homem curado é então coroado por muitas coisas boas em sua vida por meio do amor constante e da misericórdia de Yahweh. O amor divino é a fonte originária de toda a bondade e de todos os benefícios, sejam eles espirituais ou físicos. Ver no *Dicionário* os artigos chamados *Amor* e *Misericórdia*, quanto a detalhes, declarações e poesias ilustrativas. Cf. Sl 16.10.

E te coroa. "Uma metáfora extraída do costume comum de usar coroas e grinaldas em ocasiões festivas (ver Eclesiástico 32.2). Cf. Sl 8.5" (Ellicott, *in loc.*). O homem bom havia ganhado na corrida contra a enfermidade e a morte, e fora coroado por Yahweh como o vitorioso; mas na verdade a vitória era de Yahweh, por ter sido ele o Autor da cura, depois de ter acolhido a oração do pobre salmista. "Coroar", neste caso, significa conferir uma bênção.

Conta as bênçãos,
Uma a uma, conta-as de uma vez,
Hás de ver surpreso
O que o Senhor já fez.

Johnson Oatman

Temos aqui menção aos grandes e abundantes favores que ele cumula sobre os homens, como honrarias e boa saúde, dinheiro suficiente para fazer tudo quanto eles precisam fazer, proteção, bem-estar, avanço espiritual e prosperidade física, todas as coisas boas dadas à vida e à existência.

Coroas o ano da tua bondade; as tuas pegadas destilam fartura.
Salmo 65.11

■ 103.5

הַמַּשְׂבִּיעַ בַּטּוֹב עֶדְיֵךְ תִּתְחַדֵּשׁ כַּנֶּשֶׁר נְעוּרָיְכִי:

Quem farta de bens a tua velhice. A satisfação com *bens* é uma promessa geral: tanto os *benefícios* referidos no vs. 2, quanto a *graça* e a *misericórdia* referidos no vs. 4. Mas está especialmente em mira a cura física, que restaura a boa saúde desfrutada na juventude. Poderia estar em vista a renovação da juventude, o que seria um estupendo milagre. Mais provavelmente ainda, porém, temos aqui a remoção dos efeitos da idade avançada e das enfermidades. As enfermidades envelhecem as pessoas, e desse tipo de envelhecimento um homem pode retornar a relativa juventude.

Como a da águia. Ou então, conforme outros estudiosos, o grifo ou grande abutre. Entre os rabinos, havia uma história sobre a águia que era capaz de ficar jovem novamente, com certo paralelismo à história da Fênix do Egito, mas o poeta sagrado refere-se aqui à aparência rejuvenescida e vigorosa desse pássaro, com sua nova plumagem anual, que parecia dar-lhe nova vida. Nesse caso, a referência é apenas à troca de plumagem. Alguns estudiosos realmente percebem aqui uma referência à história da Fênix. Cf. Jó 29.18; 33.25 e Is 40.31. Pessoas que supostamente deveriam saber das coisas contam-nos que uma águia bastante idosa pode ser notada por seu vigor e força e, assim, tal *atributo* das águias pode ter provocado a símile. Havia um provérbio grego que dizia o seguinte: "A idade avançada da águia é tão boa quanto a juventude da cotovia".

Os que esperam no Senhor renovam as suas forças, sobem com asas como águias, correm e não se cansam, caminham e não se fatigam.
Isaías 39.31

*Não deixarás a minha alma na morte,
nem permitirás que o teu
Santo veja corrupção.
Tu me farás ver os caminhos da vida.*
Salmo 16.10,11

*Quem da cova redime a tua vida, e
te coroa de graça
e de misericórdia;
quem farta de bem a tua velhice;
de sorte que a tua mocidade
se renova como a da águia.*
Salmo 103.4,5

Ó Cristo ressurrecto, ó Flor da páscoa!
Quão cara a tua graça se tornou!
De Oriente a Ocidente, com Poder amante,
Faz do mundo inteiro a tua possessão.

Philips Brooks

Quando este mundo passageiro desaparecer,
Quando houver descido além do sol brilhante,
Quando estiver com Cristo na glória,
Contemplando a história terminada da vida;
Então, Senhor, é que conhecerei bem,
Mas só então, o quanto eu te devo.

M' Cheyne

AS RELAÇÕES DE DEUS COM ISRAEL (103.6-13)

■ 103.6

עֹשֵׂה צְדָקוֹת יְהוָה וּמִשְׁפָּטִים לְכָל־עֲשׁוּקִים:

O Senhor faz justiça. Tendo falado sobre atos divinos graciosos para com *ele mesmo*, em sua cura espiritual, o salmista doravante apresenta uma pesquisa do trato bondoso de Deus para com *Israel*. A símile é a da relação entre pai e filho, na qual há um amor forte e puro, que ultrapassa o amor das mulheres. O poeta sagrado não se separou do grupo maior. O amor de Deus é o benfeitor universal, tanto de um quanto dos muitos. Estes versículos falam sobre a remoção do pecado, que causa sofrimentos, mas deixa completamente de fora a menção aos sacrifícios e rituais; todavia, não deveríamos pressionar demasiadamente esse silêncio. Seja como for, o autor traz à tona a essência espiritual do perdão e seu benefício ao indivíduo e à comunidade. "Aludindo a certos fatos da história de Israel, Davi meditou sobre a *lealdade ao pacto*, que Yahweh vinha mantendo no caso de frágeis pecadores" (Allen P. Ross, *in loc.*).

Os *oprimidos* são *vindicados* (Revised Standard Version), visto que Yahweh *faz justiça* (nossa versão portuguesa). Ver sobre *ajuda salvadora* em Sl 88.12. O Poder benéfico que o poeta sacro estava prestes a descrever também era justo e observador do pacto. Contudo, ele administrava gentilmente sua justiça, quando tratava com seus *filhos* (vs. 7). O amor dirigia e controlava a sua justiça (vs. 11), visto que, para Deus, todos os juízos têm por finalidade curar, e não meramente tirar vingança. A palavra "oprimidos" prepara-nos para coisas que aconteceram na época de Moisés, quando os filhos de Israel estavam escravizados no Egito.

■ 103.7

יוֹדִיעַ דְּרָכָיו לְמֹשֶׁה לִבְנֵי יִשְׂרָאֵל עֲלִילוֹתָיו:

Manifestou os seus caminhos a Moisés. Mediante uma declaração *abrangente*, o salmista convoca a relembrar tudo quanto aconteceu a Israel no Egito; como os filhos de Israel foram oprimidos; como Deus realizou vários milagres, os quais, em seu conjunto, resultaram em libertação; como Moisés dirigiu o povo de Israel até tirá-lo para fora do Egito. Em tudo isso, *os caminhos de Deus fizeram-se conhecidos,* sendo atos poderosos, bons, restauradores e feitos na justiça. Moisés e Israel foram vindicados, e o Egito foi *condenado.*

Aos filhos de Israel. Uma expressão encontrada somente aqui e em Sl 148.14 no livro dos Salmos, mas vista por mais de seiscentas vezes no restante do Antigo Testamento. É destacada a relação entre pai e filho. Assim é que em Êx 4.22,23, Yahweh chamou Israel de *filho.* A *Paternidade de Deus* (ver a esse respeito no *Dicionário*) é um dos maiores ensinamentos espirituais.

Um missionário evangélico que trabalhava na África contou a história de como ele tentou ensinar aos nativos a oração do Pai Nosso. Certa mulher recusava-se a ir além das palavras: "Pai nosso, que estás no céu" (Mt 6.9). Quando lhe perguntaram por que interrompia a oração, ela replicou: "Se Deus é meu pai, isso é tudo de quanto tenho necessidade de saber". Cf. Êx 33.13. "Desde a primeira parte de nossa história, ele tem sido nosso protetor e benfeitor" (Adam Clarke, *in loc.*). Moisés estava familiarizado com os muitos caminhos tomados pela providência divina, com muitas instâncias especiais de testemunhos pessoais. Esses caminhos começaram na sua infância e seguiram-no por toda a vida; e outro tanto sucedeu no caso daqueles que o acompanhavam. Ver no *Dicionário* o artigo intitulado *Providência de Deus.*

■ **103.8**

רַחוּם וְחַנּוּן יְהוָה אֶרֶךְ אַפַּיִם וְרַב־חָסֶד׃

O Senhor é misericordioso e compassivo. Esta declaração tem um sentido geral, mas devemos continuar compreendendo que essas qualidades divinas beneficiaram a Israel quando Moisés esteve com eles, e também mais tarde, quando eles viveram sob outros líderes. Yahweh é *misericordioso e gracioso.* Havia muitos benefícios positivos que continuavam a abençoar o povo de Israel a cada passo do caminho. Quando Israel *pecava,* então Yahweh mostrava-se *tardio em irar-se,* porquanto, de outra sorte, a nação em breve seria consumida, considerando-se quantas e quão sérias provocações contra Deus eles praticavam. Yahweh tornou-se assim famoso por seu *amor constante,* e ele tratava com Israel como um pai trata de seu filho. O poeta tinha experimentado a cura divina de sua enfermidade e está dizendo aqui que Yahweh havia curado Israel repetidamente de sua enfermidade do pecado, pois, do contrário, a doença do pecado teria exterminado os filhos de Deus. O salmista também está dizendo que o amor é a fonte da cura, tanto da enfermidade física quanto da enfermidade espiritual. Ver no *Dicionário* o artigo chamado *Amor,* onde ofereço detalhes e ilustrações. O amor de Deus é muito mais profundo do que língua ou pena podem contar. Vai até mais alto que a estrela mais distante, e desce mais baixo que o inferno.

O amor me saudou boas-vindas; mas minha alma recuou,
Culpada de poeira e pecado.

Não obstante, o amor consiste em uma bondade incansável, que não desiste de socorrer os pecadores.

O amor foi insistente e disse:
"Deves sentar-te e provar de minha carne".
Assim sendo, sentei-me e comi.

George Herbert

Cf. Sl 86.15. Ver também Jl 2.13 e Sl 145.8. Esses sentimentos transformaram-se na fé nacional de Israel. Ver sobre a *Paternidade de Deus* em Êx 4.22; Dt 14.1; 32.6; Is 1.2; 45.11; 63.16; Jr 3.4,9; 31.9; Os 11.1; Ml 1.6; 2.10; 3.17. Ver Êx 34.6, a base da fé nacional de Israel. O Salmo 86.15 repete as declarações constantes no livro de Êxodo. Ver os comentários sobre o vs. 13, mais adiante.

■ **103.9**

לֹא־לָנֶצַח יָרִיב וְלֹא לְעוֹלָם יִטּוֹר׃

Não repreende perpetuamente. O amor, no entanto, não impede um castigo eventual pelo erro; de fato, o amor requer esse castigo, visto que o julgamento é um dedo da amorosa mão de Deus. Cf. Is 57.16; Lv 19.18 e Jr 3.5. Algumas vezes, Deus pode agir melhor através do julgamento do que através de qualquer outro meio. O Deus que continua *censurando* seus filhos terá de agir, afinal, se eles não lhe derem ouvidos. Finalmente, Deus deixará suas palavras e admoestações e passará a agir através de algum juízo que capture a atenção de seu povo. Mas o amor o fará aplicar esse castigo não em ira ou ódio. Embora Deus conheça a fragilidade humana (ver Rm 7 e o vs. 14 deste salmo), também sabe que os homens perdem a fibra moral quando estão namorando com o mal. Platão dizia que a pior coisa que pode acontecer a um homem que pratica o mal é não ser julgado pelo mal que pratica. Assim fazendo, ele corrompe a sua alma, o que é uma grande calamidade, muito pior que o julgamento divino.

Cf. Mq 7.18. O amor separa o pecador de seus pecados (vs. 12). O homem bom quer viver acima do pecado, o qual não é um bom companheiro e termina sendo um traidor dos melhores interesses do homem.

■ **103.10**

לֹא כַחֲטָאֵינוּ עָשָׂה לָנוּ וְלֹא כַעֲוֹנֹתֵינוּ גָּמַל עָלֵינוּ׃

Não nos trata segundo os nossos pecados. O amor intervém, temperando a justiça com o amor, pois para Deus não existe o que poderíamos chamar de *justiça crua.* De fato, a misericórdia e o amor são *partes integrais* da justiça. Assim sendo, no primeiro capítulo da epístola aos Romanos, vê-se que Deus poderia julgar os pagãos que são condenados, somente à luz da natureza; mas, de fato, ele não age assim, porque fazer isso seria usar de uma justiça crua. O evangelho intervém e provê uma *oportunidade universal* (1Pe 4.6). Em vez de condenar o homem, o amor divino atua para separar completamente o homem de seu pecado.

Este versículo não quer dizer que Deus deixa de julgar quando há razões para tanto. Isso já seria uma *injustiça.* O que este versículo quer dizer é que Deus opera de tal maneira que prefere restaurar a aniquilar. É precisamente isso o que deveríamos esperar da parte do amor de Deus. Torna-se, pois, evidente, que o julgamento é um dedo da amorosa mão de Deus. Em Cristo, temos o portador do pecado, pois ele age conosco conforme os *nossos pecados,* e nós saímos livres, a suprema manifestação do amor divino (ver Jo 3.16; Rm 3.21 ss.).

■ **103.11**

כִּי כִגְבֹהַּ שָׁמַיִם עַל־הָאָרֶץ גָּבַר חַסְדּוֹ עַל־יְרֵאָיו׃

Pois quanto o céu se alteia acima da terra. Com estas palavras, o poeta ilustra a misericórdia ou o *amor constante* de Deus. O perdão divino é como a vasta distância que separa o céu da terra, algo grande, alto e incomensurável. Os que *temem* a Deus, que têm uma espiritualidade autêntica, que se deixam governar pelos ditames da lei (estamos falando do ponto de vista do Antigo Testamento) recebem esse amor que cura, em vez de destruir. Temos aqui uma *restrição* às operações do amor de Deus. Este pensamento é reiterado nos vss. 13, 17 e 18. O evangelho é restringido aos que têm fé em Cristo, mas o importante é que o poderoso amor de Deus remove todas as restrições, porque transforma os pecadores. Eis a razão pela qual Cristo teve sua missão tridimensional, na terra, no hades e no céu, para que pudesse tornar-se "tudo para todos" (ver Ef 4.10). Essa é, igualmente, a razão por que o evangelho foi pregado aos mortos ímpios no hades, para conceder-lhes vida (ver 1Pe 3.18—4.6).

As misericórdias de Deus! Que tema para meu cântico. Oh! Eu jamais poderia enumerar todas as misericórdias de Deus. Elas são mais numerosas do que as areias nas praias batidas pelas ondas do mar, e mais numerosas do que as estrelas na cúpula celeste. As misericórdias de Deus, para com aqueles que o temem, são infinitas (ver Sl 36.5; 57.10). Ver no *Dicionário* o artigo chamado *Temor,* quanto a informações completas a respeito.

Porque mui grande é a sua misericórdia para conosco, e a fidelidade do Senhor subsiste para sempre. Aleluia!

Salmo 117.2

■ **103.12**

כִּרְחֹק מִזְרָח מִמַּעֲרָב הִרְחִיק מִמֶּנּוּ אֶת־פְּשָׁעֵינוּ׃

Quanto dista o Oriente do Ocidente. O *leste* e o *oeste* são as extremidades absolutamente opostas e nunca podem encontrar-se.

Oh, o leste é o leste, e o oeste é o oeste,
E nunca se encontrarão esses gêmeos.

Rudyard Kipling

Aqui, esse fato significa que os pecados de um homem jamais poderão prejudicá-lo, pois o homem e seu pecado estão separados um do outro, e isso pelo Poder divino. Ver a mesma mensagem, com uma metáfora diferente, na declaração de que Deus *esquece* os pecados do homem perdoado e justificado, porquanto eles ficam fora da visão e são apagados. Ver Sl 25.6 e 79.8. Pelo contrário, Deus *lembra* suas misericórdias (ver Sl 25.6).

Quem, ó Deus, é semelhante a ti, que perdoas a iniquidade, e te esqueces da transgressão...?

Miqueias 7.18

Há uma aplicação especial da graça perdoadora. Ver 2Sm 12.13 e Zc 3.4. Cristo levou os nossos pecados, pelo que a separação entre nós e os nossos pecados foi completa. Ver Lv 16.21,22 e Zc 3.9.

Meu coração não tem desejo de permanecer
Onde se levantam dúvidas e o temor faz desmaiar.
Embora alguns habitem onde essas coisas abundam,
Minha oração, meu alvo, é um terreno mais alto.

Johnson Oatman, Jr.

■ 103.13

כְּרַחֵם אָב עַל־בָּנִים רִחַם יְהוָה עַל־יְרֵאָיו:

Como um pai se compadece de seus filhos. *Elohim é Pai; Yahweh é Pai.* Existe o tratamento bondoso e paternal dos filhos, que salva o dia. O Pai celeste tem pena de seus filhos, sentimento que qualquer bom pai compreende perfeitamente bem. A misericórdia consiste em *terno amor*, pois o relacionamento entre pai e filho é de ternura, de puro amor, ultrapassando o amor das mulheres. Ver a lista de versículos que ensinam a paternidade de Deus no Antigo Testamento, no vs. 8 deste salmo. Ver no *Dicionário* o artigo chamado *Paternidade de Deus* quanto a detalhes. O *temor* entra de novo como uma restrição, conforme se vê no vs. 11, mas o evangelho foi aplicado para remover restrições, porquanto Deus amou o mundo de tal maneira que deu o seu próprio Filho. Cf. Sl 78.38,39 e 89.47. "Essa antecipação da revelação de Cristo do amor paternal de Deus se encontra também nos Profetas" (Ellicott, *in loc.*). Ver no *Dicionário* o artigo chamado *Compaixão*.

Deus é amor. Sua misericórdia ilumina
Todas as veredas por onde nos locomovemos.
Bênçãos ele desperta e ais ele ilumina.
Deus é sabedoria. Deus é amor.

Chances e mudanças estão sempre ocupadas,
O homem entra em decadência e a idade avança,
Mas a sua misericórdia nunca desaparece.
Deus é sabedoria. Deus é amor.

John Bowring

O ETERNO AMOR DE DEUS (103.14-18)

■ 103.14

כִּי־הוּא יָדַע יִצְרֵנוּ זָכוּר כִּי־עָפָר אֲנָחְנוּ:

Pois ele conhece a nossa estrutura. O Criador usou o pó da terra para criar o homem, o qual não passa de poeira. Deus lembra o humilde começo do homem e seu atual estado humilde, e trata o homem em consonância com seu conhecimento e amor. Ver Gn 2.7, sobre o qual repousa o sentimento do versículo. Quanto ao retorno final do homem ao pó, ver Gn 3.19, Ec 3.20; 12.7; Jó 4.19; 10.9; 34.15. Portanto, o homem é uma criatura entre *o pó e o pó*. Os vss. 15 e 16 não entretêm nenhuma esperança de uma existência além do sepulcro, o que também tipificava a teologia dos hebreus em seus primeiros estágios. Nos Salmos e Profetas *começou* a entrar a ideia da imortalidade, e essa ideia começou a ser desenvolvida nos livros apócrifos e pseudepígrafos, e então mais um pouco ainda nas páginas do Novo Testamento. A fé oriental e alguns filósofos gregos sempre mantiveram essa doutrina, pelo que a teologia dos hebreus estava um tanto atrasada quanto a esse ponto particular. Ver no *Dicionário* o verbete intitulado *Alma*, e na *Enciclopédia de Bíblia, Teologia e Filosofia* os vários artigos sob o nome de *Imortalidade*. Alguns tentam ler o tema da imortalidade no vs. 17, mas a descrição de eternidade ali pertence ao amor de Deus, e não ao homem amado, o qual supostamente continua para sempre a receber o amor de Deus. Isso já é uma *eisegese*, e não uma exegese.

A Septuaginta apresenta este versículo como se ele expressasse uma petição: "Oh, Senhor, lembra-te de que somos apenas pó", e, assim sendo, aplica a nós o teu amor eterno.

■ 103.15

אֱנוֹשׁ כֶּחָצִיר יָמָיו כְּצִיץ הַשָּׂדֶה כֵּן יָצִיץ:

Quanto ao homem, os seus dias são como a relva. *Duas* metáforas comuns do Antigo Testamento são usadas agora para ilustrar a fragilidade e a temporalidade do homem: a *relva*. Quanto a esta metáfora, ver Sl 90.5. Ver também Sl 37.2; 92.7; 103.4 e 5. Além disso, temos a *flor do campo*, a qual floresce por breve tempo, mas logo se resseca e morre. Ver Sl 90.5,6 e Jó 14.1,2. A relva tem seu dia. Quando o agricultor planta ou colhe, ele corta a relva. A flor é bela e alegra-se que as coisas belas perdurem para sempre. Mas o vento escaldante, ou os raios do sol, ou uma tempestade, logo põem fim à vida daquela coisa bela. E outro tanto acontece ao homem. A relva é *queimada*, como se não tivesse valor, e o valor temporário da flor, porquanto chegou a adornar os campos, *perde-se e é esquecido*. Cf. Is 40.6-8.

■ 103.16

כִּי רוּחַ עָבְרָה־בּוֹ וְאֵינֶנּוּ וְלֹא־יַכִּירֶנּוּ עוֹד מְקוֹמוֹ:

Pois, soprando nela o vento, desaparece. O *quente vento do deserto* que sopra do sul passa pela bela flor (a última coisa mencionada no versículo anterior) e a resseca, levando-a ao fim. Pois em pouco tempo ela fica sem vida e ressecada. Quando ainda vivia, a flor era bela e graciosa. Mas quando morre, perde seu lugar, que é ocupado por outra flor. E assim é completa a destruição de algo que os homens tanto admiraram.

Considera como crescem os lírios do campo...

Mateus 6.28

Os lírios do campo são mais belamente ornados do que Salomão em toda a sua glória (vs. 29), mas tudo isso se perde de modo breve e repentino, e de maneira absoluta. Assim também um homem, a despeito de qualquer glória que possa ter obtido, acaba perdendo-se. Morto e desaparecido. Naturalmente, a verdade é como o título de certo livro sobre a imortalidade: *Mortos Mas Não Desaparecidos*. Entretanto, quando o poeta sacro compôs este salmo, a teologia da época continuava sendo *mortos e desaparecidos*. Assim sendo, tudo quanto encontramos aumenta o nosso otimismo.

*Se uma lufada de vento quente passar pelo campo,
A flor se resseca em uma única hora.*

Ellicott

Este versículo pode ser comparado a Is 40.7.

■ 103.17

וְחֶסֶד יְהוָה מֵעוֹלָם וְעַד־עוֹלָם עַל־יְרֵאָיו וְצִדְקָתוֹ לִבְנֵי בָנִים:

Mas a misericórdia do Senhor é de eternidade a eternidade. O *amor constante* de Deus não teve começo e não terá fim, pelo que se aplica a cada geração sucessiva, sem falhas ou interrupções. Uma vez mais, porém, o poeta coloca uma restrição nos vss. 11 e 13: é somente para os que *temem a Deus*. As notas expositivas que foram dadas naqueles dois versículos também se aplicam aqui. Visto que a imortalidade é uma verdade tremenda, somos tentados a compreender que este versículo afirma que, por ser eterno o amor constante de Deus, eternos também são aqueles a quem esse amor se aplica.

Mas a verdade exata é que os eleitos, uma vez convertidos, se tornam eternos (pois têm a vida eterna). "O salmista mantém sua fé em Deus a despeito do fato de que ele não abrigava nenhuma esperança de imortalidade pessoal" (William R. Taylor, *in loc.*).

Este versículo também pode ser usado para ensinar a imortalidade do grupo, visto que a nação de Israel continua de uma geração para a outra, interminavelmente, todas elas sujeitas ao mesmo amor constante. E Deus também aplica sua *retidão* ou justiça, certificando-se de que a vida de cada geração é vivida na equidade, a fim de continuar a prosperar material e espiritualmente. Portanto, a mensagem é positiva, pelo menos até onde chega, embora não se adiante muito, o que é a verdade no tocante a todas as teologias. As teologias são deficientes, incluindo os credos de nossas denominações cristãs atuais. Portanto, pergunto: "Como este salmista pode mostrar-se tão feliz se não acreditava na imortalidade?" Respondo que, *no coração*, ele conhecia essa verdade, mas essa noção ainda não havia subido ao seu cérebro, onde ele conservava seus arquivos teológicos. Se seu coração continuasse a testemunhar para ele que isso era verdade, então *ele*, pelas misericórdias e pelo amor de Deus, estava destinado a viver para sempre, e não importavam as limitações impostas por seu cérebro. Penso que isso também se aplica às limitações que os credos cristãos nos *impõem*. Sabemos que Deus, por exemplo, não pode queimar pessoas para sempre em um inferno flamejante, pelo que podemos ouvir isso ou até repetir essa miserável doutrina, e não ficar muito afetados. Sabemos, em nosso coração, que isso não exprime a verdade. Sabemos que a esperança do evangelho é maior que isso, em favor de *todos os homens;* pelo que podemos continuar falando em limitações que não existem, porque nosso coração nos deixa felizes.

O amor e a retidão andam de mãos dadas e ministram aos que temem ao Senhor, ou seja, homens espirituais sérios que estão andando segundo a lei, que é como temos entendido a declaração nos termos hebraicos, vista no vs. 18. Esse programa é estendido por todo o mundo, pela igreja, por meio da administração do evangelho, e a mensagem de esperança em Cristo continua atingindo sucessivas gerações, uma aplicação cristã legítima deste versículo.

■ 103.18

לִשֹׁמְרֵי בְרִיתוֹ וּלְזֹכְרֵי פִקֻּדָיו לַעֲשׂוֹתָם׃

Para com os que guardam a sua aliança. Os que *temem a Deus*, que acolhem seu amor constante e sua retidão (vs. 17), são os que guardam a lei. Ver Sl 1.2, quanto a um sumário do que a lei mosaica significava para Israel. A mente do homem deve estar tão saturada pela lei que ela é uma *memória* contínua para que o homem aja em consonância com o que Deus dele requer.

> Tu és, ó Deus, o Deus de poder,
> Teu poder jamais fracassa.
> Tu és o Deus da verdade,
> tua palavra permanece inabalável.
> Tu és o Deus de amor,
> Teu amor jamais será abalado.
>
> Emily S. Perkins

Aliança. Amor, misericórdia e justiça foram prometidos nos pactos (ver a respeito no *Dicionário*). Deus trabalhava através dos pactos, a fim de abençoar. Ver sobre *Pacto Abraâmico*, em Gn 15.18. Ver sobre *Pacto Mosaico* na introdução a Êx 19, bem como sobre *Pacto Davídico* em 2Sm 7.4. Promessas foram feitas para serem cumpridas, e isso poderia significar apenas boa vontade, bem-estar e prosperidade para Israel e, através de Israel, para o mundo (vs. 19). O trono de Yahweh é *sobre todos,* pelo que pode significar o bem.

"Os mandamentos de Deus devem ser relembrados para que sejam cumpridos. Ele os insufla em nosso coração e em nossa mente; ele os escreve em nosso espírito e os grava em nosso coração. Ele faz os homens andar segundo os seus estatutos. Cf. Jr 31.34 e Ez 36.27" (John Gill, *in loc.*).

O LOUVOR UNIVERSAL (103.19-22)

■ 103.19

יְהוָה בַּשָּׁמַיִם הֵכִין כִּסְאוֹ וּמַלְכוּתוֹ בַּכֹּל מָשָׁלָה׃

Nos céus estabeleceu o Senhor o seu trono. A questão é aqui universalizada. Não foi bastante que Deus deu a sua lei e estabeleceu sua aliança com Israel. Deus era grande demais para interessar-se por apenas uma nação. Ele também é grande demais para interessar-se somente pelos eleitos. Antes, Deus também fez uma provisão para os não eleitos. Por isso, posso continuar a falar sobre a redenção e sobre a restauração (Ef 1.9,10), porquanto somente uma doutrina desse tipo se equipara à grandeza de Deus. No estilo dos salmos de entronização (93 e 95 a 99), os benefícios são estendidos ao mundo todo, onde o trono de Yahweh foi estabelecido. Ele pôs um dedo em Jerusalém, em Sião, no templo, mas colocou seu coração em todo o mundo (ver Jo 3.16). O trono de Deus está no céu, mas seu reino está em toda a terra. Cf. Sl 11.4-7. Os homens atrapalham seu destino com muitos defeitos, mas é a mente divina que realmente molda o nosso fim. Eis por que o plano é mais amplo do que se permite em muitos lugares da igreja atual.

Nos céus... o seu trono. Ver Sl 9.4,7 e Hb 1.11. Quanto ao seu reino *sobre toda a terra*, ver Sl 2; 47.2; Dn 4.25; Fp 2.10 ss.

> *Do Senhor é o reino, é ele quem governa as nações.*
> Salmo 22.28

> *Teu é o reino, o poder e a glória para sempre. Amém!*
> Mateus 6.13

■ 103.20

בָּרֲכוּ יְהוָה מַלְאָכָיו גִּבֹּרֵי כֹחַ עֹשֵׂי דְבָרוֹ לִשְׁמֹעַ בְּקוֹל דְּבָרוֹ׃

Bendizei ao Senhor todos os seus anjos. Visto que o trono de Deus é universal, abrangendo tanto os céus quanto a terra, o poeta convocou os anjos, os poderosos, a executar a palavra dele e ouvir a voz do Senhor. E também exortou Israel; e exortou as nações; e exortou os anjos; e exortou a si mesmo (vs. 22), para que ninguém se esquecesse de obedecer. Quanto à invocação da *assembleia celestial,* cf. Sl 82.1-8. Ver também Sl 34.4-7. Os anjos poderosos são excelentes em suas forças, uma frase que ocorre somente neste versículo em toda a Bíblia. A força deles, entretanto, é derivada, e não inerente a eles mesmos. Ademais, essa força deve ser usada no serviço do Rei.

> Sou feliz no serviço do meu Rei,
> Cada talento trarei.
> Gozo, paz, alegria e bênção,
> No serviço do meu Rei.

"Tal como, na mais elevada revelação feita por Jesus Cristo, os anjos no céu se regozijam diante de um pecador que se arrepende, assim também, do ponto de vista do salmista, a misericórdia de Yahweh para com seu povo fiel é uma causa de altas aclamações entre as hostes em redor do trono" (Ellicott, *in loc.*).

■ 103.21

בָּרֲכוּ יְהוָה כָּל־צְבָאָיו מְשָׁרְתָיו עֹשֵׂי רְצוֹנוֹ׃

Bendizei ao Senhor todos os seus exércitos. Alguns estudiosos veem nesta expressão geral o mandamento para que a natureza inteira, animada ou inanimada, incluindo o sol, a lua, as estrelas e os planetas, louve ao Senhor e faça aquilo que é do seu agrado (ver Sl 19.1). Veja o leitor como a natureza é personificada para louvar a Deus em Sl 98.7,8. Mas alguns eruditos veem aqui os *exércitos* como que formados somente por seres inteligentes celestiais ou terrenos. Nesse caso, o salmista parece ter três classes em mente: os poderes angelicais em torno do trono divino, a maior das classes; outras hostes angelicais; e os homens fiéis na terra. Mas, no vs. 22, visto que ali as obras também são convocadas a louvar ao Senhor, provavelmente recuamos outra vez à ideia de Sl 98.7,8.

Vós, ministros seus. Uma referência aos seres angelicais, mas postos aqui em terceiro lugar, o que significa provavelmente menção a outra ordem angelical. "Visto que quase nada sabemos sobre as ordens das hostes celestiais, por isso mesmo não podemos falar muito sobre as diferenças entre os anjos, os poderes, as hostes e os ministros. Mas sabemos que todas essas classes de seres angelicais devem todo o seu ser e todos os seus benefícios a Deus... Portanto, *todas* essas classes deveriam louvar ao Senhor" (Adam Clarke, *in loc.*). Quanto a uma enumeração neotestamentária das ordens angelicais, ver Ef 1.21. Ver no *Dicionário* o artigo chamado *Anjo*, quanto a maiores detalhes.

■ 103.22

בָּרֲכוּ יְהוָה כָּל־מַעֲשָׂיו בְּכָל־מְקֹמוֹת מֶמְשַׁלְתּוֹ בָּרֲכִי נַפְשִׁי אֶת־יְהוָה׃

Bendizei ao Senhor, vós, todas as suas obras. Tendo exortado a todos os seres e poderes, agora o salmista convoca *todas as coisas* criadas, as *obras* de Yahweh, a louvá-lo; e, finalmente, tal como no começo do salmo, também insta a si mesmo para unir-se ao coro universal. Cf. essas *obras* (possivelmente incluindo a natureza e até as coisas inanimadas) a Sl 96.11,12 e 98.7,8. Todas as coisas mencionadas fazem parte do domínio universal de Yahweh e participam de seus muitos benefícios; e isso significa que *devemos* louvar a Deus.

> Avante vai o grupo de peregrinos,
> Cantando cânticos de expectativa,
> Marchando para a Terra Prometida.
>
> B. S. Ingemann

Cf. esse final de louvores, por parte de todas as coisas e de todos os seres, a Sl 147.7-12, onde o salmista fornece uma longa lista de coisas e seres que, potencialmente, devem louvar a Deus.

> A terra com suas mil vozes louvando a Deus.
>
> Ellicott

O poeta sagrado começou seu hino exortando a si mesmo a louvar a Yahweh e termina aqui da mesma maneira. "Em meio ao coro do universo inteiro, o salmista retorna à sua humilde participação no conjunto de louvores" (William R. Taylor, *in loc.*). Ele era um homem muito enfermo. Seu caso era terminal, mas, como resposta à oração, ele foi miraculosamente curado. Portanto, ele compôs este hino para o Deus que cura, o qual é também o Rei de todas as coisas, digno do louvor universal. Ele fora um homem extremamente enfermo. Mas bendito seja o homem, pobre e necessitado, cuja enfermidade foi curada por meio de intensa súplica. Sim, bendito seja o homem cuja oração foi acolhida pelo Senhor, na hora da enfermidade, na hora da suprema necessidade. Oh, Senhor, concede-nos a graça de que o uso deste salmo, em oração, seja tão poderoso que cure os enfermos, especialmente as crianças pequenas.

SALMO CENTO E QUATRO

Quanto a *informações gerais* que se aplicam a todos os salmos, ver a introdução ao Salmo 4, onde apresento *sete* comentários que elucidam a natureza do livro.

Quanto às *classes* dos salmos, ver o gráfico no início do comentário, que atua como uma espécie de frontispício da coletânea. Ofereço ali dezessete classes e listo os salmos pertencentes a cada uma delas.

Este é um nobre *hino* que pode ter sido escrito pelo mesmo autor que compôs o Salmo 103. Ambos começam com a exortação: "Bendize, ó minha alma, ao Senhor!" O Salmo 104 é um *Hino ao Criador*, cujas obras testificam, por toda a parte, seu contínuo poder e graça, e não meramente seu ato criador original. O Criador é igualmente o preservador e operador universal, para o bem de todos. Por conseguinte, ele merece o nosso louvor, e o salmista estava resolvido a continuar louvando o Senhor enquanto vivesse neste mundo (vss. 33).

"O tema central é a glória de Deus e a sua sabedoria, segundo ela se manifesta na criação do mundo. Neste salmo, na realidade, há uma filosofia da providência beneficente de Deus na ordenação do mundo... Deus viu que tudo quanto ele havia feito era muito bom (Gn 1.3)" (William R. Taylor, *in loc.*).

Este salmo tem alguns notáveis paralelos com o *Hino Egípcio a Aton* (o sol como a fonte da vida), o qual data da época de Aquenatom (1380-1362 a.C.), governante egípcio conhecido por seus interesses monoteístas. John A. Wilson (no livro *Ancient Near Eastern Texts Relating to the Old Testament,* da autoria de J. B. Pritchard, págs. 370 e 371), salientou *dez* paralelos próximos. Talvez esses paralelos possam ser explicados em face de uma teologia semelhante por trás das duas composições. Ou então, conforme insistem alguns, o autor do Salmo 104 estava familiarizado com o hino egípcio. Nesse caso, é difícil explicar por que deixou de lado tanto material que teria sido útil para os seus propósitos, tendo tomado por empréstimo relativamente poucas ideias. A grande *diferença* entre as duas coisas é que, no hino egípcio, o criador é o sol, ao passo que, no Salmo 104, o sol figura apenas como *parte* da criação de Deus.

Subtítulo. O Salmo 104 é um dos 34 salmos sem subtítulo. Quanto a esta circunstância, ver as observações na introdução ao Salmo 91, sob *Subtítulo*.

BENDITO SEJA O SENHOR, CRIADOR DE TODAS AS COISAS (104.1-35)

O Primeiro Estágio da Criação (104.1-4; Gn 1.1-8)

■ 104.1

בָּרֲכִי נַפְשִׁי אֶת־יְהוָה יְהוָה אֱלֹהַי גָּדַלְתָּ מְּאֹד הוֹד וְהָדָר לָבָשְׁתָּ׃

Bendize, ó minha alma, ao Senhor! Este salmo começa da mesma forma que o Salmo 103, com a diferença de que agora a bênção se estende a Yahweh-Elohim, e não ao simples Yahweh. O Deus Eterno e Todo-poderoso é descrito como *muito grande* e revestido de honra e majestade, visto ser o Criador de todas as coisas, bem como aquele cuja providência tanto sustenta quanto faz prosperar todas as criaturas vivas.

Magnificente. Isso porque somente um Poder assim descrito poderia ser a causa primária e única de tudo quanto existe. Os *efeitos* provam a grandeza da causa. Ver na *Enciclopédia de Bíblia, Teologia e Filosofia* o verbete denominado *causa*, quanto a uma série de artigos relacionados ao tema. "As provas mais fortes da existência de Deus derivam-se das obras da criação, em sua magnitude, variedade, número, economia e uso" (Adam Clarke, *in loc.*). Ver na *Enciclopédia de Bíblia, Teologia e Filosofia* os vários argumentos em favor da existência de Deus: *Cosmológico; Teleológico; Ontológico; Graus de Perfeição* e vários outros artigos de interesse.

Sobrevestido de glória e majestade. Ou seja, qualidades que caracterizam o Ser de Deus; esses são seus atributos e descrições corretas. Quanto a tais descrições em outros lugares, cf. Sl 93.1; 96.6; 145.5; Jó 37.22 e 40.11. Elohim estava vestido com vestes *reais*, nos dias da criação.

■ 104.2

עֹטֶה־אוֹר כַּשַּׂלְמָה נוֹטֶה שָׁמַיִם כַּיְרִיעָה׃

Coberto de luz como de um manto. Este versículo, em um sentido poético, provavelmente deve ser considerado paralelo ao trecho de Gn 1.3-5 — o primeiro dia da criação —, onde encontramos a *luz primeva*. Ver também 1Tm 6.16: Deus habita em luz inacessível. Cf. o *fogo* da presença divina, em Êx 3.2; Dn 7.9. O Deus revestido em luz diferente da luz terrena fala de sua majestade, mas também do fato de que ele se esconde de nossa compreensão, sendo *inescrutável* e *transcendental*. Em Is 60.19, Deus é a Luz de Sião, pelo que é uma luz que ilumina, e não meramente que cega os olhos dos que a contemplam. Combinando os vss. 1 e 2, vemos que esse revestir é honra, majestade e luz.

Como uma cortina. Os próprios céus se assemelham a uma cortina, em um paralelo ao tabernáculo (Ct 1.5) que Elohim estendeu. Ver Êx 26 e 27, quanto às cortinas do tabernáculo. O poeta sacro dá a entender que toda a criação se parecia com uma tenda gigantesca, um lugar de habitação de todas as coisas, celestiais e terrenas. Isso pode ser uma alusão poética ao *segundo dia* da criação (ver Gn 1.6-8).

> A eterna
> Câmara da presença, templo, lar
> Abóbada de cobertura,
> Atos de eras ainda por vir.
>
> Shelley

ESPÍRITOS MINISTRADORES

Richard Laurence, *Book of Enoch*, 1821.

Fazes a teus anjos ventos. E a teus ministros, labaredas de fogo.
                                                              Salmo 104.4

Não são todos eles espíritos ministradores enviados para serviço, a favor dos que hão de herdar a salvação?
                                                              Hebreus 1.14

Os anjos são referidos na Bíblia de Gênesis ao Apocalipse, desde "os carvalhais de Manre" (Gn 24.18) até a ilha de Patmos (Ap 1.9). As mais antigas evidências arqueológicas em favor da crença na existência dos anjos vêm de Ur-Namus (2250 a.C.), onde anjos são vistos a adejar por sobre a cabeça do rei enquanto ele orava.

■ 104.3

הַמְקָרֶה בַמַּיִם עֲלִיּוֹתָיו הַשָּׂם־עָבִים רְכוּבוֹ הַמְהַלֵּךְ עַל־כַּנְפֵי־רוּחַ:

Pões nas águas o vigamento da tua morada. Este versículo parece ser a expressão poética de Gn 1.7, uma continuação do *segundo dia* da criação. Foram separadas as águas de cima das águas de baixo, ou seja, o grande céu celeste acima da taça invertida, e as águas abaixo, as águas da terra, fundamentadas sobre colunas que mergulhavam para descansar ninguém sabia no quê. Ver o artigo sobre *Astronomia*, onde ilustro o que os hebreus pensavam sobre a criação e a cosmogonia. O que eles acreditavam foi obscurecido pelo nosso ponto de vista da criação e da ciência, fazendo com o que o livro de Gênesis concorde com algumas coisas que a ciência diz hoje em dia. A maior parte das interpretações da história da criação do livro de Gênesis consiste mais em *eisegese* do que em *exegese*. Isso significa que os intérpretes leem no texto o que querem ler, em vez de extrair o significado real do texto. Ver no *Dicionário* o artigo chamado *Criação*, quanto a explicações tanto bíblicas quanto de outras naturezas. Então Deus cavalgava pelos céus intermináveis, recoberto de nuvens, em sua carruagem de fogo, ou então fazia das próprias nuvens uma carruagem, cavalgando sobre as asas do vento. Cf. Sl 18.10. Temos uma expressão poética similar na *maldição de Kehama*, acerca do Palácio de Indra.

> Construída sobre o lago, as águas eram seu soalho;
> E aqui suas paredes eram de água arqueada com fogo,
> E espirais e pináculos de fogo
> Limitadas por cúpulas de água aspirando,
> E cúpulas de arco-íris repousando sobre torres de fogo.

Tomas as nuvens por teu carro. Cf. Sl 68.4-6,33; Dt 33.26; Is 19.1. Temos uma descrição poética do poder e da majestade divina, mas é difícil dizer exatamente o que o poeta quis dizer com essa expressão, e o quanto disso era literal e o quanto era figurado. O assento da presença divina é chamado aqui de "carro". Nas mitologias grega e romana, Júpiter (considerado por esses povos o deus supremo) é retratado como se estivesse sendo transportado em um carro, através dos céus, cujo movimento causava os relâmpagos e os trovões.

■ 104.4

עֹשֶׂה מַלְאָכָיו רוּחוֹת מְשָׁרְתָיו אֵשׁ לֹהֵט:

Fazes a teus anjos ventos. Os *anjos* de Deus aparecem aqui como ministros de fogo flamejante; mas alguns eruditos naturalizam a referência e fazem dos ventos naturais mensageiros de fogo e chamas. Hb 1.7 dá as interpretações rabínicas posteriores, que falam em *anjos*. O original hebraico pode estar tratando tanto de *ventos* como de *espíritos*; e, se estão em vista espíritos, então os anjos aparecem aqui como seres imateriais.

Em seguida, aqueles seres imateriais se tornam mensageiros de Yahweh-Elohim, atravessando o céu e a terra enquanto realizam missões divinas. Em Hb 1.7, tais servos aparecem como subordinados ao Filho, e o fato de que são apenas "chamas de fogo" mostra sua natureza inferior ao Filho de Deus, que é deidade essencial. Porém, não parece haver nenhuma tentativa de diminuição da estatura dos anjos nesta referência do salmo. Também não há nenhum indício de que os anjos foram auxiliares na criação, ajudando em certas tarefas o Criador de tudo. Isso estaria em harmonia com o pensamento do judaísmo posterior, do qual o autor sagrado participava. Presumivelmente continuamos aqui a relembrar o *segundo dia* da criação neste versículo, mas o que é dito aqui ultrapassa em muito a narrativa do livro de Gênesis. Uma interpretação judaica crassa, literal e materialista do versículo fazia os anjos aparecerem como ventos literais, e o coro celeste, como chamas literais (assim lemos em Moore, *Judaism*, I.405).

A Fundação da Terra (104.5-9; Gn 1.9,10)

■ 104.5

יָסַד־אֶרֶץ עַל־מְכוֹנֶיהָ בַּל־תִּמּוֹט עוֹלָם וָעֶד:

Lançaste os fundamentos da terra. Estamos agora no *terceiro dia* da criação. Os antigos israelitas viam a terra repousando sobre colunas, e essas colunas estendiam-se na direção das águas abaixo, repousando ninguém sabia no quê. Ver a ilustração do pensamento cosmológico dos hebreus, no artigo chamado *Astronomia*, no *Dicionário*. Os fundamentos da terra eram vistos como absolutamente firmes e *eternos*, visão contradita por Sl 102.26, que é uma ideia alternativa — haveria um fim da criação material, a qual, embora de grande antiguidade, não compartilhava a eternidade de Deus. Essa segunda ideia é mais próxima do que a ciência ensina hoje em dia, pois, se a matéria não pode ser destruída, sua forma pode ser modificada de tal maneira que fica destruído o que fora formado. Jó 26.7 diz que Deus "faz pairar a terra sobre o nada", o que emite uma ideia estranha aos hebreus, mas a qual obteve a aprovação diante de alguns poucos israelitas. Lemos ali que a terra está suspensa no espaço, equilibrada por forças gravitacionais e de campos magnéticos, algo sobre o qual Jó praticamente nada sabia. O certo é que o poeta sagrado não fazia ideia que se tinha aproximado das noções expressas por Jó, sem importar o que este tivesse querido dizer.

Seja como for, é uma atividade desonesta aquela que tenta fazer a história da criação — apresentada no livro do Gênesis, ou esta versão poética em Sl 104 — adaptar-se ao que conhecemos atualmente. Além disso, o que sabemos na atualidade sofrerá muitas modificações revolucionárias conforme o conhecimento humano se desenvolver, e os intérpretes literais da Bíblia continuarão a fazer a narração do livro de Gênesis acompanhar a marcha da ciência. Toda essa atividade, entretanto, está equivocada e é vã, além de ser uma tremenda *eisegese*, porquanto lê no texto o que os intérpretes querem ler.

■ 104.6

תְהוֹם כַּלְּבוּשׁ כִּסִּיתוֹ עַל־הָרִים יַעַמְדוּ־מָיִם:

Tomaste o abismo por vestuário e a cobriste. "O mundo de água é primeiramente considerado uma *vasta vestimenta* enrolada em torno da terra, de tal modo que até os topos das montanhas foram cobertos. Mas as águas subiram além do que era legítimo, pelo que uma repreensão divina as levou a recuar" (Ellicott, *in loc.*). Embora este não seja um quadro completo do *caos*, conforme vemos nos hinos de criação babilônicos, o qual foi repreendido e forçado a largar sua prisão sobre a terra, certamente não está muito distante. É inteiramente inútil tentar forçar a ciência quanto a isso, e ver as *águas* como nuvens que se condensaram e formaram os nossos oceanos. Seja como for, está em mira Gn 1.9.

E fazer que essas águas falem metaforicamente de uma corrupção universal que tinha engolfado o mundo inteiro, o que foi repreendido por decreto divino através do evangelho, é uma interpretação bastante fantasiosa.

Mas parece que temos aqui uma ideia primitiva de que o mundo original não era inteiramente destituído de forma. Havia montanhas, mas elas estavam submersas no grande oceano universal. Isso poderia significar que a criação foi um trabalho de reforma, e não uma criação absoluta (trazendo à existência algo que não existia antes). Ou, mais provavelmente ainda, no *primeiro* ato da criação, as montanhas foram trazidas à existência, uma visão estranha e anticientífica. Não obstante, é possível que seja isso o que o poeta sagrado pretendia dizer aqui. Com todo o seu conhecimento sobre as noções dos hebreus, era isso o que John Gill pensava indicar o poeta.

■ 104.7

מִן־גַּעֲרָתְךָ יְנוּסוּן מִן־קוֹל רַעַמְךָ יֵחָפֵזוּן:

À tua repreensão fugiram. O vasto oceano que havia engolfado o globo terrestre inteiro, excetuando alguns poucos picos montanhosos que se projetavam para cima, tinha ido longe demais em suas ambições, pelo que foi repreendido por Yahweh-Elohim e teve de retroceder a limites mais humildes. Para o poeta, por causa disso nossos oceanos e outros corpos de água vieram à existência. Foi necessária a *voz de trovão* da deidade (um grande poder, o *decreto divino*) para realizar *essa* tarefa. Mas, quando se fez ouvir a voz divina, trovejante, as águas tiveram de baixar, temerosas da ordem que lhes foi passada pelo Poder. Gn 1.9 continua em foco, e o salmo elaborava sobre o assunto com metáforas poéticas. É ridículo tentar arrancar ciência de tal poesia.

Temos aqui a "vitória de Deus sobre as águas, o símbolo do *caos*; ver Sl 93.3,4" (*Oxford Annotated Bible*, falando sobre os vss. 6 e 7). Deus a repreender a Satanás, com um rosto severo, é uma aplicação deste versículo, mas dificilmente uma interpretação.

■ 104.8

יַעֲלוּ הָרִים יֵרְדוּ בְקָעוֹת אֶל־מְקוֹם זֶה יָסַדְתָּ לָהֶם:

Elevaram-se os montes, desceram os vales. Os montes se *alteraram*, e os vales *afundaram*, e então desceram as águas, assumindo seu lugar no leito dos oceanos, bem como nos leitos dos riachos e rios. Em outras palavras, a ordem foi conseguida mediante o poder de Yahweh-Elohim, que interveio no caos e tornou as coisas habitáveis. O autor elabora poeticamente o que se lê em Gn 1.9. Ver também Sl 107.26. "Deus, como o construtor mestre, fundou as profundezas do mar como os receptáculos apropriados para as águas com seus incontáveis habitantes (vss. 5,25; Sl 102.25)" (Fausset, *in loc.*). Naturalmente, a geologia conta como os montes se elevam, ou subitamente, mediante terremotos, ou através de algum longo tempo. Os Montes Rochosos, na parte ocidental dos Estados Unidos da América, conforme nos informa a geologia, são relativamente jovens e continuam a elevar-se do subsolo, por forças subterrâneas que os fazem subir. A taxa de elevação, naturalmente, é bastante pequena a cada ano. Mas o poeta sagrado não sabia coisa alguma a respeito desses fenômenos, nem estava descrevendo tal tipo de coisa. Antes, falava nas intervenções divinas na natureza. É possível traduzir o original hebraico aqui de tal maneira que se diga que as águas é que subiram, e não os montes. Nesse caso, o poeta sagrado as teria visto subindo, mas perdendo terreno, para então descerem a seus respectivos leitos. O Targum tem essa interpretação, sendo seguido por muitos intérpretes. Mas embora, gramaticalmente, isso seja possível, a outra ideia por certo tem mais sentido.

Ovídio disse algo similar:

> Ele sombreia as florestas, e aos vales
> Ele restringiu com montes rochosos...
>
> Met. lib. 1, vs. 43

Mas Milton está mais em harmonia com a passagem bíblica, ao dizer:

> Imediatamente as gigantescas montanhas
> Apareceram emergentes...
>
> *Paraíso Perdido*, livro vii

■ 104.9

גְּבוּל־שַׂמְתָּ בַּל־יַעֲבֹרוּן בַּל־יְשׁוּבוּן לְכַסּוֹת הָאָרֶץ:

Puseste às águas divisa que não ultrapassarão. As restrições aos oceanos são sobrenaturais, de acordo com o poeta sagrado. Os antigos nada sabiam sobre as forças gravitacionais. Por isso se admiravam como os oceanos eram contidos e não invadiam continuamente a terra. Os mares eram objeto de temor. Os hebreus viviam *perto* do mar, mas não eram um povo *marítimo* (como os fenícios, por exemplo). Para os israelitas, as grandes águas não serviam nem para o prazer nem para o comércio. As águas eram consideradas hostis por eles. Portanto, os hebreus ficaram alegres com o fato de Deus tê-las limitado. O caos de águas, uma vez repreendido por Yahweh (vs. 7), permaneceu em seu lugar. Com a ajuda dos fenícios, Salomão desenvolveu o comércio marítimo e ganhou muito dinheiro (ver 1Rs 5.1,2; 9.10-14). Josafá tentou repetir o feito, mas sua frota afundou (ver 2Cr 20.35-37; 1Rs 22.49). Mas esses esforços por dominar o mar foram exceções entre os israelitas.

Fontes de Águas (104.10-13)

■ 104.10

הַמְשַׁלֵּחַ מַעְיָנִים בַּנְּחָלִים בֵּין הָרִים יְהַלֵּכוּן:

Tu fazes rebentar fontes no vale. Essa provisão de água, como parte do ato da criação, não tem paralelo no livro de Gênesis, embora Gn 7.11 mencione duas fontes de águas. O autor sagrado reconheceu a importância da água no sustento dos animais e das pessoas, e deu crédito a Yahweh por cuidar da questão. Todas as coisas vivas precisam de água, pelo que temos aqui fontes *esguichando* águas em abundância, que formaram rios que, ato subsequente, levaram as águas a toda a parte. Rios formaram-se no vale, cercados pelas montanhas. Foi assim que as águas, antes hostis, transformaram-se em doadoras de vida. A água era necessária para o sustento da vegetação, pelo que Yahweh não fez um trabalho imperfeito, ao criar uma coisa após a outra.

Simbolismos foram destacados por meio de aplicação: Deus, a fonte, a Água da Vida; Cristo a Água da Vida; provisão, providência; as ministrações do Espírito Santo; o pacto de Deus, a fonte de todas as bênçãos; as ministrações do evangelho, que saltam para a vida eterna. Ver no *Dicionário* o verbete chamado *Água*, para um desenvolvimento do tema.

> *Há um rio, cujas correntes alegram a cidade de Deus.*
> Salmo 46.4

104.11

יַשְׁקוּ כָּל־חַיְתוֹ שָׂדָי יִשְׁבְּרוּ פְרָאִים צְמָאָם׃

Dão de beber a todos os animais do campo. Os animais são um dos grandes beneficiários das águas e, por sua vez, uma grande fonte de benefícios para os homens, por causa dos produtos que representam. Além disso, há o amor abrangente de Deus, que inclui o interesse até pelos animais (ver Jn 4.11). "Devemos ensinar as criancinhas a nunca ferir desnecessariamente uma criatura ou machucar uma flor. Esse é o princípio da reverência. E isso, naturalmente, vai crescendo na mente dos adoradores sinceros, até abranger o Deus vivo... A mais vil criatura na terra reflete a santidade e a grandeza de Deus" (J. R. P. Sclater, comentando Sl 99.1).

> Um tordo de peito vermelho em uma gaiola
> Faz todo o céu ficar indignado.
> Um cão morto de fome no portão de seu senhor
> Prediz a ruína de um estado.
> Um cavalo abusado na estrada
> Exige do céu o sangue de um ser humano.
> Cada grito de um coelho caçado
> Rasga uma fibra do cérebro.
>
> William Blake

Quanto ao *jumento selvagem*, ver Jó 39.5-8. Esses eram animais humildes, que pouco ou nada serviam aos homens, mas Deus cuida deles. Esse é um animal tímido, que evita o homem, o qual pode aprisioná-lo. Mas a *Providência de Deus* se estende a eles, que encontram água no deserto. Ver no *Dicionário* o verbete intitulado *Asno*. "Se Deus cuida das feras do campo, incluindo até os mais selvagens e estúpidos animais, não cuidará ele de seu próprio povo? Ele cuidará e cuida. Ele abre rios em lugares altos e fontes no meio dos vales. Ele dá águas e rios no deserto, para dar de beber a seu povo, aos seus escolhidos. Ver Is 41.18,19; 43.19,20" (John Gill, *in loc.*).

104.12

עֲלֵיהֶם עוֹף־הַשָּׁמַיִם יִשְׁכּוֹן מִבֵּין עֳפָאיִם יִתְּנוּ־קוֹל׃

Junto delas têm as aves do céu o seu pouso. As aves do céu não são esquecidas. Elas executam sua atividade de comer e beber o dia inteiro, e não fazem quase nada. Deus providenciou para esse tipo de vida. As aves são adornos ao firmamento e têm algum uso para o homem, mas Deus dispensa seu cuidado por causa delas mesmas, e não meramente pelo bem que, porventura, elas façam ao homem. "As aves do céu e os animais do campo têm o seguinte em comum: ninguém cuida deles. Mas Deus, que cuida dos animais com os quais ninguém se importa, cuidará com igual cuidado de seu próprio povo (Mt 6.26)" (Fausset, *in loc.*). A água chega e faz as plantas e as árvores crescer, e os pássaros aninham-se ali, cantando suas canções entre os ramos. Ver Ez 7.23 e Mt 13.32. Os santos são comparados às aves, tão fracos, tão dependentes, tão indefesos, fáceis de ser apanhados em armadilhas, fáceis de ser destruídos. A *Providência de Deus* é lata o bastante para incluir todas essas criaturas vivas.

> *Observai as aves do céu: não semeiam, não colhem, nem ajuntam em celeiros; contudo vosso Pai celeste as sustenta. Porventura, não valeis vós muito mais que as aves?*
>
> Mateus 6.26

104.13

מַשְׁקֶה הָרִים מֵעֲלִיּוֹתָיו מִפְּרִי מַעֲשֶׂיךָ תִּשְׂבַּע הָאָרֶץ׃

Do alto de tua morada regas os montes. Do alto de sua morada, Deus envia a água ali guardada para a terra. São reservatórios típicos, que alguns hebreus consideravam literalmente, embora outros considerassem figuradamente. As águas acima da cúpula invertida poderiam ser uma fonte de água para a terra, e essas águas, o mar celestial, eram ilimitadas. Alguns estudiosos reduzem a figura às *nuvens* e comparam-nas ao vs. 3 deste salmo, mas dificilmente devemos pensar só nessa fonte como o que está em vista aqui. As nuvens são uma subfonte, e não a única fonte de águas celestiais. A ciência tem demonstrado que todas as águas que estão nas nuvens vêm dos oceanos, mas os hebreus não sabiam disso. Portanto, a água existente "lá em cima" constituía um mistério. Eles tinham consciência de que as nuvens davam chuvas, mas imaginavam alguma fonte exótica, maior do que as nuvens. O Targum fala sobre os *tesouros superiores* de águas. E se as fontes são abundantes, assim também é o suprimento, e a terra floresce nessa abundância. Assim são supridos todos os *frutos* da terra. As colinas obtêm sua porção; os vales, por igual modo. As águas fluem dos céus e se locomovem nos rios. O homem se *satisfaz* com o sistema e continua existindo por causa dele. Deus conta com múltiplas operações na sua dádiva de água, e, de modo geral, cuida pessoalmente das coisas. As chuvas são apenas uma pequena parte do sistema completo. Ver Gn 7.11. Não se pensava que o dilúvio havia sido causado meramente pelas chuvas. As câmaras celestiais se abriram, tanto quanto os depósitos de águas na terra. A chuva teria sido a parte menor da fonte de águas que inundou a terra inteira.

Vegetação (104.14-18; Gn 1.11-13)

104.14

מַצְמִיחַ חָצִיר לַבְּהֵמָה וְעֵשֶׂב לַעֲבֹדַת הָאָדָם לְהוֹצִיא לֶחֶם מִן־הָאָרֶץ׃

Fazes crescer a relva para os animais. Continuamos a tratar com o estudo do poeta sobre o *terceiro dia* da criação. A vegetação era fundamental para toda a vida animal, incluindo a vida humana, e assim a *Providência de Deus* (ver a respeito no *Dicionário*) também cuidava disso. O homem teria de trabalhar no campo (o hebraico diz aqui, literalmente, "cuidar das ervas com labor"), mas possuía instrumentos para tanto. Assim sendo, teria plantas para *cultivar* e gerar sustento para a vida. "A relva medra espontaneamente, mas os grãos e os legumes só crescem através de cultivo laborioso; contudo, isso é um dom de Deus, e parte de sua provisão criativa (ver Gn 2.5; 3.18,19,23 e 4.2). E é assim que o homem produz alimentos, segundo se vê em Jó 28.5" (Fausset, *in loc.*). "Porventura Deus cuida do gado? Sim. E não existe um só animal dos campos que não compartilhe do misericordioso interesse divino" (Adam Clarke, *in loc.*). Na germinação e no cultivo dos grãos e dos frutos, manifesta-se uma profusão de milagres, de modo que um punhado de feijão no fundo de uma saca deixa confundidos os ateus deste mundo.

104.15

וְיַיִן יְשַׂמַּח לְבַב־אֱנוֹשׁ לְהַצְהִיל פָּנִים מִשָּׁמֶן וְלֶחֶם לְבַב־אֱנוֹשׁ יִסְעָד׃

O vinho, que alegra o coração do homem. Alguns produtos agrícolas são especialmente deleitáveis e benéficos aos homens. O poeta nos dá aqui um exemplo: o *vinho*, que alegra o coração do homem quando o deixa em um leve estado de embriaguez, sempre que não haja excessos. O *azeite* tem seu uso como cosmético, fazendo o rosto de um homem brilhar, e também se reveste de valores medicinais apreciados. E, finalmente, o *pão* (que representa aqui o alimento feito de grãos), a principal fonte de sustento da vida humana. Definitivamente, o suco da uva se azeda um pouco, ao fermentar sob a forma de *vinho*; mas mesmo assim é muito melhor que o suco de uva não fermentado. E era assim que os hebreus sentiam, sendo eles um povo de vinho, canções e danças. Os evangélicos não gostam dessas ideias, mas eles têm, em seus costumes, coisas piores que um pouco de vinho. Eu mesmo não toco em vinho. Sabemos hoje em dia que o vinho corta o colesterol, mas também sabemos que mata células do cérebro. As pessoas que costumam beber pouco vinho vivem mais que as pessoas que não o tomam, mas também penso que elas serão um pouco mais estúpidas. Portanto, que o leitor faça sua escolha: viva por mais tempo um tanto menos mentalmente vivo; ou viva menos com uma inteligência superior. Naturalmente, existem outros alimentos que cortam o colesterol, mas o vinho também é um sedativo suave, que ajuda o homem a manter os nervos sob controle. O principal, entretanto, é cada indivíduo cumprir a sua parte e deixar que Deus cuide de quanto tempo cada qual viverá. Ver no *Dicionário* os artigos sobre *Vinho*, *Azeite* e *Pão*, quanto a maiores detalhes.

"O *vinho*, em quantidade moderada, tem a notável tendência de reviver e revigorar o ser humano... torna um homem animado e prové a continuação dessa animação ao fortalecer os músculos e deixar os nervos em seus devidos lugares. Essa é a utilidade do vinho... O *azeite* serve para ungir o corpo, especialmente as partes expostas ao sol e às intempéries. Isso era muito importante nas terras áridas... O *pão* impedia a fome. Estando com fome, um homem se sente indisposto, não pode ser emulado nem encorajado" (Adam Clarke, o qual, em minha opinião, exagera no caso do vinho).

■ 104.16

יִשְׂבְּעוּ עֲצֵי יְהוָה אַרְזֵי לְבָנוֹן אֲשֶׁר נָטָע׃

Avigoram-se as árvores do Senhor. Os *cedros do Líbano* (ver a respeito no *Dicionário*) têm grande valor estético e também são uma excelente madeira de construção. Deus certifica-se de que os cedros prosperem, provendo tudo o que é necessário para que a sua seiva transmissora de vida continue circulando. Foi Deus quem originalmente *plantou* essas árvores e agora as *sustenta*. Outro tanto se dá no caso de todas as árvores necessárias ao bem-estar dos homens. Há muitas árvores frutíferas que são consumidas na alimentação humana, bem como árvores dotadas de flores embelezadoras. As árvores também seguram o solo e impedem a erosão. O cedro aparece com frequência na literatura dos hebreus, para quem é a mais nobre de todas as árvores, produtora de uma madeira usada até na construção do templo de Jerusalém. Essa árvore representa: beleza, força, nobreza, utilidade, prosperidade — tudo conferido por Deus. O artigo referido acima dá mais detalhes úteis como ilustração.

As árvores ficam *satisfeitas com a seiva*, diz literalmente o original hebraico. Satisfação espiritual, mental e física são fatores importantes para o bem-estar de todas as coisas vivas.

Um dos grandes mistérios da vida é como os peixes chegaram ao mar, como a relva chegou aos campos, e como as árvores chegaram às florestas. O salmista não tinha nenhuma explicação científica para isso, e nós pouco sabemos mais do que ele. Contudo, ele nos assegura que Deus é a causa desses mistérios, como a causa primitiva e única para todas essas coisas. Ver a série de artigos sobre *causa*, no *Dicionário*. Note o leitor a expressão "as árvores do Senhor". Sim, as árvores se originaram no Senhor e agora têm nele a sua continuidade. Ver sobre os "cedros de Deus", em Sl 80.10.

■ 104.17

אֲשֶׁר־שָׁם צִפֳּרִים יְקַנֵּנוּ חֲסִידָה בְּרוֹשִׁים בֵּיתָהּ׃

Em que as aves fazem seus ninhos. As aves constroem seus ninhos nas árvores, pelo que as árvores são úteis como *residências* dos pássaros, e não somente como madeira de construção para os homens. Deus lhes envia água adequada para manter o programa em continuação. A garça edifica seu ninho no *cipreste* (ver a respeito no *Dicionário*). Portanto, árvores especiais servem a propósitos especiais, e muitas árvores são específicas para determinado propósito, o que é supremamente ilustrado nas árvores frutíferas. Os passarinhos descobrem que algumas árvores se prestam mais a seu uso, ao passo que os pássaros maiores preferem outras árvores. "Em sua sabedoria, Deus fez a terra admiravelmente bem adaptada a todas as formas de vida" (Allen P. Ross, *in loc.*). Ver no *Dicionário* o verbete intitulado *Cegonha*, quanto a detalhes sobre a ave que ilustra o versículo.

■ 104.18

הָרִים הַגְּבֹהִים לַיְּעֵלִים סְלָעִים מַחְסֶה לַשְׁפַנִּים׃

Os altos montes são das cabras montesinhas. As cabras montesinhas estão ali, nos penedos montanhosos, que não servem para outros animais, mas é ali que elas acham a sua moradia. Portanto, Deus também cuida dessas cabras, e há muitas demonstrações da *providência divina* naquelas paragens. A provisão alimentar é boa e abundante, especial para os animais que têm ali o seu *hábitat*. "A natureza acomoda-se ao reino animal" (William R. Taylor, *in loc.*). Ali o minúsculo *querogrilo* encontra o seu lugar, juntamente com outros animais corpulentos. O querogrilo é menor que o gato caseiro comum, dotado de longos pelos, cauda curta e orelhas arredondadas. Era comum nas serras montanhosas do Líbano. A identidade desse animal não é certa, contudo, e alguns veem aqui apenas o *rato*. Outros estudiosos, como aqueles por trás de nossa versão portuguesa da Bíblia, veem o *arganaz*, comentado no *Dicionário*. Há um pequeno roedor, chamado *gliridae*, que poderia estar em pauta, ou então o *hyraz*, animal pertencente à família do coelho.

A Lua e as Estrelas (104.19-26; Gn 1.14-19)

■ 104.19

עָשָׂה יָרֵחַ לְמוֹעֲדִים שֶׁמֶשׁ יָדַע מְבוֹאוֹ׃

Fez a lua para marcar o tempo. Daqui por diante temos a descrição poética do *quarto dia* da criação. Os hebreus não faziam ideia da vastidão do espaço "lá fora" e supunham que a lua fosse uma luminária relativamente pequena, pendurada por Deus não muito acima da atmosfera da terra. Servia para iluminar a noite. Também não sabiam que sua luz é refletida do sol. Além disso, eles pensavam que o sol era a grande luminária para iluminar o dia, não muito mais distante do que a lua, e que ambos giravam em torno da terra, em vez de a terra girar em torno do sol, e a lua girar em torno da terra, conforme afirmava Galileu; mas agora sabemos qual é a verdade. Tanto a lua quanto o sol são muito maiores do que os hebreus desconfiavam, embora vivessem devidamente impressionados com as duas grandes luminárias que serviam à humanidade. Ambos os corpos celestes eram adorados como divindades em boa parte do mundo conhecido da época, mas os hebreus, em sua maioria, resistiam a essa pequena demonstração da *idolatria* (ver a respeito no *Dicionário*). Os hebreus, entretanto, sabiam que a luz do sol era necessária para a vida, e faziam da lua o relógio de seu calendário. Ver no *Dicionário* o artigo chamado *Calendário Judaico (Bíblico)*. Ademais, quanto a detalhes que ilustram este versículo, ver os artigos chamados *Sol* e *Lua*.

Para marcar o tempo. Esta é uma referência ao calendário dos hebreus. O sol, de fato, produz as estações, conforme seus raios incidem sobre a superfície da terra de forma mais ou menos direta. Portanto, estritamente falando, a terra produz suas próprias estações, mediante sua inclinação variável durante o ano. Não está envolvida aqui a ideia de distância entre a terra e o sol. Foi a *Providência de Deus* a responsável por pendurar as duas luminárias em seu devido lugar, e era isso que o poeta sacro sabia, embora nada conhecesse sobre o *modus operandi* dos luminares. Com toda a nossa ciência, ainda não sabemos muita coisa. Até mesmo as viagens do homem à lua criaram mais mistérios do que solucionaram. O que é claro é que existe um grande Poder e uma grande inteligência por trás do jogo cósmico e, maravilha das maravilhas, esse Poder e essa inteligência servem ao ser humano e, de fato, a toda a natureza. O salmista, pois, sabia do que estava falando quando discursou sobre *esse* tema.

■ 104.20

תָּשֶׁת־חֹשֶׁךְ וִיהִי לָיְלָה בּוֹ־תִרְמֹשׂ כָּל־חַיְתוֹ־יָעַר׃

Dispões as trevas, e vem a noite. A noite serve para que os animais que caçam à noite saiam à cata de suas refeições. E, pela providência divina, existem outros animais noturnos esperando por serem apanhados e comidos! *Yahweh* (diretamente ou mediante a ausência do sol) os dirige, porquanto toma conta deles. Isso representa um elevado teísmo. O Criador cuida de sua criação, e não a abandonou às leis naturais, conforme ensina o deísmo. Ver no *Dicionário* os artigos chamados *Teísmo* e *Deísmo*. A lua e o sol estão envolvidos no governo das ações dos animais, mas a verdadeira causa disso é Deus.

Vagueiam. Literalmente, *arrastam-se*, uma descrição que se ajusta a animais tais como as serpentes e os lagartos, mas também estão envolvidos todos os animais cuja locomoção é quase agachada, para poderem apanhar suas presas. Até o leão quase se arrasta como a serpente, bem ao rés do chão, avançando lentamente, farejando e olhando e, finalmente, saltando sobre algum pobre animal, que de nada suspeita e se deixa enganar pela maneira esperta do felino. "arrastando-se... para expressar a maneira furtiva como andam certos animais, quando estão atrás de suas presas" (Ellicott, *in loc.*).

■ 104.21

הַכְּפִירִים שֹׁאֲגִים לַטָּרֶף וּלְבַקֵּשׁ מֵאֵל אָכְלָם׃

Os leõezinhos rugem pela presa. À luz fraca da lua, os famintos leõezinhos procuram a sua presa. Os pássaros noturnos podem ver a *aura* (campo luminoso) que os animais têm ao derredor, que olhos humanos não são capazes de enxergar. Assim, um gavião ou uma coruja podem facilmente apanhar um animal à noite, pelo fato de poder vê-lo. Os homens também têm inventado telescópios que podem ver no escuro. Não sei se o leão possui ou não esse tipo de visão, mas certamente deve ter melhor visão noturna do que nós, pois, de outro modo, não caçaria à noite. Naturalmente os leões também caçam em plena luz do dia. Além disso, esse grande gato dispõe de olfato extremamente sensível. Alguns animais têm um sentido tão agudo de olfato de que nossa mente se espanta. Uma abelha que esteja em Aparecida do Norte pode sentir o perfume de um campo de flores em Guaratinguetá (a oito quilômetros de distância). Um urso polar pode sentir o cheiro de sua presa a uma distância de cerca de doze quilômetros. Uma pomba que esteja em São Paulo pode ouvir um temporal no Rio de Janeiro, e essa é outra maravilhosa instância da percepção animal. Assim sendo, existe um poder e uma inteligência que equipam os animais com suas incomuns habilidades e garantem sua sobrevivência neste mundo hostil.

Em alguns casos, as trevas mostram-se benévolas, e em muitos mais casos, é a luz que se mostra benéfica. Deus opera por meio de ambas as coisas, em sua providência. O sol e a lua ajudam Deus na administração de sua providência. Todas as coisas servem a Deus, e Deus serve a todas as coisas.

Rugem. Uma de minhas fontes informativas diz que o rugido de um leão é tão terrível que pode fazer parar a presa que estava fugindo. O animal, em seu temor, fica paralisado e deita-se para ser comido. Não sei dizer se essa informação é correta ou não. John Gill (*in loc.*) diz que o rugido do leão *aterroriza e estupidifica* animais menores, roubando-lhes a coragem para correr. Não admira que Satanás tenha sido comparado a um leão, segundo se lê em 1Pe 5.8. Ver sobre *Leão* no *Dicionário,* quanto a propósitos de ilustração.

■ 104.22,23

תִּזְרַח הַשֶּׁמֶשׁ יֵאָסֵפוּן וְאֶל־מְעוֹנֹתָם יִרְבָּצוּן׃

יֵצֵא אָדָם לְפָעֳלוֹ וְלַעֲבֹדָתוֹ עֲדֵי־עָרֶב׃

Em vindo o sol, eles se recolhem. Ao amanhecer, os animais (incluindo o leão), que estavam caçando durante a noite, sabem que é chegado o tempo de descansar. Assim sendo, os animais caçadores recolhem-se satisfeitos a seus abrigos, de estômago cheio. Matar e comer e a alegria da vida deles, e é essencialmente para isso que eles vivem. Pelo menos, essa é sua *principal* atividade e prazer, e a cada noite renova-se a diversão. É surpreendente verificar quantos animais vivem essencialmente para comer, e não são poucos os seres humanos apanhados nessa tola armadilha. Alguns pensam que somente o homem foi condenado a *trabalhar* a fim de comer; mas estou pensando que toda essa caça e comilança, comilança e caça, é um trabalho cansativo para os animais. O sol e a lua contribuem para regular os períodos de trabalho e descanso, alternando o descanso com o trabalho. O salmista considerava todas essas coisas como partes integrantes da providência divina. O leão tinha terminado seu trabalho noturno. O sol havia surgido no horizonte. Então o homem (vs. 23), que não dorme bem de dia, geme um pouco e parte para o trabalho, enquanto o sol brilha e aprova ou desaprova o que ele faz. Alguns homens, pouco melhores do que os animais, fazem da atividade criminosa o seu trabalho, e caçam outros homens como presas nas ruas de nossas cidades, as quais se tornaram para eles terrenos de caça. Assim sendo, a natureza é pervertida e fica demonstrada a pecaminosidade do homem. Mas a maioria dos homens dirige-se a seu trabalho de um dia, com coração sóbrio e pouco interesse em atacar o próximo, e trabalha para comer, tal qual os animais. Contudo, "o labor do homem faz parte da ordenação de Deus no mundo (ver Gn 14.19,22)" (William R. Taylor, *in loc.*).

O Mar e seus Animais (104.24-26; Gn 1.20-23)

■ 104.24

מָה־רַבּוּ מַעֲשֶׂיךָ יְהוָה כֻּלָּם בְּחָכְמָה עָשִׂיתָ מָלְאָה הָאָרֶץ קִנְיָנֶךָ׃

Que variedade, Senhor, nas tuas obras! O salmista passa agora à descrição poética do *quinto dia* da criação. Pensando em tudo quanto tinha dito até agora, o poeta irrompeu em uma palavra de louvor, expressando sua admiração por todas as *obras* de Yahweh. Toda a criação veio à existência de maneira ordenada. Foi necessária muita *sabedoria* para realizar uma tarefa tão gigantesca como a obra da criação. A terra está cheia das *criaturas* de Deus (*Revised Standard Version*) ou das *riquezas* de Deus (nossa versão portuguesa). Uma compreensão diferente da mesma palavra hebraica está envolvida nessa diferença. A Septuaginta também diz aqui "riquezas", mas "criação" parece ser tradução melhor. A Vulgata Latina fala em *possessão,* incluindo todas as coisas criadas por Yahweh. E a tradução *criaturas* ajusta-se bem ao que se segue, aos *inúmeros* animais marítimos de todos os tipos e espécies (vs. 25).

"Neste versículo há *três* proposições: 1. As obras do Senhor formam multidão e são variegadas. 2. Essas obras foram arquitetadas de tal maneira que mostram o seu desígnio e as razões pelas quais foram formadas. 3. Todas essas obras são propriedades de Deus... Todo abuso e desperdício das criaturas de Deus não passa de despojo e furto contra a propriedade do Criador" (Adam Clarke, *in loc.*). Cf. Gn 14.19 e Sl 24.1: "Ao Senhor pertence a terra e tudo o que nela se contém, o mundo e os que nele habitam".

Ver na *Enciclopédia de Bíblia, Teologia e Filosofia* o artigo chamado *Argumento Teleológico.*

■ 104.25

זֶה הַיָּם גָּדוֹל וּרְחַב יָדָיִם שָׁם־רֶמֶשׂ וְאֵין מִסְפָּר חַיּוֹת קְטַנּוֹת עִם־גְּדֹלוֹת׃

Eis o mar vasto, imenso. *O mar é grande e espaçoso,* muito maior e mais amplo do que os hebreus imaginavam; além disso, eles só tinham experiência com os mares Mediterrâneo e Vermelho. Nada sabiam sobre os oceanos Atlântico, Índico e Pacífico. Mas os fenícios conheciam pelo menos o oceano Atlântico, tendo chegado à América do Norte muito antes que Colombo. Os hebreus não possuíam meios para explorar intensamente as profundezas do oceano, embora tivessem consciência de um grande número de animais marinhos. "Inúmeros animais pululam nos mares", em grande e quase interminável variedade de espécies. *Várias ciências* tratam dos oceanos e de suas criaturas, pelo que possuímos extensa quantidade de informações de que os antigos não dispunham, e isso serve somente para aumentar nossa admiração diante de toda essa variedade. Os filósofos desenvolvem vários argumentos em favor da existência de Deus, com base nessa espécie de informação. Assim sendo, temos o argumento baseado na necessidade de explicar as causas (*argumento cosmológico*); o argumento baseado no desígnio que se observa no mundo, animado e inanimado (*argumento teleológico*); o argumento baseado nos graus de perfeição (*argumento axiológico*); e o argumento baseado no ser (*argumento ontológico*). Ver sobre todos eles na *Enciclopédia de Bíblia, Teologia e Filosofia.* A Bíblia contém esses argumentos em forma críptica, não exatamente argumentos, mas sugestões, como o primeiro capítulo de Romanos declara elaboradamente ao afirmar que os homens são indesculpáveis, tendo o testemunho da natureza tanto quanto à existência, à sabedoria e ao poder de Deus. Este salmo é uma espécie de argumento hebraico, não filosófico, derivado de questões como causa e desígnio, não para provar-nos que Deus existe, mas para demonstrar por que ele merece nossa adoração e lealdade. Além disso, inteiramente à parte de tudo isso, é bom reconhecer Deus naquilo que ele é, prestando-lhe graças e louvor, corretos exercícios da alma. A mente dos hebreus estava mais interessada em exercícios espirituais do que em discussões intelectuais. Ambas as coisas são certamente boas; portanto, por que manteríamos uma mente estreita a respeito delas?

"A água é um tema predominante neste salmo (vss. 3, 6-16, 25,26). Na mente dos sábios antigos, a água surgia como força poderosa. Este salmo retrata a soberania do Senhor sobre a água" (Allen P. Ross, *in loc.*).

■ 104.26

שָׁם אֳנִיּוֹת יְהַלֵּכוּן לִוְיָתָן זֶה־יָצַרְתָּ לְשַׂחֶק־בּוֹ׃

Por ele transitam os navios. Deve ter parecido incongruente a alguns estudiosos essa menção a navios, em uma porção bíblica que se refere a animais marinhos, pelo que eles têm emendado "navios" para "monstros marinhos" (tecendo referência a Gn 1.21) ou para "coisas temíveis". No entanto, é errado supor que o salmista não pudesse ter incluído algo incongruente em seu tratamento. Além disso, é provável que tenha acontecido o seguinte: o poeta estava sentado em seu estúdio, olhando na direção do vasto mar Mediterrâneo. Sua imaginação sugeriu perante visões de todos os maravilhosos animais que vivem no mar, em suas inúmeras espécies, tamanhos, formatos e cores. Então, quando ele imagina a cena, passa um veleiro fenício. Por um momento, até isso se torna parte da admiração do salmista, a conquista, até certo ponto, dos mares, por navegadores humanos, a quem Yahweh deu inteligência para a tarefa. Assim sendo, apesar de *navios* não se ajustarem bem à cena, no meio das criaturas do mar, por um momento a ideia de embarcação pareceu ao salmista caber bem, por fazer parte da admiração diante dos mistérios do mar. Por alguns momentos, um salmista hebreu sentiu a excitação dos mares que tinham inspirado exploradores de diferentes países a arriscar a vida para explorá-los.

O monstro marinho. Ver sobre esta palavra no *Dicionário*, quanto a completas explicações. Em Jó 41.1 temos um animal mitológico, um tipo de divindade que causa confusão tanto a deuses quanto a homens, que poderia até provocar eclipses do sol. A palavra poderia referir-se a um crocodilo neste versículo, porém é mais provável que devamos pensar sobre um grande e temível *monstro marinho* de alguma espécie, não definido pelo poeta. Ele pôs esse animal na discussão para aumentar a admiração em torno de suas descrições. Qualquer identificação específica do animal, como uma *baleia, um crocodilo* etc., isto é, algum animal conhecido, diminui a força da descrição. Em qualquer evento, os rabinos fizeram do leviatã ou monstro marinho um brinquedo de Yahweh, e isso está em consonância com o que o autor diz sobre o poder do Criador. Cf. Sl 74.14.

Toda Vida Depende de Deus (104.27-30; Gn 1.29,30)

■ **104.27**

כֻּלָּם אֵלֶיךָ יְשַׂבֵּרוּן לָתֵת אָכְלָם בְּעִתּוֹ׃

Todos esperam de ti. Os animais do mar são bem alimentados graças à generosidade de Yahweh. Em sua graciosa providência, Deus forneceu os alimentos apropriados para os diferentes tipos de animais.

A seu tempo. Estas palavras devem significar que Deus alimenta os animais por toda a vida. Também podem representar *tempos apropriados para comer*; mas os animais marinhos comem o tempo todo, e isso não se ajusta bem ao caso. O poeta diz que a *Providência de Deus* é generosa, em acordo com a sua sabedoria. O que há de significativo é que o teísmo do salmista se estende até os animais, e isso é importante porque algumas pessoas na igreja não mesmo pensam que isso inclui os *homens* não eleitos! Se Deus se preocupa com os peixes do mar e dos rios, é razoável supor que ele não se preocupa com um ser humano vivo, uma alma imortal que poderíamos denominar não eleita?

■ **104.28**

תִּתֵּן לָהֶם יִלְקֹטוּן תִּפְתַּח יָדְךָ יִשְׂבְּעוּן טוֹב׃

Se lhes dás, eles o recolhem. Assim que Yahweh estende sua mão alimentadora, as criaturas do mar ansiosamente engolem tudo quanto ele lhes confere, e o que eles obtêm são *coisas boas*, isto é, as próprias coisas de que precisam, e na quantidade correta. Eles têm uma vida boa, cheia de aprazimento sob as águas, e sem dúvida pensam que a vida deles é importante, e suponho que a vida deles realmente seja importante. Do contrário, seria difícil dizer por que Yahweh é tão cuidadoso quanto ao bem-estar deles. Além disso, é claro que o que é feito, é feito em favor deles, e não pelo bem que eles poderiam significar aos homens. Cf. Sl 103.5, onde a mesma coisa é dita sobre a provisão de Deus em favor dos homens. Temos subestimado a importância e a qualidade da vida animal. Talvez eles sejam *pessoas*, conforme insistem alguns eruditos, e talvez alguns tenham uma alma individual ou grupal, segundo a opinião de outros. Ver na *Enciclopédia de Bíblia, Teologia e Filosofia* o artigo chamado *Alma dos Animais*.

■ **104.29**

תַּסְתִּיר פָּנֶיךָ יִבָּהֵלוּן תֹּסֵף רוּחָם יִגְוָעוּן וְאֶל־עֲפָרָם יְשׁוּבוּן׃

Se ocultas a teu rosto, eles se perturbam. Quando a *Providência de Deus* parece estar ausente, esse acontecimento perturba os animais da mesma maneira que perturba o coração dos homens. Em outras palavras, os animais têm sentimentos e podem comparar uma coisa com outra a fim de saberem quando ficam em pior situação no presente, em relação à situação passada. O poeta confere aos animais os mesmos atributos aplicados aos seres humanos. Quanto mais sabemos sobre os animais, mais cremos que essa opinião está correta. Cf. Sl 90.7.

Se lhes cortas a respiração. Ou seja, o princípio da vida, o princípio animador, o dom da vida física. Ver Gn 6.17; 7.15,22 e Jó 27.3. Por ocasião da morte, esse princípio retorna a Deus (Jó 34.14; Ec 12.7). Quando o espírito volta a Deus, no caso do homem, estamos falando sobre a alma imaterial, mas o objetivo do poeta aqui não era promover a sobrevivência animal diante da morte biológica. Pelo contrário, o pobre animal transforma-se em simples pó (Gn 3.19), tal como acontece ao corpo humano. Ver 103.14-18. Esta passagem certamente fala sobre o aniquilamento do ser humano, por ocasião da morte. Essa era a antiga noção dos hebreus. A alma, como algo imaterial e sobrevivente começou a aparecer na fé dos hebreus nos Salmos e nos Profetas, onde a maioria das referências à morte faz referência à ideia do aniquilamento. Portanto, é óbvio que o poeta não cria na sobrevivência de uma espécie de alma por ocasião da morte do animal, embora isso não signifique que a ideia não contenha nada de verdadeiro. Platão ensinou-nos que toda vida é psíquica ou espiritual, e todos os corpos são físicos, e essa é a parte de qualquer criatura terrena que se transforma em pó. Quanto mais mistérios desvendamos na vida terrena, mais parece que Platão tinha razão em tudo quanto disse.

■ **104.30**

תְּשַׁלַּח רוּחֲךָ יִבָּרֵאוּן וּתְחַדֵּשׁ פְּנֵי אֲדָמָה׃

Envias o teu Espírito. O hálito de Deus é um hálito criador (Gn 2.7; 6.17). Alguns intérpretes veem aqui o Espírito de Deus como o agente da vida contínua na terra. Mais provavelmente, porém, a expressão hebraica é poética e representa as contínuas atividades criadoras de Deus. Os animais morrem, mas logo são substituídos, porque o hálito criador de Deus continua soprando. A face da terra também está sendo continuamente substituída em sua vida animal. A alusão parece ser a Gn 7.4, referência segundo qual, após o dilúvio, as coisas foram renovadas.

> *Eis que faço novas todas as cousas.*
>
> Apocalipse 21.5

"... ainda que Deus possa causar tribulação, ao esconder o seu rosto por algum tempo, ele enviará o Espírito Santo. O salmista evidentemente considera o hálito de Deus apenas como um poder vivificador que dá à questão uma existência distinta e individual, embora transitória" (Ellicott, *in loc.*).

Adam Clarke vê nessas palavras uma promessa de ressurreição animal, e não meramente humana, mas isso certamente desvia-se muito do centro da questão.

Alguns veem um sentido escatológico aqui, acreditando que o versículo está ligado aos novos céus e à nova terra (ver Is 65.17,18).

Doxologia Concludente (104.31-35)

■ **104.31**

יְהִי כְבוֹד יְהוָה לְעוֹלָם יִשְׂמַח יְהוָה בְּמַעֲשָׂיו׃

A glória do Senhor seja para sempre! Este versículo tem o ato concludente de louvor deste salmo. "O salmista clamou para que a glória do Senhor continuasse, visto ter Deus tão poderoso controle sobre a criação" (Allen P. Ross, *in loc.*).

"O poeta continua seguindo o livro de Gênesis ao representar Deus olhando com prazer para sua obra terminada, mas nada diz sobre o sábado. É possível, contudo, que o pensamento com respeito aos hinos de louvor sobre o sábado o tenham levado a juntar o ser humano com o Ser divino, na celebração da glória e da perfeição da criação" (Ellicott, *in loc.*).

Canto o poderoso poder de Deus,
Que fez as montanhas se erguerem;
Que espalhou os mares fluentes por toda parte,
E que edificou os céus elevados.

Canto a Sabedoria que ordenou
Ao sol que governasse o dia;
E que a lua brilhasse sob o seu comando,
E a todas as estrelas que obedecessem.

Joseph Parker

"O Senhor regozijar-se-á em suas obras, tal como fez quando terminou a criação (Gn 1.31). Assim como Deus é glorificado e, portanto, regozija-se em suas variegadas obras, visando a preservação de todas as suas criaturas (vss. 13 e 14; Sl 19.1), assim também é a causa de ser louvado por tê-las entregado à disposição dos homens" (Fausset, *in loc.*).

Mediante explicação, diz-se que Cristo regozijou-se em sua obra terminada, a obra da redenção. Ele se regozija em seu povo e nunca deixará de fazer o bem por eles.

■ 104.32

הַמַּבִּיט לָאָרֶץ וַתִּרְעָד יִגַּע בֶּהָרִים וְיֶעֱשָׁנוּ׃

Com só olhar para a terra ele a faz tremer. Deus lança o seu olhar para a terra e declara que ela é boa e gloriosa, mas o próprio olhar do Todo-poderoso leva a terra a tremer, pelo que o louvor é unido ao profundo respeito no manuseio da história da criação. A própria existência da criação depende do favor contínuo do Criador, pelo que basta seu olhar para fazer a terra tremer até os alicerces. Quando ele toca nas montanhas, elas pegam fogo, um reflexo da história que relata como a lei foi outorgada (ver Êx 19.18). Cf. Sl 144.5 e 148.8.

Alguns intérpretes pensam que estes versículos se referem à renovação final da terra conflagrada, ou então os vinculam a 2Pe 3.10. Mas isso já significa ver demais na poesia.

■ 104.33

אָשִׁירָה לַיהוָה בְּחַיָּי אֲזַמְּרָה לֵאלֹהַי בְּעוֹדִי׃

Cantarei ao Senhor enquanto eu viver. A meditação do poeta sobre a criação, sobre o amor constante de Yahweh, em sua poderosa providência, em suas misericórdias perenes, em seu pacto fiel, em seu propósito de renovar, infundiu-lhe imenso sentimento de gratidão (ver a respeito no *Dicionário*), que fez seu coração cantar louvores. Enquanto ele vivesse, conservaria seu louvor, e isso de todo o seu ser. Ele se tornara um homem totalmente espiritual, e todo aspecto profano desapareceu.

A questão foi cristianizada: "O pensamento sobre a glória de Deus, que assegura a eterna segurança da igreja, levou o salmista (representando tanto Israel quanto a igreja) a louvar o Senhor enquanto a sua vida lhe permitisse (cf. Sl 63.4), antes que a morte o impedisse de louvar a Deus na face da terra (Sl 6.5; 88.10)" (Fausset, *in loc.*).

Enquanto eu viver. Visto que ele não contemplava um pós-vida; mas esse elemento foi cristianizado. "Ele sabia que este mundo seria também seu emprego eterno, o mundo dos espíritos, onde estaria sua alma quando se separasse do corpo, e então em corpo e alma, na ressurreição" (John Gill, *in loc.*).

■ 104.34

יֶעֱרַב עָלָיו שִׂיחִי אָנֹכִי אֶשְׂמַח בַּיהוָה׃

Seja-lhe agradável a minha meditação. "O salmista respondeu à grandiosidade da criação de Deus ao fazer três coisas. Primeiro, fez um voto de louvar a Deus com cânticos enquanto vivesse. Segundo, resolveu fazer meditações agradáveis (cf. Sl 19.14). Essa é a reação apropriada de um adorador que relembra seu Criador. Terceiro, orou para que os pecadores desaparecessem da terra, por estarem em desarmonia com a criação divina" (Allen P. Ross, *in loc.*, comentando o vs. 35)". Ver sobre *Meditação* no *Dicionário*.

O autor sagrado meditou de modo agradável, porque isso era agradável tanto para ele como para o Ser divino, ou era agradável para *Elohim*, conforme diz o hebraico original. O Targum faz da questão uma petição: "Que minha meditação seja agradável", o que corresponde de perto à nossa versão portuguesa. A Septuaginta e a Vulgata dizem *fala* no lugar de meditação. Cf. Sl 91.2. As versões árabe e siríaca dizem *louvor*. O salmista continuaria a pensar em todos os benefícios de Yahweh na criação. Cf. Fp 4.8, "seja isso o que ocupe o vosso pensamento". Pensamento, aqui, pode significar "conversa" ou "conversação", o que explica as diferentes traduções. Portanto, no dizer de Siyach, esta palavra é bastante flexível, podendo ser traduzida em uma variedade de maneiras.

■ 104.35

יִתַּמּוּ חַטָּאִים מִן־הָאָרֶץ וּרְשָׁעִים עוֹד אֵינָם בָּרֲכִי
נַפְשִׁי אֶת־יְהוָה הַלְלוּ־יָהּ׃

Desapareçam da terra os pecadores. Os que estivessem em desarmonia com a criação de Deus, segundo o desejo do poeta, seriam aniquilados. Esse não era um pensamento muito generoso, e também não era uma maneira muito brilhante de resolver o problema do mal (neste caso, mal moral) dos que produzem contendas na criação e também entre os seres criados. Não obstante, era um desejo bastante comum nas páginas do Antigo Testamento. Mediante a destruição total dos ímpios, muitos tinham a convicção de que o bem obteria triunfo total. Cf. Sl 1.4-6; 5.5,6; 37.38; 74.11 e 139.1-24. O Novo Testamento elevou a questão inteira a um plano superior, reconhecendo, primeiramente, que a alma de todos os homens é imortal e também que a restauração é melhor maneira de produzir a harmonia do que a destruição. Assim sendo, o mistério da vontade de Deus é um fortíssimo fator contribuinte (ver Ef 1.9,10), e Cristo fez uma provisão para que, até no hades, os ímpios "mesmo julgados na carne segundo os homens, vivam no espírito, segundo Deus" (1Pe 4.6). Ver na *Enciclopédia de Bíblia, Teologia e Filosofia* o artigo intitulado *Descida de Cristo ao Hades*, que mostra modos melhores de produzir a harmonia do que o simples aniquilamento de seres malignos. Caros leitores, é uma tristeza ver crentes comentando favoravelmente quanto ao modo de o Antigo Testamento produzir a harmonia. Por que não podemos olhar para a maior provisão da missão de Cristo? Por que temos de ficar presos a ideias inferiores que diminuem a missão de Cristo, em vez de avançar para o que é melhor, capaz de prover um caminho mais são? É uma loucura ver a missão de Cristo falhando, se realmente é verdade que Deus amou o mundo. Por que os homens inventam teologias que anulam o amor de Deus, atolando-se na vontade humana, a qual está fadada a fracassar? Ou estariam os calvinistas radicais com a razão, ao ensinar que a missão divina, em Cristo, no que se aplica ao mundo inteiro, estava destinada divinamente a fracassar? Esse ensino contradiz os mais nobres ensinamentos do Novo Testamento, embora haja alguns poucos versículos negativos (que insuflam o judaísmo dentro do Novo Testamento) que sirvam de prova. Ver no *Dicionário* o artigo chamado *Problema do Mal*.

O autor sagrado relembrava como a criação original foi perturbada, como sua harmonia foi quebrada, com a entrada do pecado (Gn 3). Em seguida, em vez de aplicar a este salmo a história da restauração dos dois pecadores originais, como solução para a desarmonia, o autor sacro caiu de volta nas imprecações comuns dos salmistas contra seus adversários. Algumas teologias cristãs atuais continuam apelando para as imprecações a fim de solucionar o problema do mal e da desarmonia; mas essa é uma teologia inferior, e, até onde sou capaz de ver as coisas, não apresenta um ponto de vista são sobre como Deus operará, finalmente, ainda que, ao longo do caminho, o autor sacro use o julgamento divino como um modo de restauração. Os teólogos se atrapalham nos julgamentos e perdem de vista a razão final de sua aplicação.

SALMO CENTO E CINCO

Quanto a informações gerais que se aplicam a todos os salmos, ver a introdução ao Salmo 4, onde apresento sete comentários que elucidam a natureza do livro.

Quanto às classes dos salmos, ver o gráfico no início do comentário, que atua como uma espécie de frontispício da coletânea. Ofereço ali dezessete classes e listo os salmos pertencentes a cada uma delas.

O Salmo 105 relata a história sagrada. Existem sete salmos que são essencialmente históricos, a saber, os de número 78, 105, 106,

124, 126, 135 e 136. Todavia, muitos outros incluem esse tema. O Salmo 105 conta a história dos grandes feitos de Deus em favor de seu povo. Cf. Sl 78. Ele forma um par natural com o Salmo 106, e ambos foram compostos para serem usados em uma ou mais das grandes festividades religiosas. São recitados nos mesmos acontecimentos básicos da história de Israel. As inúmeras misericórdias de Deus são evidentes! Este salmo começa e termina com a palavra hebraica para aleluia (vss. 1 e 45).

Os vss. 1-4 deixam claro o uso ritual deste salmo por parte da congregação, embora não tenhamos nenhum indício sobre a ocasião em que a composição era usada. Os eventos históricos selecionados foram escolhidos e apresentados cuidadosamente. Todas as referências aos fracassos do povo foram omitidas. Esse tema não se ajustava ao intuito otimista do salmo. O autor sacro contou as narrativas como representantes da filosofia hebraica da história; começou aqui, neste plano terrestre, com acontecimentos específicos; os acontecimentos avançam dirigidos pela mão divina; Deus fez o bem para os participantes; todos os eventos se concentram na direção do supremo cumprimento divino. Nada temos neste salmo sobre os ciclos do Oriente, mas uma história que avança ao longo de um plano linear. Ver na *Enciclopédia de Bíblia, Teologia e Filosofia* o artigo chamado *Filosofia da História*.

Os vss. 1-15 aparecem como os vss. 8-22 de 1Cr 16, e sem dúvida o empréstimo foi feito pelo cronista, baseado nos salmos.

Subtítulo. O presente salmo não tem subtítulo, sendo um dos 34 que não sofreram a atuação de editores posteriores, os quais tentaram (usualmente de maneira vã) contar-nos algo sobre a autoria ou as circunstâncias que podem ter provocado as composições poéticas. Ver a anotação na introdução ao Salmo 91, em *Subtítulo*, quanto a detalhes sobre os chamados "salmos órfãos" (sem notas de introdução).

CONVOCAÇÃO PARA A AÇÃO DE GRAÇAS (105.1-6)

■ 105.1

הוֹדוּ לַיהוָה קִרְאוּ בִּשְׁמוֹ הוֹדִיעוּ בָעַמִּים עֲלִילוֹתָיו׃

Rendei graças ao Senhor. Os vss. 1-5 deixam claro que este salmo era liturgicamente usado pela congregação de Israel para recitar a história sagrada. Cf. os Salmos 78, 106, 107, 135 e 136. Contudo, não somos informados sobre a festividade particular envolvida no seu uso. Todos os povos foram convidados a agradecer a Deus, pelo que está refletido neste salmo o universalismo do judaísmo posterior, tal como vemos nos salmos de entronização: 92 e 95 a 99. Os que prestavam graças também tiveram o privilégio de orar pedindo os benefícios intermináveis que podiam ser adquiridos. Eles também tinham a responsabilidade de tornar conhecidas as obras de Yahweh a outros povos, pelo que há um elemento evangelístico nos salmos, desde o começo. "Vss. 1-6; uma introdução parecida com um hino, convocando a congregação a louvar e agradecer" (*Oxford Annotated Bible*, comentando o vs. 1). "O salmista estivera meditando sobre a graciosa maneira de Deus tratar com seus pais, pelo que conclamou a si mesmo e aos outros a magnificar a Deus por causa de suas misericórdias" (Adam Clarke, *in loc.*).

Ver no *Dicionário* os artigos *Nome* (ver também Sl 31.3); *Ações de Graças* e *Gratidão*.

■ 105.2

שִׁירוּ־לוֹ זַמְּרוּ־לוֹ שִׂיחוּ בְּכָל־נִפְלְאוֹתָיו׃

Cantai-lhe, cantai-lhe salmos... as suas maravilhas. O autor sagrado repete essa ideia com base no vs. 1. Ele estava prestes a contar-nos sobre as obras de Yahweh em favor de Israel, por meio de uma lista cuidadosamente selecionada e idealisticamente apresentada, na qual não constavam os fracassos que também acompanharam a história de Israel. Cf. Is 63.14 e Sl 103.7. Yahweh tinha conquistado para si mesmo um nome excelente e glorioso, por causa de seus feitos. Ele merecia os cânticos de louvor do povo, particularmente o presente hino, que celebra o que ele fez por intermédio da história de Israel. Ele insuflou sua glória nessa história. Deus é um Deus teísta, que criou, intervém e abençoa, mediante sua providência especial. Ver no *Dicionário* os artigos intitulados *Teísmo* e *Providência de Deus*. Deus revelou a Israel seu nome, sua pessoa e seus atributos de maneira prática, e é sobre isso que versa o amor de Deus. Poderíamos traduzir o termo hebraico por "meditar" sobre esses feitos divinos. "Temos aqui um espaçoso campo para a meditação... meditar sobre as obras de Deus é algo doce, agradável e proveitoso" (John Gill, *in loc.*).

■ 105.3

הִתְהַלְלוּ בְּשֵׁם קָדְשׁוֹ יִשְׂמַח לֵב מְבַקְשֵׁי יְהוָה׃

Gloriai-vos no seu santo nome. O salmista estava preparado para contar uma grande história, e desde o começo convocou a audiência a gloriar-se no nome de Yahweh, o Poder que tinha executado todas as coisas que iria descrever. Todos os que buscavam a Deus, ou seja, todos os que obedeciam à sua lei, o padrão de todas as coisas, deveriam regozijar-se. Ver o que a lei, ao que se supõe, significava para Israel, em Sl 1.2, onde apresento um sumário. Cf. Sl 34.

Santo nome. Ver sobre este título divino em Sl 30.4 e 31.3, onde ofereço anotações e referências. Os hebreus sempre uniram a santidade ao poder (implícito no nome), diferentemente do que faziam os pagãos, cujos deuses eram concebidos como poderosos, mas raramente bons. Quanto ao regozijo, cf. Sl 69.6. Ver no *Dicionário* o verbete intitulado *Alegria*.

■ 105.4

דִּרְשׁוּ יְהוָה וְעֻזּוֹ בַּקְשׁוּ פָנָיו תָּמִיד׃

Buscai o Senhor e o seu poder. Foi o poder do Senhor que fez as coisas sobre as quais passamos a ler. Ele era forte e estava fazendo todas aquelas coisas; por conseguinte, que os israelitas buscassem a força do Senhor agora mesmo. Que os israelitas buscassem o seu rosto, isto é, a sua presença, a comunhão íntima com ele, que dá forças novas à alma. Que os israelitas buscassem a Yahweh, que é a presença e o possuidor da força. Essa busca devia ser feita das seguintes maneiras: 1. Conhecendo e obedecendo à lei, que faria Deus mostrar o seu rosto sorridente. 2. No culto do templo, uma fonte de força. 3. Buscando a presença real de Deus, ou seja, o toque místico. Ver no *Dicionário* o verbete chamado *Desenvolvimento Espiritual, Meios do*. 4. A santidade é outra fonte de poder, e podemos dizer o mesmo sobre as boas obras, pois nelas crescemos espiritualmente. Assim é que este versículo fornece alguns pontos básicos da saúde espiritual, na qual encontramos força e alegria. Os prazeres mentais são superiores aos físicos (conforme afirmava Epicuro), mas os prazeres espirituais são superiores a ambos, conforme nos prova a vida espiritual. O estudo superficial da Bíblia pode ser enfadonho para muitas pessoas, mas o estudo das Escrituras em profundidade e de todo o coração é um prazer excelente.

"O homem é, por natureza, fraco, e assim precisa de conexão com o Deus forte, para que possa ser capaz de evitar o mal e praticar o bem" (Adam Clarke, *in loc.*). A Septuaginta, a Vulgata Latina e a versão siríaca dizem: "Buscai o Senhor e fortalecei-vos". A própria busca do princípio divino fortalece o homem.

Nenhum poder na terra ou nos céus
Pode separar-nos do teu amor,
Aquele amor que nunca falha,
Poderoso Deus, a quem sejam louvor e glória.
A ti, agora e doravante, para sempre.

Charles H. Gabriel

■ 105.5

זִכְרוּ נִפְלְאוֹתָיו אֲשֶׁר־עָשָׂה מֹפְתָיו וּמִשְׁפְּטֵי־פִיו׃

Lembrai-vos das maravilhas que fez. O autor continuava dando-nos, em sua introdução, o tema que se seguiria, ou seja, tudo quanto Yahweh fizera por Israel através da sua história. Portanto, temos agora tudo quanto é sumariado pela palavra "maravilhas", a qual já encontramos no vs. 2. O poeta exortou a audiência a relembrar essas obras, porque tal memória inspiraria um serviço espiritual de alta estirpe, bem como maior alegria na revelação divina da lei e de seus juízos.

Dos juízos de seus lábios. Quanto à tripla referência à lei, ver Dt 6.1. Quanto à lei como orientadora, ver Dt 6.4 ss.; quanto a Israel distinguido por essa lei, ver Dt 4.4-8. Quanto à lei como doadora de vida, ver Dt 4.1; 5.33; 6.2 e Ez 20.1. Quanto a um sumário do que a lei significava para Israel, ver Sl 1.2.

Parece que temos aqui, especificamente, a palavra de Deus operando em suas decisões judiciais, que visam estabelecer a justiça entre os povos. Ele falou e julgou os egípcios e a mesma palavra abençoou a Israel, e tanto o julgamento como a bênção estavam baseados na justiça requerida pela lei. "Sua palavra é firme. Ele sempre guarda a promessa de julgar ou vindicar a causa de seus eleitos contra o adversário (ver Sl 119.13)" (Fausset, *in loc.*). "Tudo quanto ele tem falado concernente ao bem ou ao mal, os seus mandamentos, promessas, ameaças e, particularmente, o que ele predisse e o que tinha feito" (Adam Clarke, *in loc.*). A sua providência é universal e eficaz. Portanto, lembre-se do que disse certo poeta:

> Você sabia que o mundo está morrendo
> Por um pouco de amor?
> Por toda parte ouvimos suspiros,
> Pedindo um pouco de amor.
> Quanto ao amor que corrige os erros,
> Quanto ao amor que enche o coração de cânticos.
> O povo tem esperado por tanto tempo,
> por um pouco de amor.
>
> Edwin O. Excell

■ 105.6

זֶרַע אַבְרָהָם עַבְדּוֹ בְּנֵי יַעֲקֹב בְּחִירָיו:

Vós, descendentes de Abraão, seu servo. A introdução agora nos apresenta Abraão, de quem descendia Israel, a saber, Jacó, o seu ancestral mais imediato, e por cujo nome eles foram chamados. O poeta falava sobre a linhagem escolhida, e o poeta nos dará agora detalhes sobre como Yahweh abençoou essa linhagem, por toda a sua história. Tal história, uma vez relembrada, inspiraria os homens ao louvor e à ação de graças, para clamar o aleluia (louvor, vs. 1) em altas vozes.

Um ato especial de amor e misericórdia era o Pacto Abraâmico, por meio do qual operava o amor constante de Deus. Ver sobre isso em Gn 15.18, onde discuto as suas provisões. Ver no *Dicionário* o verbete chamado *Pactos*, quanto a um quadro geral do trato especial de Deus com Israel. Abraão era amigo e servo (título que aparece neste versículo) de Deus; nele, todo o Israel se tornaria servo e amigo de Deus. Neste versículo, Israel é retratado como filho de Jacó, um toque de ternura e um indício diante da *Paternidade de Deus* (ver a respeito no *Dicionário*).

> Buscai-o e conhecei o seu amor, pleno e livre.
> Até que vosso coração esteja cheio de cânticos:
> Ele ama os homens, ele me ama.
>
> René Brower

O PACTO COM OS PATRIARCAS (105.7-15)

■ 105.7,8

הוּא יְהוָה אֱלֹהֵינוּ בְּכָל־הָאָרֶץ מִשְׁפָּטָיו:

זָכַר לְעוֹלָם בְּרִיתוֹ דָּבָר צִוָּה לְאֶלֶף דּוֹר:

Ele é o Senhor nosso Deus. Cf. Gn 12.1-20; 15.18; 17.1-27; 26.1-35; 28.1-22. O Pacto Abraâmico foi repetido com sucesso aos patriarcas seguintes. "A nação deveria lembrar-se do Senhor (vs. 5), pois ele se lembrava da nação! (vss. 8,42). O Senhor Deus, que exerce governo universal (seus julgamentos por toda a terra), relembrava as suas promessas e pactos, para cumpri-los" (Allen P. Ross, *in loc.*). Deus é, obviamente, o governante universal, pelo que os juízes de Deus são os padrões de justiça para o mundo inteiro, mas ele operava de maneira especial e através de Israel. Potências mundiais hostis são controladas por seus julgamentos, pelo que "as potências mundiais não podem prevalecer, finalmente, contra o povo de Yahweh" (Sl 94.2). (Fausset, *in loc.*). Havia o caso conspícuo dos julgamentos contra os egípcios, através dos quais Israel foi libertado. Em Dt, por mais de vinte vezes, temos referências à libertação de Deus do povo de Israel para fora do Egito. Ver Nm 23.22 e Dt 4.20. Sem intervenções divinas periódicas contra as potências hostis, Israel não teria tido a longa história que teve, e Yahweh não teria obtido nenhum louvor da parte de um povo extinto.

Que empenhou para mil gerações. Com uma hipérbole tipicamente oriental, o poeta viu Yahweh reafirmando o pacto abraâmico por mil gerações. Os pactos divinos foram empenhados, ou seja, ordenados ou afirmados com veemência às gerações sucessivas. Ou, então, devemos tomar este versículo em um sentido profético; todas as gerações sucessivas, muito depois da vida do salmista, por mil gerações ou mais, teriam o mesmo pacto afirmado diante delas. Temos aqui uma alusão verbal a Dt 7.9 e Êx 20.6. Ver também Lc 1.72,73.

> Tão certo como tua verdade perdurará,
> A Sião será conferida.
> As glórias mais brilhantes que a terra pode produzir,
> E as bênçãos mais abençoadas do céu.
>
> Timothy Dwight

■ 105.9

אֲשֶׁר כָּרַת אֶת־אַבְרָהָם וּשְׁבוּעָתוֹ לְיִשְׂחָק:

Da aliança que fez com Abraão. O poeta sagrado elaborou o ponto: o pacto foi firmado com Isaque, depois com Jacó e, mais tarde, com um milhar de gerações, e foi confirmado com o juramento divino que resolve todas as discussões se seria ou não cumprido. Ver no *Dicionário* o artigo intitulado *Juramento*; e ver a exposição sobre Gn 15.18. A palavra "fez" é, literalmente, "cortou", lembrando as circunstâncias em que os antigos pactos eram feitos. O animal a ser sacrificado era cortado pela metade, e os participantes do pacto andavam entre essas metades como sinal de que concordavam com as disposições. Uma vida fora sacrificada para tornar a ocasião santa e produzir seriedade. Então o sacrifício tornava-se parte de uma refeição comunal, e os participantes comiam e bebiam juntos, como amigos. Cada um dos participantes cumpria a sua parte. Quanto ao juramento, ver Gn 26.3. Quanto à confirmação do pacto com Isaque, ver Gn 26.1-35.

■ 105.10

וַיַּעֲמִידֶהָ לְיַעֲקֹב לְחֹק לְיִשְׂרָאֵל בְּרִית עוֹלָם:

O qual confirmou a Jacó por decreto. Quanto à confirmação do pacto com Jacó, ver Gn 28.1-22. Então o mesmo pacto foi confirmado com Israel, sendo expandido mediante vários outros e tornando-se um pacto eterno. Cf. as mil gerações do vs. 9. Após o pacto abraâmico veio o *pacto mosaico* (comentado na introdução a Êx 19). Em seguida, houve o *pacto palestino* (ver a introdução a Dt 29) e então o *pacto davídico* (anotado em 2Sm 7.4). E, naturalmente, veio o novo pacto ou pacto em Cristo, e isso universalizou e generalizou todos os pactos anteriores. Ver sobre *Pacto do Novo Testamento* na *Enciclopédia de Bíblia, Teologia e Filosofia*. Este último pacto tinha de "reter um vigor perene, como algum decreto solenemente proclamado" (Venema).

■ 105.11

לֵאמֹר לְךָ אֶתֵּן אֶת־אֶרֶץ־כְּנָעַן חֶבֶל נַחֲלַתְכֶם:

Dar-te-ei a terra de Canaã. A Terra Prometida era uma das principais promessas do pacto abraâmico. A Terra Prometida foi dividida entre tribos, então entre clãs, então entre famílias, de forma que não havia família destituída de terras em Israel. "Israel, disse Deus, seria uma grande nação e possuiria as terras prometidas por ele" (Allen P. Ross, *in loc.*). A fronteira sudoeste era o rio Nilo; a fronteira nordeste era o rio Eufrates; a ocidental era o mar Mediterrâneo, e a fronteira oriental ficou sempre indefinida, estendendo-se lá fora, assinalada aqui e acolá por uma cidade. Davi e Salomão estenderam Israel a todas as fronteiras antecipadas, excetuando a direção sul. O ribeiro do Egito (ver no *Dicionário*) tornou-se a fronteira sudoeste de Israel. Também era chamado de rio do Egito, mas não está em vista o Nilo, embora esse grande rio tenha sido chamado de rio do Egito. Para que a nação de Israel cumprisse o seu destino, precisava de um território pátrio, o que explica a grande ênfase dada a esse fator.

Quanto à distribuição do território, ver Js 14.1,2. O autor sagrado deixa de lado grande parte da agonia envolvida na possessão da Terra Prometida, mas este breve esboço seria o suficiente para relembrar os hebreus, que eram bem versados sobre o assunto, já que ouviam as narrativas por muitas e muitas vezes. Eles repassavam mentalmente a história e descobriam nela o exercício mais vitalizante.

105.12

בִּהְיוֹתָם מְתֵי מִסְפָּר כִּמְעַט וְגָרִים בָּהּ:

Então eram eles em pequeno número. As dificuldades pareciam intransponíveis. Eles eram poucos; o território era vasto e muitos lugares eram inacessíveis; as nações que habitavam o território eram ferozes, numerosas e brutais. Qualquer sucesso de um exército formado por uma infantaria mal equipada, contra cidades fortificadas, requeria intervenção divina. Portanto, a verdade é que sempre foi Yahweh quem realizou a conquista. Alguns intérpretes fazem este versículo aplicar-se a Abraão e aos patriarcas em suas peregrinações pela Terra Prometida, e essa aplicação ajusta-se melhor ao que se segue. Havia oito ou mais nações diferentes que ocupavam a terra e teriam de ser expelidas dali. Ver Êx 33.2 e Dt 7.1. Talvez a referência deste versículo seja lata o bastante para incluir tanto o tempo dos patriarcas quanto o tempo de Josué, visto que condições hostis prevaleciam na Terra Prometida em ambos os períodos.

105.13

וַיִּתְהַלְּכוּ מִגּוֹי אֶל־גּוֹי מִמַּמְלָכָה אֶל־עַם אַחֵר:

Andavam de nação em nação. Este versículo descreve as perambulações dos patriarcas entre as nações pelas quais passavam na região da Palestina. Eles eram agentes livres, indo de um lugar a outro, sem jamais realmente sentir-se em casa, mas também nunca expulsos dali. Eles tiveram suas dificuldades, mas conseguiram sobreviver. Finalmente, foram forçados a entrar no Egito, por causa da fome, realizando o que nenhum povo conseguira fazer. Um pequeno núcleo de hebreus formou Israel no Egito, no cativeiro, e seria necessário um feito do Deus Todo-poderoso para fazê-los voltar à Terra Prometida, onde formaram uma nação.

"A referência é à migração de Ur a Harã, os movimentos em Canaã, a visita de Abraão ao Egito, de Jacó a Harã etc. (ver Gn 11.27-32; 12.1—13.18; 20.1-18; 28.1—29.35)". Os tempos eram precários, mas os propósitos de Deus foram preservados; e aquele outro servo de Deus, Moisés, a quem coube a responsabilidade pela invasão, daria outro impulso significativo a esses propósitos divinos.

105.14

לֹא־הִנִּיחַ אָדָם לְעָשְׁקָם וַיּוֹכַח עֲלֵיהֶם מְלָכִים:

A ninguém permitiu que os oprimisse. Os israelitas sofreram injustiças, mas nenhum erro fatal que interferisse no programa de Deus. Talvez exista uma alusão aos erros potenciais sofridos por Sara e Rebeca, nas mãos dos pagãos egípcios e filisteus (Gn 26.11). Mas os patriarcas escaparam de muitas injustiças potenciais e com frequência receberam maior graça do que mereciam. O poeta, entretanto, evitou cuidadosamente mencionar qualquer fracasso da parte dos patriarcas, pois seu alvo sempre foi apresentar positivamente (idealmente) a narrativa. "Os pastores de Gerar não tiveram permissão de causar prejuízo algum a Isaque e seus pastores... Labão não pôde ferir a Jacó, e nem puderam fazê-lo os siquemitas... o terror de Deus caiu sobre todas as cidades ao derredor (Gn 26.20,26,31). Ver também 31.29 e 35.5. Reprovados: o rei do Egito foi repreendido, tal como foi Abimeleque de Gerar (Gn 12.17 e 20.3,18)" (John Gill, *in loc.*).

Guia-me, ó tu, grande Redentor,
Sendo eu peregrino nesta terra estéril.
Sou fraco, mas tu és poderoso,
Segura-me com tua mão poderosa.

W. William

105.15

אַל־תִּגְּעוּ בִמְשִׁיחָי וְלִנְבִיאַי אַל־תָּרֵעוּ:

Dizendo: Não toqueis nos meus ungidos. Se tomarmos essas promessas somente para o período patriarcal, então a referência provavelmente é à ideia de que os patriarcas, como pais da nação, eram personalidades ungidas. Isso teria transferido de volta para eles uma prática de um período posterior, de maneira honorária. Além disso, figuras como Abraão foram chamadas de profetas, a fim de receberem honra, embora não tivessem ocupado tal posição como função real. "Eles foram ungidos com o óleo da graça, com uma unção do Santo, com o Espírito Santo, e receberam presentes e graças do Espírito, conforme acontece a todos os crentes" (John Gill, *in loc.*). Em Gn 20.7, Abraão é chamado de profeta, mas isso provavelmente também é uma terminologia posterior que foi injetada no texto, embora não fosse típica do período patriarcal. Por outra parte, o Antigo Testamento fala sobre os patriarcas como recebedores da revelação divina, e isso, por si só, justificaria o termo *profeta*, mesmo que o ofício profético nunca tivesse sido exercido. Seja como for, o versículo ensina que tão augustas figuras, a ponto de terem sido ungidas e terem sido profetas, receberam a proteção divina. Pessoas hostis eram forçadas a retroceder em seus desígnios maliciosos. Ver Gn 15, quanto à comunicação de Yahweh com Abraão, por meio de sonhos. O mesmo aconteceu a Isaque, em Berseba, e a Jacó, em Betel, em Maanaim e no ribeiro do Jaboque. De fato, Jacó foi definitivamente um visionário, uma espécie mística de pessoa.

Ver no *Dicionário* os artigos chamados *Unção* e *Profeta*.

COMEÇO DA NARRATIVA DE JOSÉ (105.16-22; Gn 37.1—41.57)

105.16

וַיִּקְרָא רָעָב עַל־הָאָרֶץ כָּל־מַטֵּה־לֶחֶם שָׁבָר:

Fez vir fome sobre a terra. A narrativa sobre José é uma das mais belas e instrutivas do período patriarcal, e o sumário apresentado pelo poeta não podia deixá-la de lado.

Yahweh foi quem causou a fome e forçou Jacó e seus familiares a descer ao Egito, por motivo de um desígnio grandioso e a longo termo, que Jacó e seus familiares não entenderam enquanto viveram. Assim acontece com frequência. É fácil alguém olhar para trás e perceber por que certas coisas aconteceram; mas isso não é tão fácil quando olhamos para o futuro.

Cortou os meios de se obter pão. Diz o hebraico original, literalmente, "o cajado de pão", em que a palavra "cajado" aponta para um "apoio" ou "muleta". O pastor apoiava-se em seu cajado e assim também, quanto à alimentação, as pessoas apoiam-se sobre o cajado de pão, ou seja, sobre o suprimento alimentar. Por isso, a palavra portuguesa "sustento" é apropriada para o sentido tencionado. Quanto ao cajado de pão, ver também Lv 26.26 e Ez 4.16.

Cortou. Literalmente, "quebrou". As pessoas dependiam de grãos para sustentar a vida. Yahweh apareceu e cortou o apoio alimentar, entregando-os à fome.

105.17

שָׁלַח לִפְנֵיהֶם אִישׁ לְעֶבֶד נִמְכַּר יוֹסֵף:

Diante deles enviou um homem, José. O pioneiro do povo de Israel no Egito foi uma figura relutante, a saber, José, que chegou àquele país como escravo. A providência divina esteve por trás da questão, conforme disse o próprio José (Gn 45.5; 50.20). Grandes acontecimentos adversos podem ser providenciais; contudo, sentimo-nos felizes por ver outras pessoas assim privilegiadas. Não obstante, na vida terrena, o homem espiritual terá experiências com tais eventos. Essa é uma grande lição sobre o *modus operandi* dos caminhos misteriosos de Deus. Nossas tentativas de racionalização fracassam, mas é claro que os reveses podem impedir-nos de seguir a vereda errada. Uma rejeição pode conduzir a maior aceitação. A certo estudante foi negada admissão na Universidade de Harvard (um grande desapontamento!) somente para ser aceito posteriormente pelo MIT (uma grande vitória!). Certo pastor foi maltratado por um missionário que chegou a liderar uma campanha para que ele fosse despedido pela sua igreja com base em acusações totalmente triviais. Sei porque vi o que aconteceu e conheci bem o caso. Tendo perdido sua igreja (e os meios de subsistência), o homem foi "forçado" a mudar-se para outra cidade, onde em breve se tornou secretário pessoal de um departamento em uma prestigiosa universidade, que lhe pagava muito mais do que ele recebia na igreja. Além disso, ele obteve outro salário quando se tornou pastor de outra igreja, na mesma cidade onde conseguira o emprego de secretário. O resultado foi uma tremenda melhoria em suas condições de vida, bem como em tudo quanto lhe aconteceu, dentro de um único ano. Conforme diz uma expressão popular em inglês: "O homem foi chutado escadaria acima" (em lugar de ser derrubado escada abaixo).

Todo mundo conhece uma ou duas histórias semelhantes às que relatei acima, pelo que não prosseguirei, exceto para dizer que a providência pode abrir uma porta fechando todas as demais. Quando José foi levado para o Egito, não o fez por escolha própria. Mas Deus estava com ele, e dali emanou uma das mais belas histórias da Bíblia inteira, repleta de ilustrações para uma vida boa e piedosa. O escravo que chegou no Egito acabou tornando-se primeiro-ministro, e muitos escravos se têm tornado o homem mais importante, figuradamente.

> Deus se move de maneiras misteriosas
> Para realizar suas maravilhas.
> Ele implanta suas pegadas no mar
> E cavalga sobre a tempestade.
>
> William Cowper

Ver no *Dicionário* o verbete chamado *Chance*, que contém algumas excelentes histórias que podem ser usadas para ilustrar a história de José. E, naturalmente, ver o artigo acerca dele, no *Dicionário*. Ver Gn 37.1—41.57, quanto ao começo da história de José.

■ 105.18

עִנּוּ בַכֶּבֶל רַגְלָיו בַּרְזֶל בָּאָה נַפְשׁוֹ:

Cujos pés apertaram com grilhões. O aprisionamento de José envolveu as barbaridades usuais, além dos sofrimentos de um homem inocente, a traição dos seus próprios irmãos, e a separação de seu pai e de sua mãe. A vontade perversa do homem (o mal moral, um dos aspectos do *Problema do Mal*; ver a respeito no *Dicionário*) aplicou a José um golpe mortal; de alguma maneira, porém, o Senhor estava envolvido na questão, visando algum propósito distante. O *Livro de Oração em Inglês* diz vividamente que "o ferro entrou em sua alma". Os sofrimentos físicos eram a parte menos importante. Diz a Vulgata Latina: "O ferro atravessou a sua alma". Na época, José era apenas um rapazinho com 17 anos de idade, mas foi chamado por Deus para vencer um sofrimento próprio da vida adulta. Ele foi um tipo de Cristo, e amplio esse tema no artigo chamado *José*, no *Dicionário*.

■ 105.19

עַד־עֵת בֹּא־דְבָרוֹ אִמְרַת יְהוָה צְרָפָתְהוּ:

Até cumprir-se a profecia a respeito dele. José possuía dons psíquicos, e esse fator foi empregado para cumprir o propósito divino de libertá-lo. Ele interpretava os sonhos corretamente (ver Gn 41.12), e essa capacidade, que foi útil para o Faraó, fez José chamar a atenção do monarca egípcio. Mas até o tempo de sua libertação, José continuou a ser testado por Yahweh, que desdobrava seu plano, passo a passo. O poeta deixa de lado o incidente que envolveu a vida da esposa de Potifar, oficial do rei, que caluniosamente o acusara de assédio sexual (embora ela é que o tivesse assediado). Ver Gn 39. O autor deste salmo oferece aos leitores uma versão compacta, sabendo que eles lembrariam os detalhes da história. A palavra do Senhor submeteu José a teste, ou seja, o seu oráculo, a palavra de seu mandamento. Essa palavra testou-o e fortaleceu-o através de suas provações, da mesma forma que a prata é testada e purificada mediante o refinamento, provavelmente a figura sobre a qual devemos pensar. Alguns creem que a palavra profética aqui referida seja o oráculo de José que interpretou os sonhos, habilidade conferida por Yahweh. De acordo com essa circunstância, onde a palavra do Senhor esteve em operação, José foi testado. Foi por esse motivo que José disse ao Faraó: "Não está isso em mim; mas Deus dará resposta favorável a Faraó" (Gn 41.16).

> Nossos pais, acorrentados em negras prisões, continuavam livres no coração e na consciência.
>
> Frederick W. Faber

Ver na *Enciclopédia de Bíblia, Teologia e Filosofia* o verbete chamado *Sonhos*, onde é dado material que ilustra o texto presente.

■ 105.20

שָׁלַח מֶלֶךְ וַיַּתִּירֵהוּ מֹשֵׁל עַמִּים וַיְפַתְּחֵהוּ:

O rei mandou soltá-lo. A mais alta autoridade do Egito, o próprio Faraó, foi quem o libertou da prisão e então o nomeou primeiro-ministro do país. Portanto, o plano divino estava operando de maneira dramática, tanto em relação a Israel quanto ao Egito. José foi conduzido ao palácio real (Gn 41.4), onde ele mesmo, em breve, exerceria a sua autoridade. Alguns eruditos veem nisso um quadro da ressurreição de Cristo, a suprema intervenção divina. A providência divina (ver a respeito no *Dicionário*) estava em franca intervenção, sendo esse um tema central do hino do poeta que contava a história sagrada de Israel. Espera-se que sintamos gratidão e prestemos graças a Deus. A história tinha por propósito aperfeiçoar as atitudes e a vida. A maior observância da lei emergiria como último apelo do poeta à sua audiência (vs. 45).

> *Confia no Senhor de todo o teu coração, e não te estribes no teu próprio entendimento. Reconhece-o em todos os teus caminhos, e ele endireitará as tuas veredas.*
>
> Provérbios 3.5,6

■ 105.21

שָׂמוֹ אָדוֹן לְבֵיתוֹ וּמֹשֵׁל בְּכָל־קִנְיָנוֹ:

Constituiu-o senhor de sua casa. José, o sonhador, agora era elevado à posição de primeiro-ministro do Egito, algo que somente o poder de Yahweh poderia ter realizado, algo maravilhoso aos nossos olhos.

> *Isto procede do Senhor, e é maravilhoso aos nossos olhos.*
>
> Salmo 118.23

Cristo, após a sua ressurreição, foi levantado à mão direita de Deus, pelo que o tipo continua em vigor. José passaria a ser um grande provedor, e isso aconteceu supremamente com Cristo, em sua posição exaltada. José cuidava do dinheiro e dispensava ordens a subservos, que tomavam conta dos negócios do reino (Gn 41.40,41,43), sendo esse um quadro das "riquezas de Cristo", das quais participamos (Ef 3.8,16).

■ 105.22

לֶאְסֹר שָׂרָיו בְּנַפְשׁוֹ וּזְקֵנָיו יְחַכֵּם:

Para, a seu talante. José sujeitou os líderes egípcios não com a prisão, mas com leis e instruções. Ele exercia o poder do rei sobre seus subordinados. A *Revised Standard Version* diz "instruiu" com uma leve emenda do texto hebraico, e isso conta com o apoio da Septuaginta, da versão siríaca e de Jerônimo. Algumas vezes, as versões se mostram corretas contra o texto massorético padronizado, conforme mostram os manuscritos do Mar Morto, que ocasionalmente concordam com as versões, especialmente no caso da Septuaginta, contra o texto hebraico posterior. Ver sobre *Massora (Massorah); Texto Massorético* no *Dicionário*. Ver também sobre *Septuaginta* e sobre *Mar Morto, Manuscritos (Rolos) do*. José foi um bom líder, um bom chefe, e ganhou o respeito de seus subordinados. Ensinou-lhes a sabedoria, porquanto estava inspirado por Yahweh, a origem de toda a sabedoria. Ver no *Dicionário* o artigo chamado *Sabedoria*. Jesus foi, portanto, o grande mestre que sujeitou seus seguidores com sua sabedoria e com seu amor. A sabedoria, dentro das questões do estado é o significado do texto, mas podemos estar certos de que José estava interessado em uma sabedoria ainda mais ampla. Afinal, José era dotado de discernimento profético, e isso deve ter continuado a aparecer na questão. Ele era como Salomão, entre os egípcios, e podemos imaginar que era consultado com frequência para a solução do problema.

> O nome diz-me o que meu Pai tem para mim,
> E embora eu palmilhe uma vereda escura,
> Contudo, há a luz do sol ao longo do caminho.
>
> Frederick Whitfield

A MIGRAÇÃO PARA O EGITO (105.23-25; Gn 46.1 — Êx 1.22)

■ 105.23

וַיָּבֹא יִשְׂרָאֵל מִצְרָיִם וְיַעֲקֹב גָּר בְּאֶרֶץ־חָם:

Então Israel entrou no Egito. O poeta sagrado deixa o resto da história de José de lado e, de súbito, volta-se para a descida de Jacó ao Egito, por meio da circunstância de seus filhos a buscar alimentos. José, em sua sabedoria, tinha previsto tempos maus e feito provisões universais a respeito. Assim também Jesus, em sua obra real, fez provisões para toda a humanidade. Israel era agora (em forma de semente) um peregrino no Egito, e em breve seria tomado como escravo. Assim também temos agora o cativeiro egípcio, o primeiro dentre os cativeiros em nações estrangeiras. De algum modo, a *Providência de Deus* estava trabalhando através de dificuldades e situações aparentemente impossíveis.

Na terra de Cão. Ver no *Dicionário*, pois era tradicional que os egípcios descendiam de Cão, filho de Noé. Ver no *Dicionário* o verbete intitulado *Nações,* onde há um gráfico que mostra a descendência genealógica dos povos. Ver também Gn 46.1-27.

"Este versículo posta-se a meio caminho nos salmos como um fato proeminente. A descida de Jacó ao Egito foi o último elo na cadeia de eventos providenciais, que começaram com a fome (vss. 16-22). Jacó e seus familiares viajantes tomaram a posição de estrangeiros residentes (ver Gn 42.4). Eles nunca se naturalizaram" (Fausset, *in loc.*). Eram estrangeiros e peregrinos na terra e então tornaram-se escravos, e isso estabeleceu palco para uma das maiores histórias de Israel, a redenção de Israel do Egito, mencionada mais de vinte vezes somente no livro de Deuteronômio (ver as notas em Dt 4.20). Ver Sl 78.51, quanto à terra de Cão.

■ **105.24**

וַיֶּ֣פֶר אֶת־עַמּ֣וֹ מְאֹ֑ד וַ֝יַּעֲצִמֵ֗הוּ מִצָּרָֽיו׃

Deus fez sobremodo fecundo o seu povo. Entrementes, dos poucos que desceram ao Egito (setenta pessoas, Gn 46.27), houve grande multiplicação, de forma que o núcleo de uma nação foi formado ali mesmo, no Egito. Assim sendo, Yahweh preparava para eles uma mesa na presença de seus inimigos (Sl 23.5). Não somente aumentou o número deles, mas também a sua força, provavelmente sob a forma de jovens que podiam servir como soldados. Assim sendo, finalmente, o novo Faraó queixou-se de que Israel se tinha tornado mais forte do que os egípcios (ver Êx 1.7,9). Ver também o vs. 12 daquele capítulo, que fala no alarmante aumento dos israelitas, que se espalharam por todo o Egito. "... mais fortes fisicamente, mais saudáveis, mais robustos, o que podia ser visto e observado por seus inimigos (Êx 1.9)" (John Gill, *in loc.*, que espiritualizou a questão e a usou como retrato do crescimento espiritual dos discípulos de Cristo).

■ **105.25**

הָפַ֣ךְ לִ֭בָּם לִשְׂנֹ֣א עַמּ֑וֹ לְ֝הִתְנַכֵּ֗ל בַּעֲבָדָֽיו׃

Mudou-lhes o coração. O autor sagrado afirma aqui que Yahweh foi a razão pela qual os egípcios começaram a odiar Israel. Sem isso, Israel poderia ter ficado no Egito para sempre e, afinal, ter sido absorvido por aquele povo. Nesse caso, toda a história de Israel ter-se-ia perdido, e o pacto abraâmico ficaria sem cumprimento. Portanto, uma vez mais, uma condição adversa (pois não é bom ser odiado) foi o instrumento na mão divina que produziu grande propósito. Cf. as notas expositivas no vs. 17, onde amplio o tema. Observa-se facilmente que a maior parte do progresso humano é obtida diante da adversidade e do conflito. Até mesmo guerras geram novas tecnologias que têm usos pacíficos importantes, como o poder atômico, para mencionarmos apenas um exemplo conspícuo. Então temos pragas que impulsionam os homens a inventar medicamentos que aliviam os sofrimentos por longo tempo, de forma bastante distinta da praga original que causou aquele esforço. Até mesmo o homem que tenta fazer um bom trabalho, em qualquer profissão, precisa trabalhar arduamente, solucionando problemas, superando enfermidades, ganhando seu sustento mediante labores adicionais, problemas familiares, dependência familiar, de forma que tem de aliviar as dificuldades de outros membros da família, e não meramente as suas próprias. Em outras palavras, ele precisa encarar vários tipos de adversidade se tiver de fazer bem o seu trabalho e especialmente se quiser servir a outras pessoas (o ideal!) com o que estiver fazendo. Deus controla os atos dos homens de tal maneira que não destrói seu livre-arbítrio. Isso é um fato, mas não sabemos exatamente como a questão opera. Deus usa o livre-arbítrio humano sem destruí-lo. Portanto, os egípcios odiaram os filhos de Israel, mas, de alguma maneira, Deus foi a causa de tudo.

O Faraó endureceu o seu coração, mas Deus também endureceu o coração do Faraó. Ver Is 6.9,10 e Mc 4.12. O Faraó dos dias de José foi um benfeitor para Israel, pelo que todo o povo de Deus se regozijou e tomou tudo quanto pôde adquirir. Outro Faraó, que não conhecera a José, foi o perseguidor de Israel, e o povo de Deus não gostou da experiência. Mas era disso que os israelitas precisavam para sair do Egito.

MOISÉS E AS PRAGAS DO EGITO (105.26-36; Êx 7—12)

■ **105.26**

שָׁ֭לַח מֹשֶׁ֣ה עַבְדּ֑וֹ אַ֝הֲרֹ֗ן אֲשֶׁ֣ר בָּֽחַר־בּֽוֹ׃

E lhes enviou Moisés, seu servo. Ver no *Dicionário* o verbete intitulado *Pragas do Egito,* quanto a uma descrição detalhada e um sumário da questão, que o poeta agora passa a descrever. Os novos atores no palco foram Moisés e Arão. José realizara seu trabalho com louvor, enfrentara adversidades e vencera. Como agiriam os novos atores? Teriam eles a mesma coragem de José? Teriam a mesma sabedoria? Porventura Yahweh lhes daria poder conforme dera a José? Para todos os homens espirituais, aplicam-se as mesmas questões, pois cada indivíduo tem seu próprio Egito a enfrentar, suas próprias batalhas pessoais a ganhar. O salmista não segue rigidamente a história que se lê em Êx 7—12. Há muitas diferenças quanto aos detalhes, o que não deve perturbar nossa fé. Algumas diferenças se devem à licença poética, e outras talvez reflitam tradições hebraicas acerca da questão não empregadas pelo autor do livro de Êxodo. Ver também Sl 78.44-51.

A quem escolhera. E isso porque o poder por trás da cena era Yahweh, que tinha vários instrumentos de operação. Todos os homens espirituais são instrumentos nas mãos de Deus, e cada um deles é um instrumento especial. Ver Ap 2.17, sobre a doutrina da *pedra branca*, no *Novo Testamento Interpretado*. Cada indivíduo tem em sua mão metade de uma pedra branca, e Deus tem a outra metade. Algum dia, as duas metades serão reunidas de novo. O indivíduo terá cumprido a sua missão, e a pedra, símbolo da confiança de Deus, novamente formará um todo. Alguns homens são revestidos de unção especial, por terem missões especiais a cumprir, e então ver-se-á algo de apostólico em operação. Finalmente, todos os homens espirituais ultrapassarão não somente os apóstolos, mas até os próprios anjos em seu poder e serviço, visto estarem sendo transformados segundo a imagem de Cristo, tornando-se instrumentos poderosos nas mãos de Deus, para seu serviço e glória, no mundo eterno. Ver Rm 8.29 e 2Co 3.18.

Até que todos cheguemos à unidade da fé e do pleno conhecimento do Filho de Deus, à perfeita varonilidade, à medida da estatura da plenitude de Cristo.

Efésios 4.13

■ **105.27**

שָֽׂמוּ־בָ֭ם דִּבְרֵ֣י אֹתוֹתָ֑יו וּ֝מֹפְתִ֗ים בְּאֶ֣רֶץ חָֽם׃

Os seus sinais e maravilhas. Isto é, operações miraculosas que agiam como sinais, tal como acontece aos milagres realizados por Cristo. O original hebraico diz "as palavras de seus sinais". As palavras de Yahweh produziram os milagres. Yahweh baixou as ordens, e Moisés e Arão foram capacitados a causar as pragas, as quais só poderiam ocorrer através do poder divino, tão incomuns e poderosas eram. Coisa alguma na natureza poderia ter provocado esses sinais, por qualquer processo natural. O poeta continuou, dando um esboço sobre a questão, sem apresentar uma recitação completa sobre ela. "A terra de Cão, isto é, o Egito (vs. 23), foi o lugar de tais acontecimentos. Deus calcou seu dedo ali, a fim de fazer grandes coisas, porquanto ali tinha surgido a necessidade.

Preciso de ti a toda hora,
Na alegria ou na dor.
Vem logo e habita comigo,
Ou minha vida será vã.

Annite S. Hawks

■ **105.28**

שָׁ֣לַֽח חֹ֭שֶׁךְ וַיַּחְשִׁ֑ךְ וְלֹֽא־מָ֝ר֗וּ אֶת־דְּבָרָֽיו׃

Enviou trevas, e tudo escureceu. A enumeração omite as pragas quinta e sexta, começando com a nona e acrescentando uma cláusula que deixa os intérpretes perturbados: "não foram rebeldes à sua palavra". Outro tanto não poderia ser dito acerca dos egípcios, pelo que essas palavras sem dúvida dizem respeito a Moisés e Arão, os quais, em contraste com a resistência e hesitação anterior de confrontar o Faraó, uma vez que as pragas se iniciaram, tiveram uma atitude de obediência. A Septuaginta e o siríaco, seguidos por algumas traduções modernas, excluem a negação e dizem que os egípcios se rebelaram. O relato da história, no Salmo 78, também tem variações significativas em relação às narrativas originais e omite as mesmas pragas aqui omitidas. O Targum diz: "tornaram-nos trevas", isto é, obscureceram nosso entendimento e levaram-nos a não entender os propósitos das pragas, para que elas percorressem todo o seu ciclo e produzissem os resultados desejados. Cf. Lc 8.10, onde Jesus declarou que ele dizia parábolas a certos indivíduos para ocultar de propósito o significado de suas palavras.

■ **105.29**

הָפַךְ אֶת־מֵימֵיהֶם לְדָם וַיָּמֶת אֶת־דְּגָתָם:

Transformou-lhes as águas em sangue. Continua aqui o envio de pragas da parte de Deus. Essa foi a primeira das dez pragas. Ver Êx 7.19-21. As águas ficaram ruins, como se estivessem poluídas com sangue, e os peixes morreram. Cf. Ap 16.3-6, onde temos algo similar, sem dúvida dependente do texto do livro de Êxodo. Quanto a teorias sobre o que aconteceu, ver no *Dicionário* o artigo intitulado *Pragas do Egito* e também a história em Êxodo, onde dou outras ideias. Yahweh estava exercendo sobre os egípcios a pressão necessária para garantir a soltura de Israel. O fato de eles terem sido libertos tornou-se um dos grandes temas do Antigo Testamento, repetido por mais de vinte vezes somente no livro de Deuteronômio. Ver sobre esse fato em Dt 4.20. O poder de Yahweh ficou demonstrado sobre outros deuses, e ele obteve glória e reputação universal, que serviram de degrau para a universalização do *yahwismo*, um acontecimento necessário na preparação para a dispensação do Novo Testamento.

■ **105.30**

שָׁרַץ אַרְצָם צְפַרְדְּעִים בְּחַדְרֵי מַלְכֵיהֶם:

Sua terra produziu rãs em abundância. As rãs formaram a segunda das pragas. Nenhum homem será livre enquanto qualquer homem estiver injustamente cativo. E, naturalmente, nenhum homem é verdadeiramente livre enquanto for escravo do pecado. As rãs entraram em todas as residências, e nenhum homem, rico ou pobre, de alta ou de baixa posição social (como os reis e seus nobres), ficou isento da praga.

Ap 16.13,14,16 e 19.20 comparam as rãs a espíritos imundos, que agem como pragas para os homens. As rãs chegaram até os fornos, dormitórios, gavetas, armários, a corte do Faraó, debaixo de seu trono, em cima dos chapéus das senhoras, dentro dos sapatos e nos alimentos. Como os pecados dos homens, infestavam e corrompiam tudo.

■ **105.31**

אָמַר וַיָּבֹא עָרֹב כִּנִּים בְּכָל־גְּבוּלָם:

Vieram nuvens de moscas. A natureza continuava revoltada contra os pecadores, e apareceram inúmeros insetos, moscas e piolhos. Essa foi a terceira praga. Ver Êx 8.16-19. Deus usou instrumentos desprezíveis para executar seu trabalho, pelo que até a fraqueza de Deus é mais forte do que os homens. Os mágicos do Egito não puderam imitar a praga, nem produzir nada similar. Cf. Sl 78.44. Kimchi faz com que estivessem envolvidas aqui feras (animais quadrúpedes) que presumivelmente invadiram o Egito por todas as fronteiras, mas isso é apenas uma fantasia. Cf. Sl 78.45.

■ **105.32**

נָתַן גִּשְׁמֵיהֶם בָּרָד אֵשׁ לֶהָבוֹת בְּאַרְצָם:

Por chuva deu-lhes saraiva. As pragas libertadoras continuaram. Agora descia a ira do céu, sob a forma de uma chuva extraordinária, acompanhada de tempestades elétricas. Houve poderosa exibição de fogo no céu, acompanhada de pesadas chuvas e saraiva. Essa foi a sétima praga. Ver Êx 9.18-26. Cf. Ap 16.21. Alguns intérpretes veem algo de sobrenatural na exibição de fogo. Outros pensam que a questão foi natural, mas altamente incomum. Cf. Sl 78.45. O artigo sobre *Pragas do Egito* expande a questão, quanto às passagens da história original. As chamas celestes exaltaram Yahweh sobre os deuses dos pagãos, e essa foi uma das razões para a exibição. No artigo citado, listo e discuto como os deuses pagãos foram derrotados em cada praga.

■ **105.33**

וַיַּךְ גַּפְנָם וּתְאֵנָתָם וַיְשַׁבֵּר עֵץ גְּבוּלָם:

Devastou-lhes os vinhedos e os figueirais. Este versículo continua a descrição da sétima praga, mostrando quão mortífera ela foi para a agricultura. Quase toda a irrigação no Egito vinha do rio Nilo, e não por meio de chuvas. Mas quando a praga chegou, foi um grande e destruidor exagero. Cf. Ap 16.21. Ver também Sl 78.47. Ver especialmente Êx 9.25. Chuvas e tempestades usualmente trazem água que distribui a vida, mas aquelas tempestades serviram de instrumentos de morte para a agricultura. Os detalhes do vs. 33 não aparecem no relato original e podem ter sido fruto de elaboração poética.

■ **105.34**

אָמַר וַיָּבֹא אַרְבֶּה וְיֶלֶק וְאֵין מִסְפָּר:

Ele falou, e vieram gafanhotos. Os gafanhotos e suas larvas, gafanhotos jovens e velhos, de toda espécie, tipo e tamanho imaginável, constituíram a oitava praga. Ver o artigo altamente informativo chamado *Praga de Gafanhotos*, no *Dicionário*. Ver Êx 10.12-15, quanto à história original; e ver Ap 9.3,4, quanto a uma aplicação neotestamentária a respeito. Ver também Jl 1.4; 2.25; Na 3.15 e Jr 51.14,27. Nessas passagens encontramos menção a *yelek*, gafanhotos jovens, talvez referindo-se às larvas ou aos gafanhotos adultos jovens, todos eles com apetite voraz e admirável capacidade de devastar todas as plantações e árvores frutíferas. A palavra hebraica *yelek* significa, literalmente, "lambedor" ou "devorador". Alguns estudiosos pensam estar em mira a espécie de gafanhotos com cabelos nas asas. O que temos aqui é uma invasão por parte de um exército hostil de insetos, com muitas espécies de gafanhotos, em número tal que os egípcios não tinham como defender-se. O povo de Israel estava sendo hostilizado pelos egípcios e, assim sendo, o Egito foi hostilizado pela natureza. Todas as dez pragas do Egito diziam: "Deixai ir o meu povo!" (ver Êx 6.11).

■ **105.35**

וַיֹּאכַל כָּל־עֵשֶׂב בְּאַרְצָם וַיֹּאכַל פְּרִי אַדְמָתָם:

Os quais devoraram toda a erva do país. Este versículo dá prosseguimento à descrição sobre a oitava praga do Egito. Tudo quanto era bom para comer, e até mesmo o que não prestava para ser consumido pelos seres humanos, os gafanhotos devoraram. O que os agricultores tinham plantado, desapareceu; o que cresceu por si mesmo da terra, sem a ajuda da mão humana, desapareceu; e, quando os gafanhotos voaram, de estômago cheio, o Egito estava desolado. Os egípcios desolaram Israel, pelo que a natureza desolou o Egito. Cf. a história original, em Êx 10.15 e ver Ap 9.4, quanto a uma aplicação neotestamentária da narrativa. Foi assim que os deuses pagãos, dos quais os egípcios dependiam para ter uma agricultura próspera, foram redondamente derrotados pelos ataques de Yahweh.

■ **105.36**

וַיַּךְ כָּל־בְּכוֹר בְּאַרְצָם רֵאשִׁית לְכָל־אוֹנָם:

Também feriu de morte... os primogênitos. Essa foi a décima e última praga e também a pior de todas, o golpe de misericórdia que Yahweh desfechou contra o Egito, a intervenção decisiva que libertou o povo de Israel. Ver Êx 11.5; 12.29-33. Incluiu os primogênitos dos seres humanos e dos animais, e deixou o Egito tão abalado que os egípcios se sentiram alegres com a partida de Israel (vs. 38). Os filhos primogênitos, tradicionalmente denominados a força principal de suas gerações, foram arrebatados dos egípcios. Ver Gn 49.3. Cf. Sl 78.51. Foi assim que as pragas do Egito não somente derrotaram os egípcios, mas também os muitos deuses que, supostamente, exerciam autoridade sobre os vários elementos afetados pelas pragas. Ilustro isso no artigo do *Dicionário* denominado *Pragas do Egito*. Portanto, que os crentes modernos agradeçam a Deus; temam a Yahweh; obedeçam a seus mandamentos e sejam bons membros do povo em pacto com Deus, por meio de Jesus Cristo. Bradai um alegre aleluia (vs. 45)!

O ÊXODO E AS VAGUEAÇÕES PELO DESERTO (105.37-42)

■ **105.37**

וַיּוֹצִיאֵם בְּכֶסֶף וְזָהָב וְאֵין בִּשְׁבָטָיו כּוֹשֵׁל׃

Então fez sair o seu povo, com prata e ouro. Alguns egípcios deram riquezas voluntariamente aos israelitas, porquanto tinham feito amizade com os filhos de Israel; mas outros deram coisas preciosas para que os israelitas saíssem do Egito, antes que outra calamidade os atingisse. Além disso, houve outras ameaças dos israelitas, pelo que os egípcios deram bens por motivo de temor. Ver Êx 3.21,22 e 11.2,3; 12.35,36. Israel, pois, saiu do Egito muito bem equipado e com consideráveis riquezas materiais. Sempre será mais fácil viajar com a carteira recheada de dinheiro. Notemos, entretanto, que a causa de todas essas doações foi Yahweh, que cuidou para que houvesse abundância. Por conseguinte, nosso suprimento vem do Senhor:

Deus pode fazer-vos abundar...
2Coríntios 9.8

Não havia um só inválido. Além de levar muito suprimento material, a comunidade dos hebreus tinha uma saúde espetacularmente boa, não havendo um único enfermo ou aleijado entre eles. Seiscentos mil homens saíram do Egito (ver Nm 11.21), sem incluir as mulheres e as crianças. Contudo, nenhum só israelita saiu do Egito "tropeçando", conforme diz, literalmente, o original hebraico. Isso foi, por si mesmo, um grande milagre divino que dava a Israel um bom começo: boa saúde e muito dinheiro para ser desfrutado, uma situação invejável em qualquer idade e para qualquer povo ou indivíduo. Notemos, porém, que tudo isso foi dado aos filhos de Israel para preencher os propósitos do êxodo. Eles não estavam saindo em alguma viagem de lazer. Estava envolvida uma atividade séria, e houve provisões para tanto. Escritores pagãos riram-se diante da multidão mista que saiu do Egito, inventando a história de que os egípcios os expulsaram, por estarem carregados de doenças como a lepra, as coceiras e problemas físicos múltiplos (Justin. e Trogo. 1.36. c. 2; Tácito 1.5.3; Lisímaco *apud* Joseph. contra Apion 1.1 s. 34). Mas o texto bíblico contradiz tudo isso, e assim também acontece com a lógica.

Sede fortes! Não estamos aqui para brincar,
para sonhar e para nos desviarmos.
Temos trabalho duro para fazer,
cargas para carregar,
Sede fortes, sede fortes!

Maltble D. Babcock

Como esperaremos ganhar uma grande recompensa
Se agora desistirmos da luta?

Eliza Snow

■ **105.38**

שָׂמַח מִצְרַיִם בְּצֵאתָם כִּי־נָפַל פַּחְדָּם עֲלֵיהֶם׃

Alegrou-se o Egito quando eles saíram. As dez pragas tinham feito bem o seu trabalho e, além disso, houve a compreensão geral de que o poder divino estava por trás da questão inteira, pelo que as coisas poderiam repetir-se. Portanto, estabeleceu-se o temor, e os egípcios apressaram-se a fazer Israel deixar o país. Cf. Êx 11.1; 12.33. Quanto às palavras "lhes tinham infundido terror", ver Dt 11.25 e Êx 15.16. O temor algumas vezes inspira a generosidade, sendo essa uma das razões pelas quais os egípcios se mostraram tão generosos (vs. 37).

■ **105.39**

פָּרַשׂ עָנָן לְמָסָךְ וְאֵשׁ לְהָאִיר לָיְלָה׃

Ele estendeu uma nuvem que lhes servisse de toldo. O assunto, neste versículo, é a nuvem que os guiava durante o dia, bem como a coluna de fogo, descritas no artigo do *Dicionário* chamado *Colunas de Fogo e de Nuvem*. Ver Êx 13.18,21,22; Nm 14.14. As nuvens serviriam para orientar os filhos de Israel, nos livros históricos, mas aqui a nuvem diurna serviria para cobri-los ou protegê-los dos raios do quente sol do deserto, e o fogo serviria para iluminar e, presumivelmente, ser uma fonte de calor, pois o deserto pode ficar muito frio durante a noite. Alguns escritores rabínicos imaginam várias nuvens, mas isso, apesar de razoável, não é bíblico. Existem explicações naturais e sobrenaturais para os fenômenos então ocorridos, e sobre esses fenômenos discuto no *Dicionário*. Seja como for, acreditou-se que Yahweh fosse a causa desses fenômenos, ou seja, era mais uma coisa pela qual agradecer ao Senhor. Israel era acompanhado pelo Ser divino, e nunca permaneceu desolado. As duas nuvens — a que aparecia de dia e a que aparecia de noite — são tipos de Cristo para expressar sua orientação, liderança e consolação. Ademais, a nuvem que aparecia durante o dia pode falar de suprimento, visto que a água veio das nuvens diurnas.

■ **105.40**

שָׁאַל וַיָּבֵא שְׂלָו וְלֶחֶם שָׁמַיִם יַשְׂבִּיעֵם׃

Pediram, e ele fez vir codornizes. O povo de Israel sentiu fome; não havia colheita no deserto, e havia poucos animais para comer. Assim Yahweh deu-lhes muita carne, sob a forma de codornizes, as quais foram desviadas de sua rota de migração e adentraram o deserto a fim de serem consumidas. Ver Êx 16.4,12,13, e, no *Dicionário*, ver *Codornizes*. Ademais, havia o *maná*, sobre o qual também dou um artigo. Ver sobre isso em Êx 16.4 e notas adicionais em Sl 78.24. O maná foi chamado de "pão dos céus" na história original e, novamente, neste versículo. O povo estava satisfeito, ou, literalmente, no hebraico, "cheios e repletos". Cf. Êx 16.3,8,12. Estamos aprendendo que as provisões eram tanto grandes quanto divinamente concedidas. Alguns anos mais tarde, houve uma segunda provisão de codornizes, com péssimos resultados para a comunidade (ver Nm 11.31,33). O maná era um tipo de Cristo, como o pão do céu (ver Jo 6). Ver Sl 47.24,25. Em Sl 78.24, o maná é chamado de "cereal do céu", como se tivesse havido uma colheita no céu, e não na terra, uma declaração estranha, para dizer o mínimo.

Buscai, pois, em primeiro lugar, o seu reino e a sua justiça, e todas estas cousas vos serão acrescentadas.
Mateus 6.33

■ **105.41**

פָּתַח צוּר וַיָּזוּבוּ מָיִם הָלְכוּ בַּצִּיּוֹת נָהָר׃

Fendeu a rocha. O suprimento de água saída da rocha foi tão abundante que fluiu pelo deserto como se fosse um rio. Ver Êx 17.1-7. Cf. Sl 78.15,16, e ver *Rocha*, em Sl 42.9. O trecho de 1Co 10.4 faz a Rocha ser Cristo, a água da vida. Ver no *Dicionário* o verbete chamado *Água*, que inclui usos metafóricos. Ver sobre *Rocha* quanto a informações gerais sobre as três ocasiões em que ocorreu o milagre da água que saiu da rocha. Ver Êx 17.6; Nm 20.11 e 21.16. Ver no *Dicionário* o verbete intitulado *Rocha Espiritual*.

As histórias das codornizes, do maná e da rocha ilustram o variegado e abundante suprimento que Yahweh deu a Israel quando este vagueava pelo deserto. Também demonstram que intervenções miraculosas foram necessárias e foram providas.

Pão do céu, alimenta-me até que eu não queira mais.
Abre agora a fonte de cristal de onde fluem
as águas curadoras.
Deixa que a coluna de nuvem e de fogo
me guie por toda a jornada.
Forte Redentor, sê ainda minha força
e meu escudo.

William Williams

■ **105.42**

כִּי־זָכַר אֶת־דְּבַר קָדְשׁוֹ אֶת־אַבְרָהָם עַבְדּוֹ׃

Porque estava lembrado da sua santa palavra. O Pacto Abraâmico era a força ativa que levou Yahweh a fazer tudo quanto fez em favor de Israel, no deserto. Ver Gn 15.18, quanto ao *Pacto Abraâmico* e ver no *Dicionário* o verbete chamado *Pactos*. Israel era o povo em aliança com Deus, e isso fazia da nação de Israel um povo distinto dos demais. Grandes propósitos, em favor de toda a humanidade, estavam sendo operados através de Israel e, então, depois de Israel, através de Cristo, quando o plano divino fosse universalizado. Assim sendo, todos os homens espirituais tornam-se filhos de Abraão, sem importar a sua raça (ver Gl 3.7,26).

Abraão, seu servo. O amigo de Deus (2Cr 20.7) também era servo de Deus e, nessa capacidade, agiu corretamente. Houve lapsos, é verdade, mas, neste salmo, o salmista deixou de lado, propositadamente, qualquer menção a coisas negativas. Isso posto, apresentou uma história ideal. Abraão agiu corretamente, mas o povo de Israel não agiu tão corretamente como o seu grande progenitor. Por amor a Abraão, entretanto, as bênçãos do Senhor jamais cessaram de fluir.

Uma Omissão Conspícua. O poeta deixou de lado a história da doação da lei, mas no vs. 45 mostrou (no nome *Yahweh*) que a obediência à lei foi requerida da parte de Israel. Ele não confirmou essa demanda com uma história, mas a sua audiência lembraria essa narrativa acima de qualquer outra.

CONCLUSÃO (105.43-45)

■ 105.43

וַיּוֹצִא עַמּוֹ בְשָׂשׂוֹן בְּרִנָּה אֶת־בְּחִירָיו:

E conduziu com alegria o seu povo. O poeta voltou agora ao seu tema, depois que, conforme todas as aparências, terminara a sua história, com a menção do pacto abraâmico. A declaração é geral, pelo que provavelmente inclui estes lances:

1. O livramento da servidão no Egito, um tema muito comum no Antigo Testamento, mencionado por mais de vinte vezes, somente no livro de Deuteronômio. Ver Dt 4.20.
2. A travessia do mar Vermelho.
3. A experiência geral no deserto. A alegria foi uma nota-chave, porquanto tudo tinha sido feito em triunfo. Seus escolhidos seguiram o caminho com cânticos (*Revised Standard Version* e nossa versão portuguesa).

Nenhuma falha é mencionada (embora tenha havido muitas), porquanto o salmista está mantendo elevadas as suas descrições.

Com jubiloso canto. Literalmente, no hebraico temos "com um grito de ovação". Provavelmente está em foco o ato de cantar, e pode haver uma alusão ao cântico de Miriã, às margens do mar Vermelho. Ver Êx 15, especialmente o vs. 20 até o fim.

■ 105.44

וַיִּתֵּן לָהֶם אַרְצוֹת גּוֹיִם וַעֲמַל לְאֻמִּים יִירָשׁוּ:

Deu-lhes as terras das nações. Com uma declaração abrangente, o poeta revisou toda a questão da possessão da terra, tão elaboradamente narrada no livro de Josué. Cf. Sl 78.55. Eles se apossaram de todo o território e também de todas as cidades com todo o seu equipamento, casas, terras etc. intactos, com exceção daquilo (uma pequena porcentagem) que eles destruíram na invasão. Eles não entraram na Terra Prometida como pioneiros que edificassem a partir do marco zero. Simplesmente apossaram-se de todas as instalações e, naturalmente, houve grande matança de gente, incluindo mulheres e crianças, o que o autor sagrado preferiu deixar de fora, a fim de não azedar a sua narrativa. Cf. Dt 6.10,11. A possessão da terra foi o cumprimento de um importante aspecto do Pacto Abraâmico (comentado em Gn 15.18).

Para conquistar a Terra Prometida, foi mister expelir sete nações distintas. Ver sobre isso em Êx 33.2 e Dt 7.1. Foi necessário declarar *guerra santa*, comentada em Dt 7.1-5; 20.10-18.

Tudo isso serve de tipo de como os homens obtêm uma rica herança em Cristo e, finalmente, como chegam a possuir a Terra Prometida celeste (Rm 8.15 até o fim).

> Salve o resplendor da alegre manhã de Sião!
> Desde há muito predita pelos profetas de Israel!
> Salve os milhões que voltam da servidão,
> Gentios e judeus contemplam a bendita visão.
>
> Thomas Hastings

■ 105.45

בַּעֲבוּר יִשְׁמְרוּ חֻקָּיו וְתוֹרֹתָיו יִנְצֹרוּ הַלְלוּ־יָהּ:

E lhes observassem as leis. *Obedecendo à Lei.* Embora o poeta não tenha relatado a outorga da lei em sua narrativa da história sagrada, ele agora nos mostra que todas as coisas levavam à obediência de Israel à lei, algo que tornava Israel uma nação distintiva (ver Dt 4.4-8). A lei era o manual de instruções de Israel (Dt 6.4 ss.) e o que lhes conferia vida (Dt 4.1; 5.33; 6.2; Ez 20.1). Ver sua tríplice designação em Dt 6.1. Ver, em seguida, o sumário do que a lei significava para Israel, em Sl 1.2. Sem a observância da lei, toda a história de Israel, com seus muitos milagres e intervenções divinas, ficaria sem significação. Mas, em vista dessa obediência, Israel vivia e continuaria vivendo, recebendo os benefícios das alianças com Deus (ver no *Dicionário* o artigo chamado *Pactos*). Cf. Dt 4.1,10 e Sl 78.7. A fidelidade era uma palavra-chave para Israel, tal como se dava com o total compromisso para com a obediência à lei. A desobediência, porém, causava tragédias nacionais como os cativeiros assírio e babilônico, ou como a tragédia maior de todas, a dispersão romana, que se ampliou até os nossos próprios dias (o Estado de Israel só ocorreu em 1948), mas que, em outro sentido continua, pois a maioria dos judeus permanece "fora de Israel", dispersos entre países gentílicos.

"Israel deveria ser fiel quanto à sua parte no pacto, obedecendo às leis de Deus (Sl 95.7-11)" (*Oxford Annotated Bible*, comentando o vs. 45). "Aquele que não se conforma à Palavra de Deus, não entrará no reino de Cristo" (Adam Clarke, *in loc.*).

Aleluia! Este salmo começa e termina com uma palavra: "Aleluia!" Assim sendo, a história sagrada provoca esse tipo de reação no coração dos que a conhecem. Grandes são os benefícios divinos que têm sido conferidos aos homens.

> Louvado seja o Senhor!
> Todas as nações batam palmas!
> Clamai a Deus em voz alta, espalhai ao redor
> a sua fama.
> Louvai-o em voz alta e longamente,
> Com cânticos de triunfo.
> Prostrai-vos conforme vos aproximais,
> pois o Senhor Altíssimo
> É o Deus terrível, terrível
> em sua dignidade.
> Seu reino circunda toda a vasta terra.
>
> Dewey Westra

SALMO CENTO E SEIS

Quanto a informações gerais que se aplicam a todos os salmos, ver a introdução ao Salmo 4, onde apresento sete comentários que elucidam a natureza do livro.

Quanto às classes dos salmos, ver o gráfico no início do comentário, que atua como uma espécie de frontispício da coletânea. Ofereço ali dezesseis classes e listo os salmos pertencentes a cada uma delas.

Este salmo é uma espécie de gêmeo negativo do Salmo 105. A atitude do Salmo 105 é triunfante do começo ao fim. Nenhuma falha de Israel é mencionada, quando o salmista relata a história sagrada. Mas a atitude do autor sacro, neste Salmo 106, é sombria, salientando a perversidade e a obtusidade do povo, ao longo de toda a mesma história sagrada. Em outras palavras, temos aqui o reverso da moeda. Ambos os salmos começam e terminam com a palavra "Aleluia!" (Louvado seja o Senhor!). Ambos são salmos históricos, que abordam a questão da história de Israel, mas tratam o tema por lados opostos. Entretanto, ambos enfatizam a necessidade de guardar a lei mosaica e destacam a responsabilidade diante do pacto (o de Abraão e todos os demais, compreendidos como extensões do pacto abraâmico).

Aparentemente, temos dois salmos separados entretecidos em um no Salmo 106: os vss. 1-5 e os vss. 6-47. O primeiro deles serviria como introdução ao segundo. A triste narrativa aqui encontrada pode ser comparada ao Salmo 78 e a Ne 9.5-37. Temos aqui aquele antigo e triste ciclo de pecado-julgamento-restauração, um padrão que aparece com tanta frequência no livro de Juízes. Os vss. 1,6,47 podem indicar que este salmo era usado com propósitos litúrgicos, tornando-se uma espécie de cântico fúnebre de fracasso. Por outro lado, ele termina com uma nota elevada de esperança e louvor.

Subtítulo. Este é um dos 34 chamados "salmos órfãos", que não contam com subtítulos. Quanto a essa circunstância, ver a introdução ao Salmo 91, sob *Subtítulo*.

INTRODUÇÃO NA FORMA DE HINO (106.1-5)

■ 106.1

הַלְלוּיָהּ הוֹדוּ לַיהוָה כִּי־טוֹב כִּי לְעוֹלָם חַסְדּוֹ:

Rendei graças ao Senhor. A sombria história sagrada, repleta com as falhas de Israel, é introduzida por um hino de louvor que, originalmente, era um salmo distinto. O hino começa com a palavra hebraica para aleluia!, e o salmo composto terminará com a mesma palavra (vs. 48). Isso duplica o que acontece no Salmo 105 (vss. 1 e 45). Louvor e agradecimento são prestados a Yahweh por causa de todas as coisas boas que ele tinha feito por Israel, inspirado por seu amor constante. O povo em aliança com Yahweh era objeto do amor especial de Deus. Ver o vs. 45. Ao relembrar o pacto, Yahweh tinha misericórdia de seu povo, via suas aflições e se continha quando devia puni-los, por causa de seu amor constante. Se isso não tivesse acontecido, então Israel, como nação, certamente teria perecido. Ver no *Dicionário* o verbete intitulado *Aleluia*. E ver também os artigos chamados *Ações de Graças* e *Louvor*. Ver especificamente sobre *Amor*, a causa de todas as coisas pelas quais devemos agradecer ao Senhor. Cf. a convocação ao louvor em Sl 105.1,2,5 com base nas obras beneficentes de Yahweh em favor de seu povo. O amor constante de Deus perdura para sempre, a despeito de todos os fracassos registrados neste salmo.

■ 106.2

מִי יְמַלֵּל גְּבוּרוֹת יְהוָה יַשְׁמִיעַ כָּל־תְּהִלָּתוֹ:

Os poderosos feitos do Senhor. Israel tinha fracassado, mas o amor constante de Deus continuava (vs. 45). Louvores e agradecimentos são prestados a Yahweh por suas obras poderosas e benéficas, conforme lemos em Sl 105.1,2,5, gêmeo deste salmo. O Salmo 105 é a apresentação positiva da história sagrada, ao passo que o Salmo 106 é a apresentação negativa da mesma história. "Quanto mais alto Yahweh é elevado acima de nossos poderes de louvá-lo adequadamente, com maior intensidade ainda devemos prestar-lhe nossos melhores louvores (Sl 90.5; 71.15)" (Fausset, *in loc.*). A lealdade ao pacto requer louvor e agradecimento, por ser óbvio que Yahweh tem feito a sua parte. Suas obras maravilhosas foram demonstrações supremas de sua fidelidade.

> Todos os povos que habitam na terra,
> Cantam ao Senhor com vozes jubilosas.
> Servi-o com temor!
> Narrai os seus louvores.
> Vinde à presença dele e regozijai-vos.
>
> William Kethe

■ 106.3

אַשְׁרֵי שֹׁמְרֵי מִשְׁפָּט עֹשֵׂה צְדָקָה בְכָל־עֵת:

Bem-aventurados os que guardam a retidão. Os que observam a justiça (*Revised Standard Version* e a nossa versão portuguesa) sentem-se felizes porque são receptores dos benefícios divinos. O homem que observa a justiça, pratica a retidão o tempo todo. Ele obedece à lei, o padrão da retidão no caso de Israel. Ver sobre Sl 1.2, quanto a um sumário do que a lei significava para Israel. O Senhor ama a justiça e está pronto a abençoar aqueles que a praticam. Cf. Sl 15.1-5; 24.3-5; 72.2; 105.45 e 119.121. Na penúltima dessas referências, temos a condição vinculada às bênçãos de Yahweh. Ver também Dn 9.4, nessa conexão. Deus observa a sua aliança, e o povo faz o mesmo guardando os seus mandamentos. "Aqueles cujo teor geral da vida não se conforma com a vontade de Deus não têm verdadeira felicidade" (Adam Clarke, *in loc.*).

Este versículo tem sido cristianizado para significar a retidão realizada pelo poder do Espírito em um homem, que vive a vida cristã e por isso é abençoado.

■ 106.4

זָכְרֵנִי יְהוָה בִּרְצוֹן עַמֶּךָ פָּקְדֵנִי בִּישׁוּעָתֶךָ:

Lembra-te de mim, Senhor. O salmista fez aqui um apelo pessoal: ele queria ser relembrado e abençoado quando Israel o fosse. Ele não queria ser ignorado.

> Não me deixes de lado, ó gentil Salvador,
> Ouve meu choro humilde; enquanto a outros
> Estás chamando, não me deixes de lado.
>
> Fanny J. Crosby

Alguns manuscritos hebraicos e a Septuaginta mudam o "mim" para "nós", com o propósito de tornar mais óbvio que o salmo presente se aplica a Israel como um todo. Ver no *Dicionário* o artigo denominado *Manuscritos Antigos do Antigo Testamento*, que inclui princípios sobre como os textos são escolhidos quando existem variantes.

Yahweh pode e deve relembrar o povo a fazer o bem, por causa do pacto; e essa memória é encorajada pela obediência à lei (vs. 3).

Salvação. Quanto a Deus como o Salvador, ver as notas em Sl 62.2, onde também dou uma lista de referências onde esses temas são ensinados. O versículo é cristianizado para referir-se à salvação evangélica em Cristo (ver no *Dicionário* o artigo chamado *Salvação*). Nos salmos, porém, a "salvação" usualmente refere-se ao livramento do povo de Israel de alguma tribulação, acompanhado por bênçãos positivas ao povo em aliança com Deus, com base na espiritualidade deles, manifestada na observância da lei, quando eles praticavam o culto do templo. Em alguns poucos lugares, os salmos olham para uma esperança além da vida física; mas usualmente está em foco a boa vida presente, vivida na terra que fora provida em cumprimento do pacto abraâmico (com notas em Gn 15.18).

■ 106.5

לִרְאוֹת בְּטוֹבַת בְּחִירֶיךָ לִשְׂמֹחַ בְּשִׂמְחַת גּוֹיֶךָ לְהִתְהַלֵּל עִם־נַחֲלָתֶךָ:

Para que eu veja a prosperidade dos teus escolhidos. O salmista não era egoísta. Ele queria ser relembrado por Yahweh, a fim de receber dele o bem não somente como indivíduo, mas como membro da nação em pacto com Deus, escolhida por Deus e abençoada acima de todos os demais povos do mundo. O homem regozijava-se na alegria da nação de Israel, e não somente como indivíduo. A relação de comunidade sempre foi forte na mente dos hebreus. O homem bom queria a glória de sua herança, porque, afinal de contas, era ali que as bênçãos individuais deveriam ser encontradas. Ele não se sentia como uma ilha separada das terras continentais. O poeta estava prestes a introduzir a história dos fracassos de Israel e da infidelidade dessa nação ao pacto, mas, de alguma maneira, mediante a graça de Deus, as bênçãos continuariam a fluir para a herança de Deus (Sl 28.9; 33.12; 78.55). Deus aborrecera a sua herança (vs. 40), mas o seu amor constante era profundo o bastante para reverter até mesmo isso (vs. 45). Cf. Is 43.20 e 45.4. Ver o apelo de Moisés em favor do povo desviado, em Dt 9.29.

> Guia-nos, Pai Celeste,
> Pelo mar tempestuoso deste mundo;
> Guarda-nos, guia-nos, mantém-nos, alimenta-nos,
> Pois não temos ajuda senão de ti.
>
> James Edmeston

ISRAEL NO MAR VERMELHO (106.6-12)

■ 106.6

חָטָאנוּ עִם־אֲבוֹתֵינוּ הֶעֱוִינוּ הִרְשָׁעְנוּ:

Pecamos, como nossos pais. Tendo terminado a introdução positiva, o poeta não se demorou a chegar ao seu tema: por quantas vezes Israel fracassou, a despeito das miraculosas provisões de Yahweh. Antes mesmo de chegar ao incidente do mar de Juncos, que dá início à narrativa da história sagrada de Israel, ele já se queixava dos pecados de Israel, especificamente dos pecados de seus antepassados, que a geração presente estava imitando. Note o leitor três palavras enfáticas, todas elas negativas: *pecamos, iniquidade, mal.* Esses foram pecados de comissão, omissão e franca perversidade, manifestados por meio de inúmeras rebeliões. Ver sobre as muitas murmurações de Israel, anotadas na introdução a Nm 11, além de outras menções em Nm 14.32. Os rabinos listaram dez de tais quedas na ingratidão. É possível que este salmo tenha sido escrito durante o tempo do cativeiro babilônico, quando a consciência de pecado de Israel estava em seu ponto culminante. Os homens tiveram tempo ali, naquela terra estrangeira, para passar em revisão a história inteira. Por outro lado, temos a positiva apresentação do Salmo 105, que nos mostra o outro lado da moeda. A história era má e boa, mas as profecias de reversão são todas boas. "As palavras 'como nossos pais', mostram que os judeus, na época do salmista, formavam com seus progenitores uma só massa corrompida. Eles seguiram seus pais e, assim sendo, participaram da culpa deles" (Fausset, *in loc.*). "... pecados presunçosos, pecados contra a luz recebida e o conhecimento, pecados contra a graça e a misericórdia; pecados contra ambas as tábuas da lei; pecados contra Deus e contra o próximo. E todos esses pecados acompanhados por muitos agravantes... Cf. 1Rs 8.47 e Dn 9.5" (John Gill, *in loc.*).

■ **106.7**

אֲבוֹתֵינוּ בְמִצְרַיִם ׀ לֹא־הִשְׂכִּילוּ נִפְלְאוֹתֶיךָ לֹא זָכְרוּ
אֶת־רֹב חֲסָדֶיךָ וַיַּמְרוּ עַל־יָם בְּיַם־סוּף׃

Nossos pais, no Egito. A palavra de Yahweh foi dada, incluindo suas leis e muitos mandamentos e orientações, mas os antepassados preferiram não entender essa palavra. Eles também viram as obras poderosas de Yahweh, mas desviaram delas sem se deixar impressionar. A ignorância e a rebelião começaram no Egito, e essa foi uma das razões pelas quais Moisés teve tanta dificuldade em congregar o povo de Israel para sair do Egito. E então, quando eles finalmente saíram, tiveram memória curta e esqueceram os milagres das *Pragas do Egito* (ver a respeito no *Dicionário*). E mesmo à beira do mar Vermelho, antes e depois que se rebelaram, quase se rebelaram fatalmente (ver Êx 14.15). Mas as palavras de Moisés fizeram-nos continuar avançando. A graça foi suficiente na hora mais negra. "No mar", segundo o original hebraico, que nas versões recebe a emenda "Vermelho", refere-se ao incidente no mar Vermelho. Traduções modernas seguem essa emenda com vistas a maior clareza. Mar Vermelho, em vez de mar de Juncos, acompanha a Septuaginta. Ver no *Dicionário* o artigo chamado *Mar Vermelho*, que inclui comentários sobre o *Mar de Juncos*. Ver também o texto do Antigo Testamento, onde ofereço detalhes: Êx 14.15-21.

■ **106.8**

וַיּוֹשִׁיעֵם לְמַעַן שְׁמוֹ לְהוֹדִיעַ אֶת־גְּבוּרָתוֹ׃

Mas ele os salvou por amor do seu nome. Yahweh continuava presente e não permitiu que os temores e a relutância de Israel o detivessem. Por conseguinte, operou através de Moisés e empilhou as águas, abrindo um caminho que atravessou o mar.

Quando Israel saiu da servidão,
Havia diante deles um mar.
O Senhor estendeu sua mão poderosa,
E fez o mar rolar dali.

Yahweh repreendeu o mar (vs. 9). Ver a história em Êx 14.15-31. O poeta enfatizou o elemento miraculoso. Não há nessa passagem nenhuma informação que nos faça pensar em algum acontecimento natural. Apresento todas as interpretações desse evento, naturais e sobrenaturais, *in loc.*, em Êx 14.

Por amor do seu nome. Isso por causa de suas promessas a Abraão e a Moisés, e por causa do plano que ele estava desdobrando, e que teria aplicação universal. (Quanto a esse tema, ver Sl 93 e 95 a 99, sobre como todas as nações serão finalmente trazidas ao aprisco, em cuja direção o evangelho cristão labora.) Quanto ao *nome*, ver Sl 31.3, e quanto ao *nome santo*, ver Sl 30.4 e 33.21. O nome era poderoso e representava tudo quanto Yahweh era (é) e fazia (faz). O mero pronunciar desse nome, segundo se pensava, possuía poderes miraculosos. O *Pacto Abraâmico* tornou-se o Novo Testamento (Pacto); ver a respeito no *Dicionário*. Cf. Ez 20.14.

O poder de Deus tornou-se conhecido no incidente no mar Vermelho, e esse foi o começo do seu reconhecimento, por parte da nação de Israel, como Senhor e Salvador universal. Cf. Dt 9.28. Ademais, esse poder vindicava tudo o que tinha sido feito no Egito. A justiça de Deus tornou-se evidente.

■ **106.9**

וַיִּגְעַר בְּיַם־סוּף וַיֶּחֱרָב וַיּוֹלִיכֵם בַּתְּהֹמוֹת כַּמִּדְבָּר׃

Repreendeu o mar Vermelho e ele secou. Um Poder superior fez retroceder as águas, que, do contrário, teriam avassalado o povo de Israel. Quando era necessário, esse Poder se fazia presente. Os hebreus temiam o mar e ficavam perturbados diante de seus mistérios. Assim sendo, o milagre do mar Vermelho foi especial, e sua história, pois, fez passar temores especiais. A repreensão divina, já que fora eficaz ao menos por uma vez, poderia continuar a ser eficaz, mas um povo desobediente veria o fim das maravilhas.

Fê-los passar pelos abismos. Os mares encobrem abismos misteriosos. Cadeias montanhosas inteiras, mais elevadas do que as que conhecemos à superfície dos continentes, jazem sepultas sob as águas e, algum dia distante no passado, estiveram à superfície, pois os leitos dos oceanos já mudaram por muitas vezes, e as massas de terras também. O deserto, neste caso, é meramente a profundeza da água desde o topo da pilha que se elevou até o fundo do mar aberto, que o povo seguiu. Mas essa profundeza falou sobre outros mistérios e sobre o poder de Deus em sondar as profundezas. O que fora certa profundeza de águas era agora um deserto fácil de ser atravessado a pé. Cf. Is 63.13. Ver Êx 14.21, quanto ao *modus operandi* da acumulação das águas e do ressecamento, por meio de um forte vento. Ver uma aplicação cristã sobre a questão em 1Co 10.1,2. Ver também Sl 78.13.

■ **106.10**

וַיּוֹשִׁיעֵם מִיַּד שׂוֹנֵא וַיִּגְאָלֵם מִיַּד אוֹיֵב׃

Salvou-os das mãos de quem os odiava. O resultado da intervenção divina no mar Vermelho foi a salvação de Israel, que tão recentemente tinha saído do Egito; e agora eles escapavam de outro perigo. Assim sendo, foi o ódio que os ameaçou, o que é o abc do poder do diabo. Havia o amor divino para livrá-los, que é o abc do Poder lá do alto. Quanto à aplicação cristã do princípio, ver Lc 1.71,74. O ódio é para o diabo o que o amor é para Deus. Ver no *Dicionário* o artigo chamado *Ódio*, quanto a informações completas. Os que trabalham com o *exorcismo* (ver a respeito no *Dicionário*) dizem-nos que, sem o ódio em algum lugar, a possessão demoníaca é quase impossível. Ilusões utópicas românticas estão em maré vazante em nosso mundo, onde se torna cada vez mais claro que há algo diabólico no ódio, na destruição e nas múltiplas formas de males que podem ser observadas neste nosso mundo, onde as coisas estão fugindo ao controle. Até as pessoas que desconhecem a teologia ou a filosofia sabem que algo muito sombrio está acontecendo. Existe "algo de radical e desastrosamente errado na natureza humana" (D. R. Davies), e algumas das histórias do Antigo Testamento ilustram isso. Todos os dias recebemos uma nova demonstração dessa tese negativa.

■ **106.11**

וַיְכַסּוּ־מַיִם צָרֵיהֶם אֶחָד מֵהֶם לֹא נוֹתָר׃

As águas cobriram os seus opressores. Os odiadores foram cobertos pelas águas da ira de Deus. Eles morreram exatamente quando procuravam matar, sendo essa uma excelente demonstração da *Lex Talionis* (ver a respeito no *Dicionário*), ou seja, eles receberam o devido e exato castigo por sua maldade. Ver também sobre a *Lei Moral da Colheita segundo a Semeadura*. Não houve sobreviventes, e isso demonstrou o terror que ocorreu naquele dia, um julgamento completo, uma "limpeza da mesa", conforme se diz em certa expressão idiomática moderna. Ver Êx 14.28 e 15.4,5,10. Assim também Cristo porá fim ao pecado e às forças satânicas (ver Cl 2.15). As Escrituras ensinam, profeticamente, que a limpeza da mesa será necessária para corrigir este nosso mundo corrupto. Algum dia, a violência será tratada de modo violento.

Já estive perdido nas planícies do pecado;
Já fui escravo de paixões ferozes internas;

Já estive prisioneiro, mas agora sou livre.
Já estive cego, mas agora vejo.
Já fui morto, mas agora estou vivo.

Extraído do *Hinário de Londres*, anônimo

■ 106.12

וַיַּאֲמִינוּ בִדְבָרָיו יָשִׁירוּ תְּהִלָּתוֹ:

Então creram nas suas palavras. As palavras pareciam boas demais para acreditar nelas, fantásticas demais para serem verazes, mas contemplar o que aconteceu às margens do mar Vermelho convenceu Israel, e todos os israelitas começaram a cantar. Ver Êx 15, quanto aos cânticos de Moisés e Miriã, aos quais o poeta sacro provavelmente faz alusão aqui. Todo homem espiritual já viu uma ou outra grande vitória em sua vida, e tem conhecimento sobre esse cântico de louvor. Oh, Senhor, concede-nos a graça de muitas outras vitórias inspiradoras!

As palavras "creram nas suas palavras" referem-se à declaração de Yahweh de que ele satisfaria todas as necessidades deles, e a palavra específica de que ele os faria passar pelo mar Vermelho sem nada sofrer. Contudo, "bem-aventurados os que não viram, e creram" (Jo 20.29). A esses pertence a fé maior; todavia, temos de ver agora algo que nos mostre que o Poder divino continua presente, que estamos sendo cuidados por aquele Poder, e que ele pode intervir a qualquer momento em nossa vida.

Pegadas na Areia. Nos olhos de nossa mente, podemos ver pegadas na areia. Existem duas trilhas dessas pegadas. Amigos estão caminhando juntos. Chegamos assim a compreender que uma das trilhas é do homem, e a outra é do Senhor. Então, quando olhamos de novo, vemos apenas uma trilha. O amigo desapareceu? Ou o Senhor abandonou o homem? E então ouvimos a voz do Senhor, o qual está dizendo: "Quando você vir apenas uma trilha de pegadas, isso foi quando comecei a carregar o homem, pois ele estava fraco demais para fazê-lo". E é então que compreendemos o quadro. Em tempos de provações severas, somos transportados pelo Ser divino, e não abandonados.

A VAGUEAÇÃO PELO DESERTO (106.13-18; Êx 15.1—17.16; Nm 11.1-35)

■ 106.13

מִהֲרוּ שָׁכְחוּ מַעֲשָׂיו לֹא־חִכּוּ לַעֲצָתוֹ:

Cedo, porém, se esqueceram das suas obras. Neste ponto, em suas descrições, o autor sagrado sai da região do mar Vermelho. Aquele foi o lugar de um notável milagre que levou toda a nação a crer. Agora, porém, os dias se tinham tornado uma canseira e novos problemas haviam surgido. As pessoas estavam cansadas, tendo voltado a seus dias "normalmente maus". A mente delas estava repleta de aflições e dúvidas. O que acontecera ao Poder que os acompanhara no mar Vermelho? Muitos continuavam vivos, dentre os que viram as obras poderosas de Yahweh no Egito. Muitos tinham visto as águas se empilhar, mas esqueceram tudo e começaram a pôr em dúvida que algo tão estupendo tivesse acontecido algum dia. E começaram a negligenciar a lei de Deus, que os aconselhava em todas as situações. Eles não tinham nenhum novo milagre que lhes pudesse dissolver o coração endurecido. Não dispunham de milagres recentes que lhes refrescassem a mente ressecada. Para aquele povo rebelde, uma calamidade se formava logo ao dobrar da esquina. "Eles se mostravam impacientes e não conseguiam esperar até que Deus, à sua maneira, cumprisse seus desígnios" (Adam Clarke, *in loc.*).

Eles não pediram o conselho de Deus, embora a Deus caiba orientar e ele se mostre maravilhoso em seus conselhos. Antes, eles consultaram sua própria mente obscurecida. Eles estavam comendo o maná a cada dia, mas o maná não era bom o bastante para eles. Preferiram submeter Deus a teste, pedindo por aquilo que ele não tinha planejado para eles. Queriam obter o que desejavam, mas a morte se interpôs no caso deles.

■ 106.14

וַיִּתְאַוּוּ תַאֲוָה בַּמִּדְבָּר וַיְנַסּוּ־אֵל בִּישִׁימוֹן:

Entregaram-se à cobiça, no deserto. A cobiça aqui mencionada refere-se a Nm 11.4 ss., quando os israelitas, lembrando os bons alimentos do Egito, ficaram desgostosos com aquele pão leve chamado maná. O povo continuou a cobiçar e a desejar comer carne; e foram-lhe dadas codornizes. E então uma grande praga sobreveio à multidão queixosa (ver Nm 11.33). Não nos é dito no que consistia essa praga, mas foi uma praga mortífera que atingiu muita gente.

O incidente inteiro foi chamado de tentação a Elohim, ou seja, submetê-lo a teste no tocante a provisões, misturado com o problema de uma má atitude. O lugar onde os mortos foram sepultados chamava-se *Quibrote-Hataavá* (ver a respeito no *Dicionário*), que significa "sepulcros de concupiscência". A história foi empregada no capítulo 10 de 1Coríntios, onde Paulo faz o incidente significar cobiçar coisas proibidas. Ver no *Dicionário* o artigo chamado *Cobiça*.

Quanto ao problema das provisões, por meio das quais Yahweh foi submetido a teste, cf. Êx 17.7 e Sl 78.18-20.

■ 106.15

וַיִּתֵּן לָהֶם שֶׁאֱלָתָם וַיְשַׁלַּח רָזוֹן בְּנַפְשָׁם:

Concedeu-lhes o que pediram. Este versículo é um dos mais conhecidos do saltério. Israel obteve o que desejava, mas foi julgado pela pobreza de espírito. Isso significa que eles ganharam materialmente falando, mas retrocederam espiritualmente, visto que a rebeldia tinha reduzido seu teor espiritual. Mas a *Revised Standard Version* diz aqui "enviou uma enfermidade debilitante" (aparentemente referindo-se à praga mencionada em Nm 11.33). A tradução da Imprensa Bíblica Brasileira concorda com a *Revised Standard Version* e faz a questão ser física, e não um debilitamento espiritual. Adam Clarke faz o povo de Israel emagrecer com a dieta de maná e codornizes, inadequada do ponto de vista nutritivo. Ellicott refere-se à questão da mera satisfação da fome: eles se saciaram em face de todos os seus esforços de cobiça, o que não seria uma recompensa boa para tanta queixa. Além do pão, os filhos de Israel obtiveram codornizes, ou seja, carne em abundância. Mas isso serviu somente para lhes satisfazer a fome; contudo, sofreram uma surpresa. Veio uma praga e destruiu a todos, enquanto seu estômago ainda estava cheio. Cf. Sl 78.27-29.

A palavra hebraica aqui usada é *nephesh*, a "alma animal" (não a alma espiritual, conforme essa palavra, posteriormente, passou a significar). "O castigo foi infligido ao mesmo tempo que o pedido deles foi concedido (Sl 78.29,30). A alma deles, ou seja, a alma animal, foi o que tanto clamou por alimento (Nm 11.6; Sl 17.18). Essa alma animal obteve o que tanto desejava e, com isso, o próprio castigo, uma enfermidade debilitante que terminou em morte" (Fausset, *in loc.*). Tudo soa como se as codornizes estivessem infeccionadas por alguma bactéria ou vírus mortífero. Quando os israelitas comeram das codornizes, o agente infeccionante fê-los morrer quase imediatamente, depois de debilitados fisicamente devido à infecção. Houve algo de patético em Yahweh ter enviado codornizes infectadas para matar o povo de Israel, por causa de seus pecados!

■ 106.16

וַיְקַנְאוּ לְמֹשֶׁה בַּמַּחֲנֶה לְאַהֲרֹן קְדוֹשׁ יְהוָה:

Tiveram inveja de Moisés no acampamento. Os vss. 16-18 são reflexo de Nm 16 e 17. Moisés foi chamado de santo, um adjetivo que seus oponentes afirmavam caber à congregação inteira de Israel, e não somente a ele. Ver Nm 16.3-5. Ver sobre *Santos*, no *Dicionário*, quanto a detalhes. Arão também assumiu o título, e ambos eram tidos em alta conta em relação a outros líderes. Portanto, foi um caso de inveja profissional aguda. Este salmo refere-se especificamente à rebelião liderada por Datã e Abirão, e não à rebeldia de Coré, mas isso não quer dizer que ele fosse melhor do que os outros. "O caso de inveja foi atribuído a todo o povo, embora tenha sido desmascarado somente no caso de certos elementos, porquanto não foi repreendido por eles. Ver Nm 16.1-3" (John Gill, *in loc.*). Ver no *Dicionário* sobre *Inveja* e *Rebelião*, artigos que ilustram amplamente o texto presente.

■ 106.17,18

תִּפְתַּח־אֶרֶץ וַתִּבְלַע דָּתָן וַתְּכַס עַל־עֲדַת אֲבִירָם:

וַתִּבְעַר־אֵשׁ בַּעֲדָתָם לֶהָבָה תְּלַהֵט רְשָׁעִים:

Abriu-se a terra e tragou a Datã. "A omissão de Coré está em harmonia com as narrativas históricas que indicam uma diferença tanto na atitude de Coré e seus familiares quanto na atitude de Datã e Abirão, e também uma diferença de sorte. Cf. Nm 16.23 ss.; 26.10 e Dt 11.6" (Ellicott, *in loc.*). Essa gente foi engolida pela terra, como todos os homens que se bandearam para o lado de Coré. O vs. 18 dá a punição dos 250 rebeldes dentre os levitas, cujo cabeça era Coré. Eles foram punidos pelo fogo, da mesma maneira que pecaram com o fogo, ao oferecer incenso. Ver Nm 16.17-19. Os filhos de Arão pecaram oferecendo fogo estranho e foram consumidos pelo fogo, em ocasião anterior (Lv 10.1,2). Quanto a detalhes, ver no *Dicionário* os artigos chamados *Datã*, *Abirão* e *Coré* (quinto ponto).

O BEZERRO DE OURO (106.19-23; Êx 32.1-35; Dt 9.8-21)

■ 106.19

יַעֲשׂוּ־עֵ֥גֶל בְּחֹרֵ֑ב וַ֝יִּשְׁתַּחֲו֗וּ לְמַסֵּכָֽה׃

Em Horebe fizeram um bezerro. O poeta sacro dedicou cinco versículos a esse incidente, um dos mais "brilhantes" atos estúpidos. Bem na época da doação da lei, que estava baseada sobre rígido monoteísmo, Israel caiu em crassa idolatria, e o próprio Arão ajudou no ato, dando ordens para o fabrico do bezerro de ouro. Ver no *Dicionário* o artigo intitulado *Bezerro de Ouro*, quanto a detalhes que não são repetidos aqui. No livro de Salmos, o nome do lugar onde isso ocorreu aparece como Horebe, embora, na história original, seja coerentemente o Sinai. Ver no *Dicionário* sobre ambos os termos. "Horebe" é o nome com que o mesmo lugar aparece em Deuteronômio (4.15 e 5.2). Horebe é um antigo nome para o Sinai (Dt 5.2 e Ml 4.4).

"O pecado deles foi horrendamente agravado devido ao fato de que essa cena ocorreu em Horebe, onde Deus acabara de revelar maravilhosamente sua lei, sua glória e sua retidão. Depois de terem rejeitado indiretamente a Deus, na pessoa de seus ministros (vs. 16), eles passaram a rejeitar diretamente ao próprio Deus, repelindo seus mandamentos diretos. Êx 20.4,5 proíbe não somente a adoração de qualquer outro deus, mas também o fabrico de qualquer imagem, até mesmo do verdadeiro Deus. O ídolo por eles fabricado foi chamado de bezerro por motivo de desprezo. Eles queriam fazer um touro ou boi (ver Êx 33.4). Era uma imitação da adoração ao boi Ápis, do Egito, o touro sagrado. Israel, afinal, já tinha sido culpado de idolatria no Egito (Js 24.14)" (Fausset, *in loc.*). Ver no *Dicionário* o verbete chamado *Ápis*. "Esse pecado foi tão hediondo que os judeus dizem que não foi expiado até hoje, e que os judeus não sofrem outra punição (por causa de outros pecados) que não diga respeito a pelo menos uma onça do bezerro de ouro" (John Gill, *in loc.*).

■ 106.20

וַיָּמִ֥ירוּ אֶת־כְּבוֹדָ֑ם בְּתַבְנִ֥ית שׁ֝֗וֹר אֹכֵ֥ל עֵֽשֶׂב׃

E assim trocaram a glória de Deus. Foi assim que os israelitas trocaram a glória de Deus pela imagem de um novilho, que come relva; e isso, verdadeiramente, foi algo estúpido. Alguns estudiosos supõem que Yahweh estivesse sendo adorado por eles por meio daquela imagem. Nesse caso, temos um crasso sincretismo, e não uma simples cópia da adoração ao touro egípcio. Josefo diz que a imagem foi uma espécie de novilho do tipo querubim, uma monstruosidade difícil de imaginar. Se isso for verdade, então o querubim assumiu a forma de uma imagem misturada com um touro, o que não corresponde à realidade dos fatos. O tabernáculo e seus objetos ocorreram só mais tarde, pelo que misturar o querubim com um touro certamente é um anacronismo, provavelmente devido à imaginação dos homens, e não a um fato real.

A glória de Deus. Esta tradução, embora forneça resultados melhores que a tradução inglesa e de algumas versões portuguesas, tira alguma liberdade com o original hebraico. Cf. Rm 1.23, onde encontramos a expressão: "Mudaram a glória do Deus incorruptível em semelhança da imagem de homem corruptível, bem como de aves, quadrúpedes e répteis".

■ 106.21,22

שָׁ֭כְחוּ אֵ֣ל מוֹשִׁיעָ֑ם עֹשֶׂ֖ה גְדֹל֣וֹת בְּמִצְרָֽיִם׃

נִ֭פְלָאוֹת בְּאֶ֣רֶץ חָ֑ם נ֝וֹרָא֗וֹת עַל־יַם־סֽוּף׃

Esqueceram-se de Deus. As obras maravilhosas de Deus foram apagadas na mente deles, e outro tanto aconteceu ao próprio Deus. Não obstante, Deus era o Salvador. Quanto ao *Deus da salvação*, ou Deus chamado *Salvação* ou *Salvador*, ver Sl 62.2, onde ofereço notas expositivas e referências. Não está em pauta a salvação evangélica, da alma, e, sim, o livramento do Egito, além dos privilégios e bênçãos do povo vinculado a Deus por um pacto. Cf. Sl 105.23,27. Quanto à "terra de Cão" (vs. 22), ver Sl 105.23, onde se lê sobre as muitas maravilhas realizadas que agora foram esquecidas. As dez pragas são as obras maravilhosas referidas aqui.

No mar Vermelho. A palavra "vermelho" foi uma corrupção do original hebraico que entrou na Septuaginta e, mais tarde, em outros textos. A palavra hebraica correspondente, *soof*, significa "junco", "papiro". Ver as notas no vs. 7 deste capítulo. O poeta, uma vez mais, lembra-nos desse incidente, ao qual ele já tinha dedicado uma passagem. Ver no *Dicionário* o verbete chamado *Pragas do Egito*.

■ 106.23

וַיֹּ֗אמֶר לְֽהַשְׁמִ֫ידָ֥ם לוּלֵ֡י מֹ֘שֶׁ֤ה בְחִיר֗וֹ עָמַ֣ד בַּפֶּ֣רֶץ לְפָנָ֑יו לְהָשִׁ֥יב חֲ֝מָת֗וֹ מֵֽהַשְׁחִֽית׃

Os teria exterminado. Moisés, o mediador, interpôs-se no caminho entre Yahweh e o povo de Israel, quando o Senhor estava pronto para administrar o golpe de morte contra os israelitas. Moisés se "interpôs" como quem defende uma cidade assediada. Ver Ez 22.30. Ver também Gn 41.46; Êx 32.10 e Dt 1.38. O trecho de Is 30.13 contém algo similar. Diz o Targum: "Assim sendo, Moisés postou-se na brecha; ele se apresentou a Deus, precipitando-se como um homem de guerra e derramando a sua ira como uma inundação de águas". Isso deve ser entendido como oração fervorosa e importuna a Deus, em defesa de seu povo, a qual foi bem-sucedida. Moisés "desviou a ira de Deus" (ver Êx 32.11-14,30-32). "Moisés, o seu escolhido, levantou-se e fortaleceu-se, e prevaleceu com a sua oração diante do Senhor, para desviar a ira divina da destruição".

Este versículo tem sido cristianizado para falar da incansável obra medianeira de Cristo, que faz parar a ira de Deus, a qual, de outra sorte, destruiria todos os homens. Moisés protegeu o povo de Israel. Cristo protege o mundo inteiro; devemos relembrar esse fato, e não diminuir o seu ofício.

Ver sobre *Mediação (Mediador)*, II. *Doutrina Bíblica da Mediação*, segundo ponto, quanto ao ofício medianeiro de Moisés, em contraste com o ofício medianeiro e salvador de Cristo. Esse é um artigo teológico, ao passo que o texto do Antigo Testamento, sobre a mediação de Moisés, envolveu um livramento da destruição física. Naturalmente, no judaísmo posterior, Moisés e sua lei eram considerados meios da salvação da alma. Ver a seção III do artigo intitulado *Cristo, o Único Mediador*.

> Minha esperança está firmada sobre nada menos
> Do que o sangue e a retidão de Jesus.
> Não ouso confiar no arcabouço mais doce,
> Mas tão somente depender do nome de Jesus.
>
> Seu juramento, seu pacto, seu sangue
> Sustentam-me no dilúvio mais inundante;
> Quando tudo ao redor de minha alma cede caminho,
> Então ele é toda a minha esperança e permanência.
>
> Edward Mote

O RELATÓRIO DOS ESPIAS (106.24-27; Nm 13.1—14.3)

■ 106.24

וַֽ֭יִּמְאֲסוּ בְּאֶ֣רֶץ חֶמְדָּ֑ה לֹֽא־הֶ֝אֱמִ֗ינוּ לִדְבָרֽוֹ׃

Também desprezaram a terra aprazível. Dois dos espias apresentaram um relatório favorável à invasão, mas o povo rejeitou o bom relatório e aceitou o mau. O resultado prático foi que eles "desprezaram a terra" que lhes tinha sido dada como parte das provisões do pacto abraâmico. Em outras palavras, a rebelião foi um rompimento com o pacto, uma questão seriíssima. Privilégios desprezados mostram uma forma especial de ingratidão. Ver no *Dicionário* o artigo intitulado *Gratidão*. Ver Nm 14.31. A Terra de Beleza era feia para eles. Ver Êx 3.8; Dt 11.11-15; Jr 3.19; Ez 20.6; Dn 8.9. Uma rebeldia generalizada seguiu-se ao relatório negativo de dez dos espias.

Este versículo tem sido espiritualizado para falar dos pecadores que rejeitam o convite para o céu, porquanto são rebeldes em seu estado pecaminoso. Esses também "não acreditam em sua Palavra". Ver Hb 3.18,19. "... um pecado verdadeiramente horrendo, desacreditar em Deus que é veraz e não pode mentir" (John Gill, *in loc.*).

■ 106.25

וַיֵּרָגְנוּ בְאָהֳלֵיהֶם לֹא שָׁמְעוּ בְּקוֹל יְהוָה׃

Antes murmuraram em suas tendas. A enfermidade da incredulidade espalhou-se dos espias incrédulos para as tendas da congregação. E as conversas liberadas ali convenceram o povo de Israel em geral a não tentar a invasão. Eles tinham suas razões e, verdadeiramente, algumas delas eram razoáveis, mas eles deixaram Deus do lado de fora e esqueceram as situações impossíveis que suas obras admiráveis tinham revertido. Por isso, a voz de Deus, que os convocava a avançar, não foi ouvida, e a palavra de Deus foi desconsiderada. Cf. Sl 78.22,32. Eles deram ouvidos à voz que destoava de Deus, mas não à voz de Deus. Isso é uma característica de todos os pecadores. Assim, eles perderam a Terra Prometida e voltaram a internar-se no deserto. Ver sobre as muitas murmurações de Israel na introdução a Nm 11 e também Nm 14.32. Os rabinos numeraram dez rebeliões. Ver Hb 3.7,8, quanto ao uso da história no Novo Testamento. Eles regressaram ao deserto e ali morreram, com exceção dos dois espias fiéis, Josué e Calebe. Tudo isso fez parte da grande provocação no deserto. Ver no *Dicionário* o artigo chamado *Provocação*.

■ 106.26

וַיִּשָּׂא יָדוֹ לָהֶם לְהַפִּיל אוֹתָם בַּמִּדְבָּר׃

Então lhes jurou, de mão erguida. Visto que a voz de Deus foi rejeitada, visto que o pacto abraâmico foi violado, Yahweh levantou-se contra aquela geração, e todos eles morreram no deserto. Não houve renovação de oportunidades. A má decisão deles foi fatal.

Mão. Aquele instrumento de poder que fizera tantas maravilhas em favor de Israel levantou-se contra esse povo. Caiu sobre eles um golpe fatal de julgamento. Eles foram derrubados no deserto. Ver sobre a *mão direita* em Sal, 20.6; ver sobre *mão*, em Sl 81.14; e ver sobre *braço* em Sl 77.15; 89.10 e 98.1. Essas figuras representam o poder de Yahweh. Foi temível que o poder de Deus tivesse sido usado contra Israel, a herança do Senhor (ver o vs. 5, onde são dadas outras referências sobre essa figura).

A mão erguida era um gesto que reforçava um juramento (Gn 14.22,23; Ap 10.5,6). Também servia de figura de pancada, pois a mão erguida desceria para ferir. Deus tanto jurou quanto feriu. Cf. Is 26.11 e 30.30. "... Eles foram consumidos, debilitados e morreram (Nm 14.32,33,35; 1Co 10.5; Hb 3.17)" (John Gill, *in loc.*). A substância do juramento contra Israel aparece em Nm 14.28-35. Ver Êx 6.8.

■ 106.27

וּלְהַפִּיל זַרְעָם בַּגּוֹיִם וּלְזָרוֹתָם בָּאֲרָצוֹת׃

E também derribaria entre as nações a sua descendência. Primeiramente vieram as perambulações pelo deserto. A geração mais idosa (aqueles com 20 anos de idade ou mais) morreu. A geração mais jovem teve permissão de entrar na terra, em ocasião posterior, porquanto não tinham participado daquela má decisão.

> Meu Deus e Pai, enquanto eu me desvio
> Para longe de casa, no caminho áspero da vida,
> Oh, ensina-me a dizer de todo o coração,
>   tua vontade seja feita.
>
> Charlotte Elliott

Yahweh foi capaz de ensinar a geração mais jovem a fazer o que a geração mais idosa se recusara a fazer. O erro foi finalmente corrigido, mas não para aqueles que caíram no erro.

Os que poderiam ter sido "recolhidos em casa" foram dispersos e tornaram-se nômades entre outros povos nômades, especialmente os árabes. Cf. Ez 20.23. Mas alguns estudiosos veem aqui a dispersão como se incluísse o que aconteceu mais tarde, os cativeiros assírio e babilônico, pois os pecados estavam sendo pagos e sempre havia novos pecados que aumentavam o estoque. Quando as coisas se tornaram insuportáveis, os assírios foram enviados para esmagar Israel; e então, mais tarde, os babilônios foram o instrumento usado por Yahweh para esmagar Judá. Ver no *Dicionário* o artigo chamado *Cativeiros*. Quanto a ser castigado ou morrer pelos próprios pecados, ver Dt 24.16 e Ez 18.20. Quanto a ser castigado ou morrer pelos pecados dos pais, ver Êx 20.5.

EM BAAL-PEOR (106.28-31; Nm 15.1-18; Êx 34.15)

■ 106.28

וַיִּצָּמְדוּ לְבַעַל פְּעוֹר וַיֹּאכְלוּ זִבְחֵי מֵתִים׃

Também se juntaram a Baal-Peor. *Baal-Peor* (ver a respeito no *Dicionário*) era o local onde havia práticas estranhas. Nm 25 revela-nos o caráter licencioso do culto a Baal (ver a respeito no *Dicionário*), mas isso era apenas parte da corrupção que ali ocorria. Havia sacrifícios e ritos efetuados em favor dos mortos. Isso podia ter algo a ver com as atividades espíritas, nas quais se efetuavam sacrifícios para proteger as pessoas de espíritos humanos partidos, descontentes, que continuavam assombrando àqueles a quem conheciam. Ou, então, a tais espíritos eram solicitados todos os tipos de favores em benefício dos vivos. Ou ainda esses espíritos tinham sido deificados, tornando-se divindades secundárias, adoradas juntamente com os deuses tradicionais e mais poderosos. O versículo, como é óbvio, mostra-nos que aqueles que praticavam tais coisas criam na existência da alma e em sua sobrevivência ante a morte biológica (em contraste com os hebreus, que só recentemente tinham entrado em contato com tais coisas). Mas este versículo também mostra que havia entre os hebreus uma visão inferior sobre o que acontece após a morte. Presumivelmente, esses espíritos precisavam da adoração ou da atenção dos mortais para sentir-se bem. Quanto a ritos de necromancia, ver Dt 18.11 e Is 8.19. Se os hebreus se referiam aos ídolos como não entidades, ou seja, ídolos mortos, o fraseado deste versículo não se ajusta a tal tipo de expressão.

É triste ver que os hebreus, ao se aliar a esses ritos, aceitaram visões inferiores da existência para além do sepulcro, tornando-se, igualmente, culpados de uma idolatria crassa. Cf. as ideias pagãs sobre os heróis glorificados (espíritos que tinham obtido elevada estatura no pós-vida a ponto de merecerem ser adorados). Essa doutrina era muito antiga entre os gregos, aparecendo com referência na *Ilíada* de Homero. Este versículo, por conseguinte, não está contrastando a adoração a ídolos mortos com a adoração ao Deus vivo (ver Jr 10.3-10; Sl 115.4-7; 1Co 12.2). Está falando sobre um tipo diferente de idolatria (ver a respeito no *Dicionário*).

■ 106.29

וַיַּכְעִיסוּ בְּמַעַלְלֵיהֶם וַתִּפְרָץ־בָּם מַגֵּפָה׃

Assim, com tais ações, o provocaram à ira. Uma praga pôs fim à corrupção em Baal-Peor (ver Nm 24.8). Assim sendo, a apostasia que houve naquele lugar chegou a um triste fim. O pecado é uma invenção dos homens. Nossos primeiros pais, Adão e Eva, pecaram, inventando atos errados. A posteridade deles tem continuado essa prática. Todas as doutrinas falsas e toda falsa adoração são invenções dos homens, em contraste com a revelação de Deus.

A punição divina foi severa. Morreram 24 mil pessoas (ver Nm 25.9).

■ 106.30

וַיַּעֲמֹד פִּינְחָס וַיְפַלֵּל וַתֵּעָצַר הַמַּגֵּפָה׃

Então se levantou Fineias e executou o juízo. *Fineias* (ver a respeito no *Dicionário*), à semelhança de Moisés, conseguiu, por sua mediação, deter a praga. Ver Nm 25.8. Seu ato foi realmente violento, pois ele matou duas pessoas, um homem israelita e uma mulher midianita, culpados de adultério. Ver a intervenção de Arão em outra ocasião (ver Nm 16.48). As coisas nunca davam certo quando Israel imitava os pagãos, envolvendo-se em idolatria, bem como nos muitos outros pecados que a acompanhavam. Mas Israel nunca aprendeu a lição, a despeito dos muitos castigos recebidos. O Targum diz que Fineias "orou" à semelhança de Moisés, mas a Septuaginta está correta:

ele aplacou a Yahweh por seu ato violento, tirando a vida do homem israelita e de sua parceira midianita.

Este versículo tem sido cristianizado, salientando que a crucificação deteve a praga provocada pelos pecados dos homens.

■ 106.31

וַתֵּחָשֶׁב לוֹ לִצְדָקָה לְדֹר וָדֹר עַד־עוֹלָם:

Isso lhe foi imputado por justiça. Embora tivesse agido de modo violento, Fineias aparece como homem justo, que endireitou as coisas. Ver Nm 25.10-13. "Isso foi contado a seu crédito como um ato de justiça, para ser recompensado por Deus com um pacto de paz, a saber, com a aliança do sacerdócio permanente, pois se mostrou zeloso pelo seu Deus e fez expiação pelos pecados de Israel" (Fausset, *in loc.*). "O pacto feito com ele, confirmado em Zadoque, um sacerdote de sua linhagem, continuou até os tempos de Messias, o qual se tornou Sumo Sacerdote para sempre. Ver Ez 44.15 e Jr 33.17-22" (John Gill, *in loc.*). É somente quando incluímos o Messias no quadro que obtemos uma descrição eterna, mas o poeta não antecipava isso. Não obstante, essa é uma maneira legítima de manusear o assunto. Os hebreus não antecipavam nada tão severo quanto o cativeiro babilônico ou a dispersão romana, a qual, até os nossos próprios dias, ainda não foi totalmente revertida.

MERIBÁ (106.32,33; Nm 20.1-13)

■ 106.32,33

וַיַּקְצִיפוּ עַל־מֵי מְרִיבָה וַיֵּרַע לְמֹשֶׁה בַּעֲבוּרָם:

כִּי־הִמְרוּ אֶת־רוּחוֹ וַיְבַטֵּא בִּשְׂפָתָיו:

Depois o indignaram nas águas de Meribá. *Meribá* (ver a respeito no *Dicionário*) significa "águas de contenda", um lugar mau tanto para Israel como para Moisés. O povo estava tão amargo que o amargurou e o levou a um profundo estado de irritação, de forma que ele caiu em erros. Moisés foi apanhado fora de guarda. Não era fácil controlar aquela inquieta multidão. "Moisés, em Meribá, perdeu a paciência com Israel, quando eles se rebelaram contra Deus (Sl 81.7; Êx 17.7 e Nm 20.2-13). Em resultado, Moisés também perdeu o privilégio de entrar na Terra Prometida" (Nm 20.12)" (Allen P. Ross, *in loc.*). Moisés repreendeu duramente o povo (vs. 33) por causa de sua incredulidade quanto a Deus prover água para eles, e acabou batendo na rocha, em vez de simplesmente falar com ela, segundo Deus havia ordenado. Muitos intérpretes, porém, não se sentem satisfeitos com essa explicação simples, que impediu Moisés de entrar na Terra Prometida. Quanto a um amplo tratamento sobre o pecado de Moisés, ver as notas expositivas em Nm 20.12; Dt 1.37; 3.23,26 e 4.21. Reunindo todos os textos, obtemos uma ideia mais completa do que lendo apenas um deles.

Moisés falou irrefletidamente. O original hebraico também tem apenas duas palavras que descrevem o ato de Moisés, *bayebatte bisephathaiv*, que significa "ele gaguejou", ou, "ele gaguejou com seus lábios", isto é, em um jato desconexo de palavras, porquanto seu cérebro irado não permitiu que seus órgãos de fala se expressassem com precisão. Estou assumindo aqui que todos os homens, e quase todas as mulheres, já experimentaram esse tipo de impedimento da fala. Moisés ofendeu Yahweh com suas palavras e seu modo de falar. Ver no *Dicionário* o artigo intitulado *Linguagem, Uso Apropriado da*, e notas expositivas adicionais em Sl 5.9; 12.2; 15.3 e 17.3.

OS MUITOS PECADOS NA TERRA DE CANAÃ (106.34-39; Dt 7.1,2,16; 20.16-18; Jz 1.21; 27.36)

■ 106.34

לֹא־הִשְׁמִידוּ אֶת־הָעַמִּים אֲשֶׁר אָמַר יְהוָה לָהֶם:

Não exterminaram os povos. Tendo entrado na Terra Prometida, os hebreus não foram capazes de exterminar os cananeus nativos, conforme as referências dadas anteriormente o demonstram. Apareceram muitos bolsões de resistência, e em cada um houve uma má influência qualquer que fez com que Israel pecasse, especialmente imiscuindo-se na idolatria. Somente nos tempos de Davi os inimigos de Israel foram finalmente aniquilados ou confinados. (Ver em 2Sm 10.19 como Davi derrotou oito nações inimigas.) Tendo derrotado esses povos, Davi possibilitou a Salomão uma boa era de paz, a época áurea de Israel. Mas isso levou vários séculos para ser realizado. O poeta sentiu que a falta de fé de Israel impediu o processo da conquista. Os israelitas contentaram-se com o que já tinham conseguido, pelo que estavam sendo constantemente atacados pelos povos não dominados, além de se deixarem corromper moral e espiritualmente. Eles deveriam ter feito guerra santa contra aqueles povos, levando-os ao aniquilamento total, incluindo homens e animais, e nem ao menos ficando com os despojos. Quanto a isso, ver Dt 7.1-5 e 20.10-18.

■ 106.35

וַיִּתְעָרְבוּ בַגּוֹיִם וַיִּלְמְדוּ מַעֲשֵׂיהֶם:

Antes se mesclaram com as nações. Israel continuou a mesclar-se com os povos em derredor, aprendendo más ideias e maus hábitos, especialmente a idolatria e a variedade de pecados que sempre a acompanha. Essas práticas eram imorais, incluindo prostituição sagrada e até sacrifícios infantis (vss. 37-40), a mais terrível de todas as práticas associadas à idolatria (ver a respeito no *Dicionário*). Os pagãos os engaiolaram como pássaros e os fizeram transformar-se em um povo pagão. Ver Jz 2.3; Êx 23.33; Dt 7.16. Josué e outros homens de Deus avisaram acerca do que estava acontecendo (Js 23.12,13), mas os filhos de Israel não atentaram para essas advertências. Os casamentos mistos promoviam a corrupção geral (Dt 7.3,4).

■ 106.36

וַיַּעַבְדוּ אֶת־עֲצַבֵּיהֶם וַיִּהְיוּ לָהֶם לְמוֹקֵשׁ:

Deram culto a seus ídolos. A idolatria era o pior dos pecados de Israel, multifacetado e mortífero para o espírito. A síndrome do pecado-julgamento-restauração nunca deixou de rolar até que os cativeiros assírio e babilônico puseram fim a esse ciclo. Ver Êx 23.33 e Jz 8.27. A armadilha causou destruição, tal como uma ave é apanhada pela rede e depois é morta, de maneira que o seu corpo pode ser usado como alimento ou em algum outro propósito. Ver Êx 10.7. Quanto à adoção dos pactos canaanitas, ver Jz 2.11,12; 2Rs 16.3,4. "... tal como uma ave ou fera em uma armadilha, eles foram levados à tribulação e à angústia, das quais foram incapazes de livrar-se" (John Gill, *in loc.*).

Vinde, e ele vos dará descanso,
Confiai nele, pois sua palavra é clara;
Ele acolherá os mais pecaminosos.
Cristo acolhe a homens pecadores.

Erdmann Neumeister

■ 106.37

וַיִּזְבְּחוּ אֶת־בְּנֵיהֶם וְאֶת־בְּנוֹתֵיהֶם לַשֵּׁדִים:

Pois imolaram seus filhos. O fato mais horrendo da idolatria era o sacrifício de crianças, o que era feito tanto para aplacar como para obter o favor dos deuses, identificados como demônios. Cf. o uso de Paulo em 1Co 10.20. A palavra aqui traduzida por "demônios", entretanto, é literalmente "senhores", o que só pode significar falsas divindades, já que nenhum pensamento havia a respeito de poderes demoníacos por trás dos ídolos adorados e servidos por coisas tão horríveis como sacrifícios de crianças. Entretanto, a palavra em questão é de origem acádica, usada em todo o Antigo Testamento somente aqui e em Dt 32.7. Esse vocábulo parece denotar regularmente algum tipo de ser espiritual, usualmente inferior a um deus. Portanto, provavelmente os tradutores aqui estavam com razão ao empregarem algum termo como demônio, que envia nossa mente para o mundo dos espíritos, e não a ídolos de madeira, pedra ou metal. O Targum comenta como segue: "Espíritos, nojentos e prejudiciais". Naturalmente, não demos a entender nenhum desenvolvimento da demonologia, que já pertence a uma época posterior.

Quanto ao sacrifício de crianças, Ver 2Rs 3.27; 21.6,16; Ez 16.20. Ver no *Dicionário* o artigo chamado *Moleque (Moloque)* quanto a detalhes sobre essa prática condenável. Com isso, entramos nas regiões mais pervertidas do mal moral, que faz parte do *Problema do Mal* (ver a respeito no *Dicionário*). O sacrifício infantil era a mais profunda de todas as apostasias.

■ 106.38

וַיִּשְׁפְּכוּ דָם נָקִי דַּם־בְּנֵיהֶם וּבְנוֹתֵיהֶם אֲשֶׁר זִבְּחוּ
לַעֲצַבֵּי כְנָעַן וַתֶּחֱנַף הָאָרֶץ בַּדָּמִים׃

E derramaram sangue inocente. O poeta demora-se em relatar o pior de todos os pecados, o sacrifício de crianças. Filhos e filhas de israelitas, o povo do pacto, a herança de Deus, estavam sendo brutal e inutilmente sacrificados a demônios e a falsos deuses. Sangue inocente estava sendo derramado, e por isso algum preço horrendo tinha de ser pago, quando Deus estivesse pronto para julgar. Crianças inocentes estavam sendo desmembradas e queimadas, ou queimadas vivas nos altares dos deuses cananeus e de outras entidades diabólicas que se deleitavam no terror. Assim sucedeu que a terra estava poluída com sangue e vibrava com o choro dos inocentes. Que poderia haver de tão feio quanto esse pecado?

> Sempre que Deus ergue uma casa de oração,
> O diabo sempre edifica por perto uma capela;
> E descobrir-se-á, após um exame,
> Que a congregação deste último sempre é maior.
>
> Daniel Defoe

"Sacrifícios humanos, sobretudo de crianças, eram uma prática cananeia. Parecem ter sido herdados pelos costumes fenícios, pois Cartago, dois séculos depois de Cristo, era notória por esse motivo" (Ellicott, *in loc.*). "Essa abominação que mostrou a desesperada corrupção dos cananeus, foi a razão mesma de eles terem sido expulsos da terra" (Fausset, *in loc.*). A lei mosaica proibia sacrifícios de crianças; mas somente os pecadores mais crassos, cujo coração já estivesse de todo corrupto, teriam praticado tal abominação. Ver Lv 18.21 e 20.2-5. Punição capital era a sentença passada pela lei contra os culpados. "... um homicídio da natureza mais hedionda" (John Gill, *in loc.*).

■ 106.39

וַיִּטְמְאוּ בְמַעֲשֵׂיהֶם וַיִּזְנוּ בְּמַעַלְלֵיהֶם׃

Assim se contaminaram com as suas obras. O sacrifício de crianças impunha contaminação total sobre aqueles que o praticavam, bem como sobre toda a terra de Israel. Israel agia tal e qual uma prostituta, pois essa corrupção era adultério espiritual contra Yahweh, retratado na Bíblia como o marido de Israel. "Além de se mostrarem desleais para com o verdadeiro Deus, de quem eram considerados noivas ou esposas, os atos de adoração aos ídolos eram, com frequência, acompanhados por várias práticas de impureza" (Adam Clarke, *in loc.*). "A fornicação espiritual aliena o coração de Deus e o une aos ídolos (ver Lv 17.7; Nm 16.39)" (Fausset, *in loc.*). O livro de Oseias expande o tema. Cf. Ap 17.1,2,5. O artigo chamado *Adultério*, no *Dicionário*, comenta sobre essa representação figurada da idolatria. Ver o artigo intitulado *Severidade do Novo Testamento, Uso Metafórico*.

PECADO, JULGAMENTO E MISERICÓRDIA (106.40-46)

■ 106.40

וַיִּחַר־אַף יְהוָה בְּעַמּוֹ וַיְתָעֵב אֶת־נַחֲלָתוֹ׃

Acendeu-se, por isso, a ira do Senhor. O julgamento divino por certo sobreviria a Israel, em face de seus muitos pecados na terra de Canaã (vss. 34-39). A ira de Deus (ver a respeito no *Dicionário*) era inevitável, pelo que, ao longo do caminho, houve muitas instâncias de sua aplicação, e os principais golpes da ira de Deus foram os cativeiros assírio e babilônico (ver no *Dicionário* sobre ambos). Houve, igualmente, repetidos atos de clemência divina, que deveriam ter levado o povo de Israel ao arrependimento (ver Rm 2.4). Mas melhorias temporárias sempre terminavam em novas quedas. Novas quedas sempre terminavam em novos julgamentos, e assim continuava o ciclo de pecado-julgamento-restauração, até que Deus se cansou desse jogo e aplicou os severos golpes dos cativeiros.

Acendeu-se. Um fogo requeimante é um símbolo natural para a ira, pelo que também dizemos "ira requeimante". A ira, de fato, gera o calor, e assim o fogo, como símbolo da ira, veio por meio de observação. Os homens exageraram quando fizeram da ira de Deus um fogo literal, e isso obscureceu, em vez de iluminar o assunto. O livro de 1Enoque foi o primeiro livro a citar um rio de fogo, e então esse símbolo transformou-se em um lago de fogo, no livro de Apocalipse.

Ele abominou a sua própria herança. Quanto à herança, ver Sl 37.9,11,22,29,34. Quanto a Israel como a herança de Yahweh, ver Dt 9.29; 18.2; Sl 33.12. Quanto a Yahweh como a herança de Israel, ver Dt 10.9; 19.10; Sl 16.5; 78.71. Em vez de ter amor constante por seu povo de Israel, Yahweh veio a odiá-los, uma expressão muito forte que mostra a natureza do pecado e o que ele pode fazer. Naturalmente, os termos são antropomórficos e antropopatéticos, ou seja, conferem a Deus nossos próprios atributos e emoções. Ver na *Enciclopédia de Bíblia, Teologia e Filosofia* os artigos chamados *Antropomorfismo* e *Antropopatismo*. Ficamos presos ao dilema linguístico, tendo de usar a linguagem humana para descrever o Ser divino, e, naturalmente, a abordagem inteira acaba inexata. Ver no *Dicionário* os verbetes intitulados *Herança* e *Herdeiro*.

■ 106.41

וַיִּתְּנֵם בְּיַד־גּוֹיִם וַיִּמְשְׁלוּ בָהֶם שֹׂנְאֵיהֶם׃

E os entregou ao poder das nações. Durante o tempo dos juízes, houve muitas ocasiões em que Israel ou partes de Israel estiveram sujeitos à ocupação estrangeira, e o resultado disso foram guerras intermináveis. Ver Jz 2.14 e Lv 26.17. Alguns intérpretes pensam que este salmo foi escrito durante o tempo do cativeiro babilônico e, nesse caso, então a referência, no presente versículo, provavelmente é a isso. A ira de Deus manifestou-se sob a forma de exércitos invasores que escravizaram a Israel (e Judá). O vs. 41 fala como se estivesse em vista apenas uma entrega ao poder das nações, mas o versículo seguinte lembra-nos de que isso aconteceu por muitas vezes, ao longo da história de Israel, e que isso é, definitivamente, uma referência ao livro de Juízes.

■ 106.42,43

וַיִּלְחָצוּם אוֹיְבֵיהֶם וַיִּכָּנְעוּ תַּחַת יָדָם׃
פְּעָמִים רַבּוֹת יַצִּילֵם וְהֵמָּה יַמְרוּ בַעֲצָתָם וַיָּמֹכּוּ בַּעֲוֺנָם׃

Também os oprimiram os seus inimigos... muitas vezes. O vs. 43 situa esses acontecimentos nos dias dos juízes, como também o faz a palavra no plural, "inimigos", no vs. 42. É provável que o autor tivesse em mente o cativeiro babilônico quando escreveu o vs. 41, mas então percebeu que estava avançando demais em sua história, tendo saltado de uma cena no deserto (vs. 40) por todo o caminho até o cativeiro babilônico. Portanto, ele retrocedeu e escreveu uma referência geral acerca de todos os reveses que Israel sofreu nos tempos dos juízes, os quais se conectam bem, cronologicamente falando, com o vs. 40. Houve muitos outros cativeiros menores, e então os dois grandes cativeiros, dos quais Israel ainda não se recuperou completamente. A nação de Israel estava coberta de pecados, e foram necessários acontecimentos revolucionários para trazê-los de volta à consciência.

"A maior de todas as falhas é não ter consciência de falha alguma. O pecado mais mortífero é a consciência altiva de não ter pecado; mas isso já é a própria morte. O coração que tem essa espécie de consciência está divorciado da sinceridade, da humildade, e, de fato, está morto" (Thomas Carlyle, em seu livro *Heroes and Hero Worship*).

Quanto aos muitos livramentos que foram dados a Israel, ver Jz 2.16; Ne 9.36,37. Israel, provocado por propósitos corruptos e rebeldes, manifestou-se contrariamente à mente e aos planos divinos. Os propósitos de Israel eram contrários aos de Deus. "Foi uma história de rebeliões e livramentos" (Adam Clarke, *in loc.*).

... os libertou. "Por meio dos juízes Otniel, Eúde, Baraque, Gideão, Jefté, Sansão e outros" (John Gill, *in loc.*). Naturalmente, os livramentos da época dos juízes beneficiaram apenas porções do território de Israel, visto que, na época, Israel não estava solidificado como uma nação unificada, pelo que também, naquele período, nunca esteve sob a opressão estrangeira como uma nação inteira. Os juízes, até Samuel, eram autoridades sobre localidades específicas, e não sobre todo o Israel, conforme aconteceu aos reis posteriores.

106.44

וַיַּרְא בַּצַּר לָהֶם בְּשָׁמְעוֹ אֶת־רִנָּתָם׃

Olhou-os, contudo, quando estavam angustiados. Como sempre, prevaleceu o amor constante de Deus, de forma que, apesar de ter havido muitas apostasias e julgamentos, esses passos eram sempre seguidos por restaurações. A restauração também haverá de escrever o capítulo derradeiro da história de Israel. A dispersão romana será completamente revertida, e então haverá restaurações seguindo outras calamidades. Tudo isso fará parte da missão de Cristo no tocante a Israel.

"No Salmo 106, o pecado não se destaca sozinho. Há sempre a consciência de Deus, o qual, sempre lembrado de seu pacto e movido pela compaixão e pela grandeza de seu amor, ouve o clamor dos homens e os salva. Essa mensagem do Antigo Testamento torna-se tanto mais conspícua no Novo Testamento, quanto à mensagem que esse novo pacto prega" (J. R. P. Sclater, *in loc.*).

Na história fictícia de Catherine Furze, o autor, Mark Rutherford, conseguiu apreender uma grande verdade. Um homem, movido pela inveja, acusou falsamente um colega de trabalho de estar agindo erroneamente e conseguiu que o patrão despedisse o homem. Mas então a má consciência assediou o caluniador e o fez confessar a falsidade das acusações ao patrão. O homem que tinha sido despedido foi restaurado ao emprego, e isso foi excelente. Mas a melhor coisa que sucedeu foi que o caluniador aprendeu algo sobre o amor. Então ele prosseguiu para tornar-se um benfeitor entre os homens; de fato, passou o resto de sua vida servindo e favorecendo a seus semelhantes. Isso pode parecer por demais idealista para uma história sobre os homens, mas temos aí o *abc* do livro divino sobre o amor.

106.45

וַיִּזְכֹּר לָהֶם בְּרִיתוֹ וַיִּנָּחֵם כְּרֹב חֲסָדָו

Lembrou-se, a favor deles, de sua aliança. Yahweh lembrou-se de sua aliança, ou seja, o pacto abraâmico, incorporando-o aos pactos mosaico e davídico. Isso significa que ele se obrigou a relembrar a misericórdia e a restaurar os que se tinham desviado e caído em tribulações. Deus se compadeceu deles (mudou de mente, *King James Version*) ou afrouxou (isto é, deixou de lado a sua severidade, *Revised Standard Version*), ou aplacou-se (outras versões portuguesas). Cf. Lv 26.41,42. Ver também Dt 32.36 e Is 63.7. Quanto ao arrependimento de Yahweh, ver as notas expositivas sobre Êx 32.14.

Foi assim que uma providência positiva substituiu uma providência negativa. Ver no *Dicionário* o artigo chamado *Providência de Deus*.

Pactos. Ver sobre *Pacto Abraâmico*, em Gn 15.18; sobre *Pacto Mosaico*, na introdução a Êx 19; sobre *Pacto Davídico*, em 2Sm 7.4. E ver o artigo geral sobre os *Pactos*, no *Dicionário*.

> Contai sobre a esperança aos destituídos de amigos;
> Animai os lares onde eles habitam;
> Ide, com a luz e a salvação,
> Até a masmorra escura da prisão.
>
> Fanny J. Crosby

106.46

וַיִּתֵּן אוֹתָם לְרַחֲמִים לִפְנֵי כָּל־שׁוֹבֵיהֶם׃

Fez também que lograssem compaixão. É muito difícil imaginar que qualquer dos oito povos a quem Israel expeliu da Terra Prometida (Êx 33.2; Dt 7.1), caso tivesse obtido vitória sobre os filhos de Israel, mostrasse misericórdia para com eles. Portanto, a referência deste versículo deve ter sido à situação do cativeiro babilônico. Israel, após setenta anos, foi favorecido por Ciro, quando ele conquistou aquela parte do mundo. Mas mesmo antes disso, Evil-Merodaque, rei da Babilônia, tratou bondosamente a Joaquim, rei de Judá. Ver 2Rs 25.27, e talvez parte dessa compaixão tenha incluído o povo de Israel. No tempo dos juízes de Israel, as cidades de Israel foram saqueadas, e talvez alguns israelitas tenham sido tomados cativos, especialmente no caso de mulheres e crianças, mas a questão dos cativos aponta para a experiência babilônica posterior.

"Ciro deu-lhes liberdade; Dario favoreceu-os e conferiu-lhes privilégios; Artaxerxes enviou-lhes de volta Neemias e ajudou-os a reconstruir Jerusalém e o templo. Os livros de Esdras e Neemias não fornecem o registro histórico" (Adam Clarke, *in loc.*).

APELO FINAL POR AJUDA (106.47,48)

106.47

הוֹשִׁיעֵנוּ יְהוָה אֱלֹהֵינוּ וְקַבְּצֵנוּ מִן־הַגּוֹיִם לְהֹדוֹת לְשֵׁם קָדְשֶׁךָ לְהִשְׁתַּבֵּחַ בִּתְהִלָּתֶךָ׃

Salva-nos, Senhor, nosso Deus. O Salmo 106 inteiro nos preparou para esta oração do vs. 47. Israel (Judá), durante o cativeiro babilônico, merecia estar ali, por causa de seus muitos pecados. Eles tinham seguido o horrendo exemplo das intermináveis falhas de que seus antepassados se tornaram culpados, conforme este salmo esboça tão laboriosamente. E tinham sofrido pior calamidade que seus antepassados, e também mereciam tal tratamento. Mas agora o poeta sagrado esperava uma reversão da dor, em consonância com as misericórdias do pacto (vs. 45). Chegara o tempo da restauração no velho ciclo de pecado-julgamento-restauração. Esta oração repousa sobre a promessa existente em Dt 30.3.

Para que demos graças ao teu santo nome. O louvor é alçado ao nome santo de Deus (comentado em Sl 30.4 e 33.21). A santidade tinha requerido punição, no cativeiro, mas o amor requer também a restauração. Além disso, estamos falando sobre a mesma coisa, porque o julgamento é um dedo da amorosa mão de Deus.

E nos gloriemos no teu louvor. O povo libertado louvaria ao divino Libertador, por causa de seu amor constante e de seus atos gloriosos e beneficentes. Cf. Sl 48.10, bastante similar ao que se lê aqui, mas é um cântico de louvor universal. Ver também Sl 34.1-3.

> Toda a glória, louvor e honra,
> A ti sejam, Redentor e Rei,
> A quem os lábios das crianças
> Fazem retinir doces hosanas.

106.48

בָּרוּךְ־יְהוָה אֱלֹהֵי יִשְׂרָאֵל מִן־הָעוֹלָם וְעַד הָעוֹלָם וְאָמַר כָּל־הָעָם אָמֵן הַלְלוּ־יָהּ׃

Bendito seja o Senhor, Deus de Israel. Doxologia. Esta doxologia põe ponto final do Livro IV do saltério, a saber os Salmos 90 a 106. É quase idêntica à que termina o livro I, a saber, Sl 41.13. As notas expositivas ali existentes também se aplicam aqui. Temos aqui a adição das palavras "e todo o povo diga", além do aleluia! (louvai ao Senhor!) final, com o qual este salmo se iniciou (vs. 1). O Salmo 105, gêmeo positivo do Salmo 106, também começa e termina com a expressão aleluia! Sl 41.13 tem um duplo Amém, enquanto este Salmo 106 se contenta com somente um "Amém", isto é, "que assim seja". É provável que as doxologias tenham sido supridas por editores subsequentes; e a esses editores também se atribui a divisão em Cinco Livros do saltério, com a qual eles tentaram imitar o Pentateuco, os cinco livros de Moisés. Cf. 1Cr 16.36, que apresenta a doxologia como se ela fizesse parte do Salmo 106, conforme provavelmente era quando esse autor tomou a composição por empréstimo. É possível que, quando o cronista escreveu, o saltério já tivesse sido arranjado em cinco livros. Ver no *Dicionário* o artigo intitulado *Salmos*, VI. *Os Cinco Livros*.

> Louvado seja Deus, de quem fluem todas as bênçãos;
> Louvai-o, todas as criaturas cá de baixo.
> Louvai-o acima de todas as hostes celestiais.
>
> Thomas Ken

SALMO CENTO E SETE

Quanto a informações gerais que se aplicam a todos os salmos, ver a introdução ao Salmo 4, onde apresento sete comentários que elucidam a natureza do livro.

Quanto às classes dos salmos, ver o gráfico no início do comentário, que atua como uma espécie de frontispício da coletânea. Ofereço ali dezessete classes e listo os salmos pertencentes a cada uma delas.

Este salmo pertence a um grupo de *salmos de ação de graças*, destinado especialmente aos peregrinos. Provavelmente era entoado por grupos de peregrinos varões que vinham a Jerusalém para as festividades anuais, como a Páscoa, o Pentecoste e os Tabernáculos. As viagens apresentavam os seus perigos, pelo que também agradecimentos eram prestados pela segurança e pelo privilégio de poderem participar dos ritos e das festas do povo em pacto com Deus. Talvez este salmo reúna dois salmos anteriormente distintos — os vss. 1-32 e vss. 33-43, que não parecem ter conexão vital entre si. Os vss. 1-32 são salmos bem estruturados de agradecimentos. Os vss. 33-43 são um hino que celebra a disposição imprevisível da providência divina e como Yahweh cuidava dos que lhe pertenciam em qualquer situação. O tratamento, se assim podemos chamá-lo, do problema do mal, nesta parte, é bastante elementar; mas não podemos esperar do poeta uma espécie de teologia que tentasse resolver esse mais difícil dos problemas. Ver no *Dicionário* o artigo chamado *Problema do Mal*. Contudo, ele conhecia a bondade do Senhor que adoça qualquer situação amarga. Ele apresenta a sua própria experiência, que é valiosa como estudo.

Os Cinco Livros dos Salmos. Editores posteriores dispuseram os salmos em cinco livros, em imitação aos cinco livros do Pentateuco. O arranjo, embora bastante antigo, é artificial, porquanto os cinco livros dos salmos não se distinguem como unidades separadas por meio de conteúdo, agrupando salmos similares. Os livros são: Livro 1, Salmos 1 a 41; Livro 2, Salmos 42 a 72; Livro 3, Salmos 73 a 89; Livro 4, Salmos 90 a 106; Livro 5, Salmos 107 a 150. Portanto, neste Salmo 107, damos início ao quinto livro da divisão de Salmos.

Subtítulo. O Salmo 107 é um dos 34 livros que não apresentam subtítulos. Quanto a essa circunstância, ver a introdução ao Salmo 91, sob *Subtítulo*.

A LITANIA DE AÇÃO DE GRAÇAS (107.1-32)

O Convite para Agradecer (107.1-3)

■ **107.1**

הֹדוּ לַיהוָה כִּי־טוֹב כִּי לְעוֹלָם חַסְדּוֹ׃

Litania é uma série de invocações e respostas usadas como oração. Deriva-se do termo grego *lite*, "pedido". Esta parte dos salmos parece ter sido um cântico usado por peregrinos que vinham a Jerusalém assistir às festas anuais. Ver a introdução, anteriormente. Alguns pensam que, originalmente, esta parte do salmo era um cântico de louvor, entoada por cativos que retornavam do cativeiro babilônico. A ideia também parece adaptar-se à segunda parte, os vss. 33-43, que trata, de maneira não teológica, do problema do mal.

O vs. 1 é uma espécie de doxologia muito similar a Sl 106.1, cujas notas expositivas também se aplicam aqui. O Salmo 107 omite o aleluia! (louvado seja o Senhor!) inicial.

Yahweh é Bom. Ele dera a mais inteira prova disso. Sua bondade é uma torrente contínua de misericórdia que em todas as situações salva e abençoa o seu povo.

■ **107.2**

יֹאמְרוּ גְּאוּלֵי יְהוָה אֲשֶׁר גְּאָלָם מִיַּד־צָר׃

Digam-no os remidos do Senhor. Os vss. 2 e 3 podem ter sido escritos imediatamente após o cativeiro babilônico, parte de uma canção que celebrava a liberdade daquele evento horrendo. Naturalmente, essas palavras podem celebrar qualquer libertação, mas, visto que o cântico pertence ao primeiro grupo, a ideia do cativeiro pode estar correta. Israel (Judá, a tribo que continuou a nação de Israel depois do cativeiro babilônico) foi remido (trazido de volta) da Babilônia e restaurado à sua terra para reconstruir a nação, a capital Jerusalém e o culto do templo, o que foi expresso através do segundo templo de Jerusalém. E então, depois, a primeira parte do salmo, pelo menos, foi empregada como litania para uso geral na visita de peregrinos a Jerusalém, na ocasião das festas religiosas.

Da mão do inimigo. Temos nestas palavras a imagem constante de poder nos salmos. Quando o cativeiro babilônico começou, a Babilônia era a maior potência mundial, mas em breve seria derrubada por Ciro, o qual então foi gracioso para com Israel e libertou o povo de Deus. Ele mostrou ter uma boa mão, ao passo que a mão dos babilônios era pesada e destruidora. Yahweh usou instrumentos humanos em ambos os casos, porquanto ele foi considerado a causa tanto do cativeiro quanto da restauração, punindo o pecado e então exercendo seu amor constante. Cf. Is 35.9; 52.2 e 63.4.

■ **107.3**

וּמֵאֲרָצוֹת קִבְּצָם מִמִּזְרָח וּמִמַּעֲרָב מִצָּפוֹן וּמִיָּם׃

E congregou de entre as terras. Houve uma reunião universal e o povo em pacto com o Senhor foi trazido dos quatro cantos da terra. Naturalmente, há nisso certo exagero porque os cativos foram trazidos da direção norte. Mas o poeta falou em termos universalistas, por motivo de ênfase. Quando usadas para indicar os peregrinos das festas religiosas de Israel, podemos dizer que as quatro direções se referem aos quatro pontos do compasso em Israel. As três festividades religiosas, ou seja, a Páscoa, o Pentecoste e os Tabernáculos requeriam um bando universal de peregrinos, vindos de todo o Israel. "No retorno de Israel dos quatro cantos da terra (vs. 3), cf. Is 43.5,6; 49.12" (William R. Taylor, *in loc.*).

Alguns estudiosos veem neste versículo uma declaração profética acerca do recolhimento final de Israel pelo poder de Cristo, para o estabelecimento da era do reino. As palavras deste versículo ajustam-se bem à ideia, e talvez haja mesmo um "lançar de olhos" até aquele acontecimento. Somente a reunião dos tempos do fim realmente satisfaz o recolhimento de israelitas vindos de todos os quatro pontos da bússola, mas a linguagem não deve ser pressionada, visto termos aqui uma fórmula fixa da restauração, onde e quando isso ocorrer. Ver Rm 11.26 no *Novo Testamento Interpretado*, quanto à restauração final de Israel. Ver no *Dicionário* o artigo chamado *Restauração de Israel*.

Aqueles que se Perderam nos Lugares Desérticos (107.4-9)

■ **107.4**

תָּעוּ בַמִּדְבָּר בִּישִׁימוֹן דָּרֶךְ עִיר מוֹשָׁב לֹא מָצָאוּ׃

Andaram errantes pelo deserto. A vereda pelo deserto, que apresentava perigos, parece aplicar-se melhor às peregrinações anuais do que ao cativeiro babilônico, que talvez esteja em vista nos vss. 2 e 3. Os peregrinos atravessavam uma bela terra estéril, onde havia largos trechos desabitados, cujos únicos moradores eram perigosos animais ferozes.

> Ilimitado e despido, com
> As areias solitárias e planas,
> Estendendo-se até muito longe.
>
> Shelley

Havia múltiplos perigos, e predominavam a fome e a sede. Para alguns dos filhos de Israel, atravessar aquele deserto foi uma aventura perigosa, conforme demonstram as descrições que se seguem. Alguns pensam que essas descrições se referem à descida da Babilônia por parte dos cativos israelitas, que tinham sido libertados, mas não há como ter certeza acerca do ambiente histórico. Estes versículos ilustram metaforicamente a maneira como vivem os peregrinos neste mundo desolado, quando eles se encaminham para uma cidade que tem alicerces estabelecidos por Deus (Hb 11.10). A cidade que os peregrinos buscavam era Jerusalém, mas no deserto eles não encontraram nada que se comparasse a ela.

■ **107.5**

רְעֵבִים גַּם־צְמֵאִים נַפְשָׁם בָּהֶם תִּתְעַטָּף׃

Famintos e sedentos. A morte derivada de fome ou sede estava entre os perigos da jornada, e também havia extrema exaustão por parte dos que percorriam a pé grandes distâncias. Assim sendo, a alma desmaiava dentro deles, e quase desesperava de chegar à bendita cidade habitada, Jerusalém, o alvo da jornada. Eles atravessavam trechos desérticos (vs. 4), que sustentavam larga variedade de vida, mas não a vida humana. "O Salmo 137 descreve a fome e a sede dos verdadeiros filhos e filhas de Sião, que buscavam a cidade santa. Mas fome e sede literal não eram experimentadas pelos cativos que retornavam da Babilônia" (Fausset, *in loc.*). É verdade que eles foram regiamente providos do necessário, mas os peregrinos das jornadas anuais a Jerusalém experimentavam dificuldades temíveis.

Não obstante, estavam satisfeitos com coisas boas, ou seja, eram recompensados por seus esforços (vs. 9), por bênçãos tanto materiais quanto espirituais. Cf. Sl 104.28.

Este versículo tem sido cristianizado para referir-se às bênçãos outorgadas por Cristo a seus discípulos, ou seja, a sua graça, a água da vida, o pão da vida, a retidão, a justificação e a salvação.

> Em seu escabelo, em oração, eu posso ir,
> Pedindo uma parte do seu amor,
> E se buscá-lo intensamente aqui embaixo,
> Haverei de vê-lo e ouvi-lo lá em cima.
>
> Jemina Thompson Luke

■ 107.6,7

וַיִּצְעֲקוּ אֶל־יְהוָה בַּצַּר לָהֶם מִמְּצוּקוֹתֵיהֶם יַצִּילֵם:
וַיַּדְרִיכֵם בְּדֶרֶךְ יְשָׁרָה לָלֶכֶת אֶל־עִיר מוֹשָׁב:

Então, na sua angústia, clamaram ao Senhor. Yahweh guiou-os diretamente a Jerusalém, o alvo da peregrinação. Isso posto, o caminho era perigoso e repleto de privações, mas eles contavam com o suprimento e a ajuda divina para que a jornada fosse bem-sucedida (vs. 7). Isso se deu por causa de suas orações (vs. 6). Yahweh ouviu os clamores quando eles estavam aflitos, e não se mostrou indiferente para com seus pedidos de socorro. O deserto não contava com veredas, mas ele os guiou em um "caminho reto", diz o hebraico literalmente. Isso significa uma vereda reta, que não se desviava da rota necessária.

> Meu Senhor conhece o caminho pelo deserto;
> Tudo quanto tenho para fazer é seguir.

A primeira parte deste versículo ocorre novamente nos vss. 13, 19 e 28.

Cf. os gritos de aflição com Sl 50.15 e 106.44. "As dificuldades são como cães que impelem as ovelhas desviadas a voltar ao aprisco" (Fausset, *in loc.*). Eles não descobriram nenhuma cidade onde habitar ou parar a fim de obter repouso e suprimentos. Assim sendo, Yahweh guiou-os diretamente a Jerusalém, a sua própria cidade. E lhes ensinou o bom caminho pelo qual deveriam trilhar (1Rs 8.36,38). Ver também Ed 8.21. A verdadeira oração é uma que deve ser guiada pelo reto caminho (Sl 143.8). "Mediante a sua providência, Deus dirige os viajantes que se perdem pelo caminho. Não há dúvida de que havia uma verdadeira preocupação com a providência, o que devemos reconhecer com agradecimentos. Assim, o Senhor dirige almas despertadas e inquiridoras pelo caminho reto da salvação, até Cristo, o qual é o caminho, a verdade e a vida" (John Gill, *in loc.*).

> Por todo o caminho, meu Salvador me guia,
> Que me resta pedir além disso?
> Posso duvidar de sua terna misericórdia,
> Se ele, por toda a vida, tem sido meu Guia?
>
> Fanny J. Crosby

■ 107.8

יוֹדוּ לַיהוָה חַסְדּוֹ וְנִפְלְאוֹתָיו לִבְנֵי אָדָם:

Rendam graças ao Senhor por sua bondade. Orações desesperadas foram feitas, e Yahweh as ouviu e respondeu. Isso encorajou o poeta a conclamar todos os homens a louvar ao Senhor, ou proferir, em alto e bom som, o aleluia! por causa de sua bondade e por todas as suas maravilhas em favor de seu povo. Os vss. 8, 15, 21 e 31 repetem a mesma declaração, pelo que atuam como um refrão do cântico dos vss. 1-31. "Obras maravilhosas, acima de todas as coisas, tanto na providência quanto na graça... confessam, isto é, declaram a Deus a sua bondade, reconhecendo o que ele tem feito, e também declaram a mesma coisa aos homens, conforme enfatiza o Targum" (John Gill, *in loc.*). Ver comentários adicionais nos vss. 15, 21 e 31. A "bondade" referida neste vs. 8 amplia-se, neste mesmo versículo, para as "maravilhas".

> *Toda boa dádiva e todo dom perfeito é lá do alto, descendo do Pai das luzes, em quem não pode existir variação, ou sombra de mudança.*
>
> Tiago 1.17

■ 107.9

כִּי־הִשְׂבִּיעַ נֶפֶשׁ שֹׁקֵקָה וְנֶפֶשׁ רְעֵבָה מִלֵּא־טוֹב:

Pois dessedentou a alma sequiosa. A alma que está sedenta, ou, literalmente, a alma ansiosa, recebe a água da vida, e é salva de uma morte horrenda ou de circunstâncias muito provadoras. Assim também a alma faminta recebe a sua porção da graça de Deus. Os homens que têm fome e sede de justiça serão satisfeitos, declarou Jesus em Mt 5.6. Os peregrinos enfrentavam literalmente fome e sede, e poderiam ter perecido ao longo do caminho, mas a intervenção divina os salvou da morte certa.

Conta-se a história de um homem que sofrera naufrágio e era vitimado pelas ondas, que estavam a ponto de afundar seu escaler. Assim sendo, ele começou a orar, e orar, e orar. Em breve, porém, surgiu outro navio que o resgatou do mar. Então o homem disse: "Esquece-te de minha oração, Senhor. Eu resolvi por mim mesmo este problema!" Essa historieta ilustra como muitos homens não reconhecem a providência divina quando esta sai em seu socorro, ou quão breve os homens esquecem aquilo que Deus faz. O poeta, diante de tal atitude, conclama os homens a relembrar as obras de Deus e sua bondade, agradecendo-lhe de todo o coração. O coração agradecido é aquele que tem alguma espiritualidade. Ver no *Dicionário* o verbete chamado *Providência de Deus*, quanto a notas que ilustram o texto.

Os Confinados em Prisões (107.10-16)

■ 107.10

יֹשְׁבֵי חֹשֶׁךְ וְצַלְמָוֶת אֲסִירֵי עֳנִי וּבַרְזֶל:

Os que se assentaram nas trevas. Este versículo quase certamente reflete o cativeiro babilônico. Alguns dos cativos israelitas foram aprisionados e presos em cadeias. Lançados em escuras masmorras, passaram horas miseráveis no cativeiro. Quando estavam em tais apuros, a situação parecia ser insolúvel. Mas quando foi publicado o decreto de Ciro, todas essas condições foram revertidas, pelo que um forte aleluia! subiu aos ares dentre toda a comunidade de Israel, especialmente da parte daqueles que sofriam tais dificuldades. O quadro resultante reflete extrema miséria. Ver Is 9.1; 42.7 e 49.9. Cf. "sombras da morte" com Sl 23.4.

> Nossos pais, acorrentados em escuras prisões,
> No coração e na consciência ainda eram livres.
>
> Frederick W. Faber

Este versículo tem sido espiritualizado de duas maneiras: primeiro, fala sobre como o pecado aprisiona um homem e como ele pode ser libertado mediante a missão de Cristo. Segundo, há uma sujeição espiritual a Cristo, que significa completa dedicação a ele como seu escravo, pronto a cumprir a missão que ele atribuiu a cada um.

> *Paulo, o prisioneiro de Cristo Jesus, por amor de vós, gentios.*
>
> Efésios 3.1

Nas trevas. Neste versículo, a palavra "trevas" provavelmente serve apenas de sinônimo de *masmorra*. As prisões, na antiguidade, eram lugares desprezíveis, indescritíveis. Ver Is 42.7; 49.9; e cf. Mq 7.8. Os versículos aqui referidos, no livro de Isaías, falam sobre experiências no cativeiro babilônico.

■ 107.11

כִּי־הִמְרוּ אִמְרֵי־אֵל וַעֲצַת עֶלְיוֹן נָאָצוּ:

Por se terem rebelado contra a palavra de Deus. A má sorte deles foi uma retribuição por causa de males passados que eles haviam cometido. Sua má sorte foi a obra de Yahweh, parte de sua providência negativa. Mas visava o bem deles e não perdurou para sempre. Foi um julgamento de cura, conforme são todos os julgamentos de Deus. Mas isso não quer dizer que os julgamentos de cura não possam ser severos. São tão severos quanto precisam ser para que a obra da restauração seja realizada. A rebelião e a apostasia de Judá levaram Yahweh a enviar contra eles o exército babilônico. Fica claro, por toda esta porção do salmo (vss. 1-32), que o poeta entreteceu a experiência babilônica com as peregrinações a Jerusalém. Ambas as coisas ilustravam tempos de tensão, embora a retribuição (vs. 11) deva ser confinada às descrições que afetam os babilônios. Os peregrinos não estavam sendo punidos de maneira alguma. Foram os cativos da Babilônia que tinham desprezado o conselho do Altíssimo. Ver no *Dicionário* sobre *Altíssimo*, bem como Sl 7.17.

Cf. a provocação no tempo de Moisés, em Nm 14.11,22, bem como o quanto Yahweh ficou aborrecido diante do pecado dos israelitas (ver Dt 32.19). Cf. 106.40, onde Yahweh é visto a odiar a sua herança, sem dúvida palavras fortes. Mas essas palavras falam da natureza do pecado que tão facilmente esquecemos ou, pelo menos, cuja gravidade diminuímos. O versículo é erroneamente aplicado aos captores babilônicos, e não aos cativos. "Visto que meios lenientes não surtiram efeito para mudar Judá, Deus os visitou com julgamento" (Adam Clarke, *in loc.*).

Este versículo toca no *Problema do Mal* (ver a respeito no *Dicionário*). A vontade humana perversa causara muitas provações (isto é, o mal moral), mas o autor diz-nos que Yahweh, a única causa final, esteve por trás da questão. Muita gente inocente sofre os ultrajes dos ímpios, e é difícil explicar por quê. Não podemos acusar ao Senhor pela matança de pessoas inocentes. Portanto, temos de propor causas secundárias aos que fazem coisas más e são inspirados somente por suas corrupções interiores. Por que Deus nem sempre protege os inocentes, é uma pergunta agonizadora.

O conselho do Altíssimo. Ou seja, a lei de Deus, bem como mandamentos para ocasiões específicas. Ver Sl 1.2, quanto ao que a lei significava para Israel. Naquele ponto, dou um sumário de ideias. Cf. Lc 7.30 e At 20.27. Desprezar a lei era uma questão séria para os filhos de Israel (ver Pv 1.25,26). Isso atraía a retribuição divina segundo a gravidade do pecado cometido, a função da *Lex Talionis* (ver a respeito no *Dicionário*). Ver também o artigo chamado *Lei Moral da Colheita segundo a Semeadura*.

■ **107.12**

וַיַּכְנַע בֶּעָמָל לִבָּם כָּשְׁלוּ וְאֵין עֹזֵר׃

De modo que lhes abateu com trabalhos o coração. O seu homem interior, o seu coração, teve de inclinar-se e foi esmagado devido à violência do cativeiro e à severidade de seus opressores. Eles ficaram encarregados do árduo trabalho que usualmente era entregue aos povos cativos, incluindo a franca servidão à qual muitos deles foram vendidos. Era comum que esse tratamento fosse dado a povos conquistados. Judá caiu sob o peso, e o Ajudador, por algum tempo pelo menos, tornou-se o Destruidor. Não obstante, a destruição foi restauradora, e assim, o tempo todo, o Ajudador é que estava agindo.

... lhes abateu... o coração. Diz aqui o hebraico, literalmente: "Ele lhes humilhou o coração". O quanto eles se tinham mostrado arrogantes em sua apostasia, assim também Yahweh teve de tratar duramente com eles. E, quando caíram, sua arrogância e autoconfiança não lhes fizeram bem algum. O Ajudador estava distante, oculto nas sombras, esperando para ver qual seria o resultado de seu julgamento.

"O versículo inteiro apresenta o quadro de homens que se debatiam, sob o trabalho forçado, a que os cativos eram sujeitados pelas grandes monarquias orientais" (Ellicott, *in loc.*). "Deus os esqueceu porque eles o tinham esquecido" (Adam Clarke, *in loc.*).

Este versículo tem sido espiritualizado e cristianizado para informar-nos que o único Ajudador quanto à salvação é Cristo, e que sua salvação reverte a escravidão ao pecado, o que causa tanta aflição aos homens.

■ **107.13**

וַיִּזְעֲקוּ אֶל־יְהוָה בַּצַּר לָהֶם מִמְּצֻקוֹתֵיהֶם יוֹשִׁיעֵם׃

Então, na sua angústia, clamaram ao Senhor. Angustiados, os filhos de Israel clamaram, porquanto não encontraram nenhuma ajuda em si mesmos. E logo Yahweh, que os tinha ouvido, estava remediando a situação, pelo que o antigo ciclo de pecado-julgamento-restauração funcionava uma vez mais.

> Devo contar a Jesus todas as minhas dificuldades,
> Não posso aguentar esta carga sozinho.
> Em minha aflição, ele, bondosamente, me ajudará.
> Ele sempre ama e cuida dos que lhe pertencem.
>
> Elisa A. Hoffman

"Este é o efeito salutar que as aflições devem produzir... Misericordiosamente, Deus ouviu as suas orações e reverteu o seu estado" (Adam Clarke, *in loc.*). Cf. Mt 8.25.

Este versículo tem sido cristianizado para referir-se ao livramento da ira de Deus na salvação evangélica.

■ **107.14**

יוֹצִיאֵם מֵחֹשֶׁךְ וְצַלְמָוֶת וּמוֹסְרוֹתֵיהֶם יְנַתֵּק׃

Tirou-os das trevas e das sombras da morte. Este versículo é a reversão de tudo quanto fora dito no vs. 10: ele os tirou da masmorra escura; removeu-os da sombra da morte; quebrou as correntes que os amarravam (Sl 2.3). O que era, assim, negativo foi transformado em algo tremendamente positivo. A parte mais admirável de toda a questão foi quão rapidamente (em setenta anos) se reverteu o cativeiro babilônico. Isso exigiu uma mudança de potência mundial dos babilônios para os persas, naturalmente a operação de Yahweh na cena internacional. Ver no *Dicionário* o artigo chamado *Ciro*.

> Vinde, todos vós, cansados e oprimidos;
> Oh, vinde! e eu vos darei descanso.
> Ordenarei que todos os vossos temores ansiosos se vão,
> Pois sou manso e humilde de coração.

Este versículo foi cristianizado para referir-se ao poder de Cristo em libertar os homens do pecado, partindo as perversidades que os prendiam, livrando-os da destruição, dando-lhes o Espírito de liberdade e amarrando os poderes do mal.

■ **107.15**

יוֹדוּ לַיהוָה חַסְדּוֹ וְנִפְלְאוֹתָיו לִבְנֵי אָדָם׃

Rendam graças ao Senhor. Este versículo é uma duplicação do vs. 8, onde são dadas notas expositivas. Confessemos a bondade do Senhor; espalhem as boas-novas entre os homens. Ver Rm 8.17. O vs. 9 confere-nos maiores detalhes de por que devemos render graças e louvores a Deus. As obras maravilhosas de Deus tornam-se pessoais em todas as coisas boas que são providas pelo amor constante do Senhor. A providência negativa dos vss. 10 e 12 é completamente revertida para a providência positiva deste versículo. "Louvai a Deus, de quem todas as bênçãos fluem" (Thomas Ken). Os vss. 21 e 31 repetem a declaração, e também a encontramos nos vss. 8, 15, 21 e 31. Temos aqui um refrão repetido a intervalos do cântico.

> Louvai vós ao Senhor, que, sobre todas as coisas,
> Tão maravilhosamente reina. Louvai a ele, que
> Abriga a alma, sustentando-a tão gentilmente.
>
> Joachim Neander

■ **107.16**

כִּי־שִׁבַּר דַּלְתוֹת נְחֹשֶׁת וּבְרִיחֵי בַרְזֶל גִּדֵּעַ׃

Pois arrombou as portas de bronze. As prisões eram fortificadas com portas de bronze e barras de ferro. Ademais, as fortificações militares tinham o mesmo tipo de reforço. O império babilônico era uma potência poderosamente equipada. Seus portões eram impenetráveis. Coisa alguma poderia tê-lo derrubado, exceto a vontade de Deus; e essa vontade, operando através de uma nova potência mundial, a Pérsia, mostrou-se eficaz. Assim sendo, os cativos israelitas foram libertados de um poder que "existira antes". "Ele despedaçou a prisão e cortou as barras de ferro pelo meio" (Adam Clarke, *in loc.*).

Os homens são empurrados por potências que não podem controlar. Um soldado foi morto em ação, durante a Segunda Guerra Mundial. Quando foi examinado, encontraram um tabuleiro de xadrez que ele tinha gravado em seu próprio corpo. Mas o tabuleiro era muito curioso, porque tinha somente um peão, que, sem dúvida, representava o próprio homem, engajado em um jogo cujos movimentos ele não podia controlar. A fé dos hebreus, entretanto, contava com um controlador dos movimentos, e o que acontecia no tabuleiro de xadrez dependia de sua vontade, e não da vontade dos peões no tabuleiro. Cf. Is 45.2: "Eu irei adiante de ti, endireitarei os caminhos tortuosos, quebrarei as portas de bronze, e despedaçarei as trancas de ferro". Estas palavras foram ditas a Ciro, instrumento nas mãos de Yahweh. Cf. Sl 116.16.

Este versículo tem sido cristianizado para falar da bem-sucedida missão de Cristo, e de como o poderoso império romano foi capturado por seu poderoso amor. Então, as prisões que seguram os homens cativos são derrubadas pelo seu poder.

Os Enfermos (107.17-22)

■ 107.17

אֱוִילִים מִדֶּרֶךְ פִּשְׁעָם וּמֵעֲוֺנֹתֵיהֶם יִתְעַנּוּ׃

Os estultos, por causa de seu caminho de transgressão. O poeta agora descrevia condições adicionais pelas quais os cativos passaram, na Babilônia, ou ilustrava sua tese com um novo modelo, o de um homem enfermo, a quem o Senhor curara. Mas o sentido resulta no mesmo: Yahweh é capaz de libertar-te, pelo que sejamos agradecidos (vs. 22).

Os estultos. Assim diz o texto massorético. Se o texto está correto, isso aponta para a crença hebraica de que a enfermidade era causada (sempre) pelo pecado. Jó desafiou essa crença com sucesso, mas isso não se fixou na consciência dos hebreus. Portanto, as pessoas enfermas seriam os tolos do diabo, pessoas que saíram da linha e foram feridas por alguma praga. Os cativos pela Babilônia também eram estultos, independentemente de estarem ou não enfermos fisicamente. Além disso, as pessoas enfermas, de modo geral, ilustram o mesmo princípio. O pecado é o destruidor. Mas Yahweh tinha curado os literalmente enfermos e os figuradamente enfermos quando reverteu o cativeiro babilônico. Todavia, em algumas versões, "estultos" foi emendado para "enfermos". A mudança não afeta o sentido do versículo, visto que, em seguida, é dito que havia os afligidos por alguma enfermidade. Os pecadores estultos estavam enfermos por causa de seus pecados, e isso permanece um fato, sem importar se os chamamos de estultos ou não. Ver no *Dicionário* o artigo intitulado *Massora (Massorah); Texto Massorético*, quanto ao texto hebraico padronizado que algumas vezes pode ser melhorado com emendas cuidadosas.

De acordo com a estimativa do poeta sacro, os enfermos têm suas transgressões (pecados contra mandamentos específicos) e suas iniquidades (pecados de todos os tipos), razão pela qual estão enfermos. Seja como for, a nação de Judá (Israel), que foi levada para a Babilônia, certamente compunha-se de um povo enfermo, seja moralmente, seja fisicamente. O caso, porém, não era irremediável. Havia um Curador (vs. 19) que a tudo contemplava e, afinal, agiria movido pela piedade e pelo amor. "Este é o decreto da Bíblia: o pecado é uma estultícia suicida" (Fausset, *in loc.*). Ver Jó 35.3, quanto à frequente conexão entre a insensatez e o pecado.

As pessoas enfermas por muitas vezes afligem a si mesmas. "A maior parte das enfermidades humanas é fruto de pecados e excessos. A miséria e o pecado estão casados mediante laços que simplesmente não podem ser quebrados" (Adam Clarke, *in loc.*). Isso se aproxima da teoria hebreia das enfermidades. Ver as notas em Sl 103.3, quanto a ideias adicionais sobre o pecado e as doenças. Todavia, as enfermidades podem ser uma disciplina, e não uma punição; podem ser uma orientação dada a um homem bom; e também existe nas enfermidades um elemento enigmático, tal como ocorre no caso do *Problema do Mal* em geral (ver a respeito no *Dicionário*). As enfermidades fazem parte do mal natural, as coisas ruins que acontecem aos homens, causadas pelas forças da natureza: incêndios, terremotos, seca, enfermidade e morte.

■ 107.18

כָּל־אֹכֶל תְּתַעֵב נַפְשָׁם וַיַּגִּיעוּ עַד־שַׁעֲרֵי מָוֶת׃

A sua alma aborreceu toda sorte de comida. As pessoas enfermas não toleram nenhum alimento sólido, na verdade nenhum tipo de alimento. Elas enjoam com qualquer comida e sentem-se tão mal que parecem estar morrendo, o que o poeta sagrado descreveu como quem se aproxima das portas da morte. "Alma", aqui, provavelmente significa "apetite". Nesse caso, "seu apetite se transforma em enjoo", longe de quererem comer mais, o que usualmente resulta de um apetite saudável. Cf. Jó 33.20. O ponto salientado pelo salmista é que os pecadores realmente enfermam; portanto, não sejas um pecador. As pessoas realmente enfermas logo podem morrer, e então a nutrição, por meio da alimentação, torna-se algo inteiramente supérfluo. O que insiste em continuar pecando poderia atravessar para dentro dos portões da cidade da morte, tornando-se um cidadão ali. Quanto às "portas da morte", cf. Sl 9.13. Ver também Jó 33.22 e Sl 88.3.

■ 107.19

וַיִּזְעֲקוּ אֶל־יְהוָה בַּצַּר לָהֶם מִמְּצֻקוֹתֵיהֶם יוֹשִׁיעֵם׃

Então, na sua angústia, clamaram ao Senhor. O povo de Israel, enfermo e prestes a morrer, voltou-se para o arrependimento e a oração. Eles se retiraram do mundo e de suas atrações. Meditaram sobre a lei do Senhor e tomaram resoluções de reforma. E, uma vez mais, chegamos à fase da restauração da antiga síndrome do pecado-julgamento-restauração. Yahweh ouviu suas orações e lhes concedeu outra oportunidade. De fato, Deus é o Deus da segunda chance. Lembre-se o leitor da história de Ezequias. Ele estava morrendo, mas orou a Deus. Voltou-se para a parede e chorou e orou, e orou e chorou. Yahweh honrou a oração e lhe deu quinze anos extras de vida. Senhor, concede-nos tal graça! Ver a história em 2Rs 20.6. Todas as pessoas espirituais já testemunharam pessoalmente, ou já ouviram da parte de amigos, a história de alguma cura miraculosa, portanto estamos tratando aqui de uma gloriosa realidade. O poeta não precisa tentar convencer-nos de sua tese. Ver no *Dicionário* o artigo chamado *Cura*. Estudos recentes mostram que a oração, mesmo quando oferecida em favor de pessoas desconhecidas, produz efeitos, e as orações em grupo são muito mais eficazes do que as orações feitas por indivíduos isolados. De fato, há um poder explosivo nas orações oferecidas por grupos. Leia o Salmo 103 e ore, e você ficará surpreendido diante do que Deus pode fazer. Além disso, há o amor. Onde estiver o amor, aí haverá grandes milagres. O amor sincero e a oração anelante, uma vez ligados um ao outro, podem fazer qualquer coisa. Portanto, ame e ore.

Não fique desencorajado. Deus está acima de todos.
Conte suas muitas bênçãos, os anjos o ajudarão,
Ajuda e consolo eles lhe darão, até o fim
de sua jornada.

Johnson Oatman

■ 107.20

יִשְׁלַח דְּבָרוֹ וְיִרְפָּאֵם וִימַלֵּט מִשְּׁחִיתוֹתָם׃

Enviou-lhes a sua palavra e os sarou. Yahweh enviou-lhes a sua palavra, isto é, o seu decreto, e curou os que estavam desesperadamente enfermos, arrebatando-os das portas da cidade da morte. A palavra é o agente divino da criação, tal como se dá na história da criação, e essa palavra continua ativa até hoje. Cf. Gn 1.3,6,9 etc. e Sl 147.15,18. Ver também Is 55.11. A ideia tem sido cristianizada para fazer com que "palavra" seja a palavra do Logos, mas o poeta sagrado não estava oferecendo uma teologia avançada. Ele tão somente disse que, quando Deus fala, coisas começam a suceder.

Do que lhes era mortal. O autor sagrado falava sobre a morte física, e não sobre o julgamento além-túmulo. A cura física impede a morte física, mas não a segunda morte. O hebraico literal diz "covas", isto é, sepulturas, porquanto as pessoas comuns eram sepultadas em tais buracos. Mas não há aqui nenhuma referência ao sheol.

Ele é quem perdoa todas as tuas iniquidades;
quem sara todas as tuas enfermidades; quem da cova redime
a tua vida.

Salmo 103.3,4

Oração Poderosa. O Dr. Thomas John Barnardo conta uma história que merece nossa atenção. Ele tinha um orfanato e precisava de cobertores para as crianças. Mas não tinha dinheiro para comprá-los, e as crianças continuavam a tremer em suas caminhas. Barnardo começou a orar para valer. No terceiro dia de oração, chegou um cheque pelo correio, com quase exatamente a quantia necessária para comprar os cobertores. Acompanhando o cheque, havia uma nota que dizia: "Este dinheiro é para prover roupas adicionais para este inverno inclemente" (livro da autoria de A. E. Williams, *Barnardo of Stephy*, pág. 183). Ver no *Dicionário* o artigo intitulado *Milagres sobre a Oração*. Eu mesmo já fui curado miraculosamente por duas vezes, quando era criança, pelas orações de minha mãe, uma crente que nunca desistia. Portanto, digo, continue lendo o Salmo 103 e orando, e você ficará surpreso de ver o que Deus pode fazer. Jesus naturalmente era o Curador Mestre, ele continua vivo! Sempre será cedo demais para desistir; por conseguinte, continue orando. Dê graças a Yahweh por seu amor constante (vs. 1).

107.21

יוֹד֣וּ לַיהוָ֣ה חַסְדּ֑וֹ וְ֝נִפְלְאוֹתָ֗יו לִבְנֵ֣י אָדָֽם׃

Rendam graças ao Senhor por sua bondade. Os vss. 8, 15, 21 e 31 são iguais, sendo o refrão do cântico constituído pelos vss. 1-31. Ofereço notas expositivas nos vss. 8 e 15. "A saúde física é, algumas vezes, restaurada de maneira maravilhosa, quando todos os demais meios já foram usados sem sucesso, e todas as prescrições médicas falharam. O perdão dos pecados opera maravilhas agora, e será uma maravilha da graça por toda a eternidade. Por tais coisas devemos dar graças ao Senhor" (John Gill, *in loc.*).

107.22

וְ֭יִזְבְּחוּ זִבְחֵ֣י תוֹדָ֑ה וִֽיסַפְּר֖וּ מַעֲשָׂ֣יו בְּרִנָּֽה׃

Ofereçam sacrifícios de ações de graças. A lei mosaica exigia toda espécie de sacrifícios e estes eram devidamente efetuados no culto do templo. Ver no *Dicionário* o verbete denominado *Sacrifícios e Ofertas*. Parte importante do sistema de sacrifícios era a música, e o tema do agradecimento a Deus era uma constante. Além disso, havia as oferendas de agradecimento, que eram uma subcategoria das ofertas pacíficas. Ver Lv 7.11-15; 22.29,30. Tais oferendas acompanhavam os sacrifícios de sangue. Dessa maneira, eram reconhecidas e declaradas publicamente as obras maravilhosas de Deus. Oferendas de ações de graças especiais foram realizadas na primeira festa dos Tabernáculos, após a restauração, terminado o cativeiro babilônico. Ver Ed 3.4,5.

> *Por meio de Jesus, pois, ofereçamos a Deus, sempre, sacrifício de louvor, que é o fruto de lábios que confessam o seu nome.*
> Hebreus 13.15

> Louvai vós ao Senhor, o Todo-poderoso,
> O Rei de toda a criação!
> Ele é a vossa saúde e a vossa salvação.
> Joachim Neander

Homens do Mar (107.23-32)

107.23

יוֹרְדֵ֣י הַ֭יָּם בָּאֳנִיּ֑וֹת עֹשֵׂ֥י מְ֝לָאכָ֗ה בְּמַ֣יִם רַבִּֽים׃

Os que, tomando navios, descem aos mares. Os hebreus eram um povo que vivia à beira-mar, mas não um povo marítimo. Somente Salomão e Josafá tentaram o comércio marítimo — Salomão com sucesso, mas Josafá com desastre. No entanto, eles ouviam falar nas histórias dos fenícios, os grandes marinheiros da época, e por isso sabiam quão perigosa era a navegação pelo mar. Yahweh, porém, era o Senhor dos mares, pelo que podia ajudar os marinheiros quando eles corriam perigo; e, assim sendo, louvado seja o nome de Deus! "Os hebreus eram, essencialmente, homens que se locomoviam em terra. A novidade do tema náutico pode explicar este longo tratamento, bem como o exagero nas descrições que aqui encontramos" (William R. Taylor, *in loc.*).

Na imensidade das águas. A expressão "os que descem aos mares" corresponde ao que os gregos diziam, sendo possível que tenhamos aqui um empréstimo direto de uma expressão grega. Está em vista a ideia de embarcar, não sendo necessário imaginar hebreus descendo das altas terras da Judeia para o mar, a fim de iniciar alguma viagem marítima. Os judeus, de fato, não faziam isso. Devem estar em foco os fenícios, e o poeta não estava tentando convencer-nos de que os hebreus seguiam o exemplo dos vizinhos do norte. Ele meramente está falando sobre os perigos das viagens por mar. Cf. Is 42.10 e Jonas 1.3. Os que tomavam navios tentavam ganhar dinheiro, e os fenícios, na realidade, enriqueciam com os produtos que traziam de grande distância para serem vendidos por todo o mundo conhecido na época. Mas os que embarcavam punham em risco a própria vida, e, como é óbvio, muitas vidas foram perdidas. Essa circunstância proveu, para o salmista, a ilustração de que ele precisava. O autor sagrado estava mostrando como Yahweh é o Salvador dos que se arriscam, correm perigos, adoecem — e por tudo isso devemos dar graças ao seu nome. Agradecemos ao Senhor por seu amor constante, e podemos inventar muitas ilustrações que demonstram como isso opera entre os homens. Esse é o tema central dos vss. 1-32.

107.24

הֵ֣מָּה רָ֭אוּ מַעֲשֵׂ֣י יְהוָ֑ה וְ֝נִפְלְאוֹתָ֗יו בִּמְצוּלָֽה׃

Esses veem as obras do Senhor. Os mares eram e continuam sendo regiões misteriosas. Os marinheiros, porém, estão muito mais afeitos aos mistérios do mar do que nós. Eles veem acontecimentos estranhos, esquisitos animais marinhos, algum dragão ocasional e tempestades ferozes que ameaçam a vida de todos quantos se atiram aos mares. Eles viam o próprio mar, um monstro de água que aparentemente não tinha fim e cujos movimentos permanecem sem explicação real até hoje. A principal coisa que viam e os deixava admirados era como o mar pode elevar-se como uma montanha, chegando a alçar aos céus, e então descer repentinamente, tão prenhe de destruição (vss. 25 e 26). É Yahweh quem causa tais terrores, pois Deus é a causa única, e, quando os ventos ajudam a empolar o mar, fazem-no somente como servos do Senhor. "As obras do Senhor, esplêndidas e divinamente impressionantes e gloriosas no tempo bom, mas terrivelmente tremendas em uma tempestade" (Adam Clarke, *in loc.*).

"As obras do Senhor, na criação, no próprio mar, em seu fluxo e refluxo; nas criaturas que no mar existem, peixes de várias formas e tamanhos; na preservação de navios e de homens que correm perigo iminente; e até mesmo em milagres, algumas vezes causando um furor de ventania e de outras vezes acalmando-os, e as ondas... em notáveis aparências da providência divina, ao livrar das maiores aflições, e ninguém por perto para ajudar" (John Gill, *in loc.*).

> Sozinho, sozinho, completamente só,
> Sozinho em um largo, largo mar!
> E nunca um santo teve piedade de
> Minha alma em agonia.
> Samuel Taylor Coleridge

107.25

וַיֹּ֗אמֶר וַֽ֭יַּעֲמֵד ר֣וּחַ סְעָרָ֑ה וַתְּרוֹמֵ֥ם גַּלָּֽיו׃

Pois ele falou, e fez levantar o vento tempestuoso. Yahweh é declarado aqui como a causa do empolamento do mar, embora o vento tempestuoso seja o seu instrumento. Ele levantou seu terrível peso como se nada fosse e espantou o pobre marinheiro para fora de sua mente. Exibiu o seu poder no mar, levando os homens a temer o seu nome. O Senhor ordenou, como seu todo poderoso *fiat* na criação (Gn 1), quando sua palavra levou todas as coisas a assumir formas designadas. O poder do Senhor mostrou ser ilimitado, inexplicável e sem oposição, e o pobre marinheiro se viu apanhado em meio ao redemoinho. Yahweh fez o marinheiro gritar, para que logo começasse a louvá-lo! Cf. este versículo a Sl 42.7. "O que, menos do que a ordem de Deus, pode tumultuar o mar de modo a que pareça estar saindo de seu leito?" (Adam Clarke, *in loc.*). Ver Sl 148.8.

107.26

יַעֲל֣וּ שָׁ֭מַיִם יֵרְד֣וּ תְהוֹמ֑וֹת נַ֝פְשָׁ֗ם בְּרָעָ֥ה תִתְמוֹגָֽג׃

Subiram até aos céus. As ondas sobem até o céu, e então tombam repentinamente até o leito terrestre do mar, e o coração dos homens quase desmaia de terror. O coração dos homens se "dissolve" dentro deles, porque a morte súbita está passando por eles.

Desfalecia-lhes a alma. Assim diz literalmente o original hebraico, que pode ser aqui traduzido por *coragem*. Os homens perdem a coragem quando coisas espantosas acontecem no mar, pois a coragem deles se dissolve em nada, e nada lhes resta, senão o medo. Os mares tornam-se altos montes e vales profundos, e sem cansar vivem trocando de posição, enquanto o navio é apanhado no meio do tumulto.

107.27

יָח֣וֹגּוּ וְ֭יָנוּעוּ כַּשִּׁכּ֑וֹר וְכָל־חָ֝כְמָתָ֗ם תִּתְבַּלָּֽע׃

Perderam todo o tino. Os marinheiros são projetados para cá e para lá incontrolavelmente, enquanto sua embarcação é apanhada pelas ondas empoladas, de forma que eles perdem o tino. Diz literalmente o original hebraico "toda a sua sabedoria é engolida", isto é, eles não sabem o que fazer, visto que a sua razão começa a desmaiar. A sabedoria consiste em saber como controlar os navios. Mas eis que essa sabedoria, de súbito, torna-se inútil, pelo que eles são deixados à misericórdia do mar. A sabedoria deles quanto às questões marítimas, sua arte de navegação, sua habilidade em controlar as embarcações, tudo deixa os homens aturdidos e bastante confusos. Conforme disse Ovídio, "a arte deles fracassa".

107.28

וַיִּצְעֲק֣וּ אֶל־יְ֭הוָה בַּצַּ֣ר לָהֶ֑ם וּֽ֝מִמְּצֽוּקֹתֵיהֶ֗ם יוֹצִיאֵֽם׃

Então, na sua angústia, clamaram ao Senhor. Naquele estado temível e desesperador, eles fizeram a única coisa que lhes restava: ergueram suas orações a Yahweh, o qual criou os mares. Ele já tinha visto o bastante daquele terror e, imediatamente, lhes concedeu alívio. Deus acalmou as águas. A tempestade passa e os mares retornam ao estado normal. "Se há alguma coisa capaz de levar um homem a orar, essa coisa é uma tempestade no mar" (Fausset, *in loc.*).

> Agora levantamo-nos em um arco altíssimo de ondas,
> Sacudidos pelas ondas impulsionadoras até o céu.
> E então, quando as ondas rugidoras descerem,
> Precipitamo-nos de cabeça até os portões do inferno.
>
> Pitt

De repente, Yahweh repreendera as ondas, e reinara uma grande calmaria.

Por que sois tímidos, homens de pequena fé? E, levantando-se, repreendeu os ventos e o mar; e fez-se bonança. E maravilharam-se os homens, dizendo: Quem é este que até os ventos e o mar lhe obedecem?

Mateus 8.26,27

E, no entanto, não muito tempo depois, esse tremendo Poder foi crucificado. Jesus disse a Paulo que a sua graça era suficiente, e, algumas vezes, temos de deixar a questão nesse ponto (ver 2Co 12.9).

107.29

יָקֵ֣ם סְ֭עָרָה לִדְמָמָ֑ה וַ֝יֶּחֱשׁ֗וּ גַּלֵּיהֶֽם׃

Fez cessar a tormenta. Ele, Yahweh-Elohim, o Eterno, o Todo-poderoso, fez as ondas obedecerem à sua vontade; e assim, obedientes, elas abandonaram o seu desvario. As ondas que gritavam e rosnavam tornaram-se mudas e inativas. A fúria delas desvaneceu-se pela palavra do Senhor. Cf. Sl 89.9. A ameaça desapareceu tão repentinamente quanto tinha aparecido, e os homens, assustados diante do mar raivoso, ficaram igualmente assustados com a calmaria. Os romanos consideravam as tempestades divindades, motivo pelo qual erigiam templos e realizavam sacrifícios para as tempestades, esperando com isso que as viagens se tornassem mais seguras. Agora, em meio à calmaria, os marinheiros seguem viagem e logo chegam à terra e à segurança. Algo divino acontecera em favor deles, e assim eles tinham razões para agradecer a Yahweh. O Salmo 107 é um salmo de ação de graças, e o poeta sagrado nos oferece certo número de ilustrações que mostram por que esse agradecimento estava justificado.

107.30

וַיִּשְׂמְח֥וּ כִֽי־יִשְׁתֹּ֑קוּ וַ֝יַּנְחֵ֗ם אֶל־מְח֥וֹז חֶפְצָֽם׃

Então se alegraram com a bonança. O temor foi substituído pela alegria, e a alegria provocou cânticos de louvor e ação de graças; e assim, seguindo seu caminho, felizes, os marinheiros chegaram a seu destino, seguros, cheios de esperança. Yahweh os tinha levado até aquele lugar, conforme o poeta deixou bem claro. Por meio de uma aplicação, vemos que todas as "viagens" que os homens tomam nesta vida estão sob a orientação e o controle divino. Conforme diz um hino evangélico, "cumpre-nos correr a corrida com sucesso, do berço à sepultura".

Ao desejado porto. Diz o hebraico, literalmente, "o lugar esperado", o local que a mente dos homens anela contemplar, um espaço de descanso e segurança. A viagem terminou em boas condições atmosféricas, e os marinheiros estavam animados. Algo de divino tinha acontecido naquele dia, e o coração deles estava repleto de gratidão e alívio. "Tudo fora obra do Senhor, em sua providência... tudo se deveu à sua secreta orientação, que eles foram conduzidos até sua pátria em segurança, ao porto almejado... o texto pode ser aplicado ao povo de Deus que tinha embarcado na causa de Cristo, comparável a um navio, do qual Cristo é o Mestre Capitão, o Piloto. Seu povo veleja através de mares tempestuosos no qual este mundo e nós mesmos fomos projetados" (John Gill, *in loc.*). Mas os crentes, finalmente, estão "seguros nos braços de Jesus", conforme diz certo hino evangélico.

> Devo ser transportado para o céu
> Em canteiros de lazer, cheios de flores,
> Enquanto outros lutam para conquistar o prêmio,
> E velejam através de mares sangrentos?
>
> Charles Wesley

107.31

יוֹד֣וּ לַיהוָ֣ה חַסְדּ֑וֹ וְ֝נִפְלְאוֹתָ֗יו לִבְנֵ֥י אָדָֽם׃

Rendam graças ao Senhor por sua bondade. Os vss. 8, 15, 21 e 31 repetem a mesma declaração. Já dei amplas notas sobre as declarações dos vss. 8, 15 e 21, que se aplicam aqui. Esses versículos atuam como um refrão para os vss. 1-32, o cântico de ação de graças. O poeta já tinha usado várias ilustrações para mostrar como os homens são inspirados a agradecer a Yahweh. Os homens do mar dão graças a Deus, conforme fizeram os marinheiros referidos no livro de Jonas (Jn 1.16). Todas as jornadas dos homens, através deste mundo hostil, são temíveis, a menos que o Ser divino esteja presente para ajudá-los em tempos de aflição.

107.32

וִֽירֹמְמ֥וּהוּ בִּקְהַל־עָ֑ם וּבְמוֹשַׁ֖ב זְקֵנִ֣ים יְהַלְלֽוּהוּ׃

Exaltem-no também na assembleia do povo. Todos os que são salvos do perigo chegam à assembleia do povo para narrar suas histórias, para exaltar e louvar o Senhor, o Libertador. Temos aqui o louvor público, a apresentação de oferendas de agradecimento que acompanham as ofertas regulares de sangue, misturadas a cânticos de louvor, fazendo grande ruído em honra ao Senhor. Ver o vs. 22 que é, essencialmente, o mesmo que temos aqui, e onde comento a questão com maiores detalhes. Diz o Targum "na congregação do povo da casa de Israel", uma referência ao ritual do templo, e não a um corpo governante, o Sinédrio. Naturalmente, os anciãos governantes estariam ali para ver e ouvir a celebração jubilosa. Quanto aos líderes governantes, ver Êx 3.16-18; 12.21; 18.21; e, quanto ao tempo de Esdras, ver Ed 10.8,14. "No Deuteronômio, a eles foram atribuídas funções jurídicas (Dt 19.12; 21.2,19; 22.15; 25.7), que podem ter exigido a reunião em grupos locais (Cf. Rt 4.2). Ez 8.1 e 14.1 também se referem à reunião dos anciãos" (William R. Taylor, *in loc.*), e é assim que alguns estudiosos dizem que este versículo fala em louvor perante tais grupos, e não durante o culto do templo. Talvez isso seja uma verdade aqui, ao passo que o vs. 22 certamente contempla o culto no templo. Os intérpretes estão divididos sobre a questão, mas penso que o culto no templo é a referência mais provável, com a presença de alguns anciãos. Seja como for, o versículo ensina que pessoas livradas de suas aflições agradeceram publicamente ao Senhor.

UM HINO DIDÁTICO (107.33-43)

107.33

יָשֵׂ֣ם נְהָר֣וֹת לְמִדְבָּ֑ר וּמֹצָ֥אֵי מַ֝֗יִם לְצִמָּאֽוֹן׃

Ele converteu rios em desertos. Tão diferente é esta segunda parte do salmo da primeira (vss. 1-32) que muitos intérpretes têm pensado que, originalmente, ela era uma composição separada anexada por editores posteriores para formar o que é conhecido como o Salmo 107. O tema é o poder de Deus sobre a natureza, por causa do qual os homens devem regozijar-se e agradecer, porquanto a sua graça soluciona para os homens o *problema do mal* (ver a respeito no *Dicionário*), ou seja, os sofrimentos dos homens, algumas vezes tão insondáveis. O problema do mal é abordado de maneira não teológica, e algumas observações úteis são feitas, embora não haja realmente respostas conclusivas sobre o porquê dos sofrimentos humanos, pois até os inocentes, ao que tudo indica, são afligidos estupidamente. "O salmista fala do governo providencial sobre o mundo, como uma segunda grande razão para os louvores" (Allen P. Ross, *in loc.*).

Entre os atos divinos especiais de providência, temos as águas dadas de forma tão abundante que fazem os rios jorrar através dos desertos, e as fontes que jorram águas onde a água é rara, conforme diz a mensagem de introdução ao vs. 33. Isso estabelece a cena para a discussão geral. Na Palestina, muitas áreas constantemente sofrem do problema de falta de água, pelo que o poeta tocou em um ponto sensível, com sua declaração inicial. Yahweh tem poder sobre a natureza, que assume muitas formas, algumas das quais o salmista usou como ilustração. Devemos agradecer ao Deus dos suprimentos. Fazer o deserto florescer como uma rosa não era algum feito pequeno:

> *O deserto e a terra se alegrarão; o ermo exultará e florescerá como a rosa.*
>
> Isaías 35.1

■ **107.34**

אֶרֶץ פְּרִי לִמְלֵחָה מֵרָעַת יֹשְׁבֵי בָהּ׃

Terra frutífera, em deserto salgado. Mas também existe a providência divina negativa. A terra boa e frutífera pode ser transformada em deserto quando os habitantes se corrompem com toda espécie de vícios.

Deserto salgado. Assim diz literalmente o hebraico original, embora algumas traduções digam meramente *esterilidade*. Cf. Is 41.18; 43.19,20. Os desertos tornam-se salgados se os riachos e rios trazem essa substância e ali a depositam, e não há saídas para a água corrente. O Grande Lago Salgado, perto de Salt Lake City, Estado de Utah, nos Estados Unidos, é cerca de seis vezes maior que o mar Morto e, tradicionalmente, tem mais ou menos o mesmo conteúdo de sal. É salgado porque não tem saída. Além disso, no Estado de Utah há as chamadas planícies de sal, vastos terrenos de solo salgado deixados ali por grandes corpos de água que, há muito, se secaram. Toda água praticamente tem algum conteúdo de sal, e esse sal pode ser acumulado em lugares onde os rios não "percorrem" a terra.

A infertilidade pode resultar do pecado, adverte-nos o poeta sacro, enquanto a fertilidade representa a providência positiva de Deus. A Septuaginta e a Vulgata Latina dizem aqui *pântanos salgados*. Existem muitos pequenos lagos salgados ao redor do mundo, produzidos pelo processo descrito acima. Alguns desses lagos são envenenados pelas plantas que crescem ao redor e então tornam-se realmente estéreis. As pessoas que passam sede nos desertos são avisadas a beber água somente onde houver evidência de vida animal ou de insetos. Os animais e os insetos evitam água envenenada. Os pagãos também atribuíam infertilidade à punição aplicada pelos deuses (Hygin. Fab. 88). Cf. Jó 39.6.

■ **107.35**

יָשֵׂם מִדְבָּר לַאֲגַם־מַיִם וְאֶרֶץ צִיָּה לְמֹצָאֵי מָיִם׃

Converteu o deserto em lençóis de água. Volta a ser enfocada a providência positiva de Deus. Agora vemos grandes lagos formados onde não havia água, e fontes jorrando onde o terreno era seco. Este versículo repete, essencialmente, o vs. 33, onde uma linguagem levemente diferente é usada. Ver no *Dicionário* o verbete chamado *Água*, que inclui os usos metafóricos dessa palavra. Cf. Is 35.7; 41.18,19 e 42.15. Parece que o poeta sagrado dependeu dessas passagens. Isaías tinha em mente a alegria do povo de Israel que estava retornando à sua terra (cf. vss. 39-41), mas o poeta aplica a questão à reversão da fortuna dada por Deus. Assim, os homens agradecem ao Senhor quando Deus "está do lado deles", conforme diz uma moderna expressão idiomática.

Este versículo tem sido cristianizado para falar sobre as bênçãos outorgadas a todos os homens através do evangelho, pois Cristo é a água da vida (Jo 7.37).

> Fonte tu de toda bênção
> Vem o canto me inspirar;
> Dons de Deus, que nunca cessam,
> Quero em alto som louvar.
>
> Robert Robinson

■ **107.36**

וַיּוֹשֶׁב שָׁם רְעֵבִים וַיְכוֹנְנוּ עִיר מוֹשָׁב׃

Estabeleceu aí os famintos. Onde há abundância de água, dificilmente impera a fome. A agricultura é então favorecida, e o povo pelo menos deve ter legumes e verduras para comer. Se não houver tais alimentos sob essas condições, então o povo será preguiçoso e o governo será inepto. Onde há água, as cidades podem ser edificadas e grandes populações podem ser sustentadas. Áreas desérticas podem ser lugares desabitados, a menos, como é natural, que a água seja trazida de longe e reservatórios sejam construídos. Os povos antigos, porém, não tinham tecnologia suficiente para esse tipo de obra, pelo que eram forçados a fazer reservatórios onde a água já existia, excetuando os nômades que gostavam de percorrer desertos.

Cf. os vss. 4, 5 e 7 deste mesmo salmo. Pessoas que dispõem de água abundante têm muitos alimentos. Elas desenvolvem o comércio e juntam riquezas através de seus negócios. Em breve suas cidades estão repletas de bens de consumo de todo o tipo. Metaforicamente, pensamos na cidade de Deus, a Igreja, que tem prosperado através da água da vida.

> *Bem-aventurados os que têm fome e sede de justiça, porque serão fartos.*
>
> Mateus 5.6

■ **107.37**

וַיִּזְרְעוּ שָׂדוֹת וַיִּטְּעוּ כְרָמִים וַיַּעֲשׂוּ פְּרִי תְבוּאָה׃

Semearam campos e plantaram vinhas. O coração da prosperidade é a agricultura. O país que negligencia a agricultura tende à pobreza. Naturalmente, temos exceções, como o Japão; mas essa já é uma história diferente, não duplicada no mundo antigo, a menos que pensemos nos fenícios, que obtiveram riquezas por meio do comércio marítimo. "Em um sentido espiritual, os campos são o mundo, e a semente é a Palavra. Os agricultores são os crentes que semeiam, e o resultado final é a prosperidade espiritual. Os crentes são as plantas agradáveis, e os jovens convertidos são as uvas ternas. Igrejas são plantadas e se multiplicam com o aumento de Deus, produzindo frutos de justiça para a glória de seu nome" (John Gill, *in loc.*). Ver no *Dicionário* o artigo chamado *Agricultura*, que inclui os usos metafóricos desse termo.

> Senhor, quero reconhecer teu terno cuidado,
> Vejo todo o teu amor por mim, o alimento
> que como, as roupas que visto.
> Todas as coisas são dadas por ti.
>
> Jane Taylor

■ **107.38**

וַיְבָרֲכֵם וַיִּרְבּוּ מְאֹד וּבְהֶמְתָּם לֹא יַמְעִיט׃

Ele os abençoou. As bênçãos de Deus fazem florescer a agricultura e a criação de animais. Portanto, há riquezas nos campos (vs. 37), vinhedos e uvas abundantes (vs. 37) e grande multiplicação de gado saudável (vs. 38). Cf. Dt 30.16. Quanto à situação inversa, ver Lv 21.22.

> Por tal bondade, Senhor, e por esse cuidado constante,
> Um homem nunca poderá pagar de volta.
> Mas em nossas orações
> Diárias, nós te agradecemos,
> Pois a ti amamos e obedecemos.
>
> Jane Taylor

Ovelhas e bois eram considerados uma bênção temporária especial (Sl 144.13,14). Cf. um uso espiritual em 1Co 9.9 e 1Tm 5.17.

O Amor Constante do Senhor (107.39-43)

■ 107.39

וַיִּמְעֲטוּ וַיָּשֹׁחוּ מֵעֹצֶר רָעָה וְיָגוֹן׃

Mas tornaram a reduzir-se. "O Senhor também exerce poder sobre as experiências das pessoas. Ele humilha e rebaixa os orgulhosos, mas eleva os pobres e necessitados. Por conseguinte, os remidos louvam ao Senhor, mas os ímpios são silenciados" (Allen P. Ross, *in loc.*).

Os hebreus realmente maus foram entregues ao castigo de Yahweh através de potências estrangeiras, como se deu no caso do cativeiro babilônico, que o poeta sacro talvez tivesse em mente ao escrever este versículo. Mas a declaração geral aplica-se a todas as situações nas quais os homens são apanhados em pecado e debocham. Também podem ser oprimidos por inimigos locais, levados a toda espécie de tribulação e tristeza. "... algumas vezes, mediante a guerra ou a pestilência ou a fome" (Adam Clarke, *in loc.*, o qual passa a falar sobre como as guerras na Europa apanharam as pessoas de surpresa e enviaram muitas almas despreparadas para a eternidade. Ele repreendeu os líderes que trouxeram esses desastres e disse: "Quando Deus fizer inquirição pelo sangue, em quais cabeças ele encontrará o sangue dos que foram trucidados?").

"A memória frequente de suas humilhações passadas desperta a consciência mais profunda da dívida de gratidão para com Deus, por sua presente prosperidade" (Fausset, *in loc.*).

■ 107.40

שֹׁפֵךְ בּוּז עַל־נְדִיבִים וַיַּתְעֵם בְּתֹהוּ לֹא־דָרֶךְ׃

Lança ele o desprezo sobre os príncipes. Os príncipes não estavam isentos dos golpes castigadores de Deus. Eram reduzidos a nada e enviados a perambular pelos lugares desérticos, com quase nada para comer. A gordura que havia nos palácios era trocada pela magreza de mantimentos no deserto. Eles vagabundeavam por ermos sem caminhos (*Revised Standard Version*). Os pecadores sofriam uma variedade de punições disciplinadoras da parte de Deus, as quais compunham o problema do mal, quando aplicado a eles. O autor sagrado, à semelhança dos amigos molestos de Jó, viu todos os males como derivados da maldade humana; mas esse é apenas um pequeno aspecto da razão pela qual os homens sofrem, e por que sofrem da maneira como sofrem. Ver no *Dicionário* o artigo chamado *Problema do Mal*, para uma explicação multifacetada sobre o sofrimento humano.

> *Lança desprezo sobre os príncipes, e afrouxa o cinto dos fortes... Tira o entendimento dos príncipes do povo da terra, e os faz vaguear pelos desertos sem caminho.*
> Jó 12.21,24

"Perambular por um deserto sem caminho denota uma perplexidade desesperadora" (Fausset, *in loc.*).

"Quem pode considerar a sorte do falecido imperador francês, Napoleão, sem ver a mão de Deus em sua queda? Ele derrotou todas as potências da Europa coligadas contra ele. Mas, mediante as geadas da Rússia, Deus destruiu suas dezenas de milhares, e então a providência divina interveio em Waterloo, quando todas as forças de seus inimigos tinham sido reduzidas a quase zero. Quão terrível és tu, ó Senhor, em teus julgamentos!" (Adam Clarke, *in loc.*).

Nabucodonosor passou a comer erva como os bois (Dn 4.25), e Herodes foi comido por vermes (At 12.23).

■ 107.41

וַיְשַׂגֵּב אֶבְיוֹן מֵעוֹנִי וַיָּשֶׂם כַּצֹּאן מִשְׁפָּחוֹת׃

Mas levanta da opressão o necessitado. Em contraste com os príncipes humilhados, os pobres, embora espiritualmente ricos, são exaltados, cada qual em seu trono particular, por assim dizer. O homem em seu trono particular fica livre das aflições que avassalam os ímpios. Além disso, sua família compartilha de sua boa sorte. E eles são como um rebanho bem guardado, que não passa necessidade.

> *Deixam correr suas crianças, como a um rebanho, e seus filhos saltam de alegria.*
> Jó 21.11

No que diz respeito ao problema do mal, o poeta dizia que a vida reta provê uma boa vida física, bafejada pelas riquezas e pela saúde. Isso é uma grande coisa, mas nem sempre expressa uma verdade. E assim somos obrigados a dizer que, com frequência, ou mesmo até usualmente, as coisas se vão nessa direção; mas, se não o fazem, então Deus tem algum outro plano que inclui um sofrimento desmerecido. Assim sendo, o problema do mal permanece insolúvel em muitos casos.

■ 107.42

יִרְאוּ יְשָׁרִים וְיִשְׂמָחוּ וְכָל־עַוְלָה קָפְצָה פִּיהָ׃

Os retos veem isso e se alegram. Quando pessoas retas veem como as coisas terminaram, ou seja, com os ímpios humilhados e os retos prosperando, elas se regozijam; mas os obreiros da iniquidade têm de fechar a boca. Embora a *Lei Moral da Colheita segundo a Semeadura* (ver a respeito no *Dicionário*) faça as coisas acontecer dessa maneira, com frequência, do ponto de vista teológico, esse é o modo simples do homem resolver o problema do mal. O fato é que o poeta tinha analisado o livro de Jó (ver os comentários sobre os vss. 40 e 41), mostrando que ele estava preocupado com o porquê do sofrimento humano. Entretanto, ele apresenta os argumentos essenciais dos opositores de Jó, culpando a todas as coisas segundo a lei do carma, ou seja, cada indivíduo colhe o que semeia. Ele não aplicou as observações de Jó ao problema. Ver a introdução ao livro de Jó, seção V, quanto à contribuição desse livro para a discussão. O artigo intitulado *Problema do Mal*, no *Dicionário*, abre muitas outras avenidas de pensamento sobre a questão, incluindo assuntos distintamente cristãos.

> *Os justos o veem, e se alegram, e o inocente escarnece deles.*
> Jó 22.19

Ver Jó 5.16, quanto à iniquidade a cerrar a boca. A iniquidade é a personificação abstrata dos poderes malignos, pagãos ou não. Ver Zc 1.15; Ob 11-15. Com a boca os homens iníquos blasfemam de Deus e de seu povo; finalmente, porém, a boca deles será fechada, quando a justiça prevalecer, afinal.

■ 107.43

מִי־חָכָם וְיִשְׁמָר־אֵלֶּה וְיִתְבּוֹנְנוּ חַסְדֵי יְהוָה׃

Quem é sábio atente para essas cousas. Os sábios saberão que o poeta disse algo realmente significativo sobre o problema do mal e sobre a lei da colheita segundo a semeadura. Os ignorantes continuarão pecando, entretanto, e forçarão a mão de Deus a mover-se contra eles. Ver no *Dicionário* o verbete intitulado *Sabedoria*. "É uma insensatez pecaminosa não observar e, portanto, mostrar-se ingrato no tocante aos amores do Senhor (o hebraico dá o plural). Ser observador agradecido do trato do Senhor com seu povo, conforme diz este salmo, nisso consiste a verdadeira sabedoria. Os sábios piedosos recebem o que merecem. Sua sabedoria piedosa e, portanto, sua felicidade, aumentam (Os 6.3; Mq 13.12)" (Fausset, *in loc.*).

"Este salmo termina no estilo e quase nas mesmas palavras da profecia de Os 14.9" (Ellicott, *in loc.*). "A pessoa sábia considerará as meditações apresentadas, prestando atenção especial ao grande amor do Senhor (ver os vss. 1, 8, 15, 21 e 31)" (Allen P. Ross, *in loc.*).

Sábio, aqui, aponta para os que são espiritualmente sábios para a salvação, capazes de compreender a sabedoria do coração e da alma, e não a sabedoria meramente mundana. Eles apreciarão as maravilhosas manifestações da providência divina, em consonância com o tema principal dos salmos, prestar ao Senhor o devido louvor e as devidas ações de graças, um saudável exercício da alma. "A bondade do Senhor será compreendida por homens sábios, como R. Moses e Aben Ezra disseram" (John Gill, *in loc.*).

SALMO CENTO E OITO

Quanto a informações gerais que se aplicam a todos os salmos, ver a introdução ao Salmo 4, onde apresento sete comentários que elucidam a natureza do livro.

Quanto às classes dos salmos, ver o gráfico no início do comentário, que atua como uma espécie de frontispício da coletânea. Ofereço ali dezessete classes e listo os salmos pertencentes a cada uma delas.

Este salmo é uma *oração litúrgica*, pedindo a vitória sobre os inimigos nacionais. Ele não é original, pois está baseado em dois outros salmos: os vss. 1-5 são essencialmente iguais a Sl 57.7-11; e os vss. 6-13 são essencialmente idênticos a Sl 60.5-12. Mas não há como demonstrar se o Salmo 108 baseou-se nesses salmos ou em materiais também tomados por empréstimo para composição dos mesmos. O que é indiscutível é que o Salmo 108 não forneceu material de empréstimo para os Salmos 57 e 60. O vs. 6 é típico dos salmos de lamentação, e talvez a ideia original do Salmo 108 fosse produzir tal tipo de composição. Nesse caso o apelo original foi fortalecido prefixando-se a ele um breve hino (vss. 1-5), o quê, de fato, aconteceu a alguns dos salmos de lamentação. O fato de que a correspondência verbal é muito próxima dos dois salmos mencionados favorece a noção de um empréstimo direto. O próprio John Gill, que usualmente comenta com detalhes, envia seus leitores a lugares onde esses salmos foram duplicados. Portanto, sigo o mesmo plano de John Gill.

Subtítulo. Temos aqui um subtítulo simples: "Cântico. Salmo de Davi". Os dois salmos de onde esta composição foi compilada (57 e 60) também são atribuídos a Davi. Entretanto, as notas de introdução foram adicionadas por editores posteriores e não se revestem de autoridade canônica. Cerca de metade dos salmos foi atribuída a Davi, mas isso, sem dúvida, representa um grande exagero. Não obstante, por certo ele compôs alguns salmos, visto ter sido chamado de *o mavioso salmista de Israel* (2Sm 23.1).

UM HINO DE AÇÃO DE GRAÇAS (108.1-5)

■ **108.1** (na Bíblia hebraica corresponde ao **108.1,2**)

שִׁיר מִזְמוֹר לְדָוִד׃

נָכוֹן לִבִּי אֱלֹהִים אָשִׁירָה וַאֲזַמְּרָה אַף־כְּבוֹדִי׃

Firme está o meu coração, ó Deus. Esta primeira parte do salmo foi copiada de Sl 57.7-11, em termos quase idênticos. O vs. 1 é uma leve modificação de Sl 57.7. As notas expositivas dadas ali também se aplicam aqui. A segunda expressão, "meu coração está pronto" ou "é constante", não se acha no texto massorético, mas está presente em alguns manuscritos hebraicos, bem como nas versões da Septuaginta e do siríaco. Sl 57.7 contém a expressão. O simples "cantarei" é ampliado para "cantar-te-ei louvores" aqui.

■ **108.2** (na Bíblia hebraica corresponde ao **108.3**)

עוּרָה הַנֵּבֶל וְכִנּוֹר אָעִירָה שָּׁחַר׃

Este versículo é virtualmente igual a Sl 57.8, onde são dadas notas expositivas.

■ **108.3** (na Bíblia hebraica corresponde ao **108.4**)

אוֹדְךָ בָעַמִּים יְהוָה וַאֲזַמֶּרְךָ בַּל־אֻמִּים׃

Este versículo é quase igual a Sl 57.9, onde são oferecidas as notas expositivas. O nome divino aqui usado é *Yahweh*, embora no trecho paralelo seja *Adonai*. O autor sacro, mediante essa modificação, não quis dizer nada diferente. Ver no *Dicionário* o verbete intitulado *Deus, Nomes Bíblicos de*, quanto aos sentidos e usos.

■ **108.4** (na Bíblia hebraica corresponde ao **108.5**)

כִּי־גָדוֹל מֵעַל־שָׁמַיִם חַסְדֶּךָ וְעַד־שְׁחָקִים אֲמִתֶּךָ׃

Este versículo é quase igual a Sl 57.10, onde ofereço as notas expositivas. O trecho paralelo diz "se eleva até aos céus", ao passo que aqui temos "acima dos céus". Mas não se pretende nenhuma diferença sutil de significado.

■ **108.5** (na Bíblia hebraica corresponde ao **108.6**)

רוּמָה עַל־שָׁמַיִם אֱלֹהִים וְעַל כָּל־הָאָרֶץ כְּבוֹדֶךָ׃

Este versículo é idêntico a Sl 57.11 (onde termina aquele salmo). Ver as notas expositivas ali.

UM APELO POR AJUDA (108.6-13)

■ **108.6** (na Bíblia hebraica corresponde ao **108.7**)

לְמַעַן יֵחָלְצוּן יְדִידֶיךָ הוֹשִׁיעָה יְמִינְךָ וַעֲנֵנִי׃

Esta porção do salmo composto foi tomada por empréstimo diretamente de Sl 60.5-12. Aquele salmo é um lamento em grupo, e o poeta compilador preservou aqui o mesmo tom. Mas ele prefaciou isso com um hino de ação de graças. Agradecimentos quase sempre eram associados a salmos de lamentação, que terminam com um sinal de que a oração feita fora respondida e o indivíduo ou nação tinha sido libertado do perigo, ou então como sinal de que se pensava estar a resposta a caminho.

Este versículo é essencialmente igual a Sl 60.5. Ver as notas expositivas ali.

■ **108.7** (na Bíblia hebraica corresponde ao **108.8**)

אֱלֹהִים דִּבֶּר בְּקָדְשׁוֹ אֶעְלֹזָה אֲחַלְּקָה שְׁכֶם וְעֵמֶק סֻכּוֹת אֲמַדֵּד׃

Este versículo é igual a Sl 60.6, onde ofereço a exposição.

■ **108.8** (na Bíblia hebraica corresponde ao **108.9**)

לִי גִלְעָד לִי מְנַשֶּׁה וְאֶפְרַיִם מָעוֹז רֹאשִׁי יְהוּדָה מְחֹקְקִי׃

Este versículo é igual a Sl 60.7, onde são dadas as notas expositivas.

■ **108.9** (na Bíblia hebraica corresponde ao **108.10**)

מוֹאָב סִיר רַחְצִי עַל־אֱדוֹם אַשְׁלִיךְ נַעֲלִי עֲלֵי־פְלֶשֶׁת אֶתְרוֹעָע׃

Este versículo é igual a Sl 60.8, onde são dadas as notas expositivas.

■ **108.10** (na Bíblia hebraica corresponde ao **108.11**)

מִי יֹבִלֵנִי עִיר מִבְצָר מִי נָחַנִי עַד־אֱדוֹם׃

Este versículo é igual a Sl 60.9, onde são dadas as notas expositivas.

■ **108.11** (na Bíblia hebraica corresponde ao **108.12**)

הֲלֹא־אֱלֹהִים זְנַחְתָּנוּ וְלֹא־תֵצֵא אֱלֹהִים בְּצִבְאוֹתֵינוּ׃

Este versículo é igual a Sl 60.10, onde são dadas as notas expositivas.

■ **108.12** (na Bíblia hebraica corresponde ao **108.13**)

הָבָה־לָּנוּ עֶזְרָת מִצָּר וְשָׁוְא תְּשׁוּעַת אָדָם׃

Este versículo é igual a Sl 60.11, onde são dadas as notas expositivas.

■ **108.13** (na Bíblia hebraica corresponde ao **108.14**)

בֵּאלֹהִים נַעֲשֶׂה־חָיִל וְהוּא יָבוּס צָרֵינוּ׃

Este versículo é igual a Sl 60.12, onde são dadas as notas expositivas.

Assim termina a oração solicitando ajuda, o que, conforme disse Lutero, é algo poderoso, visto que Deus se comprometeu a ouvir-nos. Ver no *Dicionário* o verbete intitulado *Oração*.

SALMO CENTO E NOVE

Quanto a informações gerais que se aplicam a todos os salmos, ver a introdução ao Salmo 4, onde apresento sete comentários que elucidam a natureza do livro.

Quanto às classes dos salmos, ver o gráfico no início do comentário, que atua como uma espécie de frontispício da coletânea. Ofereço ali dezessete classes e listo os salmos pertencentes a cada uma delas.

Este é um *salmo de lamentação*, uma oração que pede o livramento de inimigos pessoais. Os salmos de lamentação tipicamente começam com um grito urgente de socorro e então descrevem os inimigos que estavam sendo confrontados, fossem eles invasores inimigos, adversários pessoais dentro do acampamento de Israel ou uma enfermidade física; ato contínuo, com frequência aparecem imprecações contra o inimigo. A maioria dos salmos de lamentação termina com uma nota de louvor, pois a oração feita foi respondida, ou se pensava que a resposta estava a caminho. Alguns dos salmos de lamentação terminam, porém, em total desânimo, pois a oração feita não foi respondida, o que algumas vezes corresponde à experiência humana.

O salmista fora falsamente acusado de um crime (vss. 22-25) e a sua vida estava na balança. Ele precisava da ajuda urgente de Yahweh para sair daquela horrenda situação. O pobre homem também sofria de alguma enfermidade física e, sem dúvida, os inimigos zombavam dele como se estivesse sofrendo punição divina por algum pecado. Os hebreus sempre associavam as doenças ao julgamento contra o pecado. Ver em Sl 103.3 uma explicação sobre a questão. O salmista carecia de uma intervenção divina imediata: vss. 1,21,26-29. A resposta ainda não lhe tinha sido dada, mas o poeta estava certo de que seria reivindicado, pelo que expressou de antemão seus agradecimentos. Os vss. 6-19 formam uma elaborada imprecação, elemento quase sempre encontrado nos salmos de lamentação. Os hebreus não tinham paciência com adversários desviados e queriam vê-los mortos. Os vss. 1-5 têm uma companhia de inimigos, mas nos vss. 6-19 apenas um inimigo é referido. A versão siríaca muda o versículo para o singular, a fim de evitar qualquer confusão.

O vs. 8 é citado em At 1.20, e assim o salmo se torna messiânico: o próprio Cristo é atacado por seus inimigos. Alguns comentadores chegam ao extremo de ver Judas Iscariotes como o adversário endereçado. Presumivelmente, a traição de Judas é referida, bem como sua sorte infeliz. Talvez tudo isso seja ler demais na questão, mas pelo menos o salmo tem uma correta aplicação à experiência de Cristo, bem como à experiência dos homens bons em geral que estejam sofrendo alguma perseguição.

Subtítulo. Encontramos aqui o seguinte subtítulo: "Ao mestre de canto. Salmo de Davi". Cerca de metade dos salmos é atribuída a Davi, o que parece um claro exagero. Mas pelo menos alguns deles devem realmente ter sido escritos pelo chamado *mavioso salmista de Israel* (2Sm 23.1). Contudo, devemos lembrar que os subtítulos não faziam parte original dos salmos. Foram acrescentados por editores posteriores, que tentaram adivinhar os autores e as circunstâncias históricas relacionadas às composições.

O APELO A DEUS (109.1-5)

■ 109.1

לַמְנַצֵּחַ לְדָוִד מִזְמוֹר אֱלֹהֵי תְהִלָּתִי אַל־תֶּחֱרַשׁ:

Ó Deus do meu louvor, não te cales! Os salmos de lamentação começam com um urgente clamor pedindo ajuda. Os poetas sagrados com frequência temiam a indiferença de Yahweh à sua chamada. Ver sobre isso em Sl 10.1; 28.1; 59.4; 82.1. O autor do salmo presente assim clamou para que *Elohim* (o Poder) não se calasse; antes, que se atirasse contra os seus inimigos, os quais mereciam ricamente a repreensão divina. Se o Senhor assim fizesse, então o salmista daria louvor, pelo que Elohim é chamado de "Deus do meu louvor". Cf. Sl 16.2,3 e Sl 33.1. "Talvez 'Deus de minha glória ou de minha jactância' dê a força do original. O salmista ora para que Yahweh não silencie e torne vãs as promessas do pacto" (Ellicott, *in loc.*). "Defende minha causa; não faças silêncio" (Adam Clarke, *in loc.*). As palavras "do céu" reverteriam as palavras adversas e os atos dos inimigos do salmista.

■ 109.2

כִּי פִי רָשָׁע וּפִי־מִרְמָה עָלַי פָּתָחוּ דִּבְּרוּ אִתִּי לְשׁוֹן שָׁקֶר:

Pois contra mim se desataram lábios maldosos. Os inimigos eram pessoais e caluniadores; talvez fizessem acusações legais de crimes contra ele e buscassem a punição capital. Eles tinham enganado a outros; eram ímpios, mentirosos; usavam sua capacidade de falar para fazer mal ao próximo. Ver no *Dicionário* o artigo chamado *Linguagem, Uso Apropriado da*. E ver o mesmo tema em Sl 5.9; 12.2; 15.3; 17.3; 34.12; 35.28; 36.3; 39.9; 55.21; 64.4; 66.17; 73.9; 94.4 e 101.5.

> Um golpe com uma palavra fere mais fundo
> Do que um golpe com a espada.
>
> Whichcote

Este versículo tem sido cristianizado para que seja aplicado ao caso de Jesus (ver Mt 26.59), visto que no vs. 8 temos uma declaração incorporada a At 1.20, o que, para alguns eruditos, torna o salmo messiânico.

■ 109.3

וְדִבְרֵי שִׂנְאָה סְבָבוּנִי וַיִּלָּחֲמוּנִי חִנָּם:

Cercam-me com palavras odiosas. O salmista estava inocente. Não somos informados a razão pela qual ele estava sob ataque, se por inveja ou por ter-se oposto a alguns planos ou feitos tresloucados daqueles homens ímpios. Eles o rodeavam como um bando de animais ferozes e castigavam-no com palavras de ódio. Ver no *Dicionário* o verbete chamado *Ódio*. O ódio é o equivalente diabólico do amor, um poder que torna possível toda espécie de mal. Sem isso, a possessão demoníaca é quase impossível. "Eles lutavam contra ele, usando a língua como uma arma (Sl 55.21; 57.4)" (Fausset, *in loc.*). Este versículo tem sido cristianizado para referir-se aos homens perversos que circundaram a cruz e zombaram de Jesus.

> Temos apenas religião suficiente para fazer-nos odiar,
> Mas não o bastante para fazer-nos amar uns aos outros.
>
> Jonathan Swift

■ 109.4

תַּחַת־אַהֲבָתִי יִשְׂטְנוּנִי וַאֲנִי תְפִלָּה:

Eu, porém, orava. Os inimigos devem ter sido amigos íntimos do salmista, pois ele afirma tê-los amado. Eles lhe devolveram o mal pelo bem, o ódio pelo amor, e isso por razões não reveladas. A despeito de tudo isso, o salmista continuava orando por eles, na esperança de ver alguma mudança na sua atitude e comportamento.

> *Eu, porém, vos digo: Amai os vossos inimigos e orai pelos que vos perseguem.*
>
> Mateus 5.44

É mais fácil enfrentar o ódio com o ódio, e é isso que usualmente fazemos. As palavras de Deus exprimem um ideal elevado demais para nós. Apesar de toda a nossa jactância, falta-nos a espiritualidade, que nos faria obedecer a mandamentos dessa natureza. Cf. Sl 120.7. A história das perseguições sofridas por Jesus naturalmente tem paralelos nos salmos, e é isso que faz o presente salmo ser reputado messiânico por alguns. Ver Lc 6.12, quanto à oração de Jesus em meio às suas provações. Ver também 21.37 e 22.41. "Essa foi a arma que ele usou contra os seus adversários. Ele não devolveu afrontas por afrontas, mas entregou-se em oração a Deus, o qual julga retamente (1Pe 2.23)" (John Gill, *in loc.*).

■ 109.5

וַיָּשִׂימוּ עָלַי רָעָה תַּחַת טוֹבָה וְשִׂנְאָה תַּחַת אַהֲבָתִי:

Pagaram-me o bem com o mal. O homem amava e foi odiado por isso. Ele praticou o bem e foi perseguido por parte de homens de mente distorcida. Cf. Sl 35.12; 38.20 e Jr 18.19,20, onde encontramos declarações similares. Outro tanto se deu no caso de Jesus: "Pois em resposta às boas obras e à sã doutrina que ele lhes entregou; às boas obras e aos milagres que operou entre eles, tendo-os curado, ele recebeu um tratamento perverso. Ver Jo 10.32. Ademais, eles o odiavam, embora ele tivesse vindo para buscá-los e salvá-los. Eles não queriam que Jesus governasse sobre eles (ver Lc 19.10,14)" (John Gill, *in loc.*).

Êx 20.5 conta sobre os odiadores de Deus, e como isso provoca a ira de Yahweh-Elohim. Ver no *Dicionário* os artigos chamados *Ódio* e *Amor*, que ilustram amplamente a passagem à nossa frente.

> Que o amor nos perdoe, pois somos apenas brasas, cinzas e poeira.
>
> John Keats

> O amor edificado sobre a beleza morre quando a beleza morre.
>
> John Donne

O amor divino, entretanto, não se edifica sobre a beleza humana, mas sobre os princípios eternos da natureza divina. Por isso, Jesus foi um benfeitor para os odiadores e os destruidores.

> *Porque Cristo, quando nós ainda éramos fracos, morreu a seu tempo pelos ímpios... Deus prova o seu próprio amor para conosco, pelo fato de ter Cristo morrido por nós, sendo nós ainda pecadores.*
>
> Romanos 5.6,8

IMPRECAÇÕES (109.6-20)

■ 109.6

הַפְקֵד עָלָיו רָשָׁע וְשָׂטָן יַעֲמֹד עַל־יְמִינוֹ׃

Suscita contra ele um ímpio. A despeito do amor declarado por seus inimigos, e do hábito de orar por eles, o salmista explodiu em muitas e pesadas imprecações. Nesse particular, o autor sagrado ficou muito aquém do amor de Jesus; mas, na verdade, quem não ficaria? Ele era apenas um homem comum que enfrentava o ódio com o ódio, nosso comum modo de agir. Os salmos de lamentação geralmente têm muitas imprecações contra os inimigos, pelo que isso faz parte do seu *modus operandi*.

Os homens ímpios tinham poder e usariam esse poder para levar o poeta a julgamento. Nesse ato, provavelmente eles buscavam a punição capital do salmista. Não temos informações suficientes para compreendermos as razões exatas e a natureza dos atos perversos, mas compreendemos muito bem a severidade desses atos como uma ameaça à vida do homem inocente. Naturalmente, somos relembrados sobre o julgamento fraudulento de Jesus e seus terríveis resultados. Cf. Lv 16.16; Nm 4.27; 27.16; Jr 15.3 e 51.27.

Um acusador. Esta é uma tradução melhor do que Satanás. O autor sacro não queria personalizar o erro que estava sendo praticado pela pessoa supremamente ímpia, o diabo pessoal. O poeta meramente dizia que homens ímpios, ou algum indivíduo perverso específico, faria acusações contra o salmista em seu julgamento. Que a questão toda era diabólica, sem dúvida o era, mas o diabo pessoal não aparece no quadro traçado pelo salmista, pois isso seria anacrônico. Todavia, este versículo tem também uma outra interpretação: o poeta olhava para a frente, quando os seus inimigos tivessem de apresentar-se no tribunal, e esperava que algum poderoso adversário se levantasse para falar contra eles. Nesse caso, o vs. 6 já é parte das imprecações contra os acusadores. Possivelmente, o salmista estava falando no lugar de seus opositores, descrevendo o que eles diziam e faziam. A passagem, naturalmente, aplica-se bem ao julgamento de Jesus, e alguns estudiosos do Novo Testamento fazem Judas Iscariotes (sob a inspiração de Satanás) ser o acusador contra o Justo. Quando examinamos os versículos que se seguem, parece que o sentido é que o poeta esperava que seus oponentes tivessem sua vez de serem julgados e desde agora proferia imprecações contra eles.

■ 109.7

בְּהִשָּׁפְטוֹ יֵצֵא רָשָׁע וּתְפִלָּתוֹ תִּהְיֶה לַחֲטָאָה׃

Quando o julgarem, seja condenado. Continuamos aqui com duas possibilidades de interpretação: 1. O poeta olhava para o dia futuro em que seus acusadores seriam, eles mesmos, acusados e condenados, tal como Pilatos foi finalmente convocado a Roma para responder a acusações e, desesperado, finalmente cometeu suicídio. 2. Ou então o poeta fala como se estivesse no lugar de seus acusadores, repetindo as palavras e os planos que eles tinham traçado: eles já o tinham julgado de antemão, tentando torná-lo um homem ímpio; condenando-o, procuravam fazer com que a sua oração (que ele tinha levantado em favor deles, em amor; vs. 4) fosse um pecado, algo muito perverso. Dessas duas interpretações, a primeira é a melhor, em harmonia com a ideia de o poeta ter proferido imprecações contra seus adversários, embora, se aceitarmos a segunda das ideias, também possamos compreender que o salmista estava condenando os atos praticados contra ele.

■ 109.8

יִהְיוּ־יָמָיו מְעַטִּים פְּקֻדָּתוֹ יִקַּח אַחֵר׃

Os seus dias sejam poucos. Este versículo é citado em At 1.20, e o nome apontado era Judas, um dos acusadores originais de Jesus. Portanto, Judas Iscariotes perdeu o seu ofício e então a vida, tendo morrido prematuramente, algo que os hebreus tanto temiam. Portanto, a aplicação neotestamentária da passagem favorece a primeira dentre as duas interpretações, conforme comento nas notas sobre o versículo anterior. Judas, o acusador, será julgado. Assim também os acusadores do poeta serão julgados algum dia. Este versículo é aplicado ao tribunal de Cristo, quando a justiça será feita no caso de todos os homens, e os falsos acusadores sofrerão pelo mal que praticaram.

"É claro que o propósito da linguagem violenta e repelente desta seção (vss. 6-19) deve prover um contracurso que será eficaz contra as maldições da magia negra dos inimigos do salmista (ver vss. 17-19 e anotações)" (*Oxford Annotated Bible*, vs. 6).

"O apóstolo Pedro cita esta passagem e aplica-a a Judas, em At 1.20. Seu ofício era o de um apóstolo, elevado e honroso, o principal ofício da igreja. Era tudo uma incumbência sobre as almas, uma supervisão do rebanho que não devia ser tomada por constrangimento, mas voluntariamente, não por amor ao dinheiro, mas de mente voluntária. Mas Judas tinha em mente o lucro imundo, e seu ofício lhe foi tomado e dado a outro, Matias (ver At 1.21-26). Isso também dizia respeito aos sacerdotes e escribas e fariseus que foram despidos de seus ofícios não muito tempo depois, quando a lei foi cumprida em Cristo" (John Gill, *in loc.*). Ver Zc 11.8.

■ 109.9

יִהְיוּ־בָנָיו יְתוֹמִים וְאִשְׁתּוֹ אַלְמָנָה׃

Fiquem órfãos os seus filhos. O homem mau, o acusador dos justos, sofrerá outras calamidades. Sua esposa ficará viúva, e seus filhos ficarão órfãos, pelo menos de pai. Os pecados paternos pesariam sobre os filhos e os prejudicariam. Podemos presumir que eles tivessem os seus próprios pecados, que justificariam isso; mas a mente dos hebreus não requeria necessariamente esse pormenor de justiça. Ver sobre o sofrer ou morrer pelos pecados dos pais, em Êx 20.5. Ver também sobre sofrer ou morrer pelos próprios pecados, em Dt 24.16 e Ez 18.20. As imprecações do salmista estenderam-se até os descendentes dos pecadores, em consonância com a mentalidade dos hebreus, que as notas expositivas referidas acima descrevem.

A aplicação deste versículo a Judas, em quaisquer termos precisos, é um exercício duvidoso. Não sabemos se ele tinha esposa ou filhos, e é inútil fingir que sabemos disso ou aceitar tradições infundadas, que tentam preencher o hiato de nossa ignorância.

"É uma das mais tristes características desta série de maldições que o ressentimento do imprecador não pode satisfazer-se na pessoa do adversário, mas agarra-se também aos seus descendentes inocentes. Invocar a morte imediata não o contentava. Ele devia festejar a sua ira com o pensamento dos filhos sem pai e com uma viúva desolada" (Ellicott, *in loc.*, salientando como a mente dos hebreus diferia da mente dos cristãos posteriores sobre a questão da vingança). Cf. Rm 12.20,21: "Se o teu inimigo tiver fome, dá-lhe de comer; se tiver sede, dá-lhe de beber; porque, fazendo isto, amontoarás brasas vivas sobre a sua cabeça. Não te deixes vencer do mal, mas vence o mal com o bem".

■ 109.10

וְנוֹעַ יָנוּעוּ בָנָיו וְשִׁאֵלוּ וְדָרְשׁוּ מֵחָרְבוֹתֵיהֶם׃

Andem errantes os seus filhos, e mendiguem. O salmista não estava contente que os filhos do acusador passassem por tempos difíceis; antes, ele os queria totalmente desolados, sem alimentos e abrigos adequados, vagabundos na terra. É inútil tentar justificar tais maldições do ponto de vista cristão, conforme fazem, erroneamente, algumas de minhas fontes informativas. É melhor ficar com os comentários sobre o versículo anterior, incluindo a citação de Ellicott, a qual mostra a verdadeira atitude cristã, tal como faz Paulo em Rm 12.20,21. "Os filhos do acusador são 'imaginados a sair das ruínas de seus lares para esmolar'. Mas a Septuaginta e a Vulgata Latina mostram-se ainda mais duras: 'que sejam expulsos de suas casas'" (Ellicott, *in loc.*).

Sêneca, em Med. 1.19, diz algo bastante similar: "Oro que pior ainda aconteça ao meu cônjuge: Que ele continue vivendo, percorrendo cidades estranhas, sofrendo necessidades. Que ele seja exilado, vítima de suspeitas, acovardando-se, sem lar".

Cf. Sl 59.11,15 e 37.25. Este versículo é aplicado à destruição profética de Jerusalém, quando tantos ficaram desolados e muitos foram exilados pelo império romano. A grande casa, o templo, ficou desolada, tal como Jesus disse que aconteceria (Mt 22.38); o mesmo sucedeu a muitas casas particulares, de ricos e pobres em Jerusalém. Na verdade, naquele tempo, muitos judeus foram reduzidos à perambulação pela terra e por certo não foram capazes de manter o estilo de vida que desfrutavam antes de serem atingidos pela calamidade.

■ **109.11**

יְנַקֵּשׁ נוֹשֶׁה לְכָל־אֲשֶׁר־לוֹ וְיָבֹזּוּ זָרִים יְגִיעוֹ׃

De tudo o que tem lance mão o usurário. Ademais, o pobre vagabundo não seria capaz de pagar as suas contas, o que significa que seus credores se acercariam para tomar as poucas possessões que ele fora capaz de recolher. Eles haveriam de saqueá-lo como se fossem forças armadas hostis. E comeriam os frutos de seus labores.

O poeta orou para que total desolação sobreviesse aos descendentes de seus inimigos, dificilmente uma atitude cristã, mas bem em harmonia com o antigo pensamento dos hebreus, que clamava por uma severa vingança contra os inimigos. Assim sendo, muitos dos salmos de lamentação (que formam, de longe, o grupo maior dos salmos) contêm tais maldições severas. Do ponto de vista histórico, alguns intérpretes veem os romanos cumprindo essas imprecações. Eles nivelaram tudo e saquearam sem misericórdia; e fizeram dos judeus um povo de vagabundos. Ver Jo 11.48. "Os judeus foram expulsos de seu país após a destruição de Jerusalém; proibidos de voltar; tiveram de pagar altos impostos e foram assim reduzidos a uma pobreza extrema" (Adam Clarke, *in loc.*).

Os judeus foram banidos, e toda a riqueza deles podia ser contida em um pequeno cesto, como se fosse um punhado de feno.
Juvenal, Sat. vs. 11

Que as prisões os engulam, e que as dívidas os reduzam a nada.
Timon

As circunstâncias históricas ilustram bem as maldições, mas não devemos pensar que os versículos à nossa frente sejam realmente profecias referentes às calamidades que os judeus sofreriam durante o período do Novo Testamento. Isso seria cristianizar excessivamente o salmo.

■ **109.12**

אַל־יְהִי־לוֹ מֹשֵׁךְ חָסֶד וְאַל־יְהִי חוֹנֵן לִיתוֹמָיו׃

Ninguém tenha misericórdia dele. Os espezinhados não teriam quem cuidasse de sua alma, quem se apresentasse para oferecer alívio, inspirado por pensamentos de misericórdia e piedade. Nenhum bálsamo seria posto sobre seus ferimentos. E homem algum se importaria com os pobres órfãos. Um credor poderia ser paciente e permitir um pouco mais de tempo para que o homem pagasse suas dívidas. Uma mulher misericordiosa poderia dar às crianças famintas algo para comer. Mas o salmista não queria que nada aliviasse a agonia dos desolados. Ver Sl 37.2; 85.5. Eles seriam explorados, odiados e saqueados por causa de seu progenitor. Esse era o sentimento padrão dos antigos hebreus, e é inútil tentar encontrar tais sentimentos na filosofia cristã.

■ **109.13**

יְהִי־אַחֲרִיתוֹ לְהַכְרִית בְּדוֹר אַחֵר יִמַּח שְׁמָם׃

Desapareça a sua posteridade. Os descendentes imediatos do homem mau passariam por todas essas provações por causa das maldições do poeta, e, finalmente, a linhagem do homem mau simplesmente desapareceria por completo. O nome do homem não continuaria em seus filhos. Isso seria o fim da triste história do homem, e os desejos do salmista seriam satisfeitos. "A teoria hebreia do governo divino ditava que, se a ruína não atingisse o próprio pecador, recairia sobre sua posteridade. O nome do homem mau seria esquecido, e sua raça seria extinta" (Ellicott, *in loc.*).

Na seguinte geração se extinga o seu nome. A alusão é a Dt 29.20 ss. As antigas cidades-estados tinham registros dos nomes de seus cidadãos. Era possível que esses nomes fossem apagados quando atos criminosos desqualificavam um homem como cidadão. Nesses casos, usualmente se seguia o exílio. Então, quando o homem morresse, seu nome seria apagado, mas pelo menos o nome de seus filhos permaneceria. Mas o salmista queria um apagar completo dos nomes da família inteira. Cf. Sl 37.28: "O Senhor ama a justiça, e não desampara os seus santos; serão preservados para sempre, mas a descendência dos ímpios será exterminada".

Ver Mt 3.10, onde se lê sobre o machado que está prestes a ferir a raiz das árvores, decepando-as inteiramente. Mas não há aqui nenhuma noção de destruição no seol, após a morte física, onde o homem ímpio e seus descendentes compartilhariam uma sorte miserável na outra vida, algo que alguns intérpretes injetam no texto.

■ **109.14**

יִזָּכֵר עֲוֹן אֲבֹתָיו אֶל־יְהוָה וְחַטַּאת אִמּוֹ אַל־תִּמָּח׃

Na lembrança do Senhor viva a iniquidade de seus pais. Temos aqui uma declaração geral. Os acusadores do poeta sacro tinham esposas e, portanto, filhos. Presume-se que homens maus se casassem com mulheres más, pelo que haveria todos os tipos de pecados a julgar, entre eles, a traição contra o salmista. Homens maus que tinham seus pecados, mulheres más que tinham seus pecados, filhos maus que tinham seus pecados, todos encontrariam um fim horrendo. O salmista tomou um ponto de vista completamente pessimista das famílias de seus acusadores. Todos representavam uma gente ruim e não escapariam das maldições do poeta.

Talvez haja aqui uma alusão a Sl 51.3-5 ou ao conceito ali contido. Os rabinos supunham que uma mulher que se ocupasse em contatos sexuais, mesmo com o próprio marido, teria pensamentos adúlteros, e, assim, em certo sentido, todos os filhos seriam concebidos no adultério. A inclinação para o mal foi uma interpretação posterior da passagem. A esposa do homem mau, por conseguinte, tinha os seus próprios pecados que precisavam ser punidos.

A doce vingança não será assim tão doce, a menos que seja completa. Tinha de atingir o seu lado, ferindo a esposa do homem; tinha de derrubar seus filhos; tinha de continuar ferindo e golpeando os seus descendentes. Os ramos tinham de ser cortados, as raízes precisavam ser esmigalhadas, até decepar os ramículos da árvore genealógica. Depois que a árvore toda tivesse sido completamente destruída, a maldição teria tido cumprimento.

■ **109.15**

יִהְיוּ נֶגֶד־יְהוָה תָּמִיד וְיַכְרֵת מֵאֶרֶץ זִכְרָם׃

Permaneçam ante os olhos do Senhor. Aquelas pessoas miseráveis teriam de ser conservadas diante dos "olhos do Senhor", não para serem abençoadas, mas para serem continuamente amaldiçoadas. Dessa maneira, nem mesmo a memória do homem mau e de sua má família sobreviveria aos assaltos dos golpes divinos. O poeta reclamou novamente o completo apagamento dos nomes dos tais. Somente então ele se sentiria feliz com a vingança tomada. Naturalmente, tais imprecações chocam nossa sensibilidade cristã, mas não a dos antigos hebreus. Algum progresso foi feito no campo do amor e da moral. O salmista não clamou por arrependimento e restauração, conforme faz o evangelho cristão. O jogo dele era a aniquilação total dos seus inimigos.

Espírito selvagem, estás te movendo por toda parte,
Destruidor e Preservador. Ouve, oh ouve!
Percy Bysshe Shelley

O poeta sacro deixou de lado a parte do Preservador. O resto era o seu credo.

109.16

יַעַן אֲשֶׁר לֹא זָכַר עֲשׂוֹת חָסֶד וַיִּרְדֹּף אִישׁ־עָנִי וְאֶבְיוֹן וְנִכְאֵה לֵבָב לְמוֹתֵת׃

Porquanto não se lembrou de usar de misericórdia. Segundo a estimativa do salmista, Yahweh relembraria os seus inimigos (vs. 15) para destruí-los e aniquilá-los, mas não para aplicar algum tipo de misericórdia. Isso por terem sido eles perseguidores de um homem inocente. Os ímpios chegaram a esmagar os que já tinham o coração partido e estavam a caminho da sepultura. Eles não usaram de misericórdia e, por isso mesmo, não lhes foi demonstrada misericórdia; eles tinham agido movidos pelo ódio, para destruírem; por isso mesmo foram odiados e destruídos. Colheriam o que haviam semeado. Ver no *Dicionário* o artigo chamado *Lei Moral da Colheita segundo a Semeadura*.

Os perversos não se lembram de usar a misericórdia; por isso mesmo, Deus não se lembra de usar de misericórdia para com eles; homens maus pensam em toda espécie de males para ferir o próximo; por isso, Yahweh pensa em como poderá destruí-los melhor. A *Lex Talionis* (vingança de acordo com o crime cometido) era a regra do jogo.

A Sequência. Yahweh lembra a iniquidade, a fim de puni-la (vs. 14). Ele elimina toda a memória de pessoas más (vs. 15). Os ímpios não lembram de usar a misericórdia, pelo que também não a recebem (vs. 16).

Este versículo tem sido aplicado aos sofrimentos de Cristo nas mãos dos homens malignos. Mas o mais notável nessa história é que sua expiação visava o perdão e a restauração daqueles homens maus, algo que este salmo ignora completamente. A verdade avançou em favor dos bons e, quanto mais sabemos, mais razões temos para ser otimistas sobre o destino final de todos os homens. Ver na *Enciclopédia de Bíblia, Teologia e Filosofia* o artigo chamado *Restauração*. O dedo de amor de Deus escreverá o capítulo final do drama humano.

109.17

וַיֶּאֱהַב קְלָלָה וַתְּבוֹאֵהוּ וְלֹא־חָפֵץ בִּבְרָכָה וַתִּרְחַק מִמֶּנּוּ׃

Amou a maldição; ela o apanhe. O acusador era um homem que amava a maldição, e por isso foi amaldiçoado; ele nunca abençoou a quem quer que fosse, pelo que, finalmente, nem homem nem Deus jamais o abençoou. Ele não tinha alegria por abençoar a outros, pelo que nenhum homem se sentia bem ao abençoá-lo. Ele perdeu a oportunidade de fazer o bem neste mundo, e os homens desistiram de gastar tempo com ele. "Os judeus disseram, ao crucificar nosso Senhor: 'O seu sangue seja sobre nós e sobre os nossos filhos'. Nunca houve imprecação mais terrivelmente cumprida" (Adam Clarke, *in loc.*). "A justiça divina paga os homens na própria moeda deles (Ez 35.6). 'As maldições, tal como as aves jovens, voltam para seus ninhos ao anoitecer' (Yehama, de Southey). Cf. Sl 35.8" (Fausset, *in loc.*).

Os hebraico original é aqui bastante vívido, e Ellicott procurou reproduzi-lo com mais exatidão:

Ele amou a maldição; assim sendo, ela veio.
Ele não se deleita na bênção; e ela se vai embora;
Sim, ele se vestiu de maldição como se fosse a sua túnica.
E ela desceu como água até as suas entranhas,
E como o azeite até os seus ossos;
Que assim seja.

109.18

וַיִּלְבַּשׁ קְלָלָה כְּמַדּוֹ וַתָּבֹא כַמַּיִם בְּקִרְבּוֹ וְכַשֶּׁמֶן בְּעַצְמוֹתָיו׃

Vestiu-se de maldição como de uma túnica. O homem mau vestiu-se da maldição como se fosse sua túnica favorita e saiu a exibir-se em sua loucura. Em seguida, a túnica foi vista a ensopar o seu corpo, corrompendo-o total e absolutamente. Sem dúvida há aqui uma alusão às águas do ciúme (ver Nm 5.18), que permeavam todo o corpo da mulher e então a adoeciam mortalmente. Assim também aconteceu ao homem mau, com suas maldições, pois sem dúvida ele estava moral e espiritualmente enfermo. O azeite era usado como medicamento (ver Is 1.16) e unguento (Am 6.6; Mq 6.15). O homem mau tomou seus medicamentos de maldições, e isso lhe corrompeu os ossos, a estrutura da qual dependia todo o seu ser.

Um óleo natural não penetra nos ossos nem serve de cura para tudo. Mas o óleo das maldições tem uma estranha eficácia que penetra e corrompe o homem inteiro. Ao poeta sagrado faltava discernimento para perceber que suas imprecações só podiam corromper a si mesmo.

Ainda que os seus ossos estejam cheios do vigor da sua juventude, esse vigor se deitará com ele no pó.

Jó 20.11

109.19

תְּהִי־לוֹ כְּבֶגֶד יַעְטֶה וּלְמֵזַח תָּמִיד יַחְגְּרֶהָ׃

Seja-lhe como a roupa que o cobre. Este versículo refaz superficialmente o versículo anterior. As roupas e o cinto que o cingem. Isso é uma figura inferior à do versículo anterior, mas não inútil. Alguns intérpretes veem aqui um anticlímax que Ellicott comenta curiosamente: "As imprecações demonstram sua impotência da seguinte maneira: a alma iracunda nunca pode desvencilhar-se inteiramente das maldições. A linguagem violenta morre em meio a balbucios ininteligíveis e gestos impacientes". As maldições apegam-se ao homem irado quando ele fala sobre elas como se estivessem presas aos inimigos que o tinham amaldiçoado. "Que as maldições de Deus amarrem os malefícios e as enfermidades ao seu corpo e à sua alma" (Adam Clarke, *in loc.*). "As maldições envolvem-no e confinam-no" (Allen P. Ross, *in loc.*). "Que ele seja cercado por todos os lados com a ira de Deus" (John Gill, *in loc.*).

109.20

זֹאת פְּעֻלַּת שֹׂטְנַי מֵאֵת יְהוָה וְהַדֹּבְרִים רָע עַל־נַפְשִׁי׃

Tal seja, da parte do Senhor, o galardão. O poeta concluiu o salmo com uma calma declaração, pedindo que todas as maldições de fogo que ele havia proferido se cumprissem na vida de seus adversários. Assim como tinham falado contra ele, as maldições diminuiriam a duração da vida deles. Embora não haja aqui fórmulas mágicas, o salmista conclama Yahweh para que suas maldições sejam eficazes. "Todas essas maldições se cumprirão em meus inimigos. Eles as receberão como recompensa" (Adam Clarke, *in loc.*, que aplicou a questão aos judeus dos dias de Jesus, e fez dele o homem oprimido).

CONTINUA O APELO A YAHWEH-ELOHIM (109.21-31)

109.21

וְאַתָּה יְהוִה אֲדֹנָי עֲשֵׂה־אִתִּי לְמַעַן שְׁמֶךָ כִּי־טוֹב חַסְדְּךָ הַצִּילֵנִי׃

Mas tu, Senhor Deus, age por mim. Após as terríveis imprecações contra os acusadores (vss. 6-20), o salmista agora voltou a orar a Yahweh-Elohim, pedindo-lhe ajuda. Portanto, a presente seção dá prosseguimento ao que foi interrompido no vs. 5. Este versículo é um apelo para que Yahweh cumpra as maldições, por amor do seu nome, porquanto, afinal, o poeta era um membro fiel da família do pacto, ao passo que seus acusadores eram uns apóstatas. Quanto ao *nome*, ver Sl 31.3. O poeta dependia do amor constante de Yahweh para que o defendesse, pois a sua vida estava em perigo. Visto que seus inimigos tanto o amaldiçoavam, ele carecia da bênção divina para contrabalançar o dano que fora feito e que ainda poderia vir a fazer. O mero pronunciar do nome divino era poderoso, e assim o poeta dependia de Deus naquela crise. Cf. Sl 89.21,22,34.

109.22

כִּי־עָנִי וְאֶבְיוֹן אָנֹכִי וְלִבִּי חָלַל בְּקִרְבִּי׃

Porque estou aflito e necessitado. "Coisa alguma tenho para pleitear, exceto o teu grande amor e a minha profunda necessidade", como que disse o salmista. Seu coração estava "ferido", que alguns comentadores emendam para "convulsionando-se". Assim dizem também a Septuaginta, o siríaco e Jerônimo. Algumas vezes, uma emenda dessas restaura um texto original que o texto massorético havia perdido, visto que o texto massorético foi compilado de manuscritos hebraicos bastante recentes. Existem manuscritos da Septuaginta mais antigos do que os do texto massorético. Septuaginta: século IV d.C.; texto massorético: século IX d.C. Os Papiros do Mar Morto (manuscritos hebraicos) têm demonstrado que, em alguns casos, as versões estão corretas em comparação com os manuscritos hebraicos posteriores usados para compilar o texto massorético. Ver os artigos do *Dicionário* chamados *Massora (Massorah); Texto Massorético; Septuaginta; Mar Morto, Papiros (Rolos) do*. E ver também *Manuscritos Antigos do Antigo Testamento*. Cf. Sl 55.4.

> Ele me tem como seu filho,
> Não posso mais temer.
> Com confiança eu me aproximo:
> Pai, Abba.
> Meu nome está escrito em sua mão;
> Meu nome está escrito em sua mão.
>
> Charles Wesley

109.23

כְּצֵל־כִּנְטוֹתוֹ נֶהֱלָכְתִּי נִנְעַרְתִּי כָּאַרְבֶּה׃

Vou passando, como a sombra que declina. À tarde, as sombras se alongam quando o sol se aproxima do horizonte e, então, quando ele desaparece por trás do horizonte, as sombras também desaparecem. Assim curta é a duração das sombras. Por igual modo, a vida do poeta, por causa das ameaças de seus mortíferos inimigos, estava quase desaparecendo. Porventura Yahweh faria a sua luz brilhar sobre ele e salvaria sua vida, antes que as sombras fatalmente desaparecessem? E então a vida do homem não perdurava mais do que o tempo em que um gafanhoto pousasse na manga da camisa de um homem, somente para ser sacudido dali imediatamente. Essa é uma nova metáfora que fala sobre a brevidade da vida humana, pelo que devemos dar o crédito ao poeta pela metáfora. O gafanhoto pousa; o homem o sacode dali para fora. Quanto tempo isso duraria? Tal é a vida fugidia de um homem, miseravelmente curta para o salmista, se Yahweh não interviesse. Alguns intérpretes pensam que a metáfora do gafanhoto aponta para como esse pequeno inseto é agitado pelo vento, pelo que voa de um lugar para outro, a intervalos tão curtos. Embora potencialmente fosse um inseto tão destruidor (ver no *Dicionário* o artigo intitulado *Praga de Gafanhotos*), o gafanhoto serve de símbolo da timidez (Jó 39.20). Como tal, qualquer agitação no ar o faz sair voando. Portanto, se não houvesse agitação, a vida do poeta se perderia.

"Passei o meridiano da saúde e da vida; e assim, da mesma forma que o sol está quase desaparecendo atrás do horizonte, estou prestes a passar para baixo da terra" (Adam Clarke, *in loc.*).

> O tempo de viver é tão breve!
> Mas passar essa vida curta de modo tão vil
> Faria a vida parecer longa demais.
>
> Shakespeare

109.24

בִּרְכַּי כָּשְׁלוּ מִצּוֹם וּבְשָׂרִי כָּחַשׁ מִשָּׁמֶן׃

De tanto jejuar os joelhos me vacilam. O pobre homem tinha praticado um jejum forçado, pois estava enfermo. Ele não tinha parado de comer como exercício espiritual. Toda a sua gordura extra tinha sido queimada por falta de alimentos, e seus músculos tinham perdido muito volume. Visto que estava doente, seus acusadores disseram que ele estava sendo julgado por Deus (vs. 25), já que os hebreus pensavam que toda enfermidade só podia ser causada pelo pecado. Jó havia provado a falácia dessa ideia, mas é provável que não tenham sido muitos os hebreus que aprenderam a lição. Por isso mesmo, o poeta foi atacado pelo lado de fora e pelo lado de dentro, e isso por duas razões: ou ele experimentava a intervenção divina, ou sua causa estaria perdida. Alguns estudiosos supõem que o homem, devido à sua angústia mental, tivesse passado por um longo período de jejum; mas as palavras aqui usadas são próprias de um homem muito doente fisicamente. Jó resistiu bem à provação, até que Deus tocou em seu corpo. Diante desse toque divino, ele se encolheu e refugiou-se no pessimismo.

> Meus joelhos podem ceder, subjugados pela fome,
> Eles se dobram, incapazes de sustentar o peso.
>
> Merrick

> Meus olhos ficam entreabertos; meus joelhos
> Enfraquecem diante da fome.
>
> Lucretius

109.25

וַאֲנִי הָיִיתִי חֶרְפָּה לָהֶם יִרְאוּנִי יְנִיעוּן רֹאשָׁם׃

Tornei-me para eles objeto de opróbrio. O salmista, em sua enfermidade, tornou-se um objeto de escárnio para seus acusadores. Eles acreditavam que Deus estava castigando o homem, o qual era pior que eles, se isso fosse possível! Eles contemplaram seu corpo emaciado e sacudiram a cabeça, mas podemos ter certeza de que o fizeram sorrindo. Estando doente como estava, o homem só poderia ser um grande pecador, pelo que raciocinaram: "Ele merece morrer, e nós garantiremos que obtenha o que merece. Ajudaremos Yahweh a fazer o trabalho!" Homens distorcidos têm pensamentos distorcidos, e aqueles homens não eram exceção à regra. Davi foi tratado por Simei dessa maneira (ver 2Sm 16.5,6), embora o rei de Israel não estivesse fisicamente enfermo. E os judeus ímpios sacudiram a cabeça contra Jesus, quando ele sofria sua maior provação (ver Mt 27.39). Cf. Sl 27.6,7 e 31.11. Note o leitor aqui o "eu" enfático. "Eu, que deveria ser objeto de simpatia, tornei-me objeto de reprimenda."

109.26

עָזְרֵנִי יְהוָה אֱלֹהָי הוֹשִׁיעֵנִי כְחַסְדֶּךָ׃

Socorre, Senhor Deus meu! Desesperados, os poetas sagrados, por todo os salmos, apelaram para o amor constante de Yahweh, como a esperança de livramento, pelo que é óbvio que assim ditava a fé padrão dos hebreus na época. Ver no *Dicionário* o artigo chamado *Amor*, o qual ilustra esse princípio. Esse é o primeiro princípio espiritual em qualquer teologia. O Ser endereçado foi Yahweh-Elohim, o Deus Eterno e Todo-poderoso, que algumas vezes também é chamado de Pai, e cujas designações adicionam esperança e poder à expectação. Cf. Sl 89.21 e Is 1.7; 49.8 e o vs. 21 deste mesmo salmo, praticamente idêntico ao presente versículo.

109.27

וְיֵדְעוּ כִּי־יָדְךָ זֹּאת אַתָּה יְהוָה עֲשִׂיתָהּ׃

Para que saibam vir isso das tuas mãos. A reação positiva da parte de Yahweh-Elohim demonstraria que a mão divina operava entre os homens. Ver sobre *mão*, em Sl 81.14; ver sobre *destra*, em 20.6; e ver sobre *braço* em Sl 77.15; 89.10; 98.1, quanto às metáforas de poder que resultam da intervenção divina. Cf. Sl 59.13. O Targum diz: "Para que saibam que este é o teu golpe". O Senhor tinha feito aquilo, e os homens deviam temer e cancelar seus planos contra o justo. Ver Sl 123.21-23.

109.28

יְקַלְלוּ־הֵמָּה וְאַתָּה תְבָרֵךְ קָמוּ וַיֵּבֹשׁוּ וְעַבְדְּךָ יִשְׂמָח׃

Amaldiçoem eles, mas tu, abençoa. Os homens continuarão amaldiçoando até que Deus os faça parar; paralelamente, porém, Deus pode vencer qualquer maldição mediante sua bênção contínua. Quando sua oposição a Deus se tornar evidente, eles serão envergonhados (ver Sl 25.1; 35.26; 37.19; 69.6; 74.21; 78.66; 83.16 e 86.17). Os vss. 28-31 repetem de forma fraca algumas das imprecações contidas na seção mais longa (vss. 6-20). O poeta estava cansado de suas vociferações, e assim a sua voz se reduz quase a um sussurro, em comparação com sua fúria anterior. Ele se desgasta em face de sua ira, mas, estando ainda na mesma aflição, não termina o salmo em silêncio.

Este versículo tem sido naturalmente cristianizado para referir-se ao clamor do Servo Sofredor, bem como à vindicação divina final dele e de sua missão entre os homens.

109.29

יַלְבְּשׁוּ שׂוֹטְנַי כְּלִמָּה וְיַעֲטוּ כַמְעִיל בָּשְׁתָּם׃

Cubram-se de ignomínia os meus adversários. Este versículo, de maneira bastante moderada, leva-nos de volta às imprecações dos vss. 18 e 19, onde são dadas notas sobre as figuras apresentadas. A nova distorção é que eles deveriam ser cobertos de confusão como quem veste uma túnica, ou melhor, uma longa peça de vestuário posta por cima da túnica, o que nossa versão portuguesa não traduziu. O salmista queria que eles vivessem em total vergonha (vs. 28) e também em confusão mental, quando o poder divino vindicasse a sua causa. Talvez tenhamos aqui uma alusão ao resultado favorável de seu julgamento defronte dos juízes. Se Yahweh inspirou os juízes a favorecer a causa do salmista e a arquivar as acusações, então aqueles que o tinham acusado caluniosamente seriam envergonhados e lançados na confusão. Eles seriam desonrados e envergonhados (vss. 28 e 29). Mas nada disso faria ao poeta sagrado um grande bem, a menos que Deus também o curasse de sua terrível enfermidade. Portanto, se ele saísse do tribunal tanto livre de acusações quanto vigoroso de corpo, teria conseguido um grande triunfo e haveria motivos para louvar para sempre a Yahweh (vs. 30). "... com a longa manta que chegava aos tornozelos, que eles se cobrissem de vergonha da cabeça aos pés" (Adam Clarke, *in loc.*).

109.30

אוֹדֶה יְהוָה מְאֹד בְּפִי וּבְתוֹךְ רַבִּים אֲהַלְלֶנּוּ׃

Muitas graças darei ao Senhor com os meus lábios. Tendo sido livrado de seus adversários e ficado limpo de todas as acusações, e tendo sido fisicamente curado, o poeta seria inspirado a dar louvores tanto privadamente quanto em público. Ele iria ao templo oferecer sacrifícios e ações de graças formais; e ali entoaria cânticos espirituais. Toda a multidão de povo que ali estivesse seria testemunha da cena e ouviria os seus cânticos. Ele tomaria votos e faria promessas. Quanto às oferendas de ações de graças, ver no *Dicionário* o artigo chamado *Sacrifícios e Ofertas*, seção III.D.3. Ver também os verbetes intitulados *Voto* e *Ações de Graças*. O salmista já havia recebido sinais de que triunfaria, pelo que agradeceu ao Senhor de antemão. Talvez um sacerdote tivesse lido para ele um oráculo, ou talvez ele tivesse sonhado com um resultado favorável em seu julgamento.

Cf. Sl 22.22,25, que tem declarações similares e outras notas expositivas. Ver também Mt 26.30. O Targum diz que o salmista louvou a Deus diante dos sábios, dos juízes e dos governantes, e sem dúvida isso diz uma verdade; contudo, este versículo é geral em seu sentido e fala de coisas que ele faria publicamente como parte do culto no templo.

109.31

כִּי־יַעֲמֹד לִימִין אֶבְיוֹן לְהוֹשִׁיעַ מִשֹּׁפְטֵי נַפְשׁוֹ׃

Porque ele se põe à direita do pobre. Ele, Yahweh-Elohim, era aliado dos pobres e necessitados, dos perseguidos e enfermos, e assim punha-se de pé à direita deles, quando estavam em tribulação. Yahweh seria a testemunha em tribunal e influenciaria a decisão dos juízes em favor deles. Salvaria os pobres de uma condenação injusta e vindicaria a causa deles. De outra sorte, os pobres e necessitados sofreriam punição capital. Naturalmente, o versículo tem uma aplicação geral a todos os que estão aflitos, aos quais Yahweh é capaz de salvar.

Este versículo tem sido cristianizado para falar da obra de Cristo como o Advogado de seu povo, e a agonia é a condenação da alma (ver 1Jo 2.1). Cf. também Sl 16.8; 110.5 e 121.5. "Yahweh é o advogado do homem pobre, tal como um adversário era o acusador do homem ímpio" (Ellicott, *in loc.*). Este salmo (e este versículo) também foi cristianizado para falar da vindicação de Jesus por parte da deidade, embora ele tivesse sido condenado em seu julgamento e tivesse sido executado, com a ajuda do acusador, Judas Iscariotes.

J. R. P. Sclater, *in loc.*, está certo em sua defesa do perdão cristão em contraste com a incansável vingança que transparece neste salmo. Esse princípio não deve ser esquecido no meio das maldições. "'Deus amou o mundo de tal maneira que deu o seu Filho unigênito' (Jo 3.16). Esse é o evangelho que nos é conferido. Ali encontramos esperança para o nosso 'eu' pecaminoso. E somente ali podemos encontrar redenção para um mundo pecaminoso e sofredor".

Oh, irmão! Abriga em teu coração o teu irmão;
Onde a piedade habita, a paz de Deus está ali;
Adorar corretamente é amar um ao outro;
Cada correta adoração é um hino,
Cada feito bondoso é uma oração.

John Greenleaf Whittier

Infelizmente, é verdade o que foi dito: "Temos religião suficiente para fazer-nos odiar, mas não o suficiente para que nos amemos mutuamente" (Jonathan Swift).

SALMO CENTO E DEZ

Quanto a informações gerais que se aplicam a todos os salmos, ver a introdução ao Salmo 4, onde apresento sete comentários que elucidam a natureza do livro.

Quanto às classes dos salmos, ver o gráfico no início do comentário, que atua como uma espécie de frontispício da coletânea. Ofereço ali dezessete classes e listo os salmos pertencentes a cada uma delas.

Este é um *salmo real* e também, com toda a razão, é chamado de *salmo messiânico*. Yahweh prometeu a vitória ao rei de Israel. Em seu engaste profético, essa vitória foi prometida por Deus ao Messias. Provavelmente, o salmo foi originalmente composto para ser usado em um rito de coroação. Cf. Sl 2. "Este salmo, tal como os Salmos 2 e 18 etc., deve ser classificado como um salmo real. Um rei judeu está sendo endereçado ou referido. Alguma atividade militar está em pauta, o que pode associar os séculos IX ou VIII a.C. como a época da composição. O motivo imediato provavelmente foi a coroação do rei. Se o salmo tem um significado primário, rico em promessas para a época no qual foi escrito, sua fraseologia e seu simbolismo prestam-se a aplicações mais latas, e esse fato explica por que a igreja encontrou nessas palavras, tal como em Is 53, e noutros trechos do Antigo Testamento, alusões proféticas ao ministério e à obra de Jesus. Este salmo é um dos mais citados nas páginas do Novo Testamento, por receber uma interpretação messiânica. Ver Mt 22.41-46; Mc 12.35-37; Lc 20.41-44. Ver também Mt 26.64 e seus paralelos nos demais Evangelhos. Ver ainda At 5.31; 7.55; Rm 8.34; 1Co 15.25; Ef 1.20; Cl 3.1; 1Pe 3.21 e especialmente Hb 1.13; 5.6,10; 6.20; 7.11,15,17,21; 8.1; 10.12,13 e 12.2)" (William R. Taylor, *in loc.*).

Alguns intérpretes divorciaram completamente este salmo de seu contexto histórico, considerando-o, de um ponto de vista idealista, o salmo de coroação de um rei ideal ou de uma figura visionária, e essa ideia é facilmente aplicada ao longamente esperado Messias.

Subtítulo. Temos aqui o subtítulo simples: "Salmo de Davi". Cerca de metade dos salmos é atribuída a Davi, um grande exagero, sem dúvida. Mas não há por que descrer que pelo menos alguns deles saíram de sua pena, visto ter sido ele *o mavioso salmista de Israel* (2Sm 23.1). Contudo, os subtítulos não eram parte original dos salmos, tendo sido acrescentados por editores subsequentes, pelo que não se revestem de autoridade canônica. Na maioria, os subtítulos imaginam quais teriam sido os autores e as circunstâncias históricas que inspiraram as composições.

YAHWEH FALA (110.1-4)

110.1

לְדָוִד מִזְמוֹר נְאֻם יְהוָה לַאדֹנִי שֵׁב לִימִינִי עַד־אָשִׁית
אֹיְבֶיךָ הֲדֹם לְרַגְלֶיךָ׃

Disse o Senhor ao meu Senhor. 1. Historicamente, Yahweh, o Rei eterno e celestial, dirigiu-se ao rei terreno no dia da coroação deste. 2. Idealisticamente, Yahweh fala a um rei ideal, e mostrou que glória seria a de Israel se seus reis fossem assim. 3. Profeticamente, Yahweh dirige-se ao Rei Messias. A ordem que foi dada pressupõe o lugar legítimo do Rei Messias, à mão direita do poder divino, até que todos os inimigos do rei sejam reduzidos ao escabelo de seus pés. Este versículo foi citado em vários lugares do Novo Testamento: Mt 22.44; At 2.34; 1Co 15.25; Ef 1.20 e Hb 1.3,13. E isso faz deste salmo uma profecia messiânica. No Novo Testamento, a aplicação aponta para a segunda vinda de Cristo e para a consolidação final da autoridade do

Messias, da qual ele se apossou por ocasião de sua ressurreição e ascensão. Devemos considerar a era do Reino ao longo dos corredores do tempo. Tudo quanto agora sucede faz parte do processo que trará à existência o reino messiânico na terra, uma eternidade futura que levará ao fim colimado os ciclos eternos.

A direita é o lugar de poder e favor (ver Sl 45.9; 1Rs 2.19; Zc 3.1). O estrado dos pés é o lugar de serviço humilde. Até os inimigos de Deus serão sujeitados, e os seus súditos serão elevados a um lugar de serviço útil. Ver Fp 2.9 ss. Cf. Sl 2. Essa declaração era comum no Oriente Próximo, mostrando como os inimigos seriam tratados. Ver Js 10.24.

Yahweh, o Senhor, fala a Adonai, o Rei, o segundo nome sendo uma forma comum de endereçamento a um superior e também usado como nome divino. Ver no *Dicionário* o verbete chamado *Deus, Nomes Bíblicos de*. As traduções portuguesas dizem "Senhor" para Adonai. A pesquisa histórica para identificar o rei em vista (Davi, Salomão, Zedequias ou algum rei do período dos Macabeus) é inteiramente inútil. Mas este salmo (o mais citado no Novo Testamento) tem um caráter messiânico, se é que algum salmo pode ser assim categorizado. "Davi ouviu um diálogo entre o Senhor (Yahweh) e o Senhor de Davi (Adonai), ou seja, entre Deus Pai e o Messias... mão direita, o lugar de autoridade, até a consumação dos séculos (cf. Sl 2.8,9). Naquele tempo, o Senhor enviará o Senhor de Davi, o Messias, para sujeitar seus inimigos. Um estrado para os pés retratava completa sujeição. Com o seu cetro, o Messias governará sobre os seus inimigos" (Allen P. Ross, *in loc*.). Esse reinado será redentor ou restaurador, e não será meramente forçado, visto que, finalmente, deverá tornar-se tudo para todos (ver Ef 4.10).

■ 110.2

מַטֵּה־עֻזְּךָ יִשְׁלַח יְהוָה מִצִּיּוֹן רְדֵה בְּקֶרֶב אֹיְבֶיךָ:

O Senhor enviará de Sião o cetro do seu poder. Sião será o centro de seu governo, pelo que dali Yahweh enviará o seu poderoso cetro (o cetro de força e poder, o cetro governante), para garantir a extensão universal e o sucesso de seu reinado. Esse cetro pertence e será manipulado pelo Senhor (Adonai, o Messias). Até os inimigos serão sujeitados, o que repete a ideia do vs. 1, onde ofereço notas expositivas. Cf. Jr 48.17 e ver Sl 2.9, que usam, no original hebraico, duas palavras diferentes para o cetro de Sl 2.9, embora o significado seja o mesmo. O cetro não é necessariamente um instrumento de destruição, mas apenas de governo real (ver Sl 45.6). Ver no *Dicionário* o verbete intitulado *Cetro*, para maiores detalhes a respeito. O cetro pode disciplinar, destruir, governar ou simplesmente ser o símbolo de governar com poder. No cetro do Messias há poder e autoridade, mas esse poder e essa autoridade serão administrados com amor constante e misericórdia. O cetro atingirá para curar, e não para destruir.

■ 110.3

עַמְּךָ נְדָבֹת בְּיוֹם חֵילֶךָ בְּהַדְרֵי־קֹדֶשׁ מֵרֶחֶם מִשְׁחָר לְךָ טַל יַלְדֻתֶיךָ:

Apresentar-se-á voluntariamente o teu povo. O hebraico literal diz aqui: "Teu povo são ofertas voluntárias", algo como o conceito de Rm 12.1. Se os inimigos forem inicialmente forçados a ser o estrado dos seus pés, o povo de Deus se mostrará disposto e servo entusiasmado do reino.

No dia do teu poder. Literalmente, "no dia das tuas hostes", quando todas as hostes honrarem e servirem a Yahweh. Mas alguns manuscritos hebraicos, com o apoio de Jerônimo, dizem "sobre os montes santos". Ver Sl 87.1, quanto a isso. O fim poético, "com santos ornamentos, como o orvalho emergindo da aurora", tem por trás um difícil original hebraico, que deixa os intérpretes com a cabeça rodando. A manhã é a mãe do orvalho, e o orvalho aparece de novo a cada manhã. Assim sendo, tal como o orvalho que se renova a cada manhã, o Messias está cheio de juventude eterna e vigor. O texto massorético diz "o orvalho de tua juventude". A figura sugere que o Messias sempre reinará, como um jovem no vigor da vida, ou seja, com energia, frescor e convicção. O Messias nunca envelhecerá nem cairá abaixo do estado ideal, velho e decrépito.

Alguns veem aqui uma figura militar; o Messias liderará suas hostes para tomar Sião e dali liderar o mundo. Então ele fará de seus soldados jovens eternos, muito bem-sucedidos em batalha. O frescor e o vigor juvenil foram uma declaração atribuída a Israel (Mq 5.7); e, assim sendo, a figura poderia aplicar-se às hostes que ajudam o Messias. Cf. 2Sm 17.12. Alguns traduzem aqui por "o devido a teu nascimento", e fazem isso referir-se à concepção impecável do Messias. Isso leva à cristianização total, fazendo esse nascimento referir-se ao novo nascimento (ver Jo 3.3). Esses exemplos mostram ao leitor como a segunda parte do vs. 3 tem sido variegadamente interpretada, com base em diversas traduções. Prefiro ficar com a referência messiânica, e não tanto com o que diz respeito às hostes do Messias.

■ 110.4

נִשְׁבַּע יְהוָה וְלֹא יִנָּחֵם אַתָּה־כֹהֵן לְעוֹלָם עַל־דִּבְרָתִי מַלְכִּי־צֶדֶק:

O Senhor jurou e não se arrependerá. Agora Yahweh declara que o rei é, igualmente, um sacerdote. Os sacerdotes vinham da linhagem levítica. Os reis em Judá vinham do patriarca Judá, e a linhagem de Davi continuava através dessa linhagem. Era um acontecimento incomum (em Judá) um sacerdote também ser um rei, não pertencente à linhagem levítica. De fato, essa situação era tão incomum que precisou ser criado um sacerdócio diferente e superior. Quanto a notas expositivas completas, ver no *Dicionário* o artigo chamado *Melquisedeque*, que oferece notas completas e detalhes abundantes que não repito aqui. Ver Hb 7.1,15.

"O povo do Messias terá um Rei eterno e um eterno Sumo Sacerdote, como Melquisedeque, o rei de Salém (Jerusalém), e o sacerdote do Deus Altíssimo (ver Hb 5.6; 6.20; 7.17,21). Foi como Sacerdote que Jesus sacrificou a si mesmo na cruz (Hb 7.27,28; 10.10). Jesus não pertencia à linhagem de Arão (cf. Hb 7.11-18). Ele é o Eterno Sumo Sacerdote (Hb 7.21-26,28) do Novo Testamento (Hb 8.13; 9.15). Visto ser ele, por igual modo, o prometido Rei davídico, ambos os ofícios foram unidos em uma pessoa" (Allen P. Ross, *in loc*., com um sumário excelente sobre a questão). Naturalmente, tais declarações, como a do presente versículo, ultrapassam tudo quanto se poderia dizer sobre qualquer rei terreno em Judá, pelo que esse rei tem de ser idealista ou profético, e não uma figura histórica. Ver os modos de interpretação no vs. 1.

"O extraordinário juramento de Deus mostra-nos que o sacerdócio do Rei, neste caso, é algo sem paralelo. Davi morreu. Mas o Rei-Sacerdote, semelhante a Melquisedeque, viverá para sempre. Zc 6.9-15, especialmente o vs. 13, descreve semelhantemente o Messias: 'ele se sentará e governará sobre o seu trono, e será um Sacerdote sobre o seu trono'" (Fausset, *in loc*.). Devemos apressar-nos em declarar que reis-sacerdotes eram comuns nas culturas orientais não hebraicas, pelo que a ideia não é destituída de precedentes. Cumpre-nos imaginar que houve uma linhagem de reis-sacerdotes que se seguiram a Melquisedeque, e que o mais elevado dessa linhagem foi o Messias; mas esse pouco de história imaginada é apenas um arcabouço literário, e não verdadeiramente histórico.

O SALMISTA DIRIGE-SE AO REI (110.5-7)

■ 110.5

אֲדֹנָי עַל־יְמִינְךָ מָחַץ בְּיוֹם־אַפּוֹ מְלָכִים:

O Senhor, à tua direita. Yahweh tinha feito o juramento (vss. 1-4). E agora o poeta tira proveito da palavra. Ele viu Adonai (o Senhor-Messias) à mão direita de Deus Pai, pleno de poder e terrores, prestes a ferir os seus adversários no dia da ira. A metáfora militar é resumida com base no vs. 3. Quanto à metáfora da *mão direita de Deus*, ver Sl 20.6, onde dou notas e referências. O poder e a autoridade do Messias são conferidos por Yahweh, o Poder mais alto, pelo que nenhum adversário pode resistir. Ele despedaçará os reis que não lhe oferecerem lealdade voluntária. Isso ocorrerá no dia de sua ira, quando o julgamento de Deus cair sobre as nações e o reino de Deus tiver sido inaugurado. Novamente, as descrições vão muito além do que poderia ser dito acerca de qualquer monarca terreno, pelo que a interpretação deve ser ou idealista ou profética, e entre essas duas opções, a interpretação messiânica-profética é a escolha óbvia.

Então o salmo presente fica inteiramente na órbita da metáfora militar, mas ainda restam muitas coisas a serem ditas além desse tipo de descrição. Fp 3.9 aborda o mesmo tema, com uma diferente fotografia por meio de palavras. Haverá um reinado universal de Cristo. Será um reinado forçado, sempre que isso for necessário; mas onde esse reinado for forçado, os indivíduos forçados se tornarão súditos dignos e produtivos. O mistério da *vontade de Deus* (ver no *Dicionário* e em Ef 1.9,10) entrará na questão e todas as coisas terão unidade em Cristo. Ele encabeçará a criação inteira. Então isso envolverá o seu ser "tudo para todos" (Ef 4.8), pelo que, nessa unidade, haverá restauração e redenção. Por conseguinte, se ficarmos somente com a metáfora militar e somente com o Antigo Testamento, teremos uma visão parcial e inadequada do que significará a restauração. Ver na *Enciclopédia de Bíblia, Teologia e Filosofia* o verbete intitulado *Restauração*.

■ 110.6

יָדִין בַּגּוֹיִם מָלֵא גְוִיּוֹת מָחַץ רֹאשׁ עַל־אֶרֶץ רַבָּה׃

Ele julga entre as nações. O salmista continuava incansavelmente usando a metáfora militar e encontrou terras pagãs repletas de cadáveres deixados pelo ataque das forças do Messias. Ele ferirá a cabeça dos chefes, e isso ocorrerá por toda a terra. Provavelmente o salmista pensou nisso em termos literais, como se Yahweh tivesse literalmente desfechado uma guerra santa (ver Dt 7.1-5 e 20.10-18). Ver sobre Yahweh como o Senhor dos Exércitos, em 1Rs 18.15. Embora haja realmente um aspecto de julgamento na restauração, e esse julgamento seja muito severo, devemos relembrar que o próprio julgamento é um agente de restauração, visto ser esse um dedo da mão amorosa de Deus. Outrossim, mergulhar nas referências do Antigo Testamento sem destacar as passagens paulinas quanto à questão necessariamente produzirá uma teologia inferior. Fazer o Messias declarar guerra santa sem um ministério salvador e restaurador é algo bastante ridículo. Alguns estudiosos veem aqui uma alusão ao *Armagedom*. Ver Ap 19.17,18, como também o artigo no *Dicionário* sobre esse assunto. Mas isso é apenas uma pequena parte do quadro total.

■ 110.7

מִנַּחַל בַּדֶּרֶךְ יִשְׁתֶּה עַל־כֵּן יָרִים רֹאשׁ׃

De caminho bebe na torrente. "O Rei, enquanto persegue os seus adversários, beberá de um riacho à beira da estrada. Isso parece ser um fim inconsequente para o salmo, sendo possível que algo tenha sido perdido do texto" (William R. Taylor, *in loc.*). "O vitorioso líder 'como que desmaia enquanto persegue' (Jz 8.4), faz uma pausa no riacho que cruza a sua vereda e se refrigera. E assim, de cabeça erguida, ele continua a perseguição e termina sua tarefa" (Ellicott, *in loc.*). Alguns intérpretes cristianizam o versículo e veem aqui o Messias morto na cruz, para em seguida reviver e continuar em sua missão. Isso pode ser uma aplicação, mas por certo não é o significado profético do versículo. Provavelmente não há aqui nenhum significado profético, mas apenas parte da metáfora militar que tinha sido empregada. Há até alguns intérpretes cristãos que fazem o riacho representar as águas dos sofrimentos de Cristo, que ele sofreu, mas então ultrapassou, erguendo a cabeça. Todas as interpretações dessa ordem, entretanto, não passam de curiosidades.

> Continua guiando, ó Rei eterno,
> É chegado o dia da marcha;
> Doravante, nos campos da conquista
> Tuas tendas serão o nosso lar.
> Através de dias de preparação
> tua graça nos fortaleceu.
> E agora, ó Rei eterno,
> Entoamos nosso cântico de batalha.
>
> Ernest W. Shurtleff

SALMO CENTO E ONZE

Quanto a informações gerais que se aplicam a todos os salmos, ver a introdução ao Salmo 4, onde apresento sete comentários que elucidam a natureza do livro.

Quanto às classes dos salmos, ver o gráfico no início do comentário, que atua como uma espécie de frontispício da coletânea. Ofereço ali dezessete classes e listo os salmos pertencentes a cada uma delas.

Este salmo é um *hino de louvor* a Yahweh, por causa de suas obras maravilhosas. Ele tinha sido fiel à aliança estabelecida com Israel e esperava a mesma coisa da parte deles. Este salmo é o que tem sido chamado de composição acróstica, pois cada linha começa com uma letra sucessiva do alfabeto hebraico. Quanto a notas expositivas completas sobre os salmos acrósticos, ver a introdução ao Salmo 34. Provavelmente, este salmo tinha por intuito ser usado nas festividades, pela congregação de Israel, que tinha muitas razões para clamar um alegre aleluia! (louvai ao Senhor!). A este salmo falta claro desenvolvimento, como acontece com os verdadeiros salmos acrósticos, nos quais o estilo literário interfere no fluxo do pensamento. Vinte e duas linhas curtas são criadas por meio desse artifício, cada linha iniciando com uma nova letra do alfabeto hebraico. Certa artificialidade naturalmente resultava desse modo de expressão literária. O Salmo 112 tem estrutura bastante parecida com algumas ideias correspondentes, pelo que é possível que os dois salmos tenham sido compostos pelo mesmo autor.

Subtítulo. Este é um dos 34 salmos sem subtítulos ou declarações introdutórias, supridas por editores posteriores. Quanto aos chamados "salmos órfãos", ver a introdução ao Salmo 91, sob *Subtítulo*.

INTRODUÇÃO: O ALELUIA (111.1)

■ 111.1

הַלְלוּ יָהּ אוֹדֶה יְהוָה בְּכָל־לֵבָב בְּסוֹד יְשָׁרִים וְעֵדָה׃

Aleluia! De todo o coração renderei graças ao Senhor. O salmista começou este hino com um aleluia! elaborado, que ele deixou fora de seu arranjo acróstico (ver a introdução, anteriormente). Ele convidou a congregação de Israel a louvar o Senhor e então declarou que faria a mesma coisa. O hino de agradecimento começou com essa chamada para todos se juntarem no mesmo louvor. Talvez o hino que se segue fosse empregado nas festividades, no ritual do templo. Ver no *Dicionário* os artigos intitulados *Louvor* e *Aleluia*. Quanto à assembleia, ver Sl 25.14.

Justos. Ou seja, homens espirituais, de acordo com os padrões dos hebreus, os que conheciam e guardavam a lei. Ver em Sl 1.2 um sumário do que isso significava em Israel.

AS GRANDES OBRAS DE YAHWEH (111.2-4)

■ 111.2

גְּדֹלִים מַעֲשֵׂי יְהוָה דְּרוּשִׁים לְכָל־חֶפְצֵיהֶם׃

Grandes são as obras do Senhor. Estão em pauta as obras de Deus na criação e em todas as manifestações de sua providência, nos tempos antigos e no tempo presente. O louvor começa relembrando as muitas e poderosas obras que beneficiam a toda a humanidade. Aos homens compete "sondá-las" (conforme diz a *King James Version*) ou "estudá-las" (segundo diz a *Revised Standard Version*) para conhecê-las melhor e falar sobre elas. Os que estudam as grandes obras divinas nelas terão prazer. Elas satisfazem os desejos dos santos, conforme o Salmo 23 nos diz longamente.

"O salmista, sem dúvida nenhuma, estava pensando nas provas históricas da bondade de Yahweh para com a raça escolhida, mas suas palavras são capazes de uma aplicação mais ampla" (Ellicott, *in loc.*). O Salmo 105 é uma narrativa positiva da história de Israel, ou seja, a narrativa da história sagrada. Ali, nenhum fracasso por parte de Israel é registrado, mas somente as obras poderosas de Deus em favor deles. Mas o Salmo 106 é o relato negativo da história sagrada, em que muitos fracassos são creditados a Israel, embora as mesmas obras poderosas de Deus brilhem no relato.

■ 111.3

הוֹד־וְהָדָר פָּעֳלוֹ וְצִדְקָתוֹ עֹמֶדֶת לָעַד׃

Em suas obras há glória e majestade. Nessas obras há motivos para o povo de Israel louvar a Deus, sendo elas reconhecidas e pagas com uma vida reta. Essas obras são gloriosas e majestáticas, e isso não deve ser esquecido. Pois, quanto mais vamos sendo transformados pelas obras de Deus, mais desenvolvemos uma maneira espiritual de pensar. Isso, sem dúvida, exerce algum efeito sobre a espiritualidade básica do homem. Cf. Sl 104.1. Lemos ali que o próprio Yahweh se reveste de "glória e majestade", pelo que o que pode ser dito acerca dele, também pode ser dito acerca de suas obras.

A sua justiça permanece para sempre. Parte das vestes de Deus são a sua glória e a sua santidade. Ver no *Dicionário* os verbetes denominados *Retidão* e *Justiça*. Os deuses dos pagãos imaginariamente operavam grandes coisas, mas não combinavam o poder com a bondade. Platão dizia claramente que o Poder Supremo também precisava ser santíssimo, pois, de outra sorte, qualquer verdadeiro conceito de poder seria maculado.

▪ 111.4

זֵכֶר עָשָׂה לְנִפְלְאֹתָיו חַנּוּן וְרַחוּם יְהוָה׃

Ele fez memoráveis as suas maravilhas. As obras poderosas e maravilhosas de Deus requerem ser relembradas pelos seres humanos. De fato, Yahweh as praticava para que ficassem gravados na mente dos homens o seu poder, a sua glória, o seu governo, o seu amor constante e as suas obras benéficas em favor dos homens. Suas obras demonstravam ser Deus gracioso e pleno de compaixão. Ele as praticava para beneficiar os seres humanos, pois ele sempre age em amor. Note o leitor como o poder é vinculado ao benefício dos homens, bem como à compaixão e ao amor de Deus. Poder não é, necessariamente, direito, na teologia dos hebreus. O direito busca o bem dos homens. O poder beneficia, em vez de destruir. Visto que o versículo seguinte diz como Yahweh proveu carne para o seu povo no deserto, pode haver uma alusão, neste versículo, às suas poderosas obras no Egito, por meio das dez pragas, e também às suas obras às margens do mar Vermelho e então por todas as perambulações pelo deserto do Sinai. Entretanto, alguns estudiosos veem aqui uma menção ao livramento de Judá do cativeiro babilônico. Seja como for, houve muitos memoriais (conforme diz literalmente o original hebraico) de obras poderosas, que Israel jamais deveria olvidar. Isso deveria provocar, em primeiro lugar, o louvor a Deus, e então, em seguida, agradecimento, em consonância com a lei (Sl 1.2, sumário). Cf. Js 4.7.

Benigno e misericordioso. Cf. Sl 86.5,15; 103.8 e 145.8. Ver sobre esses termos no *Dicionário* (*Compaixão* e *Misericórdia*).

Este versículo tem sido cristianizado para falar sobre os labores de Cristo em favor dos homens, do que resulta a salvação dos homens.

OS CUIDADOS DE DEUS POR SEU POVO (111.5-9)

▪ 111.5

טֶרֶף נָתַן לִירֵאָיו יִזְכֹּר לְעוֹלָם בְּרִיתוֹ׃

Dá sustento aos que o temem. O autor sagrado começou a enumerar as obras de Deus que são memoriais para o homem, com uma referência indefinida (vs. 4). Agora ele chegou a algo específico. Deus dá ao homem todo o suprimento físico de que ele necessita. "A ilustração disso foi o suprimento de maná e codornizes, ao tempo do êxodo (ver Êx 16.11-16), mas a ideia pode ter uma aplicação ainda mais geral (cf. Sl 34.9,10; 104.14,15; Mt 6.25-34)" (William R. Taylor). A palavra *sustento* aqui usada geralmente significa presa, por certo um uso estranho. Devemos lembrar, porém, que o poeta sagrado seguia o estilo acróstico, e, assim sendo, limitou o vocabulário conforme esse esquema. Ver a introdução ao salmo quanto ao sentido de acróstico. Ver também a introdução ao Salmo 34, onde há observações mais completas. Contudo, alguns estudiosos insistem em tomar literalmente a palavra *presa*, referindo-se aos despojos que Israel tomou do Egito e, mais tarde, da terra de Canaã.

Sua aliança. A alusão aqui é ou ao pacto abraâmico (comentado em Gn 15.18) ou ao pacto mosaico (anotado na introdução a Êx 19). Ou então o pacto mosaico é encarado como se tivesse sido incorporado ao pacto mais antigo, o abraâmico. Ver no *Dicionário* o artigo chamado *Pactos*, quanto a um sumário. Deus trabalhou em favor do povo relacionado com ele por meio de aliança, por determinação de sua vontade. O povo do pacto supostamente responderia com louvores, vivendo segundo as ordens de Yahweh. Ver Sl 1.2, quanto a um sumário do que a lei significava para o povo de Israel.

Este versículo é cristianizado para referir-se a tudo quanto Cristo tem feito por seu povo do Novo Testamento.

▪ 111.6

כֹּחַ מַעֲשָׂיו הִגִּיד לְעַמּוֹ לָתֵת לָהֶם נַחֲלַת גּוֹיִם׃

Manifesta ao seu povo o poder das suas obras. Aconteceram em Israel coisas que não concordavam com o curso normal da natureza. Houve o poder do alto. Israel, não possuindo grande exército e tendo acabado de sair do deserto, enfrentou sete ou mais bem organizadas nações na terra de Canaã. Essas nações mais organizadas contavam com cidades fortificadas e carros de combate de ferro. Também possuíam cavalos, armas especiais e mecanismos de guerra. Não era humanamente possível que Israel derrotasse seus adversários. Ver sobre as nações expelidas da Terra Prometida, em Êx 33.2 e Dt 7.1. É verdade que muitos bolsões de resistência permaneceram, pelo que Israel foi sempre assediado até os dias de Davi, séculos mais tarde, quando ele aniquilou ou confinou todas essas nações. Ver sobre os oito inimigos derrotados por Davi, em 2Sm 10.19. Foi então que Salomão, filho de Davi, foi capaz de levar a Israel à sua época áurea, em meio a uma paz quase total.

A Terra Prometida tornou-se a herança de Israel, tal e qual o pacto abraâmico dizia que aconteceria. Essa era uma das grandes promessas daquele pacto. A doação da terra a Israel foi uma das grandes obras de Yahweh, uma daquelas que mereciam louvor e gratidão, resultando em uma vida correta, ou seja, a obediência à lei. Ver Sl 1.2, quanto ao sumário do que a lei significava para Israel. Cf. Sl 78.55.

Este versículo tem sido cristianizado para falar da herança de Cristo que consiste em todos os povos e terras, mediante a ação conquistadora do evangelho e de um reinado eterno.

▪ 111.7,8

מַעֲשֵׂי יָדָיו אֱמֶת וּמִשְׁפָּט נֶאֱמָנִים כָּל־פִּקּוּדָיו׃

סְמוּכִים לָעַד לְעוֹלָם עֲשׂוּיִם בֶּאֱמֶת וְיָשָׁר׃

As obras de suas mãos são verdade e justiça. O Poder divino só faz o que é justo, sempre fiel aos princípios santos, em contraste com as divindades pagãs, as quais, alegadamente, tinham poder, mas pouca ou nenhuma santidade. Cf. estes versículos com o vs. 3. Ademais, ele nos deu leis que revelam a sua natureza santa. Essas leis são tanto santas quanto firmes. Os hebreus imaginavam que a lei mosaica seria eterna (vs. 8). Eles não antecipavam coisa alguma que pusesse a lei em eclipse ou a substituísse, pelo que o fato de que o Messias pudesse fazer isso parecia incrível para a mentalidade dos judeus. Cf. Sl 19.8. Esta declaração tem sido cristianizada para fazê-la referir-se ao evangelho cristão. Os mandamentos (no dizer da *King James Version*) ou preceitos (conforme se lê na *Revised Standard Version*) são estabelecidos para sempre, pelo que devem ser seguidos de forma fiel e exata. O fiel precisa ser fiel, não esquecendo a lei e seus requisitos. Os preceitos tinham de ser cumpridos com retidão, de modo pleno e da maneira prescrita. O autor sacro falava sobre a lei inteira, ou seja, seus aspectos moral e cerimonial. Os hebreus não estabeleciam distinção entre esses dois aspectos, pois, para eles, todas as leis cerimoniais eram injunções morais sérias. "... estáveis para sempre (no hebraico, *semuchim*), ou seja, apoiadas e sustentadas, e assim seria para sempre. Jamais poderiam fracassar, visto que o poder de Deus sustentava suas obras e sua lei. A providência divina preserva o registro do que tinha sido feito" (Adam Clarke, *in loc.*, com alguma adaptação).

▪ 111.9

פְּדוּת שָׁלַח לְעַמּוֹ צִוָּה־לְעוֹלָם בְּרִיתוֹ קָדוֹשׁ וְנוֹרָא שְׁמוֹ׃

Enviou ao seu povo a redenção. Não está em vista aqui a redenção evangélica, mas o livramento. A referência é geral. Essa palavra foi usada para indicar o livramento da servidão no Egito (Dt 7.8), no caso de Davi (2Sm 4.9; 1Rs 1.29) e no tocante ao exílio babilônico (Jr 31.11). Ademais, pode referir-se à futura redenção de Israel (Is 35.10; 1Co 3.30; Rm 8.23). Yahweh ordenaria que seu pacto perduraria para sempre. Ver sobre o vs. 5. Cf. Sl 42.8; 133.3 e Dt 28.8.

Santo e tremendo é o seu nome. A *Revised Standard Version* diz aqui "santo e terrível", ao passo que o texto inferior é o da *King James Version*, "santo e reverendo". Quantos jovens pregadores têm argumentado acerca da legitimidade de um ministro ser chamado de "reverendo"! Os mais radicais respondem com um "não", ao passo que os mais liberais dizem "sim". A resposta negativa sempre foi apoiada por este texto de prova: somente o nome de Deus é reverendo, ou seja, digno de ser reverenciado. No entanto, o verdadeiro texto é "terrível". Ora, existem pregadores terríveis, mas nenhum deles quer ser chamado assim. Poderíamos traduzir o termo hebraico envolvido por "espantoso", sinônimo de "tremendo". Como é claro, nenhum pregador é "tremendo", pelo que esse adjetivo só pode ser aplicado a Deus. "Isso significa que ele é santo de tal maneira que os homens chegam a temê-lo" (Allen P. Ross, *in loc.*). E ainda é maior do que isso; pois além de ser santo, o nome de Deus é tão poderoso que realiza obras notáveis e espantosas, pelo que podemos dizer que o nome de Deus é "tremendo". Os seus julgamentos fazem os homens temê-lo e, assim sendo, o nome de Deus também é "terrível".

■ 111.10

רֵאשִׁ֤ית חָכְמָ֨ה ׀ יִרְאַ֬ת יְהוָ֗ה שֵׂ֣כֶל ט֭וֹב לְכָל־עֹשֵׂיהֶ֑ם
תְּ֝הִלָּת֗וֹ עֹמֶ֥דֶת לָעַֽד׃

O temor do Senhor é o princípio da sabedoria. Esta declaração, tão bem conhecida por todos nós, é igualmente encontrada em Jó 28.28; Pv 1.7; 9.10 e Eclesiástico 1.18. Cada um dos versículos que a contêm terminam com alguma outra declaração. *Temor* é uma espécie de palavra geral que fala sobre a espiritualidade do Antigo Testamento. Ver no *Dicionário* o verbete intitulado *Temor*. "Temor... reverência ao Senhor, um termo compreensivo para indicar adoração, ritual e moralidade de Israel, também é encontrado em Sl 19.9; 34.11 e 119.38" (William R. Taylor, *in loc.*). Mas não devemos divorciar o conceito do temor genuíno, pois Yahweh é o Deus terrível (vs. 9). Naturalmente, a prática da lei é a base do temor a Deus.

Princípio. Esta tradução é favorecida por Pv 9.10, mas algumas traduções dizem aqui *chefe*, e por isso algumas versões falam que "o mais elevado" ou "a sabedoria chefe" é o temor de Deus.

Revelam prudência. Este é um tema frequente dos escritores de sabedoria. Ver no *Dicionário* o artigo *Sabedoria*, seção III, *Literatura de Sabedoria*. O ideal é que o crente tenha uma mente compreensiva. Ver Pv 3.4 e 13.15. Para alcançar uma mente compreensiva, temos de observar a lei em seus muitos requisitos, negativos e positivos, e também observar o culto e o ritual do templo. Na lei de Moisés concentrava-se a sabedoria, e os que praticavam a sabedoria, como é óbvio, também praticavam a lei.

O seu louvor permanece para sempre. Consideremos aqui os seguintes pontos: 1. Essas palavras podem significar que o louvor deve ser dado para sempre a Yahweh, o que significa que este versículo está ligado ao vs. 1. A palavra aleluia! começa e termina o salmo. 2. Mas alguns estudiosos pensam que aqui o louvor mana do coração do homem bom, que teme o Senhor e conseguiu alcançar um bom entendimento. Não se pode chegar a uma conclusão indiscutível. Ver como o Salmo 106 começa e termina com um aleluia! Talvez os cânticos de louvor começassem e terminassem com frequência, se não mesmo costumeiramente, com aleluia! e, nesse caso, isso poderia favorecer a primeira ideia.

SALMO CENTO E DOZE

Quanto a informações gerais que se aplicam a todos os salmos, ver a introdução ao Salmo 4, onde apresento sete comentários que elucidam a natureza do livro.

Quanto às classes dos salmos, ver o gráfico no início do comentário, que atua como uma espécie de frontispício da coletânea. Ofereço ali dezessete classes e listo os salmos pertencentes a cada uma delas.

Este é um *salmo de sabedoria*, o qual contrasta a sorte dos justos com o destino dos ímpios. Parece-se um tanto com os Salmos 1 e 111, mas preocupa-se mais com as recompensas dos justos (vss. 1-19) do que com os castigos dos ímpios (vs. 10). Trata-se de um poema acróstico, o que significa que cada linha começa com uma letra sucessiva do alfabeto hebraico. Ver sobre esse artifício literário na introdução ao Salmo 34, com notas adicionais na introdução ao Salmo 111. As similaridades entre os Salmos 111 e 112 podem indicar que essas as composições foram redigidas pelo mesmo poeta. O Salmo 111 é um hino nacional, mas o Salmo 112 é um salmo didático sobre a sabedoria, especialmente voltado à bênção dos ímpios. Algumas das palavras aplicadas a Deus no Salmo 111 são ousadamente transferidas para o homem piedoso no Salmo 112. Cf. Sl 111.3 a Sl 112.3, e Sl 111.4 a Sl 112.6. Além disso, Sl 111.8 é paralelo a Sl 112.8. Tal como o salmo anterior, este salmo considera verdades fundamentais as recompensas verbais para os justos e a punição iminente para os ímpios. Esse é um tema que se encontra com frequência no livro de Deuteronômio. A verdadeira piedade é descrita aqui mais claramente do que nos salmos anteriores, e as virtudes sociais são salientadas mais ou menos no estilo do Salmo 15.

Subtítulo. Este é um dos 34 chamados "salmos órfãos", ou seja, destituídos de títulos ou notas introdutórias. Quanto a essa circunstância, ver a introdução ao Salmo 91, sob *Subtítulo*.

■ 112.1

הַ֥לְלוּ יָ֨הּ ׀ אַשְׁרֵי־אִ֭ישׁ יָרֵ֣א אֶת־יְהוָ֑ה בְּ֝מִצְוֺתָ֗יו חָפֵ֥ץ
מְאֹֽד׃

Aleluia! Bem-aventurado o homem que teme ao Senhor. *O Segredo da Bem-aventurança.* Este versículo começa com um aleluia! de introdução, como acontece em Sl 111.1. Ver as notas expositivas ali. Sl 106 também começa com um aleluia! Isso talvez seja uma característica dos hinos de louvor, alguns dos quais foram preservados no saltério.

O restante deste vs. 1 é virtualmente idêntico ao final do Salmo 111, a saber, o vs. 10, exceto pelo fato de que o homem que teme a Yahweh e guarda os mandamentos é chamado de bem-aventurado ou feliz. Cf. também Sl 34.22 e 69.36. "O temor, longe de ser um serviço duro, é o único serviço feliz (bem-aventurado) (Jr 32.39). Cf. 1Jo 3.23,24 e 5.3. A verdadeira obediência não é uma tarefa dura, mas um deleite (Sl 1.2). Os deleites mundanos, que fazem a piedade tornar-se cansativa, são suplantados pelo deleite dos nascidos de novo, que provam a vontade e os caminhos de Deus (Sl 19.7,10)" (Fausset, *in loc.*). "Edificando com base no fim do salmo anterior, este versículo diz que aquele que teme o Senhor e se deleita em sua lei é bem-aventurado. Cf. Sl 1.1,2. Quanto ao louvor ao Senhor, ver Sl 104.35" (Allen P. Ross, *in loc.*). "Não basta temer a Deus, também precisamos amar a Deus. O temor nos impedirá de cair no mal. O amor nos levará à obediência" (Adam Clarke, *in loc.*).

A FELICIDADE DA FAMÍLIA (112.2-4)

■ 112.2

גִּבּ֣וֹר בָּ֭אָרֶץ יִהְיֶ֣ה זַרְע֑וֹ דּ֭וֹר יְשָׁרִ֣ים יְבֹרָֽךְ׃

A sua descendência será poderosa na terra. O homem bom e bem-aventurado terá abundante posteridade e será um indivíduo distinto e bem-aventurado ou feliz, tal como foram seus antepassados. Isso toca em uma questão muito importante para a mente dos hebreus. Uma das principais promessas do pacto abraâmico (comentado em Gn 15.18) era exatamente essa. Não basta que a bênção divina tenha bafejado a Abraão. Precisava alcançar também a sua posteridade, porque Yahweh tinha um plano coletivo, não apenas individual. Alguns estudiosos fazem deste versículo uma profecia e transferem a questão para a era do Reino, mas isso é exagerar a questão. Outros eruditos também o cristianizam vendo aqui os descendentes espirituais distantes de Abraão, a Igreja.

Poderosa. O primeiro significado aqui é o sentido militar, mas a prosperidade em todas as coisas, onde nada falta, deve ser a aplicação primária da palavra.

■ 112.3

ה֣וֹן וָעֹ֣שֶׁר בְּבֵית֑וֹ וְ֝צִדְקָת֗וֹ עֹמֶ֥דֶת לָעַֽד׃

Na sua casa há prosperidade e riqueza. A bênção hebraica típica era essa, o bem-estar físico, incluindo extraordinária prosperidade financeira, grandes riquezas materiais, e isso vinculado a uma genuína espiritualidade, pois a retidão também caracterizaria os descendentes do homem bom. "O homem piedoso teria tanto uma vida longa quanto dinheiro" (Adam Clarke, *in loc.*). A espiritualidade teria de ser permanente, uma característica constante, ou seja, para sempre, o que, dentro do contexto hebraico, significaria passar de uma geração à seguinte, interminavelmente. O vs. 9 aplica a questão às obras beneficentes de um homem em favor dos pobres. Assim sendo, a justiça deve manifestar-se mediante caminhos de benevolência, como a caridade e as doações, que eram valores hebraicos constantes. Nisso, a bondade seria eterna.

> Nada existe, nada, que seja inocente ou bom, e que morra e seja esquecido.
>
> Dickens

Este versículo tem sido cristianizado para falar do "tesouro no céu que nunca falha" (ver Lc 12.33). "Assim sendo, até mesmo na terra, esse princípio é válido, pelo menos em parte (Mt 6.33)" (Fausset, *in loc.*). O homem bom é generoso e justo, e Deus não permite que ele ou sua descendência (se seguirem o seu exemplo) escorreguem para a nulidade. O bom Deus preserva os bons. Para o homem bom, a abundância material gira em torno do que é eterno, espiritual, conforme alguns interpretam o versículo, vendo nele um indício da salvação cristã.

■ 112.4

זָרַח בַּחֹשֶׁךְ אוֹר לַיְשָׁרִים חַנּוּן וְרַחוּם וְצַדִּיק׃

Aos justos nasce luz nas trevas. O justo tem a luz de Deus brilhando sobre ele, mesmo quando está nas trevas. Yahweh mostra-se gracioso, misericordioso e justo para com ele. Sua causa é defendida. Sua missão é assegurada, e a ele é dado tempo para cumpri-la. Ele prospera para sempre no dia a dia. Ver no *Dicionário* os artigos chamados *Luz* e *Trevas*. O homem bom tem a Luz do sol nascente em sua vida, provavelmente a figura tencionada aqui. Ver Sl 97.11 e Is 58.8. "Para o homem bom, a noite mais escura de tribulações e tristezas trará um amanhecer cheio de esperança" (Ellicott, *in loc.*). Alguns estudiosos pensam que está em vista aqui a noite do cativeiro babilônico. Em Ed e Neemias, um novo dia alvoreceu. Mas a referência parece ser geral. Todas as noites, para o homem justo, serão seguidas por um glorioso alvorecer.

O homem bom é generoso para com outros homens (vss. 3 e 4), pelo que também Yahweh é generoso para com ele. No original hebraico, ao verbo ser, "é", falta um sujeito; e alguns eruditos suprem a palavra Yahweh como sujeito, mas outros fazem o próprio homem bom ser gracioso, misericordioso e reto em todos os seus tratos com outras pessoas.

VALORES SOCIAIS (112.5-9)

■ 112.5

טוֹב־אִישׁ חוֹנֵן וּמַלְוֶה יְכַלְכֵּל דְּבָרָיו בְּמִשְׁפָּט׃

Conforme o trecho de Rm 5.7, um homem justo pode não ser um homem bom, no sentido de generoso, ou expressar sua espiritualidade sob a forma de boas obras, em favor de seus semelhantes. O versículo à nossa frente fala sobre um homem justo e bom. Ele mostra favor a outros, porquanto Yahweh tem sido favorável para com ele; ele empresta aos que estão em necessidade, porque Deus tem dado a ele. Em seguida, a maior parte de seus empréstimos termina por ser doações, porquanto a alma do homem bom lhe dirá para não somente emprestar a alguém. Estamos falando aqui sobre a lei do amor, a mais elevada. Ver no *Dicionário* o artigo chamado *Amor*. Esse é o primeiro princípio espiritual porque Deus é amor (1Jo 4.8). E o homem regenerado naturalmente ama (1Jo 4.7), ou então não será um homem regenerado. A diferença não é o credo que o homem tem, mas o seu espírito generoso. A generosidade é outro nome para o amor.

> Limites de pedra não podem conter ao amor,
> E o que o amor pode fazer, isso ousa tentar.
>
> Shakespeare

> O oposto da injustiça não é a justiça — é o amor. O amor, como a morte, muda tudo.
>
> Kahlil Gibran

Cf. Sl 37.26. Ver também Dt 23.19,20. "As descrições aqui existentes caracterizam o judaísmo em seu melhor aspecto. Charles Singer (*The Christian Failure*), que citou casos de liberalidade judaica, salientou que o hebraico clássico contava com uma única palavra (*cedhaqah*) tanto para caridade como para justiça" (J. R. P. Sclater, *in loc.*). Portanto, o homem do texto, efetuando todos os seus negócios com justiça, será generoso em tudo quanto fizer. Será um bom economista, mas não esquecerá os necessitados. Será um bom administrador e sempre fará seus negócios com honestidade, mas parte da boa administração consiste em não deixar esquecido o homem pobre.

■ 112.6

כִּי־לְעוֹלָם לֹא־יִמּוֹט לְזֵכֶר עוֹלָם יִהְיֶה צַדִּיק׃

Não será jamais abalado. Visto que ele se lembra do bem de outras pessoas, Yahweh se lembra do bem dele, pelo que ele nunca se sente inseguro nesta vida: seu alicerce de espiritualidade permanece firme. Quanto a como o homem piedoso nunca é abalado, ver Sl 15.5 e 16.8. O homem generoso é relembrado por outras pessoas; muito tempo depois de ter morrido, outras pessoas falarão favoravelmente a seu respeito.

> A memória do justo é abençoada, mas o nome dos perversos cai em podridão.
>
> Provérbios 10.7

Jesus é o exemplo supremo a ser seguido. Ali encontramos perdão, justiça própria, misericórdia e magnanimidade sem condescendência ou desculpas; um amor que não conhece limites e nunca cede diante do sentimentalismo.

> Jesus, cuja sorte foi lançada conosco,
> Que viu o quadro inteiro, do começo ao fim.
>
> Fred Brittain

"Para alcançar a perfeição, temos de ultrapassar o Antigo Testamento e chegar até ele" (J. R. P. Sclater, *in loc.*). Cf. Ml 3.6; Hb 6.10 e Mt 25.35.

■ 112.7

מִשְּׁמוּעָה רָעָה לֹא יִירָא נָכוֹן לִבּוֹ בָּטֻחַ בַּיהוָה׃

Não se atemoriza de más notícias. Se nosso homem não pode ser abalado (vs. 6), então nem mesmo más notícias poderão impressioná-lo, e aquele que não se deixa abalar pelas más notícias é realmente um homem forte. Ele possui uma fé que ultrapassa o seu credo. Ele continua confiando em Yahweh, que tem uma maneira de transformar coisas más em coisas boas. Deus é o Deus das boas reversões, pelo que o nosso homem continua a confiar nele. "Ele sabe que Deus governa o mundo, pelo que não teme o futuro. Quanto às calamidades, não as teme, porquanto seu coração está firme, determinado a continuar ao longo da vereda reta, sem desviar-se, sem importar as perseguições ou outras coisas que venha a sofrer. Ele confia no Senhor" (Adam Clarke, *in loc.*). Somos levados a pensar no caso de Jó, que quantas vezes recebeu notícias tristes da parte de mensageiros, enquanto sua vida caía aos pedaços. Não obstante, continuou confiando em Deus. Naturalmente, quando Deus tocou em seu corpo, ele se voltou para o pessimismo, mas praticamente qualquer homem que tenha sofrido como ele sofreu faria a mesma coisa.

> A virtude é ousada, e a bondade nunca é temerosa.
>
> Shakespeare

"Qualquer mal que lhe sobrevenha, Deus pode e realmente desviará esse mal visando o bem (Rm 8.28)" (Fausset, *in loc.*).

■ 112.8

סָמוּךְ לִבּוֹ לֹא יִירָא עַד אֲשֶׁר־יִרְאֶה בְצָרָיו׃

O seu coração, bem firmado, não teme. Este versículo refaz os vss. 6 e 7. O nosso homem é inabalável; seu coração está firme; ele não sente medo, podendo receber tanto o mal quanto o bem, sem se deixar abalar. Se algum adversário o perseguir, ele sabe que tal homem receberá o que merece, e sentir-se-á livre do mal que outros queiram fazer contra ele (Sl 54.7). Isso faz parte de sua fé, pelo que o seu coração não fica agitado quando outros o criticam ou lhe fazem mal. A espiritualidade desse homem torna-o um homem superior. Não se pode medi-lo segundo os mesmos padrões com que se medem as massas populares. Cf. Sl 59.10.

Diz-se que Bernard Manning, do Colégio de Jesus, era um homem modesto, que evitava ser louvado pelos homens. Mas era do tipo de homem que não se esquivava quando outros o procuravam. Ele gastava pouco consigo mesmo, mas era generoso com outros e com as causas boas. Esse homem bom também poupava o seu tempo. Seu tempo e seu dinheiro pertenciam aos outros, conforme diz o seu biógrafo, Fred Brittain. Manning, tal como a figura humana deste versículo, não podia ser medido segundo a mesma medida com que se medem as massas. Era um homem à parte.

■ 112.9

פִּזַּר נָתַן לָאֶבְיוֹנִים צִדְקָתוֹ עֹמֶדֶת לָעַד קַרְנוֹ תָּרוּם בְּכָבוֹד:

Distribui, dá aos pobres. O poeta retorna à generosidade do homem bom. Ele distribuía livremente aos pobres (*Revised Standard Version*), e isso fazia parte de sua retidão. Ver as notas expositivas sobre o vs. 5. A caridade e a justiça eram representadas por uma única palavra hebraica.

O seu poder se exaltará em glória. "Poder", neste caso, é a mesma palavra hebraica traduzida por "chifre", símbolo de poder, visto que vários animais têm sua força, para defesa e para ataque, nos chifres. Ver sobre essa figura em Sl 75.4,5. O homem bom terá poder e honra, e isso fará parte da recompensa de Yahweh a ele, por causa de sua generosidade para com outros. O homem generoso receberá todas as coisas generosamente da parte de Deus. Paulo emprega este versículo em 2Co 9.9: "Como está escrito: Distribuiu, deu aos pobres, a sua justiça permanece para sempre".

Ver também Pv 11.24. É certo dar aos outros e, dessa maneira, a retidão (e também outras virtudes) perdurará para sempre. A generosidade é um fruto da fé, e a fé é uma qualidade da espiritualidade. Mas a generosidade é a qualidade suprema da espiritualidade genuína. Cf. o vs. 3.

"O opróbrio lançado contra ele será retirado. Ele se tornará cada vez mais próspero e o mais honrado entre os homens na terra. E na manhã da ressurreição ele terá domínio sobre os ímpios e aparecerá juntamente com Cristo em glória, e estará com ele por toda a eternidade" (John Gill, *in loc.*).

■ 112.10

רָשָׁע יִרְאֶה וְכָעָס שִׁנָּיו יַחֲרֹק וְנָמָס תַּאֲוַת רְשָׁעִים תֹּאבֵד:

O perverso vê isso, e se enraivece. *O Desbarato dos Ímpios.* O homem perverso, que persegue ao homem bom, somente para ver Deus tomar a causa do homem bom e abençoá-lo com ainda maior abundância, dando-lhe dinheiro, posição, poder e honra, desmaiará diante dos acontecimentos. Ele ficará tão faminto que rangerá os dentes e então os seus próprios desejos serão dissolvidos e transformados em pó. Ver sobre a *Lei Moral da Colheita segundo a Semeadura*, no *Dicionário*, que este versículo ilustra tão vividamente. Quanto ao *ranger dos dentes*, cf. Mt 8.12. Alguns intérpretes emendam a palavra *desejo* para o termo *esperança*. O desejo ou esperança do homem mau, de ver-se rico e honrado, e de ver o homem bom na pobreza e abatido de espírito, perder-se-á. O reverso acontecerá porque Yahweh sabe a quem deve abençoar e a quem deve amaldiçoar. Cf. Sl 9.18; Jó 8.13; Pv 10.28 e 11.7.

> *A esperança dos justos é alegria, mas a expectativa dos perversos perecerá.*
>
> Provérbios 10.28

"Dissolver-se-á, como a cera perto do fogo (Sl 68.2)" (Fausset, *in loc.*). Dissolver-se-á como a neve sob o sol escaldante, outra figura possível. Ou, então, como a lesma que parece dissipar-se enquanto avança (Sl 58.8).

> *São assim as veredas de todos quantos se esquecem de Deus; e a esperança do ímpio perecerá.*
>
> Jó 8.13

A cena descrita pelo salmista é terrena. Ele não estava predizendo o castigo do homem mau na outra vida. Tal interpretação seria aqui anacrônica.

SALMO CENTO E TREZE

Quanto a informações gerais que se aplicam a todos os salmos, ver a introdução ao Salmo 4, onde apresento sete comentários que elucidam a natureza do livro.

Quanto às classes dos salmos, ver o gráfico no início do comentário, que atua como uma espécie de frontispício da coletânea. Ofereço ali dezessete classes e listo os salmos pertencentes a cada uma delas.

Este salmo é um hino que celebra Yahweh como o ajudante dos humildes. É outro *salmo de aleluia*, que começa e termina com a expressão aleluia!, que significa "louvado seja o Senhor". Ver os Salmos 106 e 111.

"De acordo com a tradição litúrgica dos judeus, os Salmos 113 a 118 constituem o chamado Hallel Egípcio (ver 114.1), usado em conexão com as grandes festividades. Por ocasião da Páscoa, os Salmos 113 a 114 eram entoados antes da refeição e, depois dela, eram entoados os Salmos 115 a 118 (cf. Mt 26.30)" (*Oxford Annotated Bible*, introdução a este salmo). Em seus poucos versículos, este salmo consegue apresentar algumas das ideias teológicas mais básicas do Antigo Testamento.

"Este salmo começa com o Hallel (louvor) ou, conforme algumas vezes é chamado, com o Grande Hallel, embora esse nome seja mais apropriadamente restrito ao Salmo 136, recitado por ocasião das grandes festividades judaicas. Este salmo foi parcialmente modelado segundo o cântico de Ana" (Ellicott, *in loc.*). Quanto ao cântico de Ana, ver 1Sm 2.1-10. Cf. o *Magnificat* de Maria (ver Lc 1.45-55). As grandes festividades eram a Páscoa, o Pentecoste e os Tabernáculos, as três festas religiosas anuais às quais todo varão hebreu deveria fazer-se presente. Os Salmos 113 e 117 começam e terminam com a palavra aleluia! Os Salmos 115 e 116 terminam com esse vocábulo, mas não apresentam essa exclamação no começo. O Salmo 118 tem a atribuição de ações de graças no começo e no fim.

Subtítulo. Aos *Salmos Hallel* (Salmos 113 a 118) falta qualquer anotação de introdução ou título, pelo que eles estão entre os 34 chamados "salmos órfãos". Quanto a essa circunstância, ver a introdução ao Salmo 91, sob *Subtítulo*.

LOUVORES A DEUS ENTRONIZADO NO ALTO (113.1-9)

Exortação ao Louvor (113.1)

■ 113.1

הַלְלוּ יָהּ הַלְלוּ עַבְדֵי יְהוָה הַלְלוּ אֶת־שֵׁם יְהוָה:

Aleluia! Louvai, servos do Senhor. Temos aqui o aleluia geral, que convoca todo o povo de Israel, os servos de Yahweh, a clamar Louvor! Yahweh é o alvo dessa aclamação! Ele é digno de ser louvado. Seu nome merece ser exaltado. O nome representa a sua pessoa e todos os seus excelentes atributos. Ver as notas em Sl 31.3. Talvez *servos*, neste caso, seja um adjetivo aplicado aos levitas, os servos profissionais de Yahweh, mas o salmo tem sido tradicionalmente usado para indicar toda a comunidade. Ver sobre a congregação inteira de Israel em Sl 34.22; 69.36, e ver sobre os ministros de Deus, em Sl 134.1. "... servos... Israel (Sl 69.36)" (Ellicott, *in loc.*). Ver no *Dicionário* os artigos intitulados *Louvor* e *Aleluia*. Quanto a *Israel, seu Servo*, ver Sl 136.22; Ed 4.11 e Ne 1.10.

"A reiteração da exortação denota ou a abundância dos louvores a serem dados ao Senhor, ou a sua constância e continuação, o que deveria ser prestado todo o tempo, todos os dias, visto que as misericórdias do Senhor são novas a cada manhã (John Gill, *in loc.*). Note o leitor a tríplice repetição do vs. 1: 1. louvores ao Senhor; 2. aos servos compete louvar ao Senhor; 3. os louvores são dados ao nome do Senhor.

Sua Glória Sobe acima dos Céus (113.2-4)

■ **113.2**

יְהִי שֵׁם יְהוָה מְבֹרָךְ מֵעַתָּה וְעַד־עוֹלָם׃

Bendito seja o nome do Senhor. Estes três versículos representam a resposta do coro. A mensagem é o governo eterno e universal do Deus de Israel, chamado Yahweh. Os homens o abençoam por causa de sua bondade universal. Seus benefícios são grandes e intermináveis.

Toda boa dádiva e todo dom perfeito é lá do alto, descendo do Pai das luzes, em quem não pode existir variação, ou sombra de mudança.

Tiago 1.17

Bem-aventurado, "honrado, glorificado, bendito" (John Gill, *in loc.*) e, naturalmente, louvado, por causa de suas obras poderosas e beneficentes em favor do homem.

Agora e para sempre. Ver Sl 115.18; 121.8; 125.2 e 131.3, onde encontramos as mesmas palavras. Seu louvor deve ser eterno e universal. Ver também Jó 38.4-7. O texto fala de tempos do Antigo Testamento, do Novo Testamento, ampliando-se para a frente e para trás até o infinito.

■ **113.3**

מִמִּזְרַח־שֶׁמֶשׁ עַד־מְבוֹאוֹ מְהֻלָּל שֵׁם יְהוָה׃

Do nascimento do sol até ao ocaso. A mesma declaração acha-se em Sl 50.1 e Ml 1.11. Essa declaração é tanto temporal quanto espacial. O sol brilha sobre toda a terra; e também ergue-se sobre o horizonte e deita-se sobre o lado oposto do horizonte incansavelmente, eternamente, e assim devem ser os louvores a Yahweh, por toda parte e em todos os tempos. Deus merece receber louvores do Oriente e do Ocidente, ou seja, de todos os povos (vs. 4); e também desde o tempo em que o sol surge no horizonte até que se põe no horizonte, em todos os tempos.

Louva, minha alma, ao Rei do céu;
Trazei tributo aos seus pés. Cantai
Sempre os seus louvores! Aleluia! Aleluia!
Louvai o Rei eterno.

Henry F. Lyte

Os hebreus, em contraste com alguns pensadores idealistas, não tinham nenhuma fé extravagante no homem, mas somente em Yahweh. A teologia dos hebreus sempre foi teocêntrica, pelo que Israel fazia convergir toda a sua vida no Ser divino. Eles acreditavam que Deus estava nos céus, mas também estava com eles na vida diária. Viam muitas provas históricas disso e, quando a história parecia não evidenciar isso, eles apelavam de novo para a fé.

Tudo o que está dentro do percurso do sol, em seus ciclos diários, também estaria dentro do compasso de seu cuidado e sua providência contínua, pelo que todos os povos têm a obrigação de louvá-lo. Aqueles a quem ele governa, ele também abençoa. Seu governo é benévolo.

■ **113.4**

רָם עַל־כָּל־גּוֹיִם יְהוָה עַל הַשָּׁמַיִם כְּבוֹדוֹ׃

Excelso é o Senhor acima de todas as nações. O salmo é agora claramente universalizado. O sol aparece no Oriente e desaparece no Ocidente. Passa por todos os povos, e todos esses povos pertencem ao reino de Deus. Assim como o sol está muito acima da terra, Yahweh está acima de todas as nações. Assim como o sol governa o dia, Yahweh governa todos os povos. Sua glória está acima dos céus, mas também se espraia por toda a terra. Cf. Sl 8.1.

Louvai a Deus, de quem fluem todas as bênçãos.
Louvai-o, todas as criaturas cá de baixo.

Thomas Ken

Assim como o sol traz luz e vida a todos os homens, também todos os homens existem por sua benevolência. Em Deus, os homens vivem, movem-se e têm o seu ser (ver At 17.28). O Deus de Israel é supremo; ele abençoa supremamente e deve ser louvado supremamente.

Os céus declaram a glória de Deus (Sl 19.1); os seres celestes atribuem glória a Deus (Sl 29.1; 103.20,21); falam de sua santidade e seus poderosos atributos (Is 6.1), assim é próprio que os homens, na terra, imitem as atitudes e os atos celestiais.

O Senhor Cuida dos Necessitados (113.5-9)

■ **113.5**

מִי כַּיהוָה אֱלֹהֵינוּ הַמַּגְבִּיהִי לָשָׁבֶת׃

Quem há semelhante ao Senhor nosso Deus...? Temos aqui a segunda resposta do coro. Os homens que louvam a Yahweh devem ser relembrados sobre a bondade de Deus para com todos, e isso lhes daria razões para louvar e fomentaria o entusiasmo de suas canções. Embora Deus viva tão elevado em seus céus, e mesmo acima deles, e sua glória esteja acima daquele lugar elevado, ele se humilha a si mesmo e estende seu amor constante e sua misericórdia para com os homens humildes neste lugar humilde.

"Deus é incomparável, ninguém é como ele (cf. Sl 35.10; 71.19; 77.13; 89.6; Êx 15.11; 2Sm 7.22), pois ele se senta entronizado no alto (Sl 2.3)" (Allen P. Ross, *in loc.*). "Os que são altamente exaltados são geralmente inabordáveis. São orgulhosos e dominantes. Cercam-se de magnificências e lisonjas porque, para eles, os pobres não merecem respeito nem devem ter acesso a eles. Mas Deus, embora infinitamente exaltado, humilha-se a si mesmo e condescende em contemplar a terra e seus habitantes a fim de abençoá-los" (Adam Clarke, *in loc.*). "Não há ninguém como ele, quanto às perfeições de sua natureza, quanto à sua sabedoria, poder, verdade e fidelidade; e também quanto à sua santidade, justiça e bondade; quanto à sua graça e misericórdia; pois ele é eterno, imutável e onipotente" (John Gill, *in loc.*).

O único que possui imortalidade, que habita em luz inacessível, a quem homem algum jamais viu, nem é capaz de ver. A ele honra e poder eterno. Amém.

1Timóteo 6.16

■ **113.6**

הַמַּשְׁפִּילִי לִרְאוֹת בַּשָּׁמַיִם וּבָאָרֶץ׃

Que se inclina para ver... ? O alto e presumivelmente inacessível Deus, o único autoexistente que de nada depende, é também aquele que se humilhou a si mesmo para ser o benfeitor do homem. Deus é retratado como quem desceu de seus altíssimos céus e deixou a sua glória para trás, para contemplar como as coisas estão na terra. Ali ele encontrou uma terra necessitada bem como homens necessitados. Portanto, Deus vem ao encontro dos homens, para abençoá-los. Não admira, pois, que eles o louvem! "Ele ama às suas criaturas e se regozija em fazer o bem até o pior deles" (Adam Clarke, *in loc.*).

... se inclina para ver... ? Diz o hebraico, literalmente, "o qual se abaixou para ver". Quando Deus desceu à terra para inspecioná-la, realmente ele precisou rebaixar-se. Cf. Sl 11.4; 14.2; 102.19; 138.6; Fp 2.5-11. "Contrastar essa condescendência com a indiferença para com as alegrias e tristezas humanas que, segundo se diz, as divindades pagãs demonstrariam". Temos aqui um elevado *Teísmo* (ver a respeito no *Dicionário*). O Criador continua presente em sua criação a fim de abençoar e punir; a fim de praticar sua providência negativa e sua providência positiva. Contrastar essa ideia com o *deísmo* (ver também no *Dicionário*), o qual postula um Criador que abandonou a sua criação à mercê das leis naturais.

De palácios de marfim para um mundo de ais,
Somente seu grande e eterno amor, fez
meu Salvador vir.

Henry Barraclough

Quanto a uma declaração messiânica que concorda com as noções do texto presente, ver Fp 2.5-11.

113.7,8

מְקִימִי מֵעָפָר דָּל מֵאַשְׁפֹּת יָרִים אֶבְיוֹן׃
לְהוֹשִׁיבִי עִם־נְדִיבִים עִם נְדִיבֵי עַמּוֹ׃

Ele ergue do pó o desvalido. Agora vemos o Yahweh benevolente em operação, e ele se dirige diretamente aos pobres, em sua poeira, e aos necessitados sentados em seu monturo de cinzas. A esses ele eleva, e em breve eles serão príncipes do povo (vs. 8). Os vss. 7 e 8 estão alicerçados sobre 1Sm 2.8. Cf. Lc 1.52. Em 1Sm temos o Cântico de Ana. E o *Magnificat* de Maria também está baseado nisso, em Lc 1.45-55. Assim sendo, o poeta dependia de um fundo de literatura como parte de sua composição.

Do monturo. Isto equivale à antiga cremação das cidades, onde os pobres tentavam separar algo que pudessem comer dentre produtos alimentares estragados. O hebraico original diz literalmente "montão de lixo". Tal como em tempos modernos, chamas eternas queimavam a fim de consumir o lixo. Crianças pobres, ou voluntariamente ou forçadas por seus pais, estavam (estão) sempre ali. Aves de rapina ali se reuniam, e aqueles lugares tornaram-se paraísos de urubus. Os ratos infestavam. As enfermidades grassavam. "Ali as crianças brincam o dia inteiro. Ali jazem, atirados, os abandonados e os enfermos, que foram expulsos da sociedade" (Delitzsch). No livro de Jó há uma cena similar (2.8), porquanto ali o pobre pária foi para rapar suas feridas! Tais lugares eram populares para os verdadeiramente pobres, que precisavam do calor do fogo sempre queimante. Esse era um dos seus "luxos". Metaforicamente, Israel, como nação, terminou naquele triste estado (Sl 44.25). Não obstante, exatamente daquele tipo de condição, Yahweh levantava os pobres e os necessitados, e deles fazia príncipes! A lição espiritual é clara; a redenção evangélica desce até as borras, isto é, todos os homens podem ser elevados a altos lugares em Cristo. Nisso, eles compartilham a humilhação de Jesus, para então compartilhar sua exaltação. Cf. Jó 36.7.

"... tudo quanto os santos são por nascimento, como filhos de Deus (o Rei dos reis), são de um espírito principesco, dotados de seu Espírito livre, e assim se oferecem a si mesmos e a seus serviços livres e voluntários ao Senhor... Agora os tais serão levantados por Cristo de seu humilde estado e serão postos entre os príncipes... Espiritualmente, serão colocados entre os patriarcas, Abraão, Isaque e Jacó... e com os apóstolos, em seu reino, feitos reis e sacerdotes para Deus (Sl 45.16)" (John Gill, *in loc*.).

Disso aprendemos algo da graça e do amor de Deus, que o inspiram a fazer o que ele faz. Dessa maneira, nós o louvamos por suas obras maravilhosas em favor dos homens.

113.9

מוֹשִׁיבִי עֲקֶרֶת הַבַּיִת אֵם־הַבָּנִים שְׂמֵחָה הַלְלוּ־יָהּ׃

Faz que a mulher estéril viva em família. Um dos terrores de Israel era a mulher estéril que, obviamente (segundo o pensamento antigo), estaria sob o julgamento de Deus. Sem dúvida, Ana estava na mente do poeta, visto que ele tomava por empréstimo para seu hino parte da canção dela. Cf. 1Sm 1.1-28; 2.5. O contrário de tais casos era outra evidência dos cuidados de Yahweh. Ver Sl 127.3-5, quanto ao alto valor atribuído às crianças. Só a maternidade assegurava a uma esposa uma posição segura e dignificada na casa de seu marido. Naquela sociedade, em que dominava a poligamia, havia outras mulheres em competição com ela. E mesmo que um homem tivesse apenas uma esposa (o que era bastante raro), facilmente poderia divorciar-se dela somente pelo fato de sua mulher ser estéril, e nenhum juiz de Israel se oporia. Por conseguinte, quando uma mulher estéril finalmente tinha um filho, isso era ocasião especial de regozijo e se pensava que Yahweh tinha revertido o curso das coisas em seu favor.

Na história de Israel, há famosas mulheres estéreis que, finalmente, triunfaram gerando um filho: Sara, Raquel e Ana. O Targum sobre esta passagem nos dá a interpretação metafórica de que a própria nação de Israel seria a mulher estéril que, finalmente, se regozijou diante da bênção da reversão, concedida por Yahweh, de seu humilde estado de esterilidade. Cf. Is 44.1 e Gl 4.27.

Aleluia! Foi com um aleluia! que este salmo começou, e com outro aleluia! Ele termina. Mas alguns intérpretes deslocam este aleluia! para o início do Salmo 114, pelo que este salmo não teria nenhuma dessas expressões, nem no começo e nem no fim. Ver sobre Sl 113.1, quanto a notas expositivas sobre a nota de louvor. O Deus exaltado tinha abençoado supremamente o homem, das várias maneiras destacadas neste salmo. Daí, é próprio que haja um aleluia! no fim da composição.

SALMO CENTO E QUATORZE

Quanto a informações gerais que se aplicam a todos os salmos, ver a introdução ao Salmo 4, onde apresento sete comentários que elucidam a natureza do livro.

Quanto às classes dos salmos, ver o gráfico no início do comentário, que atua como uma espécie de frontispício da coletânea. Ofereço ali dezessete classes e listo os salmos pertencentes a cada uma delas.

Este é um *hino* que louva a Deus por suas grandes obras, como a criação de Israel. É um escrito original e um dos mais artísticos de todo o saltério. É tanto conciso quanto vívido. Nada existe que identifique qual pode ter sido o uso original, mas seu conteúdo demonstra que era apropriado para a época da festa da Páscoa, pois, de fato, pode ter sido composto como parte da liturgia daquela época.

De acordo com a tradição litúrgica dos judeus de época posterior, os Salmos 113 a 118 foram reunidos no chamado Hallel egípcio (salmos de louvor). Ver Sl 114.1, quanto à referência egípcia que proveu esse nome. Esses salmos eram usados em conexão com as grandes festividades, as três festas anuais que requeriam a presença de todos os varões hebreus: a Páscoa, o Pentecoste e os Tabernáculos. O Salmo 114 não tem a expressão aleluia!; mas os Salmos 113 e 117 contam com ela, no começo e no fim, ao passo que os Salmos 115 e 116 a apresentam somente no final. Já o Salmo 118 tem uma nota de agradecimento a Deus no começo e no fim.

Dante (1265 - 1321) fez deste salmo um hino entoado pelos espíritos no barco que levaria as almas humanas às praias do purgatório (*Purgatório*, canto II. 11.45-47). As palavras deste salmo tornaram-se, assim, representações místicas do êxodo da alma deste mundo para o próximo.

Subtítulo. Aos Salmos Hallel (113 a 118) falta qualquer anotação de introdução ou título, pelo que eles fazem parte dos 34 chamados "salmos órfãos". Quanto a isso, ver a introdução ao Salmo 91, sob *Subtítulo.*

COMEÇOS DE ISRAEL (114.1,2)

114.1

בְּצֵאת יִשְׂרָאֵל מִמִּצְרָיִם בֵּית יַעֲקֹב מֵעַם לֹעֵז׃

Quando saiu Israel do Egito. O livramento de Israel do Egito, por parte de Yahweh, é um dos grandes temas do Antigo Testamento, repetido por mais de vinte vezes somente no livro de Deuteronômio. Ver sobre isso em Dt 4.20. Ver Êx 12, quanto à história original. Nos salmos, há um bom número de alusões a esse acontecimento. Ver Sl 68.31; 78.12; 80.8; 81.5,10; 105.23,38; 114.1; 135.8,9; 136.10.

Casa de Jacó. Esse foi o patriarca que deu seu nome a Israel, um vínculo direto entre o povo de Israel e Abraão e seu pacto (anotado em Gn 15.18).

Língua estranha. A língua egípcia pertencia ao grupo chamado semito-camita, mas abrangia um semita distante, que não podia ser entendido por aqueles que falavam o hebraico. Naturalmente, Israel, depois de passar muitos séculos no Egito, entendia o egípcio, provavelmente juntamente com o próprio idioma hebraico, mas o poeta deixa de lado esse fato, a fim de não debilitar seu argumento: Israel estaria em uma terra estrangeira, que falava uma língua não compreendida. Cf. Gn 42.23.

114.2

הָיְתָה יְהוּדָה לְקָדְשׁוֹ יִשְׂרָאֵל מַמְשְׁלוֹתָיו׃

Judá se tornou o seu santuário. Em referência àquela data remota, o salmista não poderia estar fazendo distinção entre Judá e Israel, embora uma distinção posterior tenha emprestado certo colorido à referência. Judá tornou-se o lugar de seu santuário. Talvez o autor se refira a Êx 19.6, como se previsse potencialmente que, algum dia, esse seria o lugar onde a presença de Deus haveria de manifestar-se. O templo certamente está em vista aqui, embora isso tenha sido anacrônico em relação ao contexto em que este salmo é posto. Israel, como o lugar de seu domínio, é uma referência geral a todo o Israel, como distinto do lugar da *shekinah*. O Targum faz aqui um comentário curioso: "A congregação da casa de Judá estava unida à sua santidade, e Israel estava unido ao seu poder", o que substitui santuário e domínio. Israel inteiro era o lugar de manifestação do poder de Deus, mas Judá era o lar da espiritualidade dos hebreus, por causa da lei e da glória da presença divina especialmente ligadas àquele local.

A NATUREZA RECONHECE A PRESENÇA DO SENHOR (114.3-6)

114.3

הַיָּם רָאָה וַיָּנֹס הַיַּרְדֵּן יִסֹּב לְאָחוֹר:

O mar viu isso e fugiu. O mar de Juncos e o rio Jordão são personificados aqui. Eles foram testemunhas do poder da presença de Deus, quando os milagres foram realizados em favor de Israel, depois de este ter deixado o Egito. O mar de Juncos foi repreendido e suas águas se elevaram em um montão, ao passo que as águas do rio Jordão foram barradas. Em ambos os casos, os milagres permitiram a passagem segura de Israel quando estava chegando em casa. Quanto à questão do mar, ver Êx 14.21,22; Sl 77.16 e Hc 3.10. Quanto à questão do rio, ver Js 3.9-17. O poder da presença de Deus beneficiou a todos os homens bons, enquanto eles avançavam na direção do lar.

Fugiu. Esta tradução está correta e preserva o hebraico vívido. A presença gloriosa de Deus assustou de tal modo o mar, que este fugiu. O Jordão, apesar de seu poder, foi virado ao contrário, ou seja, um poder menor que o do mar foi vencido a ponto de não ser capaz de seguir seu curso como era usual. O rio foi "obrigado a retornar em seu curso", agindo de modo contrário à natureza. Nem a natureza pôde resistir à intervenção divina. O salmo não chama os homens, especificamente, a louvar o Deus de poder, porque suas obras maravilhosas estivessem beneficiando a Israel, mas este salmo foi corretamente colocado entre os Salmos Hallel (de louvor, 113 a 118), porquanto oferece provas históricas de por que Israel deveria ser um povo agradecido.

114.4

הֶהָרִים רָקְדוּ כְאֵילִים גְּבָעוֹת כִּבְנֵי־צֹאן:

Os montes saltaram como carneiros. Os montes foram personificados como pequenos carneiros, em vez de objetos altos e imóveis, e saltando lá se iam; e, juntamente com eles, as colinas menores, que não passavam de cordeiros. A presença de Deus diminuiu esses montes e essas colinas, deixando-os assustados. Está em vista a teofania do Sinai (Êx 19.18; Sl 68.8; Jz 5.5). O rebanho de objetos alegadamente imóveis foi posto em desordem. Talvez os montes simbolizem os reinos do mundo que temem na presença do Senhor (ver Sl 76.4; Zc 4.7). O poeta pintou o poder de Yahweh de maneira poética. A presença de Deus faz a própria natureza sentir-se perturbada e abalada.

114.5

מַה־לְּךָ הַיָּם כִּי תָנוּס הַיַּרְדֵּן תִּסֹּב לְאָחוֹר:

Que tens, ó mar, que assim foges? O salmista retrocede aqui ao vs. 3 e ironicamente pergunta ao mar Vermelho e ao rio Jordão o que os fez agir de forma tão antinatural. De fato, deve ter sido algo poderoso. Por que o mar fugiu e o rio retrocedeu de seu curso normal? O efeito foi inesperado e estranho, pelo que a causa deve ter sido divina. As coisas criadas tiveram de obedecer à vontade do Criador.

114.6

הֶהָרִים תִּרְקְדוּ כְאֵילִים גְּבָעוֹת כִּבְנֵי־צֹאן:

Montes, por que saltais como carneiros? O salmista retrocede ao vs. 4 e ironicamente pergunta aos montes por que eles estavam fazendo coisas estranhas como estremecer e espalhar-se. O grande Pastor aparecera e dera ordens, e eles se apressaram em obedecer. O tom usado pelo poeta sagrado é zombeteiro. Os montes foram reduzidos ao máximo e tornaram-se ridículos. Que poderia ter causado tão surpreendente ação?

"Essa ousada personificação teve por desígnio dizer que toda a criação reconheceu e obedeceu à vontade do Criador. A presença do Senhor, tanto no Antigo quanto no Novo Testamento, é frequentemente evidenciada por suas demonstrações de poder" (Allen P. Ross, *in loc.*).

114.7

מִלִּפְנֵי אָדוֹן חוּלִי אָרֶץ מִלִּפְנֵי אֱלוֹהַּ יַעֲקֹב:

Estremece, ó terra, na presença do Senhor. O salmista respondeu aqui às suas próprias perguntas: Foi a presença de Deus que causou aqueles acontecimentos incomuns. Foi a presença de Yahweh, a presença de Elohim (o Poder). Foi isso que estremeceu as montanhas. Esse poder é o Deus de Jacó, identificado com Israel, mas com uma aplicação universal, quer na natureza, quer entre os habitantes da terra. Esse mesmo poder tinha libertado Israel (vs. 1) e era também supremo sobre toda a natureza. Deus é temível, mas também beneficente. Ele deu sua lei no Sinai. Ele não causava apenas espanto.

Os seus relâmpagos alumiam o mundo; a terra os vê, e estremece. Derretem-se como cera os montes, na presença do Senhor de toda a terra.

Salmo 97.4,5

114.8

הַהֹפְכִי הַצּוּר אֲגַם־מָיִם חַלָּמִישׁ לְמַעְיְנוֹ־מָיִם:

O qual converteu a rocha em lençol de água. A presença de Deus também fez a rocha dura transformar-se em água potável, para suprimento de seu povo, que perambulava pelo ermo. Isso ocorreu tanto em Refidim quanto em Cades-Barneia. Ver Êx 17.1-6; Nm 20.1-11; Dt 8.15; Sl 78.15,16; 107.35; Is 41.18. Dessa maneira, o poema termina abruptamente, com a menção de um dos atos benevolentes de Deus em favor de seu povo. Ver no *Dicionário* o verbete chamado *Água*, que inclui notas expositivas sobre os usos metafóricos desse vocábulo.

Este versículo tem sido cristianizado para falar de Cristo como a *Água da Vida* (ver Jo 7.37).

... beberam da mesma fonte espiritual; porque bebiam de uma pedra espiritual que os seguia. E a pedra era Cristo.

1Coríntios 10.4

"Acredito em Deus conforme acredito em meus amigos, pois sinto o hálito de sua afeição, sinto sua mão invisível e intangível, atraindo-me, guiando-me, segurando-me, por muitas e muitas vezes em minha vida... tenho sentido o impulso de um Poder muito forte, consciente, soberano e amoroso" (Miguel de Unamuno, *O Trágico Senso da Vida*).

Guia-me, ó tu, grande Yahweh,
Peregrino embora nesta terra estéril.
Sou fraco, mas tu és poderoso.
Segura-me com tua poderosa mão.
Abre agora a fonte de cristal,
De onde fluam as águas curadoras.

William Williams

SALMO CENTO E QUINZE

Quanto a informações gerais que se aplicam a todos os salmos, ver a introdução ao Salmo 4, onde apresento sete comentários que elucidam a natureza do livro.

Quanto às classes dos salmos, ver o gráfico no início do comentário, que atua como uma espécie de frontispício da coletânea. Ofereço ali dezessete classes e listo os salmos pertencentes a cada uma delas.

Este salmo é uma *liturgia* que contrasta o poder de Yahweh com a impotência dos deuses pagãos e, como tal, é um *hino de louvor* e *exaltação*. Esse hino provavelmente era entoado como antífona, com partes alternadas entre um solista e o coro. Os vss. 3-8 são um *hino didático*, ou seja, um hino cujo intuito era ensinar sobre um grande tema, a saber, a fraqueza da idolatria pagã, em contraste com a grandeza de Deus. Os vss. 9-13 parecem envolver três grupos de cantores, cada qual entoando sua parte, o solista e duas partes do coro, mas talvez isso seja refinar em demasia a parte musical. A Septuaginta une este salmo ao Salmo 114, perfazendo um único poema, mais longo; mas parece não haver boa razão para supor que, originalmente, eles formassem uma única composição. Esse ato perturba a enumeração dos salmos entre o saltério hebraico e o da Septuaginta.

De acordo com a tradição litúrgica dos judeus, de tempos posteriores, os Salmos 113 a 118 foram reunidos, formando o chamado *Hallel egípcio* (salmos de louvor). Ver Sl 114.1, quanto à referência egípcia que proveu esse nome. Os salmos eram usados em conexão com as grandes festas hebraicas anuais, que requeriam que todos os varões hebreus peregrinassem a Jerusalém. Essas grandes festividades eram a Páscoa, o Pentecoste e os Tabernáculos. Os Salmos 113 e 117 têm o aleluia! no início e no fim. O Salmos 114 não apresentam nenhum aleluia! Os Salmos 115 e 116 têm o aleluia! no final. E o Salmo 118 abriga agradecimentos no começo e no fim.

Subtítulo. Aos *Salmos Hallel* (113 a 118) faltam anotações introdutórias ou títulos e, assim sendo, eles se encontram entre os 34 chamados "salmos órfãos". Quanto a essa circunstância, ver a introdução ao Salmo 91, sob *Subtítulo*.

UM LAMENTO COMEÇA O SALMO (115.1,2)

■ 115.1

לֹא לָנוּ יְהוָה לֹא לָנוּ כִּי־לְשִׁמְךָ תֵּן כָּבוֹד עַל־חַסְדְּךָ עַל־אֲמִתֶּךָ׃

Não a nós, Senhor, não a nós. A glória deve ser dada inteiramente a Yahweh; a glória deve ser exibida não em favor de Israel, mas em favor do nome que a nação exaltava entre as nações. Ver Sl 31.3, quanto ao *nome de Deus*. Esse termo subentende a natureza essencial de Yahweh e seus maravilhosos atributos, conforme demonstrados entre os homens. O salmista requereu que Yahweh demonstrasse o seu poder e a sua glória para derrubar as palavras pessimistas dos pagãos concernentes ao Deus de Israel. Os pagãos precisavam ser convencidos, visto que o domínio de Deus é universal, e as blasfêmias dos pagãos deveriam ser caladas. Yahweh demonstrava seu amor constante e sua fidelidade a Israel, e o poeta sagrado estava convencido da glória de seu Deus por meio de muitas evidências indisputáveis, mas os povos pagãos continuavam a blasfemar. O poeta sacro lamentou esse fato e quis revertê-lo por meio de uma exibição do poder de Deus no mundo, que fosse de natureza tal que os pagãos não pudessem negar.

"A glorificação de Deus e do nome de Deus, que envolve a exaltação da justiça, da verdade e da misericórdia, é o *summum bonum* do Antigo Testamento. Portanto, 'a principal finalidade do homem é glorificar a Deus e desfrutá-lo para sempre' (Catecismo Inglês Abreviado)" (William R. Taylor, *in loc*.). Cf. Sl 108.4; 117.2; 138.2. Diz o Targum: "Não por nossa causa, ó Senhor, não por nosso merecimento, para ao Teu nome seja a glória".

Provavelmente era o coro quem introduzia essa antífona, nos vss. 1 e 2.

■ 115.2

לָמָּה יֹאמְרוּ הַגּוֹיִם אַיֵּה־נָא אֱלֹהֵיהֶם׃

Por que diriam as nações. Este versículo subentende que os pagãos vinham blasfemando do Deus de Israel. E o povo de Deus sentia que esses escárnios deveriam ser repreendidos por meio de alguma manifestação divina. Cf. Sl 42.3,10 e 79.10. A zombaria era um escárnio dos pagãos contra a aparente ausência do Deus de Israel. "Onde está esse maravilhoso Deus de vocês?" O poeta, portanto, contrastou o Deus onipotente dos céus com a inutilidade e ausência de poder dos ídolos dos pagãos. Talvez Israel tivesse sofrido alguns reveses significativos, como em campo de batalha, e isso inspirou os pagãos à zombaria. Ver Jl 2.17 e Mq 7.9,10.

A IMPOTÊNCIA DOS ÍDOLOS (115.3-8)

■ 115.3

וֵאלֹהֵינוּ בַשָּׁמָיִם כֹּל אֲשֶׁר־חָפֵץ עָשָׂה׃

No céu está o nosso Deus. O Deus aparentemente ausente estava nos céus, sua habitação natural, mas isso não significa que ele não fizesse aparições regulares na terra e exibisse sua glória também neste mundo. Em contraste, os deuses dos pagãos não estavam nem no céu nem na terra, porquanto os ídolos nada são. Deus é independente e faz o que lhe agrada. Nisso é exibida a sua soberania. Em contraste, os ídolos nada fazem, porque são fabricados de material inanimado, e não têm inteligência nem força. Foi usando esse argumento que o poeta sagrado zombou da idolatria pagã (ver a respeito no *Dicionário*). "Os pagãos desconheciam a distância infinita que separava o nosso Deus dos seus ídolos (ver Sl 2.4; 11.4; 103.19). Revestido de majestade celestial, ele está muito acima da terra, que é o lar dos ídolos. Os ídolos são meros artifícios dos homens, pelo que estão sujeitos à impotência terrestre" (Fausset, *in loc.*).

■ 115.4

עֲצַבֵּיהֶם כֶּסֶף וְזָהָב מַעֲשֵׂה יְדֵי אָדָם׃

Prata e ouro são os ídolos deles. Se Deus está nos céus, um poderoso Ser espiritual, os ídolos estão na terra, objetos feitos de materiais inanimados, como prata e ouro, e são apenas o que os homens imaginam. Esses ídolos podem ter algum valor comercial, por causa dos materiais que os compõem, mas não têm nenhum outro valor. Não possuem autoconsciência, quanto menos a consciência dos homens. Não podem querer ou fazer coisa alguma. Em contraste com os ídolos, Deus é o Criador e o executor de todas as coisas. Ele faz tudo quanto deseja (vs. 3; cf. Sl 135.6 e Jó 23.13). Se, porventura, Israel fora abandonado, como no caso de alguma batalha, Yahweh teria alguma razão para tanto. Deus nunca age de modo arbitrário. Ademais, Deus sempre volta para beneficiar, pelo que Israel estava disposto a esperar pela reversão de sua fortuna. Yahweh continua vivendo e governando o seu povo que está (temporariamente) no pó. Se os pagãos não estavam no pó, isso não se devia a seus não deuses. Cf. Os 8.6.

■ 115.5

פֶּה־לָהֶם וְלֹא יְדַבֵּרוּ עֵינַיִם לָהֶם וְלֹא יִרְאוּ׃

Têm boca, e não falam. Os ídolos são fabricados segundo a imagem dos homens, com um rosto como eles têm, mas com uma boca que não fala e olhos que não veem. São piores do que suas contrapartes humanas, as quais, pelo menos, podem fazer essas coisas básicas, embora sejam muito fracas quanto a outros aspectos. Os ídolos não têm a mínima habilidade, o que mostra quão vã é a idolatria. No entanto, os povos pagãos gabavam-se de seus deuses inertes e inoperantes. Os ídolos não têm nem mesmo as habilidades humanas, para nada dizer sobre as capacidades divinas. Esses fatos são óbvios a qualquer um que possua o mínimo de discernimento espiritual, ou mesmo as percepções do bom senso comum, mas os pagãos estavam perdidos em seu mundo imaginário. Cf. os vss. 4-6 com Sl 15.15-18, um paralelo direto desta passagem.

O "teor geral desta parte do Salmo 115 é similar a Is 40.18-20; 44.9-20; 46.6,7; Jr 2.26-28; 10.3-15. Tão tarde como no século I a.C., as práticas idólatras continuavam sujeitas às críticas judaicas (Sabedoria de Salomão 13.10-19; 14.12-21; 15.1-17)" (William R. Taylor, *in loc.*). Ver também Hc 2.18; 1Rs 18.26,29. Dn 5.23 também é um paralelo deste versículo. "Os desejos de seu povo estão perante Deus. Seus olhos estão fixos nos justos, e seus ouvidos estão abertos para seus clamores. Ele nunca os evita" (John Gill, *in loc.*).

■ 115.6,7

אָזְנַיִם לָהֶם וְלֹא יִשְׁמָעוּ אַף לָהֶם וְלֹא יְרִיחוּן׃

יְדֵיהֶם וְלֹא יְמִישׁוּן רַגְלֵיהֶם וְלֹא יְהַלֵּכוּ לֹא־יֶהְגּוּ בִּגְרוֹנָם׃

Têm ouvidos e não ouvem. Os não deuses estão plenamente equipados com membros e órgãos que imitam o corpo humano mas não funcionam, o que mostra quão ridículos são. No entanto, os pagãos levavam muito a sério esses ídolos. O texto à nossa frente não considera o fato alegado por alguns idólatras de que as suas imagens eram apenas símbolos externos de uma realidade espiritual, havendo, em algum lugar, seres inteligentes que eram adorados através dessas representações físicas. Quanto a essa ideia, 1Co 10.20 diz: "Digo que as cousas que eles sacrificam, é a demônios que as sacrificam, e não a Deus.

"Esta passagem não pode comparar-se com a magnificente ironia de Is 44.9-20, mas mesmo assim há uma notável veia de sarcasmo que atravessa suas linhas... cf. Sl 135.15-18" (Ellicott, *in loc.*). Ver no *Dicionário* o artigo detalhado denominado *Idolatria*. Ver a proibição acerca da idolatria, em Dt 7.25,26.

É possível que um solista (dentro da antífona) entoasse os vss. 3-8.

"Ele usou do ridículo para salvar o povo de algo que tinha arrastado para baixo seus vizinhos. Ele estava lidando com uma enfermidade mortífera e não podia dar-se ao luxo de ser polido... A idolatria era uma ameaça perpétua. É fácil para nós ter piedade ou zombar dos habitantes da Índia, por exemplo, que ainda se prostram perante imagens que não podem falar, nem ver, nem ouvir, nem cheirar. Mas o que dizer sobre aqueles que, nas comunidades mais civilizadas, adoram as riquezas, ou a si mesmos? Alguns fazem de deuses ideias abstratas (por exemplo, o nazismo ou o comunismo), que são as coisas mais explosivas e traiçoeiras do mundo" (J. R. P. Sclater, *in loc.*).

115.8

כְּמוֹהֶם יִהְיוּ עֹשֵׂיהֶם כֹּל אֲשֶׁר־בֹּטֵחַ בָּהֶם:

Tornem-se semelhantes a eles os que os fazem. Os fabricantes de ídolos são como os seus próprios ídolos, ou seja, insensíveis, tolos, ridículos, ignorantes e em bancarrota espiritual, e outro tanto acontece aos que fazem das imagens objetos de adoração.

Aquele que molda em ouro ou pedra alguma face sagrada,
Na realidade não está fazendo um deus, e não resta
Ninguém de quem possa pedir alguma bênção graciosa.

Um fabricante de ídolos degrada sua inteligência e torna-se aviltado como o ídolo que ele molda. Os vss. 4-12 são quase verbalmente repetidos em Sl 135.15-19, pelo que ou um poeta copiou de outro, ou havia algum fundo comum de ideias ou de literatura aproveitados por ambos os autores.

"As pessoas que fabricam ídolos e neles confiam tornam-se como eles, sem poder na presença do Senhor Deus" (Allen P. Ross, *in loc.*). Podemos dizer o mesmo acerca de toda a forma de idolatria e fabricação de ídolos, incluindo os tipos modernos que fazem das coisas e das atividades materiais o objetivo de sua vida. Todos nós temos algumas formas ridículas de idolatria que servem de pragas em nossa vida. As idolatrias sutis são exatamente tão destrutivas como as formas crassas de idolatria. Até mesmo uma chamada pessoa espiritual pode fazer do trabalho espiritual o seu ídolo, visto que através disso obtém seu louvor e glória, em vez de render louvor e glória a Deus.

CONFIANÇA NO SENHOR (115.9-11)

115.9

יִשְׂרָאֵל בְּטַח בַּיהוָה עֶזְרָם וּמָגִנָּם הוּא:

Israel confia no Senhor. Aqui o poeta sagrado contrasta a crassa idolatria com a verdadeira adoração, dada ao Senhor dos céus, Yahweh, o Deus de Israel. Ele é o ajudante e o escudo do homem espiritual.

Nossa alma espera no Senhor, nosso auxílio e escudo.
Salmo 33.20

Amparo. Ou seja, o homem bom depende da *Providência de Deus* (ver a respeito no *Dicionário*) quanto a toda a sua vida e existência. A providência divina repousa sobre o conceito teísta de Deus de que o Criador não abandonou sua criação, mas está sempre presente entre os homens para guiá-los, abençoá-los, puni-los e intervir na vida humana, quando qualquer dessas coisas se faz necessária. Isso deve ser contrastado com o deísmo, que supõe que o Criador abandonou sua criação, entregando-a aos cuidados das leis naturais. Ver sobre *Teísmo* e *Deísmo* no *Dicionário*, quanto a detalhes. A longo prazo, quando o corpo se desgasta, as pessoas já não conseguem ajudar-se direito, e todas as forças do homem fracassam. E é então que temos de fugir para Deus, a fim de receber qualquer benefício que possa ser obtido. A ajuda divina é material e espiritual, e a ajuda final é a salvação, e ficamos dependentes de Deus para todo e qualquer tipo de ajuda. Ver sobre salvação e sobre o Deus que a dá, em Sl 62.2, que provê notas expositivas e referências.

Escudo. Ver Sl 3.3; 7.9,10; 84.8; 89.18; 91.4. Esta é uma metáfora militar que fala sobre proteção e ajuda em tempos difíceis. Naturalmente, temos aqui um tipo de ajuda. "... para protegê-los de todos os perigos, males e inimigos, materiais ou espirituais" (John Gill, *in loc.*). Ver Sl 5.12; 18.35; 91.4; Is 59.19.

115.10

בֵּית אַהֲרֹן בִּטְחוּ בַיהוָה עֶזְרָם וּמָגִנָּם הוּא:

Nos vss. 9-11 há três grupos endereçados: 1. Israel (vs. 9), provavelmente apontando o corpo laico, e não todo o povo de Israel. 2. A casa de Arão, os ministros, sacerdotes e servos do templo, pertencentes à tribo de Levi (vs. 10). 3. Os que temiam a Yahweh (vs. 11), homens especialmente espirituais, que se distinguiam das massas populares, embora todo o Israel, até certo ponto, pudesse ser chamado de "aqueles que o temiam". Ver no *Dicionário* o artigo chamado *Temor*, quanto ao significado dessa palavra. Prosélitos também podiam estar nessa classe, "aqueles que tinham chegado a temer Yahweh", tendo sido atraídos para o judaísmo, vindos do paganismo. Porém, seria artificial aqui tentar buscar três grupos distintos, em vez de simples variações poéticas de vocabulário.

Para o corpo laico de Israel, para todo o Israel e para todos os que temiam ao Senhor, se é isso que está em foco, Yahweh era tanto ajuda quanto escudo, conforme já anotei neste versículo.

A casa de Arão confia no Senhor. O segundo grupo, a casa de Arão, os ministros, todos eles pertencentes à tribo de Levi, é agora endereçado, e Yahweh é também a ajuda e o escudo deles, de acordo com as anotações no vs. 9. Os sacerdotes tinham de pertencer à linhagem levítica de Arão, mas levitas não aarônicos também serviam como ajudantes aos descendentes de Arão. Ver no *Dicionário* o artigo chamado *Levitas*. Alguns deles serviam em guildas musicais e proviam música sagrada, cantando ou tocando instrumentos durante os cultos no templo (ver 1Cr 25).

115.11

יִרְאֵי יְהוָה בִּטְחוּ בַיהוָה עֶזְרָם וּמָגִנָּם הוּא:

Confiam no Senhor os que temem o Senhor. O terceiro grupo, formado por aqueles que temiam a Yahweh e nele depositavam a confiança, também tinha Yahweh como ajuda e escudo, o que explicam as notas do vs. 9. Esse grupo é difícil de identificar e algumas ideias são: 1. homens espirituais de notável reputação; 2. prosélitos, pagãos que tinham vindo prestar lealdade a Yahweh; 3. servos do templo, como cantores, porteiros, trabalhadores manuais de raça não judaica, *netinim*, filhos dos servos de Salomão (Ed 2.41-56; 1Cr 9.2); 4. a parte impedida dos sacerdotes (ver Ed 2.61,62; na Mishnah, Kiddushin, 4.1). Ou talvez o salmista tenha incluído todo o Israel nessa alegada terceira classe, visto que o temor do Senhor é uma das maneiras de o Antigo Testamento referir-se à espiritualidade segundo termos hebreus. Ver no *Dicionário* as notas expositivas sobre *Temor*, além de outras ideias, em Sl 111.10. Seja como for, as três classes aparecem novamente nos vss. 12 e 13 deste capítulo e em Sl 118.2-4; 135.19,20. Nesta última passagem mencionada, temos também a menção à casa de Levi. Cf. Eclesiástico 50.16-19. Para todos esses grupos, Yahweh era ajuda e escudo, uma providência ativa em contraste com a não ajuda dos não deuses (vs. 8).

"A expressão 'os que temem o Senhor' envolve toda a verdadeira 'descendência de Jacó' (Sl 22.23), tanto pequenos quanto grandes (vs. 13), o corpo leigo em distinção à casa de Arão, isto é, os sacerdotes. Assim sendo, no vs. 9, temos Israel em geral; no vs. 10, temos os sacerdotes; no vs. 11, temos o corpo laico" (Fausset, *in loc.*).

Seja como for, o coro convidou a todos os israelitas, de qualquer classe a que pertencessem, a confiar em Yahweh, em contraste com os pagãos, que confiavam nos não deuses.

O SENHOR PREOCUPA-SE CONOSCO (115.12-18)

■ 115.12,13

יְהוָה֮ זְכָרָ֪נוּ יְבָ֫רֵ֥ךְ יְבָרֵךְ֮ אֶת־בֵּ֪ית יִשְׂרָ֫אֵ֥ל יְבָרֵ֗ךְ אֶת־בֵּ֥ית אַהֲרֹֽן׃

יְ֭בָרֵךְ יִרְאֵ֣י יְהוָ֑ה הַ֝קְּטַנִּ֗ים עִם־הַגְּדֹלִֽים׃

De nós se tem lembrado o Senhor. Yahweh não é como os ídolos dos pagãos, os não deuses (vss. 4-8), pois ele é a Inteligência. É conforme Joseph Smith declarou: "A glória de Deus é a inteligência". O verdadeiro Deus é não somente a grande Inteligência, em um sentido abstrato; ele usa todo o seu poder mental para saber as necessidades de seu povo e então o abençoa abundantemente. Aristóteles chamava Deus de o Intelecto, ao passo que todas as outras mentes são intelectos que possuem algo da grande Mente, uma bela ideia filosófica. Ver na *Enciclopédia de Bíblia, Teologia e Filosofia* o verbete denominado *Intelecto*. A teologia dos hebreus emprestava à mente e à inteligência uma distorção beneficente. Platão associava o amor e a justiça em um único conceito, pelo que mente e bondade são igualmente associadas no pensamento dos hebreus.

Yahweh Sabe do que Precisamos. Ele age em concordância com esse conhecimento e nos abençoa. Ele abençoa todas as três classes que foram listadas nos vss. 9-11, que aparecem novamente aqui e nos vss. 12 e 13. O vs. 12 diz a casa de Israel (correspondente ao vs. 9) e a casa de Arão (correspondente ao vs. 10). O vs. 13 fala novamente nos que temem a Deus (correspondente ao vs. 11). Esses, tanto grandes quanto pequenos, são abençoados nas mesmas proporções. Assim sendo, essa bênção tríplice corresponde à tríplice chamada do poeta para que os homens confiem em Yahweh. Quando confiam nele, são abençoados. Ver no Sl 2.12 o que a confiança significa nos salmos. O vs. 15 mostra que a bênção tem de ser grande, porquanto é o Criador a abençoar a sua criação.

"Eles não querem nenhuma coisa boa agora e têm muita bondade depositada à espera, para ser desfrutada posteriormente. O Sol da Justiça levanta-se sobre eles, e um livro de memórias foi escrito por causa deles. O Senhor deleita-se neles, e seus olhos estão fixos sobre eles. Eles são abençoados com maior graça agora, e serão abençoados com glória no porvir. Tanto pequenos quanto grandes, jovens quanto velhos, ricos quanto pobres, elevados quanto humildes, menores quanto maiores, sejam eles crianças, homens, pais, mulheres ou mães. Ver Ap 11.18" (John Gill, *in loc.*).

Ele nos dá mais graça
Até que a carga se torna mais leve.
Ele nos dá maior graça,
Até que a vitória é ganha.
Ele dá, ele dá, e
Ele dá novamente.

■ 115.14

יֹסֵ֣ף יְהוָ֣ה עֲלֵיכֶ֑ם עֲ֝לֵיכֶ֗ם וְעַל־בְּנֵיכֶֽם׃

O Senhor vos aumente bênçãos mais e mais. Este versículo enfatiza a liberalidade da bênção. É provável que os vss. 14 e 15 encerrem uma bênção sacerdotal, afirmando o que se passou antes. O Senhor continua a dar, e a dar de novo. Israel continua a crescer, e a crescer novamente. Não há fim nas doações divinas, nem no recebimento humano.

A batalha não é dos fortes,
E nem dos ligeiros a corrida.
Aos verdadeiros e fiéis,
A vitória foi prometida por meio da graça.

Fanny J. Crosby

Yahweh amontoará bênçãos sobre ti,
Sobre ti e sobre os teus filhos.

Ellicott, tradução

"Há uma alusão ao nome de José ('o Senhor adicionará a ti e aos teus filhos'), Gn 30.24, 'ela chamou o nome dele de José e disse: o Senhor me adicionará outro filho'. As palavras 'a ti e aos teus filhos' subentendem que o aumento deveria começar naquele tempo, ou seja, logo depois do retorno da Babilônia, mas o aumento pleno está reservado para os dias da glória final de Israel juntamente com o Messias (Is 66.7-13)" (Fausset, *in loc.*).

■ 115.15

בְּרוּכִ֣ים אַ֭תֶּם לַיהוָ֑ה עֹ֝שֵׂ֗ה שָׁמַ֥יִם וָאָֽרֶץ׃

Sede benditos do Senhor. O Criador é, igualmente, o abençoador, pelo que isso nos dá uma ideia da bênção potencial. O título, "que fez os céus e a terra", aponta para sua obra soberana na criação. Ver esse título usado acerca de Deus em Jó 4.17; 32.22; 35.10; Sl 121.2; 124.8; 134.3; 146.6; Eclesiástico 11.5; Jr 10.16. Ademais, os homens são criaturas de Deus, as obras de seu poder, pelo que também são aqueles a quem ele anela beneficiar. Mas os deuses dos pagãos, que não passam de ídolos vãos, nada tiveram a ver com a criação, pelo que perecem quando os materiais da terra perecem. Ver Jr 10.11. "Mas ele é infinitamente rico para tornar o seu povo um povo abençoado, sem importar suas muitas tribulações e a despeito de seus muitos inimigos" (Fausset, *in loc.*).

"O Criador dos céus e da terra tem o poder para dispensar bênçãos sobre a terra" (Kirkpatric, *Psalms*, pág. 686).

"O livramento com que fomos brindados, as bênçãos que temos recebido, as vitórias que nos conferem a alegria da colina de Sião — essas não são nossas realizações, mas são abundâncias de Deus. Podemos ser seus instrumentos para abençoar outras pessoas, mas foi ele quem nos deu a visão, a coragem e a força para tolerar tudo" (J. R. P. Sclater, *in loc.*).

"Jesus Cristo já roubou o pecado, a morte, o diabo e o inferno de seus poderes respectivos... O homem não é o Atlas que está destinado a suportar o peso da cúpula do céu em seus ombros" (Karl Barth). Quão facilmente caímos no egocentrismo. Quanto precisamos fugir para o Senhor, o Criador e o abençoador. Em Deus não há ausência de poder.

Oh, à graça, quão grande devedor
Diariamente sou constrangido a ser!
Que tua bondade, como uma algema
Ligue meu coração vagabundo a ti.

Robert Robinson

■ 115.16

הַשָּׁמַ֣יִם שָׁ֭מַיִם לַיהוָ֑ה וְ֝הָאָ֗רֶץ נָתַ֥ן לִבְנֵי־אָדָֽם׃

Os céus são os céus do Senhor. Os céus são propriedade exclusiva de Yahweh. Mas a terra foi entregue aos homens. O poeta deixa de fora as hostes celestes como habitantes dos céus, com sua declaração absoluta. Cf. Gn 1.28,29; Is 45.18. Deus é também o possuidor da terra, mas, por prerrogativa divina, ele a deu aos homens. Mesmo assim, Deus continua presente neste mundo a fim de abençoar os homens. Deus não abandonou a terra que criou. De fato, a própria doação da terra aos homens foi um ato inicial de benevolência, que certamente prosseguiria. Ver Sl 89.11, quanto à possessão universal de Yahweh dos céus e da terra. Os inimigos não podem tomar a terra de seu povo, que é o verdadeiro proprietário da terra. Ver Mt 5.5, quanto a uma afirmação similar. Este versículo nada tem a ver com a posterior controvérsia "cristã" de se os homens bons vão ou não aos céus, mas somente permanecem sobre a nova terra do período milenar. De fato, o vs. 17 não dá indícios de sobrevivência diante da morte biológica a quem quer que seja, bons ou maus.

■ 115.17

לֹ֣א הַ֭מֵּתִים יְהַֽלְלוּ־יָ֑הּ וְ֝לֹ֗א כָּל־יֹרְדֵ֥י דוּמָֽה׃

Os mortos não louvam o Senhor. É um grande mistério saber por que o poeta sacro lançou esta desanimadora afirmação em seu hino em tudo mais tão vivaz. Por que ele nos teria relembrado, neste hino de aleluia, que os homens não sobrevivem à morte física? Era doutrina hebraica padrão, na época em que este salmo foi composto, que não existia algo como uma alma imaterial e imortal, pelo que não haveria sobrevivência para o ser humano. Mas nos Salmos e nos Profetas a doutrina da imortalidade começou a ser mencionada. Essa doutrina foi desenvolvida nos livros intertestamentários, os livros apócrifos e pseudepígrafos e, mais ainda, no Novo Testamento.

"Por que o salmista, de súbito, teria tido o pensamento espantoso que a morte quebraria a relação de aliança entre o homem e Deus, silenciando a oração e o louvor, não é algo fácil de ver" (Ellicott, *in loc.*). Naturalmente, ele queria que os homens se atarefassem e agradecessem ao Senhor, bradando alegres aleluias enquanto podiam fazê-lo. Talvez este salmo tenha sido primeiramente relacionado a alguma vitória, na qual houvera, entretanto, algumas baixas. Talvez aqueles corpos tivessem sido recentemente sepultados, e o salmista tenha visto a cena entristecedora, pelo que falou sobre o silêncio que a morte impõe ao ser humano. Pensando nisso, ele exortou os vivos a prestar louvor e ações de graças a Deus.

Descem à região do silêncio. Está em pauta o sheol; mas aqui temos o ponto de vista mais antigo sobre aquele local, como um lugar do nada, e não como um lugar de almas humanas sobreviventes. Ver no *Dicionário* o artigo chamado *Hades*, para acompanhar a evolução que essa doutrina experimentou com a passagem dos séculos, conforme Deus adicionou a ela pormenores. Ver também as notas expositivas sobre Sl 6.5; 9.13,17. Ver especialmente as notas em Sl 88.10, onde encontramos fantasmas a voar em um lugar obscuro, destituído de mentes claras, o primeiro passo de um sheol que começa como o nada, até atingir um conceito superior, embora ainda desanimador. Também dou um breve sumário de ideias ali, acerca do sheol, as quais ilustram a evolução da doutrina. Cf. Sl 6.5,30 e 88.10-12.

■ **115.18**

וַאֲנַחְנוּ נְבָרֵךְ יָהּ מֵעַתָּה וְעַד־עוֹלָם הַלְלוּ־יָהּ׃

Nós, porém, bendiremos o Senhor. Este *Salmo Hallel* (hino de louvor) termina com um aleluia! e uma nota de bênção de Yahweh, que nos abençoou (vss. 12-15). A Septuaginta e Jerônimo vinculam o louvor ao começo do Salmo 116. Cf. este final com Sl 118.17 e Is 38.18,19. Os vivos continuam em seus louvores e bênçãos a Yahweh, em contraste com o silêncio próprio da sepultura (vs. 17). "Esses dois versículos (17 e 18) contêm o apelo de por que Yahweh deveria livrar o seu povo da extinção. Cf. Sl 6.6; 30.9; 88.10-12 e Is 38.18,19" (Fausset, *in loc.*). "A língua de nossos antepassados está silenciosa em seus sepulcros. Ocupamos agora o lugar deles e desejamos magnificar o teu nome, pois tens sido abundante em tuas bênçãos para conosco... Nós te louvaremos como monumentos vivos de tua misericórdia, e o louvor que agora iniciaremos continuaremos a oferecê-lo para sempre" (Adam Clarke, *in loc.*).

SALMO CENTO E DEZESSEIS

Quanto a informações gerais que se aplicam a todos os salmos, ver a introdução ao Salmo 4, onde apresento sete comentários que elucidam a natureza do livro.

Quanto às classes dos salmos, ver o gráfico no início do comentário, que atua como uma espécie de frontispício da coletânea. Ofereço ali dezessete classes e listo os salmos pertencentes a cada uma delas.

Este expressa *ações de graças* por uma cura física. A enfermidade do pobre homem o tinha conduzido à beira da extinção; ele tinha orado e o Senhor tinha ouvido; ele fora salvo da morte e assim agradeceu com sinceridade e louvor. Este salmo foi escrito para ser usado na liturgia do templo, diante da congregação de Israel. Tornou-se um modelo de agradecimento para aqueles que se tinham recuperado de enfermidades ou outras crises pessoais. O ex-enfermo agradeceu, realizando sacrifícios e oferecendo votos, tudo em consonância com as especificações da lei mosaica. O poema exibe um tom de devoção sincera, fomentada por um profundo senso de gratidão diante das misericórdias recebidas. Kittel detectou neste salmo um nível de piedade acima do normal para os santos do Antigo Testamento. O *Livro Inglês da Oração Comum* usa parte do salmo presente em seu "Agradecimento das Mulheres Após o Parto".

Na tradição litúrgica judaica de um tempo posterior (Ver Sl 113 a 118), esses seis *Salmos do Hallel* (salmos de louvor) são chamados *Hallel Egípcio*. Ver Sl 114.1, quanto à referência egípcia. Eram usados em conexão com as três grandes festividades anuais, às quais todos os varões israelitas tinham a obrigação de atender, fazendo peregrinações a Jerusalém. As festas eram a Páscoa, o Pentecoste e os Tabernáculos. Os Salmos 113 e 117 têm o aleluia no começo e no fim. O Salmo 114 não tem nenhum aleluia. Os Salmos 115 e 116 apresentam o aleluia no final. E o Salmo 118 contém agradecimentos no começo e no fim.

Subtítulo. Os *Salmos Hallel* (113 a 118) não têm anotações ou títulos adicionados por editores posteriores, pelo que estão entre os 34 chamados "salmos órfãos". Quanto a essa circunstância, ver a introdução ao Salmo 91, sob *Subtítulo*.

A EXPERIÊNCIA DO SALMISTA COM A ENFERMIDADE (116.1-11)

■ **116.1**

אָהַבְתִּי כִּי־יִשְׁמַע יְהוָה אֶת־קוֹלִי תַּחֲנוּנָי׃

Amo o Senhor, porque ele ouve. Em vez de começar com um aleluia!, o salmista declara que amava a Yahweh, porquanto seu apelo urgente, pedindo ajuda, fora atendido, e o poder de Deus o livrara de sua doença mortífera, que quase pusera fim à sua vida. Ver no *Dicionário* o verbete chamado *Amor*, onde são oferecidas notas expositivas e ilustrações abundantes. Presumivelmente o homem obedecia à lei, e é a lei que dá vida (Dt 4.1; 5.33; 6.2; Ez 20.1). Ver Dt 6.5 ss. quanto à primeira responsabilidade do homem, que é amar a Deus, ao passo que o segundo mandamento é amar ao próximo como a si mesmo. Cf. Rm 13.8 ss. O amor é o cumprimento da lei. Ver Gl 5.22, onde o amor aparece como um dos aspectos do fruto do Espírito. O homem regenerado tem obrigação de amar (1Jo 4.7), pois, do contrário, será uma fraude. Deus é amor (1Jo 4.8), e os que amam compartilham a natureza santa de Deus. A justiça nunca pode ser separada do amor. Uma única palavra hebraica aponta para ambos os princípios. "No hebraico clássico, a palavra *cedhaqah* equivale tanto à caridade quanto à justiça" (Charles Singer, *The Christian Failure*).

As minhas súplicas. O homem estava extremamente enfermo. Esperava receber a cura da parte de Yahweh (Sl 103.3), pois Deus cura todas as enfermidades. Ele não dependia de medicinas à base de ervas, encantamentos e mágicas dos curadores físicos, mas dirigiu-se diretamente a Yahweh. Confessou seus pecados, porquanto a antiga ideia dos hebreus era que, nos casos de enfermidades, o pecado estava sempre presente. Jó mostrara que nem sempre as coisas eram assim, mas a ideia permanecia bastante fixa na mentalidade dos hebreus. Yahweh ouve, ou seja, toma consciência de nossas necessidades e recebe nossas orações.

"O começo deste salmo é uma expressão ímpar de amor pelo Senhor, que vem de alguém que foi libertado por ele" (Allen P. Ross, *in loc.*). Cf. Sl 18.4: "Laços de morte me cercaram". A cura significava que Yahweh amava, e por isso o poeta amava a Deus.

Nós amamos porque ele nos amou primeiro.
1João 4.19

"O amor de Deus ultrapassa todos os amores" (Charles Wesley). Cf. Sl 34.1-6. Ver Hb 5.7 e Jo 6.41,42.

■ **116.2**

כִּי־הִטָּה אָזְנוֹ לִי וּבְיָמַי אֶקְרָא׃

Porque inclinou para mim os seus ouvidos. A oração tinha funcionado magnificamente em favor do poeta sagrado, pelo que ele resolveu continuá-la usando enquanto vivesse. Ele sabia que o amor de Deus é forte, e qualquer coisa pode acontecer quando um homem ora. Ver no *Dicionário* o verbete chamado *Oração*, quanto a notas expositivas, referências e ilustrações.

"Ele estava sofrendo aflição e, naquela hora de necessidade, fez um voto de que, se Deus o livrasse, ele faria uma peregrinação ao templo e ofereceria os sacrifícios apropriados. O livramento lhe foi concedido, e, assim sendo, ele cumpriu o seu voto. Ele agradeceu e louvou publicamente" (J. R. P. Sclater, *in loc.*). Foi assim que seus amigos e compatriotas estavam ali para testemunhar seu dia de triunfo, e cada qual recebeu uma lição objetiva sobre a eficácia da oração. Não somos informados quanto à natureza da enfermidade, mas a descrição que se segue mostra-nos que foi "para a morte". A oração tinha trabalhado em favor de uma causa desesperadora. Oh, Senhor, concede-nos tal graça! Cf. Is 39.8. "Invocarei a ele enquanto eu viver, em dias de adversidade e aflição, pedindo ajuda e alívio; em dias de prosperidade, com ações de graças pelos favores recebidos. Invocarei a ele cada dia em que eu viver, e diversas vezes por dia. A oração deve ser uma constante, e não devemos desanimar. A oração é a primeira e a última ação da vida espiritual... É o Senhor, ao ouvir a oração, que nos encoraja a continuar orando" (John Gill, *in loc.*).

■ **116.3**

אֲפָפ֤וּנִי ׀ חֶבְלֵי־מָ֗וֶת וּמְצָרֵ֣י שְׁא֣וֹל מְצָא֑וּנִי צָרָ֖ה וְיָג֣וֹן אֶמְצָֽא׃

Laços de morte me cercaram. A morte apresentou sua armadilha para capturar o homem. Ele quase fora apanhado. O sheol abrira a boca horrenda e quase conseguira devorá-lo. Perseguira incansavelmente o pobre homem; mas, pelo poder de Deus, ele conseguiu iludir a força perseguidora. O sheol tinha dores a infligir, a saber, um caso terminal no qual o homem piora cada vez mais até agonizar e morrer como um cão. O homem passava por grave aflição e angústia. Por conseguinte, o que poderia fazer? Ele levantou a voz, do leito de enfermidade, e até mesmo sua breve oração foi ouvida acima do rugir da tempestade.

"Suas palavras pintavam dramaticamente o fato de que ele estava sendo caçado pela morte e pelo sepulcro. Ele quase tinha morrido" (Allen P. Ross, *in loc.*).

O Sheol. Aqui, conforme sucede usualmente nos Salmos, está em pauta a morte simples. A doutrina do sheol (como a maior parte das doutrinas) passou por uma evolução. Acompanho essa evolução doutrinária nas notas de Sl 88.10. Quanto a detalhes completos, ver os artigos do *Dicionário* chamados *Sheol* e *Hades*. O sheol, dentro do pensamento dos hebreus, tornou-se o lugar dos espíritos partidos deste mundo; um lugar de bênção e maldição; o objeto de uma missão de misericórdia por Cristo; mas foram necessários vários séculos para essa doutrina desenvolver-se, e provavelmente ainda há muitas coisas que desconhecemos, o que, naturalmente, acontece à maioria das doutrinas.

> Que tua rica graça conceda
> Forças a meu débil coração.
> Oh, que meu amor a ti
> Seja puro, caloroso e imutável,
> Uma chama viva.
>
> Roy Palmer

■ **116.4**

וּבְשֵֽׁם־יְהוָ֥ה אֶקְרָ֑א אָנָּ֥ה יְ֝הוָ֗ה מַלְּטָ֥ה נַפְשִֽׁי׃

Então invoquei o nome do Senhor. A oração interveio, porquanto Deus resolveu limitar-se pela oração. Determinou que ouviria e responderia ao clamor. Talvez o homem enfermo, por descuido ou pecado, tenha trilhado o caminho do ataque. Mesmo assim, a oração foi suficiente para salvá-lo de uma enfermidade quase fatal (cf. Sl 18.4,5).

Livra-me a alma. O hebraico literal, que menciona o livramento da alma, usualmente significa nos salmos a vida física. Posteriormente, na teologia dos hebreus, essa expressão veio a referir-se à alma imaterial e imortal do homem. Mas o homem foi libertado da enfermidade física e da morte, e não de uma punição no pós-vida.

■ **116.5**

חַנּ֣וּן יְהֹוָ֣ה וְצַדִּ֑יק וֵ֝אלֹהֵ֗ינוּ מְרַחֵֽם׃

Compassivo e justo é o Senhor. Estas palavras reúnem, em uma unidade, o amor e a justiça. O amor cuida, mas também é moralmente correto. E a misericórdia é um companheiro natural das duas virtudes. O poeta exaltou as qualidades morais de Deus não meramente por causa de sua bondade aos homens, mediante atos beneficentes. "Livrando a mim e ao meu povo, ele demonstrou ser, verdadeiramente, tudo quanto a lei definiu que é (Êx 34.6,7)" (Fausset, *in loc.*). "... como um pai para seu filho, ele simpatiza com o seu povo, sob todas as suas aflições, e os salva. Ver Sl 86.5,15" (John Gill, *in loc.*).

■ **116.6**

שֹׁמֵ֣ר פְּתָאיִ֣ם יְהֹוָ֑ה דַּ֝לּוֹתִ֗י וְלִ֣י יְהוֹשִֽׁיעַ׃

O Senhor vela pelos simples. No hebraico, "simples" é *pethaim*, que algumas versões traduzem por "pequeninos". Estão em pauta os mansos e humildes de coração; homens simples, e não sofisticados, não perseguidos pelo complexo do "ego" e por desejos egocêntricos; nem homens espertos, planejadores de toda espécie de males.

> ... *que sejais sábios para o bem e símplices para o mal.*
>
> Romanos 16.19

Uma simplicidade infantil é contrastada com a sabedoria inescrupulosa dos pecadores e exploradores do próximo.

Achava-me prostrado. O salmista refere-se aqui à sua enfermidade, que quase o tinha reduzido a nada. Sêneca pensava que é bom que todos os homens tenham o espírito demonstrado pelas pessoas enfermas e, assim, contentem-se com pequenas demonstrações de misericórdia, livrando-se da precipitação pelas coisas vãs que os homens tanto prezam. A enfermidade do homem, pois, abençoou-o com um espírito correto. Isso nem sempre opera. Minha mãe, que sofreu de câncer por quatro anos e meio, não concluiu que seus sofrimentos tivessem feito grande coisa por ela. Ela simplesmente continuou gritando, conforme o exemplo de Jó. Naturalmente, os sofrimentos de Jó eram tão severos que tudo quanto ele pôde fazer foi lutar com Yahweh, indagando a razão de tudo aquele sofrimento. Ademais, ele era inocente, pelo que a pergunta seguinte se tornou crítica: Por que os inocentes sofrem? Os males físicos fazem parte do mal natural. O *Problema do Mal* (ver o artigo com esse título no *Dicionário*) é o sofrimento de males: morais (aqueles que partem da vontade perversa do homem) e naturais (os abusos por parte da natureza, como incêndios, inundações, terremotos, enfermidades e a morte).

Cf. o caso de Ezequias em Is 38.4, e ver Sl 142.6. Ele foi "rebaixado", mas o Senhor o exaltou, revertendo aquela drástica situação e transformando as lamentações em louvores.

> Doce hora de oração,
> Que me chama de um mundo de preocupações,
> E me ordena ir até o trono de meu Pai,
> E que tornam conhecidos
> Todos os meus quereres e desejos.
>
> William W. Walford

Diz o Targum: "Ele olhou para mim a fim de redimir-me".

■ **116.7**

שׁוּבִ֣י נַ֭פְשִׁי לִמְנוּחָ֑יְכִי כִּֽי־יְ֝הוָ֗ה גָּמַ֥ל עָלָֽיְכִי׃

Volta, minha alma, ao teu sossego. Yahweh deu descanso ao espírito e ao corpo do pobre homem. Este deixou de agonizar e chorar, chorar e agonizar. O homem alcançou a intervenção divina, a cura divina. Mesmo que tenha sido o seu sistema de imunização quem, finalmente, derrotou a enfermidade, o poeta ainda assim teria atribuído tudo à obra de Yahweh. O texto sagrado, porém, parece apontar para algo dramático, algo (quase) instantâneo que reverteu o curso da vida do salmista de maneira espetacular. Portanto, ninguém seria capaz de fazê-lo parar de clamar alegres aleluias! E ele saiu correndo para o templo, ainda a clamar, fazendo com que todos soubessem que o Mestre estava vivo.

Este versículo tem sido nacionalizado para falar do descanso de Israel da servidão egípcia ou do cativeiro babilônico. E também tem sido cristianizado para falar do livramento que os homens experimentam na obra redentora de Cristo.

> Maravilhosa graça de Jesus,
> Maior que todo o meu pecado.
> Como minha língua a descreverá,
> Onde começará o seu louvor?
>
> Inigualável graça de Jesus,
> Mais profunda que o poderoso mar agitado.
> Maravilhosa graça de Jesus,
> Suficiente para mim, sim, para mim.
>
> Haldor Liffenas

Meus amigos, o salmista tornou-se, por assim dizer, um fanático. E por que não, se outros homens são fanáticos com muito menor razão, por coisas muito menores? Ele continuava declarando a todos com quem se encontrava sobre como Yahweh é poderoso, e como esse poder resultou em tão grandes riquezas espirituais para ele. Quem tem uma experiência vence quem conta apenas com um argumento. Alguns homens mostram-se fanáticos quanto a ganhar dinheiro. Falam a respeito disso noite e dia, planejando, investindo e enganando, se necessário for. Até têm sonhos que lhes dizem como fazer mais dinheiro. Mas o real tesouro que temos nestes nossos vasos de barro é a pérola de grande preço, o tesouro escondido da alma. O homem que encontra esse tesouro jamais deixará de clamar: "Uau!" Sua experiência separou-o das massas que labutam diariamente, com o rosto franzido. Mas o homem fanático é uma peste. Ele não deixa os outros em paz. Vive falando sobre a religião e a fé. E sempre se mostra exageradamente entusiasmado. Sempre tem uma nova história para contar a respeito de suas experiências, porquanto elas não são apenas uma ou duas. Ali você tem um homem a quem o Espírito Santo escolheu, e ele nunca mais será o mesmo homem. Os homens espirituais sabem dessas coisas.

■ 116.8

כִּי חִלַּצְתָּ נַפְשִׁי מִמָּוֶת אֶת־עֵינִי מִן־דִּמְעָה אֶת־רַגְלִי מִדֶּחִי׃

Pois livraste da morte a minha alma. Houve um tríplice livramento: a alma, que foi livrada da morte; os olhos, que foram livrados da tristeza; e os pés, que foram livrados dos tropeços. Parece haver aqui uma alusão a Dt 28.65,66. "Deus o livrou dos olhos grudados ao chão, das dúvidas da vida, do desassossego dos pés, das ameaças feitas por inimigos. Mas a plenitude desse livramento ainda jaz no futuro, que a restauração do exílio babilônico tipificou" (Fausset, *in loc.*). O salmista estivera à beira do sepulcro, pronto para tombar dentro dele. Mas o braço de Yahweh se estendeu e o trouxe de volta ao solo firme.

> O sol dourado, a lua prateada,
> E todas as estrelas lhe pertencem,
> E ele é meu amigo.
>
> James H. Sammis

"Tu me tiraste da terra dos ardis e precipícios e me levaste a uma vereda plana" (Adam Clarke, *in loc.*). "O povo de Deus inclina-se por cair tanto no pecado quanto na calamidade. Somente o Senhor é poderoso para guardá-los. E isso é algo que eles podem esperar dele, visto que participam de seu amor, de sua aliança e de suas promessas. E, além disso, eles estão seguros nas mãos de Cristo. Ver Sl 56.13" (John Gill, *in loc.*).

■ 116.9

אֶתְהַלֵּךְ לִפְנֵי יְהוָה בְּאַרְצוֹת הַחַיִּים׃

Andarei na presença do Senhor, na terra dos viventes. O homem cujos pés até recentemente quase tropeçavam para dentro da sepultura, agora caminhava ao longo da vereda da paz que fora preparada pelo Senhor. Ele caminhava pela "terra dos viventes", em vez de estar deitado de costas na terra dos mortos. Por isso, ele andou reto na direção do templo e ali clamou louvores a Deus. Os sacerdotes vieram saber o que estava acontecendo e disseram: "Oh, é apenas mais um daqueles fanáticos". Mas quando ouviram a sua história, reconheceram "Oh, Deus tem poder", e em breve também estavam gritando seus aleluias e améns.

Houve um filósofo chinês do século III a.C., chamado Mêncio. Ele era um homem sábio. Disse ele que, quando o céu está prestes a conferir alguma grande bênção a um homem, primeiramente lhe enviava uma provação severa. "A vida origina-se na tristeza", declarou ele. Isso soa atrativo, pelo que costumamos dizer: "Que isso aconteça a outras pessoas".

■ 116.10

הֶאֱמַנְתִּי כִּי אֲדַבֵּר אֲנִי עָנִיתִי מְאֹד׃

Eu cria. O homem enfermo tinha fé e, finalmente, foi recompensado de maneira espetacular. O homem "guardou a fé", mesmo quando esteve em meio à sua grave aflição. "Oprimido e aflito como eu estava, sempre acreditei que tuas promessas eram verazes. Estive empenhado em grandes lutas para manter a minha confiança, pois minhas aflições foram enormes, opressivas e de longa duração" (Adam Clarke, *in loc.*). Ele confiou conforme Abraão também tinha confiado, pois havia grandes promessas que firmavam a sua alma. "Não que o salmista se jactasse de sua fé, mas ele a mencionou a fim de glorificar ao Senhor, que lhe havia dado aquelas promessas" (Fausset, *in loc.*).

Paulo, o apóstolo, também passou por grandes provações, mas manteve a sua fé: "Temos, porém, este tesouro em vasos de barro, para que a excelência do poder seja de Deus e não de nós" (2Co 4.7). Os versículos seguintes falam de suas grandes dificuldades, e então o apóstolo lembrou as palavras deste versículo de Salmos e disse: "Eu cri, por isso é que falei" (2Co 4.13).

O apóstolo tinha fé na vitória final, por ocasião da ressurreição e glorificação dos crentes. Nosso poeta, entretanto, estava atrás de um alvo menor. Ele acreditava que lhe poderia ser dada a cura física, e a sua fé foi recompensada. Mas embora seu alvo fosse menor, não estava divorciado da espiritualidade.

■ 116.11

אֲנִי אָמַרְתִּי בְחָפְזִי כָּל־הָאָדָם כֹּזֵב׃

Eu disse na minha perturbação. *Possíveis Significados Deste Versículo:* 1. Os homens, como sacerdotes, falam sobre o poder de Deus para curar, mas visto que "todos os homens são mentirosos" (ver Tt 1.12), como confiar naquilo que eles dizem? Mas o poeta percebeu que fizera um julgamento apressado. Algumas vezes os homens dizem a verdade, especialmente quando falam sobre o poder que Deus tem de curar e abençoar. Se o salmista tivesse escutado todos cuja língua solta os identifica como mentirosos, não teria acreditado que pudesse ser curado. Os homens desapontam a confiança que outros homens depositam neles. Verdadeiramente, eles nos dão razão para não confiarmos neles. Não obstante, algumas vezes pode-se confiar em um homem quando ele está falando sobre o poder de Deus. Ademais, o poeta sagrado contava com o testemunho do Espírito de Deus em seu coração, o qual transcende tudo quanto os homens são e dizem, e isso continuava a segredar-lhe como ele poderia ser curado. Seu clamor pedindo misericórdia submetera Yahweh a teste, e nosso homem não fora desapontado. 2. Há outro sentido possível neste versículo: quando o poeta sagrado buscava a cura, outros diziam-lhe que ele estava iludido em sua fé. Mas eles é que acabaram sendo um bando de mentirosos. Assim sendo, em "consternação" (*Revised Standard Version*), o poeta chamou-os de mentirosos. Ele não ficou desencorajado ao ouvir todas aquelas mentiras, mas continuou esperando em Yahweh (vs. 12). 3. Ainda outro sentido é possível: o poeta tinha posto sua esperança nos homens. Talvez ele tenha consultado os médicos que o decepcionaram. Então ele disse, "em sua consternação, que os homens são todos vãs esperanças". Com essa atitude mental, voltou-se para Yahweh.

O SALMISTA VAI AO TEMPLO (116.12-19)

■ 116.12

מָה־אָשִׁיב לַיהוָה כָּל־תַּגְמוּלוֹהִי עָלָי׃

Que darei ao Senhor...? O salmista fora curado. Recebera abundância de bênçãos de Yahweh. Ele tinha feito votos: "Senhor, se me curares, farei isto e aquilo por ti". Mas seus votos (vs. 14) haviam sido superficiais, e o que ele tinha prometido era muito pouco. Portanto, o que ele poderia fazer para demonstrar sua gratidão?

> Por misericórdias tão grandes
> Que posso eu devolver a Deus?
> Por misericórdias tão grandes e verdadeiras,
> Eu o amarei e servirei
> Com tudo quanto tenho,
> Enquanto minha vida perdurar.

O Procedimento no Templo:

1. O homem vai ao templo. Ele pode estar acompanhado por amigos que tinham seguido de perto o seu caso. Ele leva um animal para ser sacrificado.

2. O sacrifício do animal é efetuado, bem como uma libação.
3. O homem cumpre os votos anteriormente tomados tanto quanto é possível fazê-lo dentro do terreno do templo. Talvez ele traga outros animais para serem sacrificados, ou dinheiro ou algum cereal. Ele tem votos a pagar "ali".
4. Há cânticos e regozijo. Os sacerdotes e membros da comunidade se juntam a ele. Os levitas músicos (ver 1Cr 25) participam dos cânticos e tocam seus instrumentos.
5. Ele ergue o cálice da salvação, isto é, uma libação de vinho, derramado sobre um vaso perto do altar. Ver o vs. 14, quanto a esse item.

"O escritor sagrado, ao perguntar o que poderia dar ao Senhor como pagamento pela bondade demonstrada (ver o vs. 7; 13.6; 142.7), fez um voto de louvar ao Senhor na congregação" (Allen P. Ross, *in loc.*).

Este versículo tem sido cristianizado para referir-se a uma vida de dedicação em troca das bênçãos recebidas na salvação.

■ 116.13

כּוֹס־יְשׁוּעוֹת אֶשָּׂא וּבְשֵׁם יְהוָה אֶקְרָא׃

Tomarei o cálice da salvação. Está em pauta uma libação para agradecer a Yahweh por seu livramento da enfermidade. Uma libação de vinho era vertida em um vaso que estava sobre o altar, um dos "concomitantes de praticamente todo sacrifício animal (cf. Êx 29.40; Lv 23.37; Dt 32.38; Ez 20.28; Eclesiástico 50.14,15)" (William R. Taylor, *in loc.*).

Nunca te sintas triste ou desanimado
Se tens fé para acreditar;
Graça para os deveres à tua frente,
Pede de Deus e recebe.

Fanny J. Crosby

A libação seria oferecida em meio aos louvores e às orações, mediante os quais o homem invocaria o nome de Yahweh, para receber sua oferenda, seu louvor e sua vida.

Nosso coração dividido por nada,
Contente por deixar tudo por ele.

James Allen

"... estando bem disposto, sob o senso das misericórdias recebidas, para suportar ou sofrer qualquer coisa por amor daquele que o tinha chamado, sabendo que isso seria sinal de sua salvação. Talvez a alusão seja a um chefe de família que, no término de uma festa ou refeição, costumasse tomar um cálice na mão e dar graças a Deus. Ver Mt 26.27" (John Gill, *in loc.*).

■ 116.14

נְדָרַי לַיהוָה אֲשַׁלֵּם נֶגְדָה־נָּא לְכָל־עַמּוֹ׃

Cumprirei os meus votos ao Senhor. O poeta pagou publicamente os seus votos, na presença de muitas testemunhas. Outros votos ele também pagaria "ali". Haveria presentes outorgados ao templo, atos de caridade, sinais de dedicação e evidências de viver a lei do amor. Excetuando a questão dos sacrifícios e das cerimônias acompanhantes que prestavam louvor público, não somos informados sobre o que seriam esses votos. Ver no *Dicionário* o artigo chamado *Votos*. Essa declaração é repetida no vs. 18. Os votos incluíam toda a espécie de promessas que a pessoa faria isto ou aquilo, ou daria isto ou aquilo. Esses votos eram considerados com o máximo de seriedade e precisavam ser cumpridos.

Dá-me o teu coração,
Nenhum dom é tão precioso para ele
Como o presente do nosso amor.
...

Dá-me o teu coração,
Dá-me o teu coração,
Ouve o suave sussurro.

Afasta-te deste mundo escuro:
Dá-me o teu coração.

Eliza H. Hewitt

■ 116.15

יָקָר בְּעֵינֵי יְהוָה הַמָּוְתָה לַחֲסִידָיו׃

Preciosa é aos olhos do Senhor a morte dos seus santos. Este versículo é um dos mais citados do livro de Salmos, sendo utilizado frequentemente em ritos funerais. A temível morte é preciosa segundo a avaliação de *Yahweh*, que significa *Eterno*. A palavra hebraica traduzida aqui "preciosa" é *yakar*, que significa "brilhante", "clara", "excelente", "valiosa", "preciosa". Mas em quais sentidos o Eterno Deus poderia considerar a morte de um pobre mortal "preciosa"?

1. O *Eterno* zela para que seus santos não sejam entregues à morte quando seus inimigos atacam. Isto é, eles não sofrerão morte violenta ou prematura. "Eles não serão entregues à morte" (Fausset, *in loc.*). Compare-se este versículo com Sl 77.14. A morte deles deve ser *valiosa* aos olhos do Eterno, não uma coisa trivial, forçada por inimigos ou por uma doença absurda que remove a pessoa antes de sua missão ser completada.
2. A morte é *valiosa* quando coroa uma vida de propósito e espiritualidade, como o *triunfo final*. "Ele fez o que devia ter feito, sem exceção, e agora descansa de seus labores." Este tipo de morte é preciosa, e nela não há remorso algum.
3. Uma morte é valiosa quando completa uma vida valiosa. Uma morte pode ser vazia quando termina uma vida vazia e sem propósitos. Claro, Deus é o Deus da oportunidade, que continua depois do sepulcro; portanto, uma vida vazia aqui poderá ser, afinal, anulada com uma vida de valor além do sepulcro (ver 1Pe 4.6).
4. Quando a morte for a *porta da vida eterna*, então, obviamente, é *preciosa* porque introduz a alma às riquezas da salvação da vida imortal. Note-se aqui que é a morte dos "santos" que é preciosa, e isto implica que a santidade triunfa na vida além da morte biológica, transformando a pessoa à imagem divina. Nesta transformação, há participação na vida e na imagem de Deus (o Pai), através do Filho (Rm 8.29; 2Co 3.18; 2Pe 1.4).

... à vista do Senhor... O Eterno Deus acompanha de perto a carreira do pobre mortal. O Criador não abandonou sua criação, mas está presente para guiar, castigar e abençoar. A isto chamamos de *Teísmo*, em contraste com o *Deísmo*, que ensina que o Criador (uma força pessoal ou impessoal) abandonou sua criação ao governo das leis naturais. Ver sobre os dois termos na *Enciclopédia de Bíblia, Teologia e Filosofia*. Ver também sobre *Santos*.

■ 116.16

אָנָּה יְהוָה כִּי־אֲנִי עַבְדֶּךָ אֲנִי־עַבְדְּךָ בֶּן־אֲמָתֶךָ
פִּתַּחְתָּ לְמוֹסֵרָי׃

Sou teu servo. O nosso homem fora libertado para ser escravo voluntário do Senhor. A mãe dele era sua criada. O salmista dedicou-se novamente ao Senhor e ao serviço do Senhor, e alegrou-se em entregar ao Ser divino a sua vontade. Cf. Sl 86.16, que diz algo similar. Este salmo, segundo a declaração do vs. 16, certamente vai além da piedade normal do Antigo Testamento, com sua fanática dedicação à lei. O poeta sagrado aproximava-se cada vez mais do divino Legislador, o que é a essência da espiritualidade. "Sou teu servo, livrado de meu desespero pelo teu poder." Ele estivera na prisão de um corpo muito adoentado. De súbito, todas as coisas se renovaram. Tendo sido libertado de maneira tão espetacular, o salmista correu para tornar-se escravo de Yahweh para sempre, para ser seguro nos laços do amor de Deus. "Não somente ele mesmo foi posto dentro da servidão a Deus, mas também seus familiares foram incluídos no pacto. Como era comum no Oriente, a mãe foi mencionada em lugar do pai" (Ellicott, *in loc.*). "... servo, não por mera criação, mas como obrigado pelos favores providenciais de Deus; pela graça de Deus que o tornava bem disposto. Não como os que dizem 'Senhor, Senhor', mas acabam não cumprindo a vontade de Deus. Ele veio a servir o Senhor alegre e voluntariamente" (John Gill, *in loc.*).

■ 116.17

לְךָ־אֶזְבַּח זֶבַח תּוֹדָה וּבְשֵׁם יְהוָה אֶקְרָא:

Oferecer-te-ei sacrifícios de ações de graças. Havia oferendas especiais de agradecimento, que acompanhavam as oferendas cruentas. Ver sobre Sl 107.22. Mas, com base no vs. 16, compreendemos uma oferenda espiritual — a dedicação da vida. As oferendas eram feitas enquanto se invocava o nome de Yahweh. Ver sobre *Nome*, em Sl 31.3, e sobre *Nome Santo*, em Sl 30.4 e 33.21. A invocação do nome emprestaria poder à oração. O sacrifício espiritual envolvia agradecimento, um dos grandes temas do saltério. Ver sobre *Ações de Graças*, no *Dicionário*, que dá detalhes abundantes sobre o assunto, com referências e ilustrações.

> Mais agudo que as presas de uma serpente
> É ter uma criança ingrata.
>
> Shakespeare

■ 116.18

נְדָרַי לַיהוָה אֲשַׁלֵּם נֶגְדָה־נָּא לְכָל־עַמּוֹ:

Cumprirei os meus votos ao Senhor. Este versículo é uma duplicação do vs. 14, onde apresento notas expositivas. O Targum sugere algumas coisas que poderiam estar entre os votos tomados pelo salmista: "Declararei então os sinais e as maravilhas a todo o seu povo", isto é, Deus havia feito coisas maravilhosas, incluindo a cura física.

■ 116.19

בְּחַצְרוֹת בֵּית יְהוָה בְּתוֹכֵכִי יְרוּשָׁלָ͏ִם הַלְלוּ־יָהּ:

Nos átrios da casa do Senhor. Este salmo termina com a nota do alegre aleluia! que soava no átrio do templo, onde deixamos o poeta a cantar seus louvores a Yahweh, que curou o corpo do salmista quando ele estava à beira da morte. O louvor saiu da colina de Sião, no meio de Jerusalém, capital espiritual da nação israelita. O homem tinha levado seus louvores ao quartel-general e assim apresentou seu ato máximo de adoração e ações de graças. Agora o salmista estava no templo, juntamente com os sacerdotes, entoando o cântico de aleluia, mas amanhã ele estaria fazendo boas obras por outras pessoas, da mesma forma que Yahweh tinha feito uma boa obra em seu favor. Ele não haveria de enclausurar sua virtude. "O altar estava no átrio descoberto, e não dentro do edifício do templo, e naquela área os adoradores estavam reunidos (comparar com Sl 96.8)" (William R. Taylor, *in loc.*).

> Eu estava ferido, mas Jesus me curou,
> Quase desmaiado estava eu, de tanto cair.
> Ele me envolveu com seus braços amorosos
> E guiou-me pelo seu caminho.
>
> Francis H. Rowley

SALMO CENTO E DEZESSETE

Quanto a informações gerais que se aplicam a todos os salmos, ver a introdução ao Salmo 4, onde apresento sete comentários que elucidam a natureza do livro.

Quanto às classes dos salmos, ver o gráfico no início do comentário, que atua como uma espécie de frontispício da coletânea. Ofereço ali dezessete classes e listo os salmos pertencentes a cada uma delas. Este salmo é uma *doxologia*, da mesma maneira que o Salmo 150. Este salmo derradeiro termina a coletânea do saltério, mas os intérpretes debatem de qual salmo este foi separado, e entre as sugestões estão os salmos de número 116 e 148. Mas é possível que, tal como temos doxologias em nossos hinários modernos, que são apenas doxologias e não pertencem a outros hinos, também o Salmo 117 seja um minúsculo salmo com seus próprios direitos, uma doxologia flutuante que os editores que coligiram os salmos decidiram ser boa demais para ignorar, embora não fizesse parte de um salmo mais completo.

Os Salmos 113 a 118, dentro da tradição litúrgica judaica de um tempo posterior, eram chamados de *Salmos Hallel* (salmos de louvor) egípcios. Ver Sl 114.1, quanto à referência egípcia. Esses salmos eram usados em conexão com as três festas anuais que requeriam a presença de todos os varões hebreus, a saber, a Páscoa, o Pentecoste e os Tabernáculos. Os Salmos 113 e 117 têm aleluias! no começo e no fim; o Salmo 114 não tem nenhum aleluia! Os Salmos 115 e 116 trazem o aleluia! no final. E o Salmo 118 tem agradecimentos no começo e no fim.

Subtítulo. Os *Salmos Hallel* (113 a 118) não contam com nenhuma nota introdutória ou títulos de editores posteriores, pelo que se acham entre os chamados "salmos órfãos", que são em número de 34. Quanto a essa circunstância, ver a introdução ao Salmo 91, sob *Subtítulo*.

■ 117.1

הַלְלוּ אֶת־יְהוָה כָּל־גּוֹיִם שַׁבְּחוּהוּ כָּל־הָאֻמִּים:

Louvai ao Senhor. A doxologia de Thomas Ken contém quatro louvores em duas linhas; outros variam com a palavra "glória", como o Gloria Patri; e ainda outros dizem "santo". Todas essas doxologias estão baseadas em doxologias bíblicas, que usam palavras-chave. O Salmo 117 tem o aleluia! (louvor) por três vezes; a convocação é estendida a todas as nações; então a todo o povo; e então, geralmente, como um término.

Oliver Cromwell e suas tropas entoaram este salmo após uma grande vitória obtida em Dunbar. Outras pessoas o têm entoado como antídoto para a depressão e o temor. Existem aquelas horas negras em que os homens dizem:

> Nada existe, no céu ou na terra,
> Que possa elevar a minha alma.
>
> W. H. Davies

Mas o coração mais cansado pode ser animado por uma das grandes doxologias. O louvor é um antídoto para a preocupação, pois no louvor recordamos razões pelas quais devemos encorajar-nos. Conta-se a história de Francisco de Assis que, certa ocasião, estava muito enfermo. Ele pediu então que um frade tomasse por empréstimo uma guitarra. Mas o que desejaria o santo com uma guitarra? A guitarra estava ali, no quarto de Francisco, porém ele não tocou no instrumento. Naquela noite, entretanto, Deus enviou um anjo para tocar o instrumento, e ele proveu um concerto que nunca será esquecido, e as dores do homem santo foram vencidas. E é em oportunidades como essa que o louvor pode contra-atacar as críticas e as palavras ofensivas.

É mais fácil odiar do que amar; é mais fácil abusar da linguagem do que fazê-la abençoar. As grandes doxologias nos recordam o uso apropriado da linguagem. Os descobridores de faltas são indivíduos pestíferos, mas os que abençoam são benfeitores. Além disso, o louvor amolece o coração em tempos de adversidade. Os homens, algumas vezes, mostram-se zelosos e até fanáticos, mas suas palavras são ecos vazios a menos que edifiquem e abençoem. O fanatismo em breve transforma-se em intolerância, mas o louvor une os homens sob um só Deus. Epicteto foi um grande estoico romano, e seus escritos estão cheios de declarações expressivas, dignas, sábias, mas lhe faltava a espontaneidade e a alegria dos apóstolos cristãos.

O vs. 1 deste salmo é apropriadamente universal. O poeta conclamou todas as nações a louvar alegremente a Yahweh; em seguida, convidou todos os povos a fazer o mesmo. Esse é um paralelismo universal.

> Este é o mundo do meu Pai,
> E em meus ouvidos que ouvem,
> Toda a natureza canta ao redor de mim,
> Tocando a música das esferas.
>
> Maltbie D. Babcoc

"Este é o mais breve de todos os salmos, podendo bem ser chamado de *multum in parvo*, pois nas poucas palavras que contém, conforme o apóstolo Paulo sentia (ver Rm 15.11), está o germe da grande doutrina da universalidade do reino messiânico. Não há que duvidar que este salmo visava o uso litúrgico, e possivelmente tenha sido apenas uma das muitas variedades da doxologia dos hebreus" (Ellicott, *in loc.*). Cf. Sl 42.1; 67.1-3; 98.3,4 e Rm 16.9-13.

117.2

כִּי גָבַר עָלֵינוּ חַסְדּוֹ וֶאֱמֶת־יְהוָה לְעוֹלָם הַלְלוּ־יָהּ׃

Porque mui grande é a sua misericórdia. Por que todos os povos devem louvar a Yahweh? Porque ele é o Supremo Benfeitor, o *Summum Bonum* de todos os povos. O Criador é, igualmente, o Benfeitor de toda a criação. Sua providência é universal. Yahweh manifesta seu amor constante e sua fidelidade, os quais tantas vezes aparecem reunidos nos Salmos. "Esses dois atributos, mencionados por Paulo em Rm 15.8-12, são os que Jesus Cristo veio manifestar, a fim de que os gentios pudessem 'regozijar-se com o seu povo'" (Fausset, *in loc.*).

O Governo e as Bênçãos Universais de Deus. Um renomado ensaísta inglês contou a história de Bulstrode Whitelock, embaixador da Inglaterra em Haia, Holanda. Os tempos dele foram muito perturbados, e o embaixador, cheio de preocupações diplomáticas, não conseguia dormir. Um servo tentou aliviar a tensão dele por meio do seguinte diálogo: "Senhor, posso fazer-lhe uma pergunta?" "Certamente", replicou o embaixador. "Senhor, Deus governava bem este mundo, antes de o senhor chegar aqui?" "Sem dúvida", replicou o embaixador britânico. "E ele governará bem este mundo quando o senhor sair dele?" "Sem a menor sombra de dúvida", foi a resposta do cavalheiro inglês. "Então, senhor, não pode o senhor confiar que ele governará bem este mundo enquanto o senhor continua aqui?" O embaixador não respondeu, mas voltou-se para o outro lado da cama e dormiu" (W. R. Inge, *Lay Thoughts of a Dean*).

Quanto à combinação do amor constante com a fidelidade, cf. Sl 108.4; 115.1 e 138.2. "Visto que a palavra do Senhor é digna de confiança, Deus é fiel. Esse termo fortalece o conceito da lealdade de Deus aos seus pactos. Este salmo termina com o familiar Louvado Seja o Senhor (Aleluia!). Ver Sl 104.35" (Allen P. Ross, *in loc.*).

Aleluia! Com esta palavra se encerra esta minúscula doxologia, o menor salmo do saltério. Ver no *Dicionário* o verbete denominado *Aleluia*, quanto a detalhes. Louvado seja Deus quanto ao seu amor e fidelidade, pois em Cristo nenhuma promessa de Deus jamais falhará. Louvado seja Deus por sua graça superabundante e eterna veracidade. Todos os povos, de todos os lugares, em todos os tempos, em todas as nações, louvem-no!

> Damos a ti apenas o que é teu,
> Sem importar qual seja o teu dom.
> Tudo quanto temos pertence a ti somente,
> Um fideicomisso, ó Senhor, de tua parte.

SALMO CENTO E DEZOITO

Quanto a informações gerais que se aplicam a todos os salmos, ver a introdução ao Salmo 4, onde apresento sete comentários que elucidam a natureza do livro.

Quanto às classes dos salmos, ver o gráfico no início do comentário, que atua como uma espécie de frontispício da coletânea. Ofereço ali dezessete classes e listo os salmos pertencentes a cada uma delas.

Este é um *salmo de ação de graças*. Comemora alguma grande vitória em batalha. Os vss. 10-14 parecem indicar que o próprio rei veio ao templo para agradecer ao Senhor. Os Salmos 113 a 118, de acordo com a tradição litúrgica dos judeus de uma época posterior, são chamados de *Salmos Hallel* (salmos de louvor) egípcios. Esses salmos eram usados em conexão com as três festas anuais obrigatórias, que requeriam a presença de todos os varões hebreus, a saber, a Páscoa, o Pentecoste e os Tabernáculos. Os Salmos 113 e 117 têm o aleluia! (louvor) no começo e no fim; o Salmo 114 não tem nenhum aleluia! Os Salmos 115 e 116 apresentam o aleluia! no final. O Salmo 118 tem agradecimentos no começo e no fim, com a mesma declaração.

O Salmo 118 poderia ser usado em qualquer ocasião em que o agradecimento ao Senhor fosse requerido, mas parece que era apropriado especialmente durante a festa dos Tabernáculos. Os vss. 1-4, 20, 22-27 e 29 mostram que este salmo foi adaptado para uso congregacional, e os "eus" do rei foram personificados para indicar a nação de Israel. A identificação da composição com algum rei específico, como Davi ou Ezequias, não tem nenhuma evidência conclusiva.

Subtítulo. Aos *Salmos Hallel* (113 a 118) faltam quaisquer notas introdutórias ou títulos adicionados por editores posteriores, pelo que se acham entre os 34 chamados "salmos órfãos". Quanto a essa circunstância, ver a introdução ao Salmo 91, sob *Subtítulo*.

QUE ISRAEL AGRADEÇA (118.1-4)

118.1

הוֹדוּ לַיהוָה כִּי־טוֹב כִּי לְעוֹלָם חַסְדּוֹ׃

Rendei graças ao Senhor. Este último dos *Salmos Hallel* (salmos de louvor), compostos pelos Salmos de número 113 a 118, começa com um agradecimento a Deus e termina com declaração idêntica. Ver no *Dicionário* os artigos chamados *Ações de graças* e *Aleluia*. Na antífona do hino, o vs. 1 pode ter sido entoado por uma pessoa, ou dividido entre duas pessoas, o que também acontece com o vs. 29, declaração idêntica. Aparentemente uma grande vitória militar tinha sido lograda, e assim o coro, formado por levitas cantantes, invocou Israel a agradecer ao Senhor. Este hino era especialmente adaptável à festa dos Tabernáculos, um tempo de agradecimento nacional, e também usado em outras festividades da liturgia judaica posterior, conforme nos informa a Mishnah. Cf. os vss. 1-4 com Sl 115.9-13, quanto a um arranjo coral similar. A fórmula real de agradecimento foi usada, pela primeira vez, por Davi, quando a arca foi estabelecida em Sião (ver 1Cr 16.8,34).

"Em resposta ao convite para reconhecer a bondade do Senhor (vss. 1,29), a nação, Israel, os sacerdotes (a casa do Senhor) e todos os adoradores (os que temiam ao Senhor; cf. Sl 115.9-13) declararam que o seu amor leal era eterno" (Allen P. Ross, *in loc.*).

A bondade de Yahweh se manifestava por causa de seu amor constante. Ver no *Dicionário* os artigos *Benignidade* e *Amor*.

118.2-4

יֹאמַר־נָא יִשְׂרָאֵל כִּי לְעוֹלָם חַסְדּוֹ׃

יֹאמְרוּ־נָא בֵית־אַהֲרֹן כִּי לְעוֹלָם חַסְדּוֹ׃

יֹאמְרוּ־נָא יִרְאֵי יְהוָה כִּי לְעוֹלָם חַסְדּוֹ׃

Diga, pois, Israel. Os vss. 2 e 4 sugerem uma antífona do hino com diferentes grupos cantando diferentes partes. Assim, Israel (a congregação) foi primeiramente chamado para render graças, falando sobre o amor constante de Yahweh e como esse amor dura para sempre. Provavelmente essa chamada à participação por parte de Israel era entoada por um solista, um cantor profissional (ver 1Cr 25). Primeiramente, Israel (a congregação) responderia ao convite (vs. 2), e então os sacerdotes (a casa de Israel; vs. 3) reverberariam o mesmo tema do amor constante de Yahweh (vs. 3). Uma terceira categoria, "aqueles que temem o Senhor", teriam então a sua vez, refletindo a mesma mensagem (vs. 4). Discuti sobre esses três grupos em Sl 15.10 e 11, pelo que não repito aqui o material. As mesmas classificações aparecem novamente em Sl 135.19,20. Nesta última referência, é designado outro grupo, a casa de Levi. No Salmo 115, os três grupos possuem a ajuda e o escudo de Yahweh. Aqui eles devem cantar um hino especial para celebrar o amor constante de Yahweh, o qual perdura para sempre. Cf. Sl 100.4,5, quanto a algo similar, cujas notas expositivas também se aplicam aqui.

A ORAÇÃO RESPONDIDA PELO SENHOR (118.5-9)

118.5

מִן־הַמֵּצַר קָרָאתִי יָּהּ עָנָנִי בַמֶּרְחָב יָהּ׃

Em meio à tribulação invoquei o Senhor. Aqui temos atos específicos do amor constante de Deus, pelo qual são dados agradecimentos. Yahweh tinha libertado o rei, ou seja, literalmente, "me deu folga". O texto foi emendado para "guiou-me para um lugar espaçoso". Provavelmente está em foco alguma vitória militar, segundo a qual o rei e seus exércitos, em aflição, foram capazes de obter triunfo. Provavelmente assim dizia a composição original, mas esse hino passou a ser usado para agradecer a Deus por qualquer situação de agonia em que algum indivíduo ou a nação de Israel tivessem sido livrados e obtido a vitória. Cf. Sl 18.19, a "liberdade de Yahweh", ou seja, uma liberdade ilimitada, onde o lugar espaçoso também é mencionado. O rei invocara a Yahweh quando estava em um lugar apertado (aflição), e recebera um lugar espaçoso, onde a vitória poderia ser obtida. Cf. Sl 4.1; 18.19; 31.8. Alguns veem aqui o livramento de Judá do cativeiro babilônico, mas, na verdade, isso não parece estar em vista.

Este versículo tem sido cristianizado para falar das grandes vitórias de Cristo em sua ressurreição, ascensão e posição à mão direita de Deus Pai, e das grandes vitórias compartilhadas então com o seu povo.

■ **118.6**

יְהוָה לִי לֹא אִירָא מַה־יַּעֲשֶׂה לִי אָדָם׃

O Senhor está comigo. Yahweh estava ao lado do rei, participando da batalha, pelo que assumira o controle como o General dos exércitos de Deus, e assim garantira a vitória. O temor dos homens, que poderia matar e destruir, foi assim afastado. Ver sobre o *Senhor dos Exércitos* em 1Rs 8.15.

> Seu pendão sobre nós é amor,
> Nossa espada, a Palavra de Deus.
> Palmilhamos a estrada que os santos acima,
> Com gritos de triunfo, palmilharam.
> Pela fé, eles, como um sopro de tufão,
> Varreram por todos os campos.
> A fé mediante a qual eles conquistaram a Morte,
> Continua sendo nosso escudo rebrilhante.
>
> John H. Yates

Este versículo é uma reminiscência de Sl 56.9-11, cujas notas expositivas também se aplicam aqui. Ver especialmente os vss. 4, 9 e 11. O trecho de Hb 13.6 repete a declaração do Antigo Testamento dentro do contexto do Novo Testamento: o Senhor nunca abandonará o seu povo. Ver sobre essa passagem no *Novo Testamento Interpretado*.

> *Caiam mil ao teu lado, e dez mil à tua direita; tu não serás atingido.*
>
> Salmo 91.7

■ **118.7**

יְהוָה לִי בְּעֹזְרָי וַאֲנִי אֶרְאֶה בְשֹׂנְאָי׃

O Senhor está comigo entre os que me ajudam. Com a ajuda de Yahweh, o rei não tinha razões para temer (vs. 6); ele não tinha razões para acreditar que os homens pudessem prejudicá-lo (vs. 7); ele tinha triunfado sobre os inimigos que, movidos pelo ódio, queriam destruí-lo. Os jovens são ensinados a odiar o treinamento militar, visto que isso torna mais fácil a matança de seres humanos. Coisa alguma que digamos pode glorificar a guerra, embora muita literatura, em prosa ou poesia, tenha sido dilapidada nesse projeto.

> *Ele retribuirá o mal aos meus opressores.*
>
> Salmo 54.5

O triunfo do rei era ver morrendo no campo de batalha os homens que tanto queriam vê-lo perecendo ali. Cf. o vs. 10 a esse respeito. Yahweh obteria o crédito pela matança. Essas coisas são difíceis de engolir, mas podemos fazer aplicações espirituais da questão e obter algum benefício para nossa vida espiritual. Jesus conquistou os poderes malignos (Cl 2.15 ss.) e dessa maneira somos elevados até os céus. Diz o Targum: "A Palavra do Senhor está ali para ajudar-me". E essa declaração é uma afirmação messiânica. Ver Sl 54.7.

■ **118.8**

טוֹב לַחֲסוֹת בַּיהוָה מִבְּטֹחַ בָּאָדָם׃

Melhor é buscar refúgio no Senhor. Quando o rei e seus exércitos lutavam desesperadamente pela sobrevivência em campo de batalha, levantaram as vozes, apelando para o Senhor, visto que perceberam não poderem contar com nenhuma ajuda humana. E, tendo obtido a vitória, tornaram-se testemunhas de que é "melhor" confiar em Yahweh do que depositar confiança no homem. Assim sendo, foi aprendida uma lição quanto à fé espiritual.

> Vinde, cada alma pelo pecado oprimida,
> Há misericórdia no Senhor,
> E ele certamente vos dará descanso,
> Quando confiardes em sua Palavra.
>
> John H. Stockton

"É melhor confiar no Senhor do que apelar para os recursos humanos" (Allen P. Ross, *in loc.*). Cf. Sl 62.8,9 e 146.3. "O homem é débil, ignorante, volúvel e caprichoso. Por certo é melhor confiar em Yahweh" (Adam Clarke, *in loc.*). "Depositar a confiança no homem é confiar em um cajado quebrado, em meras sombras. É melhor confiar no Senhor, pois, além de ser capaz de ajudar, ele também está disposto a isso" (John Gill, *in loc.*).

■ **118.9**

טוֹב לַחֲסוֹת בַּיהוָה מִבְּטֹחַ בִּנְדִיבִים׃

Melhor é buscar refúgio no Senhor. Este versículo é um leve refraseado do vs. 8, onde os homens em geral agora se tornam príncipes. Até mesmo a alta posição social é inútil em tempos de profunda aflição, quando a própria vida da pessoa se vê ameaçada. Os homens em elevada posição social geralmente são cheios de orgulho, vanglória e autoconfiança, além de serem precipitados. Por muitas vezes, mesmo querendo fazê-lo, eles não podem livrar seus amigos do perigo. E, de outras vezes, mesmo quando podem livrar seus amigos, não se mostram dispostos a tanto. Portanto, é melhor que voltemos nossos olhos para Deus.

Confiança é uma palavra de conteúdo espiritual nos salmos. Ver sobre isso em Sl 3.12. Mas aqui está em vista a confiança no ser humano. Yahweh tinha um pacto com o seu povo, e os crentes podem confiar quanto ao cumprimento desse pacto. Os homens entram em pacto com outros homens, incluindo tratados militares, mas nem sempre os cumprem. De fato, eles só cumprirão o contratado se isso lhes for vantajoso. Certo príncipe já tinha galgado à sua posição mediante o serviço prestado ao próprio "eu". Provavelmente ele era um assassino e um destruidor, ou não teria sido capaz de chegar ao topo do monte. Seria melhor confiar em um homem ordinário do que em um príncipe. Os príncipes têm maior capacidade de ajudar, mas a ajuda deles será sempre uma questão problemática. Possuir alguém a grandeza humana não torna um homem magnânimo.

AS NAÇÕES HOSTIS (118.10-14)

■ **118.10**

כָּל־גּוֹיִם סְבָבוּנִי בְּשֵׁם יְהוָה כִּי אֲמִילַם׃

Todas as nações me cercaram. O rei estava cercado por uma confederação de potências hostis. Isso reduzia enormemente as chances de obter a vitória contando somente com as próprias forças. Mas, confiando em Yahweh, ele fora capaz de exterminar seus inimigos, literalmente, "cortei-as", ou seja, "eu as destruí". Temos nessa tradução literal o termo comum para a "circuncisão", embora a palavra hebraica seja ampla o bastante para apontar para qualquer tipo de golpe.

Este versículo tem sido cristianizado para falar sobre o triunfo final do Messias quando todos os poderes hostis forem subjugados, mas não é provável que devêssemos entender esse versículo em um sentido profético. Davi precisou subjugar a oito potências hostis, conforme se vê em 2Sm 10.19 e suas notas expositivas. Algumas vezes ele teve de combater contra confederações de nações. É impossível, porém, determinar quem foi o rei aqui mencionado, mas facilmente podemos extrair do contexto lições espirituais de razoável significado para nós. Os vss. 10-12 contêm a metáfora do cortar e funcionam como uma espécie de refrão que adorna o cântico de batalha.

> O teu nome, amigo, está arrolado,
> Entre os fiéis e verdadeiros,
> Ousas agora postar-te com
> Os poucos fiéis ao Salvador?
> Na frente da batalha,
> Tu me encontrarás.

118.11

סַבּוּנִי גַם־סְבָבוּנִי בְּשֵׁם יְהוָה כִּי אֲמִילַם׃

Cercaram-me, cercaram-me de todos os lados. Este versículo reitera a mensagem do versículo anterior, porém de forma muito mais dramática. Os inimigos tinham cercado o rei e suas tropas, tornando a batalha desesperadora, e o resultado do entrevero, posto na balança, é mencionado por duas vezes; e então vem o refrão do ato de cortar (aplicado por três vezes; vss. 10-12). Este vs. 11 também menciona o nome que confere a vitória, uma vez invocado. O nome representa a essência divina, bem como todos os atributos divinos. Ver sobre *nome*, em Sl 31.3, e sobre *nome santo*, em Sl 30.4 e 33.21. Yahweh é o possuidor do nome que realiza milagres. O mero pronunciar desse nome era tido como dotado de poderes admiráveis.

118.12

סַבּוּנִי כִדְבוֹרִים דֹּעֲכוּ כְּאֵשׁ קוֹצִים בְּשֵׁם יְהוָה כִּי אֲמִילַם׃

Como abelhas me cercaram. O ato de cercar é repetido de novo (pela quarta vez: vs. 10, uma vez; vs. 11, duas vezes; vs. 12, uma vez). Mas agora os adversários são comparados a um gigantesco bando de abelhas ou a uma fogueira de espinhos. O fazendeiro recolhe a palha e os espinhos em pilhas, e os queima. Essas coisas estão secas e queimam facilmente, pelo que ocorre uma grande conflagração. Se o fazendeiro não fosse cuidadoso, poderia sair queimado na experiência, rodeado pelas chamas. Algumas traduções apresentam o rei a queimar seus inimigos, como se fosse um fazendeiro militar, porém o outro sentido parece mais provável. A metáfora, entretanto, poderia referir-se ao costume de espantar as abelhas por meio do fogo. Nesse caso, o fogo vem de Yahweh, por ser ele o defensor. Mas o rei cortou as abelhas pela força de Deus, e essa é a terceira vez em que a questão é mencionada, sendo ela um refrão para o cântico de batalha (vss. 10-12).

A Septuaginta diz "como abelhas em redor do favo", introduzindo assim um tipo diferente de metáfora. Alguns estudiosos supõem que esse fosse o texto original, e a palavra "favo" tivesse sido descontinuada do texto hebraico por um copista que tinha em mente Dt 1.44, que fala em abelhas, mas não em favo. Algumas vezes as versões, sobretudo a Septuaginta, preservam um texto mais antigo que o texto hebraico padronizado. Ver no *Dicionário* o verbete intitulado *Massora (Massorah); Texto Massorético*, e também a Septuaginta. Os manuscritos hebraicos dos Papiros do Mar Morto, que antecedem os manuscritos empregados no texto massorético por alguns séculos, ocasionalmente concordam com a Septuaginta, contra o texto hebraico posteriormente padronizado. Ver também, no *Dicionário*, o verbete chamado *Mar Morto, Manuscritos (Rolos) do*. E então, quanto à forma como são escolhidos os textos corretos (e quanto a informações gerais), ver *Manuscritos Antigos do Antigo Testamento*, no *Dicionário*.

Quanto ao fogo produzido por espinheiros, cf. Sl 58.9. A rapidez com que os espinhos pegavam fogo empresta força a essa metáfora. A Septuaginta apresenta os inimigos queimando como um fogo de espinhos (cercando seus inimigos), o paralelo de um enxame de abelhas; mas o texto hebraico diz que os próprios inimigos é que pegaram fogo. Cf. Is 9.18.

118.13

דַּחֹה דְחִיתַנִי לִנְפֹּל וַיהוָה עֲזָרָנִי׃

Empurraram-me violentamente para me fazer cair. Os inimigos empurravam com toda a força o exército de Israel, desequilibrando os soldados hebreus para caírem e morrerem; e foi então, em meio a tal situação, que Yahweh interveio e salvou o dia. O *tu*, que aparece no original hebraico, poderia fazer do próprio Yahweh quem estava empurrando, mas isso não parece muito elegante. Portanto, o rei provavelmente é pintado a dirigir-se aos seus inimigos. As versões grega e siríaca mudam o "tu" por "me", e assim é resolvido o problema, e foi dessa forma que Jerônimo citou o versículo. "O livramento dado por Deus ao seu povo, a despeito de feroz oposição do inimigo, é uma promessa de garantia de que ele finalmente os livrará" (Fausset, *in loc.*).

Quando as tempestades da vida estiverem rugindo,
Tempestades violentas no mar e na terra,
Buscarei um lugar de refúgio,
À sombra da mão de Deus.

Mary E. Servoss

118.14

עָזִּי וְזִמְרָת יָהּ וַיְהִי־לִי לִישׁוּעָה׃

O Senhor é a minha força e o meu cântico. Este versículo é igual a Êx 15.2 e Is 12.2. Este hino é como o do texto do livro de Isaías, mas extraído do cântico de Moisés, o primeiro dos cânticos de agradecimento sobre o qual estão baseados outros hinos bíblicos. Cf. Ap 15.3. Yahweh tornou-se a salvação ou o livramento do rei. Ver Sl 62.2, quanto a Yahweh como a salvação de Israel ou como aquele que dá a salvação. Apresento ali notas e referências. "A salvação aperfeiçoada estava especialmente associada à Festa dos Tabernáculos, ocasião em que o presente salmo era entoado. Hosana era o grito usual (vs. 25). O Hallel era entoado (ou seja, os Salmos 113 a 118) e água tirada do poço de Siloé era derramada sobre o altar, e dali era conduzida, por meio de canais, até o ribeiro do Cedrom (ver Is 12.3). Quando os cantores atingiam o vs. 1 do Salmo 118, toda a multidão sacudia seus *lulabs*, ou seja, ramos que eram atados formando molhos. Eles habitavam temporariamente em cabanas (*succah*), em distinção a tendas feitas de peles de animais, mostrando a humilhação de suas perambulações pelo deserto" (Fausset, *in loc.*).

A minha força. Yahweh era a força dos israelitas. Cf. Sl 22.19; 28.7,8; 46.1; 59.9,17; 81.1. Era igualmente o cântico deles. A providência divina mantinha-os cantando e era o tema principal dos hinos. Era a fonte da alegria, porquanto aqueles hinos eram gritos de triunfo e alegria. O vs. 15 continua o tema com maiores detalhes. Os vss. 16 ss. mostram que o cântico era um clamor de vitória. O exército de Israel havia obtido sucesso em batalha, mas podemos aplicar isso de muitas maneiras significativas para nós. Ver no *Dicionário* os artigos chamados *Providência de Deus* e *Alegria*. "... o Autor da salvação temporal, espiritual e eterna" (John Gill, *in loc.*).

VITÓRIA PARA OS JUSTOS (118.15-21)

118.15

קוֹל רִנָּה וִישׁוּעָה בְּאָהֳלֵי צַדִּיקִים יְמִין יְהוָה עֹשָׂה חָיִל׃

Nas tendas dos justos há voz de júbilo e de salvação. Havia, nas tendas de Israel, cânticos de triunfo e alegria, o que sugere a celebração de uma vitória militar. Vozes eram elevadas em regozijo. A *Revised Standard Version* tem aqui uma vívida tradução: "Ouvi, jubilosos cânticos de vitória nas tendas dos justos". Tinham ocorrido muitos atos heroicos no campo de batalha, o que garantira a vitória contra inimigos mais numerosos, porquanto o exército de Israel lutava contra uma grande coligação de povos (vs. 10). Diz o hebraico, literalmente: "O som de gritos e de salvação". Poderia estar havendo amargas lamentações, mas Yahweh garantira a vitória e a alegria.

A alegria era a principal característica da Festa dos Tabernáculos, pelo que as palavras desta passagem, a começar por este vs. 15, são boas para expressar isso. Ver no *Dicionário* os verbetes chamados *Tabernáculos, Festa dos* e *Festas (Festividades) Judaicas*, II.4,c, quanto a detalhes que podem ser usados para ilustrar este texto.

A destra do Senhor. Temos aqui o símbolo do poder. Ver sobre *mão direita* em Sl 20.6, e sobre *mão* em Sl 81.14. Além disso, ver sobre *braço* em Sl 77.15; 89.10; 98.1. Essas partes do corpo são instrumentos de ação, meios de aplicação de poder, ou seja, metáforas para indicar o poder divino. O vs. 16 prossegue a fim de repetir a figura da mão direita por duas vezes, pelo que a metáfora é usada por três vezes.

118.16

יְמִין יְהוָה רוֹמֵמָה יְמִין יְהוָה עֹשָׂה חָיִל׃

A destra do Senhor se eleva. A mão direita do Senhor fora exaltada, mostrando-se vitoriosa sobre o poderoso inimigo e sobre qualquer inimigo. A coligação dos pagãos recebeu uma derrota definitiva, o que mostrou, acima de qualquer dúvida, o poder e a intervenção divina. Pela terceira vez, a mão direita de Yahweh foi mencionada, uma ênfase nascida do entusiasmo. Cf. Êx 15.6.

"Os homens que têm a coragem de resistir ao mal e postar-se contra ele até o fim, por motivo de consciência e defesa da verdade, com frequência são impulsionados por quentes paixões e línguas insultantes. Eles possuem forças e, com frequência, grande habilidade, mas não são perfeitos. Não nos cabe, entretanto, julgá-los, nós que vivemos nestes dias de conforto e segurança. E nem haveremos de desejar repreendê-los, se nós mesmos temos sofrido por amor da justiça... Enquanto os ensinamentos do evangelho tinem em nossos ouvidos, é fácil para nós condenar os excessos. Que Deus seja o Juiz deles" (J. R. P. Sclater, *in loc.*).

... **Se eleva**. A figura pode ser a do punho erguido e preparado para golpear, ou então da mão erguida celebrando uma vitória já ganha. Seja como for, a mão é a mão dos valentes de Yahweh em batalha, prontos para defender a paz. "... Sua mão estava levantada, com a qual faz prodígios de poder" (Adam Clarke, *in loc.*). Ver Êx 15.6, quanto ao poder de Deus, superior ao de todos os seus inimigos.

Este versículo tem sido cristianizado para falar de como as obras do Espírito Santo, através do evangelho de Cristo, produz milagres da graça na salvação dos homens.

■ **118.17**

לֹא אָמוּת כִּי־אֶחְיֶה וַאֲסַפֵּר מַעֲשֵׂי יָהּ׃

Não morrerei; antes viverei. O soldado israelita vê a maré da batalha virar ao contrário, vê o inimigo fugindo; o homem sabia que estaria entre os sobreviventes e acompanharia o seu rei na parada triunfal. Cf. algo similar no caso de Ezequias (2Rs 20.1-11 e 2Co 6.4-10). Este é o cântico dos sobreviventes, mas quantos foram mortos ali, no campo de batalha, em uma guerra insensata? Talvez este versículo mostre o rei que representava Israel. A vida como nação continuaria, por causa do sucesso na batalha. Cf. Sl 116.15; 71.20; Hc 1.12.

Este versículo tem sido cristianizado para falar sobre os que foram salvos dos efeitos do pecado, os quais já partiram para viver na eternidade.

■ **118.18**

יַסֹּר יִסְּרַנִּי יָּהּ וְלַמָּוֶת לֹא נְתָנָנִי׃

O Senhor me castigou severamente. A atividade da guerra é assustadora. Os próprios sobreviventes nunca chegam a recuperar-se inteiramente. Lemos aqui que os soldados, o rei ou o povo de Israel tinham sofrido o castigo de Yahweh, embora fossem sobreviventes. Alguns relacionam esse castigo a Judá na Babilônia, castigada no cativeiro, para mais tarde retornar à terra santa purificada. Ver Hc 1.12. Mas é impossível determinar uma ocasião específica. Pelo contrário, matar e quase ser morto leva o homem a aproximar-se de Yahweh, porque aquela terrível atividade de guerra tinha deixado sua alma mais séria.

Freud, em seu estudo sobre os sonhos, fez de todos os sonhos cumprimentos de desejos. No entanto, há uma espécie de sonho, aquele em que um ex-soldado alivia sua angústia da guerra, que não se encaixa nessa categoria — o sonho traumático, no qual a pessoa revive suas experiências horríveis e, aparentemente, por meio desse mecanismo, tenta diminuir o temível efeito do trauma sobre a psique. Apesar de não ter sido entregue à morte física, ele experimentou uma espécie de morte em vida, a qual nunca esquecerá.

Na qualidade de soldado espiritual, Paulo experimentou a morte em vida e nos conta a esse respeito em 2Co 6.6 ss. Sem dúvida alguma, essas experiências exerceram sobre ele um efeito castigador e purificador. Até o próprio Jesus aprendeu a obediência por meio das coisas que sofreu (ver Hb 5.8).

■ **118.19**

פִּתְחוּ־לִי שַׁעֲרֵי־צֶדֶק אָבֹא־בָם אוֹדֶה יָהּ׃

Abri-me as portas da justiça. As portas que davam entrada ao templo eram apropriadamente chamadas de portas da justiça, porquanto davam ao adorador acesso ao culto, onde haveria sacrifícios apropriados, canções, oferendas de agradecimento, votos e o cumprimento desses votos. O exausto soldado, tão alegre por estar de volta em casa, ou o rei, ou o povo de Israel, libertados dos terrores da morte, iriam ao templo com ações de graças, e toda a congregação celebraria juntamente com eles.

"Devemos imaginar um cortejo entoando o cântico triunfal, segundo se vê no Salmo 24, e convocando as portas para se abrirem ante a aproximação do cortejo" (Ellicott, *in loc.*).

O versículo tem sido cristianizado para falar da aproximação do céu dos cansados peregrinos, que terminaram sua guerra. Diz o Targum: "Abri para mim as portas da cidade da retidão" e Jerusalém é assim chamada em Is 1.26. Alguns fazem este salmo ser paralelo ao Salmo 24 e veem o Messias aproximando-se das portas do céu após o seu triunfo. Ver Sl 24.7-10.

■ **118.20**

זֶה־הַשַּׁעַר לַיהוָה צַדִּיקִים יָבֹאוּ בוֹ׃

Esta é a porta do Senhor. O rei e seus soldados aproximam-se das portas do templo e solicitam ser admitidos. Uma voz interior informa-os que somente os justos entrarão ali. Cf. o *te Deum* de Ambrósio. "Quando você tiver dominado a agudeza da morte, fará o reino dos céus abrir-se para todos os crentes". Esta é uma excelente figura, porquanto os justos são aqueles que acompanham o Rei, e não os santos por motivo de suas qualificações espirituais.

Levantai, ó portas, as vossas cabeças; levantai-vos, ó portais eternos, para que entre o Rei da Glória. Quem é este Rei da Glória? O Senhor dos Exércitos, ele é o Rei da Glória.

Salmo 24.9,10

"... justos, através da imputação da retidão de Deus a eles. Ver Jo 10.1,9 e 14.4. Ver também Mt 7.14" (John Gill, *in loc.*). Com base no Antigo Testamento, os justos eram aqueles que observavam a lei, em suas provisões cerimoniais, morais e rituais. Ver Sl 1.2, quanto a um sumário do que a lei significava para Israel.

■ **118.21**

אוֹדְךָ כִּי עֲנִיתָנִי וַתְּהִי־לִי לִישׁוּעָה׃

Render-te-ei graças porque me acudiste. Há agradecimentos logo no começo deste salmo, e também no meio e no final. Yahweh é louvado como o Deus da salvação. No atual contexto, o rei, seus homens e o povo de Israel é que louvaram a Deus, por ele os ter livrado da confederação de inimigos (vs. 10); eles eram sobreviventes de uma guerra sanguinária e tinham vindo ao templo para agradecer ao Senhor por terem sido livrados da morte. Ver Sl 62.2, quanto ao Deus da salvação, bem como a salvação que ele provê, especificamente do ponto de vista do Antigo Testamento. Dou notas naquela referência e em outros lugares onde o mesmo é dito, envolvendo um número bastante grande de versículos nos salmos.

O rei e seus homens armados tinham sido agora admitidos às instalações do templo. Eles tinham sido ouvidos quando clamaram por socorro e foram qualificados como justos, que tiveram permissão de entrar (vs. 20). Cf. o vs. 14 deste salmo e também Sl 116.1; Êx 15.2.

HINO PELO TEMPLO (118.22-27)

■ **118.22**

אֶבֶן מָאֲסוּ הַבּוֹנִים הָיְתָה לְרֹאשׁ פִּנָּה׃

A pedra que os construtores rejeitaram. "É possível que este vs. 22 seja um provérbio: uma pedra originalmente rejeitada para efeitos de construção acabou sendo excessivamente útil. A 'pedra principal', provavelmente uma pedra de esquina, sobre a qual repousava o peso do edifício, na esquina do alicerce (ver Is 28.16), foi usada pelo salmista para salientar que o povo de Israel, que os gentios tinham desprezado, sob Deus, tornou-se a mais honrada das nações" (William R. Taylor, *in loc.*, com alguma adaptação).

Usos do Novo Testamento. Cristo é aqui destacado, o Messias rejeitado pelo seu próprio povo, tornou-se a cabeça do edifício espiritual de Deus, e a Igreja está sendo edificada sobre ele, como o novo Israel. Ver Mt 21.42; Mc 12.10; Lc 20.17; At 4.11; Ef 2.20; 1Pe 2.4,7. Ver a exposição desses vários versículos no *Novo Testamento Interpretado*. Ver no *Dicionário* o artigo chamado *Pedras Angulares*, quanto a explicações plenas sobre as figuras envolvidas.

118.23

מֵאֵת יְהוָה הָיְתָה זֹּאת הִיא נִפְלָאת בְּעֵינֵינוּ:

Isto procede do Senhor. Este versículo reconhece que a mão de Deus é que esteve edificando a muralha de Neemias para o segundo templo (ver Ne 6.16). E assim também muitas outras muralhas e edifícios têm contado com a ação da mão divina, especialmente no novo templo espiritual, a igreja fundada pelos apóstolos (Ef 20), tendo Jesus Cristo como a principal pedra de esquina, que prende em seus lugares todas as partes do edifício da igreja (ver 1Pe 2.4,7). Israel é a pedra no sentido primário e típico (Jr 51.26; Sl 113.7,8). Mas temos de olhar para Cristo a fim de alcançar o sentido espiritual mais elevado.

No contexto presente, Yahweh tinha libertado Israel da morte, como uma nação, quando os israelitas enfrentaram uma coligação de nações (vs. 10). Isso possibilitou a sua exaltação. Os sobreviventes viram a mão de Yahweh em seu livramento e confiaram nele quanto ao resto.

"Esta pedra vem de Deus (ver Gn 49.24), pois foi escolha sua, tendo sido nomeada e depositada. Até mesmo a sua rejeição deu-se por sua permissão, segundo a sua vontade. Eles nada fizeram que estivesse fora da vontade de Deus (ver At 2.23; 4.27,28). E a exaltação dessa pedra à posição de cabeça da esquina também veio da parte dele. Ele está altamente exaltado à mão direita de Deus, acima de todo nome, de toda criatura, de tudo. Isso é maravilhoso aos nossos olhos. Essa pedra é maravilhosa de ser contemplada, ali, em sua elevadíssima posição. Vejamos a sua beleza, a sua força e a sua utilidade. Vejamos a sabedoria, o amor e o poder de Deus que a colocou ali... Isso é maravilhoso aos nossos olhos" (John Gill, *in loc.*).

118.24

זֶה־הַיּוֹם עָשָׂה יְהוָה נָגִילָה וְנִשְׂמְחָה בוֹ:

Este é o dia que o Senhor fez. Aquele dia foi um bom dia. Eles tinham ganhado a batalha. Eram os sobreviventes. Yahweh tinha feito aquele dia para eles. Mas o dia especial, na mente do poeta, que havia composto o hino para ser cantado, foi o dia da festividade em que todo o Israel cantaria e tocaria instrumentos musicais enquanto as mulheres dançariam de alegria. "A festa dos Tabernáculos, um descanso para Israel por meio do dom de Deus, correspondendo ao sábado original que Deus tinha nomeado para comemorar o descanso da criação, e descansar no deserto, foi um tipo do futuro dia do Senhor (ver Ap 1.10)" (Fausset, *in loc.*). Aqueles dias especiais, quando alguma grande vitória é obtida, aqueles dias em que temos razão de regozijar-nos mais do que nos outros dias, estão em pauta aqui. Algumas vezes, esses dias nos apanham de surpresa. Algumas vezes temos de orar longa e arduamente para que esses dias apareçam. Esses são dias de destino, dias de apontamento divino, dias de triunfo e alegria.

118.25

אָנָּא יְהוָה הוֹשִׁיעָה נָּא אָנָּא יְהוָה הַצְלִיחָה נָּא:

Oh! Salva-nos, Senhor, nós te pedimos. Tendo visto a salvação do rei e de seus homens em uma importante batalha, o poeta agora invoca a salvação e a prosperidade para toda a nação de Israel. O duplo "oh! Senhor, oh! Senhor" mostra-nos a intensidade do pedido feito pelo salmista. Este versículo era usado em conexão com a festa dos Tabernáculos (Mishnah, *Sukkah* 4.5). Israel foi salvo do Egito, e, ato contínuo, foi protegido durante as perambulações subsequentes pelo deserto. E a atual nação de Israel também depende de tais misericórdias divinas. Ver Sl 62.2, quanto ao Deus da salvação e quanto à salvação segundo os termos do Antigo Testamento. Dou ali notas e outras referências que transmitem a mesma mensagem. "Com base na palavra aqui traduzida por *salvar*, temos a palavra hebraica *hosanna*. Isso formou um hino. Esse hino foi entoado pelas crianças judias quando Jesus entrou triunfalmente em Jerusalém. Ver Mt 21.9" (Adam Clarke, *in loc.*). Essas palavras eram o equivalente das palavras modernas "Salve o rei, que viva por longos anos!" O bom rei garantiria a segurança e a prosperidade de seu povo.

118.26

בָּרוּךְ הַבָּא בְּשֵׁם יְהוָה בֵּרַכְנוּכֶם מִבֵּית יְהוָה:

Bendito o que vem em nome do Senhor. Este versículo contém uma bênção sacerdotal. A primeira parte do versículo, que diz "Bendito o que vem em nome do Senhor", foi citada por seis vezes nos evangelhos: Mt 23.39 e Lc 13.35. Jesus usou essas palavras ou como uma referência indireta à cena da Páscoa, que ocorreria em breve (os *Salmos Hallel* eram usados por ocasião dessa festa); ou, nessas palavras, temos uma antecipação do iminente estabelecimento do reino de Deus. Então temos a citação dessas palavras por quatro outras vezes, onde elas aparecem associadas à entrada triunfal de Jesus em Jerusalém, imediatamente antes da Páscoa: ver Mt 21.9; Mc 11.9; Lc 19.38 e Jo 12.12.

O sacerdote dirigiu-se ao rei e aos seus soldados, afirmando que ele e os demais sacerdotes, aos quais ele representava, tinham-nos abençoado no templo. Eles haviam chegado a um bom lugar, a casa de oração e poder espiritual. No sentido cristão, o Sumo Sacerdote, Jesus Cristo, pronuncia sua bênção sobre o povo, estando ele no templo celestial de Deus.

118.27

אֵל יְהוָה וַיָּאֶר לָנוּ אִסְרוּ־חַג בַּעֲבֹתִים עַד־קַרְנוֹת הַמִּזְבֵּחַ:

O Senhor é Deus, ele é a nossa luz. No hebraico, as quatro primeiras palavras em português são tradução das palavras hebraicas que querem dizer, mais literalmente, *Elohim é Yahweh*, ou seja, o Deus Todo-poderoso é o Eterno. Ele é o objeto de nosso louvor e a fonte originária de nossa salvação e prosperidade. Ele nos deu a luz, fazendo seu rosto brilhar sobre nós. Ver Sl 31.16; 67.1; 80.3,7,19; 119.135. Quanto ao brilho do rosto de Yahweh, ver as notas expositivas sobre Sl 84.9. Ver no *Dicionário* o verbete chamado *Luz, Metáfora da*. O rosto brilhante representa a bênção divina, pois aquele que vê o rosto do Senhor é automaticamente abençoado, por fiat divino.

Adornai a festa com ramos até às pontas do altar. Assim diz a nossa versão portuguesa, acompanhando, mais ou menos de perto, a *Revised Standard Version*. A *King James Version* e a tradução portuguesa da Imprensa Bíblica Brasileira dizem: "Atai a vítima da festa com cordas às pontas do altar", mas sem grande apoio nas tradições judaicas. Por isso, nossa versão portuguesa fala dos ramos usados durante o cortejo, que faziam parte do ritual da festa dos Tabernáculos. Os ramos (*lulabs*) não eram "atados" às pontas do altar, mas o cortejo trazia os buquês até perto dali. Alguns estudiosos supõem estar em vista a colocação do sangue sobre o altar (ver Lv 4.7). As versões variam em suas traduções deste versículo bastante difícil, o que dá conforto aos tradutores modernos. John Gill tentou resolver o quebra-cabeças afirmando que o animal sacrificado era atado para, em seguida, ser conduzido e posto sobre o altar, mas não amarrado ao altar. O Targum também compreende a questão dessa maneira. Mas John Gill mencionou outra interpretação concernente aos ramos e citou Lutero, que também compreendia a questão por esse prisma. A Septuaginta e a Vulgata, por igual modo, aferram-se à ideia dos ramos. Seja como for, estamos tratando com um alegre rito do templo, que falava da provisão de Yahweh-Elohim, o qual nos deu luz e bênçãos.

DOXOLOGIA FINAL (118.28,29)

118.28,29

אֵלִי אַתָּה וְאוֹדֶךָּ אֱלֹהַי אֲרוֹמְמֶךָּ:

הוֹדוּ לַיהוָה כִּי־טוֹב כִּי לְעוֹלָם חַסְדּוֹ:

Tu és o meu Deus, render-te-ei graças. Yahweh é Elohim, o Poder, e esse poder é o Deus de todo o Israel, que agora era louvado com o alegre cântico de aleluia, conforme se vê na *King James Version*. Mas outras traduções, como a nossa versão portuguesa, dizem "render-te-ei graças" ou "te agradeço". Essa expressão é reiterada no vs. 29, pelo que este salmo termina com uma palavra de agradecimento. A palavra hebraica envolvida é *yadah*, que significa, apropriadamente, "agradecido", e não "aleluia". Ver o vs. 1. O vs. 28 é uma nota pessoal de agradecimento. Preste atenção o leitor ao "eu" oculto, dentro da frase "(eu) render-te-ei graças". Essa pode ter sido a palavra do poeta ou do sacerdote ao representar a casta sacerdotal, ao proferir sua bênção e doxologia. E o vs. 29 é a resposta do povo, trazendo a mesma mensagem divina. Yahweh é agora o nome divino (vs. 29), e é o seu amor constante que perdura para sempre, tal como ele mesmo é o Eterno (significado da palavra Yahweh).

"O vs. 29 é a doxologia do coro. Todo o povo se une no agradecimento, e assim o salmo termina como começou. A misericórdia divina começou antes da criação e assim continuará até que a terra se queime" (Adam Clarke, *in loc.*).

"Os vss. 19, 28 e 29 reconhecem o Senhor Deus, agradecendo por sua bondade e seu amor leal. Por ocasião da entrada triunfal de Jesus em Jerusalém, este salmo, entoado pelo povo enquanto eles avançavam na direção do templo, foi muito apropriado enquanto ele entrava na cidade para começar a obra da redenção, em favor daqueles que nele criam" (Allen P. Ross, *in loc.*).

"Este salmo termina conforme tinha começado. Muitas instâncias da bondade divina foram mencionadas, o fato de que Deus ouviu, livrou e fez prosperar, a salvação das mãos do inimigo, as vidas poupadas, a pedra rejeitada que veio a tornar-se a pedra angular; a misericórdia de Deus que perdura para sempre. Este salmo demonstra tudo isso, enquanto a misericórdia divina continua e sempre continuará. Termina aqui o grande *Hallel* (Salmos 113 a 118), hinos de agradecimento e louvor entoados durante a Páscoa, o Pentecoste e os Tabernáculos" (John Gill, *in loc.*, com algumas adaptações).

SALMO CENTO E DEZENOVE

Quanto a *informações gerais* que se aplicam a todos os salmos, ver a introdução ao Salmo 4, onde apresento *sete* comentários que elucidam a natureza do livro. Quanto às *classes* dos salmos, ver o gráfico no início do comentário do livro, que atua como uma espécie de frontispício da coletânea. Ofereço ali dezessete classes e listo os salmos pertencentes a cada uma delas.

Este salmo (de longe, o mais longo do saltério, com seus 176 versículos!) é um *salmo de louvor*, o *supremo elogio* da lei mosaica. Quanto a um *sumário* do que a lei significava para Israel, ver Sl 1.2. Se os Salmos 1 e 19 (segunda parte), além de outros salmos, louvam a lei, coisa alguma pode comparar-se ao Salmo 119 nesse sentido.

Salmos Acrósticos. Ver a introdução ao Salmo 34, quanto a esse estilo literário. Os Salmos 9, 10, 25, 34, 37, 111, 112 e 145 também exibem a forma acróstica. O Salmo 119 tem uma elaborada e ímpar apresentação acróstica: o poeta tem 22 estrofes de *oito linhas* cada. Cada uma das estrofes utiliza uma letra do alfabeto hebraico em sua apresentação; a primeira tem o *álefe* repetido, a segunda, o *bete* repetido, e assim por diante, até que todas as 22 letras do alfabeto hebraico são utilizadas. Ademais, cada linha de cada estrofe tem sua letra respectiva, de modo que na primeira linha, por exemplo, as primeiras palavras de cada linha começam com a letra hebraica *álefe*; e todas as primeiras palavras das oito linhas da segunda estrofe começam com a letra *bete* etc. Na exposição a seguir, identifico cada uma das estrofes encabeçando-a com a letra hebraica apropriada. Mas não tento mostrar onde essa letra se repete nas sete linhas seguintes. Esse estilo literário artificial limita muito a expressão verbal do autor sagrado, forçando-o a selecionar palavras que poderiam ser melhoradas mediante expressão superior; mas, no todo, a magnificência do salmo nem por isso foi eclipsada. A mesma limitação é evidente na poesia moderna, quando o autor tem de fazer cada segunda linha rimar com a primeira, ou, em alguns casos, a terceira com a primeira e a quarta com a segunda linha. Alguns poetas apelam para um estilo livre, ignorando a rima para obter melhor significado.

Seja como for, "este salmo é distinguido por seu extraordinário tributo à lei de Israel. O autor sacro tentou fazer, em cada um de seus versículos, uma referência por muitas vezes elogiosa à lei, de forma que somente em sete casos isso não é verdadeiro, a saber: nos vss. 84, 90, 121, 122, 132, 140 e 156" (William R. Taylor, *in loc.*).

A Prática das Boas Obras. A lei não era meramente um manual para ajudar um homem a aprimorar sua espiritualidade. Também era um manual que ensinava como deveríamos servir ao próximo mediante boas obras, inspiradas pelo amor. A lei recomendava a prática do bem ao próximo.

Em seu prolongado tributo à lei, para evitar a repetição da palavra lei, lei, lei etc., o autor empregou grande número de sinônimos ou quase sinônimos. Assim é que temos a palavra *lei* (muitas vezes), *prescrições* (vs. 2 e outros); *caminhos* (vs. 3 e outros); *mandamentos* (vs. 4 e outros); *preceitos* (vs. 5 e outros); *juízos* (vs. 7 e outros); *palavra* (vs. 9 e outros); *palavra* (vs. 11, com uma palavra hebraica diferente); *promessa* (vs. 11, a mesma palavra anterior, com uma tradução diferente, no vs. 38); *preceitos* (uma palavra diferente da empregada no vs. 5, usada somente no vs. 15). Portanto, *dez* vocábulos diferentes indicam a lei mosaica.

Este salmo, apesar de ser supremamente um elogio à lei, contém elementos comuns a outras categorias ou classes de salmos: é um salmo de sabedoria; é um salmo didático; é um salmo de agradecimentos; e contém elementos dos salmos de lamentações; é um hino e apresenta referências messiânicas. Muitos eruditos pensam que este salmo seja pós-exílico, isto é, que ele foi escrito depois do cativeiro babilônico.

Subtítulo. 34 salmos não têm subtítulos e são chamados "salmos órfãos". A esse respeito, ver a introdução ao Salmo 91, sob *Subtítulo*, que lista os 34 salmos. As notas introdutórias e os títulos foram obra de editores subsequentes, pelo que não fazem parte original das Escrituras nem se revestem de autoridade. Obviamente, os inícios das estrofes, as *letras* do alfabeto hebraico do Salmo 119, foram produtos do autor original.

A LEI É O DELEITE DO HOMEM BOM (119.1-176)

ÁLEFE: A Primeira Estrofe (119.1-8)

■ 119.1

אַשְׁרֵי תְמִימֵי־דָרֶךְ הַהֹלְכִים בְּתוֹרַת יְהוָה׃

Bem-aventurados os irrepreensíveis no seu caminho. Em acordo com o estilo literário acróstico, o autor inicia as primeiras palavras das oito linhas desta estrofe com a letra hebraica *álefe*. Ver na introdução ao salmo, sob *Salmos Acrósticos*, quanto a esse estilo literário.

Esta primeira estrofe usa *sete* dos dez nomes selecionados pelo autor sagrado para falar sobre a lei mosaica. Ver a introdução ao salmo, onde são listados esses *dez vocábulos*. A designação usual do Antigo Testamento era apenas tríplice. Ver quanto a isso em Dt 6.1. Seis termos são achados em Sl 19.7-9.

Os *sete* termos empregados nos vss. 1-8 são: *caminho* (vss. 1,3); *lei* (vs. 1); *prescrições* (vs. 2); *mandamentos* (vs. 4); *preceitos* (vs. 5); *juízos* (vs. 7); *decretos* (vs. 8).

O vs. 1 faz soar a *nota-chave* de todo o salmo ao declarar que o caminho de um homem não pode ser contaminado, sem estar assinalado por infrações à lei; e um homem deve andar no caminho da lei, isto é, precisa habitualmente estar engajado na guarda da lei. Ver no *Dicionário* o verbete chamado *Andar*, quanto a detalhes da metáfora. Ver Sl 1.2, quanto a um sumário do que a lei significava para os hebreus piedosos.

O conhecimento de um homem, as motivações e a vida em geral devem ser governados pela lei, pois era isso que tornava Israel um povo distinto entre as nações (ver Dt 4.4-8), era isso o que transmitia *vida* (ver Dt 4.1; 5.33; 6.2; Ez 20.1). A lei era o *guia* do indivíduo piedoso (Dt 6.4 ss.).

O homem que pratica todas as coisas ordenadas pela lei, anda nos seus caminhos e por ela é guiado, será o homem *feliz* (ver Sl 1.1). Existe a felicidade da lei perfeita que poucos conseguem atingir, mas todos devem continuar esforçando-se nesse sentido. Parte do andar na lei é praticar *boas obras* em favor do próximo.

As dez palavras usadas para designar a lei podem ter sido escolhidas cuidadosamente para dar um paralelo aos *Dez Mandamentos*, mas isso talvez seja um refinamento exagerado de interpretação. Por outra parte, este é um salmo bem pensado e executado, e esse paralelismo pode ser intencional.

Frequência do Uso das Dez Palavras no Hebraico:

1. *Torah (lei):* 25 vezes.
2. *Dabar (ordenança):* 20 vezes. Algumas versões dizem aqui "palavra".
3. *'Imrah,* um sinônimo poético de *dabar:* 19 vezes.
4. *Huqquim (estatutos):* 21 vezes.
5. *Miswah (mandamentos):* 21 vezes.
6. *'Edah (testemunhos):* 22 vezes.
7. *Mispot (juízos, ordenanças):* 19 vezes.
8. *Piqqudim (preceitos):* 21 vezes.
9. *Derek (caminho, caminhos):* 5 vezes no plural e 6 vezes no singular.

10. '*Orah* (caminho, trilho): 5 vezes, um paralelo de "caminho" (nº 9).

As versões portuguesas dão várias traduções, produzindo mais de dez palavras, mas aqui as traduções padronizadas das dez palavras hebraicas envolvidas.

O próprio emprego de tantas palavras para referir-se à "lei" ilustra quão importante ela era para a mente dos hebreus. Além disso, produzir 176 linhas acerca da lei revela-nos a mesma coisa. O Novo Testamento simplificou a questão e pôs uma palavra em lugar de toda essa complexidade: *Cristo*.

■ 119.2

אַשְׁרֵי נֹצְרֵי עֵדֹתָיו בְּכָל־לֵב יִדְרְשׁוּהוּ׃

Bem-aventurados os que guardam as suas prescrições. A *felicidade* dos que observavam a lei, aqui chamada de "prescrições", é novamente declarada. A palavra hebraica, *'edah*, a sexta da lista de palavras usadas para representar a lei, aparece 22 vezes por todo este salmo. Mas essa felicidade depende de buscar a Yahweh de *todo o coração*, quando um homem "anda" na lei do Senhor (vs. 1). Grande parte de *sentir-se feliz* depende de *servir a outros*, com amor.

> *Amarás, pois o Senhor teu Deus de todo o teu coração, de toda a tua alma e de toda a tua força.*
> Deuteronômio 6.5

A *obediência* é uma palavra-chave porque, quando andamos com o Senhor, à luz de sua Palavra, ele lança glória em nosso caminho. "A felicidade dos piedosos é um tema familiar dos salmistas: Sl 1.1; 2.12; 34.8, além de livros de outros autores sacros, como Dt 28.1-14 e Pv 8.24,34. Os obedientes têm um caminho *sem culpa* e encontram nele sua felicidade" (William R. Taylor, *in loc.*, com algumas modificações).

Importância do Saltério quanto à Espiritualidade. Fomos informados que um dos patriarcas de Constantinopla não quis ordenar um homem que não tinha memorizado todo o saltério. Alguns repetem este salmo de memória, diariamente. Diz-se que Patrício e Kentigern teriam repetido o saltério inteiro diariamente, mas quem quer que tenha contado tal história sem dúvida estava exagerando. Nenhum *herói* poderia ter feito isso por absoluta falta de tempo, a menos que se dedicasse exclusivamente a isso. Os salmos representam a décima parte de todo o Antigo Testamento, e seriam necessários cerca de 360 minutos, ou seis horas, para repetir os 150 salmos, mesmo que a pessoa avançasse muito rapidamente.

■ 119.3

אַף לֹא־פָעֲלוּ עַוְלָה בִּדְרָכָיו הָלָכוּ׃

Não praticam iniquidade. Andando nos caminhos da lei (a palavra "caminhos" é aqui repetida pela segunda vez em três versículos), um homem não praticará a iniquidade. Pelo lado positivo, ele fará boas obras pelos outros.

Os que não praticam a iniquidade evitam toda idolatria, toda injustiça e toda a espécie de ato errado ou prejudicial; eles caminham pelos caminhos de Deus, e não pelos que atraem homens malignos; o coração deles não se sente atraído pelos caminhos tortuosos dos ímpios; eles não agem de modo impensado e precipitado.

"O autor empilha frase sobre frase, cada qual cheia de sinceridade e gratidão, e, da maneira mais sincera, compromete-se a guardar e a ensinar esse caminho de *sabedoria* até o fim" (J. R. P. Sclater, *in loc.*). Cf. 1Jo 3.9 e Rm 8.1.

■ 119.4

אַתָּה צִוִּיתָה פִקֻּדֶיךָ לִשְׁמֹר מְאֹד׃

Tu ordenaste os teus mandamentos. A *vida espiritual* não é fácil, e existem muitas tentações. Por isso, nem todos os homens que dão início à caminhada pela vereda espiritual são capazes de prosseguir caminhando. Muitos desistem. Certa vez ouvi um sermão intitulado "Os Desistentes da Escola". Em outras palavras, há estudantes que continuam na escola, mas, em seu íntimo, não estão mais presentes. Eles desistiram, embora continuem frequentando as aulas. E também existem "os desistentes da igreja". O poeta sagrado não queria ser um desses. É conforme diz certo coro:

> Resolvi seguir a Jesus;
> Resolvi seguir a Jesus;
> Resolvi seguir a Jesus —
> Nada de desistência, nada de desistência.

Outro hino diz: "Como pensaremos em ganhar uma grande recompensa, se fugirmos da luta?" E outro hino diz ainda: "Estou perdido, Senhor, se tirares a mão de sobre mim". O salmista tinha sentimentos como esse em seu coração e insuflou alguns desses sentimentos em seu hino à lei. Ele tinha diligência e entusiasmo para manter-se na vereda que significava manter os preceitos da lei. O autor sagrado usou dez palavras hebraicas para falar sobre a lei de Deus e, mediante tal variedade, apresentou-nos um amplo conceito do que é requerido do homem como obediência (ver as notas no vs. 1). *Mandamentos* é uma dessas palavras, a quinta na lista das palavras hebraicas usadas neste salmo.

■ 119.5

אַחֲלַי יִכֹּנוּ דְרָכָי לִשְׁמֹר חֻקֶּיךָ׃

Oxalá sejam firmes os meus passos. Os *caminhos* do homem espiritual precisam ser governados pelos preceitos. Ver a oitava das dez palavras usadas para indicar a lei, no vs. 1. Esses caminhos não deixam de ter sinais direcionais. Trata-se de um estrada regulamentada por muitas leis. Um homem não pode inventar o seu próprio caminho. O caminho é divino e somente os homens que conhecem o Ser divino são realmente direcionados ao longo desse caminho. O judaísmo posterior produziu mais de seiscentas leis distintas sugeridas pelo caminho de Deus. O judaísmo bíblico não tinha um número menor de leis, sem dúvida alguma. As leis cerimoniais, rituais e morais eram muitas, realmente, e, para a mente dos hebreus, todos os mandamentos eram morais. O coração inconstante avança sem grande entusiasmo e facilmente é distraído do firme propósito que se faz mister para seguir o caminho de Deus. Visto que Yahweh já mostrou o seu *amor constante*, pleno de benefícios, assim também o homem sério deve ser fiel e constante. Tendo recebido o amor de Deus, devemos demonstrar nosso amor ao próximo mediante boas obras.

> Guia-nos, Pai celeste, guia-nos,
> Através do caminho tempestuoso da vida.
> Guarda-nos, guia-nos, conserva-nos,
> Pois não temos ajuda senão de ti.
> James Edmeston

"Relembrando a fragilidade e a instabilidade humana, e sabendo que o homem não pode obedecer à lei de Deus contando apenas consigo mesmo, o salmista orou para que o poder de Deus regulasse corretamente e estabelecesse os seus caminhos" (Fausset, *in loc.*). Cf. Jr 10.23; Sl 37.23; Pv 3.6 e Ez 36.27.

■ 119.6

אָז לֹא־אֵבוֹשׁ בְּהַבִּיטִי אֶל־כָּל־מִצְוֺתֶיךָ׃

Então não terei de que me envergonhar. O homem bom, que caia ao longo do caminho, será uma vergonha para si mesmo e para a comunidade. Portanto, ele quer resguardar-se, realizando uma obra respeitável em sua vida espiritual. Com essa finalidade, ele deve ser sensível para com os *mandamentos*, o número *cinco* da lista apresentada no vs. 1. O poeta variou suas palavras e assim impressionou-nos com a justiça de sua tese: a lei é tudo em todas as coisas, para o homem espiritual. "Todo ato de transgressão tende a endurecer o coração do pecador. Ele fica *calejado*. Se um homem que teme a Deus cai em pecado, ele se sente envergonhado e a sua consciência o repreende. Ele se sente envergonhado perante Deus e perante os homens. Isso é prova de que ele não se afastou totalmente do caminho e de que o Espírito Santo continua operando. Portanto, ele pode arrepender-se e ser curado" (Adam Clarke, *in loc.*). A sabedoria requer obediência global da lei (Tg 2.10,11).

Quando considerar. Literalmente, "olhar para", onde o espelho sem dúvida é a figura em pauta. Ver Tg 1.23, quanto ao desenvolvimento dessa figura. O hebraico diz "olhar para dentro da lei", o espelho espiritual. O crente olha para o "espelho" espiritual que é Cristo, e é transformado pelo que vê no Senhor Jesus (ver 2Co 3.18).

■ 119.7

אוֹדְךָ בְּיֹשֶׁר לֵבָב בְּלָמְדִי מִשְׁפְּטֵי צִדְקֶךָ:

Render-te-ei graças com integridade de coração. Um *bom aprendiz*, que ponha em prática o que aprendeu na lei, terá razões para clamar o alegre *aleluia!*, visto ter feito algum progresso na vereda espiritual. Coisas boas acontecem quando ele obedece à lei, que é a fonte originária da vida, da bênção e da prosperidade. O homem desenvolveu um coração reto, aprendendo os *juízos* de Deus, a sétima das dez palavras listadas no vs. 1. Os juízos de Deus são santos, pois representam a sua lei. Ele nos ordenou sermos santos, pois ele mesmo é santo (Lv 11.44). O manual de santidade era a lei, nos tempos do Antigo Testamento. A palavra hebraica aqui usada, *mispot*, "juízos", é sinônimo de lei. "Para louvar a Deus corretamente, o indivíduo precisa ser reto. Precisa conhecer e seguir os ensinamentos da lei, pois eles constituem a reta conduta. Ver os vss. 12 e 26 deste salmo, bem como Jo 6.45. A conduta reta inclui a prática das boas obras para ajudar o próximo.

> De vitória em vitória,
> ele guiará o seu exército,
> Até que todo inimigo seja conquistado
> E Cristo seja Senhor, verdadeiramente.
>
> George Duffield

■ 119.8

אֶת־חֻקֶּיךָ אֶשְׁמֹר אַל־תַּעַזְבֵנִי עַד־מְאֹד:

Cumprirei os teus decretos. O poeta novamente afirma sua determinação de praticar a lei, e não somente de conhecê-la. Aqui a palavra hebraica usada é *huqqim*, "decretos", a mesma palavra usada no vs. 5, que ocupa o quarto lugar na lista do vs. 1.

Não me desampares jamais. O hebraico significa, literalmente, "desamparo", e o sentido é: "Não me permitas desviar para um lado, para não ter de gritar desamparado"; "Não me deixes entregue às minhas próprias forças, segundo os impulsos do meu coração, sem o apoio da tua graça". Ele queria praticar os mandamentos da lei inteiramente, para que jamais fosse abandonado. "O crente pode parecer *quase* abandonado, mas, na verdade, nunca é inteiramente esquecido. Cf. Sl 22.1 e 37.24,28" (Fausset, *in loc.*). Algumas das maiores vitórias da vida podem ocorrer após um período de aparente abandono por parte do Ser divino, conforme foi o caso de Jesus, e é também o nosso caso, em algum ponto de nossa vida. E é assim que o Senhor nos concede tal graça.

> Não te esqueças de mim, ó gentil Salvador,
> Ouve meu clamor humilde.
> Enquanto outros estiveres visitando,
> Não te esqueças de mim.
>
> Fanny J. Crosby

O poeta nos relembra que até um homem piedoso pode passar por noites de trevas, quando parece ter sido abandonado por Deus. Em tais ocasiões, ele tem de depender da fé que desenvolveu ao longo dos anos.

BETE: A Segunda Estrofe (119.9-16)

■ 119.9

בַּמֶּה יְזַכֶּה־נַּעַר אֶת־אָרְחוֹ לִשְׁמֹר כִּדְבָרֶךָ:

De que maneira poderá o jovem guardar puro o seu caminho? Temos aqui a *segunda estrofe*, com outras *oito* linhas que glorificam a lei. Ver na introdução a este salmo a seção chamada *Salmos Acrósticos*, quanto a explicações sobre o estilo literário deste salmo.

O jovem. Como podem os jovens, cheios das chamas da juventude e sempre tentados a experimentar coisas novas, com frequência pecaminosas, manter-se *puros*? Até o piedoso e inocente Jó, que não possuía pecado que causasse seus horrendos sofrimentos, cometera pecados em sua juventude (ver Jó 13.26). "O interesse pelo bem-estar dos jovens é uma das grandes características dos escritores da *Literatura de Sabedoria*. Ver Pv 1.4,8,10,15; 2.1; 3.1; Ec 11.9 e 12.1" (William R. Taylor, *in loc.*). Ver no *Dicionário* o artigo chamado *Sabedoria*, seção III, quanto a esse tipo de literatura na composição hebraica. Os salmos, aqui e acolá, e certas porções deste salmo, participam desse fenômeno. Cerca de treze salmos são essencialmente dessa natureza. Ver as *classes* dos salmos exibidas no gráfico no início do comentário, o qual atua como uma espécie de frontispício do saltério. Dou ali dezessete classes e listo os salmos pertencentes a cada uma delas. Entre essas classes, estão os *salmos de sabedoria*.

O salmista encontrou a resposta para o seu problema na lei, chamada aqui de *dabar*, a segunda dentre as dez palavras usadas para indicar a lei, conforme notas no vs. 1. Compreende-se que um jovem que estude a lei não somente *saiba* o que é melhor, mas também receba o *poder* de Yahweh, Autor da lei, possivelmente através do poder do Espírito Santo. Muitos jovens não são pecadores endurecidos, mas tradicionalmente enfrentam problemas de pureza da vida, porquanto se inclinam a fazer experiências, em parte movidos pela curiosidade, em parte por suas corrupções interiores, que já possuem bem desenvolvidas e que são facilmente despertadas. Contudo, não é suficiente a um jovem ser pessoalmente puro. Um homem deve fazer o bem em favor do próximo, através de obras de amor.

> *Ninguém despreze a tua mocidade; pelo contrário, torna-te padrão dos fiéis, na palavra, no procedimento, no amor, na fé, na pureza.*
>
> 1Timóteo 4.12

"As concupiscências dos jovens são naturalmente fortes e inclinam por contaminar a alma (Pv 1.4; 20.11)" (Fausset, *in loc.*).

> Dá o teu melhor ao Mestre,
> Dá da força de tua mocidade;
> Lança o ardor intenso e fresco de tua alma,
> Na batalha pela verdade.
>
> Sra. Charles Barnard

■ 119.10

בְּכָל־לִבִּי דְרַשְׁתִּיךָ אַל־תַּשְׁגֵּנִי מִמִּצְוֹתֶיךָ:

De todo o coração te busquei. Encontramos aqui uma excelente espiritualidade, que não depende exclusivamente da guarda da lei. Existem corações dedicados a Yahweh, que temem desviar-se da vereda reta e pedem proteção divina contra esse desvio. Uma espiritualidade verdadeira deve ser generosa, pronta a servir o próximo, vivendo a lei do amor.

> Dá-me teu coração, diz o Pai, lá no alto,
> Nenhum presente é tão precioso quanto o dom do teu amor.
> Deste mundo tenebroso ele nos quer desviar,
> Falando com tanta ternura:
> Dá-me o teu coração.
>
> Eliza E. Hewitt

O poeta sagrado havia *internalizado* a lei de Deus, e o produto disso foi o amor. Ver Rm 13.9 ss., onde amor aparece como o cumprimento da lei toda. Cf. Dt 6.5, quanto ao amor de todo o coração, mente e alma. A primeira cláusula do versículo é provada como genuína pela segunda, que exibe a desconfiança consigo mesmo. O alvo é muito elevado, e o homem duvidava de si mesmo, conforme se vê em certa passagem do Novo Testamento: "Eu creio, ajuda-me na minha falta de fé" (Mc 9.24). Para que houvesse busca ao Senhor, de todo o coração, o autor sagrado não podia desviar seu coração dos mandamentos de Deus; doutra sorte haveria um novo objetivo em seu amor. Ver o vs. 176, quanto a uma declaração similar. Ver também 1Cr 15.12,15 e Is 63.17.

■ 119.11

בְּלִבִּי צָפַנְתִּי אִמְרָתֶךָ לְמַעַן לֹא אֶחֱטָא־לָךְ:

Guardo no coração as tuas palavras. Qualquer criança que frequente a escola dominical conhece este versículo e qualquer crente adulto também o conhece, mas porventura nós o observamos? Este versículo é largamente usado para falar sobre a sabedoria da *memorização* da Bíblia e, embora provavelmente não seja esse o sentido pretendido, é uma boa aplicação. Não precisamos ser como os fanáticos que decoram todo o saltério e o citam diariamente. Eu mesmo memorizei as epístolas paulinas (além da epístola aos Hebreus, que não é paulina) em minha juventude, pelo que agi como um fanático. É possível que as pessoas que colocam em prática esses prodígios mentais se ocupem da *Bibliolatria* (ver a respeito no *Dicionário*). Além disso, talvez façam viagens pelo próprio "eu", gabando-se de quantas Escrituras conseguem memorizar. Por outra parte, os abusos não anulam o bem, e a memorização é um modo digno de estudar a Bíblia.

Naturalmente, este versículo fala sobre a *lei*, empregando a terceira das dez palavras listadas no vs. 1.

Guardo. Isto é, "escondo" (conforme diz a *Revised Standard Version*), aludindo à metáfora de um tesouro escondido. O homem que tem o tesouro escondido em seu coração tem menor inclinação a ceder à tentação. "A palavra de Cristo deve *habitar nele ricamente*. Caso contrário, em breve ele pode ser surpreendido por algum pecado teimoso" (Adam Clarke, *in loc.*).

> *Habite ricamente em vós a palavra de Cristo, instruí-vos e aconselhai-vos mutuamente em toda a sabedoria, louvando a Deus, com salmos e hinos e cânticos espirituais, com gratidão em vossos corações.*
>
> Colossenses 3.16

"Escondei... como os orientais escondem seus tesouros. Cf. Mt 13.44" (Ellicott, *in loc.*). Ver 2Co 7.1 e Tt 2.11,12, que contêm passagens neotestamentárias similares. Ver o vs. 14, quanto a ideias sobre *riquezas*.

■ 119.12

בָּרוּךְ אַתָּה יְהוָה לַמְּדֵנִי חֻקֶּיךָ׃

Bendito és tu, Senhor. O Senhor é o bendito, quando o indivíduo tem em mente sempre habitar na lei. O Senhor é a riqueza da alma (vs. 11). Quanto à superioridade da sabedoria e da piedade em relação às riquezas materiais, ver o vs. 14, onde dou uma lista de referências a esse fato. O Senhor é a fonte originária da lei e é o Mestre da lei, chamada aqui de "preceitos".

"O salmista é um *estudante* que se dispôs a aprender as coisas mais excelentes, a fim de ordenar sua vida de acordo com elas. Ele não era apenas um poeta capaz de voos de expressão bem imaginados, nem um filósofo cujo intuito era edificar algum sistema de pensamento. Mas ele sabia como tirar proveito da verdade essencial para mantê-la sempre diante de sua mente e recomendá-la a outros... Ele era, igualmente, um homem de profunda piedade. Não era um pioneiro espiritual como Amós, nem uma personalidade vigorosa, a exemplo de Moisés ou Elias... Mas era um homem de mente humilde, de espírito acomodado, mas de alta espiritualidade" (J. R. P. Sclater, *in loc.*). Em sua humildade, ele precisa depender intensamente de seu Mestre, Yahweh, e de seu manual de instruções, a lei. Podemos ter certeza de que ele estudava o seu texto diariamente. Essa era a coisa mais importante em sua vida. Ver no *Dicionário* o artigo chamado *Ensino*.

■ 119.13

בִּשְׂפָתַי סִפַּרְתִּי כֹּל מִשְׁפְּטֵי־פִיךָ׃

Com os lábios tenho narrado. Uma vez ensinado pelo Mestre Supremo, o salmista foi capaz de ensinar a si mesmo. E transmitia sua mensagem a outras pessoas. É conforme disse um profeta moderno: "O maior equívoco que um pai pode cometer é conhecer os ensinos e não os transmitir a seu filho". Além disso, há os filhos de outras pessoas, que se tornam nossos alunos, e em breve toda a *comunidade* se beneficia do estudo bíblico, bem como do estudo de livros e princípios espirituais. O nosso homem andava impressionado com a mensagem dos *juízos* de Deus (outro nome para a lei) e assim impressionava seus alunos. Talvez este versículo subentenda algum ensino sistemático do Pentateuco, a *Torah*. "Ele não conservava oculto para si mesmo o seu tesouro, mas, como um bom dono de casa dos Evangelhos, tirava do seu baú coisas novas e coisas antigas" (Ellicott, *in loc.*).

> *Todo escriba versado no reino dos céus é semelhante a um pai de família que tira do seu depósito cousas novas e cousas velhas.*
>
> Mateus 13.52

Cf. Dt 6.6,7. "... doutrinas e preceitos de justiça e de verdade... da abundante experiência entesourada no seu coração, pelo que ele desejava mais e mais para instruir a outros, para ensinar e para declarar da maneira mais sincera" (John Gill, *in loc.*). Não basta instruir os outros. Também devemos servi-los mediante boas obras.

■ 119.14

בְּדֶרֶךְ עֵדְוֺתֶיךָ שַׂשְׂתִּי כְּעַל כָּל־הוֹן׃

Mais me regozijo com o caminho dos teus testemunhos. Nosso homem alegrava-se no estudo da Bíblia. Estudar as Escrituras superficialmente pode ser enfadonho, mas o homem que estuda a Palavra *em profundidade* muito se diverte. Nisso está a alegria. O homem descobre em seus estudos um grande tesouro que ele passa a considerar mais valioso do que os bens materiais e as riquezas. O Antigo Testamento prometia prosperidade material aos que guardassem a lei, mas também prometia alegria espiritual, e, entre essas duas bênçãos, o poeta sagrado preferia as espirituais. Quanto à superioridade da sabedoria e da piedade sobre as riquezas materiais, cf. os vss. 72 e 127 do salmo presente, e também Jó 28.13-19; Pv 3.14,15; 8.10,19. Sobre esses valores o salmista tinha fixado seus olhos e seu coração. "Ele considerava sua *principal felicidade* ser achado na vereda da obediência, dando a Deus todo o seu coração e todas as suas forças" (Adam Clarke, *in loc.*).

> *Senhor, levanta sobre nós a luz do teu rosto. Mais alegria me puseste no coração do que a alegria deles, quando lhes há fartura de cereal e de vinho.*
>
> Salmo 4.6,7

"... riquezas... a *alegria* que os crentes têm nos caminhos de Deus, superiores ao que qualquer homem natural ou mundano tem em suas riquezas materiais de qualquer espécie que seja... Em Cristo há a pérola de grande preço e de riquezas insondáveis, as riquezas da graça e as riquezas da glória" (John Gill, *in loc.*).

■ 119.15

בְּפִקֻּדֶיךָ אָשִׂיחָה וְאַבִּיטָה אֹרְחֹתֶיךָ׃

Meditarei nos teus preceitos. *A lei, os preceitos, os mandamentos, as palavras, os caminhos, as ordenanças* mereciam meditação, pelo que o homem resolveu cumprir a lei. Ver no *Dicionário* o artigo chamado *Meditação*. A lei tornou-se um *caminho de vida* para o homem. Com o aprendizado, a qualidade espiritual de sua vida continuava melhorando mais e mais. Ele mantinha os olhos fixos nos passos de Deus. Ele continuava a escavar na mina de ouro que escolhera como sua própria mina. E passava de uma grande emoção para outra, enquanto ia encontrando pepitas de ouro cada vez maiores. Quanto mais ele escavava, mais percebia que o suprimento de ouro era interminável. Nem que escavasse a vida inteira ele desenterraria todos os tesouros à sua espera.

> Uma Bíblia aberta para o mundo,
> Que esse seja o nosso lema!
> A cada brisa, de bandeira desfraldada,
> Espalhando bênçãos ricas e livres.
>
> Bendita Palavra de Deus, envia a tua luz
> Por cada terra e pelo mar,
> Até que todos quantos vagam durante a noite
> Sejam levados a Deus e ao céu por ti.
>
> Henry M. King

■ 119.16

בְּחֻקֹּתֶיךָ אֶשְׁתַּעֲשָׁע לֹא אֶשְׁכַּח דְּבָרֶךָ׃

Terei prazer nos teus decretos. O salmista enfatizou quão *deleitoso* é conhecer e seguir a lei. Para ele, a fé religiosa era motivo de alegria. Por conseguinte, ele nunca poderia esquecer a *Palavra*. Esta se tornara sua constante companheira e guia, algo que ele não conseguia abandonar. Ele se deleitava em estudar e praticar a Palavra, em exercer o bem em favor do próximo, em meditar sobre a Palavra, em andar segundo a seus preceitos. "... no tocante ao homem interior, tenho prazer na lei de Deus" (Rm 7.22). O poeta repetiu seu tema da *alegria* nos vss. 24, 92 e 97 do salmo presente. Ele tomou providências para não esquecer a Palavra, mediante o estudo, a meditação e o ensino a seus semelhantes (ver os vss. 11, 13 e 15).

> *O seu prazer está na lei do Senhor, e na sua lei medita de dia e de noite.*
>
> Salmo 1.2

GUÍMEL: A Terceira Estrofe (119.17-24)

■ 119.17

גְּמֹל עַל־עַבְדְּךָ אֶחְיֶה וְאֶשְׁמְרָה דְבָרֶךָ׃

Sê generoso para com o teu servo. Seguindo o plano acróstico, o autor sagrado oferece agora o terceiro conjunto de oito linhas em seu elogio à *lei*, acerca da qual continuou a usar vários termos a fim de variar sua expressão. Ver na introdução a este salmo a parte chamada *Salmos Acrósticos* e, nas notas expositivas sobre o vs. 1, as *dez* palavras que usadas para falar sobre a lei. Esta terceira estrofe é encabeçada pela letra hebraica *guímel*. Ver no *Dicionário* o artigo chamado *Alfabeto*. A primeira palavra de cada uma das próximas oito linhas começa com essa letra.

Para que eu viva e observe a tua palavra. O salmista queria *viver* da melhor maneira possível, e assim via a lei, aqui chamada de *a palavra*, como o manancial de seu bem-estar. Provavelmente ele fala tanto da prosperidade material quanto da prosperidade espiritual, porquanto feliz é o homem que tem ambas as bênçãos. Cf. o vs. 14. Naturalmente, a verdadeira fonte dessas e de todas as demais bênçãos é Yahweh, mas a Palavra é o seu instrumento de bênçãos. Sendo abençoado, o nosso homem abençoaria a outras pessoas, mediante boas obras. Cf. Sl 13.3,6 e 116.7,8. É provável que esteja incluído no pedido deste versículo o desejo de ter uma longa vida, evitando o terror da morte prematura. Os vivos louvam ao Senhor; os mortos *silenciam*, de acordo com a teologia dos hebreus da época (ver Sl 31.17). Lemos que é a lei que *transmite vida* (ver Dt 4.1; 5.33; 6.2; Ez 20.1). Este versículo faz de Yahweh a fonte originária da vida, e sua lei aparece como o instrumento mediador. Mas essa bênção destina-se ao homem que *guarda* os mandamentos, conforme também se vê nas referências que acabo de oferecer.

> tua Palavra é como um jardim, Senhor,
> Com flores brilhantes e coloridas.
> E qualquer que busca pode colher, ali,
> Um belo buquê de flores.
> tua Palavra é como uma mina profunda
> Com joias ricas e raras.
> Elas estão escondidas em suas profundezas,
> Para todo o que busca ali.
>
> Edwin Hodder

■ 119.18

גַּל־עֵינַי וְאַבִּיטָה נִפְלָאוֹת מִתּוֹרָתֶךָ׃

Desvenda os meus olhos. O poeta sagrado buscava *iluminação* (ver a respeito no *Dicionário*). Ele não sentia que, por meio de seu próprio engenho, pudesse descobrir todos os tesouros da *lei mosaica*.

> Abre os meus olhos para que eu possa ver
> Vislumbres da verdade que tens para mim.
> Abre meus olhos, ilumina-me, Espírito divino.
>
> Clara H. Scott

"Tira o véu que encobre o meu coração, e então verei maravilhas em tua lei. As Santas Escrituras são claras o bastante, mas o coração do homem está obscurecido pelo pecado" (Adam Clarke, *in loc.*). Além disso, não basta "ler a Bíblia e orar", conforme é recomendado nas igrejas. Também carecemos do toque místico do Espírito, um dos meios de desenvolvimento espiritual. Ver no *Dicionário* o verbete denominado *Desenvolvimento Espiritual, Meios do*. Um desses meios consiste em praticar o bem em favor de nossos semelhantes. Cada ato de amor eleva nossa espiritualidade.

"*Abre*, literalmente, *descobre*, como se sem a graça divina os olhos estivessem velados para as maravilhas e para a beleza da lei (cf. 2Co 4.1)" (Ellicott, *in loc.*). "As maravilhas da lei, o que envolve não somente os seus *profundos mistérios*, mas também suas *verdades práticas*, que dela procedem, mas que chegam somente aos iluminados espirituais de maneira plena. No hebraico temos a palavra *gal*, "tirar o véu de". Os crentes contemplam a Deus, conforme se lê em 2Co 3.18: "Com o rosto desvendado contemplando, como por espelho, a glória do Senhor", sendo transformados "de glória em glória, na sua própria imagem, como pelo Senhor, o Espírito".

■ 119.19

גֵּר אָנֹכִי בָאָרֶץ אַל־תַּסְתֵּר מִמֶּנִּי מִצְוֹתֶיךָ׃

Sou peregrino na terra. O salmista não era uma pessoa grande e importante. Era apenas um peregrino que passava sua experiência no deserto da terra, da melhor maneira que lhe fosse possível. Por conseguinte, ele muito carecia da ajuda divina, durante toda a sua vida, especificamente quanto à compreensão e à obediência à lei, que o guiava no deserto. O autor sagrado continuava a explorar o tema da iluminação no vs. 18, mas agora fazia a luz de Deus ser o guia de sua alma, na peregrinação. Ver a lei como *guia* em Dt 6.4 ss. Yahweh era o Guia real, mas sua lei era a sua lanterna. "Guia-me, oh! Tu, grande Yahweh", conforme disse certo autor de hino.

Cf. este versículo ao vs. 54 deste mesmo salmo e então a Gn 47.9 e Sl 39.12. A vida é transitória e pode ser comparada a um homem que apenas está passando. O homem mortal é um estranho à face da terra. Faltam-lhe tanto tempo como forças. Ele pode terminar o seu curso de acordo com o caminho desejado, mas somente com assistência divina. Um homem "... forçado a perambular de um lugar para outro, sou um estrangeiro em minha própria terra" (Adam Clarke, *in loc.*). Ver no *Dicionário* o verbete chamado *Peregrino*, que tem materiais que ilustram este versículo.

> *Confessando que eram estrangeiros e peregrinos sobre a terra.*
>
> Hebreus 11.13

"Como um estrangeiro na terra, não sei o que devo fazer, nem o que evitar: ensina-me tanto revelando os teus ensinamentos como iluminando-me a mente. Esta terra não é o lar do crente, mas apenas seu alojamento... o caminho dos mandamentos é o caminho para a cidade celestial, onde o povo de Deus não mais será composto por peregrinos e, sim, por filhos na casa de seu Pai" (Fausset, *in loc.*). "A tua Palavra... uma luz para os meus pés e uma lâmpada para o caminho... andai como filhos da luz, com sabedoria e circunspecção" (John Gill, *in loc.*).

■ 119.20

גָּרְסָה נַפְשִׁי לְתַאֲבָה אֶל־מִשְׁפָּטֶיךָ בְכָל־עֵת׃

Consumida está a minha alma. A alma do poeta estava sendo "consumida" por seu anelo pelas ordenanças, e não apenas de vez em quando, mas o tempo todo. Somente um hebreu podia fazer tal observação. O homem estava *obcecado pela lei*, mas no bom sentido. Ele era fanático quanto à lei. Sua principal ocupação era estudá-la, e sua principal preocupação era praticá-la. Ele conhecia os mais de seiscentos mandamentos de cor, e todos os dias aumentava o seu já vasto conhecimento. A maioria dos homens flutua nesta vida com sua tola obsessão por dinheiro, posição social e conforto material, e, através dessa obsessão, ganha algo de uma ou outra dessas coisas. O salmista, porém, desprezava todas as coisas mundanas. Dwight Moody, o grande evangelista do século XIX, era uma pessoa bastante simples, não muito erudita, um homem que falava mal. Ele era um homem "de um livro só", a Bíblia. Mas conhecia bem esse livro e impulsionou milhares de pessoas por meio *desse* conhecimento. Aqueles que o conheciam diziam que algo maior do que ele mesmo o impelia. Assim também o autor do Salmo 119 dava evidência de que era um homem empurrado por algo maior do que ele. Para ele, Yahweh e sua lei eram valores supremos e moviam-se supremamente em sua alma. Sendo esse o caso, ele praticava boas obras em favor de outras pessoas. Ele não era egoísta com as suas bênçãos.

> Resolvi não mais demorar-me,
> Encantando pelos deleites do mundo.
> Coisas superiores, coisas mais nobres,
> Essas me conquistaram a visão.

Consumida. Outras traduções dizem aqui "quebrantada". Por isso ele fala sobre o *coração quebrantado,* a pessoa esmagada por alguma tristeza ou provação. Falamos em anelos excessivos, em terríveis desapontamentos, ou mesmo em um amor desesperador, quando usamos tais palavras. Também falamos em ter fome e sede pela justiça (ver Mt 5.7). A referência do poeta é positiva. Ele quis dizer que a lei era uma força tão poderosa em sua vida que continuava a quebrantá-lo por dentro com fortes emoções, quando ele lia a lei ou a contemplava em momentos de tranquila meditação.

■ 119.21

גָּעַרְתָּ זֵדִים אֲרוּרִים הַשֹּׁגִים מִמִּצְוֺתֶיךָ׃

Increpaste os soberbos, os malditos. *Em contraste* com o poeta, havia os que enfrentavam de modo superficial a lei de Deus. Esses tinham suas próprias ideias, planos e obsessões. Eles também não tinham tempo para os fanáticos acerca das coisas espirituais, preferindo ser fanáticos acerca de seus próprios interesses pessoais, e não hesitavam em seguir caminhos ímpios. Eram os *orgulhosos*, que precisavam da repreensão de Yahweh, *malditos* cuja vida os condenava a receber o juízo divino. Não eram peregrinos que seguissem a vereda espiritual (vs. 19), mas pessoas apanhadas nas excentricidades do pecado. Desse modo, eles se *afastavam* dos mandamentos do Senhor, para seu próprio prejuízo. O poeta, pois, contrastou o afastamento deles com a sua própria peregrinação espiritual. O primeiro era o "caminho largo" que levava à destruição; o último era o "caminho estreito" que conduzia à vida (ver Mt 7.13). Os bons peregrinos servem a outras pessoas, e não meramente a si mesmos.

Aqueles que erram quanto aos mandamentos de Deus estão sob as maldições que proferem. Ver Dt 27.26 e Gl 3.10. A Septuaginta e a Vulgata dizem aqui: "Tens repreendido os orgulhosos. Eles são malditos". Por qual motivo eles eram malditos? Porque eram fanáticos centrados em si mesmos, e não centrados em torno da lei.

Quanto aos *orgulhosos* e *insolentes*, ver também os vss. 51, 69, 78, 85 e 122. Esses versículos são um tanto parecidos com os salmos de lamentação. O Salmo 119 tem toques de outras classes, como os salmos de sabedoria, os salmos didáticos, os salmos de louvor (aleluia!) e os salmos de agradecimento. Quanto às dezessete classes dos salmos, ver o gráfico no início do comentário, que atua como uma espécie de frontispício do saltério.

■ 119.22

גַּל מֵעָלַי חֶרְפָּה וָבוּז כִּי עֵדֹתֶיךָ נָצָרְתִּי׃

Tira de sobre mim o opróbrio e o desprezo. Parece que os soberbos, referidos no versículo anterior, eram perseguidores do salmista, pelo que temos nisso um toque dos salmos de lamentação. A referência, nesse caso, é aos hebreus irreligiosos, e não a invasores estrangeiros. Os réprobos, pois, escarneciam do salmista e mostravam-se odiosos.

Tira de sobre mim. Literalmente, *rola para fora,* tal como Yahweh rolou os mares para permitir que Israel passasse por terra seca. Cf. Js 5.9: "Hoje revolvi de sobre vós o opróbrio do Egito...". O salmista pediu que o ódio de seus inimigos fosse rolado para fora do caminho, porquanto ele tinha observado a lei (era justo) e *merecia* esse favor. Ou então este versículo significa que, por seu caráter religioso, o salmista era perseguido e desprezado aos olhos dos pecadores. "É interesse de Deus vindicar aos que guardam os seus testemunhos para que não sejam desencorajados de guardá-los" (Fausset, *in loc.*). Com frequência neste salmo, o autor sagrado referiu-se aos ímpios e àqueles que o oprimiam (vss. 23, 25, 53, 61, 69, 70, 78, 85-87, 95, 110, 115, 119, 122, 134, 155, 156, 158 e 161). A vida do homem bom não era muito tranquila, e homens perversos faziam sua vida tornar-se miserável, mas ele não se desviava de seu curso dedicado ao estudo e à prática da lei. Provavelmente, o poeta repreendia os pecados daqueles homens maus e desafiava seu estilo de vida, que sem dúvida incluía a opressão do pobre, atos de violência, perversões das leis visando o benefício próprio e talvez até ameaças de morte contra qualquer um que se opusesse às injustiças sociais. Esses são tipos de pecados que descobrimos nos salmos de lamentação, em que os inimigos enfrentados eram os que residiam no território de Israel, e não invasores estrangeiros.

Tais indivíduos pareciam-se com cargas postas nas costas do salmista, que Yahweh precisava fazer "rolar para fora", a fim de que ele não carregasse cargas desnecessárias. Cf. Jr 20.8; Ap 1.9 e 1Pe 4.3,4. Livre de sobrecargas, ele estaria mais bem equipado para servir a outras pessoas.

■ 119.23

גַּם יָשְׁבוּ שָׂרִים בִּי נִדְבָּרוּ עַבְדְּךָ יָשִׂיחַ בְּחֻקֶּיךָ׃

Assentaram-se príncipes e falaram contra mim. Até mesmo *príncipes* estavam entre os inimigos do salmista, isto é, os que tinham o poder de ferir e matar. Mesmo com esse tipo de oposição, o salmista permaneceu fiel à causa da lei e da justiça. A implicação do versículo é que pessoas em altas posições sociais usavam seu poder e seu dinheiro para promover causas injustas. Eles estavam oprimindo os pobres; tinham-se tornado culpados de atos de violência; furtavam e ameaçavam a outras pessoas. O poeta era um dos objetos de sua ira, mas isso não fazia dele um homem corrupto, conforme eles eram. Ele continuava a meditar na lei e a aprender, e saía a praticar o que tinha aprendido. Isso o punha em conflito com os que praticam o contrário. Os *príncipes,* neste caso, eram todos líderes irreligiosos de Israel, e não indivíduos estrangeiros, como os babilônios, conforme alguns estudiosos têm interpretado. Uma ilustração aqui são os príncipes da corte de Saul que, juntamente com aquele monarca, buscavam tirar a vida de Davi (ver 1Sm 29.4). Isso não está em vista neste salmo, mas serve de ilustração. Cf. Sl 2.2 e 1Co 2.8.

■ 119.24

גַּם עֵדֹתֶיךָ שַׁעֲשֻׁעָי אַנְשֵׁי עֲצָתִי׃

Com efeito, os teus testemunhos são o meu prazer. Os *testemunhos* do Senhor permaneciam o deleite do salmista, a despeito da oposição que ele estava experimentando. Esses testemunhos eram os *conselheiros* do autor sacro, em contraste com os conselheiros perversos dos príncipes que trabalhavam contra os interesses do poeta. Os conselheiros do salmista davam-lhe bom e justo conselho, e ele sempre seguia esses conselhos, em contraste com as obras desastrosas dos príncipes. Cf. os vss. 77 e 92 deste mesmo salmo. Nosso homem poderia ter perecido em sua aflição, se a lei não sustentasse seu coração encorajado. Dotado de um coração encorajado, ele podia servir a outros com boas palavras, melhor do que a lei requer. Ter uma teoria não é suficiente.

Este versículo tem sido cristianizado para falar do evangelho como a alegria e o deleite do homem justo. "O evangelho é o conselho de Deus relativo à salvação. Nele, Cristo aparece como um Conselheiro maravilhoso, aconselhando santos e pecadores... e toda a Escritura, sendo divinamente inspirada, é proveitosa para doutrinar, para corrigir e para instruir na retidão (2Tm 3.16)" (John Gill, *in loc.*).

DÁLETE: A Quarta Estrofe (119.25-32)

■ 119.25

דָּבְקָה לֶעָפָר נַפְשִׁי חַיֵּנִי כִּדְבָרֶךָ׃

A minha alma está apegada ao pó. Seguindo o plano acróstico, o autor agora dá a quarta coleção de oito linhas louvando a lei e continua a usar vários termos a fim de variar a sua expressão. Ver na introdução ao salmo a parte chamada *Salmos Acrósticos,* e ver o vs. 1, quanto às dez palavras empregadas para indicar a lei. A quarta estrofe é chamada *Dálete,* sendo essa a letra hebraica repetida no começo dessas oito linhas. Em outras palavras, as primeiras palavras de cada uma das oito linhas começam com a letra hebraica *dálete.*

O Salmista Sofria Agonias. Aqui a sua alma apega-se ao pó. No vs. 28, sua alma vertia lágrimas. Portanto, ele estava sofrendo alguma provação severa (embora não identificada). Quanto à figura do *pó,* ver também Sl 22.29 e 44.25. No primeiro desses dois salmos está em pauta a *morte* e, no segundo salmo, algum tipo de profunda *degradação* ou *desonra*. A palavra "vivifica-me" subentende que o pó estava associado a alguma espécie de *morte em vida*, ou seja, um teste muito severo. O salmista pode ter sido caluniado por seus inimigos, e isso pode ter incluído a possibilidade de ser assassinado. O pó pode significar *a ansiedade* por causa da morte potencial iminente.

> Um sussurro ímpio veio e fez
> Meu coração tornar-se tão seco como o pó.
>
> Coleridge

Teodoreto (vs. 18) diz que o imperador Teodósio recitou este versículo quando fazia penitência à porta da catedral de Milão, por causa do massacre de Tessalônica.

O poeta sagrado estava *amortecido* por sua tristeza, pelo que apelou para que a Palavra de Deus fosse usada por Yahweh para dar-lhe renovada coragem e tirá-lo do pó. A lei contém muitas promessas, incluindo a promessa da vida para os que a observarem. Ver Dt 4.1; 5.33; 6.2 e Ez 20.1. Quanto ao *reavivamento*, ver também os vss. 88, 107, 145, 154 e 156.

Salmos de Lamentação. Esta seção *Dálete* tem o caráter de um salmo de lamentação. Ver os vss. 23, 50, 53, 61, 69, 70, 78, 85 e 86, quanto a versículos similares que dizem respeito a provações, perseguições e coisas tais que aparecem dentro dessa classe de salmos. Tipicamente, esses salmos contêm algum clamor por ajuda e descrevem os inimigos opressores, quer da parte de hebreus renegados, quer de atacantes estrangeiros ou de enfermidades físicas. Além disso, usualmente levantam uma nota de louvor pelas orações respondidas. Ver o vs. 32, que pode funcionar como tal.

■ **119.26**

דָּרְכַי סִפַּרְתִּי וַתַּעֲנֵנִי לַמְּדֵנִי חֻקֶּיךָ׃

Eu te expus os meus caminhos, e tu me valeste. O homem declarou, isto é, contou os seus caminhos, provavelmente apontando para sua vida passada, incluindo (conforme o contexto o demonstra) os seus pecados e as suas orações pedindo perdão. Yahweh ouviu suas orações sinceras e continuou a ensinar-lhe seus estatutos, a fim de que a vida do nosso homem melhorasse e fosse libertada dos assédios. "Ele pediu compreensão da parte de Deus, bem como fortalecimento e resguardo (vss. 26-30), e esperava que Deus o atendesse, visto que ele tinha entesourado a lei" (Allen P. Ross, *in loc.*). Os caminhos provavelmente também significam que estavam em foco a *vida presente* do homem e todas as suas condições, incluindo as perseguições sofridas. Ele também *escolhera* seus *caminhos* de conduta, inspirado pela lei. E recitou isso a Yahweh, esperando favor e orientação em uma hora crítica.

■ **119.27**

דֶּרֶךְ־פִּקּוּדֶיךָ הֲבִינֵנִי וְאָשִׂיחָה בְּנִפְלְאוֹתֶיךָ׃

Faze-me atinar com o caminho dos teus preceitos. Contrastando com o caminho do poeta, havia o caminho de Yahweh, a vereda perfeita e ideal a seguir. Assim sendo, o salmista tinha de moldar seus caminhos aos caminhos de Yahweh e, de fato, isso já era verdade em grande parte, conforme deduzimos do próprio salmo. O caminho de Deus é o caminho dos preceitos e da lei, que se torna um manual para o homem bom; ou então, preservando a metáfora do caminho, a lei torna-se um *mapa da estrada*. Compreender o caminho de Deus permite que um homem fale melhor sobre as *obras maravilhosas* de Deus. A vida do homem assume todas as formas de grandes e miraculosos acontecimentos, porquanto ele participa do poder de Yahweh. Seguindo a *vereda*, o homem bom servirá a seus semelhantes, e não apenas a si mesmo.

Meditarei. O salmista precisava estudar o manual ou mapa da estrada. Quando fazia isso, via quantas maravilhas Deus tinha preparado para o justo, coisas que se tornavam parte de sua vida diária. "Somente o israelita verdadeiramente leal ao pacto era considerado digno de inquirir as maravilhas dos tratos de Deus com o homem. Talvez ele tenha estendido o pensamento até o ponto de dizer que o verdadeiro *discernimento histórico* é possível somente àquele cujo senso moral é corretamente treinado e dirigido" (Ellicott, *in loc.*).

> *Quem saberá contar os poderosos feitos do Senhor, ou anunciar os seus louvores? Bem-aventurados os que guardam a retidão, e o que pratica a justiça em todo tempo.*
>
> Salmo 106.3

■ **119.28**

דָּלְפָה נַפְשִׁי מִתּוּגָה קַיְּמֵנִי כִּדְבָרֶךָ׃

A minha alma de tristeza verte lágrimas. Cf. o vs. 25, onde se lê que a alma do poeta estava apegada ao pó. Agora encontramos outra poderosa metáfora nessa ação de "verter lágrimas". A palavra pode ser traduzida por "gotejamento", conforme se vê em Eclesiástico 10.18, ou então "dormitar", conforme se vê na Septuaginta e na Vulgata. Jó também usa a palavra "lágrimas" em 16.20. Uma crise e uma situação crítica são salientadas, por causa das quais o salmista precisava de ajuda urgente, através da *palavra*, outro nome dado à lei.

Se o ato de *dissolver* está em pauta, conforme dizem algumas versões, em vez de "lágrimas", então devemos pensar na cera diante do fogo, ou na prata a refinar no forno, um retrato de teste severo. Se a ideia aqui é de *gotejamento*, então devemos pensar em um choro tristonho. Palavras graciosas animam o homem, porém é mais provável que a palavra saída da boca de Yahweh seja contra os inimigos do homem. Essa é uma aplicação do Legislador à vida humana, que usou sua palavra criadora. A palavra escrita contém promessas dessa natureza, e essas promessas se cumprem mediante o poder de Deus.

■ **119.29**

דֶּרֶךְ־שֶׁקֶר הָסֵר מִמֶּנִּי וְתוֹרָתְךָ חָנֵּנִי׃

Afasta de mim o caminho da falsidade. O "caminho de falsidade" do qual o salmista queria escapar pode ser o seu próprio caminho. Se não ouvisse atentamente o ensino da lei, poderia desviar-se. Ou melhor, no presente contexto, o caminho de falsidade poderia ser de seus oponentes, que tornariam sua vida miserável. Aquela gente seguia pelo "caminho da mentira", fazendo da mentira e do engodo um modo de vida, em detrimento de outros. Para evitar ser como eles, o salmista queria que a lei lhe ensinasse as tendências corretas e retas. Os homens falsos com outros homens também são falsos com Deus. Nessa posição, os homens caem em todos os tipos de pecados. Está incluída a infidelidade para com o *pacto abraâmico* (ver as notas expositivas a respeito em Gn 15.18), visto estar em vista o povo em aliança com Deus. A lei corrige a propensão à falsidade e à prevaricação, mas a ideia de "mentira", constante neste texto, parece apontar para as palavras e os atos de homens ímpios e violentos, os quais, através de suas mentiras e calúnias, encontram meios de obter vantagens próprias e de prejudicar os outros.

Favorece-me com a tua lei. O autor conclamou Yahweh a aplicar seus métodos de ensino gracioso para que ele pudesse aprender. A bondade de Yahweh significava que ele ensinaria bem o nosso homem. O Targum também fala sobre o "caminho da falsidade", como aquilo do que o poeta queria ser libertado pelos ensinos divinos e pelo Mestre divino.

■ **119.30**

דֶּרֶךְ־אֱמוּנָה בָחָרְתִּי מִשְׁפָּטֶיךָ שִׁוִּיתִי׃

Escolhi o caminho da fidelidade. Em contraste com o "caminho da falsidade", o poeta escolheu o "caminho da fidelidade", ou seja, o caminho da fidelidade a Yahweh, através da obediência à sua lei. Ele sempre guardava as *ordenanças* diante de seus olhos, para manter-se fiel. O *caminho da falsidade* (vs. 29) provavelmente era proveitoso aos ímpios, e os homens maus desfrutam os caminhos da maldade, visando seus próprios interesses. O criminoso encontra prazer em prejudicar o próximo, tal como o homem de bem gosta de ajudar aos outros. O homem mau odeia a lei e suas muitas demandas, negativas e positivas. Mas o homem bom tem prazer em ser bom e em praticar o bem. Não há aqui advertências sobre recompensas ou punições para além da vida física, pois somente mais tarde essa noção penetrou na teologia dos hebreus; mas, mesmo sem isso, o homem bom será bom e o homem mau será mau, devido às suas propensões interiores. A *regra de conduta* origina-se no coração. O justo seria justo a despeito de qualquer lei à parte da lei da consciência.

Este versículo tem sido cristianizado e personalizado para fazer o homem enveredar pelo caminho reto de Cristo, que é o padrão da nossa conduta. O Targum fala aqui do *caminho da fé*, mas a lei está por trás dessa fé, enquanto no cristianismo os mais de seiscentos mandamentos do Antigo Testamento são destilados em uma palavra: *Cristo*.

■ 119.31

דָּבַקְתִּי בְעֵדְוֹתֶיךָ יְהוָה אַל־תְּבִישֵׁנִי׃

Aos teus testemunhos me apego. *O poeta sacro mostrou-se tenaz*. Seu tesouro era a lei. Sua alma envolvia-se nos testemunhos. Ele estava *preso* aos testemunhos de Deus. Sua firme associação com a lei haveria de impedi-lo de ser envergonhado, quer por seus próprios atos, quer pelos atos de seus inimigos. Quanto a envergonhar-se, ver Sl 25.1; 35.26; 37.19; 69.6; 74.2; 78.66; 83.16; 86.17 e 108.28. Ele não ficaria desapontado em suas esperanças e alvos no tocante à sua vida espiritual e às expectativas criadas pela lei mosaica. Coisa alguma poderia separá-lo das boas intenções de fazer da lei a fonte originária de toda a sua maneira de pensar e de todos os seus atos. Não são muitas as pessoas tenazes em sua vida espiritual e em seus propósitos, embora muitos se apeguem a algum interesse *mundano*.

Quão firme o alicerce, santos do Senhor,
Que é posto para a vossa fé em sua excelente Palavra.

J. F. Wade

■ 119.32

דֶּרֶךְ־מִצְוֹתֶיךָ אָרוּץ כִּי תַרְחִיב לִבִּי׃

Percorrerei o caminho dos teus mandamentos. Nosso homem poderia trilhar o *caminho* prescrito pela lei, mas, em seu entusiasmo, resolveu correr. Ele faria isso quando Yahweh alargasse seu coração (compreensão). Ele teria um coração voltado para a corrida, por causa da influência do Espírito que o transformava em um atleta espiritual. O bom atleta cristão vence a corrida servindo ao próximo.

... desembaraçando-nos de todo peso, e do pecado que tenazmente nos assedia, corramos com perseverança a carreira que nos está proposta.

Hebreus 12.1

Nada havia no mundo capaz de desencorajar o salmista de seu primeiro intuito de ser um peregrino cristão (vs. 19). Yahweh poderia retirar todos os obstáculos do caminho, os pecados e as oposições, a falta de entusiasmo, a falta de propósito espiritual, a falta de entendimento, e então o caminho estaria desimpedido para o corredor ligeiro. "... corre com alacridade e velocidade, através de todo o curso da corrida dos mandamentos e dos requisitos, para atingir o alvo da perfeição. Ver 1Co 9.24; Gl 5.7; Fp 2.16; 3.12,14. Sejas como o sol em seu curso (Sl 19.6)" (Fausset, *in loc.*).

HÊ: A Quinta Estrofe (119.33-40)

■ 119.33

הוֹרֵנִי יְהוָה דֶּרֶךְ חֻקֶּיךָ וְאֶצְּרֶנָּה עֵקֶב׃

Ensina-me, Senhor, o caminho dos teus decretos. Seguindo o plano de um poema acróstico, o autor sagrado oferece-nos agora o quinto jogo de oito linhas, todas começando por outra letra hebraica, o *hê*, em seus louvores à lei, para o que ele continua a usar termos variados. Ver a introdução a este salmo, sob *Salmos Acrósticos*, e, no vs. 1, as *dez* palavras usadas para indicar a lei. Neste versículo, o poeta supõe que a lei seja algo tão importante para ser estudado que requer a assistência divina no empreendimento. Assim sendo, ele invocou Yahweh para ser seu mestre. No vs. 18, o poeta reconhece a necessidade de *iluminação* do Espírito. O vs. 12 contém o pedido direto para que Yahweh fosse o seu *mestre*, pedido reiterado aqui. Aquele que dera a lei a Israel seria o melhor mestre da lei. O homem ensinado por esse Mestre celeste seria capaz de seguir em seu aprendizado até o fim, ou seja, até que a morte interrompesse o processo, ou até que ele atingisse a perfeição em seu estudo. "Presume-se que a referência seja ao fim da vida do salmista. Outra tradução possível do termo é *como uma recompensa* (cf. Sl 19.11), em que a guarda da lei seria a própria recompensa" (William R. Taylor, *in loc.*). O homem que é ensinado por Deus obedecerá àquelas leis que o estimulam a servir ao próximo. Não basta saber. Um homem deve pôr em *prática* o que conhece, vivendo também a lei do amor.

"Eis aqui uma boa coisa requerida com uma boa finalidade. Ele queria receber o ensino celestial: conhecer as referências espirituais de todos os estatutos, o que Deus requer da parte dos homens" (Adam Clarke, *in loc.*). Cf. este versículo ao vs. 112: a *inclinação* do salmista em seguir pela vereda espiritual, prescrita pela lei, até o fim. É fácil alguém terminar sua carreira da vida de maneira muito pior do que isso. Diz o Targum: "Continuarei seguindo o caminho até atingir a perfeição". O homem jamais se afastaria da lei, deixando-se ficar para trás como um fraco, nem se desviaria para a direita ou para a esquerda, saindo da linha certa (vs. 32).

■ 119.34

הֲבִינֵנִי וְאֶצְּרָה תוֹרָתֶךָ וְאֶשְׁמְרֶנָּה בְכָל־לֵב׃

Dá-me entendimento, e guardarei a tua lei. O salmista, uma vez mais, roga que lhe seja dada *compreensão* da lei. Ver os vss. 18 e 27. Ele veria claramente quais eram os requisitos da lei, para então observá-los de todo o coração. Ele *ampliaria sua compreensão* (vs. 32), ou seja, atingiria uma obediência mais completa. Para esse propósito ele precisava de fortalecimento (vs. 28), bem como de uma *resolução* dada por Deus (vs. 30). Ele teria de viver *apegado* à lei (vs. 31). Cf. o vs. 73, onde retorna o tema da compreensão. Ver Pv 2.6.

Se, porém, algum de vós necessita de sabedoria, peça-a a Deus, que a todos dá liberalmente, e nada lhes impropera; e ser-lhe-á concedida.

Tiago 1.5

O salmista estava determinado a não tratar com Deus levianamente, conforme faz a maioria dos homens todos os dias. Ele não teria uma compreensão dividida e também não teria um coração dividido. Deus e a sua lei seriam tudo para ele.

Também sabemos que o Filho de Deus é vindo, e nos tem dado entendimento para reconhecermos o verdadeiro; e estamos no verdadeiro, em seu Filho Jesus Cristo. Este é o verdadeiro Deus e a vida eterna.

1João 5.20

■ 119.35

הַדְרִיכֵנִי בִּנְתִיב מִצְוֹתֶיךָ כִּי־בוֹ חָפָצְתִּי׃

Guia-me pela vereda dos teus mandamentos. O salmista deleitava-se no caminho da lei, e assim fez o pedido especial para que Yahweh o guiasse por *esse* caminho. Ele tinha experiência suficiente para saber sobre outros caminhos, os quais já havia trilhado por algum tempo. Ele tinha escolhido o caminho certo e melhor, mas precisava do fortalecimento divino para cumprir sua resolução. Os homens buscam caminhos nos quais encontram recompensa e, se tudo correr bem, alegria. O poeta precisava de *poder para cumprir sua resolução*. Desejo, ele já possuía.

Pela vereda. "Vereda, palavra derivada de uma raiz cujo sentido é *pisar*, o *caminho repisado*, a vereda deixada clara porque os pés de todos os peregrinos piedosos do passado tinham andado pelo caminho" (Ellicott, *in loc.*). O poeta sagrado não era o primeiro peregrino a palmilhar o caminho da lei. Havia uma vereda bem demarcada para seguir, mas ele necessitava que o Senhor o acompanhasse.

"Dizia o coro: 'Embora ninguém vá comigo, ainda assim eu seguirei'. E essa declaração exprime um bravo sentimento. Mas o Senhor sempre vai com aqueles que escolhem o seu caminho, mesmo que outras pessoas não acompanhem o homem bom. Ele precisava que Yahweh operasse nele tanto o querer quanto o realizar, 'concedendo-lhe novos suprimentos da graça, e mais forças espirituais'; e isso Deus faria puxando-o com as cordas do amor e dando-lhe o seu bom Espírito da graça, para que ele andasse nos estatutos do Senhor e guardasse os seus juízos, para praticá-los. Ver Ez 36.27. Pois era nesses juízos que o salmista tinha o seu regozijo, porquanto se deleitava na lei de Deus, de conformidade com o homem interior. Ademais, os mandamentos do Senhor não são pesados. Sua vereda é a vereda agradável e de paz" (John Gill, *in loc.*, com outra de suas excelentes anotações).

Deus é quem efetua em vós tanto o querer como o realizar, segundo a sua boa vontade.

Filipenses 2.13

■ 119.36

הַט־לִבִּי אֶל־עֵדְוֺתֶיךָ וְאַל אֶל־בָּצַע׃

Inclina-me o coração aos teus testemunhos. A *cobiça* pelas coisas deste mundo, como o dinheiro, a fama, o poder, o conforto etc., é um grande competidor do coração dos homens, que é desviado da vereda espiritual para seguir alguma vantagem meramente temporal. O poeta, pois, precisava do Espírito para que *inclinasse* os seus desejos para os valores espirituais, em vez de para algum caminho inferior (e, finalmente, prejudicial). A cobiça é traduzida por "lucro" em outras traduções, estando em vista alguma vantagem injusta ou inferior. "O amor a Deus e o amor às coisas materiais não podem habitar no mesmo coração. Uma coisa por certo suplantará a outra (ver Mt 6.24; 1Jo 3.15; 1Tm 6.17; Ez 33.31). Os cuidados, as riquezas e os prazeres desta vida *abafam* a boa semente da Palavra, de tal maneira que nenhum fruto é levado à perfeição (Lc 8.14)" (Fausset, *in loc.*). O Targum, quanto a este versículo, menciona especificamente o dinheiro, bem como o amor ao dinheiro, como o empecilho às intenções do homem bom.

■ 119.37

הַעֲבֵר עֵינַי מֵרְאוֹת שָׁוְא בִּדְרָכֶךָ חַיֵּנִי׃

Desvia os meus olhos para que não vejam a vaidade. A *vaidade*, que são os prazeres vazios e a busca pelas coisas próprias desta vida, faz os olhos de quase todos os homens volver-se em sua direção. Atualmente temos os fabulosos bens de consumo, que nos custam a metade do custo da vida, e os homens continuam trabalhando arduamente para continuar consumindo. O salmista queria que seus olhos se desviassem das vaidades, dos deleites supérfluos, das buscas tolas, do trabalhar pelo que é trivial. O poeta queria receber *vida* nos caminhos de Deus, viver nesses caminhos, dirigir a sua vida inteira de acordo com eles, ser vivificado para ter sucesso na busca. Ele queria *correr* na boa vereda (vs. 32) e para tanto necessitaria da força da juventude, com seus poderes físicos renovados como as forças da águia (Sl 103.5). Até mesmo uma águia velha é mais forte do que uma cotovia jovem. Alguns estudiosos pensam em *ídolos* quando encontram a palavra "vaidade", mas o poeta não seria atraído por algo tão crasso como os ídolos. Por outra parte, existem os *ídolos sutis*, criados pelos homens, cuja adoração envolve quase todos nós, ainda que não continuamente. Até mesmo as coisas boas, quando buscadas exageradamente, podem tornar-se ídolos. Ver no *Dicionário* o verbete chamado *Idolatria*.

O indivíduo idólatra é aquele que busca seus próprios interesses, aquele que serve a si mesmo. A verdadeira espiritualidade inclui servir ao próximo mediante boas obras, e isso nos faz voltar a visão para fora de nós mesmos, bem como para longe de muitos ídolos.

Pensai nas cousas lá do alto, não nas que são aqui da terra; porque morrestes, e a vossa vida está oculta juntamente com Cristo, em Deus.

Colossenses 3.2,3

"Todos os ídolos mundanos são um *engano*; todos os ídolos mundanos nos quais a felicidade e a paz são buscadas, à parte de Deus, como o poder, as riquezas etc. (Pv 23.5), como também os prazeres, a justiça própria, e o louvor humano ou a ajuda dos homens (Sl 31.6; 40.4; 62.9). Os bens terrenos apelam ao olho, como foi no caso de Eva (ver Gn 3.6), e criam a 'concupiscência dos olhos' (1Jo 2.16); são os agentes negociadores do pecado (Nm 15.39). Cf. Jó 31.1,7; 2Sm 11.2; Pv 4.25. Nossa segurança consiste em evitarmos olhar para as coisas tentadoras (Mt 5.28,29; 6.22,23; Pv 23.31)" (Fausset, *in loc.*).

■ 119.38

הָקֵם לְעַבְדְּךָ אִמְרָתֶךָ אֲשֶׁר לְיִרְאָתֶךָ׃

Confirma ao teu servo a tua promessa. A lei contém muitas e grandes *promessas* para o homem que é obediente. O poeta, que agora se chama de *servo* de Yahweh, queria ser relembrado quanto a essas promessas, tendo seu coração, uma vez mais, inspirado por elas, a fim de *buscá-las*. Ver o vs. 11. A palavra aqui traduzida por "promessa" é traduzida em outras versões por "palavra". Essa é uma das palavras usada para indicar a lei. A lei é a Palavra. A lei é uma *promessa*. Ver no vs. 1 as dez palavras que indicam a lei. Esse vocábulo, usado nos vss. 11 e 38, é o termo hebraico *'imrah*, a terceira palavra da lista.

Firmado sobre as promessas de Deus, meu Salvador;
Firmado sobre as promessas de Deus.

R. Kelso Carter

O Temor de Deus. Aqueles que *temem* a Deus têm as promessas divinas cumpridas em sua vida. Ver no *Dicionário* o artigo chamado *Temor*, quanto ao significado do termo. Essa expressão é de uso frequente nos salmos e, de fato, em todo o Antigo Testamento. Representa a *qualidade geral* do homem espiritual no Antigo Testamento. Trata-se de uma confiança reverente, mas é, por igual modo, a espiritualidade do homem que segue a lei com diligência. Inclui o *temor literal* (ver o vs. 120), porque Yahweh é espantoso; esse não é, contudo, todo o seu significado, mas apenas um dos elementos de seu sentido. Este versículo fala dos que são "devotados" a esse temor. Nesse tipo de temor há amor pelo bem e ódio pelo mal. Ver os vss. 97 e 104. É um tesouro para os santos (Pv 15.16). Faz parte necessária da verdadeira adoração (Sl 5.7). Os que temem a Deus o agradam em sua vida (Sl 147.11). O temor de Deus é uma virtude, uma qualidade espiritual (Sl 86.11) vantajosa para os homens (Pv 15.16). Encoraja-nos a servir aos outros mediante as boas obras, obedecendo aos muitos mandamentos da lei (Sl 34.11). O temor de Deus é a vereda espiritual do homem piedoso. É o cumprimento da lei mosaica com um coração reto, mediante o amor, por meio do constrangimento. Quanto a muitas outras coisas que podem ser ditas sobre esse assunto, ver no *Dicionário* o artigo referido, *Temor*, seção I.

■ 119.39

הַעֲבֵר חֶרְפָּתִי אֲשֶׁר יָגֹרְתִּי כִּי מִשְׁפָּטֶיךָ טוֹבִים׃

Afasta de mim o opróbrio, que temo. O salmista era homem que tinha temores terrenos, e não meramente temor de Deus. Ele era repreendido e perseguido por homens maus, que provavelmente ameaçavam tirar-lhe a vida. Naturalmente, ele temia tais ameaças e agora clamava para que Yahweh *arredasse dele* esse tipo de temor. As universidades de hoje contam com especialistas em ajudar pessoas com seus "ataques de ansiedade", que podem tornar-se uma obsessão descontrolada, sendo algo extremamente temível em si mesmo. Talvez o poeta sagrado estivesse tendo ataques de ansiedade por causa de seus inimigos. E esperava ansiosamente que Yahweh detivesse os ataques e o temor por eles produzidos. Talvez o salmista estivesse sendo perseguido por ser um fanático religioso que demandava justiça pessoal e social por si mesmo e por outras pessoas. Dessa maneira, ele estava sujeito aos ataques de homens ímpios, para quem a injustiça era uma atividade constante. Nosso homem seguia as *ordenanças* da lei e, portanto, seguia uma boa vereda (vs. 35), mas a boa vereda nem sempre é um caminho fácil. Os homens criticavam o salmista por seu caminho de retidão, ou pior ainda: o poeta se tinha manifestado contra as injustiças praticadas, e eles agora procuravam vingar-se. Ver no vs. 25 elementos dos salmos de lamentação.

Os teus juízos são bons. Nosso homem queria continuar em sua boa vereda, visto que a lei era boa em si mesma, tendo-lhe sido proveitosa. Ele não permitiria que homens maus o fizessem desviar-se do caminho reto. Além disso, o Legislador e Doador sairia em seu socorro e o salvaria do temor aos homens.

O Senhor é o meu auxílio, não temerei; que me poderá fazer o homem?

Hebreus 13.6

Cf. Mt 10.28. Os homens que só podem prejudicar o corpo não devem ser objetos do nosso temor. Este é um elevado ensino espiritual, que nos escapa porque, com frequência, nos identificamos com nosso corpo.

"A reprimenda do inimigo fazia o suplicante temer que ele pudesse ter um mau fim, afinal (cf. Jó 3.25; 9.28)" (Fausset, *in loc.*). Alguns fazem do *pecado* o agente potencialmente *destruidor* que a lei de Deus pode anular e, assim sendo, impedir o prejuízo humano. Nesse caso, o versículo simplesmente invoca Yahweh, pedindo livramento de pecados pessoais que são destrutivos (ver Rm 6.23). Cf. o vs. 22, que diz algo quase idêntico.

■ 119.40

הִנֵּה תָּאַבְתִּי לְפִקֻּדֶיךָ בְּצִדְקָתְךָ חַיֵּנִי׃

Eis que tenho suspirado pelos teus preceitos. É impossível compor 176 elogios à lei e não repetir nenhum. Por conseguinte, este versículo repete elementos que já tivemos ocasião de encontrar. Nosso homem *anelava* pela lei, sendo ela o desejo de seu coração, seu primeiro objetivo na vida. Ver o vs. 20, que expressa a mesma ideia, mas com maior força. Vemos ali que o coração do homem era *consumido* por aquele forte desejo. Ademais, o salmista também já tinha orado pelos poderes *revivificadores* de Yahweh, no sentido de que sua devoção à lei se tornasse ainda mais profunda e operante em sua vida. O poeta estava recebendo vida através da lei. Ver os vss. 17, 25, 40 e 50. Temos aqui a retidão doadora da vida, mediada pela lei. Quanto ao poder revivificador da lei, ver Dt 4.1; 5.33; 6.2; Ez 20.1.

Este versículo tem sido cristianizado para falar sobre a vida dada por meio do evangelho de Cristo, mas o poeta estava pensando na boa vida terrena para a qual a lei continua provendo benefícios. Entre esses benefícios, naturalmente estão os bens espirituais que o homem bom desfruta quando *teme a Deus* (vs. 39).

O homem devotado à lei praticará a lei do amor e, por isso, servirá ao próximo.

VAVE: A Sexta Estrofe (119.41-48)

■ 119.41

וִיבֹאֻנִי חֲסָדֶךָ יְהוָה תְּשׁוּעָתְךָ כְּאִמְרָתֶךָ׃

Venham também sobre mim as tuas misericórdias. Seguindo o plano de compor um poema acróstico, o autor sagrado dá-nos agora o *sexto conjunto* de oito linhas. Ele estava louvando a lei e continuou usando vários termos para variar suas expressões. Ver na introdução ao salmo presente a seção chamada *Salmos Acrósticos* e, no vs. 1, as *dez palavras* que o autor sagrado usou para exprimir a lei. A sexta estrofe é chamada *Vave*, sendo essa a letra hebraica repetida no começo de cada uma das oito linhas da estrofe.

O poeta sagrado orou pedindo o *amor constante* de Yahweh para monitorar a sua vida e fez disso um paralelo de sua *salvação*. Ver Sl 62.2, quanto ao Deus da salvação e sobre o que esse conceito significa no Antigo Testamento. O amor e a salvação são dados de acordo com as *promessas* da lei (cf. o vs. 38, onde "promessa" é o vocábulo usado para referir-se à lei).

Este versículo continua a falar sobre o elemento de "hostilidade" que aparece no vs. 39. O salmista queria *livramento* (salvação) de poderes que se opunham e ameaçavam prejudicá-lo. Temos aqui o caráter dos salmos de lamentação, elementos que reaparecem, aqui e acolá, neste salmo. Ver as notas sobre isso no vs. 25. *Dálete* representa, praticamente, um salmo de lamentação. Os vss. 23, 53, 61, 69, 70, 78, 85 e 86 contêm esse elemento.

Este versículo tem sido cristianizado para falar sobre a salvação evangélica da qual usufruímos em Cristo.

■ 119.42

וְאֶעֱנֶה חֹרְפִי דָבָר כִּי־בָטַחְתִּי בִּדְבָרֶךָ׃

E saberei responder aos que me insultam. Vemos aqui que a palavra *opróbrio* (vs. 39) é aplicada aos inimigos do homem e a seus atos iníquos. Ver as notas no vs. 39, quanto a essa e outras interpretações que poderiam ser aplicadas àquele versículo, mas não a este. O salmista achava-se sob um cerco de perseguições que lhe poderia ser fatal. Portanto, ele clamou a Yahweh, pedindo livramento, segundo o estilo dos salmos de lamentação. Ver as notas no vs. 25. O homem tinha feito o grande alvo de sua vida praticar o bem e seguir os mandamentos divinos. Ele não aumentara sua popularidade entre os homens ímpios lutando pela justiça e manifestando-se contra os erros sociais. Pelo contrário, fizera muitos inimigos por causa de sua piedade. Os inimigos queriam silenciar sua voz perturbadora, pelo que ele clamou a Yahweh pedindo livramento (vs. 41). O salmista continuou a confiar nas *promessas* da lei, especialmente no aspecto da doação de longa vida aos obedientes (Dt 4.1; 5.33; Ez 20.1).

Saberei responder. Se Yahweh *vindicasse* sua vida reta, ele poderia apontar para aquela vindicação como prova da aprovação divina e assim contradizer as palavras e os atos duros de seus oponentes. O amor constante de Deus e o seu livramento atuariam como a réplica do poeta aos seus inimigos. Isso tornaria evidente do lado de quem Yahweh estava. O salmista confiava na *palavra* (a lei) e assim foi-lhe dada uma *palavra* (resposta) para os inimigos. Ele viveria uma vida longa e próspera, mas seus inimigos sofreriam de morte prematura, que os hebreus tanto temiam.

■ 119.43

וְאַל־תַּצֵּל מִפִּי דְבַר־אֱמֶת עַד־מְאֹד כִּי לְמִשְׁפָּטֶךָ יִחָלְתִּי׃

Não tires jamais de minha boca a palavra da verdade. Neste ponto, a lei é chamada de *palavra da verdade*. Cf. a *palavra da fé* (1Tm 4.6) e a *palavra da vida* (1Jo 1.1). Uma verdade é a verdade do *livramento* e, embora a referência seja geral, é provocada pela promessa (a palavra) acerca do livramento.

Não retenhas teu livramento salvador (salvação; vs. 41), ou a capacidade, uma vez liberto, de dar a *resposta* apropriada aos meus adversários (vs. 42). O poeta tinha posto sua esperança nos juízos de Yahweh e em sua palavra acerca da salvação para então esperar uma demonstração divina da validade de suas esperanças.

Este versículo tem sido cristianizado para referir-se ao evangelho, a palavra da verdade e da vida. Ver Ef 1.13 e Tg 1.18, que falam na palavra da verdade, com referência à revelação cristã. "Isso o salmista desejava que não fosse tirado de sua boca, mas, antes, que fosse mantido em um doce pedaço ali, enrolado sob a língua para ser comido e servir de alimento, regozijando-se ele em seu coração" (John Gill, *in loc.*).

A lei, neste passo, pode ser a *palavra de julgamento* que, segundo o salmista esperava, poderia corrigir os ímpios e assim deixá-lo livre de ameaças. Ou então o homem esperava nas ordenanças como um caminho de vida, e não queria que esse caminho fosse provado incorreto pelas vitórias dos pecadores.

> É o maior tema na terra ou no oceano,
> É o maior tema para um ser humano mortal.
> Nosso Deus é capaz de livrar-te.
>
> William A. Ogden

■ 119.44

וְאֶשְׁמְרָה תוֹרָתְךָ תָמִיד לְעוֹלָם וָעֶד׃

Assim observarei de contínuo a tua lei. Tendo recebido provas do poder de Yahweh para agir em seu favor, o poeta continuaria observando a sua prática, guardando a lei, sem nenhum lapso, enquanto estivesse vivo. A *gratidão* é um grande poder, e vemos isso em operação no versículo. Ver sobre o tema da *Gratidão* no *Dicionário*.

> Recomendo a mim mesmo,
> Para ser guiado por ti, a partir desta hora.
> Oh! Que minha fraqueza tenha fim!
>
> Wordsworth

A observância da lei, dos testemunhos, dos estatutos, dos preceitos, da palavra, dos mandamentos, é o tema dominante deste salmo. Ver os versículos seguintes como exemplos: 2, 4, 5, 8, 17, 33, 34, 44, 57, 60, 63, 69, 88, 100, 101, 106, 115, 129, 134, 136, 145 e 146. Guardar a lei obviamente significa praticar boas obras em favor de outras pessoas. O homem espiritual não é egoísta.

■ 119.45

וְאֶתְהַלְּכָה בָרְחָבָה כִּי פִקֻּדֶיךָ דָרָשְׁתִּי׃

E andarei com larguez. Cf. Sl 31.8 e 118.5-9. Provavelmente o poeta queria dizer aqui "livre de qualquer restrição", ou seja, das restrições que lhe tinham sido impostas pelas ameaças e maldições de seus adversários. O salmista estava sofrendo de *opressão* externa (vss. 29, 42 e 43). Uma vez libertado, ele buscaria os *preceitos* da lei de Deus mais ainda e continuaria sua obsessão pela lei. O salmista via suas tribulações como uma espécie de escravidão da qual anelava livrar-se, para que pudesse dar atenção a coisas mais importantes e proveitosas. Oh, Senhor, concede-nos tal graça! "Agora que fui livrado da tensão, não precisarei voltar-me para veredas secundárias, mas seguirei pelo caminho largo da tua lei, o qual, embora possa ser estreito e espinhoso para a carne, contudo é um lugar espaçoso, fácil e seguro para o espírito e para a consciência regenerada" (Fausset, *in loc.*). O Targum diz aqui: "A largura da tua lei".

"... tendo o seu coração ampliado com o amor de Deus, em seu temor e com alegria espiritual, exercendo cada graça" (John Gill, *in loc.*).

> *Tomai sobre vós o meu jugo, e aprendei de mim, porque sou manso e humilde de coração; e achareis descanso para as vossas almas. Porque o meu jugo é suave e o meu fardo é leve.*
>
> Mateus 11.29,30

■ 119.46

וַאֲדַבְּרָה בְעֵדֹתֶיךָ נֶגֶד מְלָכִים וְלֹא אֵבוֹשׁ׃

Também falarei dos teus testemunhos na presença dos reis. O salmista, uma vez *libertado* de suas opressões e andando pelo espaço largo da liberdade, no qual aprendia cada vez mais sobre a lei e a colocava em prática, tornaria uma atividade sua ensinar a outras pessoas. Ele chegaria até a falar sobre os testemunhos do Senhor na presença de reis e príncipes, pessoas de elevada posição, diante de quem a maioria das pessoas temeria aparecer. É evidente que o salmista estava em uma posição social bastante elevada para que isso fosse possível. Ele faria isso sem sentir pejo algum. Ele não temeria o rosto dos reis e dos príncipes, porquanto coisas maravilhosas tinham sido feitas em seu favor.

> *Pois não me envergonho do evangelho, porque é o poder de Deus para a salvação de todo aquele que crê.*
>
> Romanos 1.16

Yahweh era o Mestre do salmista (vs. 26), e ele, por sua vez, seria um professor entusiasmado de outros. O lema da Confissão de Augsburgo é a tradução da Vulgata para o presente versículo:

> *Et loquebar in testimoniis tuis in conspectu regum, et non confudebar.*

Ver na *Enciclopédia de Bíblia, Teologia e Filosofia* o artigo denominado *Confissões da Igreja Histórica*.

Paulo era um *vaso escolhido* para falar a palavra perante reis e príncipes de vários poderes romanos no mundo gentílico, encontrando-se entre eles alguns dos mais poderosos, como Agripa, Félix, Festo e Nero. O salmista, embora de maneira mais modesta, teve esse tipo de oportunidade em Israel. Testemunhamos mediante nossas *boas obras* em benefício do próximo, e não meramente por nossos ensinamentos verbais.

■ 119.47

וְאֶשְׁתַּעֲשַׁע בְּמִצְוֹתֶיךָ אֲשֶׁר אָהָבְתִּי׃

Terei prazer nos teus mandamentos. Este versículo repete sentimentos que já tivemos oportunidade de ver. Seria mesmo impossível compor 176 elogios à lei sem jamais repetir-se. O poeta já havia demonstrado imaginação admiravelmente fértil para continuar a falar sobre o mesmo assunto de tantas maneiras diferentes, mas cada homem tem suas próprias limitações. Quanto ao *prazer* e ao *amor* à lei, ver os vss. 16, 20, 24, 40, 47, 48, 70, 74, 92, 97, 113, 119, 159, 163, 167 e 174.

> Oculta dentro de mim o teu amor,
> E assim renovarás o meu amor.
>
> Ernest G. W. Wesley

Cumprindo a Lei do Amor. Parte do deleite na lei e do amor pela lei é a prática das *boas obras*, que são uma expressão do nosso amor. Outras pessoas, e não apenas nós mesmos, devem tirar proveito de nosso amor à lei.

■ 119.48

וְאֶשָּׂא־כַפַּי אֶל־מִצְוֹתֶיךָ אֲשֶׁר אָהָבְתִּי וְאָשִׂיחָה בְחֻקֶּיךָ׃

Para os teus mandamentos, que amo, levantarei as minhas mãos. O amor à lei era acompanhado por atos piedosos de oração, provavelmente dando a entender que tais orações *agradecem* à lei, que era amada. A oração é aqui referida pelo ato de *levantar as mãos*. Ou então as orações eram gerais, fazendo parte da vida devocional do poeta. Ele dava grande valor à Bíblia e à oração, elementos igualmente valorizados pela igreja evangélica hoje. Ou então o homem levanta as mãos em oração, a fim de *solicitar poder* para guardar a lei. Alguns eruditos veem aqui as "mãos" usadas na prática das *boas obras* exigidas pela lei, mas, apesar de essa noção exprimir uma grande verdade, não parece ser o que está em pauta. Ou então o levantar das mãos é aqui um símbolo externo da elevação do coração na devoção ao Legislador e à lei mosaica. Outros estudiosos veem um esmoler que morria de fome levantando as mãos para obter alimentos.

Sumário de Ideias: 1. agradecer em oração pela lei; 2. a oração e a lei compunham a vida devocional do poeta; 3. usar a oração para buscar o poder de guardar a lei; 4. usar a oração para pedir o poder de fazer as boas obras requeridas pela lei; 5. levantar as mãos é símbolo da elevação do coração na devoção ao Legislador e à lei; 6. orar pedindo suprimento, sobretudo o alimento espiritual que vem através da lei.

ZAINE: A Sétima Estrofe (119.49-56)

■ 119.49

זְכֹר־דָּבָר לְעַבְדֶּךָ עַל אֲשֶׁר יִחַלְתָּנִי׃

Lembra-te da promessa que fizeste ao seu servo. Seguindo o propósito de compor uma poesia baseada no plano acróstico, o autor sagrado nos dá agora o *sétimo conjunto* de oito linhas elogiando a lei, para o que continuou a usar diversos termos a fim de variar seu modo de exprimir-se. Ver a introdução ao salmo na seção *Salmos Acrósticos*, bem como o vs. 1, quanto às *dez palavras* usadas para representar a lei. Esta sétima estrofe é chamada *Zaine*, sendo essa a letra hebraica repetida no começo de cada uma destas oito linhas. Ou seja, a palavra que encabeça cada uma das oito linhas é iniciada por essa letra hebraica.

Yahweh foi chamado a relembrar a *palavra* da lei, onde a *esperança* é referida. Em outras palavras, ele orou para que Yahweh lhe desse esperança, conforme havia prometido na lei. Consideremos estes pontos:

1. O salmista volta a falar sobre a sua aflição (vs. 50). Esta seção, chamada *Zaine*, retorna ao caráter dos salmos de lamentação que anotei no vs. 25. A lei prometia vida e prosperidade aos que seguissem o antigo pacto com Israel (ver Dt 4.1; 5.33; Ez 20.1), e nenhum homem pisado aos pés por inimigos poderosos viveria à vontade ou teria grande prosperidade.
2. Alguns estudiosos veem aqui uma oração pelo livramento do cativeiro babilônico, mas não parece ser esse o pano de fundo. Cf. este versículo aos vss. 38, 74, 76, 81 e 147, que têm algo similar.
3. Alguns veem a promessa do estabelecimento do reino davídico para sempre, e o poeta esperava ser trazido através do poder divino. Ver 2Sm 7.16-29.
4. Outros cristianizam o versículo e veem aqui a *esperança* evangélica. Ver no *Dicionário* o artigo chamado *Esperança*. O vs. 50 quase certamente aponta para a primeira dessas interpretações. Os outros pontos podem ser aplicações do texto.

■ 119.50

זֹאת נֶחָמָתִי בְעָנְיִי כִּי אִמְרָתְךָ חִיָּתְנִי׃

O que me consola na minha angústia. A palavra vivificadora provê *conforto* na aflição. Os inimigos do salmista, que odiavam a lei e a tinham esquecido, inclinavam-se por prejudicar o homem piedoso, chegando a ameaçar sua vida. Ele buscava *conforto* na tribulação. A palavra de Deus, contudo, garantia que ele viveria e não sofreria de morte prematura, porquanto era um homem bom, e Yahweh não o abandonaria.

Quanto à Palavra, ou à lei que dá a vida ou *vivifica*, cf. os vss. 25, 37, 40, 50, 88, 93, 107, 149, 154, 156 e 159. O homem poderia ter sido vítima de tentativa de assassinato, mas Yahweh não permitira tal coisa. Antes, deu-lhe vida longa e próspera, material e espiritualmente falando. Dessa maneira, ele teria muito tempo para servir o próximo, praticando boas obras, algo recomendado pela lei. Ele não viveu meramente para servir a si mesmo. Outras pessoas esperavam bênçãos de *suas mãos*, tal como ele fora abençoado por Yahweh. É um consolo ter uma vida longa e gozar de saúde relativamente boa, e é um consolo ser capaz de servir aos outros com a vida que temos. O principal mandamento é o *amor* a Deus e ao próximo (Rm 13.9 ss.). A lei é sumariada no amor. Ver no *Dicionário* o artigo chamado *Amor*.

■ 119.51

זֵדִים הֱלִיצֻנִי עַד־מְאֹד מִתּוֹרָתְךָ לֹא נָטִיתִי׃

Os soberbos zombam continuamente de mim. Homens *arrogantes* perseguiam o homem que tinha considerado maus os atos deles, além de ter tomado medidas para impedir suas injustiças sociais. E eles o odiavam por esse motivo, e por isso ameaçavam sua vida. Alguma cena desse jaez estava provavelmente por trás da aflição do salmista. Apesar das crueldades sofridas, o homem bom continuava bom, e a lei continuava seu padrão e inspiração. Em contraste, ele era um bom elemento na sociedade, aplicando o princípio de "servir ao próximo", em obediência aos muitos ditames positivos da lei mosaica. Cf. Sl 69.11,12; Lc 16.14 e 18.9.

Este versículo tem sido cristianizado para falar de Jesus, que, a despeito da oposição de homens ímpios, levava avante a sua missão salvadora, em obediência ao Deus Pai.

■ 119.52

זָכַרְתִּי מִשְׁפָּטֶיךָ מֵעוֹלָם יְהוָה וָאֶתְנֶחָם׃

Lembro-me dos teus juízos de outrora. O perseguido salmista consolava-se nos *julgamentos* da lei. A *Lei Moral da Colheita segundo a Semeadura* (ver a respeito no *Dicionário*) cuidaria dos seus inimigos, e o seu caso seria vindicado. Ou então o nosso homem se consolaria simplesmente seguindo os juízos do Senhor, sabendo que sua recompensa viria da parte de Deus, a despeito do que os homens lhe tivessem feito. Ele não se sentia inspirado a seguir o mau exemplo de seus inimigos, apesar dos sofrimentos que sua bondade atraíra contra si mesmo.

"A palavra *juízos* é aqui compreendida no sentido de *tratos providenciais*... Era a memória desses juízos que o fazia sentir-se consolado" (Adam Clarke, *in loc.*). "... as vindicações passadas de Deus a seu povo, mediante os poderosos livramentos dados a Israel, que faziam a nação escolhida ter uma esperança firme quanto ao futuro, por mais desencorajador que o estado presente pudesse ser" (Fausset, *in loc.*).

■ 119.53

זַלְעָפָה אֲחָזַתְנִי מֵרְשָׁעִים עֹזְבֵי תּוֹרָתֶךָ׃

De mim se apoderou a indignação. Consideremos aqui estes pontos:

1. Nosso homem sentiu-se *horrorizado* diante do que os ímpios faziam a outros, e do que poderiam fazer contra ele. Contudo, ele não servia ao próximo seguindo seu próprio caminho de justiça e sua própria espiritualidade.
2. Ou ele gerava *forte indignação* contra tais homens que tinham esquecido a lei e agiam como corruptores e saqueadores da sociedade.
3. Em terceiro lugar temos de considerar a própria natureza corrupta do salmista, que atuava como uma grande pestilência contra ele. A primeira dessas três possibilidades parece ser o sentido aqui tencionado. Esdras ficou horrorizado com o que os homens maus fizeram contra Israel antes e depois do cativeiro, quando a semente santa se misturou com a semente dos pagãos (Ed 9.2,3). Mas não está em vista aqui o exílio babilônico. O poeta estava enfrentando inimigos pessoais. Cf. os vss. 120 e 139 ao atual versículo, e ver Sl 69.9.

■ 119.54

זְמִרוֹת הָיוּ־לִי חֻקֶּיךָ בְּבֵית מְגוּרָי׃

Os teus decretos são motivo dos meus cânticos. O peregrino continuou a *entoar os cânticos* inspirados pela lei, enquanto seguia seu caminho como *peregrino*. Ver o vs. 19. Alguns estudiosos pensam estar em pauta aqui um *exílio*, e não uma peregrinação, e aplicam a questão ao cativeiro babilônico. Os prisioneiros e exilados inventam toda espécie de maneiras de manter animado o espírito, incluindo o que temos aqui, cânticos e canções, a composição de novos cânticos, e uma variedade de jogos matemáticos e outros. Certos prisioneiros de guerra norte-americanos se reuniram e compilaram sua própria Bíblia, versículo por versículo, a qual podiam relembrar, alguns com precisão, outros de maneira imperfeita. E então eles liam sua "Bíblia" como um meio de manter-se encorajados. Mas parece que nosso autor estava em uma *peregrinação espiritual*, e não em uma peregrinação literal. Cf. o vs. 54, onde também temos os estatutos de Deus como os cânticos dos justos. Ali ofereço comentários adicionais que também se aplicam aqui.

Quando teu coração, transbordando de alegria
Entoa uma oração de agradecimento,
Em tua alegria, permite que teu irmão
Compartilhe-a contigo.

Theodore Williams

■ 119.55

זָכַרְתִּי בַלַּיְלָה שִׁמְךָ יְהוָה וָאֶשְׁמְרָה תּוֹרָתֶךָ׃

Lembro-me, Senhor, do teu nome, durante a noite. *Durante a noite* (ver as notas no vs. 62), nosso homem continuava a cantar seu cântico jubiloso. Ele continuava a relembrar o *nome* de Yahweh, e a presença do Senhor demorava-se perto dele para consolá-lo. Mas as coisas eram assim porque o homem tinha guardado a lei divina. Quanto ao poder do *nome*, ver Sl 31.3, e, quanto a *nome santo*, ver Sl 30.4 e 33.21. A peregrinação nos faz lembrar quão transitória é a vida humana. Quando muito, a vida do poeta seria breve e poderia ser grandemente diminuída em sua duração pelos seus perseguidores. Mas ele continuava entoando seus cânticos de peregrino, e seu coração era estranhamente consolado. "Na noite mais profunda de aflição, o nome de Yahweh o consolava" (Adam Clarke, *in loc.*). Cf. Sl 63.6.

O Senhor, durante o dia, me concede a sua misericórdia, e à noite comigo está o seu cântico.

Salmo 42.8

■ 119.56

זֹאת הָיְתָה־לִּי כִּי פִקֻּדֶיךָ נָצָרְתִּי׃

Tem-se dado assim comigo. Nosso salmista tinha *essa bênção*, ou seja, o cântico à noite, o consolo divino e o encorajamento para continuar avançando, porquanto ele *guardava a lei*. Ver no vs. 44 um desenvolvimento do tema da guarda da lei. A espiritualidade de nosso homem o fazia escapar de sua provação, e a principal fonte disso era a lei de Deus. A lei, que mantém um homem afastado do pecado, também o protege em tempos de tribulação quando os ímpios, que desconsideram a lei, têm livre curso. "Não me deixaste sob o poder de meus inimigos. Não me deixaste sem a consolação do Espírito" (Adam Clarke, *in loc.*). "A memória consoladora das misericórdias de Deus, de sua *graça do pacto*, estava com ele, em consequência de sua obediência habitual. A virtude é, portanto, a maior parte de sua própria recompensa, em tempos de quieta reflexão, tal como no período da noite, quando os culpados são assaltados por sentimentos de desassossego e remorso; mas o homem bom tem pensamentos calmos, regulares, como a respiração de um infante" (Ellicott, *in loc.*).

Em meu coração há uma melodia,
Jesus sussurra doce e baixo:
Não temas, estou contigo, paz, acalma-te,
Em todas as marés e fluxo da vida.

Luther Burgess Bridges

Cf. este versículo aos vss. 50, 54 e 165.

HETE: A Oitava Estrofe (119.57-64)

■ 119.57

חֶלְקִ֖י יְהוָ֥ה אָמַ֗רְתִּי לִשְׁמֹ֥ר דְּבָרֶֽיךָ׃

O Senhor é a minha porção. Seguindo o plano de compor uma poesia acróstica, o autor sagrado oferece-nos agora o oitavo conjunto de oito linhas louvando a lei, para o que continuou a usar diversos termos a fim de variar as suas expressões. Ver a introdução a este salmo, na seção intitulada *Salmos Acrósticos*, e, no vs. 1, ver as *dez palavras* usadas para indicar a lei. A *oitava estrofe* é chamada de *Hete*, sendo essa a letra do alfabeto hebraico repetida no começo das oito linhas, ou seja, a palavra que encabeça cada uma dessas linhas começa com a letra hebraica *hete*.

Visto que Yahweh era a *porção* do poeta, ele continuaria a falar sobre a lei do Senhor. Quaisquer perdas que seus inimigos tivessem causado foram compensadas pelo suprimento divino. Cf. Sl 16.5; 73.26 e 142.5. Ver especialmente Sl 119.11.

Ellicott pensava que este versículo seria mais bem traduzido como:

Esta é a minha porção, ó Senhor, eu disse:
Para guardar tuas palavras.

Nesse caso, a lei é declarada como a porção do salmista, e não Yahweh. O homem compôs seu cântico de vitória com base na lei (ver o vs. 54). A maioria dos tradutores e intérpretes, entretanto, apega-se à ideia de que Yahweh era a porção do salmista, e aponta para as referências, dadas anteriormente, que contêm essa ideia. "Que o mundo incrédulo escolha os bens mundanos como sua porção. Eu prefiro o Senhor e as suas palavras como meus" (Fausset, *in loc.*). "... a quem ele escolheu, preferindo-o acima de todas as demais coisas, as riquezas e as honras deste mundo" (John Gill, *in loc.*). A tribo de Levi não tinha herança sob a forma de terras, mas foi transformada na tribo sacerdotal. Foi assim que Yahweh e seu serviço tornaram-se a herança da tribo de Levi. Ver Nm 18.20: "Eu sou a tua porção e a tua herança no meio dos filhos de Israel".

■ 119.58

חִלִּ֣יתִי פָנֶ֣יךָ בְכָל־לֵ֑ב חָ֝נֵּ֗נִי כְּאִמְרָתֶֽךָ׃

Imploro de todo coração a tua graça. Visto que Yahweh era a porção e a herança do salmista, era apropriado para ele buscar todas as suas bênçãos naquela Fonte originária. Ele buscava o favor divino de todo o coração, porquanto precisava desse favor. Os ímpios o estavam atacando (vs. 61). Eles tinham saqueado seus bens, punham em perigo a sua vida e ameaçavam-no constantemente. Assim, de todo o coração, o poeta voltou-se para Yahweh, para dele receber sustento e a própria vida. A lei contém muitas *promessas* para o homem bom. Obedecer à lei dá vida e prosperidade (ver Dt 4.1; 5.33; 6.2 e Ez 20.1). O homem bom fazia o bem a outras pessoas. Ele se mostrava sempre generoso e esperava que Yahweh fosse generoso com ele. A lei o instruía a amar e a dar o que tinha. Ele esperava esse tipo de tratamento da parte de Deus, o qual ama o mundo (ver Jo 3.16). Deus nos dá mais graça quando a carga se torna muito pesada. Deus nos dá e dá, e dá de novo.

O salmista dependia das promessas de Deus (Sl 33.19). Ele buscava o *rosto* de Deus (tradução literal do termo aqui traduzido como "graça"). Ele tinha todo o coração na questão, porquanto precisava dessa graça.

Firmado sobre as promessas, não posso falhar,
Ouvindo a cada momento o chamado do Espírito.
Repousando sobre meu Salvador como meu tudo e tudo;
Firmado sobre as promessas de Deus.

R. Kelso Carter

■ 119.59

חִשַּׁ֥בְתִּי דְרָכָ֑י וָאָשִׁ֥יבָה רַ֝גְלַ֗י אֶל־עֵדֹתֶֽיךָ׃

Considero os meus caminhos. A meditação do salmista girava em torno do *caminho do Senhor*, outro nome, neste salmo, para a lei, visto que a lei é o mapa da estrada do homem bom. Pensando no caminho divino, o homem voltava seus pés na direção daquela estrada. Cf. o vs. 30: "Escolhi o caminho da fidelidade"; e também o vs. 32: "Percorrerei o caminho dos teus mandamentos". O "caminho" é *a vereda bem palmilhada*, e a palavra hebraica *'orah* é a décima palavra que o salmista usou para expressar a lei, conforme a exposição sobre Sl 119.1. Essa palavra é usada cinco vezes no salmo presente. A lei assinalava o caminho, sendo essa a vereda bem palmilhada dos peregrinos (vss. 19 e 54). O caminho *é* a lei, como este versículo deixa perfeitamente claro. O homem que obedecer à lei estará caminhando ao longo da vereda dos peregrinos. Os que não obedecem à lei seguem pelos caminhos do mundo. Existe a vereda estreita que conduz à vida, e também existe o caminho largo que leva à destruição (ver Mt 7.13). Quando andamos com o Senhor, à luz de sua Palavra, que tremenda *glória* ele projeta em nosso caminho (conforme diz certo hino evangélico). Diz o Targum: "Pensei em corrigir os meus caminhos", e alguns intérpretes veem neste versículo o arrependimento de um homem que se tinha desviado do caminho reto. Cf. o caso do filho pródigo, o qual, ao começar a pensar melhor, retornou ao caminho reto (ver Lc 15.17,18). Cf. este caso à igreja em Éfeso, que foi convidada a relembrar-se e, assim, a arrepender-se (ver Ap 2.5):

Lembra-te, pois, de onde caíste, arrepende-te, e volta à prática das primeiras obras.

■ 119.60

חַ֭שְׁתִּי וְלֹ֣א הִתְמַהְמָ֑הְתִּי לִ֝שְׁמֹ֗ר מִצְוֺתֶֽיךָ׃

Apresso-me, não me detenho. O poeta *apressou-se* a voltar ao caminho da lei, o caminho dos peregrinos, e assumiu a prática da lei novamente, de todo o seu coração. Ele já tinha visto o bastante dos caminhos de destruição e os deixaria para os seus inimigos, que se tinham pervertido e desconsideravam a lei de Moisés (vs. 53).

"Apressei-me, e não me demorei. Isso o autor sagrado fez com o máximo de prontidão e não brincou com as suas próprias convicções, nem procurou abafar a voz de sua consciência. A palavra hebraica traduzida aqui por 'detenho' marca claramente a indecisão mental com a suspensão de qualquer ação positiva" (Adam Clarke, *in loc.*). "Assim que ele se tornou sensível para com o seu dever, imediatamente cedeu. Não consultou nem carne nem sangue, mas imediatamente cedeu a uma calorosa obediência aos mandamentos de Deus. Encontramos instâncias de obediência evangélica desse tipo na história dos três mil convertidos por ocasião da pregação de Pedro, da conversão de Saulo e da conversão do carcereiro e seus familiares (ver At 2.41; 9.18 e 16.33)" (John Gill, *in loc.*). Cf. também o afã de Zaqueu para encontrar-se com o Salvador (ver Lc 19.5,6). Ver o contra exemplo de Félix (ver At 24.25) e dos ouvintes atenienses de Paulo (ver At 17.32).

■ 119.61

חֶבְלֵ֣י רְשָׁעִ֣ים עִוְּדֻ֑נִי תּ֝וֹרָתְךָ֗ לֹ֣א שָׁכָֽחְתִּי׃

Laços de perversos me enleiam. Poderíamos entender este versículo como uma passagem que menciona o saque dos bens materiais do poeta sagrado por parte de homens ímpios e desarrazoados. Eles o "roubaram"; ou então as palavras "laços de perversos me enleiam" indicam alguma perseguição que não foi nomeada. Seja como for, vemos o salmista ferozmente assediado por seus inimigos. Em meio a toda essa perseguição, porém, ele não abandonou sua espiritualidade, alicerçada sobre a observância da lei. Cf. Sl 18.5,6. O Targum diz aqui: "A companhia dos ímpios se reuniu contra os homens", transmitindo assim a ideia de que eles os haviam cercado, literal ou figuradamente, para saquear e para matar. Cf. esse pensamento com Sl 18.4. Entretanto, nosso homem não se esqueceu da lei e de suas demandas. Ele continuou em sua vida altamente espiritual e, em contraste com seus perseguidores, servia ao próximo mediante boas obras, em vez de ser uma maldição para a sociedade humana. Ele obedecia a Deus e servia aos homens, ao passo que seus oponentes desobedeciam a Deus e saqueavam os semelhantes.

Uma obrigação tenho para guardar,
Um Deus a glorificar...
Para servir à era presente,
Para cumprir meu chamamento.

Oh, que todos os meus poderes estejam envolvidos
Para fazer a vontade de meu Senhor.
                                    Charles Wesley

119.62

חֲצוֹת־לַיְלָה אָקוּם לְהוֹדוֹת לָךְ עַל מִשְׁפְּטֵי צִדְקֶךָ׃

Levanto-me à meia-noite para te dar graças. A *noite* é um tempo propício e abençoado para os exercícios espirituais. O indivíduo desperta no fim de cada ciclo de sonhos e tira vantagem disso para meditar e orar, ou para buscar a presença do Senhor. O poeta aproveitava essa oportunidade para clamar um alegre *aleluia!* em seu coração; e era a lei das justas ordenanças que o inspirava a tanto. O coração transbordava de louvores, que irrompiam por entre as costuras de seu coração. O salmista estava tomado pelo Espírito, em seu interior, e procurava encontrar expressão por meio de suas palavras e atos. Os crentes espirituais sabem dessas coisas. Já vimos algo semelhante no vs. 55. Cf. Sl 19.9; Pv 8.20. Este versículo não se refere aos julgamentos de Deus contra os inimigos do poeta, à meia-noite, em um divino ataque de surpresa, conforme supõem alguns eruditos. Ver Êx 12.29. O anjo do Senhor, no Egito, atacou à meia-noite.

O que estava sendo atacado era o coração do homem, e o atacante era a bondade de Deus, que despertava sua alma e o levava a saltar da cama para dar graças e louvores a Deus. A meia-noite não era um tempo de adoração formalmente designado entre os israelitas, mas o era para o poeta sagrado.

119.63

חָבֵר אָנִי לְכָל־אֲשֶׁר יְרֵאוּךָ וּלְשֹׁמְרֵי פִּקּוּדֶיךָ׃

Companheiro sou de todos os que te temem. Embora estivesse enfrentando muitos inimigos, o salmista *não estava sozinho*. Havia companheiros que compartilhavam sua busca espiritual. Havia outros que temiam a Yahweh e observavam os *preceitos* do Senhor. Cf. o caso de Elias, o qual, ao opor-se aos sacerdotes de Baal, pensara estar sozinho (ver 1Rs 19.8). Deus havia preservado sete mil homens fiéis que não tinham dobrado os joelhos diante de Baal. Esse número não era grande em toda a nação de Israel, mas era muito mais do que um só homem. O salmista estava separado dos pecadores e era companheiro dos que possuíam mentalidade espiritual igual à sua. Os que têm mente idêntica nos fortalecem, e nós os fortalecemos, e isso é parte importante do andar espiritual. A *força da comunidade* se faz mister para o sucesso. Dwight Moody conheceu de certa feita um crente que não gostava muito de ir à igreja. Ele pensava que era dotado de uma espiritualidade independente. Os dois estavam sentados perante uma lareira, e o carvão pegava fogo. Moody não tentou refutar os argumentos do homem. Ele simplesmente apanhou uma brasa daquelas com uma tenaz e a separou das outras. Estando assim separada, logo a brasa se apagou. O homem olhou para a cena e disse: "Vejo o que você quer dizer".

O salmista havia *escolhido os seus companheiros*. Ele não estava interessado na companhia dos ricos e poderosos, que saqueavam a seus semelhantes e seguiam seus próprios caminhos ímpios. Ele escolheu o bando humilde de crentes, para quem o crescimento espiritual e a prática do bem eram o que mais importava. Na lei, o salmista aprendera a crescer espiritualmente e conhecera os muitos mandamentos que ordenavam fazer bem ao próximo. Alguns poucos outros homens se juntaram a ele nesse caminho de vida. Cf. Am 3.3 e Ml 3.16,17.

> Aves com as mesmas penas se reúnem juntamente.
>   Provérbio do século XVI

> Um homem se torna conhecido pela companhia com a qual se junta.
>   Provérbio do século XVII

> É melhor andar sozinho do que com más companhias.
>   Provérbio do século XV

119.64

חַסְדְּךָ יְהוָה מָלְאָה הָאָרֶץ חֻקֶּיךָ לַמְּדֵנִי׃

A terra, Senhor, está cheia da tua bondade. A terra inteira está plena do *amor constante* de Deus, uma antecipação de Jo 3.16, o amor universal e todo-poderoso de Deus. Na lei temos essa palavra, pois ela nos ordena amar (Dt 6.5), e o sumário da lei é o amor (ver Rm 13.10: "O cumprimento da lei é o amor"). O amor de Deus nos inspira e nos capacita a amar (1Jo 4.7). O homem que ama conhece a Deus. O homem que não ama não conhece a Deus, porquanto Deus é amor (1Jo 4.8). Os que nascem de novo têm o amor como parte de sua natureza regenerada (1Jo 4.7). Amar significa viver a lei do amor, que leva os homens a praticar boas obras em favor de seus semelhantes. Boa parte dos mandamentos da lei determina essas obras. Deus é o grande Benfeitor, em uma escala universal. Quanto a nós, somos pequenos benfeitores dentro de nossos pequenos mundos. Mas alguns homens trazem o ódio e a contenção a seus pequenos mundos, e ferem àqueles a quem deveriam amar. "Quando Cristo vem morar no coração de alguém, mediante a fé, nada temos senão a bondade para exprimir aos que nos rodeiam. Outros se queixam deste mundo ímpio, mas para nós a própria terra parece estar cheia da misericórdia do Senhor" (Adam Clarke, *in loc.*).

TETE: A Nona Estrofe (119.65-72)

119.65

טוֹב עָשִׂיתָ עִם־עַבְדְּךָ יְהוָה כִּדְבָרֶךָ׃

Tens feito bem ao teu servo. Seguindo o plano acróstico, o autor oferece-nos agora o *nono conjunto* de oito linhas louvando a lei, para o que ele continuou a usar diversos termos, a fim de variar a sua expressão. Ver na introdução a este salmo a seção chamada *Salmos Acrósticos* e, no vs. 1, ver as *dez palavras* que o salmista usou para indicar a lei. Esta nona estrofe é chamada de Tete, sendo essa a letra hebraica que dá início às próximas oito linhas.

Todas as promessas e implicações da lei tinham sido cumpridas. A totalidade dessas promessas e implicações fica demonstrada como fidedigna e exata. Cada *servo* de Yahweh acrescenta seu testemunho a esses fatos. As palavras "tens feito o bem" mostram que Deus havia tratado o poeta de maneira *benéfica*. Yahweh tinha sido *generoso*, tal como ele ordena que as pessoas sejam. Ver o vs. 11, onde alguns traduzem a expressão "palavras" como "promessas". Ver no *Dicionário* o verbete *Promessa*, para notas expositivas completas.

Segundo a tua palavra. "... Tua palavra de promessa, tuas misericórdias providenciais, tua bondade para com os homens e a provisão de coisas boas para a vida; bênçãos espirituais guardadas como um tesouro no céu e na terra; glória e felicidade eterna na vida vindoura; a promessa do Deus que não pode mentir, decretada antes de o mundo ter começado" (John Gill, *in loc.*). Ver no *Dicionário* o artigo chamado *Providência de Deus*. Alguns estudiosos veem aqui especificamente a promessa de soltura do cativeiro babilônico, mas a referência tem um caráter geral.

119.66

טוּב טַעַם וָדַעַת לַמְּדֵנִי כִּי בְמִצְוֹתֶיךָ הֶאֱמָנְתִּי׃

Ensina-me bom juízo e conhecimento. *Bom juízo*, neste caso, é literalmente *gosto*, referindo-se às questões morais e não ao senso estético. Talvez o termo *tato* capte o sentido. Não basta estar certo. Devemos saber como aplicar o que é certo sem causar ofensa. O conhecimento também deve ser utilizado quando aplicamos os mandamentos, com suas ameaças e promessas. Talvez *bom senso* fosse uma boa maneira de falar sobre a questão. A lei, se nela *acreditamos*, ameaça e promete; o homem sábio compreenderá ambos os tipos de afirmação e viverá em conformidade. Alguns estudiosos emprestam à palavra *gosto* o significado de *discernimento*. Assim como o sentido do paladar nos diz o que é bom e o que é mau entre os alimentos, também a lei nos ensina a discernir entre o bem e o mal, através do sentido espiritual do "gosto". "Provai, e vede que o Senhor é bom" (Sl 34.8) é, pois, um paralelo geral.

119.67

טֶרֶם אֶעֱנֶה אֲנִי שֹׁגֵג וְעַתָּה אִמְרָתְךָ שָׁמָרְתִּי׃

Antes de ser afligido andava errado. Talvez o salmista estivesse falando aqui de alguma *enfermidade física*, que ele atribuía ao pecado. Os *salmos de lamentação* incluem vários "salmos de enfermidades", nos quais o inimigo é alguma enfermidade física. Como exemplos, ver os Salmos 6, 22, 28, 38, 88, 102 e 116. Se é isso o que está em foco neste versículo, então o poeta sagrado pensava estar sendo punido por causa de algum pecado, mediante uma enfermidade, e, depois de arrepender-se, acreditava seria curado. Uma vez arrependido, o homem renovaria a sua dedicação ao estudo e à prática da lei. Os hebreus, com raríssimas exceções, acreditavam que a enfermidade *sempre* resultava do pecado e só poderia ser remediada pelo arrependimento. Jó demonstrou que essa teoria estava incorreta, mas isso não quer dizer que os hebreus, de forma geral, desistissem da opinião popular.

Ou talvez a "aflição" mencionada neste versículo seja outra referência às perseguições movidas pelos inimigos do homem. Ver os vss. 29, 39, 42, 51 e 61. Nesse caso, o salmista olhava para o lado brilhante das perseguições de que estava sendo vítima, acreditando serem elas uma disciplina que o ajudava em termos espirituais. Ele se tinha desviado, mas fora trazido ao caminho reto pelas suas dificuldades. Examinando o vs. 69, provavelmente é correto considerar a segunda dessas ideias como o que diz este versículo. Alguns estudiosos veem aqui o cativeiro babilônico, que levou Judá ao arrependimento e então à restauração. Nesse caso, o "eu" (subentendido) do texto representa a nação de Judá como se fosse um só homem. Cf. Sl 116.10. Quanto ao efeito curador, ver os vss. 71 e 75 do salmo presente; e também Jr 31.18,19 e Hb 12.11.

Andava errante. A figura provavelmente pretende enfocar o desvio de ovelhas que, subsequentemente, são trazidas de volta ao rebanho. Ver o vs. 176, onde uma "ovelha" é especificamente mencionada. Quanto a diversas interpretações do desvio do poeta, ver a exposição naquele versículo.

■ **119.68**

טוֹב־אַתָּה וּמֵטִיב לַמְּדֵנִי חֻקֶּיךָ׃

Tu és bom e fazes o bem. Yahweh é declarado bom em *si mesmo* e também o *praticante do bem*. Nisso ele se tornou exemplo supremo de todos quantos conhecem e obedecem à lei: eles também devem fazer o bem em favor de outras pessoas, imitando o Pai celeste. Não basta ser bom; é preciso *praticar o bem*. Quanto a essa distinção, ver também Rm 5.7, que contrasta o homem justo e bom com os ímpios. Naturalmente, em análise final, somente o homem generoso, que serve a seus semelhantes cumprindo a lei do amor, é de fato um homem justo. Platão associava as ideias de justiça e bondade em um único atributo. O hebraico clássico também tinha um só vocábulo para exprimir ambos os princípios. Deus nunca julga sem também curar, porquanto a cura é um dos atributos do julgamento divino. Por isso, a justiça e a bondade redentoras e restauradoras andam juntas. O julgamento é apenas um dedo da mão amorosa de Deus. Cf. At 14.17.

Deus ungiu a Jesus de Nazaré com o Espírito Santo e poder, o qual andou por toda parte, fazendo o bem e curando a todos os oprimidos do diabo, porque Deus era com ele.

Atos 10.38

Ensina-me. Cf. os vss. 12, 26, 33, 64, 108, 124 e 135, quanto ao divino Mestre, a quem o poeta invocou para receber instruções especiais sobre pontos específicos. Uma lição que sempre temos de continuar aprendendo é o que lemos neste versículo. Fazer o bem ao próximo é um dos grandes princípios da lei, uma necessidade moral de primeira ordem. Esse ensino leva à prática da lei do amor (ver Dt 6.5). É muito mais fácil ter um credo correto e pensar que isso é a essência da espiritualidade, do que reconhecer a prática das boas obras em favor de outros, cumprindo a lei do amor, pois esta, sim, é a *real essência* da espiritualidade. Ver 1Jo 4.7. O homem que nasceu de novo pratica a lei do amor, e Deus é a fonte originária desse amor, bem como o exemplo por excelência de sua operação (ver 1Jo 4.7-9).

"Um mestre afeta a eternidade. Ele nunca poderá dizer onde sua influência cessa" (Henry Adams).

■ **119.69**

טָפְלוּ עָלַי שֶׁקֶר זֵדִים אֲנִי בְּכָל־לֵב ׀ אֶצֹּר פִּקּוּדֶיךָ׃

Os soberbos têm forjado mentiras contra mim. Além de seus outros pecados, os inimigos do homem o tinham *coberto* de mentiras (*Revised Standard Version*) ou tinham forjado mentiras (*King James Version* e nossa versão portuguesa). O hebraico diz aqui, literalmente, *remendado*. Cf. Jó 13.4 e 14.17. Talvez essas fabricações tenham ocorrido nos tribunais de justiça, onde os inimigos do poeta buscavam sua punição capital. Essa interpretação é distintamente contra aquela que diz que estes versículos têm em mira o cativeiro babilônico. Contra a calúnia, o poeta apelou para o fato de que ele tinha observado os preceitos da lei, pelo que não era culpado de nenhum erro. Eles costuraram ou amarraram uma mentira após outra contra o homem, como uma veste. Como ferreiros, eles faziam artefatos de mentira, uma fabricação contra um homem inocente.

■ **119.70**

טָפַשׁ כַּחֵלֶב לִבָּם אֲנִי תּוֹרָתְךָ שִׁעֲשָׁעְתִּי׃

Tornou-se-lhes o coração insensível. O coração deles ficou insensível, como que *recoberto de gordura*, uma figura que retrata a *insensibilidade* para com o certo e o errado. Eles fizeram tudo quanto quiseram e não sentiram remorso na consciência. A palavra "gordura" usada neste versículo significa gordura intestinal (ver Jz 3.22), bem como a gordura da vítima sacrificada (ver Lv 3.3,4). Visto que se pensava que o coração é a sede da inteligência, a gordura próxima ao coração significava que eles estavam *impedidos* de compreender. A figura simbólica também subentende *orgulho* ou *rebeldia*. Ver Sl 17.10; 73.7 e Is 6.10. Insensíveis quanto às realidades espirituais (At 28.27), eles eram dotados de mentes reprovadas e incapazes de julgamentos corretos (Rm 1.28). O salmista, em contraste, deleitava-se na lei, no seu homem interior (ver Rm 7.22). Quanto a *deleitar-se* na lei e *amá-la*, ver Sl 119.47. Esse é um dos grandes temas do salmo presente.

■ **119.71**

טוֹב־לִי כִי־עֻנֵּיתִי לְמַעַן אֶלְמַד חֻקֶּיךָ׃

Foi-me bom ter eu passado pela aflição. Este versículo é uma leve elaboração do vs. 67. O homem se tinha desviado, como se fosse uma ovelha que se afasta do rebanho de Deus; ele foi afligido, o que provavelmente significa a perseguição de seus inimigos; mas ele se arrependera de seu desvio, o que, sem dúvida alguma, incluíra a comissão de alguns pecados específicos, e não apenas indiferença; ele fora castigado pelas aflições e assim aprendera a lição. Depois disso, estava em melhor posição para aprender, além do que tinha assimilado lições difíceis, baseadas nas próprias aflições. O castigo tinha operado a sua obra. Ver Hb 12.1.

Que guia os mortais à sabedoria, fazendo-os aprender as lições através de suas dores.

Ésquilo, Agam., 172

Cf. Jo 15.2; Jó 5.6 e os vss. 67 e 75 do salmo presente.

■ **119.72**

טוֹב־לִי תוֹרַת־פִּיךָ מֵאַלְפֵי זָהָב וָכָסֶף׃

Para mim vale mais a lei que procede de tua boca. Os homens costumam buscar riquezas materiais, e em breve o dinheiro se torna o seu *deus*. Essa divindade dita tudo quanto fazem. Eles passam a vida inteira buscando algo que nada acrescenta à sua vida e que por certo não serve de passagem para a outra vida. Nem a prata nem o ouro podem obter a redenção. O deus dinheiro é um senhor severíssimo que transforma um homem em *escravo*. Ele elimina Deus do quadro, porquanto ninguém pode servir a dois senhores (ver Mt 6.24). A única coisa que um homem pode reter em sua mão é o que ele distribui como dádiva. O homem que tem tesouros neste mundo facilmente esquece os tesouros "celestiais" (Mt 6.19,20). É fácil ao homem rico esquecer as verdadeiras riquezas da alma, que têm poder permanente.

É melhor viver rico do que morrer rico.

Samuel Johnson

O amor do dinheiro é raiz de todos os males; e alguns, nessa cobiça, se desviaram da fé, e a si mesmos se atormentaram com muitas dores.

1Timóteo 6.10

A *sabedoria espiritual* é o verdadeiro tesouro que temos neste vaso de barro, nosso corpo (ver 2Co 4.7). Em Cristo estão todos os tesouros espirituais que perduram além desta vida terrestre (ver Cl 2.2,3). A sabedoria espiritual fala da *glória* vindoura, ao passo que os homens insensatos buscam a glória terrena neste mundo, através da manipulação de seu dinheiro.

Milhares de ouro ou de prata. No hebraico, literalmente, temos estas palavras, mas precisamos compreender aqui algo como *muitas moedas* ou *peças* de ouro e prata. Cf. o vs. 127 deste salmo e Sl 19.10. A história do rabino José conta-nos que ele se recusou a ir a certo lugar, onde ganharia muito porque ali não havia sinagoga. O salmista concordava com esse tipo de atitude, porquanto ele também preferia a lei às riquezas. É possível que aqui tenhamos uma alusão ao ganho desonesto dos pecadores que perseguiam o salmista. Ele não haveria jamais de unir-se ao grupo. Permaneceria em seus estudos do livro da lei. *Esse* era o seu tesouro.

Judas Iscariotes foi o principal contraexemplo no tocante ao dinheiro. Em troca de meras trinta peças de prata, ele atraiçoou Jesus (ver Mt 26.15). O Targum diz no presente texto que o dinheiro mencionado foi mil talentos, uma bela soma em dinheiro, de fato, mas nada que pudesse ser comparado dignamente com a verdade de Deus. Ver no *Dicionário* os verbetes chamados *Dinheiro* e *Tesouro*. Esses artigos incluem usos metafóricos das palavras.

IODE: A Décima Estrofe (119.73-80)

■ **119.73**

יָדֶיךָ עָשׂוּנִי וַיְכוֹנְנוּנִי הֲבִינֵנִי וְאֶלְמְדָה מִצְוֺתֶיךָ׃

As tuas mãos me fizeram e me afeiçoaram. Seguindo sempre o plano de compor uma poesia acróstica, agora o autor sagrado dá-nos o *décimo* conjunto de oito linhas que louvam a lei, para o que ele continua a usar diversos termos, a fim de variar a sua expressão. Ver a introdução ao salmo presente, na seção chamada *Salmos Acrósticos*, e ver no vs. 1 as *dez* palavras usadas para referir-se à lei. Esta décima estrofe é chamada de *Iode*, e essa é a letra hebraica repetida no começo das oito linhas. Em outras palavras, a letra hebraica iode encabeça cada palavra inicial nessas oito linhas.

Tuas mãos me fizeram. O Criador foi também o Legislador. Aquele homem tinha sido feito pelo poder criador de Yahweh; e a lei então foi dada a ele para sua iluminação espiritual. Por conseguinte, a *compreensão das coisas divinas* estava ao alcance do salmista. Através dessa compreensão, o poeta seria um profundo conhecedor da lei, capaz de viver segundo seus ditames, visando tanto seu desenvolvimento espiritual como também ajuda a outras pessoas. Cf. Dt 32.6 e Is 44.2. Ver Jó 10.8 e Sl 139.13-15, que têm elementos similares.

O Que É Divino Domina. O poder divino criou; a iluminação divina leva os homens à compreensão da lei dada por Deus. Ver no *Dicionário* o verbete intitulado *Iluminação*.

Compreensão. Este é um dos grandes temas deste salmo. Ver os vss. 34, 73, 99, 100, 105, 130, 144 e 169. A raiz no hebraico significa "separar", "distinguir", ou seja, *discernir*, ter uma visão inteligente sobre alguma coisa.

> Senhor, já fechei a porta,
> Fala agora a palavra que
> Na bulha da multidão não pudera ser ouvida.
> Sussurra tua vontade, enquanto me separo,
> Sussurra tua vontade enquanto estou tranquilo.
> William M. Runyan

■ **119.74**

יְרֵאֶיךָ יִרְאוּנִי וְיִשְׂמָחוּ כִּי לִדְבָרְךָ יִחָלְתִּי׃

Alegraram-se os que te temem quando me viram. Os companheiros do salmista, que também temiam a Yahweh (ver o vs. 63), observariam o seu caso de bem-estar e iluminação espiritual (vs. 73) e se *regozijariam* e o imitariam. Eles veriam que é altamente benéfico continuar esperando nas promessas da lei e seguir suas injunções. Assim sendo, aproveitariam melhor a *Palavra* para atingir as mesmas bênçãos que o salmista havia logrado alcançar. Quanto a *Temor*, ver Sl 119.38, como também o artigo no *Dicionário* sobre esse assunto, quanto a ideias concretas e plenas.

Então se alegravam os companheiros de peregrinação do salmista, tendo-se descoberto mais sobre a "grande verdade espiritual da comunhão, e da ajuda mútua e consolação dali derivadas. Em seu sentido primário temos aqui, as ideias da preservação e do livramento dos justos da perseguição, bem como do consolo que isso fornece aos crentes" (Ellicott, *in loc.*). "... regozijai-vos na prosperidade externa, livrados de todas as tribulações, estabelecida no trono de Israel, incluindo o descanso dos ataques de todos os inimigos..." (John Gill, *in loc.*).

■ **119.75**

יָדַעְתִּי יְהוָה כִּי־צֶדֶק מִשְׁפָּטֶיךָ וֶאֱמוּנָה עִנִּיתָנִי׃

Bem sei, ó Senhor, que os teus juízos são justos. O poeta retorna agora à ideia dos vss. 67 e 71. Ele se tinha desviado como uma ovelha se afasta do rebanho de Deus, através de alguns pecados e da indiferença. Em sua fidelidade, Yahweh tinha aplicado a ele a *aflição*, a fim de trazê-lo de volta ao bom caminho. Provavelmente estão em vista as aflições da perseguição, que seus inimigos lançaram contra ele. O homem sofrera *castigo* e isso merecidamente, mas a punição também operou como medida purificadora, a fim de aprimorar sua espiritualidade.

Existe uma providência negativa e uma providência positiva, e ambas são medidas de misericórdia, porquanto operam o bem para aqueles que as recebem. Essas coisas também são feitas em sabedoria e graça divina. São ambas dedos da mão amorosa de Deus. São justas, pelo que são boas, porquanto não podemos separar essas duas qualidades. Cf. Dt 32.14; 1Co 11.32 e 1Pe 4.19. Ver também Lv 26.4 e Sl 89.30-33, passagens que contêm noções similares. Quanto a notas expositivas adicionais, ver os versículos paralelos, 67 e 71.

■ **119.76**

יְהִי־נָא חַסְדְּךָ לְנַחֲמֵנִי כְּאִמְרָתְךָ לְעַבְדֶּךָ׃

Venha, pois, a tua bondade consolar-me. O *amor constante* de Deus opera de forma negativa (através do castigo) e positiva (através de bênçãos positivas). O amor de Deus é versátil e, como tal, mostra-se especialmente eficaz em suas operações. Portanto, esse amor tende para a *consolação*, e não para a consternação. A lei, aqui chamada de "palavra", informa-nos disso; e, assim sendo, nosso homem continuava a esperar naquela palavra. Algumas versões dizem aqui "promessa", em vez de "palavra", um dos vocábulos usados para falar da lei, e o termo hebraico é *'imrah*, o de número três na lista das dez palavras listas no vs. 1. Assim sendo, as promessas de Deus mitigariam o salmista de suas aflições, que atuavam como um açoite corretivo nas mãos de Yahweh. E o resultado desse processo de disciplina seria a *consolação*.

■ **119.77**

יְבֹאוּנִי רַחֲמֶיךָ וְאֶחְיֶה כִּי־תוֹרָתְךָ שַׁעֲשֻׁעָי׃

Baixem sobre mim as tuas misericórdias. As aflições foram difíceis de suportar. O salmista temeu por sua vida e clamou para que as *ternas misericór*dias de Deus interviessem, a fim de que o castigo que ele estava sofrendo não fosse severo demais e fugisse do controle. Não existe algo como *justiça nua*, ou seja, desacompanhada do tempero do amor e da misericórdia. O poeta sagrado, pois, orou para que a justiça de Deus não fosse desacompanhada dessas qualidades divinas. Afinal de contas, muitas promessas na lei lhe davam razão para esperar que, na qualidade de homem piedoso, ele não seria consumido por algum golpe divino. A palavra de Deus e a sua promessa (vs. 76) garantiam-lhe o afeto e a compaixão do Pai, um sentimento divino. Cf. o vs. 17 deste mesmo salmo.

O meu prazer. A lei era o *deleite* do salmista, e esse deleite e amor à lei são um dos grandes temas deste salmo. Ver as notas expositivas no vs. 47. Ver também os vss. 49 e 70.

■ **119.78**

יֵבֹשׁוּ זֵדִים כִּי־שֶׁקֶר עִוְּתוּנִי אֲנִי אָשִׂיחַ בְּפִקּוּדֶיךָ׃

Envergonhados sejam os soberbos. Os homens de bem, mesmo sofrendo aflições, seriam consolados e corrigidos, em meio à sua boa atitude. Em contraste, os arrogantes se recusam a aprender lições baseadas na lei e nada aproveitam das operações divinas. Por conseguinte, devem ficar envergonhados afinal. Quanto a esse pensamento, ver Sl 25.1; 35.26; 37.19; 69.6; 74.21; 78.66; 83.16; 87.17; 109.28 e 119.31. Os pecadores cairão em desgraça franca. Suas más escolhas voltarão a caçá-los. Aqueles homens ímpios tinham *besuntado* o salmista com suas mentiras (vs. 69). Elas acabariam apanhando os transgressores. Os homens descobririam o verdadeiro caráter dos ímpios e deles zombariam. Seriam mantidos em derrisão e escárnio. Eles sentiriam o ferrão da língua de outras pessoas, da mesma maneira que a língua deles tinha sido usada como instrumento cortante contra seus semelhantes. Eles tinham agido *perversamente*, com atos e palavras profanos. Outros haveriam de agir profanamente com eles. Esse seria um fator que levaria o poeta a continuar esperando na lei e colocando-a em prática. Ele reconhecera que era muito melhor para um homem estar em terreno santo do que tentar caminhar por sobre as areias ímpias, que faziam os que por ali passavam escorregar para a desgraça.

> Alma trêmula, cercada de temores.
> Teu Deus reina.
> Olha para o alto e enxuga tuas lágrimas.
> Teu Deus reina.
> Embora teus inimigos com poder assaltem,
> Nada contra ti poderá prevalecer.
> Teu Deus reina.
>
> Fred S. Shepperd

■ 119.79

יָשׁוּבוּ לִי יְרֵאֶיךָ וְיֹדְעוּ עֵדֹתֶיךָ׃

Voltem-se para mim os que te temem. Os que *temiam a Deus* haveriam de voltar-se para o poeta, um homem de experiência no campo espiritual. Os que eram perseguidos pelo lado de dentro ou pelo lado de fora, esses se beneficiariam de sua experiência. Voltando-se para o poeta, eles ouviriam suas palavras de sabedoria, aprendidas no estudo dos *testemunhos* de Deus, outro dos nomes usados para indicar a lei mosaica. Ver sobre *Temor de Deus*, em Sl 119.38, bem como no artigo com esse título, no *Dicionário*. O poeta estudava, mas também tinha larga experiência com a espiritualidade positiva, e era castigado quando se desviava dos santos caminhos de Deus. Ele poderia citar experiências pessoais para ilustrar suas palavras. Ou seja, ele seria um bom *mestre* para outras pessoas, tal como tinha sido beneficiado pelo ofício do *Mestre* divino (ver os vss. 12, 26, 33, 64, 66, 68, 108, 124 e 135), um dos grandes temas deste salmo. Mas ver também Sl 25.4,5,8,12; 27.11; 32.8; 34,11; 45.4 e 86.11.

O salmista era o *companheiro* de homens bons (vs. 63) e se manteria próximo deles a fim de ajudá-los a compreender a lei e os caminhos de Deus.

■ 119.80

יְהִי־לִבִּי תָמִים בְּחֻקֶּיךָ לְמַעַן לֹא אֵבוֹשׁ׃

Seja o meu coração irrepreensível nos teus decretos. Para evitar ser envergonhado, como tinham sido os seus adversários (vs. 78), o salmista continuaria a aprender os *decretos* de Deus, outro nome dado à lei divina. Em vez de sofrer pejo, ele se mostraria *irrepreensível*. Os pecados que ele havia cometido, por causa dos quais estava sendo *afligido* (vss. 67, 71 e 75), tinham sido apagados mediante o arrependimento. Agora ele era irrepreensível e, assim sendo, continuava merecendo o favor divino. Ele não seria como os pecadores teimosos que nada tinham aprendido das operações divinas. Nosso homem, ao aprender a lei, e tendo recebido muitas experiências valiosas, fora levado a esperar em Yahweh. Ele não seria desapontado diante dessa esperança.

Um Coração Perfeito. O autor sagrado queria uma fé *sincera* e uma espiritualidade genuína. Diz certo hino evangélico: "Nada entre a minha alma e o Salvador", e isso corresponde ao desejo do poeta sagrado. Tendo uma preocupação sincera quanto à lei de Deus, ele também viera a amar os decretos da lei. Ele seria um verdadeiro israelita, um elemento ideal do pacto abraâmico (anotado em Gn 15.18). Cumpriria o ideal da lei, o amor a Deus e ao homem, a espiritualidade interior e as boas obras externas, praticadas em favor do próximo.

> *Amarás, pois, o Senhor teu Deus de todo o teu coração, de toda a tua alma, e de toda a tua força.*
>
> Deuteronômio 6.5

Irrepreensível. Ver no *Dicionário* o artigo chamado *Perfeição*. Ver também Sl 18.30,32; 19.7; 37.37; 64.6; 101.2,6 e 138.8. A *Revised Standard Version* diz aqui *inculpável*. A palavra hebraica é *thamim*, isto é, são, integral, perfeito, sem sinal de justiça própria, defeito ou falsidade. Cf. Gn 17.1.

CAFE: A Décima Primeira Estrofe (119.81-88)

■ 119.81

כָּלְתָה לִתְשׁוּעָתְךָ נַפְשִׁי לִדְבָרְךָ יִחָלְתִּי׃

Desfalece-me a alma, aguardando a tua salvação. Seguindo o plano de compor um poema acróstico, o autor sagrado dá-nos agora o *décimo primeiro jogo* de oito linhas louvando a lei, para o que ele continuou a usar diversos termos, a fim de variar a sua expressão. Ver a introdução ao salmo presente, na seção chamada *Salmos Acrósticos*, bem como o vs. 1, quanto às *dez* palavras que o poeta usou para indicar a lei. Esta décima primeira estrofe é chamada de *Cafe*, e essa é a letra hebraica repetida no começo das oito linhas. Isto é, a palavra que encabeça cada linha começa com essa letra hebraica.

Desfalece-me a alma. O nosso homem amava de coração a lei e nela se deleitava (vs. 47). Cf. o vs. 28, o *coração desfalecido*, que é apenas outra metáfora para falar das mesmas emoções intensas que o autor sentia no tocante à lei. Mas aqui a emoção intensa estava voltada na direção das *promessas* que asseguravam o *livramento* (salvação) dos ataques dos inimigos que queriam arrebatar-lhe a vida, conforme mostram os vss. 84 e 85. O poeta voltou a produzir um *salmo de lamentação*, tal como sucedeu à seção Dálete (vss. 25-32). O tema de ser perseguido e carecer da ajuda divina para ser libertado percorre todo o Salmo 119 e vem à tona aqui e ali. Se o Salmo 119, em sua inteireza, é um hino que *louva a lei*, também apresenta elementos que cabem em outras classes, como de sabedoria, referência messiânica, didática e lamentação. As perturbações do nosso salmista com pecadores insolentes são enfatizadas nos vss. 51, 69, 78, 85 e 122. Cf. o vs. 123, que lhe é quase igual, e ver Sl 84.2. "Embora testado severamente, não desisto da esperança" (Fausset, *in loc.*).

> Que grande amigo temos em Jesus,
> Todos os nossos pecados e tristezas ele levou!
> Que privilégio é levarmos
> Tudo a Deus em oração.
>
> Joseph Scriven

■ 119.82

כָּלוּ עֵינַי לְאִמְרָתֶךָ לֵאמֹר מָתַי תְּנַחֲמֵנִי׃

Esmorecem os meus olhos de tanto esperar por tua promessa. A figura retrata alguém que ficava vigiando por muitas horas para ver Deus operar e livrá-lo de suas perturbações, esperando por tanto tempo que seus olhos esmoreciam. A *promessa* aqui é, especificamente, a de livramento das mãos de indivíduos opressores. A lei tinha muitas promessas para os bons, promessas de vida longa e próspera, e do julgamento de homens ímpios e desarrazoados. Nessas promessas, a despeito da longa demora, o salmista continuava esperando. Cf. Sl 69.3 e Jó 31.16, quanto a sentimentos parecidos e esperanças de homens aflitos. "A constância e a piedade da igreja tornam-se mais salientes nas perseguições" (Cocceius).

> *Meus olhos de mágoa se acham amortecidos, envelhecem por causa de todos os meus adversários.*
>
> Salmo 6.7

> Eu forçaria meu músculo do olho, e o cansaria, somente para obter uma vista d'olhos dele.
>
> Shakespeare, *Cymbeline*

Este versículo tem sido cristianizado para falar da espera ardente da Igreja pela volta do Messias, ou, dentro do contexto histórico, a mesma esperança é vista em relação ao primeiro advento de Cristo. Não há razão alguma para supor que este versículo seja messiânico, embora esta seja uma boa aplicação.

Assim também Cristo, tendo-se oferecido uma vez para sempre para tirar os pecados de muitos, aparecerá segunda vez, sem pecado, aos que o aguardam para a salvação.

Hebreus 9.28

■ 119.83

כִּי־הָיִיתִי כְּנֹאד בְּקִיטוֹר חֻקֶּיךָ לֹא שָׁכָחְתִּי׃

Já me assemelho a um odre na fumaça. "Talvez tenhamos aqui uma referência à aceleração artificial do processo de envelhecimento na fabricação do vinho, em que o odre inevitavelmente se torna cada vez mais escuro e também cada vez mais fraco. A símile aponta para o salmista como quem fora figuradamente escurecido por meio de algum agente externo, como algum perseguidor" (William R Taylor, *in loc.*, com certa adaptação). Um odre pendurado por cima do fogo naturalmente encolheria e se tornaria mais fraco. Seja como for, temos aqui uma alusão ao costume de suavizar o vinho por meio do calor, acerca do que Ovídio nos fala em *Fast.* 5.517. Embora esse processo produzisse um vinho superior, certamente punha em perigo o odre, e o poeta se assemelhou a isso, e não ao bem que o processo faria ao vinho. As perseguições dos ímpios tinham feito nosso homem envelhecer, debilitando-o, pelo que ele estava à beira de escorregar para dentro da sepultura, antes do tempo, sofrendo de *morte prematura*, algo aterrorizante para a mente dos hebreus. Cf. Sl 32.4; 102.3,4; Jó 30.30.

"Isso representa o estado exaurido do corpo e da mente do salmista, mediante longa aflição física e angústia mental" (Adam Clarke, *in loc.*).

Não me esqueço dos teus decretos. A despeito de seu muito e longo sofrimento, esperando inutilmente por alívio através das promessas da lei, nosso homem continua em seus estudos dos decretos. "Ele continuava atendendo à palavra, à adoração, aos caminhos e ordenanças do Senhor, esperando, no tempo devido, encontrar ali o consolo" (John Gill, *in loc.*).

■ 119.84

כַּמָּה יְמֵי־עַבְדֶּךָ מָתַי תַּעֲשֶׂה בְרֹדְפַי מִשְׁפָּט׃

Quantos vêm a ser os dias do teu servo? Desenhou-se diante do poeta a possibilidade de sua vida ser cortada pelo meio, de vir ele a sofrer morte prematura. Se Yahweh continuasse a demorar-se, os inimigos do homem poderiam decepar-lhe a vida a qualquer minuto. O caso era urgente.

Essas palavras podem ser entendidas por outro prisma, a saber, que o poeta desejava saber por que os sofrimentos eram tão prolongados. "Por quanto tempo o teu servo terá ainda que suportar?" (*Revised Standard Version*). Nesse caso, o clamor não é por causa da morte iminente, mas meramente uma queixa quanto ao teste que parecia continuar infindável e sem alívio. Em qualquer dos casos, por causa da brevidade da vida humana (aumentada devido à violência dos homens) *ou* por causa de um aparente cerco de perseguições, o salmista clamou por uma solução imediata para seu problema, mediante a rápida intervenção de Yahweh, ao julgar os seus opressores. O Senhor poderia fazê-los cair em batalha, ser feridos por alguma enfermidade, sofrer algum acidente; e isso resolveria o problema do sofrimento sem paliativo do poeta. Cf. Sl 39.4,13, bem como o apelo similar de Jó, em Jó 7.6-21; 9.25 e 16.22.

"Tal como em Sl 89.47,48, o salmista profere aqui qual era o temor de cada geração de Israel, o temor da morte antes do dia do livramento" (Ellicott, *in loc.*). "Não sabes que tenho tão poucos dias para viver, e que até esses poucos dias são tão repletos de tribulação? Executa julgamento contra aqueles que me perseguem" (Adam Clarke, *in loc.*, o qual, ato contínuo, aplica este versículo aos exilados na Babilônia, que sofriam severas provações).

■ 119.85

כָּרוּ־לִי זֵדִים שִׁיחוֹת אֲשֶׁר לֹא כְתוֹרָתֶךָ׃

Para mim abriram covas os soberbos. Aprendemos aqui que os arrogantes perseguidores do salmista tinham por intuito vê-lo morto. Tinham aberto covas para ele, potencialmente uma condição fatal.

Tal traição opunha-se à lei de Deus, mas o que isso lhes importava? Eles queriam que nosso homem estivesse morto. Provavelmente ele tinha feito oposição ao saque de inocentes, ao uso errado do poder, à obtenção de riquezas por meios desonestos e violentos. O poeta, pois, se intrometera no caminho de seus feitos injustos, e eles queriam vê-lo eliminado. O que seria mais um assassinato no meio de tantos atos de violência? Eles nunca se tinham ajustado à lei de Deus e não seria agora que haveriam de fazê-lo, somente porque um homem *inocente* lhes estava bloqueando o caminho.

"Eles buscavam tirar-lhe a vida e planejavam esquemas com esse propósito. A alusão é à escavação de covas para apanhar animais" (John Gill, *in loc.*).

Havia um preceito contra a prática de escavar covas para animais e deixá-las descobertas, pois isso poderia ser o fim de um homem, caso este passasse por ali. Ver Êx 21.33,34. Essa lei visava a proteção de animais domésticos e seres humanos. De maneira metafórica, os perseguidores do salmista estavam fazendo o que era proibido. Suas covas não eram buracos cavados no solo, mas planos e atos de traição cujo propósito era matar.

■ 119.86,87

כָּל־מִצְוֹתֶיךָ אֱמוּנָה שֶׁקֶר רְדָפוּנִי עָזְרֵנִי׃

כִּמְעַט כִּלּוּנִי בָאָרֶץ וַאֲנִי לֹא־עָזַבְתִּי פִקֻּדֶיךָ׃

São verdadeiros todos os teus mandamentos. Os mandamentos de Yahweh são firmes e fiéis. Eles prometiam julgamento para os pecadores, e o poeta ansiava ver o cumprimento deles. Os inimigos de nosso homem eram o contrário exato da lei. Eles o perseguiam por meio de falsidades. Cf. o vs. 69. Eles faziam outras pessoas voltar-se contra o salmista por causa de suas mentiras. Talvez o acusassem fraudulentamente com base na lei e quisessem que ele fosse executado por crimes que não havia cometido. A lei era santa, mas eles eram ímpios; a lei ordenava misericórdia, mas eles punham em prática a violência; a lei ordenava o amor, mas eles praticavam o ódio; a lei determinava que se fizesse o bem ao próximo, mas eles eram destruidores profissionais; a lei ordenava que todas as ações humanas fossem governadas por motivos piedosos, mas eles eram motivados por suas perversões interiores. Portanto, era urgente a necessidade de uma intervenção divina que detivesse aqueles réprobos.

■ 119.88

כְּחַסְדְּךָ חַיֵּנִי וְאֶשְׁמְרָה עֵדוּת פִּיךָ׃

Vivifica-me, segundo a tua misericórdia. Talvez a *Revised Standard Version* tenha razão aqui com a tradução: "Poupa a minha vida". O salmista queria viver, e não ser sacrificado ao ódio de seus opressores. Somente Yahweh tinha o poder de salvar sua vida. *Se* sua vida fosse salva, então ele continuaria vivendo espiritualmente, guiado pela lei. Se Yahweh preservasse sua *vida física*, ele continuaria a cultivar sua *vida espiritual*. Essa é a essência do versículo. Outra maneira de dizer isso seria: "Dá-me vida e eu a devolverei a ti".

Dar-te-ei de volta a vida que devo
Para que em tuas profundezas oceânicas seu fluxo
Possa ser mais rico e mais pleno.

Oh, luz, que me seguiste por todo o caminho,
Cedo a ti minha tocha tremeluzente.
Meu coração restaura seu raio tomado por empréstimo,
Para que no brilho de teu raio de sol
Seu dia seja mais claro e mais limpo.

George Matheson

LAMEDE: A Décima Segunda Estrofe (119.89-96)

■ 119.89

לְעוֹלָם יְהוָה דְּבָרְךָ נִצָּב בַּשָּׁמָיִם׃

Para sempre, ó Senhor. Continuando o plano de compor um poema acróstico, o autor agora dá-nos o décimo segundo conjunto de *oito* linhas louvando a lei, para o que prossegue usando diversos termos a fim de variar sua expressão. Ver a introdução ao salmo presente, na seção intitulada *Salmos Acrósticos*, e ver o vs. 1, quanto às dez palavras que o poeta sagrado usou para indicar a lei. A décima segunda estrofe é chamada *Lamede*, o nome da letra hebraica repetida no começo das oito linhas. Ou seja, a palavra que encabeça cada uma das oito linhas começa com essa letra hebraica.

Este versículo contém uma afirmação erroneamente usada para falar da Bíblia como um todo. Era parte da fé dos hebreus que a lei, chamada aqui de *a palavra*, veio por revelação divina, ou seja, dos *céus*, onde está fixada, eterna e perfeita. Pela *lei*, devemos compreender não apenas os Dez Mandamentos, mas todas as regulamentações mosaicas, de natureza tanto cerimonial quanto moral. A lei ritual era, para os hebreus, um empreendimento extremamente moral, pelo que a distinção cristã entre leis morais e cerimoniais é anacrônica. A vinda da graça, em Cristo, tomou o lugar da lei.

Porque o fim da lei é Cristo para justiça de todo aquele que crê.

Romanos 10.4

Para os judeus, a posição de Paulo era radical e apóstata, sendo uma das razões pelas quais ele foi tão perseguido. Os próprios reformadores do século XVI não puderam reformar o cristianismo por todo o caminho, acompanhando Paulo, nem o puderam fazer os puritanos, que confessavam que a graça divina visava a justificação, mas guardavam os crentes sob a lei, quanto à santificação. Em outras palavras, eles promoviam a espécie de legalismo que foi tão completamente condenada na epístola de Paulo aos Gálatas.

Portanto, quero fazer as seguintes observações:

1. Do ponto de vista cristão, o poeta estava errado em sua afirmação do vs. 89. A lei mosaica não era a palavra final de Deus e, de fato, nunca pode haver uma palavra final de Deus. Sempre haverá novos movimentos, novos territórios para cobrir, novos alvos para atingir na vida espiritual. A revelação de Deus, por meio de Paulo, foi um avanço significativo, mas haverá outros quando a vontade divina assim o determinar. É ridículo fazer estagnar o poder de Deus. Os limites dos homens são os limites de sua própria mente, e não limitações verdadeiras.
2. É frívolo escolher um versículo como este e aplicá-lo à Bíblia inteira, e assim afirmar que coisa alguma na revelação pode ser parcial ou carente de modificação. Se quisermos defender essa tese, não devemos inventar textos de prova falsos para isso.
3. Os padrões morais de Deus não mudam, mas as representações humanas desses padrões, nos livros sagrados, modificam-se, conforme demonstra a passagem do Antigo para o Novo Testamento. Não guardamos mais o sábado, o qual era sinal do pacto mosaico, mas os judeus, e também alguns cristãos, pensam que isso é um erro crasso. O sistema sacrificial inteiro, de importância suprema para os hebreus, foi substituído por uma palavra: *Cristo*. Não obstante, o autor deste salmo nunca anteciparia que isso poderia representar uma verdade. Se ele tivesse algum conceito do Messias, teria dito que o Messias cumpriria e *reforçaria*, e não substituiria, a lei, longe de permitir que algum outro sistema tomasse o seu lugar. Ele não teria antecipado o fim dos sacrifícios animais, e os ritos do templo jamais teriam sido concebidos por ele como *temporários*. As coisas que dizemos hoje em dia, contrastando a lei e a graça, seriam *inconcebíveis* para ele. A verdade avança. Nesse avanço, a verdade tornou Sl 119.89 obsoleto do ponto de vista teológico, embora, como declaração, tenha valor falar da permanência dos padrões morais de Deus. E também tem valor afirmar que a revelação divina é a principal origem da verdade espiritual.
4. Todas as coisas inventadas pelos homens têm começo e fim. Todas as coisas terminam porque todas começam. Mas isso não acontece no caso da verdade de Deus. A verdade de Deus é *eterna*. Ver os vss. 142, 144 e 160. Todavia, os modos de expressar essa verdade, nos livros sagrados, realmente se modificam. Outrossim, a verdade de Deus, por si mesma, não tem começo nem fim, nem se modifica, mas os veículos dessa verdade vão e vêm, e são modificados ou mesmo substituídos.
5. A verdade de Deus, por si mesma, é *perfeita*, mas os seus veículos literários, ao passarem pelas mãos dos homens e ao serem adaptados ao limitado estado de iluminação dos homens, são *imperfeitos*.
6. Se quisermos salvar a declaração deste versículo de quaisquer problemas teológicos, poderemos dizer que a lei de Deus está fixa e é perfeita *no céu*, mas não necessariamente na terra.
7. Todas as coisas na terra têm suas *imperfeições* (vs. 96), incluindo as expressões da verdade de Deus nos documentos espirituais escritos pelo homem. O salmista teria isentado a lei mosaica dessa imperfeição, mas a história demonstra que nem mesmo a lei estava livre de imperfeição.
8. Cf. Mt 24.25. A palavra de Deus não passará jamais, mas equipará-la com livros dificilmente pode resistir a um exame criterioso, nem essa noção resiste à experiência humana. Caros leitores, o poeta disse isso quanto à lei mosaica, escrita no Pentateuco, mas agora já deixamos para trás o Pentateuco. Devemos levar adiante as coisas boas, mas se Cristo deixou algo de lado, assim devemos também fazer.

■ 119.90

לְדֹר וָדֹר אֱמוּנָתֶךָ כּוֹנַנְתָּ אֶרֶץ וַתַּעֲמֹד׃

A tua fidelidade estende-se de geração em geração. *A fidelidade de Deus* perdura por todas as gerações, tal como sucede à sua lei. A fidelidade de Deus opera por meio da lei mosaica, mas por certo a ultrapassa. O Criador da terra também foi o Criador da lei. Ele estabeleceu a terra por meio de seu primeiro ato, e a sua lei foi estabelecida na terra por seu segundo ato.

A Terra Permanece. Os hebreus concebiam a terra como algo que "perduraria" para sempre. Cf. Ec 1.4. Ver também Sl 78.69 e 104.5. Mas também havia a ideia corrente (embora certamente menos comum) de que a própria terra era *transitória*. Quanto a isso, ver Sl 102.26. O poeta, porém, preferiu a primeira ideia, que serviu de anteparo para seu argumento sobre a inalterabilidade da lei (vs. 89). A terra e a lei de Deus seriam igualmente permanentes e imutáveis. Ver, contudo, a exposição do vs. 89. Sua criação eterna também fornece apoio para a ideia da fidelidade eterna de Deus.

A benignidade está fundada para sempre: a tua fidelidade, tu a confirmarás nos céus, dizendo: Fiz aliança com o meu escolhido, e jurei a Davi, meu servo.

Salmo 89.2,3

■ 119.91

לְמִשְׁפָּטֶיךָ עָמְדוּ הַיּוֹם כִּי הַכֹּל עֲבָדֶיךָ׃

Conforme os teus juízos, assim tudo se mantém até hoje. Esta terra continua, a fidelidade de Deus continua, a lei continua: essas coisas continuam até o dia presente, porquanto são *servas de Yahweh*, e ele é o Ser Eterno, conforme o seu nome indica. O poeta precisava desse tipo de segurança para continuar confiando na lei, ensinando-a a outras pessoas e mantendo vivas as esperanças quanto à ajuda divina em seu favor. Ellicott pensa que *os céus e a terra* são os servos contínuos do Senhor a que o salmista se referia, mas a menção parece estender-se além. As ordenanças, neste caso, podem ser os decretos de Deus mencionados na lei: esses decretos estão por trás da eterna continuação das coisas mencionadas. Deus dá ordens a tudo e a cada uma das coisas nos céus e na terra, e sua existência e funções dependem dele. Cada coisa cumpre sua devida função e realiza sua correta missão. Este versículo fala da *Soberania* de Deus (ver a respeito no *Dicionário*).

■ 119.92

לוּלֵי תוֹרָתְךָ שַׁעֲשֻׁעָי אָז אָבַדְתִּי בְעָנְיִי׃

Não fosse a tua lei ter sido o meu prazer. O salmista estava sendo severamente testado por adversários que queriam arrebatar-lhe a vida. Ele fora salvo por seu deleite na lei, a qual lhe dava promessas e esperança. Quanto a deleitar-se na lei e amá-la, ver as notas expositivas no vs. 119.47. "Caso não tivéssemos tido a consolação religiosa, há muito teríamos perecido de um ataque de coração" (Adam Clarke, *in loc.*). Quanto às *aflições* do salmista, ver os vss. 51, 69, 78, 85 e 122. A estrofe Dálete é, virtualmente, um salmo de lamentação clamando pela ajuda de Deus contra inimigos brutais e, aqui e ali, outras partes deste salmo retomam o tema. A porção Dálete é constituída pelos vss. 25-32, sendo o melhor comentário acerca das *aflições* deste versículo.

■ 119.93

לְעוֹלָם לֹא־אֶשְׁכַּח פִּקּוּדֶיךָ כִּי בָם חִיִּיתָנִי׃

Nunca me esquecerei dos teus preceitos. Este versículo parece indicar que o grito pedindo ajuda foi ouvido e respondido ou, pelo menos, que o poeta estava tão seguro de que seria ouvido e respondido que considerou isso um fato consumado. Outros versículos que falam de aflição, entretanto, haverão de seguir-se. A nosso homem fora dada a vida; sua vida fora poupada. Ver o vs. 88, onde o poeta requereu que Yahweh garantisse que a sua vida seria poupada, a despeito das violentas tentativas de seus inimigos. Ver o vs. 95. Este versículo tem sido interpretado em um sentido mais geral, fazendo da *vida* mencionada a vida espiritual, ao passo que as *bênçãos* seriam a *vida física*. Lemos, igualmente, "por teus preceitos me tens dado vida", ou seja, nesses preceitos, o salmista encontrava seu *valor* na vida. Essas coisas podem ser verdadeiras, mas a principal interpretação é a preservação da própria vida física, a anulação das intenções dos inimigos assassinos do poeta sagrado. Yahweh, pois, o capacitara a lograr vitória sobre os inimigos, mantendo-o vivo e próspero.

Este versículo tem sido cristianizado para indicar que a vida espiritual, e até mesmo a vida eterna, é dada através da Palavra de Cristo, uma boa aplicação, embora não uma interpretação das palavras do salmo.

Seja como for, o salmista declarou que jamais poderia esquecer o que Yahweh tinha feito por ele, mediante os preceitos da lei. Deus tinha julgado os homens maus e dado vida ao homem bom, exatamente como havia dito em sua palavra. "Por misericórdias tão grandes, como posso mostrar gratidão, por misericórdias tão constantes e verdadeiras? Eu o amarei, eu o servirei, com tudo quanto tenho, enquanto a minha vida perdurar" (conforme diz certo hino evangélico).

■ 119.94

לְךָ־אֲנִי הוֹשִׁיעֵנִי כִּי פִקּוּדֶיךָ דָרָשְׁתִּי׃

Sou teu, salva-me. Não é que o autor sagrado estivesse à procura da salvação da alma, pois esse pensamento ainda não estava bem claro na mente dos hebreus da época. Antes, ele apelou para o Senhor com base no fato de que era de Deus (estava salvo, o que ele reconheceu tacitamente) e queria ser livrado de seus adversários.

Pois eu busco os teus preceitos. Mais ou menos seguindo as atitudes próprias do povo hebreu, nos tempos do antigo pacto, o salmista se considerava merecedor do livramento divino com base no fato de que ele cultuava os preceitos da lei. Isso contrasta violentamente com a atitude do Novo Testamento, para o qual todas as bênçãos divinas se originam na graça de Deus, em Jesus Cristo, tanto a bênção original do novo nascimento como as bênçãos seguintes, que poderíamos sintetizar nas palavras "santidade de vida".

■ 119.95

לִי קִוּוּ רְשָׁעִים לְאַבְּדֵנִי עֵדֹתֶיךָ אֶתְבּוֹנָן׃

Os ímpios me espreitam para perder-me. Estas palavras nos mostram que o versículo anterior deveria ser interpretado como atinente à *vida física*. Assim sendo, o poeta fora salvo do assassinato, por decreto de Yahweh, que o protegia e cumpriu as promessas constantes na lei. O salmista pertencia a Yahweh, porquanto disse "eu sou teu" (vs. 94) e, desse modo, era objeto especial dos cuidados divinos. Daniel não abandonou o costume de orar três vezes ao dia por ter sido ameaçado de execução. Portanto, o salmista também conservou sua vida devocional, aderindo à lei, a despeito das ameaças que recebera. Essas ameaças voltavam-se contra um homem bom, da parte de homens perversos, que queriam vê-lo fora do caminho. Neste versículo não há nenhum pensamento de que homens perversos queriam arrastar o homem piedoso para o baixo nível de moral deles, para que, porventura, ele perdesse a vida eterna, conforme alguns judeus posteriores interpretavam a declaração. O salmista cumpria a lei e cria em suas promessas. Além disso, o Legislador era, igualmente, o Doador da vida.

■ 119.96

לְכָל־תִּכְלָה רָאִיתִי קֵץ רְחָבָה מִצְוָתְךָ מְאֹד׃

Tenho visto que toda perfeição tem seu limite. O poeta sacro referia-se aqui a todas as reivindicações da *perfeição humana*. Após um bom exame, qualquer *reivindicação* de que haja algo perfeito entre os homens, em suas obras, em seus planos, em seus sistemas, demonstrará ser falsa. Nisso, o ser humano é obviamente contrastado com a perfeição divina, que o poeta encontrara na lei de Deus (vs. 89). Naturalmente, o salmista não limitava a perfeição divina à lei mosaica, mas sua principal preocupação foi demonstrar que a lei de Deus, em contraste com os seres humanos, não está limitada em sua perfeição.

O teu mandamento é ilimitado. "Limitado" significa imperfeito; "ilimitado" significa perfeito.

Este versículo foi posto sobre a lápide do túmulo do deão Stanley, em Westminster. Ele foi um anglicano de vistas largas, cujas investigações descobriram toda a espécie de limitações e imperfeições nas ideias e organizações humanas. Para os homens, Deus não requer a perfeição, exceto em última análise, através da transformação em Cristo. Mas os homens reivindicam para já tal perfeição, em si mesmos, mediante sua equivocada doutrina da perfeição da impecabilidade. Ver na *Enciclopédia de Bíblia, Teologia e Filosofia* o artigo chamado *Perfeccionismo*.

Nos idiomas modernos, podemos dizer que o estado real de alguma coisa nunca se equipara ao ideal; mas o ideal de Deus se cumpre na lei. Contudo, ver as notas expositivas sobre o vs. 89 (onde esta estrofe começa): nem mesmo a lei era perfeita, razão pela qual foi substituída pela superior graça divina.

Equivocadamente, alguns eruditos pensam que este versículo se refere à Bíblia inteira e, em particular, à revelação cristã e às perfeições de Cristo; mas o salmista não estava antecipando nenhuma dessas coisas.

MEME: A Décima Terceira Estrofe (119.97-104)

■ 119.97

מָה־אָהַבְתִּי תוֹרָתֶךָ כָּל־הַיּוֹם הִיא שִׂיחָתִי׃

Quanto amo a tua lei! Seguindo o plano acróstico, o autor sagrado oferece-nos agora o *décimo terceiro conjunto* de oito linhas louvando a lei, para o que continua a usar diversos termos a fim de variar sua expressão. Ver a introdução ao salmo presente, na seção chamada *Salmos Acrósticos*, e ver também as notas do vs. 1, onde comento sobre as *dez palavras* diferentes que o autor usou para indicar a lei. Esta décima terceira estrofe é chamada de *Meme*, sendo essa a letra hebraica repetida no começo de cada uma das oito linhas.

Este versículo é uma repetição de declarações encontradas ao longo deste salmo. Seria impossível compor 176 linhas de louvores à lei sem repetições. Portanto, temos aqui, uma vez mais, a ideia de *amor* à lei. Quanto a isso, ver o vs. 47. E, quanto ao fato de que o salmista *meditou* sobre a lei, ver os vss. 15, 23, 48, 78 e 148. Sobre a palavra *meditação*, ver o vs. 99, bem como este versículo. A palavra hebraica para "meditação" é *siyach*. Este vocábulo hebraico pode significar "conversar", "proferir" e também "cismar", "orar" e "meditar", isto é, "contemplar" com um espírito tranquilo, que é o sentido preferido dos versículos citados. Assim sendo, o poeta não tomava a lei superficialmente, mas fazia dela seu objeto de contemplação.

Em sua meditação, sob esta estrofe Meme, o poeta produziu um pequeno *salmo de sabedoria*. Aceito em seu conjunto total, este salmo é corretamente intitulado de hino de louvor à lei. Mas partes dele enquadram-se em outras classes, como os salmos de lamentação (ver Dálete), os salmos didáticos e fragmentos de salmos messiânicos. Ver sobre *Sabedoria*, seção III, quanto à Literatura de Sabedoria do judaísmo posterior.

Esta estrofe tem mais unidade do que se vê na média das estrofes. "Seu tema principal é uma sabedoria superior, derivada do estudo da lei. Também se caracteriza pela ausência de qualquer petição" (William R. Taylor, *in loc.*).

■ 119.98

מֵאֹיְבַי תְּחַכְּמֵנִי מִצְוֹתֶךָ כִּי לְעוֹלָם הִיא־לִי׃

Os teus mandamentos me fazem mais sábio. Os mandamentos, uma das *dez* palavras usadas para indicar a lei, representa o quinto termo usado pelo autor sagrado. Esses mandamentos tornavam o salmista mais sábio que seus inimigos. A palavra hebraica *miswah* foi usada 21 vezes no Salmo 119. Até mesmo neste minúsculo salmo de sabedoria, o poeta sagrado trouxe à tona os brutais inimigos que lhe buscavam tirar a vida. Ver os vss. 92 e 94. Nosso homem estava sendo *afligido* e precisava de proteção contra aqueles réprobos. Aqui, porém, ele não levantou a Deus uma petição contra eles, o que fez com tanta frequência até este ponto, mas tão somente salientou que ultrapassara em muito aqueles homens maus em termos de sabedoria espiritual.

Eu os tenho sempre comigo. Esta declaração significa que a lei era a companheira constante do poeta, sempre ocupando a sua mente, sempre contemplada e empregada em sua vida, para sua própria espiritualidade, e como um guia para suas boas obras em benefício alheio. Algumas traduções, porém, dizem que seus inimigos o viviam assediando com seus ataques. Mas o versículo gira em torno dos *mandamentos*, que visavam a segurança, o livramento e, evangelicamente falando, a salvação (ver 2Tm 3.15-17), que alguns intérpretes enxergam no texto. Kimchi fazia dos inimigos do salmista os agentes da sabedoria de nosso homem, porquanto as aflições a que esses inimigos o lançavam levaram-no a meditar sobre a lei de Deus, através de proteção; mas não é isso o que está em vista aqui, embora possa também exprimir uma verdade.

■ **119.99**

מִכָּל־מְלַמְּדַי הִשְׂכַּלְתִּי כִּי עֵדְוֹתֶיךָ שִׂיחָה לִי׃

Compreendo mais do que todos os meus mestres. O poeta sacro não somente estava à frente de seus inimigos no campo da sabedoria, mas ultrapassava os próprios *mestres*. Por que isso era verdade? Porque ele passava mais tempo meditando do que eles; e, considerando o amor da mente dos hebreus pela lei, não era uma pequena realização. Conforme Paulo disse, ele labutara mais abundantemente do que eles todos (ver 1Co 15.10). Os mestres humanos são contrastados com o Mestre divino da lei, com o qual ele não se equiparava, mas sua mente era sempre influenciada pela lei, dando ao salmista uma sabedoria cada vez maior. Em outras palavras, ele crescia cada vez mais no entendimento, bem como no poder de aplicar corretamente a lei em sua vida diária. Dessa maneira, nosso homem se tornava um homem mais e mais espiritual, bem como um agente mais eficaz para servir ao próximo mediante boas obras. Sua espiritualidade era *expansiva*, e não introvertida. Quanto a ideias completas sobre *Sabedoria*, ver o artigo com esse título no *Dicionário*. De modo geral, os rabinos não gostavam do homem que afirmava ter maior sabedoria que os seus mestres, o que, segundo eles pensavam, poderia solapar-lhes a profissão. Por isso este versículo foi distorcido para dizer: "De todos os meus mestres adquiri sabedoria". Isso está em acordo com o pensamento geral, mas, a bem da verdade, não é o que o salmista disse. Fausset (*in loc.*) vê os mestres do salmista negligenciando a lei e imiscuindo-se na política, mas o texto não dá o menor indício disso. O poeta simplesmente afirmou ser mais zeloso e mais intenso em sua devoção à lei.

■ **119.100**

מִזְּקֵנִים אֶתְבּוֹנָן כִּי פִקּוּדֶיךָ נָצָרְתִּי׃

Sou mais entendido que os idosos. Agora o autor sagrado reforça e expande sua ousada declaração do vs. 99 sobre ser mais sábio que seus mestres. De acordo com o que lemos em certas traduções, ele era mais entendido do que os *antigos*, mas em nossa versão portuguesa e outras encontramos que ele era mais entendido que os *idosos*. Seja como for, essa é uma reivindicação bastante ousada. Os idosos eram tidos em altíssimo respeito. Nosso poeta, entretanto, ultrapassava a todos eles em entendimento. Os intérpretes sentem-se desconfortáveis quanto à fanfarronice do poeta: ele era mais sábio que seus mestres, mais sábio que os antigos, e mais sábio que os idosos. Até onde sabia, era o homem de número um quanto ao conhecimento e queria que as pessoas soubessem disso. Estou supondo, entretanto, que o poeta estivesse com a razão, pois criou um salmo de 176 versículos para louvar à lei! O poeta que o compôs era o *fanático* número um, o *estudante* número um, e o *pensador* número um sobre a lei; e sua devoção à lei estava rendendo dividendos. O homem tornou-se o aluno número um. De fato, ele tinha devotado toda a vida e energia à lei. Vamos dar-lhe crédito, portanto!

Cf. este texto com a glorificação de Eliú aos antigos (ver Jó 8.8-10; 12.12 e 32.6,7,9). Novamente, este versículo tem sido distorcido pelos rabinos que não podem suportar sua ousadia e nos oferecem a seguinte distorção: "Obtive compreensão dos antigos". Mas não era isso que o salmista estava reivindicando.

■ **119.101**

מִכָּל־אֹרַח רָע כָּלִאתִי רַגְלָי לְמַעַן אֶשְׁמֹר דְּבָרֶךָ׃

De todo mau caminho desvio os meus pés. Por causa de seu muito estudo, de sua meditação e de sua intensa devoção à lei, o salmista era, naturalmente, um *homem santo*. A lei se mostrara eficaz em sua vida. Ele não se desviara por veredas estranhas. Seu pés não trilharam os caminhos secundários do pecado. Antes, ele seguia o caminho ditado pela lei. Ver no *Dicionário* o verbete intitulado *Andar*, que inclui os usos metafóricos dessa palavra. Esse homem andava na santidade e em obediência prática das boas obras em favor do próximo. Ele não era como uma "torre de marfim", um erudito que sabe muito mas não sai "lá fora" e nem vai ao encontro de homens ordinários a fim de servi-los. Antes, era uma enciclopédia ambulante de conhecimento, o que, nele, se transforma em *sabedoria*. Mas também era servo do próximo, característica que, afinal, faz parte da sabedoria. Nosso homem agia como agia mediante a inspiração do *amor*, e não por dever, e certamente não por temor de ser punido. Ele simplesmente estava acima de todas essas motivações inferiores, acima de todas as veredas desencaminhadas, por ser ele, afinal, o *homem número um*, o exemplo a ser emulado, o líder a ser seguido.

■ **119.102**

מִמִּשְׁפָּטֶיךָ לֹא־סָרְתִּי כִּי־אַתָּה הוֹרֵתָנִי׃

Não me aparto dos teus juízos. Yahweh é novamente chamado aqui de *mestre* do salmista, um tema frequente neste salmo. Ver as notas do vs. 108. Tendo sido ensinado pelo Ser divino, o homem não se afastou das *ordenanças* que lhe haviam sido transmitidas. A exemplo de Paulo, ele não se mostrou desobediente à visão celestial (ver At 26.19). Era ensinado "interiormente pelo Espírito, sem o que todo outro ensino seria ineficaz... e não se desviou do que aprendera (Os 11.3; Is 54.13; Jr 31.34)" (Fausset, *in loc.*). A figura pode envolver uma ovelha que se afasta do rebanho. Ele não se desviara como algumas ovelhas fazem. Ver os vss. 10 e 67, quanto a esse pensamento.

■ **119.103**

מַה־נִּמְלְצוּ לְחִכִּי אִמְרָתֶךָ מִדְּבַשׁ לְפִי׃

Quão doces são as tuas palavras ao meu paladar! Já encontramos a figura do *gosto* no vs. 43. A lei era algo de bom na boca do homem, e ele continuava a prová-la e a aprovar suas qualidades. Esse gosto é caracterizado como doce. O *doce* é para muitos, especialmente crianças, o gosto favorito. O salmista encontrava nutrição espiritual favorita nos carboidratos da lei. Cf. Sl 19.10: "São mais desejáveis do que ouro; mais do que muito ouro depurado; e são mais doces que o mel".

Ver também Jó 12.11 e 34.3, quanto a algo similar. *Homem número um*, o poeta tinha profunda comunhão com seu Criador e Legislador. Essas expressões exibem uma alma cheia de Deus. Mas o crente tem privilégios muito mais vastos, pelo que também deve ter maior comunhão com o Senhor.

■ **119.104**

מִפִּקּוּדֶיךָ אֶתְבּוֹנָן עַל־כֵּן שָׂנֵאתִי כָּל־אֹרַח שָׁקֶר׃

Por meio dos teus preceitos consigo entendimento. Uma vez mais, o salmista repete declarações que já tinham sido feitas antes. Compor 176 louvores à lei requeria repetições, pois nenhuma imaginação é grande o bastante para produzir tantas declarações originais e inéditas. Cf. o vs. 73 e outras referências dadas ali. O ódio ao pecado e aos caminhos falsos também é tema repetido. Ver o vs. 29.

Vós, que amais o Senhor, detestai o mal: ele guarda as almas dos seus santos, livra-os das mãos dos ímpios.

Salmo 97.10

Naturalmente, o salmista falava sobre caminhos ímpios, e não sobre as ideias alheias, nem sobre as próprias ideias. Existem na igreja os odiadores profissionais, que odeiam a todas as coisas *diferentes* deles mesmos, supondo serem eles os padrões da verdade. Isso é um absurdo. Mas certas pessoas absurdas não reconhecem ideias absurdas.

> Temos religião apenas o bastante para odiar, mas não o bastante para amar uns aos outros.
>
> Jonathan Swift

Ver no *Dicionário* o artigo chamado *Ódio*, quanto a um tratamento completo sobre a questão. O ódio usualmente é o substituto do diabo para o amor de Deus, pois, se Deus é amor, o diabo é ódio. E na igreja existem os que se deleitam em imitar os seguidores do diabo, em vez de imitar os seguidores de Deus. Portanto, ponhamos na devida perspectiva as questões de amor e ódio.

NUNE: A Décima Quarta Estrofe (119.105-112)

■ 119.105

נֵר־לְרַגְלִי דְבָרֶךָ וְאוֹר לִנְתִיבָתִי׃

Lâmpada para os meus pés é a tua palavra. Seguindo o plano de compor uma poesia acróstica, o autor sagrado oferece-nos agora o décimo quarto conjunto de oito linhas louvando a lei, para o que ele continuou a usar diversos termos com vista a variar sua expressão. Ver a introdução ao salmo presente na seção chamada *Salmos Acrósticos*, bem como no vs. 1, quanto às *dez* palavras que o poeta sacro usou para indicar a lei. A décima quarta estrofe é chamada de Nune, o nome da letra hebraica repetida no começo de cada uma destas oito linhas. Ou seja, a palavra que encabeça cada uma dessas linhas começa com essa letra hebraica.

Deus é Luz (ver no *Dicionário* o verbete chamado *Luz, Metáfora da*), ou seja, sua lei fornece luz e torna-se uma lâmpada para os pés dos peregrinos (ver o vs. 54). O salmista tinha iniciado a vereda espiritual e possuía luz suficiente para que sua jornada fosse bem-sucedida.

Cf. este versículo a 2Pe 1.19 e Pv 6.23, que expressam sentimentos semelhantes. Existe o Sol da retidão (ver Ml 4.2), que nos traz luz e cura. Todos os caminhos justos e atos humanitários são recomendados pela lei. Devemos odiar e evitar as coisas más. A lei fornece luz para cada atitude, para cada passo, para cada busca, e o poeta era um especialista em todas essas coisas, por causa da *iluminação* (ver a respeito no *Dicionário*) que havia recebido em seu estudo e meditação sobre a luz (vs. 97).

> Existe uma chamada que chega por sobre
> As ondas inquietas: envia a Luz.
>
> Charles H. Gabriel

Este versículo tem sido cristianizado para falar de Cristo e de seu evangelho como a luz. Ver Jo 1.4,5,8,9; 8.12.

■ 119.106

נִשְׁבַּעְתִּי וָאֲקַיֵּמָה לִשְׁמֹר מִשְׁפְּטֵי צִדְקֶךָ׃

Jurei, e confirmei o juramento. O homem fez um *juramento* tão sério que era como se fosse o guarda da lei. Ele entregou sua alma a esse princípio, talvez com um voto formal no templo. Ver no *Dicionário* os verbetes chamados *Juramento* e *Voto*. Ou então seu juramento foi uma afirmação de seu próprio coração, tendo Yahweh por testemunha. Ele estava determinado a seguir cada preceito da lei, a observar todas as suas ordenanças, tanto morais como cerimoniais e rituais, que eram todas *morais* na mentalidade dos hebreus. Israel tinha um pacto firmado com Yahweh, que assumiu forma sob o pacto abraâmico (ver Gn 15.18). O poeta tinha seu pacto pessoal público e/ou particular, que ele afirmou por meio de um juramento. Cf. o vs. 48 e Is 45.25. De fato, ele tinha feito de novo o juramento do Sinai (ver Êx 19.8; 24.3,7). Quanto ao pacto mosaico, ver a introdução a Êx 19. O nosso homem não se contentara em ter participação no antigo juramento acerca da lei. Ele tinha de reafirmar esse juramento em sua própria vida e experiência. Os filhos têm de adquirir a própria fé. Chegará o dia em que não poderão tomar emprestada a fé de seus pais. Alguns pais se deleitam com o que acontece, e outros amargam desapontados quando os filhos não seguem a mesma vereda que eles.

■ 119.107

נַעֲנֵיתִי עַד־מְאֹד יְהוָה חַיֵּנִי כִדְבָרֶךָ׃

Estou aflitíssimo. O poeta volta a explorar suas *aflições* (ver os vss. 50, 67, 71, 75, 92 e 107) e sua necessidade de ser reavivado (vss. 25, 37, 40, 88, 149, 154, 156 e 159). Até este ponto, as aflições eram impostas por inimigos brutais, e o reavivamento era a salvação da vida física das mãos de homens homicidas. Não há razão alguma para supormos que o assunto tinha mudado. Aqui e ali, o autor injetou pensamentos dos salmos de lamentação que clamam pela ajuda e misericórdia de Yahweh para livramento dos adversários.

Dálete (vss. 25-32) forma, essencialmente, um salmo de lamentação. O poeta, que era o homem número um quanto à sabedoria (vss. 99 e 100), e também o observador número um da lei, não fora poupado dos atos prejudiciais de homens ímpios. O próprio Jesus não seguiu um curso pacífico. Ver o vs. 95, que mostra claramente as aflições do salmista. Ver as notas expositivas no vs. 93, quanto a uma interpretação mais generalizada sobre o *reavivamento*. Alguns intérpretes pensam estar em foco a questão das agonias do cativeiro babilônico; mas os inimigos deste salmo são pessoais, e não nacionais. A vida foi prometida sob a condição de obediência à lei (ver Dt 4.1; 5.33; 6.2; Ez 20.1). Dentro do contexto do Antigo Testamento, essa vida geralmente é a vida física, a vida por longos dias — evitar a morte prematura e ter *prosperidade* na terra. O termo "palavra" (sinônimo de lei, neste caso) contínua várias promessas sobre esse tipo de vida para o indivíduo que a obedecesse.

Este versículo tem sido cristianizado para indicar a vida eterna em Cristo, mas não era isso que o salmista tinha em mente aqui.

■ 119.108

נִדְבוֹת פִּי רְצֵה־נָא יְהוָה וּמִשְׁפָּטֶיךָ לַמְּדֵנִי׃

Aceita, Senhor, a espontânea oferenda dos meus lábios. É provável que o salmista tenha feito votos e oferecido sacrifícios no templo (vs. 106). Entre suas oferendas estavam ações de graças e de louvor. Ver no *Dicionário* o artigo intitulado *Sacrifícios e Ofertas*, seção III.D.3, quanto a informações.

Ou então o poeta falava de suas próprias oferendas particulares de louvor e agradecimento, suas devoções no lar, uma espécie de extensão de suas devoções públicas. Cf. Sl 50.14; Os 14.2.

> *Por meio de Jesus, pois, ofereçamos a Deus, sempre, sacrifício de louvor, que é o fruto de lábios que confessam o seu nome.*
>
> Hebreus 13.15

Ver também 1Pe 2.5 e Ap 8.3,4. Yahweh aparece novamente como o Mestre. Ver comentários acerca disso em Sl 119.68. Ver outras notas expositivas sobre os vss. 12, 26, 33, 64, 124 e 135.

■ 119.109

נַפְשִׁי בְכַפִּי תָמִיד וְתוֹרָתְךָ לֹא שָׁכָחְתִּי׃

Estou de contínuo em perigo de vida. Literalmente, "em minha mão". Cf. Js 12.3. Para nós, essa não é uma expressão comum, mas aquilo que é seguro meramente pela mão está em posição precária. Ver também 1Sm 1.5. Xenarcos, em *Athenaeus*, lib. xiii. cap. 4, também diz "vida na mão", pelo que os gregos compartilhavam dessa expressão. Colocamos nossa vida nas mãos de Deus, pelo que ficamos em segurança, mas se nossa vida estiver nas mãos dos homens, corremos perigo constante. Ver Lc 23.46. A Septuaginta e as versões siríaca e etíope fazem a "mão" que aparece neste versículo, no seu original hebraico, ser a *mão divina*, mas isso arruína a metáfora. O homem, dependente de sua própria mão, não tinha poder de salvar sua vida, mas por não esquecer a lei de Yahweh foi-lhe conferida a segurança divina, porquanto a lei prometia vida (vs. 107).

■ 119.110

נָתְנוּ רְשָׁעִים פַּח לִי וּמִפִּקּוּדֶיךָ לֹא תָעִיתִי׃

Armam ciladas contra mim os ímpios. Este versículo é bastante similar ao vs. 95, cujas notas expositivas cobrem os sentimentos deste versículo. O poeta sagrado era caçado como um animal. Seus inimigos tinham armado *covas* para ele (conforme vemos no vs. 85). Agora aparecem as *ciladas*, redes para apanhar animais e pássaros. Mas os adversários do salmista eram *assassinos de homens*. A despeito de uma perseguição potencialmente legal, que provavelmente tinha por alvo nosso salmista, ele era um homem santo que promovia a justiça social e não se desviava de sua amada lei. Não se sentia forçado a *desviar-se* através do medo do que os homens poderiam fazer contra ele. Cf. o vs. 67. A aflição do salmista trouxe-o de volta do desvio, o que provavelmente fala de experiências negativas passadas. Ver o vs. 10, onde lemos que nosso homem orou para que não lhe fosse permitido desviar-se. A figura mais provável é a da ovelha desviada que se afasta do rebanho e precisa ser trazida de volta pelo pastor. "Ele continuava firme no caminho de seu dever; ele não desistiu por esse motivo, nem se desviou iniquamente de seu Deus e da adoração a ele, na tentativa de escapar dos laços armados contra ele por parte de homens maus" (John Gill, *in loc.*).

■ 119.111

נָחַלְתִּי עֵדְוֹתֶיךָ לְעוֹלָם כִּי־שְׂשׂוֹן לִבִּי הֵמָּה:

Os teus testemunhos recebi-os por legado perpétuo. A lei, chamada aqui de *testemunhos*, era a herança do salmista. Novamente, essa é a repetição de uma anterior declaração. Ver o vs. 57, onde Deus é chamado de *porção*, clara referência à questão da herança. As notas expositivas ali expandem a figura e dão referências adicionais. Quanto à lei como base do *regozijo* do poeta sagrado (que também é uma ideia repetida) ver os vss. 77, 93 e 174.

"Se um homem nada puder deixar a seu filho senão uma Bíblia, *nisso* ele lhe terá doado o maior tesouro do universo" (Adam Clarke, *in loc.*). As coisas são como disse certo profeta moderno: "A pior coisa que um homem poderá fazer é conhecer os ensinos, mas não os transmitir a seu filho". O nosso poeta tinha a lei como herança, e Yahweh como porção (vs. 57). Ele se mostrava ocupado transmitindo esse tesouro a outros e também se atarefava cumprindo suas demandas, pessoais e sociais, sob a forma de boas obras. A lei estava escrita sobre o coração do homem. Ele não podia esquecer-se dela.

Este versículo tem sido cristianizado para apontar para a nossa herança em Cristo (ver Rm 8.17); não era o que o salmista tinha em mente, mas é uma boa aplicação do texto.

Por legado perpétuo. O salmista jamais *esqueceria a lei*. Cf. declarações similares nos vss. 16, 83, 93, 141, 153 e 176 deste salmo.

■ 119.112

נָטִיתִי לִבִּי לַעֲשׂוֹת חֻקֶּיךָ לְעוֹלָם עֵקֶב:

Induzo o coração a guardar os teus decretos. Por certo número de vezes, o salmista havia demonstrado que a fé provinha do seu *coração*, isto é, era algo vital, e não meramente ritualista. Ver os vss. 2, 7, 10, 32, 34, 36, 58, 69, 70, 80, 111, 112, 145 e 161. Portanto, temos aqui outro tema reiterado por todo o salmo. O versículo presente mostra que é o Ser divino que inclina um homem a tal fé e prática, e a lei é o elemento governante dessa inclinação. "Usei o poder que Deus me deu e voltei-me para os seus testemunhos de todo o meu coração" (Adam Clarke, *in loc.*). O coração do salmista era naturalmente adverso aos caminhos dos ímpios e naturalmente receptivo às realidades divinas.

Até ao fim. O sentido destas palavras é enquanto ele vivesse, e então chegaria o fim com a morte do seu corpo físico. O poeta não estava considerando o tempo depois da morte biológica. A versão árabe fala em *recompensa eterna*, e o versículo tem sido cristianizado para destacar exatamente esse pensamento. A Septuaginta fala sobre recompensa, presumivelmente o galardão por uma vida bem vivida, mas essas são glosas, e não o que o texto sacro está realmente ensinando. Se for indagado por que os hebreus demonstravam alegria nas coisas espirituais, se não olhavam para além do sepulcro se não a continuação da vida espiritual, respondo que, no íntimo, eles criam numa existência pós-túmulo. A teologia deles não tinha mantido o passo juntamente com o seu coração. Foi nos Salmos e nos Profetas que a doutrina da alma e da vida pós-túmulo *começou* a vir à superfície. Dn 12.2 nos dá uma declaração bastante direta sobre isso, e a doutrina desenvolveu-se durante o período entre o Antigo e o Novo Testamento, nos livros pseudepígrafos e apócrifos. O Novo Testamento deu ainda maior impulso ao ensino. Atualmente a ciência dos homens começa a dizer que a morte biológica não coloca ponto final à vida. Ver na *Enciclopédia de Bíblia, Teologia e Filosofia* o verbete intitulado *Experiências Perto da Morte*. Apresento também ali uma série de artigos que giram em torno da *Imortalidade*, incluindo dados das investigações científicas.

SÂMEQUE: A Décima Quinta Estrofe (119.113-120)

■ 119.113

סֵעֲפִים שָׂנֵאתִי וְתוֹרָתְךָ אָהָבְתִּי:

Aborreço a duplicidade. Continuando seu plano de compor um poema acróstico, o autor oferece-nos agora o décimo quinto conjunto de oito linhas louvando a lei, para o que ele continuou a usar diversos termos, a fim de variar a sua expressão. Ver a introdução a este salmo na seção chamada *Salmos Acrósticos*, e ver também o vs. 1, quanto às *dez* palavras que o autor sagrado usou para indicar a lei mosaica. Esta décima quinta estrofe é chamada *Sâmeque*, sendo essa a letra hebraica que o autor sacro usou para iniciar cada uma destas oito linhas. Em outras palavras, essa é a letra hebraica que encabeça cada uma das oito linhas.

Esta estrofe assemelha-se a um salmo de lamentação, como também foi o caso da estrofe chamada *Dálete* (vss. 25-32). Embora este salmo, em sua inteireza, seja corretamente chamado de hino de louvor à Lei, há outras classes dos salmos em versículos espalhados ou em blocos. Se *Dálete* e *Sâmeque* podem ser consideradas salmos de lamentação, *Meme* (vss. 97-104) pode ser intitulada salmo de sabedoria. Há implicações messiânicas aqui e ali e também existem versículos didáticos espalhados por todo o salmo.

Duplicidade. Esta é uma tradução difícil do hebraico, que poderia significar "homens de mente dúplice". Alguns intérpretes dizem aqui "vãos pensamentos", uma tradução menos provável. No vs. 115 temos a palavra "malfeitores", mas está em vista o mesmo grupo de pessoas. O salmista apresenta os seus inimigos que com tanta frequência neste salmo queriam vê-lo morto. Ver o vs. 95. Eles estavam dispostos a *destruí-lo*. Nosso homem precisava de *segurança* física (vs. 117). Quanto a insolentes perseguidores, ver os vss. 51, 69, 78, 85. Quanto a aflições passadas nas mãos dos ímpios, ver os vss. 50, 57, 71, 75, 92 e 107. Quanto a *odiar* as coisas más, cf. o vs. 104. Cf. 1Rs 18.21. Em contraste com o ódio manifestado pelos seus inimigos, o poeta sagrado *amava a lei*. Quanto a amar a lei e nela deleitar-se, ver o vs. 47.

■ 119.114

סִתְרִי וּמָגִנִּי אָתָּה לִדְבָרְךָ יִחָלְתִּי:

Tu és o meu refúgio e o meu escudo. Um tema comum nos salmos é que Deus é o refúgio e o escudo do homem bom. Ver sobre a primeira metáfora em Sl 46.1; e, quanto à segunda, ver Sl 3.3; 7.9; 9.10; 84.8; 89.18 e 144,2. Ambos os temas são encontrados juntos somente aqui no Salmo 119. O *escudo* reaparece apenas uma vez (em Sl 144.2). Por causa dos favores de Yahweh expressos nesses dois termos, o poeta continuava a esperar na palavra (lei). Quanto ao tema da *esperança* na lei, ver os vss. 43, 49, 74, 81, 114, 116, 147 e 166. Essa esperança incluía a segurança em relação aos perseguidores, os quais queriam remover o homem da face da terra (ver o vs. 117).

■ 119.115

סוּרוּ־מִמֶּנִּי מְרֵעִים וְאֶצְּרָה מִצְוֹת אֱלֹהָי:

Apartai-vos de mim, malfeitores. Novamente, o poeta sagrado falou sobre os *inimigos* que o assediavam e ordenou-lhes que se *afastassem*. Ele estava determinado a *guardar* os mandamentos, e é provável que tenha sido essa determinação que o colocou em tribulação, antes de qualquer outra coisa. Ele defendia os pobres, a quem os homens malignos exploravam; ele defendia a justiça social e se manifestava contra os políticos que ganhavam à base da desonestidade. Ele fez muitos inimigos entre as classes ricas e poderosas, que usavam suas forças e riquezas para saquear os miseráveis. Quanto à ordem "Apartai-vos de mim", ver Sl 6.8. Quanto à *guarda dos mandamentos*, ver Sl 119.44, onde há notas expositivas e referências sobre o mesmo tema.

A resistência aos tiranos é obediência a Deus.

Thomas Jefferson

Graças a Deus, cumpri o meu dever.

Horatio Nelson

119.116

סָמְכֵ֣נִי כְאִמְרָתְךָ֣ וְאֶֽחְיֶ֑ה וְאַל־תְּ֝בִישֵׁ֗נִי מִשִּׂבְרִֽי׃

Ampara-me, segundo a tua promessa. Este versículo amplia o anterior. Nosso homem *precisava de ajuda* contra os adversários. Precisava do *cumprimento das promessas* da lei, que proferem o bem sobre o homem bom, e o mal sobre o homem mau. Ele carecia ver suas *esperanças* na lei *cumpridas* pelo poder divino; precisava *não sofrer vergonha alguma* porquanto tinha esperado na lei de Deus. Todos esses temas dos salmos reaparecem aqui e ali, usualmente em conexão com as aflições que o salmista estava sofrendo.

Ampara-me. Literalmente, "escora-me", porquanto o salmista estava prestes a cair e precisava do amparo divino, uma metáfora para a ideia de *ajuda*. Ele precisava apoiar-se nos braços eternos de Deus.

Para que eu viva. Ou seja, para que eu não seja assassinado pelos meus inimigos (ver o vs. 95). Este versículo é cristianizado para indicar a ajuda divina para levar um homem à salvação e à vida eterna.

> *O Deus eterno é a tua habitação, e por baixo de ti estende os braços eternos.*
>
> Deuteronômio 33.27

119.117

סְעָדֵ֥נִי וְאִוָּשֵׁ֑עָה וְאֶשְׁעָ֖ה בְחֻקֶּ֣יךָ תָמִֽיד׃

Sustenta-me, e serei salvo. O salmista repete aqui a primeira petição do vs. 116. Ele precisava ser *sustentado*, amparado para não cair, livrado do desastre, guardado para não ser assassinado pelos inimigos que em torno dele fechavam o cerco. Se Yahweh o ouvisse, ele estaria *seguro*, ou seja, escaparia dos planos homicidas e sobreviveria fisicamente; não sofreria a morte prematura e continuaria estudando, meditando na lei e pondo-a em prática, que para ele era toda a sua vida.

Este versículo tem sido cristianizado para falar da segurança do crente em Cristo, de sua salvação e da derrota dos inimigos da alma.

> Devo ser levado até os céus
> Em leitos floridos de lazer
> Enquanto outros lutam para ganhar o prêmio
> E singram por mares sangrentos.
>
> Isaac Watts

119.118

סָ֭לִיתָ כָּל־שֹׁוגִ֣ים מֵחֻקֶּ֑יךָ כִּי־שֶׁ֝֗קֶר תַּרְמִיתָֽם׃

Desprezas os que se desviam dos teus decretos. Os pecadores confiam em sua alegada sabedoria, mas toda a sua esperteza é inútil. Eles se desviaram e serão julgados em consonância com a lei. Ver no *Dicionário* o artigo intitulado *Lei Moral da Colheita segundo a Semeadura*. A sabedoria diabólica não impede o golpe de Deus contra a impiedade. O autor sagrado esperava que seus inimigos parassem de atacá-lo quando Yahweh resolvesse cumprir as ameaças que faziam parte de sua lei. Isso poria fim à sua perseguição. "O engodo esperto mediante o qual eles pensavam em esmagar o homem piedoso mostraria voltar-se contra ele... Ver Is 29.16" (Fausset, *in loc.*). "Suas astúcias eram tão infrutíferas quanto eles estavam equivocados" (Ellicott, *in loc.*). Eles erravam, e o faziam de todo o coração, tal como o poeta buscava a lei de todo o coração. No final, os sutis esquemas dos ímpios operaram a própria destruição deles.

119.119

סִגִ֗ים הִשְׁבַּ֥תָּ כָל־רִשְׁעֵי־אָ֑רֶץ לָ֝כֵ֗ן אָהַ֥בְתִּי עֵדֹתֶֽיךָ׃

Rejeitas, como escória, todos os ímpios da terra. Este versículo expande o anterior. Mediante um ato divino, os ímpios são transformados em escória, ou seja, são repelidos como lixo, porquanto se reduziram a lixo por sua má conduta. A figura simbólica aqui é o *processo de refinamento*. Os indivíduos bons saem desse processo como ouro puro, mas os ímpios são a escória deixada quando tudo de bom é removido. Cf. Jr 6.28-30 e Ez 22.18-20. Todo homem está sendo testado para ver de que qualidade de metal é feito. O processo divino de refinamento é completo e revelador.

> Todos os tesouros, dignidades e poderes,
> São todos estimados como escória, exceto o Todo-poderoso.
>
> Milton

Quando são testados pelo fogo, aos iníquos não resta nenhum metal precioso. O fogo serve somente para consumi-los, em vez de refiná-los. Provavelmente há aqui uma alusão à *escória* que se forma à superfície do metal dissolvido, durante o processo de refino. A escória não tem valor algum e é retirada, e isso livra o metal bom do material inútil. Alguns intérpretes veem aqui um julgamento final, mas isso é anacrônico. A teologia dos hebreus ainda não tinha atingido os sentimentos de tempos posteriores, como os refletidos em Dn 12.2.

Uma das razões pelas quais o poeta *amava a lei* era que as suas ameaças finalmente se descarregam contra os homens ímpios, libertando assim os bons que são por eles perseguidos. Quanto ao deleite do salmista na lei e seu amor por ela, ver o vs. 47.

119.120

סָמַ֣ר מִפַּחְדְּךָ֣ בְשָׂרִ֑י וּֽמִמִּשְׁפָּטֶ֥יךָ יָרֵֽאתִי׃

Arrepia-se-me a carne com temor de ti. Ao contemplar o que sucede aos ímpios, por meio da ira de Deus (vs. 119), o poeta caiu *trêmulo* diante do espantoso Yahweh. Portanto, o *temor de Deus* inclui um temor literal, e não meramente uma confiança reverente. Ver um sumário sobre *Temor do Senhor* nas notas expositivas do vs. 38, e também no artigo chamado *Temor*, no *Dicionário*. O salmista temia os julgamentos de Deus, isto é, as ocasiões em que o Senhor devolve aos pecadores o que eles merecem. Diz aqui o original hebraico, literalmente, "os pelos de minha carne se eriçam", algo que realmente acontece quando da contração da superfície da pele decorrente de um acesso de medo profundo. Cf. Jó 4.15. Cf. 1Cr 13.12, Ez 27.35 e, especialmente, Hc 3.2,16.

Cf. o vs. 161 do salmo presente quanto a um pensamento similar. Ver também o vs. 53.

AINE: A Décima Sexta Estrofe (119.121-128)

119.121

עָ֭שִׂיתִי מִשְׁפָּ֣ט וָצֶ֑דֶק בַּל־תַּ֝נִּיחֵ֗נִי לְעֹֽשְׁקָֽי׃

Tenho praticado juízo e justiça. Seguindo o plano de compor um poema acróstico, o salmista oferece-nos agora o *décimo sexto* conjunto de *oito* linhas exalçando a lei, para o que ele continuou a empregar diversos termos a fim de variar a sua expressão. Ver a introdução ao salmo presente na seção chamada *Salmos Acrósticos*, e também o vs. 1, quanto às *dez* palavras usadas para indicar a lei. Esta décima sexta estrofe é chamada *Aine*, sendo essa a letra hebraica repetida no começo de cada uma das oito linhas. Em outras palavras, essa letra hebraica encabeça cada uma das oito linhas.

Esta estrofe é outro pequeno *salmo de lamentação*, como são as estrofes de nomes *Dálete* (vss. 25-32) e *Sâmeque* (vss. 113-120). Se este salmo, como um todo, é corretamente chamado de *hino de louvor à lei*, ele também contém porções que representam outras classes de salmos, como as três estrofes de lamentação mencionadas até este ponto. Além disso, a seção *Meme* (vss. 97-104) é um *salmo de sabedoria*. Outras porções deste salmo são didáticas, e há algumas alusões messiânicas.

Tenho praticado juízo. Tendo-se devotado à lei, buscando conhecê-la e obedecer-lhe, o poeta sagrado sentia merecer a proteção de Yahweh contra inimigos que procuravam destruí-lo (vs. 95). A justiça divina não permitiria que o homem fosse deixado ao sabor dos planos violentos de seus opressores, pecadores arrogantes, orgulhosos e homicidas. Cf. os vss. 51, 69, 78, 85 e 122, quanto à natureza maligna daqueles homens. Ver no vs. 119 como eles foram finalmente reduzidos a escória. Se os julgamentos de Deus fazem tremer até os homens bons (vs. 120), o que finalmente acontecerá aos ímpios?

119.122

עֲרֹב עַבְדְּךָ לְטוֹב אַל־יַעַשְׁקֻנִי זֵדִים׃

Sê fiador do teu servo para o bem. Em Israel, quando os ímpios se apossavam das rédeas do mando, a vida se tornava *precária*. Homens como o salmista, que se opunham aos ímpios, eram objetos do ódio por parte dos ímpios, bem como de sua perseguição assassina. Coisa alguma deteria aqueles *arrogantes*, exceto a intervenção divina. Por isso mesmo, o salmista conclamou Yahweh a tornar-se seu *fiador*, ou seja, sua "garantia". "Da mesma forma que Judá se tornou a segurança para Benjamim (ver Gn 43.9), assim também o salmista pediu a Deus que respondesse pelo servo que tinha sido fiel ao pacto, interpondo-se entre ele e os ataques dos orgulhosos. Assim também Ezequias (ver Is 38.14) pediu que Deus o defendesse da ameaça de morte. Sem dúvida há outro pensamento, o de que a proteção divina *vindicaria* a profissão que o servo leal fazia de obediência ao Senhor, tal como se vê em Jó 17.3, onde Deus figura como a *única* garantia possível. Este versículo e o de número 132 são os únicos, em todo o Salmo 119, que não mencionam diretamente a lei" (Ellicott, *in loc.*).

"... *garantia*, tradução de um vocábulo hebraico que significa literalmente *intercâmbio*, em que o garantidor tomava o lugar de seu amigo (ver Jó 17.3; Is 38.14). Ver Jr 30.21. O salmista considerava seus inimigos como se fossem oponentes à lei. Por ocasião do teste do homem, o Senhor tomaria a responsabilidade de seu amigo. Somente o Messias é capaz disso. Ver Zc 3.1-5; Hb 7.22; 9.11-15" (Fausset, *in loc.*).

119.123

עֵינַי כָּלוּ לִישׁוּעָתֶךָ וּלְאִמְרַת צִדְקֶךָ׃

Desfalecem-me os olhos à espera da tua salvação. Este versículo é uma leve modificação do vs. 82, cujas notas expositivas dadas aplicam-se também aqui. Em vez do *consolo* esperado, aqui o poeta esperava que a *retidão* da lei fosse cumprida, ou seja, salvando-o e julgando seus inimigos homicidas.

Este versículo tem sido cristianizado para significar a esperança em Cristo e sua retidão, lançada na conta dos homens. Contudo, este versículo não é messiânico.

119.124

עֲשֵׂה עִם־עַבְדְּךָ כְחַסְדֶּךָ וְחֻקֶּיךָ לַמְּדֵנִי׃

Trata o teu servo segundo a tua misericórdia. O salmista invocou Yahweh para tornar o seu *amor constante* eficaz em favor dele, livrando-o dos inimigos que o ameaçavam de morte. Sobrevivendo, ele continuaria a ser ensinado por Yahweh, o *Mestre divino*. Quanto a esse pensamento, ver as notas expositivas no vs. 68. O poeta estava interessado em todos os benefícios que poderia derivar da lei, mas, uma vez que a lei tinha origem divina, seria mais bem ensinada pelo Ser divino. Em contraste com seus perseguidores, o salmista fizera da lei o seu caminho de vida. Ele fazia o bem aos seus semelhantes, em vez de persegui-los. Ele fora transformado em um homem melhor, espiritualmente falando, por meio da lei; portanto, estava fazendo o bem para si mesmo, o que também contrastava com os pecadores desviados da lei. A lei era como uma lâmpada que iluminava os seus pés, enquanto ele avançava em sua peregrinação (vs. 105). Ser ensinado pelo Ser divino é um dos principais temas deste salmo, conforme já mostrei nas notas do vs. 68. Ver no *Dicionário* o verbete chamado *Ensino*. Sendo ensinado pelo Ser divino, ele tinha ultrapassado seus próprios mestres (vs. 99), tornando-se mais entendido que os anciãos, os idosos e os que tinham vivido antes dele (vs. 100).

119.125

עַבְדְּךָ־אָנִי הֲבִינֵנִי וְאֵדְעָה עֵדֹתֶיךָ׃

Sou teu servo; dá-me entendimento. O salmista, apesar de ser muito mais preparado que seus contemporâneos, mais sábio que seus mestres ou que os homens idosos, era apenas um servo de Yahweh, o Legislador e Mestre supremo. Por conseguinte, o autor sagrado humilhou-se perante o Senhor, embora não tivesse muita razão para humilhar-se diante dos homens. E então, nessa posição de humildade, solicitou do Senhor ainda maior entendimento. Tendo ultrapassado a todos os outros, agora queria ultrapassar a si mesmo.

Estou pressionando no caminho ascendente,
Novas alturas estou adquirindo todos os dias.
Continuo a orar, pois estou a caminho.
"Senhor, implanta meus pés em terreno mais alto".
Johnson Oatman, Jr.

Temos aqui uma verdade. O nosso exemplo supremo leva todos os homens a ultrapassar a si mesmos, sem importar quais sejam suas realizações.

Olhando firmemente para o Autor e Consumador da fé, Jesus.
Hebreus 12.2

A compreensão, em termos espirituais, é uma dádiva de Deus. Ver Lc 24.45 e 1Jo 5.20. O servo ganharia compreensão como recompensa por seu serviço fiel.

119.126

עֵת לַעֲשׂוֹת לַיהוָה הֵפֵרוּ תּוֹרָתֶךָ׃

Já é tempo, Senhor, para intervires. Yahweh teria de agir prontamente, ou o pobre homem desapareceria para sempre da cena terrestre. Seus perseguidores eram contínuos e habituais transgressores da lei. Eles não hesitariam em matá-lo, e possuíam esquemas preparados exatamente com esse propósito. O nosso homem estava indefeso; e essa era a razão pela qual Yahweh tinha de erguer-se em sua defesa, por algum ato de graça que lhes anulasse as maquinações malignas.

Este versículo tem sido cristianizado imaginando-se que a solicitação do salmista era de que Deus enviasse o Messias para endireitar os caminhos tortuosos da terra, a fim de que ele operasse a retidão e anulasse o pecado e os pecadores. Nesse caso, a lei transforma-se nas Escrituras. Na verdade, porém, este versículo não tem alcance tão lato.

Aqui temos uma lição sobre a *Providência de Deus* (ver a respeito no *Dicionário*); e isso é bom para todos os tempos e para todas as eras, operando através de inúmeros agentes.

119.127

עַל־כֵּן אָהַבְתִּי מִצְוֹתֶיךָ מִזָּהָב וּמִפָּז׃

Amo os teus mandamentos mais do que o ouro. Nenhuma pessoa que se sentasse para escrever 176 louvores à lei poderia evitar repetir-se. Por conseguinte, temos aqui duas repetições. A primeira é o *amor* do poeta pela lei, um dos grandes temas deste salmo, conforme anoto no vs. 47, onde também há referências sobre esse conceito. Além disso, já vimos como o salmista valorizava a lei muito mais do que as riquezas terrenas, mencionadas sob os termos *ouro* e *prata*. Ver o vs. 72. Aqui o autor sagrado deixa de lado a prata e se refere somente ao *ouro*, ao ouro altamente refinado e puro e, portanto, de maior valor que o ouro ordinário. Esse ouro não continha nenhuma escória.

(As leis divinas) são mais desejáveis do que ouro, mais do que muito ouro depurado.
Salmo 19.10

A lei pura faz promessas aos indivíduos bons e ameaça de castigo os maus, e essa era uma das principais coisas que o poeta buscava, naquele momento crítico em que era assediado por seus inimigos. Ele precisava ver uma demonstração do valor da lei. Esse valor elevava os servos de Yahweh, tornando-os algo especial, pelo que também o Senhor os protegia e eles prosperavam.

119.128

עַל־כֵּן כָּל־פִּקּוּדֵי כֹל יִשָּׁרְתִּי כָּל־אֹרַח שֶׁקֶר שָׂנֵאתִי׃

Por isso tenho por em tudo retos os teus preceitos todos. Novamente, o autor sagrado reitera sentimentos que havia expressado antes. A pura lei, de maior valor do que quaisquer tesouros terrestres (vss. 72 e 127), era o Guia do poeta, dirigindo todos os seus passos. Cf. o vs. 105, onde a lei é declarada como *lâmpada para os pés* do salmista. O original hebraico é aqui um tanto incerto, mas "dirijo os meus passos por todos os teus preceitos" (*Revised Standard Version* e a tradução portuguesa da Imprensa Bíblica Brasileira) provavelmente é o verdadeiro sentido pretendido. O hebraico diz aqui, literalmente, "portanto, todos os preceitos de tudo quanto faço de correto", mas isso faz pouco sentido e provavelmente reflete um texto defeituoso. A Septuaginta e a Vulgata tentam adivinhar: "Portanto, por todos os teus mandamentos eu estava sendo dirigido". Ver a lei como *guia*, em Dt 6.4 ss.

E aborreço todo caminho de falsidade. Temos aqui a repetição exaltada da segunda parte do vs. 104. Ver as notas expositivas ali. Cf. Sl 101. Nosso homem não pisava em nenhum caminho falso, para fazer de alguma vereda perversa o seu costume. Pelo contrário, andava no caminho iluminado pela lei (vs. 105).

PÊ: A Décima Sétima Estrofe (119.129-136)

■ **119.129**

פְּלָאוֹת עֵדְוֹתֶיךָ עַל־כֵּן נְצָרָתַם נַפְשִׁי׃

Admiráveis são os teus testemunhos. Seguindo o plano de compor um poema acróstico, o autor oferece-nos agora o *décimo sétimo conjunto* de *oito linhas* louvando a lei, para o que ele continuou a usar diversos termos para variar a sua expressão. Ver a introdução a este salmo na seção chamada *Salmos Acrósticos*, e ver também o vs. 1 para tomar conhecimento das *dez palavras* usadas para indicar a lei. A décima sétima estrofe é chamada *Pê*, sendo essa a letra hebraica repetida no começo das oito linhas. Em outras palavras, o termo que encabeça cada uma das oito linhas começa com essa letra hebraica.

A estrofe *Pê* é um hino de louvor à lei e de agradecimento em vista de o salmista ter sido livrado dos inimigos. Assim sendo, em miniatura, parece-se com o próprio Salmo 119 em geral, com um pouco de salmo de lamentação misturado. Como um todo, o Salmo 119 é um hino de louvor à lei.

Yahweh, o maravilhoso Deus e operador de coisas maravilhosas, tinha revelado sua natureza e sua vontade na esplêndida lei. O poeta dizia algo de significativo do Poder Eterno (Yahweh-Elohim), conforme ele se revelou em sua lei, a qual opera coisas maravilhosas em nosso favor, ou seja, em favor dos que obedecem, conforme deixa entendido a segunda parte do versículo.

Guardar a lei é um dos principais temas do hino de louvor à lei, o Salmo 119. Ver sobre isso no vs. 44. A alma do salmista, todo o seu ser, dedicava-se à observância da lei. Sua vida consistia em observar a lei. Não era uma mera faceta de sua vida.

"Existe uma altura, um comprimento, uma profundidade e uma largura, na Palavra e nos testemunhos, que são verdadeiramente estontantes. Por essa causa, minha alma ama a lei e eu a estudo profundamente" (Adam Clarke, *in loc.*).

■ **119.130**

פֵּתַח דְּבָרֶיךָ יָאִיר מֵבִין פְּתָיִים׃

A revelação das tuas palavras esclarece. Já vimos a lei como *Luz*. Ver as notas expositivas no v. 105. O peregrino no caminho de Deus não fica sem testemunho; ele não é deixado sem o mapa apropriado para atravessar esta vida terrena. Seus pés são postos no caminho reto, e esse caminho é bem marcado. Até o homem mais ingênuo (símplice) pode obter entendimento do estudo e da prática da lei. Naturalmente, nenhum homem poderia comparar-se ao autor deste salmo. Ele estava mais adiantado no conhecimento que os próprios mestres e anciãos (vss. 99 e 100). Mas suas altas realizações não impediriam um homem inferior de atingir algo menor, embora igualmente bom. Quanto à lei como fonte de *entendimento*, ver o vs. 73.

Ver *Luz, Metáfora da* e *Sabedoria*, no *Dicionário*, quanto a detalhes que servem para ilustrar este versículo.

A revelação. Quando a lei é *desdobrada* pelo grande Mestre, e por algum mestre humano delegado pelo grande Mestre, então até um homem símplice pode obter entendimento. Ver *Ensino*, no vs. 68 deste salmo. A Vulgata diz aqui *declaração*. A lei é declarada através do ministério de ensino e pelo Espírito. A Septuaginta diz aqui *manifestação*.

■ **119.131**

פִּי־פָעַרְתִּי וָאֶשְׁאָפָה כִּי לְמִצְוֹתֶיךָ יָאָבְתִּי׃

Abro a boca, e aspiro. Quanto a *aspiro*, cf. Sl 38.10 e 42.1. Quanto ao *anelo* do coração do salmista por conhecer bem a lei, cf. o vs. 20 do salmo presente. O homem tinha sentimentos profundos a respeito da lei, sempre buscando mais e mais entendimento; sempre valorizando-a mais e mais; sempre obedecendo-lhe mais e mais. Essas palavras exibem uma espiritualidade que parte do coração, em contraste com um conhecimento racional. Nada havia de superficial no salmista.

Anelo. Há um sinônimo desta palavra no vs. 20, "desejar, incessantemente", que indica também ali o desejo ardente de conhecer e praticar a lei. Nosso homem "aspirava de boca aberta", conforme fazem os animais que têm profunda fome, ou como os que estão esfriando ou ventilando o corpo por causa de grande fadiga. Cf. Jó 29.23. Nosso homem era como alguém que desejava ardentemente a água quando está com sede, ou o ar quando está fatigado, as únicas coisas que podem satisfazer as necessidades básicas. Para o poeta, a lei era a necessidade básica. Foi aproveitada a metáfora de um animal sendo caçado. Ele corre, de boca aberta, para aspirar ar fresco; seu coração bate rápido e ele fica muito sedento. Ele deseja ardentemente a água doadora de vida e nada mais deseja naquele momento.

■ **119.132**

פְּנֵה־אֵלַי וְחָנֵּנִי כְּמִשְׁפָּט לְאֹהֲבֵי שְׁמֶךָ׃

Volta-te para mim, e tem piedade de mim. Os brutais inimigos do salmista voltaram ao quadro, como tantas vezes aconteceu neste salmo. Mesmo no meio de seus hinos de louvor à lei, o salmista não podia esquecer aqueles homens bestiais que estavam dispostos a tirar-lhe a vida. Ver o vs. 95. Portanto, meditando sobre a grandiosidade da lei, sua maravilha e plenitude de promessas divinas, o poeta parou para invocar a Yahweh, pedindo livramento dos assédios de homens iníquos. Ele carecia de atos divinos graciosos para ser salvo. Precisava de uma *aplicação pessoal* do famoso amor de Deus, de misericórdias divinas acerca das quais homens piedosos compõem canções. Ver o vs. 134. A opressão estava amargurando sua vida. Ele estava buscando um *caminho de escape*, acreditando que somente a intervenção divina poderia conseguir tal resultado O salmista também queria ser amigo de Deus e, como tal, receberia seu amor e cuidado. A reputação de Yahweh encorajava-o a levantar essa oração, pois sobre Deus é dito que ele ama e ajuda os homens justos. O poeta sagrado encontrava textos de prova na lei a esse respeito. O *pacto abraâmico* garantia ao salmista uma resposta amorosa da parte de Yahweh. Quanto a esse pacto, ver Gn 15.18.

Este versículo tem sido interpretado de maneira *geral*, sem tocar nos perseguidores do poeta sagrado. Todos os homens necessitam do amor divino. Ver no *Dicionário* o verbete chamado *Amor*, quanto a amplos detalhes. Além disso, este versículo tem sido *cristianizado* para fazer desse amor o amor de Cristo em sua missão e em seu evangelho. Isso nos leva diretamente a Jo 3.16. Quanto ao Senhor voltando-se para os homens, cf. Sl 25.16 e 86.16.

O salmista buscava o rosto sorridente de Yahweh. O mero olhar do Senhor poderia curá-lo e livrá-lo. Cf. o vs. 90, onde se fala da *fidelidade* de Deus. Ver o vs. 76, quanto a um versículo quase paralelo. Somente este e o vs. 122, dentre todos os 176 deste salmo, não fazem menção à lei.

■ **119.133**

פְּעָמַי הָכֵן בְּאִמְרָתֶךָ וְאַל־תַּשְׁלֶט־בִּי כָל־אָוֶן׃

Firma os meus passos na tua palavra. O salmista estava convencido de que seguia a vereda certa, obedecendo à lei, de forma que todos os seus *passos* eram ordenados pelo Senhor. Assim ele teria uma proteção natural contra os seus inimigos, de tal forma que nenhuma iniquidade exerceria domínio sobre ele. Essa é uma ideia geral. Ele se preocupava que todo o mal, interior e exterior, fosse derrotado, pelo menos até onde ele estava envolvido. Ver Rm 6.14. Mas os versículos anteriores e posteriores mostram que ele continuava especificamente temeroso daqueles que queriam destruir-lhe a vida, e foi contra esse mal que ele orou especificamente.

Avançando com Passos Firmes. Se nosso homem desobedecesse à lei, estaria andando com passos claudicantes, como um aleijado. A lei tornava os passos de nosso homem firmes e seguros. Cf. o vs. 105, a vereda pela qual os peregrinos caminham. Cf. Jr 10.23 e Pv 3.6.

O Senhor firma os passos do homem bom, e no seu caminho se compraz.

Salmo 37.23

119.134

צָרַי מֵעֹשֶׁק אָדָם וְאֶשְׁמְרָה פִּקּוּדֶיךָ:

Livra-me da opressão do homem. Mediante expressões diversas, esta solicitação é feita repetidamente neste salmo. Cf. os vss. 115-117 e 122. Se nosso homem sofresse morte prematura, não poderia continuar escutando a lei, crescendo espiritualmente, ensinando a lei ao próximo e praticando boas obras. Um homem morto não pode observar a lei mosaica neste mundo.

A *observância da lei* é um dos temas principais do salmo. Ver notas no vs. 44.

Este versículo tem sido cristianizado para indicar o livramento do pecado de Adão, o perdão do pecado pelo sangue de Cristo; e os preceitos tornam-se os ensinos de Jesus quanto ao evangelho, e não os ensinamentos da lei.

> Embora oprimido pelo pecado,
> Vai a ele em busca de descanso.
> Ele é poderoso para livrar-te.
>
> William A. Ogden

119.135

פָּנֶיךָ הָאֵר בְּעַבְדֶּךָ וְלַמְּדֵנִי אֶת־חֻקֶּיךָ:

Faze resplandecer o teu rosto sobre o teu servo. Ao que parece, essa era uma declaração favorita da fé dos hebreus, aparecendo aqui e ali nas Escrituras, de uma forma ou de outra. Provavelmente Nm 6.25 é a origem das outras formas dessa declaração. No livro de Números, ela faz parte da *bênção sacerdotal* proferida por Arão. Ver Sl 80.3,7,19, quanto a três repetições dessa afirmação. Sl 4.6 diz aqui a *luz* do rosto de Yahweh, uma variação dessa afirmativa. Ver no *Dicionário* o verbete intitulado *Luz, Metáfora da*.

> O qual é uma luz para guiar, para corrigir, para entravar os errados e para reprovar.
>
> William Wordsworth

Alguns Significados Possíveis do Rosto Brilhante de Deus:
1. *Proteção*. Compreendida com base no contexto. As trevas são más, e esse mal procurava arrebatar a vida do salmista.
2. *Iluminação*. Yahweh, por meio da lei, tornaria o homem sábio ainda mais sábio. Ver os vss. 98-100. Yahweh seria o seu *professor* especial. Nem tudo quanto sabemos vem de nosso estudo pessoal.
3. A certeza da *boa vontade* de Deus, que está sorrindo para nós, em vez de franzir o cenho.
4. Aparições ocasionais da presença de Deus, em uma visão *transformadora*.
5. *Providência geral* de Deus. Ver sobre *Providência de Deus* no *Dicionário*.
6. *Teísmo*, em lugar do deísmo. Deus criou todas as coisas e permanece com sua criação a fim de guiar, intervir, punir e abençoar. Em contraste com o teísmo, o deísmo ensina que o Criador (ou alguma força criadora) abandonou a sua criação aos cuidados das leis naturais. Ver no *Dicionário* os artigos denominados *Teísmo* e *Deísmo*.
7. O favor divino para aqueles que andam na lei.

Ensina-me os teus decretos. Ser ensinado por intermédio da lei, ou diretamente da parte de Yahweh, ou por Yahweh usando a lei — esse é um dos principais temas deste salmo. Quanto a notas expositivas a respeito, ver o vs. 68.

119.136

פַּלְגֵי־מַיִם יָרְדוּ עֵינָי עַל לֹא־שָׁמְרוּ תוֹרָתֶךָ:

Torrentes de água nascem dos meus olhos. O salmista falava especialmente dos seus inimigos inclinados ao assassinato. Ele os temia, como é óbvio, odiava o caminho pelo qual seguiam e provavelmente os odiava também, em muitas ocasiões (vs. 104). Mas se sentia especialmente entristecido pelo fato de que eles e outros pecadores menores não obedeciam à lei de Deus.

Nascem dos meus olhos. Isso mostra a intensidade de sua tristeza, o uso bem colocado de uma hipérbole oriental, que exprime um sentimento genuíno, a despeito do exagero. As *lágrimas*, neste caso, representam uma profunda emoção. O poeta ficava emocionalmente perturbado quando pensava em homens sem piedade que desobedeciam aos mandamentos do Senhor. Ele sabia que isso só podia significar o sofrimento humano, e ele era sensível diante do sofrimento. Os ímpios fazem muitas vítimas inocentes e também caem vítimas de suas próprias corrupções.

O hebraico original é bastante vívido: "Meus olhos descem (dissolvidos) como riachos de águas". As versões árabe e siríaca retêm a declaração literal. Cf. Ez 9.4, onde encontramos algo similar.

Jesus lamentou-se diante da rebelde cidade de Jerusalém (ver Mt 23.37-39). "O zelo deveria ser temperado pela ternura de espírito. A indignação diante dos transgressores deveria ser juntada à tristeza e às lágrimas por causa deles" (Fausset, *in loc.*).

> *Muitos andam entre nós, dos quais repetidas vezes eu vos dizia e agora vos digo até chorando, que são inimigos da cruz de Cristo.*
>
> Filipenses 3.18

"Oh, aquele espírito que lamenta as transgressões da terra! Mesmo assim, não ficamos devidamente convencidos da extrema pecaminosidade do pecado" (Adam Clarke, *in loc.*).

TSADÊ: A Décima Oitava Estrofe (119.137-144)

119.137

צַדִּיק אַתָּה יְהוָה וְיָשָׁר מִשְׁפָּטֶיךָ:

Justo és, Senhor. Seguindo o plano acróstico, o autor oferece-nos o *décimo oitavo conjunto* de *oito linhas* louvando a lei, para o que ele continuar a usar diversos termos, a fim de variar a sua expressão. Ver a introdução ao salmo presente na seção chamada *Salmos Acrósticos*, e ver também o vs. 1, quanto às *dez* palavras usadas para indicar a lei. Esta décima oitava estrofe é chamada de *Tsadê*, sendo essa a letra hebraica repetida no começo destas oito linhas. Em outras palavras, a palavra que encabeça cada uma das oito linhas tem início com essa letra hebraica.

A fonte originária da lei é justa, e o produto, a lei, é reto. Temos aqui a palavra "juízos", que pode ser sinônimo da lei, ou então essa expressão destaca o fato de que a lei requer julgamentos apropriados ou então a recompensa para os bons.

> *Deus é fidelidade, e não há nele injustiça; é justo e reto.*
>
> Deuteronômio 32.4

Ver o vs. 142, onde é reiterada a mensagem essencial do versículo presente.

Retos os teus juízos. "Esses juízos acompanham as regras da justiça e da equidade; os preceitos da palavra, as doutrinas do evangelho, bem como os julgamentos de Deus contra os homens ímpios, todos os relacionamentos providenciais de Deus com o seu povo e também o juízo final" (John Gill, *in loc.*, com uma cristianização da passagem).

Estes oito versículos, chamados Tsadê, são essencialmente um hino de louvor à lei, uma miniatura do Salmo 119, que tem essa natureza; mas, à semelhança de Pê (vss. 129-136), também há um pouco de salmo de lamentação, como é evidente nos vss. 139 e 143. Os *juízos* do vs. 137 provavelmente aludem àqueles versículos. O homem queria que os inimigos que lhe ameaçavam a vida fossem julgados por suas intenções homicidas. Dessa forma, o poeta teria sua vida poupada e poderia continuar em sua devoção à lei. Ver as notas expositivas desses dois versículos quanto a detalhes.

119.138

צִוִּיתָ צֶדֶק עֵדֹתֶיךָ וֶאֱמוּנָה מְאֹד:

Os teus testemunhos tu os impuseste com retidão. Este versículo repete o que se lê no versículo anterior, exceto pelo fato de que aqui os juízos são os testemunhos. Os juízos eram retos e agora os testemunhos são muito *fiéis*. O autor continuava acumulando louvores à lei, atingindo o total de 176 versículos, cada qual com seu próprio louvor, embora com muitas repetições. Seria um estudo interessante alguém examinar todos esses 176 versículos para ver quantos deles são realmente distintos, isto é, originais no Salmo 119, sem repetição. Se comparássemos cada um deles ao saltério, é provável que não haveria muitos versículos originais. Somente os vss. 122 e 132 não mencionam a lei. Também há muitos trechos paralelos no livro de Jó, pelo que estamos tratando aqui com um fundo comum de declarações poéticas que um poeta tomou por empréstimo.

"Teus testemunhos são retos e fiéis ao máximo" (Burgess). Cf. Sl 7.6 e vs. 144 do salmo presente. Muitas promessas e ameaças estão contidas neste salmo. E, conforme o autor sagrado reivindicou, todas são *dignas de confiança*. Nenhuma falsidade foi perpetrada em seus versículos. A providência divina, negativa e positiva, cuidaria que tudo seria demonstrado nas experiências humanas. O vs. 86 já informara que "todos os mandamentos são fiéis". Cf. Sl 93.5, que tem uma mensagem idêntica. "Essas são afirmações do Deus que não pode mentir" (John Gill, *in loc.*, o qual prossegue a fim de cristianizar o versículo, dizendo que as promessas têm todas o *sim* e o *amém* em *Cristo*. Nisso ele até incluiu a justificação pela fé).

■ 119.139

צִמְּתַ֥תְנִי קִנְאָתִ֑י כִּֽי־שָׁכְח֖וּ דְבָרֶ֣יךָ צָרָֽי׃

O meu zelo me consome. Este versículo é uma leve modificação dos vss. 87 e 136, mas aqui é o poeta que é consumido por seu zelo pela lei, em vez de seus inimigos, e a figura do muito chorar por causa de homens desviados é substituída pela simples declaração de seu imenso zelo pela lei. No vs. 136 os inimigos brutais do salmista tinham buscado a sua vida (vs. 95), não *guardavam* a lei e, além disso, *esqueciam* as *palavras* de Yahweh. O impacto dos versículos é o mesmo. O salmista estava envolvido de tal modo em seu alvo que quase fora destruído internamente por seu zelo, em contraste com os seus adversários, que não tinham o menor zelo pela lei mosaica (a qual tinham esquecido). Pelo contrário, eles cultivavam o desejo de quebrar o maior dos mandamentos, matando a um semelhante.

Quanto a um paralelo direto à primeira parte deste versículo, ver Sl 69.9. Ali, porém, o zelo declarado era pelo templo, a casa do Senhor. O zelo de nosso homem era como um fogo que consome tudo quanto está em seu caminho, um animal faminto que devora rapidamente a sua presa.

■ 119.140

צְרוּפָ֖ה אִמְרָתְךָ֥ מְאֹ֗ד וְֽעַבְדְּךָ֥ אֲהֵבָֽהּ׃

Puríssima é a tua palavra. Já vimos no vs. 139 a declaração sobre a pureza da lei, chamada aqui de "palavra", na figura do ouro purificado, ao qual a lei é comparada. Ver o vs. 127. Sl 12.6 é um paralelo direto. A lei tanto é pura em si mesma como é um agente purificador: o estudo e a meditação da lei tornam os homens puros. "Ela é pura em si mesma e purifica o coração humano" (Adam Clarke, *in loc.*).

A Imprensa Bíblica Brasileira diz "fiel a toda prova", na tentativa de preservar mais o original hebraico envolvido. O hebraico literal diz "expurgado pelo teste". A Septuaginta diz "testado a fogo", dando-nos a figura do vs. 127. Mas a *Revised Standard Version* traduz as palavras por "tua promessa é bem testada".

Por isso o teu servo a estima. A palavra, bem testada como é, cumpre, para o homem que a estuda, todas as promessas ali contidas. Assim sendo, o homem aprende a amar a lei, devido à sua fidelidade e bondade para com os seres humanos. Quanto a amar à lei e nela deleitar-se, ver as notas expositivas no vs. 44. Ver no *Dicionário* o verbete chamado *Amor*. O mais elevado mandamento da lei é o amor, e uma das coisas que os homens bons amam é a lei. Ver Dt 6.5.

■ 119.141

צָעִ֣יר אָנֹכִ֣י וְנִבְזֶ֑ה פִּ֝קֻּדֶ֗יךָ לֹ֣א שָׁכָֽחְתִּי׃

Pequeno sou e desprezado. *Se o poeta se tinha tornado mais sábio* do que seus mestres, e também mais sábio que os idosos ou anciãos (vs. 100), então, espiritualmente falando, era um grande homem em Israel. No entanto, vivia sendo pisado por inimigos assassinos, que o haviam reduzido a quase nada. Diariamente, a vida dele era ameaçada por essa loucura. Mesmo assim, ele não abandonou seu zelo fanático pela lei. Aquele documento condenava os atos dos inimigos do nosso homem, que tinham subido a posições de mando e oprimiam os pobres. Eles já tinham feito muitas vítimas. O poeta tornara público que tipo de homens eles eram e quais eram seus maus caminhos. Não era de admirar que eles procurassem tirar-lhe a vida. Assim sendo, apesar de o salmista ser um gigante espiritual, era um verme espezinhado na sociedade. Tanto zelo pela lei era a causa das perseguições que o vitimavam, mas nada disso o forçava a abandonar seu zelo. Eles quase o haviam esmagado, mas isso não significava que ele tinha parado em suas tiradas contra os transgressores da lei e contra as injustiças sociais. Embora pequeno aos olhos dos homens, ele era grande diante de Deus. Ver 1Co 1.27; Lc 1.15. Sem dúvida alguma ele temia os seus inimigos, pois através de todo o salmo clamou para Yahweh livrá-lo de planos violentos; contudo, esse temor não era suficiente para vencer o temor a Deus e à sua lei. Portanto, ele não se desviou de seu curso justo. Cf. Sl 22.6 e Is 53.3, versículos considerados messiânicos; alguns estudiosos veem neste versículo alusões messiânicas.

■ 119.142

צִדְקָתְךָ֣ צֶ֣דֶק לְעוֹלָ֑ם וְֽתוֹרָתְךָ֥ אֱמֶֽת׃

A tua justiça é justiça eterna. Este versículo é paralelo aos vss. 7, 62, 106, 137, 144, 160, 164 e 172. O Legislador é justo, e justa é a lei que ele deu à nação de Israel. Em cada uma dessas referências há notas expositivas adicionais. A retidão da lei é um tema central deste salmo. A justiça e o amor se unem. Uma única palavra hebraica (de acordo com o hebraico clássico) era usada para ambas as ideias. Platão sempre vinculou o poder mais alto como bem mais alto, e sempre fazia esse bem mais alto, justo. Ademais, não devemos esquecer a benevolência daquele bom Poder, que é, igualmente, um dos grandes temas dos salmos, inclusive deste. Cf. Rm 3.25,26 com o trato misericordioso de Deus com os homens, visando seu eterno bem. Aqui a lei é chamada de "própria verdade", sendo essa uma das qualidades da retidão. A lei não pode mostrar-se falsa às suas promessas, as quais operam o bem para os homens. Cf. Sl 19.9 e Jo 17.17.

Os juízos do Senhor são verdadeiros e todos igualmente justos.
Salmo 19.9

Justiça eterna. A justiça e a retidão de Deus são eternas, e isso se reflete na lei. Se o Doador é eterno, eterno também é o seu dom.

■ 119.143

צַר־וּמָצ֥וֹק מְצָא֑וּנִי מִ֝צְוֺתֶ֗יךָ שַׁעֲשֻׁעָֽי׃

Sobre mim vieram tribulação e angústia. O poeta sagrado, quase tão consumido pela tribulação que estava atravessando, como se consumia por amor à lei, novamente voltou a falar das perseguições que estava sofrendo às mãos de homens violentos, cheios de planos assassinos. Não obstante, bem no meio de sua angústia, ainda assim ele se deleitava na lei (um dos grandes temas deste salmo). Ver sobre amar a lei e nela deleitar-se, no vs. 47. Cf. o vs. 95, quanto à severidade de sua provação. A seção do Salmo 119 chamada Tsadê, embora seja essencialmente um hino de louvor à lei, tem vários versículos que se assemelham a salmos de lamentação. Ver as notas no vs. 137, quanto à natureza dessa *décima oitava estrofe*. Ele estava sendo caçado por seus inimigos, "como cães que seguissem um animal feroz" (Fausset, *in loc.*). Ver o vs. 110, quanto às *armadilhas* armadas para ele. Ver o vs. 85, quanto às *covas* preparadas para ele. Parte de sua tribulação era que ele se deleitava na lei e continuava pronunciando-se contra os perversos, que tinham maculado a sociedade. Estes ansiavam vingar-se, mas isso em nada alterou a relação do salmista para com a lei, seus estudos e seu uso privado e público dos decretos divinos.

■ 119.144

צֶ֖דֶק עֵדְוֺתֶ֥יךָ לְעוֹלָ֗ם הֲבִינֵ֥נִי וְאֶחְיֶֽה׃

Eterna é a justiça dos teus testemunhos. *Mais dois elementos* que já tinham sido vistos várias vezes neste salmo são repetidos aqui. Vejamos:

1. Novamente somos informados sobre a *retidão* da lei, aqui chamada de *testemunhos*. Ver no vs. 1 as dez expressões que o poeta

usou para apontar a lei. Ver os vss. 7, 62, 106, 142, 160 e 164, quanto à retidão da lei.

2. Em seguida, o salmista, uma vez mais, convocou Yahweh a dar-lhe *compreensão,* outro tema principal deste salmo.

Embora o salmista já tivesse logrado maior compreensão que os seus mestres (vs. 99) e os anciãos (vs. 100) e embora fosse o homem *número um* na lei, em Israel, ainda assim continuava a invocar Yahweh para dar-lhe mais sabedoria e entendimento. Embora o autor sagrado fosse um *mestre consumado,* ainda assim tinha muito que aprender da parte de Yahweh. Quanto ao *entendimento,* ver um sumário dos significados no vs. 73. Cf. Jo 17.3. Conhecer a Cristo é ter a vida eterna. O salmista não antecipava o fato messiânico, mas tinha boa compreensão da espiritualidade e dos poderes doadores de vida da Palavra de Deus, quando um homem adquire compreensão.

CÔFE: A Décima Nona Estrofe (119.145-152)

■ **119.145**

קְרָאתִי בְכָל־לֵב עֲנֵנִי יְהוָה חֻקֶּיךָ אֶצֹּרָה׃

De todo o coração eu te invoco, ouve-me, Senhor. Seguindo o plano de compor um poema acróstico, o autor sacro oferece-nos agora o *décimo nono conjunto* de *oito linhas* louvando a lei, para o que ele continuava a usar diversos termos para variar a sua expressão. Ver a introdução ao salmo presente na seção chamada *Salmos Acrósticos,* bem como o vs. 1, quanto às *dez* palavras usadas para indicar a lei. Esta décima nona estrofe é chamada *Côfe,* sendo essa a letra hebraica repetida no começo de todas essas oito linhas. Quer dizer, a palavra que encabeça cada uma das oito linhas começa com essa letra hebraica.

Esta estrofe é essencialmente um *salmo de lamentação,* embora mesclada a vários louvores à lei. Outro tanto se pode dizer em relação às seções *Dálete* (vss. 25-32) e *Sâmeque* (vss. 113-120). Os salmos de lamentação são, de longe, o grupo mais numeroso do saltério. Ver as dezessete classes de salmos no gráfico no início do comentário, que atua como uma espécie de frontispício da coletânea.

Os clamores do poeta, *de todo o coração,* dirigiam-se a Yahweh, para que ele o livrasse daqueles homens iníquos que pretendiam destruí-lo (vs. 95), sendo este um tema persistente neste salmo. Yahweh, porém, parecia distante, talvez até indiferente (ver Sl 10.1; 28.1; 59.4 e 82.1). Portanto, o salmista clamava a Deus que voltasse os ouvidos na sua direção e o *ouvisse.* Tais expressões são, naturalmente, antropomórficas, atribuindo a Deus o que é comum aos homens. Ver no *Dicionário* os artigos chamados *Antropomorfismo* e *Antropopatismo.*

Observo os teus decretos. Temos também aqui um tema comum a este salmo e, de fato, a todo o saltério. No vs. 44, apresento notas a respeito e outras referências sobre a guarda da lei. A lei, neste caso, envolve os aspectos moral, cerimonial e ritual. Os hebreus pensavam que todos esses aspectos eram morais. Isso também significava praticar boas obras em favor de outras pessoas, em contraste com as obras socialmente destrutivas dos inimigos do poeta.

Temos aqui uma promessa, que pode ter sido formalizada sob a forma de um *voto,* firmado no templo: se Yahweh livrasse o salmista de seus inimigos, então ele continuaria a fazer da lei a sua vida, com toda espécie imaginável de obediência e devoção. Ver no *Dicionário* o artigo chamado *Voto.* Acredito que a menor oração pode ser ouvida acima do fragor da tempestade, conforme diz certo hino evangélico. E essa era a confiança do poeta.

■ **119.146**

קְרָאתִיךָ הוֹשִׁיעֵנִי וְאֶשְׁמְרָה עֵדֹתֶיךָ׃

Clamo a ti; salva-me. Este versículo é uma leve modificação do versículo anterior, que o poeta adicionou para efeito de ênfase. O salmista trocou a palavra "decretos" pelo vocábulo "testemunhos". E também usou a palavra "salvar" para completar o grito pedindo "ajuda". Ele disse: "Ouve-me! Salva-me!" Mas não temos em vista aqui a salvação evangélica que alguns cristianizam neste versículo. O que o salmista realmente pediu foi a intervenção divina *necessária* para que fosse salvo de ser assassinado. Yahweh precisava poupar a sua vida, pois, do contrário, a qualquer momento ele seria um homem morto, e os mortos não louvam a Deus, de acordo com a fé dos hebreus naquele tempo. Ele estava cercado de *tribulações* e *angústias* (vs. 143), pois sofria ameaça de morte prematura, que os hebreus tanto temiam. Precisava de Deus como *fiador* (vs. 122), porquanto estar sozinho era estar perdido. Era *tempo* de Yahweh *agir* (vs. 126), pois do contrário seria tarde. Ele precisava de um *livramento final* de seus adversários (vs. 134) para que pudesse dar prosseguimento à sua vida piedosa.

■ **119.147**

קִדַּמְתִּי בַנֶּשֶׁף וָאֲשַׁוֵּעָה לִדְבָרְךָ יִחָלְתִּי׃

Antecipo o alvorecer do dia e clamo. O homem estava consumido por sua angústia de tal modo que não podia dormir sossegadamente, e mesmo antes do *alvorecer* já estava acordado, lançando apelos para que Yahweh o livrasse de seus inimigos. Ele clamava a Deus e continuava esperando em sua *palavra,* a lei, que promete vida longa e prosperidade para os bons e julgamento súbito contra os maus. Portanto, ele estava lançando um "clamor apaixonado para ser salvo da perseguição" (*Oxford Annotated Bible,* comentando o vs. 145). Cf. Sl 5.3 e 45.17.

O alvorecer. O hebraico original diz aqui, literalmente, *o respirar,* termo usado para indicar uma brisa fraca que sopra tanto ao nascer do sol (Jó 7.4) quanto ao pôr do sol (Jó 24.15; Pv 7.9).

Na tua palavra espero confiante. Quanto à ideia de esperar o cumprimento da lei, ver também os vss. 43, 49, 74, 81, 114, 116 e 166. O livramento dos inimigos repousava sobre a esperança de que Yahweh tinha insuflado em sua lei muitas promessas para aqueles que lhe obedecem. Isso é cristianizado para fazer dessa esperança a esperança em Cristo, com a resultante vida eterna. Ver Hb 4.14,17 e 9.19-23. Ver no *Dicionário* o artigo chamado *Esperança.*

■ **119.148**

קִדְּמוּ עֵינַי אַשְׁמֻרוֹת לָשִׂיחַ בְּאִמְרָתֶךָ׃

Os meus olhos antecipam as vigílias noturnas. O salmista continuava levantando-se durante a noite para orar pedindo alívio e, naturalmente, isso também fazia parte de seus exercícios espirituais. Ver no *Dicionário* o verbete denominado *Oração.* Ele se levantava antes do alvorecer, quando brisas frescas começavam a soar, anunciando para breve a chegado do sol (vs. 147), e também se levantava antes das várias vigílias da noite. Ver no *Dicionário* o artigo chamado *Vigílias.* Os tempos ordinários de oração eram pela manhã à tardinha, e alguns adicionavam a isso o meio-dia. Mas o poeta se levantava para orar intermitentemente, durante a noite inteira. Se ele não estivesse enfrentando a ameaça de morte, talvez se mostrasse menos zeloso em oração. É em tempos de necessidade especial que nos voltamos para a oração, o que, algumas vezes, é nossa única solução. A experiência demonstra que há poder na oração, pelo que continuamos a orar. A oração continua a operar coisas que este mundo profano nem ao menos sonha.

> A oração é o hábito vital do crente,
> E a sua atmosfera nativa,
> É o seu lema às portas da morte,
> Pois ele entra no céu pela oração.
>
> James Montgomery

Para os antigos piedosos anglo-saxões (contido no manuscrito *Saxon Homily,* Doming. 3, com data de 971 d.C.) há orientações detalhadas para se fazer o sinal da cruz *sete vezes* ao dia. Esses eram tempos de observações devocionais, incluindo a oração. Era exigido que as pessoas se levantassem pelo menos uma vez no meio da noite, preferivelmente à meia-noite.

O salmista, com piedade similar, estava sempre *meditando* sobre a lei. Ver comentário desse assunto no vs. 97, onde ofereço notas expositivas e referências a outros lugares, neste salmo, que falam sobre a mesma prática.

■ **119.149**

קוֹלִי שִׁמְעָה כְחַסְדֶּךָ יְהוָה כְּמִשְׁפָּטֶךָ חַיֵּנִי׃

Ouve, Senhor, a minha voz. Uma vez mais, o salmista clama para que Yahweh *o ouça* (ver o vs. 145). Ele queria ser ouvido à base do *amor constante* de Deus, expressão encontrada por muitas vezes no saltério. Se Yahweh ouvisse, a vida do salmista estaria salva. Yahweh agiria com *justiça*, porquanto o poeta era um homem bom, inocente de qualquer crime, e isso provavelmente o teria tornado alvo do ódio de seus inimigos. A lei prometia vida longa e próspera para os indivíduos justos (ver Dt 4.1; 5.33; 6.2; Ez 20.1). Mas ameaçava de morte prematura ao homem mau. A teologia hebraica da época não adicionava em suas promessas uma recompensa para os bons *além-túmulo*, nem, em suas ameaças, a punição para o ímpio na *outra vida*. Em Dn 12.2 encontramos esse tipo de ensino, que foi bastante tardio no judaísmo. Os livros do período entre o Antigo e o Novo Testamento, pseudepígrafos e apócrifos, desenvolveram essas doutrinas, e o Novo Testamento deu um passo ainda mais adiante. Cf. o vs. 132. Os que amam o nome de Deus serão amados e, se forem amados, então a vida deles será longa e abençoada.

Quanto à justiça de Deus ao salvar a vida do homem, ver os vss. 156 e 175. Quanto a declarações similares, ver os vss. 25 e 132.

Vivifica-me. Ver neste salmo os vss. 25, 37, 40, 88, 107, 149, 154, 156 e 159. O homem orou pela *preservação* de sua vida física como se precisasse de uma infusão divina. Ele não estava falando da ressurreição nem da sobrevivência eterna da alma, embora muitos intérpretes vejam ambas as coisas nesses versículos, e também aqui. O homem perseguido estava na lista das possíveis vítimas de seus inimigos. Se nenhuma intervenção divina ocorresse, ele já poderia até ser considerado morto. Portanto, como se já tivesse morrido, o poeta orou para ser-lhe outorgada vida nova. "Esta é uma oração pela primeira obra da graça vivificadora, ou como a primeira implantação do princípio da vida espiritual" (John Gill, *in loc.*, que cristianizou o versículo).

■ **119.150**

קָרְבוּ רֹדְפֵי זִמָּה מִתּוֹרָתְךָ רָחָקוּ׃

Aproximam-se de mim. Os inimigos propensos ao assassínio estavam aproximando-se do salmista, e o cercavam como se ele fosse um animal a ser morto. Ele era a presa e eles o haviam encostado à parede. Assim o poeta orou para que Yahweh agisse com prontidão (vs. 126). Era *tempo de Yahweh agir*. Quase tarde demais. O pobre homem estava sendo perseguido com um *mau propósito*, com o que era a pior coisa possível para a mentalidade dos hebreus: *a morte prematura*. Aqueles homens assassinos estavam *perto* e, por isso, Yahweh também teria de *aproximar-se* sem tardança. Se os pecadores estavam *próximos* do poeta, a fim de tirar-lhe a vida, estavam muito *distantes* da lei, a qual proibia as injustiças e o homicídio. "Quanto mais perto chegavam, com impiedade premeditada, mais se distanciavam da lei" (Fausset, *in loc.*).

"Certos homens não conseguem dormir enquanto não praticam alguma maldade. Eles se inclinam para o mal e passam de mal a mal. Buscam freneticamente a maldade, como um caçador que se aproxima de sua presa". Na verdade, porém, eles se estão apressando para a própria morte" (John Gill, *in loc.*). Cf. Rm 8.7 e Is 5.24.

■ **119.151**

קָרוֹב אַתָּה יְהוָה וְכָל־מִצְוֹתֶיךָ אֱמֶת׃

Tu estás perto, Senhor. O poeta confiava que Yahweh estava *aproximando-se*, naqueles momentos críticos, para eliminar os homens homicidas, aos quais ele encontraria na porta do homem pobre.

> *Perto está o Senhor de todos os que o invocam, de todos os que o invocam em verdade.*
>
> Salmo 145.18

Ver também Jr 23.23. Deus aproxima-se dos homens bons quando eles estão passando por suas crises, visto que têm honrado e obedecido à lei, e porque essa mesma lei lhes faz promessas verazes. "Todos os teus mandamentos, com suas ameaças e promessas, são verdadeiros" (Fausset, *in loc.*). "Quando eles estão prestes a destruir, assim também Deus está prestes a salvar" (Adam Clarke, *in loc.*).

Verdadeiro, Verdade. Quanto à lei e suas provisões como *verdadeiras*, e a lei como *verdade*, ver os vss. 30, 43, 142, 151 e 160. Cf. Sl 19.9. A lei faz ameaças e promessas verdadeiras; exprime verdades espirituais para o progresso da alma; fala palavras verdadeiras acerca de Deus; dá orientações verdadeiras quanto à vida diária (ver as notas em Dt 6.4 ss.); essas são as provisões do pacto mosaico (ver a introdução a Êx 19).

> Oh, Verdade, imutável, sem mudanças,
> Oh, Luz de nossos céus escuros.
> Nós te louvamos pela irradiação
> Que vem da página santa.
> Uma lâmpada para nossos passos
> Que brilha de era para era.
>
> William W. How

■ **119.152**

קֶדֶם יָדַעְתִּי מֵעֵדֹתֶיךָ כִּי לְעוֹלָם יְסַדְתָּם׃

Quanto às tuas prescrições. Cf. o vs. 89, onde discuto sobre a alegada eternidade da lei, um princípio de crença para os hebreus, ultrapassado pela revelação cristã. O poeta há *muito sabia* que a lei fora fundada por Yahweh, e nada jamais poderia abalar esse alicerce. Essa foi uma das primeiras coisas que o mestre do poeta lhe havia ensinado. A lei é retratada como um edifício planejado e construído por Deus, com um firme fundamento.

> Quão firme fundamento
> Foi posto para a tua fé em sua excelente Palavra.
>
> J. F. Wade

Cf. os ensinamentos de Jesus sobre os dois alicerces: Mt 7.25.

> *Passará o céu e a terra, porém as minhas palavras não passarão.*
>
> Lucas 21.33

As estabeleceste. De conformidade com o ensinamento dos rabinos, na eternidade passada, mas então revelada parcialmente no *pacto abraâmico* (ver Gn 15.18) e então mais plenamente no *pacto mosaico* e na *lei* (ver a exposição no capítulo 19 do livro de Êxodo).

A cristianização deste versículo diz que a lei teve prosseguimento no evangelho e nos ensinamentos de Cristo; portanto, a lei aparece aí como eterna. Ou então poder-se-ia dizer que Cristo e sua lei espiritual do Espírito tomaram lugar da antiga lei mosaica.

RECHE: A Vigésima Estrofe (119.153-160)

■ **119.153**

רְאֵה־עָנְיִי וְחַלְּצֵנִי כִּי־תוֹרָתְךָ לֹא שָׁכָחְתִּי׃

Atenta para a minha aflição, e livra-me. Seguindo o plano de compor um poema acróstico, o autor sagrado dá-nos agora o *vigésimo conjunto* de *oito linhas* para louvar a lei, e para isso ele continua a usar diversos termos a fim de variar sua expressão. Ver a introdução a este salmo para averiguar as *dez palavras* usadas para indicar a lei. Esta vigésima estrofe é chamada *Reche*, sendo essa a letra hebraica que se repete no início de cada linha. Ou seja, a palavra que encabeça cada uma dessas oito linhas começa com essa letra hebraica.

Reche é outro *salmo de lamentação*, como *Dálete* (vss. 25-32), *Sâmeque* (vss. 113-120) e *Côfe* (vss. 145-152). Tal como essas outras seções, também há louvores à lei espalhados por todo este salmo. Essa é uma "oração para a preservação da vida do salmista" (*Oxford Annotated Bible*, comentando o vs. 53).

Atenta para a minha aflição. Todas as declarações deste versículo foram vistas antes no salmo. O clamor do poeta sagrado era que Yahweh desse atenção à sua desesperadora situação. Do contrário, seus inimigos muito em breve o assassinariam. Ele carecia, pois, de ajuda imediata. Yahweh tinha de ser o fiador do homem (vs. 122), estando com ele na tribulação e na angústia (vs. 143). O salmista precisava contar com o poder de Deus para que seus destruidores potenciais estacassem (vs. 95); chegara o tempo de Yahweh agir (vs. 126); o poeta precisava de um livramento final de seus inimigos (vs. 135).

Aflição. Cf. os vss. 50 e 92. Ver Sl 25.18.

Livra-me. Cf. os vss. 134, 154 e 170. A despeito de suas provações severas, o salmista não *esquecia* a lei. Quanto a esse pensamento, ver os vss. 16, 83, 109, 141 e 176. Na lei, pois, o salmista tinha *esperança* (ver o vs. 147).

Lembra-te, Senhor, do que nos tem sucedido; considera, e olha para o nosso opróbrio.

Lamentações 5.1

■ 119.154

רִיבָה רִיבִי וּגְאָלֵנִי לְאִמְרָתְךָ חַיֵּנִי׃

Defende a minha causa, e liberta-me. Cf. Sl 35.1 e Mq 7.9. O pobre homem queria viver, e não ser vítima de algum insensato em um esquema de assassinato. A linguagem aqui usada é a de um tribunal. Ele precisava de um *advogado* e entregara isso nas mãos de Yahweh. Talvez seus inimigos o estivessem acusando diante de um tribunal na tentativa de executá-lo judicialmente por algum crime alegado. O salmista era um homem bom que guardava a lei; defendia a causa dos pobres e fracos; objetava aos saques praticados por homens ímpios contra outras pessoas e contra o salmista; era odiado por esse motivo e tornou-se objeto de um plano assassino.

Acorda, e desperta para me fazeres justiça, para a minha causa, Deus meu e Senhor meu.

Salmo 35.23

Este versículo também tem sido cristianizado. Cristo torna-se aqui o *Advogado* do crente para pleitear a sua causa no tribunal dos céus e assim conseguir-lhe a vida eterna (1Jo 2.1).

Vivifica-me. Sobre como estas palavras são usadas nos salmos, ver o vs. 149, onde ofereço notas expositivas e referências. O homem solicitava a preservação de sua vida física.

■ 119.155

רָחוֹק מֵרְשָׁעִים יְשׁוּעָה כִּי־חֻקֶּיךָ לֹא דָרָשׁוּ׃

A salvação está longe dos ímpios. É altamente improvável que o poeta estivesse observando aqui que a salvação da alma não é obtida pelos ímpios. Esta é uma doutrina primária no Novo Testamento, mas quase sempre está em vista, nos salmos, a ideia de *livramento* de qualquer dano físico ou morte prematura. O que o salmista estava dizendo é que um homem bom pode pleitear por sua vida quando em situação de perigo, e sempre será ouvido. O homem mau, embora ore, não será livrado, mas cairá vítima da morte prematura. Isso sucede porque ele merece tal coisa, em consonância com a *Lei Moral da Colheita segundo a Semeadura* (ver a respeito no *Dicionário*). Que esse é o sentido pretendido fica provado pelo contexto geral no qual o homem clamava para Yahweh livrá-lo de seus inimigos mortais. Um homem bom busca obedecer aos estatutos da lei, e por isso é favorecido. Um homem mau desvia-se da lei como uma ovelha perdida que desobedece ao pastor (vs. 118). Ele esquece os mandamentos (vs. 139) e, por isso, é esquecido pelo Legislador. Tal homem não deve esperar ser livrado por Yahweh quando clamar em sua hora de desespero. Pessoas desse naipe não *buscam* conhecer os mandamentos nem colocá-los em prática. E nem são favorecidas por Deus em tempos de necessidade. Em contraste, o poeta busca Yahweh de todo o seu coração (vs. 10) e pleiteava que ele o livrasse, porquanto buscava conhecer e obedecer aos seus preceitos (vs. 94). Os homens que estão distanciados da lei também estão distantes do livramento (vs. 150).

■ 119.156

רַחֲמֶיךָ רַבִּים יְהוָה כְּמִשְׁפָּטֶיךָ חַיֵּנִי׃

Muitas, Senhor, são as tuas misericórdias. O poeta sagrado, que estava em aflição, observou que as *misericórdias* de Deus são realmente grandes, pelo que ele tinha boa oportunidade de ser mantido vivo, a despeito dos planos atrevidos dos que procuravam matá-lo. Quanto à ideia de *ser mantido vivo*, o salmista usou a expressão *Vivifica-me*, como acabamos de ver no vs. 154, e que foi anotado no vs. 149. Este é um dos grandes temas do salmo, quando o autor fala de suas aflições e expressa a necessidade de libertação dos inimigos que queriam tirar-lhe a vida (vs. 95).

As *misericórdias* de Deus formam uma *multidão* (conforme diz o hebraico, literalmente) e são suficientes para acudir a todas as misérias e pecados humanos. As misericórdias de Deus operam através da *Providência de Deus* (ver a respeito no *Dicionário*), tanto em seus aspectos negativos quanto em seus aspectos positivos. Ver também no *Dicionário* o detalhado artigo intitulado *Misericórdia (Misericordioso)*. É a misericórdia de Deus que inspira a misericórdia humana, sendo esse um dos aspectos do fruto do Espírito (ver Gl 5.22,23). O poeta sagrado, por observar a lei (vs. 44), mostrava-se cuidadoso em cumprir as obras de misericórdia em favor do próximo, e por isso mesmo, merecia a misericórdia de Deus em sua hora de provação. A *misericórdia doadora de vida* haveria de salvá-lo dos planos homicidas de seus adversários. A misericórdia de Deus lhe daria um lugar de refúgio.

Se quiseres ser feito puro e são,
Se quiseres atingir o mais elevado alvo,
Então tua alma deve ocultar-se em Deus.

Alfred H. Ackley

■ 119.157

רַבִּים רֹדְפַי וְצָרָי מֵעֵדְוֹתֶיךָ לֹא נָטִיתִי׃

São muitos os meus perseguidores e os meus adversários. O salmista não tinha abandonado a lei, conforme fizeram os ímpios (vs. 118), embora a perseguição de seus muitos inimigos o inspirasse exatamente a isso. Sem dúvida, parte dessas perseguições era porque ele fazia o bem pelos pobres, apoiando-os em face de seus exploradores, objetando aos saques de seus inimigos, dele mesmo e de outras pessoas. Ver o vs. 51, bastante similar a este versículo.

Não tornou atrás o nosso coração, nem se desviaram os nossos passos dos teus caminhos.

Salmo 44.18

Não me desvio. Uma *guinada* (ver a *Revised Standard Version*) por causa da oposição, tomar uma direção diferente como um regato que topa com uma barreira ou obstáculo intransponível.

■ 119.158

רָאִיתִי בֹגְדִים וָאֶתְקוֹטָטָה אֲשֶׁר אִמְרָתְךָ לֹא שָׁמָרוּ׃

Vi os infiéis, e senti desgosto. Os obreiros da iniquidade eram um desgosto para o poeta sagrado. Outra versão portuguesa diz aqui *me aflige*. Ellicott (*in loc.*) explica a palavra hebraica como "cheio de desgosto" ou "doente de desgosto". O vs. 104 diz que ele "odiava cada caminho falso", e este versículo chega muito perto de afirmar que ele também odiava os que perpetravam e trilhavam caminhos falsos. Em contraste com o salmista, eles não guardavam a lei, chamada aqui de "tua palavra". Ver a obediência à lei, anotada no vs. 44.

Os traidores eu sondo,
E os mando embora, aborrecido.

Keble

Cf. Sl 25.3. Cf. o vs. 136 e Ed 9.4. "... infiéis a seu dever do pacto para com o próximo, bem como para com Deus" (Fausset, *in loc.*). "Eles não tinham consideração pelas doutrinas, nem observavam os preceitos nelas contidos, antes desprezavam, rejeitavam e se alijavam delas" (John Gill, *in loc.*). A rejeição à lei não se dava meramente em teoria; eles eram corruptores da sociedade, perseguidores dos pobres, saqueadores e assassinos.

■ 119.159

רְאֵה כִּי־פִקּוּדֶיךָ אָהָבְתִּי יְהוָה כְּחַסְדְּךָ חַיֵּנִי׃

Considera em como amo os teus preceitos. Encontramos aqui várias repetições de coisas que já tinham sido vistas neste salmo: 1. O poeta amava os mandamentos e neles se deleitava (ver as notas do vs. 47). 2. Ele estava sendo perseguido e fazia parte da lista de possíveis vítimas dos destruidores, pelo que precisava ser vivificado. Ver sobre *vivifica-me*, no vs. 149. 3. Ele dependia do *amor constante* de Deus para ser livrado da morte. Ver os vss. 88, 149 e 159. Ver os seguintes outros trechos dos salmos: 17.7; 26.3; 36.7,10; 40.10,11; 42.8; 51.1; 63.3; 88.11; 89.33; 92.2; 103.4 e 107.43.

Yahweh, observando o homem fiel, teria misericórdia dele, exercendo o seu amor e salvando-o de seus inimigos.

119.160

רֹאשׁ־דְּבָרְךָ אֱמֶת וּלְעוֹלָם כָּל־מִשְׁפַּט צִדְקֶךָ׃

As tuas palavras são em tudo verdade desde o princípio. Temos aqui três conceitos que repetem declarações anteriores do salmo, a saber: 1. A *palavra*, ou seja, a lei, é verdadeira (vs. 151). 2. A *palavra* (lei) é eterna, o que também pode significar que veio "desde o princípio". Nesse caso, temos um paralelo ao vs. 89, onde dou notas expositivas e referências sobre o conceito. Ver também Sl 119.142 e 144. Mas, em vez de "desde o princípio", alguns intérpretes preferem traduzir por *súmula*, ou seja, "a súmula da tua palavra é a verdade". Mas, avançando mais um passo, o mesmo versículo declara-se favorável à eternidade da lei — "dura para sempre". 3. Os juízos de Deus são justos (vss. 7, 62, 106, 138, 160 e 164). Ver a retidão eterna de Deus no vs. 142, e a eternidade dos seus justos testemunhos no vs. 144.

Cf. o vs. 152 e Sl 19.8,9. Os louvores da lei aqui não são meramente por causa do louvor a alguma grande coisa. Se essas coisas são verdadeiras no tocante à lei, então o poeta sagrado tinha boas razões para ser favorecido, por exemplo, com o livramento dos inimigos, tema constante desta seção (Reche, vss. 153-160).

CHINE: A Vigésima Primeira Estrofe (119.161-168)

119.161

שָׂרִים רְדָפוּנִי חִנָּם וּמִדְּבָרְךָ פָּחַד לִבִּי׃

Príncipes me perseguem sem causa. Seguindo o plano de compor um poema acróstico, o autor agora oferece o vigésimo primeiro conjunto de *oito linhas de louvor à lei*, para o que ele usou diversos termos a fim de variar a sua expressão. Ver a introdução a este salmo na seção chamada *Salmos Acrósticos*, e então o vs. 1, quanto às *dez palavras* usadas para indicar a lei. Esta vigésima primeira estrofe é chamada de *Chine*, pois cada uma de suas oito linhas principia com a letra hebraica assim chamada.

Chine: "Contraste o leitor a piedade do poeta com as ações injustas de seus perseguidores" (*Oxford Annotated Bible*, comentando o vs. 61). Este salmo é uma mistura de elementos: contém declarações de lamentação, bem como declarações que tipificam os hinos de louvor à lei.

Entre os muitos inimigos do salmista, muitos eram pessoas bem colocadas na sociedade dos hebreus, como oficiais do governo, homens que tinham adquirido posições de mando mas abusavam dessa posição. Cf. o vs. 23 com a ideia, que ali foi apresentada pela primeira vez. O poeta havia ofendido homens poderosos, os quais usavam sua posição para explorar homens menos favorecidos, saquear os pobres e promover atos de egoísmo e violência. Tudo isso vinha sendo praticado sem consideração por indivíduos inocentes, entre os quais o salmista se incluía. Em contraste com tais homens, que não levavam em conta a justiça requerida pela lei, ele admirava profundamente os decretos divinos, em seu homem interior e espiritual, ou seja, em seu *coração*. Ele temia ser como eles, porquanto temia os julgamentos divinos.

O meu coração teme. Quanto ao temor a Deus e à sua lei, chamada aqui de *palavra*, ver o vs. 38, onde ofereço um sumário de ideias. Ver também, no *Dicionário*, o verbete denominado *Palavra*, quanto a maiores detalhes. Através de seu profundo respeito reverente, o salmista evitava a companhia má de homens malignos e promovia o bem sob a forma de feitos de caridade e amor, em favor do próximo. Em vez de ser um *explorador* (como eram os seus adversários), o salmista era um *benfeitor* da sociedade.

Esta seção (vss. 161-168), tal como a seção 97-104, não contém nenhuma petição.

119.162

שָׂשׂ אָנֹכִי עַל־אִמְרָתֶךָ כְּמוֹצֵא שָׁלָל רָב׃

Alegro-me nas tuas promessas. O nosso homem se regozijava no bem, em Deus e nas palavras (lei). Aí estava o seu grande despojo, em contraste com seus inimigos, que tinham um *despojo literal*, ou seja, os bens materiais e a propriedade daqueles a quem tinham expropriado injustamente. Cf. Is 9.3. "Quando Deus abriu os seus olhos, ele passou a contemplar as maravilhas da lei, e cada nova descoberta era como encontrar um prêmio" (Adam Clarke, *in loc.*). Cf. a história do homem que encontrou um tesouro em um campo e, com arrebatadora alegria, comprou o campo para que pudesse garantir para si aquele tesouro (Mt 13.44).

A alegria estava na *compreensão* do salmista, conforme disse Kimchi (ver o vs. 73) e como é óbvio para os que seguiam a lei mosaica. As doutrinas podem produzir alegria, porquanto existem deleites mentais, mas fazer o bem ao próximo, em obediência à lei, e conferir aos outros alguma felicidade, nunca pode ser ignorado. É a mesma coisa que viver a lei do amor, o primeiro de todos os mandamentos (ver Dt 6.5).

Este versículo tem sido cristianizado para falar da alegria na fé cristã. Há alegria para quem serve a Jesus.

119.163

שֶׁקֶר שָׂנֵאתִי וַאֲתַעֵבָה תּוֹרָתְךָ אָהָבְתִּי׃

Abomino e detesto a mentira. Este versículo reitera dois conceitos encontrados repetidamente: a) O ódio à mentira e aos falsos caminhos (ver os vss. 104, 113, 128 e 163). Ver o vs. 158, onde somos informados que nosso homem adoeceu ao contemplar os ímpios que desconsideravam a lei. Ele ficou cheio de desgosto quanto a eles e a seus caminhos. b) Em contraste com os ímpios, o salmista amava e colocava em prática a lei de Deus. Essa era a razão mesma de sua vida. Quanto a deleitar-se na lei e a amá-la, ver o vs. 47, onde dou notas e outras referências que falam sobre o tema. Ver no vs. 113 a mesma antítese entre odiar a mentira e a vaidade e amar a verdade (da lei).

119.164

שֶׁבַע בַּיּוֹם הִלַּלְתִּיךָ עַל מִשְׁפְּטֵי צִדְקֶךָ׃

Sete vezes no dia eu te louvo. Talvez, literalmente, a extrema piedade do poeta o fizesse louvar a Deus (ocupando-se de suas devoções) *sete vezes* a cada dia, ou talvez essa afirmação seja retórica, para indicar a ideia de *frequência*. No entanto, o número *sete* estava associado, entre os hebreus, às perfeições divinas (cf. Lv 26.18; Pv 24.16 e Mt 18.21), e o autor dificilmente usaria tal número levianamente. Ver no *Dicionário* o artigo chamado *Número (Numeral, Numerologia)*. Na sociedade dos hebreus, requeriam-se orações somente pela manhã e à tardinha, mas alguns também oravam ao meio-dia. Ver as notas expositivas em Sl 88.13. O poeta, porém, era extremamente zeloso quanto às suas orações. Cf. os vss. 147 e 148, quanto a outras referências ao zelo religioso do salmista, ao observar tantas vezes por dia suas orações e louvores. Ver Sl 55.17, quanto às *três ocasiões* de oração.

Um antigo documento anglo-saxão, *Homily, Domin.* 3, 971 d.C., quiçá em imitação deste versículo, requeria dos homens piedosos (incluindo o uso do sinal da cruz) *sete vezes de oração* por dia. Poderíamos pensar nisso como superpiedade, mas na verdade existem poucas pessoas tão zelosas. O poeta sagrado, como o homem número um em Israel, no tocante ao amor à lei (ver os vss. 99 e 100), encontrava tempo para tantas devoções. Nosso homem precisava usar o período noturno para louvar, porque, obviamente, durante o dia não havia tempo suficiente para essa prática.

Para a prática das ações de graças por todas as coisas, ver Ef 5.20 e 1Ts 5.18. Ben Ezra provavelmente estava correto ao salientar que a frequência das orações do homem era determinada pela provação severa que ele estava enfrentando, especialmente pelas perseguições dos príncipes (vs. 161) que ameaçavam a vida do salmista. Provações severas nos forçam a orar mais e também a desenvolver maior espiritualidade.

119.165

שָׁלוֹם רָב לְאֹהֲבֵי תוֹרָתֶךָ וְאֵין־לָמוֹ מִכְשׁוֹל׃

Grande paz têm os que amam a tua lei. Embora estivesse sob provação severa, sofrendo ameaça de morte, o poeta encontrava grande paz através de sua espiritualidade e prática espiritual altamente desenvolvida. Acima de tudo, brilhava o amor à lei (ver o vs. 47), na qual ele encontrava promessas de proteção para os bons. Os que vivem estudando e praticando a lei não se deixam *ofender* por coisas comuns, conforme fazem outros seres humanos. Também não *tropeçam* tanto quanto outros homens. Pessoas menores se ofendem e tropeçam diante de ofensas pequenas. Os fiéis, porém, não tropeçam. Ficam ofendidos com as ofensas de outras pessoas, mas não se mostram neuróticos sobre isso, pelo que participam menos do jogo da ofensa-tropeço. Ao contrário, esses fiéis têm uma calma e uma paz espiritual que os eleva bem acima das massas populares. A espiritualidade tem vários subprodutos, e o subproduto deste versículo é um deles.

> *A paz de Deus, que excede todo o entendimento, guardará os vossos corações e as vossas mentes em Cristo Jesus.*
>
> Filipenses 4.7

■ 119.166

שִׂבַּ֖רְתִּי לִישׁוּעָתְךָ֥ יְהוָ֗ה וּֽמִצְוֺתֶ֥יךָ עָשִֽׂיתִי׃

Espero, Senhor, na tua salvação. "Salvação", neste caso, não é o mesmo que salvação evangélica. O poeta não estava clamando porque sua alma corria perigo. Antes, eram os intuitos assassinos de seus inimigos que perturbavam sua vida. Mas, por causa das promessas dos *mandamentos* de Deus (a lei), ele tinha a *esperança* de escapar da morte prematura, considerada tão inútil, somente porque homens malignos estavam explorando e prejudicando a outros, com pequena oposição. O poeta queria que Yahweh se opusesse, livrando-o do terror que eles estavam promovendo. *A esperança* é um tema frequente deste salmo. Ver as notas expositivas sobre o vs. 147. Ver no *Dicionário* o verbete denominado *Esperança*. Cf. Gn 49.8 e o vs. 174 do salmo presente.

Este versículo, como é natural, tem sido cristianizado para falar da esperança cristã da salvação, um assunto profundo, embora não fosse isso o que o poeta tinha em mente quando escreveu o texto. Ver 1Jo 3.2,3.

> Quando as tristezas rolam como as ondas do mar,
> Sem importar qual seja a minha sorte,
> Tu me tens ensinado a dizer:
> Tudo está bem, tudo está bem com minha alma.
>
> Oh, Senhor, apressa o dia quando a fé
> será visão, as nuvens rolarem para trás
> como um rolo. A trombeta soará e
> o Senhor descerá, e assim
> Tudo estará bem com minha alma.
>
> Horatio G. Spafford

■ 119.167

שָֽׁמְרָ֣ה נַ֭פְשִׁי עֵדֹתֶ֗יךָ וָאֹהֲבֵ֥ם מְאֹֽד׃

A minha alma tem observado os teus testemunhos. Este versículo repete dois temas comuns a este salmo, a saber: a) A guarda da lei, chamada aqui de *testemunhos*. Quanto a esse tema ver as notas expositivas e as referências no vs. 44. b) O amor à lei (ver as notas expositivas a respeito no vs. 47). O autor sagrado, agora já se avizinhando do fim de suas 176 declarações de louvor à lei mosaica, que é o tema central do Salmo 119, começava a ficar sem assunto, e repetiu suas declarações centrais. "... Ele observava a lei pelo princípio do amor, e não com motivos mercenários e egoístas. Seu amor era realmente profundo, não frio nem morno, mas ardente e fervoroso, ou seja, um amor em *grau superlativo*" (John Gill, *in loc.*).

■ 119.168

שָׁמַ֣רְתִּי פִ֭קּוּדֶיךָ וְעֵדֹתֶ֑יךָ כִּ֖י כָל־דְּרָכַ֣י נֶגְדֶּֽךָ׃

Tenho observado os teus preceitos e os teus testemunhos. Uma vez mais, o autor sagrado tornou a fazer suas declarações muito repetidas acerca da *observância da lei*. Ver sobre isso no vs. 44. A fim de observar bem a lei, ele sempre guardava os mandamentos de Deus diante de seus olhos e de sua alma, mediante estudo, meditação e *prática* do que fora ordenado. "Todos os meus atos são conhecidos por ti, e tu me recompensarás de acordo. Em todos os meus caminhos lembro que os teus olhos estão sobre mim, e faço todas as coisas como em tua presença (Sl 73.23; Gn 17.1)" (Fausset, *in loc.*).

> *Porque os caminhos do homem estão perante os olhos do Senhor, e ele considera todas as suas veredas.*
>
> Provérbios 5.21

"Tu sabes que não estou mentindo. Teus olhos têm contemplado o meu coração e a minha conduta. Tu sabes que me tenho esforçado por andar na tua presença com coração perfeito" (Adam Clarke, *in loc.*). Cf. os vss. 1-3 deste mesmo salmo, que nos dão um prefácio apropriado ao Salmo 119.

TAU: A Vigésima Segunda Estrofe (119.169-176)

■ 119.169

תִּקְרַ֤ב רִנָּתִ֣י לְפָנֶ֣יךָ יְהוָ֑ה כִּדְבָרְךָ֥ הֲבִינֵֽנִי׃

Chegue a ti, Senhor, a minha súplica. Seguindo o plano de compor uma poesia em forma acróstica, o autor sagrado oferece-nos agora o *vigésimo segundo (e último) conjunto das oito linhas* louvando a lei, para o que ele continuou a usar diversos termos a fim de variar a sua expressão. Ver a introdução a este salmo na seção chamada *Salmos Acrósticos*, e ver também no vs. 1 as *dez palavras* usadas para indicar a lei. Esta vigésima segunda estrofe é chamada *Tau*, sendo essa a letra hebraica repetida no começo dessas oito linhas. Ou seja, a palavra que encabeça cada uma das linhas começa com a letra hebraica *tau*.

Tau: Embora o poeta dê algumas frases levemente variadas, não há novas declarações louvando a lei. O autor sagrado usou de poderosa imaginação para fazer tantas declarações acerca da lei, embora haja muitas repetições. O poeta sagrado não tentou sumariar seu poema aqui nem apresentou uma conclusão distintiva para o salmo. Ele meramente repetiu vários de seus temas centrais. Por conseguinte, é impossível classificar esta estrofe, conforme fizemos com outras, como as chamadas *Dálete*, *Sâmeque* e *Côfe*, que são salmos de lamentação, e *Meme*, que é um salmo de sabedoria. A mensagem principal do salmo é que, se o poeta "fosse livrado, tinha votado entoar louvores à lei de Deus" (*Oxford Annotated Bible*, no vs. 169).

Contrastar esta conclusão bastante humilde do Salmo 119 com o poderoso hino de louvor (Sl 150) que atua como uma doxologia para todo o saltério.

Chegue a ti, Senhor. A estrofe *Tau* começa com um apelo típico dos salmos de lamentação. O poeta estava em perigo de perder a vida. Homens iníquos queriam *destruí-lo* (vs. 95). Ele acabaria morto, a menos que Yahweh logo o ajudasse (vs. 149). Somente em Deus ele tinha *segurança* (vs. 117). Por conseguinte, continuou a clamar com todo o coração (vs. 145). Ele chegava a acordar no meio da noite para clamar por ajuda (vss. 147 e 148). Estava sendo cercado e em breve poderia cair presa de seus adversários (vs. 150). O salmista continuava pedindo que Deus interviesse, com suas ternas misericórdias (vs. 156). Ele sofria angústia e tribulação e perdera a esperança em si mesmo (vs. 143). Clamou a Yahweh para ser salvo (vs. 146). Levantava antes do amanhecer a fim de orar (vs. 147). Precisava de Deus nas proximidades e em breve seria executado (vs. 151). O livramento é o *primeiro tema* repetido nesta estrofe final.

Dá-me entendimento. Nosso homem, tendo obtido entendimento, e sendo uma pessoa altamente espiritual, poderia esperar que Yahweh respondesse a suas desesperadas orações, e assim o livrasse. "Entendimento" é um dos grandes temas do salmo, que anoto no vs. 73. *Entendimento* é o *segundo tema* repetido nesta estrofe final. Ele esperava encontrar entendimento na lei, ou seja, ainda maior entendimento, visto que já ultrapassava seus mestres e até os anciãos (vss. 99 e 100).

■ 119.170

תָּב֣וֹא תְּחִנָּתִ֣י לְפָנֶ֑יךָ כְּ֝אִמְרָתְךָ֗ הַצִּילֵֽנִי׃

Chegue a minha petição à tua presença. O clamor do salmista é aqui chamado de "petição", e o pedido que ele fez ao Senhor é idêntico, ou seja, um apelo para que seu pedido chegasse à presença do Senhor, que ele ouvisse e então respondesse, conferindo-lhe livramento dos inimigos. Se Yahweh prestasse atenção e tivesse misericórdia, então o salmista seria arrebatado das mãos de seus adversários, em consonância com as promessas da lei. Este versículo é uma leve modificação do versículo anterior e reproduz o clamor pedindo livramento, que é o *primeiro tema* repetido na estrofe final do Salmo 119. Quanto ao livramento do poder dos inimigos, cf. os vss. 134 e 153. Ver também Sl 18.59 e 32.7. E o Salmo 90.12-15 tem algo similar.

> *Invoca-me no dia da angústia; eu te livrarei, e tu me glorificarás.*
>
> Salmo 50.15

■ 119.171

תַּבַּעְנָה שְׂפָתַי תְּהִלָּה כִּי תְלַמְּדֵנִי חֻקֶּיךָ׃

Profiram louvor os meus lábios. Declarações de *louvor* representam a principal declaração do Salmo 119, pelo que são um tema bastante repetido. Esse é o *terceiro tema* repetido nesta estrofe final. Quando um homem aprende a lei, inclina-se naturalmente a dar graças. Ele vê o cumprimento das promessas bíblicas; experimenta os benefícios recebidos por aqueles que guardam a lei, de acordo com a *Lei Moral da Colheita segundo a Semeadura* (ver a respeito no *Dicionário*). Cada tema repetido representa um benefício provido pela lei, e as *provisões* da lei formam um tema geral, ao qual podemos chamar de *quarto tema*, reiterado nesta estrofe final do Salmo 119.

Profiram louvor. Literalmente, "produzam uma correnteza de louvor". A palavra *louvor* encontra-se somente por quatro vezes neste salmo (vss. 7, 164, 171 e 175), mas, por meio de sinônimos, este salmo tem o louvor como tema central, pois é, supremamente, o hino de louvor à lei. Ver no *Dicionário* o verbete intitulado *Louvor*. "Louvor, produzido como que de uma fonte que extravasava, borbulhante (Sl 19.2)" (Fausset, *in loc.*). Ver também Sl 78.2. Ver o Hallel (Louvor) (Salmos 113 a 118). *Aleluia!* é tradução de uma expressão hebraica que significa "Louvado seja Yahweh".

A *Providência de Deus* é imensa, a fonte originária de todas as coisas boas desta vida e da vida futura. Ver sobre esse tema no *Dicionário*, quanto a ideias completas.

■ 119.172

תַּעַן לְשׁוֹנִי אִמְרָתֶךָ כִּי כָל־מִצְוֹתֶיךָ צֶּדֶק׃

A minha língua celebre a tua lei. Este versículo relembra-nos do *uso apropriado* da lei. Neste salmo, isso significa *louvor*, pelo que temos aqui todos os versículos e ideias que tinham acabado de ser dados na explicação do versículo anterior. Isto fornece o *quinto* tema repetido da estrofe final deste salmo, que é uma variação ou subcategoria do terceiro tema (o louvor). Quanto ao uso apropriado da língua, ver as notas em Sl 5.9; 12.2; 15.3; 17.3; 34.12; 35.28; 36.3; 39.9; 55.21; 64.4; 66.17; 73.9; 94.4; 101.5 e 109.2. Ver no *Dicionário* o artigo chamado *Linguagem, Uso Apropriado da*, quanto a notas expositivas completas e referências.

Todos os teus mandamentos são justiça. Este é o *sexto* tema repetido da estrofe final do Salmo 119. O autor sacro não nos oferece aqui declarações novas, mas repete certo número de dizeres que já havia usado no salmo e tira uma conclusão dessas repetições. Quanto a este sexto tema, ver o vs. 142, onde dou anotações e referências.

O salmista louvou a palavra de Deus (a lei), por ser ela reta e contribuir para a justiça. Entre elas estaria o seu livramento dos conluios inimigos e também o julgamento apropriado deles, por causa dos muitos anos de impiedade que haviam perpetrado. Disse aqui Aben Ezra: "Ensinarei aos filhos dos homens as Tuas palavras, para que eles saibam que Teus mandamentos são justiça". "Minha língua louvará a tua palavra, porque ela é inteiramente justiça" (Kimchi).

■ 119.173

תְּהִי־יָדְךָ לְעָזְרֵנִי כִּי פִקּוּדֶיךָ בָחָרְתִּי׃

Venha a tua mão socorrer-me. A mão *ajudadora* de Deus é assunto constante do Salmo 119 e constitui o *sétimo* tema repetido desta estrofe final. A principal ajuda que se fazia necessária era livramento dos inimigos homicidas. Cf. o vs. 175, onde a ideia é repetida. Quanto à *mão* de Deus, o instrumento de seu poder, ver Sl 81.14. Quanto à *mão direita* de Deus, ver Sl 20.6. Quanto ao *braço* de Deus, ver Sl 77.15; 89.10 e 98.1.

O poeta merecia a ajuda de Deus, porquanto tinha escolhido a lei como seu guia especial e como sua possessão, e se atarefava em guardá-la, nela deleitando-se e amando-a.

Pois escolhi os teus preceitos. Por sua livre vontade, o salmista havia escolhido a lei de Deus e o seu caminho. Naturalmente, foi uma escolha educada, porquanto ele havia estudado a questão, em detrimento do mal. Esse é o *oitavo* tema repetido na estrofe final do Salmo 119. Ver os vss. 30 e 59. Ver no *Dicionário* o verbete denominado *Livre-arbítrio*.

Diante de cada homem abre-se um caminho,
Um caminho ou caminhos.
E cada homem deve escolher
O caminho pelo qual enveredará.

Ver Sl 1.1,6, quanto a versículos sobre os caminhos dos justos e dos ímpios. Ver também Sl 119.101 e 105.

■ 119.174

תָּאַבְתִּי לִישׁוּעָתְךָ יְהוָה וְתוֹרָתְךָ שַׁעֲשֻׁעָי׃

Suspiro, Senhor, por tua salvação. O *intenso desejo de ser libertado* é o *nono* tema repetido da estrofe final deste salmo. Ver sobre o vs. 20, que contém algo similar, embora ali o anelo seja pela própria lei, que promete ajuda. Ver o vs. 145, onde nosso homem clama de *todo o coração*, solicitando a salvação de Yahweh. Entretanto, ele não estava clamando para que sua alma fosse salva, e, sim, para que Deus o poupasse de um insensato homicídio, pela mão de seus inimigos. Ele orava para que a multidão das misericórdias divinas (vs. 156) se mostrasse eficaz quanto à sua segurança (vs. 117). Ver também o vs. 146.

Nada prometo, amigos se afastarão.
Todas as coisas devem terminar,
Porque todas tiveram começo.
Verdade e singeleza de coração
São mortais, como mortal é o homem.

A. E. Housman

O poeta sagrado sabia que algum dia teria de deixar este mundo e separar-se de seus amigos, mas não queria sofrer morte prematura por meio das mãos ímpias de seus opressores. Na lei existem promessas dirigidas ao homem bom, garantindo que isso não aconteceria. Portanto, ele continuou a confiar nas promessas.

A tua lei é todo o meu prazer. Quanto a amar à lei de Deus e nela deleitar-se, ver as notas e referências em Sl 119.47. O salmista esperava que sua dedicação absoluta à lei inspirasse Yahweh a poupar sua vida da destruição (vs. 95). Ele prosseguiria com seu amor à lei, praticando os mandamentos com fidelidade e sendo benfeitor de muitos semelhantes. Um homem morto não poderia fazer isso. O amor intenso pela lei é a *décima* repetição de ideias nesta derradeira estrofe do Salmo 119.

■ 119.175

תְּחִי־נַפְשִׁי וּתְהַלְלֶךָּ וּמִשְׁפָּטֶךָ יַעֲזְרֻנִי׃

Viva a minha alma para louvar-te. Usando *outra figura metafórica*, o salmista pediu livramento do assassinato que seus opressores tinham planejado para ele: *Viva a minha alma!* Ele não estava falando da vida eterna da alma, embora alguns intérpretes tenham cristianizado o versículo para dizer isso. Para os antigos hebreus, somente um homem fisicamente *vivo* podia *louvar* a Deus. A teologia dos hebreus da época não contemplava a vida pós-túmulo, nem para os bons nem para os maus. Por conseguinte, para eles, os louvores ao Senhor terminavam à beira do sepulcro. Esse é o *décimo primeiro* tema da estrofe final deste salmo, o qual já tínhamos visto antes. Também é um tema comum do saltério. Nos Salmos e nos Profetas começou a vir à tona a doutrina da sobrevivência de uma alma imaterial e imortal. Em Dn 12.2 temos um julgamento e uma recompensa que esperavam pela alma humana, e nos livros apócrifos e pseudepígrafos esse tema é desenvolvido, tal como se vê no Novo Testamento, em maior grau ainda. Mas, antes de todo esse desenvolvimento, os hebreus pensavam que, uma vez que um homem morresse, estaria extinto e não mais louvaria a Deus. Ver Sl 88.10; 115.17; Ec 9.5. Cf. os vss. 88 e 112 do salmo presente. Os julgamentos de Deus, condenando os pecadores e outorgando boa vida aos bons, eram declarações nas quais o poeta colocava sua *esperança*.

■ 119.176

תָּעִיתִי כְּשֶׂה אֹבֵד בַּקֵּשׁ עַבְדֶּךָ כִּי מִצְוֹתֶיךָ לֹא שָׁכָחְתִּי׃

Ando errante como ovelha desgarrada. Pega-nos de surpresa, no final do salmo, a referência do poeta, o número um de Israel, a seu *desvio*. Ver os vss. 99 e 100, quanto à sua proeminência entre o povo como um homem espiritual. Ele excedia a todos os seus mestres e até aos antigos. Portanto, por qual razão teria feito referência a um ou mais erros cometidos, a fim de encerrar seu *hino de louvor à lei?* Consideremos os seguintes pontos:

1. Todos os homens são pecadores, e não é preciso pensar muito para trazer à mente um ou mais pecados dos quais gostaríamos de livrar-nos. Por outra parte, chamar alguém a si mesmo de ovelha que se desviara e em necessidade de ser trazida de volta ao divino Pastor, subentende um desvio maior do que poderíamos atribuir ao poeta sagrado.
2. Alguns estudiosos pensam em um *pecado sério,* um crime, supondo que os inimigos do nosso homem procuravam vingar-se disso. Mas isso não se parece com o homem que escreveu este hino de louvor, e do princípio ao fim, afirmara deleitar-se na lei e amá-la (ver o vs. 47).
3. Ou então, mais provavelmente ainda, o salmista não usou a palavra *errante* em um sentido *moral*. Ele era apenas uma ovelha perdida, lançada em meio às vicissitudes da vida, por perseguição de seus inimigos. Ele era uma ovelha perdida *inocente,* e não uma ovelha culpada. Referia-se apenas às suas condições deterioradas, imaginando-se como uma ovelha desamparada e distante da proteção do Pastor. Se essa é a explicação correta, então o versículo final deste hino não está fora do lugar. O poeta sagrado era um cordeiro desamparado perante os inimigos assassinos, que já o conduziam para a matança.

Na qualidade de *cordeiro desamparado,* ele invocava agora o Pastor a fim de salvá-lo, e baseava seu apelo no fato de que ele nunca esquecia os mandamentos (a lei).

Assim sendo, o último versículo do Salmo 119 repete dois temas que já haviam aparecido no hino. Tema número *doze*: O salmista tinha-se desviado e precisava ser trazido de volta. Ver o vs. 67. Tema número *treze:* O salmista merecia a graça do livramento (salvação) porque não tinha olvidado a lei. Ver os vss. 16, 83, 109, 141 e 153.

A *conclusão* do Salmo 119 é, assim, a *repetição* de alguns *temas centrais*.

Sumário:
1. Necessidade de livramento de inimigos homicidas: vs. 169.
2. Entendimento superior da lei: vs. 169.
3. Declaração especial de louvor: vs. 171.
4. Provisões da lei para todas as ocasiões: vs. 171.
5. Uso apropriado da linguagem: vs. 172.
6. Retidão da lei: vs. 173.
7. Mão ajudadora de Deus: vs. 173.
8. Escolha do caminho certo: vs. 173.
9. Desejo intenso de livramento: vs. 174.
10. Deleite na lei: vs. 174.
11. Os vivos louvam a Deus; os mortos não podem fazer isso: vs. 175.
12. Desviando-se do rebanho: vs. 176.
13. O poeta não esquecera a lei: vs. 176.

A ti, Alma Eterna, seja o louvor!
À qual, desde a antiguidade aos nossos dias,
Através de almas de santos e de profetas, Senhor,
Tens enviado tua luz, teu amor, tua palavra.
Richard Watson Gilder

SALMO CENTO E VINTE

Quanto a *informações gerais* que se aplicam a todos os salmos, ver a introdução ao Salmo 4, onde apresento *sete* comentários que elucidam a natureza do livro.

Quanto às *classes* dos salmos, ver o gráfico no início do comentário, que atua como uma espécie de frontispício da coletânea. Dou ali dezessete classes e listo os salmos pertencentes a cada uma delas.

Este é um *salmo de lamentação,* a oração de um exilado para livrar Israel (Judá) de seus inimigos. Este salmo está no singular, pelo que devemos pensar em um dos cativos que proferiu esta oração e então a aplicou aos cativos como um todo. "Nada existe neste salmo que indique claramente a sua data, através do que podemos conjecturar que este salmo pressupõe a diáspora e que, portanto, é pós-exílico" (William R. Taylor, *in loc*.). A incerteza acerca da data também criou a incerteza acerca das conexões históricas exatas, pelo que a aplicação deste salmo aos cativos que retornavam da Babilônia não forma uma teoria universalmente aceita.

"No Salmo 120, o salmista orou pedindo livramento de pessoas traiçoeiras que queriam a guerra, enquanto o salmista queria a paz" (Allen P. Ross, *in loc*.).

Subtítulo. "Cântico de romagem". Quinze salmos (120 a 134) têm os mesmos misteriosos subtítulos, no hebraico *Shir hammaaloth,* diferentemente interpretados. Alguns eruditos defendem que essas palavras significam *Cântico dos Degraus,* significando estágios da subida (conforme diz, literalmente, o hebraico original) dos cativos a caminho de Jerusalém, vindos da Babilônia. Os intérpretes que concordam com isso salientam que temos a palavra hebraica *maalah,* em Ed 7.9, para referir-se ao retorno da Babilônia. Contra essa teoria temos o fato aparente de que alguns dos salmos refletem datas possivelmente posteriores ao retorno da Babilônia (conforme se vê nos Salmos 125, 127, 129, 131 e 133). Mas também temos a possível tradução de *Cântico da Subida,* que poderia apontar para algo semelhante a "cântico dos degraus". Ou então isso poderia referir-se aos *quinze degraus* que ligavam o átrio das mulheres ao átrio dos homens. Acerca disso disse Kimchi: "Havia quinze degraus pelos quais os sacerdotes subiam ao templo, e em cada um deles ele entoava um cântico dos quinze, empregando esses salmos".

Além dessas traduções, temos também a tradução *Cântico do Peregrino*. Nesse caso, a referência poderia ser aos salmos usados pelos peregrinos que se encaminhavam para Jerusalém, nas três visitas anuais que requeriam a presença de todos os varões, a saber, as festas da Páscoa, do Pentecoste e dos Tabernáculos.

Seja como for, a única coisa que poderíamos provar *se* pudéssemos solucionar o problema do que esse subtítulo significa, é que editores subsequentes *pensavam* que para isso é que os subtítulos eram usados. Devemos lembrar que os subtítulos foram compostos por editores posteriores e não faziam parte original dos salmos. Não têm nenhuma autoridade canônica, embora, ocasionalmente, possam ter feito referência a alguma situação histórica associada às composições.

Desses quinze chamados *Cânticos de Romagem,* os Salmos 122, 124, 131 e 133 são atribuídos a Davi; o Salmo 127 é atribuído a Salomão, e dez deles são anônimos.

Esses salmos têm temas comuns que os percorrem, sendo essa a razão por que terminam apresentando os mesmos subtítulos. Por outra parte, é provável que editores subsequentes os tenham agrupado precisamente por causa de seus temas comuns, mas isso não significa que eles sejam realmente históricos, *até* que tenham sido artificialmente reunidos. Cf. os *Salmos Hallel* (salmos de louvor) (Salmos 113 a 118). Esses salmos foram usados posteriormente na liturgia judaica como um grupo de cânticos entoados nas festividades religiosas, mas original e historicamente não formavam um grupo distintivo. Também precisamos relembrar que foram editores posteriores que puseram na ordem atual os 150 salmos do saltério. Usualmente não podemos discernir nenhuma razão para a ordem em que eles estão dispostos. Mas no caso dos "cânticos de romagem", pelo menos vemos um agrupamento efetuado por causa de temas comuns. Então, o agrupamento dos salmos em cinco livros, em imitação ao Pentateuco, é algo totalmente artificial. Ver a introdução ao livro, seção VI.B quanto aos *cinco livros*. Ver também a seção VIII quanto a certos agrupamentos dos salmos.

O APELO EM FAVOR DO LIVRAMENTO (120.1,2)

■ 120.1,2

שִׁיר הַמַּעֲלוֹת אֶל־יְהוָה בַּצָּרָתָה לִּי קָרָאתִי וַיַּעֲנֵנִי׃

יְהוָה הַצִּילָה נַפְשִׁי מִשְּׂפַת־שֶׁקֶר מִלָּשׁוֹן רְמִיָּה׃

Na minha angústia clamo ao Senhor. A *angústia* não foi definida, mas alguns eruditos a associam com os sofrimentos do cativeiro babilônico. Os pedidos de ajuda transformaram-se em agradecimento, porquanto o pedido foi honrado e o homem foi libertado. O vs. 2 deste salmo não parece favorecer a ideia do cativeiro babilônico. É difícil perceber por qual razão aqueles estrangeiros foram chamados de *mentirosos*, em vez de algo como *pecadores assassinos*. Lábios mentirosos são lábios de pessoas que empregam formas de falsidade para prejudicar o próximo; ou lábios de pessoas que dão falso testemunho; que roubam propriedades mediante a fraude; que caluniam os outros; e que se ocupam da duplicidade. Mas os vss. 5-7, nesse caso, parecem falar de um exílio em algum país estrangeiro. Portanto, quem pode solucionar esse problema? *Ellicott* tentou encontrar a solução para o dilema, supondo que a nação de Israel, sob domínio estrangeiro, sofresse as zombarias e as calúnias de seus opressores. Disse ele: "Isso deixou uma cicatriz permanente". "... mentiras emanadas de um povo sem fé, sem verdade, sem religião; que buscavam, mediante mentiras e calúnias, destruí-los" (Adam Clarke, *in loc.*). Sem importar qual fosse a angústia, o salmista dá a Yahweh o crédito pelo livramento dele mesmo (e de seus colegas compatriotas). Era mister que houvesse intervenção divina.

Alguns intérpretes cristianizam este salmo para fazer dele um apelo de Cristo para ser livrado de suas angústias. Outros pensam tratar-se de uma descrição das experiências de Davi, quando ele fugia de Saul ou Absalão, e não veem aqui coisa alguma que se aproxime do cativeiro babilônico.

PUNIÇÃO PARA OS INIMIGOS (120.3,4)

■ 120.3,4

מַה־יִּתֵּן לְךָ וּמַה־יֹּסִיף לָךְ לָשׁוֹן רְמִיָּה:
חִצֵּי גִבּוֹר שְׁנוּנִים עִם גַּחֲלֵי רְתָמִים:

Que te será dado, ou que te será acrescentado? O salmista dirige-se a uma língua personalizada, a faculdade dos ímpios de falar de seus inimigos, e pergunta o que ele deveria dizer a tal entidade maligna. Outrossim, o que deveria ser *feito* acerca da iniquidade que se tinha transformado no agente da perseguição a um homem (ou povo) inocente? São dadas duas descrições: a primeira fala da natureza destruidora do adversário; e a segunda fala da punição do adversário.

Setas agudas. Estão em vista as setas de um soldado ou caçador, instrumentos de terror e destruição. Ver Sl 57.4; 58.7; 64.3 e 120.4. Cf. Pv 25.18,19; 26.18 e Is 50.11.

Brasas vivas de zimbro. Está em vista a *Retama roetam*, que no "Oriente Próximo era o mais popular dos arbustos espinhentos, colhido para servir de combustível, porquanto assegura um fogo longo e quente" (Grace M. Crowfoot, *From Cedar to Hyssop*). Com essa descrição, o autor sagrado predisse o que aconteceria aos ímpios que atirassem setas agudas contra outras pessoas. Eles chegariam a um fim súbito e violento. Suas casas seriam incendiadas. Eles, por sua vez, seriam transformados, literal ou figuradamente, em cinzas. Essa atitude superior de não vingança (ver Lv 19.18; Pv 25.21,22) não tinha por fim atender ao interesse do salmista. Ver também Rm 12.19 ss. As *imprecações* nos salmos de lamentação são comuns quando a pessoa perseguida quer ver um poder final e violento tomar conta dos adversários.

Alguns intérpretes fazem *ambas as figuras simbólicas* aplicar-se à punição dos ímpios. Aqueles cuja língua foi como setas agudas, e que destruíram seus semelhantes, se tornarão vítimas das setas de outros. Está em pauta a retribuição conforme a gravidade do crime cometido. Ver sobre *Lex Talionis* e sobre *Lei Moral da Colheita segundo a Semeadura*, no *Dicionário*. Cf. Sl 18.12,13 e 140.10. Ver também Tg 3.6 e Sl 52.4. "... punição contra a língua maligna... julgamentos severos com frequência são comparados a flechas (Dt 32.23,42; Ez 5.16; Sl 7.13, porquanto vêm do alto e trazem rápida e repentina destruição)... são muito agudas no coração dos inimigos, muito severas e cortantes, sendo as flechas do Todo-poderoso (Jó 6.4; Jr 1.9)" (John Gill, *in loc.*). As chamas do arbusto sugerem julgamento através de chamas eternas, pelo que, anacronicamente, este versículo é aplicado ao julgamento da morte no pós-vida. Mas a teologia dos hebreus ainda não tinha chegado a esse nível. Cf. Dn 12.2.

Ver quanto ao uso apropriado da língua em Sl 5.5; 12.2; 15.3; 17.3; 34.12; 35.28; 36.3; 39.9; 55.21; 64.4; 73.9; 94.4; 101.5; 109.2 e 119.172. Ver no *Dicionário* o artigo chamado *Linguagem, Uso Apropriado da*.

A TRISTE EXPERIÊNCIA DO SALMISTA (120.5-7)

■ 120.5

אוֹיָה־לִי כִּי־גַרְתִּי מֶשֶׁךְ שָׁכַנְתִּי עִם־אָהֳלֵי קֵדָר:

Ai de mim, que peregrino em Meseque. Isso falava sobre um exilado perseguido por inimigos estrangeiros, como se estivesse no cativeiro babilônico, um hebreu qualquer que estava entre um povo estrangeiro e cujas experiências eram negativas. Ver Sl 39.12. No *Dicionário*, ver sobre *Cativeiro Babilônico* e *Peregrino*.

Meseque... nas tendas de Quedar. Quanto a notas expositivas completas sobre estes lugares, ver o *Dicionário*. Meseque era uma nação que ficava na Ásia Menor (cf. Gn 10.2; Ez 32.26,27; 38.3; 39.1). E Quedar era uma região do deserto da Síria, ao sul de Damasco, onde habitavam as tribos de Quedar (ver Gn 25.13; Jr 2.10; 49.28-30). Esses dois nomes significam *barbarismo* e representam os inimigos em cujo meio o poeta sagrado tinha vivido, e por meio de quem sua vida era diariamente ameaçada e transformada em miséria. Esses dois nomes poderiam ser referências crípticas a centros bem conhecidos da população judaica na *diáspora* (ver a respeito no *Dicionário*), e não àqueles lugares propriamente ditos. Sabemos que o termo *Babilônia* era usado para indicar *Roma*, em tempos posteriores. Ver sobre a *Babilônia* no *Dicionário*, quanto ao uso do código.

■ 120.6,7

רַבַּת שָׁכְנָה־לָּהּ נַפְשִׁי עִם שׂוֹנֵא שָׁלוֹם:
אֲנִי־שָׁלוֹם וְכִי אֲדַבֵּר הֵמָּה לַמִּלְחָמָה:

Já há tempo demais que habito com os que odeiam a paz. O salmista, por tempo demais, longe da pátria, fora obrigado a viver entre aqueles homens brutais. Ele era diariamente vexado pelas maneiras mal-educadas e bárbaras e pela total falta de qualidades espirituais deles, que cuidavam somente da guerra e da destruição. Se ele lhes falasse sobre a paz, dele ririam e escarneceriam. Tudo quando eles tinham fora ganho na guerra. A paz seria para os fracos. Os vitoriosos seriam guerreiros; pessoas pacíficas seriam seus escravos. A violência trouxera recompensas imediatas e gratificantes. A paz só permite que o inimigo tire vantagem de você. Os sábios faziam guerra; os tolos continuavam a falar sobre a paz. "Quando falo para recomendar a paz, eles só respiram a guerra. Eles zombam de minhas palavras de paz e aproveitam-se delas para declarar a guerra" (Fausset, *in loc.*) "O poeta era um homem de paz, de disposições pacíficas" (Aben Ezra), mas ter tal atitude era estar completamente deslocado onde ele habitava.

Este versículo tem sido cristianizado, para falar sobre o *Príncipe da Paz*, bem como sobre os homens contra ele e contra a sua causa de salvação. Além disso, este versículo tem sido transformado em uma descrição da luta universal e já por várias vezes milenar do bem contra o mal. Ver Is 9.6, quanto ao *Príncipe da Paz* e o que esse termo significa.

> Minha alma, monta guarda,
> Levantam-se dez mil inimigos.
> As hostes do pecado estão pressionando
> Para arrancar-te dos céus.
>
> George Heath

SALMO CENTO E VINTE E UM

Os Salmos 120 a 134, quinze salmos, são chamados *Cânticos de Romagens* (ou dos Degraus, ou do Peregrino). Nas notas introdutórias ao Salmo 120 há uma nota aplicável a todos esses salmos, pelo que convido o leitor a examiná-las.

O Salmo 121 é uma *liturgia de bênçãos*. Talvez seja a mais bela composição escrita dos Cânticos de Romagens. "É construído em forma de antífona, conforme denota a mudança nas pessoas dos pronomes. Contudo, há diferenças de opinião a respeito de ser um diálogo entre o autor e a sua alma, ou se temos aqui um leigo e um sacerdote na liturgia do templo, ou mesmo entre um grupo de peregrinos e seu líder espiritual. Esse terceiro ponto de vista parece ser o mais aceitável" (William R. Taylor, *in loc.*). Não podemos ter certeza quanto ao emprego deste salmo na liturgia posterior, mas quase certamente as palavras refletem experiências reais dos peregrinos, os quais enfrentavam muitos perigos ao longo do caminho, enquanto faziam sua viagem a Jerusalém, para ali participar das festividades religiosas. Havia enfermidades, fome e sede, e ataques de ladrões. Somente Yahweh podia protegê-los e conferir-lhes uma jornada segura. Certos saqueadores faziam de seu negócio atacar os acampamentos de peregrinos, e os peregrinos tinham pouca proteção contra tais ataques. Os peregrinos não formavam um exército.

Nem todos os eruditos aceitam a explicação dos "peregrinos" sobre este e outros Cânticos de Romagens, e apresento as outras teorias e os comentários na introdução ao Salmo 120.

A FONTE DE AJUDA (121.1)

■ 121.1

שִׁיר לַמַּעֲלוֹת אֶשָּׂא עֵינַי אֶל־הֶהָרִים מֵאַיִן יָבֹא עֶזְרִי:

Elevo os olhos para os montes: de onde me virá o socorro? Com uma *pergunta retórica*, o salmista introduz a sua afirmação de que Yahweh é a fonte de ajuda para qualquer pessoa que esteja correndo dificuldades, sem importar a causa. Alguns eruditos fazem este versículo ser uma afirmação: a ajuda do homem viria dos montes, presumivelmente onde estava a presença de Yahweh, algo parecido com a ideia grega do Olimpo, o lar dos deuses gregos. Mas os montes, neste caso, provavelmente são aqueles em torno de Jerusalém, e o próprio templo seria um desses montes. Portanto, dizer que a ajuda viria dos montes era o mesmo que dizer: "A ajuda virá do templo, onde Yahweh se manifesta". Essa expressão é especialmente apropriada se este é um dos salmos dos peregrinos que se dirigiam ao templo para cumprir seus deveres. As três festividades religiosas — a Páscoa, o Pentecoste e os Tabernáculos — requeriam a presença de todos os varões hebreus, pelo que havia peregrinações regulares associadas.

A Natureza dos Salmos. Este salmo é misto e não pode ser classificado como pertencente a uma única categoria. Começa com um lamento e termina com um oráculo. Quanto às *classes* dos salmos (são dezessete classes ao todo), ver o gráfico no início do comentário, que atua como espécie de frontispício do saltério.

> Nos montes ele sentiu uma fé especial,
> E ali seu espírito formou suas esperanças.
>
> Wordsworth

Elevo os meus olhos. Ver as notas expositivas completas em Sl 123.1.

O *peregrino*, avançando lentamente pelas planícies e pelos desertos, nos olhos de sua mente, podia ver as colinas em derredor de Jerusalém, onde o templo se destacava diante de seus olhos, e ele se encorajava, pois em breve veria as manifestações de Yahweh e se sentiria seguro. Elevar os olhos é um gesto de oração (ver Jo 11.41), pelo que o nosso homem orou para que chegasse em segurança ao monte santo.

Este versículo tem sido cristianizado para fazer o peregrino ver o céu à distância, mas já se aproximando de sua pátria celestial, onde terá a salvação eterna. Cf. Sl 24.3,4.

YAHWEH É O GUARDADOR E O AJUDADOR DO HOMEM (121.2-8)

■ 121.2

עֶזְרִי מֵעִם יְהוָה עֹשֵׂה שָׁמַיִם וָאָרֶץ:

O meu socorro vem do Senhor. Os vss. 2-8 respondem, detalhadamente, à pergunta formulada no vs. 1: "De onde me virá o socorro?" O *Criador* de tudo e de todos é também o *ajudador* de todos os homens que estão em aflição, bem como aquele que dispensa sua bênção a todos como *benfeitor*. "Poderia haver melhor ajudador do que aquele que criou os céus e a terra?" (William R. Taylor, *in loc.*). Os cananeus tinham uma superstição, a de que existem deuses das colinas, mais poderosos do que os deuses das planícies. Mas esses deuses não eram vistos como criadores, o que, obviamente, não eram mesmo. Mas na colina de Sião, o próprio Criador se manifestava para benefício, e não para prejuízo dos homens. Os hebreus faziam pouco da idolatria pagã, que exibia como objetos de adoração ídolos de madeira, metal e pedra, que não podiam ser *deuses* verdadeiros. Os hebreus apontavam para o *Criador*, Yahweh. Ver Jr 10.11. Cf. Sl 115.15.

Este versículo tem sido cristianizado para falar da esperança e da ajuda que Cristo nos confere, estando ele assentado à mão direita de Deus, nos céus (Hb 1.3).

■ 121.3

אַל־יִתֵּן לַמּוֹט רַגְלֶךָ אַל־יָנוּם שֹׁמְרֶךָ:

Ele não permitirá que os teus pés vacilem. Os pés do homem bom avançam firmemente pela vereda reta. Ele não escorregará nem se desviará do reto caminho, caindo e sofrendo algum dano. Algumas traduções usam aqui o singular: o seu pé não se moverá. Outras têm um desejo expresso: que seu pé não escorregue. Esta última é a melhor tradução do hebraico original, sendo também a tradução que aparece na Septuaginta e na Vulgata Latina. Cf. Sl 26.12; 38.16; 91.2; 94.18, quanto a versículos similares acerca de pés escorregadios. Quanto a pés que não se movem, ver Sl 10.6; 15.5; 16.8; 30.6; 55.22 e 62.2,6.

Não dormitará. Ver Sl 35.23 e 44.3. Os poetas sacros invocam Yahweh para que ele acorde! Era comum entre os pagãos pensar na indiferença dos seus deuses, os quais estariam dormindo ou teriam saído de férias, deixando que seus adoradores bracejassem sozinhos com suas desditas. Algumas vezes, até os hebreus piedosos pensavam que Yahweh estaria indiferente a seus sofrimentos (ver Sl 10.1; 28.1; 59.4; 82.1). O pensamento usual entre os hebreus, entretanto, era que o Deus Altíssimo não dormia nem se mostrava indiferente para com os sofrimentos dos seres humanos. Quanto a Yahweh, que não dormita, ver também o versículo seguinte. Homero representou os deuses secundários a dormir, mas o deus supremo dos gregos, Zeus, não precisava nem dormir nem repousar. O significado da metáfora é que "ele não se tornará indiferente nem deixará de prestar atenção a eles. Ele estará sempre alerta, protegendo os que lhe pertencem" (Allen P. Ross, *in loc.*).

Gussetius lê este versículo todo como se fosse uma oração: "Não permitas que teu pé escorregue. Nem que teu Guardador dormite".

■ 121.4

הִנֵּה לֹא־יָנוּם וְלֹא יִישָׁן שׁוֹמֵר יִשְׂרָאֵל:

É certo que não dormita nem dorme o guarda de Israel. Isto reforça a declaração do versículo anterior. Yahweh nunca dorme e está sempre guardando Israel de todo dano e perigo. Deus está sempre alerta. Ele nunca se mostra indiferente; antes, está sempre pronto a atender às necessidades de seu povo. Ele também nunca tira férias, mas está sempre disponível, a qualquer tempo em que um ser humano eleve oração ao céu. Ele é o Guardião de Israel e está sempre de prontidão. Os peregrinos temerosos podem contar com a ajuda do Senhor. E o Senhor leva os peregrinos em segurança até Jerusalém. Qualquer peregrino espiritual sempre poderá contar com a ajuda do Senhor, e ele o levará ao templo celestial.

"O salmista viu não somente poder. Ele viu o Amor divino que protege os indivíduos através de veredas que o ser humano tem de atravessar na vida. Deus guia em experiências ordinárias e extraordinárias. Ele é um Deus pessoal e tem interesses pessoais. Ele sustenta os homens, pelo que estes não precisam tropeçar. Ele os vigia quando estão dormindo, e protege os viajantes do calor do meio-dia, bem como do resplendor mágico da lua. O poeta começou falando sobre ajuda que vem dos montes e terminou exibindo confiança na providência divina" (J. R. P. Sclater, *in loc.*).

Cf. Dt 32.10 e Sl 44.23. Os frígios tinham a noção de que os deuses dormem no inverno e acordam no verão (Plutarco, *de Iside et Osir*). Mas Yahweh não é um Deus apenas das boas condições atmosféricas.

> Os olhos de Zeus nunca são afetados
> Por todo sono que a tudo subjuga, como
> Os olhos mortais são. Sempre vigilante, ele
> Vigia através do círculo dos Anos Eternos.
>
> Sófocles, *Antíg*. vs. 613

■ 121.5

יְהוָה שֹׁמְרֶךָ יְהוָה צִלְּךָ עַל־יַד יְמִינֶךָ:

O Senhor é quem te guarda. A ideia do guardador se repete aqui. O Deus que não dormita guarda o seu povo. Ele é seu protetor e benfeitor.

A tua sombra. Assim diz, igualmente, o hebraico literal. A ideia é de que, sob a sombra do Deus Todo-poderoso, há proteção e suprimento para toda necessidade. Cf. a sombra do Todo-poderoso e estar debaixo de suas asas protetoras.

> *O que habita no esconderijo do Altíssimo, e descansa à sombra do Onipotente... Cobrir-te-á com as suas penas, sob suas asas estarás seguro.*
>
> Salmo 91.1,4

Sombra. Uma imagem metafórica de proteção, particularmente atrativa para os orientais e para os que viajam pelos desertos quentes. Cf. Nm 24.9; Is 25.4 e 32.2. Os que viajavam por um deserto continuamente procuravam alguma sombra para a hora do descanso.

À tua direita. Esta figura simbólica fala de onde se encontra o poder. Ver sobre a *mão* de Yahweh (ver Sl 81.14) e sobre a *mão direita* (ver Sl 20.6). Ele nos põe à sua direita para liderar-nos, para proteger-nos e para guardar-nos. Ele está sempre ao nosso *alcance*, sempre *perto* de nós — essas são as ideias da figura. Os companheiros especiais na guerra ficavam à mão direita de seus companheiros, visto ser esse o lado que não era protegido por um escudo (ver Sl 16.8 e 109.31).

Era assim que os peregrinos podiam prosseguir, sem temor algum, em sua jornada, certos de que estavam sendo resguardados por alguém.

■ **121.6**

יוֹמָם הַשֶּׁמֶשׁ לֹא־יַכֶּכָּה וְיָרֵחַ בַּלָּיְלָה׃

De dia não te molestará o sol. O poeta volta agora à metáfora da *sombra* que aparece no versículo anterior: a insolação era sempre um perigo para os que viajavam atravessando lugares desérticos. Mas o salmista também pensava em como os assaltantes operam à plena luz do dia, surpreendendo o grupo de peregrinos em algum ponto ao longo do caminho, a fim de saqueá-los e matá-los. Cf. 2Rs 4.18,20; Jn 4 e Judite 8.3, quanto ao terror do sol nos desertos. Apolo, associado ao sol, era representado com um arco e uma flecha, como os prejudiciais raios do sol (Macrob. *Saturnal*. 1.1, cap. 17).

Nem de noite, a lua. Durante a noite, até o deserto esfria, para nada dizer de outros lugares. A proteção do frio sem dúvida é algo sugerido aqui, mas nesta referência há muito mais que isso. Os antigos temiam as influências *maléficas* da lua e chegavam a falar sobre a *mágica da lua*. Por isso temos expressões modernas como "lunático". Os antigos acreditavam na correlação entre as fases da lua e certas enfermidades, como a epilepsia e algumas febres. Haveria demônios da lua que percorriam a terra, operando malefícios durante as horas da noite. Ver Mt 4.24 e 17.15. Estudos modernos têm demonstrado que certas formas de enfermidades mentais pioram por ocasião da lua cheia, ao mesmo tempo que há um aumento nos crimes violentos. O Targum tem um interessante comentário que ilustra a questão: "Durante o dia, quando o sol governa, os espíritos matinais não te atingirão: nem os espíritos noturnos, à noite, quando a lua surgir no horizonte".

O poeta, entretanto, estava seguro de que Yahweh iria proteger seu povo contra quaisquer males, reais ou imaginários.

> *Não te assustarás do terror noturno, nem da seta que voa de dia, nem da peste que se propaga nas trevas, nem da mortandade que assola ao meio-dia.*
>
> Salmo 91.5,6

■ **121.7**

יְהוָה יִשְׁמָרְךָ מִכָּל־רָע יִשְׁמֹר אֶת־נַפְשֶׁךָ׃

O Senhor te guardará de todo mal. Yahweh é o protetor contra a tribulação, bem como o guardião da alma; e, sendo esse o caso, o peregrino que estivesse a caminho de Jerusalém poderia ter confiança em uma viagem segura, a despeito dos muitos perigos potenciais. Os hebreus não desistiriam de suas peregrinações, apesar de seus temores, e também podiam invocar Yahweh como sua *mão direita* (vs. 5), para que os acompanhasse na jornada.

"Aquelas peregrinações significavam muito para os israelitas devotos. Sem dúvida, para alguns deles, essas jornadas eram apenas eventos sociais. Também havia os que possuíam uma mente patriótica, que seguiam viagem por motivo de *dever* nacional, a fim de preservar a unidade nacional. Mas também havia os que eram elevados aos píncaros da religião espiritual naquelas oportunidades... Esses exibiam atos de confiança pessoal no Deus que os tinha protegido através dos perigos do caminho e os tinha guiado através do monótono deserto" (J. R. P. Sclater, *in loc.*).

Este versículo tem sido cristianizado e espiritualizado a fim de falar da peregrinação do crente em Cristo, por um caminho protegido, até chegar à Jerusalém celestial. Ver Jo 17.12,15.

Guardará a tua alma. Está em foco a vida física e não a alma imaterial que sobrevive após a morte biológica do corpo físico. Os peregrinos não temiam os perigos da vida pós-túmulo, a qual ainda não havia penetrado na teologia dos hebreus.

■ **121.8**

יְהוָה יִשְׁמָר־צֵאתְךָ וּבוֹאֶךָ מֵעַתָּה וְעַד־עוֹלָם׃

O Senhor guardará a tua saída e a tua entrada. Os peregrinos, em sua saída (partida de Jerusalém) e em sua entrada (chegada de volta a Jerusalém, terminada a peregrinação) podiam depender do poder de Yahweh para protegê-los. Essas palavras têm sido espiritualizadas para indicar o caminho do homem bom, sob todas as circunstâncias. "Em todas as tuas atividades e práticas; através de todo o curso da vida, para sempre" (Adam Clarke, *in loc.*). Além disso, este versículo tem sido cristianizado para significar o caminho que leva à vida eterna, o *caminho do peregrino*, que busca a cidade celestial (ver Hb 12.22). Cf. Dt 28.6 e 1Ts 5.23. Note o leitor, nos vss. 7 e 8, o três vezes repetido "guardará", uma forte *afirmação* de proteção e ajuda aos peregrinos.

Assim sendo, com coragem e *ideais elevados*, os peregrinos seguiam caminho, confiando em que Yahweh os guiaria em cada passada no caminho, até que, finalmente, estivessem em sua presença, em Jerusalém.

> Levantai-vos, ó homens de Deus!
> Dispensai as coisas menores;
> Dai o coração, a alma, a mente e as forças
> Para servirdes o Rei dos reis.
>
> William Pierson Merrill

SALMO CENTO E VINTE E DOIS

Os Salmos 120 a 134, que são quinze, são chamados *Cânticos de Romagem* (ou dos Degraus, ou do Peregrino). Dou uma introdução geral a esse grupo, no início dos comentários sobre o Salmo 120 e, por isso, não repito a informação aqui.

Este é um hino que louva Sião como o alvo dos peregrinos. Outros Cânticos de Sião são os Salmos 48, 76, 84, 87 e naturalmente aquelas partes de outros salmos que poderiam ser assim chamadas. Ver as dezessete classes dos salmos no gráfico apresentado no início do comentário do livro, que atua como uma espécie de frontispício do saltério. É principalmente este salmo que tem dado credencial à teoria de que os Salmos 120 a 134 são odes dos peregrinos, isto é, cânticos dos peregrinos que se encaminhavam para Jerusalém por ocasião das festividades. Alude (vs. 4) às três festividades que requeriam a presença de todos os varões em Jerusalém, a saber, a Páscoa, o Pentecoste e os Tabernáculos (ver no *Dicionário* o verbete intitulado *Festas (Festividades) Judaicas*). "Esse era o salmo dos peregrinos que iam a Jerusalém. O poeta seguia na companhia de outros judeus, para quem o privilégio de fazer a viagem à cidade santa era uma experiência rara e que sacudia a alma. É claro que a peregrinação fora completada. Na véspera da partida para a capital, ele sumariou suas impressões sobre tudo quanto tinha acontecido... concluiu apropriadamente invocando ricas bênçãos sobre a cidade de Jerusalém e desejou paz e prosperidade em favor de todos quanto a amavam" (William R. Taylor, *in loc.*).

As implicações deste salmo são transferidas para todo o grupo dos Cânticos de Romagens, mas devemos relembrar que o ajuntamento desses salmos em um único grupo foi uma conveniência posterior. Originalmente, não formavam um grupo. Eles variam quanto a data, e assim os panos de fundo históricos, no caso de cada um, diferiam dos demais e não podem ser determinados com exatidão. Editores posteriores que incluíram *subtítulos* geralmente estavam apenas especulando sobre questões como autoria e pano de fundo histórico que podem ter inspirado as composições.

A ALEGRIA DA PEREGRINAÇÃO A JERUSALÉM (122.1,2)

■ **122.1**

שִׁיר הַמַּעֲלוֹת לְדָוִד שָׂמַחְתִּי בְּאֹמְרִים לִי בֵּית יְהוָה נֵלֵךְ׃

Alegrei-me quando me disseram: Vamos à casa do Senhor. O peregrino, agora de volta à sua casa, relembrava com que alegria ouvira e aceitara o convite de subir a Jerusalém e participar de uma das festividades anuais que ali se realizariam. Conforme Israel foi crescendo, e a população se multiplicava, a regra que decretava que todos os varões subissem a Jerusalém três vezes por ano (na Páscoa, no Pentecoste e nos Tabernáculos) não mais foi obedecida pela maioria dos israelitas. Para alguns, uma única visita em toda a vida deve ter sido o que realmente ocorria. Ou então os peregrinos subiam a Jerusalém apenas ocasionalmente. Além disso, havia os indiferentes, os muito pobres, os enfermos e os aleijados, que nunca tinham feito a viagem. Por conseguinte, a julgar por este salmo, para muitos a viagem era algo bastante raro, sendo feito com o máximo de prazer e alegria, a despeito dos muitos perigos enfrentados ao longo do caminho. "Por causa dos perigos do percurso, as viagens a Jerusalém eram raras para os que habitavam em lugares distantes e, por isso, para efeito de segurança, os peregrinos viajavam em grupos" (William R. Taylor, *in loc.*).

"Sl 122.1 está inscrito por cima do pórtico da catedral de São Paulo, em Londres" (Ellicott, *in loc.*).

Alguns estudiosos vinculam a alegria da viagem a Jerusalém ao retorno dos cativos da Babilônia, possibilitado pelo decreto do imperador Ciro. Este versículo é uma metáfora que encoraja a frequência à igreja, sendo cristianizado para falar da viagem espiritual dos peregrinos à Jerusalém celestial.

■ **122.2**

עֹמְדוֹת הָיוּ רַגְלֵינוּ בִּשְׁעָרַיִךְ יְרוּשָׁלָםִ׃

Pararam os nossos pés. O *peregrino* estava agora retornando para casa. Ele primeiramente relembrou quão alegre ficou ao receber o convite para fazer a peregrinação a Jerusalém com um grupo de pessoas (vs. 1). E em seguida relembrou com que alegria eles se puseram do lado de dentro da cidade santa. Ele deixou de fora qualquer menção à viagem que levou os peregrinos à cidade, mas podemos corretamente supor que eles enfrentaram perigos e foram livrados por Yahweh, tema tão enfatizado no Salmo 121. Eles tinham feito a jornada em segurança, e agora chegara o grande momento: estavam do lado de dentro dos portões da cidade e olhavam em todas as direções, admirados diante da paisagem. Eles tinham ouvido tantas coisas acerca do lugar, mas, agora que viam as coisas, a cidade cumpria todas as suas expectativas. Se o pano de fundo histórico foi o cativeiro na Babilônia, então podemos imaginar a alegria com que os peregrinos finalmente voltaram para casa. Mas isso não se ajusta bem ao salmo, porquanto a Jerusalém à qual aquele povo tinha retornado era um montão de ruínas. Seja como for, ter chegado ali para participar de uma grande festividade era uma grande oportunidade e uma grande alegria. "Aqui estamos, finalmente, em tuas portas, ó Jerusalém." Podemos imaginar os peregrinos caminhando e parando, observando cada maravilha da cidade. Eles não eram exatamente turistas, mas um pouco de turismo não faria mal algum.

Este versículo tem sido cristianizado por vários intérpretes que nos convidam a pensar no que seria estar dentro das portas da Jerusalém celestial, após a peregrinação da vida! Cf. Sl 42.2-4, que adiciona colorido à descrição:

A minha alma tem sede de Deus, do Deus vivo:
quando irei e me verei perante a face de Deus?
As minhas lágrimas têm sido o meu alimento dia e noite, enquanto me dizem continuamente: o teu Deus, onde está? Lembro-me destas cousas — e dentro em mim se derrama a alma —, de como passava eu com a multidão de povo.

■ **122.3**

יְרוּשָׁלִַם הַבְּנוּיָה כְּעִיר שֶׁחֻבְּרָה־לָּהּ יַחְדָּו׃

Jerusalém, que estás construída como cidade compacta. Estas palavras significam que a cidade parecia mais impressionante por causa da maneira como suas muralhas maciças estavam construídas, como se fossem uma só unidade. Suas ruas tinham muitas casas juntas uma da outra. Havia muita gente vivendo em quarteirões tão compactos! A coisa inteira deixava atônitos os aldeões do interior, que estavam acostumados com pequenas aldeias e fazendas. A Jerusalém do tempo de Davi tinha uma parte inferior e uma parte superior, pelo que o Targum diz: "Jerusalém está construída no firmamento como uma cidade, como uma cidade na terra". Parece bastante impossível aplicar tais palavras à Jerusalém reconstruída, terminado o cativeiro babilônico.

Cf. a impressão de Martinho Lutero depois de sua primeira visita a Roma. Seu coração ficou estranhamente comovido quando ele chegou à cidade das sete colinas, viu a grande metrópole e contemplou a cidade de São Pedro e São Paulo, o centro do catolicismo romano. Ele se lançou por terra e exclamou: "Roma santa, eu te saúdo!" (ver a história contada na obra de Jean Henri Merle d'Augigne, *History of the Reformation*, livro II, cap. vi).

■ **122.4**

שֶׁשָּׁם עָלוּ שְׁבָטִים שִׁבְטֵי־יָהּ עֵדוּת לְיִשְׂרָאֵל לְהֹדוֹת לְשֵׁם יְהוָה׃

Para onde sobem as tribos, as tribos do Senhor. Os membros *masculinos* das tribos de Israel eram obrigados por lei (ver Dt 16.16,17) a ir a Jerusalém três vezes por ano, para as principais festividades religiosas, a Páscoa, o Pentecoste e os Tabernáculos. Todas essas três eram ocasiões festivas, mas a festa dos Tabernáculos era um tempo especial de agradecimentos, e alguns intérpretes supõem que este salmo aluda especialmente à festa dos Tabernáculos. No vs. 1, demonstro que a lei sobre essa questão não era plenamente cumprida quando Israel se multiplicou em números, mas o poeta conheceu talvez a lei original. O coração do salmista se comovia diante da percepção do significado espiritual do lugar, de seus vínculos com o passado antigo, com a lei de Moisés, com os patriarcas. Era ali que se via o *centro* da lei espiritual, ritual e cerimonial. Jerusalém também era a sede do governo, o local onde ficava o templo e a cidade de muitos profetas. Finalmente, e mais importante, Jerusalém era o lugar do nome, do nome de Yahweh, onde ele manifestava sua presença. Ver sobre *nome*, em Sl 31.3, e sobre *nome santo*, em Sl 30.4 e 33.21.

Como convém a Israel. Nossa versão portuguesa engole aqui um trecho, que preferiu não traduzir: as palavras "como testemunho". Talvez fosse melhor traduzir como faz a *Revised Standard Version*, "conforme foi decretado", com uma referência direta à lei que governava as peregrinações anuais (ver Dt 16.16,17). Em vez de "testemunho", Ellicott diz "ordenança", ou seja, uma lei concernente a peregrinações. Cf. Êx 23.14. Como nossa versão portuguesa chegou a essa tradução, "como convém a Israel", não sabemos dizer.

■ **122.5**

כִּי שָׁמָּה יָשְׁבוּ כִסְאוֹת לְמִשְׁפָּט כִּסְאוֹת לְבֵית דָּוִיד׃

Lá estão os tronos de justiça. O poeta estava pensando nos *antigos reinos* do passado, os reis de Israel e de Judá que tinham governado de Jerusalém, e isso em adição à admiração provocada pela cidade. Ver no *Dicionário* o artigo chamado *Rei, Realeza*, onde a questão fica demonstrada. Houve cerca de quatrocentos anos de atividade real naquele lugar, antes do cativeiro babilônico.

"Relembrando o passado histórico da cidade, o salmista pensou no governo de Davi e de seus sucessores como um governo justo. Ele viveu em uma era que idealizava coisas que eram passadas e desaparecidas" (William R. Taylor, *in loc.*).

Quão agradado e abençoado era eu,
Ouvir o povo clamar:
"Vinde, busquemos hoje o nosso Deus!"
Sim, com um zelo animado

Apressamo-nos para a colina de Sião,
E ali nossos votos e homenagens são pagos.

Isaac Watts

Alguns estudiosos separam os "tronos de justiça" dos "tronos da casa de Davi", fazendo dos primeiros o sistema de juízes e menores oficiais governantes (talvez incluindo o sacerdócio), que faziam parte do sistema de autoridades da cidade. "... o bando dos juízes que derivavam sua autoridade do rei (Is 32.1)" (Fausset, *in loc.*).

■ **122.6**

שַׁאֲלוּ שְׁלוֹם יְרוּשָׁלִָם יִשְׁלָיוּ אֹהֲבָיִךְ׃

Orai pela paz de Jerusalém! O salmista, tão impressionado pela grandeza de Jerusalém, queria que a cidade perdurasse para sempre. Para que isso acontecesse, a *paz* precisava prevalecer. Invasores estrangeiros, como os babilônios, tinham de manter-se afastados. Alguns eruditos supõem que os exilados, havendo retornado do cativeiro, tenham pedido a Yahweh que não permitisse que uma calamidade como essa acontecesse novamente! Mas, quando aqueles cativos voltaram, não havia grandeza restante em Jerusalém que pudesse inspirar um salmo como este. Este é um Cântico de Sião, e sem dúvida haveria um lugar impressionante para o qual entoar um cântico. De outra forma, temos de assumir que os peregrinos eram, na realidade, um bando de caipiras que não tinham meios de comparar a humilde Sião (após o cativeiro) com a Sião de tempos melhores. Aqueles que *amam a Jerusalém* haverão de *prosperar,* porquanto amavam o que estava bem perto do coração de Yahweh. Jerusalém era sua cidade terrestre, um lugar amado.

Conhecido é Deus em Judá; grande o seu nome em Israel. Em Salém está o seu tabernáculo, e em Sião a sua morada.

Salmo 76.1,2

Shalom (paz) para Shalom (Jerusalém significa paz)! Quanto a um sumário das petições feitas nesta oração, ver o fim do vs. 8.

■ **122.7**

יְהִי־שָׁלוֹם בְּחֵילֵךְ שַׁלְוָה בְּאַרְמְנוֹתָיִךְ׃

Reine paz dentro de teus muros. Tinha havido orações pela *paz* de Jerusalém, e agora a paz é invocada sobre as *muralhas* ou terraplanagens da cidade, quer dizer, sobre as *fortificações* da cidade. "Que o clamor da guerra nunca seja ouvido dentro de tuas fortificações" (William R. Taylor, *in loc.*). Então a paz foi invocada sobre os *palácios* da cidade, que algumas versões preferem trocar por "torres". Que a sedição e a traição nunca a perturbem. Nunca haja homem descontente ali, com suas tentativas de derrubar o monarca. Que a paz *rodeie* Jerusalém e a governe por *dentro,* a fim de que nenhuma coisa perturbadora estrague a harmonia e imponha o caos.

Perante o trono temível de Yahweh,
Vós nações, inclinai-vos com alegria sagrada.

Isaac Watts

■ **122.8**

לְמַעַן אַחַי וְרֵעָי אֲדַבְּרָה־נָּא שָׁלוֹם בָּךְ׃

Por amor dos meus irmãos e amigos. Os *irmãos* são, aqui, os habitantes de Jerusalém; os *amigos* são os peregrinos que estavam ali justamente para participar das festividades. Os *interesses nacionais* dos peregrinos e residentes em Jerusalém eram que a paz continuasse a reinar "em ti", ou seja, em Jerusalém. A paz em Jerusalém garantiria a paz no país inteiro, e isso fortaleceria os laços da *fraternidade*. A paz dentro do país seria igualada pela paz externa, e assim a prosperidade espiritual e material aumentaria tanto na capital como, de resto, em todo o país.

A Paz É Invocada. 1. Em prol de Jerusalém (vs. 6). 2. Por suas fortificações (vs. 7). 3. Pelos palácios e habitações dos oficiais secundários (vs. 7). 4. Pelos habitantes de Jerusalém (vs. 8). 5. Pelos peregrinos e pela combinação dos peregrinos e habitantes de Jerusalém. 6. Pelos dois países, irmãos dentro do mesmo pacto. 7. A paz no *interior* de Jerusalém, fechando assim o círculo, até onde a invocação tinha começado: Jerusalém, a Áurea.

■ **122.9**

לְמַעַן בֵּית־יְהוָה אֱלֹהֵינוּ אֲבַקְשָׁה טוֹב לָךְ׃

Por amor da casa do Senhor, nosso Deus. Agora o poeta fornece a *principal* razão pela qual ele se mostrava tão zeloso acerca da paz e da prosperidade de Jerusalém. Era *ali* que estava a casa de Deus, o santuário, o *templo*. Por amor ao templo, o salmista queria ver Jerusalém abençoada por Yahweh. Se a espiritualidade falhasse, falharia também a nação inteira. Israel era uma nação *distinta* por causa da lei (ver Dt 4.4-8), e o templo era a cidadela da lei. A fé espiritual é o poder que mantém afastados os poderes estrangeiros que buscam destruir. A fé espiritual promove a fraternidade. A observância da lei dava vida e prosperidade (Dt 4.1; 5.33; 6.2; Ez 20.1). O Targum diz que o homem estava interessado na *adoração* e no *culto* que o templo promovia. Quando falamos no culto, não podemos esquecer as boas obras práticas em favor do próximo, cumprindo a lei do amor, que é o coração da fé espiritual.

A viagem a Jerusalém era uma experiência de aprendizado para o salmista. Ele sentia mais agudamente a unidade nacional. Ele se tornou mais dedicado ao que Jerusalém e seu templo representavam. Estivera em Jerusalém, a cidade dourada, e nunca mais seria o mesmo de novo.

Note o leitor que este salmo *começa* contemplando a casa do Senhor (o templo, vs. 1) e termina da mesma maneira (vs. 9).

Jerusalém, a Dourada
Urbs Beata

Jerusalém, a dourada, abençoada com leite e mel!
Por baixo de tua contemplação, afunda o coração e a voz se oprime.
Não sei, oh, não sei, que alegrias esperam-nos ali;
Que irradiação de glória, que bênção incomparável.
Há um trono de Davi; e ali, livres de cuidados,
O cântico deles que triunfa, os gritos daqueles que festejam;
E eles, com seu Líder, que venceu na luta,
Para todo o sempre estão vestidos de vestes brancas.

Bernardo de Cluny

SALMO CENTO E VINTE E TRÊS

Este salmo é uma oração que pede livramento do poder dos inimigos, revelando-se uma *lamentação em grupo*. Quanto às dezessete classes dos salmos, ver o gráfico no início do comentário, que atua como uma espécie de frontispício do saltério. Nada existe neste breve clamor de angústia, dirigido a Yahweh-Elohim, que nos faça identificá-lo com um Cântico de Romagens, ou com a ida dos peregrinos ao templo para atender às festividades religiosas de Israel, ou com o retorno do exílio, terminado o cativeiro babilônico.

Este salmo é uma típica lamentação com seu clamor urgente pedindo ajuda e com a descrição dos inimigos do povo. Mas não termina com uma nota de agradecimento e louvor e, sim, em desespero, conforme acontece a alguns dos salmos de lamentação. E isso concorda com a experiência humana. Este salmo talvez descreva os exilados enquanto eles continuavam na Babilônia e/ou na *diáspora* (ver a respeito no *Dicionário*). E talvez essa tenha sido a consideração que fez os editores classificarem este salmo entre os cânticos de romagens. Quanto a outros salmos de lamentação que terminam em desespero, ver Sl 30; 31.9-12; 38.88.

APELO PELA AJUDA DIVINA (123.1,2)

■ **123.1**

שִׁיר הַמַּעֲלוֹת אֵלֶיךָ נָשָׂאתִי אֶת־עֵינַי הַיֹּשְׁבִי בַּשָּׁמָיִם׃

A ti, que habitas nos céus. Nosso homem, em sua aflição, olhou para os céus buscando a Yahweh, na esperança de encontrar ajuda em tempos de necessidade. Na terra, o salmista não havia achado solução para salvar sua vida ou ser livrado de homens assassinos. Assim, apelou a Deus para reverter a situação, mediante alguma providência divina drástica. Note o leitor o uso da primeira pessoa do singular "eu" (subentendido nos verbos), nos vss. 1 e 2. Este salmo de lamento pessoal começa como se fosse a lamentação de um único indivíduo. Então, no vs. 3, entra no salmo a primeira pessoa do plural, e assim o lamento se torna a lamentação da nação inteira. Talvez aquele indivíduo isolado represente a comunidade de Israel, no começo da composição. Ou então o homem de número um da comunidade exprima sua própria aflição pessoal.

Elevo os meus olhos. Temos aqui um gesto de oração. Ver Sl 121.1, quanto a um paralelo, onde apresento notas expositivas. Ver também Ne 1.4 e 2.4. Ver Sl 22.2, quanto ao levantar das *mãos,* um gesto semelhante de oração. Sl 119.48 repete isso. No Novo Testamento, ver Mt 14.19; Jo 11.41 e 17.1. "... com os olhos abertos pelo Espírito, os olhos da fé... expressando confiança em Deus... os indignos não podem elevar seus olhos (Ed 9.6; Sl 40.12; Lc 18.13). O Targum mostra Yahweh em seu trono glorioso no céu, e é nessa direção que o salmista elevou seus olhos, atrás de ajuda.

■ **123.2**

הִנֵּה כְעֵינֵי עֲבָדִים אֶל־יַד אֲדוֹנֵיהֶם כְּעֵינֵי שִׁפְחָה אֶל־יַד גְּבִרְתָּהּ כֵּן עֵינֵינוּ אֶל־יְהוָה אֱלֹהֵינוּ עַד שֶׁיְּחָנֵּנוּ:

Como os olhos dos servos estão fitos nas mãos dos seus senhores. O homem que busca ajuda da parte do Senhor era apenas um humilde servo, um *escravo,* que não tinha real controle sobre a própria vida, dependendo do Senhor até para a continuação de seus dias e para que todas as suas vicissitudes se voltassem na direção certa. Tal como os escravos terrenos nada podem fazer por sua própria autoridade, mas precisam olhar para seus senhores ou senhoras quanto à direção geral que devem tomar, às instruções diárias e ao sustento da vida, assim também todos os homens bons mantêm essa posição diante de Yahweh, em seu trono, lá em cima, o grande Senhor de todo o mundo. O homem se humilhou por estar em um período de aflição especial e carecer da intervenção divina. Talvez ele estivesse no exílio, durante o cativeiro babilônico, sendo um dos poucos sobreviventes do ataque mortífero contra Jerusalém, e ainda corresse o perigo diário de ser morto. E mesmo que não fosse morto, era vítima diária dos abusos de homens traiçoeiros. Talvez ele estivesse "lá fora" na *diáspora* (ver a respeito no *Dicionário*), um daqueles que voltou a Jerusalém, a fim de reconstruí-la.

"Os escravos ficavam de pé em silêncio, no fundo da sala, com as mãos cruzadas sobre o peito. Com os olhos abertos e fixos no seu senhor, eles buscavam cumprir todos os desejos do senhor" (*Slavery, Letters on Egypt,* pág. 135).

"... para corrigir, guiar, castigar, dar sustento" (conforme disse Kimchi).

DESPREZO EXCESSIVO (123.3,4)

■ **123.3**

חָנֵּנוּ יְהוָה חָנֵּנוּ כִּי־רַב שָׂבַעְנוּ בוּז:

Tem misericórdia de nós, Senhor. Temos aqui o começo do uso da primeira pessoa do plural — nós —, sem dúvida uma referência a todo o Israel em aflição no cativeiro babilônico, na *diáspora* ou durante algum outro período radical de sofrimento esmigalhador para cujas orações este minúsculo salmo não via resposta alguma, pelo que terminou em forte tom de desespero (ver Sl 30; 31.9-12; 38.88). O poeta estava repleto de ódio, porquanto era odiado; e o mesmo poderia ser dito quanto aos sobreviventes judeus na Babilônia, ou quanto aos israelitas que permaneciam espalhados nos países pagãos para onde tinham sido arrojados, uma vez que o remanescente retornou a Jerusalém. Conforme C. G. Montefiore tem observado, foi necessário um longo tempo para os judeus aprenderem que Deus não tem inimigos, que sua misericórdia e seu amor são universais e não conhecem limites. E foi por isso que Montefiore declarou: "Jesus tinha uma *mensagem nova.* Ele deu aos homens esperança. Ele lhes devotava compaixão e amor, como nunca antes haviam experimentado" ("Contemporary Jewish Religion", em *A Commentary on the Bible,* págs. 122,123).

Temos aqui a antiga circunstância segundo a qual um homem reage a um insulto ou prejuízo recebido insultando ou causando prejuízo. Os judeus "lá fora", nas terras pagãs, eram tratados com desprezo e assim andavam plenos de desprezo pelos ímpios. Falamos sobre o amor, mas no momento de crise, se formos maltratados, imediatamente passamos a maltratar os homens maus que nos prejudicaram. Jesus, porém, em nada se parecia com isso; mas até Paulo, em algumas de suas epístolas, algumas vezes mostra um espírito amargo, como acontece nas duas epístolas aos Coríntios e, sobretudo, na epístola aos Gálatas, onde ele chama a circuncisão de "mutilação". Contudo, a circuncisão era o sinal do pacto abraâmico! Os judeus permaneceram no cativeiro por *longo tempo,* que talvez seja um significado possível da palavra "sobremodo", conforme afirmaram Aben Ezra e Kimchi. À medida que o tempo passava e os judeus continuavam a ser maltratados, eles desenvolveram um desgosto acentuado por seus inimigos. E, assim sendo, invocaram a Yahweh para que tivesse misericórdia e aliviasse o que se tornara uma situação insuportável.

■ **123.4**

רַבַּת שָׂבְעָה־לָּהּ נַפְשֵׁנוּ הַלַּעַג הַשַּׁאֲנַנִּים הַבּוּז לִגְאֵיוֹנִים:

A nossa alma está saturada. Os captores zombavam dos cativos. Os captores faziam destes últimos o objeto de sua opressão e de suas piadas. E, por essa causa, os cativos passaram a desprezar seus captores. Os captores gozavam de lazer e viviam do trabalho dos escravos cativos. Isso servia de combustível e despertava as chamas de ódio de ambos os lados. Nenhum homem será livre enquanto alguém estiver cativo, e assim os que forçam essa condição desnatural sobre outros homens são, eles mesmos, desnaturais e tornam-se desgostosos e nojentos para si mesmos e para os outros. Aqueles homens ímpios eram "orgulhosos", isto é, "inchados" com sua própria importância. Eles se mostravam *arrogantes* e estavam *à vontade,* sendo "homens que, em razão de sua alta posição na sociedade e de suas riquezas, sentiam-se seguros em sua tirania" (William R. Taylor, *in loc.*). "Que nosso desejo seja satisfeito plenamente, com zombarias dirigidas aos que andam à vontade e aos que desprezam os orgulhosos e nos escarnecem" — esse era o sentimento dos oprimidos. Os opressores eram senhores e senhoras que viviam no luxo enquanto os escravos esperavam suas ordens" (Ellicott, *in loc.*). Genesius comentou sobre a devassidão dos que se sentiam seguros e tinham poder exagerado sobre outros seres humanos.

Quanto ao soberbo e presumido, zombador é seu nome: procede com indignação e arrogância.

Provérbios 21.24

Pontos de Vista Horizontal e Vertical. Jacques Maritain apresentou-nos uma útil metáfora concernente aos mestres. Existem os que assumem uma posição *horizontal,* ou seja, eles se ressentem da falta da visão para cima, para o Ser divino, e passam a ensinar e a aplicar a sabedoria e os métodos terrenos. Podem ser bons mestres, mas falta-lhes a dimensão superior. E existem os que também têm uma dimensão *vertical.* Eles não ensinam sem uma visão para o céu. Esses têm valores superiores e uma referência eterna. No início de sua oração, o salmista começou pela referência vertical, mas logo caiu na referência horizontal e não emergiu novamente na referência vertical. E, assim sendo, este salmo terminou em desespero, com o pobre salmista cheio de problemas por resolver, e seus sofrimentos em nada diminuídos. Assim também muitos mestres da igreja atual, no tocante ao *destino final* do homem, promovem uma posição pessimista e terminam sendo mestres com tendências horizontais. Quanto à espiral que aponta para o céu, ver na *Enciclopédia de Bíblia, Teologia e Filosofia* o artigo chamado *Restauração,* que apresenta os dois lados da questão, mas que é, em sua essência, um ponto de vista *vertical.*

SALMO CENTO E VINTE E QUATRO

Os Salmos 120 a 134, quinze salmos, são chamados *Cânticos de Romagem* (ou dos Degraus ou dos Peregrinos). Ofereço uma introdução geral a esse grupo, no começo dos comentários sobre o Salmo 120, pelo que não repito aqui a informação.

Este é um *hino de gratidão* pelo livramento da nação de Israel. Com este tema, ele se ajusta bem a certo ponto de vista sobre os Cânticos de Romagem. Ou seja, eles, ou, pelo menos, alguns deles, refletem historicamente a volta dos cativos do cativeiro babilônico. No entanto, este é apenas um pano de fundo possível e histórico desse conjunto de quinze salmos, não sendo necessário supor que todos eles tenham sido inspirados pelo mesmo acontecimento. Quanto a tais questões, deixo ao leitor a tarefa de examinar a introdução ao Salmo 120. Quanto às dezessete classes dos 150 salmos, ver o gráfico no início do comentário do livro, que atua como uma espécie de frontispício do saltério.

A fim de exaltar o livramento conferido por Yahweh ao povo de Israel, o poeta fornece detalhes sobre os apertos terríveis em que se encontrava a nação israelita. Israel estava quase inteiramente devorado, quase inteiramente varrido, apanhado em uma rede; mas o poder de Yahweh foi suficiente para anular todas essas perturbações. A emoção do salmista subentende que as tribulações passadas eram recentes. Se este salmo parece apontar para o cativeiro babilônico, alguns veem nele um levante político do judaísmo posterior, especialmente pelo fato de que o poeta falava a *homens* (vs. 2), e não a *povos* ou *nações*.

No subtítulo, lemos as palavras "de Davi", o que o assinala como o autor; mas essa informação não faz parte original do salmo; antes, é uma adição editorial de tempos posteriores. É óbvio, porém, que, se o cativeiro babilônico está mesmo em pauta, Davi não pode ter sido o autor deste salmo.

AGRADECIMENTO PELO ESCAPE (124.1-8)

Yahweh e o seu Povo (124.1-5)

■ **124.1**

שִׁיר הַמַּעֲלוֹת לְדָוִד לוּלֵי יְהוָה שֶׁהָיָה לָנוּ יֹאמַר־נָא יִשְׂרָאֵל׃

Não fosse o Senhor, que esteve ao nosso lado. *Yahweh Estava ao Lado de Israel*. A Babilônia era a maior potência da época. O cativeiro foi efetuado com brutal poder, muita matança e destruição. Parecia que Judá, tal como sucedeu antes a Israel, nunca retornaria de terras pagãs e perderia a sua identidade. Mas Yahweh, que manipulava a cena internacional, fez o império persa esperar por sua vez de agir, e Ciro expediu aquele decreto misericordioso que reverteu a situação, libertando Israel para voltar a Jerusalém, e até prometeu dinheiro e homens para ajudar na atividade restauradora. Essa reversão, que ocorreu bastante cedo (após somente setenta anos que o cativeiro babilônico havia começado), definidamente foi fruto de *intervenção divina*, e o poeta sagrado reconheceu esse fato nos vss. 1 e 2.

O *Cativeiro Babilônico* (ver a respeito no *Dicionário*) foi o único acontecimento da história de Judá que poderia ter extraído do poeta as descrições que se seguem neste salmo. E é então que encontramos alguns aramaísmos que anulam totalmente qualquer ideia de que Davi tenha composto este salmo. O autor é anônimo, conforme é verdade no caso da maioria dos salmos, a despeito da identificação de vários autores por editores posteriores. Allen P. Ross, que se mostrou ansioso por defender os subtítulos, como se houvesse algum erro em questionar essa opinião, faz aqui um estranho silêncio. Em seu comentário, ele se refere somente ao *escritor*. Entretanto, no vs. 5, ele tenta redimir o falso subtítulo ao falar em outro rei da linhagem de Davi. Falta de bom senso!

Usos Litúrgicos. A incumbência dada a Israel, de declarar o que Yahweh tinha feito, sem dúvida é reflexo do uso litúrgico deste salmo. Este salmo tornou-se um cântico de livramento no segundo templo de Jerusalém.

Kimchi e Ben Melech dizem aqui "esteve conosco", uma declaração menos presunçosa do que falar de Yahweh ao lado de Israel. A mesma cautela se reflete na moderna afirmação de que "estamos ao *lado de Deus;* ele não está ao nosso lado". Seja como for, o Rei, Protetor e Salvador deles interviera em favor de Judá, ou a nação teria terminado em total *esquecimento*.

■ **124.2**

לוּלֵי יְהוָה שֶׁהָיָה לָנוּ בְּקוּם עָלֵינוּ אָדָם׃

Não fosse o Senhor, que esteve ao nosso lado. Para efeito de ênfase, este versículo repete a declaração do vs. 1. É provável que este cântico de agradecimento repita a declaração como uma espécie de refrão do salmo.

Quando os homens. É provável que excessiva importância seja dada a esta expressão. Alguns eruditos dizem aqui que algo nada menor que os temíveis babilônios deve estar em foco. Nenhum acontecimento menor, como um tumulto político, antes ou depois do cativeiro, seria suficiente para provocar as descrições que se seguiram. *Homens* podem ter estado por trás desses acontecimentos secundários e, visto que esse termo é usado em lugar de *povos,* alguns olham para outros eventos, que não o cativeiro babilônico, como acontecimentos que provocaram a composição do poema. Mas isso é ver demais no uso do termo *homens*.

... Se levantaram. Como se fossem um grande dilúvio, conforme o vs. 3 passa a definir. Judá poderia ter sido engolido para sempre, sem remédio, se Yahweh não tivesse intervindo e virado a maré, conforme sucedeu às margens do mar Vermelho, à época do êxodo. Arama fala dessas palavras como se elas estivessem referindo-se à experiência do êxodo.

Este versículo tem sido cristianizado para referir-se ao anticristo, que ainda surgirá no futuro, mas isso não passa de exagero. O único sentido fácil e natural foi a horrenda varredura produzida pelos exércitos babilônicos.

■ **124.3**

אֲזַי חַיִּים בְּלָעוּנוּ בַּחֲרוֹת אַפָּם בָּנוּ׃

E nos teriam engolido vivos. Os *exércitos babilônicos* chegaram como um dilúvio aterrorizante e teriam devorado Judá para sempre, se Yahweh não tivesse revertido a maré da história em outra direção. Cf. Nm 16.30 e Jr 51.34, que têm figuras semelhantes para eventos extremamente radicais. A alusão é ao *monstro marinho* que fora trazido pelo dilúvio. Cf. Jn 1.17 e Pv 1.12. Winston Churchill falou de vários perigos pelos quais tinha passado e de suas orações contra eles, e então afirmou: "Minha oração, ao que me parece, foi rápida e maravilhosamente respondida" (extraído do livro de autoria de Churchill, *Roving Comission: My Early Life,* pág. 276). Em outra ocasião, ele falou sobre aquela "forte sensação de que uma mão tinha sido estendida para mover-me do lugar fatal em um ápice de tempo", quando sua vida poderia ter sido apagada, caso ele não se tivesse movimentado dali. Havia um poder superior dirigindo a vida de Winston Churchill, porquanto ele era necessário no período mais crítico da história da Inglaterra, durante a Segunda Guerra Mundial. Os homens espirituais sabem sobre essas coisas. O poeta deste salmo e a nação de Judá da época também sabiam dessas coisas.

A sua ira se acendeu contra nós. O império babilônico expandia-se por meio da violência, e nenhum povo da antiguidade podia resistir a esse assalto. Os homens são ensinados a odiar aos que têm por tarefa matar. Isso facilita a questão. O ódio é insuflado até as chamas da ira, e então a matança torna-se fácil. Muitas foram as vítimas da ira babilônica. Ver no *Dicionário* o artigo chamado *Babilônia,* que conta a história inteira. Assim sendo, o poeta move-se da metáfora do *monstro marinho,* para a grande *conflagração* que poderia incendiar uma floresta inteira. Babilônia era ambas as coisas. A ira deles era "cruel e ultrajante" (John Gill, *in loc.*).

■ **124.4**

אֲזַי הַמַּיִם שְׁטָפוּנוּ נַחְלָה עָבַר עַל־נַפְשֵׁנוּ׃

As águas nos teriam submergido. O poeta sagrado voltou à metáfora das águas, deixando de fora, nesta vez, o monstro marinho. O dilúvio estava totalmente fora de controle. Judá era vítima do dilúvio e teria sido uma vítima perdida para sempre se Yahweh não tivesse revertido a maré, controlando a situação internacional. As águas rugiam com a ira dos babilônios. "Aqui o escritor sacro poderia estar pensando nos conflitos desesperados de um homem afundando nas águas turbulentas do mar (cf. Sl 42.7 e 88.17)" (William R. Taylor, *in loc.*). Mas Yahweh estendeu sua poderosa mão e arrancou Judá das águas!

Um abismo chama outro abismo, ao fragor das tuas catadupas; todas as tuas ondas e vagas passaram sobre mim.
Salmo 42.7

Arama prefere ficar com a história do êxodo, o exército egípcio como as ondas do mar, e o incidente no mar dos Juncos, mas, se isso ilustra o texto, o salmo à nossa frente está descrevendo, definitivamente, as ações do exército babilônico.

■ 124.5

אֲזַי עָבַר עַל־נַפְשֵׁנוּ הַמַּיִם הַזֵּידוֹנִים׃

Águas impetuosas teriam passado sobre a nossa alma. A metáfora das ondas prossegue. Agora os adversários são chamados de *orgulhosos* ou *arrogantes*. Algumas versões e traduções dizem aqui "águas rugidoras"; mas essa é uma aplicação dada ao vocábulo, e não uma tradução literal. O poeta refere-se à insuportável insolência que tanto caracterizava os babilônios, os quais, conforme diz uma moderna expressão, eram "o rei do terreiro e o alto do montão", no mundo antigo da época. Foi assim que, em breve, tudo isso caiu por terra e outro poder, também orgulhoso porém mais benévolo, tomou conta da cena internacional. Yahweh usou o primeiro poder insolente para castigar a Judá, por causa da sua apostasia. Então usou o poder mais benevolente para ajudá-los a retornar do cativeiro, quando os judeus se arrependeram. Cf. Sl 89.9:

> *Dominas a fúria do mar; quando as suas ondas*
> *se levantam, tu as amainas.*

Cf. Jó 38.11. "... os ímpios que, por meio de seu orgulho, perseguem os pobres santos; aqueles orgulhosos tiranos e perseguidores..." (John Gill, *in loc.*).

Ajuda no nome de Yahweh (124.6-8)

■ 124.6

בָּרוּךְ יְהוָה שֶׁלֹּא נְתָנָנוּ טֶרֶף לְשִׁנֵּיהֶם׃

Bendito o Senhor que não nos deu por presa aos dentes deles. Yahweh foi aqui louvado e recebeu os agradecimentos dos judeus. Yahweh foi exalçado porque teve misericórdia de Judá e reverteu as águas que poderiam ter consumido completamente os judeus, pondo fim à história deles para sempre. Agora a metáfora foi modificada, e os babilônios tornaram-se *animais selvagens*, como se fossem um leão que mata sem misericórdia. É provável que, neste ponto, a congregação começasse a cantar, trazendo à tona essa nova metáfora, para falar do perigo mortal em que se encontrava Judá. A antiga nação de Israel tinha, em seu território, grandes animais de presa, e muita gente caía vítima diante deles. Deve ser coisa muito desagradável tornar-se presa de um grande gato e servir como sua refeição! Isso parece tão ridículo, tão absurdo, mas essa tem sido a experiência triste de muita gente. Ver Êx 23.29, quanto ao perigo em que estava o antigo povo de Israel. Cf. Sl 57.4; Pv 30.14; 1Pe 5.8; 1Sm 17.34,35.

■ 124.7

נַפְשֵׁנוּ כְּצִפּוֹר נִמְלְטָה מִפַּח יוֹקְשִׁים הַפַּח נִשְׁבָּר
וַאֲנַחְנוּ נִמְלָטְנוּ׃

Salvou-se a nossa alma. Uma nova metáfora foi então aplicada; Judá é agora uma avezinha inocente, que um caçador brutal apanhou em sua rede, para comer aquele pouquinho de carne em torno dos frágeis ossos, ou para usar as penas para enfeitar uma capa. Yahweh, entretanto, quebrou a armadilha. Isso soa como aquele tipo de armadilha feito de duas peças de madeira, entre as quais uma rede é esticada. Quando a ave era apanhada, as duas peças de madeira eram fechadas como se fossem as capas de um livro. A pobre ave entre essas capas ficava totalmente presa. Mas, se uma das peças de madeira se quebrasse, era difícil fechar o aparelho, e a avezinha podia escapar.

"Esta é uma excelente imagem que mostra, ao mesmo tempo, a *debilidade* dos judeus e a *esperteza* de seus adversários" (Adam Clarke, *in loc.*). E também mostra o amor constante de Yahweh, que é aqui retratado como quem quebrava as peças de madeira da armadilha e livrava a ave impotente, na hora de seu maior desespero. Uma variedade dessa arapuca para aves era aquela que ficava achatada de encontro ao solo. Tinha uma espécie de mecanismo pelo qual, quando a infeliz ave a tocava, a armadilha disparava e se fechava, prendendo a ave.

"O povo de Deus assemelha-se a passarinhos, inofensivos e inocentes, entoando louvores a Deus e tão impotentes diante de seus inimigos: sendo bastante indignos em si mesmos, pela estimativa dos homens, mas de grande valor diante do Pai no céu. Satanás e os homens iníquos são como os passarinheiros que armam ciladas para os impotentes... 1Tm 3.7; 2Tm 2.26; Sl 119.110" (John Gill, *in loc.*).

> *Armam ciladas contra mim os ímpios, contudo não me desvio*
> *dos teus preceitos.*
> Salmo 119.110

Ver também Sl 10.9 e 91.3: "Ele te livrará do laço do passarinheiro".

■ 124.8

עֶזְרֵנוּ בְּשֵׁם יְהוָה עֹשֵׂה שָׁמַיִם וָאָרֶץ׃

O nosso socorro está em o nome do Senhor. O *Nome* era considerado tão poderoso que bastava sua menção para ser capaz de operar maravilhas. Ver no *Dicionário* e em Sl 31.3 o artigo chamado *Nome*. E ver *Nome Santo* em Sl 30.4 e 33.21. A ajuda viria da parte do *nome* de Yahweh, e foi assim que Israel (Judá) saiu da Babilônia, embora os que retornaram dali para Israel formassem apenas um minúsculo fragmento do que tinha sido Judá. Yahweh era o próprio Criador, e isso nos diz que havia poder suficiente para produzir um novo Israel, através do reavivamento da tribo de Judá. E foi então que Judá se tornou conhecido como *Israel*. Cf. Sl 121.2, que é quase igual ao versículo que temos à nossa frente. Os temores se transformaram em alegria. Uma derrota esmagadora foi anulada por um novo dia.

> Palavras de consolo vêm ao nosso encontro,
> Fazendo calar-se cada temor,
> Faladas no meio do silêncio,
> Pela voz de nosso Pai.
>
> Avante, portanto, e não temais,
> Oh, filhos do dia.
> Pois a sua palavra nunca,
> Nunca passará.
>
> Frances Ridley Havergal

SALMO CENTO E VINTE E CINCO

Os Salmos 120 a 134, em um total de quinze salmos, são chamados *Cânticos de Romagens* (ou dos Degraus, ou dos Peregrinos). Ofereço uma introdução geral a este grupo no início dos comentários sobre o Salmo 120, pelo que não reitero aqui o que comentei ali.

Este é um salmo de *lamentação em grupo*, uma oração pedindo o livramento das mãos de inimigos nacionais, ou seja, possui a mesma natureza que o Salmo 123. Ambos os salmos vieram a fazer parte dos Cânticos de Romagens, através da decisão de editores posteriores que criaram um grupo especial com esses quinze salmos. Esses Cânticos de Romagens estão todos interligados por meio de certos temas comuns, mas não, de fato, por fatores históricos. Esses dois salmos (123 e 125) estão incluídos nesse grupo devido ao fato de que os intérpretes, antigos e modernos, pensam que eles refletem o cativeiro de Judá na Babilônia. Além disso, uma das teorias acerca os Cânticos de Romagens é que eles falam do retorno do remanescente judeu da Babilônia à sua antiga Terra Prometida. Mas outros dentre esses salmos são canções de peregrinos que subiam para participar das festas religiosas anuais em Jerusalém. Ver o Salmo 122, que obviamente também faz parte desse grupo. Portanto, é evidente que o mesmo pano de fundo histórico não uniu esses quinze salmos para que formassem uma unidade. Houve vários incidentes passados que inspiraram a sua composição, e desço a detalhes a respeito, na introdução ao Salmo 120.

Existem bons argumentos, contudo, para encararmos este salmo como um cântico de peregrinos, e não essencialmente como um salmo de lamentação. Nesse caso, ele se assemelha ao Salmo 122 e o classificaríamos como um Cântico de Sião. Quanto às dezessete classes dos salmos, ver o gráfico no início do comentário do livro de Salmos, que atua como uma espécie de frontispício do saltério. Tal como os Salmos 23, 123 e 131, este é um salmo de confiança e consolação, pelo que nenhuma classificação nos conta a história inteira do salmo. Talvez seja melhor chamá-lo de salmo *misto*. O poeta se sentiu consolado ao contemplar os montes de Jerusalém, que simbolizavam a proteção divina. A data de sua composição quase certamente é pós-exílica, em algum tempo entre 587 e 150 a.C., ou seja, do retorno do cativeiro babilônico até o período de domínio dos hasmoneus. Opressores iníquos mencionados poderiam ser homens como Sambalate e seus aliados samaritanos (ver Ne 4.7-9; 6.10-14). Mas nada existe no próprio salmo que nos permita fixar datas ou marcar referências a circunstâncias históricas.

Um Tema Geral. "Os crentes retos estão seguros nas mãos do Senhor, o qual não permitirá que eles sejam testados a ponto de desviarem de sua integridade. Entretanto, os que se desviarem, devido à incredulidade, serão banidos das bênçãos de Deus juntamente com os ímpios" (Allen P. Ross, *in loc.*).

O SENHOR ESTÁ PRESENTE PARA PROTEGER O SEU POVO (125.1-5)

Proteção Esperada (125.1-3)

■ 125.1

שִׁ֗יר הַֽמַּ֫עֲל֥וֹת הַבֹּטְחִ֥ים בַּיהוָ֑ה כְּֽהַר־צִיּ֥וֹן לֹא־יִ֝מּ֗וֹט לְעוֹלָ֥ם יֵשֵֽׁב׃

Os que confiam no Senhor. Se este é um *salmo de lamentação*, então os vss. 1-3 falam da esperança e da consolação de um povo perseguido, de que as coisas seriam endireitadas. A visão do monte Sião inspirara tal confiança. Mas se este é um *cântico de peregrinos*, então o povo de Deus que estava ali, e que sofria tribulações, incluindo as perseguições movidas por homens ímpios, podia consolar-se no pensamento de que em breve chegaria a Jerusalém, onde esperavam que reinasse a justiça, sendo assim curadas todas as injustiças que eles tinham sofrido. Os montes ao redor da cidade santa como que montavam guarda por amor à justiça, visando a proteção de todo o Israel, incluindo os peregrinos que se encaminhavam agora para a antiga capital da nação, cumprindo seus deveres e fazendo peregrinações para participar das festividades religiosas ali efetuadas. Três dessas festividades requeriam a presença de todos os israelitas de sexo masculino: a Páscoa, o Pentecoste e os Tabernáculos. Assim ditava a lei (ver Dt 16.16,17), embora, em tempos posteriores, quando a população de Israel aumentou e o povo vivia distante da capital, essa lei não continuasse a ser bem obedecida.

O monte Sião torna-se aqui o símbolo de uma segurança eterna e da permanência, ideia essa que, nas páginas do Antigo Testamento, com frequência é associada aos montes. Ver as notas expositivas sobre Sl 76.4 e 90.2. Naturalmente, Sl 102.26 tem uma ideia contrária, mostrando que a própria criação em última análise será reduzida a nada. Mas esse pensamento não era aquele enfatizado no judaísmo. Seja como for, o próprio monte Sião, ou aquilo que ele simboliza, deve ser eterno e um símbolo de paz e prosperidade, bem como de proteção, pelo que os piedosos têm razão de continuar confiando em Yahweh. Ver como a noção de confiança é usada no livro de Salmos, em Sl 2.12. Ver Sl 121.1,2 e 122.1,2, quanto a jubilosas antecipações de visitas a Jerusalém.

■ 125.2

יְֽרוּשָׁלִַ֗ם הָרִים֮ סָבִ֪יב לָ֥הּ וַ֭יהוָה סָבִ֣יב לְעַמּ֑וֹ מֵ֝עַתָּ֗ה וְעַד־עוֹלָֽם׃

Como em redor de Jerusalém estão os montes. Os montes, como se fossem sentinelas, estão de pé, em redor de Jerusalém, para protegê-la de qualquer dano. Assim também o Senhor é a Montanha que protege o seu povo, cercando-o com seu amor constante e suas misericórdias. Da mesma forma que o monte Sião é a figura da bondade eterna, prosperidade e segurança, assim também o Senhor é isso mesmo para o seu povo. Cf. Sl 121.2: "O meu socorro vem do Senhor, que fez o céu e a terra". A vara do Senhor está pesadamente apoiada sobre os ímpios (vs. 3), mas não será esse o caso daqueles que confiam no Senhor.

Jerusalém Está Cercada por Colinas Rochosas. Isso acontece por todos os lados da cidade, exceto pelo lado norte. Existem colinas íngremes e vales profundos, pelo que a cidade está situada como se estivesse no meio de um gigantesco anfiteatro. Ao *leste* fica o monte das Oliveiras, separado da cidade pelo vale de Josafá. Ao *sul*, elevam-se os montes do Ofiner, e entre eles e a cidade está o vale do Gehinom. A *oeste* eleva-se outra cadeia de colinas, e entre elas e a cidade está o vale do Giom. Dessa maneira, Jerusalém estava encravada em um conjunto de defesas naturais, simbolizando o poder de Yahweh para guardar em segurança os que nele confiam. Se historicamente as defesas naturais de Jerusalém não eram suficientes para proteger seus habitantes, mesmo que ajudadas por fortificações construídas pelo homem, tal fracasso jamais poderá ser atribuído a Yahweh. Não obstante, as pessoas morrem, mesmo quando postadas na linha do dever, servindo ao próximo. É conforme disse Sócrates: "Nenhum mal pode sobrevir a um homem bom"; e a isso poderíamos acrescentar: "finalmente". A proteção divina é uma realidade profunda, embora nem sempre se estenda ao corpo, e nem sempre a este mundo. Nossa fé está pelo *lado de dentro* do *véu*, e ali o encontraremos, finalmente (ver Hb 6.19). Ao pensar nos sofrimentos de Jesus, lembro do que disse certo dia meu tradutor, João M. Bentes: "Deus não facilitou as coisas nem para o seu próprio Filho, pelo que como poderíamos esperar que as coisas sejam fáceis?" Não obstante, hoje podemos pôr seguramente nossos pés no monte Sião. Ali domina a paz. Há alegria em Jerusalém, a cidade Dourada.

> Ele te dará forças, aconteça o que acontecer;
> Ele te sustentará nos dias maus.
> Aquele que confia no amor imutável de Deus
> Edifica sobre a Rocha que não pode ser abalada.
> George Neumark

■ 125.3

כִּ֤י לֹ֪א יָנ֡וּחַ שֵׁ֤בֶט הָרֶ֗שַׁע עַל֮ גּוֹרַ֪ל הַֽצַּדִּ֫יקִ֥ים לְמַ֡עַן לֹא־יִשְׁלְח֖וּ הַצַּדִּיקִ֓ים בְּעַוְלָ֣תָה יְדֵיהֶֽם׃

O cetro dos ímpios não permanecerá. A vara castigadora de Deus desceria de súbito sobre pessoas como os ímpios babilônios, os quais tinham destruído Jerusalém e muitas cidades de Judá. Essa vara divina haveria de castigar homens maus em qualquer lugar, dentro ou fora de Israel, caso merecessem a sua ira. Mas não se descarregaria pesadamente sobre o povo de Deus, a quem ele dera a terra, para que não se desanimassem com o excessivo sofrimento e abandonassem a vereda da retidão. Um filho excessivamente disciplinado perde a fé na bondade de seus pais. Os pais costumam ter muitas regras, as quais impõem como se fossem decretos de Deus. Uma disciplina moderada e temperada pelo amor faz o bem, mas os exageros levam as crianças a exagerar em seus atos.

Tudo isso é verdadeiro e digno de ser mencionado aqui. Mas o *significado do versículo* é que a regra dos ímpios não demora a perder o controle da terra onde habita o povo de Deus. *Isso* acabaria fazendo-os desviar-se para caminhos errados. Eles se voltariam para o mal, por causa do mau exemplo, e porque um sofrimento tão inútil, sob os pecadores, os levaria a desanimar e finalmente a desviar-se.

Talvez este versículo teça referências a um Judá restaurado (agora Israel), de volta à sua Terra Prometida. O novo Israel já começou. Deus protegerá o novo Israel de outra experiência como a do cativeiro babilônico; no entanto, nas pegadas desta, novas catástrofes sobrevieram a Israel através de outras potências estrangeiras, entre elas a maior de todas, o exílio romano, que ainda não foi completamente revertido, mesmo em nossos próprios dias. Lançamos a culpa de tudo isso no pecado, embora no relacionamento de Deus com os homens existam *enigmas* que desafiam explicações fáceis. Contudo, podemos acertar com o sentido deste versículo observando que a vara dos ímpios não *repousará* ali. Poderá ocorrer, mas não permanecerá para sempre. Portanto, podemos contemplar o futuro e dizer: "O presente castigo acabará passando".

"O cetro do Messias finalmente quebrará o cetro dos ímpios (Sl 2.9; 45.6)" (Fausset, *in loc.*).

125.4,5

הֵיטִיבָה יְהוָה לַטּוֹבִים וְלִישָׁרִים בְּלִבּוֹתָם׃

וְהַמַּטִּים עֲקַלְקַלּוֹתָם יוֹלִיכֵם יְהוָה אֶת־פֹּעֲלֵי הָאָוֶן שָׁלוֹם עַל־יִשְׂרָאֵל׃

Faze o bem, Senhor. Um apelo direto é feito aqui, para que Yahweh faça o bem aos bons e seja generoso e gentil para com os que têm coração reto, dando prosperidade e vida aos que estão ligados ao pacto com Deus e guardam a lei (ver Dt 4.1; 5.33; Ez 20.1). O domínio por parte de potências estrangeiras tinha corrompido muitos hebreus, e estes, por temor ou por quererem adaptar-se, tinham desviado do caminho reto e haviam imitado seus senhores estrangeiros (vs. 5). Mas os hebreus que assim fizeram foram castigados e sofreram a mesma punição aplicada aos pagãos, ao passo que os hebreus bons continuariam a prosperar na terra. Não podemos dizer com certeza quais circunstâncias históricas inspiraram o autor a compor os vss. 4 e 5, mas temos aí uma regra geral que pode ser aplicada a muitos casos. Sabemos, entretanto, que, dos hebreus que entraram na Babilônia, muito poucos voltaram à Terra Prometida. Os demais ali permaneceram, ou como cativos, ou por se terem atirado aos negócios e terem prosperado conforme as linhas seguidas pelos ímpios. Eles tinham abandonado sua herança na Terra Prometida. Apesar de todos os lapsos que tinham ocorrido, a paz governava em Jerusalém. A bênção de Deus repousava sobre o lugar. A cidade e o templo foram reconstruídos. Veio à existência um novo Israel. Quanto à *paz que dominava em Jerusalém*, cf. a declaração de paz em *sete aspectos* de Sl 122.6-8. Ver no *Dicionário* o artigo denominado *Paz*.

Este versículo tem sido cristianizado para referir-se à paz trazida aos homens pelo Messias, ao passo que o novo Israel seria a igreja abençoada e reinando suprema.

> Quando uma paz como um rio acompanha meu caminho,
> Quando a tristeza como o mar espumante rola;
> Qualquer que seja a minha sorte,
> Tu me tens ensinado a dizer:
> Tudo vai bem;
> Tudo vai bem em minha alma.
>
> Horatio G. Spafford

SALMO CENTO E VINTE E SEIS

O elo livramento concedido por Deus. Presumivelmente os vss. 1-3 falam do retorno dos exilados do cativeiro babilônico. Um período de alegria sem paralelo foi experimentado quando os exilados retornaram da Babilônia. O vs. 4 deste salmo, pois, pode referir-se a alguma nova calamidade, na qual a graça anterior foi repetida. Mas também pode estar em mira que a boa sorte dos que retornaram à Terra Prometida tinha de continuar, mediante a reconstrução da cidade de Jerusalém e de seu templo, contra inimigos que assediavam os judeus. Alguns intérpretes não conseguem identificar acontecimentos históricos específicos que correspondam ao que lemos neste salmo e simplesmente veem nele apenas uma oração geral: Yahweh, nos tempos passados, tinha revertido a calamidade, pelo que os judeus oravam para que as coisas continuassem seguindo nessa direção. Na exposição a seguir, ofereço outros sentidos possíveis. "O salmista estava encorajando os homens a crer em um final feliz... Essa crença faz parte do evangelho cristão e não pode ser descartada como se fosse apenas um pensamento ditado pelo desejo" (J. R. P. Sclater, *in loc.*).

Quanto a *classes* dos salmos, ver o gráfico no início da exposição do livro, que atua como uma espécie de frontispício do saltério. Ofereço ali dezessete classes e listo os salmos pertencentes a cada uma delas.

Alguns dos salmos, como o de número 126, não podem ser claramente identificados como pertencentes a determinado tipo, pelo que podem ser classificados como tipo misto.

"O salmista estava jubiloso porque o Senhor tinha restaurado a Judá e orava pela *plena* restauração dos cativos. Ele encontrou o seu consolo no princípio da colheita segundo a semeadura" (Allen P. Ross, *in loc.*).

126.1

שִׁיר הַמַּעֲלוֹת בְּשׁוּב יְהוָה אֶת־שִׁיבַת צִיּוֹן הָיִינוּ כְּחֹלְמִים׃

Quando o Senhor restaurou a sorte de Sião. *Houve uma alegria geral* entre os judeus quando, por meio do poder de Yahweh e por decreto do imperador persa, Ciro, os cativos voltaram do cativeiro babilônico para Jerusalém. Foi tudo como um belo sonho que, para os exilados que retornavam, em breve se tornou um pesadelo, uma vez que despertaram para a dura realidade da vida. Mas não! Não foi apenas um sonho, pelo que entraram em um estado de êxtase. Eles prorromperam em risos e louvores, reconhecendo que Yahweh é que tinha feito aquilo tudo.

> *Isto procede do Senhor, e é maravilhoso aos nossos olhos. Este é o dia que o Senhor fez; regozijemo-nos e alegremo-nos nele.*
> Salmo 118.23,24

Algumas traduções vertem os verbos dos vss. 1-3 no futuro e assim emprestam um sentido escatológico ao texto; mas essa tradução não tem encontrado grande aprovação. Naturalmente, esses versículos têm sido cristianizados e espiritualizados para dar ao salmo esse significado; mas isso pode ser feito mediante aplicação, embora não como interpretação do texto.

Além disso, no caso de alguns estudiosos, temos aqui uma espécie de liturgia da quaresma, em preparação para o Ano Novo, com promessas de reavivamento da vida e da esperança; mas isso certamente é um exagero.

126.2

אָז יִמָּלֵא שְׂחוֹק פִּינוּ וּלְשׁוֹנֵנוּ רִנָּה אָז יֹאמְרוּ בַגּוֹיִם הִגְדִּיל יְהוָה לַעֲשׂוֹת עִם־אֵלֶּה׃

Então a nossa boca se encheu de riso. A lamentação e o gemido foram substituídos pelo riso e pelos cânticos de alegria, a ponto de os próprios pagãos reconhecerem que algo de incomum havia acontecido. Quando o povo de Israel entrou no cativeiro e suas terras foram habitadas por outras pessoas, para impedir a reocupação, parecia que a situação era permanente. Mas eis que o remanescente de Judá voltou à Terra Prometida apenas após setenta anos! O cativeiro ocorreu como um castigo da parte de Yahweh, por motivo de apostasia; e a volta à Terra Prometida ocorreu por causa de Yahweh, em vista do arrependimento de Israel. O poder divino tinha movimentado os babilônios e posteriormente movimentou Ciro, rei da Pérsia, para estabelecer seu decreto misericordioso e benevolente.

A nossa língua de júbilo. Louvores a Deus foram entoados espontaneamente, por parte de indivíduos judeus e, então, pela comunidade judaica, e louvores litúrgicos formais foram entoados de acordo com o ritual que cercava os sacrifícios. Eram louvores dados pelos restaurados, tal como também encontramos em Is 42.11; 44.23 e 44.1. Alguns pensam estar em foco os cânticos escatológicos dos últimos dias (conforme fez De Burgh), uma aplicação legítima do texto. Ver Ez 36.35,36; 37.21,28.

"Podemos encontrar tanto bem derivado do mal que isso nos serve de inspiração quanto ao futuro... A atitude do homem espiritual no tocante ao passado não é sentimental nem preconcebida. Antes, é um esforço para declarar a verdade sem temor ou favor, e não somente a verdade sobre as intenções e os atos humanos, mas também a verdade a respeito de Deus e do desdobramento de seus propósitos. Outra lição é que o mundo não é inconsciente do que acontece ao povo de Deus" (J. R. P. Sclater, *in loc.*).

Antes de lamentar, os judeus penduraram suas harpas nos salgueiros (ver Sl 137.2). Eles não conseguiam cantar ao Senhor enquanto estiveram em terras estrangeiras. Mas agora o coração deles transbordava de gratidão e louvor. Todos os seus gestos eram jubilosos. A transformação foi verdadeiramente divina.

126.3

הִגְדִּיל יְהוָה לַעֲשׂוֹת עִמָּנוּ הָיִינוּ שְׂמֵחִים׃

Com efeito, grandes cousas fez o Senhor por nós. Benditos são os tempos em que podemos repetir essas palavras. Quanto a mim, posso dizer que esses tempos não têm sido poucos. Dessa maneira, reconhecemos a mão de Deus atuando em nossa vida, e sabemos que certas coisas não poderiam ter ocorrido a menos que a mão de Deus tivesse agido no meio delas.

> *Deus nobis haec otia fecit —*
> Só Deus nos deu essa expansão.

"Tantas aflições do mundo se originam de querermos dizer o que *temos feito,* e não o que *Deus* tem feito por nós. As aflições, devemos guardá-las para nós mesmos. As bênçãos, devemos compartilhá-las com outras pessoas. Essas bênçãos *não são poucas nem pequenas*" (J. R. P. Sclater, *in loc.*). "Foi um período de júbilo, após um tempo de tristeza" (Allen P. Ross, *in loc.*).

Este versículo tem sido cristianizado para falar sobre a obra terminada de Cristo, suas obras de redenção, a salvação dos homens. "... essas obras são *tão* grandes e gloriosas, tão ricas e livres, mas, para os pecadores, tão desmerecidas" (John Gill, *in loc.*). Tal é o triunfo do amor. "Porque Deus amou o mundo de tal maneira..." (Jo 3.16).

> Oh, dia de descanso e de alegria,
> Oh, dia de júbilo e de luz,
> Oh, bálsamo para a preocupação e a tristeza,
> Belíssimo e brilhante.
>
> Christopher Wordsworth

■ 126.4

שׁוּבָ֣ה יְ֭הוָה אֶת־שְׁבִיתֵ֑נוּ כַּאֲפִיקִ֥ים בַּנֶּֽגֶב׃

Restaura, Senhor, a nossa sorte. As palavras do vs. 1 são repetidas. Consideremos aqui os seis pontos seguintes:

1. Isso poderia significar que Israel (Judá) achava-se agora em outra aflição e pedia um livramento divino como aquele experimentado em outras ocasiões.
2. Ou então o remanescente judeu, tendo voltado da Babilônia, precisava agora da ajuda divina para reconstruir Jerusalém, a despeito da oposição que estava sendo encontrada.
3. Ou então todos os termos são gerais sem nenhuma referência a uma provação específica, isto é, este versículo é *didático*, ensinando sobre a ajuda divina em qualquer provação que possa ser experimentada.
4. Alguns eruditos pensam aqui em um sentido escatológico, estando em vista o livramento do futuro, operado pela intervenção divina.
5. Ou então o poeta estava pensando nos seus muitos compatriotas hebreus que continuavam escravizados a povos estrangeiros, pessoas que não retornaram com o remanescente e continuavam vivendo na *diáspora* (ver a respeito no *Dicionário*). Os filhos de Israel também careciam de outra intervenção divina que os levasse a Jerusalém.
6. Esta oração solicita, essencialmente, que o Senhor *complete* o processo de restauração, talvez tanto em relação ao remanescente que já havia voltado a Jerusalém e a estava reedificando, quanto em relação aos que ainda retornariam à Terra Prometida. Torço pelas posições quinta ou sexta como o que está em foco aqui.

Como as torrentes no Neguebe. Parece estar em pauta uma nova restauração do povo de Israel, ou então a que já tinha sido iniciada se completaria, parecendo-se com a renovação das águas nos desertos do sul (Neguebe), onde imperava a sequidão, mas que, a certos períodos do ano, devido à neve que se dissolvia no norte, eram invadidos por águas que fluíam abundantemente por algum tempo. Ou podemos pensar na estação chuvosa, quando havia abundância de águas, embora apenas temporariamente. Torrentes de águas transmissoras de vida fluíam (Jó 6.15-17). Essas torrentes falam da misericórdia divina em lugares secos. Os israelitas que tinham sido deixados na diáspora (dispersão dos judeus) estavam como que em desertos materiais e espirituais e precisavam receber uma misericórdia inesperada. Os desertos na parte sul do território de Judá, durante a estação chuvosa, experimentavam enchentes súbitas que extravasavam as margens de seus wadis, ou seja, água abundante. E era isso que Judá tanto precisava para que houvesse *restauração completa*. Portanto, a oração do profeta foi: "Alegra esta terra crestada". Alguns estudiosos veem aqui as enchentes sazonais do rio Nilo, pois eram elas que davam vida ao Egito. A água das enchentes provinha da neve derretida que havia na cabeceira do rio Nilo.

■ 126.5

הַזֹּרְעִ֥ים בְּדִמְעָ֗ה בְּרִנָּ֥ה יִקְצֹֽרוּ׃

Os que com lágrimas semeiam. Neste ponto, o autor sagrado passa a usar outra figura simbólica, o tempo da colheita, que era sempre um tempo de *alegria*. Ele queria ver a restauração de Israel ser completada, tal como a colheita era o término das atividades do ano agrícola, o sumário do ano de trabalho, o resultado esperado de todo o labor que permeara o processo inteiro. Na Babilônia, os cativos israelitas choravam. De volta a Jerusalém, ficavam cheios de alegria (vs. 2). Eles tinham obtido grande colheita espiritual, na qual se regozijavam. O salmista, pois, queria que isso fosse verdade no que concernia a todos os hebreus, tanto os que já haviam retornado do cativeiro babilônico como os que ainda precisavam ser restaurados.

Com júbilo ceifarão. Algumas traduções dizem aqui "com cânticos de júbilo", que é mais ou menos o que já se vira no vs. 2. Outras traduções, como a nossa versão portuguesa, dizem apenas "júbilo"; mas o hebraico diz, literalmente, *cantando*. Ver nas notas expositivas sobre o vs. 2 uma explicação da figura simbólica. Outros eruditos pensam que o autor sacro empregou um provérbio comum que lhe subiu à mente, e isso explicaria a súbita mudança da figura da *torrente* para a figura da *colheita*.

A agricultura era, naquela época, como é até hoje, um *negócio precário*, sempre dependente das chuvas e da neve, bem como de proteção contra as pragas, a invasão de estrangeiros e outros fatores que podiam entravar o processo e anular a *colheita esperada*. Por isso mesmo, Judá vivia em tempos precários.

■ 126.6

הָל֨וֹךְ יֵלֵ֤ךְ ׀ וּבָכֹה֮ נֹשֵׂ֪א מֶֽשֶׁךְ־הַזָּ֫רַע בֹּֽא־יָב֥וֹא בְרִנָּ֑ה נֹ֝שֵׂ֗א אֲלֻמֹּתָֽיו׃

Quem sai andando e chorando. Este versículo *reforça* a declaração simples do versículo anterior. O agricultor enfrenta uma tarefa difícil. Quando sai a semear, ele se defronta com muitos fatores desconhecidos. Haverá chuvas? As torrentes de águas continuarão fluindo? As doenças destruirão as jovens plantinhas? O gafanhoto e outros insetos devorarão a safra do ano? Saqueadores virão e roubarão os frutos do trabalho, antes que a colheita seja efetuada? Todos esses perigos potenciais ou experiências de reais tribulações e retrocessos são comparados às *lágrimas* que o agricultor derrama. E essas lágrimas são uma figura de tudo por que Judá passara no cativeiro e de tudo o que alguns ainda experimentavam. Se todos os fatores, divinos e humanos, cooperassem juntamente, então a colheita se seguiria. A *semente preciosa* que fora semeada em meio a lágrimas produziria frutos abundantes de alegria. O cativeiro seria totalmente revertido; Jerusalém seria reconstruída e prosperaria; outros exilados voltariam à Terra Prometida. A *diáspora* seria revertida, e o resultado seria um novo Israel, por meio da restauração de uma das tribos de Israel, Judá. Essa seria uma das obras maravilhosas de Yahweh, e os homens se regozijariam nela. Cf. as palavras de Ageu, que foi um dos contemporâneos do retorno de Israel à sua terra: Ag 1.10,11; 2.19. Ver também Am 9.13. A alegria foi a nota-chave quando "os sacerdotes e os levitas, bem como todo o resto do povo cativo, observaram a dedicação do segundo templo, a nova Casa de Deus (cf. Ed 6.16; Ne 12.42)" (Ellicott, *in loc.*).

Quanto ao Novo Testamento, cf. 2Co 9.6; Gl 6.8,9 e 1Tm 5.7,8. Este versículo tem sido cristianizado para referir-se à obra realizada por Jesus (ver Mt 13.1-8,18,23), então à obra subsequente dos apóstolos e então à obra da igreja, o que tem resultado em grande colheita espiritual em todas as nações. Ver também Is 66.20, que tem uma aplicação aqui.

> Andaremos e andaremos e choraremos,
> Levando a mão cheia de semente preciosa.
> Ele voltará, voltará cantando,
> Trazendo os seus molhos.
>
> Ellicott

Aben Ezra lembra-nos da sacola de semente que o fazendeiro carregava, a qual trazia as esperanças de uma colheita. A semente era algo tão pequeno, mas que produzia tão grandes e jubilosos resultados. Ver Jo 4.31-38 e 2Ts 2.19,29.

Trazendo os molhos,
Trazendo os molhos.
Chegaremos nos regozijando,
Trazendo os molhos.

SALMO CENTO E VINTE E SETE

Os Salmos 120 a 134 — quinze salmos — são chamados *Cânticos de Romagens* (ou dos Degraus, ou do Peregrino). Ofereço uma introdução geral a esse grupo, no início dos comentários sobre o Salmo 120, pelo que não repito aqui esse material.

Este é um *salmo de sabedoria* que celebra um lar seguro e uma família numerosa, ambos referidos como presentes de Yahweh. Um pai que com muitos filhos sente-se em segurança e é especialmente abençoado, e atribui suas bênçãos à providência divina. Editores posteriores adicionaram este salmo à coleção dos Cânticos de Romagens, porquanto poderíamos compreender que esse salmo fala sobre as felizes condições dos cativos restaurados que retornaram do cativeiro babilônico. Alguns veem neste salmo a alegria dos peregrinos que foram abrindo caminho para Jerusalém, a fim de comparecer a uma das festividades sagradas, possivelmente em grupos familiares. Mas essa ideia parece bastante improvável. É difícil justificar a presença deste salmo entre os Cânticos de Romagens. Mas ver os comentários no fim da exposição sobre o vs. 1, que poderiam prover uma razão para essa inclusão. Já pudemos averiguar que esses quinze salmos, embora estejam juntos, reunidos por um ou mais editores posteriores, na realidade formam um grupo heterogêneo. Temos alguns que refletem o retorno da Babilônia; outros se ajustam melhor à ideia de um peregrino; alguns refletem o cativeiro na *Babilônia;* e agora encontramos este salmo de sabedoria! Quanto a outros salmos de sabedoria, ver os Salmos 1, 49, 73, 128 e 133. Portanto, mais dois salmos de sabedoria foram incluídos entre os quinze Cânticos de Romagens, formando assim um total de três salmos, no grupo.

Quanto às *classes* dos salmos, ver o gráfico no início do comentário, que forma uma espécie de frontispício do saltério. Ofereço ali dezessete classes e listo os salmos pertencentes a cada uma delas.

A TOTAL DEPENDÊNCIA DO HOMEM A DEUS (127.1,2)

■ **127.1**

שִׁיר הַמַּעֲלוֹת לִשְׁלֹמֹה אִם־יְהוָה לֹא־יִבְנֶה בַיִת שָׁוְא
עָמְלוּ בוֹנָיו בּוֹ אִם־יְהוָה לֹא־יִשְׁמָר־עִיר שָׁוְא שָׁקַד
שׁוֹמֵר׃

Se o Senhor não edificar a casa. Este salmo de sabedoria enfatiza a importância e o valor da unidade familiar, o que faz o clã tornar-se saudável, e bons clãs podem tornar toda a nação feliz e segura. Yahweh edifica lares, clãs e casas, no interior do país e nas cidades. Ele também é o guardador das cidades, onde famílias felizes vivem. Ele é o guarda da cidade, a qual viveria em um estado precário, a despeito das sentinelas humanas que estão sempre em atitude de dever.

Quatro atividades humanas e estados que precisam da ajuda divina, a saber:

1. A *casa,* em sentido literal ou figurado, é a habitação simples de uma família, ou então é a casa da nação (vs. 1).
2. A *proteção* da cidade (vs. 1). Yahweh é a sentinela suprema.
3. Ele *dá significado ao trabalho,* pois é inútil levantar-se para trabalhar, comer e ocupar-se de outras atividades, a menos que ele esteja ali para proteger, guiar e dar vida contínua (vs. 2).
4. Ele dá a seus amados o *descanso e o sono necessário* (vs. 2), pelo que eles podem continuar vivendo. Ou seja, ele *restaura* os homens para realizar o trabalho. Portanto, torna-se evidente a dependência total do homem a Deus, e isso de muitas maneiras. Essa é a *quarta* área na qual a ajuda divina se faz necessária.

Três Significados Possíveis para "Casa". 1. A casa de Deus, a reconstrução do templo, o segundo templo de Jerusalém. 2. Casas individuais para famílias individuais, a primeira unidade da sociedade. 3. Posteridade, prole numerosa.

O Senhor Guarda a Cidade. Poderia estar em vista a cidade reconstruída de Jerusalém. O remanescente estava de volta, mas a cidade reconstruída precisava de Yahweh como uma sentinela, pois, de outra sorte, todo o empreendimento poderia ser anulado por oponentes como Sambalate e seus aliados samaritanos. Talvez essa interpretação seja a que tenha levado o Salmo 127 a ser incluído entre os Cânticos de Romagens.

■ **127.2**

שָׁוְא לָכֶם מַשְׁכִּימֵי קוּם מְאַחֲרֵי־שֶׁבֶת אֹכְלֵי לֶחֶם
הָעֲצָבִים כֵּן יִתֵּן לִידִידוֹ שֵׁנָא׃

Inútil vos será levantar de madrugada. Ver os comentários no vs. 1, sob as *quatro atividades humanas,* onde o autor sagrado declara precisar da ajuda divina. Dessas quatro atividades, temos aqui a terceira e a quarta. Provavelmente, o agricultor é a pessoa em vista aqui. Ele se levanta bem cedo e trabalha arduamente, até o pôr do sol. Figuradamente, o agricultor "come o pão do trabalho ansioso" (*Revised Standard Version*). Seu trabalho é tão difícil que é com ansiedade que ele tem de comer. Ou então, se o alimento literal está em foco, cumpre-nos entender que o que ele come é uma coisa miserável. O agricultor não é como um rei em seu palácio, mas é como um trabalhador diarista, que tem apenas um pouco de tudo, incluindo o alimento. Isso nos faz lembrar de Neemias e seus ajudantes, que trabalharam duramente dia e noite para reconstruir as muralhas, tinham poucas provisões e suportavam as zombarias de seus inimigos. Ou, por outra parte, a referência é geral, indicando qualquer pessoa que tenha de trabalhar para sobreviver. O trabalho dos homens é infrutífero, a menos que Yahweh esteja presente para dar sentido ao trabalho. Alguns agricultores eram tão pobres na Palestina que tinham somente uma *refeição,* a qual ocorria no fim do dia, e note-se aqui que o ato de comer é posto no fim da sequência.

Aos seus amados ele o dá enquanto dormem. Estas palavras parecem referir-se aos poderes restauradores transmitidos pelo sono, aqui atribuídos às bênçãos e à bondade de Yahweh. Essa é a *quarta coisa* de que os homens precisam para continuar com a sua luta. Sem tal restauração, todo o processo da vida cessaria. Há estudos modernos que demonstram a necessidade absoluta tanto do sono como dos sonhos. Ambos contribuem para a restauração física e psicológica. A descrição toda é extremamente humana. O homem que trabalha arduamente continua a trabalhar da manhã à noite. Ele come quase correndo, demorando-se, no máximo, dez minutos para comer. E volta para casa muito cansado. Ele literalmente cai na cama. Repousa e dorme como se fosse uma rocha. E então, para sua surpresa, na manhã seguinte, sente-se refrigerado e restaurado e assim pode repetir o processo.

O trabalho árduo reveste-se de certa qualidade espiritual. O trabalho limpa a alma das coisas supérfluas. É uma virtude em si mesmo. Ver no *Dicionário* o artigo chamado *Trabalho, Dignidade e Ética do.*

O ócio é o refúgio das mentes fracas, e o feriado dos insensatos.
Lord Chesterfield

Não existe lugar na civilização para o ocioso.
Nenhum de nós tem o direito ao lazer.

Henry Ford

O trabalho árduo redime o tempo. A preguiça o desperdiça.

Aos seus amados. Primariamente, temos aqui uma referência ao povo de Israel, o povo em pacto com Deus, e, secundariamente, uma referência a qualquer homem bom, a qualquer homem espiritual. Ver Sl 60.5; 108.6. "Amados" é um termo comumente empregado para designar os crentes nas páginas do Novo Testamento (ver Rm 1.7; 16.8; 1Co 4.14). Em Rm 9.25, Israel é chamado de "amado" de Deus. Além disso, Cristo é, supremamente, "o Amado" (Ef 1.6). Ver no *Dicionário* o verbete denominado *Amado.*

Os antigos consideravam o sono uma *dádiva divina,* uma parte necessária da vida (conforme disse Virgílio, *Eneida,* 1.2, vss. 264 e 265).

Neste salmo se ensina a absoluta dependência do homem a Deus. Ver as palavras de Jesus sobre isso, em Lc 12.12-31.

FILHOS, A HERANÇA DO SENHOR (127.3-5)

■ 127.3

הִנֵּה נַחֲלַת יְהוָה בָּנִים שָׂכָר פְּרִי הַבָּטֶן׃

Herança do Senhor são os filhos. Continuamos dentro do *contexto do agricultor.* Quanto mais filhos tinha um homem, de mais trabalhadores no campo ele dispunha, o que explica sua maior prosperidade, uma bênção para toda a família. Mas o versículo ultrapassa as considerações econômicas. Era uma característica dos hebreus querer famílias numerosas, e ver a mão de Deus fazendo prosperar o homem que tivesse muitos filhos. Não ter filhos era uma grande calamidade. Ter poucos filhos era algo aceitável, mas não ideal. Portanto, temos exibido aqui o forte desejo de um homem que esperava ardentemente ter mais e mais filhos. Esse desejo foi uma das razões para os casamentos polígamos. É difícil para uma mulher dar a um homem todos os filhos que ele deseja. Yahweh estava bem no centro da questão, recebendo crédito por dar ao homem uma *herança especial,* sob a forma de filhos. Um homem é *recompensado* por Yahweh sob a forma de filhos, possivelmente, na maioria dos casos, em vez de prosperidade material que iludia os pobres. Os homens gostam de prosperar materialmente e obter heranças. Quanto ao homem pobre, ambas as coisas podiam ser verdadeiras em seus muitos filhos.

A Continuação da Linhagem. Uma das razões para um homem ter muitos filhos era a continuação da sua própria linhagem. Na Terra Prometida, cada família tinha sua própria herança sob a forma de terras, mas era mister que a família continuasse para que a terra fosse retida por aquela família. No caso de não haver filhos, as filhas podiam herdar as terras, *se* elas se casassem dentro de suas próprias tribos. Isso mantinha as terras sempre dentro da respectiva tribo. Ver Nm 27.1-11. Cf. Gn 33.5; 48.9 e Js 24.4.

■ 127.4

כְּחִצִּים בְּיַד־גִּבּוֹר כֵּן בְּנֵי הַנְּעוּרִים׃

Como flechas na mão do guerreiro. Consideremos aqui os seguintes pontos:

1. Quase certamente temos aqui o reconhecimento de que Israel precisaria defender-se pela força, ou seja, precisaria sempre de muitos *soldados.*
2. Mas uma *família* também seria mais bem defendida de qualquer tipo de inimigo ou oposição se um homem tivesse muitos filhos vigorosos ao seu lado. Também seria difícil um juiz declarar-se contra ele injustamente. Tal homem poderia enfrentar de rosto erguido a face dos que quisessem vingar-se contra ele. Seria difícil perpetrar qualquer ato de violência contra tal homem, pois sempre haveria um vingador de sangue.
3. Os filhos seriam suas *flechas metafóricas,* que ele poderia atirar contra qualquer problema ou vexame. Os filhos seriam seus solucionadores de problemas.
4. Além disso, os filhos de um homem seriam suas *flechas psicológicas.* Haveria o amor de família que ajudaria cada membro a ter uma vida mais feliz e mais próspera.

Os filhos da mocidade. Consideremos aqui os seguintes pontos:

1. Era e é um sentimento que os filhos nascidos de pais mais jovens são mais fortes e, talvez, intelectualmente mais brilhantes.
2. A ciência tem demonstrado que os espermatozoides de um homem não variam da juventude à idade avançada. Os espermatozoides continuam saudáveis, como os da juventude, por todos os anos de vida de um homem. Infelizmente, porém, não se pode dizer o mesmo a respeito dos óvulos de uma mulher idosa.
3. Provavelmente a declaração inclui a ideia de que um homem que tenha filhos quando jovem poderá cuidar deles melhor do que um homem já idoso, pois os seus filhos ainda serão muito pequenos quando ele chegar a certa idade. O pior de tudo é que ele morrerá quando os filhos ainda estiverem relativamente jovens, e isso deixará os filhos sem pai em um período crítico da vida.
4. Além disso, há um sentimento geral de que, de alguma maneira, é *mais apropriado* a um jovem casal ter filhos que os acompanhem quando eles ainda estão relativamente jovens, do que filhos que tenham de fazer companhia a pessoas de mais idade, como se fossem seus avós. Por outra parte, estudos sociais demonstram que homens de mais idade (cerca da idade de um avô) tornam-se melhores *pais* do que homens mais jovens. Esses pais de mais idade têm mais conhecimento; têm mais sabedoria; são mais sensíveis e, com frequência, mais amorosos. Eles impõem demandas menos insensatas sobre os filhos. Espiritualmente, os pais estariam mais bem preparados para levar uma vida juvenil do que um homem jovem que encontre dificuldades em dirigir a própria vida. A grande desvantagem, naturalmente, é que um homem mais idoso, embora seja um pai superior, não pode ficar por perto tempo suficiente para conduzir os filhos em suas missões. Por outro lado, Deus tem graça suficiente para dar *esse privilégio* ao homem. Oh, Senhor, concede-nos tal graça!

■ 127.5

אַשְׁרֵי הַגֶּבֶר אֲשֶׁר מִלֵּא אֶת־אַשְׁפָּתוֹ מֵהֶם לֹא־יֵבֹשׁוּ כִּי־יְדַבְּרוּ אֶת־אוֹיְבִים בַּשָּׁעַר׃

Feliz o homem que enche deles a sua aljava. Um homem que tenha muitos filhos, à semelhança do arqueiro que tem sua aljava cheia de flechas, é abençoado, ou seja, é um homem *feliz.* Todas as *vantagens* listadas nos vss. 3 e 4 são dele. Ninguém será capaz de envergonhá-lo. Seus filhos correrão para o seu lado, com sobrolhos carregados, ao olhar para seus inimigos. Esses filhos defenderão a família e o país. Os inimigos não conseguirão lançá-los facilmente ao opróbrio, sem importar se esse opróbrio é pessoal ou nacional (ver Sl 25.1; 35.26; 37.19; 69.6; 74.21; 77.66; 83.16; 86.18; 109.28 e 119.31,78). Adam Clarke (*in loc.*) observou estranhamente: "*Gravida sagittis,* isto é, uma *aljava grávida com flechas.* Feliz é o homem que tem uma esposa frutífera, que lhe dá muitos filhos".

Quando pleitear com os inimigos à porta. Ou seja, em uma das portas de entrada na cidade, onde eram efetuados o comércio e as transações legais. A esse homem estaria garantida a prosperidade no comércio, ou a justiça nos tribunais, caso ele tivesse filhos vigorosos que o acompanhassem e o apoiassem em todas as coisas.

Este salmo poderia ser intitulado: "O Solilóquio do Feliz Dono de Casa". Até um homem pobre pode ser rico quanto à sua posteridade.

Cf. este versículo a uma citação significativa, extraída da literatura grega:

> Os homens oram para que seus filhos os rodeiem,
> Uma prole obediente, para se vingarem de seus inimigos
> Com danos, e honrarem àqueles a quem seu pai ama.
> Mas aquele cuja prole não tem proveito,
> Gera somente tristeza para si mesmo,
> E ele aumenta o riso de seus inimigos.
>
> Sófocles, *Antíg.* 641

Contrastar as declarações deste versículo com Jó 5.4, onde vemos os filhos de um homem "espezinhados" nas portas da cidade. O pai deles, que fora forte e próspero, morrera, e outros homens fizeram com eles o que bem entenderam.

O Targum diz aqui "Na porta da casa do julgamento", ou seja, refere-se particularmente a questões legais que um homem poderia sofrer se não tivesse filhos para apoiá-lo em sua hora de tribulação.

SALMO CENTO E VINTE E OITO

Os Salmos 120 a 134 — quinze salmos — são chamados de Cânticos de Romagens (ou Cânticos dos Degraus ou Cânticos do Peregrino). Apresentei uma introdução geral a esse grupo de salmos no início dos comentários sobre o Salmo 120, pelo que não repito aqui esse material.

Este é um *salmo de sabedoria,* cuja mensagem central é que o homem que se devota a Yahweh terá numerosa e próspera família como *recompensa.* Este salmo é como uma sequência ao Salmo 127, também um salmo de sabedoria e também um salmo sobre a família. Talvez editores posteriores tenham adicionado este salmo e o anterior a um grupo de *Cânticos de Romagens* porque eles declaram a prosperidade e a felicidade de grupos familiares na restaurada cidade de Jerusalém, terminado o cativeiro babilônico. O Senhor era a sentinela da cidade restaurada, conforme se aprende em Sl 127.1, e também quem abençoava as famílias que ali residiam. Esse raciocínio parece bastante remoto, mas talvez seja isso o que inspirou os compiladores quando eles produziram o conjunto dos *quinze salmos*. O certo é que, historicamente falando, esses salmos originalmente não formavam um grupo distintivo. São bastante heterogêneos, contando com alguns salmos que pertencem mais à classe dos cânticos do peregrino, outros que falam de Judá no *cativeiro* na Babilônia, e outros que falam da volta do remanescente *do cativeiro,* além de haver Sl de sabedoria que, provavelmente, não têm nenhuma conexão real e histórica com os demais. Ver no final dos comentários à introdução do Salmo 120 o *sumário* sobre os tipos de salmos incorporados no conjunto.

O *homem bom* terá numerosa posteridade (vs. 6) e será recompensado por seu temor a Yahweh (vs. 4). Em outras palavras, sua posteridade será elevada, o que, em sua essência, é aquilo que é o *temor de Deus,* no Antigo Testamento. Ver as notas em Sl 119.38, quanto ao temor do Senhor, e ver também, no *Dicionário,* o verbete intitulado *Temor,* quanto a maiores detalhes.

Outros *salmos de sabedoria* são os de número 1, 49, 73 e 113 (além dos de número 127 e 128). Quanto às *classes* dos salmos, ver o gráfico no início do comentário, que atua como uma espécie de frontispício do saltério. Ali ofereço dezessete classes e listei os salmos pertencentes a cada uma delas.

BEM-AVENTURADO O LAR ONDE DEUS É TEMIDO (128.1-6)

Desfrutando os Frutos do Próprio Labor (128.1,2)

■ 128.1

שִׁיר הַמַּעֲלוֹת אַשְׁרֵי כָּל־יְרֵא יְהוָה הַהֹלֵךְ בִּדְרָכָיו:

Bem-aventurado aquele que teme ao Senhor. O *temor do Senhor* é a *nota-chave* deste salmo e um dos principais temas do saltério. É um conceito bastante complexo, pelo que recomendo ao leitor examinar Sl 119.38 e o artigo do *Dicionário* chamado *Temor,* quanto a amplas explicações. O ensino inclui o temor literal, conforme encontramos em Sl 119.120. Mas em sua essência significa algo como *espiritualidade,* segundo as bases do Antigo Testamento, juntamente com a obediência à lei, em suas demandas morais, cerimoniais e rituais, pois as questões cerimoniais e rituais, para a mente dos hebreus, faziam parte das questões *morais*. Naturalmente, o espantoso Yahweh era literalmente temido, mas isso era apenas parte do todo, e não a questão inteira.

Seja como for, aquele que teme a Yahweh é que será o homem feliz, porquanto receberá toda espécie de recompensa por sua piedade. Ele andará ao longo de seus caminhos, ou seja, os *caminhos* da lei mosaica, o manual de fé e conduta para os hebreus.

Quanto aos *caminhos* de Yahweh, ver também Sl 1.1 e 37.5. Ver também no *Dicionário* o artigo chamado *Caminho*. O Salmo 119 conta com catorze referências ao caminho da lei ou aos caminhos errôneos. Quanto a alguns exemplos, ver Sl 119.1,9,14,27,29,30,32,33,37, 101,104 e 128. Os termos *bendito* e *caminhos* são vocábulos favoritos nos salmos de sabedoria. Ver no *Dicionário* sobre *Sabedoria,* seção III, quanto a esse tipo de produção literária.

Este versículo tem sido espiritualizado para que se refira ao caminho do Novo Testamento de Cristo e sua bem-aventurança, que conduz à vida eterna.

■ 128.2

יְגִיעַ כַּפֶּיךָ כִּי תֹאכֵל אַשְׁרֶיךָ וְטוֹב לָךְ:

Do trabalho de tuas mãos comerás. O bom marido estava tentando criar uma família feliz. Ele contava com a cooperação de seus familiares (vs. 3). Precisava trabalhar para sustentar sua família, mas o fazia com a segurança, por causa de sua piedade, de que obteria sucesso em seu trabalho. Ele comeria do fruto de seus labores. Seu trabalho seria produtivo e produziria resultados prósperos. Esse é um homem feliz, e *tudo* vai bem com ele. Quando as tragédias nos ferem e parecem anular toda essa fotografia otimista, temos de depender da fé. Há *enigmas* no trato de Deus com os homens, e existem os golpes do *caos,* contra os quais devemos orar todos os dias. Portanto, o homem bom nem sempre está no meio da abundância e da felicidade, por causa de suas circunstâncias físicas. Seja como for, em última análise temos de retornar às questões da alma, de sua vida, da sobrevivência e da participação na felicidade celeste, que garantem o cumprimento das promessas divinas. Ver no *Dicionário* o verbete intitulado *Problema do Mal.*

As passagens do Antigo Testamento que prometem a felicidade e a prosperidade para os bons indivíduos (que temem a Deus) são agradáveis de ler, embora tenhamos de pensar nas exceções. Para garantir a validade dessas promessas, é preciso fazer a alma entrar no quadro, o que os escritores hebraicos daqueles tempos primitivos não fizeram, pelo menos em sua maior parte.

Os hebreus, no período mais antigo da história, eram nômades. Então se estabeleceram em comunidades e se ocuparam da agricultura. Mas a agricultura era uma atividade precária que com frequência deixava as pessoas famintas. Inimigos devoravam as plantações (Dt 28.30; Lv 26.16). A seca podia destruir o labor de uma estação inteira. Portanto, para manter os males afastados, um israelita precisava ser um homem bom, porque tais males eram considerados castigos divinos.

Prosperidade, um Teste da Bondade (128.3,4)

■ 128.3

אֶשְׁתְּךָ כְּגֶפֶן פֹּרִיָּה בְּיַרְכְּתֵי בֵיתֶךָ בָּנֶיךָ כִּשְׁתִלֵי זֵיתִים סָבִיב לְשֻׁלְחָנֶךָ:

tua esposa, no interior da tua casa. O *homem bom* seria como uma esposa fértil, e o resultado seriam muitos filhos que medravam por toda parte, como se fossem oliveiras. Isso faria parte das atividades agrícolas de um homem. Sua *fazenda,* dentro do lar, seria uma vida abundante e próspera, como sua *plantação* no campo. Nos campos, tal homem veria muitas oliveiras e videiras e, em sua casa, contaria com muitas "oliveiras". Ambas as plantas seriam resultado natural de sua bondade e temor a Yahweh (vs. 1). Ele seria um homem abençoado por boas colheitas, no campo e no lar. Quando a família se sentava para as refeições, haveria muitos brotos crescendo em redor da mesa, oliveiras jovens, saudáveis e entusiasmadas, crescendo em abundância, em saúde e alegria.

"A *vinha* e a *oliveira,* na poesia hebraica, eram símbolos frequentes de frutificação e de um estado feliz e florescente. Ver Sl 52.8; Jr 11.16. A comparação entre as crianças e os brotos jovens e saudáveis de uma árvore, naturalmente, é comum a toda poesia, sendo, de fato, latente em expressões como 'o descendente de uma casa nobre'. Cf. a obra de Eurípedes, *Media,* 1.098, *um doce e jovem rebento de crianças*" (Ellicott, *in loc.*).

O poeta nos dizia que Yahweh recompensa o homem bom com a *herança* (127.3) de uma boa família, e uma *boa família* significava uma família com *muitos* filhos. Essa era a atitude da época. Atualmente, uma família de quatro membros (dois filhos) é considerada o ideal neste mundo superpopuloso e empobrecido.

Videira frutífera... rebentos de oliveira. Note o leitor que a boa esposa seria como uma videira e, por implicação, teria muitos filhos, que seriam comparados com cachos de uvas. As crianças também são comparadas a *oliveiras* saudáveis. Dessa maneira, dois principais produtos agrícolas são referidos neste salmo. Fazer da mulher uma videira e de seus filhos, oliveiras é uma incongruência agrícola, mas o autor sagrado não estava preocupado em produzir metáforas correspondentes.

■ 128.4

הִנֵּה כִי־כֵן יְבֹרַךְ גָּבֶר יְרֵא יְהוָה:

Eis como será abençoado o homem que teme ao Senhor! Temos aqui a *conclusão* do minúsculo parágrafo que trata da posteridade como uma prova de bondade. O poeta afirmou essa ideia como um *Eis como será abençoado o homem que teme ao Senhor.* O homem verdadeiramente espiritual prosperará tanto em seu lar como no local de trabalho. A declaração moderna de que "Nenhum sucesso no mundo pode compensar o fracasso no lar" seria apreciada pelo salmista. Ele vinculava de perto o sucesso no campo com o sucesso no lar, e pôs as duas coisas em um único pacote. O poeta dizia que o homem que teme a Deus teria um *grande galardão*, o que significa que qualquer esforço para garantir tal resultado valeria a pena.

Eis como será. O autor sagrado nos convida a dar uma espiada no belo quadro por ele pintado, a fim de tirarmos proveito da cena. "Ele nos chama a atenção, porque somos pobres observadores dos caminhos retos e graciosos de Deus!" (Fausset, *in loc.*).

Os que procuram vincular este salmo aos peregrinos lembram como famílias inteiras se reuniam para a celebração das festividades anuais, embora somente os indivíduos do sexo masculino fossem obrigados a comparecer (ver Dt 16.16,17), mas isso é uma evidência fraca.

A Prosperidade de Jerusalém (128.5,6)

■ **128.5**

יְבָרֶכְךָ֥ יְהוָ֗ה מִ֫צִּיּ֥וֹן וּ֭רְאֵה בְּט֣וּב יְרוּשָׁלִָ֑ם כֹּ֝֗ל יְמֵ֣י חַיֶּֽיךָ׃

O Senhor te abençoe desde Sião. Em adição à sua própria felicidade pessoal, o homem de boa família também receberia a bênção de Yahweh, proveniente de Sião. Jerusalém seria uma cidade próspera, e ele veria isso com seus próprios olhos e assim receberia bênção sobre bênção. Um hebreu piedoso não seria plenamente abençoado enquanto não visse que a capital de sua nação estava em paz, com o templo funcionando, e as coisas em ordem, no culto ali celebrado. Esta porção do salmo pode sugerir que ele era usado em algumas espécies de reuniões religiosas, mesmo que não fosse usado na liturgia do templo. Cf. Sl 20.2, que tem algo similar. Jerusalém era o centro de cada fato da vida, pelo que sua prosperidade era essencial à prosperidade coletiva e pessoal.

■ **128.6**

וּרְאֵֽה־בָנִ֥ים לְבָנֶ֑יךָ שָׁ֝ל֗וֹם עַל־יִשְׂרָאֵֽל׃

Verás os filhos de teus filhos. O homem que fosse progenitor de uma boa família veria sua posteridade com os próprios olhos, o que, conforme este versículo, incluiria pelo menos os netos. Assim sendo, ele teria uma vida longa, o que a lei prometia aos judeus piedosos, e caracterizada pela prosperidade. Ver como a lei promete vida longa e prosperidade ao povo de Israel, em Dt 54.1; 5.33; 6.2 e Ez 20.1.

Paz sobre Israel! Ver a invocação em sete aspectos da paz que começa e termina com Jerusalém, em Sl 122.6-8. Ver também Sl 29.11; 125.5; 131.3 e Gl 6.16. Salomão, aproveitando-se de seu reinado de paz, levou Israel à sua época áurea. Com invasores estrangeiros a assediar a cidade, ou enfrentando sedições promovidas dentro da nação de Israel, por parte de homens traiçoeiros, Jerusalém dificilmente encontraria paz e prosperidade.

Este versículo tem sido cristianizado para falar da paz evangélica com Deus, através da missão de Jesus Cristo.

> Paz, paz perfeita;
> Nosso futuro desconhecido?
> Paz, paz,
> Jesus está no seu trono.
>
> Edward Bicersteth

SALMO CENTO E VINTE E NOVE

Os Salmos 120 a 134 — quinze salmos — são chamados *Cânticos de Romagens* (ou dos Degraus, ou do Peregrino). Ofereço uma introdução geral a este grupo, no começo dos comentários sobre o Salmo 120, pelo que não repito aqui esse material.

Esta é uma *lamentação em grupo,* uma oração que pede o livramento das mãos de inimigos nacionais. Quanto às *classes* dos salmos, ver o gráfico no começo do comentário, que atua como uma espécie de frontispício do saltério. Dou ali dezessete classes dos salmos e listo os salmos pertencentes a cada uma delas.

A presença deste salmo entre os chamados *Cânticos de Romagens* (ou dos Degraus, ou do Peregrino) pode dever-se ao fato de que, tal como outros salmos dentro da coletânea (120 a 134), pode estar em destaque o cativeiro babilônico, do qual Judá foi finalmente libertado. Portanto, este salmo arma o palco para isso ao falar sobre as aflições do cativeiro. Ou, de acordo com outros estudiosos, é um salmo do peregrino, que fala sobre as dificuldades enfrentadas na subida a Jerusalém para participar das festividades anuais às quais todos os varões deveriam comparecer (ver Dt 16.16,17). Todavia, devemos relembrar que foram editores posteriores que inventaram este conjunto de quinze cânticos, como se houvesse alguma conexão real e histórica entre eles. O último parágrafo da introdução ao Salmo 120 mostra a natureza de cada um dos quinze salmos, demonstrando que eles não formam um grupo homogêneo. Alguns intérpretes, entretanto, têm-se mostrado diligentes para fazer deles uma coletânea homogênea, a qualquer custo, a fim de satisfazer o impulso dado por antigos editores e afirmar o uso deles no judaísmo posterior, como um conjunto distinto.

Embora possamos considerar este salmo, em sua inteireza, como uma lamentação, ele de fato pertence a uma tipo misto. Os vss. 1-4 lembram um salmo de confiança (como os Salmos 23 e 131); os vss. 5-8 são semelhantes aos salmos de imprecação de lamentação (Cf. o Sl 137). Alguns críticos supõem que tais porções do salmo presente fossem originalmente separadas, isto é, composições distintas.

Este salmo apresenta boa qualidade artística, empregando notáveis metáforas e declarações expressivas. Parece pertencer a uma data bastante tardia, demonstrando várias influências do aramaico.

UM CÂNTICO DE CONFIANÇA (129.1-4)

■ **129.1**

שִׁ֗יר הַֽמַּ֫עֲל֥וֹת רַ֭בַּת צְרָר֣וּנִי מִנְּעוּרַ֑י יֹֽאמַר־נָ֝֗א יִשְׂרָאֵֽל׃

Muitas vezes me angustiaram. Presumivelmente, no cativeiro, Judá ergueu esperanças de que seria libertado e falou de como, antigamente, Yahweh os havia libertado de suas aflições, tirando-os de suas dificuldades. O autor sagrado, agora um homem idoso, relembrou as aflições de Israel, que ele havia testemunhado pessoalmente em sua juventude. Talvez a referência seja *histórica*. As opressões da parte dos egípcios, e então dos cananeus, filisteus, arameus (1Rs 20; 2Rs 6), assírios (2Rs 18 e 19), babilônios (2Rs 25) e outros, como os persas e seus sucessores (em tempos pós-exílicos) são relembradas. Se a referência é histórica, então o poeta fala aqui em favor de Israel e, assim sendo, fala de uma jovem nação de Israel, que agora estava ficando velha, mas que continuava sendo perseguida. Talvez a intenção do autor sagrado não fosse projetar a esperança quanto a um futuro livramento, mas agradecer por vários livramentos divinos já concedidos. O vs. 4 deste salmo certamente se parece um tanto com o que já tinha acontecido. Além disso, as imprecações podem ter sido contra inimigos potenciais ou contra novos inimigos, que surgiram após o cativeiro, e, uma vez mais, perseguiam o povo de Israel.

O vs. 1 convida insistentemente o povo de Israel a relembrar suas tribulações e ato contínuo afirma que os perseguidores, sem importar quem e quão poderosos tenham sido, não prevaleceram contra Israel. As tribulações começaram no Egito e continuaram a vir. Ver Jr 2.2 e Ez 16.4, mas Yahweh sempre se mostrou gracioso e sempre libertou a Israel, seu *filho* (ver Êx 4.22). Ver também Jr 22.21 e Ez 23.3.

■ **129.2**

רַ֭בַּת צְרָר֣וּנִי מִנְּעוּרָ֑י גַּ֝֗ם לֹא־יָ֥כְלוּ לִֽי׃

Desde a minha mocidade me angustiaram. Este versículo apresenta a declaração que Israel foi convocado a proferir. Israel, com a ajuda de Yahweh, não foi, afinal, conquistado por nenhum inimigo. Dou notas completas sobre a ideia na exposição do vs. 1. O autor deixou de mencionar a finalidade do cativeiro assírio no caso do reino do norte, Israel. Ver sobre isso no *Dicionário*. Visto que Judá levava avante a herança dos hebreus e o pacto abraâmico, podemos asseverar que esse incidente foi fatal para Israel, porquanto Judá se tornara Israel. "Os ímpios continuavam a oprimir o povo de Deus, mas desde o princípio não tinham sido vitoriosos".

129.3

עַל־גַּבִּי חָרְשׁוּ חֹרְשִׁים הֶאֱרִיכוּ לְמַעֲנוֹתָם

Sobre o meu dorso lavraram os aradores. O poeta inventa neste ponto uma vívida metáfora: Os assoladores são vistos como agricultores maliciosos que aram as costas de um homem, cortando-a profundamente e quase o levando à morte. Acidentes ocasionais desse tipo ocorreram. Agricultores descuidados caíam debaixo do arado e eram horrendamente aleijados ou mortos. Israel era o campo que foi quase destruído, mas não morto por homens violentos. Apesar de tão radicais perseguições, cujo intuito era matar, Israel sobreviveu.

> Os aradores fizeram longos sulcos ali,
> Até que todo o seu corpo era apenas uma ferida.
> Paráfrase de Adam Clarke

Espancamentos que deixam ferimentos como se fossem sulcos provavelmente sugeriram a metáfora. E, com base nisso, alguns intérpretes cristianizam a declaração, aplicando-a aos sofrimentos de Cristo, que foi terrivelmente espancado. A versão siríaca faz este versículo aplicar-se simplesmente aos espancamentos. Jesus voltou as costas para os espancadores (ver Is 1.6; Mt 27.27). Kimchi faz o versículo aplicar-se à *servidão e à escravidão* que Israel sofreu em diversas oportunidades, as quais, naturalmente, foram acompanhadas por espancamentos.

129.4

יְהוָה צַדִּיק קִצֵּץ עֲבוֹת רְשָׁעִים׃

Mas o Senhor é justo. Doravante, o poeta muda a sua metáfora e fala das cordas que prendiam os escravos ao cativeiro. Essas cordas foram cortadas por *Yahweh*, porquanto um homem amarrado não pode libertar-se. A libertação foi um ato *justo*, da parte de Yahweh, porque Israel foi afligido como é afligido um homem inocente, por ímpios opressores. A *Lei Moral da Colheita segundo a Semeadura* libertou Israel e puniu os ímpios que tinham prejudicado o próximo (vs. 5). Ver o artigo sobre a *lei*, no *Dicionário*, sob o título oferecido aqui. Yahweh é "leal ao que é reto e vindica os justos, redimindo e livrando o seu povo (cf. Is 45.24,25 e Ne 9.8)" (William R. Taylor, *in loc*.). "Em Sl 124.7, a *rede* foi rompida e a ave escapou, e assim também aqui a corda que prendia o escravo (cf. Sl 2.3) foi cortada e o escravo ficou livre" (Ellicott, *in loc*.). O Targum fala sobre as *cadeias do ímpio*. Cf. Is 5.18.

IMPRECAÇÕES CONTRA OS INIMIGOS (129.5-8)

129.5

יֵבֹשׁוּ וְיִסֹּגוּ אָחוֹר כֹּל שֹׂנְאֵי צִיּוֹן׃

Sejam envergonhados e repelidos. A partir deste ponto, faz-se a mudança do cântico de confiança (vss. 1-4) para as imprecações de um salmo de lamentação. As terríveis perseguições mencionadas nos vss. 3 e 4 sem dúvida inspiraram essa mudança. Os que perseguem a seus semelhantes obviamente *odeiam*, e nisso encontramos a substituição diabólica do amor divino em operação. Ver no *Dicionário* o artigo chamado *Ódio*. Em muitas ocasiões, Sião foi objeto do ódio dos pagãos. O autor sagrado, pois, invocou uma maldição contra os que odeiam, para que Yahweh os envergonhasse e os fizesse recuar, de forma que eles caíssem no solo. O poeta escritor queria que eles fossem derrubados e eliminados. Quanto a ser *envergonhado*, ver Sl 25.1; 35.25; 37.19; 69.6; 74.21; 78.66; 83.16; 86.17; 109.28; 119.31,78 e 127.5.

Quanto ao ato de *voltar as costas*, isso sugere a metáfora de um caçador que ataca sua presa, ou de um exército que vem saquear. O atacante é freado e então enviado de volta, ou seja, é golpeado na cabeça e derrubado no chão. Cf. Is 37.29, que tem algo similar, sob uma metáfora diferente.

129.6

יִהְיוּ כַּחֲצִיר גַּגּוֹת שֶׁקַּדְמַת שָׁלַף יָבֵשׁ׃

Sejam como a erva dos telhados. O poeta sagrado passa a empregar aqui ainda outra metáfora. Ele queria ver seus inimigos mortos, pelo que queria vê-los como a erva que medra nos telhados. Se qualquer semente pudesse encontrar caminho para lançar raízes e germinar, e enviar raízes ao ar, o quente sol da tarde logo poria fim a tudo. O autor queria que os adversários de Israel fossem sujeitados ao calor causticante da ira de Deus, ou seja, que fossem mortos. Isso poria fim aos perseguidores e às suas perseguições. As plantas sujeitas aos raios requeimantes do sol se ressecam antes que possam crescer. As plantas perversas já tinham vivido por tempo bastante. Israel já fora atacado por tempo bastante longo. A morte é o que tais plantas merecem, e foi a oração do poeta sacro. Na Palestina havia algumas casas com telhados cobertos de palha, que eram as casas dos elementos mais pobres. Ali podia medrar até mesmo a relva, a despeito do sol muito quente. Mas estão em foco aqui as casas dos elementos mais ricos. Elas eram feitas de tijolos e uma espécie de cimento, e seus telhados planos e cimentados não eram um lugar propício para nascer e crescer a relva. E assim, se alguma semente caísse ali, mesmo que achasse um lugar um pouco sujo, não haveria chance de que disso resultasse alguma relva. E ainda que alguma semente germinasse, o sol escaldante se encarregaria de matá-la, antes que a tarde terminasse.

O Targum fala da vinda do *vento oriental*, soprando sobre a semente e a relva e reduzindo-as a nada. A versão siríaca também inclui o vento na metáfora.

129.7

שֶׁלֹּא מִלֵּא כַפּוֹ קוֹצֵר וְחִצְנוֹ מְעַמֵּר׃

Com a qual não enche a mão o ceifeiro. Os raminhos de relva que, por pouco tempo, poderiam crescer no telhado de uma casa, certamente não ficariam tão altos que um ceifeiro pudesse cortá-los. E por certo também não alcançariam tal quantidade que um ceifeiro pudesse colher dali um molho. O autor, pois, estava falando sobre a inutilidade de certas coisas, como a que mostra que a relva nada tem a ver com a colheita de grãos de que o povo precisa em sua alimentação. Mediante essa figura, o salmista falou sobre a inutilidade dos pecadores e especificamente daqueles que tinham prejudicado Israel. "Que os babilônios sejam como tal erva, boa para nada, até ser reduzida a nada" (Adam Clarke, *in loc*.).

"O ceifeiro, segurando as hastes com a mão, aplica a foice; e, depois dele, chega o amarrador, que reúne as hastes na beirada de suas vestes, até que tenha bastante delas para amarrar e formar um molho" (William R. Taylor, *in loc*.). Mas o pecador, representado pela erva inútil dos telhados, nunca chegará a frutificar. A maldição de Yahweh pesa sobre eles ou, pelo menos, esse era o desejo do salmista.

129.8

וְלֹא אָמְרוּ הָעֹבְרִים בִּרְכַּת־יְהוָה אֲלֵיכֶם בֵּרַכְנוּ
אֶתְכֶם בְּשֵׁם יְהוָה׃

E também os que passam não dizem. Prosseguindo com a metáfora da colheita (vs. 7), o poeta lança outra maldição contra os ímpios destruidores. No tempo da colheita, as pessoas sentiam-se felizes porque seu trabalho de tantos meses tinha rendido resultados. A colheita estava em processo. Portanto, todos se sentiam satisfeitos. Ao passarem uns pelos outros, eles se cumprimentavam com saudações amigáveis. Mas o homem ímpio não saúda os outros nem lhes deseja paz e prosperidade, e nem alguém o saúda ou lhe diz palavras boas. O homem mau, visto ser um saqueador, termina sem amigos. Os povos antigos acreditavam que as bênçãos produziam bons efeitos sobre a vida vegetal, bem como sobre a vida humana. As maldições tinham para eles poderes similares, embora negativos. Isto posto, alguns intérpretes supõem que os que trabalhavam na colheita falavam com as plantas. Sabe-se hoje em dia que pensamentos e palavras bondosos, além de uma música suave, realmente produzem bons efeitos sobre as plantas, e que as plantas enfermas podem melhorar e ficar mais saudáveis mediante o uso de tais métodos.

Além disso, a *água abençoada* parece transportar uma energia que melhora as plantas. Talvez, portanto, os antigos tivessem acertado com uma verdade que só recentemente se descobriu realmente existir. Como é óbvio, as bênçãos e as maldições carregam poderes psíquicos, uma para o bem e a outra para o mal. Seja como for, o poeta sagrado estava dizendo que todos tinham uma palavra boa para os grãos úteis, mas somente maldições para a erva; e, mediante essa metáfora, fala de bênçãos e maldições que se referem aos homens, e não meramente às plantas. Os pecadores são como os espinhos e os abrolhos, os quais, como a palha, só são colhidos para serem queimados, a menos, naturalmente, que haja misericordiosa intervenção divina em favor deles. O evangelho é essa intervenção, por meio do qual Cristo veio salvar os pecadores.

> Quem palmilhou pela vereda da tristeza,
> Para que todos os grandes povos do mundo
> Cheguem à verdade de Deus.
> Cheguem à verdade de Deus.
>
> Colin Sterne

SALMO CENTO E TRINTA

Os Salmos 120 a 134 — quinze salmos — são chamados *Cânticos de Romagens* (ou dos Degraus, ou do Peregrino). Apresento uma introdução geral a este grupo, no início dos comentários ao Salmo 120, pelo que não repito aqui esse material.

Este é um *salmo de lamentação* que clama pelo livramento das mãos de inimigos pessoais. Quanto às classes dos salmos, ver o gráfico no início do comentário, que atua como uma espécie de frontispício do saltério. Ofereço ali dezessete classes e listo os salmos pertencentes a cada uma delas.

A inclusão deste salmo entre os chamados *Cânticos de Romagens* (ou dos Degraus, ou do Peregrino) pode dever-se ao fato de que, tal como outros existentes na coletânea (Salmos 120 a 134), ele talvez se refira ao cativeiro babilônico e às aflições sofridas por Israel naquele período. Isso armou o palco para o livramento seguinte e volta a Israel. Ou poderia falar dos sofrimentos que os peregrinos experimentavam em seu caminho para Jerusalém a fim de participar das três festividades anuais que requeriam a presença de todos os varões israelitas (ver Dt 16.16,17). Todavia, devemos lembrar que não havia nenhuma unidade histórica entre esses salmos e que eles foram reunidos como uma unidade distinta por editores posteriores. Esses editores podem ter pensado que o conjunto refletia o cativeiro babilônico e o livramento posterior, ou que os salmos eram cânticos dos peregrinos. Descrevo essas teorias na introdução ao Salmo 120, cujo último parágrafo descreve a natureza de cada um desses salmos, demonstrando que eles não formavam originalmente um grupo homogêneo.

Este salmo por certo é uma das gemas do saltério, pelo que se reveste de valor próprio, inteiramente à parte de seu relacionamento com os outros catorze salmos do grupo. O salmista, com muita habilidade, descreveu a alienação do homem de Deus e sua necessidade de ajuda divina, se é que sua vida valia alguma coisa. O pecado estava ali e estragou todas as coisas, e a restauração tornou-se o mais ardente desejo do homem. Não podemos determinar a natureza exata da aflição que o salmista estava sofrendo. Mas fica claro que ele era um homem frágil e inseguro (vs. 3), que precisava do apoio divino; e isso descreve a natureza de todos nós. O homem reuniu fé suficiente para supor que sua oração, clamando por ajuda, em breve seria respondida; e, por isso, não perdeu o ânimo. Nenhum sacrifício expiatório foi mencionado, e isso pode indicar uma data posterior para a composição do salmo. Talvez ele tivesse uma fé que se afastava do mero ritual para o que é mais espiritual.

UM APELO URGENTE A YAHWEH (130.1,2)

■ 130.1

שִׁיר הַמַּעֲלוֹת מִמַּעֲמַקִּים קְרָאתִיךָ יְהוָה:

Das profundezas clamo a ti, Senhor. O Salmo 130 é um clamor aflitivo para que o Senhor demonstre misericórdia para com o seu povo. O salmista, certo de que Deus perdoa os pecados, exortou a nação a unir-se para esperar o tempo em que o Senhor os redimiria de todas as suas iniquidades.

Alguns intérpretes veem o sofrimento no cativeiro babilônico como resultado dos pecados de Israel, e fazem o poeta ser o representante da nação no clamor pela redenção desse sofrimento (vs. 8).

Temos neste versículo uma imagem da *aflição avassaladora* (Sl 18.16 e 88.7, que têm a mesma expressão). Em Is 51.10 o *mar* é referido, e talvez seja essa a figura pretendida. Cf. o clamor de Jonas saído do "ventre do abismo" (Jn 2.2). Uma tristeza intensa é comparada a águas profundas que inundam a alma, ou a um abismo (Sl 40.2; 69.2). Ver também Ez 27.34.

Alguns eruditos pensam ser referido aqui o *tehom* — as presumíveis águas inundantes do sheol, o local onde os mortos afundam — e dão a referência de Jonas, aqui mencionada. O clamor é de alguém *alienado* de Deus, e não, aparentemente, de alguém que estava à beira da morte. Teodoreto fala nas profundezas da própria alma do homem, mas isso é menos provável.

■ 130.2

אֲדֹנָי שִׁמְעָה בְקוֹלִי תִּהְיֶינָה אָזְנֶיךָ קַשֻּׁבוֹת לְקוֹל תַּחֲנוּנָי:

Escuta, Senhor, a minha voz. Yahweh é convocado a *ouvir* a pequena voz que saía das profundezas e não se mostrar indiferente. Nos salmos de lamentação, é comum o clamor para que Yahweh *ouça*. Cf. Sl 4.1; 13.3; 17.1; 18.33; 27.7; 30.10; 39.12; 54.2; 55.2; 61.1; 64.1; 66.16; 86.1; 102.1; 130.2; 140.6; 143.1 e 145.19. Quanto à aparente *indiferença* de Deus, ver Sl 10.1; 28.1; 59.4; 82.1.

Minhas súplicas. Isto é, petições intensas pedindo ajuda, perdão e redenção (vss. 4, 7, 8). "... as orações dele, apresentadas de maneira humilde e súplice, pedindo graça e misericórdia" (John Gill, *in loc.*).

A GRANDE MISERICÓRDIA DE YAHWEH (130.3,4)

■ 130.3

אִם־עֲוֹנוֹת תִּשְׁמָר־יָהּ אֲדֹנָי מִי יַעֲמֹד:

Se observares, Senhor, iniquidades. Se Yahweh assinalasse as *iniquidades* dos homens, seguindo-as criteriosamente e registrando cada uma delas em seu livro de memórias, não teria misericórdia de ninguém e em breve enviaria seu julgamento final. Todavia, não existe algo como a justiça nua, sem o tempero da misericórdia e do amor, e por isso o poeta sagrado continuava a orar, a fim de que, através do arrependimento, uma grande mudança fosse efetuada em seu estado deplorável. Se Deus não aplicasse sua misericórdia, ninguém seria inocentado diante do tribunal divino (ver Ml 3.2). Um homem qualquer teria de prostrar-se diante do Juiz e apelar para que sua vida fosse poupada (Jó 9.15), mas isso não lhe traria bem algum.

Observares. Ou seja, "levar em estrita consideração" (ver Jó 10.14; 14.16; Sl 90.8), guardar um *registro exato* das evidências contra o homem a ser julgado. O homem em julgamento seria avassalado com seu registro lamentável e acabaria condenado. Assim sendo, o único testemunho remidor em seu favor seria o amor constante de Deus, que anularia os seus pecados e lhe passaria um julgamento favorável.

Este versículo tem sido cristianizado para falar de arrependimento e perdão de pecados através de Cristo e seu amor, por meio da *expiação* (ver a respeito no *Dicionário*). "... sem nenhuma consideração para com o sacrifício e a satisfação dadas por seu Filho, todo o arrependimento dos homens, toda a humilhação e as lágrimas não lhe fariam bem nenhum, nem expiação por seus pecados, e todas as suas marcas de iniquidade continuariam bem nítidas perante Deus" (John Gill, *in loc.*).

"Nossos atos maus são como filhos que nos nasceram. As crianças podem ser estranguladas, mas os atos não podem. Se tivermos cometido o erro, é inútil que clamemos" (George Elliott, com uma declaração pessimista, não redimida pelo amor de Deus).

■ 130.4

כִּי־עִמְּךָ הַסְּלִיחָה לְמַעַן תִּוָּרֵא:

contigo, porém, está o perdão. Para o homem há apenas um livro de pecados registrados, que contribuem para a sua condenação, "mas com o Senhor há misericórdia", conforme diz um antigo hino evangélico. Com Yahweh, entretanto, há perdão, e essa é uma razão a mais pela qual Deus está em tão elevada reverência. Ver em Sl 119.38

os comentários sobre *Temor de Deus*, quanto a maiores detalhes. Ver no *Dicionário* o verbete chamado *Perdão*.

> Vem, cada alma oprimida pelo pecado;
> Há misericórdia com o Senhor.
> Certamente ele te dará descanso,
> Confiando em sua palavra.
>
> John H. Stockton

"Essa é a razão pela qual o Senhor não guarda registros de pecados estritos: ele perdoa! Os crentes, através dos séculos, têm-se regozijado nesse fato" (Allen P. Ross, *in loc.*).

Que o Deus Todo-poderoso assim fira o coração com admiração, maravilha e temor. Mas, uma vez que a mente se recupere do choque inicial diante dessa ideia, o homem abençoado prorrompe em louvores e atos de ação de graças.

As versões da *Septuaginta* e da *Vulgata Latina* dizem aqui: "contigo está a propiciação". Este versículo é cristianizado com declarações sobre a *expiação* através do sangue de Cristo, um perdão alicerçado sobre sua missão e seu sacrifício na cruz. Os homens são influenciados por tão profunda misericórdia para servir a Deus em agradecimento, por motivo de sua bondade (Tt 2.11,12; Hb 12.8; Os 3.5).

O SALMISTA ESPERA O PERDÃO (130.5-6)

130.5

קִוִּיתִי יְהוָה קִוְּתָה נַפְשִׁי וְלִדְבָרוֹ הוֹחָלְתִּי:

Aguardo o Senhor, a minha alma o aguarda. No perdão há a *redenção*, pelo que o nosso homem estava esperando ansiosamente a graça divina. A sua alma continuava olhando para Yahweh para receber a aplicação de sua graça. O homem não fez seu apelo baseado no sistema de sacrifícios de animais, mas buscou o perdão diretamente da parte de Yahweh. Esse fato diz-nos que este salmo representa a teologia judaica e a consciência posterior dos judeus. Há aqui um movimento na direção de uma fé mais espiritual, menos ritual, menos cerimonial, mas com um *discernimento mais espiritual*. Trata-se de um passo na direção de Jesus, o Cristo, na consciência dos hebreus. O poeta depositava exclusivamente em Yahweh a *esperança* de que ele perdoaria porque o homem assim pedira e dera evidência de sua sinceridade através do *arrependimento* (ver a respeito no *Dicionário*). O homem confiava no amor constante de Deus, como base da restauração que ele procurava.

> Há uma largueza na misericórdia de Deus,
> Como a largueza do mar;
> Há uma bondade em sua justiça,
> Que é mais do que a liberdade.
> Pois o amor de Deus é mais largo
> Do que a medida da mente humana.
> E o coração do eterno
> É verdadeiramente muito maravilhoso.
>
> Frederick W. Faber

Arama e Kimchi referem-se aqui à promessa do livramento do cativeiro, pelo que viam perdoados os pecados nacionais, e não apenas os pecados de um homem. Cf. Sl 119.74,81,114 e 147 e Hc 2.3.

130.6

נַפְשִׁי לַאדֹנָי מִשֹּׁמְרִים לַבֹּקֶר שֹׁמְרִים לַבֹּקֶר:

A minha alma anela pelo Senhor. Este versículo reforça o anterior, mostrando a profundidade e a intensidade da espera pelo perdão de Yahweh. As pessoas enfermas ou atribuladas durante a noite aguardam ansiosamente a madrugada, onde esperam encontrar um novo dia. Por conseguinte, o poeta, na noite de sua alienação, esperava pela madrugada de um novo dia, que lhe traria perdão e restauração. Para efeito de ênfase, ele repetiu sua símile por duas vezes. Ele era o homem que aguardava a manhã, na esperança de que sua escura noite de aflição logo passaria.

A figura pretendida pode ter sido a de um *vigia* que estivera em seu posto de vigilância a noite inteira e ansiava por chegar em casa e deitar-se em seu leito. Ele era o homem que ficava no aguardo do amanhecer com profundo desejo. Então, quando via os raios do sol iluminando o firmamento oriental, seu coração saltava no peito. Outra noite havia passado e o amanhecer chegara, e esse também era um sinal para o começo dos ritos sagrados no templo (Sl 134.1) e, pelo menos para alguns, um momento esperado com ansiedade. Nisso verifica-se uma espécie de amanhecer espiritual todos os dias. Cf. Dt 28.67.

O vigia, que estivera guardando as muralhas da cidade ou que tinha protegido a caravana sonolenta, esperou com ansiedade os primeiros raios do sol matinal.

> Vigia, conte-nos sobre a noite,
> Pois a manhã parece estar raiando.
> Viajante, regozija-te,
> Pois as trevas já estão em fuga.
>
> John Browning

A REDENÇÃO DE ISRAEL (130.7,8)

130.7

יַחֵל יִשְׂרָאֵל אֶל־יְהוָה כִּי־עִם־יְהוָה הַחֶסֶד וְהַרְבֵּה עִמּוֹ פְדוּת:

Espere Israel no Senhor. Israel tinha uma *esperança* válida quanto à redenção, por causa das misericórdias e do amor de Yahweh. Deus tem uma redenção abundante para dar, de mistura com a paz e a prosperidade, e longa vida para a nação de Israel. Ele dá uma redenção abundante ou *multiforme* (Ehrlich), imitando o hebraico literal. Talvez estejam corretos os intérpretes que veem aqui mais do que o livramento do cativeiro babilônico. Este versículo poderia ser escatológico, chegando até a futura *restauração* de Israel, conforme se vê em Rm 11.26. Pessoalmente sinto que a palavra "todo", que aparece no texto de Romanos, indica que todo o Israel será salvo, estendendo-se tanto para o *passado* quanto para o *futuro*, concedendo a redenção a todo o Israel de maneira real e significativa. O Israel *histórico* e o Israel *futurista* serão salvos. Essa será mais uma das grandes e magníficas operações da graça divina. Penso que obteremos grande surpresa quanto à magnitude da obra beneficente final de Deus. Ver o artigo chamado *Restauração*, na *Enciclopédia de Bíblia, Teologia e Filosofia*, quanto a detalhes. Ver no *Dicionário* o verbete chamado *Redenção*.

"... uma redenção abundante, para libertar os homens da tribulação, do perigo e da morte" (S. R. Driver, no *International Critical Commentary*). Cf. Sl 86.5,15.

"Este versículo é o lema da fé dirigido à nação. Cf. Sl 131.3." (Ellicott, *in loc.*).

Kimchi interpretou este versículo como referindo-se à libertação de Israel do Egito, da Babilônia e de outros lugares da diáspora. A presente diáspora romana, que continua arrastando-se, também deve estar em vista. Tem sido apenas parcialmente anulada. Muitas outras coisas sem dúvida ainda acontecerão.

130.8

וְהוּא יִפְדֶּה אֶת־יִשְׂרָאֵל מִכֹּל עֲוֹנֹתָיו:

É ele quem redime a Israel. A *redenção* (vs. 8) deve incluir o *perdão* dos pecados, porquanto, sem esse perdão, seria impossível. No Senhor existe a misericórdia. "Vinde, cada alma, pelo pecado oprimida, há misericórdia com o Senhor." Uma vez perdoados os pecados, Israel também seria libertado de todas as penalidades devidas pela culpa. "Ele primeiramente redime da iniquidade, a *causa*, e então redime da punição, a *consequência*. (Ver Sl 103.3,4; Mt 1.21)" (Fausset, *in loc.*).

"O Senhor assim faria, pelo que Israel foi encorajado a *esperar* nele, com quem residem a graça e a redenção. Ademais, ele foi nomeado Redentor" (John Gill, *in loc.*).

Os vss. 7 e 8 têm sido cristianizados a fim de envolver todos os povos, incluindo os do tempo presente e do futuro, os quais com retidão podem esperar em Cristo quanto à redenção, através do perdão dos pecados e de seus poderosos atos de salvação e glorificação.

> Remido, como aprecio proclamar isso!
> Remido pelo sangue do Cordeiro!

SALMO CENTO E TRINTA E UM

Os Salmos 120 a 134 — quinze salmos — são chamados *Cânticos de Romagens* (ou dos Degraus, ou do Peregrino). Apresentei uma introdução geral ao grupo, no início dos comentários sobre o Salmo 120, pelo que não repito aqui esse material.

Este é um *cântico de confiança*, através do qual o autor sacro (provavelmente representando a nação de Israel) humildemente se submeteu à vontade divina, confiando nos atos beneficentes de Yahweh. Quanto às *classes* dos salmos, ver o gráfico no início do comentário do livro, que atua como uma espécie de frontispício da coletânea. Ofereço ali dezessete classes e listo os salmos pertencentes a cada uma delas.

Cânticos distintivos de confiança são os Salmos 4, 11, 16, 23, 27 e 62. Muitos têm elementos similares aqui e ali. Provavelmente alguns dos cânticos de confiança eram, originalmente, as conclusões dos salmos de lamentação, visto que a maioria deles termina com uma nota de confiança, louvor e agradecimento. A presença desse salmo entre os *Cânticos de Romagens*, também chamados Cânticos de Degraus ou Cânticos do Peregrino, podem dever-se à ideia de que Israel devia confiar em Yahweh para receber livramento e segurança do cativeiro babilônico; e os peregrinos que subiam a Jerusalém para atender às três festividades anuais conforme exigido pela lei (ver Dt 16.16,17), também tinham de confiar em Yahweh quanto à sua segurança. A nação restaurada de Israel, em Jerusalém, teria igualmente de continuar confiando no Senhor. Isso nos fornece uma ligação com os cânticos do peregrino, embora essa conexão, historicamente falando, na verdade não existisse. De fato, os Cânticos de Romagens são bastante heterogêneos e, originalmente, não pertenciam a nenhuma coletânea comum. Foram editores posteriores que os arranjaram juntamente, e então, no judaísmo posterior, esse arranjo foi retido por causa de propósitos litúrgicos. Ver o último parágrafo dos comentários sobre a introdução ao Salmo 120, quanto à natureza heterogênea desses quinze salmos.

O autor deste salmo, conforme afirmou Schmidt (*in loc.*), era um homem "de sangue quente, que antes tinha anelado por riquezas, pelo luxo, pelos prazeres e pelo poder", mas finalmente conseguira converter-se a Deus e viera humildemente à presença de Yahweh, com confiança e ação de graças. Antes ele tinha sido desassossegado como uma criança, mas agora era semelhante a uma criança acalmada ao seio de sua mãe. Ele tinha começado a esperar em Deus (vs. 3). Como negociante, visitara muitos mercados e aprendera muitas coisas. Finalmente, chegara a um lugar de descanso, a porta onde Yahweh esperava pelo vagabundo.

O VAGABUNDO VOLTA PARA CASA (131.1-3)

■ **131.1**

שִׁיר הַמַּעֲלוֹת לְדָוִד יְהוָה לֹא־גָבַהּ לִבִּי וְלֹא־רָמוּ עֵינַי וְלֹא־הִלַּכְתִּי בִּגְדֹלוֹת וּבְנִפְלָאוֹת מִמֶּנִּי׃

Senhor, não é soberbo o meu coração. Antes o coração do salmista era altivo; os seus olhos eram soberbos; ele era um homem orgulhoso. Antes ele sempre se exercitava nas grandes questões como os negócios, o dinheiro, a política e o jogo do poder. Antes ele perseguia coisas grandes e maravilhosas, que poderiam incluir pretensões teológicas, segundo as quais disputava com os sábios de Israel, como se fosse uma autoridade em pé de igualdade com eles. Mas as *grandes questões* podem ter significado apenas ambições exageradas que realmente estavam fora de sua esfera, fora de seu alcance. Cf. Sl 18.27; 101.5; Pv 6.17 e 30.13. Mas agora ele se apresentava humildemente diante de Yahweh, tendo abandonado seus caminhos anteriores. Ele tinha chegado ao porto da alma.

Vivem,
Pensam que vivem
Embora não tenham conhecido a vida.
Fazem suposições,
Querem dominar tudo,
Mas esquecem de dar o primeiro passo
Para o domínio do mundo interior.
Eu penso que um dia
Todos se voltarão
Para a própria alma
Como quem respira.
Por enquanto não passam de estátuas,
Que querem ser colocadas no alto
Para serem adoradas.
Pobre humanidade ausente!

Maria Cristina Magalhães

■ **131.2**

אִם־לֹא שִׁוִּיתִי וְדוֹמַמְתִּי נַפְשִׁי כְּגָמֻל עֲלֵי אִמּוֹ כַּגָּמֻל עָלַי נַפְשִׁי׃

Pelo contrário, fiz calar e sossegar a minha alma. A criança inquieta entrou em um estado de ânimo pacífico, tal como um infante que encontra contentamento e paz no seio de sua mãe. A alma do homem se aquietou quando se encontrou consigo mesma e com seu Deus.

Como a criança desmamada. Esta tradução é possível, mas ao mesmo tempo lamentável. A figura não é a de uma criança que foi desmamada e não mais mama, mas é a figura de um infante contente ao seio de sua mãe, ideia que o hebraico também abriga. Portanto, a *Revised Standard Version* está correta quando traduz: "aquietada ao seio de sua mãe". Naturalmente, *se* a versão portuguesa, com sua palavra, "desmamada", significa uma criança que acabou de encher a barriga com leite e agora descansa próxima aos seios de sua mãe, então essa palavra pode ser retida. Mas não está em foco uma criança que não mais mama. Essa criança dificilmente pode estar tranquila *ipso facto*. Os hebreus não se apressavam em desmamar uma criança. A maioria dos bebês em Israel continuava mamando até os 3 anos de idade.

A criança contente, "inocente e inofensiva, sem nenhum mau desígnio... mansa e humilde, sem ambições e aspirações, desmamada do desejo dominante pelo dinheiro, pela posição e pelo poder" (John Gill, *in loc.*).

■ **131.3**

יַחֵל יִשְׂרָאֵל אֶל־יְהוָה מֵעַתָּה וְעַד־עוֹלָם׃

Espera, ó Israel, no Senhor. O autor sacro pensa em Israel, que tão frequentemente se mostrava soberbo, cheio de orgulho e de pecados. Israel também precisava voltar-se para Yahweh, para encontrar nele sua esperança, tal e qual o poeta já tinha feito. Cf. Sl 130.7,8, quanto à esperança e à redenção de Israel. Pode haver aqui uma alusão ao cativeiro babilônico, o que, para Israel (Judá) significa confiança em Deus, em vista de sua anterior apostasia. Mas a apostasia poderia ser revertida pela mudança de coração.

"Considero mais corajoso aquele que domina os seus desejos do que o homem que conquista seus inimigos" (Aristóteles). "Nenhum conflito é tão severo quanto aquele que luta por subjugar a si mesmo" (Thomas à Kempis).

Melhor... o que domina o seu espírito do que o que toma uma cidade.

Provérbios 16.32

"Se examinarmos a história, encontraremos os santos que aprenderam de Cristo e ficaram contentes com a sua sorte, sem importar qual seja ela e ainda que vivam na obscuridade. Mas também encontraremos a arrogante figura eclesiástica, prelados dominadores, pregadores orgulhosos e todos os tipos de homens pequenos que subiram a posições de autoridade. E, tenha Deus misericórdia de nós, pois não há um só entre nós que, algumas vezes, não se veja atraído pelo *glamour* do mundo" (J. R. P. Sclater, *in loc.*).

"A vaidade está tão escorada no coração do homem que um mero soldado, ou mesmo um servo de um soldado, um cozinheiro, ou um porteiro ou um carregador de bagagens, costuma vangloriar-se e deseja ter admiradores. Até os filósofos desejam receber louvores dos homens. Os que escrevem contra a vaidade querem a glória de ter *escrito bem* a respeito dela. Os que leem o que escreveram querem a glória por terem lido peças escritas tão bem arquitetadas. Somos tão vãos, que a estima de cinco ou seis vizinhos nos deleita e contenta" (Pascal, *Thoughts*, que escreveu com tanta propriedade que podemos presumir que ele se tenha orgulhado do trabalho que realizou).

SALMO CENTO E TRINTA E DOIS

Os Salmos 120 a 134 — quinze salmos — são chamados *Cânticos de Romagens* (ou dos Degraus, ou do Peregrino). Ofereço uma introdução geral a esse grupo de salmos no início dos comentários sobre o Salmo 120, pelo que não repito aqui esse material.

Este é um *salmo de liturgia* que comemora a escolha divina de Sião e da dinastia davídica. "Este salmo é um hino litúrgico usado em cortejos" (William R. Taylor, *in loc.*). Faz-nos lembrar dos eventos ocorridos quando Davi trouxe a arca para Sião, depois que tornou Jerusalém a sua capital. Talvez devamos pensar em como Judá se sentia agora, que tinha voltado a Jerusalém, terminado o cativeiro babilônico, e estava colocando as coisas em ordem, conforme Davi tinha feito no passado.

"Tal como outros cânticos anônimos do peregrino, este salmo pertence ao período em que Israel voltou da Babilônia, quando o reino e a raça de Davi estavam deprimidos, mas então foram restaurados" (Fausset, *in loc.*). Cf. o Sl 139. Tais pensamentos provavelmente inspiraram os editores a incluir este salmo entre os alegados Cânticos dos Degraus. Historicamente, todavia, estes quinze salmos não formavam um grupo, e eles nem mesmo são homogêneos. Ver os comentários no último parágrafo da introdução ao Salmo 120, que demonstra isso.

Quanto às *classes* dos salmos, ver o gráfico no início do comentário, que atua como uma espécie de frontispício do saltério. Ofereço ali dezessete classes de salmos e listo os salmos pertencentes a cada uma delas.

Os salmos litúrgicos são os de número 24, 50, 68, 81, 82, 95, 108, 115, 121, 132 e 134, embora muitos outros fossem usados para efeitos litúrgicos no culto do templo ou no judaísmo posterior.

Alguns estudiosos supõem que este salmo seja pré-exílico e fosse usado nas comemorações do Ano Novo, talvez em conjunto com a cerimônia da entronização. Mas a data é, muito provavelmente, pós-exílica. Um descendente de Davi estava no trono do Israel restaurado. Os hasmoneanos (macabeus) não pertenciam à linhagem de Davi, pelo que não é direito associar este salmo com sua data posterior.

UM CÂNTICO PARA A CASA DE DAVI (132.1-18)

Oração pela Casa de Davi (132.1-5)

132.1

שִׁיר הַמַּעֲלוֹת זְכוֹר־יְהוָה לְדָוִד אֵת כָּל־עֻנּוֹתוֹ׃

Lembra-te, Senhor, a favor de Davi. O poeta arma o palco para a composição a respeito da linhagem davídica, a qual, aparentemente, continuava dominando em Jerusalém, em alguma data, não especificada, após o cativeiro babilônico. Ele queria que Yahweh se lembrasse de Davi e de suas aflições. Mas demonstraria isso como o homem que finalmente se tornou governante, pelo que a linhagem real de Davi, mesmo depois do cativeiro babilônico, continuava no poder e ainda precisava do favor de Yahweh.

"O tema deste salmo é expresso no clamor de abertura ao Senhor, para que se *lembrasse de Davi*. A vida e a obra de Davi foram agudamente sentidas ao tempo da restauração da Babilônia, visto ter sido ele o rei que centralizara a adoração da nação em Sião" (Allen P. Ross, *in loc.*). Ver como Davi derrotara *oito* nações inimigas, dando a Israel plena possessão da Terra Prometida (ver 2Sm 10.19). Judá (agora Israel), que estava de volta à Terra Prometida, precisava do favor contínuo de Yahweh, para que a Jerusalém pós-exílica se tornasse um sucesso.

Yahweh havia firmado um pacto com Davi e, mesmo nos dias pós-exílicos, isso tinha sido cumprido; e no Messias está havendo cumprimento eterno. Ver esse pacto em 2Sm 7.4.

132.2

אֲשֶׁר נִשְׁבַּע לַיהוָה נָדַר לַאֲבִיר יַעֲקֹב׃

De como jurou ao Senhor. *O Voto.* Davi estava obcecado pela ideia de levar a arca para Jerusalém e edificar ali um templo central para a adoração a Deus. Davi conduziu a arca à sua nova capital. E edificou ali um tabernáculo temporário para abrigá-la. Quanto ao *tabernáculo provisório* de Davi, ver as notas em 2Sm 6.17. Assim sendo, Davi fez um *voto solene* de cumprir suas boas intenções, e não descansou enquanto não terminou a tarefa. Devemos aprender a lição que nos foi ensinada pelas boas ideias de Davi e seus infatigáveis esforços por cumpri-las. Não há nenhum registro bíblico sobre tal voto, mas os hebreus eram um povo de votos, pelo que não há nenhuma razão para duvidarmos da palavra que o poeta sagrado deu aqui a esse respeito. Ver no *Dicionário* o verbete intitulado *Voto*. 2Sm 7.1-3 e 1Rs 8.17 mostram-nos como todo esse projeto tinha um lugar especial no coração de Davi, e não há por que duvidar que disso resultou alguma espécie de voto no tocante a tal projeto. O título divino, "Poderoso de Jacó", também não aparece na história original. Elohim (o Poder) não foi o nome divino usado aqui, mas o que realmente foi dito é mais ou menos equivalente. Davi dependeu do poder de Deus para que o Senhor o ajudasse a cumprir seu voto, mas ele mesmo desempenhou todo o esforço necessário. Ele não esperou por um milagre para realizar o que podia fazer por si mesmo. Seja como for, o título usado pelo poeta foi um título antigo. Ver Gn 49.24; Is 49.26; 60.16 e Is 1.24.

132.3

אִם־אָבֹא בְּאֹהֶל בֵּיתִי אִם־אֶעֱלֶה עַל־עֶרֶשׂ יְצוּעָי׃

Não entrarei na tenda em que moro. Tão empenhado estava Davi em construir um templo para o Senhor em Jerusalém, que resolveu não entrar em casa, nem deitar-se no leito, nem dormir, nem fazer qualquer outra coisa, enquanto não contasse com um lugar para ali guardar a arca e estabelecer um templo, uma residência para Yahweh.

Quanto ao pano de fundo histórico, ver 2Sm 7. O desejo de Davi naturalmente evidenciava sua grande devoção a Yahweh e ao culto ao Senhor. Apesar de todas as suas falhas, Davi nunca se desviou dessa devoção e nunca se tornou culpado de *idolatria*, que tanto atraiu reis subsequentes, tanto de Israel quanto de Judá. 2Sm 7.2 deixa entendido o voto, mas é inútil pesquisar a história quanto a uma declaração específica sobre esse voto. A Septuaginta e a Vulgata Latina adicionam aqui frases que enfatizam ainda mais a questão de um voto santo da parte de Davi!

Nem subirei. Este verbo foi usado porque nos lares dos mais abastados de Israel os dormitórios eram situados nos andares superiores, para apanhar a brisa fresca que ajudava a pessoa a dormir naquele clima quente. Algumas pessoas, nos meses mais quentes, dormiam nos eirados das casas. Cf. Sl 129.6. E mesmo nos lares mais humildes, as camas eram elevadas e as pessoas precisavam galgar degraus para chegar aos leitos.

132.4

אִם־אֶתֵּן שְׁנַת לְעֵינָי לְעַפְעַפַּי תְּנוּמָה׃

Não darei sono aos meus olhos. O salmista declarou que não subiria ao seu dormitório, nem encontraria outra cama para obter o necessário descanso físico. Ele sacrificou algo necessário para que seu trabalho pudesse ser realizado. Como é natural, provavelmente temos aqui um toque de hipérbole oriental, mas não há razão alguma para questionar seu santo fanatismo sobre a questão. Fausset afirmou que Davi, "virtualmente", não se deitava em seu leito, embora não em sentido absoluto. Aben Ezra interpretava isso como se fosse uma *sesta vespertina*, isto é, um sono extra, e não o sono regular noturno. Mas deixar de dormir à tarde não importa em um sacrifício exaustivo, mesmo quando o dia está quente.

132.5

עַד־אֶמְצָא מָקוֹם לַיהוָה מִשְׁכָּנוֹת לַאֲבִיר יַעֲקֹב׃

Até que eu encontre lugar para o Senhor. Davi levantou seu tabernáculo provisório (ver o vs. 2) para abrigar a arca, mas o *lugar* aqui mencionado é o templo, que ele esperava poder construir. Esse lugar destinava-se ao Poderoso Deus de Jacó, um título que o salmista repetiu, já o tendo usado no vs. 2, onde ofereço notas expositivas. Ver 2Sm 7, onde se encontra a história inteira aqui referida. Ver também 2Cr 22.1 ss. quanto a outros detalhes. Ver Dt 12.11,18,21, quanto à localização específica da capital e centro do culto da nação; mas essa profecia não determinava a localização exata do templo, o que foi uma contribuição de Davi. A escolha original da localização geral foi de Yahweh, e assim também foi a escolha posterior do lugar específico. Davi foi o instrumento dessa realização divina.

Descrições do Cortejo até o Templo (132.6-10)

■ 132.6

הִנֵּה־שְׁמַעֲנוּהָ בְאֶפְרָתָה מְצָאנוּהָ בִּשְׂדֵי־יָעַר׃

Ouvimos dizer que a arca se achava em Efrata. O coro participava agora do cântico e apresentava Davi e seus homens descobrindo a arca da aliança. Quando Davi residia em Efrata (ver a respeito no *Dicionário*), um antigo nome para Belém (ver 1Sm 17.12; Rt 4.11; Mq 5.2), ele ouviu dizer que a arca estava nos campos de *Jaar* (ver a respeito no *Dicionário*), que era um nome poético para Quiriate-Jearim (1Sm 7.1,2; ver também 2Sm 6.2,12 e 1Cr 13.1-14). "Por conseguinte, o coro convocou o povo a unir-se no transporte da arca para o lugar, no templo, onde deveria descansar, e adorar o Senhor que ali se manifestava" (William R. Taylor, *in loc.*). A arca experimentou várias andanças até, finalmente, descansar em seu devido lugar, em Jerusalém. Ver sobre *Arca da Aliança*, no *Dicionário*, quanto a outros detalhes. Quanto ao mais antigo nome de Belém, ver também Gn 35.16-19; 48.7. Quanto aos "campos de Jaar" (no hebraico, *sedey-ya'ar*, "campos dos bosques"), esse é outro dos nomes aplicados a Quiriate-Jearim, localidade que possuía vários apelativos. Ver Jr 26.20; Ed 2.25; Js 15.10,11. A arca ficara guardada naquele lugar desde os dias de Samuel até que Davi se tornou rei em Jerusalém (1Sm 7.1,2 e 2Cr 1.4).

■ 132.7

נָבוֹאָה לְמִשְׁכְּנוֹתָיו נִשְׁתַּחֲוֶה לַהֲדֹם רַגְלָיו׃

Entremos na sua morada. O povo de Israel resolveu adorar no lugar que Davi tinha designado para a arca, ou seja, o *lugar da habitação de Yahweh*. Cf. Sl 74.7; 76.2; 84.1; 132.5,13. Esse lugar também era conhecido como o *estrado* dos pés de Deus, onde Deus demonstrava o seu poder sobre a terra. A arca era chamada de arca do *poder de Deus* (ver o vs. 8), porquanto era conduzida ao local das batalhas na esperança de que a presença divina acompanhasse os combatentes israelitas e manifestasse seu poder contra os inimigos. Onde quer que a presença do Senhor se manifestasse, nos campos de batalha ou no templo, o poder de Deus ali estava.

Este versículo provavelmente pretende falar tanto do lugar preparado por Davi como do segundo templo, que foi uma restauração do primeiro templo, depois do cativeiro babilônico. Cf. Sl 99.5 (o escabelo ou estrado) e Hb 10.25 e Is 2.3. Ver no *Dicionário* o artigo chamado *Escabelo*, quanto a detalhes completos a respeito.

O Cortejo Prossegue (132.8-10)

■ 132.8

קוּמָה יְהוָה לִמְנוּחָתֶךָ אַתָּה וַאֲרוֹן עֻזֶּךָ׃

Levanta-te, Senhor, entra no lugar do teu repouso. A *referência dupla* aplica-se aqui. Nos tempos de Salomão e também no caso do segundo templo, os sacerdotes carregaram a arca até o interior do templo. Só os sacerdotes tinham autoridade para realizar essa tarefa. Note o leitor como a arca é aqui combinada com o Senhor. Quando a arca entrou em seu lugar de descanso, o mesmo aconteceu ao Senhor. A presença de Deus acompanharia a arca, porque ela estava ali para que Yahweh manifestasse sua glória a Israel.

A arca da tua fortaleza. Onde estiver a presença de Deus, aí estará o poder, pois o seu nome é *Elohim* (o Poder). Foi levada à batalha para ajudar Israel a conquistar os seus inimigos, e estava ali, no Santo dos Santos, sendo esse o lugar onde se manifestava o poder espiritual. Em Yahweh combinavam-se o maior bem, o maior poder e a maior justiça. Enquanto isso, os deuses pagãos, apesar de concebidos como poderosos, não eram concebidos como todo-poderosos, e só ocasionalmente se incomodavam em ser bondosos ou justos.

Este versículo usa as mesmas expressões empregadas por Salomão por ocasião da dedicação do templo (ver 2Cr 6.41,42).

"A arca é descrita como *poderosa* porque, naquela ocasião, quando o passado estava sendo repetido, os temíveis efeitos da presença da arca foram relembrados (ver Js 3.14-17; 1Sm 6.1-21). É provável que o rei, imitando Davi, realizasse uma dança cúltica, à testa do cortejo, e o povo saudasse a arca com gritos de alegria" (William R. Taylor, *in loc.*).

O cortejo primeiramente aproximava-se das portas de Sião e do templo. Os sacerdotes já estavam prontos para receber a procissão. Um elevado grito era dirigido à arca e a Yahweh, para que entrassem (ver 1Sm 4.5). Pensava-se que o Espírito assinalaria o momento apropriado para tanto, visto que a questão não podia ser decidida por um homem. Cf. isso com a antiga aclamação de Nm 10.35,36. Então, no meio de uma alegria frenética, com gritos, cantos e danças, a arca entrou no Santo dos Santos.

Este versículo tem sido cristianizado para falar da entronização de Jesus no templo celeste (ver Hb 1.3). Em seguida, os crentes o seguem até aquele lugar, e será obtido *acesso* pleno à presença de Deus (Hb 4.16).

■ 132.9

כֹּהֲנֶיךָ יִלְבְּשׁוּ־צֶדֶק וַחֲסִידֶיךָ יְרַנֵּנוּ׃

Vistam-se de justiça os teus sacerdotes. Os sacerdotes que acompanhavam a arca ao seu lugar de descanso entravam no templo. Eles se vestiam com vestes sagradas. Presumivelmente, somente o sumo sacerdote realmente poderia entrar no Santo dos Santos. Os demais sacerdotes paravam diante da cortina que separava o Lugar Santo do Santo dos Santos, enquanto o sumo sacerdote tomava os últimos pequenos passos, entrando sozinho no santuário máximo. Entrementes, os *santos* (ver Sl 97.10), no terreno do templo, continuavam com seus gritos de louvor e seus cânticos. E o rei continuava a dançar sua dança ritualística. Ver no *Dicionário* o artigo chamado *Sacerdotes, Vestimentas dos*. Ver também o vs. 16 e Zc 3.1-7.

Os teus fiéis. Assim chamados por serem fiéis em si mesmos e por dispensarem a justiça; pois eles são santos acima dos outros santos (ver acima), e são santos porque Deus é santo (Lv 11.44). O vs. 16 diz "de salvação", como também diz a oração original de Salomão (ver 2Cr 6.11).

■ 132.10

בַּעֲבוּר דָּוִד עַבְדֶּךָ אַל־תָּשֵׁב פְּנֵי מְשִׁיחֶךָ׃

Por amor de Davi, teu servo. O rei presente era o *ungido* e pertencia à linhagem de Davi, portanto de maneira alguma seria rejeitado. O rosto de Deus brilhava sobre ele (ver as notas em Sl 84.9 e 119.135, onde são dadas referências a outros lugares em que a figura aparece). Yahweh não lhe negaria a luz nem voltaria o rosto noutra direção, ou seja, não o rejeitaria, mas antes o abençoaria, em consonância com a sua necessidade. O rei, por sua vez, voltava o rosto na direção daqueles a quem ele aprovava, mas desviava o rosto daqueles com quem nada queria. Essa pode ser a figura pretendida aqui.

Após terminar a cerimônia da condução da arca até o interior do Santo dos Santos, o rei saía, oferecia um sacrifício e orava pelo favor divino em seu reino. Tentava seguir as pisadas de Davi, que era o *rei ideal* (ver as notas sobre isso, em 1Rs 15.3). "Tal como a comunidade primitiva [de Israel] tinha seguido a arca até seu lugar de descanso, e ali orara por bênçãos sobre os sacerdotes e sobre Davi, também a comunidade atual orava pelos sacerdotes e pelo seu rei, todos descendentes dos primeiros ministros do pacto com Deus" (Allen P. Ross, *in loc.*).

No original, Salomão orou por si mesmo e por seu sucesso como rei (ver 2Cr 6.42). Este versículo tem sido cristianizado para referir-se a todos os crentes que são reis e sacerdotes (ver Ap 1.6). Sobre esses, Deus faz brilhar o seu rosto, e eles recebem do favor conferido por meio de Cristo.

O Propósito de Yahweh para a Linhagem Davídica e para Sião (132.11-18)

132.11

נִשְׁבַּע־יְהוָה ׀ לְדָוִד אֱמֶת לֹא־יָשׁוּב מִמֶּנָּה מִפְּרִי בִטְנְךָ אָשִׁית לְכִסֵּא־לָךְ׃

O Senhor jurou a Davi com firme juramento. Quanto ao *pacto davídico*, ver 2Sm 7.4. O trono de Davi deveria continuar eternamente, sem nunca desaparecer, e sempre através de algum descendente de Davi. Isso naturalmente terminou, pois os hasmoneanos (macabeus) não descendiam de Davi. Isto posto, só podemos ver o cumprimento dessa profecia se admitirmos que o Messias continua a linhagem, e isso é precisamente o que dizem os intérpretes. Ver At 2.30,31, onde essa interpretação é declarada. Ver 2Sm 7.14-16, onde é dada a profecia original. O rei orou pelo sucesso de seu governo, e foi apresentado um oráculo, sem dúvida entoado por um sacerdote. O tema do oráculo é a Escritura referida. Cf. Sl 89.3,4,27-29,35-37.

O Senhor jurou a Davi. A palavra divina era *juramento*, de acordo com a observação de Kimchi. A história original não menciona um juramento, mas era assim que o poeta sacro via as coisas. Essa palavra concentrava-se sobre Salomão, que era tipo de Cristo, pois assim como o primeiro deles trouxe a época áurea terrena de Israel, também o segundo trouxe a época áurea universal da salvação, da qual participam todas as nações.

132.12

אִם־יִשְׁמְרוּ בָנֶיךָ ׀ בְּרִיתִי וְעֵדֹתִי זוֹ אֲלַמְּדֵם גַּם־בְּנֵיהֶם עֲדֵי־עַד יֵשְׁבוּ לְכִסֵּא־לָךְ׃

Se os teus filhos guardarem a minha aliança. Se a retidão de Davi fosse imitada por seus descendentes, dentre eles sempre apareceria outro representante da linhagem para assumir o trono de Israel. E isso continuaria para *sempre*. Isto posto, encontramos nessa condição uma promessa e uma admoestação, pois a continuidade da linhagem real de Davi era condicional. Mas, conforme as coisas acabaram acontecendo, essa linhagem foi descontinuada por meio de pecado, e/ou existem enigmas nos tratos de Deus com os homens, exceto que no Messias nada é condicional ou provisório. "O não cumprimento da condição causou uma *suspensão*, mas não a *ab-rogação* da promessa" (Fausset, *in loc.*). "No que concerne ao Messias, a promessa e o juramento são absolutos. Mas essa é uma condição no que diz respeito aos descendentes de Davi, tanto imediatos como sucessivos. O *pacto* e o *testemunho* significam a mesma coisa" (John Gill, *in loc.*, o qual prosseguiu a fim de listar os fracassos dos descendentes de Davi, a começar por Salomão, especialmente lapsos na idolatria, que causaram tanta confusão e, finalmente, puseram fim à linha real, à espera da renovação no Messias).

132.13

כִּי־בָחַר יְהוָה בְּצִיּוֹן אִוָּהּ לְמוֹשָׁב לוֹ׃

Pois o Senhor escolheu a Sião. *Sião* era o lugar escolhido; ali Yahweh poria o seu nome e se manifestaria, algumas vezes de modo espetacular, sob a forma de *shekinah* ou "glória do Senhor" (ver a respeito no *Dicionário*). Por conseguinte, a vontade de Deus estava por trás do programa, como o local, a linhagem de Davi, o culto e a linhagem real. O bem-estar de Sião estava intimamente associado com a continuação da casa real de Davi. De Sião, Deus distribuiria salvação sobre todos os povos. Ver Sl 48.1,2. Ver Sl 78.67,68, quanto à associação entre Sião e a dinastia de Davi. Portanto, as situações provisórias que envolveram Silo e Quiriate-Jearim foram ultrapassadas. Buscava-se agora a permanência, mas as condições constantes no vs. 12 anularam o programa, até que o Messias apareceu na terra.

A *habitação*, nas páginas do *Novo Testamento*, tornou-se a habitação do Espírito na igreja, no novo templo e em cada crente. Ver Sl 68.16; 2Co 6.16 e Ef 1.22. Mas isso não anulou a antiga promessa.

132.14

זֹאת־מְנוּחָתִי עֲדֵי־עַד פֹּה־אֵשֵׁב כִּי אִוִּתִיהָ׃

Este é para sempre o lugar do meu repouso. Este versículo reitera elementos que já foram vistos e anotados. Considere o leitor estes pontos: 1. O descanso em Sião. A arca da aliança cessou em suas perambulações e veio descansar em Sião, e o templo falava de permanência. 2. A habitação divina foi estabelecida ali. 3. A vontade de Deus estava por trás de toda a questão, garantindo sua realidade e permanência. Para assegurar tudo isso, os intérpretes, uma vez mais, têm de apelar para o Messias e para as futuras operações de Deus. Não poderia haver nem permanência nem cumprimento sem que isso fosse realizado na dispensação futura, quando será cumprido o mistério da vontade de Deus (Ef 1.9,10). Ver no *Dicionário* o verbete denominado *Mistério da Vontade de Deus*.

Cansado estava o nosso coração de tanto esperar,
E a noite parecia ser tão longa,
Mas seu dia triunfal está amanhecendo,
E nós o saudamos com um cântico.
Há uma luz que ilumina a montanha
E o dia está em plena primavera,
Quando nossos olhos virem a beleza
E a glória do Rei.

Henry Burton

132.15

צֵידָהּ בָּרֵךְ אֲבָרֵךְ אֶבְיוֹנֶיהָ אַשְׂבִּיעַ לָחֶם׃

Abençoarei com abundância o seu mantimento. O *triunfo* da linhagem davídica traria grande provisão espiritual que seria boa para o corpo e para a alma. Temos aqui a promessa da *prosperidade*. Até os pobres terão o suficiente quando o cumprimento for concretizado. A antiga verdade que diz: "Sempre tereis os pobres convosco", repetida por Jesus (ver Mt 26.11), teria sido anulada nas glórias do reinado da linhagem de Davi. Essa noção naturalmente tem sido espiritualizada e cristianizada para falar da igreja e de sua provisão abundante em Cristo, especialmente quanto ao aspecto espiritual. "Haveria abundante provisão de salvação, em favor da humanidade, na igreja cristã. A multiplicação dos pães e dos peixes por Jesus servia como tipo e prova dessa provisão" (Adam Clarke, *in loc.*). Cf. o versículo com Sl 147.14 e Is 33.16,20. A mente hebreia sempre associou a piedade com a prosperidade física e espiritual. As exceções à regra nos envolvem no *Problema do Mal* (ver a respeito no *Dicionário*). Isso nunca foi solucionado de modo adequado, a despeito dos esforços heroicos da parte dos teólogos e filósofos.

Abençoarei com abundância. O hebraico diz aqui literalmente: "Abençoando abençoarei", que Arama declara significar a *grandeza* das bênçãos; e ele aplicou isso principalmente à *fertilidade* da Terra Prometida, que sempre proveria alimento adequado para todos.

132.16

וְכֹהֲנֶיהָ אַלְבִּישׁ יֶשַׁע וַחֲסִידֶיהָ רַנֵּן יְרַנֵּנוּ׃

Vestirei de salvação os seus sacerdotes. Cf. o vs. 9: os sacerdotes estavam vestidos de *retidão*. Mas temos aqui a declaração original, "de salvação". Então o restante deste versículo é igual ao que se lê no vs. 9, onde os santos clamam de alegria. Ver 2Cr 6.11, a oração de Salomão sobre a qual os vss. 9 e 16 estão alicerçados e onde está contida a forma original da declaração. Ver Sl 62.2, quanto a notas sobre o que a salvação significava para os hebreus, dentro do contexto dos salmos. Existe o Deus da salvação e a salvação que ele provê. Naquela referência listei uma série de outros lugares no livro de Salmos que falam sobre a mesma coisa. Normalmente, o termo "salvação" significa apenas livramento de inimigos e prosperidade física e espiritual, associados ao culto no templo e à observância da lei. A teologia hebraica da época não antecipava uma vida gloriosa do outro lado do sepulcro. Essa ideia começou a surgir nos Salmos e nos Profetas, desenvolveu-se em Dn 12.2, depois nos livros pseudepígrafos e apócrifos, e mais ainda nos livros do Novo Testamento. Seja como for, os sacerdotes eram os principais veículos do ensino da salvação de Deus, e também para efetuar a salvação através de suas ministrações sacerdotais no culto do templo e no cumprimento e demandas para que outros cumprissem as provisões da lei. Ver Sl 1.2, quanto a uma nota de sumário sobre o que a lei significava para Israel. A lei era o manual para tudo, tanto na crença quanto na prática. A observância da lei provia vida (Dt 4.1; 5.33; 6.2; Ez 20.1).

Este versículo tem sido cristianizado para falar sobre o evangelho de Cristo, o Sumo Sacerdote da nova dispensação. Ver 1Tm 4.16. Além disso, Cristo torna seus discípulos reis e sacerdotes (ver Ap 1.6). Ver no *Dicionário* o artigo intitulado *Salvação*.

Quanto aos santos *a gritar de alegria*, ver as notas expositivas sobre o vs. 9. Estão em vista certos aspectos do cortejo até o templo, a fim de depositar a arca da aliança no Santo dos Santos. Essa era uma jubilosa ocasião em que os filhos de Israel gritavam, cantavam, louvavam e agradeciam — tudo acompanhado pela dança ritual do rei.

■ **132.17**

שָׁם אַצְמִיחַ קֶרֶן לְדָוִד עָרַכְתִּי נֵר לִמְשִׁיחִי:

Ali farei brotar a força de Davi. A "força" aqui aparece como *chifre* em outras traduções, pois o chifre era o instrumento que certos animais tinham como arma ofensiva e defensiva. O chifre de Davi é especial, porquanto, de súbito, florescia, como se fosse a vara de Arão (ver Nm 17.1-10; Hb 9.4). Mas a referência principal é ao Messias, como o *renovo* que apareceria através da prosperidade da linhagem de Davi. Ver Jr 23.5; Is 11.1; Zc 3.8 e 6.12. Cf. Lc 1.69.

Preparei uma lâmpada para o meu ungido. "A lâmpada que queimava era uma figura extraída dos móveis e utensílios do tabernáculo. Aqui significa a continuação da dinastia davídica (cf. 2Sm 21.17; 1Rs 11.36)" (Allen P. Ross, *in loc.*). A lâmpada, que dava sua *luz*, sua iluminação para toda a vida e existência, *continuaria*, tal como as lâmpadas do tabernáculo continuavam perpetuamente a queimar. Ver Êx 27.21 e Lv 24.2,3.

E a seu filho darei uma tribo; para que Davi, meu servo, tenha sempre uma lâmpada diante de mim em Jerusalém, a cidade que escolhi para pôr ali o meu nome.

1Rs 11.36

"A casa nunca seria escura e vazia" (William R. Taylor, *in loc.*).

Meu ungido. Ver no *Dicionário* o verbete chamado *Unção*. Cada rei sucessivo seria devidamente ungido, até que finalmente surgisse em cena, o Ungido, para terminar e tornar eterno o processo e seus propósitos. Cf. Sl 18.28. *Ungido* é uma espécie de termo paralelo para indicar Davi, mas aplica-se também a seus sucessores.

■ **132.18**

אוֹיְבָיו אַלְבִּישׁ בֹּשֶׁת וְעָלָיו יָצִיץ נִזְרוֹ:

Cobrirei de vexame os seus inimigos. Sempre haveria oposição à linhagem de Davi, *internamente*, por parte de possíveis suplantadores, e *externamente*, por parte de invasores estrangeiros. Todos esses elementos, entretanto, seriam *envergonhados*, porquanto seriam derrotados, e seus desígnios seriam demonstrados estranhos aos interesses de Israel. Quanto a ficar *envergonhado*, ver Sl 25.1; 35.26; 37.19; 69.6; 74.66; 88.17; 109.28; 119.31,78; 127.5 e 129.5. Em contraste, o rei devidamente ungido teria uma coroa posta em sua cabeça, seria exaltado, e assim prosperaria em seu reino aprovado por Deus.

Este versículo tem sido cristianizado para falar do reino e triunfo da igreja, em Cristo, com resultados benéficos para toda a humanidade. "Todo oponente da causa cristã ficará confuso. Ele florescerá, e de seu governo não haverá fim. Com base no vs. 11, vemos que o Davi espiritual e sua posteridade são o assunto do salmo presente" (Adam Clarke, *in loc.*).

"Este salmo é uma confirmação encorajadora que declara que, sem importar as circunstâncias, as promessas de Deus seriam cumpridas" (Allen P. Ross, *in loc.*).

Os opositores seriam *vestidos em vestes de vergonha*, conforme diz o Targum, que contrasta isso com a coroa do rei. "O Messias florescia como um rei, brilharia e seria conspícuo e glorioso, conforme afirmaram Aben Ezra e Jarchi. O mesmo termo para *coroado* é usado para falar da coroa santa que os sacerdotes punham na cabeça, na qual estavam inscritas as palavras *Santidade ao Senhor*. Cf. 1Pe 5.4 e 2Tm 4.8" (John Gill, *in loc.*).

SALMO CENTO E TRINTA E TRÊS

Os Salmos 120 a 134 — quinze salmos — são chamados *Cânticos de Romagens* (ou dos Degraus, ou do Peregrino). Ofereço uma introdução geral a esse grupo, no começo dos comentários sobre o Salmo 120, pelo que não repito aqui esse material.

Este é um *salmo de sabedoria* que celebra as alegrias da *harmonia fraternal*. Outros salmos de sabedoria são os de número 1, 34 (vss. 11-21), 36, 37, 49, 73, 91, 96, 112, 127 e 128. Quanto às *classes* dos salmos, ver o gráfico no início do comentário, que forma uma espécie de frontispício do saltério. Apresento ali dezessete classes e listo os salmos pertencentes a cada uma delas.

Presumivelmente a presença deste salmo entre os chamados Cânticos de Romagens deve-se ao fato de que ele reflete as alegrias de uma boa sociedade, governada por um bom governo, o qual existiria idealmente no Israel restaurado, após o cativeiro babilônico, ou como a Jerusalém que os peregrinos encontrariam ao dirigir-se para lá três vezes por ano para as três grandes festividades anuais, a Páscoa, o Pentecoste e os Tabernáculos, que requeriam a presença de todos os varões hebreus. A lei mosaica (Dt 16.16,17) não era perfeitamente cumprida quando Israel estava crescendo, e a multidão dos israelitas ainda tinha um longo e perigoso caminho pelo qual viajar.

Quanto à natureza da literatura de sabedoria, ver sobre *Sabedoria*, seção III, no *Dicionário*.

A solidariedade familiar era uma grande preocupação em Israel. Todas as famílias recebiam sua herança na Terra Prometida, e a família era a unidade básica da sociedade. Então, no clã, os *irmãos* (vs. 1), segundo se esperava, viveriam em harmonia uns com os outros, e nisso residia a força da nação. A solidariedade garantia a preservação da cultura e da religião. O culto havia sido centralizado em Jerusalém, e as festas anuais ajudavam a conservar o espírito nacionalista nos campos da política e da fé religiosa. O exílio babilônico impusera um ponto de vista mais universalista, e também devemos pensar no comércio, que florescia no Oriente. Os hebreus sempre corriam o perigo de perder sua posição distintiva entre as nações. Ver como Israel seria distintivo através da possessão e da prática da lei, em Dt 4.4-8. Portanto, um salmo como este relembraria os hebreus para continuarem sendo hebreus, com fortes laços fraternais.

Os Cânticos de Romagens são pós-exílicos, e isso também se aplica ao atual Salmo 133. O tema do salmo sugere um período de judaísmo nos tempos helenistas.

A BEM-AVENTURANÇA DO AMOR E DA UNIDADE FRATERNAL (133.1-3)

■ **133.1**

שִׁיר הַמַּעֲלוֹת לְדָוִד הִנֵּה מַה־טּוֹב וּמַה־נָּעִים שֶׁבֶת אַחִים גַּם־יָחַד:

Oh! Como é bom e agradável viverem unidos os irmãos! Estão em foco os hebreus, agora sujeitados a fatores universalizadores após o retorno do cativeiro babilônico, aprendendo os caminhos do mundo helenista. Conforme diz um cântico popular, isso ocorreu no fim da Segunda Guerra Mundial: "Como você pode mantê-los agora nas fazendas, depois que viram Paris?" Agora que Israel se expandia para fora, enquanto seus vizinhos se expandiam *internamente*, seria possível conservar os hebreus dentro de seu contexto distintivo, que fora criado por serem eles o povo da lei (ver Dt 4.4-8)? O autor desta pequena porção da literatura de sabedoria esperava que suas palavras ajudassem Israel a reter sua fraternidade especial. Naturalmente, essas palavras aplicam-se a indivíduos, e não somente a comunidades nacionais, mas podemos estar seguros de que a inspiração da paz era uma preocupação que dizia respeito a *laços nacionalistas* na nação restaurada de Israel.

Uma Ilustração Cristã. F. A. Iremonger era filho de um arcebispo da comunidade anglicana. Poder-se-ia esperar que ele saísse apenas um homem daqueles que diziam "somente nós, os anglicanos". Mas se ele era um fiel denominacionalista que galgara a elevada posição de arcebispo de Canterbury, estava sempre olhando por cima das muralhas de sua denominação e espiando os acampamentos das denominações "rivais". Ele queria saber o que de bom haveria "do outro lado" do muro e desejava compartilhar do bem que eles tinham em sua própria comunidade. Ele cultivava uma paixão pela unidade cristã que ultrapassava em muito as conveniências das organizações unificadas. Em um discurso feito na cidade de Nova Iorque, ele declarou que "não era principalmente um representante da Inglaterra, nem do ramo inglês da Igreja Católica, mas um ministro do evangelho universal e da própria Igreja Católica:, termo que usou sem o sentido "romano".

Contraste-se isso com a posição assumida por muitos homens da igreja, que pensam ser uma virtude a crítica, a desunião e a intolerância. Tais homens nunca olharam para fora de suas muralhas denominacionais, exceto para ver como apontar seus mísseis contra os acampamentos inimigos.

> Bendito seja o laço que ata
> Nossos corações em amor cristão:
> A comunhão de mentes aparentadas
> Assemelha-se à comunhão lá de cima.
>
> John Fawcett

A unidade e a comunhão dependem da maior virtude espiritual de todas: o *amor* (ver a respeito no *Dicionário*, quanto a ideias completas que podem ser usadas para ilustrar este versículo).

133.2

כַּשֶּׁמֶן הַטּוֹב עַל־הָרֹאשׁ יֹרֵד עַל־הַזָּקָן זְקַן־אַהֲרֹן
שֶׁיֹּרֵד עַל־פִּי מִדּוֹתָיו׃

É como o óleo precioso sobre a cabeça. Este versículo não toca no coração dos povos ocidentais e talvez soe com excessivo sentimentalismo; para dizer o mínimo, parece bastante estranho. No caso dos *hebreus*, porém, as coisas não eram assim. Em *primeiro lugar*, estamos falando acerca de Arão, o sumo sacerdote que servia toda a comunidade dos irmãos, sendo a mais alta figura religiosa da Terra Prometida. Fazia parte de suas responsabilidades produzir a unidade na fé e na prática. Era sua tarefa deixar o exemplo de fraternidade sincera. Em *segundo lugar*, temos a honrosa *barba*, altamente respeitada pela mente dos hebreus. Uma boa barba era sinal de distinção e sabedoria. No *Dicionário*, há um detalhado artigo intitulado *Barba*, o qual ilustra bem o assunto e lança luz sobre este versículo. Em *terceiro lugar*, temos de considerar o precioso óleo da unção, a unção para o ofício sacerdotal. Ver no *Dicionário* o artigo chamado *Unção*, quanto a maiores detalhes. O trabalho de um homem tornava-se oficial mediante essa unção, e ele era ungido para servir à comunidade, sob a direção de Yahweh. Reunindo agora essas três coisas, podemos ver a força que esse versículo tinha para os hebreus. Seu intuito era levá-los a emprestar grande valor à unidade da fé e à unidade da nação de Israel.

"A *copiosa efusão* da cabeça do sumo sacerdote diferia da aspersão feita na testa dos sacerdotes ordinários. O salmista chamou a unção de *preciosa*, em referência à graça espiritual do amor, o primeiro fruto do Espírito Santo (ver Gl 5.22), do qual era uma imagem. O Espírito Santo foi o precioso unguento com o qual, em sua infinita plenitude, o Messias havia sido ungido (ver Dn 9.24; At 10.38 e Jo 3.34)" (Fausset, *in loc.*). Hengstenberg e a versão árabe fazem da barba de Arão a coisa que fluía, mas as versões, de modo geral, preservam a referência ao óleo que escorria.

O óleo derramado pela barba descia sobre os ombros de Arão e então sobre suas vestes, inscritas com os nomes das doze tribos de Israel. Assim sendo, o óleo simbolizava a *unidade nacional*, sob as bênçãos do *único Deus*. Não poderia haver unidade sem sincera fraternidade. "Era costumeiro, no Oriente, derramar o óleo sobre a cabeça em profusão tal que descia e atingia cada membro" (Adam Clarke, *in loc.*).

133.3

כְּטַל־חֶרְמוֹן שֶׁיֹּרֵד עַל־הַרְרֵי צִיּוֹן כִּי שָׁם צִוָּה יְהוָה
אֶת־הַבְּרָכָה חַיִּים עַד־הָעוֹלָם׃

É como o orvalho do Hermom. "Não temos aqui o monte Sião (no hebraico, *tsiyon*), em Jerusalém, mas Sião, que fazia parte da cadeia do Hermom. Ver Dt 4.48: '... desde Aroer, que está à borda do vale de Arnom, até o monte Siom, que é Hermom'. Sobre esse monte, o orvalho cai muito copioso. Mr. Maundrell diz que "devido a esse orvalho, mesmo em tempo seco, as tendas das pessoas ficam tão molhadas como se tivesse chovido a noite inteira" (Adam Clarke, *in loc.*). O orvalho do que normalmente chamamos de Hermom não atinge Jerusalém. Se esse lugar mais distante está aqui em foco, então o autor aplicou uma hipérbole oriental. Seja como for, sem água a terra fica crestada e estéril. Mas com água surge a fertilidade e a prosperidade, e essas coisas são produtos da fraternidade sob a direção e a bênção de Yahweh. O *orvalho* representa o que é refrescante, doador da vida, um símbolo apropriado para a bênção do Senhor. Mas essa bênção é conferida através de instrumentos humanos que vivem no espírito do amor.

"Devemos tomar o *orvalho do Hermom* como um *orvalho especial*. Não há por que duvidar que a altura do monte Hermom e o fato de esse monte ser tão conspícuo determinaram a expressão" (Ellicott, *in loc.*). O copioso orvalho do Hermom foi associado ao óleo copioso da unção (vs. 2).

Yahweh decretou suas bênçãos sobre Jerusalém, e essa bênção era especialmente a vida para sempre. Vida longa e prosperidade material e espiritual eram os ideais dos hebreus, e a guarda da lei era declarada como produtora desse tipo de vida (Dt 4.1; 5.33; 6.2; Ez 20.1). Mas isso só se tornaria realidade se Jerusalém contasse com uma comunidade de irmãos que vivessem em harmonia. Caso contrário, essa bênção poderia falhar. A contenção sempre faz a bênção divina fracassar.

Este versículo tem sido cristianizado para falar sobre as bênçãos que Cristo traz por meio de seu evangelho e através de sua Igreja. Ver 2Co 13.11. Mas o amor é necessário para que isso se torne uma realidade prática. Dessa maneira, as palavras "para sempre" são aplicáveis à vida eterna.

> Em Cristo não há nem Oriente nem Ocidente,
> nele não há nem Norte nem Sul,
> Mas há somente uma grande comunidade de amor,
> Que se espalha por toda a larga terra.
>
> John Oxenham

SALMO CENTO E TRINTA E QUATRO

Os Salmos 120 a 134 — quinze salmos — são chamados *Cânticos de Romagens* (ou dos Degraus, ou do Peregrino). Ofereço uma introdução geral a esse grupo, no começo dos comentários sobre o Salmo 120, pelo que não repito aqui esse material.

Este salmo é uma *liturgia* que profere bênção especial. Os sacerdotes foram convocados a oferecer louvores ao Senhor. Eles abençoaram a congregação.

Quanto às *classes* dos salmos, ver o gráfico existente no início do comentário, que atua como uma espécie de frontispício do saltério. Apresento dezessete classes e listo os salmos pertencentes a cada uma delas.

"Este salmo é o último da coletânea dos Cânticos do Peregrino (120 a 134). Servia apropriadamente como um *Nunc Dimittis*, entoado no fim ou em um dos cultos noturnos de devoção no templo, durante uma festividade, ou durante a última vigília da festividade, quando os peregrinos estavam prestes a retornar a seus lares. É provável que este salmo pertencesse à liturgia da festa dos Tabernáculos, visto que fica subentendido, no vs. 1, que os ministrantes sacerdotais cumpriam seus deveres no templo, não por uma noite apenas (conforme se vê no caso da Páscoa), mas por diversas noites. Ademais, no caso da Páscoa, as famílias estavam em seus lares, e não no templo. Nos tempos pós-exílicos, a festa dos Tabernáculos tornou-se a *festa* que deveria ser atendida (ver Zc 14.16)" (William R. Taylor, *in loc.*).

Todo o conjunto dos Cânticos de Romagens parece pertencer ao período pós-exílico.

UM HINO NOTURNO PARA O TEMPLO (134.1-3)

134.1

שִׁיר הַמַּעֲלוֹת הִנֵּה בָּרְכוּ אֶת־יְהוָה כָּל־עַבְדֵי יְהוָה
הָעֹמְדִים בְּבֵית־יְהוָה בַּלֵּילוֹת׃

Bendizei ao Senhor, vós todos, servos do Senhor. "Dirigindo-se aos sacerdotes e levitas, que mantinham vigilância sobre o templo, os peregrinos pediram que lhes fossem dadas as bênçãos celestes de Sião" (Allen P. Ross, *in loc.*).

Que assistis na casa do Senhor. Ou seja, todos os ministros que *ministravam* (cf. Dt 10.8 e 2Cr 29.11) no templo, durante a noite, foram convocados a bendizer Yahweh, ou seja, louvá-lo e dar graças por suas múltiplas bênçãos. Somos levados a pensar em um *Nunc Dimittis* (agora despede!) em um culto especial noturno. Os peregrinos voltariam para casa bem cedo na manhã seguinte. Provavelmente está em pauta a festa dos Tabernáculos. Ver a introdução ao salmo, quanto a detalhes. Ellicott (*in loc.*) via aqui uma exortação aos levitas que serviam à noite para louvar especialmente ao Senhor. "Temos aqui um desafio para os levitas louvarem a Deus durante a noite, tal como outros o tinham feito à luz do dia", mas isso não é uma explanação tão satisfatória como a que fala na despedida do culto noturno, e onde não há nenhuma distinção entre os que serviam durante o dia e os que serviam durante a noite. Antes, *todos* estariam presentes ao final da festividade e diriam adeus aos peregrinos. Kimchi pensa em sacerdotes presentes, que acordaram à noite para orar; mas isso também é uma interpretação inferior.

> Senhor, despede-nos com a tua bênção,
> Ordena que partamos em paz.
> Alimentando-nos ainda do maná celeste,
> Permite que nossa fé e amor aumentem.
>
> Robert Hawker

■ **134.2**

שְׂאוּ־יְדֵכֶם קֹדֶשׁ וּבָרְכוּ אֶת־יְהוָה:

Erguei as mãos para o santuário. Os peregrinos pediram aos sacerdotes e a todos os servos do templo que abençoassem Yahweh, levantando as mãos no gesto próprio da súplica e da oração. Mãos erguidas naquele solene ritual atrairiam bênçãos para que os peregrinos pudessem iniciar caminho em paz e alegria. Ali se tornava necessário o poder dos sacerdotes, para que a peregrinação chegasse à sua conclusão apropriada. A bênção pronunciada sobre Yahweh seria devolvida ao povo (vs. 3). Abençoado, Yahweh abençoaria. Cf. 1Tm 2.8:

> *Quero, portanto, que os varões orem em todo lugar, levantando mãos santas, sem ira e sem animosidade.*

Fale bem do nome de Yahweh; reconheça tudo quanto ele tem feito por nós. Suas maravilhas foram executadas por nós. Ele é a fonte originária de todas as nossas bênçãos. Cf. Sl 28.2.

O santuário. Ou seja, onde os sacerdotes comuns costumavam ministrar. Mas como podiam eles fazer isso no santuário, se o povo não podia entrar ali? A *Revised Standard Version* diz "no santo lugar", que poderia significar no Santo dos Santos. O sacerdote poderia proferir suas bênçãos naquele lugar onde Yahweh manifestou sua glória e onde ele habitava. As palavras que aqui encontramos, "para o santuário", mostram a despedida daquela solenidade noturna, no terreno do templo, com as mãos na *direção* do Lugar Santo.

■ **134.3**

יְבָרֶכְךָ יְהוָה מִצִּיּוֹן עֹשֵׂה שָׁמַיִם וָאָרֶץ:

De Sião te abençoe o Senhor. Yahweh ouviu os sacerdotes abençoando seu nome, e respondeu enviando bênçãos a todo o povo de Israel. A bênção divina é muito poderosa, por ser ele o Criador, o que significa que ele é também o supremo abençoador. Sua providência será abundante. Ver no *Dicionário* o artigo chamado *Providência de Deus*. Os sacerdotes, tendo abençoado o nome do Senhor, clamavam para que Yahweh retribuísse o favor, abençoando os peregrinos que estavam prestes a voltar para casa. Cf. Sl 121.2. "Quando bendizemos a Deus, ele nos abençoa imediatamente. Cf. o intercâmbio de bênçãos entre o homem e o Altíssimo, em Gn 14.19,20. Este salmo é o epílogo da coletânea dos cânticos do peregrino (Salmos 120 a 134)" (Fausset, *in loc.*).

Por conseguinte, é bom estar ali esperando por ele, e adorando, orando e louvando, porquanto aquele que criou os céus e a terra é capaz de abençoar com coisas celestes e terrenas. Essa descrição do Senhor dá-nos razão para sermos encorajados e termos fé nele. Pois o que é que ele não pode fazer, pergunto?" (John Gill, *in loc.*). Portanto, quanto a nossas necessidades especiais do momento, pedimos bênçãos. Oh, Senhor, concede-nos tal graça!

> Senhor, deixa-nos partir em paz,
> Pois em teu nome nos temos reunido aqui;
> Desvenda o brilho do teu rosto,
> E mantém-te, para sempre, perto.
>
> William Lester

SALMO CENTO E TRINTA E CINCO

Quanto a *informações gerais* que se aplicam a todos os salmos, ver a introdução ao Salmo 4, onde apresento *sete* comentários que elucidam a natureza do livro. Quanto às *classes* dos salmos, ver o gráfico no início do comentário, que atua como um frontispício do saltério. Ofereço ali dezessete classes e listo os salmos pertencentes a cada uma delas.

Este é um *hino litúrgico de louvor,* uma espécie de salmo gêmeo do Salmo 136. Provavelmente ambos eram usados em uma ou mais das grandes festividades, como as três festas anuais que todos os israelitas do sexo masculino supostamente deviam atender (a Páscoa, o Pentecoste e os Tabernáculos). Ver no *Dicionário* o artigo chamado *Festas (Festividades) Judaicas,* e também Dt 16.16,17, quanto à lei que governava a questão. Quando Israel se multiplicou e havia muita gente vivendo distante da capital do país, a lei sobre essa questão não continuou sendo observada. A despeito disso, as festividades anuais eram frequentadas por muitas pessoas, pois eram tempos de louvores e agradecimentos especiais, tempos de regozijo, de fazer e cumprir votos, de cânticos e danças.

"É claro que este salmo tinha por intuito ser entoado em forma de antífona. Mas isso só se conseguia mediante a distribuição de partes entre vozes que cantavam solos, coros e congregação: vss. 5-7; 15-17 (partes de solo); vss. 1-4; 19-21 (combinação de coro do templo e congregação); vss. 13,14,18 (respostas gerais nas quais tanto o coro como a congregação se juntavam" (William R. Taylor, *in loc.*).

"Este cântico de louvor perfaz um mosaico de porções da lei mosaica, dos profetas e dos salmos. Nele, o salmista conclama os sacerdotes a louvar ao Senhor, pelo que está quadradamente apoiado sobre o Salmo 134. É um cântico que louva a grandeza do Senhor e sua fidelidade ao povo" (Allen P. Ross, *in loc.*).

EXORTAÇÃO A LOUVAR (135.1-4)

■ **135.1**

הַלְלוּ יָהּ הַלְלוּ אֶת־שֵׁם יְהוָה הַלְלוּ עַבְדֵי יְהוָה:

Aleluia! Louvai o nome do Senhor. Temos aqui um *tríplice louvor*. A congregação invoca os sacerdotes a louvar a Yahweh: Louvai ao Senhor; louvai o seu nome! Dai louvores! Os sacerdotes e os levitas são chamados de *servos do Senhor*. Cf. Sl 134.1, onde encontramos ideias similares. Ver os artigos do *Dicionário* chamados *Yahweh* e *Nome*. Quanto ao nome, ver também Sl 31.3, e quanto ao *nome santo,* ver Sl 30.4 e 33.21. A chamada tríplice assume um tom de urgência. O louvor aqui é dado através da palavra hebraica *Aleluia* (ver a respeito no *Dicionário*). Os intérpretes que cristianizam este versículo e veem nesta passagem uma chamada tríplice e um indício sobre a Trindade, certamente exageram.

■ **135.2**

שֶׁעֹמְדִים בְּבֵית יְהוָה בְּחַצְרוֹת בֵּית אֱלֹהֵינוּ:

Vós que assistis na casa do Senhor. Temos aqui uma expressão idiomática que significa *cultuais ali*. Isso duplica a declaração de Sl 134.1, onde há anotações. Os sacerdotes punham-se de pé na casa, ou seja, no Lugar Santo, a fim de ministrar; o povo em geral postava-se nos átrios, fora do santuário propriamente dito. Naturalmente, os levitas que serviam, que não eram sacerdotes, faziam trabalhos braçais no templo e talvez estejam em foco na segunda cláusula. Cf. Sl 92.13 e Lc 2.37. Ver também 2Cr 4.9. quanto ao grande átrio onde ficavam todos os israelitas. Felizes são os participantes!

Este versículo parece bastante lato. Convida todos os participantes, sacerdotes, levitas e a congregação em geral, dentro e ao redor do templo, a levantar a voz em *uníssono,* em um grande grito de aleluia!

■ **135.3**

הַלְלוּ־יָהּ כִּי־טוֹב יְהוָה זַמְּרוּ לִשְׁמוֹ כִּי נָעִים׃

Louvai ao Senhor, porque o Senhor é bom. A *teologia dos hebreus* combinava os atributos da bondade, do poder e da justiça em uma única qualidade, e nos salmos Yahweh era louvado por causa desses atributos. Platão viu que a bondade e o poder devem andar de mãos dadas, em qualquer sã avaliação da espiritualidade, e o hebraico clássico tinha um único termo para amor e justiça. A bondade de Deus origina-se em seu amor. Ver no *Dicionário* os artigos chamados *Bondade* e *Amor.* O *aleluia!* era bradado porque Deus é bom, e cânticos de louvor eram entoados, pois é agradável prestar louvores e ações de graças. Ver no *Dicionário* os verbetes intitulados *Louvor* e *Ação de Graças.* Cinco aleluias são proferidos nos vss. 1 e 3. Este é um hino de louvor. Quanto a quão agradável é dar louvores, cf. Sl 147.1.

Porque é cousa agradável os guardares no teu coração, e os aplicares todos aos teus lábios.

Provérbios 22.18

Aben Ezra e Kimchi fazem com que o *nome* seja aquilo que é agradável de falar. Mas os hinos de louvor são as coisas especificamente mencionadas aqui. "... sendo esse o emprego dos anjos e dos santos glorificados. O assunto da questão é deleitoso" (John Gill, *in loc.*).

SOBERANIA BONDOSA

Tudo quanto aprouve ao Senhor, ele o fez, nos céus e na terra, no mar e em todos os abismos.

Salmo 135.6

Louvai ao Senhor porque o Senhor é bom; cantai louvores ao seu nome, porque é agradável.

Salmo 135.3

BONDADE HARMONIOSA

O ano está na primavera,
O dia está ainda na manhã
A manhã está úmida de orvalho;
A cotovia está nos ares;
O caracol está no espinheiro;
Deus está no seu céu
E tudo vai bem com o mundo.

Robert Browning

■ **135.4**

כִּי־יַעֲקֹב בָּחַר לוֹ יָהּ יִשְׂרָאֵל לִסְגֻלָּתוֹ׃

Pois o Senhor escolheu para si a Jacó. Este versículo descreve uma *instância* da bondade de Deus (vs. 3) sobre a qual é agradável cantar: a escolha de Jacó (Israel) que tornou o povo de Israel distinto entre as nações (por meio da obediência à lei; ver Dt 4.4-8). Ver no *Dicionário* o verbete chamado *Eleição.*

Sua possessão. Não por causa do que Israel era em si mesmo, mas por causa do que foi feito com aquele povo, em consonância com as operações de Deus. Cf. Dt 7.6,7; 14.2; 26.18. A *possessão* de Deus era algo raro, único e muito valorizado, um tesouro guardado à parte de outros tesouros, por ser de grande estima. Cf. Tt 2.14; Ml 3.17 (joias especiais). Ver também Is 62.3. O tesouro especial é um nome de pacto para Israel. Ver Êx 19.5, quanto à "propriedade particular" (e ver também 1Cr 29.3; Ec 2.8).

Este versículo tem sido cristianizado para referir-se à eleição da igreja, o Israel novo e espiritual.

... purificar para si mesmo um povo exclusivamente seu, zeloso de boas obras.

Tito 2.14

A GRANDEZA DO SENHOR (135.5-7)

■ **135.5**

כִּי אֲנִי יָדַעְתִּי כִּי־גָדוֹל יְהוָה וַאֲדֹנֵינוּ מִכָּל־אֱלֹהִים׃

Com efeito, eu sei que o Senhor é grande. Yahweh tinha sido louvado por sua bondade (vss. 3 e 4) e agora era louvado por seu poder. Aquele que era grande também era bom. Aquele que era poderoso também era forte em amor. Os deuses pagãos tinham, concebivelmente, um grande poder, mas não se importavam em ser bons. Mas Yahweh, acima de todos os deuses, é inerentemente bom e poderoso, e usa seu poder para efetuar boas obras extraordinárias. Os homens são como os deuses pagãos. Quanto mais poder obtêm, menos bondade se importam em praticar. O próprio "eu" torna-se uma divindade, e tudo é feito em favor de si mesmo. O poder e o dinheiro são usados para abusar. Deus é soberano, pelo que faz o que quer, mas o que ele quer é bom e origina-se de seu amor. Os homens incorrem em erro quando criam o seu *deus voluntarista,* cuja vontade é arbitrária e faz coisas que o pensamento humano sobre o bem condena. Ver na *Enciclopédia de Bíblia, Teologia e Filosofia* o verbete denominado *Voluntarismo.* Deus não cria uma lei moral para nós e outra para si mesmo. Pelo contrário, as leis morais de Deus são dadas para que os homens as observem.

Deuses. Esta declaração simples poderia ser usada em favor do *henoteísmo* (ver a respeito na *Enciclopédia de Bíblia, Teologia e Filosofia).* Temos aqui a ideia da existência de muitos deuses, enquanto mantemos relações apenas com um desses deuses. Nesse caso, nosso único Deus estaria acima dos outros deuses aos quais algumas pessoas prestam lealdade. A ideia que devemos procurar em Sl 82.1. Mas o Salmo 135 provavelmente é pós-exílico e, nessa época, reinava um completo *monoteísmo* (ver no *Dicionário*) em Israel. Examinando o vs. 15, vemos que estavam em foco ídolos de prata e ouro, obras das mãos humanas, sendo muito provável que o salmista tenha equiparado os *deuses* aos *ídolos,* os quais, na realidade, nem deuses eram. A onipotência é atribuída a Deus e a impotência aos deuses.

Provas da Grandeza de Deus. Os vss. 5-12 fornecem uma impressionante lista da grandeza de Deus, em *sua própria pessoa* (vss. 5-7) e em *suas obras.* O vs. 5 fornece os *dois* primeiros itens, dentro de um total de treze. O vs. 13 adiciona outra grande característica da pessoa de Deus, compondo um total de catorze. Consideremos estes pontos:

1. A declaração geral sobre a *grandeza de Deus,* inerente à sua pessoa. Isso inclui a onipotência de Deus, que é exercida em suas obras, como se vê na criação e nas obras beneficentes de Deus em favor dos homens. "Grande" também significa que ele é ilimitado em suas perfeições de todas as espécies, em seu poder, sabedoria, fidelidade, graça e bondade. Deus também desconhece limites em suas obras de providência, que ele opera em favor dos homens.
2. *Somente ele é Deus,* pelo que, como é óbvio, ele é superior a todos os alegados deuses. Para nós, isso é um truísmo, mas não para os povos pagãos dos tempos do salmista. Ver a discussão anteriormente.

■ **135.6**

כֹּל אֲשֶׁר־חָפֵץ יְהוָה עָשָׂה בַּשָּׁמַיִם וּבָאָרֶץ בַּיַּמִּים וְכָל־תְּהוֹמוֹת׃

3. A terceira qualidade divina que mostra a grandeza de Deus (chamado Yahweh neste texto) é sua *soberania.* Ele faz o que lhe agrada, e isso inclui tanto a esfera celeste quanto a esfera terrena. Ver no *Dicionário* o artigo chamado *Soberania.* Descrevendo sua soberania, temos de insistir que ela é guiada pela bondade e pelo amor (vs. 3). É absurdo anular a bondade de Deus quando se trata de sua soberania. Ver os comentários sobre o vs. 5, primeiro parágrafo. Alguns intérpretes, até mesmo intérpretes cristãos, afirmam que o poder de Deus é arbitrário e colocam-no atrás da destruição e não atrás do amor que restaura. Mas até mesmo os juízos de Deus são efetuados em meio ao amor. O hebraico

clássico contava apenas com uma palavra para indicar justiça e amor, e isso está correto. O julgamento é apenas um dedo da amorosa mão de Deus. Todos os julgamentos de Deus tanto restauram quanto vingam. Conforme dizia Orígenes, é uma *teologia inferior* a que vê somente retribuição no julgamento, sem o tempero de qualquer ato restaurador, fruto do amor.

O autor sagrado, doravante, lista várias maneiras através das quais o poder e a soberania de Deus se manifestam na natureza.

4. Deus controla os *mares* que sempre representaram poderes misteriosos e assustadores para a mente dos hebreus. Israel era um povo que vivia contínuo ao mar, mas não era um povo marítimo. Dentre todos os monarcas de Israel e Judá, somente Salomão e Josafá tentaram aventurar-se ao mar, o primeiro com grande sucesso, e o segundo com miserável fracasso.
5. Deus exerce autoridade sobre *todos os abismos*, como os do mar, os das grandes cavernas da terra, e talvez até os do *hades*.

■ 135.7

מַעֲלֶה נְשִׂאִים מִקְצֵה הָאָרֶץ בְּרָקִים לַמָּטָר עָשָׂה מוֹצֵא־רוּחַ מֵאוֹצְרוֹתָיו׃

O autor sagrado continua a falar sobre as maravilhas da terra que Deus faz e que servem de provas de sua grandeza.

6. Deus é a causa do aparecimento das *nuvens doadoras de vida* e dá chuvas até os confins da terra. Toda vida depende das nuvens, e as nuvens que alteram o clima originam-se nos oceanos. Os lagos não são grandes o bastante para modificar o clima. As águas, pois, voltam para os oceanos, e o ciclo se reinicia. A mente dos hebreus dava ao poder de Deus o crédito por tudo isso, embora eles não compreendessem com exatidão no que consistia esse ciclo.
7. Juntamente com as nuvens apareciam as tempestades, e os *relâmpagos* são um dos resultados espantosos das tempestades. Os povos antigos não sabiam o que eram os relâmpagos, mas sabiam o que eles podiam fazer. Conheciam o *poder* dos relâmpagos, e provavelmente é isso o que está em vista aqui. Os hebreus não adoravam os elementos. Eles sabiam, contudo, que o Poder divino (Elohim) estava por trás dos elementos.
8. O *vento dos tesouros de Deus* era outro dos poderes conhecidos pelos hebreus. De acordo com Jó 38.2, Deus tem tesouros de *neve* e de *geada*, e isso é uma figura similar. Deus controla todas as condições atmosféricas que, alternativamente, deleitam e assustam os homens. Jr 10.13 e 51.13 são paralelos diretos, falando dos *depósitos* de vento. Os hebreus não sabiam o que fazia o vento soprar e abater-se. E não adivinhavam que a temperatura é a principal força que impulsiona os ventos, mas viam a providência divina trabalhando em todos os fenômenos da natureza. Os gregos e os romanos postulavam que os ventos procediam das *cavernas*, ideia provavelmente similar à dos hebreus. As figuras poéticas ocultavam a ignorância dos fatos científicos sobre a natureza. Em Atenas, um templo de mármore, sob a forma de um octógono, foi edificado em honra aos *oito ventos* e, naturalmente, cria-se que os deuses manipulavam os ventos. Triton, com sua vara de bronze, estava montado no alto dos edifícios. A imagem de Triton podia mover-se com o vento, e assim balançava de um lado para outro, mostrando em que direção o vento soprava. Jerônimo interpretava esses ventos como anjos, e isso já nos apresenta poderes pessoais que atuam sob as ordens de Deus, operando como se fossem ventos.

Este versículo tem sido cristianizado para falar das graças do Espírito Santo que operam no mundo. Todos os tesouros se encontram em Cristo. Ver Jo 3.8 e At 2.1-4.

OS FEITOS PODEROSOS DE YAHWEH (135.8-12)

■ 135.8

שֶׁהִכָּה בְּכוֹרֵי מִצְרָיִם מֵאָדָם עַד־בְּהֵמָה׃

Foi ele quem feriu os primogênitos no Egito. O *autor sacro continuou* a falar sobre a grandeza de Yahweh. Primeiramente o autor disse como Deus é grande em si mesmo; então como Deus é grande na natureza; e agora mostra como Deus é grande quanto às coisas que fez para que Israel estivesse no lugar onde se encontrava naquele dia.

9. A *décima* e *última praga* foi decisiva: a morte dos primogênitos de todos os seres humanos e animais. Ver no *Dicionário* o verbete chamado *Pragas do Egito,* onde se conta a história das dez pragas em sua inteireza. Cada praga, além de ser uma derrota para os egípcios, era uma derrota para alguma divindade específica do Egito. Foram as obras miraculosas de Yahweh, em prol de Israel, que tornaram possível a existência da nação de Israel. Houve o envolvimento tanto de providências negativas como positivas no caso, e as pragas do Egito foram da primeira variedade. Ver a história relatada em Êx 12.22,23,27,29 e 30. Se Israel não tivesse escapado do Egito, teria sido absorvido pela população egípcia, ou, quando muito, teria sido transformado em uma província daquele país, porém jamais teria sido uma nação separada. E o propósito de Deus de ter um povo especial (vs. 4) seria frustrado.

■ 135.9

שָׁלַח אֹתוֹת וּמֹפְתִים בְּתוֹכֵכִי מִצְרָיִם בְּפַרְעֹה וּבְכָל־עֲבָדָיו׃

10. Esta é uma referência geral às *dez pragas* do Egito, dentre as quais o vs. 8 menciona somente a última. Ver as notas sobre o número 9, que se aplicam aqui. As pragas do Egito sempre foram consideradas sobrenaturais. Coisas como essa acontecem na natureza, mas não com tal gravidade e precisão. Cf. Sl 116.19 e Êx 15.7. Na mão divina, o que poderiam ser acontecimentos naturais tornaram-se sinais e maravilhas, ou seja, "milagres didáticos". O poderoso rei do Egito, o Faraó, não escapou ao látego divino, e, de fato, tudo foi provocado por sua teimosia e estupidez. E seus servos não foram mais espertos que ele mesmo. A classe dominante do Egito fez a nação sofrer arduamente por longo tempo e desnecessariamente. Se eles tivessem permitido a saída de Israel no começo do entrevero, teriam impedido muito sofrimento. Naturalmente, a indicação da história foi que a questão supostamente seria *prolongada,* a fim de que Yahweh tivesse oportunidade de demonstrar seu poder e soberania, derrotando todas as divindades egípcias. Em si mesmo, o prolongamento do conflito foi uma situação de ensino.

■ 135.10

שֶׁהִכָּה גּוֹיִם רַבִּים וְהָרַג מְלָכִים עֲצוּמִים׃

11. Esta é uma referência geral à história do livro de Josué, mostrando como Israel, para conquistar a Terra Prometida, teve de enfrentar certo número de adversários e derrotá-los. Foi aplicada a *guerra santa* (ver Dt 7.1-5; 20.10-18), uma total obliteração de povos, sempre que possível. Ver Êx 33.2 e Dt 7.1, quanto a listas de nações expulsas de seus territórios. Nos dias de Josué, e por muito tempo depois, a tarefa ficou incompleta. E só foi terminada por Davi. Ele aniquilou ou confinou todos os inimigos de Israel, em um total de *oito* nações (ver 2Sm 10.19). Isso armou palco para a *época áurea* de Israel, sob Salomão. O exército de Israel consistia apenas em infantaria. Teve de enfrentar povos poderosos, com equipamentos de guerra superiores, como cavalos e carros de combate, e cidades fortificadas. Portanto, foi considerado uma intervenção divina que Israel fosse capaz de obter tantas vitórias na Terra Prometida. Havia 31 pequenos reis na terra de Canaã (ver Js 12.7-24) que dominavam essencialmente cidades-estados. Mas havia *sete povos* distintivos, como mostram as referências dadas anteriormente. O poeta sagrado, pois, demonstrou a grandeza de Yahweh, que era o Capitão dos exércitos de Israel.

■ 135.11

לְסִיחוֹן מֶלֶךְ הָאֱמֹרִי וּלְעוֹג מֶלֶךְ הַבָּשָׁן וּלְכֹל מַמְלְכוֹת כְּנָעַן׃

12. O salmista não entrou em detalhes, mas mencionou algumas das mais difíceis tarefas da conquista. *Seom* e *Ogue* estavam entre os reis mais poderosos que Yahweh ajudou Israel a subjugar. Ver Nm 21 e cf. Sl 136.19,20. Os outros sete povos distintivos e as 31 cidades-estados são citados por uma referência generalizadora, mas os hebreus lembrariam muitos nomes e muitas vitórias, cônscios de que nada daquilo teria acontecido sem a intervenção

divina. Todas essas coisas, portanto, demonstravam a grandeza de Yahweh, bem como a debilidade das idolatrias pagãs que não tinham poder para impedir esses acontecimentos. As vitórias começaram com o triunfo sobre Seom e Ogue. Esse sucesso estabeleceu o padrão para as vitórias seguintes. Ver Dt 3.11 e Am 2.9.

■ **135.12**

וַיִּתֵּן אַרְצָם נַחֲלָה נַחֲלָה לְיִשְׂרָאֵל עַמּוֹ:

13. A *herança* da Terra Prometida cumpriu uma das grandes provisões do *pacto abraâmico* (ver as notas em Gn 15.18). A grandeza de Yahweh foi demonstrada na concretização do pacto. O povo em pacto com Deus precisava ter uma pátria. Deus não poderia ter cumprido o seu propósito em Israel se eles tivessem permanecido como nômades árabes, vagabundos. Israel tinha de levantar-se como um poder entre as nações; tinha também de ser o guardião das Escrituras, servindo de contínua lição objetiva de como o poder de Deus operava, buscando cumprimento em elevados propósitos. Cf. Sl 105.44 e 111.6.

"As terras dos dois reis mencionados foram dadas aos rubenitas, aos gaditas e à meia-tribo de Manassés (ver Dt 3.12-17). E as terras pertencentes aos vários outros reinos de Canaã foram dadas ao restante das tribos" (John Gill, *in loc.*). Ver no *Dicionário* os artigos chamados *Tribo (Tribos de Israel)* e *Tribos, Localização das*.

YAHWEH VINDICA SEU POVO (135.13,14)

■ **135.13**

יְהוָה שִׁמְךָ לְעוֹלָם יְהוָה זִכְרְךָ לְדֹר־וָדֹר:

14. O *nome* de Yahweh subsiste para sempre, em contraste com os ídolos e os deuses pagãos que não têm vida real, e também em contraste com todas as outras coisas. O nome de Deus representa a sua pessoa, os seus atributos e os seus poderes, e demonstra a sua grandeza. Ver sobre *nome*, em Sl 31.3 e também no *Dicionário*. Ver sobre *nome santo* em Sl 30.4 e 33.21. Yahweh tem uma *fama* que dura para sempre, paralelamente ao seu nome.

Disse Deus a Moisés: Eu Sou o que Sou.
Êxodo 3.14

Ver no *Dicionário* o verbete intitulado *Eu Sou*. Yahweh significa o Eterno, pelo que o nome divino ilustra a mensagem do presente versículo. Ver sobre isso no *Dicionário*. Cf. Dt 32.36. Yahweh vindicou seu povo perante as nações pagãs, mostrando que o verdadeiro poder divino estava operando entre os israelitas, em contraste com os deuses sem vida que os pagãos adoravam e de quem inutilmente dependiam. O nome de Yahweh se tornaria um *memorial* para todas as gerações futuras, ao passo que os nomes das divindades pagãs seriam totalmente olvidados.

Este versículo depende essencialmente de Êx 3.15. O autor tinha agora completado suas *catorze* provas da grandeza de Deus, por causa das quais os homens deveriam *louvar ao Senhor*. Pois Yahweh é digno e suas obras sempre foram benéficas para Israel.

■ **135.14**

כִּי־יָדִין יְהוָה עַמּוֹ וְעַל־עֲבָדָיו יִתְנֶחָם:

Pois o Senhor julga ao seu povo. Este versículo repousa essencialmente sobre Dt 32.36. "Em todas as gerações de Israel, ele cumpriu a promessa de Dt 32.36 para vindicar o seu povo 'quando vê que o poder deles desapareceu'" (William R. Taylor, *in loc.*). Cf. a oração de Moisés (Sl 90.13). Yahweh precisava de vindicação aos olhos dos pagãos, e assim também fez o seu povo. As nações seriam julgadas e o seu povo receberia compaixão, e isso mostraria que eles estavam *com a razão*. Yahweh vindicaria a causa deles. Ver Sl 9.4; 10.18; 44.1. Os israelitas sofreriam seus próprios julgamentos, mas teriam bons propósitos para serem trabalhados. Através de seus julgamentos, "os seus servos retos retornarão às suas misericórdias" (Targum), ou seja, receberiam as misericórdias divinas e assim seriam aprimorados. Yahweh manteria o caráter *distintivo* de Israel (Dt 4.4-8).

A VAIDADE DA IDOLATRIA (135.15-18)

■ **135.15**

עֲצַבֵּי הַגּוֹיִם כֶּסֶף וְזָהָב מַעֲשֵׂה יְדֵי אָדָם:

Os ídolos das nações são prata e ouro. "A grandeza do Deus dos deuses é novamente exaltada através de uma descrição zombeteira sobre o que realmente são os ídolos das nações. O salmista usou o argumento favorito dos protagonistas da religião de Israel para demonstrar a superioridade do Senhor, ao provar a nulidade de seus rivais. Os deuses são equiparados às suas imagens, e então a inutilidade e a impotência das imagens são transformadas em ridículo (cf. Sl 115.3-8; Jr 10.7-16; Is 44.9-18; Sabedoria de Salomão 15.14-17)" (William R. Taylor, *in loc.*). Isso pode parecer-nos um lugar-comum, por ser tão óbvio, mas nos tempos antigos, quando a idolatria florescia, o assunto era de profunda preocupação para os que possuíam visão superior. Corretamente modernizamos o assunto, salientando que todos os homens caem na idolatria, ou melhor, são idólatras constantes, porquanto ficam inventando novos deuses para seguir: ambições, trabalho, dinheiro, honra, poder, sensualidade etc. Alguns até fazem de si mesmos seus próprios deuses. Seja como for, a grandeza de Deus se estende sobre os deuses dos pagãos, os quais, no mundo antigo, eram seus rivais.

Os vss. 15 e 16 são semelhantes a Sl 115.4-8, com leves variações. O vs. 15 corresponde a 115.4, onde ofereço as notas expositivas. A grandeza de Yahweh é demonstrada mediante as maravilhas por ele realizadas, mas as não entidades nada fazem pois nada são. Cf. Hc 2.6; Pv 3.14,15; 8.10,11; Sl 19.10. Ver o artigo detalhado do *Dicionário* intitulado *Idolatria*.

■ **135.16**

פֶּה־לָהֶם וְלֹא יְדַבֵּרוּ עֵינַיִם לָהֶם וְלֹא יִרְאוּ:

Têm boca, e não falam. Este versículo é virtualmente igual a Sl 115.5, onde ofereço as notas expositivas. "Os ídolos não respondem aos pedidos e às petições daqueles que os servem" (John Gill, *in loc.*). A inutilidade resulta do nada.

■ **135.17**

אָזְנַיִם לָהֶם וְלֹא יַאֲזִינוּ אַף אֵין־יֶשׁ־רוּחַ בְּפִיהֶם:

Têm ouvidos, e não ouvem. Este versículo é virtualmente igual a Sl 115.6, exceto pelo fato de que o nariz sem olfato se tornou a boca e os pulmões que não respiram. Não podem falar, nem ao menos respirar, sendo mais inúteis do que os animais, os quais, embora não falem, pelo menos respiram, pois são criaturas vivas. Os ídolos são apenas estatuetas sem vida, cujo único valor reside no material de que são feitos, de acordo com o preço do mercado. Contrastar isso com o Deus Vivo, que ouve e responde às orações dos homens e cuja providência suporta toda a vida. É difícil imaginar como alguém poderia adorar um ídolo e esperar alguma coisa da parte dele. Naturalmente, várias formas de idolatria supõem que um ídolo represente alguma espécie de *realidade* que se oculta em algum lugar, um deus oculto, alguma espécie de poder cósmico. O autor deste salmo, entretanto, simplesmente ignora essa forma refinada de idolatria, o que nos faz ver que essa forma também não passa de uma farsa.

■ **135.18**

כְּמוֹהֶם יִהְיוּ עֹשֵׂיהֶם כֹּל אֲשֶׁר־בֹּטֵחַ בָּהֶם:

Como eles se tornam os que os fazem. *Três classes* — os que fabricam os ídolos; os próprios ídolos; e os que confiam neles — são igualmente ridículas. Todo o jogo dos ídolos serve a propósito nenhum e se reduz a nada; e é um absurdo que alguém tome um ídolo a sério. Além de outros absurdos vinculados à idolatria, que o leitor acrescente este outro: os ídolos não podem salvar, e todos os povos esperam algum tipo de salvação. "As pessoas nunca podem elevar-se acima do nível de seus deuses, que são para eles reflexos de sua melhor natureza" (Fausset, *in loc.*). Este versículo é virtualmente idêntico a Sl 115.8, onde ofereço notas adicionais. Todas as formas de idolatria, desde a crassa até a refinada e sutil, são destrutivas.

CONVOCAÇÃO FINAL AO LOUVOR (135.19-21)

■ **135.19**

בֵּית יִשְׂרָאֵל בָּרֲכוּ אֶת־יְהוָה בֵּית אַהֲרֹן בָּרֲכוּ אֶת־יְהוָה׃

Casa de Israel, bendizei ao Senhor. Os vss. 19-21 foram extraídos de Sl 115.9-11, exceto pelo fato de que temos aqui a adição das palavras "casa de Levi" (no vs. 20). Além disso, a palavra "confiar", naquele salmo, torna-se aqui "bendizer", para fazer com que a linha final concorde com a mensagem geral do salmo, o aleluia! Todo o Israel, e então suas classes distintivas, incluindo os ministros, os sacerdotes e os levitas, são convocados a *confiar* no Senhor (ver Sl 115) e a *louvá-lo* (vss. 35). E então Sião, o lugar onde o Senhor habita, une-se na bênção a Deus. No Salmo 115, Yahweh abençoa o seu povo, ato divino que é omitido aqui. Portanto, o poeta tomou grande liberdade com os materiais tomados por empréstimo. Uma comparação entre os dois salmos mostrará que o poeta ignorou alguns outros elementos, que não tive o trabalho de mencionar aqui.

Devemos considerar as obras passadas da *Providência de Deus* que demonstram sua grandeza, os catorze itens listados nos vss. 5-12. Contemplando todas aquelas coisas operadas em favor de Israel, o povo de Deus não podia mesmo deixar de louvar ao Senhor.

Casa de Arão. Toda a casa de Israel tinha razão em louvar e prestar ação de graças, mas especialmente os ministros, os sacerdotes e os levitas, a quem fora confiada a liderança espiritual da nação. Como líderes, eles eram os principais recebedores da graça divina, pelo que também deveriam ser os primeiros a expressar os alegres aleluias! Ver Êx 28 e Nm 6.23-27. Eles tinham um emprego sagrado e útil, pelo que tinham obrigação de bradar louvores e viver em consonância com os privilégios que haviam recebido.

"Este salmo termina com um crescendo de louvores antifonais, nos quais o corpo laico, os sacerdotes, os levitas e os servos do templo (ver 1Cr 9.2) contribuíam todos com sua parte nos cânticos, sucessivamente, e então no coro" (William R. Taylor, *in loc.*).

■ **135.20**

בֵּית הַלֵּוִי בָּרֲכוּ אֶת־יְהוָה יִרְאֵי יְהוָה בָּרֲכוּ אֶת־יְהוָה׃

Casa de Levi, bendizei ao Senhor. A casa de Levi não era a fonte originária desses sentimentos (ver Sl 115.9-11). Essa tribo tornou-se a casta sacerdotal, não tendo recebido herança sob a forma de terras (ver Nm 18.20). A porção aarônica da tribo de Levi supriria os sacerdotes, e o restante dos levitas supriram os ministros inferiores, que serviam dentro e fora do templo. Ver ideias completas nos artigos chamados *Levitas* e *Sacerdotes e Levitas*, no *Dicionário*.

Vós, que temeis ao Senhor. Os ministros tinham mais motivos para louvar a Yahweh do que outras pessoas, e comentei sobre essa noção no vs. 19. Eles, acima de todos os homens, eram realmente tementes a Deus. O *temor do Senhor*, nas páginas do Antigo Testamento, é um sinônimo para a ideia de *espiritualidade*. Apresento notas expositivas completas sobre essa questão no artigo do *Dicionário* chamado *Temor*. Ver as notas adicionais em Sl 119.38, onde há referências a outros lugares onde esse ensino ocorre. Cf. Nm 3.6-8; 1Cr 23.4,30 e o cap. 25.

Alguns estudiosos veem uma classe distinta nos que *temiam ao Senhor,* a saber, os *prosélitos,* que se tinham bandeado de outras religiões para a fé judaica; mas a referência parece estar mais ligada aos sacerdotes e aos levitas que acabam de ser mencionados, ou então teremos um sentido geral, que abrange todas as classes de pessoas em Israel.

■ **135.21**

בָּרוּךְ יְהוָה מִצִּיּוֹן שֹׁכֵן יְרוּשָׁלִָם הַלְלוּ־יָהּ׃

Desde Sião bendito seja o Senhor. Sião, a capital de Israel (Judá), seria a origem de mais louvores a Yahweh. Os louvores ao Senhor procederiam daquele lugar. Alguns eruditos supõem que a tradução *em Sião* seja melhor. Nesse caso, os louvores são prestados a Yahweh *naquele* lugar, o centro do culto, o lugar onde sua glória residia e se manifestava.

Louvai ao Senhor. A chamada para louvar ao Senhor inicia e termina este salmo, pois se trata de um hino de louvor. Cf. os *Salmos de Hallel* (salmos de louvor: 113 a 118). Os Salmos 113 e 117 têm o *aleluia!* no começo e no fim. O Salmo 114 não tem nenhum *aleluia!* Os Salmos 115 e 116 apresentam o *aleluia!* no final. O Salmo 118 tem *agradecimentos* no começo e no fim. Sl 135.3 cita Yahweh abençoando o seu povo de Sião, e aqui Yahweh é bendito naquele lugar, pelo que a bênção é recíproca.

Em Jerusalém. Ou seja, a cidade onde Sião ficava localizada, tornando a referência mais enfática. Naturalmente, a *cidade inteira de Jerusalém* estaria bendizendo a Deus, e não apenas os ministros do templo. Yahweh tinha restaurado Jerusalém-Judá, terminado o cativeiro babilônico, e um novo templo ocupava o lugar do antigo, para a prática do culto a Yahweh. Essas eram razões especiais para os louvores sobre os quais lemos aqui. Este versículo e, de fato, o salmo inteiro têm sido cristianizados para falar dos louvores dados a Cristo por causa de sua nova Jerusalém e dos benefícios dispensados àquele lugar.

Louvai-o por sua graça e favor dados
Aos pais, em suas aflições;
Louvai-o, pois ele é o mesmo para sempre,
Lento em repreender e rápido para abençoar.
Aleluia! Aleluia!

Henry F. Lyte

SALMO CENTO E TRINTA E SEIS

Quanto a *informações gerais* que se aplicam a todos os salmos, ver a introdução ao Salmo 4, onde apresento *sete* comentários que elucidam a natureza do livro. Quanto às *classes* dos salmos, ver o gráfico no início do comentário, que atua como uma espécie de frontispício da coletânea. Dou ali dezessete classes e listo os salmos pertencentes a cada uma delas.

Este é um *hino de ação de graças*, que nos faz lembrar dos grandes feitos de Yahweh, realizados em favor de seu povo. É uma espécie de gêmeo do Salmo 135, cuja introdução o leitor deve consultar. "Ele é ímpar em razão de seu caráter inteiramente antifonal. Cada um de seus 26 versículos é constituído por duas linhas: a *primeira,* que tem o tema das ações de graças, entoado pelo coro, e a *segunda,* entoada por outro coro (cf. 1Cr 16.41) ou pela congregação (cf. 2Cr 7.1-3), como reação. Se as respostas forem removidas, as linhas restantes constituirão um poema que se parece muito com o Salmo 135" (William R. Taylor, *in loc.*). Este salmo representa a tentativa de elaborar um hino tendo por base um único tema, algo comum nos cânticos litúrgicos do templo. O vs. 1 declara o tema, e então cada versículo subsequente o amplia. Cf. o tema deste salmo com Sl 106.1; 107.1; 118.14; 1Cr 16.34; 2Cr 20.21; Ed 3.11 e 1Macabeus 4.24. O texto hebraico de Eclesiástico 51.12 imita o modo das expressões.

Este salmo era usado na liturgia, em muitas ocasiões do culto a Yahweh, e nas grandes festividades dos filhos de Israel. Seja isolado, seja em parceria com o Salmo 135, tornou-se conhecido como o Grande Hallel (louvor), em distinção ao Pequeno Hallel (Salmos 113 a 118). Naturalmente, o termo "grande" era uma referência às 26 repetições da resposta à bondade de Deus: "seu amor constante dura para sempre" (*Revised Standard Version*). Com isso temos um lembrete do amor de Deus, a fonte originária de todas as bênçãos e a razão pela qual os israelitas agradeciam.

O autor sagrado dependeu quanto às suas ideias, pelo menos em parte, de outros salmos, e isso se repete com a maioria dos salmos. O Senhor como Criador e suas obras na história de Israel, como guia e campeão de Israel, são temas dominantes.

Este salmo pertence à era pós-exílica e, sem dúvida, era usado nas grandes festas judaicas, o Ano Novo e a Páscoa, e talvez até outras. O título *Deus do Céu* ocorre somente em materiais pós-exílicos posteriores, como os livros de Crônicas, Esdras, Neemias e Daniel.

Grande parte do material deste salmo foi extraída do do Pentateuco, visto que se envolve na narrativa da história de Israel. Ao longo do caminho, darei referências específicas.

CONVOCAÇÃO PARA DAR GRAÇAS A YAHWEH-ELOHIM (136.1-3)

■ 136.1

הוֹדוּ לַיהוָה כִּי־טוֹב כִּי לְעוֹלָם חַסְדּוֹ׃

Rendei graças ao Senhor, porque ele é bom. O tema aparece logo no princípio: "Rendei graças ao Senhor". A menção direta às "graças" só se repete nos vss. 2, 3 e 26, mas todas as frases principais dos versículos exprimem as razões por que deviam ser dadas ações de graças. Com frases principais, quero dizer a primeira declaração de cada versículo, constituído por duas declarações, em que a *segunda*, "porque a sua misericórdia dura para sempre", é igual em todos os versículos. Quanto à estrutura ímpar deste salmo, ver a introdução, primeiro parágrafo. Ver sobre *Ações de Graças*, no *Dicionário*.

A *convocação inicial* provavelmente era entoada por um sacerdote ou pelo coro. A mensagem era endereçada a toda a congregação. E então o coro, se não mesmo a congregação, respondia à convocação pela frase repetida: "porque a sua misericórdia dura para sempre". Essa expressão é variegadamente traduzida nas versões, conforme mostro nas notas expositivas que se seguem. E se deixarmos essa frase muito reiterada, então o conteúdo do salmo ficará parecido com o Salmo 126, que lhe é quase gêmeo. Esses dois salmos juntos, ou mesmo somente o atual Salmo 136, vieram a ser conhecidos como o Grande Hallel (louvor), na liturgia judaica posterior. Louvores e agradecimentos eram dados ao Senhor, que tinha realizado grandes *maravilhas* pelo seu povo.

Primeira Razão para Dar Graças a Deus: a bondade de Deus, que é a base de todas as demais manifestações.

Porque ele é bom. Este é o principal atributo de Deus, visto que o maior poder é, igualmente, o maior bem. As sentenças dos 26 versículos dão razões pelas quais Deus deve receber ações de graças por sua bondade. O vs. 1 oferece a razão geral: o atributo divino da *bondade*. Os outros 25 versículos baseiam-se nessa tese. Ver sobre *Atributos de Deus*, no *Dicionário*. Supunha-se, na antiguidade, que os deuses pagãos fossem dotados de grande poder, mas seus devotos não se incomodavam em torná-los deuses de bondade. Pelo contrário, eles eram descritos como possuidores de todos os vícios dos homens e eram violentos e selvagens, ainda por cima. Platão compartilhava o discernimento dos hebreus sobre como a divindade deveria ser, e fazia a Forma mais elevada incluir a bondade. Em seu diálogo chamado *Leis*, que, de alguma maneira, assumiam o lugar de suas anteriores descrições das Formas (Ideias), ele punha Deus no lugar das Ideias e fazia de Deus o *supremo bem*, como, igualmente, o poder supremo. No tocante aos deuses pagãos do politeísmo, que eram tão plenos de mal e atos arbitrários que causavam dano às pessoas, Platão era um autodeclarado agnóstico, mas, na verdade, era um *ateu*, quanto a esse *tipo* de Deus. Mas até mesmo no cristianismo atual, temos o deus voluntarista, que faz o que bem entende, quebrando as regras morais que ele mesmo transmitiu aos homens, pois age brutal e arbitrariamente. Ver na *Enciclopédia de Bíblia, Teologia e Filosofia* o artigo chamado *Voluntarismo*. E ver no *Dicionário* o verbete denominado *Bondade*.

Porque a sua misericórdia dura para sempre. Esta resposta, entoada por outro coro ou pela congregação inteira, é repetida 26 vezes, sendo a segunda sentença de cada versículo. As primeiras sentenças falam da bondade de Deus e listam as razões para os israelitas agradecerem ao Senhor. As segundas sentenças nos dão, por repetidas vezes, a *base* para todos os bons atos de Deus em favor de seu povo.

A palavra hebraica aqui traduzida por "misericórdia", *hesedh*, recebeu uma variedade de traduções, como segue: 1. misericórdia (*King James Version* e Atualizada). 2. benignidade (tradução da Imprensa Bíblica Brasileira). 3. amor leal (NIV). 4. amor constante (*Revised Standard Version*). 5. Bondade. Esta palavra, como é óbvio, tem mais facetas que uma única tradução pode oferecer, o que explica a variedade de traduções. Por todos os salmos, o autor do comentário sobre o Antigo Testamento usou "amor constante". Na tradução que apresentamos aqui também damos uma variedade de traduções. Todos os atos bons de Deus derivam de seu amor. Ver no *Dicionário* a palavra *Amor*, quanto a ideias e ilustrações. Essa palavra, no livro de Salmos, é uma espécie de João 3.16 do Antigo Testamento, que se repete muitas e muitas vezes. Está ligada a toda a espécie de atos e atitudes divinas e beneficentes.

Eis, que amor, que amor ilimitado,
O Pai concedeu,
Concedeu a pecadores perdidos,
Para sermos chamados,
Filhos de Deus!

Robert Boswell

O que o amor pode fazer,
Isso ele ousa tentar.

Shakespeare

O amor de Deus é muito maior
Do que língua ou pena podem contar.
Sobe acima da mais elevada estrela,
E atinge o mais profundo inferno.

F. M. Lehman

■ 136.2

הוֹדוּ לֵאלֹהֵי הָאֱלֹהִים כִּי לְעוֹלָם חַסְדּוֹ׃

Rendei graças ao Deus dos deuses. As palavras reais, "rendei graças", aparecem somente nos vss. 1, 2, 3 e 26, mas todas as primeiras sentenças dos 26 versículos deste salmo oferecem *razões* para agradecermos. Em seguida, as 26 segundas sentenças são iguais: "porque a sua misericórdia dura para sempre". Essas segundas sentenças são comentadas no fim do vs. 1.

Segunda Razão para Dar Graças a Deus: Yahweh é o Deus dos deuses, o único Benfeitor. Consideremos os seguintes pontos: a. Se este salmo é pré-exílico e realmente antigo, então temos aqui uma declaração *henoteísta*. O henoteísmo afirma que poderia haver *outros deuses*, com esferas definidas de governo; mas, nesse caso, o nosso Deus é o Deus Supremo, que tem poder sobre esses outros deuses, e é maior benfeitor que eles. Provavelmente, Sl 82.1 é uma declaração henoteísta. Ver no *Dicionário* o verbete intitulado *Henoteísmo*. O henoteísmo ensina que só há um Deus que se aplica a nós, mas não nega outros poderes que se aplicam a outros deuses. b. Visto que este salmo é pós-exílico, podemos ter certeza de que o autor se apegava a um *monoteísmo* estrito (ver a respeito no *Dicionário)*, pelo que a palavra *deuses*, aqui usada, subentende somente a *crença* dos pagãos em outros poderes divinos, que poderiam ser benfeitores. Ele os alertou quanto ao fato de que eles tinham uma crença, mas o único Deus *real* era Yahweh. Por conseguinte, qualquer bem que um homem possa esperar tem de ser da parte *dele*. Outrossim, ele é realmente o benfeitor, o ajudante e a bondade que todos quantos esperam nele com sinceridade poderão receber. Portanto, temos razão para dar graças pelo seu amor constante, que dura para sempre. Ver Dt 10.17, sobre o qual este versículo repousa.

Fazer uma tríplice oferta de agradecimentos, nos vss. 1, 2 e 3, uma referência trinitariana, é um exagero cristão do texto. O termo "deuses" aqui usado (no hebraico, *elohim*) pode referir-se a anjos ou mesmo a poderes humanos, conforme demonstro na exposição sobre Sl 82.1. Alguns intérpretes dependem de tais significados possíveis para evitar qualquer pensamento de referência politeísta, mas isso é uma fuga desnecessária.

■ 136.3

הוֹדוּ לַאֲדֹנֵי הָאֲדֹנִים כִּי לְעֹלָם חַסְדּוֹ׃

Rendei graças ao Senhor dos senhores. O autor sagrado agora alicerçava-se sobre a segunda parte de Dt 10.17, além de dar-nos outra razão para agradecer.

A Terceira Razão para Dar Graças a Deus: Yahweh é o Senhor dos Senhores. Isso é apenas outra maneira de dizer *Deus dos deuses*, embora destaque o *senhorio* do Deus de Israel, em contraste com senhorios falsos ou inferiores. "Ele é o Deus que, por causa da bondade de seu caráter, merece a devoção dos seres humanos, pois é supremo acima de todos os deuses, dominando todos os senhores, sejam eles governantes humanos, anjos ou demônios (cf. Rm 8.38,39). Por causa de sua bondade e gentileza fiel, ele não permitirá que os homens estejam sujeitos a qualquer domínio que não seja o domínio dele mesmo" (William R. Taylor, *in loc.*). Cf. Sl 135.5.

Fica entendido que o domínio exercido por Yahweh é *benevolente*, pois, de outro modo, os homens não se inclinariam a dar graças a Deus. Seu reinado benévolo anulará aqueles que não são benévolos.

A segunda sentença sobre o amor constante e eterno de Deus é anotada no final do vs. 1.

DEUS É O CRIADOR E GOVERNADOR DE TUDO (136.4-9)

■ 136.4

לְעֹשֵׂה נִפְלָאוֹת גְּדֹלוֹת לְבַדּוֹ כִּי לְעוֹלָם חַסְדּוֹ:

Ao único que opera grandes maravilhas. A primeira sentença não é aqui introduzida para "agradecer" ao Senhor, e somente no vs. 26 esse "dar graças" se repete. Mas cumpre-nos compreender que todas as declarações, do vs. 4 em diante, até o vs. 25, são razões para darmos graças a Yahweh, por motivo de sua bondade. Veremos um total de 26 dessas razões.

Quarta Razão para Dar Graças a Deus: Os homens podem fazer coisas às quais chamamos de "maravilhas", mas quando o assunto são as *maravilhas divinas*, podemos estar certos de que somente Yahweh as opera. A maioria das maravilhas atribuídas a Yahweh, como as muitas maravilhas necessárias para levar Israel à Terra Prometida, provendo assim uma pátria para o cumprimento do pacto abraâmico, foi considerada *miraculosa*. Cf. Sl 135.8-12. Mas antes dessas maravilhas temos as obras maravilhosas na *natureza*, que tornam a vida na terra possível (vss. 6,7). Sl 135.5-13 tem quinze provas da *grandeza* de Yahweh, e a maioria delas também supre razões pelas quais os homens deveriam agradecer ao Senhor. Uma revisão dessas razões adiciona ideias para a compreensão da presente passagem, visto que os Salmos 135 e 136 são bastante similares, desde que retiremos o refrão "porque a sua misericórdia dura para sempre". Comentei sobre esse refrão somente no vs. 1, embora ele apareça por 26 vezes no salmo.

É provável que o vs. 4 indique especificamente as *maravilhas de Deus na criação*, porquanto é isso o que se segue, até incluir o vs. 9. O parágrafo inteiro fala de sua obra (maravilhas) na criação. Isso o torna paralelo a Sl 135.6.

A obra de Deus na criação fez os ajustes necessários e delicados na natureza, tornando possível à terra suportar formas de vida tão variadas, conforme se vê todos os dias, e isso por certo é uma *maravilha*. Ao considerar os aspectos diversos da criação, temos provas racionais e experimentais da existência de Deus. Ver na *Enciclopédia de Bíblia, Teologia e Filosofia* os verbetes *Argumento Axiológico*; *Argumento Cosmológico*; *Argumento Teleológico*. E ver também argumentos contemporâneos em favor da existência de Deus, no artigo intitulado *Reafirmação Contemporânea e Cinco Argumentos em Prol da Existência de Deus*, por Tomás de Aquino. Cf. Sl 72.18.

■ 136.5

לְעֹשֵׂה הַשָּׁמַיִם בִּתְבוּנָה כִּי לְעוֹלָם חַסְדּוֹ:

Àquele que com entendimento fez os céus. Nenhuma menção específica de agradecimento encabeça este versículo, mas devemos entender que o autor prossegue com as razões pelas quais os homens deveriam agradecer a Yahweh. O tema da criação continua aqui. Todas as razões apresentadas dependem da bondade de Deus (vs. 1).

Quinta Razão para Dar Graças a Deus: Somente o Poder Supremo tem *sabedoria* para efetuar a criação que vemos com nossos olhos todos os dias. Quanto mais a ciência examina a criação (e todos os aspectos da ciência examinam um ou outro lado da criação), mais impressionados ficamos com a *grandeza* e o *desígnio* nela contido. Eis a razão pela qual os filósofos e os teólogos têm-se ocupado em inventar provas racionais e experimentais da existência de Deus baseadas na existência e nas maravilhas da natureza. Ver os artigos que fazem parte da atividade mencionada no fim dos comentários sobre o vs. 4. Encontramos a *sabedoria* de Deus na criação, a qual tem operado em nosso favor, primeiramente para conferir-nos vida e então para sustentar a vida em um tipo de mundo que pode ser habitado.

Naturalmente, temos a *criação espiritual*, que se origina da criação física, e isso também constitui uma maravilha de Deus pela qual nos cumpre agradecer. Deus criou reinos espirituais, e não meramente reinos físicos. Os homens podem viver no mundo vindouro, e não meramente neste mundo, e isso é uma provisão da salvação. Cf. Sl 104.24; Pv 3.19 e Jr 10.12.

> *Que variedade, Senhor, nas tuas obras! Todas com sabedoria as fizeste; cheia está a terra das tuas riquezas.*
>
> Salmo 104.24

Na criação participaram um poder infinito e uma sabedoria infinita. Além disso, houve um amor infinito na criação, pelo que agradecemos pela "misericórdia" que "dura para sempre". Quanto a esse pensamento, ver a exposição no fim do vs. 1.

■ 136.6

לְרֹקַע הָאָרֶץ עַל־הַמָּיִם כִּי לְעוֹלָם חַסְדּוֹ:

Àquele que estendeu a terra sobre as águas. Continuam aqui as razões para agradecer a Yahweh. Mas todas as razões apresentadas dependem da *bondade* do Senhor (vs. 1).

Sexta Razão para Dar Graças a Deus: Yahweh esticou a terra dentre as águas, sendo isso, provavelmente, uma referência à antiga ideia hebraica de que a terra descansa sobre grandes águas. Mas não temos aqui uma referência à terra saindo das águas, fazendo os mares retroceder. As águas não são os mares, mas as grandes águas subterrâneas sobre as quais a terra, segundo os antigos concebiam, repousava como seus alicerces. Em geral, as descrições concordam com Gn 1, mas este versículo tem paralelos parciais com Is 42.5 e 44.24. Ver Sl 24.2, quanto a um paralelo direto.

Quanto à descrição das ideias cosmológicas hebreias, ver no *Dicionário* o artigo intitulado *Astronomia*. Dou ali uma ilustração sobre a questão. Uma terra plana era concebida como se flutuasse sobre os abismos de água. Por baixo desses abismos haveria *colunas*, e por baixo dessas colunas haveria uma massa inteira que nenhum homem ousava conhecer.

O propósito do poeta sagrado não foi o de instruir-nos sobre a cosmologia, mas afirmar que o ato criativo de Deus, em cada um de seus estágios, resultou em sua *bondade* inerente (vs. 1).

A segunda sentença acerca do amor constante de Yahweh, a durar para sempre, é comentada somente no fim do vs. 1, embora apareça no final de cada versículo, por um total de 26 vezes.

A Marca dos 70%. Ao terminar o comentário sobre Sl 136.6, termino 70% da exposição do *Antigo Testamento Interpretado versículo por versículo*. Hoje, 11 de dezembro de 1996, agradeço pelas forças que o Senhor me tem dado, trazendo-me até este ponto.

> Cá meu "Ebenézer" ergo,
> Pois Jesus me socorreu.
> E, por sua graça espero
> Transportar-me para o céu.

■ 136.7

לְעֹשֵׂה אוֹרִים גְּדֹלִים כִּי לְעוֹלָם חַסְדּוֹ:

Àquele que fez os grandes luminares. O autor mostrava 26 razões pelas quais devemos dar graças a Yahweh, neste grande *Salmo de Hallel* (louvor). As palavras "ações de graça" figuram somente nos vss. 1, 2, 3 e 26, mas devemos compreender que há uma expressão de louvor após cada primeira sentença, de duas em duas linhas. Cada versículo tem duas sentenças: a *primeira* dá uma razão qualquer para agradecermos ao Senhor; e a *segunda* é a repetição (em cada versículo) da "misericórdia que dura para sempre", sobre a qual comento apenas no vs. 1.

Sétima Razão para Dar Graças a Deus: Todas as razões para darmos graças a Deus derivam-se do *atributo* da bondade de Deus (1.1). Deus é bom, pelo que fez essas 25 coisas que merecem nossos louvores, listados nos vss. 2-26.

Este versículo continua com o parágrafo que pertence ao ato da criação. Cada estágio da criação trouxe alguma coisa boa para o homem. Aqui temos a menção aos *luminares* do céu, as *grandes luzes*, o sol e a lua (vss. 8 e 9). O poeta não menciona as estrelas, mas podemos compreender isso como um fato, mesmo que não especificamente mencionado. Os hebreus não tinham nenhum conhecimento real de distância e também acreditavam que o sol, a lua e as estrelas estavam *pendurados no firmamento,* não muito distantes de nós, visando nosso benefício, dando-nos luz de dia e de noite. Deus é o doador da luz. Ver no *Dicionário* o verbete denominado *Luz, Metáfora da.* Naturalmente, Deus é luz em si mesmo, e esse é um aspecto tratado no artigo. O poeta tinha combinado Gn 1.3 com os vss. 14 e 15 do mesmo capítulo. Por conseguinte, enquanto a palavra hebraica neste versículo pode apontar para a luz em si mesma, e não para luminares, é certo que o salmista se referia a *luminares,* e não à luz de uma maneira abstrata. A *luz primeva* (Gn 1.3), que surgiu antes dos luminares, não parece estar em vista aqui.

"... luzes, para os habitantes do mundo andarem e trabalharem; cumprirem todas as atividades da vida de maneira confortável, sendo isso uma instância de misericórdia e bondade" (John Gill, *in loc.*).

■ 136.8

אֶת־הַשֶּׁמֶשׁ לְמֶמְשֶׁלֶת בַּיּוֹם כִּי לְעוֹלָם חַסְדּוֹ׃

O sol para presidir ao dia. Cada ato da criação, em todos os seus estágios, foi benéfico ao homem. O autor sagrado continuou a relatar a história da criação a fim de ilustrar a bondade de Deus (vss. 4-9).

Oitava Razão para Dar Graças a Deus: O *sol* foi pendurado no firmamento e levado a girar em torno da terra, dando ao mundo luz e vida. Os hebreus, sem dúvida, não tinham consciência das grandes distâncias do espaço, mas pelo menos sabiam que o sol não é meramente útil como fonte de luz, mas também absolutamente necessário para a vida. Eles sabiam que a terra precisa tanto do calor do sol como da luz do sol. Eles não caíram na adoração ao sol, conforme aconteceu a outras nações, mas fizeram o sol ser um *servo* de Yahweh, através do qual o Senhor abençoa a todos os homens. O sol é a maior luz que brilha no céu, a lua é a segunda maior luz, e o planeta Vênus é a terceira. Mas esses eram apenas *instrumentos* da vontade divina, segundo a mente dos hebreus, e não objetos de adoração apropriados. Coisas preciosas ocorrem por meio do sol (ver Dt 33.14), que se tornou o emblema dos cuidados de Deus por seu povo. Além disso, há o Sol da Justiça, a luz espiritual (ver Ml 4.2 e Sl 72.17).

■ 136.9

אֶת־הַיָּרֵחַ וְכוֹכָבִים לְמֶמְשְׁלוֹת בַּלָּיְלָה כִּי לְעוֹלָם חַסְדּוֹ׃

A lua e as estrelas para presidirem à noite. O autor sacro continuou aqui sua descrição de como as obras da criação visam o benefício do homem, inspirando-o a agradecer a Deus.

Nona Razão para Dar Graças a Deus: A Lua. A segunda grande luz do céu é a *lua,* e ela governa a noite, conferindo luz aos homens. Ver Gn 1.16, quanto à sua posição como *segunda luz* do céu. A lua tem o benefício de iluminar a noite e também de marcar tempos, dando ao homem uma maneira de contar os meses e elaborar um calendário, por meio das fases pelas quais ela passa. Ver Dt 33.14 e Jó 37.32. A lua fornece luz para os viajantes durante a noite, especialmente para os que navegam pelo mar (ver At 27.20). Mistério e maldade também eram associados à lua. Quanto a isso, ver Sl 121.6 e as notas expositivas ali. Até um homem tão iluminado como Sócrates referiu-se à lua como uma divindade.

As Estrelas. As estrelas também forneciam luz e ajudavam na navegação. Figuravam entre os servos de Yahweh e também era consideradas beneficentes pelos hebreus. Outros povos, como os babilônios, desenvolveram uma astrologia complicada e pensavam que os homens são influenciados pelas estrelas. Essa noção era ridicularizada pelos profetas hebreus. Ver no *Dicionário* o artigo chamado *Astrologia* quanto a informações completas que não repito aqui. Os hebreus não sabiam que a lua reflete a luz do sol e também não sabiam dizer a diferença entre um planeta e uma estrela. No pensamento cristão posterior, a lua se tornou um emblema da igreja, pois reflete a luz de Cristo. Ver Mt 5.14 e 28.20.

A BONDADE DE DEUS NA HISTÓRIA DE ISRAEL (136.10-12)

■ 136.10

לְמַכֵּה מִצְרַיִם בִּבְכוֹרֵיהֶם כִּי לְעוֹלָם חַסְדּוֹ׃

Àquele que feriu o Egito nos seus primogênitos. Continuando a desfiar as 26 razões pelas quais os homens deveriam agradecer a Yahweh, o poeta agora desce do céu à terra, e começa a considerar as coisas que Deus fez por Israel, por toda a história dessa nação. Os itens do Salmo 135 são essencialmente repetidos.

"O salmista tira proveito das fontes tradicionais ao descrever, estágio após estágio, os começos épicos da nação de Israel. Ver Êx 12.29-37; 13.3; 14.22-29; Nm 21.22-26,33-35" (William R. Taylor, *in loc.*).

Décima Razão para Dar Graças a Deus: Tal como em Sl 135.8, o autor começa com a *última* das *dez pragas,* por meio das quais o Faraó foi finalmente obrigado a cumprir a vontade de Yahweh e a libertar Israel do Egito. No Salmo 135, os itens apresentados demonstram a grandeza de Deus, e aqui temos a apresentação de sua bondade. Ser grande é ser bondoso. Ver a exposição naquela referência. O fato de que Israel estava transformando-se em uma nação requeria que os israelitas saíssem do Egito. O pacto abraâmico (anotado em Gn 15.18) teria falhado se Israel se tornasse apenas uma província do Egito ou fosse absorvido pela população geral egípcia. Aquilo que Yahweh fez no Egito foi outra de suas obras maravilhosas, demonstrando como *a misericórdia de Deus dura para sempre,* o refrão repetido 26 vezes neste salmo. Ver a exposição sobre isso no final do vs. 1. O amor de Deus era a *graça do pacto.* Esse amor precisava operar para que o pacto fosse cumprido.

■ 136.11

וַיּוֹצֵא יִשְׂרָאֵל מִתּוֹכָם כִּי לְעוֹלָם חַסְדּוֹ׃

E tirou a Israel, do meio deles. O fato de que Israel foi tirado do Egito é um dos grandes temas do Pentateuco, mencionado mais de vinte vezes somente no livro de Deuteronômio. Ver Dt 4.20. Esse tema é frequente nos salmos, e esse ato era conspícuo, demonstrando a bondade de Deus.

Décima Primeira Razão para Dar Graças a Deus: Israel escapou da escravidão aos egípcios e assim foi estabelecido o estágio para a nação tornar-se uma nação independente, através da qual os propósitos de Deus pudessem operar. Foi um *sine qua non* das operações divinas e da graça, no tocante ao povo hebraico. O versículo presente é paralelo às implicações de Sl 135.8,9, onde a grandeza de Deus é demonstrada, enquanto aqui está em foco a bondade de Deus. O *amor constante* de Deus jamais fracassará. Ver essa parte do versículo explicada no final da exposição sobre o vs. 1. "O Egito era habitado por um povo iníquo e idólatra, entre os quais os israelitas sofriam grandes apertos, e seu livramento foi efetuado por julgamentos de Deus sobre os pagãos, uma instância da misericórdia e da bondade de Deus em favor de Israel" (John Gill, *in loc.*).

■ 136.12

בְּיָד חֲזָקָה וּבִזְרוֹעַ נְטוּיָה כִּי לְעוֹלָם חַסְדּוֹ׃

Com mão poderosa e braço estendido. O autor sacro demora-se na história do livramento de Israel do Egito, sem o que o propósito da existência de Israel não poderia ter-se cumprido. Ver Dt 4.4-7, quanto ao caráter *distintivo* de Israel como nação.

Décima Segunda Razão para Dar Graças a Deus: O poder de Deus operava em favor de Israel para efetuar o *livramento.* Cada passo desse livramento é atribuído a uma intervenção divina. A mão de Deus, como símbolo de poder (ver sobre Sl 81.14), e o seu braço, outro símbolo comum para o poder de Deus (ver Sl 77.15; 89.10; 98.1), eram estendidos em favor dos filhos de Israel. Ver sobre *mão direita* em Sl 20.6. Ver Êx 13.3,9; 15.6,16 e 32.11. A mão direita redimiu os israelitas das mãos do inimigo, porquanto o *amor constante* de Deus dura para sempre e continua a operar sob muitas circunstâncias. Quanto a esse refrão, repetido 26 vezes neste salmo, ver a exposição no final do vs. 1.

■ 136.13

לְגֹזֵר יַם־סוּף לִגְזָרִים כִּי לְעוֹלָם חַסְדּוֹ׃

Àquele que separou em duas partes o mar Vermelho. São dados *vários detalhes* do livramento dos israelitas do Egito, aos quais o autor do Salmo 135 se referiu com duas declarações gerais (vss. 8 e 9). Essa porção da história de Israel demonstrou tanto sua *grandeza* (Sl 135) quanto sua *bondade* (Sl 136).

Décima Terceira Razão para Dar Graças a Deus: O mar Vermelho foi dividido, abrindo diante de Israel o caminho, embora, ao voltar ao seu lugar, tenha afogado o exército egípcio. O termo *mar Vermelho*, no que diz respeito a esse incidente, originalmente se derivou na Septuaginta, e a expressão criou raízes. O original hebraico, porém, diz *mar de Juncos*. Ofereço notas sobre isso e sobre a situação geral do milagre no artigo do *Dicionário*, chamado *Êxodo (Evento)*. Assim sendo, aconteceu que, "quando Israel saiu da servidão, diante deles estendia-se um mar. O Senhor estendeu sua poderosa mão e fez o mar afastar-se", conforme diz o hino. Ver Êx 14.21,22. Jarchi, Kinge e Arama referem-se à tola tradição de que o mar se dividiu em doze porções, cada uma delas servindo de passagem para uma das tribos, mas esse evento foi espetacular o bastante para não requerer mais fantasia. Foi uma obra maravilhosa e miraculosa que inspirou admiração e agradecimentos.

■ 136.14

וְהֶעֱבִיר יִשְׂרָאֵל בְּתוֹכוֹ כִּי לְעוֹלָם חַסְדּוֹ:

E por entre eles fez passar a Israel. A terrível ameaça transformou-se em um simples passeio. Foi aberta uma *passagem* para Israel, em um lugar onde isso era impossível, porquanto pergunto ao leitor: O que Deus não pode fazer?

Décima Quarta Razão para Dar Graças a Deus: Os passos de Israel foram ordenados pelo Senhor, e quando o passo seguinte requeria um milagre, este era efetuado. Israel atravessou o mar; e os milagres de Deus também nos fazem marchar através de tempos difíceis. Os homens espirituais sabem essas coisas. Eles atravessaram o mar voluntariamente, e não com relutância; corajosamente, e não com temor, enfrentaram o perigo mas agiram com cuidado. Nenhum único israelita se perdeu. Cf. Sl 78.53. É devido ao *amor constante* de Deus que não somos consumidos (ver Lm 3.22,23). Atravessar o mar Vermelho em um único dia teria sido impossível para cerca de três milhões de pessoas, pelo que o milagre precisou de um *poder permanente*. Ver Êx 12.37. Cerca de seiscentos mil homens capazes de entrar na guerra saíram do Egito, pelo que, contando mulheres, homens idosos e crianças, o total seria cerca de três milhões de pessoas, para nada dizer sobre os animais domésticos que os israelitas levaram consigo para fora do Egito.

■ 136.15

וְנִעֵר פַּרְעֹה וְחֵילוֹ בְיַם־סוּף כִּי לְעוֹלָם חַסְדּוֹ:

Mas precipitou no mar Vermelho a Faraó e ao seu exército. Não foi bastante que Israel tivesse escapado do Egito. O Faraó precisava ser castigado por sua teimosia e estupidez. Portanto, seu exército se perdeu no mesmo mar que permitira a passagem em segurança de Israel.

Décima Quinta Razão para Dar Graças a Deus: A justiça foi feita. Israel foi vindicado; o poder de Deus foi demonstrado; os perseguidores foram eliminados. Israel pôde assim marchar para o deserto, em confiança e segurança. No deserto, os filhos de Israel enfrentariam um novo conjunto de perigos que exigiriam novo conjunto de provisões divinas.

A providência divina operava através de aplicações negativas e positivas. Nesse caso, Israel obteve as aplicações positivas, e o Egito, as negativas. Mas ambas as aplicações operaram o bem, e ambas ilustraram o amor constante de Deus que dura para sempre (ver as notas no fim do vs. 1). Todos os atos bons de Deus derivam-se de seu atributo de *bondade* (vs. 1). Ver no *Dicionário* os artigos chamados *Atributos de Deus* e *Providência de Deus*. Ver também Êx 14.18-21.

■ 136.16

לְמוֹלִיךְ עַמּוֹ בַּמִּדְבָּר כִּי לְעוֹלָם חַסְדּוֹ:

Àquele que conduziu o seu povo pelo deserto. Ações de graças devem ser dadas àquele que conduziu seu povo pelo deserto, depois de tê-lo livrado do Egito. As palavras "rendei graças" são usadas somente nos vss. 1, 2, 3 e 26, mas nós as subentendemos no início das primeiras sentenças das 26 declarações deste salmo.

Décima Sexta Razão para Dar Graças a Deus: Tendo escapado do Egito e do perigo mortal às margens do mar Vermelho, Israel teve de atravessar o deserto estéril, carregado com muitos perigos, incluindo o perigo da inanição. Tinha de haver uma provisão divina contínua, para manter vivo todo aquele povo. Portanto, foi preciso agradecer a Deus por sua bondade, quanto aos diversos milagres que tornaram possível a passagem pelo mar e pelo deserto. O autor sagrado fala de toda a experiência do deserto com esta única declaração, mas os hebreus versados na história sagrada lembrariam muitos outros detalhes.

Já que não havia veredas, Deus preparou uma vereda. Já que não havia rios, Deus fez sair torrentes da rocha. Não havia colheitas, pelo que Deus enviou o maná e as codornizes. Esse incidente é contado com detalhes em Êx 15. Ademais, temos também as descrições nos livros de Levítico, Números e Deuteronômio. Tudo quanto aconteceu fomentou, para Israel, o conceito da bondade de Deus e inspirou ações de graças.

"Foi um espantoso milagre de Deus sustentar a muitas centenas de milhares de pessoas no deserto, estando elas totalmente privadas das coisas necessárias para a vida humana, e isso pelo espaço de *quarenta anos*" (Adam Clarke, *in loc.*).

■ 136.17

לְמַכֵּה מְלָכִים גְּדֹלִים כִּי לְעוֹלָם חַסְדּוֹ:

Àquele que feriu grandes reis. Após praticamente quarenta anos de perambulações de Israel pelo deserto, surgiu um novo conjunto de dificuldades, que demandou um novo conjunto de soluções divinas. Essas soluções possibilitaram a Israel conquistar a Terra Prometida e tornar-se uma nação na terra, cumprindo um dos principais requisitos do pacto abraâmico (ver as notas em Gn 15.18).

Décima Sétima Razão para Dar Graças a Deus: Este versículo é paralelo a Sl 135.10. Ali o versículo é dado para ilustrar a *grandeza* de Deus, mas aqui a razão é a *bondade* de Deus. Aquele que é realmente grande também é bom. Ver as notas expositivas naquela referência, as quais também se aplicam aqui. Sua única declaração geral refere-se ao conteúdo do livro de Josué. A terra de Canaã tinha sete nações distintas e dependentes de outras (ver Êx 33.2; Dt 7.1). Havia 31 reis dependentes (ver Js 12) que estavam dispostos a defender suas cidades-estados. Israel, pois, foi forçado a fazer *guerra santa* (ver Dt 7.1-5; 20.10-18) com uma infantaria humilde, contra povos dotados de cavalos e carros de combate, armamento superior e cidades fortificadas. A tarefa da conquista seria impossível, não fossem as muitas intervenções divinas.

■ 136.18

וַיַּהֲרֹג מְלָכִים אַדִּירִים כִּי לְעוֹלָם חַסְדּוֹ:

E tirou a vida a famosos reis. Israel teve de defrontar-se com famosos inimigos, liderados por reis-generais cujos nomes faziam outros povos tremer. Israel teria de depender do poder e da bondade divina para derrotar esses povos aguerridos e fortes.

Décima Oitava Razão para Dar Graças a Deus: Os reis vassalos da terra de Canaã também eram guerreiros *famosos,* homens dotados de força bruta e sabedoria animal. Os reis daqueles tempos eram como líderes de matilhas de cães selvagens. Os mais fortes eram os que se levantavam para governar e, para os mais fortes, o poder de matar era a palavra-chave. Aqueles homens brutais, como o selvagem homem, Joabe, que limpou muitos dos problemas enfrentados por Davi, vieram a dominar suas pequenas cidades-estados e se mantinham em suas posições mediante esperteza e matanças. Eles tinham de derrubar rivais internos e lutar contra outros homens violentos de outras cidades-estados para manter a si mesmos e ao seu povo vivos. Naqueles tempos, a vida consistia em matar ou ser morto. Considerando tudo isso, obtemos um pequeno quadro do que Israel teve de enfrentar. Havia inúmeros temíveis reis-guerreiros para matar, a fim de conquistar suas terras. Para que Israel conquistasse a Terra Prometida, era mister que cada soldado israelita fosse um Joabe. Uma intervenção divina era necessária para o programa da conquista da Terra Prometida.

■ 136.19

לְסִיחוֹן מֶלֶךְ הָאֱמֹרִי כִּי לְעוֹלָם חַסְדּוֹ:

A Seom, rei dos amorreus. O autor sacro ilustrou os vss. 17 e 18, mencionando dois daqueles temíveis reis-generais que Israel precisou derrotar. Ele os escolheu no início da conquista da Terra Prometida. As primeiras vitórias encorajaram Israel a continuar sua tarefa gigantesca e extremamente difícil. Portanto, os vss. 19 e 20 ilustram os vss. 17 e 18.

Décima Nona Razão para Dar Graças a Deus: Estou supondo que Seom (ver a respeito no *Dicionário*) nunca tivesse sofrido uma derrota. Ele era um homem selvagem cuja reputação era de ser uma grande máquina de matar. Ver as notas expositivas sobre o trecho paralelo de Sl 135.11. As ideias oferecidas ali aplicam-se também aqui. Ali a *grandeza* de Deus é ilustrada, enquanto aqui a *bondade* de Deus dava a vitória sobre um homem terrível e sobre suas tropas.

> É muito melhor ousar coisas poderosas, ganhar gloriosos triunfos, embora maculados por certos fracassos, do que associar-se àquelas pobres almas que nem desfrutam muito nem sofrem muito, por estarem vivendo no lusco-fusco cinzento que nem conhecem a vitória nem a derrota.
>
> Theodore Roosevelt

Porque a sua misericórdia dura para sempre. Este mesmo refrão é reiterado exatamente, palavra por palavra, por 26 vezes, sendo a segunda sentença de cada versículo. As primeiras 26 sentenças falam das razões para dar graças a Deus. Quanto às segundas sentenças, ver a exposição no fim do vs. 1.

■ **136.20**

וּלְעוֹג מֶלֶךְ הַבָּשָׁן כִּי לְעוֹלָם חַסְדּוֹ:

E a Ogue, rei de Basã. O *segundo* dos famosos reis-guerreiros é mencionado aqui. Ele ilustra como a bondade de Deus tornou possível que Israel conquistasse a Terra Prometida.

Vigésima Razão para Dar Graças a Deus: Ogue, rei de Basã (ver a respeito no *Dicionário*), foi outra máquina de matar, semelhante a Seom. Ambos foram mencionados em Sl 135.11, onde dou notas expositivas que também se aplicam aqui. Opressores tirânicos que tinham a reputação de sempre ganhar as batalhas, e que gostavam de matar outras pessoas, tiveram de ser cortados da Terra Prometida, a qual, de outra maneira, jamais seria possuída. Contudo, Israel deixou muitas tarefas por cumprir. Eles não ganharam em todas as frentes de batalha que abriram. Permaneceram grandes bolsões de resistência, que somente Davi, alguns séculos mais tarde, foi capaz de eliminar. Davi teve de derrotar *oito* inimigos, ou por aniquilamento ou por confinamento, preparando o caminho para a época áurea sob Salomão. Ver 2Sm 10.19. Naquele tempo, as fronteiras de Israel estenderam-se até se tornarem quase o que tinha sido prometido pelo pacto abraâmico, excetuando a fronteira sul, que deveria estender-se até as margens do rio Nilo, mas que nunca se estendeu tanto.

■ **136.21**

וְנָתַן אַרְצָם לְנַחֲלָה כִּי לְעוֹלָם חַסְדּוֹ:

Cujas terras deu em herança. As vitórias significavam a possessão da Terra Prometida, e esse era o ponto do empreendimento inteiro. Israel não poderia continuar como nômades no deserto, e cumprir, ainda assim, seus propósitos no plano divino.

Vigésima Primeira Razão para Dar Graças a Deus: As *vitórias militares* garantiam terras, o que, histórica e tradicionalmente, sempre foi uma das principais razões de os povos guerrearem uns com os outros. O pacto abraâmico tinha como uma de suas principais provisões adquirir a Terra Prometida para Israel. Ver as notas expositivas sobre isso em Gn 15.18. Israel agradeceu a Yahweh pela provisão da Terra Prometida, mas, naturalmente, os israelitas se esforçaram para tornar isso real. Porém, passo a passo, os milagres acompanhavam o esforço, tornando possível o que, de outro modo, seria impossível.

> Sua graça é grande o bastante para enfrentar
> Os grandes problemas,
> As ondas esmagadoras que
> Avassalam a alma.
>
> Annie Johnson Flint

■ **136.22**

נַחֲלָה לְיִשְׂרָאֵל עַבְדּוֹ כִּי לְעוֹלָם חַסְדּוֹ:

Em herança a Israel, seu servo. Este versículo é, essencialmente, a repetição do versículo anterior, para efeito de ênfase, por causa da *maravilha* que havia em todos os acontecimentos relativos a Israel. Grandiosa coisa fora realizada. Agora, Israel estava seguro na Terra Prometida.

Vigésima Segunda Razão para Dar Graças a Deus: Este versículo amplia o vs. 21. A possessão da Terra Prometida foi uma grande realização. Também foi um milagre maravilhoso de Deus que inspirava os homens a agradecer ao Senhor. Israel, servo de Yahweh, libertado da escravidão no Egito, apossou-se da terra como uma *herança*. As terras foram transmitidas ao povo de Deus por causa de seu amigo e servo, Abraão, no pacto abraâmico. Cada família de Israel tornou-se possuidora de terras, algo raro entre as nações, antigas ou modernas. O livro de Josué relata a história da divisão das terras entre os clãs de Israel, e então entre as famílias. Posteriormente, as terras passavam de pai para filho, através das gerações. Essa foi outra maravilha a ser considerada, bem como uma razão para dar graças a Yahweh, aquele que tornou possível tal coisa.

Ver Gn 15.14, quanto ao fato de que a Terra Prometida foi arrancada das mãos de seus antigos habitantes (listados nos vss. 19 e 21), porquanto suas iniquidades finalmente encheram a taça da paciência divina até que ela transbordasse. Portanto, houve justiça e vindicação nesse caso, e não meramente uma mudança de propriedade, com base em conquistas militares.

DEUS, O SALVADOR (136.23-25)

■ **136.23**

שֶׁבְּשִׁפְלֵנוּ זָכַר לָנוּ כִּי לְעוֹלָם חַסְדּוֹ:

A quem se lembrou de nós em nosso abatimento. Agora vem um breve parágrafo que retrata Deus como o Salvador. Quanto a notas expositivas sobre esse assunto, ver Sl 62.2, onde apresento ideias e referências. Ver também, no *Dicionário*, o artigo chamado *Salvador, Deus como*. Nos salmos, a ideia por trás da palavra "Salvador" é a noção de *Libertador* de algum teste temporal, ou de alguma necessidade, e de *Benfeitor* — o Deus da lei, cujo culto era efetuado no templo. Pode haver algumas poucas referências, entretanto, nas páginas do Antigo Testamento, onde a palavra "salvação" retrata algo como a salvação evangélica. Ver também a palavra *Salvador*, que se refere igualmente ao tema. Deus lembrou-se de Israel desde os dias em que Israel saiu do Egito, bem como através das aflições que os israelitas passaram às mãos dos arameus, assírios e babilônios.

Vigésima Terceira Razão para Dar Graças a Deus: Deus, o Salvador, lembrou-se de Israel em cada momento de sua aflição, mas também nos tempos favoráveis, e essa *lembrança* significava que ele os livrara e os fazia prosperar. Alguns intérpretes acreditam que o *estado rebaixado* que transparece neste versículo se refere especificamente ao *cativeiro babilônico*. Lembrando-se de Israel naquela oportunidade, Deus levou Ciro, rei da Pérsia, a reverter o cativeiro e enviar um remanescente de Israel de volta à sua pátria, para fazer com que as coisas se reiniciassem em Jerusalém. Dessa forma Israel foi salvo e recebeu um novo começo no novo Israel, que se compunha praticamente de uma única tribo, Judá. Ver no *Dicionário* o artigo intitulado *Cativeiro Babilônico*. Jarchi faz recuar aqui a menção do texto ao Egito, mas Aben Ezra e Kimchi falam no cativeiro babilônico.

Este versículo tem sido cristianizado para falar dos homens salvos do estado humilhante de pecado e degradação, por meio do evangelho.

■ **136.24**

וַיִּפְרְקֵנוּ מִצָּרֵינוּ כִּי לְעוֹלָם חַסְדּוֹ:

E nos libertou dos nossos adversários. A *redenção* (ver a respeito no *Dicionário*) é um ato da bondade divina, e houve diversas redenções na história de Israel. O hebraico literal é aqui bastante pitoresco: "Ele nos *quebrou*, ou seja, ao quebrar o nosso jugo, redimiu-nos de nossos inimigos. Ver Gn 27.40 e Êx 32.2" (Fausset, *in loc.*). "... inimigos, tiranos e opressores; e também os de natureza espiritual, como o pecado, Satanás, o mundo, a lei, a morte e o inferno" (John Gill, *in loc.*). Alguns dão um aspecto geral a este versículo, referindo-se a todos os atos salvadores de Deus, que fizeram Israel ser o que era. Mas outros estudiosos pensam que este versículo continua com a ideia do vs. 23, o cativeiro babilônico. Cf. Gn 27.40 e Êx 32.2.

Vigésima Quarta Razão para Dar Graças a Deus: Esses atos são comuns e contínuos, porquanto sua "misericórdia dura para sempre", que é a segunda linha de cada verso, provendo um refrão contínuo para o salmo. Ver a exposição desta declaração no fim do vs. 1.

■ 136.25

נֹתֵן לֶחֶם לְכָל־בָּשָׂר כִּי לְעוֹלָם חַסְדּוֹ׃

E dá alimento a toda carne. Todos os homens de todos os lugares participam dessa bondade divina, a provisão básica de alimentos para os homens e, de fato, para todas as criaturas vivas. O Salmo 104 desenvolve a mesma tese. Ver os vss. 11 e ss.

Vigésima Quinta Razão para Dar Graças a Deus: As provisões misericordiosas das necessidades básicas estendem-se a todas as criaturas vivas, a homens de todas as nações, e até às alimárias do campo. Cf. Sl 111.5; 132.15; 145.15; 146.7; 147.9. Essa provisão universal é uma "prova avassaladora da maravilhosa providência, sabedoria e bondade de Deus" (Adam Clarke, *in loc.*).

> Dotados de uma mente alegre,
> Louvemos o Senhor, pois ele é bom.
>
> John Milton

"A misericórdia do Senhor perdura de geração após geração. Ela é inexaurível. Só pode haver uma resposta para isso: uma tentativa ao louvor e à adoração" (J. R. P. Sclater, *in loc.*). Cf. Mt 6.11,26 e At 14.16,17. Além disso, há aquele alimento espiritual por intermédio de Cristo, o qual é o Pão da Vida (ver sobre *Pão da Vida* na *Enciclopédia de Bíblia, Teologia e Filosofia*).

DOXOLOGIA DE CONCLUSÃO (136.26)

■ 136.26

הוֹדוּ לְאֵל הַשָּׁמָיִם כִּי לְעוֹלָם חַסְדּוֹ׃

Oh! Tributai louvores ao Deus dos céus. Este salmo termina como começou, um hino no estilo de doxologia, mantendo o tema do *agradecimento*. E repete, pela vigésima sexta vez, o refrão "porque a sua misericórdia dura para sempre". Comento sobre esse refrão no final do vs. 1 deste salmo.

Vigésima Sexta Razão para Dar Graças a Deus: Os homens têm razão para agradecer a Elohim (o Poder), pela sua bondade (vs. 1), visto ser ele o benfeitor celeste, o "Deus dos céus". A descrição implica seu poder para fazer qualquer coisa. Alguns manuscritos hebraicos e a Septuaginta acrescentam aqui: "Agradecei ao Senhor dos Exércitos", mas essa adição não pode ser considerada original. O Deus onipotente é também aquele que é bom (vs. 1), e ele se dedicou ao nosso bem-estar. Esse é um pensamento tremendo a considerar, pelo que o leitor que o faça por alguns momentos.

Ao Deus dos céus. Esta é a única ocorrência deste título divino em todo o saltério. Cf. Ed 1.2, que diz: "Senhor Deus dos céus". Exaltação, poder e autoridade são as ideias envolvidas.

> Aquele que tem suas mansões
> No alto, acima do alcance do olho mortal,
> Tem seus olhos fixos no homem frágil cá embaixo.

O Senso do Sagrado. J. R. P. Sclater encontra neste salmo um senso do sagrado e exorta-nos a considerar o toque místico da vida espiritual, que penetra mais fundo que as formas das obras e da adoração. Ele nos oferece uma excelente definição do misticismo, ao citar William R. Inge: "O misticismo é uma comunhão imediata, real ou suposta, entre a alma humana e a Alma do Mundo, ou Espírito divino".

Sobre esse aspecto da questão, disse Sclater: "De toda religião verdadeira, essa é a grande coisa necessária. É provável que todo movimento religioso que trouxe luz e liberdade à raça humana tenha começado com tal experiência. Algumas vezes, a experiência tem sido acompanhada por fenômenos extraordinários. Tem havido visões e vozes, fala extática e feitos miraculosos, novos grupos sociais e movimentos missionários. Mas sempre o mais importante tem sido o contato com a Realidade absoluta, e não os acompanhamentos extraordinários da expressão institucional... Essa é a cura para as igrejas vazias. Quando isso se faz presente, uma nova nota entra no trabalho e na adoração, e um novo espírito penetra até nos negócios eclesiásticos. Por trás das formas do trabalho e da adoração, há *reverência*, um senso do sagrado, que os homens sentem e ao qual eles respondem. Como se fosse a maré, que encobre as rochas e a areia, e depois sobe rios acima, o Espírito de Deus vem e enche corações vazios e desperta congregações mortas, até que, novamente, de continente a continente, o coro de louvores ressoa". Ver na *Enciclopédia de Bíblia, Teologia e Filosofia* o artigo detalhado intitulado *Misticismo*; e no *Dicionário* ver sobre *Desenvolvimento Espiritual, Meios do*.

SALMO CENTO E TRINTA E SETE

Quanto a *informações gerais* que se aplicam a todos os salmos, ver a introdução ao Salmo 4, onde apresento *sete* comentários que elucidam a natureza do livro. Quanto às *classes* dos salmos, ver o gráfico no início do comentário do livro, que atua como espécie de frontispício do saltério. Ofereço ali dezessete classes e listo os salmos pertencentes a cada uma delas.

Este é um salmo de *lamentação* em grupo, que ora pedindo vingança contra os adversários de Israel. Este salmo tem um princípio encantador, com um apelo especialmente vívido e emocional, mas isso não nos cega para seu propósito real, a *maldição* contra os babilônios, pelos maus-tratos a Judá, por ter levado cativo o povo de Deus, e pelo tratamento desprezível que eles perpetraram contra os filhos de Deus, estando eles em terra estrangeira. Os povos antigos tinham fé especial nas bênçãos e maldições, sobretudo quando elas estavam escoradas sobre o nome divino ou quando Deus ou os deuses eram invocados como colaboradores. Este salmo mostra-nos que uma atitude de ódio fora insuflada no coração dos habitantes de Judá, e é inútil falar sobre os sentimentos cristãos como os que aparecem em Rm 12.17 e ss., que condenam o devolver o mal com o mal e desencorajavam a vingança pessoal. O salmo também nos dá algum discernimento sobre como os judeus mais piedosos resistiam às tentações de comprometer sua fé, envolver-se na idolatria ou abandonar as tradições da fé dos hebreus. O vs. 8 pode ser interpretado como se desse a entender que os babilônios ainda não haviam caído diante do poder dos persas, pelo que, como é óbvio, o decreto de Ciro, que ocorreu em 538 a.C. e liberou Judá para voltar à Terra Prometida, ainda não tinha sido lavrado. Isso faria deste salmo um salmo exílico. Pode ter sido publicado após o retorno da Babilônia para a terra de Judá, ou, se isso aconteceu antes, talvez o autor sagrado tivesse escapado do cativeiro. Os vss. 1-3 foram escritos com os verbos no tempo passado, *como se* o poeta já estivesse fora da Babilônia quando os escreveu. É impossível determinar com exatidão a data em que o salmo foi escrito e/ou publicado, mas isso em nada detrai do valor histórico e poético da composição.

Subtítulo. Este salmo não tem título de introdução. Quanto a essa circunstância, ver a introdução ao Salmo 91, sob *subtítulo*.

O CÂNTICO DE UM EXILADO (137.1-9)

■ 137.1

עַל נַהֲרוֹת בָּבֶל שָׁם יָשַׁבְנוּ גַּם־בָּכִינוּ בְּזָכְרֵנוּ אֶת־צִיּוֹן׃

Às margens dos rios de Babilônia. Provavelmente temos aqui uma referência aos rios ou canais que interligavam a terra entre os rios Tigre e Eufrates. Os exilados judeus, até agora distantes das terras pátrias, estavam assentados na postura de lamentação, pois, até onde podiam ver as coisas, Judá, seu templo e tudo quanto era importante para eles, estava morto. Ademais, eles eram pouco mais do que cadáveres vivos, cortados de tudo quanto lhes tinha sido importante. Assim sendo, eles *choravam* quando se lembravam de Sião, símbolo de sua fé e de seu país. As margens dos rios eram consideradas lugares bons para a oração, porquanto esses rios fluíam com a água da vida e representavam o fluxo eterno da vida e da existência.

Cf. At 16.13. Os judeus que residiam na cidade de Filipos dirigiram-se às margens, "onde nos pareceu haver um lugar de oração".

Ver Ez 1.1, quanto a uma referência ao rio *Quebar,* perto do qual se estabeleceu uma colônia de exilados judeus. Ver o artigo com esse nome, no *Dicionário,* quanto a detalhes. Alguns dos judeus viam nas correntes de águas da Babilônia um símbolo de suas lágrimas incessantes (ver Lm 2.18 e 3.48). Ver Dn 8.2, quanto ao rio Ulai, também associado aos exilados.

"Numa linguagem patética mas bela, o salmista exilado lamentou a sorte dos que choravam em uma terra estrangeira e não podiam entoar os cânticos típicos de Sião. Em contraposição a esse amor intenso por Sião, havia o ódio dos judeus pelos destruidores de Sião; portanto, o salmista expressou imprecações contra Edom e a Babilônia, que tinham destruído a cidade de Deus.

Refletindo o período do exílio, este salmo pode ter sido composto já quase no fim do cativeiro babilônico. Talvez o salmista tenha sentido que o tratamento bondoso dos persas aos babilônios foi um julgamento insuficiente para os que haviam devastado Israel" (Allen P. Ross, *in loc.*).

137.2

עַל־עֲרָבִים בְּתוֹכָהּ תָּלִינוּ כִּנֹּרוֹתֵינוּ:

Nos salgueiros que lá havia. As "harpas" seriam tangidas para acompanhar as alegres canções de Sião, mas agora elas jaziam penduradas, porquanto nada havia para os judeus celebrarem. A alegria tinha desaparecido. As pessoas no exílio não têm o coração voltado para a música. O homem tinha trabalhado arduamente o dia todo como escravo de seus captores, e à noite teria sido natural aliviar a tensão com a música, mas se não havia música no coração, de que adiantava tocar música? "As harpas são o instrumento de acompanhamento da música jubilosa (Gn 31.27; 2Sm 6.5). Pois estávamos longe de nossa pátria, Sião, onde Deus revela sua presença, e, por conseguinte, distantes de toda alegria (Is 24.8; Jó 30.31; Ap 18.22)" (John Gill, *in loc.*).

Salgueiros. Talvez tenhamos aqui menção a uma espécie popular de salgueiros, que crescia perto das correntes de água da região, talvez o *Populus euphraticus.* Ovídio fala sobre o álamo e sobre o salgueiro às margens do rio Eufrates (*Fast.* 1.2). "... salgueiros às margens dos cursos de água (Lv 23.40; Is 4.4), particularmente do rio Eufrates, que corria pelo meio da Babilônia" (John Gill, *in loc.*).

137.3

כִּי שָׁם שְׁאֵלוּנוּ שׁוֹבֵינוּ דִּבְרֵי־שִׁיר וְתוֹלָלֵינוּ שִׂמְחָה שִׁירוּ לָנוּ מִשִּׁיר צִיּוֹן:

Pois aqueles que nos levaram cativos. Com *escárnio e zombarias,* e em risos estentóreos, os captores babilônios exigiam que os israelitas entoassem canções de Sião, como as que eram usadas no culto do templo, e os judeus foram forçados a atender ao pedido. Mas tudo quanto obtinham de seus captores eram insultos e piadas tolas. Os exilados, em trabalhos forçados, presos por grilhões, imaginando Jerusalém em cinzas e o templo que tinha sido construído por Salomão destruído, não tinham disposição para cantar. Não se dispunham a celebrar coisa algum. Os senhores brutais sem dúvida tinham ouvido falar dos cânticos do culto no templo e assim começavam a jogar o jogo doentio com seus escravos, em meio a gargalhadas e escárnios. Eles se *divertiam* com aquilo que era questão séria em Israel. Sem dúvida, os músicos eram os levitas que tocavam profissionalmente os cânticos sagrados (1Cr 25). Os captores dos judeus eram *atormentadores.* Comparar isso com o caso de Sansão, a quem os filisteus queriam que cantasse, a fim de diverti-los (Jz 16.25).

137.4

אֵיךְ נָשִׁיר אֶת־שִׁיר־יְהוָה עַל אַדְמַת נֵכָר:

Como, porém, haveríamos de entoar o canto do Senhor...? Os cânticos eram do Senhor, isto é, os cânticos que acompanhavam o culto do templo, mas os israelitas se sentiam tão deslocados na Babilônia pagã que não era próprio que esses cânticos fossem entoados e tocados para pecadores pagãos, os quais só queriam ouvi-los para fazer pouco deles e de seus cânticos. "Neste estado de escravidão, nós, os exilados, distantes de nosso país, desnudados de nossas propriedades, reduzidos a zombarias, privados de nossos privilégios religiosos, nesta terra pagã, poderíamos *cantar*?" (Adam Clarke, *in loc.*). Para os exilados, era requerida uma profanação, algo imundo e profano (Am 7.17; Os 9.3-5). Como poderiam cantar os cânticos sagrados, quando o coração deles chorava?

> Como vozes de estranhos eles soam,
> Em terras onde apenas memórias permanecem
> E tudo é terreno profano.
>
> Tennyson

Cantar os cânticos de Sião na Babilônia, para diversão dos pagãos, era como lançar pérolas aos porcos e dar aos cães o que é santo (ver Mt 7.6). É até possível que os babilônios requeressem que os escravos hebreus atuassem em seus templos pagãos e para seus ídolos que nada representavam. Aben Ezra diz "na terra de deuses estranhos", e Kimchi e Ben Melech também dizem que eles eram forçados a cantar com alegria falsa.

137.5

אִם־אֶשְׁכָּחֵךְ יְרוּשָׁלִָם תִּשְׁכַּח יְמִינִי:

Se eu de ti me esquecer, ó Jerusalém. "O pensamento de alguém entoando os cânticos sacros para coçar os ouvidos de um povo ímpio evocou, da parte do salmista, uma expressão de amor apaixonado por Jerusalém, e ele proferiu uma maldição contra si mesmo se lhe faltasse lealdade à cidade" (William R. Taylor, *in loc.*). Ele amaldiçoou a própria habilidade de tocar um instrumento, da qual, antes, deve ter-se orgulhado, caso chegasse a usá-la de maneira profana. Contudo, ele era forçado a cantar e, assim sendo, transformou sua canção em uma maldição contra os opressores. Ele não reconciliava a si mesmo com a sua escravidão, como se se agradasse de sua escravidão e de seu estado de estrangeiro. Sua *mão direita* era a mão com a qual ele tocava o seu instrumento; e ele havia desenvolvido considerável habilidade como músico profissional; mas o que era sua principal distinção fora contaminado pelos pagãos. "Maldita seja a minha mão direita se eu a prostituir para agradar as multidões ímpias, os inimigos de meu Criador!" (Adam Clarke, *in loc.*).

As palavras deste versículo são apropriadamente aplicadas à música ímpia que corrompe os cultos de adoração de muitas igrejas de hoje em dia. Contudo, essa música é tocada pelos membros de igrejas consideradas normais! Malditas sejam as mãos direitas deles que poluíram o santuário! Ver no *Dicionário* o artigo chamado *Música (Instrumentos Musicais).*

"Se, em um momento daqueles, o poeta esquecer-se da miserável servidão de Jerusalém, de modo a dedilhar as cordas com alegria, então que sua mão direita perdesse para sempre a habilidade de tocar" (Ellicott, *in loc.*). Isso seria uma retribuição apropriada pela profanação. O Targum, neste passo bíblico, fala sobre a voz do Espírito que inspirara tal declaração do salmista.

137.6

תִּדְבַּק־לְשׁוֹנִי לְחִכִּי אִם־לֹא אֶזְכְּרֵכִי אִם־לֹא אַעֲלֶה אֶת־יְרוּשָׁלִַם עַל רֹאשׁ שִׂמְחָתִי:

Apegue-se-me a língua ao paladar. Se brandisse alegremente o seu instrumento para os pagãos, profanando assim os cânticos santos, o salmista estaria, *ipso facto,* esquecendo Jerusalém e o culto sagrado. Em vez de querer que sua língua cantasse de maneira tão imprópria e em tal contexto de profanação, ele preferia que ela se apegasse ao céu da boca, para que assim silenciasse; sua única alegria era Jerusalém e seu culto, e nada mais poderia inspirá-lo a cantar. Foi assim que o poeta sagrado amaldiçoou tanto sua mão direita quanto sua língua, caso ele atendesse de bom grado aos desejos dos pecadores babilônios, o que só faria se fosse absolutamente forçado. Provavelmente ele era obrigado a tocar, mas seu coração amaldiçoava o inimigo a cada nota de seu instrumento. É em torno disso que gira todo este salmo: uma *maldição* contra os inimigos de Judá. "... Ele desejava ficar mudo por ter contaminado a fala se cantasse cânticos de alegria, esquecendo-se de Sião (Ez 3.36; Jó 29.10)" (Fausset, *in loc.*).

137.7

זְכֹר יְהוָה לִבְנֵי אֱדוֹם אֵת יוֹם יְרוּשָׁלָ͏ִם הָאֹמְרִים עָרוּ עָרוּ עַד הַיְסוֹד בָּהּ׃

Contra os filhos de Edom, lembra-te, Senhor. O salmista proferiu uma maldição contra os edomitas, porque, em 587 a.C., os idumeus se regozijaram diante da destruição do templo e tomaram parte ativa nessa destruição. (Cf. Ob 10; Lm 4.21,22; Ez 15.12 e 35.5.) A participação dos idumeus piorou de figura pelo fato de que Edom era irmão de sangue de Judá (Am 1.11), e ambos descendiam de Esaú, irmão gêmeo de Jacó. A tradição dos idumeus, portanto, tornou-se mais chocante e difícil de entender. Os judeus nunca se esqueceram disso e nunca deixaram de odiar os descendentes de Edom, conforme diz Robinson, em sua *História de Israel*, II, pág. 341. Ver também Jr 12.6; 25.14. "Os idumeus aliaram-se ao exército de Nabucodonosor contra seus irmãos, os judeus, e foram os principais instrumentos que arrasaram as muralhas de Jerusalém até o rés do chão" (Adam Clarke, *in loc.*). Isso os idumeus fizeram para sua vergonha eterna. Esse foi um dos grandes e mais vergonhosos atos traiçoeiros da história humana.

> *Por causa da violência feita a teu irmão Jacó, cobrir-te-á a vergonha, e serás exterminado para sempre.*
> Obadias 10

O Targum faz com que Miguel, o anjo guardião de Israel, tenha proferido essa maldição aqui.

137.8

בַּת־בָּבֶל הַשְּׁדוּדָה אַשְׁרֵי שֶׁיְשַׁלֶּם־לָךְ אֶת־גְּמוּלֵךְ שֶׁגָּמַלְתְּ לָנוּ׃

Filha de Babilônia, que hás de ser destruída. A destruição de Babilônia, referida aqui, foi efetuada pela próxima grande potência internacional, a Pérsia, sob o governo de Ciro. Ciro também ordenou o decreto de libertação, permitindo que um remanescente de Judá voltasse a Jerusalém. O destruidor de Israel precisava ser destruído, em consonância com a *Lei Moral da Colheita segundo a Semeadura* (ver a respeito no *Dicionário*). Este versículo tem sido usado na tentativa de identificar a provável data da composição do salmo. Ele deve ter sido escrito antes do decreto de Ciro, que foi expedido em 538 a.C. e, por conseguinte, antes da queda de Babilônia, conforme dizem alguns intérpretes. Por outra parte, o poema pode ter sido composto enquanto os exilados ainda estavam na Babilônia, mas, quando o salmo foi publicado, os cativos já estavam livres. Ou então a maldição foi proferida quando o exílio ainda estava em efeito, mas foi escrita mais tarde, como parte deste salmo. Ver a introdução a este salmo, quanto a outros detalhes. O mais importante aqui não é tanto determinar a data da composição do salmo, mas reconhecer que a maldição já estava em operação, tema dominante na composição poética.

Maldições e bênçãos eram aceitas como dotadas de poder especial, principalmente quando eram usados nomes divinos, e os deuses ou Deus colaboravam com elas. Mas a *retribuição* viria da parte de Yahweh. Não se tratou de algo pessoal ou nacional, como se um contra-ataque de forças militares, por parte de Israel, fosse eficaz. A *Pérsia* seria o *instrumento* da vingança, mas não é provável que o salmista soubesse disso quando escreveu esta *maldição-profecia*. O destruidor (Babilônia) seria destruído.

A *Lex Talionis* (ver a respeito no *Dicionário*) requeria retribuição correspondente ao crime cometido. Na esfera terrestre, as coisas nem sempre operam dessa maneira, e então teremos de voltar a depender da vontade de Deus para fazer o que é certo, em algum lugar distante, na existência pós-túmulo.

Filha de Babilônia. Ou seja, a cidade de Babilônia. Cf. Is 1.8; 47.1 e 2Rs 19.21. O Targum faz Gabriel proferir a maldição e servir de garantia de seu cumprimento. Ver no *Dicionário* o artigo chamado *Anjos*, que também dá informações sobre os *arcanjos*. Ver sobre *Rafael*, onde dou mais informações sobre o tema.

137.9

אַשְׁרֵי שֶׁיֹּאחֵז וְנִפֵּץ אֶת־עֹלָלַיִךְ אֶל־הַסָּלַע׃

Feliz aquele que pegar teus filhos. A Pérsia, governada por Ciro, seria a *feliz* nação que atuaria como alegre instrumento de Deus para pôr fim ao império babilônico e esmagar seus habitantes contra as rochas, uma das ações mais terríveis que as nações promoviam umas contra as outras. Israel, em suas *guerras santas* (ver Dt 7.1-5 e 20.10-18), fazia a mesma coisa, visto que o objetivo desse tipo de guerra era aniquilar tudo, tanto homens quanto mulheres e crianças, e até animais domésticos. Até mesmo objetos físicos eram destruídos e queimados. E o conjunto todo era oferecido a Yahweh como holocausto, no qual coisa alguma era poupada do fogo. Ver no *Dicionário* o verbete intitulado *Holocausto*. A ideia de esmagar as crianças contra as rochas era um *genocídio*, a destruição de uma raça inteira. Israel, ao conquistar a Terra Prometida, praticou genocídio, essencialmente destruindo oito nações distintas. Ver 2Sm 10.19. Os poucos sobreviventes foram absorvidos em raças subsequentes, especialmente os árabes, que vieram a possuir a Terra Prometida. Essas nações simplesmente desapareceram da face da terra, e era isso que o salmista queria que acontecesse com a Babilônia. É inútil injetar em textos como este sentimentos e a moralidade cristã. Se os persas realizaram o que o poeta sagrado esperava que acontecesse (conforme pronunciado na sua maldição), eles seriam heróis. Não haveria julgamento de "criminosos de guerra". Nossa sensibilidade sente-se chocada pelo que lemos aqui. Mas consideremos a doutrina do julgamento conforme ensinada por muitas igrejas hoje em dia. Isso é pior do que o genocídio, porquanto as vítimas são preservadas vivas e sensíveis às chamas, e isso para sempre! Há muito tempo abandonei esse conceito de Deus. Ver o artigo intitulado *Julgamento de Deus dos Homens Perdidos*, no *Dicionário*, quanto a um estudo sobre o que estará envolvido no julgamento divino, trazendo à luz versículos que olham para além de textos primitivos, conferindo um quadro mais cheio de esperança.

Cf. algo semelhante na *Ilíada* de Homero, em livro xxii, vs. 62:

> Meus heróis mortos, meu leito nupcial revirado,
> Minhas filhas desonradas e minhas cidades queimadas;
> Meus infantes sangrando e espatifados contra o chão.

Cf. 2Rs 8.12; Is 13.16; Na 3.10. Compreendemos que os babilônios fizeram coisas terríveis contra Judá, pelo que coisas terríveis seriam feitas contra eles.

"Os comentadores têm tentado, em vão, disfarçar e justificar essa expressão de paixão. O salmo é belo como poema, mas o crente deve buscar algures sua inspiração" (Ellicott, *in loc.*).

SALMO CENTO E TRINTA E OITO

Quanto a *informações gerais* que se aplicam a todos os salmos, ver a introdução ao Salmo 4, onde apresento *sete* comentários que elucidam a natureza do livro. Quanto às *classes* dos salmos, ver o gráfico existente no início do comentário, que atua como uma espécie de frontispício do saltério. Dou ali dezessete classes e listo os salmos pertencentes a cada uma delas.

Este é um cântico de agradecimento pelo livramento dos israelitas da tribulação. O autor pintou-se como se estivesse no templo para agradecer por alguma intervenção divina em seu favor. Muitos salmos de lamentação terminam com notas de louvor e agradecimento. Provavelmente, alguns desses finais acabaram separados do restante e tornaram-se salmos independentes. Mas houve salmos escritos para dar graças a Deus que eram exatamente isso. Parece ser esse o caso deste salmo. É um cântico de agradecimento por um indivíduo que tinha recebido algum favor divino especial quando passava por aflição. Alguns cânticos de agradecimento são nacionais. Cf. Is 38.10-20; Jn 2.2-9; Eclesiástico 51.1-30; Sls de Salomão 15.1-5; 16.1-15; Odes de Salomão 25.1-12; 29.1-11.

O gráfico referido anteriormente lista os salmos de agradecimento no saltério. O poeta experimentara alguns livramentos muito significativos quando sua vida estava em perigo. Portanto, ele não fez meramente convocar amigos para ajudá-lo a louvar ao Senhor no templo. Ele convocou os "reis da terra" para entoar os caminhos de Yahweh (vs. 4). O poeta ficara tão impressionado pelo que tinha acontecido que acreditou que Yahweh poderia agir novamente em seu favor, sempre que caísse de novo em algum aperto (vs. 8).

Há uma antiga tradição que atribui a composição deste salmo a Zacarias, imaginando que ele o tenha escrito visando o cativeiro babilônico. Mas isso é apenas fantasia de algum hebreu posterior piedoso.

Subtítulo. Este salmo encabeça um pequeno grupo de salmos (Salmos 138 a 145), chamados *Salmos de Davi.* Cerca de metade dos salmos, dentro da coletânea de 150, é atribuída a Davi, o que, sem dúvida, constitui um grande exagero. Mas não há que duvidar que Davi escreveu pelo menos *alguns* dos salmos, pois foi chamado de o *mavioso salmista de Israel* (2Sm 23.1). Cumpre-nos relembrar, entretanto, que os subtítulos não faziam parte original dos salmos e, por conseguinte, não se revestem de autoridade canônica. Nesses subtítulos temos principalmente a opinião de editores posteriores que tentaram vincular nomes de autores aos salmos, supondo que certos eventos históricos poderiam ter inspirado essas composições poéticas.

O CÂNTICO ENTOADO PERANTE DEUS (138.1-3)

■ **138.1**

לְדָוִד אוֹדְךָ בְכָל־לִבִּי נֶגֶד אֱלֹהִים אֲזַמְּרֶךָּ׃

Render-te-ei graças, Senhor, de todo o meu coração. O salmista louvou ao Senhor de todo o coração e apresentou agradecimentos diante dos *deuses.* Ver Sl 82.1, quanto aos vários significados vinculados à palavra hebraica *elohim* (deuses). Isso parece ter sido uma referência politeísta ou henoteísta; mas o salmo é tardio demais, na história de Israel, para que pensemos que o autor estava contradizendo o *monoteísmo* dos hebreus (ver no *Dicionário*; ver também *Henoteísmo*). O conceito do henoteísmo é que, se há um só Deus por nós, há muitos deuses que têm aplicação a outros povos. Alguns dão aqui homens poderosos, juízes ou anjos, como ideias sugeridas pelo termo "deuses", e isso não é impossível. Ou então a declaração pode ser um tanto sarcástica, especialmente se os salmos refletem o livramento do cativeiro babilônico. Nesse caso, os deuses da Babilônia também foram convidados a ouvir o cântico de ação de graças do salmista, para mostrar que eles tinham perdido a batalha e que Yahweh fora a reversão desse estado lastimável. A Septuaginta e a Vulgata dizem aqui *anjos,* ao passo que o siríaco diz *reis,* naturalmente traduções interpretativas. Ou então o poeta simplesmente caiu na linguagem politeísta, sem querer fazer uma afirmação teológica. Ao tentar descobrir o que o termo *deuses* poderia significar, não deveríamos perder de vista o sentido do versículo. O poeta sagrado, em sua exultação, queria que todos, em todos os lugares, e até os poderes altos e divinos, ou supostos poderes, o ouvissem dar louvores a Deus. Foi uma espécie de *Agora ouçam isto!* poético, mediante o qual foi convocada a atenção geral.

■ **138.2**

אֶשְׁתַּחֲוֶה אֶל־הֵיכַל קָדְשְׁךָ וְאוֹדֶה אֶת־שְׁמֶךָ עַל־חַסְדְּךָ וְעַל־אֲמִתֶּךָ כִּי־הִגְדַּלְתָּ עַל־כָּל־שִׁמְךָ אִמְרָתֶךָ׃

Prostrar-me-ei para o teu santo templo. O salmista dirigiu-se agora diretamente a Yahweh e ao seu templo. Ali, o poeta sacro iria louvá-lo sozinho pelas muitas evidências de seu *amor constante* (ver isso comentado em Sl 136.1). O Salmo 136 fornece-nos 26 razões para agradecer. A cada razão, o autor vincula o refrão "porque a sua misericórdia dura para sempre". Ver Sl 136.1, quanto a notas expositivas. Aqui o *nome de Yahweh* é louvado. Ver sobre *nome santo* em Sl 30.4 e 33.21. Louvam-se o *amor constante* e a *fidelidade* de Deus. Em sua hora de teste severo, Yahweh ouvira o apelo do salmista e o libertara de maneira espetacular (vs. 3). Portanto, agora, ele estava no templo, dando notícia de que tinha um coração agradecido e queria proferir publicamente sua gratidão, fazer e cumprir seus votos. Ele estava como que dizendo: "Que fique conhecido. O Senhor vive e favorece os homens".

Note o leitor que o autor sagrado convocou os deuses a *ouvir* o seu louvor, mas somente Yahweh foi louvado. É ridículo usar este versículo para favorecer qualquer forma de idolatria, segundo a qual anjos, santos ou imagens são adorados ou se tornam objetos especiais de veneração e agradecimento.

A Palavra Magnificada. A fé em Yahweh tinha a lei mosaica como base. Na lei há muitas promessas. O homem bom sabe que essas promessas são cumpridas quando ele obedece aos ditames do yahwismo. O termo hebraico aqui usado, seguido fielmente pela *King James Version,* é perturbador para a teologia. "Tens exaltado a tua palavra acima do teu nome", o que, teologicamente, não faz sentido. A *Revised Standard Version* faz aqui a seguinte conjectura: "Pois tens exaltado o teu nome e a tua Palavra acima de todas as coisas". As versões, de modo geral, dizem: "Pois tens magnificado acima de todas as coisas o teu santo nome", deixando de fora a referência à *palavra.* Alguns revertem os termos "nome" e "palavra" e fazem o *nome* ser mais exaltado do que a *palavra,* isto é, as *promessas.* Deus é maior que suas promessas, como é óbvio, mas a declaração continua sendo estranha, como se Deus estivesse competindo com suas próprias promessas.

■ **138.3**

בְּיוֹם קָרָאתִי וַתַּעֲנֵנִי תַּרְהִבֵנִי בְנַפְשִׁי עֹז׃

No dia em que eu clamei, tu me acudiste. O *homem bom* tinha muitas promessas na lei, além do que foi livrado das aflições e dos ataques dos homens ímpios que viviam com ele. Yahweh tinha feito exatamente o que prometera. Ele havia libertado o poeta de alguma provação severa na qual sua vida correra perigo. Alguns fazem disso o cativeiro babilônico. Nesse caso, pois, compreendemos que o homem foi primeiramente um sobrevivente em Jerusalém; em seguida, na Babilônia, onde sua vida foi preservada; e, finalmente, ele voltou à Terra Prometida, Jerusalém. Por isso, ele fizera os agradecimentos do mais fundo do coração.

Sem importar qual fosse a aflição do homem, seu agradecimento de todo o coração é um exemplo para louvar, em pequenas e grandes situações, "para receber luz, para receber ar, para receber doces sons e sentido; para ter ouvidos para ouvir; para harmonias celestiais; quanto a olhos para ver até o invisível; para um coração que chega a compreender Deus em todos os lugares", conforme nos relembrou o poeta John Oxdnham. Dar graças o tempo todo por todas as coisas, faz parte das ideias do Novo Testamento. Ver no *Dicionário* o artigo intitulado *Ações de Graças,* quanto a maiores detalhes. Ver 1Ts 5.18 ("em tudo") e Ef 5.20 ("por tudo").

> Graças a Deus pelo sono, na longa e quieta noite,
> Pelo dia claro que brilha através das vidraças,
> Pela água clara e rebrilhante e pela quentinha luz dourada,
> E pelas veredas lavadas pela chuva branca e cantante.
>
> John Drinkwater

Alentaste a força de minha alma. O homem tinha uma necessidade de alma; sua própria vida estava sendo ameaçada; ele quase desmaiou debaixo da pressão. Diz aqui o hebraico, literalmente, "fortaleceu-me fortemente". Cf. o Cântico de Salomão 6.5: "... devemos entender isso como uma força interior" (John Gill, *in loc.*).

OS REIS DA TERRA DARÃO GRAÇAS (138.3-6)

■ **138.4**

יוֹדוּךָ יְהוָה כָּל־מַלְכֵי־אָרֶץ כִּי שָׁמְעוּ אִמְרֵי־פִיךָ׃

Render-te-ão graças, ó Senhor, todos os reis da terra. A *internacionalização* da questão poderia favorecer a interpretação de que está em vista o cativeiro babilônico. Essa foi uma questão internacional. O livramento do poder babilônico, através do soerguimento do império persa, provavelmente deu conforto a muitos reis que tinham sofrido a opressão dos babilônios, tal como aconteceu a Judá. Ou então a questão é aqui apresentada como uma hipérbole oriental mediante a qual o autor convocou reis a ouvir sobre seu triunfo pessoal e agradecer com ele pelo Poder divino que fizera grandes coisas. O livramento foi de tamanha importância para o autor sacro que o poeta imaginou que ele deveria ser conhecido pelos reis das nações fora de Israel. Ou então o poeta em vista era rei de Israel, ou algum elevado oficial, e sua boa sorte pessoal revestir-se-ia de interesse internacional. Os que atribuem este poema a Davi veem nisso o seu significado.

Seja como for, o homem viu alguma significação universal em seu livramento e pode ter imitado os *salmos reais* em sua expressão. Cf. 1Tm 1.15.

Quando ouvirem as palavras da tua boca. Ou seja, as promessas de Yahweh a homens em aflição e, por extensão, suas palavras em geral, que demandam aceitação universal. Provavelmente, estava essencialmente em mente a lei mosaica, por ser essa a agência ensinadora de Deus, durante os tempos do Antigo Testamento.

Este versículo tem sido cristianizado para dar a entender a Palavra de Cristo, o evangelho, e a eventual lealdade das nações a ele. Ver Is 52.15.

■ **138.5**

וְיָשִׁירוּ בְּדַרְכֵי יְהוָה כִּי גָדוֹל כְּבוֹד יְהוָה:

E cantarão os caminhos do Senhor. Este versículo implica alguma espécie de conversão dos reis pagãos ao yahwismo, porque terminam cantando a ele com alegria, imitando a atividade do salmista. Observando as obras maravilhosas da *Providência de Deus*, eles desejarão tirar proveito delas, porque, afinal de contas, seus deuses nunca fizeram grande coisa por eles. E eles correrão para unir-se ao povo de Deus. Esse foi um ideal judaico que nunca aconteceu, e tornou-se um ideal cristão que conta com muitas profecias de confirmação, além do alcance universal dos evangelhos, como prova preliminar. Ver Fp 2.7-10 e Ef 1.9,10. Quanto aos caminhos de Deus e seus atos poderosos, ver Jó 26.14; 40.19; Sl 18.30; Dt 32.4. Quanto aos reis andando pelos caminhos de Deus, ver Mq 4.2. O significado é que as circunstâncias e a observação compelirão os reis pagãos a reconhecer a glória de Yahweh, e, assim, eles buscarão ser um objeto de sua graça.

■ **138.6**

כִּי־רָם יְהוָה וְשָׁפָל יִרְאֶה וְגָבֹהַּ מִמֶּרְחָק יְיֵדָע:

O Senhor é excelso. A menção aos reis levou o poeta a pensar na autovalorização do povo de Israel, ou daqueles que adquirem poder através da força ou do dinheiro e, assim sendo, estão acima das outras pessoas. Tais pessoas precisam pensar que Yahweh lhes dará alguma atenção, porquanto seu orgulho as separa do Rei. Por outra parte, os humildes têm um canal de acesso aberto para o céu.

Deus resiste aos soberbos, mas dá graça aos humildes.
Tiago 4.6

Por isso mesmo, o evangelho é pregado aos pobres. "Infinitamente grande como Deus é, ele considera até o mais baixo e ínfimo como parte de sua criação, mas os humildes e aflitos são objetos especiais de sua graça" (Adam Clarke, *in loc.*). Em contraste, ele olha para os orgulhosos de grande distância, com total desdém. Cf. Pv 3.34; 1Pe 4.5 e Sl 18.27. "Eles se afastaram de Deus (ver Jr 12.2), e assim, em uma justa retribuição, Deus os conhece, mas somente a distância" (Fausset, *in loc.*). O Targum diz que Deus os conhece "somente para destruí-los", mas isso é ir longe demais.

O PRESERVADOR DA VIDA (138.7,8)

■ **138.7**

אִם־אֵלֵךְ בְּקֶרֶב צָרָה תְּחַיֵּנִי עַל אַף אֹיְבַי תִּשְׁלַח יָדֶךָ וְתוֹשִׁיעֵנִי יְמִינֶךָ:

Se ando em meio à tribulação. Este versículo provavelmente considera o *futuro*, quando o poeta sagrado tivesse de sofrer alguma outra pesada tribulação e sua vida fosse novamente ameaçada. Se isso viesse a acontecer, talvez novamente houvesse alguma outra aflição, lançada contra ele por seus inimigos, como aconteceu na primeira vez. Nesse caso, o salmista esperava que a mesma coisa ocorresse: Yahweh estenderia a mão e feriria os seus inimigos, salvando-o uma vez mais. "Mão", neste caso, significa "poder" e a capacidade de usar esse poder. Ver a metáfora sobre Sl 81.14; e, quanto à *mão direita*, ver Sl 20.6. Ver também sobre *braço*, em Sl 77.15; 89.10 e 98.1. O poeta sacro, por causa do dilema linguístico, usou expressões antropomórficas, atribuindo a Deus coisas que pertencem aos homens. Ver no *Dicionário* o verbete chamado *Antropomorfismo*. Este versículo mostra que a vida do homem estava em perigo porque Yahweh teve de *preservá-lo* com vida. Seu *andar* anteriormente o conduzira a uma severa tribulação, e poderia acontecer o mesmo novamente. O homem bom não está a salvo de perigos. O homem bom tem de passar por momentos perigosos, mas Yahweh está sempre presente, para garantir que a passagem do homem por esta vida seja segura. Ver no *Dicionário* o verbete chamado *Andar*, quanto a essa metáfora. Cf. Sl 23.3,4; 17.13 e 60.5.

Não tenho outro refúgio qualquer;
Entrego minha alma desamparada a ti.
Charles Wesley

"A tribulação acompanha até o melhor dos homens, tanto interna quanto externamente, atacando-o através do pecado, de Satanás ou do mundo. Sim, os homens estão no meio da tribulação, cercados por ela. Esse é um caminho pelo qual importa que caminhem, a fim de chegarem ao reino de Deus. Trata-se de uma longa caminhada, mas, finalmente, eles chegarão ao final (ver Sl 23.4). E, além disso, a mão direita de Deus os salva, mão que pode ser entendida como Cristo, que é a mão direita da retidão de Deus. Por meio de *sua mão*, Deus salva o povo com uma salvação espiritual e eterna, tanto quanto com a salvação temporal (Is 41.10 e Os 1.7)" (John Gill, *in loc.*, que cristianizou e espiritualizou o versículo).

■ **138.8**

יְהוָה יִגְמֹר בַּעֲדִי יְהוָה חַסְדְּךָ לְעוֹלָם מַעֲשֵׂי יָדֶיךָ אַל־תֶּרֶף:

O que a mim me concerne o Senhor levará a bom termo. Yahweh tinha uma *razão* para salvar a vida do homem. O poeta tinha fé de que o propósito por trás de sua vida contínua seria realizado. O *amor constante de Deus*, *que dura para sempre*, é a garantia do cumprimento desse propósito. Essa frase ocorre por 26 vezes no Salmo 136 e é o refrão para cada uma das 26 declarações pelas quais temos razão para dar graças. Anoto isso em Sl 136.1. Por causa de sua grandeza e bondade, com base em seu amor constante, Yahweh nunca pode abandonar o homem, que é a obra de suas mãos. O homem foi criado por Deus e agora deve aproximar-se dele e nele ter o seu cumprimento. Portanto, Deus é o *Alfa e o Ômega* (ver Ap 1.8,11; 21.6 e 22.13). Este versículo reverbera Sl 23.4; 30.3 e 71.20. "Os vss. 7 e 8, que dão a estrofe de conclusão, assumem a natureza de salmo de confiança e, na verdade, pode-se dizer que são uma epítome do Salmo 23" (William R. Taylor, *in loc.*).

Estou plenamente certo de que aquele que começou boa obra em vós há de completá-la até ao dia de Cristo Jesus.
Filipenses 1.6

Qualquer outra coisa que precise ser feita, Deus o fará. Ele ajudará o homem em toda a sua compreensão. O nosso poeta tinha confiança nas operações da providência divina. Ele acreditava que Deus criou e continua preservando a sua criação, intervindo sempre que necessário, beneficiando a vida humana. Ele era um teísta, e não um deísta. Ver sobre esses termos na *Enciclopédia de Bíblia, Teologia e Filosofia*, nos artigos intitulados *Teísmo* e *Deísmo*.

SALMO CENTO E TRINTA E NOVE

Quanto a *informações gerais* que se aplicam a todos os salmos, ver a introdução ao Salmo 4, onde apresento *sete* comentários que elucidam a natureza do livro. Quanto a *classes* dos salmos, ver o gráfico no início do comentário, que atua como uma espécie de frontispício do saltério. Dou ali dezessete classes e listo os salmos pertencentes a cada uma delas.

Este salmo é, em parte, uma lamentação, sendo uma oração de livramento de inimigos pessoais. No entanto, ele não segue o padrão usual desse tipo de salmo, contendo declarações parecidas com o que se lê na literatura de sabedoria dos judeus. Ver no *Dicionário* o artigo sobre *Sabedoria*, seção III, quanto a esse tipo de literatura hebreia. Há neste salmo certo calor devocional, e algumas de suas grandes declarações não são típicas dos salmos de lamentação.

O poeta estava profundamente impressionado com a onisciência e onipresença do Senhor, atributos do Ser divino que ele encontrara em sua própria experiência, e não nos escritos dos sábios. Este salmo originou-se na alma do autor sacro, e não em uma teologia formal. Esse homem estava envolto em Deus, e não disse coisa alguma sobre a história de Israel e sobre as maravilhosas obras de Deus nessa história. E ele também não falou sobre o culto do templo. O templo de Deus estava em seu coração, e assim ele antecipou o melhor do judaísmo posterior e o avanço constante no Novo Testamento. Esse tipo de espiritualidade levou os críticos a atribuir ao Salmo 139 uma data bastante avançada. Alguns aramaísmos adicionam evidências a essa avaliação.

Subtítulo. Temos aqui um subtítulo bastante simples: "Ao mestre de canto. Salmo de Davi". Os Salmos 138 a 145 formam uma pequena unidade cuja autoria é atribuída a Davi. Cerca de metade dos 150 salmos que fazem parte do saltério é atribuída a Davi, o que, sem dúvida, constitui um grande exagero. Contudo, certamente ele escreveu alguns deles, visto ter sido o *mavioso salmista de Israel* (ver 2Sm 23.1). Devemos relembrar que os subtítulos dos salmos não faziam parte das composições originais, mas foram adições de editores posteriores e, portanto, não se revestem de autoridade canônica. Nesses subtítulos temos, principalmente, pareceres de pensadores posteriores acerca da autoria e dos possíveis acontecimentos históricos que podem ter inspirado as composições.

A ONISCIÊNCIA DO SENHOR (139.1-6)

139.1

לַמְנַצֵּחַ לְדָוִד מִזְמוֹר יְהוָה חֲקַרְתַּנִי וַתֵּדָע׃

Senhor, tu me sondas e me conheces. Cf. esta seção com Is 55.8,9. O salmista não desce a ensinar a onisciência de Deus como uma proposição teológica. Ele não citou homens sábios, nem deu referências bíblicas. Aprendeu uma grande verdade em sua própria experiência. O poeta não nos segrega todos os caminhos pelos quais ele chegou às suas conclusões, nem como Yahweh (o nome divino usado neste versículo) chegou ao seu conhecimento. Mas ele tinha evidências da iluminação do Espírito (vs. 7) através de sua própria experiência. Para detalhes e referências, ver no *Dicionário* o artigo chamado *Onisciência*.

Tu me sondas. O original hebraico diz "espalhas" ou "peneiras"; mas alguns estudiosos pensam que o vocábulo se refere às "operações de mineração" (Jó 28.3) ou à "exploração" de uma região (Jz 18.2). Sem importar qual seja a alusão exata, o significado da palavra é bastante claro. O poeta pensava que sua alma e a sua vida inteira eram um "livro aberto" diante de Deus, conforme se diz em uma moderna expressão idiomática. A onisciência de Deus significa que sua mão estava com o poeta a fim de guiá-lo (vs. 10). E também quer dizer que o homem estava sob total controle divino (vs. 11), antes mesmo de ter nascido. Naturalmente, o exame de Yahweh e o conhecimento que ele tinha também atingiam o lado moral da questão, e isso fica implícito nos versículos finais.

Contraste-se isso ao pequeno conhecimento do homem e sua hesitação:

Não compreendendo,
Avançamos alquebrados,
Nossa vereda vai-se alargando,
Conforme avançamos nos anos.
Maravilhamo-nos e admiramo-nos
Porque a vida é a vida,
E então caímos no sono.
Sem nada compreendermos.

Walter Eccles

Jr 17.10 é trecho que aplica a onisciência de Deus ao andar do homem, o qual receberá, no final, a divina recompensa ou a divina punição. Há muitas aplicações, e eu as descrevo no artigo referido anteriormente. Arama diz que o tema principal deste salmo é o conhecimento especial de Deus sobre os homens, e a sua providência na vida deles. Ver o final dos comentários sobre o vs. 2, quanto a outra função da onisciência de Deus.

139.2

אַתָּה יָדַעְתָּ שִׁבְתִּי וְקוּמִי בַּנְתָּה לְרֵעִי מֵרָחוֹק׃

Sabes quando me assento e quando me levanto. O poeta sacro entra em alguns detalhes para apoiar sua declaração geral sobre a onisciência de Deus. Ele sabe quando o homem faz coisas triviais, como *sentar-se* ou *levantar-se*, pelo que muito mais sabe quando o homem faz coisas importantes, boas ou más. Ele também conhece os pensamentos do homem, pelo que sua percepção desce bem mais fundo do que um conhecimento sobre atos francos. Segundo os pensamentos do homem, Yahweh descobre seus *motivos*, algo que os homens gostam de esconder de outros por todas as variedades de engano, engodos e mentiras. É impossível enganar a um Deus assim. Ele conhece o real valor de nossos atos, sem importar se são egoístas ou benéficos a outras pessoas. Os homens chegam a fazer coisas boas movidos por motivações vis, e isso anula suas boas obras, segundo a estimativa divina das coisas.

De longe. Isso poderia significar que Deus, estando tão distante no céu, ainda assim é capaz de compreender os pensamentos humanos. Ou então Deus pode até mesmo antecipar o que o homem irá pensar. A primeira ideia é um apoio de Sl 138.6.

Os meus pensamentos. O hebraico original usa o singular, "pensamento", o que pode significar meu "propósito", meu "alvo" ou minha "motivação". Mas algumas versões emendam isso para a forma plural, "meus pensamentos", conforme faz a nossa versão portuguesa, e fazem o singular servir de coletivo para todos os processos do pensamento e para os objetivos do pensamento.

A Onisciência de Deus. Homens ímpios tinham-se erguido contra o poeta. Eram mentirosos e destruidores, mas ele era um *homem inocente*. Como é óbvio, Yahweh sabia disso e finalmente o livraria e o vindicaria. Portanto, aprendemos que a onisciência de Deus também está envolvida em seus julgamentos, pois de que outra maneira poderia ele julgar corretamente?

139.3

אָרְחִי וְרִבְעִי זֵרִיתָ וְכָל־דְּרָכַי הִסְכַּנְתָּה׃

Esquadrinhas o meu andar e o meu deitar. Yahweh sabe tudo sobre o andar e o deitar do homem (vss. 2,3) e todos os seus *caminhos*: não meramente sua vida diária, mas o teor geral da vida humana, seus motivos, propósitos e alvos. Tentar dar o texto hebraico literal é uma maneira compreensível de enfrentar a questão. Ellicott (*in loc.*) traduziu como segue:

Sobre minha vereda e sobre meu leito tu és um convidado,
Em todos os meus caminhos tu habitas.

"Tu conheces o número inteiro de meus caminhos, bem como os passos que tomo neles" (Adam Clarke, *in loc.*).

Esquadrinhas o meu andar. No hebraico é "cercas", o que vem de uma palavra-raiz que significa "um círculo". Essa palavra também pode significar "coar inteiramente". Obtemos a ideia de Yahweh separando a palha do trigo quando examina cuidadosamente a vida geral do poeta. Ver no *Dicionário* o verbete chamado *Andar*. As versões da Septuaginta e árabe dizem "investigaste". O homem estava sob o escrutínio divino.

Yahweh, conhecendo tudo, abençoou o homem abundantemente (vss. 17 e 18) e vindicou-o contra seus inimigos (vss. 20 e 21).

Aquele que fez o coração é o único que pode testar-nos corretamente;
Ele conhece cada corda, bem como seus vários tons.

Robert Burns

139.4

כִּי אֵין מִלָּה בִּלְשׁוֹנִי הֵן יְהוָה יָדַעְתָּ כֻלָּהּ׃

Ainda a palavra me não chegou à língua. Agora o poeta avança para comentar sobre a faculdade da fala, o uso apropriado da linguagem (ver Sl 5.9; 12.2; 15.3; 17.3; 34.12; 35.28; 36.3; 39.9; 55.21; 64.4; 66.17; 73.9; 94.4; 101.5; 109.2; 119.172 e 120.3,4). Ver no *Dicionário* o verbete intitulado *Linguagem, Uso Apropriado da*. Nesse aspecto da vida, o poeta sacro era inculpável, mesmo depois do escrutínio divino, o que é, realmente, uma raridade. Sua boca estava cheia de louvores (vs. 14), e ele contrastava com os pecadores que usam a faculdade da fala de maneiras erradas ou mesmo blasfemas (vs. 20).

Já a conheces toda. Antes mesmo que o salmista falasse, Deus conhecia o conceito total e sua motivação para falar. "A totalidade da fala, de onde tudo manava, as razões para a fala, seus desígnios, as boas palavras em oração, antes mesmo de ele falar e quando estava falando, e o que era dito em conversas privadas. Ver Is 65.24; Ml 3.16; Lc 19.31,33" (John Gill, *in loc.*).

■ 139.5

אָח֣וֹר וָקֶ֣דֶם צַרְתָּ֑נִי וַתָּ֖שֶׁת עָלַ֣י כַּפֶּֽכָה׃

Tu me cercas por trás e por diante. O significado deste versículo não é claro. As palavras "tu me cercas" podem ser "sitiar", "fechar dentro", mas, nesse caso, o que estará em vista? Consideremos estes três pontos:

1. Alguns emendam o texto para "ter formado" e transformam-no em um ato de criação e então de sustento contínuo.
2. Outros eruditos veem aqui a onipresença de Deus: Yahweh estaria na frente e atrás dele, acima e por baixo dele, cercando-o. "De todos os lados, estou em tuas mãos, para receber castigo ou para ser abençoado" (Fausset, *in loc.*).
3. Preservando a ideia de "sitiar", a noção pode ser a de um homem totalmente sujeito ao poder divino, tornando-se assim humilde e obediente. "... Ele era como uma cidade assediada, da qual não há como escapar" (Ellicott, *in loc.*).

Sobre mim pões a tua mão. Por qual motivo? Consideremos os pontos seguintes: 1. Para firmar e ajudar, e para que o homem gozasse de boa saúde e prosperasse. 2. Para castigar, quando isso fosse necessário. 3. Para proteger.

O Targum tem a ideia de punição, ao dizer: "Agitou contra mim o golpe de tua mão". Mas parece que temos aqui a providencial mão divina, de bênção e proteção. Ver sobre a *mão* de Yahweh em Sl 81.14, e sobre a *mão direita* em Sl 20.6.

■ 139.6

פְּלִאיָ֣ה דַ֭עַת מִמֶּ֑נִּי נִ֝שְׂגְּבָ֗ה לֹא־א֥וּכַֽל לָֽהּ׃

Tal conhecimento é maravilhoso demais para mim. Temos aqui uma espécie de sumário que a tudo abrange: tal conhecimento (que foi descrito nos versículos anteriores) era algo maravilhoso demais para o salmista compreender. Conforme disse William R. Taylor (*in loc.*), esse conhecimento "era inacessível e extraordinariamente elevado. Portanto, o poeta sacro quedava-se admirado diante de Yahweh e tinha cuidado com seus pensamentos, palavras e maneira de agir. "Ele prorrompeu em louvores diante da admirável vastidão do conhecimento infinito de Deus, que transcende os poderes finitos da compreensão humana (Rm 11.33)" (Fausset, *in loc.*). O texto hebraico tem o artigo com a função de pronome adjetivo demonstrativo: "Este conhecimento" é aquele que é elevado demais para mim.

A Septuaginta e a Vulgata traduzem aqui "teu conhecimento". Kimchi, Jarchi e Aben Ezra ligam esta frase ao versículo seguinte, falando do *espanto* do salmista diante da onipresença de Deus.

A ONIPRESENÇA DE DEUS (139.7-12)

■ 139.7

אָ֣נָה אֵ֭לֵךְ מֵרוּחֶ֑ךָ וְ֝אָ֗נָה מִפָּנֶ֥יךָ אֶבְרָֽח׃

Para onde me ausentarei do teu Espírito? Cf. Jr 23.23,24. Ver no *Dicionário* sobre *Onipresença* de Deus e também sobre *Atributos de Deus*. Talvez tenha ocorrido ao salmista, diante de tão vasto conhecimento, a ideia de escapar momentaneamente de tal Ser. Mas, ao contemplar como fazer isso, ele ficou profundamente admirado de encontrar Deus em todos os lugares, um Ser onipresente, não meramente onisciente. Assim sendo, o vs. 7 apresenta duas questões retóricas que esperam uma resposta como "em parte alguma". O homem poderia refugiar-se em algum lugar para ocultar-se do Espírito de Deus. O salmista poderia tentar fugir do Espírito para um lugar distante e desconhecido. Porventura, isso o esconderia do Espírito de Deus? Poderia ele encontrar algum lugar onde o Espírito de Deus não estivesse? Obviamente, *não;* portanto, o poeta nem ao menos deu-se ao trabalho de responder às próprias perguntas. Deus é um Ser ativo, sempre presente, em todos os lugares. Cf. Sl 51.11; 104.30; 143.10; Is 63.10,11; Ag 2.5 e Zc 4.6.

Do teu Espírito. Não sabemos dizer até que ponto avançara a evolução da doutrina do Espírito. O poeta quis dar a entender apenas a *presença sensível* de Deus, e não a personalidade do Espírito Santo. Ver no *Dicionário* o artigo intitulado *Espírito Santo*. A fuga poderia ser motivada pelo temor ao castigo devido ao pecado (Am 9.2), ou era simplesmente um ato de temor perante um Poder espantoso. Espírito, neste caso, significa "a mente toda-consciente, o entendimento todo-abrangente e o conhecimento que diz respeito a todas as pessoas, lugares e coisas. Cf. Is 40.13; Rm 11.34 e 1Co 2.16" (John Gill, *in loc.*), o qual então escolhe a ideia em que está em foco a personalidade do Espírito.

Da tua face? Esta é uma tradução literal do original hebraico. Ver Jr 23.24.

■ 139.8

אִם־אֶסַּ֣ק שָׁ֭מַיִם שָׁ֣ם אָ֑תָּה וְאַצִּ֖יעָה שְּׁא֣וֹל הִנֶּֽךָּ׃

Se subo aos céus, lá estás. Deus é pintado como estando nos céus e no sheol, isto é, no lugar mais elevado e no lugar mais baixo e, portanto, também entre esses dois extremos. Ele está no mundo dos espíritos, e não meramente neste crasso mundo material. Deus preenche todas as coisas, e o mesmo acontece ao Filho, no bom sentido de ser tudo para todos (ver Ef 4.10). Cf. Pv 15.11 e Jó 26.6.

Ainda que desçam ao mais profundo abismo, a minha mão os tirará de lá; se subirem ao céu, de lá os farei descer.

Amós 9.2

Nesse texto de Amós, encontramos os *sondadores julgamentos* de Deus, mas o sentido não parece ser esse no texto. O poeta sagrado não era um pecador que estava fugindo de Deus. Era um santo espantado diante da onipresença de Deus que tentava descrever isso em seus versos, da melhor maneira que pudesse. Parte dessa ideia é o governo universal de Deus e sua providência universal. O salmista não estava falando apenas abstratamente.

Abismo. No original hebraico, *sheol*. Quase todas as referências nos salmos a esse lugar ou (esfera) são meros sinônimos de *sepultura*. Em Sl 88.10, encontramos algo diferente. O *sheol* é um lugar onde espíritos destituídos de mente esvoaçam sem consciência das coisas, nem de Deus nem de sua própria natureza. São *fantasmas,* de acordo com o conhecimento com que as pessoas falam hoje em dia, quando contrastam um *fantasma* com um *espírito* humano genuíno. Ver a exposição naquele versículo, e, no *Dicionário*, sobre *Hades* e *Fantasma*. Este versículo parece ser uma declaração acerca do *sheol* espiritual, aquele que vai além do sepulcro. O Espírito de Deus está ali, cuidando das coisas. Se ele está fazendo isso, então ali deve haver algo pelo que cuidar. Ou então as palavras do poeta na realidade são apenas poéticas, não desejando afirmar nada de específico. Que Deus está "no mais alto e no mais baixo" pode ser o único propósito da declaração.

"A convicção de que o submundo não estava isento da vigilância e até da visitação de Yahweh contribui para um avanço no pensamento, a partir de Sl 6.5, onde a morte é vista a cortar os hebreus inteiramente de seu relacionamento com a teocracia" (Ellicott, *in loc.*). Se essa é uma avaliação verdadeira do pensamento do poeta, então devemos adicionar que, por enquanto, ainda não existia nenhuma ideia de recompensa ou punição em um ou outro compartimento do hades, até onde o capítulo 16 de Lucas havia avançado. O *sheol* (hades) é um conceito crescente. 1Pe 3.18—4.6 apresenta Cristo levando o evangelho àquele lugar e oferecendo ali a salvação evangélica (que é o que penso ser o sentido) ou melhorando aquele local, o que é uma ideia inferior, embora ainda aceitável. No livro apócrifo do Novo Testamento, o Evangelho de Nicodemos, Cristo aparece a *esvaziar o lugar*, ou seja, a promover um pensamento universalista.

O Targum aventa a Palavra de Deus no hades, sugerindo que algo bom era feito ali, mas não podemos afirmar que o salmista estava dizendo tal coisa. Seja como for, "é um novo pensamento de que Deus está tanto no céu quanto no *sheol*" (*Oxford Annotated Bible*, comentando este versículo). Alguns intérpretes veem Deus, ridiculamente, a castigar os pobres espíritos que estavam no hades, como se essa fosse a *razão* pela qual ele estava ali; mas o poeta não diz coisa alguma parecida com isso.

Ver na *Enciclopédia de Bíblia, Teologia e Filosofia* o artigo chamado *Descida de Cristo ao Hades*. Cristo tem uma missão tridimensional visando ao bem de todas as almas: na terra, nos céus e no hades. Eis a razão pela qual, finalmente, ele "preencherá todas as coisas" e será tudo para todos (ver Ef 4.10).

■ 139.9

אֶשָּׂ֥א כַנְפֵי־שָׁ֑חַר אֶ֝שְׁכְּנָ֗ה בְּאַחֲרִ֥ית יָֽם׃

Se tomo as asas da alvorada. O poeta continua em seu voo imaginário, buscando encontrar algum lugar onde pudesse escapar da presença do Senhor Deus. Literalmente, de acordo com o original hebraico, teríamos aqui a seguinte tradução:

> Elevo as asas da alvorada,
> Habito nos confins do mar.

Quando o sol se eleva acima do horizonte, espalha seus raios gloriosos como se fosse um pássaro gigantesco, não havendo lugar na terra que deles escape. Se o homem se tornasse como o sol, encontraria algum lugar, qualquer lugar, onde não encontrasse Deus? Na época, o mar era, para os hebreus, uma vasta e misteriosa entidade, e alguns mares pareciam estender-se a lugares que não podiam ser conhecidos. Poderia o homem achar algum lugar, nos extensos mares, onde não encontrasse Deus? Cf. as asas do sol (Ml 4.2) e as "asas do vento", em Sl 18.10. As "asas da alvorada" são "uma frase poética para expressar a rapidez instantânea com a qual os raios da alvorada matinal, como flechas, alcançam todo o horizonte, do Oriente ao Ocidente" (Fausset, *in loc.*). "O poeta imaginou-se projetado como um dardo, do Oriente ao Ocidente, com a rapidez da luz" (Ellicott), procurando um lugar onde o Espírito de Deus não estivesse presente, mas sem encontrar lugar nenhum.

■ 139.10

גַּם־שָׁ֭ם יָדְךָ֣ תַנְחֵ֑נִי וְֽתֹאחֲזֵ֥נִי יְמִינֶֽךָ׃

Ainda lá me haverá de guiar a tua mão. Onde quer que a luz do sol chegasse, em todas as terras banhadas pelo mar, "lá fora", no mundo misterioso do além, ali o poeta encontraria o seu Deus. E ali também encontraria a *Providência de Deus*, pois, sem importar por onde fosse, acharia a poderosa, sustentadora, consoladora e guiadora *mão* de Deus. Ele encontraria a atenção pessoal do Criador em favor da criatura, uma façanha maravilhosa só de pensar! Ele encontraria Deus como um "amigo, sustentador e guiador Todo-poderoso (Sl 23.3; 27.11; 73.24). Deus guia os retos pelo caminho eterno. Tu estenderás a tua mão contra a ira dos meus inimigos e tua mão direita me salvará (Sl 25.24; 138.7)" (Fausset, *in loc.*). Quanto à *mão* de Deus, ver Sl 81.4; e, quanto à *mão direita* de Deus, ver Sl 20.6. No versículo presente a mão de Deus aparece *providenciadora*, e não retributiva. Ver no *Dicionário* o artigo chamado *Providência de Deus,* quanto a ideias completas.

■ 139.11

וָ֭אֹמַר אַךְ־חֹ֣שֶׁךְ יְשׁוּפֵ֑נִי וְ֝לַ֗יְלָה א֣וֹר בַּעֲדֵֽנִי׃

Se eu te digo: As trevas, com efeito, me encobrirão. A *noite escura,* que tudo oculta da visão humana, talvez também o ocultasse da presença de Deus. Por conseguinte, ele imaginou a noite mais escura possível e recuou para algum lugar de esconderijo. Ele se mostrou quieto e cuidadoso para não chamar a atenção de ninguém. Mas quando chegou ao suposto esconderijo, ali encontrou Deus esperando! Talvez o poeta use a palavra "trevas" em um sentido metafórico, para indicar *qualquer condição* que pudesse bloquear a luz de Deus e impedir o homem de ser detectado. Mas a luz de Deus ilumina todas as esferas e não deixa de sondar lugar algum.

... me encobrirão. O original hebraico diz "me esmagarão", pelo que temos aqui a ideia de *trevas opressivas.* A Septuaginta e a Vulgata preservam o hebraico literal, mas outras versões antigas e muitas traduções modernas evitam isso mediante emendas. Sêneca (*Epist.* 82) falou sobre a opressão das trevas, uma figura poética comum. As trevas podem referir-se à morte (Sl 88.6), e isso, na mente da maioria dos homens, é a pior opressão de todas. Alguns estudiosos fazem o salmista falar, em sua figura, sobre as trevas da morte. Se isso está correto, então Deus encontra-se perto do homem na sua hora mais opressiva, a hora da morte. Esta é uma excelente ideia, mas não há certeza de que seja o que está em pauta aqui. Sl 23.4, contudo, tem no *vale da sombra da morte* a ideia essencial.

As trevas transformam-se em luz quando Deus está próximo. Esta é a ideia da segunda parte do versículo, e naturalmente a luz é Deus. Ver no *Dicionário* o verbete intitulado *Luz, Metáfora da,* quanto a um desenvolvimento da figura. O hebraico aqui é pitoresco: "Assim como as trevas, assim a luz". "Deus é a luz que, embora nunca vista em si mesma, torna todas as coisas visíveis e reveste-se de cores" (Richter, *in loc.*). Cf. Jó 34.21,22. "Trevas e luz são a mesma coisa para ele, por causa de sua onisciência e onipresença" (Allen P. Ross, *in loc.*).

■ 139.12

גַּם־חֹשֶׁךְ֮ לֹֽא־יַחְשִׁ֪יךְ מִ֫מֶּ֥ךָ וְ֭לַיְלָה כַּיּ֣וֹם יָאִ֑יר כַּ֝חֲשֵׁיכָ֗ה כָּאוֹרָֽה׃

Até as próprias trevas não te serão escuras. Este versículo *expande* a ideia do vs. 11. Nenhuma forma de trevas, literal ou figurada, tem a menor oportunidade de ocultar a Deus ou de Deus. Yahweh faz a noite brilhar como o dia. Portanto, para Deus, a noite não tem a qualidade de ocultamento, como acontece aos homens. Nada está oculto de Deus, porque ele conhece tudo e observa todos os lugares. "O que está oculto para nós, por causa de nossa ignorância, é perfeitamente conhecido por Deus, porque ele vê com todo o seu Ser, como também é todo-ouvidos, todo-sentimentos, todo-alma, todo-espírito, ele é tudo, ele é infinito. Embora sua essência seja inescrutável e indivisível, contudo sua influência é difusa por todas as coisas. Oh, vós, sábios tolos! Yahweh, a fonte da perfeição eterna, é diferente de vossos credos. Ele é diferente de vós, que inventais credos que fazem um filete de amor atingir milhares — mas fazeis um *ódio* eterno, transbordante e irresistível avassalar milhões" (Adam Clarke, *in loc.*, com um míssil dirigido contra o calvinismo, que faz o amor de Deus realizar tão pouco neste mundo de trevas). A nota de Adam Clarke aqui parece bastante fora de lugar, mas devemos lembrar que o Deus onisciente e onipresente opera mediante sua benevolência, e esse é um dos principais temas do salmo presente.

Kimchi afirma que ele tem claro discernimento das coisas feitas na noite escura, como se elas fossem feitas no mais claro meio-dia. Cf. Jó 34.21,22.

O SENHOR COMO CRIADOR (139.13-18)

■ 139.13

כִּֽי־אַ֭תָּה קָנִ֣יתָ כִלְיֹתָ֑י תְּ֝סֻכֵּ֗נִי בְּבֶ֣טֶן אִמִּֽי׃

Pois tu formaste o meu interior. Cf. Jó 10.8-11. Deus, o Criador, formou as partes internas e misteriosas do homem, e é Deus quem controla o desenvolvimento do feto no ventre de sua mãe. Diz literalmente o hebraico, *rins,* que os hebreus consideravam a sede das emoções. Algumas versões traduzem essa palavra, em outros lugares, por "coração" (ver Sl 7.9; 16.7; 26.2 e 73.21). Mas, considerando que o poeta via Deus a "costurar" o homem no ventre de sua mãe, então talvez seja melhor pensar nos rins como se falassem, genericamente, sobre todas as partes do feto em desenvolvimento. Faltando-lhe conhecimento científico e falando como poeta, o autor usou a figura de uma mulher costurando uma peça de tecido. Tal como uma mulher é habilidosa no trabalho de costura, assim também eles são habilidosos em "costurar junto o feto", uma excelente figura poética.

"Os hebreus acreditavam que os rins eram a primeira parte formada em um feto humano, pelo que essa declaração pode significar que Deus lançou os fundamentos do ser de um homem" (Adam Clarke, *in loc.*). Ou, em outras palavras, o poder divino é retratado como o *agente orientador* da formação do feto, que os homens atribuem às forças naturais, não muito bem definidas, até mesmo em nossos próprios dias. Na qualidade de agente, Deus, como é óbvio, sabia tudo sobre o salmista, mesmo quando ele ainda estava em formação no útero de sua mãe. O que Deus conhece plenamente, nossa ciência continua tateando na busca pelo conhecimento, e nunca encontrará uma resposta aos mistérios da formação do feto, enquanto não reconhecer que há algo de operação divina nessa misteriosa criação. Deus inventou o processo, e deixou que as leis naturais o perpetuassem. Ver no *Dicionário* o verbete chamado *Rins*.

■ 139.14

אוֹדְךָ עַל כִּי נוֹרָאוֹת נִפְלֵיתִי נִפְלָאִים מַעֲשֶׂיךָ וְנַפְשִׁי יֹדַעַת מְאֹד׃

Visto que por modo assombrosamente maravilhoso me formaste. O poeta parou a fim de louvar e agradecer a Deus, que operou tão maravilhosamente na vida humana e cuja providência esteve presente, como continua presente hoje em dia. Um homem foi temerosa e maravilhosamente criado. Houve grande providência no processo: grande inteligência e poder estiveram em operação. A ideia do feto foi tremenda. A criação de um desígnio a ser realizado foi uma manipulação tremenda. Assim são *todas* as obras de Deus. O salmista chegou a saber algo sobre tais coisas e maravilhava-se diante de tudo. Sua alma recebeu iluminação divina sobre a questão, e sua mente obteve alguma compreensão.

Assim o poeta agora adicionava pensamentos sobre a *onipotência de Deus* aos pensamentos concernentes à sua onisciência e onipresença. Ver no *Dicionário* o artigo intitulado *Atributos de Deus*. Somente um Deus onipotente poderia ter realizado as obras maravilhosas que foram efetuadas. O poeta expandiu a ideia da maravilha do feto para as maravilhas da *criação* em geral. O Deus Todo-poderoso foi o Criador. Primeiramente, o salmista declarou o *particular*, a maravilha do feto; em seguida, declarou o *geral*: todas as obras de Deus na criação; em seguida, voltou ao *particular* (vss. 15-18); e então levou o parágrafo a um fim, ao reconhecer a *providência* divina na questão inteira: os pensamentos de Deus sempre *foram* benéficos; e *agora* são sempre beneficentes. Ele opera para dar e sustentar a vida, e para tornar a vida longa e próspera. Oh, Senhor, concede-nos tal graça! As maravilhas criativas de Deus levam a mente humana a *temer* tão espantoso Poder, que as operou. Os homens quedam-se admirados diante da obra da criação e, quanto mais nossa ciência nos revela, tanto mais nossa admiração cresce. Todas as ciências seguem os pensamentos de Deus, e há muitas e notáveis descobertas ao longo do caminho. Verdadeiramente, a natureza é algo assustador.

■ 139.15

לֹא־נִכְחַד עָצְמִי מִמֶּךָּ אֲשֶׁר־עֻשֵּׂיתִי בַסֵּתֶר רֻקַּמְתִּי בְּתַחְתִּיּוֹת אָרֶץ׃

Os meus ossos não te foram encobertos. O hebraico original diz literalmente assim, e os ossos são pintados como a base de todo o corpo, a estrutura da qual o resto depende. Cf. Sl 6.2; 22.14,17; 31.10; 32.3; 102.2. O *corpo,* formado em torno dos ossos, não estava oculto para Yahweh. Seu Espírito, o agente de toda a operação, estava presente.

No oculto fui formado. Uma obra secreta estava ocorrendo em um lugar secreto, ou seja, no útero materno, evidente apenas para Deus.

Nas profundezas da terra. Esta frase, bastante misteriosa, tem recebido certo número de interpretações. Considere o leitor os pontos seguintes:

1. Alguns estudiosos supõem haver aqui um reflexo do mito platônico de pessoas sendo formadas e alimentadas no ventre da terra (*República,* III, 414C-E), o que nos conduz a outros mistérios que poderiam ser subentendidos por meio dessas palavras.
2. Ou o poeta fala poética e delicadamente sobre o ventre de uma mulher. Naquele lugar, o feto estava sendo *formado em toda a sua complexidade.*
3. Alguns eruditos veem aqui um indício da ideia da *preexistência,* que se tornou uma doutrina comum no judaísmo posterior. Isso, entretanto, quase certamente é um anacronismo neste ponto. A preexistência foi aplicada a almas no céu, e não a almas no *sheol*. Por outro lado, as partes inferiores da terra poderiam ser uma referência ao "mundo invisível". Contudo, é um anacronismo ver aqui a ideia da preexistência da alma. Provavelmente, essa é uma verdade com a qual o judaísmo posterior teria topado. A Igreja Ortodoxa Oriental tradicionalmente tem-se apegado a essa crença.

Provavelmente, a segunda dessas três posições é a correta. O poeta falava em linguagem poética sobre as operações escuras da natureza, seus enigmas, a formação do homem no *ovário* dos mistérios de Deus, realizados no *ventre de uma mulher,* se quisermos abordar de maneira crassa e literal a questão.

■ 139.16

גָּלְמִי רָאוּ עֵינֶיךָ וְעַל־סִפְרְךָ כֻּלָּם יִכָּתֵבוּ יָמִים יֻצָּרוּ וְלֹא אֶחָד בָּהֶם׃

Os teus olhos me viram a substância ainda informe. O hebraico deste versículo é difícil, pelo que existem várias ideias e emendas a respeito, conforme demonstrará uma vista de olhos nas traduções deste versículo. O hebraico diz literalmente como segue:

> Meu feto (literalmente, rolou) viu teus olhos,
> E no teu livro todos eles ficaram registrados;
> Dias foram formados, e nenhum deles neles.
>
> Tradução de Ellicott

Meus amigos, não citarei aqui a *Revised Standard Version,* que me deixa quase tão confuso quanto o hebraico literal. A tradução da Imprensa Bíblica Brasileira dá um sentido excelente e suave, embora não seja, necessariamente, o que o hebraico queria dizer:

> Os teus olhos viram a minha substância ainda informe, e no teu livro foram escritos os dias, sim, todos os dias que foram ordenados para mim.

Todas as versões antigas fazem dos *dias das vidas dos homens,* ou os homens nascidos no decurso daqueles dias, o significado da última parte do versículo. Aqueles dias foram escritos no livro de Deus, por meio de conhecimento anterior, provavelmente para sugerir que esse conhecimento prévio funcionou em favor do homem, beneficiando-o. No livro de Deus, o homem já é um ser vivo, sendo favorecido por sua providência, antes mesmo de vir à existência. O versículo parece apontar para alguma forma de *predestinação* (ver a respeito no *Dicionário*). Cf. Jr 1.5 (um trecho usado por alguns para ensinar a ideia de preexistência) e Rm 8.28-30. Este versículo parece ensinar mais do que a simples ideia de que Deus já dera ao homem o número de dias que ele deveria viver, antes mesmo de seu nascimento. Antes, no número alocado de dias, a *Providência de Deus* opera em favor do homem, dando-lhe o tipo certo de vida, de acordo com a vontade de Deus. Provavelmente, a ideia parece incluir este ensino: os passos de um homem bom são determinados pelo Senhor (ver Sl 37.23). Cf. este versículo também com Ml 3.16 e Sl 6.8.

■ 139.17

וְלִי מַה־יָּקְרוּ רֵעֶיךָ אֵל מֶה עָצְמוּ רָאשֵׁיהֶם׃

Que preciosos para mim, Senhor, são os teus pensamentos! Deus pensava acerca dos homens, e seus pensamentos eram benéficos, realmente *preciosos*. O número deles também era vasto, e cada um deles era um agente do bem. Este versículo, pois, torna-se uma ótima declaração sobre as operações da providência divina. Ver no *Dicionário* sobre *Providência de Deus*. "Quão frios e pobres são *nossos pensamentos* em relação a Deus! E quão indizivelmente amáveis e gloriosamente ricos são os *pensamentos dele* para conosco. Cf. Ef 1.18" (Fausset, *in loc.*). Muitos dos pensamentos de Deus são incompreensíveis para os homens, mas o que sabemos é que esses pensamentos são agentes do bem em prol dos homens. Ver Jr 29.11; Sl 40.17 e 31.19. Deus pensa no leitor hoje (um profundo pensamento) e todos os seus pensamentos resultarão no bem para o leitor (um sentimento ainda maior). Naturalmente, isso importa em um elevado *Teísmo* (ver a respeito no *Dicionário*). Deus criou e continua profundamente interessado em sua criação, recompensando ou punindo, quando necessário, e intervindo na vida humana. Contrastar isso com o *Deísmo* (ver também no *Dicionário*), que postula que, embora haja uma força criadora, ela abandonou a criação ao governo das leis naturais.

■ 139.18

אֶסְפְּרֵם מֵחוֹל יִרְבּוּן הֱקִיצֹתִי וְעוֹדִי עִמָּךְ׃

Se os contasse, excedem os grãos de areia. Os pensamentos de Deus que importam em benefício para os homens são mais numerosos que as partículas de areia em todas as praias do mundo. Visto que esses pensamentos são em tão vasto número, o trabalho que eles efetuam também deve ser grande, porque, como é óbvio, nenhum dos pensamentos do Senhor é anulado ou cai inútil por terra. O poeta continua aqui as suas descrições quanto às providências superlativas de Deus. A figura da *areia* é usada algures para indicar os filhos quase inumeráveis de Abraão ou de Israel (ver Gn 22.17; 32.12; Os 1.10). Píndaro (*Olymp.* ode 2) criou uma interessante metáfora dizendo que *a areia foge* em números incontáveis, como sabe qualquer um que já esteve em uma praia. O oráculo pitiano jactava-se do grande número de grãos de areia nas praias do mar (*apud* Heródoto, *Clio,* sive 1.l. cl. 47). Arquimedes tentou provar que o número das partículas de areia não é infinito (*Vid. Turnebi Advers.* 1.26, cap. 1). Sem dúvida isso exprime uma verdade, mas se alguém tentar enumerá-los ficará impressionado com a soma quase infinita.

Contaria, contaria. Com estas palavras, o poeta quis dizer que, durante a noite, ele jazia deitado em seu leito, pensando sobre Deus e sobre todas as suas obras maravilhosas em seu favor. Seus pensamentos estavam entremeados com esse assunto. E, ao acordar, sua mente continuaria trabalhando nas mesmas linhas. Cf. Is 26.9; Sl 16.7 e 53.6.

> *Quando caminhares, isso te guiará; quando te deitares, te guardará; quando acordares, falará contigo.*
> Provérbios 6.22

Esse provérbio fala da lei mosaica e de suas operações no homem, mas o poeta falava sobre os pensamentos providenciais de Deus, que emprestavam significado à sua vida. Durante a noite, em seus sonhos, e quando ele despertava, seus pensamentos se centralizavam em *Deus* e nos seus muitos atos providenciais.

IMPRECAÇÃO CONTRA OS ÍMPIOS (139.19-22)

139.19

אִם־תִּקְטֹל אֱלוֹהַּ ׀ רָשָׁע וְאַנְשֵׁי דָמִים סוּרוּ מֶנִּי׃

Tomara, ó Deus, desses cabo do perverso. O salmista agora mergulha de seus elevados e inspiradores pensamentos para o abismo das imprecações dos salmos de lamentação. A descida é tão rápida e radical que alguns intérpretes não acreditam que os vss. 1-18 e 19-22 originalmente pertencessem ao mesmo salmo, mas que algum editor posterior reuniu as duas porções, formando um único salmo. Outros estudiosos, porém, veem na descrição da onisciência de Deus uma antecipação do que encontramos aqui. Deus sabe de todas as coisas, pelo que também sabia que o poeta era um homem inocente que estava sendo assediado por muitos inimigos, os quais queriam destruir-lhe a vida. Assim sendo, Deus vindicaria o inocente e julgaria o culpado. Os vss. 23,24 retrocedem à primeira parte, e os vss. 19-22 se parecem com uma introdução em um poema em tudo mais esplendoroso. Por outra parte, um homem, por si mesmo, é o mais elevado e o mais baixo, pelo que isso pode ter influenciado a composição das duas partes do salmo. "A natureza humana, mesmo quando santificada por uma profunda fé religiosa, algumas vezes exibe curiosas incoerências" (William R. Taylor, em sua introdução a este salmo). O poeta sagrado, ao erguer tão elevados e belos pensamentos, de súbito poderia ter lembrado de todos os pecadores, lá fora, que não tinham utilidade alguma para Deus. Por isso, parou de proferir maldição contra eles.

Desses cabo do perverso. O salmista queria que os pecadores morressem e orou para que algum acidente, enfermidade ou golpe divino espetacular tirasse os perversos da terra, de modo que eles sofressem de morte prematura, algo tão temido pelos hebreus. Visto que Deus estava prestes a golpeá-los, o poeta tomou coragem para dirigir-se a eles diretamente, dizendo que deixassem esta vida. Eram homens *sanguinários,* assassinos que tinham planejado contra a vida de inocentes (inclusive a vida do próprio salmista), pelo que mereciam o golpe divino súbito e final. Cf. as declarações de Ap 16.6,7; 17.6 e 18.24. Ver também Mt 7.23 e 25.34.

139.20

אֲשֶׁר יֹאמְרֻךָ לִמְזִמָּה נָשֻׂא לַשָּׁוְא עָרֶיךָ׃

Eles se rebelam insidiosamente contra ti. Os adversários do poeta eram adversários de Yahweh. Não somente matavam vítimas inocentes, mas até desafiavam, iniquamente, ao próprio Deus. A *King James Version* diz que eles tomavam em vão o nome do Senhor, mas isso é uma interpretação inferior de um original hebraico um tanto incerto. Uma leve emenda do texto massorético resulta no texto que diz: "Os quais se elevam contra ti, visando o mal". Com isso concorda a tradução da Imprensa Bíblica Brasileira. A versão portuguesa Atualizada usa a tradução possível "falam malícia". Ver no *Dicionário* o artigo *Massora (Massorah); Texto Massorético,* quanto ao texto hebraico padronizado das modernas Bíblias em hebraico. Alguns acham o uso do nome de Deus, ou a conversa sobre Deus, uma piedade hipócrita por parte dos pecadores, os quais ocultam assim seus maus desígnios e suas palavras mentirosas e hipócritas. Portanto, os intérpretes do Targum explicam este versículo como se envolvesse juramentos falsos e enganadores. Ver no *Dicionário* o verbete intitulado *Juramentos e Mentira (Mentiroso)*.

139.21

הֲלוֹא־מְשַׂנְאֶיךָ יְהוָה ׀ אֶשְׂנָא וּבִתְקוֹמְמֶיךָ אֶתְקוֹטָט׃

Não aborreço eu, Senhor, os que te aborrecem? No momento em que proferiu sua imprecação, o poeta descobriu em seu coração ódio contra os que odiavam a Yahweh. Ele *se enojava* daqueles que, com tanta presunção, se erguiam contra Deus com palavras e atos vergonhosos. A *Revised Standard Version* diz *loathed,* correspondente ao "abomino" na nossa versão portuguesa. O salmista mergulhou na tristeza quando pensava sobre os pecadores que matavam e blasfemavam contra Deus. Ele os abominava. "Ninguém pode, ao mesmo tempo, amar ao Senhor e amar a seus inimigos (Sl 119.158)" (Fausset, *in loc.*). Esse sentimento, como é óbvio, fica aquém da elevada espiritualidade na qual os homens amam até mesmo seus inimigos (Mt 5.44). Na verdade, porém, todos ficamos aquém dessa declaração.

> Mas não devo eu odiar os teus odiadores, Yahweh, e sentir abominação pelos que te atacam?
> Tradução de Ellicott

"Eles se rebelam contra Deus e contendem com ele, o que é loucura e desvario. Isso é motivo de tristeza para os homens bons, por causa de sua insolência e impudência. Esses se expõem à ruína e à destruição" (John Gill, *in loc.*).

139.22

תַּכְלִית שִׂנְאָה שְׂנֵאתִים לְאוֹיְבִים הָיוּ לִי׃

Aborreço-os com ódio consumado. O salmista não podia deixar de lado sua imprecação sem reiterar, uma vez mais, o seu ódio contra aqueles assassinos insolentes. Ele transformara o ódio em virtude; e assim pergunto: Quem de nós já não fez tal coisa, e com certa frequência? De fato, nas igrejas evangélicas existem odiadores profissionais que fazem de seus atos maliciosos alegados atos de piedade. O hebraico literal aqui é "com perfeição de ódio". Na verdade, alguns homens pensam que seu estado superior e aperfeiçoado lhes dá licença para odiar. Esses podem encontrar textos de prova para suas atitudes, e outros homens, com eles parecidos, consideram-nos heróis. Alguns homens fazem do ódio ao próximo uma arte e vivem praticando a fim de que sua arte seja aperfeiçoada, porquanto a perfeição vem da prática.

> Temos religião o bastante para odiarmos,
> Mas não o bastante para nos amarmos mutuamente.
> Jonathan Swift

> É muito difícil odiar o pecado de todo o coração,
> E, no entanto, amamos o pecador.
> Adam Clarke

Além disso, é o *Odium Theologicum* (ver a respeito no *Dicionário*).

Ó Deus, que carne e sangue fossem tão baratos!

Que os homens viessem a odiar e matar,
Que os homens viessem a silvar e decepar a outros
Com línguas de vileza,
... por causa de... "Teologia".

Russell Champlin

O artigo geral intitulado Ódio, no Dicionário, adiciona detalhes e ilustrações a esses comentários. O ódio é o substituto do diabo para o amor de Deus: o diabo odeia; Deus ama.

SONDANDO E CONHECENDO O CORAÇÃO (139.23,24)

■ 139.23

חָקְרֵנִי אֵל וְדַע לְבָבִי בְּחָנֵנִי וְדַע שַׂרְעַפָּי׃

Sonda-me, ó Deus, e conhece o meu coração. O salmista acreditava-se inocente. E, se não fosse inocente, propunha uma sondagem divina que lhe revelasse no que ele havia falhado. E então ele corrigiria sua deficiência. A vida tem de ser totalmente exposta à onisciência de Yahweh, um grande tema deste salmo (vss. 1-6). O poeta não queria ser como os ímpios pecadores aos quais odiava e contra quem acabara de pronunciar uma imprecação causticante (vss. 19-22). Parte de sua operação para a busca divina era que ele fosse vindicado e libertado das calúnias e dos planos assassinos de seus inimigos. Não somos informados sobre como isso aconteceria, mas haveria uma forma de intervenção em seu favor.

O salmo começa com a palavra "sonda", descrevendo o fato de que Yahweh já havia feito o seu trabalho de escrutínio. "O inevitável escrutínio foi convidado" (Ellicott, *in loc.*). Ou então o poeta pediu que isso fosse feito de novo, pelas razões apresentadas.

Os meus pensamentos. Esta última palavra foi usada apenas mais uma vez no Antigo Testamento, isto é, em Sl 94.19, derivada do sentido básico de *ramos* ou *ramificações* e enfatizando os inúmeros pensamentos de um homem. Somente Deus poderia encontrar e compreender a todos eles.

■ 139.24

וּרְאֵה אִם־דֶּרֶךְ־עֹצֶב בִּי וּנְחֵנִי בְּדֶרֶךְ עוֹלָם׃

Vê se há em mim algum caminho mau. A sondagem teria o propósito de descobrir qualquer *caminho mau* na vida do homem, do qual ele não tivesse consciência, porquanto lhe faltava o tipo de conhecimento que Yahweh possuía e métodos superiores de pesquisa. Quanto a caminho ímpio, o hebraico diz, literalmente, *caminho de dor,* o que, presume-se, significava um caminho que inevitavelmente levava à dor, por ser inerentemente errado. Uma vez libertado dos caminhos da dor, o homem poderia então ser guiado no *caminho eterno.* Consideremos os quatro pontos seguintes:

1. Alguns estudiosos pensam que isso significa o antigo caminho; cf. Jr 6.16.
2. Além disso, a passagem teria a ideia de *bem firmado,* e naturalmente a lei, para a mente dos hebreus, era precisamente isso. Quanto ao que a lei mosaica significava para Israel, ver o sumário em Sl 1.2. "Segundo o *antigo caminho,* o caminho no qual nossos antepassados *andaram...* o caminho certo pelo qual um homem deveria andar" (Adam Clarke, *in loc.*).
3. Um caminho que é "certo em todas as ocasiões" (William R. Taylor, *in loc.*). Isso significaria no passado, e por todo o tempo futuro, mas não apontaria necessariamente para o tempo depois do sepulcro, que conduz à vida eterna. Provavelmente, a teologia dos hebreus ainda não chegara ao ponto de ver o que existia para além do sepulcro, onde a alma imaterial encontraria um lar celeste. E mesmo que isso tivesse sido proposto, não é provável que seja a referência deste versículo. A palavra hebraica *'olam* significa basicamente oculto, fora da mente, contínuo, sem começo ou fim discernível.
4. Alguns intérpretes veem aqui um presságio da posterior doutrina do caminho que leva a uma vida interminável, e alguns eruditos cristianizam abertamente o versículo, transformando-o exatamente nisso. Mas até mesmo um intérprete extremamente conservador, como Allen P. Ross, só encontra aqui a ideia de uma *vida prolongada.* Isso poderia significar que o poeta meramente orou pela longa vida e pela prosperidade que a legislação mosaica

prometia (ver Dt 4.1; 5.33; 6.2; Ez 20.1). Se o poeta não tinha esperança maior do que essa, isso não significa que outras passagens do Antigo Testamento e, especialmente, do Novo Testamento não tenham essa mensagem. Ver no *Dicionário* o artigo intitulado *Vida Eterna.* Ver também vários artigos sobre *Imortalidade* (alguns deles científicos), na *Enciclopédia de Bíblia, Teologia e Filosofia.*

O Targum diz aqui: "Guia-me pelo caminho dos retos do mundo".

SALMO CENTO E QUARENTA

Quanto a *informações gerais* que se aplicam a todos os salmos, ver a introdução ao Salmo 4, onde apresento *sete* comentários que elucidam a natureza do livro. Quanto às classes dos salmos, ver o gráfico existente no início do comentário, que atua como uma espécie de frontispício. Apresento ali dezessete classes e listo os salmos pertencentes a cada uma delas.

Este é um *salmo de lamentação* típico, uma oração pelo livramento dos inimigos pessoais. Os salmos de lamentação começam com um grito desesperado pedindo ajuda; falam sobre os inimigos que estão sendo enfrentados, que podem ser nacionais ou pessoais; com frequência proferem imprecações contra esses inimigos; e usualmente terminam em uma nota elevada de louvor e agradecimento, por causa da oração respondida ou porque se esperava que em breve seria respondida. Alguns poucos desses salmos de lamentação omitem a palavra de agradecimento e terminam em uma nota de desespero, o que também tipifica a experiência humana. A maioria dos salmos de lamentação não é muito agradável; mas este é um dos mais ásperos do grupo.

"O homem bom do Antigo Testamento acreditava e odiava, pelo que orou fervorosamente pela morte de seus inimigos. Até o maior de todos os lamentadores, o profeta Jeremias, nem sempre se via isento dessa fraqueza humana na oração (cf. Jr 18.19-23; 17.17,18), e quanto menos homens de menor calibre em Israel" (Willy Staerk, "Die Schriften des Alten Testaments in Auswahl"). "Em contraste, o homem bom, nas páginas do Novo Testamento, quando assediado por homens que planejam o mal, age de acordo com os princípios expressos em Rm 12.14,17-21" (William R. Taylor, *in loc.*). Ver as palavras de Jesus em Mt 5.44, que nos ultrapassam totalmente, porque *agimos* mais como os santos do Antigo Testamento, embora *falemos* como santos do Novo Testamento.

"O salmista proferiu severas imprecações contra os ímpios, que buscavam envenenar e prendê-lo com seus vários planos espertos. Ele proferiu aquelas imprecações na plena confiança de que o Senhor garantiria a justiça em favor dos aflitos, contra os ataques dos espertos. Essa é a substância de sua oração inicial" (Allen P. Ross, *in loc.*).

Subtítulo. O subtítulo deste salmo é igual ao do salmo anterior. Ver as notas expositivas ali.

UM APELO FEITO A YAHWEH (140.1-5)

■ **140.1** (na Bíblia hebraica corresponde ao **140.1,2**)

לַמְנַצֵּחַ מִזְמוֹר לְדָוִד׃

חַלְּצֵנִי יְהוָה מֵאָדָם רָע מֵאִישׁ חֲמָסִים תִּנְצְרֵנִי׃

Livra-me, Senhor, do homem perverso. A maioria dos salmos de lamentação clama a Deus, pedindo proteção contra *homens violentos* que puseram em movimento mecanismos homicidas; e este salmo não é exceção. A palavra "homem" é usada coletivamente porque em breve veremos que o salmista tinha vários inimigos que lhe ameaçavam a vida. O vs. 5 implica planos para matar, pelo que o salmista pleiteava por sua própria vida, e somente Yahweh tinha os recursos para libertá-lo do terrível perigo que ele corria.

■ **140.2** (na Bíblia hebraica corresponde ao **140.3**)

אֲשֶׁר חָשְׁבוּ רָעוֹת בְּלֵב כָּל־יוֹם יָגוּרוּ מִלְחָמוֹת׃

Cujos corações maquinam iniquidades. O verbo, antes usado no singular, agora é mudado para o plural, e aprendemos que os homens malignos em vista tinham esquemas malignos em operação, para *continuamente* arrebatar a vida de outros, corromper as coisas em seu coração e tentar trazer à realidade planos ímpios, que agitavam uma guerra particular contra o poeta sagrado. A *ocupação* deles era pensar e agir ousadamente. Cf. Sl 56.6, que diz algo similar. "Eles viviam continuamente a incitar guerras. Essa é a situação descrita em Sl 120.7" (Ellicott, *in loc.*). Compreendemos conflitos particulares de alguns poucos contra um só, e não um conflito nacional, pois descobriremos que inimigos *pessoais* estavam sendo descritos. São dados exemplos escriturísticos, como os cortesãos de Saul que planejavam contra Davi; os pecadores em lugares altos que planejavam a morte de Jesus; os inimigos da igreja primitiva que promoviam perseguições contra o novo Caminho cristão. É impossível identificar historicamente as circunstâncias, mas os exemplos dados servem de ilustrações.

■ **140.3** (na Bíblia hebraica corresponde ao **140.4**)

שָׁנֲנוּ לְשׁוֹנָם כְּמוֹ־נָחָשׁ חֲמַת עַכְשׁוּב תַּחַת שְׂפָתֵימוֹ סֶלָה׃

Aguçam a língua como a serpente. Figuras semelhantes a esta ocorrem em Sl 10.7; 52.2; 58.4 e 64.3. Mediante um pequeno equívoco lógico, o salmista faz a língua afiar-se, em vez de suas presas; e, naturalmente, esse equívoco ocorreu porque aqueles homens malignos usavam a *língua* para danificar. Quanto ao abuso da linguagem, ver Sl 5.9; 12.2; 15.3; 17.3; 34.12; 35.26; 36.3; 39.9; 55.21; 64.4; 66.17; 73.9; 94.4; 101.5; 109.2; 119.172; 120.3,4 e 139.4. Este é um tema comum no livro de Salmos, e a maior parte de suas ocorrências aparece nos salmos de lamentação e como pronuncíações contra os atos de homens ímpios. Ver no *Dicionário* o artigo chamado *Linguagem, Uso Apropriado da*.

Veneno de áspides. "Áspides" vem de duas palavras hebraicas que combinam as ideias de *rolar* e pôr-se de *emboscada*. Mas é impossível identificar a espécie exata de serpente, sendo provável que o poeta sagrado nem ao menos tivesse em mente uma espécie particular de cobra. Os inimigos do homem usavam uma linguagem aguçada e destruidora. Os povos antigos não eram bons conhecedores de questões zoológicas, pelo que, se imaginavam que a *língua* das serpentes carregava veneno e era um instrumento destruidor, era uma boa ideia substituir as presas pela língua nas metáforas empregadas. Cf. Sl 10.7, quanto ao veneno *debaixo dos lábios*. Não são fornecidos detalhes sobre a fala maliciosa dos pecadores, mas sem dúvida essa linguagem incluía calúnias mentirosas, e talvez *maldições* secretas, que os hebreus aceitavam como eficazes, especialmente quando acompanhadas por nomes divinos. Ver os vss. 9 e 11.

> *Maça, espada e flecha aguda é o homem que levanta falso testemunho contra o seu próximo.*
>
> Provérbios 25.18

Os que falavam coisas más tinham saído para desferir ferimentos mortíferos. Eles não se deteriam apenas nas maldições. Assegurariam que as maldições fossem cumpridas. Cf. Sl 52.4 e 54.3. No Novo Testamento, ver Rm 3.13, quanto à mesma figura. O Targum fala aqui sobre o veneno de temíveis *aranhas*.

(Selá). Ver as notas expositivas de Sl 3.2, quanto a explicações sobre esta palavra.

■ **140.4** (na Bíblia hebraica corresponde ao **140.5**)

שָׁמְרֵנִי יְהוָה מִידֵי רָשָׁע מֵאִישׁ חֲמָסִים תִּנְצְרֵנִי אֲשֶׁר חָשְׁבוּ לִדְחוֹת פְּעָמָי׃

Guarda-me, Senhor, da mão dos ímpios. O poeta sagrado precisava ser *guardado* por Yahweh, a fim de livrar-se das mãos destruidoras dos ímpios. Ele carecia que a sua vida fosse *preservada* de homens violentos. Este versículo mostra claramente que os ímpios eram assassinos. Eles não queriam apenas assediar. Ver Sl 71.4, quanto a expressões similares.

Os quais se empenham por me desviar os passos. A vida do salmista seria completamente desordenada. Ele cairia em confusão total, e então eles o atacariam com suas presas, matando-o. Cf. esta parte do versículo com Sl 66.3 e 118.13. O hebraico diz aqui, literalmente, "lançar para um lado os meus passos". "... levá-lo a tropeçar e cair, para que afundasse em desgraça" (John Gill, *in loc.*). Arama pensa estar em vista o *exílio* para Israel.

■ **140.5** (na Bíblia hebraica corresponde ao **140.6**)

טָמְנוּ־גֵאִים פַּח לִי וַחֲבָלִים פָּרְשׂוּ רֶשֶׁת לְיַד־מַעְגָּל מֹקְשִׁים שָׁתוּ־לִי סֶלָה׃

Os soberbos ocultaram armadilhas e cordas contra mim. Para os inimigos, o homem era apenas como um animal. Quem se importaria se ele fosse morto? Eles armaram armadilhas e espalharam redes, conforme os homens fazem para apanhar animais mais corpulentos e aves.

Na ansiedade para contar as severas provações que estava sofrendo, bem como as ameaças à sua vida, por meio das maquinações de seus inimigos, o autor sagrado usou três palavras diferentes para referir-se aos métodos usados pelos caçadores para caçar e então destruir os animais. É uma elaboração do que encontramos em Sl 9.15. Ver também 141.9,10 e 142.3. Os inimigos do salmista eram perigosos e mortíferos (ver Sl 140.3).

Armadilhas. Como se fossem covas abertas no chão.

Uma rede. Uma corda a esticava de um lugar para outro, perto de buracos com água e lugares onde os animais costumeiramente iam.

Ciladas. Armadilhas para animais que costumavam passar por lugares longe de áreas populosas. Cf. Sl 31.4; 57.6; 64.5; 142.3. "Ele multiplicou termos sinônimos, para expressar toda espécie de planos maus contra ele empregados. Ao mesmo tempo, porém, apontou para o Senhor como aquele que o livraria de todas essas coisas" (Fausset, *in loc.*).

(Selá). Ver Sl 3.2, quanto a possíveis sentidos desta palavra.

OH, SENHOR, FRUSTRA OS ÍMPIOS (140.6-8)

■ **140.6** (na Bíblia hebraica corresponde ao **140.7**)

אָמַרְתִּי לַיהוָה אֵלִי אָתָּה הַאֲזִינָה יְהוָה קוֹל תַּחֲנוּנָי׃

Digo ao Senhor: Tu és o meu Deus. *Yahweh era Elohim*, ou seja, o Eterno, aquele que tem o *poder* de livrar. A situação do homem se havia desintegrado de tal maneira que ele sabia que somente uma intervenção divina poderia salvá-lo. A oração tornou-se sua única arma, sua única defesa. Sua oração transformou-se em uma *súplica*, um clamor e um apelo sincero. O nome divino, *Yahweh*, foi então repetido no final do versículo, porquanto o homem continuava a orar e a proferir os nomes divinos. Ver no *Dicionário* o verbete chamado *Deus, Nomes Bíblicos de*. Cf. Sl 131.14 e, quanto à súplica, ver Sl 28.2,6. Os homens aprendem por experiência que a oração funciona, em razão do que podem lançar mão dela em qualquer tempo de necessidade. Até mesmo homens profanos oram, quando a vida deles está sendo ameaçada.

■ **140.7** (na Bíblia hebraica corresponde ao **140.8**)

יְהוִה אֲדֹנָי עֹז יְשׁוּעָתִי סַכֹּתָה לְרֹאשִׁי בְּיוֹם נָשֶׁק׃

Ó Senhor, força da minha salvação. Os mesmos nomes divinos são usados neste versículo tal como foram usados no versículo anterior; agora o poder divino foi chamado de *força da salvação* do salmista, ou seja, a força que poderia efetuar o *livramento* dos planos inimigos. Cf. Sl 62.1,11. Impotente para salvar a si mesmo, o salmista voltou-se para o Salvador. O Senhor era um capacete para sua cabeça, em tempos de batalha. A cabeça é a parte mais vulnerável do corpo, quando ruge a batalha. Cf. Sl 60.7 e 1Sm 28.2. A "guarda especial" do rei foi chamada de "guardadores da cabeça". "Deus cobria a cabeça dos guerreiros, isto é, provia-lhes o 'capacete da salvação' (ver Is 59.17 e Sl 60.9)" (Ellicott, *in loc.*). Kimchi, Aben Ezra e Arama falam sobre o capacete da salvação. Ver Ef 6.17, quanto à figura na qual está em vista a salvação evangélica. Neste salmo, a "salvação" aponta para o *livramento* da mão dos assassinos. Ver no *Dicionário* o artigo chamado *Capacete*.

■ **140.8** (na Bíblia hebraica corresponde ao **140.9**)

אַל־תִּתֵּן יְהוָה מַאֲוַיֵּי רָשָׁע זְמָמוֹ אַל־תָּפֵק יָרוּמוּ סֶלָה׃

Não concedas, Senhor, ao ímpio os seus desejos. O poeta sagrado orou para que Yahweh não fizesse avançar os planos de seus adversários, porque, se o Senhor lhes prestasse ajuda, sua causa estaria perdida. Talvez ele estivesse pensando que seus problemas resultassem de uma espécie de julgamento divino ou, pelo menos, de indiferença. Ele precisava demais de Yahweh ao seu lado, como um agente ativo em sua defesa. Sabia que inimigos planejavam sua morte e mantinham-se em conluio para obter tal resultado. Portanto, o salmista orou para que Deus não ajudasse os ímpios em seus planos, mas, antes, os frustrasse. Cf. Sl 27.12.

O hebraico literal diz: "seu plano para não fomentar — eles se elevam", isto é, exaltam a si mesmos, chegam até o nosso homem como um bando de matadores arrogantes. Por conseguinte, o poeta sacro orou para que se cortassem ao meio os planos de seus adversários, antes que fosse tarde demais. Rabinos, como Jarchi, e outros viram aqui o pedido de que Yahweh não permitisse que as coisas escapassem ao controle divino. Somente Deus poderia constrangê-los a não agir em harmonia com os planos malignos.

(Selá). Ver Sl 3.2, quanto a explicações sobre este vocábulo.

QUE O MAL AVASSALE OS MEUS INIMIGOS (140.9-11)

■ **140.9** (na Bíblia hebraica corresponde ao **140.10**)

רֹאשׁ מְסִבָּי עֲמַל שְׂפָתֵימוֹ יְכַסּוּמוֹ

Se exaltam a cabeça os que me cercam. Temos agora as imprecações tão comuns nos salmos de lamentação. Yahweh foi invocado a pôr fim aos assédios e fazer com que aqueles ímpios pecadores descessem ao *abismo* (vs. 10), ou seja, *morressem*.

Diz aqui o hebraico original, literalmente: "aqueles que me cercam têm a cabeça levantada", ou seja, são assassinos arrogantes que não ouvem a nenhum apelo por misericórdia. Em vez do capacete da salvação, que cobre a cabeça de indivíduos inocentes (vs. 7), aqueles homicidas ímpios tinham o engano de seus próprios lábios como cobertura da cabeça. O que eles proferiram contra outros cairia sobre a própria cabeça deles. Cf. Sl 7.16. O engano que eles haviam traçado com tanta diligência, acerca de outras pessoas, de súbito ricochetearia contra eles, que sofreriam as próprias maldições. Ver Ez 9.10.

A cabeça. A palavra hebraica aqui usada pode significar *veneno* e, nesse caso, somos levados de volta ao vs. 3, o veneno da serpente. O veneno proferido voltaria para envenenar os faladores. Cf. Jó 20.14, quanto a esse uso. Arama, como também alguns poucos comentadores modernos, interpretou assim essa cláusula, mas esse significado parece forçado neste ponto da escritura.

■ **140.10** (na Bíblia hebraica corresponde ao **140.11**)

יִמּוֹטוּ עֲלֵיהֶם גֶּחָלִים בָּאֵשׁ יַפִּלֵם בְּמַהֲמֹרוֹת בַּל־יָקוּמוּ׃

Caiam sobre eles brasas vivas. As *imprecações,* a partir daqui, tornam-se excessivamente violentas. Continuando com a ideia da *cabeça* de seus adversários a receber as maldições do versículo anterior, a cobertura da cabeça torna-se agora brasas vivas. Não podemos deixar de pensar em Rm 12.20, onde as brasas sobre a cabeça dos inimigos fazem o bem por eles! Mas o salmista queria que o mal os *cobrisse,* o que consistia na total destruição daqueles homens malignos, por meio de alguma praga divina, acidente, enfermidade etc., que lhes garantisse a morte prematura. O *agente* da morte deles seria o próprio Yahweh, que usaria algum plano arguto para realizar sua vontade.

> Que a injúria traga sobre eles brasas de fogo,
> Que sejam lançados no abismo,
> Para que não mais se levantem.
>
> Burgess

Abismos. O termo hebraico aqui correspondente é empregado somente neste trecho bíblico, em todo o Antigo Testamento. Deriva-se de uma raiz que significa "ferver", e *redemoinhos* poderiam estar em mira, significando perigos traiçoeiros, dos quais os ímpios não poderiam escapar. Tendo caído nesses abismos, os adversários nunca mais viriam à superfície. Alguns rabinos e Jerônimo dão aqui *valetas,* e, se essa interpretação está correta, então um sentido diferente é frisado. Delitzsche fala dos *buracos* onde eram queimados homens, animais ou refugo. "Em primeiro lugar, eles os queimavam em abismos. Quando a carne era consumida, eles juntavam os ossos e os enterravam em caixões de defuntos". A forte linguagem do texto significa a *total destruição* dos inimigos do salmista. Cf. Sl 18.12,13 e 120.4. Arama ilustrou o texto referindo-se a Coré, o qual foi engolido pelo chão (ver Nm 16.30).

Este versículo tem sido espiritualizado e cristianizado para falar do julgamento contra os homens maus no grande abismo, o *sheol.* Ver Dn 12.2 e Mc 9.45.

■ **140.11** (na Bíblia hebraica corresponde ao **140.12**)

אִישׁ לָשׁוֹן בַּל־יִכּוֹן בָּאָרֶץ אִישׁ־חָמָס רָע יְצוּדֶנּוּ לְמַדְחֵפֹת׃

O caluniador não se estabelecerá na terra. Aqueles caluniadores não seriam capazes de firmar-se na terra, continuando a viver, mandando em outros e destruindo a quem bem entendessem. Yahweh haveria de cortar suas carreiras ao meio e fatalmente. O mal (personificado) se tornaria como um animal poderoso que os atacaria e, ao apoderar-se deles, os destruiria para sempre. Portanto, os caçadores (vs. 5) seriam caçados, e a matança que eles tinham planejado para suas vítimas os poria fora do caminho. Alguns pensam que o "caçador", neste caso, era o *Anjo do Senhor,* o correto e divino instrumento de Yahweh. Alguns intérpretes fazem o caçador ser o próprio Yahweh. Ao comentar sobre este versículo, o Targum fala do Anjo de Yahweh. O que fica claro nessa afirmação é que uma intervenção divina salvaria o salmista e mataria seus inimigos, com um acidente, uma enfermidade ou um ato homicida da parte de outros homens violentos.

CONFIANÇA NO SENHOR (140.12,13)

■ **140.12** (na Bíblia hebraica corresponde ao **140.13**)

יָדַעְתָּ כִּי־יַעֲשֶׂה יְהוָה דִּין עָנִי מִשְׁפַּט אֶבְיֹנִים׃

Sei que o Senhor manterá a causa do oprimido. O salmista queria vindicação da parte de Deus. Yahweh mostraria que o salmista era a parte inocente, e os seus inimigos é que eram culpados de crimes graves. É comum a conclusão dos salmos de lamentação exprimir confiança na vindicação do salmista. Vingança e vindicação eram questões importantíssimas. O homem pobre era afligido, e isso provavelmente não se refere à falta de recursos materiais, mas à exploração dos elementos mais débeis da sociedade por elementos poderosos. Cf. Sl 9.4,16. Ver também Sl 40.17; 70.5; 86.1 e 109.22.

> Embora a Vingança faça alto, raramente ela
> Permite que aqueles miseráveis escapem,
> Cujos passos ela segue.
>
> Horácio, *Odes* iii.2

■ **140.13** (na Bíblia hebraica corresponde ao **140.14**)

אַךְ צַדִּיקִים יוֹדוּ לִשְׁמֶךָ יֵשְׁבוּ יְשָׁרִים אֶת־פָּנֶיךָ׃

Assim os justos renderão graças ao teu nome. Os justos (os pobres e aflitos; vs. 12) terão razão para regozijar-se e agradecer ao Senhor, pois suas orações por vindicação serão respondidas e os pecadores serão punidos. Eles agradecerão ao nome de Yahweh, porquanto seu poder realizou obras de justiça. Ver sobre *nome* em Sl 31.3 e também no *Dicionário.* Ver sobre *nome santo,* em Sl 30.4 e 33.21. Yahweh é o defensor da causa do homem justo e, finalmente, termina por cortar os pecadores desta vida.

Habitarão na tua presença. Consideremos os seguintes pontos:

1. No culto do templo, onde a presença de Yahweh abençoava e onde ocasionalmente brilhava a *shekinah* (ver no *Dicionário*), isto é, a glória de Deus.
2. No *favor* de Deus, chamado de sua presença.
3. Na oração (em qualquer lugar onde ela fosse oferecida), quando um homem entrava na presença de Deus, conforme diz o Targum ao comentar sobre este versículo.
4. Este versículo é cristianizado para falar da presença de Deus, no céu, o lar final dos retos. Cf. Sl 16.11; 61.7 e 102.28. Na presença de Deus, o poeta podia encontrar paz, o que contrastava com os assédios sofridos da parte de seus adversários.

No segredo de sua presença, minha alma deleita-se em ocultar-se. Oh, quão preciosas são as lições que aprendo ao lado de Jesus. Os cuidados terrenais jamais me poderão vexar, nem as provações me poderão abater.

Ellen Lakshmi Goreh

"O conforto da presença de Deus não se devia a uma convicção súbita. Uma vez, no passado, Deus tinha coberto a sua cabeça com o capacete da salvação (vs. 7). A paz perto de Deus não é algo que ocorre por acidente ou por coincidência. Os mesmos benefícios acontecerão sempre e sempre, não em favor de alguns poucos escolhidos, mas em favor de todos os que se voltam para ele" (J. R. P. Sclater, *in loc.*).

SALMO CENTO E QUARENTA E UM

Quanto a *informações gerais* que se aplicam a todos os salmos, ver a introdução ao Salmo 4, onde apresento de *sete* comentários que elucidam a natureza do livro. Quanto a *classes* dos salmos, ver o gráfico no início do comentário, que atua como uma espécie de um frontispício do saltério. Ali apresento dezessete classes e listo os salmos pertencentes a cada uma delas.

Este é um *salmo de lamentação*, uma oração que pede o livramento de inimigos pessoais. Os salmos de lamentação são, de longe, o maior grupo dos salmos. Tipicamente começam com um clamor urgente pedindo ajuda; descrevem os inimigos que estão sendo enfrentados, pessoais ou nacionais; proferem imprecações contra eles; e então terminam com uma nota de louvor e agradecimento, porque a oração feita foi respondida, ou porque o salmista crê que em breve o será. Este salmo tem uma distinção acima de outros de sua classe. Possui maior espiritualidade em seus pedidos, visto que não apenas requeria vingança contra os inimigos (outros homens), mas também pedia livramento das tentações espirituais que uma comunidade ímpia lhe apresentava. Por outro lado, os vss. 9 e 10 são típicos dos salmos de lamentação que clamam por vingança contra inimigos pessoais. Portanto, pode ser melhor dizer que os inimigos em vista são tanto as tentações projetadas contra ele, por parte de homens ímpios, quanto os próprios ímpios. O salmista estava servindo lealmente a Deus e, quando era oprimido especificamente por causa disso, pode ter sido tentado a dizer: "De que adianta a minha piedade? Ela só me rende dores".

Os vss. 3-5 mostram a influência da sabedoria judaica posterior, e isso implica uma data pós-exílica, quando tal tipo de literatura cresceu dentro do judaísmo. Parece haver reflexões de Ahikar e do livro de Provérbios (vs. 4 com Ahikar, 2.16); vs. 5 com Ahikar 73; Pv 9.8; 27.6; vs. 6 com Pv 8.7). Ver no *Dicionário* o artigo chamado *Sabedoria*, segunda seção, quanto a informações sobre a *Literatura de Sabedoria*.

Subtítulo. Ver a introdução ao Sl 139. As notas explicativas dadas ali também se aplicam a este salmo.

APELO ENVIADO A YAHWEH (141.1,2)

■ 141.1

מִזְמוֹר לְדָוִד יְהוָה קְרָאתִיךָ חוּשָׁה לִּי הַאֲזִינָה קוֹלִי בְּקָרְאִי־לָךְ׃

Senhor, a ti clamo, dá-te pressa em me acudir. O apelo deste salmo é típico dos salmos de lamentação. O homem atravessava séria tribulação, pelo que clamou para que Yahweh se apressasse em acudi-lo. Ele solicitou que Yahweh *ouvisse* sua oração, e não se mostrasse indiferente para com a questão que o afligia. Quanto à aparente *indiferença de Deus*, ver Sl 10.1; 28.1; 59.4 e 82.1. Quanto ao *clamor* endereçado a Yahweh, ver Sl 17.6. Quanto ao ato de *apressar-se*, ver Sl 22.19; 31.2; 70.5 e 71.12. Quanto ao apelo para que *Yahweh o ouvisse*, ver Sl 32.2 e 140.6. Como é fácil de averiguar, todos os elementos deste versículo têm paralelos em outros salmos e são típicos dos salmos de lamentação. Deve ter havido um fundo comum de afirmações e escritos literários dos quais dependiam os salmos. Essas coisas tinham em comum tanto a fé quanto a literatura. Ademais, Yahweh era aquele a quem todas essas coisas apelavam.

■ 141.2

תִּכּוֹן תְּפִלָּתִי קְטֹרֶת לְפָנֶיךָ מַשְׂאַת כַּפַּי מִנְחַת־עָרֶב׃

Suba à tua presença a minha oração, como incenso. A referência à oração e ao incenso identifica o tempo regular da oração vespertina. O sacrifício feito era à tardinha, conforme este mesmo versículo informa. "O sacrifício referido é a oferta de cereais ou *minhah*, regularmente oferecido tanto pela manhã como à tardinha (ver Êx 29.39-41; Nm 28.4-8), juntamente com o *incenso* (Jr 41.5; Lv 2.1; 6.14 e 15). Era costume fazer orações nessa ocasião (ver 1Rs 18.36; Ed 9.5; Dn 9.20,21) e este salmo sem dúvida era proferido durante a realização dos ritos sacrificiais" (William R. Taylor, *in loc.*).

O erguer de minhas mãos. Temos aqui um importante gesto de oração, no qual os braços eram mantidos levantados com a palma das mãos voltada para o alto, como se a pessoa quisesse receber o que Deus estivesse disposto a conceder; era o gesto de um filho para seu pai; era o gesto do homem necessitado que não tinha suprimento próprio; era o gesto de um homem dependente. Aristóteles manifestou-se a respeito de como os gregos oravam, com braços levantados e as mãos abertas, em posição de súplica (Vid. *Barthii. Anima.*, em *Claudian ad Rufin*, 1.2, vs. 205).

> Os homens são melhores do que as ovelhas ou as cabras,
> Se nutrirem uma vida cega dentro do cérebro,
> Se, conhecendo a Deus, não levantarem as mãos em oração,
> Tanto por si mesmos como por aqueles a quem chamam de amigos.

Tennyson

ORANDO PELA OBTENÇÃO DE CORAÇÃO RETO (141.3,4)

■ 141.3

שִׁיתָה יְהוָה שָׁמְרָה לְפִי נִצְּרָה עַל־דַּל שְׂפָתָי׃

Põe guarda, Senhor, à minha boca. Os pecados da língua certamente são teimosos e universais em sua prática. Os salmos dizem muito sobre o uso apropriado da linguagem. É possível que, primariamente, este pedido se refira a declarações desleais acerca de Deus e de seus caminhos, com a aprovação (verbal) do que os pecadores diziam e faziam. Existem pecados de blasfêmia, mentira, perjúrio, maldição, calúnia e muitos outros, que são perpetuados pelos homens que falam demais e não resguardam a língua. Quanto ao uso da fala e o uso apropriado da linguagem, ver Sl 5.9; 12.2; 15.3; 17.3; 34.12; 35.28; 36.3; 39.9; 55.21; 64.4; 66.17; 73.9; 94.1; 101.5; 109.2; 119.172; 120.3,4; 139.4 e 141.3. Ver no *Dicionário* o artigo chamado *Linguagem, Uso Apropriado da,* que oferece declarações e poesias ilustrativas.

Guarda. A alusão, neste caso, é à guarda policial postada nos portões das cidades e nas muralhas, para manter fora da cidade tudo o que era daninho.

A porta dos meus lábios. Cf. Mq 7.5. Xenócrates dizia: "Tenho-me arrependido muitas vezes por ter falado, mas nunca por ter guardado silêncio". Ver Sl 39.1,9.

> Faz tudo passar diante de três portas de ouro:
> As portas estreitas são, primeira: É verdade?
> Em seguida: É necessário?
> Em tua mente fornece uma resposta veraz.
> E a próxima é a mais estreita: É gentil?
> Se tudo chegar, afinal, aos teus lábios,
> Depois de ter passado por essas três portas,
> Então poderás relatar o caso, sem temeres,
> Qual seja o resultado de tuas palavras.

Beth Day

■ 141.4

אַל־תַּט־לִבִּי לְדָבָר ׀ רָע לְהִתְעוֹלֵל עֲלִלוֹת ׀ בְּרֶשַׁע אֶת־אִישִׁים פֹּעֲלֵי־אָוֶן וּבַל־אֶלְחַם בְּמַנְעַמֵּיהֶם׃

Não permitas que o meu coração se incline para o mal. A *boca* precisa ser resguardada do pecado (vs. 3), e outro tanto acontece ao *coração*, o homem interior, a fonte dos atos externalizados. É o coração que é atraído pelas coisas más; ele se volta para o mal antes que os pés comecem a trilhar o caminho da concretização. O coração recomenda "Faz isso!", e logo o homem está ocupado em praticar feitos malignos. O coração é a inclinação e o desejo mau. O coração é a fonte dos *motivos*. O coração é de onde manam as concupiscências que se ocultam até que surja oportunidade para um pecado franco. O homem que peca francamente em breve estará caminhando com os que praticam coisas idênticas, pelo que tal homem começa a andar no caminho dos pecadores. E, uma vez nessa companhia, estará banqueteando-se com eles, comendo suas gulodices, bebendo seu vinho, dançando suas danças e, de modo geral, já terá sido transformado em um deles. O santo tornou-se um pecador, e teve cumprimento a antiga declaração que afirma: "Aves com as mesmas penas se ajuntam" (provérbio do século XVI).

> É melhor andar só do que com más companhias.
> Provérbio do século XV

"Não inclines o teu coração a nenhuma maldade, porque o coração é a sede dos pensamentos e da vontade, ou seja, a fonte primária do que os lábios proferem e a comissão de atos maus, através da impiedade. O salmista estava sendo tentado a passar para a companhia de pessoas prósperas mas ímpias, abandonando seu caminho estreito" (William R. Taylor, *in loc.*, com algumas adaptações). Mais adiante, esse comentador mostrou-nos que ele reconhecia que tais tentações eram *armadilhas* nas quais um homem bom podia cair (vs. 9). Nenhum homem passa por esta vida sem cair nas muitas armadilhas que lhe são armadas por indivíduos ímpios e pela iniquidade. Mas um homem bom não tem como modo de vida tais ardis. Ele escapa das armadilhas e continua seu caminho, seguindo por uma trilha superior. O homem que mantém companhia com os iníquos começa a imitar a sua maneira de viver. Chega mesmo a desfrutar o modo de conduzir-se dos ímpios, a liberdade de fazer qualquer coisa que quiser, e acabará comendo de todos os seus frutos proibidos. Sem dúvida, os judeus posteriores desculpavam sua participação nos ritos pagãos ou nos banquetes imorais por inúmeras justificativas. Mas o poeta sagrado não queria tornar-se um homem que apresentava *desculpas*.

O Targum fala sobre as canções alegres das festas pagãs, que eram tão atrativas. Além disso havia sempre o vinho, as mulheres e as danças, tudo revestido de uma força de atração a que poucos homens conseguiam resistir. Cf. Pv 23.1-6. Os ímpios prosperavam em seus caminhos jubilosos mas pecaminosos, e isso, por si mesmo, poderia ser um ímã que atraía os outros para o estilo de vida ímpio. Ver Sl 73.10, que abriga a mesma ideia.

141.5

יַהֶלְמֵנִי־צַדִּיק חֶסֶד וְיֹוכִיחֵנִי שֶׁמֶן רֹאשׁ אַל־יָנִי רֹאשִׁי כִּי־עֹוד וּתְפִלָּתִי בְּרָעֹותֵיהֶם:

Fira-me o justo, será isso mercê. Este versículo contém em sua segunda cláusula algumas expressões hebraicas difíceis, mas a primeira cláusula é de fácil compreensão. O poeta queria que um justo o *ferisse*, se ele se afastasse do caminho reto. Nesse caso, o golpe ou a repreensão do justo seria um *favor* ao salmista. A palavra para "ferir" aqui é usada para indicar golpes com o martelo, em Jz 5.26. Ver também Is 41.7.

Será como óleo sobre a minha cabeça. Esta cláusula é obscura no hebraico. Alguns intérpretes pensam que o poeta continuava a falar do *homem bom*, a cometer seu ato disciplinador, algo que seria como uma excelente unção com azeite. Em contraste com as pancadas, essa unção não *partiria* a cabeça do homem bom. A *Revised Standard Version* segue a Septuaginta e diz: "Que o óleo do ímpio nunca venha como unção sobre a minha cabeça". Isso produz um bom paralelismo, mas não podemos ter certeza de que a ideia está correta. A versão portuguesa fica essencialmente com a primeira ideia. A segunda ideia tem um excelente sentido: "Eu acolheria a repreensão do justo, mas rejeitaria até mesmo o óleo festivo oferecido pelo ímpio" (Ellicott, *in loc.*). Ou então as coisas são conforme disse William R. Taylor: "É muito melhor sofrer os ferimentos da correção do que ter a cabeça ungida com os óleos perfumados que os ímpios derramam sobre a cabeça dos convivas, em seus banquetes (cf. Sl 132.2 e Lc 7.46)".

A terceira linha também é difícil, embora pareça querer dizer: "... continuarei a orar contra os feitos dos ímpios".

141.6

נִשְׁמְטוּ בִידֵי־סֶלַע שֹׁפְטֵיהֶם וְשָׁמְעוּ אֲמָרַי כִּי נָעֵמוּ:

Os seus juízes serão precipitados penha abaixo. Este versículo também está prenhe de obscuridades que têm forçado os intérpretes a emendas e adivinhações. Ele pode ser entendido como uma imprecação contra os juízes injustos, desejando que eles fossem lançados despenhadeiro abaixo, para morrerem em terreno pedregoso lá embaixo, a fim de que o ímpio tivesse medo de tal tratamento e começasse a sentir como eram doces as palavras de Yahweh. Em resumo, os que observassem o fim sangrento dos juízes reformariam a sua conduta. Outro sentido possível é que, quando os ímpios de modo geral (e não especificamente apenas juízes) fossem entregues àqueles que os julgassem ou condenassem, aprenderiam que a palavra de Yahweh é veraz, porquanto requer e obtém justiça e castigo apropriado. As versões portuguesas ficam com a primeira das duas significações possíveis.

Agradáveis. Esta tradução da versão Atualizada é melhor em relação a outras traduções portuguesas, que dizem aqui "verdadeiras", o que arruína a figura do versículo, pois a palavra está ligada ao termo "iguarias", no vs. 4. "Esta expressão é irônica. Os ímpios, quando têm seu poder quebrado, em vez de se deixarem entreter pelo poeta, em um banquete licencioso, ouvirão as palavras *dele* e escutarão da parte dele um *cântico agradável*" (Ellicott, *in loc.*). Para eles, as palavras de repreensão do homem seriam como um acepipe delicioso, embora, na realidade, sejam ao contrário, isto é, *amargas*, porque o poeta está falando ironicamente.

141.7

כְּמֹו פֹלֵחַ וּבֹקֵעַ בָּאָרֶץ נִפְזְרוּ עֲצָמֵינוּ לְפִי שְׁאֹול:

Ainda que sejam espalhados os meus ossos. Consideremos os seguintes pontos:

1. Este versículo pode ter o propósito de mostrar a qual fim horrendo os ímpios chegarão. Assim como alguém corta lenha ou despedaça pedras, os ossos dos ímpios serão espalhados à entrada da sepultura, isto é, sem um sepultamento decente.
2. O original hebraico diz aqui *nossos ossos*, em cujo caso a declaração pode ser mórbida, mostrando a sorte de todos os homens. Por outro lado, o *Códex Alexandrino* (Septuaginta) diz "seus ossos". Isso pode representar a mudança de um texto difícil, o texto verdadeiro, para um texto mais fácil, que salva os homens bons de compartilhar da mesma sorte que os ímpios. Como é óbvio, o autor sagrado aponta para um *fim*, por ocasião da morte. Ele não estava olhando para o além-túmulo, para uma vida posterior, nem dos bons nem dos maus. A história do homem terminaria à entrada do sepulcro, onde seus ossos seriam espalhados.
3. Há uma *terceira explicação*. Talvez o poeta estivesse tecendo referências a algum massacre acontecido aos justos. Eles tinham sido mortos, e os ímpios nem ao menos se deram ao trabalho de sepultar os corpos. Assim sendo, os ossos dos homens justos ficaram na boca dos potenciais sepulcros, desordenadamente. Por atos horrendos como esse, os ímpios certamente serão punidos, e, quanto a esse castigo, o salmista continuava invocando a Yahweh (vs. 10).
4. Uma *quarta explicação* fala do terrível ato dos ímpios como um *assédio*, que, *figuradamente*, deixou os indivíduos bons à beira da morte.

Quando se lavra e sulca a terra. Temos aqui uma interpretação. Se ela está certa, então a figura simbólica seria a de um arado, o arado dos ímpios, que corta a terra tão profundamente a ponto de desenterrar os ossos dos justos, espalhando-os à boca de seus sepulcros.

Sepultura. No hebraico original encontramos a palavra *sheol*, com o sentido iludível de sepultura. É muito difícil ver como os ossos dos homens podem ser espalhados à boca do submundo, a menos que *ossos espalhados* formem uma figura para falar da *destruição total* de uma pessoa. Se foi pretendido o sentido figurado, poderíamos ver aqui que os ímpios haviam assediado de tal modo os justos a ponto de levá-los à beira do submundo dos espíritos, ou ao sepulcro, tal como o ato de espalhar os ossos de mortos mostra que esses mortos foram totalmente destruídos. Sl 129.3 fala no ato de arar como uma imagem de aflição.

EM TI BUSCO REFÚGIO (141.8-10)

■ **141.8**

כִּי אֵלֶיךָ יְהֹוִה אֲדֹנָי עֵינָי בְּכָה חָסִיתִי אַל־תְּעַר נַפְשִׁי:

Pois em ti, Senhor Deus, estão fitos os meus olhos. Os ímpios queriam deixar a vida do salmista *destituída,* pelo que o salmista clamou para que Yahweh não permitisse que isso acontecesse. Os olhos do poeta sagrado fixaram-se em Yahweh por ser ele a *esperança.* Yahweh é aqui *Elohim,* ou seja, o Poder adequado para a concretização desse pedido. Sua *confiança* estava posta sobre o Poder divino. Ver como essa palavra é usada em Sl 2.12. "Meus olhos estão fixados em ti, em todos os lugares, em todos os tempos, em todas as ocasiões" (Adam Clarke, *in loc.*).

Não desampares a minha alma. O original hebraico diz aqui, literalmente: "minha alma está nua". A mesma expressão hebraica está por trás de "derramamento do sangue", onde reside a vida física (ver Is 53.12). "... destituído de bens diários, de ajuda e assistência, do Espírito Santo e da graça de Deus, e não despido e impotente, mas, antes, cercado pelo poder onipotente e pela graça; não me deixes ser apanhado por meus inimigos nem ser morto (Is 53.12). O Targum diz aqui: "Na Palavra do Senhor confio. Não deixes a minha alma vazia", isto é, fora do corpo, pois, conforme observou Aben Ezra, é a alma que preenche o corpo" (John Gill, *in loc.*).

> Quero viver acima do mundo,
> Embora os dardos de Satanás sejam lançados contra mim;
> Pois a fé apanhou o som jubiloso,
> O cântico dos santos em terreno mais elevado.
>
> Johnson Oatman Jr.

■ **141.9**

שָׁמְרֵנִי מִידֵי פַח יָקְשׁוּ לִי וּמֹקְשׁוֹת פֹּעֲלֵי אָוֶן:

Guarda-me dos laços que me armaram. Este versículo é uma virtual reiteração de Sl 140.5, onde ofereço notas expositivas. Ali temos três palavras que indicam as armadilhas postas pelos homens, enquanto aqui temos duas palavras. Ver também 142.3, um trecho bíblico similar. O vs. 4 dá-nos a essência sem a figura dos ardis preparados pelos ímpios. Estão em foco os *hábitos pecaminosos* de homens maus e, talvez, seus *planos para prejudicar.* Cair nas armadilhas deles seria compartilhar da sua destruição (vs. 6). O hebraico literal aqui é um tanto estranho: "Guarda-me das *mãos* do ardil" (onde o autor misturou as metáfora das *mãos* e das *armadilhas*). Cf. Is 47.14. Yahweh livra os que lhe pertencem de tais coisas (Sl 124.7).

> *Na transgressão do homem mau há laço, mas o justo canta e se regozija.*
>
> Provérbios 29.6

Ver também Os 9.8; 2Tm 2.26.

■ **141.10**

יִפְּלוּ בְמַכְמֹרָיו רְשָׁעִים יַחַד אָנֹכִי עַד־אֶעֱבוֹר:

Caiam os ímpios nas suas próprias redes. Os ímpios caçadores que tentam apanhar outras pessoas em seus maus hábitos e planejam contra a vida delas experimentarão o ferrão da *Lex Talionis* (a lei que demanda que os criminosos sofram conforme seus crimes; ver no *Dicionário*). Essa lei funciona em consonância com a *Lei Moral da Colheita segundo a Semeadura* (ver também no *Dicionário*). Quanto a esse desejo expresso na conclusão do salmo, ver declarações semelhantes em Sl 7.15,16; 9.15 e 35.8. As armadilhas estão preparadas ali, mas Yahweh protege o homem bom, e o resultado disso é que o homem "passa por cima dessas armadilhas de maneira segura" (Noldius) e não sofre nenhum prejuízo ou dano. Mas o homem ímpio, em um momento de descuido, cai em sua própria armadilha, e isso é o seu fim.

SALMO CENTO E QUARENTA E DOIS

Quanto a *informações gerais* que se aplicam a todos os salmos, ver a introdução ao Salmo 4, onde apresento *sete* comentários que elucidam a natureza do livro. Quanto às *classes* dos salmos, ver o gráfico no início do comentário, que atua como uma espécie de frontispício do saltério. Apresento ali dezessete classes e listo os salmos pertencentes a cada uma delas.

Este é um *salmo de lamentação,* que é, de longe, o grupo mais numeroso dos salmos. Levanta uma oração pedindo livramento de inimigos pessoais. Esse tipo de salmo segue um padrão típico: há um clamor urgente pedindo ajuda; em seguida, são descritos os inimigos enfrentados, que podem ser pessoais ou nacionais. Usualmente há imprecações contra esses adversários e então o salmo termina com uma elevada nota de agradecimento, pois a oração foi respondida ou o salmista espera que o seja em breve. Alguns poucos salmos de lamentação terminam com uma nota de desespero. Ver Sl 31.9-12; 38; 88; 123, quanto aos salmos de desespero.

Homens ímpios, com práticas e plano malignos, tentaram prender o homem em sua armadilha (vs. 3). O homem teve de buscar o refúgio divino (vs. 5). Ele fora posto em uma prisão literal ou figurada (vs. 7). Este salmo termina com um louvor potencial, e o homem continuava esperando livramento. Alguns estudiosos pensam que o "cárcere" era a caverna onde Davi se ocultou quando fugia de Saul (1Sm 22.1), mas isso é pura fantasia.

Subtítulo. Ver as notas na introdução ao Sl 139, que também se aplicam aqui. Esse grupo de salmos — 138 a 145 — forma uma pequena seção atribuída a Davi, embora não tenha o mesmo tema. O salmo presente é chamado de *masquil* (instrução), composto por Davi, supostamente quando ele estava na caverna de Adulão (ver Sl 22.). Editores posteriores adicionaram comentários, os quais, entretanto, não fazem parte do original e, portanto, não têm nenhuma autoridade canônica.

O APELO A YAHWEH (142.1-3)

■ **142.1** (na Bíblia hebraica corresponde ao **142.1,2**)

מַשְׂכִּיל לְדָוִד בִּהְיוֹתוֹ בַמְּעָרָה תְפִלָּה:

קוֹלִי אֶל־יְהֹוָה אֶזְעָק קוֹלִי אֶל־יְהֹוָה אֶתְחַנָּן:

Ao Senhor ergo a minha voz e clamo. Encontramos aqui uma típica oração feita a Yahweh, que tem sido vista repetidamente nos salmos de lamentação. O homem clamou por ajuda porque estava desesperado e não tinha quem o ajudasse além do Ser divino. Ele levantou *súplicas* intensas. O salmista acreditava na oração porque já havia testado esse método e descobrira sua eficácia. Assim sendo, na noite escura de sua provação, ele apela novamente para a oração como arma de defesa e ataque, a fim de ser aprovado nos severos testes da vida. Sl 141.1 é bastante parecido com o presente apelo; e as notas dadas ali também se aplicam aqui. O clamor subentende um grito em voz alta. Tais súplicas não eram proferidas em silêncio ou em baixos tons de voz. Cf. Sl 55.7; 61.1 e 102.1. "Até mesmo as *expectações* silenciosas e espirituais de todos os crentes são gritos lançados a Deus" (Hilário); mas aquele homem mostrou-se vociferador, porque estava atravessando um tempo de angústia profunda. Cf. Sl 30.8 e 3.4.

■ **142.2** (na Bíblia hebraica corresponde ao **142.3**)

אֶשְׁפֹּךְ לְפָנָיו שִׂיחִי צָרָתִי לְפָנָיו אַגִּיד:

Derramo perante ele a minha queixa. A oração foi uma *queixa,* porquanto o poeta estava sendo assediado por pecadores ímpios. Sua oração foi uma *declaração melancólica* que exprimia queixa contra seus opressores. Ele atravessava *tribulação* por causa dos opressores que estavam dispostos a destruí-lo. Sua oração foi copiosa, porque ele a *derramou* como se esvaziasse um grande vaso cheio de líquido. A mesma palavra hebraica é usada com um sentido similar em Sl 42.4 e 62.8. Alguns ligam a questão à fuga de Davi de Saul. Embora inocente, Davi enfrentava um poder assassino; e assim tinha razão para apresentar queixas contra as injustiças sofridas. Entretanto, os aramaísmos contidos neste salmo apontam para uma data pós-exílica, enquanto as tribulações de Davi ilustram a questão, pois o poeta era um homem pobre como o que estava sofrendo seu próprio conjunto de injustiças.

■ **142.3** (na Bíblia hebraica corresponde ao 142.4)

בְּהִתְעַטֵּף עָלַי רוּחִי וְאַתָּה יָדַעְתָּ נְתִיבָתִי
בְּאֹרַח־זוּ אֲהַלֵּךְ טָמְנוּ פַח לִי:

Quando dentro em mim me esmorece o espírito. O espírito do poeta estava *esmorecido, avassalado, de boca atada*, segundo diz, literalmente, o hebraico. Ele estava amarrado dentro de uma situação sufocante. Não via saída para sua situação. *Todas as veredas* estavam carregadas das *armadilhas* preparadas pelos ímpios. Quanto a esse simbolismo, ver Sl 140.5, onde encontramos três palavras que significam "armadilha"; e também Sl 141.9, onde temos duas palavras com esse significado. O pobre homem sofria numerosas tribulações, o que o punha em uma situação potencialmente desastrosa. Por conseguinte, ele pediu que Yahweh lhe mostrasse uma saída segura. Somente a Mente divina sabia como livrá-lo daquela situação aflitiva, mostrando-lhe a vereda certa.

> Nunca estive assim, nem orei para me liderares,
> Eu gostava de escolher e de ver minha vereda,
> Mas agora, guia-me tu.
>
> John Henry Newman

Cf. Sl 1.5 e Jó 23.10. O homem vinha andando pelo *caminho reto* (R. Moses, Aben Ezra e Kimchi), mas agora esse caminho fora bloqueado, e todas as veredas nas quais ele podia pensar continham armadilhas escondidas pelos ímpios. Yahweh, pois, tinha de abrir um *novo caminho* para ele.

■ **142.4** (na Bíblia hebraica corresponde ao 142.5)

הַבֵּיט יָמִין וּרְאֵה וְאֵין־לִי מַכִּיר אָבַד מָנוֹס
מִמֶּנִּי אֵין דּוֹרֵשׁ לְנַפְשִׁי:

Olha à minha direita e vê. *A Difícil Situação do Salmista.* O poeta oferece agora uma metáfora militar. Um soldado carregava seu escudo com a mão esquerda, e segurava sua arma de ataque com a mão direita. Visto que a mão direita estava ocupada com uma arma de ataque, isso deixava seu lado direito *indefeso*. Um soldado importante teria um escudeiro que protegeria seu lado direito, mas o soldado de infantaria teria de preocupar-se em proteger o seu lado direito de ataques que partissem desse lado. O salmista, pois, era como um soldado comum, indefeso, pelo que tinha de invocar a Yahweh para defendê-lo naquela hora crítica. Ninguém prestava atenção a ele com o intuito de ajudá-lo. E nem ele tinha um refúgio no qual pudesse abrigar-se em segurança. Portanto, ele pediu com urgência que Yahweh fosse o seu *refúgio*. Quanto a esse simbolismo, ver Sl 46.1, onde ofereço notas expositivas e referências. Ver também no *Dicionário* o artigo chamado *Refúgio*, quanto a detalhes.

> Oh, vós de pequena fé,
> Deus ainda não vos decepcionou!
> Quando tudo parece escuro e tristonho,
> Logo vos esqueceis.
>
> Estais esquecidos de que ele vos tem guiado,
> Ele tem gentilmente limpado o vosso caminho.
> Sobre as nuvens ele tem derramado sua luz do sol,
> E transformado vossas noites em dia.
>
> Annie Johnson Flint

Não há quem não me reconheça. Este é um grito de desolação. O homem não contava com amigos ou aliados que o ajudassem contra seus adversários. Ele teve de pleitear diante de Yahweh para que o Senhor fosse a sua porção (vs. 5). Ninguém estava presente para salvá-lo, para consolá-lo, para dar-lhe orientação. Ver Sl 22.11; 38.11; 88.18.

RENOVAÇÃO DO APELO (142.5-7)

■ **142.5** (na Bíblia hebraica corresponde ao 142.6)

זָעַקְתִּי אֵלֶיךָ יְהוָה אָמַרְתִּי אַתָּה מַחְסִי חֶלְקִי בְּאֶרֶץ
הַחַיִּים:

A ti clamo, Senhor. Renovando o apelo, o poeta repete a petição de que Yahweh fosse o seu refúgio, sobre o que comento no versículo anterior. Em seguida, ele também solicitou que Deus fosse a sua *porção na terra*, a sua herança, o bem de sua vida, aquilo que emprestaria valor à sua vida, visto que nenhum homem se importava com a sua alma. "... porção, das mais excelentes é ele, uma porção grande, imensa e inconcebível, com todas as suas perfeições e benefícios, com suas promessas e bênçãos; um Deus que satisfaz a alma, que jamais poderá ser diminuído nem arredado do caminho, nem consumado; ele é uma porção para esta vida presente, bem como para a vida vindoura, enquanto esta vida perdurar, por ocasião da morte e então para todo o sempre (Sl 73.26)" (John Gill, *in loc.*). Os levitas não herdaram terras, mas tinham Yahweh como herança. Ver Nm 18.20. Assim sendo, o salmista ocupava o lugar privilegiado dos ministros, caso Yahweh lhe concedesse o que ele pedia. Cf. Sl 16.5; 31.3; 73.26 e 119.57. Cf. também Lm 3.24.

O salmista continuava implorando que Yahweh fosse seu protetor e livrador. Sempre é cedo demais para desistir.

> Nunca cedas diante de tuas tristezas,
> Nunca desistas.
> Confia no Senhor,
> Confia no Senhor.
>
> Fanny J. Crosby

■ **142.6** (na Bíblia hebraica corresponde ao 142.7)

הַקְשִׁיבָה אֶל־רִנָּתִי כִּי־דַלּוֹתִי מְאֹד הַצִּילֵנִי מֵרֹדְפַי
כִּי אָמְצוּ מִמֶּנִּי:

Atende ao meu clamor. Nosso homem, oprimido por seus inimigos, sem contar com um único amigo humano, continuava clamando a Yahweh, porquanto tinha sido reduzido a uma *condição baixíssima*. "Apoia-te no Senhor; habita nas profundezas de seu amor; o Senhor será contigo; nunca desistas" (Fanny J. Crosby). Os inimigos do poeta sagrado eram fortes demais, pelo que ele precisava de uma intervenção divina que assumisse a forma de livramento, provavelmente salvando-o de planos covardes que seus adversários arquitetassem. "Nunca estive eu tão perto da ruína total" (Adam Clarke, *in loc.*). Seus inimigos eram mais fortes que ele, mas não mais fortes que o Poder divino, Yahweh-Elohim. Ver Sl 7.1 e 115.24. Somos fortalecidos em nossa debilidade porque podemos apoiar-nos nos braços eternos. Ver 1Co 1.25. Os inimigos do povo de Deus com frequência são mais fortes. Ver Jr 31.11; Ef 6.12. Saul dispunha de *três mil homens* escolhidos, que saíram para matar Davi, enquanto Davi contava somente com seiscentos homens em seu pequeno exército, pelo que estava claro quem era o mais forte, excetuando a presença salvadora de Yahweh.

■ **142.7** (na Bíblia hebraica corresponde ao 142.8)

הוֹצִיאָה מִמַּסְגֵּר נַפְשִׁי לְהוֹדוֹת אֶת־שְׁמֶךָ בִּי יַכְתִּרוּ
צַדִּיקִים כִּי תִגְמֹל עָלָי:

Tira a minha alma do cárcere. Consideremos aqui os pontos seguintes:

1. Não se trata do purgatório, como alguns supõem, desesperados por encontrar textos de prova em favor dessa doutrina. Ver na *Enciclopédia de Bíblia, Teologia e Filosofia* o artigo chamado *Purgatório*.
2. Também não se trata da caverna na qual Davi se ocultava de Saul, quando sua vida estava sendo ameaçada (1Sm 22.1).
3. Talvez o poeta sagrado tivesse sido lançado em uma prisão literal por seus inimigos, que poderiam vir executá-lo a qualquer momento que quisessem.
4. O mais provável é que a palavra tenha sido usada em sentido figurado, para indicar aflições severas e opressivas. Cf. Sl 143.11.

Para que eu dê graças ao teu nome. Em sua aflição, o homem só podia mesmo clamar pedindo ajuda. Se fosse liberado de sua grande provação, estaria ansioso para louvar a Yahweh e contar a todos sua experiência pessoal. Provavelmente ele iria ao templo para oferecer sacrifícios formais de ações de graças e para tomar votos. E então, naquele lugar público, outros homens bons também se postariam ao lado dele, dando graças a Deus, que trata tão graciosamente com os homens. E o poeta serviria de lição objetiva do indivíduo que muito fora humilhado, afligido por muitas tribulações e, no entanto, vencera pelo poder de Deus.

> Se Deus o tem ajudado até este ponto,
> ele o deixará agora desapontado?
> Não continues duvidando,
> Entrega a ele o teu caminho.
> Confiaste nele no passado,
> E ele é exatamente o mesmo hoje em dia.
>
> — Annie Johnson Flint

"José é o tipo de Israel em tribulação. Assim como ele foi tirado do cárcere para sentar-se entre príncipes, o mesmo acontecerá com Israel (Sl 105.17-22)" (Fausset, *in loc.*).

... me rodearão. Homens bons formariam uma *coroa* ao redor dele, conforme é sugerido pelo hebraico, literalmente. Ele estava rebaixado, mas seria levantado tão alto. Homens de Deus se reuniriam em volta dele, ouvindo falar de sua boa sorte e de que a graça divina tinha vindo sobre ele. Eles ouviriam que Yahweh "o havia recompensado" (Tigmol). A oração é realmente poderosa.

O Targum diz aqui: "Por minha causa, os justos farão para ti uma coroa de louvores", o que é um excelente toque de espírito. Yahweh realizou a tarefa, pelo que também adquiriu a coroa.

SALMO CENTO E QUARENTA E TRÊS

Quanto a *informações gerais* que se aplicam a todos os salmos, ver a introdução ao Salmo 4, onde apresento *sete* comentários que elucidam a natureza do livro. Quanto às *classes* dos salmos, ver o gráfico existente no início do comentário do livro, que forma uma espécie de frontispício do saltério. Ofereço ali dezessete classes e listo os salmos pertencentes a cada uma delas.

Este é um *salmo de lamentação*, uma oração que pede o livramento das mãos de inimigos pessoais. Esse tipo de salmo tipicamente começa com um grito desesperado pedindo ajuda; descreve o inimigo que estava sendo enfrentado, sem importar se pessoal ou nacional. Usualmente aparecem imprecações contra os inimigos e então os salmos terminam em um ponto alto de louvor e agradecimento, porquanto a oração fora respondida ou porque o autor sacro esperava que a resposta divina já estivesse a caminho. Alguns poucos salmos de lamentação terminam em desespero; e isso também faz parte da experiência humana. Quanto a salmos de lamentação e desespero, ver Sl 31.9-12; 38; 88 e 123. Este salmo encerra um fervoroso grito pedindo livramento de inimigos pessoais que ameaçavam a vida do salmista. O homem tinha perdido o seu caminho, talvez por causa de pecados que se intrometeram na questão, além das severas provações que estavam sendo experimentadas. Seja como for, na liturgia cristã, esse salmo foi escolhido como um dos sete chamados *salmos penitenciais* (6; 32; 38; 51; 102; 130 e 143), visto que as palavras se aplicam facilmente a um homem quebrantado por causa do pecado, que buscava restauração. O vs. 2 pode indicar que havia um problema de pecado para o poeta, e não apenas um problema de perseguição.

Este salmo tomou por empréstimo vários trechos de outros salmos, mostrando que havia um fundo comum de literatura de onde o salmista tirou proveito. O fato de que o autor sagrado mostrasse ter conhecimento de tantos outros salmos sugere uma data posterior para esta composição. Seu desenvolvimento superior do senso de pecado relacionado à tribulação pode indicar uma data posterior em relação à maioria dos salmos.

Paralelos: vs. 1 (17.1; 39.12); vs. 3 (7.5; 88.6; Lm 3.6); vs. 5 (77.5,11,12); vs. 6 (63.1); vs. 7 (27.9; 28.1); vs. 8 (25.1,2,4); vs. 9 (31.15; 142.6); vs. 11 (25.11).

Subtítulo. Ver a introdução ao Sl 139, quanto a comentários sobre o subtítulo, visto que temos a mesma coisa encabeçando ambos os salmos, excetuando-se que aqui não há menção ao fato de o salmo ter sido entregue ao *regente do coro*, a fim de ser executado.

UM APELO A YAHWEH (143.1,2)

143.1

מִזְמוֹר לְדָוִד יְהוָה שְׁמַע תְּפִלָּתִי הַאֲזִינָה אֶל־תַּחֲנוּנַי בֶּאֱמֻנָתְךָ עֲנֵנִי בְּצִדְקָתֶךָ׃

Atende, Senhor, à minha oração. Cf. Sl 17.1 e 39.12. O autor sagrado fez empréstimos de vários salmos. Ver sobre *Paralelos,* na introdução a este salmo. Note o leitor o *tríplice* clamor: Atende... (ver Sl 64.1, onde dou notas expositivas e referências); dá ouvidos... (ver Sl 5.1; 17.1,6; 31.2; 39.12; 45.10; 54.2; 71.2; 80.1; 84.8 e 102.2); e responde-me (ver Sl 36.5; 40.10; 89.1,2,5,24,33; 92.2; 119.75,90). Na *lealdade constante* é que o Deus do pacto ouve e responde às orações dos membros do pacto abraâmico (comentado em Gn 15.18). O apóstolo João viu na fidelidade de Deus bases para o perdão de pecados por ele concedido (ver 1Jo 1.9; ver também Sl 65.5).

Este versículo tem sido cristianizado para indicar o perdão de pecados na missão de Cristo. Ver no *Dicionário* os artigos intitulados *Fidelidade* e *Perdão*.

143.2

וְאַל־תָּבוֹא בְמִשְׁפָּט אֶת־עַבְדֶּךָ כִּי לֹא־יִצְדַּק לְפָנֶיךָ כָל־חָי׃

Não entres em juízo com o teu servo. O salmista *sentiu o seu pecado,* e talvez esse fosse um fator das perseguições que o atingiram. Portanto, ele pediu que Yahweh não fosse muito exato no escrutínio de sua vida e nos seus julgamentos, pois, se assim fosse, quem poderia resistir? O homem pediu certa medida de graça.

Este versículo tem sido cristianizado para falar do perdão obtido no sangue de Cristo, na missão divina por ele realizada, em sua *expiação* (ver a respeito no *Dicionário*).

Cf. o apelo deste homem aos apelos de Jó, o qual não podia atribuir seus sofrimentos ao pecado, visto que era um homem inocente. Há muitos casos em que o pecado não pode ser lançado na conta do sofrimento humano. Os homens sofrem coisas más perpetradas pela má vontade do homem, ou seja, o *mal moral*. E os homens também sofrem com os abusos da natureza, como inundações, terremotos, incêndios, enfermidades e a morte, isto é, o *mal natural*. Portanto, pergunto, por que os homens sofrem, e por que sofrem conforme sofrem? Ver no *Dicionário* sobre *Problema do Mal*, um artigo que trata a questão e tenta oferecer algumas respostas.

O pecado, contudo, é um grande assunto. Não fora a misericórdia do Senhor, todos seríamos consumidos por ele (ver Lm 3.22).

> O mérito vive entre homem e homem,
> Mas não entre um homem, ó Senhor, e tu.
>
> — Ellicott

Cf. Rm 3.20, que parece estar escudado nesta passagem, mas onde Paulo adiciona as palavras "por obras da lei". O salmista, como é natural, teria em vista a lei e as obras da lei, em qualquer versículo que falasse sobre o pecado e a justificação diante de Deus. Ver Sl 1.2, quanto a um sumário do que a lei mosaica significava para os santos do Antigo Testamento. A lei era penetrante em seu discernimento quanto à natureza do pecado e pronunciava toda espécie de maldições contra os infratores. Portanto, o poeta não pensava que poderia permanecer na presença de Deus a menos que alguma medida da graça fosse aplicada. Os ensinos paulinos sobre a justificação alicerçavam-se sobre a promessa da *necessidade* da graça divina e sobre um caminho de justificação diferente do que o proposto no Antigo Testamento. Ver na *Enciclopédia de Bíblia, Teologia e Filosofia* o artigo chamado *Justificação*.

O salmista, entretanto, não estava falando sobre a justificação da alma, mas somente sobre a condenação divina e a libertação do homem do castigo pelo pecado na vida terrena. O judaísmo posterior aplicava versículos como este à justificação da alma. Mas isso é anacrônico aqui.

A SITUAÇÃO DO SALMISTA (143.3,4)

■ 143.3

כִּי רָדַף אוֹיֵב נַפְשִׁי דִּכָּא לָאָרֶץ חַיָּתִי הוֹשִׁיבַנִי בְמַחֲשַׁכִּים כְּמֵתֵי עוֹלָם׃

Pois o inimigo me tem perseguido a alma. Os inimigos do salmista estavam muito atarefados na tentativa de prejudicá-lo. Perseguiam sua alma, e sua própria vida estava sendo ameaçada. Eles já o haviam derrubado por terra e o observavam para administrar o golpe fatal. O homem já fora posto em temíveis trevas da alma, uma crise da qual dificilmente escaparia novamente. A "escuridão", neste caso, é a morte potencial. A alusão é ao *sheol,* onde estão atualmente os mortos, e que, neste caso, representa apenas o sepulcro, onde não há nem luz nem vida. O autor sagrado não temia ir para o inferno, no sentido evangélico.

Puseste-me na mais profunda cova, nos lugares tenebrosos, nos abismos.

Salmo 88.6

"Em lugares tenebrosos como alguém eternamente morto" (Hengstenberg). O poeta não demonstrou crer que um homem fosse a algum lugar depois da morte física. Essa ideia *começou* a aparecer nos Salmos e nos Profetas, foi desenvolvida nos livros pseudepígrafos e apócrifos, do período intertestamentário e, depois, mais ainda, nos livros do Novo Testamento. Ver no *Dicionário* o artigo chamado *Alma* e, na *Enciclopédia de Bíblia, Teologia e Filosofia,* ver *Imortalidade.*

Devemos fazer a ligação mental entre os vss. 3 e 2. O castigo recebido por uma pessoa se deve, pelo menos parcialmente, ao pecado. Seus inimigos talvez sejam instrumentos de Yahweh para produzir purificação. Cf. o vs. 3 a Sl 7.5 e 88.6. Ver também Lm 3.6.

■ 143.4

וַתִּתְעַטֵּף עָלַי רוּחִי בְּתוֹכִי יִשְׁתּוֹמֵם לִבִּי׃

Por isso dentro em mim esmorece o meu espírito. O espírito do salmista desmaiava dentro dele, e seu coração estava estupefato pelo que lhe acontecia. Talvez nosso homem precisasse receber algum castigo por motivo do pecado, mas a sede de sangue de seus inimigos tinha levado as coisas longe demais. O salmista não fizera coisa alguma que merecesse o que ele estava experimentando. Deus não podia ser acusado por tão monstruoso tratamento. O poeta estava "estupeficado", que é o sentido que temos no original hebraico (ver Is 59.16; 63.5; Dn 8.27). A Septuaginta e a Vulgata Latina trazem um termo mais brando, "agitado". John Gill (*in loc.*) fala do salmista como alguém que estivesse sob a *providência divina,* e isso talvez seja parcialmente verdadeiro. Devemos lembrar, contudo, que existem *causas secundárias* que nos são maléficas, e não apenas o julgamento divino. Os hebreus, em sua maioria, falavam em Deus como a *causa única,* pelo que até a maldade que os homens provocavam tinha de ajustar-se, de alguma maneira, a essa causa única. A teologia dos hebreus era fraca quanto a causas secundárias. Há muitas coisas que acontecem no mundo que absolutamente nada têm a ver com Deus e suas operações.

REFLEXOS DAS MISERICÓRDIAS PASSADAS DE DEUS (143.5,6)

■ 143.5

זָכַרְתִּי יָמִים מִקֶּדֶם הָגִיתִי בְכָל־פָּעֳלֶךָ בְּמַעֲשֵׂה יָדֶיךָ אֲשׂוֹחֵחַ׃

Lembro-me dos dias de outrora. O salmista caiu em certa meditação mórbida sobre os "bons dias antigos", na tentativa de aliviar os sofrimentos presentes. "Ontem" o homem fora abençoado por Deus. Ele poderia lembrar toda espécie de bons acontecimentos do passado, que conservaram sua vida doce e digna de ser vivida. Ele recordava o que a mão divina fizera em seu favor, no dia de ontem, e admirava-se com o que tornara sua vida tão amarga. Tudo isso é muito humano, e as pessoas geralmente ocupam-se de tais exercícios, especialmente quando ficam mais idosas. No passado, o homem tinha vivido pela vista. Ele fora testemunha de muitos acontecimentos significativos que o favoreciam, e dava a Deus todo o crédito por essas coisas. Agora tentava insuflar alguma fé em tais memórias, a fim de que o passado pudesse repetir-se no futuro, pelo menos até certo ponto. Talvez as *obras* incluíssem aquelas realizadas pela *Providência de Deus,* sobre a natureza e sobre Israel, e não apenas as que tinham sido feitas especialmente em seu benefício. Se ele conseguisse abarcar com sua visão a *grandeza de Deus,* poderia sentir que algo grande ainda lhe ocorreria. Cf. Sl 77.5,11,12.

■ 143.6

פֵּרַשְׂתִּי יָדַי אֵלֶיךָ נַפְשִׁי כְּאֶרֶץ־עֲיֵפָה לְךָ סֶלָה׃

A ti levanto as mãos. O espírito debilitado do salmista tinha revivido o suficiente, por sua meditação sobre vitórias passadas (vs. 5), a ponto de poder soerguer-se do chão e exprimir ainda outro apelo a Yahweh, em busca de ajuda. Por conseguinte, ele assumiu a postura de oração, estendendo os braços e erguendo a palma das mãos para cima, em atitude de súplica. Quanto a essa postura de oração, cf. Sl 141.2, onde comento a questão. Visto que a oração sempre funcionara, o salmista continuava orando.

O poeta sacro buscava a Yahweh qual *terra sedenta;* mas não devemos supor que essas palavras se concentrassem apenas sobre aquela qualidade espiritual, com a pura intenção de obter alguma coisa para ele mesmo. A expressão reflete profunda espiritualidade, conforme verificamos em Mt 5.7, que diz algo similar. A *fome* e a *sede* são impulsos básicos e falam de coisas necessárias para a vida diária; assim também a espiritualidade é algo necessário para a vida diária. Cf. Sl 63.1, que se parece muito com o presente versículo, sem dúvida porque o salmista o copiou dali. Ver sobre *Paralelos* na introdução ao salmo presente quanto aos vários empréstimos que o escritor sagrado fez de outros salmos.

"Como uma terra ressequida e sedenta, queimada pelo sol, anela pela chuva, assim a minha alma sedenta anela pelo Deus vivo" (Adam Clarke, *in loc.*). "Deus está mais disposto a enviar chuvas espirituais refrigeradoras que o coração humano está disposto a recebê-las" (Ellicott, *in loc.*). O homem precisava livrar-se de seus inimigos, com *urgência,* razão pela qual sua oração era tão urgente. Isso fazia parte de sua busca por Deus de modo tão fervoroso, pois, afinal de contas, o homem queria conservar-se vivo. Mas isso não esgotava a totalidade de suas razões para buscar a Deus daquela maneira.

Selá. Quanto aos possíveis sentidos desta misteriosa palavra, ver Sl 3.2.

■ 143.7

מַהֵר עֲנֵנִי יְהוָה כָּלְתָה רוּחִי אַל־תַּסְתֵּר פָּנֶיךָ מִמֶּנִּי וְנִמְשַׁלְתִּי עִם־יֹרְדֵי בוֹר׃

Dá-te pressa, Senhor, em responder-me. Este versículo depende de Sl 27.9 e 28.1. A invocação dirigida a Yahweh foi repetida tendo por base o vs. 1 deste salmo, onde o conceito é anotado. Quanto a Deus a *ocultar-se* do homem, ver Sl 69.17, onde apresento notas expositivas e referências. Quanto à aparente *indiferença* de Deus, ver Sl 10.1; 12.2; 15.3; 17.3; 34.12; 35.28 e 36.3. Quanto ao ato de descer à cova, ver o vs. 3 e Sl 9.15; 28.1; 30.3,9; 40.2; 55.23; 69.15 e 88.4,6. Está em pauta o *sepulcro.* O poeta não se preocupava com um julgamento pós-vida. Ele queria escapar da morte prematura às mãos de seus inimigos.

> O homem desaprova e a deidade me rejeita,
> O hades pode conferir às minhas misérias um abrigo,
> Por isso, mantém aberta contra mim
> A sua boca faminta.
>
> William Cowper

O salmista se sentia tão descoroçoado que nem ao menos pensava que o hades haveria de querê-lo! Pelo menos o poeta podia acreditar que seria retirado da cova, se Yahweh agisse prontamente.

"Queremos que nossas orações sejam respondidas *imediatamente.* Não podemos compreender a paciência do Senhor... Não permitiríamos que um filho ou um irmão continuasse a sofrer, se pudéssemos intervir. Devemos apanhar a fruta antes que ela amadureça. Devemos realizar nossas operações antes do tempo determinado. Falamos quando deveríamos calar, mas devemos fazer alguma coisa!" (J. R. P. Sclater, *in loc.*).

Dá-te pressa. Cf. Sl 102.2 e 69.17.

Cova. Diz aqui o Targum "a casa do sepulcro", ou seja, a cova da destruição, a morte física, quando, após o último suspiro, o corpo físico é deitado em um sepulcro.

■ **143.8**

הַשְׁמִיעֵנִי בַבֹּקֶר חַסְדֶּךָ כִּי־בְךָ בָטָחְתִּי הוֹדִיעֵנִי
דֶּרֶךְ־זוּ אֵלֵךְ כִּי־אֵלֶיךָ נָשָׂאתִי נַפְשִׁי׃

Faze-me ouvir pela manhã da tua graça. O poeta sagrado queria agora ouvir ansiosamente, pela manhã, uma cântico sobre o *constante amor* de Deus. Ver em Sl 136.1 esse tema muito repetido nos salmos. Ver também no *Dicionário* o verbete chamado *Amor*. Nesses dois lugares ofereço anotações e declarações ilustrativas e poemas, pelo que não repito aqui o material. O homem que *confia* (comentado em Sl 2.12) atrairá esse amor, uma vez que tenha passado a noite escura. Então, quando as coisas se aprimorarem, uma novo *caminho* será mostrado. Por todos esses benefícios, o homem *elevará sua alma* a Yahweh, em oração. Cf. o vs. 6, quanto às mãos "levantadas" em oração. Quanto ao "caminho", ver Sl 37.5. Ver também Sl 5.8; 25.1,2,4,5. E ver também no *Dicionário* o artigo intitulado *Caminho*. Jarchi, ao comentar sobre este versículo, falou em redenção, e Kimchi falou em salvação. Isso traz à tona conceitos do judaísmo posterior, e alguns intérpretes cristãos destacam o cântico da redenção e a esperança cristã da salvação.

Pela manhã. "Isso simboliza a alvorada da esperança e da salvação" (Ellicott, *in loc.*).

■ **143.9**

הַצִּילֵנִי מֵאֹיְבַי יְהוָה אֵלֶיךָ כִסִּתִי׃

Livra-me, Senhor, dos meus inimigos. Em meio a elevados pensamentos e petições, o poeta sagrado mergulha de novo ao nível em que seus inimigos atacavam e ameaçavam sua vida. Nenhuma de suas elevadas aspirações poderia tornar-se realidade se Yahweh negligenciasse suas orações. O salmista *apelava* ao Senhor para ocultar-se de seus adversários. Ver sobre *refúgio* em Sl 46.1 e no *Dicionário*. Arama disse: "Escondi-me em ti", o que nos faz lembrar do antigo hino que diz:

Oh, salvo na Rocha que é mais alta do que eu,
Minha alma em seus conflitos e tristezas deveria voar;
Tão pecador, tão cansado, teu, teu somente quero ser.
Tu, bendita Rocha dos Séculos, oculto-me em ti.

William O. Cuching

A extremidade do homem é a oportunidade de Deus".

John Gill, *in loc.*

Cf. Sl 31.15 e 142.6, de onde o versículo foi essencialmente tomado por empréstimo.

■ **144.10**

לְמְּדֵנִי לַעֲשׂוֹת רְצוֹנֶךָ כִּי־אַתָּה אֱלוֹהָי רוּחֲךָ טוֹבָה
תַנְחֵנִי בְּאֶרֶץ מִישׁוֹר׃

Ensina-me a fazer a tua vontade. "O livramento e, se possível, o livramento *imediato* é desejável. Porém o mais importante de tudo é conhecer e amar a vontade de Deus, bem como dispor-se a submeter-se à sabedoria divina" (J. R. P. Sclater, *in loc.*).

O ensino, com base no Antigo Testamento, alicerça-se na lei, pois ela era o manual dos hebreus quanto a todas as coisas. Mas o Espírito coopera com sua iluminação, e esse é um dado muito importante. Precisamos do conhecimento dos livros sagrados, mas também precisamos da *iluminação do Espírito*. Ver sobre esse assunto no *Dicionário*. Não sabemos dizer quão perto da doutrina do Espírito de Deus

o salmista estava chegando, mas é seguro que ele se dirigia para a revelação do Novo Testamento. Combinando o conhecimento com a iluminação, o salmista seria levado à "terra da retidão" (*King James Version*). Mas a melhor compreensão aqui gira em torno do *nível da vereda*, mediante a qual o autor olha de volta para o vs. 8, o *caminho* que ele estava seguindo. Cf. Dt 4.43, que fala do *planalto*. Ver Jr 48.21. O homem fala de *tranquilidade*, sem as subidas e descidas radicais da vereda que ele vinha trilhando. Ver também Is 26.10 e Sl 27.11. Nessa nova vereda plana, o homem estaria livre das armadilhas e dos ardis dos homens ímpios. Ele estaria em *segurança*, conforme diz o Targum.

A versão siríaca faz a vereda conduzir à vida eterna, ao céu e à felicidade eterna, a vereda que leva ao mundo onde habitam os justos. O texto tem sido cristianizado para indicar o estado final da glória (ver 2Pe 3.13). Quanto a isso, "o Espírito de Deus é o líder e o guia de seu povo" (John Gill, *in loc.*).

Que este é Deus, o nosso Deus para todo o sempre: ele será nosso guia até à morte.

Salmo 48.14

■ **143.11**

לְמַעַן־שִׁמְךָ יְהוָה תְּחַיֵּנִי בְּצִדְקָתְךָ תוֹצִיא מִצָּרָה
נַפְשִׁי׃

Vivifica-me, Senhor, por amor do teu nome. Depois de nova ascensão para um alto pensamento espiritual, o poeta sagrado, uma vez mais, mergulha no seu vale de tribulações, onde permanece até o final do salmo. Ele clama novamente para que Yahweh preserve a sua vida. Ele havia tido belos pensamentos e altas aspirações, mas o fato era que sua vida continuava em perigo. Seu novo apelo baseava-se na *retidão* de Yahweh, e ele queria dar a entender que sua causa era *justa:* embora ele tivesse pecados que precisassem ser remediados, não merecia o tratamento brutal que estava recebendo de seus inimigos e certamente não merecia a morte prematura. Ele precisava que sua alma (vida) fosse livrada da tribulação, ou essa tribulação significaria o seu fim. "Vivifica-me, pois sou como um homem morto, e minhas esperanças estão quase mortas dentro de mim" (Adam Clarke, *in loc.*). "Em tua justiça, ou seja, em consonância com o fato de que és o campeão do direito, preserva a minha vida" (William R. Taylor, *in loc.*).

Por amor do teu nome. O homem bom, a salvo da morte prematura, continuaria louvando Yahweh, espalhando sua fama e falando de sua bondade, ainda por longo tempo, e isso seria vantajoso para o seu *nome* entre os homens. Ademais, o nome de Deus representava tanto a justiça quanto a misericórdia, e essas coisas seriam fomentadas pelo amoroso tratamento dispensado ao pobre homem. "Por amor da tua própria glória, que tens demonstrado ser o Deus da bondade amorosa" (Fausset, *in loc.*). Ver sobre *nome* em Sl 31.3, e sobre *nome santo*, em Sl 33.21. E ver também, no *Dicionário*, o verbete chamado *Nome*. Cf. Sl 25.11.

■ **143.12**

וּבְחַסְדְּךָ תַּצְמִית אֹיְבָי וְהַאֲבַדְתָּ כָּל־צֹרֲרֵי נַפְשִׁי כִּי
אֲנִי עַבְדֶּךָ׃

E, por tua misericórdia, dá cabo dos meus inimigos. Para finalizar este salmo, o poeta sagrado volta-se agora para amargas *imprecações*. Ele queria que Yahweh aplicasse o seu *amor constante* em favor dele, e *aniquilasse* completamente, isto é, *cortasse* os seus inimigos. Ele queria vê-los *destruídos* e sem remédio. Ver Sl 136.1, quanto ao *amor constante*. Isso deveria ser aplicado ao salmista, porquanto ele era *servo* de Yahweh. Ele tinha servido e continuaria servindo, mas para tanto precisava continuar vivo.

"Esse amor santo é nossa esperança em cada era. Ele é mais poderoso do que o mal, e é adequado a todas as nossas necessidades. A própria morte não pode vencer esse amor santo" (J. R. P. Sclater, *in loc.*).

Como é óbvio, essas palavras acerca dos homens maus não concordam com as palavras do gentil Jesus: "Amai os vossos inimigos e orai pelos que vos perseguem". Somente Jesus poderia ter amado aqueles que, então, já procuravam matá-lo. Cf. Sl 18.40 e 54.7.

SALMO CENTO E QUARENTA E QUATRO

Quanto a *informações gerais* que se aplicam a todos os salmos, ver a introdução ao Salmo 4, onde apresento *sete* comentários que elucidam a natureza do livro. Quanto a *classes* dos salmos, ver o gráfico no início do comentário, que atua como uma espécie de frontispício do saltério. Ofereço ali dezessete classes e listo os salmos pertencentes a cada uma delas.

Este salmo parece ser a combinação de outros dois, ou seja, de dois tipos de salmos. Os vss. 1-11 são um *salmo real de lamentação*, no qual o rei ora para ser libertado de seus inimigos. Os vss. 12-15 mudam completamente de assunto e são uma oração em favor de um ano próspero. Esse segundo salmo era originalmente um salmo de bem-aventurança, no estilo de um hino de sabedoria. Pode ter sido o fragmento de um hino um tanto parecido com o Salmo 146. É possível que originalmente as duas partes bastante distintas fossem composições de um único autor e formassem uma única composição. Nesse caso, teríamos de supor que o rei, uma vez libertado de seus adversários, quis exprimir a confiança de que o Senhor também faria seu povo aproveitar as bênçãos divinas de alguma maneira especial.

O rei era um rei guerreiro, conforme sucedia à maior parte dos reis antigos, pois os melhores matadores é que galgavam as mais altas posições políticas. Naqueles dias de brutalidade, uma das principais virtudes era matar os inimigos, e os mais habilidosos nesse mister naturalmente eram os mais bem-sucedidos na política. Era tudo uma questão de matar ou ser morto. Deus, ou os deuses, quase sempre obtinha o crédito por fortalecer o rei guerreiro. As vitórias eram dadas pelo Senhor. Foi assim que o rei deste texto (que o subtítulo diz ser Davi) agradeceu a Yahweh pela força que lhe fora dada ao subjugar os inimigos. Apesar de ter reconhecido que o homem é pequeno em si mesmo (vs. 3), contudo era necessário que ele pedisse forças para a destruição dos inimigos de Israel. Pela vitória recebida, o rei agradeceria de todo o coração (vs. 9).

Há Muitos Empréstimos Neste Salmo. Os *paralelos* são como segue: vs. 1 (18.46 e 18.24 — os dois empréstimos foram feitos nessa ordem); vs. 2 (18.2,47); vs. 3 (8.4); vs. 4 (39.5,6); vss. 5-8 (18.9-17; ver 104.32, quanto à segunda parte do vs. 5); vs. 9 (33.2,3); vs. 10 (18.50). Como é óbvio, o autor estava bem familiarizado com a literatura litúrgica.

Subtítulo. Ver a introdução do Salmo 139 na seção chamada *Subtítulo.*

APELO PEDINDO O LIVRAMENTO DE INIMIGOS ESTRANGEIROS (144.1-11)

■ 144.1

לְדָוִד׀ בָּרוּךְ יְהוָה צוּרִי הַמְלַמֵּד יָדַי לַקְרָב אֶצְבְּעוֹתַי לַמִּלְחָמָה׃

Bendito seja o Senhor, rocha minha. Os vss. 1-11 são perfeitamente distintos dos vss. 12-15, e as duas unidades podem ter sido, originalmente, salmos separados. Ver a introdução, anteriormente, que comenta sobre isso.

O *rei guerreiro* invocaria a ira de Yahweh contra os seus inimigos, mas antes de tudo bendisse a Deus por ter-lhe dado forças para ser um bom rei, guerreiro e matador. Ele tinha aprendido as artes bélicas, e isso era considerado uma virtude. Naqueles tempos brutais, o rei era o melhor guerreiro, e o homem capaz de matar mais inimigos do que qualquer outra pessoa. "Saul feriu os seus milhares, porém Davi os seus dez milhares" (1Sm 18.7). E isso era dito como elogio, e não com horror. O nome do jogo era "Mate ou seja morto", e os matadores eram os sobreviventes. Este versículo revisa eficientemente o poder de matar, ao passo que o vs. 2 passa em revisão sucessos passados.

Este versículo repousa sobre Sl 18.46 (primeira parte) e sobre Sl 18.34 (segunda parte). Mãos habilidosas eram treinadas para guerrear; dedos habilidosos eram treinados para combater. Uma boa luta era um jogo de habilidades ensinado divinamente. "Deus é homem de guerra e ensina a arte da guerra, tal como ensinou a agricultura e outras coisas. Ver Êx 15.3 e Sl 18.34" (John Gill, *in loc.*, contendo noções primitivas que dificilmente se adaptam ao Deus do Novo Testamento). Deus era chamado de *Senhor dos Exércitos* (ver a respeito no *Dicionário*).

■ 144.2

חַסְדִּי וּמְצוּדָתִי מִשְׂגַּבִּי וּמְפַלְטִי לִי מָגִנִּי וּבוֹ חָסִיתִי הָרוֹדֵד עַמִּי תַחְתָּי׃

Minha misericórdia e fortaleza minha. Vários títulos foram atribuídos a Deus, que dera forças e habilidades ao rei guerreiro para sujeitar vários povos ao seu controle: *Rocha* (ver as notas em Sl 42.4), o que, para alguns comentadores, seria a origem do amor constante (comentado em 136.1); *Fortaleza* (ver Sl 18.3; 31.3; 71.3 e 91.2); *Libertador* (ver Sl 18.2; 40.17; 70.5 e 140.7); *Escudo* (ver Sl 3.3; 7.9,10; 84.8; 89.18; 91.4; 115.9 e 119.114). Todos esses títulos falam de proteção, livramento, poder de vencer as batalhas, poder de sujeitar povos e de mantê-los em sujeição. Quanto aos *oito* povos que Davi ou aniquilou ou confinou, ver 2Sm 10.19. Quanto à *guerra santa,* ver Dt 7.1-5; 20.10-18.

Cf. Sl 18.2,47, sobre o qual este versículo repousa. Quanto a vários *empréstimos* e/ou paralelos, ver a introdução ao salmo sob o título *Há Muitos Empréstimos Neste Salmo.* O autor sagrado extraiu materiais de um fundo de literatura litúrgica que ele conhecia bem.

Quem me submete o meu povo. Assim dizem alguns manuscritos hebraicos, ao passo que outros apresentam *meus povos,* com o que concordam as versões siríaca e árabe, assim como o Targum. Ver no *Dicionário* o artigo chamado *Manuscritos Antigos do Antigo Testamento.* Povos estrangeiros tinham-se tornado o povo ou os povos dele, por direito de conquista militar. Está em pauta mais do que Israel, como é óbvio, visto que o rei guerreiro não precisava guerrear para conquistar os israelitas.

A Transitoriedade do Homem (144.3,4)

■ 144.3

יְהוָה מָה־אָדָם וַתֵּדָעֵהוּ בֶּן־אֱנוֹשׁ וַתְּחַשְּׁבֵהוּ׃

Que é o homem para que dele tomes conhecimento? O *rei guerreiro* contempla as suas grandes realizações, mas percebe que o Poder real em tudo era Yahweh-Elohim, por ser ele o *Senhor dos Exércitos* (ver a respeito no *Dicionário*). Portanto, até mesmo um homem poderoso como o rei nada era em si mesmo. Este versículo é paralelo a Sl 8.4, que o autor sacro tomou por empréstimo com algumas alterações. Ver as notas naquele texto, quanto a informações que também se aplicam aqui. "Davi perdeu-se na admiração da graça divina que fez abundar amor sobre alguém tão frágil e insignificante. Ver 2Sm 7.18,19; Is 55.8" (Fausset, *in loc.*). "O homem é apenas uma criatura, feita do pó da terra, uma criatura pecaminosa, que sorve a iniquidade como a água; e, no entanto, o Senhor o conhece e estende sua providência sobre ele" (John Gill, *in loc.*).

Este versículo é citado em Hb 2.6, que é acompanhado por outras citações (extraídas do Sl 8) aplicadas a Cristo em sua humilhação.

■ 144.4

אָדָם לַהֶבֶל דָּמָה יָמָיו כְּצֵל עוֹבֵר׃

O homem é como um sopro. Um homem é apenas um *sopro* de vento; é apenas uma *sombra,* vai e vem com os movimentos das nuvens e do sol, ou é lançado por um pássaro em seu voo. "Como pode o Senhor, que é tão grande, interessar-se em qualquer das raças humanas que, quando muito, são apenas essas coisas?" (William R. Taylor, *in loc.*). Que Deus dá atenção a tão frágeis criaturas é prova de sua *magnanimidade,* outra significativa qualidade divina. Esse pensamento inspirava o salmista a fazer pedidos ousados e a seguir ao Senhor. Cf. Sl 42.9; 39.5,6; 102.11 e 103.15.

> A jactância da heráldica, a pompa do poder,
> E toda aquela beleza, toda aquela riqueza
> Espera juntamente por aquela hora inevitável.
> As veredas da glória levam somente ao pó.
>
> Thomas Gray

Este versículo descansa sobre Sl 39.5,6. "Pode ser a humildade do guerreiro que atribui todo o sucesso a Deus, e não à capacidade humana, ou pode ser um reflexo proferido sobre os cadáveres de camaradas que caíram durante o combate, ou talvez, pode ser uma mistura das duas coisas" (Ellicott, *in loc.*).

Oração Pedindo uma Teofania (144.5-8)

■ **144.5**

יְהוָה הַט־שָׁמֶיךָ וְתֵרֵד גַּע בֶּהָרִים וְיֶעֱשָׁנוּ׃

Abaixa, Senhor, os teus céus, e desce. O *rei guerreiro*, tão triunfante nas vitórias que Yahweh lhe havia dado, sabia que precisava de outros triunfos que consolidassem e expandissem as suas fronteiras. Quanto a isso, ele carecia de uma intervenção divina direta, na forma de *teofania* (ver a respeito no *Dicionário*), alguma manifestação incomum de Deus, sua *shekinah*, ou seu Anjo. Ele aludia ao que acontecera no monte Sinai, quando a legislação mosaica foi dada ao povo de Israel. Ver Êx 19.18. O autor usou a linguagem clássica aplicável a tais eventos, dependendo de Sl 18.9-17 e 104.32. Se Deus ao menos tocasse nas montanhas, estas esfumaçariam (Sl 104.32), porquanto as árvores seriam queimadas a fogo e as rochas se derreteriam. Talvez as montanhas simbolizassem as forças que se opõem a Yahweh e ao seu rei guerreiro, com o propósito de prejudicar o seu povo. Essas forças seriam consumidas pelo toque da presença divina como um grande incêndio. Todos os adversários seriam derrotados e povos inteiros seriam extintos, conforme Israel deflagrasse sua guerra santa, que exigia o total aniquilamento de homens, mulheres, crianças e até mesmo de animais domesticados e objetos inanimados. Tudo seria oferecido como uma oferta queimada a Yahweh, um holocausto (ver a respeito no *Dicionário*).

Kimchi fala aqui sobre coisas poderosas, como os *montes*; e algumas vezes os reinos são chamados de "montes". Ver Zc 4.7 e Jr 51.25, que falava sobre o império babilônico.

■ **144.6**

בְּרוֹק בָּרָק וּתְפִיצֵם שְׁלַח חִצֶּיךָ וּתְהֻמֵּם׃

Despede relâmpagos, e dispersa os meus inimigos. A *manifestação divina* incluiria fenômenos como poderosos raios e coriscos, ou poderes espirituais parecidos com essas coisas. A manifestação divina seria como as setas de Deus, atiradas de longe, administrando golpes mortíferos, derrotando o exército inimigo inteiro e deixando Israel triunfante no campo de batalha. Cf. os *poderes divinos* com Sl 18.13,14. "Todos os atos de Deus são como profecias" (Hengstenberg); podemos esperar que eles ocorram novamente em outras ocasiões. "... como relâmpagos, rápidos, cortantes, penetrantes e destrutivos... flechas, fome, pestilência e espada, voando rapidamente, cortando profundamente, despedaçando agudamente, como se fossem dardos de fogo, causando grande dor e tribulação" (John Gill, *in loc.*). Kimchi e Ben Melech comparam as figuras simbólicas dos relâmpagos e das flechas aos poderosos decretos de Deus que descem do céu e mudam as coisas à face da terra.

■ **144.7**

שְׁלַח יָדֶיךָ מִמָּרוֹם פְּצֵנִי וְהַצִּילֵנִי מִמַּיִם רַבִּים מִיַּד בְּנֵי נֵכָר׃

Estende a tua mão lá no alto. Os relâmpagos e as flechas agora são a *mão* de Deus que se estende e esmaga o inimigo, dando a Israel uma intervenção divina direta. Ver sobre *mão de Deus*, em Sl 81.14; sobre sua *mão direita*, em Sl 20.6. Ver sobre seu *braço*, em Sl 77.15; 89.10 e 98.1. Estão em vista aqui agentes divinos de poder, ajuda ou intervenção divina. O rei guerreiro seria livrado de *grandes águas*, isto é, tribulações com potências estrangeiras que ameaçavam seu sucesso na terra, bem como a consolidação de seu império. A grande mão de Deus livraria o salmista da *pequena mão* de seus inimigos. A grande mão era de Deus, ao passo que a pequena mão era dos estrangeiros, que não tinham por encargo controlar os territórios pertencentes a Israel.

Este versículo repousa diretamente sobre Sl 18.16. Ver a introdução sob *Há Muitos Empréstimos Neste Salmo*, quanto aos vários paralelos literários. A grande mão desceria dos *altos céus* (conforme diz o Targum). Quanto às águas avassaladoras, cf. Is 43.2. O Targum, Aben Ezra, Kimchi e Ben Melech faziam dessas águas os "exércitos em multidões". Cf. Ap 17.1,15; Is 8.7,8; Jr 51.42. "... os dilúvios de homens ímpios que o circundavam" (John Gill, *in loc.*).

■ **144.8**

אֲשֶׁר פִּיהֶם דִּבֶּר־שָׁוְא וִימִינָם יְמִין שָׁקֶר׃

Cuja boca profere mentiras. Os inimigos do rei guerreiro eram *mentirosos*. Eles quebravam as alianças; enganavam seus semelhantes e faziam deles aliados em suas causas falsas; proferiam blasfêmias contra Yahweh; e também participavam de cultos idólatras e falsos. Estendiam a *mão direita* como se estivessem oferecendo amizade, mas usavam-na para distribuir golpes. Cf. 2Rs 10.15. Ver também como Joabe tomou Amasa pela mão direita para beijá-lo, mas deu-lhe uma estocada fatal (2Sm 20.9). Há estudiosos, porém, que veem o costume de levantar a mão direita a fim de fazer um *juramento* (Sl 106.26). Nesse caso, os juramentos são perjúrios e traições. Esses homens eram o oposto do que Robert Browning imaginou:

> Mãos dadas, olho no olho,
> Em boa amizade,
> Corações expandidos e voltados
> Para o sentido da vida neste mundo.

O Voto do Rei Guerreiro (144.9-11)

■ **144.9**

אֱלֹהִים שִׁיר חָדָשׁ אָשִׁירָה לָּךְ בְּנֵבֶל עָשׂוֹר אֲזַמְּרָה־לָּךְ׃

Este versículo parece ter sido emprestado de Sl 33.2,3. Ver no *Dicionário* os verbetes *Música (Instrumentos Musicais)* e *Louvor*.

A ti, ó Deus, entoarei novo cântico. Cheio da esperança de que sua oração seria ouvida e respondida, e de que Yahweh o fortaleceria para enfrentar batalhas futuras, conforme acontecera no passado, o rei guerreiro começou um cântico de louvor. Seria um "novo cântico", talvez uma nova composição, um novo hino para a liturgia, ou um cântico que celebrava novas esperanças e expectativas. Quanto a outras referências a algum "novo cântico", ver Sl 33.3; 40.3; 98.11 e 149.1. O novo cântico aqui referido é um hino de agradecimentos a Deus pelos novos socorros recebidos, mas a ideia de uma nova composição poética para a liturgia do templo provavelmente é uma noção que também deve ser incluída.

No saltério de dez cordas. No culto do templo, cantores levitas profissionais e outros músicos proviam acompanhamento para os ritos e as cerimônias, e também na ocasião de grandes festividades. Ver 1Cr 25, quanto às guildas musicais. O rei não participava dessas guildas, mas isso não impediu que ele acompanhasse o seu novo cântico com instrumentos musicais. Ver a declaração acerca de Davi:

> *Davi, filho de Jessé, ... mavioso salmista de Israel.*
> 2Samuel 23.1

■ **144.10**

הַנּוֹתֵן תְּשׁוּעָה לַמְּלָכִים הַפּוֹצֶה אֶת־דָּוִד עַבְדּוֹ מֵחֶרֶב רָעָה׃

É ele quem dá aos reis a vitória. O novo cântico era entoado ao grande benfeitor, o *Senhor dos Exércitos* (ver a respeito no *Dicionário*), aquele de quem se esperava *livramento* em batalhas futuras, a fim de que Davi não fosse ferido ridiculamente por espada, enquanto defendia Israel no campo de batalha. Davi era *servo* de Yahweh, enquanto os inimigos de Davi eram, igualmente, *inimigos* de Yahweh; portanto, é claro que deveria ser favorecido. Este versículo foi tomado por empréstimo de Sl 18.50, cujas notas expositivas também se aplicam aqui. Davi conseguiu derrotar *oito* nações inimigas, libertando assim Israel, por um bom tempo, de assédios militares estrangeiros. Então Salomão pôde dedicar-se a trazer a Israel sua época áurea, que incluiu expansões territoriais. Ver 2Sm 10.19, quanto às amplas vitórias de Davi.

Dá aos reis. A passagem originária, Sl 18.50, tem o singular aqui, "rei", referindo-se, obviamente, a Davi. O plural aqui, "reis", que conta com o apoio da Septuaginta, da Vulgata e do Targum, pode estar correto em contraposição ao singular do texto massorético. Algumas vezes, as versões antigas trazem um texto correto, contra o texto hebraico hodiernamente padronizado. Ver no *Dicionário* os verbetes *Massora (Massorah); Texto Massorético* e *Manuscritos Antigos do Antigo Testamento*. Este segundo artigo inclui princípios de crítica textual do Antigo Testamento. Os manuscritos hebraicos conhecidos como *Papiros do Mar Morto* algumas vezes concordam com as versões, especialmente com a Septuaginta, contra o texto hebraico padronizado que se deriva de um tempo muito posterior. Embora significativa, a porcentagem desses textos não é muito grande. Ver também, no *Dicionário*, o artigo denominado *Mar Morto, Manuscritos (Rolos) do*. A forma plural, *reis*, pode ter sido um modo de expressão mediante o qual o autor do salmos tentou dizer aos leitores que ele não era Davi, o rei. Ele pertencia à classe dos reis, mas não era o próprio rei Davi.

■ **144.11**

פְּצֵ֥נִי וְהַצִּילֵ֗נִי מִיַּ֥ד בְּנֵֽי־נֵכָ֑ר אֲשֶׁ֥ר פִּיהֶ֗ם דִּבֶּר־שָׁ֑וְא וִֽ֝ימִינָ֗ם יְמִ֣ין שָֽׁקֶר׃

Livra-me e salva-me do poder de estranhos. Este versículo repete elementos vistos anteriormente. Consideremos os seguintes pontos:

1. O livramento do rei guerreiro e sua salvação são a mesma coisa: o livramento dele dos seus inimigos, conforme se vê no vs. 7.
2. O livramento do poder de *estrangeiros* também aparece no vs. 7. O autor mencionou-os sob a forma de "muitas águas".
3. Os inimigos do salmista eram mentirosos, perjuros e levantavam juramentos falsos e enganadores, "erguendo a mão direita", conforme já vimos no vs. 8. Portanto, este versículo é, essencialmente, um sumário dos principais elementos que já tinham sido mencionados. E com esse sumário, termina o salmo dos vss. 1 a 11. Segue-se então um tipo totalmente diferente de composição (vss. 12-15).

AS BÊNÇÃOS QUE YAHWEH-ELOHIM DÁ A SEU POVO (144.12-15)

■ **144.12**

אֲשֶׁ֤ר בָּנֵ֨ינוּ ׀ כִּנְטִעִים֮ מְגֻדָּלִ֪ים בִּֽנְעוּרֵ֫יהֶ֥ם בְּנוֹתֵ֥ינוּ כְזָוִיֹּ֑ת מְ֝חֻטָּב֗וֹת תַּבְנִ֥ית הֵיכָֽל׃

Que nossos filhos sejam, na sua mocidade, como plantas viçosas. Provavelmente, este é um salmo separado que, de alguma maneira, veio a ser vinculado ao anterior (ver os vss. 1-11). Ver os comentários na introdução ao salmo presente quanto a essa possibilidade. Quase certamente este salmo é pós-exílico. Foi escrito no estilo das obras de sabedoria, algo como os Salmos 127 e 128. Poderia ser um fragmento de um salmo um tanto parecido com o Salmo 146. Várias palavras aramaicas e hebraicas posteriores revelam o tempo pós-exílico da composição. Este salmo é uma espécie de "oração por um ano próspero" (*Oxford Annotated Bible,* comentando o vs. 12).

Que nossos filhos sejam. O tempo verbal subjuntivo em português oculta o fato de que o original hebraico começa este salmo separado com uma conjunção, traduzida como *que,* na *King James Version*. Parece-se com o vs. 12, que continua outra composição, e foi baseado nesse versículo, e então os vss. 12-15 transformaram-se em um salmo separado. Este salmo está ligado com o salmo anterior por algum comentário como: "Visto que o Senhor livraria o seu servo, o rei, a terra desfrutaria grandes benefícios" (Allen P. Ross, *in loc.*). "O livramento dos inimigos é uma medida preliminar necessária para ter uma população vigorosa" (Fausset, *in loc.*). Talvez editores posteriores também tenham tido tais ideias quando acrescentaram esses novos sentimentos ao que fora dito antes.

Seja como for, a *oração em busca de prosperidade* desejava, em primeiro lugar, que os *filhos* fossem como plantas que já tivessem crescido plenamente, fortes, saudáveis e prósperos na força física e na plenitude material, tal como as plantas que medram às margens dos rios, por contarem com uma fonte perene de águas. "O vigor da juventude é comparado com o das plantas florescentes de um jardim"

(William R. Taylor, *in loc.*). A Septuaginta, a Vulgata, as versões etíope, siríaca e árabe, todas começam com a palavra "cujo", evitando assim a conjunção desajeitada, e também ligam a segunda parte à primeira; mas fazem isso de maneira um tanto desajeitada, porquanto não há antecedente para essa palavra nos versículos anteriores, a menos que imaginemos que isso se refira ao rei guerreiro, cujo filho deveria prosperar, uma vez que tivesse obtido a vitória universal.

Ademais, as *filhas* de Israel, de acordo com o pedido do autor, deveriam ornamentar-se como *pedras lavradas das colunas* de um palácio magnífico. Essas pedras seriam escolhidas por sua beleza e por proporções perfeitas e seriam lavradas com habilidade e ornamentadas com belos desenhos, por artífices habilidosos. O poeta pensava em belas e saudáveis jovens, em cujos rostos continuasse a evidenciar-se o viço da juventude. Uma sociedade ideal contaria com esse tipo de juventude: filhos altos e fortes; filhas de rara beleza. O Targum faz, das plantas referidas, palmeiras, árvores notórias por seu vigor e longa vida.

Plautus (*Mostellaria,* ato 1, seção 2) tem uma figura semelhante, ao falar de crianças como se fossem edifícios, e pais como construtores desses edifícios, polidos e ornamentados, onde nenhuma despesa era poupada para transformá-los em palácios de beleza rara, bem como lugares de grande utilidade.

Este versículo tem sido cristianizado para referir-se ao novo templo, a igreja (Ef 2.20 ss.). O Targum tem uma ideia semelhante, ao falar do edifício referido neste versículo como o templo, apropriado para ali os sacerdotes administrarem. A versão siríaca também oferece essa metáfora: "suas filhas e esposas adornadas como templos".

■ **144.13**

מְזָוֵ֣ינוּ מְלֵאִים֮ מְפִיקִ֪ים מִזַּ֫ן אֶל־זַ֥ן צֹאונֵ֣נוּ מַ֭אֲלִיפוֹת מְרֻבָּב֗וֹת בְּחוּצוֹתֵֽינוּ׃

Que transbordem os nossos celeiros. Agora o poeta sagrado volta sua atenção para a *prosperidade agrícola,* a necessidade de qualquer sociedade apoiada na agricultura, como era o caso da maioria das nações antigas, bem como da maioria das sociedades modernas. Eram necessários solos bons, trabalho abundante na semeadura e na colheita, ou seja, *celeiros cheios*. Isso significaria que não haveria fome, além de haver produtos excedentes para trocar por outros itens de consumo. Além disso, os animais domésticos precisavam ser saudáveis e numerosos; deveriam ser férteis e reproduzir-se em massa, gerando milhares e dezenas de milhares. Esses fenômenos eram sempre atribuídos à bondade de Deus ou dos deuses; e assim a oração do salmista requeria que Yahweh cuidasse desse aspecto necessário de uma nação próspera e saudável. "Trapos e a fome seriam banidos da cena" (William R. Taylor, *in loc.*). De cada coisa boa deveria haver *multiplicação aos milhares,* conforme diz o hebraico original, literalmente. E então não haveria clamor de desespero ou queixume nas *ruas,* ou melhor, nas *pastagens* e nos campos, conforme se vê em Jó 5.10.

Este versículo tem sido cristianizado para falar do sucesso do evangelho ao trazer muitas ovelhas ao rebanho de Jesus (Jo 10).

■ **144.14**

אַלּוּפֵ֗ינוּ מְֽסֻבָּ֫לִ֥ים אֵֽין־פֶּ֭רֶץ וְאֵ֣ין יוֹצֵ֑את וְאֵ֥ין צְ֝וָחָ֗ה בִּרְחֹבֹתֵֽינוּ׃

Que as nossas vacas andem pejadas. Este versículo é compreendido de modos largamente diferentes por parte dos intérpretes. Está eivado de obscuridades, pelo que o melhor que devemos fazer é entendê-lo sem nos mostrar dogmáticos sobre nossas escolhas ou opções possíveis. Considere o leitor estes pontos:

1. O gado devia andar pejado com filhotes (as vacas sempre grávidas), sem nunca sofrer abortos (conforme diz a *Revised Standard Version*). Ou devia ser forte, pronto para cumprir as tarefas da agricultura, pois o boi equivalia ao trator moderno nos tempos antigos (conforme se lê na *King James Version*). Ademais, a palavra empregada aqui para *bois* também pode significar "líderes". O termo é aplicado aos duques de Edom, em Gn 36. Nesse caso, espera-se que os líderes sejam moralmente bons e fortes em sua liderança. O mais provável, entretanto, é que estejam em foco os

bois, visto que o vs. 14 prossegue com a ideia voltada para os animais domésticos (ovelhas), conforme se vê no vs. 13.

2. *Não lhes haja rotura*. Ou seja, *violências internas*, que arruínam qualquer sociedade. Mas a *Revised Standard Version*, acompanhada pela nossa versão portuguesa, aplica isso a abortos entre os animais domésticos.

3. *Nem mau sucesso*. Talvez o autor sagrado estivesse falando no saque de animais domésticos, ou sobre qualquer ato de ataque ou ato destrutivo contra os animais. Outros veem aqui a ideia de "ir à guerra" ou "ir para o cativeiro". Nesse caso, o poeta sagrado orava em favor da paz. "A utopia não é oriunda do labor da guerra. Na guerra, os recursos materiais são dissipados, e os ódios humanos se concentram. A guerra não é um progresso na direção da paz. O salmista percebeu a verdade concernente à paz e à prosperidade" (J. R. P. Sclater, *in loc.*).

4. *Não haja gritos de lamento em nossas praças*. Alguns intérpretes fazem desses gritos os "gritos de batalha", pensando que uma declaração anterior do salmo fala sobre a guerra. Outros fazem a declaração ter um sentido geral, qualquer tipo de clamores nas praças por parte de um povo faminto e descontente, devido às más condições na sociedade. "Não algum infortúnio mediante o qual a inteireza e a felicidade de nossa sociedade podem ser resgatadas, não havendo clamores por motivo de perda (Is 24.11)" (Fausset, *in loc.*).

144.15

אַשְׁרֵי הָעָם שֶׁכָּכָה לּוֹ אַשְׁרֵי הָעָם שֶׁיהוָה אֱלֹהָיו:

Bem-aventurado o povo a quem assim sucede! Qualquer povo que obtivesse as bênçãos anteriormente mencionadas seria certamente um povo *feliz!* E isso seria verdade, caso esse povo tivesse Yahweh por seu Deus, ou seja, *Yahweh-Elohim*, o eterno Deus Todo-poderoso. Ver no *Dicionário* o artigo chamado *Deus, Nomes Bíblicos de*.

Note o leitor quão conspícua *por sua ausência* é qualquer menção a uma possível pós-vida futura, que seria abençoada por Deus, o que certamente acompanharia qualquer texto dessa natureza no Novo Testamento. Veja o leitor como Hb 11.10,14-16 ensina que o real objetivo dos patriarcas na vida era a "cidade celestial", mas isso já é uma avaliação neotestamentária da situação, derivada do judaísmo posterior. É um anacronismo fazer este salmo falar sobre isso. Ver as notas expositivas sobre Dt 4.1; 5.33 e 6.2, quanto a esse *tipo de vida*, que a lei supostamente proveria.

> Então cairiam todas as algemas,
> Não haveria mais clamor de selvagem guerra,
> O amor apagaria o fogo destruidor
> Da ira, e nas cinzas seria plantada
> A árvore da paz.
>
> John Greenleaf Whittier

SALMO CENTO E QUARENTA E CINCO

Quanto a *informações gerais* aplicáveis a todos os salmos, ver a introdução ao Salmo 4, onde apresento *sete* comentários que elucidam a natureza do livro. Quanto às *classes* dos salmos, ver o gráfico no início da exposição sobre o livro, que atua como uma espécie de frontispício. Ofereço ali dezessete classes e listo os salmos pertencentes a cada uma delas.

Este é um *hino de louvor*, que celebra o caráter de Deus. A composição começa como um hino individual, mas logo todas as obras de Deus e dos santos são convocadas para unir-se no cântico (vs. 10).

Este salmo é *acróstico* (como o são os Salmos 9, 10, 25, 34, 37, 111, 112 e 119). Cada versículo começa com uma letra hebraica diferente, seguindo a ordem do alfabeto dos hebreus. Ver as notas expositivas sobre esse tipo de estilo literário na introdução ao Salmo 34. O Salmo 119 tem uma forma extremamente elaborada de estilo acróstico, e o leitor curioso poderá informar-se sobre isso nas notas dadas ali. O estilo acróstico de composição poética não se limita aos escritos bíblicos.

Empréstimos. Tal como acontece com muitos outros salmos, este também conta com certo número de empréstimos feitos de outros salmos, a saber: vs. 1 (107.32); vs. 3 (48.1; 96.4); vs. 4 (78.4); vs. 9 (86.5,15 e Êx 34.6); vs. 14 (146.8); vss. 15 e 16 (104.27,28). Além desses empréstimos diretos, muitas frases fazem-nos lembrar de outros salmos.

Subtítulo. Temos aqui o seguinte subtítulo: "Louvores de Davi", ou seja, um salmo a ser entoado como um ato de louvor e adoração a Deus. Ver a introdução ao Salmo 139, quanto a comentários, sob *Subtítulo*. A palavra hebraica *tehillah* encontra-se somente neste salmo, como um título. Pode ser traduzida por "louvor".

O PROPÓSITO DO SALMISTA (145.1-3)

145.1

תְּהִלָּה לְדָוִד אֲרוֹמִמְךָ אֱלוֹהַי הַמֶּלֶךְ וַאֲבָרֲכָה שִׁמְךָ לְעוֹלָם וָעֶד:

Exaltar-te-ei, ó Deus meu, e Rei. Este salmo começa com louvores pessoais, mas logo se divide em um salmo cujos louvores são da comunidade e até dos objetos inanimados (vs. 10). O nome de Elohim, o Poder, é exalçado, pois ele é o Rei da vida humana e exerce domínio sobre todas as coisas. Seu *nome* deve ser louvado para sempre. Ver sobre *nome*, em Sl 31.3 e também, a esse respeito, o *Dicionário*. Ver sobre *nome santo* em Sl 30.4 e 33.21. A natureza essencial de Deus, seus atributos e suas obras eram destacados por meio do *Nome* que era concebido como tão poderoso que bastava ser pronunciado para exercer poder miraculoso. Ver no *Dicionário* o verbete denominado *Louvor*.

Exaltar-te-ei. Elevarei o teu nome lá no alto, exaltar-te-ei para sempre, isto é, enquanto eu viver ou, de acordo com o judaísmo posterior, neste mundo e no próximo.

> Por toda a eternidade a ti,
> Um cântico alegre levantarei;
> Mas, oh! a eternidade é curta demais
> Para proferir todos os teus louvores.
>
> Addison

"Ao contemplar a grandeza e a majestade de Deus, o tempo deixa de existir. O poeta prometeu uma homenagem indefinidamente prolongada" (Ellicott, *in loc.*).

Em certo sentido, os Salmos 145 a 150 formam uma *grandiosa doxologia de louvor*, embora este seja um tema principal no saltério inteiro e certamente não isolado desse grupo. Seja como for, a palavra "louvor" está contida nesses seis salmos por 46 vezes. Ver no *Dicionário* o verbete chamado *Louvor*.

"A grandeza do Senhor é insondável. Ninguém jamais perscrutou suas profundezas" (Allen P. Ross, *in loc.*). Portanto, temos aqui um grande assunto que provoca louvor. Cf. Sl 107.32, do qual este versículo é parcialmente dependente.

Usos Históricos do Salmo 145. As comunidades judaicas têm empregado este salmo na sinagoga, nos cultos matinais e vespertinos. No cristianismo primitivo, este salmo era empregado na refeição do meio-dia como uma bênção, e posteriormente também começou a ser usado no domingo do Pentecoste. Nas devoções particulares, também era um salmo muito usado, conforme tomamos conhecimento através dos escritos de Agostinho, William Carey e outros. Era encontrado, em letras gregas, sobre o portal da igreja em Damasco, que foi uma catedral cristã, mas agora é uma mesquita maometana.

145.2

בְּכָל־יוֹם אֲבָרֲכֶךָּ וַאֲהַלְלָה שִׁמְךָ לְעוֹלָם וָעֶד:

Todos os dias te bendirei. O salmista insistia com o seu louvor, que reboava dia e noite, a qualquer tempo durante o dia. Ele declarou uma vez mais o seu propósito de bendizer o nome de Yahweh-Elohim, e isso para sempre, repetindo as afirmações do versículo anterior. Nada existe neste versículo que o vs. 1 já não contenha, excetuando a intenção de proferir a bênção a *cada dia*. Cf. Sl 68.19 e 69.30.

> *Bendito seja o Senhor que, dia a dia, leva o nosso fardo. Deus é a nossa salvação.*
>
> Salmo 68.19

Louvores devem ser prestados diariamente, visto que as misericórdias de Deus se renovam a cada manhã. Para cada suprimento divino há um novo louvor. Além disso, Deus é o mesmo a cada dia, pelo que esse cântico deve ser entoado a cada novo dia. Ver Lm 3.22,23 e Hb 13.8.

■ 145.3

גָּד֣וֹל יְהוָ֣ה וּמְהֻלָּ֣ל מְאֹ֑ד וְ֝לִגְדֻלָּת֗וֹ אֵ֣ין חֵֽקֶר׃

Grande é o Senhor e mui digno de ser louvado. Yahweh, por sua natureza inerente, é grande, o que fala de sua *imensidade*. Ver no *Dicionário* o artigo denominado *Atributos de Deus*. "Quanto à grandeza de Deus, não há investigação", que é o hebraico literal agora traduzido para o português. "Tudo em Deus é ilimitado e eterno" (Adam Clarke, *in loc.*). "Uma grandeza que ultrapassa a capacidade humana de compreensão" (William R. Taylor, *in loc.*).

As investigações científicas tomaram inacreditável impulso nos últimos cem anos, e isso nos enche de admiração. Deus, entretanto, está fora de nossas investigações, e nossa ciência tão somente sugere a grandeza de Deus, em vez de descrevê-la. Mas vemos duas coisas óbvias na natureza: imenso conhecimento e imenso poder. A teologia tem sido chamada de "a rainha das ciências", embora alguns eruditos suponham que o máximo que ela pode fazer nesta era científica é ocupar a posição de serva. Não obstante, a teologia continua sendo a rainha das ciências. Existem argumentos racionais em favor da existência de Deus, com base em sua grandeza, exposta na natureza. Embora coisas inteligentes tenham sido ditas contra esses argumentos, continuamos sentindo a força deles. Ver na *Enciclopédia de Bíblia, Teologia e Filosofia* os artigos denominados *Argumento Cosmológico* e *Argumento Teleológico*.

Cf. Sl 48.1 e 96.4, dos quais este versículo parece depender. Ver também Is 40.38 e Jo 11.7, quanto à segunda parte do versículo. O Targum diz: "Da grandeza de Deus não há fim", que é, igualmente, a tradução da Septuaginta, da Vulgata Latina e das versões siríaca e árabe. "A grandeza do Senhor é insondável. Ninguém jamais perscrutou suas profundezas" (Allen P. Ross, *in loc.*).

■ 145.4

דּ֣וֹר לְ֭דוֹר יְשַׁבַּ֣ח מַעֲשֶׂ֑יךָ וּגְבוּרֹתֶ֥יךָ יַגִּֽידוּ׃

Uma geração louvará a outra geração as tuas obras. Sendo Deus imenso, naturalmente produz obras que deixam estonteada a mente humana. Nossas ciências descrevem todos os aspectos de suas obras e, quanto mais descobertas científicas fazemos, mais admiráveis as coisas ficam. Suas obras admiráveis são providenciais, negativa e positivamente. Ver no *Dicionário* o verbete intitulado *Providência de Deus*. Os homens observam os milagres e as demonstrações do poder de Deus, e registram-nos em livros sagrados e no coração; e então essas informações passam de uma geração a outra. Ocasionalmente, novos capítulos são adicionados com novas experiências humanas sobre o Ser divino. O número dessas obras é incontável, se incluirmos as maravilhas da criação sobre as quais poucos sabemos, mas sobre as quais nossas ciências estão fazendo investigações diárias. A ciência investiga e os homens fazem experiências, e recebemos as mesmas informações de diferentes ângulos. Naturalmente, a despeito de todas as evidências que colhermos, Deus permanece, essencialmente, o *Mysterium Tremendum* e o *Mysterium Fascinosum*, ideias que recebem artigos no *Dicionário*.

■ 145.5

הֲדַ֣ר כְּב֣וֹד הוֹדֶ֑ךָ וְדִבְרֵ֖י נִפְלְאוֹתֶ֣יךָ אָשִֽׂיחָה׃

Meditarei no glorioso esplendor da tua majestade. As gerações falam das esplendorosas obras de Deus, e o autor sagrado, *pessoalmente*, tinha de acrescentar o que ele sabia e sentia. Ele tomou sobre si mesmo falar do *esplendor de sua majestade* (*Revised Standard Version*) e também da admiração de suas obras e daqueles assuntos espantosos sobre os quais ele continuou a *meditar*. Diz aqui o hebraico literal: "A honra da glória de sua Majestade e as questões (palavras) de suas maravilhas". O coração do poeta enchia-se de exuberantes *sentimentos*, mas seus superlativos verbais na realidade não estavam à altura do tema que ele tentava exprimir. Cf. uma tentativa similar em Sl 18.2, ao descobrir algo sobre Deus. Ver também Is 62.7. Voltando-nos para os comentários sobre suas palavras, verificamos que elas também acabam mostrando-se inadequadas.

Este versículo tem sido cristianizado para falar das maravilhosas obras de Cristo em sua missão redentora, o que, afinal de contas, foi a obra mais magnificente de seu amor (Jo 3.16 e Rm 5.8).

Não sendo capaz de expressar a grandeza de Deus e sabendo que os nossos sentimentos também ficam aquém de qualquer tipo de conhecimento sobre Deus, simplesmente paramos diante da grandeza de Deus.

Assim como a galinha-do-pântano constrói no terreno inundado,
Eis que levantarei para mim um ninho sobre a
Grandeza de Deus;
Voarei na grandeza de Deus como a galinha-do-pântano voa,
Na liberdade que enche o espaço entre o pântano e os céus;
Por meio de tantas raízes que a erva do pântano envia para o terreno inundado,
De todo o coração descansarei sobre a grandeza de Deus.
Sidney Lanier

■ 145.6

וֶעֱז֣וּז נוֹרְאֹתֶ֣יךָ יֹאמֵ֑רוּ וּגְדוּלָּתְךָ֥ אֲסַפְּרֶֽנָּה׃

Falar-se-á do poder dos teus feitos tremendos. À longa lista das maravilhas divinas, o poeta acrescenta aqui os *feitos tremendos* de Deus, que podem ser uma simples repetição poética de coisas já mencionadas, ou talvez "suas teofanias inspiradoras de terror estejam em vista" (conforme sugeriu William R. Taylor, *in loc.*). Ver no *Dicionário* o verbete intitulado *Teofania*. A maravilha divina mais impressionante dá-se quando ele se manifesta de algum modo sua presença, mesmo que seja através de algum instrumento, como um anjo. Todas as coisas mencionadas nesta impressionante lista (vss. 3-6) ilustram a grandeza de Deus. Portanto, essa palavra deu início à lista, no vs. 3, e agora a conclui, neste versículo. O salmista esforçou-se ao máximo para declarar a grandeza do Senhor, e embora, como é óbvio, tenha ficado muito aquém de seu alvo, registrou uma impressionante descrição. Os homens agora unem-se aos louvores dele.

Senhor de todos os seres, entronizado lá longe,
tua glória flameja do sol e das estrelas,
Centro e alma de todas as esferas,
Porém, de cada coração amoroso, quão próximo.

Ver no *Dicionário* o artigo chamado *Grande (Grandeza)*.

■ 145.7

זֵ֣כֶר רַב־טוּבְךָ֣ יַבִּ֑יעוּ וְצִדְקָתְךָ֥ יְרַנֵּֽנוּ׃

Divulgarão a memória de tua muita bondade. Os homens que se tinham juntado aos louvores (vs. 6) agora continuavam *derramando abundantemente* cânticos sobre a fama da imensa bondade de Deus. Suas obras poderosas são *benéficas*, pelo que é evidente que o poder mais alto é igualmente o bem supremo. Deus é o *summum bonum* da vida humana (ver a respeito no *Dicionário*). O poder mais alto, que é também o sumo bem, é igualmente a mais elevada retidão, a principal e superior expressão de *retidão* (ver a respeito no *Dicionário*). "... visto nos cuidados pelas suas criaturas e pela sua vindicação de todos os que requerem sua ajuda salvadora" (William Taylor, *in loc.*). Os homens *cantarão* alegremente (literalmente, *com altos elogios*) sobre essas qualidades divinas. Cf. Sl 119.68, o *atributo* da bondade, e não meramente coisas boas realizadas.

Divulgarão. Literalmente, no hebraico, "derramarão", como uma grande cascata de água, derivada de uma fonte abundante. Cf. Sl 19.2 e 78.2. Aben Ezra adicionou ao final do versículo, "cantando", para fazer do que se segue a substância dos cânticos que os homens entoam.

A NOTÁVEL COMPAIXÃO DE YAHWEH (145.8,9)

■ 145.8

חַנּ֣וּן וְרַח֣וּם יְהוָ֑ה אֶ֥רֶךְ אַ֝פַּ֗יִם וּגְדָל־חָֽסֶד׃

Benigno e misericordioso é o Senhor. O que os homens derramam em louvor é agora sumariado. Este versículo tem uma *quádrupla* declaração do que o gracioso Yahweh está disposto a fazer pelo homem:

1. **Deus é bondoso e cheio de compaixão.** O Deus de amor aproveita todas as oportunidades para exibir sua bondade e compaixão. Seu amor é *constante*. Ver as notas em Sl 136.1. O amor de Deus o torna *bondoso*. Ver o vs. 7, quanto à *bondade* de Deus.
2. **Deus é misericordioso.** Ele retém o seu castigo mesmo quando há grande provocação.
3. **Deus é** *lento em irar-se* e demonstra paciência com os homens, sabendo que eles são apenas pó. Ele adia seus julgamentos, esperando pelo arrependimento (Rm 2.4. Ver também Êx 34.6; Ne 9.17; Sl 86.15; 103.8; Jl 2.13 e Jn 4.2).
4. **Deus abunda em seu famoso** *amor constante* (Sl 136.1). Essa é a base de todas as suas outras qualidades e causa a providência positiva que ele dá aos homens. Tudo o que é contrário a isso deve ser a temida e ridícula *reprovação* (ver a respeito no *Dicionário*), da qual falam alguns teólogos.

> Sua graça por toda alma é livre.
> Seu decreto é que o amor flua,
> Amor por todo réprobo e por mim!

Ver no *Dicionário* o verbete chamado *Amor,* onde dou detalhes e ilustrações sobre o assunto. Cf. declarações similares em Sl 86.15; 103.5 e 111.4.

"Deve-se supor que a grandeza do amor de Deus seja comensurável com a sua própria infinita grandeza" (Fausset, *in loc.*). Este versículo tem sido cristianizado para falar da pessoa e da obra de Jesus, o Cristo, que foi a mais magnificente demonstração do amor de Deus.

■ 145.9

טוֹב־יְהוָה לַכֹּל וְרַחֲמָיו עַל־כָּל־מַעֲשָׂיו׃

O Senhor é bom para todos. Este versículo fala de uma *providência generalizada,* sumariando as ideias anteriores. Os objetos da providência positiva de Deus são tudo o que ele tem feito. Ele fez tudo, pelo que também favoreceu a tudo. Por conseguinte, este versículo é uma espécie de João 3.16 do Antigo Testamento. Este versículo, tal como o livro de Jonas, inclui a criação animal (ver Jn 4.11). Neste caso, estão em vista até os sistemas de vida inferiores e a natureza inanimada, conforme podemos recolher do vs. 10.

"Este largo ponto de vista do mundo como objeto, com tudo o que está nele contido, da piedade e do amor divino, é uma nobre antecipação do ensino de nosso Senhor no Sermão do monte, tendo sido introduzido de maneira similar" (Ellicott, *in loc.*). Adam Clarke, *in loc.,* estende essa misericórdia e amor às "almas no inferno", e a história da *Descida de Cristo ao Hades* (ver a respeito na *Enciclopédia de Bíblia, Teologia e Filosofia*) mostra que Adam Clarke está com a razão. Naturalmente, a teologia dos hebreus na época ainda não tinha atingido o ponto de postular uma vida pós-tumular, quer para os bons, quer para os maus, mas se já o tivesse atingido, então uma declaração geral como a que se acha neste versículo provavelmente teria incluído *almas,* onde quer que elas estivessem.

CONVOCAÇÃO PARA QUE TODAS AS COISAS LOUVEM O SENHOR (145.10-13)

■ 145.10

יוֹדוּךָ יְהוָה כָּל־מַעֲשֶׂיךָ וַחֲסִידֶיךָ יְבָרֲכוּכָה׃

Todas as tuas obras te renderão graças, Senhor. Visto que absolutamente tudo, seres e coisas, são os objetos da providência positiva de Deus (vs. 9), por isso mesmo todas as coisas devem louvar a Deus ativamente. *Todas as coisas* são, por isso mesmo, convidadas a fazê-lo. Note o leitor a progressão dos louvores: o poeta, como homem, começou a louvar (vss. 1-5); os *homens,* em geral, tomaram o louvor (vss. 6-8); e finalmente *todas as coisas* se uniram no louvor ao Senhor. O resultado foi que a *providência universal* de Deus obteve *louvor universal*. "Os entenebrecidos, os tristonhos, os duros de coração, os preconcebidos, que nunca tiveram o amor de Deus derramado no coração, sem sentimentos, enfrentam a condenação de seus iguais" (Adam Clarke, *in loc.*). "Alguns louvam com sua voz, outros fazem-no silenciosamente, pela eloquência de seus próprios seres (Sl 19.1-3; 103.22)" (Fausset, *in loc.*). Os *santos* completam então a lista dos que dão louvores, pois eles, acima de todos os outros, têm razão para fazê-lo. Com base no Antigo Testamento, estamos falando daqueles que se tornam distintos por possuírem e praticarem a lei mosaica. Ver Dt 4.4-8. Ver sobre *Santos,* em Sl 97.10, bem como no *Dicionário,* quanto a um tratamento geral.

"Que todas as suas *obras,* isto é as suas criaturas, e, mais explicitamente ainda, seus *santos,* o seu próprio povo, tornem conhecido o caráter da soberania e da providência do Senhor, a todos os filhos dos homens... O salmista vê a realização do domínio mundial de Deus como o grande alvo da história. Os vss. 3-9 (que abrem o salmo) e os vss. 13-21 (que o encerram) definem o que ele indica pela glória, pelo poder e pelo esplendor desse reino" (William R. Taylor, *in loc.*).

■ 145.11

כְּבוֹד מַלְכוּתְךָ יֹאמֵרוּ וּגְבוּרָתְךָ יְדַבֵּרוּ׃

Falarão da glória do teu reino. Os homens serão todos reunidos formando um *reino glorioso* no qual Yahweh exercerá controle total, exibindo universalmente sua providência. O Rei tem a glória, o poder, a bondade, o amor, a compaixão, coisas listadas no vs. 8. Ele é *esse tipo* de Rei, pelo que as expectativas para o futuro são brilhantes e universais. Naturalmente, coisa alguma poderia ter lugar não fosse a *restauração universal*. Ver na *Enciclopédia de Bíblia, Teologia e Filosofia* o artigo chamado *Restauração*. Cf. Fp 2.9-11 e Ef 1.9,10, quanto à explicação evangélica dessa divina e gloriosa operação. Ver também, na mesma *Enciclopédia,* o verbete intitulado *Mistério da Vontade de Deus*.

O teu poder. "Um poder exercido na criação e na providência, mas também na operação da salvação dos homens, e na conquista e subjugação de todos os inimigos espirituais de Deus e de seu povo, o pecado, Satanás, o mundo e a morte" (John Gill, *in loc.*).

■ 145.12

לְהוֹדִיעַ לִבְנֵי הָאָדָם גְּבוּרֹתָיו וּכְבוֹד הֲדַר מַלְכוּתוֹ׃

Para que aos filhos dos homens se façam notórios os teus poderosos feitos. Todas as *obras de Deus* continuavam sua canção de louvor. Elas tornam conhecidos de todos os filhos dos homens, e não meramente do povo eleito de Deus, Israel, os atos poderosos e a gloriosa majestade de Yahweh, que é o Rei universal, Benfeitor, Salvador e Senhor. A mente do autor retorna aos atos poderosos e terríveis de Deus (vss. 4-6), e todos os seres e todas as coisas criadas por ele reconhecem esses atos e louvam a Deus. Yahweh é elogiado por todas as coisas como o objeto próprio para a adoração e para os louvores humanos, pois ele é o Benfeitor universal. Ele governa para fazer o bem; ele opera para demonstrar o seu amor. Meus amigos, essa é a mensagem de Rm 9, que certamente está acima do exclusivismo ordinário dos hebreus. Trata-se de uma mensagem que antecipa os ensinos melhores do Novo Testamento e, afinal, a missão de Cristo que confirmou o espírito dessa mensagem.

"Assim foi preparado o caminho para a revelação que estava em Jesus Cristo... transcendendo todas as barreiras de língua e de raça, e afirmando que *todos os homens* são filhos de um só Pai, que está no céu. Para que se possa interpretar plenamente essa mensagem, é preciso contar com um crente com o Novo Testamento aberto para entender as implicações daquilo que o salmista disse" (J. R. P. Sclater, *in loc.*).

■ 145.13

מַלְכוּתְךָ מַלְכוּת כָּל־עֹלָמִים וּמֶמְשַׁלְתְּךָ בְּכָל־דּוֹר וָדוֹר׃

O teu reino é o de todos os séculos. O *maravilhoso reino,* que traz aos homens compaixão, amor, misericórdia e benefícios do Ser divino, *não poderá ter fim*. Assegurará a todas as gerações esses benefícios, pelo que os homens para sempre participarão das mesmas vantagens e privilégios. Cf. Dn 2.4; 4.3,34 que diz algo similar. Ver no *Dicionário* o verbete chamado *Reino de Deus*. Do começo ao fim, devemos ler no texto a compreensão cristã da questão, porquanto é claro que o salmista, embora vivesse na época de uma teologia inferior, estava *antecipando algo maior* do que aquilo que se conhecia até então. Isso tipificou o judaísmo posterior. Acredite-se ou não, os livros pseudepígrafos e alguns livros apócrifos continuaram a abrir a mente dos judeus a um ponto de vista mundial mais amplo, e o Novo Testamento continuou o processo de maneira mais significativa.

A estrofe da letra hebraica *num* (lembremo-nos que este é um salmo acróstico) viria imediatamente depois do vs. 13, mas foi apagada por alguma circunstância histórica desconhecida, ou é possível, igualmente, que o autor original fosse descuidado e simplesmente a tenha esquecido. A Septuaginta, e as versões siríaca, Vulgata e etíope compensam aqui a omissão inserindo uma variação do vs. 17. Ver, na introdução deste salmo, a questão do estilo literário em forma de poesia acróstica.

A JUSTIÇA E A BONDADE DO SENHOR (145.14-20)

■ 145.14

סוֹמֵךְ יְהוָה לְכָל־הַנֹּפְלִים וְזוֹקֵף לְכָל־הַכְּפוּפִים׃

O Senhor sustém os que vacilam. "Nesta seção final, o reino de Deus é implicitamente contrastado com todos os outros reinos com os quais os filhos dos homens estavam familiarizados. O governo de Deus será um governo de *ternos cuidados* por todos os que olharem para ele. Ele é fiel, justo e bondoso para com todos os que o invocarem na verdade; mas aos ímpios ele destruirá. O *evangelho do amor de Deus do salmista*, conforme ele desdobra aqui a questão, constitui um rico elemento do saltério. Esta é uma das notáveis peças de literatura do Antigo Testamento. Incidentalmente, este evangelho de amor revela a qualidade espiritual da fé religiosa pessoal do salmista" (William R. Taylor, *in loc.*).

Os remidos que caíssem, Yahweh ajudaria a se levantar. Em outras palavras, ele os restauraria a seu bom estado. Se já estiverem caídos, ele os levantará em um ato remidor. O reino de Deus consiste, na realidade, em *homens caídos*, mas levantados pelo poder e pela graça de Deus. Homens caídos são a única forma de homens que existem. Os que já estiverem inclinados para cair receberão nova coragem.

> *Vinde a mim todos os que estais cansados e sobrecarregados, e eu vos aliviarei. Tomai sobre vós o meu jugo, e aprendei de mim, porque sou manso e humilde de coração; e achareis descanso para as vossas almas. Porque o meu jugo é suave e o meu fardo é leve.*
>
> Mateus 11.28-30

Cf. Sl 37.17,24. Ver também Sl 146.8, do qual aquele salmo depende. Esta é a primeira instância em que a Majestade divina se mostra *condescendente* com a fraqueza dos homens, revelando piedade da fragilidade e da necessidade humana" (Ellicott, *in loc.*). É próprio de um rei cuidar dos homens caídos (a essência de Ovídio, *Ep. de Ponto* II.9,11), mas também se assemelha às atitudes de Deus, algo que Ovídio não percebeu nem destacou. Homens bons supostamente devem imitar a condescendência divina (ver Rm 12.16).

■ 145.15

עֵינֵי־כֹל אֵלֶיךָ יְשַׂבֵּרוּ וְאַתָּה נוֹתֵן־לָהֶם אֶת־אָכְלָם בְּעִתּוֹ׃

Em ti esperam os olhos de todos. Todas as *criaturas*, homens e animais, continuam olhando para o Deus gracioso, que condescende diante da debilidade, esperando por seu suprimento, que aqui aparece como de natureza física, seu *alimento no tempo devido*. O contexto deixa claro que os atos beneficentes de Deus aplicam-se a todas as esferas da vida, mas aqui o poeta sagrado nos leva à necessidade mais básica de todas — ter o suficiente para comer e ser saudável o bastante para manter-se vivo e fazer o que se quer fazer. Jesus se interessava por todas as coisas e pôs o suprimento alimentar básico dentro do mesmo contexto que as provisões espirituais mais altas. Ver Mt 6.25-34. "Deus é aqui representado como o Pai universal, provendo alimento físico a toda a criatura" (Adam Clarke, *in loc.*). Todos os homens olham para Deus como Pai, mais ou menos como as crianças pequenas olham para seus progenitores, esperando suprimento de todas as suas necessidades fundamentais. Trata-se de um quadro bastante terno. Nenhum pai pode ler este versículo sem se emocionar.

> *Qual dentre vós é o homem que, se porventura o filho lhe pedir pão, lhe dará pedra?*
>
> Mateus 7.9

Cf. Lc 12.42 e Pv 15.23. Os vss. 15 e 16 repousam sobre Sl 104.27,28.

■ 145.16

פּוֹתֵחַ אֶת־יָדֶךָ וּמַשְׂבִּיעַ לְכָל־חַי רָצוֹן׃

Abres a tua mão. *Todas as necessidades e desejos* de todos os seres vivos encontram *satisfação* no Benfeitor celestial. Deus abre sua mão e não se mostra parcimonioso em suas dádivas, em contraste com as mãos fechadas e sovinas do homem médio. "Um volume muito grande poderia ser escrito sobre esse assunto, os tipos próprios de alimento para as várias classes de animais" (Adam Clarke, *in loc.*). Ver Sl 104.28. Cf. Dt 33.23. A mão de Deus é uma mão de providência e graça.

Este versículo tem sido espiritualizado para falar das provisões da missão de Cristo, e dele como o pão da vida. Ver na *Enciclopédia de Bíblia, Teologia e Filosofia* o artigo denominado *Pão da Vida, Jesus como*.

> Irrompe, tu, Pão da Vida,
> Querido Senhor, para mim.
> Tal como partiste os pães
> À beira-mar.
> Para além da página sagrada,
> Eu te busco, Senhor.
> Meu espírito anela por ti,
> Ó Palavra viva.
>
> Mary Ann Lathbury

■ 145.17

צַדִּיק יְהוָה בְּכָל־דְּרָכָיו וְחָסִיד בְּכָל־מַעֲשָׂיו׃

Justo é o Senhor... benigno em todas as suas obras. Note o leitor como a *justiça* é seguida de imediato pela *benignidade*. Os atributos de Deus não podem ser divinizados. A justiça e o amor, no hebraico clássico, são representados por um único vocábulo. Deus é santo-justo-bondoso-amoroso. E, mesmo quando ele julga, está exercendo sua bondade, pois o julgamento é um dedo da amorosa mão de Deus. Ele disciplina, corrige, restaura e não requer meramente a retribuição. O mais elevado bem é, ao mesmo tempo, o mais santo. O salmista, pois, estava dizendo que é *moralmente correto* para Deus abençoar. Isso nos ensina a repetida lição de que é dever do homem amar e servir a seus semelhantes. Assim agirá o homem bom. O homem reto também agirá dessa forma, porquanto isso faz parte da justiça pessoal. As versões refazem este versículo (a Septuaginta e a Vulgata Latina, bem como as versões siríaca e etíope), acrescentando um versículo após o vs. 13, incluindo no poema acróstico uma linha que começa com a letra hebraica *num* (com o mesmo som de nossa letra "n"), que o poeta evidentemente deixou de fora por acidente. Ver os comentários no último parágrafo do vs. 13. As versões fizeram assim uma boa escolha, porque o presente versículo tem uma importante mensagem a comunicar.

"*Chasid* (palavra hebraica que significa "santo"), quando aplicada a Deus, expressa a bondade e a benignidade clemente nas dádivas e no perdão" (Fausset, *in loc.*). É como diz um antigo hino evangélico: "Ele dá, dá e dá novamente".

Benigno em todas as suas obras. As obras de Deus são abundantes, e essa demonstração é de amor, pois o amor é a primeira de todas as leis espirituais. Contudo, alguns homens deleitam-se na destruição, o que chega a penetrar na teologia da igreja cristã. A *Providência de Deus* substitui o mal pelo bem, e isso é mais claramente demonstrado na missão de Cristo e nos resultados que ela obteve.

■ 145.18

קָרוֹב יְהוָה לְכָל־קֹרְאָיו לְכֹל אֲשֶׁר יִקְרָאֻהוּ בֶאֱמֶת׃

Perto está o Senhor de todos os que o invocam. Deus é um *Deus Teísta*. Ver no *Dicionário* os artigos chamados *Teísmo* e *Deísmo*, que refletem noções diferentes sobre a relação de Deus para com a sua criação. Ele criou todas as coisas e continua presente em sua criação, exercendo nela tanto sua providência positiva quanto sua providência negativa. Ele recompensa e castiga; ele intervém na história humana. Ele é imanente. Ver no *Dicionário* o verbete intitulado *Imanência de Deus*. Com isso se quer dizer que, embora Deus esteja entronizado nos altos céus, está mais próximo de cada coração do que podemos imaginar. Deus está perto das pessoas que oram a ele. E também se aproxima de todas as pessoas que o louvam. Ele finalmente está perto de todas as pessoas. "Leitor, eleva a tua alma em oração ao Deus misericordioso!" (Adam Clarke, *in loc.*). Cf. Dt 4.7; Sl 24.6 e Tg 4.8.

> Ele está mais perto do que a respiração;
> Mais perto do que mãos e pés.
>
> Tennyson

> A ti, Alma Eterna, sejam os louvores!
> A qual, dos dias antigos até os nossos dias,
> Através das almas de santos e profetas, Senhor,
> Tens enviado tua luz, teu amor, tua palavra.
>
> Richard Watson Gilder

Os que o invocam em verdade. Essas verdades são dotadas de bom coração. Nenhum ser humano é livre de pecado, mas esses são homens que vivem em harmonia com Deus. Conforme disse Kimchi sobre este versículo, "sua boca e seu coração concordam".

145.19

רְצוֹן־יְרֵאָיו יַעֲשֶׂה וְאֶת־שַׁוְעָתָם יִשְׁמַע וְיוֹשִׁיעֵם׃

Ele acode à vontade dos que o temem. Os que invocam o Senhor com coração verdadeiro, não vivendo nos vícios e em geral não vivendo em jogos com o diabo, próximos de Deus e de quem Deus está próximo (vs. 18), aqueles que *o temem*, isto é, os que têm boa espiritualidade geral, esses obterão tudo quanto desejam da parte de Deus. Oh, Senhor, concede-nos tal graça. Quanto ao *temor do Senhor*, ver a nota de sumário em Sl 119.38 e também o artigo do *Dicionário* chamado *Temor*, onde dou detalhes e muitas referências. Cf. Sl 37.4, que diz: "Agrada-te do Senhor, e ele satisfará os desejos do teu coração".

E os salva. Do quê? De todos os perigos físicos e danos, o que, sem dúvida, faria parte de suas petições. A vida humana é tão precária que sempre há a necessidade de ser salvo de algum perigo ameaçador. Ver em Sl 62.2 notas sobre *Deus como Salvador*, bem como sobre *salvação*, do ponto de vista do Antigo Testamento.

Este versículo, naturalmente, tem sido cristianizado para falar da salvação evangélica. Ver no *Dicionário* o verbete chamado *Salvação*.

145.20

שׁוֹמֵר יְהוָה אֶת־כָּל־אֹהֲבָיו וְאֵת כָּל־הָרְשָׁעִים יַשְׁמִיד׃

O Senhor guarda a todos os que o amam. É provável que a ideia de "guardar", neste versículo, seja igual à noção de "salvar" do versículo anterior, e ambos signifiquem resguardar de qualquer tipo de dano físico, incluindo a morte. O "extermínio" referido neste versículo é a matança dos ímpios, estando eles ainda na terra. O poeta sagrado não estava falando sobre a punição para além-túmulo, ideia que ainda não havia entrado na teologia dos hebreus. Mas cf. Dn 12.2. Embora o salmista tivesse acabado de descrever a admirável providência divina em favor de todos os homens (vss. 14-17), agora proferia uma maldição negativa contra eles. Não há que duvidar que ele estava pensando em destruidores, os quais, mediante a *Lei Moral da Colheita segundo a Semeadura* (ver a respeito no *Dicionário*), mereciam a destruição. Seja como for, os salmos estão plenos de imprecações contra os ímpios, a maioria das quais desejando-lhes a morte física. Essas maldições figuram principalmente nos chamados salmos de lamentação, sendo-lhes uma característica regular; mas mesmo fora desses salmos ocasionalmente encontramos imprecações, tal como no salmo presente, que é um hino de louvor. Aqueles dias eram tão brutais que "a guarda dos bons implicava a destruição dos iníquos" (Ellicott, *in loc.*). Portanto, regularmente encontramos os dois conceitos juntos em um mesmo versículo. Kimchi mostrava-se esperançoso de que este versículo se referisse a um tempo futuro, em que nenhum homem ímpio permaneceria sobre a face da terra.

DOXOLOGIA CONCLUDENTE (145.21)

145.21

תְּהִלַּת יְהוָה יְדַבֶּר־פִּי וִיבָרֵךְ כָּל־בָּשָׂר שֵׁם קָדְשׁוֹ לְעוֹלָם וָעֶד׃

Profira a minha boca louvores ao Senhor. Este salmo começa com uma significativa palavra de louvor e termina no mesmo tom de elogios ao Senhor. A segunda parte deste versículo é uma *convocação* dirigida a todos os homens, de todos os lugares, a unir-se ao salmista na outorga de louvores a Yahweh, para que seu nome seja abençoado para sempre. Ver sobre *nome*, em Sl 31.3, e sobre *nome santo*, em Sl 30.4 e 33.21. O *nome* representa tudo quanto Yahweh é, em sua natureza inerente, juntamente com todos os seus atributos e obras. Sua providência positiva opera através das obras e benefícios a todos os homens (vss. 6-12). É apropriado, pois, que eles iniciassem o cântico de louvor. "A grandeza e a graça de Deus são razões para louvar" (Allen P. Ross, *in loc.*). As obras de Deus são tão grandes, em favor de todas as suas criaturas vivas, que todas elas, cada qual em sua categoria e em seu próprio caminho, "sejam excitadas para louvar e bendizer o santo nome do Redentor... e assim o salmo termina conforme começou, com louvores e bênçãos" (John Gill, *in loc.*).

> Louvai a Deus, de quem todas as bênçãos fluem;
> Louvai-o, todas as criaturas cá de baixo.
>
> Thomas Ken

Cf. o versículo com Tg 1.17. "O vs. 21 nos leva de volta ao modo pessoal do autor, nos vss. 1-3" (*Oxford Annotated Bible*, comentando o vs. 21).

SALMO CENTO E QUARENTA E SEIS

Quanto a *informações gerais* que se aplicam a todos os salmos, ver a introdução ao Salmo 4, onde apresento sete comentários que elucidam a natureza do livro. Quanto a *classes* dos salmos, ver o gráfico no início do comentário do livro, que atua como uma espécie de frontispício do saltério. Ofereço ali dezessete classes e listo os salmos pertencentes a cada uma delas.

Este é um hino de louvor a Deus pela sua ajuda especial. Mas também é um hino de agradecimento. É o primeiro de uma coletânea de cinco salmos de aleluia que foram propositadamente colocados no fim do saltério por editores posteriores. Alguns estudiosos, entretanto, incluem nessa pequena coletânea o Salmo 145, perfazendo *seis* salmos. Alguns desses salmos são pessoais, e outros são nacionais. O Salmo 146 é um hino pessoal que brada um aleluia! ao Senhor. Cf. esse grupo com os *Salmos Hallel* (salmos de louvor), de número 113 a 118. A palavra que exprime *louvor* (aleluia!) aparece 46 vezes nesses seis salmos. É tanto apropriado quanto refrigerador que o saltério termine com uma elevada nota de louvor, afastando-se dos salmos de lamentação, com suas imprecações contra os adversários, que formam o maior grupo isolado dentre os dezessete tipos de salmos.

O poeta fez os seus votos e obteve o cumprimento das promessas. Ele estava em atitude expansiva e assim levantou o seu *aleluia!* Convidou os seus amigos a acompanhá-lo e dar graças no templo de Jerusalém, oferecendo sacrifícios, fazendo votos e cumprindo as promessas do passado. Assim sendo, uma jubilosa companhia terminou compartilhando o triunfo do autor sagrado. O salmista conseguiu suas vitórias por meio de orações diretamente dirigidas a Yahweh. Ele não foi beneficiado pelos homens, que não tinham forças para fazer por ele o que era necessário. O salmista contrastou o Deus exaltado com o homem humilde. O estilo do poeta sagrado é simples e sem grandes pretensões literárias. Não obstante, ele foi capaz de comunicar uma mensagem encantadora. Para tanto, teve de livremente fazer empréstimos de outros salmos, a saber: vs. 3 (Sl 118.8,9); vs. 4 (104.29); vs. 7a (103.6); vs. 7b (107.9; 145.15); vs. 8b (145.14); vs. 10a (10.16; 93.1; 97.1; Êx 15.18). Temos aí grande quantidade de empréstimos em um salmo que conta com apenas dez versículos.

Subtítulo. Os Salmos 146 a 150 não têm subtítulo. Quanto a essa circunstância, ver as notas de introdução ao Salmo 91, na seção *Subtítulo*.

EXALTANDO A YAHWEH-ELOHIM (146.1,2)

■ **146.1**

הַלְלוּ־יָהּ הַלְלִי נַפְשִׁי אֶת־יְהוָה׃

Aleluia! Louva, ó minha alma, ao Senhor. O duplo *aleluia!* forma a introdução a estes salmos, e o autor sacro invoca seu ser interior (sua alma), seu próprio *eu*, a bradar louvores. Ver no *Dicionário* os verbetes *Louvor* e *Aleluia*. Cf. Sl 103 e 104, que também começam dessa maneira. O Salmo 14 também termina com um alegre *aleluia*. "Louvores pela grandeza e graça de Deus são o tema deste salmo" (Allen P. Ross, *in loc.*). A Septuaginta e a Vulgata Latina fazem do *Aleluia!* o título deste salmo.

■ **146.2**

אֲהַלְלָה יְהוָה בְּחַיָּי אֲזַמְּרָה לֵאלֹהַי בְּעוֹדִי׃

Louvarei ao Senhor durante a minha vida. Nosso homem estava decidido a clamar o seu *aleluia!* e a cantá-lo bem, em particular e na liturgia do templo, enquanto vivesse. Yahweh-Elohim (os dois nomes divinos que aparecem neste versículo) seria o alvo desses louvores, por causa de suas bênçãos poderosas e de sua graça. "Ele votou que, enquanto lhe restasse respiração, nunca cessaria de dar louvores ao Senhor. Como é óbvio, seu coração transbordava de gratidão por causa de algum livramento de circunstâncias difíceis que Deus operara em seu favor. Podemos deduzir que ele pertencia à classe de pessoas descritas nos vss. 7 e 9" (William R. Taylor, *in loc.*).

CONFIANDO EM YAHWEH-ELOHIM, E NÃO NO HOMEM (146.3,4)

■ **146.3**

אַל־תִּבְטְחוּ בִנְדִיבִים בְּבֶן־אָדָם שֶׁאֵין לוֹ תְשׁוּעָה׃

Não confieis em príncipes. Os homens não são dignos de confiança, por causa de sua duplicidade e engano. Mas aqui o poeta sagrado mostra relutância em confiar no mero homem por causa de sua incapacidade de fazer por sua vida o que é preciso ser feito. Quando o homem mergulha no abismo e a vida física é ameaçada, é preciso Yahweh para tirar o homem dali. Assim também, quando o homem cai em aflição, tristeza ou dor, é preciso que Yahweh venha aliviá-lo e consolá-lo. Os homens podem ter boas intenções; podem ter poder e autoridade terrena; mas em muitas situações ficam impotentes. Até mesmo os príncipes, que têm autoridade para ordenar muitas coisas, com frequência enfrentam problemas, tanto deles mesmos como de outras pessoas, com os quais não podem lidar.

O pensamento de Sl 118.8,9 é elaborado com base nos vss. 3 e 4 deste salmo. Ver as notas expositivas ali quanto a informações adicionais. Também há uma alusão a Gn 2.7 e 3.19. 1Macabeus 2.63 diz algo similar. Shakespeare parece ter alicerçado aqui suas linhas seguintes:

> Oh, quão miserável é aquele pobre sujeito
> Que depende, em suas esperanças, dos favores
> dos príncipes.

Alguns eruditos fazem este versículo referir-se à desistência de Ciro de cumprir a promessa de construir as muralhas, quando os cativos judeus voltaram a Jerusalém. Ele foi primeiramente um campeão, mas, quando atacado pelos adversários dos judeus, não cumpriu a palavra. Todos vivemos experiências pessoais negativas com as promessas dos homens, os quais, embora tendo falado com sinceridade, por muitas vezes falham. *A salvação vem de Deus* (ver Sl 62.2, quanto a ideias e referências).

■ **146.4**

תֵּצֵא רוּחוֹ יָשֻׁב לְאַדְמָתוֹ בַּיּוֹם הַהוּא אָבְדוּ עֶשְׁתֹּנֹתָיו׃

Sai-lhes o espírito e eles tornam ao pó. Este versículo está baseado essencialmente em Sl 104.29. O homem é um ser de vida precária. Ele sopra seu "último suspiro", conforme se diz em uma expressão idiomática moderna. Deus soprou sobre ele o seu hálito, e foi assim que ele se tornou um ser vivente. Quando o homem solta seu último suspiro, morre. No dia de sua morte, o homem perde toda a consciência, seus pensamentos desaparecem, seus planos cessam. Ele *vai-se embora desta vida*. O salmista refere-se aqui à comum teologia hebraica da época, segundo a qual o homem seria *totalmente extinto* por ocasião da morte. A ideia sobre a alma e sua sobrevivência *começou* a prevalecer nos Salmos e nos Profetas; mas a maioria dos salmos tem essa antiga teologia dos hebreus do *fim total* do ser humano por ocasião da morte. Ver Gn 3.19. Visto que a vida do homem é tão precária, a ponto de poder ser apagada a qualquer momento, dificilmente o homem está em posição de defender a causa de seus semelhantes. Para tanto, temos de olhar para um Poder mais alto. Cf. Ec 3.20, que diz:

> Todos vão para o mesmo lugar; todos procedem do pó, e ao pó tornarão.

Em Ec. 12.7 encontramos a ideia de que o *espírito* humano retorna a Deus, talvez uma declaração posterior do mesmo autor sagrado, que tinha obtido maiores luzes espirituais, ou de um autor diferente.

> Ontem a palavra de César pode ter resistido ao mundo; mas agora ele jaz morto ali, e ninguém é tão pobre que lhe preste reverência.
>
> Shakespeare

Seus desígnios. Isto é, *fabricações, maquinações,* as coisas de que são compostos os planos. "De repente, a morte rebenta a teia de projetos e, por isso, perece toda a esperança que pode ter sido gerada" (Fausset, *in loc.*).

Ver no *Dicionário* o verbete intitulado *Alma*, bem como os vários artigos chamados *Imortalidade*, na Enciclopédia de Bíblia, Teologia e Filosofia.

■ **146.5**

אַשְׁרֵי שֶׁאֵל יַעֲקֹב בְּעֶזְרוֹ שִׂבְרוֹ עַל־יְהוָה אֱלֹהָיו׃

Bem-aventurado aquele que tem o Deus de Jacó por seu auxílio. O homem *feliz* é o que encontra ajuda *do alto*, Elohim, o Poder divino, que é, ao mesmo tempo, capaz e bem disposto. Visto que Elohim era o Deus de Jacó, ele ajudará qualquer membro que participe do pacto abraâmico. Todos os descendentes de Jacó têm *esperança* nele, a despeito das tribulações que estiver sofrendo. Nessa *bem-aventurança*, o salmista contrastou os ajudadores humanos, potencialmente inúteis (vs. 3), com a ajuda divina segura, que era privilégio especial de Israel. Esse tipo de bem-aventurança era típico da escola de sabedoria e pode ser visto em Sl 1.1-6; 128.1-6; Pv 3.13-17; 4.14-19. Quanto ao *Deus de Jacó*, cf. Sl 114.7. Na literatura pós-exílica, Jacó tinha-se tornado Judá. Ver Is 65.9 e Ob 10. Para Elohim, não existe limite de poder. Ele é o Criador. Por conseguinte, ele não desapontará nenhum ser humano que nele confie. Cf. este versículo, igualmente, com Sl 33.12 e 144.15. Ver sobre *esperança*, em Sl 104.27 e 119.166.

■ **146.6**

עֹשֶׂה שָׁמַיִם וָאָרֶץ אֶת־הַיָּם וְאֶת־כָּל־אֲשֶׁר־בָּם הַשֹּׁמֵר אֱמֶת לְעוֹלָם׃

O que fez os céus e a terra. Coisa alguma é mais convincente sobre o poder que Deus tem para ajudar do que dizer que Yahweh-Elohim, *o ajudador e a esperança* dos homens bons, é igualmente o *Criador*. Em seguida, o poeta ilustrará o caso com outros fatores (vss. 7-9). O Criador é o ajudador, ou seja, é o despenseiro de toda forma de atos e intervenções providenciais. O grande ato criativo é equiparado diariamente na vida dos homens em atos menos criativos. O próprio ato de criação era uma promessa da providência que se seguiria, porquanto ele *criou e sustenta* (Cl 1.17). Em seguida foram dadas todas as espécies de promessas no pacto abraâmico, especialmente no caso de Israel.

Tu criaste o homem, ele não sabe dizer por quê,
Mas ele pensa que não foi criado para morrer.
Tu o criaste. Tu és justo.

Tennyson, *Memoriam*

Deus proferiu a palavra, e mundos vieram à existência. Ele continua falando, e grandes coisas continuam acontecendo. "A palavra dele é poderosa, segura e permanente" (Allen P. Ross, *in loc.*).

Este versículo tem sido cristianizado para falar da Palavra, do *Logos*, em quem a salvação inteira foi operada em favor do homem, o que mostra, acima de todas as coisas, como o ajudador opera.

OS ATOS GRACIOSOS DE YAHWEH (146.7-9)

■ 146.7,8

עֹשֶׂה מִשְׁפָּט לָעֲשׁוּקִים נֹתֵן לֶחֶם לָרְעֵבִים יְהוָה
מַתִּיר אֲסוּרִים:

יְהוָה פֹּקֵחַ עִוְרִים יְהוָה זֹקֵף כְּפוּפִים יְהוָה אֹהֵב
צַדִּיקִים:

Faz justiça aos oprimidos. Se um homem qualquer estiver sendo oprimido, Yahweh cuidará para que a *justiça* seja feita. Ver Sl 103.6, sobre o qual parte deste versículo pode ser baseada. Ele supre o sustento físico necessário, incluindo alimentos para os famintos. Essa parte do versículo repousa sobre Sl 145.15. Mas Deus cuida para que os prisioneiros sejam soltos (ver Sl 107.10). O salmista dá uma lista abreviada das coisas que eram importantes para os hebreus da época: injustiças, opressões, fome, exílios e aprisionamentos. Essa lista continua até o vs. 10. Cf. Sl 103.3; 104.27; 107.9; 136.25 e Is 55.1.

Seis Obras de Yahweh. Encontramos nos vss. 7-10 seis declarações sobre os benefícios providos por Yahweh. Cada sentença começa com o nome divino:

1. Yahweh liberta os prisioneiros, o que poderia falar sobre trazer de volta os exilados da Babilônia. Vimos esse benefício no fim do vs. 7.
2. Yahweh *abre os olhos aos cegos*, o que podemos compreender como a cura literal de alguns casos raros de cegueira e, figuradamente, como o discernimento espiritual dado às pessoas para que obedeçam à lei, a essência da espiritualidade hebreia (Sl 1.2). "A cegueira algumas vezes figura a aflição e a impotência (Dt 28.29; Is 59.9), algumas vezes simboliza a falta de discernimento mental ou espiritual (ver Is 29.18; 42.7). Neste caso, provavelmente temos em vista o primeiro caso" (Ellicott, *in loc.*). A *iluminação espiritual* é uma aplicação desta declaração bíblica.
3. Yahweh *levanta os que estão caídos*. Isso inclui os desanimados por causa da carga do pecado ou de outras espécies de opressões e tristezas. Cf. Sl 145.14 e Mt 11.29,30.
4. Yahweh *ama os retos*, e por isso lhes faz muitos favores. No sentido evangélico, ele faz deles sócios da natureza divina (2Pe 1.4), o ato supremo de sua graça.

■ 146.9

יְהוָה שֹׁמֵר אֶת־גֵּרִים יָתוֹם וְאַלְמָנָה יְעוֹדֵד וְדֶרֶךְ
רְשָׁעִים יְעַוֵּת:

O Senhor guarda o peregrino. Continuando a falar das *seis obras* especiais de Yahweh, temos aqui a *quinta* delas, igualmente encabeçada pelo nome divino, Yahweh, e subdividida em três:

5. a. Ele *cuida dos peregrinos*, ou seja, os estrangeiros que estavam atravessando o território de Israel, ou que vinham passar ali algum período de tempo, engajados no comércio ou em busca de um novo lar. Aquela pobre gente também era objeto da proteção da legislação mosaica. Ver Dt 10.18 e Sl 68.5.
   b. Deus *ampara o órfão e a viúva*. Este era outro ato social exigido pela lei mosaica (Dt 10.18). A lei se preocupava com os membros mais fracos da sociedade, que geralmente se encontravam em posições precárias. Ver Sl 68.5.
   c. Deus realizava a justiça, *transtornando o caminho dos ímpios*. Literalmente, o hebraico diz aqui: "Ele entorta o caminho deles", levando-os a cair na ruína. Eles se trataram perversamente, bem como a outras pessoas, pelo que Yahweh passou a tratá-los de modo perverso, aplicando contra eles a *Lex Talionis* (ver a respeito no *Dicionário*). Assim a providência divina opera positiva e negativamente neste mundo. Ver Sl 1.6 e 147.6.

A DOXOLOGIA (146.10)

■ 146.10

יִמְלֹךְ יְהוָה לְעוֹלָם אֱלֹהַיִךְ צִיּוֹן לְדֹר וָדֹר
הַלְלוּ־יָהּ:

O Senhor reina para sempre. Esta doxologia apresenta a *sexta* obra divina de Yahweh e introduz mais um pensamento acompanhado pelo nome divino, terminando com o mesmo a*leluia!* que iniciou o salmo.

6. *Yahweh reina* na justiça, na bondade, na misericórdia e no amor e, assim sendo, traz muitos benefícios a seus súditos. Ele é Elohim, o Poder, capaz de cumprir seu reinado com habilidade e justiça. Ele reina em Sião, o centro das atividades civis e religiosas de Israel. Ali, o Senhor manifesta sua presença. E ele reina para sempre, no que difere das meras autoridades humanas. Cf. Êx 15.18; Sl 10.16; 145.13 e Ap 11.15.

Deus é *Poder*, o que significa que ele nunca falha nem comete equívocos. Deus ajuda seu povo e continuará a fazê-lo para sempre. Por conseguinte, devemos proferir os mais jubilosos *aleluias!* Cf. Sl 44.6; Is 9.7 e Dn 2.44. Jarchi e Kimchi viam uma referência messiânica aqui, e assim também fazem muitos comentadores cristãos modernos. Yahweh merece o *aleluia final*, o que é deveras apropriado para encerrar este hino de louvor a Yahweh.

SALMO CENTO E QUARENTA E SETE

Quanto a *informações gerais* que se aplicam a todos os salmos, ver a introdução ao Salmo 4, onde apresento *sete* comentários que elucidam a natureza do livro. Quanto às *classes* dos salmos, ver o gráfico no início do comentário, que atua como uma espécie de frontispício do saltério. Ofereço ali dezessete classes e listo os salmos pertencentes a cada uma delas.

Este é um *hino de louvor*, que celebra o poder e a providência universal de Deus. Ele é o alto Rei, como também o alto Benfeitor. Os últimos *cinco* salmos do saltério (alguns falam em *seis*) são salmos de *aleluia*, reunidos em um pequeno grupo, por parte de editores posteriores, apropriados para encerrar o saltério, que é o hinário de louvores de Israel. Alguns desses louvores são pessoais, e outros são nacionais. Cf. esse grupo final de salmos com os *Salmos Hallel* (salmos de louvor), isto é, os de número 113 a 118. A palavra louvor (aleluia!) aparece 46 vezes nesses seis salmos finais. É ao mesmo tempo apropriado e refrigerador que o saltério termine dessa maneira, em distinção ao numeroso grupo dos salmos de lamentação, com suas imprecações contra os adversários.

O Salmo 147 é um hino litúrgico. Era entoado como parte do culto do templo de Jerusalém, pontuado pelos altos aleluias, conforme avançava. Talvez esses salmos finais também fossem empregados por ocasião das grandes festividades, como o Ano Novo, a Páscoa, o Pentecoste e a festa dos Tabernáculos. Estas três últimas celebrações requeriam a presença de todos os varões judeus em Jerusalém. Esse mandamento (ver Dt 16.16,17) não foi bem guardado quando o povo de Israel se multiplicou, e os israelitas viviam a grande distância da capital do país.

Este salmo originalmente pode ter sido dividido em três (vss. 1-6; 7-11 e 12-20) e isso talvez explique a maneira desconjuntada como ele apresenta seus pensamentos. Começa e termina com o alto aleluia que pontilha os últimos cinco salmos do saltério.

Este salmo consiste essencialmente na narração de como Yahweh-Elohim se mostra ativo entre os povos, dispensando bênçãos e correções providenciais. "O salmista louvou ao Senhor Deus por sua grandeza ao sustentar toda a criação, e por sua graça e cura dos crentes aflitos, dando-lhes sua Palavra. Ele convidou toda a congregação de Israel a unir-se aos louvores, porquanto eles também tinham recebido seus muitos benefícios. Deus deve ser louvado por sua graça (vss. 2, 3, 6, 10-14 e 19 e 20) e também por sua grandeza (vss. 4,5; 8,9 e 15-18)" (Allen P. Ross, *in loc.*).

Subtítulo. Os últimos cinco salmos de louvor não têm comentários introdutórios ou títulos. Quanto a essa circunstância, ver a introdução ao Salmo 91, sob *subtítulo*. Dos 150 salmos, 34 não possuem subtítulo.

O PODER DE DEUS NA HISTÓRIA E NA NATUREZA (147.1-6)

■ 147.1

הַלְלוּ יָהּ כִּי־טוֹב זַמְּרָה אֱלֹהֵינוּ כִּי־נָעִים נָאוָה תְהִלָּה׃

Louvai ao Senhor. Este salmo começa e termina com um jubiloso *aleluia* (ver a respeito no *Dicionário*), o que ocorre nos últimos cinco salmos do saltério. É *coisa boa* dar louvores a Deus, pois isso exibe uma grande virtude não muito comum neste mundo, a qual poderia ser definida com uma palavra — *gratidão* — (ver a respeito no *Dicionário*). O ato de louvor é: 1. bom; 2. agradável; 3. adequado em todas as ocasiões. Sempre é algo *decoroso*, adornando a vida dos homens com brilhantes decorações e coloridos.

Os *cânticos de louvor*, que faziam parte da liturgia do templo e das grandes festividades religiosas, eram o veículo dos aleluias. Levitas eram treinados para serem cantores profissionais e tocadores de instrumentos (1Cr 25), o que demonstra quão importante era o ministério da música para a mente dos hebreus, embora os louvores individuais, sob a forma de cânticos, também fossem uma prática comum. "O louvor é decoroso, isto é, decente, conveniente e apropriado a cada criatura inteligente que reconhece os benefícios recebidos do Ser Supremo, que opera em favor dos homens como um Pai age em favor de seus filhos" (Adam Clarke, *in loc.*). Cf. Sl 92.1; 135.3 e 33.1, na ordem correspondente à apresentação das ideias.

■ 147.2

בּוֹנֵה יְרוּשָׁלַםִ יְהוָה נִדְחֵי יִשְׂרָאֵל יְכַנֵּס׃

O Senhor edifica Jerusalém. Provavelmente temos aqui uma alusão à *reedificação* de Jerusalém, após o cativeiro babilônico. O salmista, sem dúvida, conhecia as histórias de Esdras e Neemias. Tanto o templo como as muralhas da cidade foram reconstruídos. Os exilados foram recolhidos, embora apenas uma pequena porcentagem tivesse retornado à Terra Prometida, pelo que reiniciar a história de Israel como um pequeno fragmento de Judá não foi tarefa fácil, mas a sobrevivência daquela gente dependia do sucesso da reconstrução. Por conseguinte, o poeta sagrado teve o cuidado de louvar especialmente a Yahweh-Elohim por essa notável realização.

Os dispersos de Israel. Isto é, os que tinham sido *expelidos* da Terra Prometida. Cf. Is 11.12 e 56.8. A Septuaginta e a Vulgata Latina dizem aqui "a dispersão". Símaco segue literalmente a ideia do hebraico com as palavras "os que foram lançados fora". Após acontecimentos tão radicais como a partida para o exílio, houve uma cura radical pelo poder divino.

Este versículo tem sido cristianizado para significar a reunião universal dos expulsos por motivo de pecado, recolhendo-os no rebanho do Redentor.

■ 147.3

הָרֹפֵא לִשְׁבוּרֵי לֵב וּמְחַבֵּשׁ לְעַצְּבוֹתָם׃

Sara os de coração quebrantado. Os exilados eram homens de *coração quebrantado*, conforme demonstra claramente o Salmo 137. Os judeus voltavam com muitas feridas literais e psicológicas que precisavam ser curadas. O recolhimento dos judeus também foi uma administração de cura divina. Cf. Sl 34.18 e Is 61.1. Ver também Sl 102.16 e Dt 30.3. Quanto às "feridas", ver Jó 9.28 e Pv 15.13.

O versículo tem sido cristianizado para falar do ministério de Jesus, terreno e celestial, no qual pecadores carregados de feridas são curados pela graça divina. Deus é o edificador e o curador, e as pessoas da tribo de Judá muito precisavam de ambas as coisas — edificação e cura. Instrumentos humanos contribuíram, mas o poder real por trás da restauração foi divino. Deus é o grande Médico, a quem homens quebrantados e enfermos devem recorrer em seus extremos de aflição. Os homens esforçam-se para curar mentes e corpos, e conseguem fazê-lo com alguma medida de êxito, mas há muitas coisas que estão além de suas capacidades. Até mesmo por trás dos médicos e das enfermeiras avultam o amor e a *Providência de Deus*, o que torna possível seu esforço e eficácia. A bondade humana nunca existe isoladamente. Há o Pai lá em cima que se preocupa com tais casos. Ver Sl 51.17; Is 57.15; 61.1; Lc 4.18.

■ 147.4

מוֹנֶה מִסְפָּר לַכּוֹכָבִים לְכֻלָּם שֵׁמוֹת יִקְרָא׃

Conta o número das estrelas. Em sua *onisciência* (ver a respeito no *Dicionário*), Yahweh sabe quantas estrelas existem e dá a cada uma delas um nome. Naturalmente, com olhos desarmados, podemos ver somente cerca de cinco mil a seis mil estrelas, todas em nossa pequena esquina do universo, a Via Láctea. O salmista não fazia ideia dos bilhões de galáxias, com seu bilhões de estrelas, mas sem dúvida concebia as estrelas como *inumeráveis*, pelo que conhecer a todas elas pelo nome era algo que somente a mente divina poderia realizar. Quanto ao número incontável das estrelas, ver Gn 14.5; Is 40.26. Este último versículo, no livro de Isaías, também fala acerca de Deus chamar as estrelas pelo nome. A *astrologia* (ver a respeito no *Dicionário*) tinha nomes para as constelações, além de algumas estrelas isoladas; mas Yahweh não está limitado por essa "ciência". Os pagãos adoravam as estrelas, mas a teologia dos hebreus não caía no absurdo de substituir o Criador por suas criaturas, adorando meras coisas criadas. O poeta sacro falava de um grande conhecimento e poder divino que os homens deveriam louvar; mas também dava a entender que essas coisas visam contribuir para o benefício dos homens. Além disso, nomes eram dados às estrelas por aqueles que as adoravam e personificavam (Sabedoria de Salomão 13.1-3), mas essa é uma substituição humana insuficiente.

"Isso é prova do grande poder de Deus para ajudar" (Ellicott, *in loc.*). "... louvando o poder e os cuidados providenciais de Deus" (*Oxford Annotated Bible*).

Aratas e Eudoxus fixaram o número das estrelas em cerca de mil (Vida de Agostinho, *De Civ. Dei.* 1.16, cap. 23).

■ 147.5

גָּדוֹל אֲדוֹנֵינוּ וְרַב־כֹּחַ לִתְבוּנָתוֹ אֵין מִסְפָּר׃

Grande é o Senhor nosso, e mui poderoso. O Senhor é grande em atos criativos e ilimitado em seu conhecimento. Sua criação é infinita, e infinito é o seu conhecimento. Ver no *Dicionário* os verbetes chamados *Onipotência* e *Onisciência*. Ele fez esse conhecimento e esse poder voltar-se na direção do homem. Tais atributos postam-se por trás de sua providência. Deus pode fazer todas as coisas, porquanto conhece todas as coisas e tem poder suficiente para a tarefa. Cf. 1Cr 16.25; Sl 48.1; 96.4; 145.3; Na 1.3. "Como todas as coisas da criação e da providência são incontáveis e não podem ser sondadas pelos homens, assim também a compreensão e o poder de Deus. Tais coisas não podem ser declaradas" (John Gill, *in loc.*).

O seu entendimento não se pode medir. Literalmente, no hebraico, temos "sem número". Cf. Sl 143.3 e Is 40.28.

■ 147.6

מְעוֹדֵד עֲנָוִים יְהוָה מַשְׁפִּיל רְשָׁעִים עֲדֵי־אָרֶץ׃

O Senhor ampara os humildes. O Todo-poderoso se abaixa para levantar os fracos. Eles estão aflitos e são mansos. Cf. Sl 146.8,9. Ver os comentários sobre Sl 145.14, que fala da condescendência divina para com os fracos. Ver também Mt 11.28-40. É divinamente real e divinamente grande condescender diante dos fracos. É nisso que consiste o evangelho. Então, paralelamente, os orgulhosos são humilhados, ou seja, são projetados por terra.

> *Deus resiste aos soberbos, contudo aos humildes concede a sua graça.*
>
> 1Pedro 5.5

Este versículo encerra um ensino claro concernente à *Lei Moral da Colheita segundo a Semeadura* (ver a respeito no *Dicionário*).

A providência divina opera tanto de maneiras negativas quanto positivas.

O SUSTENTADOR DO MUNDO (147.7-11)

■ 147.7

עֱנ֣וּ לַיהוָ֣ה בְּתוֹדָ֑ה זַמְּר֖וּ לֵאלֹהֵ֣ינוּ בְכִנּֽוֹר׃

Cantai ao Senhor com ações de graças. Os pensamentos anteriores (o poder de Deus sobre a história e a natureza) e os pensamentos que se seguem (sua providência e poder sustentam todas as coisas) levaram o salmista a irromper em cânticos de louvor. *Ação de graças* é o tema deste cântico. Aleluias pontuam o cântico em lugares estratégicos; instrumentos musicais foram usados para fomentar o som jubiloso. A congregação se aliava aos cânticos e assim muitas vozes se levantaram em alegres ruídos em honra a Yahweh. Aqui o Senhor é chamado de o Poder (Elohim) porque o poder dele foi que fez o salmista ser o que era, concedendo-lhe a esperança que lhe pôs um cântico no coração.

Cantai. Esta palavra é tradução de um vocábulo hebraico que subentende o cântico antifonal, com vários participantes respondendo uns aos outros, com versos e refrões. Os cânticos produzem uma *celebração espiritual*.

> *Falando entre vós com salmos, entoando e louvando de coração ao Senhor, com hinos e cânticos espirituais.*
> Efésios 5.19

■ 147.8

הַֽמְכַסֶּ֬ה שָׁמַ֨יִם ׀ בְּעָבִ֗ים הַמֵּכִ֣ין לָאָ֣רֶץ מָטָ֑ר הַמַּצְמִ֖יחַ הָרִ֣ים חָצִֽיר׃

Que cobre de nuvens os céus. O Criador sustenta a sua criação com atos especiais da providência e também os torna beneficentes aos homens. As nuvens originam-se *no mar,* e todas as condições atmosféricas são controladas por aquela entidade. Os antigos hebreus, entretanto, não compreendiam esse fato natural, e imaginavam Deus como quem tinha seus depósitos, dos quais ia retirando a umidade e de onde espalhava as nuvens para prover as chuvas necessárias, ou seja, a água que dava sustento à terra. As chuvas fazem crescer as plantas, as quais servem de alimento para todas as coisas vivas. O ciclo das chuvas é retratado como iniciado e controlado pelo poder divino, e isso termina beneficiando os homens e todas as criaturas da terra. A Septuaginta, a Vulgata e outras versões fomentam o versículo adicionando "erva para o serviço do homem", que alguns eruditos supõem ter sido o texto original hebraico que se perdera acidentalmente. Cf. Jó 38.26,27 e Sl 104.13,14.

Este versículo tem sido cristianizado para falar de Cristo como a origem da água da vida. Ver no *Dicionário* o artigo chamado *Água*, onde ofereço metáforas e referências.

■ 147.9

נוֹתֵ֣ן לִבְהֵמָ֣ה לַחְמָ֑הּ לִבְנֵ֥י עֹ֝רֵ֗ב אֲשֶׁ֣ר יִקְרָֽאוּ׃

E dá o alimento aos animais. Tanto os quadrúpedes dos campos como as aves do céu, e até o mais glutão deles, como o *corvo*, obtêm grande abundância de alimentos. Esse é o empreendimento que consome todas as energias deles, e a providência divina é tão grande que nem mesmo aos corvos falta coisa alguma. "Por trás dos processos naturais está uma Pessoa. A vida humana não atende a ordens mecânicas. As leis não são regulamentos que atendem a horários e, sim, à orientação divina e à vontade santa de Deus" (J. R. P. Sclater, *in loc.*). Cf. Sl 104.14; 145.15; Jó 38.41 e Lc 12.24. Sabedoria, força, habilidade e gentileza são combinadas, e a vida torna-se toda dos beneficiários. "Os corvos, com seus gritos roucos, apelam inconscientemente para o Criador e preservador quanto ao alimento de que carecem. Eles dependem não dos frutos regulares da terra, mas de uma subsistência precária (ver Lc 12.24; Sl 104.21; 145.5)" (Fausset, *in loc.*). Deus cuida até dos casos mais precários. Ver no *Dicionário* o artigo chamado *Corvo*.

"Os antigos pais da igreja interpretavam isso figuradamente; e, quando encontravam a palavra *corvos*, compreendiam estar em pauta os gentios, enquanto os *filhos dos corvos* seriam os cristãos

que deles se originam, que invocam o verdadeiro Deus" (John Gill, *in loc.*).

■ 147.10

לֹ֤א בִגְבוּרַ֣ת הַסּ֣וּס יֶחְפָּ֑ץ לֹֽא־בְשׁוֹקֵ֖י הָאִ֣ישׁ יִרְצֶֽה׃

Não faz caso da força do cavalo. Os homens confiam em todas as coisas fracas como ajuda, até mesmo na força do cavalo e de suas pernas, onde reside considerável porção de sua força física. Deus, entretanto, não se parece com o homem, que confia em coisas assim tão vãs. Por natureza, Deus é onipotente e não precisa gloriar-se em poderes sempre inadequados nas situações de crise. Cf. Sl 33.16-18 e Os 1.7. Embora grande, ele não se deleita em poderes inferiores, mas dá atenção aos humildes e fracos (vs. 6). Os poderes inferiores ficam inchados em sua importância e se tornam perseguidores das pessoas. Mas Deus os abaterá.

Cavalo... músculos do guerreiro. Talvez o salmista nos quisesse relembrar do poder da cavalaria e da infantaria, ou seja, do poder dos exércitos, coisas vãs para Deus. No Antigo Testamento, o cavalo era símbolo de poder e de resistência (ver Jó 39.19-25). Ver também Sl 20.7. Os homens se deleitam no poder, sobretudo nas formas de poder que eles mesmos inventaram. Deus, em contraste, deleita-se naqueles que o temem (vs. 11). "As coisas que são agradáveis a ele são os exercícios espirituais, como o abrigar-se em Jesus, a torre forte; correr a carreira cristã visando a obtenção da coroa incorruptível; a luta feroz contra os principados e os poderes, e tais atos de graça que são descritos abaixo" (John Gill, *in loc.*).

■ 147.11

רוֹצֶ֣ה יְ֭הוָה אֶת־יְרֵאָ֑יו אֶת־הַֽמְיַחֲלִ֥ים לְחַסְדּֽוֹ׃

Agrada-se o Senhor dos que o temem. O prazer de Yahweh é com as pessoas que nele confiam, que o temem, que estão engajadas na causa espiritual. Ver no *Dicionário* e em Sl 119.38 o artigo e as notas expositivas sobre *Temor*. Esse termo fala da espiritualidade segundo os moldes do Antigo Testamento.

O *homem espiritual* fixa suas esperanças no amor constante de Deus, e elas são justificadas. Quanto ao *amor constante de Deus*, ver as notas em Sl 136.1, e quanto à *confiança*, ver Sl 2.12. Visto que Deus tem prazer nos fracos, eles terminam confundindo os fortes, porquanto Yahweh está ao seu lado. Ver no *Dicionário* o verbete chamado *Esperança*.

Este versículo tem sido cristianizado para falar da esperança em Cristo. Os que se aproximam de Deus através de Cristo são altamente favorecidos. Existem três grandes coisas: a fé, a esperança e o amor (ver 1Co 13.13), e o amor está no alto da lista. O versículo presente fala do amor constante de Deus e da esperança nele.

A SOLICITUDE DO SENHOR POR ISRAEL (147.12-20)

■ 147.12

שַׁבְּחִ֣י יְ֭רוּשָׁלִַם אֶת־יְהוָ֑ה הַֽלְלִ֖י אֱלֹהַ֣יִךְ צִיּֽוֹן׃

Louva, Jerusalém, ao Senhor. As três seções do salmo, começando nos vss. 1, 7 e 12, iniciam com uma chamada ao louvor. O poeta agora falará acerca dos muitos aspectos da *Providência de Deus* em favor de seu povo, pelo que começa a louvar ao Senhor e a levantar cânticos com alegres aleluias. Toda Jerusalém deveria clamar a Yahweh com aleluias; e, por semelhante modo, a capital, Sião, deveria expressar-se. Esses lugares eram bem supridos e bem cuidados. As pessoas tinham uma boa vida ali. Sião era o lugar do culto, e esperava-se que ela tomasse a liderança sobre a questão do louvor, tal como tinha tomado a liderança em todos os demais exercícios espirituais.

■ 147.13

כִּֽי־חִ֭זַּק בְּרִיחֵ֣י שְׁעָרָ֑יִךְ בֵּרַ֖ךְ בָּנַ֣יִךְ בְּקִרְבֵּֽךְ׃

Pois ele reforçou as trancas das tuas portas. *Após o exílio*, os judeus que retornaram da Babilônia foram capazes, contra muitos inimigos, de reconstruir as muralhas de Jerusalém, levantar torres e outras fortificações, o que lhes dava certa proteção contra os inimigos potenciais. Os portões nas muralhas eram fechados por meio de trancas. Dentro das muralhas e fortificações, os filhos de Judá, o novo Israel, habitavam em segurança e confiança, e por essas coisas deveriam dar louvores. Cf. Is 60.17,18. "A prosperidade interna seguiu a segurança externa" (Fausset, *in loc.*). Parte da ideia de ser próspero era que eles, uma vez mais, começaram a multiplicar-se para compensar as tremendas perdas sofridas por ocasião da destruição de Jerusalém no cativeiro, do qual apenas alguns poucos retornaram. A prosperidade aumentava, e o povo se multiplicava.

■ **147.14**

הַשָּׂם־גְּבוּלֵךְ שָׁלוֹם חֵלֶב חִטִּים יַשְׂבִּיעֵךְ׃

Estabeleceu a paz nas tuas fronteiras. Este versículo nos dá as provisões necessárias para a prosperidade: a paz governava depois de um terrível período de destruição e sofrimento. Haveria mais guerras e matanças e, mais adiante na estrada, haveria até uma grande dispersão e cativeiro, o cativeiro romano. Por algum tempo, a paz predominou, e isso era absolutamente necessário para a restauração da capital da nação, Jerusalém. Então, a *agricultura*, a fonte de todas as riquezas e de todo o bem-estar, foi novamente posta em *operação, com bons resultados*. Ver no *Dicionário* o artigo chamado *Agricultura*. Eles contavam com o "melhor do trigo", e, por implicação, com o melhor de todos os grãos e animais domésticos. Cf. Sl 81.16. Ver também Is 60.17,18; Sl 132.15 e Dt 32.14.

■ **147.15**

הַשֹּׁלֵחַ אִמְרָתוֹ אָרֶץ עַד־מְהֵרָה יָרוּץ דְּבָרוֹ׃

Ele envia as suas ordens à terra. A palavra era o agente da vontade divina, os seus *mandamentos*; e isso significa que a palavra criativa é igualmente a palavra providencial. Mediante sua palavra, Deus controla toda a natureza, conforme também lemos em seguida na Bíblia. Primeiramente, Deus criou e depois está controlando. "A palavra do Senhor é a emissão de seus mandamentos à natureza (Gn 1.3,6,9) e vem da palavra hebraica posterior, *memra*" (William R. Taylor, *in loc.*). Essa palavra é personalizada como seu agente, algo como o anjo do Senhor. Cf. Jo 1.1-3. Cf. Sl 107.20. O Targum fala da Palavra, e esse termo tem sido personalizado pelos intérpretes cristãos para significar "o Logos" (Jo 1.1). A palavra de Deus é como um corretor ligeiro, porquanto está sempre com pressa para cumprir as ordens divinas.

> Oremos para que a graça possa abundar por toda a parte,
> E que por toda a parte seja encontrado um espírito cristão.
> De praia a praia, que a graça rebrilhe.
>
> Charles H. Gabriel

■ **147.16**

הַנֹּתֵן שֶׁלֶג כַּצָּמֶר כְּפוֹר כָּאֵפֶר יְפַזֵּר׃

Dá a neve como lã. A *palavra* é enviada em sua missão divina, pronta para cumprir as ordens celestes, e a primeira tarefa que a palavra vai cumprir é manipular as condições atmosféricas, conforme vimos no vs. 8. Mas agora foi a neve que se depositou sobre a face da terra, como um cobertor de lã, e a geada se espalhou como cinzas produzidas por uma grande conflagração. Cf. Jó 37.6. A figura concernente à neve foi sugerida por sua brancura e suave textura.

Marcial falava da neve como *densum vellus aguarum*, "um grosso tosão de água" (*Epigram.* 1.4, ep. 3). Aristófanes (*Nubes*, parte 146) falou das nuvens como *tosões esvoaçantes*. Plínio (*História Natural*, 1.17, cap. 2) falou da neve como a "escuma das águas celestiais". Quanto à neve, a figura sugere a aparência de cinzas lançadas abundantemente sobre as coisas. Temos a ideia de lançar cinzas em Êx 9.8,9 para representar úlceras abundantes que rebentariam sobre os homens e os animais; mas esse já é um simbolismo diferente, e ainda não descobri referências literárias que se pareçam com este versículo.

Esses símbolos significam *água* que é benéfica, tanto quanto a chuva. Em alguns lugares secos, as populações dependem da neve para suprimento de água, visto que ali as chuvas não são abundantes nem frequentes. A neve das Montanhas Rochosas, da parte ocidental dos Estados Unidos, supre os desertos adjacentes com água, embora ali praticamente nunca chova. A neve, ao dissolver-se, enche os reservatórios.

■ **147.17**

מַשְׁלִיךְ קַרְחוֹ כְפִתִּים לִפְנֵי קָרָתוֹ מִי יַעֲמֹד׃

Ele arroja o seu gelo em migalhas. A alusão aqui provavelmente é ao granizo, que se parece com migalhas. O granizo é outra forma assumida pela água e, quando as condições atmosféricas são favoráveis, ele pode acumular-se nas ruas tal e qual a neve. Visto que o granizo é uma das armas do arsenal divino, a figura pode referir-se a uma providência negativa. A água é artigo de primeira necessidade. Pode cair como algo útil, embora também possa ser destruidor. Sob a forma de granizo, pode ser um poder aterrorizador e destruidor; ver Êx 9.18 ss., onde aparece como uma das pragas do Egito. Ver também Ap 8.7; 11.19; 16.21, quanto ao granizo como julgamento divino.

Quem resiste ao seu frio? O frio é um agente vexador do Ser divino (na mente do poeta), quando se torna excessivo. Muitos acidentes e mortes podem ser causados pelo frio extremo, mesmo quando os homens se preparam para enfrentá-lo, por meios artificiais. Boas condições atmosféricas são necessárias para que haja vida: muito sol e chuva. Más condições atmosféricas podem destruir a vida: granizo e frio excessivo. Existem lugares tão frios durante o inverno que um copo de água que caia da altura da cabeça de um homem pode virar gelo antes que atinja o solo; e esse tipo de frio pode matar uma pessoa em um minuto. Thomas Jefferson disse que não conseguia entender por que um homem prefere viver em um país de clima frio, se pode viver em um país de clima quente. Mesmo nos Estados Unidos, em lugares como Cheyenne, Estado de Wyoming, que não é assim tão frio (se comparado a lugares como o Alasca), a carne humana pode enregelar em apenas três minutos, se ficar desprotegida no frio extremo. Estou escrevendo estas linhas em Salt Lake City, Estado de Utah, nas sombras das Montanhas Rochosas. O dia é 19 de dezembro de 1996. Tenho enfrentado aqui uma temperatura de 25º centígrados abaixo de zero. O mês de dezembro é de inverno moderado. Mas nestes dias tivemos seis tempestades de neve e uma noite realmente fria. Durante o verão, porém, pode haver um calor de empolar a pele, visto estarmos à beira do Grande Deserto Norte-americano. Portanto, a variação de temperatura é muito grande durante um ano, e isso pode ser assustador para pessoas que não vivem aqui. Não obstante, este lugar é moderado em comparação a muitos outros.

■ **147.18**

יִשְׁלַח דְּבָרוֹ וְיַמְסֵם יַשֵּׁב רוּחוֹ יִזְּלוּ־מָיִם׃

Manda a sua palavra, e o derrete. O poeta sacro fala sobre o *degelo da primavera*, que cria grandes torrentes de água. As pessoas que não têm experiência com a neve não compreenderão o que é dito aqui. Nas Montanhas Rochosas, que dão frente para o vale do Lago Salgado, a neve pode acumular-se por mais de três metros de profundidade. Mas em maio e junho, na maioria dos lugares, ela se derrete completamente. Alguns lugares nos picos mais elevados resistem ao degelo e, de fato, até nesses lugares moderadamente frios há alguns poucos pontos de neves eternas, que nunca se derretem completamente e cobrem o solo. O Grande Lago Salgado, que mede 80 a 120 km, existe por causa do degelo da primavera, visto que ali praticamente nunca chove. A maioria dos grandes rios norte-americanos é alimentada pelo degelo da neve. Portanto, a neve, um terror durante o inverno, é o suprimento da água doadora de vida durante a primavera e o verão. Sai da boca de Deus a sua palavra, dizendo à terra para aquecer-se, e começam a soprar ventos quentes que derretem toda aquela neve. Em breve a neve transforma-se em uma caudalosa torrente de águas que enche os ribeiros, e os ribeiros tornam-se rios espumejantes que inundam a terra e enchem os lagos e os reservatórios feitos pelo homem. A providência divina está operando, e os homens são os beneficiários.

Metáfora. Nossos gelados invernos de desespero, quando as chamas da esperança queimam baixo, podem ser transformados em primaveras balsâmicas que trazem bênçãos abundantes. O coração frio, enregelado pelo pecado, pode ser degelado pela graça de Deus. O amor frio pode flamejar de novo. O sol traz o calor que pode derreter o gelo e a neve. O sol traz o calor e a luz.

O mundo inteiro se perdeu nas trevas do pecado;
A Luz do mundo é Jesus.
Tal como a luz do sol, ao meio-dia, sua glória brilhou.
A Luz do mundo é Jesus.

Philip P. Bliss

■ 147.19

מַגִּיד דְּבָרָו לְיַעֲקֹב חֻקָּיו וּמִשְׁפָּטָיו לְיִשְׂרָאֵל׃

Mostra a sua palavra a Jacó. A palavra de Deus realizou sua principal obra até então, a lei mosaica. Encontramos aqui uma *tríplice designação* da lei: a palavra, as leis e os preceitos (ver Dt 6.1). Ver o vs. 15, quanto ao agente, a *palavra*, os mandamentos, que saíram para cumprir as obras de Yahweh. A maior dessas obras foi a legislação mosaica. Ver Sl 1.2, quanto a um sumário do que a lei significava para os hebreus. Na introdução ao Salmo 119, dou uma lista das *dez* designações da lei. O Targum interpreta essa *palavra* como se indicasse a lei "e, de fato, a lei ou decálogo foi dado aos israelitas, a posteridade de Jacó, tanto a cerimonial quanto a judicial; as Escrituras, os oráculos de Deus, foram entregues a eles de maneira especial. Ver Dt 4.6-8; Rm 3.1,2 e 9.4" (John Gill, *in loc.*).

Este versículo tem sido cristianizado para indicar a revelação divina que foi dada após a lei, a Palavra de Cristo, o seu evangelho, a mensagem da salvação.

"No vs. 19, a Palavra do Senhor é equiparada à lei. Quanto à noção do dom especial dado a Israel, ver Dt 4.8. Esse particular adquiriu uma nova ênfase após a obra de Esdras" (William R. Taylor, *in loc.*).

■ 147.20

לֹא עָשָׂה כֵן לְכָל־גּוֹי וּמִשְׁפָּטִים בַּל־יְדָעוּם
הַלְלוּ־יָהּ׃

Não fez assim a nenhuma outra nação. Deus tratou com a nação de Israel de maneira toda especial. Esse povo recebeu a revelação divina que deveria governar toda a vida e a existência deles. Outros povos não tinham essa revelação e só usufruíam de seus benefícios se se convertessem à fé hebraica e tomassem o jugo da lei mosaica. *Essa* era a distinção de Israel. Várias nações palestinas tinham cultura, ciência e arte superior. O próprio Salomão precisou valer-se de materiais e artífices especializados dos fenícios, para construir o templo de Jerusalém. Os egípcios tinham uma grande cultura, que já se vinha prolongando por treze dinastias, antes mesmo de Abraão ter chegado à Palestina. Os babilônios contavam com grandes edificações, artes e ciências. Os gregos tinham um intelecto brilhante que produziu uma filosofia superior e várias classes de obras literárias que ultrapassavam tudo quanto os judeus conheciam. Os romanos espalharam sua cultura por toda a região do mar Mediterrâneo, de tal maneira que esse grande mar interior se tornou um lago romano, e a grandeza deles foi muito maior que a de Salomão. *No entanto*, os judeus tinham a lei, com o seu "Assim diz o Senhor". Um por um, os grandes reinos fracassaram e, com eles, suas culturas distintas. Israel, embora tivesse permanecido por três vezes no cativeiro — o assírio, o babilônio e o romano — contra todas as possibilidades conseguiu sobreviver. *Por quê?* Porque os israelitas tinham sua lei, e ela não lhes permitia chegar ao fundo do poço ou desistir.

Aleluia! Este salmo termina como começou, tal como ocorre com os últimos *cinco* salmos do saltério: Aleluia!... Aleluia!

SALMO CENTO E QUARENTA E OITO

Quanto a *informações gerais* que se aplicam a todos os salmos, ver a introdução ao Salmo 4, onde apresento *sete* comentários que elucidam a natureza do livro. Quanto às *classes* dos salmos, ver o gráfico no início do comentário, que atua como uma espécie de frontispício do saltério.

Este é *um hino de louvor*, que convoca todas as coisas criadas a louvar ao Senhor. Os últimos cinco salmos (alguns eruditos falam em seis) são *salmos de aleluia*, reunidos num pequeno grupo que encerra o saltério. Alguns desses louvores são pessoais, outros são nacionais. Cf. isso com os *Salmos Hallel* (salmos de louvor), de número 113 a 118. A palavra "louvor" (ou "aleluia") aparece 46 vezes nesses cinco salmos finais. É tanto apropriado como refrigerador que o saltério tenha terminado dessa maneira, deixando para trás o numeroso grupo dos salmos de lamentação, com suas amargas imprecações contra os inimigos.

Este salmo expressa a crença de que toda a natureza deve cantar ao Senhor, e toda a natureza é aqui concebida a cantar, por meio dos que se reúnem no templo para dar ação de graças. O salmista dirige-se a várias partes da natureza, de uma em uma, chamando cada uma por sua ordem e encorajando-a a produzir seus próprios louvores. "A cosmologia segue o antigo conceito que orienta o mundo como uma estrutura em três andares (Sl 8; Dt 33.13). Tendo o céu como o andar superior, a terra como o andar do meio, e então o submundo como o andar inferior, a atitude do salmista acerca do mundo se assemelhava à do primeiro capítulo de Gênesis, onde o mundo aparece como bom. O poeta, diferentemente do autor do livro de Eclesiastes, acreditava que a bondade do Criador pode ser vista e acompanhada em todas as coisas" (William R. Taylor, *in loc.*).

"O salmista convocou todos os exércitos dos céus a louvar ao Senhor, porquanto ele os estabeleceu por decreto. E ele chamou a terra para louvar o seu glorioso nome, visto que tinha exaltado a Israel" (Allen P. Ross, *in loc.*).

Subtítulo. Os últimos cinco salmos do saltério não têm observações introdutórias nem títulos. Quanto a essa circunstância, ver a introdução ao Salmo 91, sob *subtítulo*. Dentre um total de 150 salmos, 34 não têm subtítulos.

CONVOCAÇÃO AO MUNDO CELESTIAL PARA LOUVAR (148.1-6)

■ 148.1

הַלְלוּ יָהּ הַלְלוּ אֶת־יְהוָה מִן־הַשָּׁמַיִם הַלְלוּהוּ
בַּמְּרוֹמִים׃

Aleluia! Louvai ao Senhor do alto dos céus. Yahweh aparece aqui como um Ser transcendental, cuja habitação está fora de sua criação. Portanto, o aleluia com o qual o salmo começa é retratado como subindo até Deus, chegando a ele nos céus. Conforme a teologia dos hebreus se desenvolveu, assim também se acentuou a ideia da transcendência de Deus. Ver no *Dicionário* o artigo chamado *Transcendente, Transcendência, Transcendentais*. Entretanto, se Deus tiver de ser louvado, isso deve incluir o fato de que suas obras chegam ao homem, no que ele também é imanente. Ver no *Dicionário* o artigo chamado *Imanência*. A teologia posterior dos hebreus falava em três ou sete céus, cada qual com sua própria glória, e a glória de Deus habitaria no mais elevado dos céus. O livro de Enoque conta com sete céus, e há reflexos dessas ideias no Novo Testamento. Ver 2Co 12.2,4; e cf. Hb 4.14 e 7.26.

O salmo começa com um *duplo aleluia*. Esse alegre grito de aleluia é frequente por todo o hino e é também sua declaração final. Ver no *Dicionário* os verbetes chamados *Louvor* e *Aleluia*, quanto a informações completas. As hostes celestiais foram as primeiras a ser convidadas a louvar o Senhor Yahweh nos mais altos céus (*nas alturas*). "O louvor não se dirige à terra. Existe um coro celestial. No céu as questões são claras; os motivos não são misturados. Pode ser visto um rosto vivo, e não uma imagem em um espelho cru. Por conseguinte, o louvor angelical é mais puro, os clamores são mais altos, as frases são triunfantes, e a alegria é altamente exaltada" (J. R. P. Sclater, *in loc.*).

Nas alturas. Quase certamente temos aqui uma alusão a múltiplos céus, embora nenhum número específico seja vinculado. "... ou no mais elevado céu, onde ele habita, ou com as mais elevadas notas de louvor que podem ser levantadas. Ver Sl 149.6 e Lc 2.14. O Targum diz apenas 'no alto', referindo-se às mais elevadas hostes de anjos" (John Gill, *in loc.*).

■ 148.2

הַלְלוּהוּ כָל־מַלְאָכָיו הַלְלוּהוּ כָּל־צְבָאוֹ

Louvai-o todos os seus anjos. As *hostes angelicais dos céus* são convocadas a louvar Yahweh, ou seja, a clamar alegres aleluias ao Senhor. A teologia posterior dos hebreus via os anjos como organizados em muitas ordens, e essa ideia foi incorporada no Novo Testamento.

... principados e potestades nos lugares celestiais.
Efésios 3.10

... tronos... soberanias... principados... potestades...
Colossenses 1.16

Ver a exposição desses versículos no *Novo Testamento Interpretado*.

O Targum fala sobre as hostes "que ministram diante dele" e também ministram a seu povo na terra (ver Hb 1.7,14). São seres criados (ver Cl 1.16) que formam *hostes*, uma alusão militar às divisões e patentes de um vasto exército. Cf. Sl 103.20,21.

148.3

הַלְלוּהוּ שֶׁמֶשׁ וְיָרֵחַ הַלְלוּהוּ כָּל־כּוֹכְבֵי אוֹר׃

Louvai-o, sol e lua. *Entidades inanimadas muito elevadas*, como o sol, a lua e todas as estrelas, são agora convocadas a louvar a Yahweh. Essas entidades estão no céu, mas não no mais alto dos céus. Os hebreus não faziam ideia das grandes distâncias existentes nos céus estrelados, nem das tremendas distâncias que as separavam da terra ou umas das outras. Mas essas entidades existiam em seus céus distintos, e para o benefício dos homens. Embora tenha havido alguns poucos lapsos, os hebreus não se envolviam na adoração às estrelas, nem o sol e a lua eram objetos por eles adorados. Antes, esses corpos celestes eram vistos como coisas criadas, demonstrações do mais elevado poder de Deus, mas não eram o poder supremo em si mesmos. Como coisas subordinadas, figuradamente, elas também tinham de submeter-se ao Deus Supremo e dar-lhe louvor. "Deviam sua existência e funções a ele" (William R. Taylor, *in loc.*). O estudo sobre os corpos celestes dá-nos razão para louvar o Criador, e devemos incluir isso na noção aqui destacada. Os corpos celestes, entretanto, são personificados e tornam-se uma hoste separada, como um poderoso exército, e então se reúnem no louvor a Deus. Cf. Sl 136.1,7-9 e Dt 33.14.

148.4

הַלְלוּהוּ שְׁמֵי הַשָּׁמָיִם וְהַמַּיִם אֲשֶׁר מֵעַל הַשָּׁמָיִם׃

Louvai-o, céus dos céus. O céu e o céu dos céus devem prestar louvores e ação de graças, os céus das estrelas e os céus dos anjos. Cf. Sl 68.33. Ver no *Novo Testamento Interpretado* o verbete denominado *Lugares Celestiais*, acerca dos múltiplos céus. O poeta sagrado não vinculou um número a eles, mas se referia definidamente a múltiplos céus, um conceito comum no judaísmo posterior e adotado pelo Novo Testamento, conforme demonstro na introdução a este salmo. Os céus foram comparados às divisões do templo terrestre, o qual, ao que se presume, era uma cópia do templo celestial. Haveria ali *vários compartimentos*, e cada um deles falava de um degrau de acesso. Havia os átrios dos gentios, das mulheres, o Lugar Santo, e então o Santo dos Santos, onde Deus manifestava sua presença. Embora houvesse vários compartimentos, todos faziam parte do templo.

Águas que estão acima do firmamento. A antiga cosmologia hebreia ensinava que existem vastos depósitos de águas acima dos céus e, também, vastos depósitos de água que formam uma espécie de alicerce de água sobre o qual a terra repousa. Ver o artigo chamado *Astronomia*, onde apresento um diagrama que ilustra esse ponto de vista. De nada adianta supor que tais termos sejam figurados, e é difícil traçar em que ponto do tempo eles se tornaram figuras poéticas, e não figuras sérias que tentavam explicar a natureza da criação. Estou imaginando que, neste ponto do Antigo Testamento, as referências sejam literais. De qualquer modo, o certo é que as *grandes águas* foram personificadas e elas também devem prestar louvores a Yahweh, gritando alegres *aleluias*. É ridículo reduzir essas águas ao *céu cheio de nuvens*, que podemos ver todos os dias. O Targum diz que essas águas foram "penduradas acima dos céus" pelo decreto da Palavra de Deus. Devemos pensar em algum tipo de vasto mar celestial "lá em cima", acima dos céus, outro dos magníficos atos divinos da criação.

148.5

יְהַלְלוּ אֶת־שֵׁם יְהוָה כִּי הוּא צִוָּה וְנִבְרָאוּ׃

Louvem o nome do Senhor. Este versículo expande os vss. 3 e 4. As poderosas entidades dos céus acima, o sol, a lua, as estrelas e o mar celestial, que se tornassem pessoas e que louvassem a Deus, pois eram criações suas, demonstrações de seu poder e de seu domínio. O Poder (Elohim) estabeleceu todas as coisas criadas em seus devidos lugares e em sua ordem certa. Elas devem a Deus sua existência, pelo que lhes cumpre louvar ao Senhor. Deve haver um louvor completamente universal, *de uma criação unida* (ver Fp 2.9 e Ef 1.9,10). De outra maneira, a criação perfeita seria menos que perfeita, algo intolerável na divina economia das coisas. Os homens, com suas ideias ultrapassadas de julgamento, contentam-se em deixar a criação de Deus menos do que perfeita e seus louvores incompletos. Ver Hb 12.9; Tg 1.17 e Sl 33.6,9 com aspectos paralelos ao deste versículo.

148.6

וַיַּעֲמִידֵם לָעַד לְעוֹלָם חָק־נָתַן וְלֹא יַעֲבוֹר׃

E os estabeleceu para todo o sempre. O *decreto divino* estabeleceu a natureza inanimada (vss. 3-5), pelo que ele tem domínio sobre essas coisas, e elas, personificadas, lhe devem *louvores*. Não vale a pena ser adorado, pois o adorador é somente um servo de Yahweh, como o são os homens ou os anjos. A criação é imperecivelmente fiel a Deus, e assim deveriam ser todos os seres vivos. Esse decreto não pode ser ultrapassado, pois "ele estabeleceu uma lei que não pode passar" (William R. Taylor, *in loc.*). Alguns estudiosos fazem o decreto retroceder até o vs. 5, na declaração incluindo os anjos e os céus. Cf. Jr 31.35,36 e 33.25. Ver também Is 14.27; 25.1 e 41.10.

CONVOCAÇÃO À TERRA PARA LOUVAR A DEUS (148.7-14)

148.7

הַלְלוּ אֶת־יְהוָה מִן־הָאָרֶץ תַּנִּינִים וְכָל־תְּהֹמוֹת׃

Louvai ao Senhor da terra. O poeta sagrado vai descendo aqui pela escala de valores. Ele tinha falado sobre os céus e suas muitas ordens de seres que deviam louvores a Deus (vss. 1 e 2). Ele trouxe os mais baixos céus para a banda de louvores, o sol, a luz das estrelas e o mar celestial, lá em cima (vss. 4 e 5). Agora chega ao escabelo de Deus, o último lance da escada. Naturalmente, os *abismos* referidos no vs. 7 poderiam significar o submundo e, nesse caso, ele não desceu mais um degrau, abaixo da superfície da terra, pois até do *sheol* o louvor precisa ser rendido ao Senhor. Por meio daqueles degraus, do alto até embaixo, o autor sacro incluiu nos hinos de louvor toda a ordem criada. Passou por toda a extensão da criação, conforme a conhecia, desde os céus mais altos, onde Deus habita, até o mais baixo inferno, com o amor de Deus estendendo-se a toda a criação. Esse amor "vai até acima da mais elevada estrela e baixa até o mais profundo inferno", conforme diz um antigo hino evangélico.

O louvor também deve *subir* da terra. Yahweh, embora transcendental em seu céu superior, certamente ouvirá os *aleluias*. Ato contínuo, os monstros marinhos, criaturas de Deus, não serão esquecidos. O hebraico diz *tehom*, palavra que incluía animais reais e míticos dos mares profundos, como raabe e leviatã, e seus temíveis ajudadores (ver Jó 9.13), que estavam associados às profundezas no tempo da criação. Cf. Sl 74.12-14; 89.10; 91.13 e Is 51.9, cujas notas também se aplicam aqui. Ver também no *Dicionário* os verbetes denominados *Raabe* e *Leviatã*.

Abismos todos. Provavelmente está incluso o *sheol*. Seria muito estranho se o poeta sacro ignorasse o lance mais baixo da escada, visto que ele tinha descido desde o topo. Ver em Sl 139.8 como a presença governadora de Deus chega ao hades, e não meramente apenas ao céu. Não há nenhuma afirmação clara aqui sobre "haver algo" que governe o hades, ou sobre algo que dê louvores ali. Só podemos conjecturar que um completo hino de louvores deve incluir aquela região inferior. Esse conceito certamente é evidente no livro de 1Enoque e mais ainda em 1Pe 3.18—4.6, onde vemos a missão misericordiosa de Cristo no hades. Portanto, a liderança universal de Cristo deve estender-se até ali (ver Fp 2.9 ss.). Cristo deve ser *tudo para todos*, até mesmo no hades (Ef 4.9,10). Sua restauração universal de todas as coisas dificilmente poderia deixar o hades intocado (ver Ef 1.9,10). Ver na *Enciclopédia de Bíblia, Teologia e Filosofia* o artigo denominado *Restauração*. Julgo que o autor do salmo presente compreendia essa questão pelo menos em parte, do contrário seu hino universal de louvores não seria *completo*. Essa seria a última coisa que o salmista desejaria ouvir sobre seu hino universal de louvores. O conceito básico oriental do mundo em *três andares* da criação deve ter avultado na mente do poeta sacro neste ponto. Um mundo com dois andares apenas estaria fora de questão para a mente oriental.

■ 148.8

אֵשׁ וּבָרָד שֶׁלֶג וְקִיטוֹר רוּחַ סְעָרָה עֹשָׂה דְבָרוֹ׃

Fogo e saraiva, neve e vapor. O poeta sagrado fala agora de coisas *próximas da terra,* que lhe pertencem por direito: o fogo (os relâmpagos), a saraiva, a neve, a geada e os ventos procelosos, isto é, tempestuosos. Todas essas coisas, personificadas como foram, cumprem os mandamentos do Senhor e clamam o alegre *aleluia* a Yahweh. Os antigos pensavam, com toda a razão, que a providência divina controlava as condições atmosféricas. Os hebreus não tinham uma visão mecanicista da natureza. Cf. Sl 147.15-18, que contém pensamentos similares. Cada elemento da natureza realiza um propósito especial, sob os decretos de Deus, e cumpre assim sua vontade, proferindo louvores ao Criador.

■ 148.9

הֶהָרִים וְכָל־גְּבָעוֹת עֵץ פְּרִי וְכָל־אֲרָזִים׃

Montes... todos os outeiros, árvores frutíferas... todos os cedros. Em uma declaração generalizadora, o autor reúne nesse hino universal de louvor tanto os objetos inanimados como a vida vegetal: montes e outeiros, árvores frutíferas e cedros. Ele não tentou apresentar uma lista completa, longa ou mesmo representativa de coisas. Sabia que entenderíamos o que ele queria dizer: todas as coisas à face da terra, inanimadas ou animadas, existem pelo ato criativo de Deus, e, personificadas, devem clamar o alegre *aleluia* a Deus. Algumas dessas coisas foram plantadas pelos homens, e outras, como os bosques, Deus as plantou sem a ajuda humana. Mas *todas* essas coisas devem louvores a Deus. Cf. Is 24.23; 49.13; 55.12. Ver também Sl 104.16. Foi Yahweh quem plantou os cedros.

■ 148.10

הַחַיָּה וְכָל־בְּהֵמָה רֶמֶשׂ וְצִפּוֹר כָּנָף׃

Feras e gados, répteis e voláteis. Agora o poeta sagrado chega à vida animal, toda espécie de quadrúpedes, animais domésticos e aquelas espécies de animais que se arrastam sobre a terra, como as serpentes, os lagartos, as formigas e os demais insetos, e até os vermes que perfuram a terra e fazem moradias humildes, próximas à superfície da terra. Além disso, devemos pensar nos pássaros, uma vasta classe da criação animal de Deus que não pode ser ignorada. Deus criou todos esses animais, ilimitados em espécies e números, e todos eles devem louvar a Deus. Nossa mente estonteia diante das inúmeras espécies de animais, e todas as habilidades especiais de cada uma dessas formas de vida derivam-se da inteligência divina. Na verdade, a glória de Deus é sua inteligência, segundo afirmava Joseph Smith. Cf. Gn 1.26; 2.19; 7.23; 18.17; Dt 4.17; Ez 39.17 e Dn 7.6.

■ 148.11,12

מַלְכֵי־אֶרֶץ וְכָל־לְאֻמִּים שָׂרִים וְכָל־שֹׁפְטֵי אָרֶץ׃

בַּחוּרִים וְגַם־בְּתוּלוֹת זְקֵנִים עִם־נְעָרִים׃

Reis da terra e todos os povos. Finalmente, o salmista chegou ao *ser humano,* o mais elevado ser criado, e citou os reis e as populações em geral, os príncipes, os juízes e os cidadãos comuns. Novamente, temos uma espécie de declaração geral que divide certas classes de homens, tal como o poeta tinha feito com os animais, desde os grandes até os pequenos. Criaturas importantes e sem importância, dotadas ou não de autoridade e poder, são seres criados que devem louvores a Deus. O vs. 12 estende a declaração aos jovens, tanto rapazes quanto donzelas. E, finalmente, o salmista chegou às crianças, que ocupam a classe mais baixa. Note o leitor que o poeta sacro fala sobre *todos os povos;* todas as criaturas receberam dele a vida e são sustentadas por ele; e, como é óbvio, todas lhe devem louvores. Assim como este salmo tem uma natureza universal, incluindo todas as formas de vida na casa de três andares criada por Deus, estes vss. 11 e 12 têm uma natureza universal, incluindo todos os povos e todas as camadas da sociedade humana. Por termos sido criados e estarmos recebendo a providência sustentadora de Deus, todos temos algo pelo qual agradecer, e devemos todos expressar essa gratidão.

Todos verazes, todos sem defeito e todos sintonizados.

Kable

Cf. Sl 2.10,11; 8.2 e Mt 21.15,16.

Da harmonia, da harmonia celestial,
Começou este arcabouço universal;
De harmonia para harmonia
Através de toda a escala de notas passou,
O diapasão fechando-se por inteiro, em torno do Homem.

■ 148.13

יְהַלְלוּ אֶת־שֵׁם יְהוָה כִּי־נִשְׂגָּב שְׁמוֹ לְבַדּוֹ הוֹדוֹ עַל־אֶרֶץ וְשָׁמָיִם׃

Louvem o nome do Senhor. O intuito deste versículo pode ter sido convocar todos os seres e todas as coisas, de qualquer esfera, a clamar o *aleluia!* Ou pode estar limitado aos homens de todas as raças, de ambos os sexos e de qualquer posição social. Adam Clarke (*in loc.*) faz uma convocação geral para encerrar o salmo, "tudo adredemente especificado". "Todas as coisas enumeradas acima, tanto nos céus quanto na terra" (Fausset, *in loc.*).

O *nome* de Yahweh deve ser louvado, e a palavra "nome" representa sua natureza. Ver Sl 8.1 e 12.4. *Yahweh* está acima tanto dos céus quanto da terra, por ser ele o Criador. Ver no *Dicionário* o artigo chamado *Glória,* quanto aos detalhes. A onipotência de Deus, seus atributos, sua elevada posição, sua santidade, suas perfeições, seus labores supremos são ideias incluídas. No Novo Testamento, Cristo é a glória de Deus. Ver Sl 83.2 e Hb 1.3. Ver também, no *Dicionário,* o verbete intitulado *Glória de Deus.*

Glória ao Pai, e ao Filho
E ao Espírito Santo.
Tal como era no princípio, agora,
E para sempre o será, por todos
Os séculos. Amém e Amém.

Charles Meineke

■ 148.14

וַיָּרֶם קֶרֶן לְעַמּוֹ תְּהִלָּה לְכָל־חֲסִידָיו לִבְנֵי יִשְׂרָאֵל עַם־קְרֹבוֹ הַלְלוּ־יָהּ׃

Ele exalta o poder do seu povo. Tendo sido exaltado pelo seu povo, Deus também exaltou um *chifre* entre o povo de Israel. Quanto a essa figura de linguagem, cf. Sl 75.5; 89.17,23,24. Consideremos os seguintes pontos:

1. O "chifre" significa "poder". E parece estar em vista alguma vitória específica obtida por Judá, a qual pode ter impulsionado a composição deste salmo.
2. Alguns eruditos fazem com que esta declaração assuma natureza geral: o poder havia retornado a Jerusalém, após o retorno dos exilados da Babilônia.
3. Ou então está em pauta algum rei específico, que estaria cumprindo o ideal davídico. Quanto ao chifre como um chifre forte, ou rei, ver Sl 87.17 e 132.17.
4. Esse chifre seria uma predição messiânica, e o Messias aparece como o Chifre especial.
5. Ou está em vista o poder de Yahweh, como Rei, a governar o seu povo.

Todos os demais elementos da natureza, animados e inanimados, e todos os povos levantaram o seu aleluia. Agora os *santos* de Jerusalém deviam prestar graças a Deus porque tinham sido especialmente abençoados, acima de todos os outros, para adorar e louvar o elevado Deus do céu. Os santos são identificados como os filhos de Israel, a herança de Deus. Eles estavam *próximos* de Yahweh como nenhum outro povo estava, especialmente como possuidores e seguidores da lei. Ver Sl 1.3, quanto ao que a lei significava para Israel. Sobre *santos,* ver Sl 97.10 e ver também o *Dicionário.* Por conseguinte, o Israel espiritual estava próximo do Senhor (ver Ef 2.13,17). Os sacerdotes podiam aproximar-se dele (ver Lv 10.3; Ez 12.13; Dt 4.6; Êx 19.6; Nm 16.10; Sl 147.19,20); da mesma forma, os santos do Novo Testamento, porque se tornaram sacerdotes, têm acesso ao Senhor. Ver Hb 4.16.

Aleluia! Este salmo termina como começou, o que também acontece aos últimos *cinco* salmos do saltério: Aleluia!... Aleluia!

Este salmo inspirou o tradicional hino evangélico de autoria de Maltbie Babcock: "Este é o Mundo de Meu Pai". Este hino celebra os vários elementos do louvor que fazem parte do salmo. Cito apenas o primeiro verso:

> Este é o mundo de meu Pai,
> para os meus ouvidos que ouvem,
> Toda a natureza canta,
> E em volta de mim reboa a música das esferas.
> Este é o mundo de meu Pai:
> Descanso no pensamento
> De rochas de árvores, de céus e mares —
> Maravilhas feitas pela sua mão.
>
> Maltbie D. Babcock

SALMO CENTO E QUARENTA E NOVE

Quanto a *informações gerais* que se aplicam a todos os salmos, ver a introdução ao Salmo 4, onde apresento *sete* comentários que elucidam a natureza do livro. Quanto a *classes* dos salmos, ver o gráfico no início do comentário, que atua como uma espécie de frontispício do saltério. Apresento ali dezessete classes e listo os salmos pertencentes a cada uma delas.

Este é um *hino de louvor,* acompanhado por uma dança festiva. Os últimos cinco salmos do saltério (alguns falam em seis) são hinos de aleluia. Eles foram colocados no fim do saltério para criar uma conclusão apropriada ao livro de Salmos. Alguns desses salmos finais são louvores pessoais, e outros são louvores nacionais, e é provável que todos fossem usados na liturgia do templo, em ocasiões especiais, como as três festas anuais que requeriam a presença de todos os hebreus do sexo masculino (ver Dt 16.16,17). Esse preceito não continuou sendo devidamente respeitado quando a população de Israel se multiplicou e se espalhou por lugares distantes de Jerusalém. A palavra que indica "louvor" (aleluia!) aparece 46 vezes nesses salmos conclusivos. Cf. os *Salmos Hallel* (salmos de louvor), de número 113 a 118. É tanto apropriado quanto refrigerador que o saltério termine com essa elevada nota de louvor, distinguindo-se do numeroso grupo dos salmos de lamentação, com suas amargas imprecações contra os inimigos.

O salmo presente tem ideias semelhantes ao Salmo 148, pois invoca vários grupos a louvar o Senhor e dar graças a Deus, mas tem uma natureza nacionalista, confinando-se a Israel, ao passo que o Salmo 148 é universalista. Tomados juntamente, os dois convocam intensos louvores a Yahweh. E é com essa nota que termina o saltério, pelo menos em seus últimos cinco salmos. Isso enleva nosso espírito, depois de bracejarmos em meio a tantas imprecações de castigos contra os inimigos.

Este salmo celebra alguma experiência renovada da bondade de Deus, visto ser um *novo cântico,* quanto ao seu conteúdo, uso ou composição musical. Quanto aos *novos cânticos,* cf. Sl 33.3; 96.1 e 98.1. Certamente pertence a uma data pós-exílica (ideias mais recentes acham-se nos vss. 4 e 9). Alguns estudiosos datam este salmo no período dos Macabeus. "A data é avançada; a construção sintática dos vss. 7 a 9 é frouxa e posterior. Nos vss. 6 e 8 existem palavras posteriores, uma delas significando 'altos louvores', e outra significando 'cadeias'... A linguagem do salmo é notadamente paralela a frases nos livros dos Macabeus e de Judite (cerca de 150 a.C.). A assembleia dos fiéis ocorre em 1Macabeus 2.42. A situação refletida neste salmo assemelha-se à de 1Macabeus 7.46-49. Ver também Judite 13.14,15" (William R. Taylor, *in loc.,* que não insiste sobre esse argumento, supondo que é possível alguma data mais antiga).

Alguns eruditos, como Kittel, Gunkel e outros fazem deste salmo um salmo escatológico, olhando profeticamente para algum dia distante, talvez dos tempos messiânicos, quando se cumprirem as muitas promessas dos profetas.

"O salmista convida Israel a entoar louvores ao Senhor, o qual dá salvação aos mansos e capacita seu povo a executar vingança contra as nações" (Allen P. Ross, *in loc.*).

Subtítulo. Os cinco salmos finais do saltério não contêm observações introdutórias ou títulos. Quanto a essa circunstância, ver a introdução ao Salmo 91, sob *Subtítulo.*

O TRIUNFO DE ISRAEL (149.1-9)

Que Israel Louve ao Senhor (149.1-4)

■ **149.1**

הַלְלוּ יָהּ! שִׁירוּ לַיהוָה שִׁיר חָדָשׁ תְּהִלָּתוֹ בִּקְהַל חֲסִידִים:

Aleluia! Cantai ao Senhor um novo cântico. Este salmo, tal como os últimos cinco salmos do saltério, começa e termina com aleluias (louvores). O saltério é o hinário de Israel, pelo que se encerra com um alvoroço de 46 aleluias, do Salmo 146 até o fim. Ver no *Dicionário* os artigos chamados *Louvor* e *Aleluia.* Este é um *hino novo.* Cf. Sl 33.3; 96.1 e 98.1, quanto a notas expositivas a respeito. O objeto dos louvores é a pessoa de Yahweh, o Criador, o sustentador e o despenseiro de muitos atos da providência divina. Este salmo fala dos louvores de Israel, em contraste com o louvor universal do Salmo 148. Israel estava próximo de Yahweh (148.14) e, assim, tinha grandes razões para mostrar-se agradecido, especialmente por ser distinto de outras nações, sendo possuidor da lei e a ela obedecendo. Ver as notas expositivas em Dt 4.4-8, quanto à *distinção* de Israel sobre outras nações. A congregação de Israel é a congregação dos *santos,* o que comento em Sl 97.10 e também no *Dicionário.*

Este salmo pode celebrar alguns novos triunfos e milagres divinos em favor de Judá, e isso daria alguma razão para que fosse chamado de *novo,* como os que listei nas referências. Cf. o "chifre" no Sl 148.14.

Este versículo tem sido cristianizado para fazer do *cântico novo* o cântico de Cristo, segundo o qual se cumpriu a missão remidora do Senhor Jesus. Alguns estudiosos supõem que este salmo tenha natureza escatológica e, talvez, messiânica.

■ **149.2**

יִשְׂמַח יִשְׂרָאֵל בְּעֹשָׂיו בְּנֵי־צִיּוֹן יָגִילוּ בְמַלְכָּם:

Regozije-se Israel no seu Criador. Esta declaração tem duplo significado:

1. Um Criador absoluto.
2. O Criador de Israel, e então a reorganização de Israel com base na tribo de Judá, terminado o cativeiro babilônico.

A natureza de Criador de Yahweh é apresentada com frequência nos salmos como uma razão para que Israel desse louvores e ações de graças. Ver no *Dicionário* os verbetes intitulados *Louvor* e *Ações de Graças.* Ver Jó 35.10 e Is 54.5.

> *Sabei que o Senhor é Deus: foi ele quem nos fez e dele somos; somos o seu povo, e rebanho do seu pastoreio.*
>
> Salmo 100.3

Exultem no seu Rei os filhos de Sião. Cf. Zc 9.9; Mt 21.5; Sl 145.1. Assim como o guerreiro mais valente se tornava rei, o poder mais alto era o Rei de todo o seu povo, bem como de todos os povos. Cf. no *Dicionário* o artigo denominado *Senhor dos Exércitos.* Os súditos do bom Rei têm muitas razões para regozijar-se, um tema repetido por duas vezes neste versículo. Os produtos de sua providência são ilimitados, pelo que sempre haverá motivos para os seus súditos se alegrarem. Ver no *Dicionário* o artigo chamado *Alegria.* Este versículo tem sido cristianizado para falar da alegria na salvação que Cristo nos trouxe. Ver Fp 4.4.

■ 149.3

יְהַלְלוּ שְׁמוֹ בְמָחוֹל בְּתֹף וְכִנּוֹר יְזַמְּרוּ־לוֹ׃

Louvem-lhe o nome com flauta. *Cânticos de louvor* eram executados por cantores profissionais, com o acompanhamento de danças e instrumentos musicais. Esses eram bons meios para expressar jubiloso louvor. "O cântico deste salmo ocorria com danças sagradas, tudo acompanhado pelo tamborim e pela lira" (William R. Taylor, *in loc.*). O vs. 4 parece especificar alguma razão para todo esse regozijo. Ver no *Dicionário* o artigo chamado *Música (Instrumentos Musicais)*. Nesse artigo descrevo os instrumentos musicais referidos na Bíblia. A arte dos músicos levitas profissionais era transmitida de geração a geração. No templo de Jerusalém, a música era provida por aqueles que descendiam de Levi. Naturalmente, havia devoções particulares acompanhadas por instrumentos musicais, dentre as quais Davi foi o exemplo mais conspícuo. Ele era o *mavioso salmista de Israel* (2Sm 23.1).

■ 149.4

כִּי־רוֹצֶה יְהוָה בְּעַמּוֹ יְפָאֵר עֲנָוִים בִּישׁוּעָה׃

Porque o Senhor se agrada do seu povo. Consideremos estes pontos:

1. Yahweh, de modo geral, agradava-se em seu povo, pelo que vivia a abençoá-lo.
2. Ele se alegrava em ouvir os louvores com todos aqueles cânticos, instrumentos musicais, danças e gritos de aleluias.
3. Visto que Deus se sentia tão agradado, ele adornava os humildes com a *vitória*:
   a. uma vitória específica que não foi explicada, talvez obtida por meio de batalha.
   b. a vitória em geral, como a volta dos cativos da Babilônia ou outros eventos históricos dos quais Yahweh foi a causa.
   c. profeticamente, a vitória na vinda e no reino do Messias.
   d. as *honrarias* conquistadas por Judá quando libertado da Babilônia; as próprias nações pagãs disseram: "O Deus deles fez isso por eles!"

Este versículo é cristianizado para falar da vitória em Cristo, a salvação do Senhor realizada através da vitória da alma. Ver no *Dicionário* o artigo chamado *Visão Beatífica*.

Aqui, conforme acontece com tanta frequência tanto no Antigo quanto no Novo Testamento, encontramos expressões antropomórficas e antropopatéticas. Conferimos a Deus nossos próprios atributos e emoções. Ver no *Dicionário* os artigos chamados *Antropomorfismo* e *Antropopatismo*.

O Julgamento das Nações (149.5-9)

■ 149.5

יַעְלְזוּ חֲסִידִים בְּכָבוֹד יְרַנְּנוּ עַל־מִשְׁכְּבוֹתָם׃

Exultem de glória os santos. A *glória do Senhor* é refletida em seus santos, da mesma maneira que a lua reflete a luz solar. Ver no *Dicionário* o artigo chamado *Glória*, bem como Sl 148.13. Os santos, pois, *exultam* nessa glória, e isso os distingue de outras nações, porquanto a glória deles brilha através da lei mosaica. Ver em Sl 19.7 o que a lei significava para Israel. Ver Dt 4.4-8 sobre como Israel se tornou uma nação distinta por meio de sua lei. Eles exultam no *triunfo*, para o qual dou várias interpretações. Ver o vs. 4, ponto 3 (a, b, c, d). Cf. Sl 112.9.

"Os racionalistas podem estudar a história do Antigo Testamento e encontrar na sobrevivência de Judá um *mistério*. O crente vê nisso um milagre. Outro tanto aconteceu ao salmista. Isso o convidou a uma nova explosão de louvores" (J. R. P. Sclater, *in loc.*).

Os santos. Ver Sl 97.10 e o *Dicionário*. Este salmo, do começo ao fim, refere-se a Israel, enquanto o Salmo 148 é universal, abrangendo todas as coisas, todos os seres inteligentes, incluindo *todos os povos*, em seu hino de louvor. Os *santos* neste salmo apontam somente para Israel, embora este versículo tenha sido cristianizado para abarcar os santos do Novo Testamento, que exultam nos triunfos doados por Cristo.

Nos seus leitos. Consideremos aqui estes pontos:

1. A referência poderia ser a festas efetuadas ao estilo romano, ou seja, em divãs. Assim sendo, as festividades seguiam noite adentro, e os cânticos de louvor eram continuamente entoados.
2. Ou pessoas espirituais que queriam ter um bom dia, mesmo quando se deitavam para descansar, não podiam parar de regozijar-se e cantar hinos de louvor. Nem todo aquele que se deita para dormir acaba dormindo, sabemos disso. John Gill (*in loc.*) lembra que alguns santos *enfermos* não permitem que isso aconteça. Estão doentes, mas continuam a cantar, em vez de gemer o tempo todo.
3. Arama faz disso a sepultura, o leito dos que morrem, cujo espírito não dá atenção à alegada tragédia e continua entoando louvores.
4. As palavras podem ser emendadas superficialmente para obtermos "em seu templo"; mas isso é uma mudança desnecessária.

Este versículo tem sido cristianizado para fazer dos braços de Jesus o leito dos santos, isto é, aonde vai a alma deles quando o corpo morre. Portanto, eles estariam seguros e cantando nos braços de Jesus. Esta é uma boa aplicação, mas dificilmente serve de interpretação do texto.

■ 149.6

רוֹמְמוֹת אֵל בִּגְרוֹנָם וְחֶרֶב פִּיפִיּוֹת בְּיָדָם׃

Nos seus lábios estejam os altos louvores de Deus. As circunstâncias nas quais Israel se encontrava, ou tinha vivido recentemente, levaram o poeta a descer de seu elevado monte de louvores e tocar a espada sobre os inimigos. No caminho descendente para o vale das imprecações, ele parou e proferiu mais uma convocação de louvores. Mas, enquanto esse louvor continuava, os israelitas deveriam manter suas espadas de dois gumes em punho, prontas para serem usadas. Sem dúvida, a alusão aqui é à reconstrução das muralhas de Jerusalém:

Os carregadores, que por si mesmos tomavam as cargas, cada um com uma das mãos fazia a obra, e com a outra segurava a arma.

Neemias 4.17

Portanto, a convocação era para continuar entoando louvores e matar, ao mesmo tempo, pois os inimigos de Israel nunca desistiam. Isso me faz lembrar de uma canção popular, durante a Segunda Guerra Mundial, nos Estados Unidos: "Louva ao Senhor e passa a munição, e nós todos permaneceremos livres".

O Targum perde aqui o espírito da coisa e faz das palavras na garganta o mesmo que uma espada de dois gumes. Assim, "em sua garganta como espada de dois gumes". As palavras são poderosas, mas o poeta sagrado não estava falando sobre isso.

■ 149.7

לַעֲשׂוֹת נְקָמָה בַּגּוֹיִם תּוֹכֵחֹת בַּל־אֻמִּים׃

Para exercer vingança entre as nações. Agora, no *vale das imprecações*, o poeta transbordava de maldições contra os inimigos de Israel. Sua atitude tinha degenerado. A música não mais seria agradável aos ouvidos cristãos. Notas estridentes cruzavam o salmo de louvores. Temos de relembrar, entretanto, que aqueles eram tempos brutais. Uma nação de Israel despreparada para matar ou ser morta não cantaria louvores por muito tempo. A *vingança* era uma grande realidade. É difícil averiguar a circunstância histórica dessas palavras violentas e bravas. Talvez estejam em vista os tempos dos macabeus, quando Israel obteve algumas vitórias significativas. Mas alguns eruditos veem desdobrar-se aqui eventos futuros, a saber, as vitórias obtidas pelo Messias. Este versículo pode ser espiritualizado para falar das vitórias obtidas por Cristo (Cl 2.14,15), em benefício de seus seguidores.

A *vingança, uma vez administrada*, seria o *castigo* dos pagãos. O agente, para a mente dos hebreus, era, naturalmente, Yahweh, o qual, ao praticar a justiça, tinha de ferir e matar. Cf. esse sentimento com Ap 19.15,21. Alguns aplicam este versículo à limpeza da casa em Israel, após o cativeiro babilônico (ver Ne 13.15 ss.), mas isso é brando demais para o texto. Eles, na verdade, queriam *vingança*.

149.8

לֶאְסֹר מַלְכֵיהֶם בְּזִקִּים וְנִכְבְּדֵיהֶם בְּכַבְלֵי בַרְזֶל׃

Para meter os seus reis em cadeias. Judá seguiu algemado em cadeias quando foi levado para a Babilônia, pelo que foram amarrar a outros, especialmente a seus reis, para serem humilhados. Eles queriam tratar os nobres da mesma maneira, aplicando-lhes a *Lex Talionis* (retribuição segundo a gravidade do crime cometido; ver sobre esse termo no *Dicionário*). Eles queriam fazer aos outros o que tinha sido feito contra eles, e não o que gostariam que se fizesse com eles, o oposto à lei de Cristo (Mt 7.12). Naturalmente, essa lei era impraticável e, se Israel tivesse agido de modo diferente, seria obliterado.

> O amor concede em um momento o que o trabalho não poderia obter em uma era.
>
> Goethe

Essas são belas palavras, mas os inimigos de Israel não estavam interessados em palavras. O que eles queriam eram terras, poder, dinheiro e trabalho escravo que lhes fosse prestado. Assim, Judá foi esmagada pelos babilônios e, depois de terem voltado à Terra Prometida, os judeus queriam esmagar quaisquer inimigos que se levantassem, se ao menos tivessem o poder de fazê-lo. Portanto, o negócio continuou igual: matar ou ser morto. Isso nos mostra o nível de espiritualidade naquele tempo. Eram todos um bando de selvagens. Eis por que Jesus veio a este mundo miserável — para salvar os pecadores. Os judeus, naturalmente, queriam executar a justiça, retribuindo o mal com o mal.

O poeta sagrado tinha cessado completamente de cantar seu novo cântico (vs. 1). Ele caiu novamente no antigo cântico de vingança, sangue derramado, matanças e imprecações. A *sobrevivência* era o nome do jogo. Boas teologias ainda teriam de esperar por uma época mais propícia (Ef 1.9,10; 4.8-10).

149.9

לַעֲשׂוֹת בָּהֶם מִשְׁפָּט כָּתוּב הָדָר הוּא לְכָל־חֲסִידָיו הַלְלוּ־יָהּ׃

Para executar contra eles a sentença escrita. É uma tristeza que, em meio aos cinco hinos de louvor concludentes (146 a 150), na última porção do Salmo 149, o poeta sacro tenha escorregado de volta às *imprecações* típicas dos salmos de lamentação. O saltério poderia ter passado sem essa mácula em suas declarações finais. Que esse tipo de material tivesse aparecido bem no meio dos louvores, mostra-nos a quais terrores a mente dos hebreus fora sujeitada pelos assédios brutais de inimigos que não davam tréguas.

Executar contra eles a sentença. O salmista desejava que os inimigos de Israel recebessem juízos divinos como os que sobrevieram ao Egito e/ou sofressem invasões e cativeiro como tinha acontecido com os filhos de Israel. Obviamente, o poeta sacro desejava que a própria nação de Israel fosse escolhida por Yahweh como instrumento da vingança, para executar o juízo apropriado contra homens insolentes. Os vss. 6-8 mostram que as imprecações incluíam o desejo de que *Israel* tomasse parte na concretização dos julgamentos divinos. Este versículo confirma o desejo.

O que será honra para todos os seus santos. Israel, como instrumento de justiça da parte de Yahweh, seria assim honrado por ter sido escolhido para tal tarefa. "Eles seriam apoiados, defendidos e salvos pelo Senhor. Israel tinha essa honra e tais vitórias sobre os seus adversários, ao mesmo tempo que continuasse a ser fiel a seu Deus" (Adam Clarke, *in loc.*).

A linha final transforma-se em uma profecia, na opinião de alguns. "Essa *honra,* ou seja, o privilégio de compartilhar com o Senhor o julgamento do mundo (Dn 7.22; Lc 22.29,30; Ap 3.21 e 20.4). Essa será a sua honra coroadora" (Fausset, *in loc.*).

Este versículo tem sido cristianizado para indicar a espada de dois gumes de Cristo, que divide os homens, salvando alguns e condenando outros (ver Hb 4.12 e Ap 1.16).

SALMO CENTO E CINQUENTA

Quanto a *informações gerais* que se aplicam a todos os salmos, ver a introdução ao Salmo 4, onde apresento *sete* comentários que elucidam a natureza do livro. Quanto a *classes* dos salmos, ver o gráfico no início do comentário, que atua como uma espécie de frontispício do saltério. Ofereço ali dezessete classes e listo os salmos pertencentes a cada uma delas.

Este salmo é a *doxologia* de encerramento do saltério inteiro. Cada um dos cinco livros dos salmos se encerra com uma breve doxologia. Ver livro 1 (Sl 41.13); livro 2 (Sl 72.19); livro 3 (Sl 89.52); livro 4 (Sl 106.58); livro 5 (todo o Sl 150). Os últimos cinco salmos (alguns falam em seis) são salmos de aleluia. Foram colocados no fim do saltério para criar um término apropriado para o livro de Salmos. Então vem o Salmo 150, que é o *final* do hinário de louvores de Israel. Os últimos seis salmos contam com 46 jubilosos *aleluias*. O Salmo 150 tem treze exortações para que se louve a Yahweh, isto é, treze convites para que se clame o *aleluia!* Tal como os quatro salmos anteriores, o Salmo 150 começa e termina com essa exortação, mas diferentemente do grupo anterior cada versículo contém essa exortação. Somente outro salmo da coletânea de 150 é apenas uma *doxologia*, ou seja, o Salmo 117.

Este salmo responde a quatro perguntas: 1. *Onde* Yahweh deveria ser louvado (vs. 1)? 2. *Por que* Yahweh devia ser louvado (vs. 2)? 3. *Como* Yahweh devia ser louvado (vss. 3-5)? 4. *Quem* deveria louvar a Yahweh (vs. 6)?

Subtítulo. Os últimos *cinco* salmos do saltério não contam com anotações ou títulos. Quanto a essa circunstância, ver as notas de introdução ao Salmo 91, sob *Subtítulo*.

"Por causa da poderosa excelência de suas obras, o salmista convocou o povo a louvar o Senhor no santuário de Jerusalém, acompanhados por toda espécie de instrumentos musicais" (Allen P. Ross, *in loc.*). Note o leitor o uso da *trombeta,* um instrumento musical usado somente pelos sacerdotes de Israel. Os outros instrumentos podiam ser usados apenas pelos levitas que não eram sacerdotes. Essa distinção entre os dois tipos de levitas poderia indicar uma data posterior, isto é, pós-exílica, para esta doxologia final. Este salmo pode ter sido composto tendo em vista dar um fim apropriado ao saltério, ou então o Salmo 150 já existia e foi aproveitado porquanto bem servia a esse propósito.

ONDE YAHWEH DEVE SER LOUVADO (150.1)

150.1

הַלְלוּ יָהּ הַלְלוּ־אֵל בְּקָדְשׁוֹ הַלְלוּהוּ בִּרְקִיעַ עֻזּוֹ׃

Aleluia! Louvai a Deus no seu santuário. Por *treze* vezes o salmista expediu a convocação para os israelitas louvarem a Deus.

1. *Yahweh*, o Deus eterno, deve ser louvado. Ele é o Criador e benfeitor de toda vida e merece os *aleluias* de todos os anjos, homens, criaturas sem razão e coisas inanimadas (conforme se vê em Sl 148).
2. *Elohim*, o Deus Todo-poderoso, o *poder,* deve ser louvado por causa de todo o seu poder e suas obras beneficentes, começando pela criação e então através de sua providência diária.
3. *Onde* Yahweh deve ser louvado? Yahweh-Elohim deve ser louvado em *seu santuário, o templo,* o lugar onde ele manifesta a sua presença. Esse templo era uma cópia do templo celestial, pelo que, por extensão, ele também deveria ser louvado. Ele deve ser louvado *no firmamento do seu poder,* uma referência geral aos *céus,* o santuário divino de Deus, em contraste com o santuário terrestre. Isso significa que tanto os anjos (lá no alto) quanto os homens (cá embaixo) devem bradar o aleluia em honra ao Senhor. Cf. Sl 19.1 e Gn 1.8. "Terra e céu são convocados a elevar a voz em louvor" (William R. Taylor, *in loc.*).

Por aplicação, devemos tomar consciência de que qualquer lugar pode ser um santuário de Deus, onde o Senhor manifesta sua presença. Isto posto, qualquer lugar pode ser apropriado para louvar a Deus.

Pois tu não estás limitado dentro de muros,
Mas habitas na mente humilde.

William Cowper

Por isso mesmo, cada crente individual é templo do Espírito Santo (ver 1Co 6.19), como também o é a igreja (Ef 2.20 ss.).

Quanto ao céu como habitação de Deus, ver Sl 11.4 e 102.19. Ver também Sl 88.33,34 e 19.1.

Inspiração para o Louvor. Louvamos a Yahweh-Elohim (vs. 2) por causa de sua *grandeza extraordinária*, inerente à sua Pessoa, com todos os seus atributos e perfeições, e porque essas coisas trabalham em favor do homem. "Louvado seja aquele cujo poder e bondade se ampliam por todos os mundos. Os habitantes daqueles mundos compartilham o grande coro, pelo que pode ser absolutamente universal" (Adam Clarke, *in loc.*).

POR QUE YAHWEH DEVE SER LOUVADO (150.2)

■ 150.2

הַלְלוּהוּ בִגְבוּרֹתָיו הַלְלוּהוּ כְּרֹב גֻּדְלוֹ:

Louvai-o pelos seus poderosos feitos. Neste versículo, o autor sagrado continua com suas *treze* convocações ao louvor.

4. Yahweh-Elohim deve ser louvado *por causa* de seus atos poderosos, começando pela criação e estendendo-se a toda a sua providência em benefício do homem. Sua *notável grandeza* é posta a funcionar para fazer toda espécie de coisas por todas as suas criaturas, como anjos, homens e os inúmeros animais da terra (ver Sl 148). Ver no *Dicionário* o artigo intitulado *Providência de Deus*. Toda a criação é *inspirada ao louvor*, por causa da "abundância de sua grandeza" (literalmente compreendida no original hebraico), isto é, sua grandeza e poder inerente, porque ele é Elohim (o Poder). A grandeza de sua pessoa opera poderosas e beneficentes obras na criação. Nossos louvores devem equiparar-se, em algum grau, às grandiosas obras da criação.

5. *Yahweh-Elohim* deve ser louvado porque sua grandeza inerente é também uma grandeza manifesta. Ele e suas obras são excelentes, e os resultados são excelentes, tal como a criação original foi chamada *boa* (ver Gn 1.4,10,12,18,21,25,31) e até mesmo *muito boa*, conforme diz a última referência dada.

Cf. Sl 145.5,6 e 147.13. Ver também Dt 3.24.

Este versículo tem sido cristianizado para indicar a obra remidora de Cristo, a qual leva todos os homens a agradecer e clamar o aleluia por causa da salvação, que, para o homem, é a *boa obra* final.

■ 150.3

הַלְלוּהוּ בְּתֵקַע שׁוֹפָר הַלְלוּהוּ בְּנֵבֶל וְכִנּוֹר:

Louvai-o ao som da trombeta. O autor continua aqui com suas *treze* convocações para o louvor.

6. Os *sacerdotes* (levitas aarônicos) foram convocados a trazer suas *trombetas* para destacar o hino de aleluia. Somente os sacerdotes tinham permissão de tocar trombetas. Eles tomam a liderança na realização do hino, e aprendemos que este salmo era um hino litúrgico.

Os Instrumentos Musicais e seus Músicos. 1. A trombeta soprada pelos sacerdotes (vs. 3). 2. Os levitas músicos tocavam o saltério e a harpa (vs. 3). 3. Os leigos, tanto homens quanto mulheres, juntavam-se aos cânticos e ao toque de alguns instrumentos, como o adufe, a flauta e os címbalos (vss. 4,5). Foi assim que uma *participação universal* ocorria nos cânticos, no toque de instrumentos e nas danças (vs. 4).

7. Os *levitas musicais* (não aarônicos, treinados profissionalmente; 1Cr 25) também foram convocados a clamar o aleluia e a acompanhar o hino de louvor. Eles tocavam o saltério e a harpa e tinham habilidades profissionais como músicos. Assim eles proviam a "boa música" dos eventos, enquanto outros provavelmente adicionavam ruídos jubilosos.

Ver no *Dicionário* o artigo chamado *Música (Instrumentos Musicais)*, onde ofereço uma breve descrição dos instrumentos musicais mencionados na Bíblia, até onde nosso conhecimento permite determinar.

■ 150.4

הַלְלוּהוּ בְתֹף וּמָחוֹל הַלְלוּהוּ בְּמִנִּים וְעוּגָב:

Louvai-o com adufes e danças. O salmista continua aqui com suas *treze* convocações para as pessoas louvarem a Deus.

8. Os *leigos* juntaram-se na realização do hino de louvor e foram convocados a tanto pelo poeta sagrado. Os leigos tocavam o *adufe* ou *dançavam*.

9. Outros *leigos* usavam instrumentos de cordas ou a flauta. E também faziam parte do grupo de dançarinos. Esse grupo também chamava para dar louvores.

■ 150.5

הַלְלוּהוּ בְצִלְצְלֵי־שָׁמַע הַלְלוּהוּ בְּצִלְצְלֵי תְרוּעָה:

Louvai-o com címbalos sonoros. O autor sagrado continua aqui com suas *treze* convocações para que as pessoas dessem louvores a Yahweh.

10. Ainda outros dentre os leigos ouviriam a convocação para juntar-se ao hino de louvor. Esses tocavam *címbalos sonoros*, ajudavam no ritmo para as danças, e podemos estar certos de que, quando tocavam esses instrumentos ruidosos, estavam meneando, soltando gritos, cantando e bradando aleluias.

11. Ainda outros leigos tocavam *címbalos retumbantes*. Um amigo judeu observou de certa feita que os judeus são um povo de cânticos e de danças, e os versículos do salmo presente comprovam esse fato. O ruído deve ter sido ensurdecedor. "O volume de som aumentava em um grande crescendo" (William R. Taylor, *in loc.*). Esses tocadores barulhentos também foram convocados a juntar-se aos louvores.

■ 150.6

כֹּל הַנְּשָׁמָה תְּהַלֵּל יָהּ הַלְלוּ־יָהּ:

Todo ser que respira louve ao Senhor. O autor termina neste versículo suas *treze* convocações para que a comunidade de Israel louve a Yahweh.

12. Agora a convocação para os israelitas se alegrarem e gritarem os aleluias é *universalizada*, tal como aconteceu no Salmo 148. "Todo ser que respira" devia unir-se no hino de louvores a Deus. Todas as criaturas vivas, humanas e animais, são convidadas a participar dos louvores. Supomos que, embora tenham sido deixados de fora da décima segunda convocação, os anjos devam ser incluídos na convocação final. A Vulgata Latina, valendo-se do fato de que *respiração* e *espírito* são a mesma palavra no hebraico, incluiu os anjos nos louvores neste ponto.

Louvado seja o Deus da nossa salvação!
Hostes celestiais, seu poder proclamai.
Céus e terra, e toda a sua criação,
Louvai e magnificai o seu Nome!

13. Finalmente, chegamos ao *aleluia de conclusão*, não somente do Salmo 150, mas do saltério inteiro, bem como o quadragésimo sexto aleluia dos seis salmos finais (145 a 150). Consideramos esta convocação final ao louvor, a décima terceira deste salmo, *absolutamente universal* em seu escopo, tal como encontramos no Salmo 148, incluindo todas as criaturas vivas, o reino vegetal, as hostes celestiais e até as coisas inanimadas. "Há música nas folhas, na árvore farfalhante; sim, até nos oceanos, por cruel que isso pareça ser" (W. H. Davies). "O amor remidor tem sido o meu tempo, e assim será até a minha morte" (William Cowper). "Aleluia! Salvação, glória, honra e poder sejam ao Senhor nosso Deus. Aleluia! Reina o Senhor Deus onipotente. Amém" (Fausset, *in loc.*).

Este versículo tem sido cristianizado para aplicar-se às realizações da missão de Cristo, em favor de quem o aleluia final deve ser clamado.

"Muito apropriadamente, este último versículo do saltério inclui um convite para todas as coisas vivas... louvarem o Senhor. E então o livro de Salmos se encerra com o aleluia final!" (Allen P. Ross, *in loc.*).

Este magnificente livro poético, que constitui cerca da décima parte do Antigo Testamento, é o livro mais citado no Novo Testamento.

Epicteto, terrivelmente aleijado, queixou-se de que, na realidade, a vida dele era uma *existência etérea,* tropeçando sob o peso de um cadáver (seu corpo). Por outro lado, ele percebia que não deveria permitir que uma *perna miserável* arruinasse seu contentamento. E ele continuou (*Discursos,* I.16):

> Que mais posso fazer, eu, que sou um aleijado, um homem idoso, a não ser cantar louvores a Deus? Ora, se eu fosse um rouxinol, estaria cantando as canções de um rouxinol, ou, se fosse um cisne, estaria cantando as canções de um cisne. Mas sendo um homem dotado de razão, é meu dever entoar hinos a Deus. Essa é a minha tarefa, e eu a cumpro.

O salmista levou a questão mais adiante e fez o rouxinol e o cisne entoar louvores a Deus, porquanto seu convite é *universal.*

> Ele enfeixou o mundo inteiro nas mãos,
> Uma Luz, um Sol,
> Um único sol iluminando a todos.
> Um mundo girando
> Um mundo girando para todos.
>
> Ele enfeixou o mundo inteiro nas mãos,
> Um mundo, um lar,
> Um único lar mundial para todos.
> Um sonho, uma canção,
> Uma canção ouvida por todos.
>
> Ele enfeixou o mundo inteiro nas mãos,
> Um Amor, um só Coração,
> Um Coração aquecendo a todos.
> Uma Esperança, uma Alegria,
> Um Amor preenchendo a todos.

Tenho uma razão especial para bradar o alegre *Aleluia*, porque hoje, 21 de dezembro de 1996, um dia antes de meu sexagésimo terceiro aniversário natalício, tive as forças e o privilégio de completar a exposição dos Salmos. Estou esperando com confiança que, não dentro de muito tempo, adicionarei minha nota de agradecimento por haver completado a exposição de Ml 4.6, ou seja, por ter encerrado o comentário de todo o Antigo Testamento. Peço ao Senhor a força e a glória para completar a jornada.

PROVÉRBIOS

O livro que promove a sabedoria

> *Provérbios de Salomão,*
> *filho de Davi, o rei de Israel:*
> *para aprender a sabedoria*
> *e o ensino.*
>
> Provérbios 1.1,2

31	Capítulos
915	Versículos

INTRODUÇÃO

ESBOÇO

1. A Palavra e suas Definições
2. A Natureza dos Provérbios
3. Os Provérbios da Bíblia
4. Os Provérbios como Fenômeno Verbal e da Literatura Universal

1. A PALAVRA E SUAS DEFINIÇÕES

Essa palavra vem do latim, *proverbium*, formada por *pro*, "antes", e *verbum*, "Palavra". Seu sentido é algumas vezes expresso por algumas poucas palavras, precisas e coloridas. O latim, *pro*, pode ter o sentido de "de acordo com", ou "através de", e talvez essa seja a força desse prefixo, nessa palavra. No hebraico, o vocábulo correspondente é *mashal*, "ser semelhante", o que salienta o valor dos provérbios para a feitura de comparações e observações sutis e inteligentes.

2. A NATUREZA DOS PROVÉRBIOS

Um provérbio é uma declaração expressiva, incisiva e concisa, embora com o intuito de transmitir um pensamento novo ou importante. Pode ser uma declaração enigmática ou uma máxima, como se fosse uma minúscula parábola ou símile. Os seus sinônimos são aforismo, máxima, mote, preceito, símile. No Oriente, os provérbios usualmente incluem comparações, uma espécie de observação aguda e condensada. Um provérbio também pode ser uma "declaração enigmática", que requer meditação e análise para que possa ser definida ou compreendida. É o caso de Pv 17.3, que diz: "O crisol prova a prata, e o forno o ouro; mas aos corações prova o Senhor". Pode-se comparar esse provérbio com um outro, que lhe é similar, em Ml 3.3. O trecho de Pv 1.17 é outro exemplo que requer reflexão demorada: "Pois debalde se estende a rede à vista de qualquer ave".

3. OS PROVÉRBIOS DA BÍBLIA

Podemos encontrar os provérbios espalhados pela Bíblia inteira; mas o *Livro de Provérbios* é uma espécie de coletânea principal de provérbios, atribuídos a Salomão. Os trechos de 1Sm 10.11; 19.24; 24.13 também contêm declarações proverbiais. Outros exemplos são: Jr 31.29 e Ez 18.2. Jó, sendo um livro poético, naturalmente encerra muitos provérbios. A passagem de Jó 28.28 é bem conhecida que o temor do Senhor é a sabedoria, e o apartar-se do mal é o entendimento". Esse provérbio, em uma forma modificada, reaparece no livro de Provérbios (1.7), como uma espécie de provérbio principal, que determina o espírito do livro inteiro.

A presença de provérbios em Dt 28.15 ss e vs. 37 mostra-nos que este uso é bastante antigo na cultura hebréia. Um povo desobediente é ameaçado de vir a tornar-se um provérbio.

A passagem de Sl 69.10,11 serve-nos de exemplo da maneira como são apresentados os provérbios. Um indivíduo, humilhado e em estado aviltado, torna-se um provérbio para outras pessoas.

No Novo Testamento, há duas palavras gregas que são usadas e que podem ser traduzidas por "provérbio": *parabolé*, como em Lc 4.23; e *paroimia*, como em Jo 6.25,29 e 2Pe 2.22.

Figuras de linguagem, expressões vívidas ou declarações enigmáticas podem estar envolvidas nesses vocábulos. Jesus empregou provérbios, em seu ensino, como aquele de Lc 4.23: "Médico, cura-te a ti mesmo". Esse provérbio pode ser confrontado com Jo 16.25,39. Ver também Mt 6.21 e Jo 12.24. Paulo falou em amontoar brasas vivas sobre a cabeça de alguém (ver Rm 12.20). E o trecho de 1Co 15.33 contém um significado provérbio, tomado por empréstimo do poeta grego Menandro: "As más conversas corrompem os bons costumes". Outros provérbios de Paulo acham-se em 1Co 14.8: "Pois também se a trombeta der som incerto, quem se preparará para a batalha?"; e Tt 1.15: "Todas as cousas são puras para os puros; todavia, para os impuros e descrentes, nada é puro". E Tt 1.12 tem outro provérbio, citação do poeta grego Epimênides: "Cretenses, sempre mentirosos, feras terríveis, ventres preguiçosos". Também podemos citar 1Tm 6.10: "Porque o amor ao dinheiro é a raiz de todos os males", um provérbio universalmente conhecido.

Provavelmente também poderíamos catalogar como proverbial a declaração de Tg 2.26: "Porque assim como o corpo sem espírito é morto, assim também a fé sem obras é morta". Outra dessas declarações é a de Tg 1.22: "Tomai-vos, pois, praticantes da palavra, e não somente ouvintes, enganando-vos a vós mesmos". Por sua vez, Pedro nos ofereceu um excelente provérbio, quando escreveu: "...o amor cobre multidão de pecados" (1Pe 4.8). E a afirmação que se lê em 2Pe 2.22: "O cão voltou ao seu próprio vômito; e a porca lavada voltou a revolver-se no lamaçal", é chamada de "adágio verdadeiro", por esse apóstolo. A primeira parte dessa afirmação vem de Pv 26.11; mas não se conhece a fonte originária da segunda parte.

Certas declarações de Jesus, feitas como se fossem provérbios, expõem diante de nós a essência da esperança do evangelho: "...conhecereis a verdade e a verdade vos libertará" (Jo 8.32); e: "Se, pois, o Filho vos libertar, verdadeiramente sereis livres" (Jo 8.36).

4. OS PROVÉRBIOS COMO FENÔMENO VERBAL E DA LITERATURA UNIVERSAL

Antes da escrita haver sido inventada, os provérbios circulavam sob forma verbal. A literatura de todos os povos revela que tal costume era universal. A literatura antiga dos sumérios, dos babilônios, dos egípcios, dos gregos e dos romanos contém provérbios, o que também pode ser dito acerca dos chineses, dos celtas, e de outros povos. Provérbios populares acabaram se tornando provérbios literários. As religiões também têm lançado mão dos provérbios. Os provérbios são especialmente úteis no ensino de princípios éticos, e para exprimir expressões de bom senso. São excelentes instrumentos didáticos.

No hebraico, *mashal*, "símile", "comparação", um substantivo que ocorre 38 vezes nas páginas do Antigo Testamento, conforme se vê, por exemplo, em Nm 21.27; Dt 28.37; 1Sm 10.12; 24.13; 1Rs 4.32; 9.7; 2Cr 7.20; Sl 69.11; Pv 1.1,6; 10.1; 25.1; Ec 12.9; Is 14.4; Jr 24.9; Ez 12.22,23; 14.8; 16.44; 18.2,3. Na Septuaginta, *paroimía* é palavra grega que significa "comparação", com base em uma raiz verbal que tem o sentido de "ser semelhante", "ser paralelo" (cf. Gn 10.9; Pv 10.26). No Novo Testamento, *parabolé*, palavra grega que significa "posto ao lado", "comparação", "ilustração", um vocábulo empregado cinquenta vezes: Mt 13.3,10,13,18,23,31,33,34; 13.35 (citando Sl 78.2); 13.36,53; 15.15; 21.33,45; 22.1; 24.32; Mc 3.23; 4.2,10,11,13,30,33,34; 7.17; 12.1,12; 13.28; Lc 4.23; 5.36; 6.39; 8.4,9-11; 12.16,41; 13.6; 14.7; 14.3; 18.1,9; 19.11; 20.9,19; 21.29; Hb 9.9; 11.19. O nome do livro, em hebraico, é *misle selomoh*, "provérbios de Salomão".

O termo hebraico *mashal* teve seu sentido ampliado para cobrir também outras formas de discurso, como o oráculo de Balaão (Nm 24.15), os cânticos de zombaria (Is 14.4; Hc 2.6) e as alegorias, que são extensas comparações (Ez 17.2; 20.49; 24.3). Alguns estudiosos pensam que esse vocábulo hebraico vem da raiz que significa "governar", porquanto *mashal* realmente "cria novas situações", segundo disse um deles (Gemser, Spruche Salomos, pág. 7). Outra sugestão no tocante à origem da palavra é aquela que diz que esse termo vem do assírio, *mishlu*, "metade", referindo-se ao fato de que um provérbio típico consiste em duas metades postas em paralelismo. Entretanto, o mais provável é mesmo que este vocábulo hebraico, em seu sentido mais restrito de "comparação", por sinédoque, acabou sendo usado para indicar vários tipos de literatura de sabedoria, como aqueles que aparecem coletados no livro canônico de Provérbios.

ESBOÇO:

I. Pano de Fundo
II. Unidade do Livro
III. Autoria
IV. Data
   A. Seção I
   B. Seção II

C. Seções III e IV
D. Seção V
E. Seções VI, VII e VIII
V. Lugar de Origem e Destinatários
VI. Propósito do Livro
VII. Canonicidade
VIII. Estado do Texto
IX. Problemas Especiais
  A. A Figura da Sabedoria
  B. Relação entre Provérbios e a Sabedoria de Amenemope
    1. O documento egípcio
    2. Relações léxicas
X. Conteúdo e Esboço do Livro
  A. Conteúdo
    1. Gêneros literários
    2. Assunto
  B. Esboço
XI. Teologia do Livro
XII. Bibliografia

I. PANO DE FUNDO

Sem importar se a autoria salomônica é aceita ou não, pode-se facilmente concordar que o pano de fundo do livro de Provérbios parece ter sido a corte real em Jerusalém. Embora a literatura de *sabedoria* (ver a respeito no *Dicionário*), no antigo Oriente Próximo, seja anterior ao livro de Provérbios, por mais de mil anos, aquela forma particular de instruções, endereçadas ao "meu filho", parece-se mais com certas obras literárias egípcias, como *As Instruções de Ptahotepe; As Instruções de Mari-ka-Ré; As Instruções de Amem-en-hete* e *As Instruções de Ani*. O casamento de Salomão com a filha do Faraó pode ter conduzido esse grande rei israelita a interessar-se por esse tipo de instruções.

Características literárias individuais, como a *mashel*, o padrão X, X + 1 e os longos discursos encadeados encontram paralelos na literatura semítica anterior. Assim sendo, o livro de Provérbios deve ter atraído os leitores já familiarizados com aquela forma literária.

Muitos críticos modernos têm negado aos hebreus uma mente verdadeiramente filosófica, a qual caracterizaria mais os gregos. Assim, na opinião desses críticos, os israelitas prefeririam depender das diretas revelações dadas do Alto, em vez de ficarem a pensar à moda dos filósofos gregos, que criavam sistemas com base em conceitos. Essa crítica, porém, leva em conta somente uma das facetas da mente dos hebreus. Outra faceta dessa mesma mentalidade mostra-nos que o povo israelita, tal e qual qualquer outro, sabia confiar nos méritos de uma filosofia humana autêntica. A grande diferença, porém, é que os hebreus não apreciavam a filosofia especulativa, que fica a imaginar como os mundos e os seus problemas teriam sido criados; antes, eles prefeririam olhar para uma orientação prática na vida. E isso faziam de maneira intuitiva e analógica, e não em resultado de raciocínios dialéticos. Isto explica por que os hebreus davam a essa forma de pensamento o nome de "sabedoria", porquanto, na busca pela solução diante dos problemas morais do homem, diante da vida, eles demonstravam muito mais amor pela sabedoria prática do que pelas especulações filosóficas.

Em vista disso, o livro de Provérbios, começando com máximas isoladas acerca dos elementos básicos da conduta humana, revela, de muitas maneiras sugestivas, que os seus autores (ver sobre *Autoria*, seção III) cada vez mais se aproximavam, em suas apresentações, de uma postura filosófica. No mínimo pode-se afirmar que eles tinham uma filosofia em formação. Esse desdobramento pode ser visto até mesmo na maneira como o vocábulo hebraico *mashal* foi sendo cada vez mais usado com maior amplitude de significação, ao que já tivemos ocasião de referir-nos.

A *mashal*, em seus primeiros usos, era de natureza antitética, contrastando dois aspectos da verdade, de tal modo que o pensamento ali mesmo se completava, nada mais restando ao autor senão passar para algum outro assunto. Isso produzia o bom efeito de pôr em contraste os grandes antagonismos fundamentais da existência humana neste mundo: a retidão e a iniquidade; a obediência e o desregramento; a industriosidade e a preguiça; a prudência e a presunção etc., o que analisava, mediante contrastes, a conduta do indivíduo e dos homens em sociedade. Entretanto, a partir do momento em que começam a prevalecer as *mashalim* ilustrativas e sinônimas, o estudioso toma consciência da maior penetração e ampliação do alcance do pensamento, porquanto começam a aparecer distinções mais sutis e descobertas mais remotas, e as analogias que ali se veem passam a exibir uma relação menos direta entre causas e efeitos. E então, avançando ainda mais no livro de Provérbios, especialmente quando atinge a seção transcrita pelos "homens de Ezequias, rei de Judá" (caps. 25—29), o leitor pode notar que cada vez mais se usa do artifício literário dos paradoxos e dos dilemas. Além disso, a *mashal* amplia-se, ultrapassando a mera comparação entre dois contrastes. Tudo isto, apesar de não ser ainda uma filosofia autoconsciente, chega a ser um passo decisivo nessa direção.

Um pressuposto básico dos escritores do livro de Provérbios é que a sabedoria e a retidão são idênticas, e a iniquidade mesmo é uma espécie de insensatez. Isso é um ponto tão pronunciado no livro que chega mesmo a ser axiomático, emprestando ao volume o seu colorido todo especial. Isso transparece logo no primeiro provérbio, após as considerações iniciais sobre o filho sábio. Lemos ali: "Os tesouros da impiedade de nada aproveitam; mas a justiça livra da morte" (Pv 10.2). Com base nesse pressuposto básico, vêm à tona outros princípios não menos axiomáticos: a fonte de uma vida caracterizada pele sabedoria é o temor a Yahweh; quem quiser ser sábio precisa ter uma mente disposta a aprender a instrução, e a atitude contrária é própria da perversidade; sábio é aquele que não se deixa impressionar pelas vantagens passageiras obtidas pelos ímpios, ao passo que o insensato não percebe as vantagens da verdadeira sabedoria, o temor ao Senhor. Esses princípios são constantemente reiterados no livro de Provérbios, não de forma sistemática, mas iluminando numerosos aspectos e aplicações às questões práticas da vida. O princípio que mostra que as más obras trazem em si mesmas as sementes da destruição, ao passo que o bem arrasta após si as bênçãos divinas, é um dos conceitos fundamentais do qual emergiu toda a filosofia de sabedoria dos hebreus.

De fato, essa capacidade de mostrar sagacidade nos pensamentos e nos conselhos, reduzindo-os a máximas ou parábolas, foi sempre tão admirada entre os israelitas que, desde antes de Salomão, os seus possuidores tornavam-se líderes naturais, bem reputados na comunidade de Israel. Cf. 2Sm 14.2 e 20.16. E quem demonstrou maior habilidade, quanto a isso, do que o próprio Salomão? Não somente casos difíceis lhe eram trazidos para solução (ver 1Rs 3.16-28), como também lhe eram apresentadas questões complicadas, para que ele fornecesse resposta (ver 1Rs 10.1,6,7). Portanto, foi com base no reconhecimento de que há homens dotados de tremenda sagacidade mental, capazes de aplicar esta habilidade às questões práticas da vida, que surgiu a literatura de sabedoria, incluindo o livro de Provérbios.

II. UNIDADE DO LIVRO

Visto que o próprio livro declara que se trata de uma coletânea, a sua unidade não depende de sua autoria. Antes, essa unidade encontra-se na natureza geral do seu conteúdo, os provérbios, declarações sucintas ou um pouco mais longas que exibem profunda sabedoria prática, aplicável à conduta diária dos homens. A obra pertence à categoria geral da literatura de *sabedoria* (ver a respeito no *Dicionário*), exaltando as virtudes da sabedoria (sob a forma de retidão) e condenando os vícios da insensatez (sob a forma de falta de temor a Deus).

III. AUTORIA

Tradicionalmente, o volume maior do livro de Provérbios tem sido atribuído a Salomão, filho de Davi e rei de Israel (cf. Pv 1.1; 10.1; 25.1). Entretanto, o próprio livro de Provérbios menciona dois outros autores, a saber: Agur (30.1) e Lemuel (31.1). Quanto a esta questão, existem duas posições extremadas, a saber: 1. Salomão escreveu o livro inteiro de Provérbios; ou 2. Ele não teve nenhuma conexão direta com a obra (excetuando que ele é o "autor tradicional" e patrono da literatura de sabedoria). Um terceiro ponto de vista, que ocupa posição intermediária e está mais em consonância com o próprio testemunho bíblico, é aquele que diz que Salomão foi o autor da maior parte do volume do livro de Provérbios, à qual foram acrescentadas as obras de outros autores. Assim, é apenas uma meia verdade aquela que diz que o livro de Provérbios não teve "pai", segundo afirmam alguns estudiosos. Pois, apesar de as declarações de sabedoria geralmente se originarem entre pessoas do povo comum, alguém foi o primeiro indivíduo a fazer essas declarações em uma linguagem epigramática. Essa ideia é confirmada por nada menos de três vezes no volume do livro. Vejamos: "Provérbios de Salomão, filho de Davi, o rei de Israel" (1.1); "Provérbios de Salomão..." (10.1; que em nossa versão portuguesa aparece como título, o que é um erro, pois faz parte do texto sagrado); e também "São também estes provérbios de Salomão, os quais transcreveram os homens de Ezequias, rei de Judá" (25.1). Por que duvidar do próprio testemunho bíblico? Todavia, essa última passagem citada indica que Salomão não reunira todos os seus provérbios, formando um único volume. Antes, ele deixara muitos de seus provérbios dispersos, que os copistas de Ezequias coligiram. Se juntarmos a isso as palavras de Agur e de Lemuel, teremos o que é hoje o nosso livro de Provérbios.

Uma tola objeção à autoria salomônica é aquela que assevera que Salomão não era praticante das virtudes inculcadas no livro de Provérbios; cf., por exemplo, Pv 7.6-23, que alguns pensam não refletir a vida de Salomão, porque ele teria tido um imenso número de mulheres e concubinas (ver 1Rs 11.3, que diz: "Tinha [Salomão] setecentas mulheres, princesas, e trezentas concubinas; e suas mulheres lhe perverteram o coração"). Tal objeção, entretanto, olvida-se de que uma coisa é escrever obras de sabedoria, e outra, inteiramente diferente, é viver de maneira sábia. Um homem pode trair os seus próprios princípios!

A narrativa sobre a vida de Salomão em 1Rs caps. 3, 4 e 10 (ver, especialmente, 1Rs 4.30-34 e 2Cr 9.1-24) dá a entender a sabedoria e a versatilidade inigualáveis de Salomão, na composição de afirmações de sabedoria.

Por igual modo, a afirmação de que os subtítulos (ver 1.1; 10.1 e 25.1) seriam meramente honoríficos, não correspondendo à realidade da autoria salomônica, não faz justiça a Salomão. Mesmo que os subtítulos em 1.1 e 10.1 mostrem que pessoas posteriores compilaram provérbios esparsos de Salomão, nem por isso se negaria realmente a autoria salomônica. Os compiladores não foram autores. Eles compilaram o que já existia, e o que já existia era saído da pena de Salomão. Além disso, o argumento que diz que as repetições, em duas seções diferentes do livro de Provérbios, ou mesmo em uma de suas seções, elimina uma única autoria, esquece o fato de que os autores muitas vezes repetem o que dizem, e que os editores ou compiladores tinham por costume reter passagens duplicadas, conforme se vê, por exemplo, nos casos de Sl 14.1 e 53.1.

A questão da autoria do trecho de Pv 22.17—24.34 está vinculada ao problema da relação entre essa seção e a obra *A Sabedoria de Amenemope*, o que é ventilado mais adiante. Durante as discussões e controvérsias que houve entre os judeus do século I d.C., acerca do cânon do Antigo Testamento, o livro de Provérbios foi classificado, juntamente com os livros de Eclesiastes e de Cantares de Salomão, como "salomônico", conforme se aprende em *Shabbat* 30b. O livro de Provérbios, conforme existe em nossos dias, deve ter tomado esta forma após os dias do rei Ezequias (ver Pv 25.1), isto é, após 687 a.C. De fato, Fritsch (IB, quarto volume, pág. 775) pensa que a forma final pode ter sido alcançada somente por volta de 400 a.C. Outros asseveram que a coletânea final (incluindo as palavras de Agur e de Lemuel) deve ter sido feita em algum tempo entre os dias do rei Ezequias e o começo do período pós-exílico, o que daria, mais ou menos, o mesmo resultado.

Alguns estudiosos modernos, de tendências liberais, observam que devem ser levadas em conta as "palavras dos sábios" referidas em Pv 22.17 e 24.23. Para eles, isso representa mais alguns autores, embora anônimos. Entretanto, não é absolutamente necessário aceitarmos esta opinião. Salomão poderia estar meramente referindo-se a afirmações que antigos sábios haviam feito, mais ou menos de conhecimento geral em sua geração, às quais, agora, ele emprestava uma forma epigramática. É muito melhor ficarmos com a ideia da autoria salomônica, claramente declarada no próprio livro de Provérbios por três vezes, conforme já tivemos ocasião de verificar, do que imaginar uma multiplicidade de autores, segundo o sabor da alta crítica, que sempre quer exibir erudição multiplicando autores e atribuindo aos livros da Bíblia uma data posterior à qual eles realmente pertencem.

IV. DATA

Duas questões diferentes estão envolvidas no problema da data do livro de Provérbios, a saber: a data em que cada seção do livro foi escrita (ver a seguir quanto às "seções" do livro); e, então, a data em que foi feita a "coletânea" ou "editoração" das várias seções, a fim de formar um único volume (rolo), naquilo que hoje conhecemos como o livro de Provérbios. Os eruditos conservadores seguem o ponto de vista tradicional da autoria salomônica do livro inteiro, excetuando os capítulos 30 (de Agur) e 31 (de Lemuel). Isto posto, eles datam o volume maior do livro como pertencente ao século X a.C., provavelmente dos últimos anos do reinado de Salomão. A coletânea das várias seções, por sua vez, é datada variegadamente, pelos mesmos estudiosos conservadores, entre 700 a.C. e 400 a.C.

A paz e a prosperidade que caracterizaram o período de governo de Salomão ajustam-se bem ao desenvolvimento de uma sabedoria reflexiva e à produção de obras literárias desta natureza. Outrossim, vários especialistas observam que as trinta declarações dos sábios, em 22.17—24.22, contêm similaridades com as trinta seções da "Sabedoria de Amenemope", produzidas no Egito, e que eram mais ou menos contemporâneas à época de Salomão. Por semelhante modo, a personificação da sabedoria, tão proeminente nos caps. 1—9 (ver 1.20; 3.15-18; 8.1-36), pode ser comparada com a personificação de ideias abstratas em escritos em egípcios e mesopotâmicos pertencentes ao segundo milênio a.C.

O papel desempenhado pelos "homens de Ezequias" (ver 25.1) indica que importantes seções do livro de Provérbios foram compiladas e editadas entre 715 e 687 a.C., um período de renovação espiritual encabeçada por aquele monarca judeu. Ezequias demonstrou grande interesse pelos escritos de Davi e de Asafe (2Cr 29.30). Talvez também tivesse sido nesse tempo que foram adicionadas às coleções de provérbios de Salomão as palavras de Agur (cap. 30); de Lemuel (cap. 31); bem como as palavras dos sábios (22.17—24.22; 24.23-34), embora seja perfeitamente possível que o trabalho de compilação se tenha completado após o reinado de Ezequias, conforme também já demos a entender anteriormente.

Os eruditos críticos, por sua vez, rejeitam a autoria salomônica, pelo que datam cada seção do livro de Provérbios separadamente, em geral em datas muito posteriores à data tradicional da escrita e compilação do livro. Isso, por sua vez, leva-os a datar a coletânea inteira no fim do período persa, ou mesmo do período grego. Porém, descobertas arqueológicas e filológicas recentes têm feito alguns desses eruditos abandonar uma data extremamente posterior, o que andava tão em voga na primeira metade do século XX. Entre essas descobertas poderíamos citar o achado de declarações de sabedoria dos cananeus, bem como certos padrões linguísticos cananeus na literatura de Ugarite.

O que é indiscutível é que o livro de Provérbios pode ser dividido em certas seções, conforme se vê abaixo:

A. *Seção I.* Esta seção tem sido datada como passagem relativamente posterior, porquanto supõe-se que foi escrita como uma espécie de introdução para o volume inteiro. Há quem pense que essa primeira seção seja pós-exílica, enquanto outros dizem que a personificação da sabedoria (ver o oitavo capítulo) torna provável uma data dentro do século III a.C. Porém, um terceiro grupo de estudiosos tem demonstrado que essa personificação, ou melhor, hipostatização, é uma das características das religiões mesopotâmica e egípcia. A fórmula numérica de X, X + 1, encontra-se em Pv 6.16-19, ocorrendo também em textos ugaríticos (cf.. Gordon, *Ugaritic Manual*, págs. 34 e 201) do segundo milênio a.C. Albright (*Wisdom in Israel and in the Ancient Near East*) pensa que essa seção é anterior aos *Provérbios de Aicar*, isto é, o século VII a.C. Fritsch segue a tendência de dar uma data bem antiga à obra, ao afirmar que existem fortes influências ugaríticas e fenícias na primeira seção de Provérbios, e que os seus capítulos oitavo e nono compõem "uma das porções mais antigas do livro".

Um exemplo dessa influência ugarítica, que damos aqui como ilustração, é o uso do termo *lahima*, "comer", que só pode ser encontrado por seis vezes no Antigo Testamento, quatro delas no livro de Provérbios. Quando isso é combinado com a opinião de Scott (*Anchor Bible*, "Proverbs", págs. 9, 10), que disse que os capítulos primeiro a nono foram escritos como introdução a uma unidade já existente (isto é, os caps. 10—31), a mais antiga data provável para essa primeira seção faz com que atribuir uma data salomônica para as demais se torne bastante plausível. Entretanto, Scott considera que esta primeira seção do livro é um elemento posterior dentro do livro de Provérbios. O longo discurso desta seção (em contraste com o estilo de aforismas do restante) encontra paralelos na antiga literatura de sabedoria egípcia e acádica. Os aramaísmos ali existentes, ao contrário do que antes alguns supunham, argumentam em favor de uma data mais antiga, e não de uma data mais recente.

B. *Seção II*. Este segmento do livro de Provérbios é considerado salomônico pelos eruditos conservadores, como uma coletânea gradualmente feita, talvez com um núcleo salomônico, que teria atingido seu presente estado no século V ou no século IV a.C. Certo escritor moderno, Paterson, considera que essa é a porção mais antiga do livro de Provérbios.

C. *Seções III e IV*. Estas seções estão envolvidas na questão da dívida literária à *Sabedoria de Amenemope*, que será discutida mais abaixo. A ideia de que esta seção depende muito de uma obra egípcia possibilita uma data entre 1000 e 600 a.C., tudo estando na dependência da data da obra egípcia. Por isso mesmo, Paterson pensa que esta porção é pré-exílica, embora posterior a 700 a.C.

D. *Seção V*. De acordo com o seu subtítulo, esta seção vem da época do rei Ezequias, porém a autoria real pode ter pertencido ao século X a.C.

E. *Seções VI, VII e VIII*. Há uma diferença na colocação destas três seções do livro de Provérbios, entre a *Septuaginta* e o *Texto Massorético* (ver a respeito no *Dicionário*). Por isso mesmo, Paterson pensa que, originalmente, cada uma destas seções corresponde a antigas coleções separadas. À base de alegadas artificialidade, ele as colocou em data posterior. No entanto, a forma acróstica de composição (ver no *Dicionário* sobre *Poemas Acrósticos*), que alguns eruditos modernos consideram um artificialismo, era um método favorito de composição de poemas entre os antigos hebreus. Scott afirma que os poemas acrósticos apareceram muito antes do exílio do século VI a.C. E, visto que a literatura de sabedoria transcendia às fronteiras nacionais, a história política internacional oferece-nos pouca ajuda para fixar alguma data para estas três seções do livro de Provérbios.

V. LUGAR DE ORIGEM E DESTINATÁRIOS
O livro de Provérbios provavelmente originou-se nos círculos palacianos de Jerusalém. As porções salomônicas (excetuando a seção transcrita pelos "homens de Ezequias, rei de Judá"; ver 25.1) podem ter sido registradas pelos escribas desse monarca descendente de Salomão. A essas coletâneas de provérbios, pois, os, escribas reais adicionaram as seções VI—VIII. O seu conteúdo indica que o livro de Provérbios tinha por intuito instruir os filhos das famílias nobres. Assim, embora estas instruções sejam endereçadas frequentemente a "meu filho", estava em pauta uma audiência muito mais ampla. A sabedoria dos sábios destinava-se a "todos" (Paterson, pág. 54).

VI. PROPÓSITOS DO LIVRO
O próprio livro de Provérbios assevera claramente o seu propósito em Pv 1.2-4, ou seja, infundir sabedoria e discrição aos homens, especialmente no caso dos símplices, destituídos de experiência na vida. Lemos no quarto versículo: "... para dar aos simples prudência, e aos jovens conhecimento e bom siso". É perfeitamente exequível que esse também tenha sido o propósito do livro inteiro: orientar os homens na conduta prática diária. Essa sabedoria, esse temor a Yahweh, é algo necessário para a formação de um caráter bem cultivado. A coletânea dos provérbios, pois, serviria de livro de informações útil para estudos públicos ou privados. Os provérbios inculcam a moralidade pessoal, além de um direto "bom senso". Paterson conseguiu extrair bem o propósito do livro de Provérbios ao escrever que o alvo desse livro é "... diminuir o número dos tolos e aumentar o número dos sábios" (pág. 54).

Embora o livro de Provérbios seja uma obra de cunho eminentemente prático, ensinando como o homem deve viver diariamente, a sabedoria ali ensinada está solidamente escudada sobre o temor a *Yahweh* (ver, por exemplo, 1.7, que declara: "O temor do Senhor é o princípio do saber, mas os loucos desprezam a sabedoria e o ensino"). Por todo o volume, esse respeito ao Senhor é apresentado como a senda que leva à vida e à segurança (cf. 3.5; 9.10 e 22.4).

No dizer de Pv 3.18, a sabedoria é "... árvore de vida para os que a alcançam, e felizes são todos os que a retêm".

VII. CANONICIDADE
Na obra hebraica, *Shabbat* (30b), Provérbios é listado como um livro de canonicidade disputada, nos fins do século I d.C., juntamente com os livros de Eclesiastes e Cantares de Salomão. Mas sua associação com outras obras reconhecidamente salomônicas, nessa afirmativa judaica, parece favorável ao argumento de que o livro era canônico, e assim era considerado. Outro tanto se vê em *M. Yadaim* (3.5), onde diferentes opiniões aparecem no tocante à canonicidade de Eclesiastes e Cantares de Salomão, mas não há nenhum debate no tocante ao livro de Provérbios. A LXX e a versão portuguesa concordam em dispor juntos todos os três livros atribuídos a Salomão, ou seja, Provérbios, Eclesiastes e Cantares de Salomão.

De acordo com o Talmude (*Baba Bathra*, 146), o livro de Provérbios aparece depois dos livros de Salmos e de Jó e, em conformidade com *Berakoth* (57b), deveria figurar entre os livros de Jó e de Salmos. A ordem de colocação nas modernas Bíblias (como na nossa versão portuguesa) deve estar alicerçada sobre certa tradição rabínica, que dizia que Moisés escreveu o livro de Jó, que Davi escreveu os Salmos, e que Ezequias compilou os Provérbios (*Baba Bathra*, 14b-45a).

O trecho de Tg 4.6, ao citar Pv 3.34, fá-lo de tal maneira que mostra que o livro de Provérbios era considerado canônico no século I d.C. Em adição a isso, é com frequência que o Novo Testamento se refere à seção do Antigo Testamento que contém o livro de Provérbios, a saber, *kethubim*, os "escritos", tachando-os de "Escritura" (no grego, *graphé*). A sua inclusão na Septuaginta certamente favorece a ideia de uma bem remota aceitação do livro de Provérbios como parte integrante das Santas Escrituras.

VIII. ESTADO DO TEXTO
O livro de Provérbios, em sua maior parte, acha-se escrito em hebraico claro, estilo clássico. Entretanto, existem algumas poucas passagens difíceis no texto das seções principais. O erudito Fritsch lista como vocábulos que têm causado problemas para os tradutores os seguintes: *'amon* (Pv 8.30); *yathen* (12.20); *hibbel* (23.34); *manon* (29.21); *'aluqah* (30.15); *zarzir* e *'alqum* (30.31). A maioria das propostas de emendas, com o intuito de solucionar problemas textuais, não passa de conjectura. Descobertas linguísticas recentes demonstram o valor de esperar por maiores informações em vez de apelar para emendas conjecturadas.

A Septuaginta é uma tradução frouxa, quase uma paráfrase, exibindo marcas do ponto de vista dos tradutores. Em certos lugares a tradução é inteiramente corrupta. Inclui quase cem duplicatas de palavras, frases, linhas e versículos que aparecem somente por uma vez, no texto massorético. Além disso, omite algumas seções e adiciona outras. Na Septuaginta, o trecho de Pv 30.1-14 vem depois de 24.22 (segundo o texto hebraico), e então segue-se 24.23,24 (segundo o texto hebraico). Então a Septuaginta tem Pv 30.15—31.9, e então os caps. 25—29 (segundo o texto hebraico) e, finalmente, 31.10-31. Essas anomalias têm levado os estudiosos a acreditar que o texto continuava fluido ao tempo em que foi feita a tradução da Septuaginta.

IX. PROBLEMAS ESPECIAIS
Duas particularidades que merecem atenção especial são: 1. A figura da Sabedoria, no oitavo capítulo de Provérbios; e 2. a relação entre o livro de Provérbios (22.17—24.34) e a obra egípcia *Sabedoria de Amenemope*. Ambos os itens estão diretamente vinculados a abordagens críticas quanto à autoria e à data do livro de Provérbios, razão pela qual os ventilamos aqui.

A. *A Figura da Sabedoria*. Apesar de a sabedoria ser exaltada como uma virtude, por toda a seção de abertura do livro de Provérbios, como também em outros segmentos do livro, é no seu oitavo capítulo que encontramos o tratamento da "sabedoria" como uma hipostatisação. Ao que tudo indica, ali esse atributo divino aparece como um ser que mantém inter-relações com os homens. Em Pv 1.20-33; 8.1-36; 9.1-6,13,18, a "Sabedoria" aparece em oposição a uma personagem similar, embora contrária, a "Senhora Loucura". A Sabedoria aparece como um profeta que prega pelas ruas (cf. Jr 11.6 e 17.19,20).

Não há nenhum traço de politeísmo no livro de Provérbios. Por conseguinte, qualquer tentativa de vincular o pano de fundo acerca de Salomão a Ma'at, Istar ou Siduri Sabatu, conforme fazem alguns, não é convincente nem tem base nos fatos. A única questão que ainda resta ser ventilada é se a "Sabedoria" é uma verdadeira hipostatisação, isto é, um atributo ou atividade da deidade à qual foi conferida uma identidade pessoal. Alguns estudiosos defendem que o oitavo capítulo de Provérbios simplesmente apresenta uma vívida personificação.

A íntima correspondência entre as atividades da "Sabedoria", no livro de Provérbios, e as atividades de *Yahweh*, no resto do Antigo Testamento, é algo deveras notável. A Sabedoria derrama o espírito (ver Pv 1.23, cf. Is 44.3). Deus chama, mas Israel não responde (ver Pv 1.24-26; cf. Is 65.1,2,12,13; 66.4). O Espírito de Deus é a Sabedoria (ver Pv 8.14; cf. Is 11.2). A Sabedoria promove a justiça (ver Pv 8.15,16; cf. Is 11.3-5). Da mesma maneira que a Sabedoria prepara o seu banquete (ver Pv 9.5, em oposição à mulher louca, que também tem o seu banquete, Pv 9.13-18), assim o faz Yahweh (ver. Is 25.6; 55.1-3; 65.11-13).

Nos seus escritos, tanto o judaísmo posterior quanto o cristianismo referem-se ao papel desempenhado pela "Sabedoria" na criação — um desempenho que em muito se assemelha à sabedoria hipostatisada no livro de Provérbios. O livro apócrifo Sabedoria de Salomão identifica a "Sabedoria" como "a modeladora de todas as coisas" (7.22), como "associada às obras (de Deus)" (8.4) e como "formadora de tudo quanto existe" (8.6). Filo *(De Sacerdota,* 5) afirma que a "Sabedoria" foi a fabricante do universo. Alguns estudiosos procuram demonstrar a ligação entre o "Logos" do primeiro capítulo do Evangelho de João, bem como a "Sofia" concebida pelos mestres gnósticos, com a "Sabedoria", hipostatisada do livro de Provérbios; porém, as conclusões desses eruditos não conseguem harmonizar-se entre si.

Se o erudito Scott (págs. 71 e 72) está correto em sua vocalização da palavra hebraica *'amon,* para *'omen* (em Pv 8.30), visto que *'omen* significa "artífice principal" ou então "criancinha", segue-se que a "Sabedoria" é vista como aquela força hipostatisada que unifica a todas as coisas (cf. Eclesiástico 43.28; Sabedoria de Salomão 1.7; Cl 1.17 e Hb 1.3).

Embora alguns críticos tenham datado o livro de Provérbios como pertencente ao período helenista, em face da hipostatisação da sabedoria (sob a alegação de que a tendência para as hipostatisações era forte durante o período de dominação grega), o fato é que há muitos paralelos entre o livro de Provérbios e o antigo mundo do Oriente Próximo, do segundo milênio a.C., ou mesmo antes. Entre esses paralelos, poderíamos citar os seguintes: 1. A divindade egípcia de Mênfis, Ptá, teria criado as coisas com sua palavra e seu pensamento. 2. Em Tote de Hermápolis, a sabedoria divina e o deus criador aparecem personificados. 3. A divindade suméria Ea-Enki era chamada de "o verdadeiro conhecedor". 4. O deus babilônico Marduque, intitulado de "o mais sábio dos deuses", teria conquistado Tiamate e então criado a terra e o homem. 5. O altíssimo deus El, do panteão ugarítico, é descrito como alguém cuja "sabedoria é eterna". Esses e outros exemplos hebraicos (ver Sl 74.13,14; 82.1; Is 14.12-14; 27.1) demonstram claramente que, desde bem antes da época de Salomão, já se conhecia o artifício literário da hipostatisação.

Paterson fez um sumário da discussão da "Sabedoria", afirmando que o trecho de Pv 8.22,23 é uma ousada confirmação e reafirmação da doutrina expressa em Gn 1.2. Deus não criou um caos (cf. Gn 1 e 2), e, sim, um "cosmos", um todo organizado. A sabedoria é a essência mesma do ser de Deus. O universo não veio à existência por mero acaso, nem permanece existindo por suas próprias forças. O mundo conta com uma *teleologia* (ver a respeito no *Dicionário*) porquanto existe a teologia (ver Pv 3.19; 20.12).

B. *Relação entre Provérbios e a Sabedoria de Amenemope.* Desde que Adolph Erman ressaltou as similaridades existentes entre a *Sabedoria de Amenemope* e o livro de Provérbios (22.17—23.14), tem havido uma tendência geral para os estudiosos pensarem que essa passagem bíblica está diretamente em dívida com aquela antiga obra de origem egípcia. Todavia, os defensores da independência desse trecho bíblico de qualquer obra egípcia também aparecem em bom número, como E. Diroton, C. Fritsch e R. O. Kevin, para citar somente alguns. Embora a preponderância da erudição encare o livro de Provérbios como se houvesse alguma dependência entre ele e a *Sabedoria de Amenemope,* há argumentos sólidos suficientes para mostrar a inveracidade dessa dependência, conforme podem averiguar sérios estudiosos da Bíblia que queiram parar a fim de examinar todas as evidências disponíveis.

1. *O Documento Egípcio.* Foi Sir E. Wallis Budge, no seu artigo *Recuil d'Etudes Egyptologigue... Champollion,* em 1922, quem primeiro tornou conhecida a antiga obra egípcia *Sabedoria de Amenemope.* Em 1923, ele publicou o texto completo da obra, com fotografias e uma tradução. Outros eruditos trouxeram a público suas próprias traduções do original egípcio. Mas foi Erman o primeiro a sugerir que as "excelentes cousas" a respeito das quais lemos em Pv 22.20 poderiam ser traduzidas por "trinta", com base na divisão da *Sabedoria de Amenemope* em trinta capítulos. Essa tradução envolvia uma modificação textual, uma nova vocalização de *shalishim* para *sheloshim,* no texto hebraico do livro de Provérbios. E então Erman inferiu que o escritor bíblico teria, diante de si, os trinta capítulos da *Sabedoria de Amenemope,* tendo dali selecionado e incorporado trinta afirmações a seu próprio livro de sabedoria. A verdade é que Oesterley e outros veem pelo menos que 23 das trinta declarações daquela passagem do livro de Provérbios derivam da *Sabedoria de Amenemope,* Scott, por sua vez, afiançou que somente nove dessas declarações procedem daquela fonte. Mas o preâmbulo do trecho Pv 22.17-21 parece ser uma reformulação da conclusão da *Sabedoria de Amenemope.* Essa obra egípcia foi escrita por Amen-em-apete, egípcio nativo de Panópolis, em Acmim. Ele era um supervisor de terras, evidentemente uma posição importante. Também foi um sábio e um escriba. Devido à posição que ele ocupava, alguns estudiosos datam a sua obra como pertencente ao período pós-exílico de Judá (cf. Ed e Ben Siraque). Entretanto, o gênero literário da sabedoria e a instituição dos escribas eram realidades bem estabelecidas no antigo Oriente Próximo desde muito antes do tempo de Salomão.

À obra *Sabedoria de Amenemope* têm sido atribuídas diversas datas, desde cerca de 1300 a.C. (Plumley) ou 1200 a.C. (Albright), até datas em torno do século VII a.C. (Griffith, Oesterley), ou do período persa-grego (Lange). A data mais antiga baseia-se em um ostracon que continha um extrato daquela obra egípcia. Se isso for aceito, então torna-se quase uma certeza que o livro de Provérbios realmente tomou por empréstimo elementos do *Sabedoria de Amenemope.* Existe mesmo a possibilidade de que aquele ostracon represente uma fonte informativa comum, usada tanto pelo livro de Provérbios quanto pela *Sabedoria de Amenemope.* Seja como for, isso em nada afeta a inspiração do livro de Provérbios, porquanto o fenômeno da inspiração envolve até mesmo a seleção de material, como também a composição de material original.

2. *Relações Léxicas.* Vários estudos sobre a lexicografia de *Sabedoria de Amenemope* tendem a mostrar que seu vocabulário egípcio-semítico pertence ao estágio final do idioma egípcio. Há indicações de que esse vocabulário da obra assemelha-se mais com a *Septuaginta* do que com o *Texto Massorético* (ver no *Dicionário* artigos sobre ambos os termos). Interessante é que, embora isso seja posto em dúvida por alguns eruditos, o uso de expressões idiomáticas semíticas no livro *Sabedoria de Amenemope* pode até mesmo mostrar que é essa obra egípcia que depende do livro de Provérbios, e não o contrário, conforme dizem alguns estudiosos. Assim é que, se o livro de Provérbios parece conter versículos espalhados por *Sabedoria de Amenemope,* essa obra egípcia parece conter versículos espalhados no livro de Provérbios. Destarte, os argumentos pró e contra parecem bem equilibrados. Também tem grandes possibilidades uma terceira posição, intermediária, que diz que tanto a obra egípcia quanto o livro de Provérbios usaram antigas tradições orais comuns no antigo Oriente Próximo, ou mesmo algum apanhado dessas tradições, já sob forma escrita. Também merece consideração a ideia de que a passagem do livro de Provérbios estava simplesmente usando os "trinta capítulos" egípcios como modelo, e não como fonte informativa direta. E Scott (pág. 20) exprime um ponto de vista parecido com isso.

X. CONTEÚDO E ESBOÇO DO LIVRO

O conteúdo do livro de Provérbios pode ser classificado em conformidade com quatro critérios: por gênero literário, por assunto, por autoria e por motivos teológicos. Felizmente, as divisões feitas de acordo com os três primeiros critérios justapõem-se com facilidade, em quase todos os pontos.

A. Conteúdo

1. *Gêneros Literários*. As duas formas literárias que mais prevalecem no livro de Provérbios são: 1. as declarações sucintas e expressivas usadas para transmitir sabedoria (os verdadeiros "provérbios"); e 2. os longos discursos didáticos, do que são exemplos a primeira seção (caps. 1—9), e as seções sétima e oitava (caps. 30—31). Praticamente todo o restante do livro cabe dentro da categoria dos "provérbios". Pode-se definir um provérbio como "uma declaração breve e incisiva, de uso comum". Tipicamente, um provérbio é anônimo, tradicional e epigramático. Conforme alguém já disse, um provérbio caracteriza-se por "sua brevidade, sentido e sal". E, conforme expressou com grande percepção Lord John Russell, um provérbio contém "a sabedoria de muitos e a argúcia de um só". Na segunda seção do livro de Provérbios, há 375 dessas declarações. Dentre os 139 versículos dos caps. 25—29, 128 são provérbios. Com frequência, os provérbios assumem a forma de um símile gráfico (cf. os caps. 25 e 26).

Quase todo o livro de Provérbios, excetuando as seções primeira, sétima e oitava (caps. 1—9, 30 e 31), foi escrito formando duplas que se completam, ou dísticos. Esse paralelismo — uma típica característica da poesia hebraica — ocorre com certa variedade de formas. O chamado paralelismo sinônimo, em que a segunda linha reitera ou reforça a primeira, é a forma usualmente encontrada em Pv 16.10—22.15 (cf. 20.13). O paralelismo antitético, em que a segunda linha expõe um contraste do que foi dito na primeira, ou uma reversão da ideia da primeira linha, é a forma de paralelismo usualmente encontrada nos capítulos 10 a 15 (cf. Pv 15.1). Ocasionalmente, vê-se no livro de Provérbios certa forma de paralelismo em que a segunda (ou a terceira) linha adiciona algo ao pensamento expresso na primeira linha. Esse tipo de paralelismo sintético acha-se em 10.22. Os capítulos 25 e 26 estão repletos desse tipo de paralelismo.

2. *Assunto*. Três tipos latos de material são apresentados no livro de Provérbios, isto é: 1. instruções para que se abandone a insensatez e siga a sabedoria (caps. 1—9); 2. exemplos específicos de conduta sábia ou de conduta insensata (as declarações gnômicas das seções II — V; caps. 10—29); e 3. a vívida descrição acerca da mulher virtuosa (cap. 31; que talvez contrabalance o motivo do filho sábio, nos caps. 1—9).

Em adição a isso, o conteúdo do livro de Provérbios pode ser agrupado de acordo com os tópicos discutidos, como as declarações que versam sobre os males sociais (Pv 22.28; 23.10; 30.14); sobre as obrigações sociais (15.6,7,17; 18.24; 22.24,25; 23.1,2; 27.6,10); sobre a pobreza (17.5; 18.23; 19.4,7,17); sobre os cuidados com os pobres (14.31; 17.5,19; 18.23; 19.7,17; 21.13; 26.14,15); sobre as riquezas materiais como uma questão secundária (11.4; 15.16; 16.8,16; 19.1; 22.1), embora importante (10.22; 13.11; 19.4).

A vida doméstica é um tópico frequente do livro (Pv 18.22; 21.9,19; 27.15,16; 31.30), como também as relações entre pais e filhos (10.1; 17.21,25; 19.18,24; 22.24,25; 25.17).

O assunto da sabedoria já foi ventilado, anteriormente. Em contrate com o sábio, encontramos o "louco". Nada menos de quatro tipos de loucos podem ser discernidos no livro de Provérbios: 1. O tolo símplice, que pode ser ensinado (Pv 1.4,22; 7.7,8; 21.11). Esse é o "desmiolado". 2. O insensato empedernido (1.7; 10.23; 12.23; 17.10; 20.3; 27.22), que é um obstinado. 3. O tolo arrogante, que escarnece de toda as tentativas para iluminá-lo. Isso envolve uma atitude mental, e não tanto uma "incapacidade mental", do que tal indivíduo se torna culpado (3.34; 21.24; 22.10; 29.8). 4. O louco brutal, morto para toda decência e boa ordem (17.21; 26.3; 30.22; cf. Sl 14.1).

A conduta dos reis é um dos tópicos do livro (Pv 16.12-14; 19.6; 21.1; 25.5; 28.15; 29.14). O bom ânimo é encorajado (15.13-15; 17.22; 18.14). O uso da língua é discutido (10.20; 15.1; 16.28; 21.23; 26.4,23). Também são mencionados outros hábitos ou características pessoais (11.22; 13.7; 22.3; 25.14; 26.12; 30.33). Finalmente, são discutidos alguns aspectos do conceito da "vida": sua fonte originária (10.11; 13.14; 14.27; 16.22); sua vereda (6.23; 10.17; 15.24); e também o conceito da vida propriamente dita (11.30; 12.28; 13.4,12).

B. Esboço

Quase todos os esboços que se têm traçado sobre o livro de Provérbios contêm de quatro a dez seções principais. As divisões naturais do livro, todavia, parecem indicar um esboço em oito pontos, com boa base na autoria provável e nos estágios da coleção de unidades separadas, posteriormente coligidas em um único rolo escrito em hebraico. É o que se vê abaixo:

I. Instrução paterna: sabedoria *versus* insensatez (1—9)
II. Provérbios de Salomão: primeira coleção (10.1—22.16)
III. Palavras dos sábios: primeira coleção (22.17—24.22)
IV. Palavras dos sábios: segunda coleção (24.23,24)
V. Provérbios de Salomão: segunda coleção, feita pelos homens de Ezequias (caps. 25—29)
VI. Palavras de Agur (cap. 30)
VII. Palavras de Lemuel (31.1-9)
VIII. A esposa virtuosa (31.10-31)

Algumas dessas seções podem ser subdivididas. Assim, para exemplificar, Scott (págs. 9 e 10) vê dez discursos de admoestação e dois poemas, além de algumas declarações gnômicas, na primeira seção, ao passo que Kitchen divide a mesma seção em catorze subdivisões. Na segunda seção, a diferença no paralelismo entre os caps. 10—15 e 16.1—22.16 pode indicar uma divisão natural. A segunda seção, até Pv 23.14 parece estar intimamente relacionada à *Sabedoria de Amenemope*, enquanto o resto dessa seção não mostra tal relação, o que pode indicar outra divisão natural. Na quinta seção, talvez se deva perceber uma diferença entre os caps. 25—27 (principalmente preceitos e símiles) e os caps. 28 e 29 (principalmente declarações gnômicas, como em Pv 10.1—22.16). Quase todas as declarações dísticas do livro de Provérbios encontram-se na segunda seção e em Pv 28 e 29. Novamente, Scott subdividiu a sexta seção em um "diálogo com um cético" (presumivelmente Agur; Pv 39.1-9) e "provérbios numéricos e de advertência" (30.10-33), ao passo que Murphy divide essa seção após o vs. 14.

XI. TEOLOGIA DO LIVRO

Embora alguns estudiosos considerem o livro de Provérbios uma obra que ensina uma sabedoria secular e prática, um exame mais cuidadoso de seu conteúdo revela que este livro é extremamente teológico. Assim, é ali salientada a soberania de Deus (Pv 16.4,9; 19.21; 22.2). A onisciência de Deus é claramente referida (15.3,11; 21.2). Deus é apresentado como o Criador de tudo (14.31; 17.5; 20.12). Deus governa a ordem moral do universo (10.27,29; 12.2). As ações dos homens são aquilatadas por Deus (15.11; 16.2; 17.3; 20.27). Até mesmo neste nosso lado da existência a virtude é recompensada (11.4; 12.11; 14.23; 17.13; 22.4). O juízo moral é mais importante ainda do que a prudência (17.23).

O povo hebreu não dispunha de um termo genérico para a ideia de "religião". Não obstante, o livro de Provérbios demonstra esta ideia por intermédio da expressão "o temor do Senhor" (Pv 1.7; 9.10; 15.33; 16.6; 22.4), como também por meio daquela outra expressão que se acha nos livros dos profetas "o conhecimento de Deus" (ver, por exemplo, Is 11.2; 53.11; Os 4.1; 6.6). Essas duas ideias aparecem como um paralelo sinônimo, em Pv 2.5 e 9.10.

Interessante é observar que o livro de Provérbios ignora quase completamente o templo de Jerusalém e o culto religioso ali efetuado (o que serve de fortíssimo argumento contra uma autoria posterior do livro), excetuando algumas alusões bastante indiretas (Pv 3.9,10). De fato, trechos de Provérbios, como 16.6 e 21.3, até parecem negar a necessidade dos sacrifícios levíticos (mas cf. 15.8 e 21.27). O que se destaca no livro de Provérbios é o caráter vital da verdade (28.4 e 29.18). Citamos a última dessas referências: "Não havendo profecia o povo se corrompe; mas o que guarda a lei esse é feliz".

Embora o vocábulo "aliança" só ocorra em Provérbios por uma única vez (ver 2.16,17), não há que duvidar que esse conceito se faz presente no livro. A confiança, base de todo relacionamento de pacto, é um *sine qua non* (Pv 3.5,7; cf. 22.19; 29.25). Deus é mencionado, na maioria das vezes, por seu nome do pacto, isto é, *Yahweh* (nada menos de 87 vezes). Também é evidente a relação entre pai e filho, que tanto caracteriza a ideia de aliança (cf. Os

11.1), conforme se vê em Pv 3.12. "Porque o Senhor repreende a quem ama, assim como o pai ao filho a quem quer bem".

Um ponto que não pode ser esquecido, neste nosso estudo, foi a marca deixada pelo livro de Provérbios e seus conceitos no Novo Testamento. Isso se faz sentir por meio de várias citações e alusões, conforme se vê nas duas listas abaixo, que servem apenas de exemplos:

A. Citações
3.7a — Rm 7.16
3.11,12 — Hb 12.5,6
3.34 — Tg 4.6; 1Pe 5.5b
4.26 — Hb 12.13a
10.12 — Tg 5.20
25.21,22 — Rm 12.20
26.11 — 2Pe 2.22

B. Alusões
2.4 — Cl 2.3
3.1-4 — Lc 2.52
12.7 — Mt 7.24,27

Se considerarmos que o livro de Provérbios é um extenso comentário sobre a lei do amor, então é certo que este livro canônico tem ajudado a pavimentar o caminho para aquele que era tanto o Amor quanto a Sabedoria encarnados, o Senhor Jesus Cristo.

Se perguntássemos por que motivo a última seção deste livro termina com um hino de elogio à mulher virtuosa (Pv 31.10-31), a resposta seria que a esposa de nobre caráter forma um arcabouço literário juntamente com os discursos de introdução ao livro, nos quais a Sabedoria é personificada como uma mulher. Na vida diária nenhum paralelo mais feliz poderia ser encontrado como a personificação da sabedoria do que a de uma esposa de bom caráter. Por conseguinte, o livro de Provérbios começa e se encerra com chave de ouro.

XII. BIBLIOGRAFIA

A principal fonte de informações sobre o livro de *Provérbios* foi *The Zondervan Pictorial Encyclopedia of the Bible*, designada Z nas referências bibliográficas. Agradeço a gentil permissão dada pela Zondervan Publishing House, Grand Rapids, Michigan, EUA, pelo uso da obra. Ver também ALB AM E I IB KI ND WBC WES YO.

Ao Leitor

Na introdução ao livro de *Provérbios*, dou informações sobre o pano de fundo: unidade do livro; autoria, data; lugar de origem e destinatários; propósito do livro; canonicidade; estado do texto; problemas especiais; conteúdo e teologia do livro. O estudante sério não começará os seus estudos sem ter algum conhecimento desses elementos essenciais da composição. Este livro faz parte da *Literatura de Sabedoria* do judaísmo antigo. Ver também, no *Dicionário*, o artigo chamado *Sabedoria*, seção III, intitulada *Literatura de Sabedoria*.

"O livro de Provérbios pertence à Literatura de Sabedoria de Israel. Esse é o gênero literário a que também pertencem os livros de Jó, Eclesiastes e alguns dos Salmos (exemplos: 1, 19, 37, 49, 73, 112, 119, 127, 128 e 133), no Antigo Testamento, e os livros apócrifos de Sabedoria de Salomão e Eclesiástico. E também o livro Pirke Aboth do judaísmo posterior. Tudo isso faz parte do grande corpo de literatura de sabedoria que existia por todo o Oriente Próximo e Médio nos tempos antigos" (Charles Fritsch, *in loc.*).

"O livro de Provérbios é um compêndio de instruções morais e religiosas, conforme dadas à juventude judaica por sábios profissionais no período pós-exílico. Inclui material muito mais antigo da longa tradição de treinamento na sabedoria considerada necessária para a boa vida... Recompensas e punições seguem esta vida; seu apelo era às lições dadas pela experiência, e não tanto pela revelação divina: uma breve mas significativa exploração da natureza da sabedoria e do relacionamento entre a sabedoria e Deus" (*Oxford Annotated Bible*, introdução).

Uma Divisão em Quatro Livros:

- *Livro I: 1.1—9.18*, que contém dezesseis discursos extensos de admoestações, advertências e instruções, incluindo dois poemas que personificam a sabedoria (1.20-33 e 8.1-36).
- *Livro II: 10.1—22.16*, intitulado *Provérbios de Salomão*, pleno de máximas expressivas sob a forma de linhas poéticas paralelas que tratam das virtudes, dos vícios e de suas consequências.
- *Livro III: 22.17—24.22*, que são as admoestações de um professor a seu aluno (chamado de seu filho). A principal ideia é o treinamento pela responsabilidade. Em cada seção dou uma introdução mais completa aos livros.
- *Livro IV: 25.1—29.27*, também chamado *Provérbios de Salomão* e com tipos similares de material, conforme se vê no Livro II.

Quanto ao restante do livro, temos uma série de apêndices, que identificarei conforme chegarmos a eles. Esses trechos são 30.1-9; 30.10-33 e 31.10-31. A passagem de 24.23-34 é considerada o primeiro desses apêndices. Se isso é verdade, então temos cinco apêndices no total. Sob a seção VII da Introdução, dou outro arranjo de materiais que incorpora o arranjo aqui apresentado.

ASSUNTOS DE DESTAQUE EM PROVÉRBIOS	
abominação	11.1; 15.8,9; 16.5
açoites	18.6; 20.30
adultério	cap. 5
agonias	Intro. cap. 30; 30.1
ajuda aos pobres	19.17
ambição	6.6-11
Amen-Em-ope, Instruções de	22.22; ver o gráfico acompanhante
amizade	17.17
amor	27.5
andar	13.2
ansiedade	12.25
árvore da vida	3.8; 11.30; 13.12; 15.4
autocontrole	16.32; 26.28
bebida forte	20.1
bem-aventuranças	8.32
boa saúde	4.22
bondade	18.8; 21.21
bons costumes à mesa	23.1-3
caminho, metáfora do	4.11
caminhos dos bons e dos maus	4.27
caridade	19.17
ciúme	27.4
cobiça	30.15
companhia, boa e má	13.20
confiança	14.26; 15.22; 16.13
conhecimento	8.9
consciência	20.27
conselheiros	11.14; 12.20
coração	4.23
criação de crianças	13.24; 22.6; 27.11
Deus, autor do mal?	16.4
determinismo	16.1,4,9; 19.21; 20.24; 21.1
dinheiro opera maravilhas	10.2,15; 19.4,6
direção divina	16.9
entendimento	5.1
escarnecedor	13.1,15; 14.6; 22.10; 29.8
escuta	4.20; 18.15; 19.20
escutando orações	15.8,29
esperança	10.28; 11.7; 13.1; 14.32

ASSUNTOS DE DESTAQUE EM PROVÉRBIOS

esposa contenciosa	19.13
estrada	16.17
fiador	6.1; 11.15; 17.18; 20.10
filactérias	7.3
filho meu	6.1
filho tolo	13.24; 17.21; 19.13
filhos espirituais	2.1; 3.1; 4.1
fonte de vida	13.14
glutão, glutonaria	25.16
herança	13.22; 17.2; 20.21
imortalidade	14.32
injustiça	17.15; 18.5
jactância	20.6
limites antigos	22.28
lisonja	6.24
louvor	27.21
luz	6.23; 13.9
maravilhas que o dinheiro opera	10.2,15; 19.4,6
mensageiro	13.17
mente criminosa	21.10
mexerico	11.13; 18.8
mulher de caráter	11.16
mulher virtuosa	31.10 ss.
não é bom...	15.24; 17.26
negócios honestos	11.1; 20.10,23
observações psicossomáticas	3.8; 14.32; 15.13; 17.22
olhos altivos	6.17
orgulho e humildade	6.17; 11.2
ossos	3.8; 14.30; 15.30; 16.24
ouro, prata, pedras preciosas, metáforas; valores comparativos	3.14,15; 8.10; 11.22; 17.8; 20.15; 22.1; 25.4; 27.21; 31.10
palavras que curam	12.18
parcialidade	28.21
passos do homem justo dirigidos pelo Senhor	20.24
pecados do sexo	2.16-19; 5.3-23; 6.20-35; cap. 7; 9.13-18
perfeccionismo, o homem desenvolve ideias exageradas de si	20.9
pobre	14.21
políticos, política, a eterna praga que persiste	28.28
preguiçoso, preguiça, o homem cede ao mínimo	6.6-11; 19.15; 24.30-34
prostituta	22.14
provérbios numéricos	30.7
punição corporal, parental, o exagero termina governando	13.24; 22.15; 29.15,17
refinar, a metáfora tirada da metalurgia; as provações e purificações	17.3
refúgio, a provisão divina para o homem fraco	14.26

ASSUNTOS DE DESTAQUE EM PROVÉRBIOS

repreensão, o pecador nunca está além da necessidade de disciplina	1.23; 27.5
rins, metáfora do homem interior, semelhante ao nosso "coração"	23.16
riquezas, o dinheiro transforma tudo, às vezes para pior; a riqueza de alma é o *somum bonum*	3.16; 8.18; 11.4,28; 13.7; 14.24; 18.18; 22.1; 27.24; 30.8
sabedoria, um dos principais temas do livro, discutido com certo número de metáforas	1.2
sabedoria como um pai que guia seus filhos e ensina os caminhos divinos	8.32
sabedoria dá vida; guia na vida e oferece vida espiritual	4.14; 9.6,11; 10.11,17; 11.4, 19,30; 12.28; 13.2
sabedoria é melhor do que bens materiais, apontando para uma riqueza superior	20.15
sabedoria personificada; metáforas que ensinam lições vitais, entre elas a grandeza da sabedoria divina no homem e neste mundo mal iluminado	1.20; 8.1,27; 9.1-6
sacrifício	15.8
saudade e sabedoria; o estado espiritual tem reflexo vital no estado físico	4.22
Senhor (Yahweh) nos planos e nos atos	16.3
Senhora Sabedoria (personificação); a sabedoria como uma mulher	1.20-33; 3.16-18; 4.3-6; 8.1-21; 9.1-6; 14.1,35
Senhora Tolice (personificação)	9.13 ss.
Seol	2.18; 5.5; 15.11
sete coisas para detestar	16.16 ss.
sexo, pecados do	2.16-19; 5.3-23; 6.20-35; cap. 7; 9.13-18
sono	6.9,10; 19.15; 20.13
sortes	16.33
temor ao Senhor	1.7
tesouro de palavras	7.1
testemunha verdadeira e falsa	12.17; 14.5,25; 19.5,9
tolos e tolice	27.3
tribulação	19.7
uso de linguagem, bom e mau; existem mais de cem referências em Provérbios; alguns exemplos dados	4.24; 6.12; 8.13; 10.8,18; 11.9,13; 15.4; 21.23
vingança	20.22
visitas infrequentes ao amigo	25.17

EXPOSIÇÃO

CAPÍTULO UM

INSTRUÇÃO PATERNA: SABEDORIA *VERSUS* INSENSATEZ; A INSTRUÇÃO DA SABEDORIA
(1.1—9.18)

PREFÁCIO (1.1-7)

■ 1.1

מִשְׁלֵי שְׁלֹמֹה בֶן־דָּוִד מֶלֶךְ יִשְׂרָאֵל׃

Provérbios de Salomão. Esta seção, que perfaz o Livro I, tem dezesseis extensos discursos cheios de admoestação, advertências e declarações expressivas, que tendem a tornar um homem sábio, contanto que ele os conheça e os ponha em prática.

Ver sobre *Autoria* na seção III da Introdução, onde há uma discussão completa. Partes deste livro são atribuídas a outros autores: Agur (capítulo 30) e Lemuel (capítulo 31.1-9). O ponto de vista dos comentaristas conservadores é que Salomão foi o autor de certas partes do livro, ao passo que o editor adicionou trabalhos de outros autores. O ponto de vista dos críticos é que o nome dele foi vinculado ao livro mediante uma convenção literária, visto que ele era conhecido como um homem sábio. Nos tempos antigos, era comum empregar os nomes de pessoas famosas como alegados autores de livros, em parte para prestar-lhes uma honraria, e em parte para garantir a circulação das obras, ou para dizer o que o mestre teria dito, se tivesse escrito o livro.

Provérbios. No hebraico, *mashal*, que pode significar comparação ou símile, ou então discurso. Ambas as ideias são encontradas em Provérbios. Quanto a uma discussão completa a respeito, ver os parágrafos primeiro e segundo da introdução ao livro.

Títulos. Alguns manuscritos dizem *Sepher Sishle*, o "Livro de Provérbios". A Septuaginta diz *Provérbios de Salomão*. Eruditos judaicos posteriores chamavam este livro, bem como o livro de Eclesiástico, de *Livros de Sabedoria*. Não podemos estar certos sobre o título dos manuscritos originais, mas *Mashal* é o mais provável, caso houvesse um título.

Salomão. Ver o artigo sobre ele no *Dicionário*. O título *rei*, neste livro, deve estar ligado a Salomão, e não a Davi. Foi o rei sábio quem editou o material a seguir. Ele foi um homem sábio (1Rs 3.4-15,16-18) e escreveu três mil provérbios e 1.005 cânticos (1Rs 4.32). Não há razão para duvidar de que parte da soma maciça de literatura entrou no livro presente, mesmo que a compilação final do material se tenha dado depois do cativeiro babilônico.

Propósito do Livro (1.2-6)

■ 1.2

לָדַעַת חָכְמָה וּמוּסָר לְהָבִין אִמְרֵי בִינָה׃

Para aprender a sabedoria, e o ensino. Os homens precisam conhecer e seguir a sabedoria. Crawford H. Toy (*International Critical Commentary, in loc.*) disse que o reconhecimento intelectual vem em primeiro lugar. A ideia é um tanto semelhante à doutrina de Sócrates do "conhece-te a ti mesmo", na qual o conhecimento racional é muito importante. Mas não há que duvidar da ideia da agência do Espírito, que usa a sabedoria adquirida para operar a vontade de Deus. Portanto, isso deve incluir a iluminação da alma.

A sabedoria. Ver o artigo sobre esta palavra no *Dicionário*, quanto a explicações completas. O original hebraico diz *hokhmah*, palavra que, "neste versículo, significa inteligência moral e religiosa, ou seja, o conhecimento da lei moral de Deus, no que diz respeito às questões práticas da vida. Não se trata da sabedoria especulativa e filosófica dos gregos" (Charles Fritsch, *in loc.*). Quanto ao que se supõe que a lei significava para Israel, ver Sl 1.2.

O ensino. A palavra hebraica correspondente é *musar*, que tem o sentido básico de disciplina, ou punição. Visto que aparece aqui de forma paralela com *sabedoria*, sem dúvida significa o corpo e a atividade de ensino aplicados aos homens mais jovens, para indicar seu treinamento no judaísmo. O principal manual, como é lógico, seria a lei, porquanto, sem a lei, o judaísmo não seria o judaísmo. Esta palavra implica a submissão às autoridades que eram mestres, como pai, mãe e, especialmente, os mestres da lei, sábios cuja atividade se constituía em ensinar às gerações mais jovens. O próprio livro mostra que tais mestres não se apegavam à Bíblia, conforme a conheciam em seus dias, mas, antes, inventaram muitas declarações e discursos que ultrapassavam os dizeres da lei, embora tivessem suas raízes apegadas a ela.

Para entender as palavras de inteligência. "Compreensão" significa discernimento, distinguir o certo do errado e seguir o caminho certo, pois, caso não acompanhasse a parte que segue, uma pessoa não seria dotada de real discernimento. A sabedoria pode passar de pai para filho, e de mestre para estudante. As palavras devem ser inteligentes e vigorosas, mas por trás delas deve haver a força do exemplo. No livro de Provérbios, há 75 convites para que os leitores tenham entendimento. Ver Pv 5.1.

Um pai deve três coisas a seus filhos: exemplo; exemplo; exemplo.

Cf. este versículo com Hb 5.14: "... para discernir não somente o bem, mas também o mal".

Os homens possuem capacidades para tanto, mas precisam ser treinados para distinguir o bem do mal. Cf. 1Rs 3.9. De outra sorte, o coração se tornará néscio, ou seja, insensível (ver Is 6.10). Ver também Fp 1.10.

■ 1.3

לָקַחַת מוּסַר הַשְׂכֵּל צֶדֶק וּמִשְׁפָּט וּמֵישָׁרִים׃

Para obter o ensino do bom proceder. O autor sagrado continuava a explicar por qual motivo escrevera esta porção e compilara este livro. Não basta ensinar. O estudante deve estar motivado a aprender, isto é, receber o que lhe for ensinado. Um estudante sente-se motivado quando se assenta aos pés de seu mestre. O professor deve possuir muito mais conhecimento que o seu aluno. Além disso, o aprendiz tem de ver que o próprio mestre pratica o que diz, dando o exemplo correto.

> *Tornai-vos, pois, praticantes da palavra, e não somente ouvintes, enganando-vos a vós mesmos.*
>
> Tiago 1.22

Resultados Práticos. Um estudante deve obter sabedoria, praticando a retidão, cumprindo a justiça e a equidade. Em outras palavras, deve ter as principais características de um homem espiritual, cuja filosofia o salva de seus atos profanos.

Bom proceder. No hebraico original temos a palavra *haskel*, e não a mesma palavra para "sabedoria", do vs. 2. Esta palavra significa "bom senso". Um homem viverá de acordo com o bom senso em todos os seus atos e relacionamentos com outras pessoas. Alicerçado sobre esse fundamento, ele praticará as coisas que se seguem, listadas após a palavra *sabedoria*.

A justiça. Esta palavra, no original hebraico, é *cedheq*, "reto". Tal homem não se envolverá em veredas tortuosas. Antes, caminhará ao longo da "vereda reta e estreita".

O juízo. No hebraico, *mishpat*, "decisão" em favor do que é reto, atos e relações retas, a retidão em todas as situações.

A equidade. No hebraico, *mesharim*, que tem o sentido básico de suave ou reto. Ver Is 25.6, onde se fala sobre a vereda de um homem reto. O homem vive "no mesmo nível" de outros homens, ou seja, de maneira honesta e justa. "Aquilo que é reto, verdadeiro e honesto" (Ellicott, *in loc.*).

■ 1.4

לָתֵת לִפְתָאיִם עָרְמָה לְנַעַר דַּעַת וּמְזִמָּה׃

Para dar aos simples prudência. Os jovens, inexperientes que se impressionam facilmente por palavras distorcidas, precisavam das instruções do mestre, e ele mostrou zelo sobre a questão, pleno de conhecimento e de capacidade de comunicar. Os simples seriam uma presa fácil para os homens maus e as más situações. A palavra hebraica para isso é *pathah*, que significa "aberto", ou seja, franqueado a todas as espécies de influência. Paralelo a isso é o jovem. O jovem estaria aberto a influências boas e más, pelo que o mestre quereria chegar a ele, antes que os lobos o alcançassem.

Os jovens pensam que os idosos são tolos;
Os idosos sabem que os jovens são tolos.

George Chapman

Conhecimento. No hebraico, *yadha*, "conhecer", a palavra comum com esse sentido. Um corpo de conhecimento tinha de ser comunicado, e o aluno tinha de dominar tal conhecimento. Um jovem precisava de mais do que conhecimento, mas isso era o *sine qua non* de qualquer indivíduo que quisesse iniciar a caminhada ao longo da trilha do conhecimento.

Bom siso. No hebraico, *mezimmah*, literalmente, "poder de planejar", ou seja, ter bom senso suficiente para tomar boas decisões, "decidir quanto ao próprio curso de ação". Um jovem teria de aprender a resolver, com propósito, por qual caminho deveria seguir, o que deveria e o que não deveria fazer. Esta palavra podia ser usada em bom sentido e em mau sentido. Cf. Pv 12.2; 14.17; 24.8 (no mau sentido); Pv 2.11; 3.21; 5.2; 8.12 (no bom sentido). Cf. a frase "prudentes como as serpentes" (Mt 10.16). Ver também Lc 16.8 e Ef 5.16.

Emerson queixou-se em um ensaio seu de que, "às vezes, o mundo parece estar em uma conspiração para nos importunar com trivialidades enfáticas". Somente um homem instruído é capaz de separar o que é trivial do que é importante.

■ 1.5

יִשְׁמַע חָכָם וְיוֹסֶף לֶקַח וְנָבוֹן תַּחְבֻּלוֹת יִקְנֶה׃

Ouça o sábio e cresça em prudência. O indivíduo que já obteve alguma sabedoria, bem como o aluno que está progredindo em conhecimento, continuará aumentando em sua erudição: o homem que atingiu alguma compreensão continuará desenvolvendo-se em discernimento e adquirirá habilidades. Seus esforços renderão dividendos. Ele se tornará um mestre cada vez mais apto na lei e na aplicação prática à sua vida diária. Ele se tornará um sábio praticante, e não meramente um sábio aprendiz. As ideias e as palavras são repetidas com base nos versículos anteriores.

Prudência. No hebraico, *leqah*, que vem de uma raiz que significa *receber, tomar*. Ele recebe de outros, e então doa a outros as instruções da lei.

Adquira habilidade. Esta última palavra corresponde ao hebraico *tahbuloth*, termo náutico, de uma raiz que significa *corda*, ou seja, um mecanismo de "pilotagem", a "arte dos marinheiros". Tal homem se guiará corretamente na passagem por esta vida e suas tempestades, e será capaz de guiar a outros pelo mesmo mar. A Septuaginta e a Vulgata Latina dizem aqui "governar". A ideia é a noção de habilidade naquilo que o indivíduo faz, estando em mira a vida espiritual. "Tanto os mestres quanto os seus alunos são aprendizes. O mestre pode saber coisas além de seu estudante, mas nunca para de aprender e aumentar as suas habilidades" (Rolland W. Schloerb, *in loc.*). Cf. Pv 11.14; 12.5; 20.18 e 24.6 quanto ao uso da mesma palavra, *habilidade*. Ver também Jó 37.12. Ver 2Pe 1.5, que tem a mesma ideia:

Reunindo toda a vossa diligência, associai com a vossa fé a virtude; com a virtude, o conhecimento.

■ 1.6

לְהָבִין מָשָׁל וּמְלִיצָה דִּבְרֵי חֲכָמִים וְחִידֹתָם׃

Para entender provérbios e parábolas. Este versículo é a continuação dos vss. 2-4. O livro de Provérbios tem um alvo erudito e prático. As declarações expressivas e os discursos sábios, dirigidos aos insensatos (isto é, os provérbios), serão inúteis para os aprendizes a menos que os significados apropriados sejam determinados. Temos aqui uma nova palavra, a figura ou parábola, que no hebraico é *melicah*, que vem de uma raiz que significa *dobrar, envergar*. Uma palavra cognata é *interpretar*. Um intérprete é alguém que dá uma distorção apropriada a um jogo de palavras, para trazer à tona o sentido delas. O único outro lugar onde essa palavra hebraica é usada é Hc 2.6, onde tem o sentido de "poema escarninho". O significado é alguma coisa difícil que precisa ser interpretada para o aluno. O sábio será um mestre das interpretações.

Palavras e enigmas dos sábios. Parte do ensino ministrado será relativamente fácil, sendo expresso por meio de palavras sábias que não precisam de nenhuma habilidade especial para serem entendidas. Mas ocasionalmente surgirão enigmas. A palavra hebraica correspondente é *hidhah*, que significa, basicamente, "dobrar para um lado". Alguma declaração do professor não será franca e direta como a maioria de suas palavras; antes, terá algum reflexo que exigirá um exame mais próximo e uma explicação para ser entendida. Algumas versões traduzem essa palavra por "nós". Algumas afirmações terão de ser desatadas, e não cortadas, dando soluções fáceis. Ver sobre *Nó Górdio* no artigo chamado *Nó*, na *Enciclopédia de Bíblia, Teologia e Filosofia*, que servirá bem para ilustrar o texto presente.

Como poderei eu entender, se alguém não me explicar?
Atos 8.31

Essa palavra, que se refere a alguma declaração enigmática, foi usada no tocante à charada de Sansão, em Jz 14.12-18, bem como às perguntas difíceis feitas pela rainha de Sabá, as quais Salomão, naturalmente, sábio que era, foi capaz de resolver (ver 1Rs 10.1; 2Cr 9.1).

O Lema do Livro (1.7)

■ 1.7

יִרְאַת יְהוָה רֵאשִׁית דָּעַת חָכְמָה וּמוּסָר אֱוִילִים בָּזוּ׃ פ

O temor do Senhor é o princípio do saber. Esta é uma das maiores afirmações da literatura de sabedoria, e não somente do livro de Provérbios. É básica para compreendermos a espiritualidade do Antigo Testamento. Apresento uma nota de sumário sobre essa declaração, em Sl 119.38, e muito mais ainda no artigo do *Dicionário* acerca do artigo intitulado *Temor*. Dou ali uma abundância de referências sobre o assunto. Portanto, forneço aqui apenas uma ideia ou duas, confiando que o leitor obtenha a essência dessa declaração nos lugares mencionados. O temor do Senhor é a "religião do homem sábio" (Rolland W. Schloerb, *in loc.*). Possivelmente, a base da ideia era o terror que um pobre adorador sentia perante o seu Deus, ou seus deuses ou seus ídolos. Mas o vocábulo acabou adquirindo as ideias de reverência, de profundo respeito, de uma espiritualidade em geral, conhecendo e praticando a lei mosaica, por motivo de profundo respeito ao Legislador. A expressão *temor do Senhor* ocorre por onze vezes no livro de Provérbios, e a forma imperativa, *temei ao Senhor*, por outras quatro vezes. O autor se referia a uma "piedade genuína" (Adam Clarke, *in loc.*). A declaração serve de "nota-chave de todo o ensinamento do livro" (Ellicott, *in loc.*). Ver Pv 1.29; 2.5; 3.7; 8.13; 9.10; 10.27; 14.2,26,27; 15.16,33; 16.6; 22.4; 23.17 e 24.21. A leitura desses versículos dará ao leitor uma ideia do que essa expressão significa para o autor-compilador do livro de Provérbios.

O princípio do saber. Ter conhecimento não consiste apenas em estar informado sobre as coisas. Antes, é conhecer as realidades espirituais e ser transformado por elas. Para os hebreus, naturalmente, a lei era básica para alcançar tal forma de conhecimento. A lei era a primeira fonte do conhecimento. Um homem bom tem um bom começo no empreendimento do conhecimento, quando começa com seu fundamento e inspiração, "o temor a Yahweh". A mente de tal homem, pois, é condicionada a compreender e a prosseguir em seu aprendizado. A palavra aqui usada, "princípio", pode significar "parte seleta". O termo hebraico é *reshith*, o ponto inicial de qualquer coisa. Quanto a esta palavra como porção seleta, ver Jr 49.35 e Am 6.6. Cf. também Sl 9.10; Jó 28.28 e Eclesiástico 1.14. Pirke Aboth 3.26 também contém algo similar. Essa palavra foi usada em Gn 1.1 para indicar o ponto inicial da criação física. Portanto, ela também marca o ponto inicial da criação espiritual.

"A reverência é a reação da alma à presença divina, uma reação não somente ao poder, mas também ao valor. Trata-se da atitude da alma para com Deus, em quem a bondade e o poder são uma coisa só. E é despertada no homem sempre que ele encontra aqueles valores que considera santos. Tudo mais cede caminho e torna-se subordinado a isso" (Harris Franklin Rall, em seu livro, *Christianity*, pág. 11).

Em contraste com o bom aprendiz, que firmou seus pés no caminho para cima, está o insensato, que tropeça ao longo de seu caminho de ignorância e negligência. Os insensatos vivem sem levar Deus em conta. Eles são corruptos e cada vez se corrompem mais. Também guiam outros pelo caminho errado. Tais homens desprezam a verdadeira sabedoria e fazem da vida uma cruzada de fazer dinheiro, ou a tentativa de alcançar algum outro alvo trivial.

Quando Deus, antigamente, desceu do céu, em poder e ira, os homens não lhe deram atenção. Tais homens são ateus praticantes. Eles podem acreditar na existência de algum Ser Supremo, que vive em algum lugar, mas isso não faz diferença alguma em sua vida. Pois vivem como se Deus não existisse. Ver Sl 14.1, que usa a palavra "insensato", para caracterizar tais indivíduos.

EXORTAÇÕES E ADVERTÊNCIAS (1.8-19)

Primeiro Discurso: O Valor da Sabedoria nas Honrarias. Exortação para que se Ouçam as Instruções (1.8,9)

■ 1.8

שְׁמַע בְּנִי מוּסַר אָבִיךָ וְאַל־תִּטֹּשׁ תּוֹרַת אִמֶּךָ׃

Filho meu, ouve o ensino do teu pai. "O treinamento no lar é uma salvaguarda moral. Protege o jovem que sai ao mundo" (*Oxford Annotated Bible*). Um pai tem a responsabilidade de ensinar seus filhos literais, mas a expressão, neste caso, significa "discípulo", o aluno do mestre. Talvez o professor tivesse uma escola formal, com certo número de alunos, ou talvez tivesse alguns poucos jovens estudantes que com frequência se valiam de sua sabedoria superior e eram estudantes informais. Seja como for, o mestre contava com alguns poucos homens sobre os quais exercia autoridade espiritual. Para eles, o mestre era a fonte de aprendizado, tanto teórico quanto prático. Para eles, o mestre dava instruções, e essas instruções eram acerca da lei mosaica. A mãe do aprendiz era uma mulher piedosa, que tinha o cuidado de instruir seus filhos. Ademais, o pai literal do aprendiz também era um instrutor. Então havia o mestre, que substituiu o pai, quando este ficou muito idoso. "De acordo com a psicologia dos hebreus, a ação era o resultado natural do ato de ouvir, pelo que a palavra ouvir também pode ser traduzida por obedecer" (Charles Fritsch, *in loc.*).

Ensino. Todo ensino de natureza espiritual se derivava da lei de Moisés, o manual de conhecimentos teóricos e práticos dos hebreus. Ver Sl 1.2 quanto a um sumário do que a lei de Moisés significava para Israel. Cf. Pv 3.1. Jarchi e Gersom fazem com que o "pai", neste caso, seja o Pai celestial. Ele é a fonte originária de todos os ensinamentos a filhos fiéis.

tua mãe. O livro de Provérbios exalta a posição da "mãe" mais do que qualquer outro livro do Antigo Testamento. É óbvio o papel que mulheres piedosas sempre tiveram na instrução espiritual durante todo o tempo. Em certo sentido, a mãe de uma criança é a primeira linha de ensinamentos espirituais, pelo menos durante os anos formativos da criança. Ver 2Tm 1.5. Loide e Eunice foram brilhantes exemplos disso.

■ 1.9

כִּי לִוְיַת חֵן הֵם לְרֹאשֶׁךָ וַעֲנָקִים לְגַרְגְּרֹתֶיךָ׃

Porque serão diadema de graça para a tua cabeça. Ver as notas expositivas sobre Pv 4.9, que adornam a declaração deste versículo.

Instrução e disciplina não são jugos pesados que o homem pendure ao pescoço, mas, antes, ornamentos graciosos ou uma grinalda de flores que embelezam o homem, longe de lhe servir de empecilho. A sabedoria concede ao bom corredor uma bela coroa de louros, quando ele ganha a corrida. Tal homem também pode pôr um colar de ouro em torno do pescoço. Cf. Pv 4.9, onde a sabedoria é que concede esse prêmio. "... sobre a cabeça e o pescoço, os sinais da distinção do indivíduo. Essa instrução celeste agraciará tanto a cabeça quanto o ser inteiro externo daquele que a recebe (ver Pv 3.22; Is 61.10). As coroas na cabeça e as correntes no pescoço estão sempre presentes, e não podem ser esquecidas facilmente (ver Jr 2.32). Portanto, os jovens são exortados aqui a lembrar-se sempre da glória da sabedoria piedosa, que é o mais brilhante ornamento deles" (Fausset, *in loc.*).

Cf. este versículo com 1Tm 3.9,10; 1Pe 3.3,4. Cf. também Gn 41.42 e Dn 5.29, quanto às correntes como decorações e reconhecimentos.

SEGUNDO DISCURSO: O VALOR DA SABEDORIA PARA SE PRESERVAR DO DESASTRE (1.10-33)

Advertência contra a Associação com Pecadores Radicais (1.10-19)

■ 1.10

בְּנִי אִם־יְפַתּוּךָ חַטָּאִים אַל־תֹּבֵא׃

Filho meu, se os pecadores querem seduzir-te, não o consintas. Na primeira vez em que ouvi um pastor evangélico, em Chicago, orar por "nossos rapazes na prisão", fiquei chocado. Eu nunca tinha ouvido dizer que um bom rapaz de igreja havia sido detido em uma prisão. Mas desde então ouvi falar em dois filhos de pastores que terminaram na prisão (um deles por estupro), bem como em um pastor que passou cheques sem fundo e, de modo geral, misturou-se em assuntos duvidosos, e acabou passando certo período numa prisão.

O texto à nossa frente avisa que não devemos misturar-nos com tipos de criminosos graves, como ladrões ou assassinos. Assim é que, no vs. 10, encontramos um bom rapaz que estava sendo encorajado a manter-se em companhia de assassinos (vs. 11). Nestes dias de drogas, qualquer coisa pode acontecer. Eu soube de um caso, na cidade de São José dos Campos, em que o filho de um líder de uma igreja evangélica participou de um assassinato, meramente para roubar. Ele e seus companheiros estúpida, brutal e desavergonhadamente assassinaram um jovem, preso em sua cadeira de rodas, meramente porque sua irmã e sua mãe não quiseram revelar o lugar onde, presumivelmente, eles tinham escondido algum dinheiro na casa. Além disso, conheci um pastor evangélico na cidade de Las Vegas, EUA, cujo irmão, crente professo, assassinou a namorada porque ela tinha ficado grávida, e ele não queria envolver-se no caso. Ele atirou nela no seu carro e, quando viu que ela estava ferida e agonizante, correu com ela para o hospital, implorando para que os médicos a salvassem. Porém, era tarde demais. A bala já tinha feito seu trabalho daninho. Assim acontece quando pessoas se envolvem em crimes pesados, descuidando-se e fazendo o jogo do diabo.

Talvez seja verdade o que diz uma de minhas fontes informativas: a seção perante nós revela um estado desregrado da sociedade, em que tais coisas são comuns, quando jovens fracos podem deixar envolver-se na rede da violência. Por outro lado, no mundo atual, a maioria das grandes cidades está vivendo um estado desregrado. Pecadores profissionais apelam para outros para engrossar suas fileiras. Os "pecadores", neste caso, são os bandos organizados de ladrões e assassinos que ganham a vida praticando atos violentos. Esses fazem convites inflamados aos jovens.

■ 1.11

אִם־יֹאמְרוּ לְכָה אִתָּנוּ נֶאֶרְבָה לְדָם נִצְפְּנָה לְנָקִי חִנָּם׃

Se disserem: Vem conosco, embosquemo-nos para derramar sangue. Alguns desprezíveis criminosos profissionais, que já possuem muito dinheiro e propriedades por terem obtido sucesso na violência, engajam-se em crimes por mera diversão, e não atrás de dinheiro. Em nossos dias, na cidade de São Paulo, enfrentamos algo similar. A cidade tornou-se um lugar de criminosos profissionais que têm muito mais dinheiro do que você ou eu. No entanto, não interrompem seus furtos e seus assassinatos somente por terem muito dinheiro. Além disso, vemos o espetáculo de jovens, provenientes de famílias da classe média, que não têm necessidade de dinheiro, mas que se atiram aos furtos e aos assassinatos somente por causa da excitação e da diversão.

Não nos devemos surpreender que coisas dessa ordem estivessem acontecendo em Jerusalém e outras cidades grandes. Aqueles eram tempos brutais em que as matanças eram glorificadas, e até Deus era transformado no Capitão dos Exércitos (ver 1Rs 18.15). A guerra era uma constante, e é justo dizer que grande porcentagem dos jovens, em idade militar, já tinha matado um homem ou dois. Os registros históricos demonstram que o assassinato era o acompanhamento comum dos roubos. "As cidades antigas eram mal iluminadas à noite e pouco policiadas ou nem mesmo eram policiadas" (Toy, *Provérbios*). Assim, era fácil encontrar vítimas inocentes, roubar-lhes o dinheiro e matá-las por simples esporte. Vítimas inocentes eram mortas "sem nenhuma causa" (*King James Version*) ou "sem razão", conforme diz a nossa versão portuguesa.

■ 1.12

נִבְלָעֵם כִּשְׁאוֹל חַיִּים וּתְמִימִים כְּיוֹרְדֵי בוֹר׃

Traguemo-los vivos, como o abismo. Os criminosos profissionais são agora devidamente retratados como monstros ou feras devoradoras, que engolem suas vítimas, despachando-as para o sepulcro, a cova miserável. A palavra aqui usada, no hebraico original, é *sheol*, que pode ser uma referência a uma vida pós-túmulo, no submundo das almas descarnadas, mas que aqui é uma simples referência ao sepulcro. Em Sl 88.10; 139.8; 148.7, a palavra tem possíveis significados de pós-vida, embora ali essa vida se revista de uma forma muito preliminar. Ver no *Dicionário* os artigos chamados *Sheol* e *Hades*. Não devemos esperar que esses assassinos se preocupem com um pós-vida, quer para si mesmos, quer para outra pessoa qualquer. Seu único prazer consiste em ver homens morrendo e sendo sepultados, como pedaços inúteis de carne. A cova é sinônimo para o sheol. Ver Is 14.15; Ez 32.23; 28.30, trechos que, para alguns intérpretes, pode distinguir a cova como um lugar diferente do sheol.

Traguemo-los vivos... e inteiros. Eles estavam vivos, mas de repente foram engolfados pela morte, e isso completamente, sem deixar nenhum indício sobre quem fora o assassino. Cf. a linguagem semelhante que nos dá conta da punição de Coré e seus associados (ver Nm 16.30; Sl 55.15).

"O sheol, neste passo bíblico, não aponta para o pós-vida" (Sid S. Buzzell, *in loc.*). "... tragar, alusão a uma fera que engole completamente sua presa e deixa apenas alguns poucos ossos. Isso fala da crueldade e da natureza rapace dela" (John Gill, *in loc.*).

■ 1.13

כָּל־הוֹן יָקָר נִמְצָא נְמַלֵּא בָתֵּינוּ שָׁלָל׃

Acharemos toda sorte de bens preciosos. O dinheiro era uma das motivações daquela gente. Os assassinos obteriam bens preciosos de suas vítimas. Encheriam suas casas (ou seus armazéns) com todas as coisas furtadas, e assim continuariam a fazer, até se tornarem riquíssimos. Estou conjecturando que o autor se referia a bandos de ladrões que invadiam casas, e não somente a bandos de ladrões que atacavam vítimas inocentes nas ruas. Mas a referência não parece ser ao saque recolhido na guerra. Aqueles homens ímpios dirigiam uma guerra contínua e incansável contra a sociedade. Eram saqueadores de seu próprio povo e, talvez, até de seus vizinhos. Este versículo aplica-se obviamente a criminosos das cidades, tradicionalmente lugares que convidam ao crime.

■ 1.14

גּוֹרָלְךָ תַּפִּיל בְּתוֹכֵנוּ כִּיס אֶחָד יִהְיֶה לְכֻלָּנוּ׃

Lança a tua sorte entre nós; teremos todos uma só bolsa. Os pecadores geralmente se mostram generosos para com os que querem ser seus recrutas. Eles não procuravam dominá-los, antes aceitavam-nos como membros iguais. Haveria um único fundo para ser distribuído a todos em termos iguais. Haveria uma única bolsa, conforme se lê no hebraico original. Mas para ter acesso a esse fundo comum, o novo criminoso teria de fazer um juramento. Precisaria ser um irmão devidamente ajuramentado, que estivesse trabalhando sob o mesmo juramento e a mesma maldição. As palavras são próprias de um pacto, segundo o qual os participantes juravam lealdade uns aos outros e à causa comum. Eles tinham uma espécie de rito para membros, literal ou subentendido.

Sorte. Originalmente era algo lançado a fim de determinar a vontade de alguma divindade. A sorte revelava a vontade do ser divino, bem como o curso da vida a ser seguido. Disso derivou-se a ideia da sorte do próprio indivíduo. O novo irmão viveria para matar e saquear. Essa seria a sua sorte na vida, o curso que ele seguiria na companhia de outros indivíduos de seu tipo de vida.

■ 1.15

בְּנִי אַל־תֵּלֵךְ בְּדֶרֶךְ אִתָּם מְנַע רַגְלְךָ מִנְּתִיבָתָם׃

Filho meu, não te ponhas a caminho com eles. O jovem, que se deixava impressionar, que gostaria de pôr as mãos em todo aquele dinheiro e em todos aqueles bens, foi advertido pelo mestre sábio a evitar a vereda tortuosa dos obreiros da iniquidade. O pé do jovem não deveria dar um único passo naquela vereda. Pois um passo abriria caminho para outro, até que aquele que começara sua carreira como aluno seria um líder na senda do crime. Ver no *Dicionário* o verbete chamado *Caminho*.

> *Entrai pela porta estreita (larga é a porta e espaçoso o caminho que conduz para a perdição e são muitos os que entram por ela).*
>
> Mateus 7.13

Um sábio tinha consciência de que esse era um jogo perdido, a longo prazo. Mas o proveito que os ímpios obteriam por tais meios era uma perda, afinal. Cf. Pv 4.14. Envolver-se em tais atividades seria cair em um curso de ação que terminaria em ruína. Cf. Sl 1.1 e Pv 4.14.

> *De todo mau caminho desvio os meus pés, para observar a tua palavra.*
>
> Salmo 119.101

■ 1.16

כִּי רַגְלֵיהֶם לָרַע יָרוּצוּ וִימַהֲרוּ לִשְׁפָּךְ־דָּם׃

Porque os seus pés correm para o mal. Este versículo repete a essência dos vss. 11 e 12. O furto transforma-se em assassinato. Então um homem é culpado de um crime de sangue. Tal homem afundou no mais baixo nível de criminalidade. Essa era uma razão para o jovem manter-se longe dos obreiros da iniquidade. Em breve ele seria culpado de crimes hediondos e seria como uma fera na floresta, brutal, totalmente voltado para o serviço de si mesmo, uma maldição contra a sociedade e contra si mesmo. Este versículo é virtualmente igual a Is 50.6a. Ver também Rm 3.15,16, que diz:

> *... são os seus pés velozes para derramar sangue; nos seus caminhos há destruição e miséria.*

O vs. 18 mostra que eles receberão segundo aquilo que deram. Nenhuma pessoa pode escapar da punição apropriada para os seus crimes, tanto nesta vida como na vida vindoura. Cf. este versículo com Pv 6.18.

■ 1.17

כִּי־חִנָּם מְזֹרָה הָרָשֶׁת בְּעֵינֵי כָל־בַּעַל כָּנָף׃

Pois debalde se estende a rede à vista de qualquer ave. Se estiver presente uma ave que esteja espiando o que se faz, será ridículo estender uma rede para apanhá-la. Pois a tal ave terá inteligência suficiente para voar para longe e manter-se distante da rede. Provavelmente essa declaração era um provérbio popular.

... Se estende. O termo hebraico correspondente, *mezorah*, significa, apropriadamente, engodar, e não estender. Pode haver uma alusão a um pecador que não se contenta apenas em estender uma rede, pois também põe ali alguma espécie de chamariz, como um pouco de alimento, que atraia a atenção da ave. O ponto do provérbio é que, quando os homens ímpios pensam em armar uma emboscada para alguma pessoa inocente que por ali passe (vss. 11,12), o que estão realmente fazendo é estender uma rede para si mesmos. E agem assim por estarem cegos para a armadilha que preparam para si mesmos, porquanto a justiça divina cuidará que eles sejam apanhados em seus próprios ardis, sofrendo a devida retribuição. Portanto, revelam-se mais estúpidos do que as aves, as quais, ao ver uma rede sendo estendida, embora contenha comida, voam para longe do perigo. Em consequência, para o homem jovem que foi convidado a participar de uma vida de crimes (vs. 10), seria uma coisa sábia fugir da rede armada por homens ímpios e assim salvar a própria vida.

■ 1.18

וְהֵם לְדָמָם יֶאֱרֹבוּ יִצְפְּנוּ לְנַפְשֹׁתָם׃

Estes se emboscam contra o seu próprio sangue. Este versículo exprime uma consequência do versículo anterior, bem como da declaração adversa a isso, no vs. 11. Quando os homens assaltam e assassinam a outros homens, na verdade assaltam e assassinam a si mesmos. A *Lex Talionis* (pagamento segundo a gravidade do crime) os apanha no pulo. A *Lei Moral da Colheita segundo a Semeadura* acabará por apanhá-los. Ver sobre ambos os títulos no *Dicionário*.

Os homens que continuam na senda do crime estão atraindo a própria destruição. Sócrates, embora fosse homem muito sábio, estava errado em uma de suas suposições. Ele pensava que o homem que realmente sabia o que é melhor para ele faria tal coisa. No entanto, sabemos de pessoas que fazem coisas destrutivas, perfeitamente conscientes de que isso as prejudicará. Pois tal é a perversidade do coração humano.

Um caso acontecido em Salt Lake City, EUA, em dezembro de 1996, ilustra muito bem este versículo. Um homem viciado em drogas, que precisava de dinheiro para manter seu vício, foi à casa de sua cunhada. Ele a amarrou e roubou o que pôde roubar. E então, estúpida e brutalmente, matou a mulher, jovem mãe de quatro filhos. Em seguida, roubou o carro da família e escapou. Um oficial da polícia pensou intuitivamente que o homem guiaria o veículo até Wandover, cidade na fronteira entre os Estados de Utah e Nevada, na direção oeste de quem sai de Salt Lake City. Portanto, ele e outro policial, que acreditou na intuição do colega, partiram para aquele lugar. De fato, encontraram ali o carro roubado. O homem estava jogando em um cassino. Ao ver a polícia, tentou escapar, mas um dos policiais atirou e o feriu mortalmente. Então o bandido foi embarcado em um avião de volta para Salt Lake City e foi internado em um hospital. Se esse homem sobreviver ao seu ferimento, provavelmente será executado no Estado de Utah. Por conseguinte, seu caminho de violência voltou-se contra ele e eventualmente acabará por tirar-lhe a vida. Nem sempre acontece dessa maneira, mas, de algum modo, Deus apanhará os criminosos, mesmo que isso aconteça somente no pós-vida.

1.19

כֵּן אָרְחוֹת כָּל־בֹּצֵעַ בָּצַע אֶת־נֶפֶשׁ בְּעָלָיו יִקָּח: פ

Tal é a sorte de todo ganancioso. *A Aplicação*. Aqueles que são gananciosos pelo lucro e saem a praticar crimes para obter o que querem, preparam um caminho de destruição para si mesmos, que os leva à ruína. Há uma lei da retribuição que é tema comum da literatura de sabedoria. Quanto a isso, ver no *Dicionário* sobre *Sabedoria*, seção III. Cf. esta conclusão com Jó 8.13.

Aquele que vive cobiçando as coisas logo descobre que a cobiça é um animal feroz que se volta contra ele e lhe arrebata a vida. Encontramos aqui uma expressão idiomática no hebraico, que fala no proprietário da cobiça. Alguém que possui alguma coisa é chamado de seu proprietário. Assim sendo, o "proprietário da ira" é alguém que não pode controlar sua ira. Quanto à função, essa expressão opera como uma outra, "filho de", ou seja, um homem que é, essencialmente, uma coisa qualquer. Cf. este versículo com Pv 15.27 e 1Tm 6.10.

O humor negro deste versículo é que a ganância opera como um bumerangue. Uma vantagem financeira mal ganha (ver Pv 10.2 e 28.16) não pode ser desfrutada, finalmente, por um ladrão e assassino. Os ladrões roubam dinheiro, mas esse ato acaba tomando-lhes a vida. Em outras palavras, o crime não compensa. Essa declaração pode até ser um truísmo, mas é veraz, no fim, em todos os casos. Portanto, um jovem deve fugir de homens violentos como uma ave foge da rede.

A Sabedoria, Personificada como Mulher, Adverte os Homens para que Não a Negligenciem (1.20-33)

1.20

חָכְמוֹת בַּחוּץ תָּרֹנָּה בָּרְחֹבוֹת תִּתֵּן קוֹלָהּ:

Grita na rua a sabedoria. Como é natural, os homens são atraídos pelas mulheres, e o poeta chama nossa atenção ao falar sobre uma mulher realmente superior, a Sabedoria. Ela tem uma mensagem a comunicar, embora não seja algo que os homens gostem de ouvir. Cf. esta personificação com Pv 3.15-19; 8.1-36; 9.1-6; Eclesiástico 1.1-10 e 24.1-34. Essa mulher percorre as ruas, clamando em alta voz. Ela atrai bastante atenção, mas poucos ouvem suas palavras, a ponto de modificar o curso da vida. O livro de Provérbios, em toda a Bíblia, é o que mais eleva a posição da mulher na sociedade. Portanto, foi apenas natural que o autor do livro tivesse apresentado essa figura simbólica. Essa figura tem sido cristianizada, para que Cristo apareça a falar, mas um judeu não teria apresentado o Messias sob a figura de uma mulher.

Os homens acham-se nas apinhadas e barulhentas ruas, no lugar espaçoso que conduz à destruição. A corajosa Sra. Sabedoria caminha pelas ruas para cima e para baixo, conforme Jonas fez em Nínive. Ninguém a detém, mas também ninguém lhe dá atenção.

Sabedoria. A palavra hebraica aqui usada não é exatamente a mesma do vs. 3. A palavra é *hokhmoth*, encontrada aqui e em Pv 9.1; 14.1; 24.7 e Sl 49.4. Essa palavra hebraica provavelmente é a forma plural de *hokhmah* (1.2), e não um substantivo abstrato separado. Provavelmente tenciona apontar para as multiformes excelências da sabedoria. A sabedoria, nos capítulos 1, 8 e 9 do livro de Provérbios, corresponde ao que esperaríamos que o Messias fizesse, de modo que alguns cristãos, desde os tempos mais remotos do cristianismo, têm visto aqui profecias sobre Cristo. Ver 1Co 1.24,30, onde se lê que Cristo foi feito nossa Sabedoria. Nele se encontram os tesouros da sabedoria de Deus (ver Cl 2.3). Parece melhor, entretanto, entender tal interpretação como uma aplicação das passagens em questão, em vez de fazer delas passagens proféticas.

Seja como for, a Sra. Sabedoria leva a sua mensagem às ruas, sob formato evangelístico. Ela não espera que os discípulos venham à sua casa ou escola. Os mestres gregos, como Sócrates, levavam sua mensagem aos mercados, mas certamente esse não era o método usado pelos hebreus em seu ensino. Contudo, o evangelista Jonas foi pregar nas ruas de Nínive. Os ninivitas deram ouvidos a Jonas; e foi assim que o império assírio perdurou mais cem anos, em vez de desaparecer nos dias de Jonas.

"A voz da Sabedoria se opõe à linguagem sedutora dos ímpios, vss. 10-13" (Adam Clarke, *in loc.*).

"A Sabedoria, personificada como mulher, denuncia aqueles que desprezam as instruções morais, ou aqueles que só percebem tarde demais a necessidade da sabedoria" (*Oxford Annotated Bible*, comentando sobre o vs. 20).

1.21

בְּרֹאשׁ הֹמִיּוֹת תִּקְרָא בְּפִתְחֵי שְׁעָרִים בָּעִיר אֲמָרֶיהָ תֹאמֵר:

Do alto dos muros clama. A Sra. Sabedoria foi aos principais logradouros de Jerusalém, onde o povo costumava reunir-se, primeiramente caminhando ao longo do topo das muralhas (a *Revised Standard Version* traduz aqui um hebraico um tanto incerto, preferindo seguir a Septuaginta). A frase poderia ser traduzida por "no começo das ruas barulhentas". O termo hebraico envolvido é *homiyyoth*, que parece falar de algo barulhento (cf. Is 17.12; 22.2; 51.15; Jr 5.22; 6.23; 31.35 e 50.42).

A Sabedoria clama a sua mensagem em outra parte apinhada da cidade. Algumas traduções dizem aqui "ruas ou mercados". "As palavras de condenação que vêm depois dos vss. 23 ss., que a Sabedoria proferiu, fazem lembrar as mensagens dos profetas. Nesta passagem, tal como em Pv 8.1-4 e 9.1-6, a Sabedoria usa o método evangelístico de apelo às multidões, um método bastante diferente de aconselhar estudantes individuais" (Charles Fritsch, *in loc.*). "A sabedoria não podia aguentar ver pecadores precipitando-se loucamente para sua condenação. Cf. o choro de Cristo sobre Jerusalém, em Lc 19.41, e ver Rm 9.2 ss. e Fp 3.18 ss." (Ellicott, *in loc.*).

"Quão pouco ouvida é a Sabedoria em sua solicitude pela nossa salvação, clamando em voz alta por todos os lugares!" (Fausset, *in loc.*). "A Sabedoria usa todo o artifício possível para despertar as pessoas de sua letargia, e de seguirem caminhos equivocados" (Rolland W. Schloerb, *in loc.*).

1.22

עַד־מָתַי פְּתָיִם תְּאֵהֲבוּ פֶתִי וְלֵצִים לָצוֹן חָמְדוּ לָהֶם וּכְסִילִים יִשְׂנְאוּ־דָעַת:

Até quando, ó néscios... e vós, escarnecedores... e vós, loucos... ? *O Trio*. Vários tipos de homens podem errar de diversas

maneiras, e a Sra. Sabedoria nos dá alguma ideia sobre isso com uma tríplice referência, conforme se vê abaixo:
1. *Néscios, amareis a necedade.* Esta frase fala da classe inteira de homens espiritualmente não instruídos, jovens ou velhos, que pouco sabem sobre o temor do Senhor e não põem em prática esse temor na vida diária. Ver no vs. 7: "os loucos" desprezam a sabedoria e o ensino. As notas expositivas sobre a segunda parte do versículo aplicam-se diretamente aqui, embora diferentes palavras hebraicas tenham sido usadas. Aqui, a palavra traduzida como "néscios" é o vocábulo hebraico *pethi*, que fala de pessoas inexperientes, principiantes, aprendizes. Tais homens amam a imaturidade. São perpétuos adolescentes espirituais.
2. *Escarnecedores.* No hebraico temos o vocábulo *leç*, que fala sobre os desprezadores, os arrogantes, que voltam as costas para o bem. Eles se deleitam em sua arrogância e zombaria, e não na lei mosaica.
3. *Loucos.* No hebraico, *kesil*, o indivíduo embotado, a quem falta sensibilidade espiritual, o homem dotado de pele grossa, que coisa alguma consegue penetrar, a quem a verdade espiritual não toca. Ele abomina o conhecimento, porque este perturba em demasia sua vida.

Outras palavras, no livro de Provérbios, para indicar os "insensatos", são: *'ewil*, a pessoa de casca grossa, embotada; e *nabhal*, o insensato sem vergonha, que é uma pessoa desprezadora e grosseira, destituída de discernimento espiritual e intelectual. Ver Pv 17.7,21; 30.22.

■ 1.23

תָּשׁוּבוּ לְתוֹכַחְתִּי הִנֵּה אַבִּיעָה לָכֶם רוּחִי אוֹדִיעָה דְבָרַי אֶתְכֶם:

Repreensão. Ou seja, os ensinos que repreendem o mal e, ao mesmo tempo, apontam para o que é bom. "Admoestação, exortação, tingidas com a imputação de culpa" (Toy, *in loc.*).

Atentai para a minha repreensão. Temos aqui outro trio de palavras, mediante as quais a Sabedoria admoesta os insensatos, fazendo-lhes promessas.
1. *Atentai*, ou seja, ouvi a reprimenda, agindo de modo a reverter a insensatez e a rebelião. Isso significa obedecer à lei mosaica, com suas muitas demandas. O arrependimento e a conversão, de acordo com o Antigo Testamento, são atos que põem um homem em linha com a lei, e o levam a deixar para trás as coisas contrárias à lei.
2. *Eis que derramarei copiosamente para vós outros o meu espírito.* O homem que se "volve" e se arrepende recebe a unção do Espírito (se é que o pensamento dos hebreus já havia atingido essa teologia personalizada), ou uma influência grandiosa e bendita é enviada da presença de Deus. Alguns intérpretes dizem aqui "mente" ou "intenção", e a *Revised Standard Version* diz "pensamentos". Cf. Jl 2.28; Jo 7.38,39 e At 2.17, quanto à crescente teologia do espírito, que veio a tornar-se do Espírito.
3. *E vos farei saber as minhas palavras.* O indivíduo arrependido, ao receber a influência divina, virá a conhecer a Palavra divina de modo mais significativo; se tornará erudito na lei e terá coragem de ser-lhe obediente. Cf. Sl 25.14; Jo 7.17.

"Se ouvirdes a minha palavra, tereis ampla instrução" (Adam Clarke, *in loc.*).

Este versículo tem sido cristianizado, fazendo da Sabedoria, neste passo, a Palavra de Cristo, e de suas palavras os ensinos do evangelho.

■ 1.24

יַעַן קָרָאתִי וַתְּמָאֵנוּ נָטִיתִי יָדִי וְאֵין מַקְשִׁיב:

Mas, porque clamei, e vós recusastes. A exortação da Sra. Sabedoria foi clara, perfeitamente compreensível e urgente, mas os homens ignoraram continuamente essa exortação e seguiram seus próprios caminhos, que contradizem os caminhos da lei de Moisés. O convite da Sabedoria foi feito com sinceridade, mas foi repelido, pelo que temos uma cortante denúncia dos insensatos (vs. 22). Tal denúncia é o que vemos nos vss. 26 ss. Os vss. 24,25 a introduzem.

Estendi a minha mão, e não houve quem atendesse. Temos aqui um gesto de apelo sincero. "A Sabedoria usa todos os meios para atrair as pessoas; mas elas se recusam a vir" (Charles Fritsch, *in loc.*). "Uma vez que o convite da Sabedoria foi rejeitado, ela mudou seu tom de misericórdia para julgamento (Sl 101.1). Cf. Rm 10.21" (Ellicott, *in loc.*).

> Oh, senhor, a homens voluntariosos,
> As injúrias que eles mesmos buscam
> Devem tornar-se seus mestres-escolas.
> — Shakespeare

■ 1.25

וַתִּפְרְעוּ כָל־עֲצָתִי וְתוֹכַחְתִּי לֹא אֲבִיתֶם:

Antes rejeitastes todo o meu conselho. Duas declarações sumariam como os insensatos repelem os conselhos da Sra. Sabedoria:
1. Eles ignoraram esses conselhos. O original hebraico usa aqui o termo *para*, que significa "liberar" (cf. Êx 32.25). Dessa ideia de liberar, obtemos a ideia de "negligenciar", "evitar", "ignorar". Quando deveriam ter retido as palavras, agarrando-as para si mesmos, esses homens permitiram que elas ficassem ineficazes. Cf. At 4.11,12 e 20.27.
2. Não quiseram os conselhos. Aquela gente nada queria com a repreensão da Sabedoria, porquanto isso interferiria com seu velho estilo de vida. A maneira de eles viverem era totalmente contrária às exigências da lei, pois preferiam acomodar-se às concupiscências da carne.

"A sabedoria parece-se com um cão a mostrar os dentes. Nesta passagem há uma forte ênfase sobre as consequências indesejáveis que se seguem à vida destituída de sabedoria. A sabedoria lança mão de todos os artifícios para dizer a verdade sobre as consequências... Não há como evitar o fato de que a vida insensata tem muitas consequências desagradáveis" (Rolland W. Schloerb, *in loc.*). "Os fariseus e mestres da lei rejeitaram o conselho de Deus contra si mesmos" (ver Lc 7.30). "Quer eu tenha dado conselhos quanto à prática do bem, quer tenha repreendido quanto à necessidade de evitar o mal (ver Pv 4.15), vós tendes rejeitado os meus apelos (ver Pv 15.32)" (Fausset, *in loc.*). Cf. Mt 23.37.

■ 1.26

גַּם־אֲנִי בְּאֵידְכֶם אֶשְׂחָק אֶלְעַג בְּבֹא פַחְדְּכֶם:

Também eu me rirei na vossa desventura. A tirada começa agora. A Sra. Sabedoria, uma vez rejeitada, rir-se-ia das calamidades que atingiriam os insensatos. "A misericórdia era grande e a graça era gratuita, o perdão foi ali oferecido a mim", mas os melhores esforços da Sra. Sabedoria foram repelidos. Portanto, alguma coisa teria de acontecer. A *Lei Moral da Colheita segundo a Semeadura* (ver a respeito no *Dicionário*) precisava ter cumprimento. Os homens escolhem se esse cumprimento tem de ser negativo ou positivo. Os insensatos não acreditam nas operações da lei da colheita segundo a semeadura e surpreendem-se quando são envolvidos em alguma calamidade. Mas a Sra. Sabedoria ri-se diante da surpresa deles.

> *Ri-se aquele que habita nos céus; o Senhor zomba deles.*
> — Salmo 2.4

A calamidade impõe o temor, porquanto algo destrutivo deverá ocorrer. Cf. Sl 37.13 e 59.8.

"É uma característica do pecado que o conhecimento mais pleno de seus resultados só ocorra depois de o ato ter tido cumprimento" (Felix Adler). A essência do jogo do pecado e da punição é que as pessoas têm de aprender pelo caminho mais difícil.

O vosso terror. "Terror" é tradução da palavra hebraica *pahadh*, que quer dizer "pânico" ou "terror súbito".

■ 1.27

בְּבֹא כְשׁוֹאָה פַּחְדְּכֶם וְאֵידְכֶם כְּסוּפָה יֶאֱתֶה בְּבֹא עֲלֵיכֶם צָרָה וְצוּקָה:

A Tríplice Ameaça. Acompanhe o leitor os três argumentos abaixo:
1. *A Tempestade.* O terror se apossaria dos pecadores como uma tempestade, o que enfatiza a subitaneidade mencionada no vs.

26. As correntes de vento que arrastam as tempestades usualmente sopram desde longa distância, e os satélites que verificam as condições atmosféricas podem reconhecê-las com dias de antecedência, mas sem esses modernos aparelhos científicos uma tempestade parece não se ter originado em lugar algum, surgindo inesperadamente. Assim também é a retribuição que recai sobre os homens, sem nenhum aviso prévio.
2. *O Redemoinho*. Um redemoinho é uma espécie de tempestade particularmente destrutiva, com correntes de vento que giram loucamente, em um movimento frenético que pode levantar no ar uma casa inteira, fazendo-a pousar em outro lugar, totalmente arruinada. Tais redemoinhos são repentinos e devastadores, e outro tanto se deve dizer quanto aos pecadores teimosos.
3. *O Aperto e a Angústia*. Os apertos são calamidades físicas, chamadas aqui por nomes gerais, sem dizer, exatamente, no que consistem. A natureza exata das calamidades varia de pecador para pecador. Existem enfermidades e acidentes; também existem pragas e ataques de homens ímpios e desarrazoados; e há, igualmente, injustiças perpetradas por homens injustos; finalmente, há guerras e invasões da parte de inimigos estrangeiros.

■ 1.28

אָז יִקְרָאֻנְנִי וְלֹא אֶעֱנֶה יְשַׁחֲרֻנְנִי וְלֹא יִמְצָאֻנְנִי:

Então me invocarão, mas eu não responderei. Quando se vê em aperto e angústia, o homem ímpio volta-se para a oração, mas então já é tarde demais. Suas orações sobem, mas não são ouvidas pela mente divina, personificada aqui como a Sra. Sabedoria. Eles oram com diligência, mas tudo é inútil, por ser tarde demais. Esses não deram preferência ao temor do Senhor desde antes (comentado no vs. 7). Em outras palavras, rejeitaram a espiritualidade e preferiram a senda do pecado e da degradação. Dessa forma, anularam suas chances de vida longa e prosperidade, conforme a promessa da lei (ver Dt 4.1; 5.33 e Ez 20.1).

No tempo aceitável eu te ouvi e te socorri no dia da salvação; guardar-te-ei e te farei mediador da aliança do povo, para restaurares a terra e lhe repartires as herdades assoladas.
Isaías 49.8

Eles não invocaram a Yahweh quando o Senhor estava próximo para ouvi-los (Is 55.6). O dono da casa já havia fechado a porta (Lc 13.25) e não ouviria seus clamores.

"Embora aqueles insensatos soubessem o bastante para invocar a Sabedoria em sua aflição, não foram libertados. Eles tinham repelido os apelos anteriores da Sra. Sabedoria. Agora ela estava surda a seus clamores. Eles tinham tido ampla oportunidade para voltar-se a ela" (Charles Fritsch, *in loc.*).

Esta passagem, de modo geral, torna-se profética e messiânica. A destruição e a diáspora romana foram impostas aos judeus, e houve julgamento evangélico para aqueles que rejeitaram o evangelho cristão. Embora possamos fazer tais aplicações, essas conclusões não estão em pauta no texto.

■ 1.29

תַּחַת כִּי־שָׂנְאוּ דָעַת וְיִרְאַת יְהוָה לֹא בָחָרוּ:

Porquanto aborreceram o conhecimento. Ao odiar o conhecimento, aqueles pecadores descuidados não escolheram, deliberadamente, o temor do Senhor (ver as notas expositivas sobre o vs. 7; Sl 119.38 e, no *Dicionário*, o verbete chamado *Temor*).

Aqueles homens mostravam-se antagônicos contra a espiritualidade básica que consiste em conhecer e obedecer à lei mosaica. Não eram apenas indiferentes. Eram pecadores agravados. Encarnavam o título que a Sra. Sabedoria lhes atribuiu — insensatos (ver o vs. 22; ver sobre os três tipos de insensatos. "... odiaram o conhecimento; isso subentende o mais profundo grau de depravação intelectual e moral" (Adam Clarke, *in loc.*). Eles lançaram redes visando a própria destruição (vss. 18 e 19). "Esses homens escolheram a destruição, pelo que a culpa repousa sobre eles (ver At 13.46)" (Fausset, *in loc.*). Ver no *Dicionário* o artigo chamado *Livre-arbítrio*.

■ 1.30

לֹא־אָבוּ לַעֲצָתִי נָאֲצוּ כָּל־תּוֹכַחְתִּי:

Não quiseram o meu conselho. Este versículo é paralelo direto do vs. 25, na questão de desprezar o conselho e a repreensão. Ver as notas expositivas ali, que também se aplicam aqui. "O conselho da sabedoria, dos homens sábios, equivale à lei dos sacerdotes e à palavra dos profetas (ver Jr 18.18)" (Charles Fritsch, *in loc.*). "Estes detalhes são repetidos com base no vs. 25, para observar a sua ingratidão, e quão justa era a sua ruína, e qual era a sua verdadeira causa" (John Gill, *in loc.*).

■ 1.31

וְיֹאכְלוּ מִפְּרִי דַרְכָּם וּמִמֹּעֲצֹתֵיהֶם יִשְׂבָּעוּ:

Portanto comerão do fruto do seu procedimento. Uma metáfora baseada na agricultura. Eles mesmos tinham plantado as sementes da retribuição e da angústia e, chegado o tempo da colheita, era apenas isso o que havia para colher. Tiveram de comer o amargo fruto que haviam plantado deliberadamente. Ver no *Dicionário* o artigo chamado *Lei Moral da Colheita segundo a Semeadura*. Ver sobre a *lei da retribuição*, em Gl 6.7,8. Ver sobre *carma*, na *Enciclopédia de Bíblia, Teologia e Filosofia*.

Dos seus próprios conselhos. No hebraico, "conselho" é *mo'eçah*, que no Antigo Testamento quase sempre tem conotações negativas, podendo ser traduzido por artifícios ou planos perversos. Contrastar isso com os bons conselhos da Sra. Sabedoria. Cf. Dt 32.32, a "vinha de Sodoma" e os "campos de Gomorra". As uvas desses lugares eram uvas de fel, e os cachos de suas vinhas eram amargos. Cf. Is 3.9-11. Ver também Jr 6.19 e Mq 7.13.

Concedeu-lhes o que pediram, mas fez definhar-lhes a alma.
Salmo 106.15

Eles comeram os frutos amargos de seus próprios desejos perversos, que lhes afligiam a vida. As pragas sofridas pelos homens são excrescências de sua própria perversidade. Cf. Jó 4.8 e Pv 14.14:

O infiel de coração dos seus próprios caminhos se farta.

■ 1.32

כִּי מְשׁוּבַת פְּתָיִם תַּהַרְגֵם וְשַׁלְוַת כְּסִילִים תְּאַבְּדֵם:

Os néscios são mortos por seu desvio. A Sra. Sabedoria nos leva de volta à palavra usada no vs. 22, *néscios*. No hebraico, a palavra é *pethi*, que aponta para os espiritualmente inexperientes, que se recusam a crescer aprendendo a sabedoria. O homem espiritualmente imaturo torna-se maduro no pecado. Ele se desvia da sabedoria da lei, e isso lhe é fatal. Sua própria escolha o leva à morte prematura. Ele cultiva uma vida curta e morre imaturamente, algo tremendamente temido pela mente dos hebreus. Além disso, a palavra hebraica *kesil* é novamente usada, indicando alguém embotado espiritualmente, que se tornara um pecador agudo. A *Revised Standard Version* tem aqui "complacência", em lugar de "prosperidade". Essa é uma tradução melhor, porquanto a palavra hebraica *shalvah* significa, basicamente, "segurança", "quietude", e também pode ter a ideia de "prosperidade". Nesse caso, talvez se refira ao vs. 13, indicando todas as riquezas que indivíduos ímpios obtêm através do furto e do assassinato. Assim sendo, ou a complacência deles, ou sua prosperidade, voltava-se contra eles como serpentes, para matá-los. Cf. Jr 2.19. A tendência para o desvio tornara-se fatal, pois os conduziria a vereda cujo fim é a destruição. Em um estado de "segurança imaginária", de súbito encontraram a morte.

■ 1.33

וְשֹׁמֵעַ לִי יִשְׁכָּן־בֶּטַח וְשַׁאֲנַן מִפַּחַד רָעָה: פ

Mas o que me der ouvidos habitará seguro. A Sra. Sabedoria volta-se agora para aqueles que lhe dão ouvidos, ou seja, os alunos aplicados, prometendo-lhes segurança e quietude em meio às tribulações. Eles habitarão em lazer (em paz) e sem sustos, ao contrário dos pecadores. O homem que habitar em segurança não sofrerá nenhuma das calamidades ameaçadas contra outras pessoas. Tal homem terá paz interior e segurança, em contraste com os perigos e as calamidades dos ímpios (vs. 27). Cf. o vs. 37 quanto a declarações e promessas similares. Ver também Sl 112.7:

> *Não se atemoriza de más notícias: o seu coração é firme, confiante no Senhor.*

Dar ouvidos significa acolher favoravelmente a instrução quanto à lei mosaica e mostrar-se obediente. Esse era o padrão de toda a sabedoria dos hebreus. Era a lei que tornava Israel um povo distinto (ver Dt 4.4-8). A lei era o guia dos hebreus (ver Dt 6.4 ss.). Ver Sl 1.2 quanto a um sumário do que a lei de Moisés significava para Israel. Eles viveriam livres de temor, "temporal, mental, espiritual e eternamente (ver Is 26.3; 33,15,16; Jr 23.6; Dt 33.12,28)" (Fausset, *in loc.*).

CAPÍTULO DOIS

Este capítulo é uma espécie de poema independente, desvinculado do primeiro capítulo; não é nem uma continuação do anterior nem é continuado pelo capítulo 3. O capítulo 2 descreve os frutos produzidos pela busca da sabedoria. A verdadeira busca espiritual produz compreensão sobre a fé espiritual, a moralidade e a conduta apropriada em todas as coisas. Sua possessão é salvaguarda interior contra as más companhias e suas várias espécies de perversões. Leva à devida compreensão e aplicação do pacto de Israel com Yahweh. Não continua aqui a figura simbólica da Sra. Sabedoria (ver Pv 1.20-33). Agora é o mestre que oferece suas instruções. O mestre, na qualidade de pai, instrui seu filho (o estudante, ver Pv 1.8). Esforço deve ser envidado para que o indivíduo atinja a sabedoria (vss. 1-6); benefícios morais são resultantes da busca pela sabedoria (vss. 7-10); a sabedoria protege o aluno de indivíduos imorais (vss. 11-22).

TERCEIRO DISCURSO: BENEFÍCIOS PARA QUEM DÁ OUVIDOS À SABEDORIA (2.1-22)

A primeira grande seção do livro de Provérbios (capítulos 1–9) conta com dezesseis discursos ou seções. Chegamos agora ao terceiro desses discursos.

■ **2.1**

בְּנִי אִם־תִּקַּח אֲמָרָי וּמִצְוֹתַי תִּצְפֹּן אִתָּךְ:

Filho meu. Ver Pv 1.8. É provável que aqui, em contraste com o versículo citado, o filho seja aluno de seu pai espiritual, o mestre. Os rabinos de nomeada tinham alunos, quer em uma escola organizada e formal, quer individualmente. O ensino era uma atividade muito importante; mestres bons eram importantes; e bons alunos eram importantes para a mentalidade judaica. E a lei era o manual que eles usavam.

Se aceitares as minhas palavras. As palavras do mestre eram as palavras da lei, transmitidas e bem interpretadas diante do aluno. Todavia, essas palavras eram inúteis, a menos que fossem aceitas, o que significa serem aprendidas e aplicadas. O mestre falava em seu próprio nome, mas sua autoridade era a lei, e não ele mesmo.

E esconderes contigo. Há versões que dizem aqui "se entesourares". Tal tradução fere o sentido básico do original hebraico. Os ensinos ministrados eram um tesouro e tinham de ser escondidos no coração e praticados na vida geral. O corpo de ensinos é pintado como algo que se reveste de grande valor. Cf. com o tesouro escondido no campo, da parábola de Jesus (ver Mt 13.44), bem como com a pérola de grande preço (ver Mt 13.46).

Os meus mandamentos. Se a palavra "mandamentos" (no hebraico, *miçwoth*) se refere ao corpo de ensinos das escolas de sabedoria, devemos compreender que o corpo de ensinos se baseava quadradamente sobre a lei. A lei continha afirmações ricas e discursos espertos, mas todas essas coisas se baseavam na lei, e eram por ela aprovadas. O próprio livro de Provérbios é uma demonstração das *miçwoth*. O capítulo seguinte exemplifica esse corpo de ensinos. Portanto, em primeiro lugar, temos o convite para ouvir e obedecer. O aluno tinha o privilégio de sentar-se sob os auspícios de um mestre e devia viver segundo as oportunidades que lhe eram abertas.

Palavras-chaves dos Vss. 1-4: aceitares e esconderes (vs. 1); fazeres atento, inclinares, clamares e alçares (vss. 2 e 3); buscares, procurares (vs. 4). Estas palavras falam sobre a sinceridade e a intensidade da busca espiritual necessária da parte de um aluno sério.

■ **2.2**

לְהַקְשִׁיב לַחָכְמָה אָזְנֶךָ תַּטֶּה לִבְּךָ לַתְּבוּנָה:

Para fazeres atento à sabedoria o teu ouvido. Um bom aluno se mostrará atento ao ensino que receber, inclinando seu ouvido para ouvi-lo e aceitá-lo. Ele será ouvinte e praticante dos mandamentos. Ver Tg 1.22.

Todas as faculdades devem ser empregadas nessa busca: o ouvido, para ouvir e compreender; o coração, que fala sobre a mente e as sensibilidades espirituais. O homem estava atrás do entendimento (ver Pv 1.5). Essas figuras simbólicas apontam, essencialmente, para as capacidades intelectuais e volitivas. A "compreensão", conforme entendiam os hebreus, nunca era algo meramente intelectual. Um homem precisa viver segundo a sua compreensão, pois só assim ele realmente compreenderá. Um aluno nunca poderia ser um mero teórico. Saber sem praticar termina em hipocrisia.

> *Bendito és tu, Senhor; ensina-me os teus preceitos.*
> Salmo 119.12

■ **2.3**

כִּי אִם לַבִּינָה תִקְרָא לַתְּבוּנָה תִּתֵּן קוֹלֶךָ:

E se clamares por inteligência... Um bom aluno "clamará" por conhecimento e discernimento. Em minha carreira de professor universitário durante trinta anos, tenho encontrado pouquíssimos estudantes dotados dessas qualidades! O bom aluno alçará a voz, em seu desejo por inteligência. Isso indica um intenso desejo de aprender. Li sobre um padre católico que memorizou o Novo Testamento inteiro em latim. Tal homem realmente era intenso em sua busca, e, quanto a mim, não vou condená-lo por razões dogmáticas. Encontramos muitos estudantes bastante bons, mas não muitos que "clamam". Um aluno bom e intenso é um estudante que resolve dominar o corpo dos ensinos que estiver recebendo.

Henry Ford era um industrial fanático e trabalhador infatigável. Ele criou a primeira linha de montagem de automóveis dotados do motor de combustão interna. Ele sabia mais sobre esse motor do que qualquer outra pessoa. Não obstante, quando alguém criticava seu produto, ele ouvia cuidadosamente e anotava a crítica, para ver se não poderia melhorar o veículo. Assim sendo, ele foi, ao mesmo tempo, mestre e aluno, e atingiu sucesso que persiste até os dias de hoje.

■ **2.4**

אִם־תְּבַקְשֶׁנָּה כַכָּסֶף וְכַמַּטְמוֹנִים תַּחְפְּשֶׂנָּה:

Se buscares a sabedoria como a prata. O tesouro (vs. 1) deve ser buscado de todo o coração, tal como alguns homens buscam prata ou tesouros escondidos. Este versículo é uma expansão das ideias do vs. 1. O tesouro são os mandamentos, o corpo de ensinos que deve ser posto em prática, porquanto, de outra maneira, esse tesouro fica sem valor e deixa de ser um tesouro. Naqueles dias, quando não havia bancos, era costume enterrar coisas de valor, para ficarem em segurança. Ver Jr 41.8 e Mt 13.44. Os tesouros eram acumulados em meio a grande esforço, e os tesouros escondidos ou perdidos eram recuperados com grande e diligente busca e labor. Ademais, a prata tinha de ser extraída em minas, e isso requeria intensa escavação. E a prata precisava ser refinada, sendo este outro labor cansativo. Por isso, o mestre exortou seus alunos a labutar. As verdades de Deus estão abertas à busca, mas não são obtidas facilmente, de maneira significativa. Existem muitos mineiros que esburacam a terra superficialmente, e há vários caçadores teóricos de tesouros que não fazem muito para cumprir as suas aspirações. Este versículo fala do minério de prata, e não das moedas de prata.

Um tópico favorito dos autores orientais, que refletia a verdadeira atividade, era a caça a grandes tesouros. O verdadeiro conhecimento jaz profundamente em uma mina. Somente os que trabalham arduamente tirarão proveito do minério da terra. Essa figura simbólica deixa subentendidos o tempo, o trabalho, os adiamentos e os gastos que precisam ser feitos.

Este versículo tem sido cristianizado para falar sobre a verdade em Cristo. Ver sobre o tesouro do evangelho em 2Co 4.7. "Cristo é a súmula e a substância do evangelho" (John Gill, *in loc.*). Ver também Ef 3.9,10.

Em quem todos os tesouros da sabedoria e do conhecimento estão ocultos.

Colossenses 2.3

■ 2.5

אָז תָּבִין יִרְאַת יְהוָה וְדַעַת אֱלֹהִים תִּמְצָא׃

Então entenderás o temor do Senhor. O bom aluno, que escava atrás do minério da prata ou busca e então encontra o tesouro escondido (vs. 4), virá a entender o temor do Senhor (que é o lema do livro de Provérbios). Ver isso comentado em Pv 1.7; Sl 119.38, e também ver no *Dicionário* o artigo chamado *Temor*. O temor do Senhor é o princípio do conhecimento de Deus, em seus aspectos teórico e prático. O homem que busca a sabedoria acaba encontrando-se com Deus. O indivíduo que continua sabendo mais e mais e pratica o que sabe mais e mais, encontra-se com Deus. O temor de Deus é o começo do conhecimento, é a chave para saber e fazer.

O conhecimento de Deus. "Conhecimento", neste trecho bíblico, é *da'ath*, que aponta não para o mero acúmulo de conhecimento intelectual, mas indica o verdadeiro aprendizado, o conhecimento e a experiência espiritual, as realizações espirituais, o conhecimento da prática do bem, e a própria prática do bem. Talvez o autor sagrado estivesse falando para incluir o conhecimento místico que vem através das visões e dos sonhos, e através do toque do ser divino, emboras não tenha enfatizado esse aspecto da questão. Ver na *Enciclopédia de Bíblia, Teologia e Filosofia* o verbete chamado *Misticismo*.

A vida eterna é esta: que te conheçam a ti, o único Deus verdadeiro, e a Jesus Cristo, a quem enviaste.

João 17.3

Deus, em última análise, é o tesouro escondido, a prata que deve ser minada. O conhecimento de Deus pode ser encontrado na natureza (Rm 1) e também na lei mosaica, mas especialmente na revelação de Cristo, o tesouro de Deus, conforme demonstram as notas expositivas sobre o vs. 4. Temos de ultrapassar do corpo de ensinamentos (vs. 1) para o assunto tratado por esses ensinos. A comunhão com a presença de Deus, que nos fornece os mandamentos, deve estar incluída nessa ideia.

■ 2.6

כִּי־יְהוָה יִתֵּן חָכְמָה מִפִּיו דַּעַת וּתְבוּנָה׃

Porque o Senhor dá a sabedoria. Este versículo reitera o prefácio (ver Pv 1.2), que fala sobre a sabedoria e a compreensão. Pv 1.4 fala sobre o conhecimento, que aparece no versículo anterior. Agora, porém, aprendemos que o Senhor é a origem dessas qualidades, e compreendemos que seu instrumento é a lei de Moisés, além dos livros que falam a respeito, conforme temos visto nos mandamentos que figuram em Pv 2.1. Somente Deus é o Mestre, e não a sabedoria ou os mestres humanos. Ele é o Mestre Supremo. Esse tema acha-se por diversas vezes no livro de Salmos. Ver Sl 25.4,8,9; 27.11; 86.11; 119.12,26,33,64,66,68,108,124 e 135; 143.10.

Da sua boca. A boca de quem? A boca de Deus, que se encontra somente aqui em todo o Antigo Testamento. Trata-se de uma forte expressão antropomórfica, por intermédio da qual o autor atribui a Deus características humanas. Ver no *Dicionário* o verbete intitulado *Antropomorfismo*. A Septuaginta altera a expressão para "de sua face", que tem o sentido de "da sua presença", o que, sem dúvida, foi uma mudança para suavizar a expressão bastante crua no original hebraico.

Se, porém, algum de vós necessita de sabedoria, peça-a a Deus, que a todos dá liberalmente, e nada lhes impropera; e ser-lhe-á concedida.

Tiago 1.5

Cf. 1Rs 3.9,12. Este versículo tem sido cristianizado para falar de Cristo como o porta-voz do conhecimento de Deus e da salvação divina. Ver Jo 1.17,18; Hb 1.1.

■ 2.7

וְצָפַן לַיְשָׁרִים תּוּשִׁיָּה מָגֵן לְהֹלְכֵי תֹם׃

Ele reserva a verdadeira sabedoria para os retos. O homem bom conta com os tesouros da sabedoria guardados para ele pelo próprio Deus. Cf. Pv 2.1,4, onde se lê que o bom estudante recebe ordens para minerar a prata e caçar tesouros. Um bom aluno, que esteja caçando sabedoria, não pode falhar. Deus mesmo o ajuda e certifica-se de que ele encontre os tesouros que está procurando. Pois aquele que ocultou a sabedoria é também aquele que a revela. Todavia, o indivíduo deve buscar a sabedoria, pois, de outra sorte, não a encontrará. "A obtenção da sabedoria requer que uma pessoa seja dotada de um rico desejo por sabedoria" (Rolland W. Schloerb, *in loc.*).

Pedi, e dar-se-vos-á; buscai, e achareis; batei, e abrir-se-vos-á.

Mateus 7.7

Escudo. Quanto a Yahweh como o escudo do homem, ver Sl 3.3; 7.9,10; 84.8; 89.18; 91.4; 115.9; 119.14 e 144.2. Ver também Gn 15.1. A figura simbólica refere-se à ideia de proteção: "Deus protege àqueles que, mediante a sua sabedoria, são moralmente retos" (Sid S. Buzzell, *in loc.*). Encontramos ideia similar em Pv 1.30: os homens bons habitam em segurança e não temem as intrusões do mal.

Os que caminham na sinceridade. O homem bom obtém a sabedoria divina e também é protegido do mal, portanto pode manter um caminho progressivo em sua busca pelo tesouro do conhecimento de Deus. O ser humano precisa ter desejos, alvos e conduta reta, para qualificar-se. Cf. Sl 15.2; 84.11; Is 33.15,16. Cf. Ef 16.16; 1Pe 1.5, quanto a passagens paralelas no Novo Testamento.

■ 2.8,9

לִנְצֹר אָרְחוֹת מִשְׁפָּט וְדֶרֶךְ חֲסִידָו יִשְׁמֹר׃

אָז תָּבִין צֶדֶק וּמִשְׁפָּט וּמֵישָׁרִים כָּל־מַעְגַּל־טוֹב׃

Guarda as veredas do juízo. O vs. 8 expande a figura simbólica do escudo, que aparece no vs. 7. Yahweh toma sobre si mesmo a tarefa de guardar o homem bom, conforme este progride nas veredas da justiça. Ele preserva o caminho dos santos. Pv 1.3 tem o bom aluno a receber instruções "na justiça, no juízo e na equidade", as mesmas qualidades que aparecem no vs. 9 deste capítulo. O estudante que busca é protegido para garantir o seu sucesso na obtenção das qualidades divinas. Ele chega a compartilhar dos atributos de Deus em um sentido limitado. A metáfora do ato de andar é aqui salientada. Ver no *Dicionário* os verbetes chamados *Andar* e *Caminho*.

Seus santos. Ver no *Dicionário* sobre esta palavra, e ver também Sl 97.10. Trata-se de uma palavra própria de pacto. Aqueles que fazem parte do pacto abraâmico tornam-se santos de Yahweh, seu povo santo, e são objetos especiais de seus benefícios. Ver Gn 15.18 quanto ao *Pacto*. Deus lidera o homem bom pela boa vereda. Essa boa vereda é a da lei de Moisés, o que é fomentado por outros livros, como este livro de Provérbios.

Educando-nos para que, renegadas a impiedade e as paixões mundanas, vivamos no presente século, sensata, justa e piedosamente.

Tito 2.12

■ 2.10

כִּי־תָבוֹא חָכְמָה בְלִבֶּךָ וְדַעַת לְנַפְשְׁךָ יִנְעָם׃

Porquanto a sabedoria entrará no teu coração. A sabedoria aparece aqui como uma questão do coração, paralelamente à ideia do vs. 2 — o ouvido ouve a sabedoria e a aceita; o coração recebe a compreensão. E, em seguida, a própria alma, o homem interior, o homem essencial, satisfaz-se diante do conhecimento divino. O autor continua repetindo seus temas principais, por várias vezes, o que também diz a verdade no tocante aos Salmos.

Agradável. Vocábulo derivado da mesma raiz que o nome pessoal *Noemi* (ver Rt 1.20).

> *Bem-aventurado o homem que não anda no conselho dos ímpios, não se detém no caminho dos pecadores... Antes o seu prazer está na lei do Senhor.*
>
> Salmo 1.1,2

Cf. Pv 16.24. Há alegria no serviço prestado a Jesus. Sendo ele a alegria do mundo, o Senhor já veio.

> Agora agradecemos a nosso Deus,
> Com o coração, as mãos e as vozes,
> Em quem o mundo se regozija.
>
> Martin Rinkart

2.11

מְזִמָּה תִּשְׁמֹר עָלֶיךָ תְּבוּנָה תִנְצְרֶכָּה:

O bom siso te guardará. *Duas Formas de Proteção:* o bom siso (ver o vs. 4) e o discernimento (1.2; 2.9), manifestações de sabedoria que atuam como guardas do bom aluno. Eles o conservam no caminho da retidão; protegem o aluno do mal; beneficiam o aluno quando este tenta obedecer à lei de Moisés, a fonte da sabedoria. Ver Sl 1.2 quanto a um sumário do que a lei mosaica supostamente significava para os hebreus.

"Os vss. 11-15 têm uma declaração geral sobre a proteção conferida pela sabedoria (vs. 11). Os vss. 7,8 estão vinculados aos vss. 12-15. Deus nos protege (vs. 8), e o bom siso que Deus dá também nos protege (vs. 11). Cf. Pv 4.6 e 13.6. Os vss. 12-15 adquirem significado adicional quando relacionados à advertência em 1.10-19" (Sid S. Buzzell, *in loc.*). A Septuaginta diz *bom conselho* em lugar de *bom siso*. Essa ideia tem sido cristianizada para significar a sabedoria com que o evangelho nos brinda. Quanto à segunda parte, o discernimento, a Septuaginta diz "pensamento santo".

> Minha alma, põe-te de guarda,
> Dez mil inimigos se levantam,
> As hostes do pecado estão pressionando muito,
> Para derrubar-te dos céus.
>
> George Heath

2.12

לְהַצִּילְךָ מִדֶּרֶךְ רָע מֵאִישׁ מְדַבֵּר תַּהְפֻּכוֹת:

Para te livrar do caminho do mal. Os dois guardas — o bom siso e o discernimento, que são manifestações da sabedoria (vs. 12) — libertam o aprendiz intenso do caminho do mal e, em particular, da fala de homens pervertidos. Haverá muitas tentações. Será necessário poder para que o homem bom escape dos ataques do mal. Quanto ao uso apropriado da fala, ver Sl 5.9; 12.2; 15.3; 17.3; 34.12; 35.28; 36.3; 39.9; 55.21; 64.4; 66.17; 73.9; 94.4; 101.5; 109.2; 119.172; 120.3,4; 139.4; 140.3 e 141.3. Ver no *Dicionário* o verbete intitulado *Linguagem, Uso Apropriado da*. Quem é aluno precisará da proteção contra homens perversos. Já vimos que os ladrões e os assassinos podem alistar os ingênuos para seu jogo de ganhos por meio do crime (ver Pv 1.10-19). Homens de linguagem distorcida podem corromper de muitas maneiras (vss. 12 e 13). Além disso, há também o problema da sedução por parte de mulheres lascivas (vss. 16-19). Assim é que o autor fornece algumas coisas das quais um homem pode escapar, se der atenção à lei, conforme ela aparece nos ensinamentos do livro de sabedoria.

Cousas perversas. No hebraico, *tahpukkoth*, "distorções da verdade", "palavras enganadoras". O sentido da raiz é "virar de cabeça para baixo", "emborcar".

2.13

הַעֹזְבִים אָרְחוֹת יֹשֶׁר לָלֶכֶת בְּדַרְכֵי־חֹשֶׁךְ:

Dos que deixam as veredas da retidão. A vereda dos justos caracteriza-se pela luz, mas a vereda do ímpio caracteriza-se pelas trevas. Ver no *Dicionário* os artigos chamados *Escuridão, Metáfora da* e *Luz, Metáfora da*. Cf. Sl 82.5. Ver também o verbete chamado *Caminho*, no *Dicionário*. "O amor pelas trevas, e não pela luz, é a razão pela qual eles deixam o caminho da retidão, que são as veredas da luz (ver Jo 3.19,20; Jó 24.15; Is 29.15; Rm 13.12; Ef 5.11). As trevas encaminham às trevas exteriores. Ver Mt 8.12" (Fausset, *in loc.*). "Trevas, pecados, ignorância e infidelidade, em que aqueles que estão caminhando não sabem onde se encontram, nem para onde estão indo, o que é desconfortável e perigoso. É ali que as obras da lei são feitas, levando à escuridão das trevas, à escuridão do inferno, uma escolha miserável" (John Gill, *in loc.*).

2.14

הַשְּׂמֵחִים לַעֲשׂוֹת רָע יָגִילוּ בְּתַהְפֻּכוֹת רָע:

Que se alegram de fazer o mal. Homens maus não se fazem meramente pelas circunstâncias e pelo meio ambiente. Essas pessoas são pútridas por dentro, corrompidas e violentas, amam o mal; regozijam-se quando têm uma boa oportunidade de praticar o mal, e sentem alegria por fazer isso. Deleitam-se na perversidade e na confusão. Não é que sejam forçadas pela perversidade e pelas pressões externas para fazer o mal. Há muitas pessoas pobres que não são criminosas. Os pecadores amam o ódio, o furto, o derramamento de sangue e a perversidade, da mesma maneira que os homens bons amam a retidão e a prática das boas obras. O mal pode ser expulso de um homem por uma sentença ao encarceramento, mas não de forma permanente. Somente quando a pessoa se reveste do bem é que o mal é expulso permanentemente de sua vida.

> *Para o insensato praticar a maldade é divertimento, para o homem entendido o ser sábio.*
>
> Provérbios 10.23

Cf. Is 3.9 e Jr 11.15. Foi assim que Acabe se vendeu para praticar a maldade, aos olhos do Senhor, e a sua horrenda esposa, Jezabel, continuava a animá-lo nesse caminho perverso (ver 1Rs 21.25). Ver 2Ts 2.12. Algumas pessoas têm prazer na retidão. Outras saltam de alegria quando ouvem ou veem alguém praticando o mal, como se fosse algo realmente engraçado (ver Rm 1.32). Tais pessoas, entretanto, estão saltando para a própria morte, embora para tanto tenha de passar ainda algum tempo. Talvez o último estágio da degradação ocorra quando atos horríveis se tornam um prazer para os homens. Assim, muitos criminosos confessam o quanto desfrutam do roubo e do assassinato. Talvez a *possessão demoníaca* (ver a respeito no *Dicionário*) seja o que causa essas distorções em muitos casos, porquanto nossos inimigos são os que preenchem o espaço, e não os que vivem na terra (Ef 6.12).

2.15

אֲשֶׁר אָרְחֹתֵיהֶם עִקְּשִׁים וּנְלוֹזִים בְּמַעְגְּלוֹתָם:

Seguem veredas tortuosas. O autor sagrado prossegue em suas descrições sobre pecadores desgraçados. Esses pecadores conheciam o caminho reto, mas desviaram-se. Não eram indivíduos ignorantes, mas voluntariamente perversos. Eles tomaram veredas tortuosas e mostraram-se tortuosos em sua maneira de pensar e em seus atos.

Tortuosas. No hebraico original temos a palavra *'iqqesh*, a qual significa, basicamente, *torto*. Mas no Antigo Testamento, esse vocábulo sempre tem um sentido moral.

E se desviam nos seus caminhos. No original hebraico, *luz*, "desviar-se" para a vereda errada. Diz aqui a *Revised Standard Version*, "desviados nos seus caminhos". Is 30.12 usa a palavra, a qual, fora daí, só se encontra na literatura de sabedoria. Ninguém poderia andar com tais pessoas e permanecer reto em seus pensamentos e ações. O autor sacro falava sobre pecadores expertos, homens treinados e aperfeiçoados na corrupção, em contraste com seus mestres espirituais. Eles são mestres do mal e têm muitos discípulos que logo aprendem seu jogo doentio. Ver Sl 125.5.

> *Desconhecem o caminho da paz, nem há justiça nos seus passos; fizeram para si veredas tortuosas; quem andar por elas não conhece a paz.*
>
> Isaías 59.8

O Caminho da Mulher Adúltera (2.16-19)

■ 2.16

לְהַצִּילְךָ מֵאִשָּׁה זָרָה מִנָּכְרִיָּה אֲמָרֶיהָ הֶחֱלִיקָה׃

Para te livrar da mulher adúltera. Mulher adúltera, mulher frouxa, mulher sedutora são traduções de diversas versões da Bíblia. O termo hebraico *zarah* significa, basicamente, "outra", que poderia significar "outra gente", isto é, uma prostituta estrangeira. Mas isso não combina com o texto sagrado. Ou então a ideia é que ela abandonou seu marido e agora pertence a outro, o que se tornou um costume da tal mulher. Algumas versões dizem aqui *adúltera* (como nossa versão portuguesa), o que se vincula à palavra estrangeira (conforme faz nossa versão portuguesa). Em vez de "estrangeira", outras versões preferem o termo *desviada*.

Alguns intérpretes ligam o caso ao fato de que Salomão se casou com mulheres estrangeiras (ver 1Rs 11.1-4), mas isso não concorda com o versículo seguinte. Com base nas palavras deste versículo, não podemos determinar a condição exata da mulher em pauta, mas o vs. 17 torna a questão mais bem definida.

Que lisonjeia com palavras. Tal mulher sabe usar palavras suaves, ou seja, oleosas. Cf. isso com Pv 5.3; 6.24; 7.5,21. O homem já estava quase conquistado, mas para garantir que cederia aos desejos dela, ela se armou com uma conversação lisonjeira, enganadora, oleosa. Pv 7.13-21 dá-nos uma descrição de como ela falava. Pv 7.5 é quase igual ao presente versículo.

■ 2.17

הַעֹזֶבֶת אַלּוּף נְעוּרֶיהָ וְאֶת־בְּרִית אֱלֹהֶיהָ שָׁכֵחָה׃

A qual deixa o amigo da sua mocidade. A mulher adúltera abandonara seu amigo da mocidade, seu guia ou companheiro. Isso tem sido interpretado de diversas maneiras, a saber: 1. Deus tinha sido seu guia espiritual, mas ela abandonou os caminhos piedosos de seus dias de mais jovem. 2. Ou então, o pai dela, que tentava ensinar-lhe o caminho certo pelo qual ela deveria viver, foi finalmente abandonado. 3. Está em vista, porém, o seu marido, o amigo de sua mocidade, quando ela era mais jovem. Cf. "Esposa de tua mocidade" (Pv 5.18). Ver também Ml 2.14. Entretanto, ao usar essa mesma frase, Jr 3.4 refere-se ao pai de alguém.

Esquece. O caso mais comum de uma mulher descasada que se torna uma prostituta é a mulher viúva ou divorciada que apela ao sexo para ganhar dinheiro. Mas nosso texto fala do ato voluntário de uma mulher que abandonou o seu marido para viver com outro homem. Todos nós conhecemos casos semelhantes. Normalmente, o homem é o sedutor. Mas há casos em que a mulher seduz a um homem, a quem prefere em detrimento de seu marido. E então o novo homem, depois que se enjoa, abandona a mulher, ou, em alguns poucos casos, ela abandona o novo companheiro. Então ela termina sua carreira em prostituição aberta, não se apegando mais a um homem só. Ela pode então virar uma prostituta amadora, não ganhando dinheiro dessa maneira, ou pode tornar-se uma profissional, obtendo seu sustento através do sexo ilícito.

Aliança do seu Deus. Cf. Os 2; Gn 2.24; Mt 19.6. Provavelmente, estas palavras referem-se ao contrato de casamento, firmado com o marido e com o Deus de seu povo (o povo em relação de pacto com Deus), porquanto o casamento era, ao mesmo tempo, uma espécie de contrato com Deus, santificado dentro da comunidade de Israel. Encontramos uma expressão similar em Ml 2.14:

O Senhor foi testemunha da aliança entre ti e a mulher da tua mocidade, com a qual tu foste desleal, sendo ela a tua companheira e a mulher de tua aliança.

■ 2.18

כִּי שָׁחָה אֶל־מָוֶת בֵּיתָהּ וְאֶל־רְפָאִים מַעְגְּלֹתֶיהָ׃

Porque a sua casa se inclina para a morte. A nova prostituta, que tão pouco tempo atrás era esposa fiel, tinha sua própria casa, pelo que sua nova profissão é facilitada. Mas a sua casa, embora conveniente, inclina-se para a morte, por ser o lugar de um pacto quebrado, e Yahweh retirou desse lar o seu favor. A vereda dessa mulher, que há tão pouco tempo caminhava pela vereda da retidão, agora tornou-se uma vereda que vai ter na morte, nas sombras, provavelmente uma referência ao sheol, o lugar dos espírito dos mortos. Talvez este versículo subentenda que a teologia dos hebreus tinha avançado para além do ponto em que o sheol se tornou sinônimo de sepulcro ou de morte. No livro de Salmos, entretanto, a maior parte das referências ao sheol se compõe de sinônimos do sepulcro, mas Sl 88.10; 139.8 e 148.7 podem representar estágios de desenvolvimento da doutrina, afastando-se cada vez mais da ideia de sepultura. Ver no *Dicionário* os artigos *Sheol* e *Hades*.

Se temos um avanço aqui sobre a simples ideia da sepultura, também podemos ter uma ideia de punição no submundo tenebroso, mas o autor não desenvolve o tema. Cf. Dn 12.2. *Sombras*, aqui, pode significar "em descanso", sendo o termo hebraico *rephaim*, que pode ter esse sentido. Cf. Jó 3.17: "Os cansados estão descansando". A palavra também pode significar "fraco" (ver Is 14.10); pode estar em vista um estado debilitado, no qual os espíritos são internados no sheol. Charles Fritsch (*in loc.*) diz-nos que a teologia hebraica ainda não tinha avançado para englobar a ideia do sheol como o local dos espíritos que partiram deste mundo, muito menos a ideia de punição; assim, tudo quanto o autor sagrado via era a ideia de morte prematura, que é a noção comum do livro de Salmos. Visto que o autor sagrado não entra em detalhes, continuamos tentando adivinhar o que ele pode ter deixado implícito com sua declaração. Alguns poucos intérpretes caem no anacronismo de fazer esta passagem referir-se ao inferno posterior dos livros apócrifos e pseudepígrafos, bem como dos livros do Novo Testamento. O Targum faz da casa da mulher, aqui referida, a cova, sem tecer referências ao sheol.

■ 2.19

כָּל־בָּאֶיהָ לֹא יְשׁוּבוּן וְלֹא־יַשִּׂיגוּ אָרְחוֹת חַיִּים׃

Todos os que se dirigem a essa mulher não voltarão. O autor dos Provérbios assumiu um ponto de vista muito pessimista do que acontece aos clientes da mulher, seus companheiros de adultério. Eles desaparecem para sempre. Não retornam às veredas da retidão. São apanhados nas teias desse tipo de vida. Fazem uma viagem só de ida para o mundo da prostituição. Desviam-se permanentemente das veredas da vida.

As prostitutas anglo-saxônicas chamam seus companheiros de adultério de "Joãos", pelo que os povos de língua inglesa têm uma declaração: "Uma vez João, sempre João", que reflete a ideia deste versículo. Naturalmente, isso diz respeito a um tempo antes da AIDS. É seguro dizer que muitos Joãos abandonaram esse tipo de vida por temerem a horrível doença. Portanto, o que a filosofia e a religião não conseguiram fazer, uma enfermidade conseguiu.

Os que se dirigem. Estas palavras enfatizam que os homens seduzidos pela mulher seguem por certa vereda a fim de satisfazer o desejo dela por atos ilícitos. "... o contato sexual ilícito é a estrada de uma pista só para a destruição" (Charles Fritsch, *in loc.*). O autor hebreu falava sobre o adultério, e não sobre a poligamia, que continuava sendo muito praticada em seu tempo. Ver no *Dicionário* os verbetes intitulados *Adultério* e *Prostituição*.

Esta passagem tem sido espiritualizada para falar em idolatria e apostasia, sob o título de adultério espiritual. E também tem sido cristianizada para falar daqueles que apostatam da fé cristã e terminam nas veredas da destruição.

O caminho é uma espécie de vereda para o cativeiro, como o cativeiro babilônico do qual poucos judeus retornaram. Tanto a prostituta quanto seus parceiros sexuais entraram em um caminho de cativeiro espiritual do qual provavelmente não retornarão. A casa da prostituição torna-se uma cova na qual eles são sepultados.

■ 2.20

לְמַעַן תֵּלֵךְ בְּדֶרֶךְ טוֹבִים וְאָרְחוֹת צַדִּיקִים תִּשְׁמֹר׃

Assim andarás pelo caminho dos homens de bem. O mestre apresentava suas admoestações e avisos para impedir que o jovem estudante escolhesse as veredas erradas, com seus temíveis resultados; ao mesmo tempo, oferecia as melhores veredas, que conduzem à vida, as veredas da retidão, isto é, o caminho para onde a lei guiava os judeus (ver Dt 6.4 ss.). Este versículo nos leva de volta ao pensamento do vs. 11. É a discrição que preserva o homem bom de caminhos tortuosos e prejudiciais. Ver no *Dicionário* o artigo *Andar,* quanto a essa metáfora, e também o verbete intitulado *Caminho.*

Este versículo tem sido cristianizado para referir-se ao caminho cristão, pois Cristo é o Caminho (Jo 14.6).

■ **2.21**

כִּי־יְשָׁרִים יִשְׁכְּנוּ־אָרֶץ וּתְמִימִים יִוָּתְרוּ בָהּ׃

Porque os retos habitarão a terra. O homem bom, que continua avançando pelo caminho da retidão, será recompensado por ter ocupado seu lugar legítimo na Terra, por ter sido um membro do *pacto abraâmico* (ver Gn 15.18 e notas expositivas). Uma das muitas provisões desse pacto era a terra Prometida, o território pátrio de Israel. Esse território foi dividido entre as tribos, clãs e famílias de Israel. Mas o homem que morresse espiritualmente na casa da prostituição perderia sua parte no pacto com Deus e sofreria morte prematura. Mas os homens íntegros permanecerão na Terra e desfrutarão de vida próspera e benéfica, morrendo em idade avançada, livres das distrações dos vícios. Os vss. 21 e 22 retêm a antiga ideia dos hebreus de que as recompensas e punições são sofridas nesta vida terrena. A vida que a lei mosaica prometia (ver Dt 4.1; 5.33; 6.2; Ez 26.36) foi interpretada no judaísmo posterior como se fosse conferida no pós-vida, mas essa não foi a ideia original, conforme os vss. 21 e 22 mostram claramente. No Pentateuco — os cinco primeiros livros da Bíblia, de autoria de Moisés — não há ameaça alguma de punição na outra vida, nem a promessa de recompensa para o além-túmulo. As doutrinas bíblicas passam por estágios de crescimento, e isso foi drasticamente verdadeiro no tocante ao sheol, à existência e à sobrevivência da alma, e às recompensas e punições depois da vida terrena.

Terra. "... a terra de Canaã, de acordo com a antiga promessa feita a Abraão, renovada no quinto mandamento e constantemente repetida nos profetas" (Ellicott, *in loc.*).

■ **2.22**

וּרְשָׁעִים מֵאֶרֶץ יִכָּרֵתוּ וּבוֹגְדִים יִסְּחוּ מִמֶּנָּה׃ פ

Mas os perversos serão eliminados da terra. Se um homem reto floresce como a palmeira à beira de um riacho, ou como os cedros do Líbano (ver Sl 91.12), o ímpio será cortado e removido da terra antes do tempo determinado. Em outras palavras, o ímpio sofrerá morte prematura, o que representava um terror para a mente dos hebreus. Uma árvore, uma vez decepada, terá chegado ao seu fim. Poucas espécies de árvores conseguem crescer novamente, a partir das raízes. A figura simbólica torna-se tanto mais enfática quando observamos que o homem injusto será como uma árvore desarraigada da terra. Portanto, estamos avisados sobre os ímpios serem violentamente arrancados da terra, por meio de algum acidente, de alguma enfermidade, nas mãos de algum assassino, numa batalha de guerra etc. Tal é a sorte reservada para os *rasha*, cujo significado é obscuro, embora alguns digam que se trata da palavra que significa *traidor* ou *transgressor*. Esses são os indivíduos moralmente maus, em contraste com os que são moralmente bons e continuarão a possuir a Terra Prometida, vivendo nela por longos anos.

Toda planta que meu Pai celestial não plantou, será arrancada.

Mateus 15.13

Contrastar este versículo com Sl 1.6.

CAPÍTULO TRÊS

QUARTO DISCURSO: BÊNÇÃOS DA SABEDORIA (3.1-12)

O autor sacro apresenta dezesseis discursos que ilustram as veredas da sabedoria, nos capítulos 1—9. Agora chegamos ao quarto desses discursos. O quinto discurso mostra o grande valor da sabedoria, vss. 13-20 deste mesmo capítulo. Além disso, o sexto discurso aparece nos vss. 21-35, enfatizando o valor da sabedoria na formação de bons relacionamentos com outras pessoas. Todos esses temas são variações do ensino da lei. O autor sagrado adiciona suas ricas declarações e seus discursos bem arquitetados (os seus provérbios) para ilustrar a lei, mas não faz nenhuma reivindicação de suplantá-la. Ver Sl 1.2 quanto a um sumário do que a lei supostamente significava para o povo de Israel.

O pai (mestre) prosseguia com seus ensinos ao filho (estudante). O jovem estava aprendendo os caminhos do bem e de Deus por meio de um professor particular, sendo esse um método eficaz de ensino, sem importar qual fosse a matéria ensinada. Os rabinos antigos ensinavam assim, ou então tinham suas escolas particulares com alguns poucos estudantes. Ver na *Enciclopédia de Bíblia, Teologia e Filosofia* o artigo denominado *Ensino.*

■ **3.1**

בְּנִי תּוֹרָתִי אַל־תִּשְׁכָּח וּמִצְוֹתַי יִצֹּר לִבֶּךָ׃

Filho meu, não te esqueças dos meus ensinos. Não estava falando o genitor literal do jovem (1.8), mas, sim, seu pai espiritual, o professor. Este continuava ensinando o seu "filho", com muitas lições instrutivas e com a força de seu exemplo. Três coisas um pai deve a seu filho: exemplo; exemplo; exemplo.

O teu coração. A fé espiritual deve proceder do coração, um tema que já tivemos ocasião de encontrar (ver Pv 2.2,10).

Os meus mandamentos. Ver Pv 2.1. Está em vista todo o corpo de ensinos existente na literatura de sabedoria, mas a base desses ensinos é a lei de Moisés. Havia escolas de sabedoria que ensinavam o significado da lei mosaica por meio de declarações e discursos ricos e sábios.

"Nenhuma religião jamais reconheceu essa verdade mais claramente do que o judaísmo, com sua forte ênfase no ensino dos jovens concernente aos grandes fatos e verdades de sua história santa (ver Êx 12.26,27; Dt 6)" (Charles Fritsch).

Dá o melhor para o teu Senhor;
Dá a ele a força da tua juventude;
Lança o ardor incandescente de tua alma
Na batalha pela verdade.

H. B. G.

■ **3.2**

כִּי אֹרֶךְ יָמִים וּשְׁנוֹת חַיִּים וְשָׁלוֹם יוֹסִיפוּ לָךְ׃

Porque eles aumentarão os teus dias. A vida boa conduz a muitas recompensas. Para começar, temos a promessa padrão para quem guardava a lei, longevidade e prosperidade. Ver Dt 4.1; 5.33; 6.2 e Ez 20.1. Originalmente, isso significa vida física na Terra Prometida (Pv 2.21,22). Mas no judaísmo posterior essa promessa foi espiritualizada para indicar a vida da alma em algum lugar bom, no além-túmulo. Porém, ver isso neste terceiro capítulo do livro de Provérbios é um anacronismo. A vida longa seria uma vida de paz. Inimigos estrangeiros e domésticos, e inimigos do corpo (as enfermidades), seriam mantidos afastados do homem justo. O autor não entrou no agonizante problema das exceções, que são muitas e frequentes. Ver sobre *Problema do Mal,* no *Dicionário*: Por que os homens sofrem, e por que sofrem da maneira como sofrem? Uma longa vida, associada a uma vida piedosa, é o tema constante do livro de Provérbios. Cf. Pv 2.21; 3.16 e 4.10. Os cristãos apreciam muitíssimo essas promessas, mas elas são secundárias em relação à vida eterna. Contudo, a vida boa e longa, que aqui aparece, é um símbolo daquela vida vindoura melhor. Portanto, meus amigos, tenhamos tanto o símbolo quanto a realidade simbolizada. O céu pode esperar. Há coisas urgentes que devemos fazer nesta vida. Que nos seja dado tempo para terminar a nossa missão, oh, Senhor!

Paz. No hebraico, *shalom*, a paz combinada com a ideia de inteireza, ou seja, tudo quanto perfaz uma vida longa e feliz, com muitas bênçãos e triunfos. Estão em vista a liberdade de qualquer perigo externo, bem como a serenidade interior.

"Uma vida devotada à bondade e à fidelidade é aqui recomendada, por causa das recompensas que essa vida nos traz. Não se espera que um homem observe os mandamentos da sabedoria em troca de nada... Uma vida longa e próspera é considerada aqui a consequência inevitável da vida correta" (Rolland W. Schloerb, *in loc.*).

"... saúde, vida longa e abundância" (Adam Clarke, *in loc.*), e não devemos perturbar nossa mente com exceções. "... uma longa vida de utilidade e consolo é vista aqui, bem como a vida eterna na outra vida" (John Gill, *in loc.*). "... a vida dupla" (Fausset, *in loc.*).

3.3

חֶסֶד וֶאֱמֶת אַל־יַעַזְבֻךָ קָשְׁרֵם עַל־גַּרְגְּרוֹתֶיךָ כָּתְבֵם
עַל־לוּחַ לִבֶּךָ׃

Não te desamparem a benignidade e a fidelidade. A benignidade e a fidelidade são dois ornamentos especiais para quem quiser viver a vida caracterizada pela sabedoria. Esses ornamentos devem ser pendurados ao pescoço do indivíduo por ter vencido na corrida espiritual. São também como inscrições preciosas para o coração do homem bom. Yahweh é quem faz tal inscrição sobre o coração do homem e assim o identifica como pertencente a ele. O homem bom vive em consonância com as inscrições feitas no seu interior, em sua alma. Essas qualidades identificam o tipo de homem que ele é. A *Revised Standard Version* diz aqui "lealdade" e "fidelidade" como os ornamentos e as inscrições especiais. A primeira dessas palavras corresponde ao hebraico *hesedh*, o amor constante que figura no livro de Salmos, tão frequentemente repetido aqui. Usualmente, ali refere-se ao amor que Yahweh dirige ao homem. E o homem bom dirige o seu amor a Yahweh. O homem bom é aquele que anda no caminho dos mandamentos (ver Pv 2.1 e 3.1). A segunda dessas palavras hebraicas é *'emeth*, cuja raiz significa "confirmar", com um segundo sentido de "confiar". Ellicott (*in loc.*) fala em fidelidade, referindo-se às promessas que Yahweh dá a seus santos, bem como ao fato de que essas qualidades não podem falhar. A palavra é usada para apontar para Deus (ver Sl 30.10) e para os homens (ver Is 59.14). "Esses são dois atributos especiais mediante os quais Deus é conhecido em seu trato com os homens (ver Êx 34.6,7), e são qualidades que devem ser imitadas pelos homens (ver Mt 5.48)" (Ellicott, *in loc.*).

Ata-as ao teu pescoço. Cf. Pv 1.9.

Escreve-as. Cf. Pv 6.21 e 7.3. Ver Jr 17.1 e 2Co 3.3 Quanto à "tábua do coração", ver Jr 31.33. "A alusão, em ambas as frases, é às orientações dadas quanto à legislação mosaica (ver Dt 6.8,9), bem como à inscrição da lei sobre as tábuas de pedra. Era usual que os antigos escrevessem sobre tabuinhas de madeira. Assim foram inscritas as leis de Sólon (*Lacrt. Vit. Solon*) e também as *tabellae et pugillares* dos romanos. A cera era usada com o mesmo propósito. Ver Hc 1.2. Paulo, entretanto, queria que a sua lei fosse escrita nas tábuas de carne, do coração (2Co 3.3)" (John Gill, *in loc.*).

3.4

וּמְצָא־חֵן וְשֵׂכֶל־טוֹב בְּעֵינֵי אֱלֹהִים וְאָדָם׃ פ

E acharás graça e boa compreensão diante de Deus e dos homens. Se o bom estudante cumprir os mandamentos e os ideais exarados no versículo anterior, então achará favor e boa reputação tanto aos olhos de Deus quanto aos olhos dos homens. Essa é a recompensa pela obediência, acima daquilo que já havia sido prometido no vs. 2. O homem bom, além de viver por longo tempo, obterá muitas recompensas por sua boa conduta, e conquistará boa reputação. Ele mesmo se tornará um pai ou um mestre capaz de orientar a muitos discípulos. E os homens começarão a elogiá-lo como tinham feito a seu "pai" (vs. 1). Em vez de "reputação", algumas traduções usam aqui "compreensão", conforme se dá com a nossa versão portuguesa. Tal aluno se tornará sábio como seu mestre. A palavra hebraica envolvida, *sekhel*, pode revestir-se desse significado (ver 1.3). E alguns estudiosos emendam essa palavra para o termo hebraico *shem*, "nome", "reputação", conforme fizeram Toy e Oesterley (*in loc.*). Cf. Lc 2.52. Ver também Sl 111.10.

3.5

בְּטַח אֶל־יְהוָה בְּכָל־לִבֶּךָ וְאֶל־בִּינָתְךָ אַל־תִּשָּׁעֵן׃

Confia no Senhor de todo o teu coração. Quanto à "confiança", conforme ela aparece nas páginas do Antigo Testamento, ver Sl 2.12. Essa confiança é em uma Pessoa e olha para longe do "próprio eu". Em seu progresso, o jovem pode vir a confiar em si mesmo, orgulhando-se de suas realizações. O mestre, entretanto, adverte-o a "olhar para Yahweh" como a base de sua confiança. Sua vereda deve liderá-lo pelo caminho de cima, e não pelo caminho do seu interior.

Estou pressionando pelo caminho para cima,
Novas alturas obtenho a cada dia.
Continuo orando enquanto me dirijo para o alto:
Senhor, implanta meus pés em terreno mais elevado.

Johnson Oatman, Jr.

O ensino dos mandamentos tinha por propósito dar aos alunos bom siso (Pv 1.4). Ao atingir certa medida de bom siso, o estudante poderia ficar inchado e começar a confiar em seus próprios poderes. Por isso o mestre o advertiu como segue: "Não te estribes no teu próprio entendimento". O antídoto contra tal erro consiste em manter os olhos fixos em Yahweh, e não no "próprio eu", dando a ele crédito por qualquer progresso atingido, em vez de fazer do próprio "eu" um pequeno deus.

Quando o antigo rabino, Bar Kappara, foi indagado: "Qual é o texto sucinto do qual todos os princípios essenciais do judaísmo dependem?", ele replicou citando esta passagem do livro de Provérbios, especialmente o vs. 6 (Israel Goldstein, *Toward a Solution*).

A Religião do Coração. O mestre faz da verdadeira vida espiritual uma questão do coração. Cf. Pv 2.2 (o coração precisa dedicar-se à sabedoria); Pv 2.10 (a sabedoria deve penetrar no coração); Pv 3.1 (os mandamentos precisam ser guardados no coração). Portanto, aqui, a confiança deve ser a confiança do coração, do homem interior, da alma, da pessoa essencial, e não de algum fragmento. O indivíduo precisa evitar um coração dúplice, pois, do contrário, sua fé será debilitada, se não mesmo destruída.

Homem de ânimo dobre, inconstante em todos os seus caminhos.

Tiago 1.8

3.6

בְּכָל־דְּרָכֶיךָ דָעֵהוּ וְהוּא יְיַשֵּׁר אֹרְחֹתֶיךָ׃

Reconhece-o em todos os teus caminhos. Há um caminho a ser escolhido, e esse caminho pode ser bom ou mau. Se o indivíduo tiver escolhido o bom caminho, deverá reconhecer Deus a cada passo que der. "A ênfase recai sobre a palavra *todos*. Deus requer obediência e rendição absoluta em todas as dimensões da vida, antes que possa dirigir-nos eficazmente em suas veredas" (Charles Fritsch, *in loc.*). Deus não é uma das opções na escola da vida. Ele é o currículo inteiro. Tenha-o sempre defronte de seus olhos (ver Sl 139.2). Foi ele quem nos criou, e não nós que criamos a nós mesmos (ver Sl 100.3). "Começa, continua e termina cada obra, propósito e artifício com Deus. Ora intensamente pedindo a sua orientação. Busca seu apoio contínuo e entrega a ele cada progressão... A verdadeira fé consiste em considerar Deus a fonte de todo o bem, e de esperar da parte dele todo bem" (Adam Clark, *in loc.*).

Com efeito, os teus testemunhos são o meu prazer, são os meus conselheiros.

Salmo 119.24

O homem não pode dirigir os próprios passos, pelo menos não um homem bom. A orientação é uma bênção do Senhor para o homem que busca sabedoria. Deus é quem dá as ordens de marcha. Ele ordena os passos e guarda os pés dos santos. Ele os dirige corretamente nas questões temporais e eternas. Cf. Jr 10.23; Sl 37.23 e 1Sm 2.9.

3.7

אַל־תְּהִי חָכָם בְּעֵינֶיךָ יְרָא אֶת־יְהוָה וְסוּר מֵרָע׃

Não sejas sábio aos teus próprios olhos. Um homem verdadeiramente humilde receberá a sabedoria como parte de seu desenvolvimento espiritual, porquanto a fonte originária dessa sabedoria é divina. Cf. Rm 12.16. Reaparece, uma vez mais, o lema do livro de Provérbios: "Teme ao Senhor". Ver sobre isso em Pv 1.7 e Sl 119.38. Ver no *Dicionário* o verbete chamado *Temor*. Uma ideia paralela ao temor do Senhor e, de fato, parte daquela espiritualidade em geral é afastar-se do mal. Cf. Jó 28.28. "Jovens que adquirem a sabedoria precisam relembrar que eles não se tornaram sábios por si mesmos. A sabedoria desce de Deus (ver Pv 2.6)" (Sid S. Buzzell, *in loc.*).

Cf. este versículo com Is 5.21; contrastar com Sl 131.11; 1Co 8.1,2; Gl 6.3; 1Co 3.18. Ver a admoestação de Rm 11.20. Mediante o temor de Deus, os homens afastam-se do mal (ver Pv 16.6). Cf. Jó 1.1 e Ne 5.15.

■ 3.8

רִפְאוּת תְּהִי לְשָׁרֶּךָ וְשִׁקּוּי לְעַצְמוֹתֶיךָ׃

Será isto saúde para o teu corpo. Uma das recompensas para os que buscam a sabedoria de Deus e o temem é a saúde física. Sabemos que os estados mentais e espirituais influenciam o corpo físico para o bem ou para o mal. A medicina psicossomática está produzindo alguns resultados surpreendentes. Por outra parte, existem exceções que o texto não menciona para não perturbar essa tese geral. A paz mental e o bom ânimo são definitivamente importantes para a boa saúde.

Corpo. No hebraico, literalmente, temos uma palavra que significa *umbigo*. A alusão é ao fato de que o feto recebe a nutrição, da parte de sua mãe, por meio do umbigo. Além disso, o umbigo é o centro do corpo, pois dali a nutrição se espalha para o corpo inteiro. O oráculo de Delfos fazia aquele lugar ser chamado de "umbigo da terra". Mas os tradutores da Septuaginta não gostavam dessa metáfora, e assim substituíram a palavra pelo termo grego que significa *corpo*. Outras traduções seguiram essa modificação, e assim perdeu-se a força da figura simbólica. Uma vida correta traz saúde para o centro do corpo e faz a saúde difundir-se a partir daquele ponto. Cf. Pv 4.22. Deixamos de mencionar aqueles santos que vivem vidas doentias, mas que se apegam a essa regra em geral. Poderíamos espiritualizar a referência para falar da saúde espiritual que Deus confere aos que seguem a sabedoria.

Os teus ossos. Com frequência, a palavra "ossos" é usada para falar do corpo inteiro, porquanto o esqueleto forma o arcabouço em torno do qual fica unida a totalidade do corpo. Quanto a essa figura, ver as notas expositivas sobre Sl 102.3. Os antigos não tinham consciência de que os glóbulos vermelhos do sangue são formados na medula dos ossos, mas sabiam que dentro dos ossos longos do corpo há certa umidade, pelo que também o hebraico literal aqui é *aguagem*. Eles sabiam que, de alguma maneira, a saúde dos ossos depende dessa umidade, e a saúde do corpo depende da saúde dos ossos. Isso era conhecimento suficiente para dar-lhes a figura simbólica deste versículo. A sequidão significaria a morte, pelo que ossos secos são um sinônimo de morte (ver Ez 37.4).

O coração alegre é bom remédio, mas o espírito abatido seca os ossos.

Provérbios 17.22

"A saúde está nos ossos da pessoa, o que é mencionado por diversas vezes no livro de Provérbios (3.8; 12.4; 14.30; 15.30; 16.24 e 17.22). Isso sugere, conforme é um fato bem conhecido hoje em dia, que a saúde espiritual e a saúde física estão intimamente relacionadas" (Sid S. Buzzell, *in loc.*).

■ 3.9,10

כַּבֵּד אֶת־יְהוָה מֵהוֹנֶךָ וּמֵרֵאשִׁית כָּל־תְּבוּאָתֶךָ׃

וְיִמָּלְאוּ אֲסָמֶיךָ שָׂבָע וְתִירוֹשׁ יְקָבֶיךָ יִפְרֹצוּ׃ פ

Honra ao Senhor com os teus bens. Deixando para trás as considerações sobre o que ajuda a boa saúde, de súbito são oferecidos dois versículos sobre o uso correto das riquezas. Se um homem honra ao Senhor cumprindo as leis concernentes aos dízimos, às ofertas, à ajuda aos pobres, coisas requeridas pela lei, então esse homem pode esperar corretamente ter bênçãos materiais e prosperar. É dando que recebemos. Essa é uma lei espiritual que opera o tempo todo. Os que experimentam esse método descobrem que ele é funcional. "Essa é uma lei espiritual que homens tementes a Deus têm descoberto ser válida em todas as épocas" (Charles Fritsch, *in loc.*). É um aspecto da *Lei Moral da Colheita segundo a Semeadura* (ver a respeito no *Dicionário*). Os judeus piedosos traziam as primícias de suas plantações ao templo de Jerusalém, para serem usadas pelos sacerdotes e pelos levitas como forma de exprimir sua gratidão a Yahweh, que lhes dera boa colheita (Dt 26.1-3,9-11). A recompensa antecipada para quem cuidasse das realidades espirituais era ter celeiros cheios de grãos e armazéns repletos de bons vinhos.

Buscai, pois, em primeiro lugar, o seu reino e a sua justiça, e todas estas coisas vos serão acrescentadas.

Mateus 6.33

Cf. Ml 3.9-12, onde são feitas promessas semelhantes aos que pagassem os dízimos. Ver também Ag 1.6,9,13; 2.15-19 e 1Rs 17.10-16.

Transbordarão de vinho os teus lagares. Um lagar era um dispositivo simples que consistia em duas partes. Na parte superior havia a prensa (no hebraico, *gath*), onde eram pisadas as uvas. E na parte inferior (no hebraico, *yeqebh*) se recolhia o suco. Portanto, o homem que dá, terá grande abundância de uvas para pisar, e assim poderá recolher imensa quantidade de suco de uva. Ver sobre *Lagar*, no *Dicionário*.

O serviço que prestamos a outras pessoas é, realmente, o aluguel que pagamos pelo nosso espaço nesta terra. Um homem é um viajante, pelo que ter e manter não é o lema da vida. Pelo contrário, esse lema é dar e servir. Não há outro significado para a vida.

Sir Wilfred Grenfell

■ 3.11

מוּסַר יְהוָה בְּנִי אַל־תִּמְאָס וְאַל־תָּקֹץ בְּתוֹכַחְתּוֹ׃

Filho meu, não rejeites a disciplina do Senhor. O autor agora salta para outro provérbio desconexo. Ele vê o valor do castigo e da disciplina. Existe mais uma bênção da sabedoria. Talvez tenha havido pecado. Então é necessária alguma espécie de medida corretiva. Platão dizia que a pior coisa que pode acontecer a um homem é praticar um erro e não pagar por ele. O pensador raciocinou que a alma de um homem se corrompe quando ele age perversamente e não paga por isso. Ou, talvez, o homem bom precise de alguma espécie de disciplina para aumentar a intensidade de sua inquirição espiritual. Talvez ele não esteja pondo em primeiro lugar as coisas primárias. Algum teste poderia rearranjar suas perspectivas. A figura pessoal por trás dessa declaração é Deus como Pai, a única ocorrência dessa figura simbólica no livro. Um filho bom acaba cansando de tanto receber correções, mas será aprimorado por elas. Naturalmente, existem pais, especialmente mães, que impõem muitas regras e desgastam os filhos com tantas ordens. Isso não deve ser equiparado a uma boa disciplina.

Jó era um homem inocente, mas sofreu fisicamente. Os atormentadores só podiam ver nas suas experiências uma operação da lei da colheita conforme a semeadura. E assim continuavam falando sobre isso *ad nauseum*. Seu sofrimento era uma disciplina, não uma punição, e, naturalmente, existem enigmas no sofrimento. Mas nem tudo se resume em punição ou em disciplina. Ver no *Dicionário* o artigo chamado *Problema do Mal*: por que os homens sofrem e por que sofrem da maneira como sofrem? Este mundo também é controlado pelo caos. Há sofrimentos sem nenhuma razão, sem nenhum propósito, e precisamos orar a respeito todos os dias. O autor sacro, neste ponto, naturalmente não levou isso em conta. Ele estava considerando somente a dor ligada a algum propósito. É um notável dom que um professor pode dar a seus alunos, ou que um pai pode dar a seus filhos, quando esse professor ou esse pai pode ser forte o bastante para sofrer dor e não revoltar-se contra Deus. Foi por isso que o mestre convidou seu filho na fé a não desprezar a disciplina do Senhor. Cf. Jó 5.17. Um homem não deve rejeitar nem menosprezar as medidas disciplinadoras de Deus em sua vida.

■ 3.12

כִּי אֶת אֲשֶׁר יֶאֱהַב יְהוָה יוֹכִיחַ וּכְאָב אֶת־בֵּן יִרְצֶה׃

Porque o Senhor repreende a quem ama. Aprendemos aqui que a disciplina é o golpe do amor do Pai celestial. E também que esses golpes ocorrem porque o Pai se deleita em seu filho. Isso significa que essas situações ocorrem para curar e aprimorar, e não para destruir. O julgamento divino é um dedo da amorosa mão de Deus, sem importar se a pessoa julgada é crente ou incrédula. O juízo divino, pois, é uma disciplina amorosa cuja finalidade é curar e aprimorar o indivíduo. O julgamento divino é restaurador, e não meramente retributivo. Orígenes advertiu-nos a não escorregar para a teologia inferior que ensina que o julgamento divino é somente retributivo. Os vss. 11 e 12 foram escritos para mostrar-nos que as pessoas boas são submetidas a teste, mas esses testes têm um bom propósito, pois neles se manifesta a graça divina.

Os que com lágrimas semeiam, com júbilo ceifarão.
Salmo 126.5

Este versículo foi citado em Hb 12.5,6, e, assim sendo, o Novo Testamento usou-o como algo que pode ser dito quanto ao porquê dos sofrimentos. Existem outras respostas, e a melhor delas é a existência e a sobrevivência da alma. Contudo, mesmo essa doutrina não nos explica por que os homens bons sofrem nesta vida, nem por que sofrem como sofrem, em muitos casos.

QUINTO DISCURSO: O ALTO VALOR DA SABEDORIA (3.13-20)

Temos aqui o quinto dos dezesseis discursos sobre a sabedoria, que ocupam o trecho de Pv 1.8—9.18.

■ 3.13

אַשְׁרֵי אָדָם מָצָא חָכְמָה וְאָדָם יָפִיק תְּבוּנָה׃

Feliz o homem que acha sabedoria. Esta bem-aventurança é igual ao trecho de Pv 1.2, onde foi declarado o objetivo para o qual foi escrito este livro bíblico, a saber, transmitir sabedoria e entendimento. Ver Pv 1.2 quanto aos significados desses conceitos. Pv 2.2 repete as duas qualidades que o homem bom deve buscar. Quanto aos provérbios de bem-aventurança, ver, além do presente versículo, Pv 3.18; 14.21; 16.20; 28.14 e 29.18. A última dessas referências pronuncia uma bênção sobre o homem que guarda a lei mosaica, a base de toda a felicidade nos termos do Antigo Testamento. Esse é o *summum bonum* do homem espiritual do Antigo Testamento, e a sabedoria é a essência desse bem supremo. A sabedoria traz a felicidade. Distinguir entre o bem e o mal, com a busca resultante por Deus, é a compreensão. Essa é uma aplicação da sabedoria, que produz o feliz estado de que o autor falava. A compreensão mantém o homem na vereda certa, livre de pecados destruidores que produzem o caos na vida, e leva o crente a atingir as bênçãos espirituais que tornam a vida produtiva e feliz. O Targum diz que a compreensão de um homem deriva-se como uma fonte de água a jorrar da terra, que Gersom pensa ser o coração do homem.

■ 3.14

כִּי טוֹב סַחְרָהּ מִסְּחַר־כָּסֶף וּמֵחָרוּץ תְּבוּאָתָהּ׃

Porque melhor é o lucro que ela dá do que o da prata. A sabedoria e a compreensão produzem um tesouro precioso, ou seja, um ganho. Todo lucro terreno, como aquele do ouro e da prata, dificilmente pode comparar-se ao valor daquelas qualidades espirituais que tornam os homens espiritualmente ricos e, portanto, felizes. Os homens engajam-se na mineração e no comércio para adquirir um ganho terreno, e agem assim porque pensam que podem obter a felicidade. Mas o indivíduo verdadeiramente feliz é aquele que escava a mina espiritual e faz negócios com qualidades espirituais. O autor sagrado não tinha ambições materiais. Ele investia todos os valores de sua vida no terreno espiritual.

Cf. este versículo com Pv 2.4, onde encontramos a metáfora da prata e também a metáfora dos tesouros escondidos, que um homem bom vive buscando. As notas expositivas ali ilustram o presente texto. Encontramos algo similar em Pv 8.10,11,19, onde os simbolismos são formados pelo ouro, pela prata e pelas joias. O vs. 15, a seguir, também usa a metáfora das pérolas.

■ 3.15

יְקָרָה הִיא מִפְּנִינִים וְכָל־חֲפָצֶיךָ לֹא יִשְׁווּ־בָהּ׃

Mais preciosa é do que pérolas. "Pérolas", aqui, no hebraico, é *peninim*, cuja tradução exata é incerta. Algumas versões dizem "pérolas"; mas outras preferem a tradução "rubis", e outras ainda "pedras preciosas". Lm 4.7 subentende que a cor dessas pedras é o vermelho, pelo que o "coral" pode estar em foco. Cf. com outros usos da palavra, em Pv 8.11; 20.15 e 31.10. É provável que esta palavra hebraica fosse usada para referir-se a vários tipos de pedras, o que talvez justifique a confusão. Não devemos esperar que os hebreus se mostrassem mais precisos em sua terminologia sobre mineralogia do que em seu vocabulário zoológico. A identificação da pedra ou das pedras preciosas é incerta, mas o sentido espiritual é claro. O mestre era um caçador de tesouros e um minerador; em sua inquirição ele entrava na terra e no mar. E o que ele buscava, achou: a sabedoria. Várias coisas felizes que a sabedoria traz são listadas nos versículos que se seguem.

A raiz da palavra em questão é *panah*, que significa "olhar". Uma pedra preciosa, belamente burilada, reflete a luz de diversas maneiras, exibindo muitas cores e mostrando-se muito agradável ao olhar humano. Apresenta muitas facetas, e outro tanto acontece com a sabedoria e a compreensão. Os versículos que se seguem falam de algumas dessas facetas rebrilhantes.

Sabedoria Divina
Quem pode dizer o preço das caras mercadorias da Sabedoria?
A sabedoria é a prata que preferimos,
E o ouro é como a escória, comparado com ela.
Seus dias são cheios com a duração dos dias,
As verdadeiras riquezas são louvores imortais;
As riquezas de Cristo, conferidas a todos,
Uma honra que desce de Deus.

Charles Wesley

Cf. com o tesouro escondido no campo (ver Mt 13.44) e com a pérola de grande preço (ver Mt 13.46).

■ 3.16

אֹרֶךְ יָמִים בִּימִינָהּ בִּשְׂמֹאולָהּ עֹשֶׁר וְכָבוֹד׃

O alongar-se da vida está na sua mão direita. Uma das facetas brilhantes da pedra preciosa da sabedoria de Deus está na promessa de uma vida longa, próspera e honrada. Naturalmente, essa é uma das promessas constantes da lei. Ver Dt 4.1; 5.33; 6.2; Ez 20.1. O judaísmo posterior e o cristianismo ampliaram essas noções para que se transformassem na vida eterna, a vida da alma em outra esfera, o pós-vida, e essas são aplicações do texto à nossa frente, e não interpretações. Mas a ideia mais antiga dos hebreus, que continuava a resplandecer no livro de Provérbios, é uma vida física plena, abençoada e próspera. Os hebreus, em seu coração, posto que talvez não em sua teologia, acreditavam na vida eterna, e era por isso que se sentiam felizes.

Uma longa vida está na mão direita da sabedoria, a mão de poder e proteção, e a sabedoria estende essa mão para nós, como se fosse uma pedra preciosa, para a nossa possessão. Ver sobre a *mão de Deus*, em Sl 81.14, e sobre a *mão direita*, em Sl 20.6. A mão direita, a mais forte das duas mãos, oferece-nos o maior dos tesouros. Na mão esquerda da sabedoria existem pedras preciosas menores, mas que ainda assim são pedras muito preciosas, a saber, riquezas e honras para acompanhar uma vida longa. A honra deve incluir aquilo que o homem bom recebe por ser sábio e por viver uma vida boa, e não consiste meramente naquilo que o indivíduo recebe por causa de seu dinheiro e poder. "Suas mãos estão cheias dos benefícios mais escolhidos" (Adam Clarke, *in loc.*). Quanto à honra, cf. Pv 4.8; 8.18; 21.21 e 22.4.

■ 3.17

דְּרָכֶיהָ דַרְכֵי־נֹעַם וְכָל־נְתִיבוֹתֶיהָ שָׁלוֹם׃

Os seus caminhos são caminhos deliciosos. Outra das rebrilhantes facetas da pedra preciosa da sabedoria de Deus, que brilham sobre nós, é o caminho delicioso e as veredas da paz. Cf. Pv 2.10 e 3.2, que também mencionam a delícia e a paz, ambas benefícios da sabedoria. "Essas bênçãos da verdadeira religião requerem pouco comentário" (Adam Clarke, *in loc.*).

Às mais puras alegrias ela a todos convida,
Às delícias castas, santas e espirituais.
Seus caminhos são os caminhos agradáveis.
Bênçãos da raça escolhida,
Sabedoria proveniente do alto;
A fé que opera docemente por meio do amor.

Charles Wesley

Cf. isso com a paz que Cristo promete, em Fp 4.7; ver no *Dicionário* o verbete chamado *Paz*.

"Uma vida longa, sem essas qualidades, seria uma maldição, e não uma bênção" (Sid S. Buzzell, *in loc.*).

■ 3.18

עֵץ־חַיִּים הִיא לַמַּחֲזִיקִים בָּהּ וְתֹמְכֶיהָ מְאֻשָּׁר׃ פ

É árvore de vida para os que a alcançam. Outra das facetas que a pedra preciosa da sabedoria de Deus faz brilhar sobre nós é a árvore de vida. Homens sábios apegam-se à árvore de vida e, assim, sentem-se felizes. Em um sentido poético, isso reitera o vs. 16. As notas ali dadas aplicam-se também aqui. No jardim, Adão e Eva foram proibidos de comer do fruto da árvore da vida, e foram expulsos dali para que não obtivessem uma vida física imorredoura. A sabedoria, em contraste, traz essa árvore para perto dos que a buscam. Em termos não poéticos, a sabedoria aparece, declaradamente, como a fonte da vida e da felicidade. A árvore da vida reaparece no livro de Provérbios em 11.30; 13.12 e 15.4. Ver sobre a *árvore da vida* em Gn 2.9; 3.22,24; Ap 2.7 e 22.2, além de uma alusão à mesma árvore em Ez 47.12. Ver no *Dicionário* o artigo denominado *Árvore da Vida*, quanto a um artigo completo.

Eu sou o caminho, e a verdade, e a vida.

João 14.6

O quinto discurso, dentre os dezesseis que falam da sabedoria, em Pv 1.8—9.18, é um provérbio. Portanto, aqui, antes do fim, somos lembrados disso com outra bem-aventurança. O homem que obtém a árvore da vida é feliz, pois ao achar a sabedoria (vs. 13) também acha vida longa e próspera. Ver no *Dicionário* o artigo chamado *Bem-aventuranças*.

■ 3.19

יְהוָה בְּחָכְמָה יָסַד־אָרֶץ כּוֹנֵן שָׁמַיִם בִּתְבוּנָה׃

O Senhor com sabedoria fundou a terra. Neste ponto, a sabedoria assumiu o sentido de inteligência divina, transcendendo suas relações com a lei por ser o atributo divino mediante o qual a própria criação veio à existência. Aqui a sabedoria não foi personificada, mas tomou posição subordinada como um atributo de Yahweh. A mesma inteligência que dirige todas as coisas na terra, incluindo a conduta do homem bom, é a inteligência que tornou possível a criação. "A glória de Deus é a inteligência" (Joseph Smith). "A habilidade mediante a qual Deus estabeleceu a terra. Os verbos usados neste versículo revelam a natureza da cosmogonia dos hebreus: a terra repousa sobre um alicerce, e por cima dela está o firmamento" (Charles Fritsch, *in loc.*). Pv 8.22-26 é uma declaração mais completa de como a sabedoria esteve envolvida na criação. A doutrina da sabedoria na criação antecipa o Verbo de Deus (ver Jo 1.1). Cf. Sl 104.24 e 136.5. "Um novo avanço na direção da personalidade do Criador se faz em Pv 8.27 ss." (Ellicott, *in loc.*). "Foi mediante a sabedoria, como um de seus atributos divinos, que Deus fundou a terra e os céus" (Cornelius a Lapide).

■ 3.20

בְּדַעְתּוֹ תְּהוֹמוֹת נִבְקָעוּ וּשְׁחָקִים יִרְעֲפוּ־טָל׃

Pelo seu conhecimento os abismos se rompem. A sabedoria é aqui chamada de conhecimento, e a capacidade de tudo conhecer de Deus, adequada para tão estupenda obra como foi a criação, é aqui atribuída ao escopo ilimitado e aos poderes desse conhecimento. Para Deus, "conhecer" equivale à capacidade de "fazer", pelo que insuflamos a sua onipotência na questão com a palavra "conhecimento" usada aqui. Portanto, tanto a onisciência quanto a onipotência de Deus operam para realizar tão tremendo empreendimento. Ver sobre esses dois termos no *Dicionário*, bem como o artigo geral denominado *Atributos de Deus*.

Os abismos se rompem. Temos aqui uma referência a Gn 7.11. As águas subterrâneas foram liberadas por ocasião do dilúvio. E a terra foi concebida como se repousasse sobre um grande mar de águas, como seu alicerce. Ver a ilustração no artigo chamado *Astronomia*, no *Dicionário*. Ver Êx 20.4.

E as nuvens destilam orvalho. As águas necessárias são concedidas, e sem elas qualquer criação fracassaria. A referência poderia ser à chuva, ou então ao orvalho que se forma na atmosfera úmida.

"Nos países do Oriente Próximo e Médio, o orvalho é a mais preciosa bênção para a vegetação, na ausência da chuva" (Fausset, *in loc.*). À criação são conferidas provisões sustentadoras. Cf. Dt 33.28 e Jó 26.28. Ver também Gn 27.28.

SEXTO DISCURSO: O ALTO VALOR DA SABEDORIA NA EDIFICAÇÃO DE RELAÇÕES COM O PRÓXIMO (3.21-35)

Este é o sexto dentre os dezesseis discursos que se acham no livro de Provérbios, ocupando o trecho de Pv 1.8—9.18.

■ 3.21

בְּנִי אַל־יָלֻזוּ מֵעֵינֶיךָ נְצֹר תֻּשִׁיָּה וּמְזִמָּה׃

Filho meu, não se apartem estas cousas dos teus olhos. O pai espiritual (o mestre) novamente dirige-se a seu filho espiritual (aluno), exortando-o a abraçar as virtudes espirituais, que se revestem de grande utilidade. Ele o adverte sobre o perigo de, depois de ter começado bem, terminar mal, afastando-se do bom siso. Quanto a essa qualidade, ver Pv 1.4. Essa é uma subcategoria da *sabedoria sã* (ver sobre Pv 2.7). A coletânea de declarações sábias (ver os vss. 21-35) ajuda o aluno a obter detalhes sobre o que se espera dele, no exercício das principais virtudes. Essas declarações também mencionam vários benefícios que um bom andarilho pode esperar encontrar ao longo da vereda da retidão. Deus, o Autor da natureza, é, igualmente, aquele que a dirige, incluindo os homens que palmilham pela vereda espiritual. Assim como a natureza não determina a si mesma, outro tanto acontece ao homem. "Reconhecer Deus como o Autor de todo o bem é a essência do credo do homem piedoso" (Adam Clarke, *in loc.*). A versão da Vulgata Latina exorta os homens a guardar a lei, a fonte da sabedoria.

Este versículo tem sido cristianizado para falar sobre as doutrinas do evangelho que devem ser observadas no andar cristão. "Confia e obedece, pois não há outra maneira de alguém ser feliz em Jesus" (J. H. Sammis).

■ 3.22

וְיִהְיוּ חַיִּים לְנַפְשֶׁךָ וְחֵן לְגַרְגְּרֹתֶיךָ׃

Porque serão vida para a tua alma. Este versículo é virtualmente igual a Pv 1.9. A sabedoria é a fonte originária da vida e da graciosidade. O tema da vida dada pela sabedoria é referido nos vss. 16 e 18, sob figuras poéticas. Consideremos, quanto a isso, os seguintes pontos:
1. Uma longa vida é proporcionada.
2. Essa vida é ornamentada, uma vida graciosa e agradável, ou, em outras palavras, uma boa vida, material e espiritualmente falando.

Esta passagem lista vários benefícios da vida conduzida pela sabedoria, e aqui temos dois desses benefícios. O versículo tem sido cristianizado para falar sobre Jesus Cristo como o ornamento da vida do crente. Além disso, tem sido espiritualizado para fazer da lei o ornamento que um homem usa enquanto vive entre os outros homens. Ver as notas expositivas sobre Pv 4.9, que embelezam as afirmações aqui encontradas.

■ 3.23

אָז תֵּלֵךְ לָבֶטַח דַּרְכֶּךָ וְרַגְלְךָ לֹא תִגּוֹף׃

Então andarás seguro no teu caminho. Consideremos aqui um terceiro ponto:
3. O andar seguro é o terceiro benefício dado à alma do crente. Os dias do autor do livro de Provérbios eram brutais, em que estava sempre em questão a simples sobrevivência, por causa de invasores; e havia períodos em que uma onda de crimes tomava conta de tudo. Então os perigos afloravam de dentro do indivíduo. A sabedoria, pois, fornecia liberdade do temor, porquanto um homem bom tinha garantia razoável de que viveria em segurança. Os três versículos que se seguem desenvolvem esse tema. Os perigos do caminho seriam algo que feriria os pés dos que por ali caminhavam. Mas bater o pé contra alguma coisa podia significar uma calamidade repentina (vs. 25). É uma doutrina padronizada do Antigo Testamento que os homens bons são protegidos, obtêm vida longa e prosperidade. O autor sagrado não nos lembrou das exceções, que nos chocam e desanimam, quando os homens sofrem desastres, aparentemente sem razão alguma. Ver

no *Dicionário* o verbete intitulado *Problema do Mal*. Por que os homens sofrem, e por que sofrem como sofrem? Eles sofrem por causa do mal moral, ou seja, os atos perversos dos homens contra seus semelhantes. E também sofrem por causa do mal natural, que são os abusos da natureza, como os acidentes, as inundações, os incêndios, os terremotos, as enfermidades, e o campeão dos males naturais — a morte.

Poderíamos listar o não tropeçar como quarto benefício, mas esse, na realidade, é um desenvolvimento da ideia do andar seguro e da liberdade do medo. Oh, Senhor, concede-nos tal graça! Cf. Sl 37.24; 91.11 e Pv 10.9 quanto a versículos semelhantes.

■ 3.24

אִם־תִּשְׁכַּב לֹא־תִפְחָד וְשָׁכַבְתָּ וְעָרְבָה שְׁנָתֶךָ׃

Quando te deitares, não temerás. Os vss. 24-26 ampliam a ideia da vereda segura, a qual o homem bom recebe como recompensa da parte da sabedoria. Ver os comentários sobre o vs. 23, que introduz o assunto. A noite é um tempo para ser temido. É então que ocorrem ataques súbitos da parte de homens ímpios e desarrazoados; existem enfermidades e pragas que parecem piores à noite. Além disso, um homem deitado em seu leito torna-se mais vulnerável diante de qualquer perigo do que quando está acordado e movimentando-se para cá e para lá. Quando um homem bom deita-se para dormir, tem um sono doce e refrescante, em contraste com o homem ruim, que muito tem a temer, porquanto possui muitos inimigos, incluindo o Ser divino.

Deitares... deitar-te-ás... Note o leitor o duplo ato de deitar-se. Esse é o texto hebraico que alguns emendam para *sentar-se* e *deitar-se*, a fim de seguir Dt 6.7. Porém, não há motivo algum que nos force a alterar o texto. O homem que segue os ditames da sabedoria pode deitar-se sem temor, e assim desfrutar um sono bom e reparador. A versão da Septuaginta apresenta as emendas que têm sido seguidas por diversas traduções. Cf. este versículo com Dt 33.28 e Jó 36.28.

"Quer em movimento, quer descansando, negociando ou no lazer, de dia ou de noite, tudo correrá bem contigo, ou pelo menos, finalmente, tudo correrá bem (ver Rm 8.28)" (Fausset, *in loc.*).

■ 3.25

אַל־תִּירָא מִפַּחַד פִּתְאֹם וּמִשֹּׁאַת רְשָׁעִים כִּי תָבֹא׃

Não temas o pavor repentino. Este versículo continua a falar sobre o benefício da segurança que a sabedoria dá ao homem bom. Ele não temerá o pânico súbito, acontecimentos negativos inesperados, o ataque de pecadores, enfermidades, desastres naturais como terremotos ou alguma tempestade terrível. Os ímpios, em contraste, sofrerão ruínas, porque o merecem. Ver no *Dicionário* o artigo denominado *Lei Moral da Colheita segundo a Semeadura*. Porém, o homem que segue os ditames da sabedoria não sofrerá calamidades como sucede no caso dos ímpios. Os *rasha*, palavra comum no livro de Provérbios, são contrastados com os *çaddiq*, os justos. A providência divina saberá distinguir as duas classes de homens, conferindo segurança aos bons, mas deixando vir o desastre para os ruins, em consonância com seu modo de proceder. Cf. este versículo com Sl 91.5 e 112.7.

■ 3.26

כִּי־יְהוָה יִהְיֶה בְכִסְלֶךָ וְשָׁמַר רַגְלְךָ מִלָּכֶד׃

Porque o Senhor será a tua segurança. O homem sábio colige benefícios por seguir a vereda provida pela sabedoria. Encontramos declarações similares na obra Ensino de Amen-em-ope (ver na introdução do livro, IX. *Problemas Especiais*, B):

Sê corajoso diante de outras pessoas,
Pois o indivíduo está seguro nas mãos de Deus.

O Senhor será a tua segurança. A Septuaginta acrescenta aqui "em todas as tuas veredas", emendando o texto. Não há, contudo, necessidade de emendar o hebraico. O sentido é perfeitamente claro. Yahweh torna-se a segurança do crente, durante o dia, à noite, em qualquer provação, impedindo problemas.

Lançando sobre ele toda a vossa ansiedade, porque ele tem cuidado de vós.

1Pedro 5.7

Guardará os teus pés de serem presos. A figura simbólica evidente é a do caçador, que lança laços e armadilhas para a presa, e os pobres animais caem diante de sua ganância e são mortos. "... nas armadilhas de Satanás, a carne e o mundo, e os opressores (Ec 7.26)" (Fausset, *in loc.*). Cf. este versículo com Jó 8.14 e 31.24.

A noite é escura e estou distante de casa,
Continua a liderar-me.
Guarda os meus pés, não te estou pedindo para ver
a cena distante; basta um passo por vez para mim.
John Henry Newman

■ 3.27

אַל־תִּמְנַע־טוֹב מִבְּעָלָיו בִּהְיוֹת לְאֵל יָדְךָ לַעֲשׂוֹת׃

Não te furtes a fazer o bem a quem de direito. O autor parte agora para novos pensamentos, embora continue a ilustrar o elevado valor da sabedoria na edificação de relacionamentos pessoais (vss. 21-35). Ele trata agora, especificamente, das boas obras que devem caracterizar o homem instruído pela sabedoria. Os vss. 27-31 contêm cinco máximas sobre como devemos relacionar-nos da melhor maneira possível com os nossos semelhantes. Todas elas começam com uma negativa, coisas que não devem ser feitas. Os sábios têm certos deveres óbvios. "A sabedoria requer honestidade sem compromissos e justiça nos relacionamentos humanos. Ela não pode tolerar a retenção de ganhos ou de honras legítimos, ou conflitos desnecessários e contendas. A maldição do Senhor está sobre aqueles que, por causa de ganância, malícia ou inveja maliciosa, usam de seus semelhantes com desprezo" (Charles Fritsch, *in loc.*).

Então os vss. 32-35 contêm outras quatro máximas, declaradas em sentido positivo e com observações contrárias umas às outras, o que prove contraste com as declarações positivas.

As Cinco Máximas Negativas:
1. *A Primeira Máxima*. O termo *bem*, aqui, é indefinido e geral. O relacionamento entre empregador e empregado é um bom exemplo do que pode estar em mira. Se um homem trabalha, merece receber o dinheiro correspondente ao que ele fez. Seu pagamento não deve ser adiado. Pelo contrário, o trabalhador precisa receber seu salário prontamente. Talvez a questão não seja dinheiro, mas algo que mereça um tratamento diferenciado. Do homem bom espera-se que faça todo o bem que puder para adquirir merecimento, quando está em seu poder fazer tal coisa. Também devemos relembrar que o bem é devido ao pobre, sem importar se ele fez ou não algum bem a nós. Ajudar os pobres é uma obrigação imposta pela lei. Em comparação com Deus, somos todos pobres, e ele continua a doar-nos coisas. Devemos seguir o bom exemplo deixado pelo Senhor.

Quanto a tratar com justiça um trabalhador contratado, ver Lv 19.13 e Dt 24.15. Quanto à obrigação de tratar os pobres com gentileza, ver Êx 22.25; 23.3,6,11; Lv 19.10; Dt 24.12,14,15. Provavelmente está também envolvido aqui o pagamento de dívidas. Somos despenseiros da multiforme graça de Deus (ver 1Pe 4.10).

■ 3.28

אַל־תֹּאמַר לְרֵעֲךָ לֵךְ וָשׁוּב וּמָחָר אֶתֵּן וְיֵשׁ אִתָּךְ׃

Não digas ao teu próximo: Vai, e volta amanhã.
2. *A Segunda Máxima*, que é negativa, reforça o versículo anterior, e aponta ou para o pagamento de salários, ou para a doação a necessitados. Se alguém vier em busca de alimentos, ou requerendo um empréstimo, e você quiser doar-lhe alguma coisa, não peça que ele volte no dia seguinte, pois nesse adiamento o coração dele adoecerá. Se ele fez algum trabalho para você, pague-lhe dentro de pouco tempo, porquanto ele tem necessidades, tal e qual você as tem. "Paga prontamente, quer no salário quer na ajuda em geral" (Charles Fritsch, *in loc.*). Há uma excelente declaração que afirma: "Aquele que paga prontamente, paga em dobro" (Publius Syrus). Eclesiástico 4.3 e Tg 2.16 ligam essa ideia com a noção de doar aos pobres.

A esperança que se adia faz adoecer o coração, mas o desejo cumprido é árvore de vida.

Provérbios 13.12

"O bom samaritano agiu rapidamente, dando a seu 'próximo' aquilo de que ele necessitava (ver Lc 10.29,36). Os gregos tinham um adágio que dizia: 'Um favor em ritmo lento é um favor sem graça alguma!' Sêneca (*Benef.* 1.2) disse: 'É um benefício sem agradecimento aquele que, por muito tempo, ficou na mão do doador'. Não despeças teu vizinho necessitado com palavras bonitas, e muito menos ainda com palavras desprezíveis (Tg 2.15,16)" (Fausset, *in loc.*).

"Aqueles que adiam sua beneficência até morrerem são como os porcos que só têm utilidade quando chegam ao matadouro" (T. Cartwright). Cf. este versículo com Lv 19.13 e Dt 24.15.

■ 3.29

אַל־תַּחֲרֹשׁ עַל־רֵעֲךָ רָעָה וְהוּא־יוֹשֵׁב לָבֶטַח אִתָּךְ׃

Não maquines o mal contra o teu próximo.

3. *A Terceira Máxima*, negativa, é o mandamento contra a opressão de um vizinho que habita perto de você confiadamente (*Revised Standard Version*). Ele não espera qualquer mal de sua parte, e você não deveria chocá-lo com algum feito mau cuja finalidade é ferir. Não se reúna a nenhum plano ousado contra ele, que outros estejam planejando. Não seja como um "até tu, Bruto".

Maquines. No hebraico, *harash*, palavra que primariamente significa "gravar", "arar", e figuradamente assume o sentido de "planejar", usualmente com mau sentido. O autor sagrado proíbe a malevolência contra o próximo e, naturalmente, por extensão, contra qualquer outra pessoa.

"Não planejes nem formes esquemas em tua mente e em teus pensamentos para fazer contra o próximo qualquer injúria, contra o seu nome e caráter, ou contra a sua pessoa, propriedade ou família. Um homem bom pode planejar o bem para os seus semelhantes, mas nunca deve planejar o mal contra ninguém" (John Gill, *in loc.*).

■ 3.30

אַל־תָּרוֹב עִם־אָדָם חִנָּם אִם־לֹא גְמָלְךָ רָעָה׃

Jamais pleiteies com alguém sem razão

4. *A Quarta Máxima*, negativa, é contra disputas e contendas insensatas.

Meus amigos, este é um ótimo versículo para usar contra os fundamentalistas! O curso do liberalismo é o ceticismo. O curso do fundamentalismo é a contenda e as intermináveis divisões contra qualquer razão, ou mesmo contra toda razão. Encontramos aqui uma advertência contra as contenções sem fundamento. O hebraico correspondente é *ribh*, termo comum que indica "litígio", embora o sentido da palavra aqui seja geral. O autor não estava exortando contra casos forenses tolos e sem base. Estava falando sobre qualquer tipo de disputa litigiosa, baseada no nada. Naturalmente, há muitas disputas em torno do nada, que para os envolvidos representam questões sérias. Tomemos o caso daquela escola teológica batista que se dividiu em duas facções em torno da questão de se os dias originais da criação foram de 24 horas literais ou não. Ou então considere o leitor a missão que se dividiu por causa da questão de sua escola teológica oferecer cursos seculares ou não, como história, ciência etc. Todos nós, que fomos criados em círculos fundamentalistas, podemos multiplicar indefinidamente histórias de tais disputas insensatas. Ou consideremos o caso do pastor que se aposentou mas não pôde encontrar um lugar para ir à igreja, em sua cidade. Isso acontecia porque ele não era bem recebido na igreja da qual acabara de aposentar-se, ao passo que as outras duas que ele poderia frequentar eram divisões daquela congregação! Sem dúvida, as contenções são indesejáveis em uma igreja, ou em uma relação pessoal. "Mesmo que um homem tenha feito contra si o mal, reprova-o por causa de sua falha, mas ainda assim, ama-o (ver Lv 19.17; Mt 18.15; Lc 17.3)" (Fausset, *in loc.*).

"Não tenhas um espírito litigioso e briguento. Antes, vive sob a influência de um bom senso de humor... Evita toda a inimizade e nada faças com espírito de vingança" (Adam Clarke, *in loc.*).

Se possível, quanto depender de vós, tende paz com todos os homens.

Romanos 12.18

■ 3.31

אַל־תְּקַנֵּא בְּאִישׁ חָמָס וְאַל־תִּבְחַר בְּכָל־דְּרָכָיו׃

Não tenhas inveja do homem violento.

5. Temos aqui a *Quinta Máxima*, negativa, para que não invejemos as pessoas violentas, que obtiveram dinheiro e poder mediante meios ímpios. Não as imitemos em seus caminhos, a fim de obter o mesmo ganho que elas obtiveram. "Quão atrativo é o poder! Todo homem deseja ter poder e, no entanto, todos odeiam os tiranos. Mas pergunta a ti mesmo: 'Quantos, se tivessem o poder para tanto, não seriam tiranos?'" (Adam Clarke, *in loc.*). Cf. Sl 73.3-5. "O escritor sacro adverte aqui contra invejar os ímpios que tenham adquirido riquezas por meios errados e ilegítimos, e que, pelo menos no momento, estejam prosperando (ver também Sl 37.1)" (Charles Fritsch, *in loc.*). Invejar o homem ímpio e próspero pode levar um homem bom assumir o mesmo ridículo estilo de vida.

■ 3.32

כִּי תוֹעֲבַת יְהוָה נָלוֹז וְאֶת־יְשָׁרִים סוֹדוֹ׃

Porque o Senhor abomina o perverso. Os vss. 32-35 dão-nos agora quatro máximas positivas, apresentadas com uma cláusula antitética, isto é, uma cláusula que apresenta um sentimento contrário. Continua aqui o tema dos relacionamentos pessoais.

1. *A Primeira Máxima Positiva*. O homem perverso é uma abominação para o Senhor, a despeito da reputação do dinheiro e do poder que ele tenha adquirido. Ele pode ter juntado muito dinheiro por seus atos pecaminosos (vs. 31), mas a maldição de Deus repousa sobre ele, tal e qual repousa sobre a idolatria, a qual, com frequência, é chamada de abominação para o Senhor. Antítese: em contraste, o homem bom é um companheiro de Yahweh, pelo que compartilha de seus conselhos secretos. O termo hebraico correspondente é *sodh*, que originalmente significava "familiar", "amigável", "ter comunhão quanto a questões confidenciais"; em seguida, passou a significar "assembleia", e, mais tarde ainda, "conselho secreto". Cf. Am 3.7, onde vemos que Yahweh não faz coisa alguma sem revelar seus planos aos seus servos, os profetas. É melhor alguém ser companheiro do Todo-poderoso do que desfrutar os frutos proibidos da iniquidade por algum tempo. Sendo seu companheiro, muitos bons benefícios são proporcionados a tal homem. "É privilégio do justo ser favorecido pelo Rei (Jó 29.4; Sl 15.14; Jo 7.17; 15.15; Gn 18.17; Am 3.7). Finalmente, o Senhor tornará o homem perverso um horrível exemplo do... (ver Sl 37.20; Pv 16.18)" (Fausset, *in loc.*). O segredo da verdadeira felicidade está com o homem justo, e ele não precisa invejar o rico, o poderoso, o injusto (vs. 31).

Diz o Targum: "A iniquidade é uma abominação para o Senhor". Os que se engajam nas abominações são excluídos da companhia amigável dos justos, os quais contam com a presença de Yahweh entre eles.

■ 3.33

מְאֵרַת יְהוָה בְּבֵית רָשָׁע וּנְוֵה צַדִּיקִים יְבָרֵךְ׃

A maldição do Senhor habita na casa do perverso.

2. *A Segunda Máxima Positiva*. Um pecador grosseiro atrai uma maldição não somente contra si mesmo, mas também contra a sua casa. E toda a sua família poderá esperar que calamidades lhes sobrevenham. Antítese: o homem que segue a sabedoria salva sua família das aflições. Sua residência é chamada aqui de *naweh*, termo que usualmente se refere a uma habitação humilde, interiorana; pelo que podemos supor que a sua contraparte habitava na cidade barulhenta e repleta de crimes. A habitação do homem pobre é uma *bethel*, uma "casa do Senhor". Mas a casa do pecador rico torna-se um covil de ladrões. Cf. este versículo com Lv 16.4; Sl 37.22; Zc 5.4; Ml 2.2 e Sl 1.6. Ver no *Dicionário* o artigo chamado *Maldição*.

3.34

אִם־לַלֵּצִים הוּא־יָלִיץ וְלַעֲנָוִים יִתֶּן־חֵן׃

Certamente ele escarnece dos escarnecedores.
3. *A Terceira Máxima Positiva.* Deus age em relação ao homem mau tal e qual este age em relação aos outros homens. O homem mau não é misericordioso e, por isso, não recebe misericórdia. Diz aqui a Septuaginta: "O Senhor resiste aos orgulhosos, mas aos humildes demonstra favor, o que é citado, com alguma variação, por Tg 4.6 e 1Pe 5.5. Cf. Pv 1.24-33, que nos ensina a mesma coisa. Ver também Lv 26.23,24; Sl 8.25,26; 81.11,12; Rm 1.24,26; Sl 18.25,26. Antítese: o homem humilde, mas bom, é aquele que segue os ditames da sabedoria, e é ele quem recebe o gracioso tratamento de Deus.

"Quanto menos buscava a glória, mais ele a obtinha" (Salustiano, falando sobre Catão).

Este versículo tem sido cristianizado para fazê-lo falar da graça em Cristo, com os dons do Espírito que acompanham essa graça.

3.35

כָּבוֹד חֲכָמִים יִנְחָלוּ וּכְסִילִים מֵרִים קָלוֹן׃ פ

Os sábios herdarão honra.
4. *A Quarta Máxima Positiva.* Os que seguem os ditames da sabedoria devem herdar glória ou honra, conforme alguns traduzem a palavra hebraica correspondente. Mas os homens se ajuntarão quando reconhecerem a bondade essencial do homem, e que ele é um benfeitor da sociedade. Antítese: em contraste, os ímpios, que somente prejudicam ao próximo, terminarão em vergonha. O hebraico, traduzido literalmente, tem uma estranha distorção de palavras: "A vergonha é exaltar os tolos". Aparentemente exaltados, eles são antes envergonhados. Todo o bem que eles porventura tiverem praticado será revertido. Eles são promovidos na degradação. "A vergonha será a promoção dos insensatos" (Ellicott, *in loc.*). Os ímpios tornam-se notórios, mas tão somente como exemplos que devemos evitar. Eles se distinguem pelas desgraças que produzem (ver Fp 3.19). A tribulação será a herança deles neste mundo. O autor sacro não estava antecipando o trecho de Dn 12.2. Ele não falava sobre uma retribuição pós-vida, mas do que acontece aos homens bons e maus, aqui nesta terra, através da providência negativa e positiva de Yahweh.

CAPÍTULO QUATRO

SÉTIMO DISCURSO: NOVA EXORTAÇÃO PARA ADQUIRIR A SABEDORIA (4.1-9)

Encontramos aqui o sétimo discurso dentre os dezesseis que constituem o primeiro livro de Provérbios. "O próprio mestre foi orientado a aproximar-se da sabedoria por seus pais" (*Oxford Annotated Bible*, comentando sobre o vs. 1). Portanto, tendo recebido bons conselhos, ele agora dava bons conselhos.

O apelo é similar a outros que já foram vistos. Cf. Pv 1.8,9; 2.1-6; 3.1,2,21-26. Outros convites semelhantes se seguiriam: Pv 4.10,20-22; 5.1,2; 6.20-22; 7.1-13,24; 8.32-36. A sabedoria transmite vida, sendo reflexo da lei, doadora de vida (Pv 4.4); ela protege (vs. 6); e transmite honra (vss. 8 e 9). A instrução quanto à sabedoria mostra a sua validade: 1. por ser uma qualidade permanente; 2. por trazer honra a quem a busca.

4.1

שִׁמְעוּ בָנִים מוּסַר אָב וְהַקְשִׁיבוּ לָדַעַת בִּינָה׃

Ouvi, filhos, a instrução do pai. O pai (o mestre) continua exortando seu filho, agora seus filhos, no plural (seus estudantes). Cf. Pv 1.8,10,15; 2.1; 3.1,11,12,21. Alguns intérpretes veem aqui a instrução religiosa no lar, a primeira escola. A instrução na sabedoria é o currículo. O vs. 3 deste capítulo quase certamente aponta para o próprio pai do mestre, que lhe dera sabedoria. Portanto, estou conjecturando que temos aqui uma figura simbólica dupla: o lar de pais e filhos literais; em seguida, a escola do mestre e seus alunos, o lar espiritual,

com os pais e filhos espirituais. O segundo, como é lógico, continua o labor do primeiro, e as mesmas lições são ensinadas em ambos os casos. Os filhos aprendem mediante preceito e exemplo. As primeiras impressões permanecem com eles por toda a vida. "Quão importante, pois, é que um filho seja criado em um lar no qual prevaleça uma atmosfera espiritual" (Charles Fritsch, *in loc.*).

Ouvi. O pai chama a atenção de seus filhos, por ter algo importante a dizer (Cf. Pv 1.8; 4.1,20; 5.1,7; 7.24). Os filhos (no plural) é a forma que também se encontra em Pv 4.20; 5.1; 7.24 e 22.17.

A instrução. Está em foco a *torah*, a "lei", tal como se vê em Pv 1.8; 3.1; 6.20 e 13.14. Mas o mestre ensinará suas doutrinas, seus provérbios, por meio de declarações e discursos cheios de significado, embora todos baseados na lei, o guia da vida dos homens (ver Dt 6.4 ss.). Ver as notas expositivas sobre Pv 1.8. Ver Sl 1.2 quanto a um sumário do que a lei significava para Israel.

4.2

כִּי לֶקַח טוֹב נָתַתִּי לָכֶם תּוֹרָתִי אַל־תַּעֲזֹבוּ׃

Porque vos dou boa doutrina. O filho literal, ou discípulo do mestre, deveria escutar a seu pai (ou mestre) porquanto o que estava sendo ensinado, a boa doutrina, é proveito para o aprendiz e praticante cuidadoso. Por essa razão, ele não se esquecerá do ensino enquanto viver. "Doutrina", aqui, corresponde ao termo hebraico *leqah*, que explico em Pv 1.5. As experiências místicas foram proveitosas para o profeta (ver na *Enciclopédia de Bíblia, Teologia e Filosofia* o artigo chamado *Misticismo*), mas, em sua maior parte, a ênfase recai sobre o que se pode aprender, que está ligado às tradições e aos ensinos sagrados. Portanto, uma atenção estrita deve ser dada a essas tradições e a esses ensinos sagrados como fontes do bem-estar humano.

"Ensinar mediante preceitos é bom. Mas ensinar pela força do exemplo é melhor. Entretanto, o melhor método de todos é ensinar tanto mediante preceito como pela força do exemplo" (Adam Clarke, *in loc.*).

Este versículo tem sido cristianizado para falar da sabedoria encontrada em Cristo e em seus ensinamentos.

---

*Ouvi, filhos, a instrução do pai, e
estai atentos para conhecerdes o entendimento;
porque vos dou boa doutrina;
não deixeis o meu ensino.*

*Retenha o teu coração as minhas palavras;
guarda os meus mandamentos, e vive.*

Provérbios 4.1,4

Dê de seu melhor ao Mestre,
Dê sua força e de sua juventude;
Lance o ardor radiante e fresco de sua alma
Na batalha pela verdade.
Jesus deu o exemplo;
Era jovem, corajoso e sem medo.
Dê-lhe sua devoção leal.
Dê-lhe o melhor de si.

Mrs. Charles Bernard

4.3

כִּי־בֵן הָיִיתִי לְאָבִי רַךְ וְיָחִיד לִפְנֵי אִמִּי׃

Quando eu era filho em companhia de meu pai. O mestre usa a si mesmo como exemplo da transmissão dos ensinos do pai para o filho. Ele tivera a grande vantagem de contar com um pai fiel e piedoso, que não negligenciara o ensino a seu filho. É conforme disse o profeta moderno, Baha Ullah: "A pior coisa que um pai pode fazer é conhecer os ensinamentos, mas não os transmitir". O mestre havia sido, alguns anos antes, uma terna criança, tão jovem, tão débil, tão impotente como são as crianças. No entanto, nascera em uma boa família. Foi muito amado por seu pai e por sua mãe, e nisso metade da batalha foi ganha. Ele era o "único" aos olhos de sua mãe, talvez por um longo tempo, o filho único, e, portanto, muito amado. Ele era "único", conforme diz a nossa versão portuguesa. "Tenro" quer dizer "jovem em anos", com a impotência própria da meninice. O filho amado (no hebraico, *yahidh*, que literalmente significa "único") era muito estimado e amado, e isso, por si mesmo, é uma grande lição. O amor sempre estabelece uma grande diferença. Pode produzir, em um único instante, o que a labuta dificilmente produz em uma era. O filho amado também será o filho ensinado. Cf. as palavras de Davi no tocante a Salomão, que também foi chamado de "moço e inexperiente" (1Cr 29.1).

Encontramos aqui um belo quadro de uma vida em família, no melhor dos lares judaicos. Embora esse homem tenha começado sua vida como apenas uma criança, não era "mimado". Gersom espiritualizou este versículo e fez de Deus o Pai, de Israel os filhos, e então, como é natural, a lei seria a fonte de todos os ensinos. Israel, povo distinto entre as nações, era como um filho único. Ver Dt 4.4-8 quanto ao caráter distintivo do povo de Israel.

4.4

וַיֹּרֵנִי וַיֹּאמֶר לִי יִתְמָךְ־דְּבָרַי לִבֶּךָ שְׁמֹר מִצְוֹתַי וֶחְיֵה׃

Então ele me ensinava e me dizia. O pai do mestre lhe ensinava e assim dava exemplo sobre como ele deveria lidar com seus filhos literais e seus filhos espirituais. Os hebreus mostravam-se fanáticos sobre a sua lei e sobre o ensino da lei, embora existissem poucas cópias escritas e pouquíssimas pessoas soubessem ler. Portanto, o ensino tinha de ser ministrado pelo corpo de conhecimento existente na memória. Poucos pais, ou mesmo mestres, tinham sua própria cópia escrita da lei, o Pentateuco. Isso não detinha o processo do ensino. Um mestre que morasse em Jerusalém provavelmente teria acesso a uma cópia escrita da lei, podendo usá-la como fonte contínua de consulta, embora o próprio mestre não contasse com uma cópia pessoal. Considere, pois, o leitor o quanto o nosso trabalho de mestres tem sido facilitado pela boa literatura moderna, começando com as muitas versões da Bíblia, em tantos idiomas. Além disso, dispomos de comentários, livros devocionais, materiais técnicos, os quais são recomendáveis para os eruditos, que podem obter assim compreensão mais profunda da Palavra e então compartilhá-la com outras pessoas. Nossa riqueza literária teria deixado estonteado qualquer mestre do antigo povo de Israel, e podemos ter certeza de que logo ele estaria colecionando livros para formar sua própria biblioteca particular. Sem dúvida, alguns poucos mestres antigos tinham (pequenas) bibliotecas. Ver no *Dicionário* o artigo chamado *Livro, Livros*. O apóstolo Paulo tinha uma pequena biblioteca e viajava levando consigo alguns livros.

Quando vieres, traze a capa que deixei em Trôade, em casa de Carpo, bem como os livros, especialmente os pergaminhos.
2Timóteo 4.13

O Processo Ideal. Ouvir; reter o ensino; obedecer; obter a vida prometida pela lei (Dt 4.1; 5.32), a qual é longa e próspera. Assim, a lei seria o guia da vida dos israelitas (ver Dt 6.4 ss.). Ver a respeito os *mandamentos* em Pv 2.1, ou seja, o corpo do ensino sobre a sabedoria, da qual o livro de Provérbios é um representante, sabedoria alicerçada sobre a lei de Moisés. Cf. este versículo com 1Cr 28.9; Ef 6.4 e Pv 7.2.

4.5

קְנֵה חָכְמָה קְנֵה בִינָה אַל־תִּשְׁכַּח וְאַל־תֵּט מֵאִמְרֵי־פִי׃

Adquire a sabedoria, adquire o entendimento. Quanto a "sabedoria", ver as notas sobre Pv 1.2. Quanto ao "entendimento", ver também Pv 1.2. A retenção do ensino (vs. 4) é atingida quando o aluno não esquece o que aprendeu, mediante o ensino e a prática dos preceitos. Dessa forma, o estudante nunca poderá afastar-se desses preceitos, por serem a palavra da vida, o guia da vida, o doador da vida — enfim, aquilo que torna um homem distinto dos outros. Ver o sumário sobre os benefícios da lei mosaica, em Sl 1.2.

Adquire. A palavra hebraica significa, literalmente, "compra", como se a sabedoria fosse uma boa mercadoria, tal como se compra um campo para obter o tesouro ali enterrado (Mt 13.44), ou como alguém vende todas as possessões para comprar a pérola de grande preço (Mt 11.46). Cf. Pv 2.2,3.

4.6

אַל־תַּעַזְבֶהָ וְתִשְׁמְרֶךָּ אֱהָבֶהָ וְתִצְּרֶךָּ׃

Não a desampares, e ela te guardará. A figura simbólica aqui é a de uma esposa amada, porquanto a sabedoria fora personificada. O homem bom não se olvidará dela; antes, ele a manterá em sua companhia; ele a amará. Os vss. 6-9, que falam da busca pela sabedoria, referem-se a esta em termos de obter uma esposa.

Ama-a. Um homem tem o dever de amar à sabedoria (Cf. Pv 8.17). "Se ela não for abandonada, continuará sendo fiel; se for amada, continuará a ser uma protetora" (Adam Clarke, *in loc.*).

Este versículo tem sido cristianizado para significar "o amor da sabedoria, a sua graça e o seu poder" (John Gill, *in loc.*), porquanto ela preserva, guarda e salva o homem que busca por ela. Essa figura é repetida no vs. 13.

4.7

רֵאשִׁית חָכְמָה קְנֵה חָכְמָה וּבְכָל־קִנְיָנְךָ קְנֵה בִינָה׃

O princípio da sabedoria é: Adquire a sabedoria. Este versículo não se acha na versão da Septuaginta e pode ter estado ausente dos manuscritos hebraicos antes da padronização do texto hebraico, formando o texto massorético. Ver no *Dicionário* os verbetes intitulados *Massora (Massorah); Texto Massorético* e *Manuscritos Antigos do Antigo Testamento*. Os bem mais antigos manuscritos hebraicos dos Papiros do Mar Morto têm demonstrado que, ocasionalmente, as versões, sobretudo a Septuaginta, retêm o texto original que o texto massorético perdeu. Ver no *Dicionário* o artigo chamado *Mar Morto, Manuscritos (Rolos) do*. Este versículo, posto entre os vss. 6 e 8, parece ser uma glosa interpretativa. Naturalmente, é possível que a Septuaginta tenha tirado esse versículo do texto sagrado por ser repetitivo. Seja como for, a sabedoria é declarada a coisa principal. Nossa versão portuguesa, que diz "O princípio da sabedoria é: Adquire a sabedoria", é um reflexo da *Revised Standard Version*. A fim de adquirir (comprar) a sabedoria, o indivíduo tem de dar um passo inicial resoluto. Diz aqui o hebraico original, literalmente: "O começo da sabedoria, obtém sabedoria", o que pode parecer uma tautologia. Mas a minha explicação aqui remove esse caráter supérfluo. Com o preço de todo o teu esforço, com todo o teu esforço transformado em valor positivo, compra a sabedoria com isso. Uma vez mais, a sabedoria e o entendimento aparecem juntos, o que comento em Pv 1.2. Ver o vs. 5 deste capítulo, que contém a mesma ideia e onde há notas adicionais. Cf. este versículo com Mt 13.44 e Lc 10.42.

4.8

סַלְסְלֶהָ וּתְרוֹמְמֶךָּ תְּכַבֵּדְךָ כִּי תְחַבְּקֶנָּה׃

Estima-a, e ela te exaltará. A sabedoria da boa esposa deve ser louvada e exaltada, e, nesse caso, ela se mostrará recíproca com a honra apropriada. Ela honrará a pessoa, se a pessoa lhe der valor. "A sabedoria exalta aos que a favorecem, honra aos que a amam, e empresta graça à aparência de uma pessoa, para que esta seja admirada e respeitada por aqueles que a conhecem" (Charles Fritsch, *in loc.*). Cf. 1Sm 2.30: "Aos que me honram, honrarei".

"Nada existe... que tenha tão direta tendência para refletir a honra sobre um homem como o cultivo cuidadoso de sua mente. Um dos aforismos de Bacon era: 'Conhecer é poder'. É realmente espantoso ver a influência exercida pela verdadeira erudição" (Adam Clarke, *in loc.*). "Inclinamo-nos por pensar menos sobre aquelas coisas que temos, por mais preciosas que elas sejam, quando a novidade se desgasta. Cuidado com esse sentimento, no que tange à fé religiosa. A religião devolve ricamente, segundo as mesmas proporções, tudo quanto pudermos fazer para abraçá-la. A sabedoria exalta àqueles que a exaltam (Sl 30.1) e ainda lhes dá razões para a exaltarem (Sl 37.34; 1Sm 2.30)" (Fausset, *in loc.*). Os talmudistas (conforme se vê no Talmude Bab. Roshashanah, fol. 26.2) explicam a palavra "exaltar" como uma "busca diligente, revirando as coisas para encontrar o que se procura". Por isso a Septuaginta diz aqui "buscando". Ver Jr 1.26.

4.9

תִּתֵּן לְרֹאשְׁךָ לִוְיַת־חֵן עֲטֶרֶת תִּפְאֶרֶת תְּמַגְּנֶךָּ׃

Dará à tua cabeça um diadema de graça. Este versículo repete a essência de Pv 1.9. O trecho de Pv 3.22 também contém algo similar. O vencedor de uma corrida em busca da sabedoria obtém uma coroa de louvor em sua cabeça, como sinal de vitória. Ele usará uma coroa como um rei que entrou em seu salão do trono. Porém, de modo contrário ao que acontece nas corridas, nesta competição há muitos vencedores, pois cada homem tem sua própria corrida na presença de Deus, e não compete com outros homens. E, ao contrário do que acontece em um reino, este tem muitos reis, cada um dotado de sua própria glória e honra, cada qual com a sua coroa. Cf. Sl 84.11. Ver no *Dicionário* os verbetes intitulados *Coroa* e *Coroas*, onde são discutidos os usos metafóricos dessa palavra. Existem coroas de glória, de vida, de justiça, de incorruptibilidade. Ver 2Tm 4.8, onde o conceito é cristianizado.

> Fixa em nós tua humilde moradia,
> Todas as tuas fiéis coroas de misericórdia.
>
> Charles Wesley

> Coroo com muitas coroas,
> O Cordeiro sobre o seu trono;
> Escutai! como a antena celeste abafa
> Toda a música exceto a sua.
>
> Matthew Bridges

Em contraposição, existem coroas inúteis em troca das quais os homens gastam os empreendimentos de uma vida inteira:

> Quão inutilmente os homens se empenham
> Para conquistar a palma, o carvalho e o louro;
> E seus labores incessantes são
> Coroados com alguma simples hera, ou ramo,
> Cuja sombra breve e estreita
> repreende prudentemente os seus labores.
>
> Andrew Marvell

OITAVO DISCURSO: O VALOR DA SABEDORIA NA TRIBULAÇÃO (4.10-19)

Este é o oitavo dentre os dezesseis discursos que constituem o primeiro livro de Pv 1.18—9.18. Primeiramente, são os caminhos da sabedoria (vss. 10-13) e, depois, os caminhos da iniquidade (vss. 14-17). O estudante (filho) deve ouvir as palavras instrutivas do mestre (seu pai espiritual), para seguir os primeiros e rejeitar os segundos. Os vss. 18,19 concluem o discurso comparando as duas escolhas possíveis com veredas que levam a destinações específicas. A *metáfora da vereda* é comum em toda literatura moral, sagrada e profana. Ver no *Dicionário* o artigo chamado *Caminho*.

A Vereda dos Justos (4.10-13)

■ 4.10

שְׁמַע בְּנִי וְקַח אֲמָרָי וְיִרְבּוּ לְךָ שְׁנוֹת חַיִּים׃

Ouve, filho meu, e aceita as minhas palavras. O mestre-pai novamente chama seu estudante-filho para que preste atenção ao que ele tem para dizer. Ver Pv 4.1 quanto aos comentários. Ver também Pv 1.8 e comentários. A chamada para ouvir e obedecer é muito repetida, porém não mais do que é necessário ser. O aprendizado é obtido mediante a repetição, e a obediência é obtida mediante passos repetidos (ou seja, andar no caminho).

A primeira promessa dada ao ouvinte obediente é uma vida longa, próspera e boa, um tema muito repetido no livro de Provérbios e um dos importantes princípios da lei mosaica. Quanto à obediência à lei, que transmite vida, ver Dt 4.1; 5.33; 6.2; Ez 20.1. Quanto a essa promessa no livro de Provérbios, cf. 3.2,16; 9.11; 10.27; 14.27; 15.24. "... vida longa neste mundo e duração de dias para todo o sempre, ou vida eterna, no outro mundo, o que deve ter sido um argumento muito vigoroso para engajar a atenção às suas declarações" (John Gill, *in loc.*, o qual, como lhe é comum, cristianizava o versículo, ao passo que o autor sagrado falava sobre uma vida longa e próspera nesta terra). A mais grave calamidade para a mente dos hebreus era um homem sofrer morte prematura, por meio de alguma enfermidade ridícula, acidente ou espada do inimigo. Se os primeiros hebreus não tinham nenhuma doutrina sobre o pós-vida, em seu coração eles deviam saber que essa doutrina era uma realidade, mesmo que sua teologia mais antiga não contivesse o conceito. Se isso não exprime uma verdade, é difícil perceber por que eles ficavam tão felizes diante de uma mera vida física longa e próspera. Ver no *Dicionário* o artigo chamado *Alma*, bem como vários artigos sob o título *Imortalidade*, na *Enciclopédia de Bíblia, Teologia e Filosofia*.

■ 4.11

בְּדֶרֶךְ חָכְמָה הֹרֵתִיךָ הִדְרַכְתִּיךָ בְּמַעְגְּלֵי־יֹשֶׁר׃

No caminho da sabedoria te ensinei. Uma vez mais, conhecer e praticar os ditames da sabedoria é algo pintado como uma vereda a seguir. Então o vs. 14 introduz a vereda da iniquidade, que é a antítese do andar do homem bom. Ver a *metáfora da vereda*, em Pv 1.15; 2.8,9,13,15,18-20; 3.6,17; 4.11,14,18,26; 5.6; 7.25; 8.2,20. Ver no *Dicionário* o artigo chamado *Caminho*. "As veredas retas são as veredas da sabedoria" (Fausset, *in loc.*). Quanto à retidão da vereda certa, ver Pv 1.3.

> Um pensamento doce e solene me ocorreu,
> Estou mais próximo do meu lar do que nunca antes.
> Mais perto dos limites da vida,
> Onde as cargas são depositadas no chão.
> Mais próximo do meu lar hoje do que nunca antes.
>
> Phoebe Cary

"... veredas de retidão, santidade e verdade. Essas veredas são agradáveis para a vontade e a palavra de Deus e conduzem à cidade das habitações celestes" (John Gill, *in loc.*).

■ 4.12

בְּלֶכְתְּךָ לֹא־יֵצַר צַעֲדֶךָ וְאִם־תָּרוּץ לֹא תִכָּשֵׁל׃

Em andando por elas, não se embaraçarão os teus passos. O homem que seguir pela vereda da retidão, conforme os ditames e as promessas da sabedoria, não terá seus passos tolhidos. A palavra hebraica correspondente é *çarar*, "estreitar". A ideia hebraica de largura falava em prosperidade, em bem-estar geral; mas a ideia hebraica de estreiteza subentendia aflição, adversidade e inimizade. Assim sendo, quanto às palavras, embora não quanto ao sentido, os hebreus pensavam em uma vereda larga como algo desejável, ao passo que uma vereda estreita era algo que deveria ser evitado. Cf. Mt 7.13. O homem que caminha pela vereda estreita está limitado, ou seja, sofre aflições. Veredas tortuosas e íngremes tornam difícil a passagem. Mas o homem que está no caminho largo pode correr e não ter medo de tropeçar. Não há armadilhas nem obstáculos que entravem seu progresso ou atrapalhem seus propósitos. Cf. a corrida resoluta do apóstolo Paulo, em Fp 3.14 ss. "Ele vê o seu caminho como perenemente plano. Quando a maré da providência divina lhe mostra a necessidade de aumentar o seu esforço, ele corre e não enfrenta o perigo de tropeçar" (Adam Clarke, *in loc.*).

> *Alargaste sob meus passos o caminho, e os meus pés não vacilaram.*
>
> Salmo 18.36

Ver também Sl 119.32,45.

A Sabedoria (Instrução) Transmite Vida: Referências. Notas de Sumário (4.13)

■ 4.13

הַחֲזֵק בַּמּוּסָר אַל־תֶּרֶף נִצְּרֶהָ כִּי־הִיא חַיֶּיךָ׃

Retém a instrução e não a largues. Este versículo é bastante parecido com o vs. 6 deste mesmo capítulo, exceto pelo fato de que a Sra. Sabedoria é agora a Sra. Instrução. Quanto à instrução, ver Pv 1.2.

Retém. No hebraico, *hachazel*, "segura fortemente" e continua segurando, por ser uma questão de vida e morte. Esse forte apego à instrução (da lei) é o que transmite vida. O tema da doação da vida pela lei se repete aqui. Quanto ao livro de Provérbios, ver 2.19; 3.2,18,22; 4.10,1,22,23; 5.6; 6.23,26; 8.35; 9.11; 10.11,16,17; 11.19,30;

12.28; 13.3,8,12,14; 14.27; 15.4,24,31; 16.22; 18.21; 19.23; 21.21 e 22.4. Cf. a lei mosaica como transmissora de vida, em Dt 4.1; 5.33; 6.2; Ez 20.1. O autor falava de uma longa vida física, acompanhada pela prosperidade, bons propósitos e cumprimento. A teologia hebraica antiga não tinha nenhuma doutrina formal sobre o pós-vida, a qual começou a ser expressa nos Salmos e nos Profetas. Em seguida, o tema foi desenvolvido nos livros apócrifos e pseudepígrafos, e então, mais ainda, no Novo Testamento. Atualmente, a própria ciência nos está ajudando a ver que a morte não mata. Ver na *Enciclopédia de Bíblia, Teologia e Filosofia* os verbetes intitulados *Imortalidade* e *Experiências Perto da Morte*. No *Dicionário* ver o artigo chamado *Alma*.

Alguns intérpretes cristianizam o versículo para fazê-lo falar da vida eterna. Ver 1Jo 5.12:

> *Aquele que tem o Filho tem a vida; aquele que não tem o Filho de Deus não tem a vida.*

Ver no *Dicionário* o verbete intitulado *Vida Eterna*.

A Vereda dos Ímpios (4.14-17)

■ **4.14**

בְּאֹרַח רְשָׁעִים אַל־תָּבֹא וְאַל־תְּאַשֵּׁר בְּדֶרֶךְ רָעִים׃

Não entres na vereda dos perversos. A escolha depende do indivíduo. Ele possui *livre-arbítrio* (ver a respeito no *Dicionário*). Um homem pode queixar-se do caminho dos retos e terminar na vereda que corre em sentido contrário. Um estudante, que não escute a voz do seu mestre e seja impulsionado pelas palavras de homens maus que vivem em luxo e lazer, pode, de súbito, encontrar-se naquela vereda que conduz à destruição. Cf. Pv 1.10 ss. Quanto aos ímpios, ver as notas em Pv 2.22 e 3.25. *Andar* aqui é "seguir em frente". Ver sobre *Andar*, no *Dicionário*, quanto a essa metáfora. "'Não entres' proíbe o primeiro passo da união com os ímpios em seus caminhos. 'Nem sigas' proíbe maior avanço na mesma má aliança, se tivermos sido vencidos, temporariamente, pelo engano do pecado" (Fausset, *in loc.*).

Os Quatro Passos Possíveis:
1. Não entres (vs. 14). Nem ao menos dês o primeiro passo na direção errada.
2. Nem andes (vs. 14). Se, porventura, tiveres dado o primeiro passo, não continues.
3. Evita-o (vs. 15). Nem te aproximes da tentação.
4. Mas, se te envolveres, te desliga. Afasta-te da vereda, ou seja, desvia-te (vs. 15).

A Vulgata diz: "Não te deleites nas veredas dos ímpios".

> *Agrada-te do Senhor, e ele satisfará aos desejos do teu coração. Entrega o teu caminho ao Senhor, confia nele, e o mais ele fará.*
>
> Salmo 37.4,5

■ **4.15**

פְּרָעֵהוּ אַל־תַּעֲבָר־בּוֹ שְׂטֵה מֵעָלָיו וַעֲבוֹר׃

Evita-o; não passes por ele. O mestre baixou quatro ordens que ajudarão o aluno a fugir da tentação, em vez de permanecer e lutar. De fato, algumas vezes a única maneira de espantar a tentação é abandonar o campo de batalha. Devemos evitar aqueles lugares que facilitam o pecado; e também devemos evitar aquelas pessoas que querem ter companhia em seus pecados. Devemos evitar os estimulantes que nos excitam ao pecado. O autor usa um acúmulo de termos que enfatizam o seu plano de retirada. Quando o pecado saltar defronte do leitor, que o leitor o evite e se volte na outra direção; mude de direção e não entre em contato com ele. Tome outra rota, e assim chegue a um ponto que ultrapasse o ponto perigoso. Diz aqui a Vulgata: "Foge do pecado". Jarchi e Gérson instruem-nos a anular o pecado, talvez mediante armas positivas, como a oração e a lei aplicada à vida pessoal. John Gill recomenda que nos mantenhamos "distantes do pecado", e então acrescenta: "Esse acúmulo de palavras foi usado para mostrar o perigo das más companhias", sendo esse, sem dúvida, o ponto principal do versículo.

O apóstolo Paulo fez uma observação pertinente acerca do assunto:

> *Não vos sobreveio tentação que não fosse humana; mas Deus é fiel, e não permitirá que sejais tentados além das vossas forças; pelo contrário, juntamente com a tentação, vos proverá livramento, de sorte que a possais suportar.*
>
> 1Coríntios 10.13

■ **4.16**

כִּי לֹא יִשְׁנוּ אִם־לֹא יָרֵעוּ וְנִגְזְלָה שְׁנָתָם אִם־לֹא יַכְשׁוֹלוּ

Pois não dormem, se não fizerem mal. A maioria dos homens, os bons e os não tão maus podem perder o sono se, porventura, se misturarem com alguma atividade nefanda. Porém, o homem realmente mau não consegue dormir enquanto não tiver feito algo de moderadamente ruim. Esse também perde o sono, se não tiver feito alguém cair. Ele aprecia o companheirismo ao pecar. Não gosta de pecar sozinho. Está envolvido até o pescoço na prática do mal e aprecia arrastar outras pessoas para a vereda tortuosa. "Ordinariamente, a consciência culpada supostamente mantém o culpado acordado" (Charles Fritsch, *in loc.*). Mas os que realmente são maus, só podem dormir quando estão consolados por sua má consciência. Isso nos permite entender um pouco como trabalha a mente criminosa. Há muitas evidências favoráveis ao fato de que as pessoas realmente más desfrutam do pecado, e, no caso de algumas delas, quanto mais terrível for o ato pecaminoso, maior é o prazer derivado. Em alguns casos, podemos estar tratando com defeitos cerebrais. Há evidência de patologia cerebral em alguns homens maus. Além disso, temos de levar em conta a influência e a possessão demoníaca, que definitivamente fazem algumas pessoas especialmente pecaminosas ser o que são. Uma espécie de maldade cósmica está operando sobre elas. As descrições de Pv 1.11,12 dizem respeito, definitivamente, a pecadores doentios. Não há nada de normal em deleitar-se em crimes violentos e em solicitar a outros que aprendam esse negócio miserável.

> *Quando vistes presentes serem dados àquele jovem, ficaste angustiado. E se não encontrasses alguma maneira de prejudicá-lo, terias morrido.*
>
> Virgílio, *Eclg.* iii.14

■ **4.17**

כִּי לָחֲמוּ לֶחֶם רֶשַׁע וְיֵין חֲמָסִים יִשְׁתּוּ׃

Porque comem o pão da impiedade. O alimento psicológico necessário das pessoas especialmente más é comer e beber a iniquidade. Essas pessoas têm fome de matar e roubar. Para os hebreus, o pão e o vinho eram artigos comuns da dieta, e não artigos de luxo. Por igual modo, o pão da iniquidade e o vinho da violência são a dieta psicológica normal de pessoas especialmente malignas. Um dos piores assassinos-violentadores da história dos Estados Unidos foi um jovem que testificou que, quando se iniciou nesse negócio, matar alguém uma vez por ano era o suficiente para satisfazê-lo. Mas então o elemento tempo teve de ser abreviado, e ele precisava matar e violentar alguém a cada três meses. E chegou a tornar-se uma necessidade tão descontrolada que ele tinha o desejo de matar todos os dias. Ele usava muitos truques para induzir suas vítimas a colocar-se em situações que facilitavam o seu prazer. Ele só cessou em suas más ações quando, pela *Providência de Deus*, foi preso por causa de uma mera violação de trânsito, em Salt Lake City. O oficial da polícia que o deteve reconheceu o homem por suas fotografias, e assim, de modo bastante inesperado, apanhou um peixe grande. Esse homem, a propósito, foi executado na cadeira elétrica. O pecado torna-se o coração de um homem quando o pecado se torna descontrolado.

> *... esses que devoram o meu povo, como quem come pão?*
>
> Salmo 53.4

Contraste o leitor as cansativas atividades daquele cujo alimento era cumprir a vontade de Deus (ver Jo 4.34). Para alguns, este versículo subentende que certas pessoas viviam com base no crime, obtendo seu pão e vinho literais dessa espécie de vida. Nesse caso, o versículo é um paralelo direto de Pv 1.13, mas a outra ideia é melhor, se não for mesmo exclusiva. O vs. 15 demonstra que todo o contato com tais pessoas, e até com pecadores menores que queiram levar outros à tentação, deve ser evitado. Essa é uma das maneiras pelas quais o homem bom evita a vereda que conduz à destruição.

Fim do Contraste entre as Veredas do Justo e do Ímpio (4.18,19)

■ **4.18**

וְאֹרַח צַדִּיקִים כְּאוֹר נֹגַהּ הוֹלֵךְ וָאוֹר עַד־נְכוֹן הַיּוֹם׃

Mas a vereda dos justos é como a luz da aurora. A sabedoria ilumina a vereda do justo, que vai brilhando mais e mais, até tornar-se como um dia perfeito. Provavelmente, isso significa que tal justo atinge uma medida de perfeição, e assim pode ser chamado de sábio, tal e qual seu mestre era sábio. Dessa maneira, ele atinge o zênite da sabedoria.

Dia perfeito. Literalmente, temos aqui "até que o dia fique estabelecido", o que provavelmente significa, em termos literais, o zênite do sol, seu ponto mais alto no céu, ao meio-dia. A Vulgata Latina diz aqui: "dia perfeito", e muitas traduções seguem essa sugestão. Como a luz do sol começa pela manhã, e então aumenta de intensidade até chegar a seu ponto mais elevado e mais brilhante, assim se dá com a retidão do homem bom. Por semelhante modo, a vereda do bom estudante aumenta em sua iluminação e força, até que ele atinge uma posição de maturidade, tornando-se, ele mesmo, um mestre, através da sabedoria.

Este versículo tem sido cristianizado para falar do homem bom que teria chegado ao céu, quando o seu dia perfeito lhe chega. Portanto, qualquer progresso antes desse ponto seria, na realidade, apenas um crepúsculo da alma. Ver 1Jo 3.2, quando o homem justo vir o Senhor conforme ele é e for transformado em sua imagem. Cf. Ml 4.2 e 2Sm 23.4. Ver na *Enciclopédia de Bíblia, Teologia e Filosofia* o artigo denominado *Transformação segundo a Imagem de Cristo*. Temos nisso, realmente, a luz do dia perfeito para a alma, mas não é provável que o autor do livro de Provérbios tenha imaginado qualquer coisa semelhante a isso. Ver no *Dicionário* o artigo intitulado *Luz, Metáfora da*.

■ **4.19**

דֶּרֶךְ רְשָׁעִים כָּאֲפֵלָה לֹא יָדְעוּ בַּמֶּה יִכָּשֵׁלוּ׃ פ

O caminho dos perversos é como a escuridão. Em contraste com o caminho da luz do homem bom, o caminho do ímpio é tenebroso (ver Pv 2.13; Jó 18.5,6; Is 59.9,10; Jr 23.12; Jo 12.35 e Mt 6.23). Ver no *Dicionário* o artigo chamado *Escuridão, Metáfora da*. Então, em contraste com o homem bom que não encontra ocasião para tropeçar, o homem perverso tropeça, entra em adversidades e reverte sua caminhada, e, assim sendo, paga pelos seus pecados. Cf. isso com o caminho desimpedido do homem bom, que não tem tropeços (ver Pv 4.12). "Por terem eles se recusado a caminhar pela luz da Palavra de Deus e à luz de sua consciência (ver 1Jo 1.7), a luz que lhes pertencia torna-se em trevas (ver Mt 6.23). Eles não sabem para onde devem ir (ver Jo 12.35), pelo que tropeçam (Jo 11.10)" (Ellicott, *in loc.*). Cf. este versículo com Dt 28.28,30.

Escuridão. No hebraico encontramos a palavra *'aphelah*, "profunda escuridão", ou seja, a ausência absoluta de luz e orientação. Os ímpios caem, mas o pior de tudo é que nem sabem por que caem; eles deixaram de reconhecer o mal e seus maléficos resultados. Talvez eles nem reconheçam que estão sendo castigados, e justifiquem suas calamidades como má sorte.

NONO DISCURSO: O VALOR DA SABEDORIA NA PRODUÇÃO DA SAÚDE (4.20-27)

Este é o nono dentre os dezesseis discursos que figuram no primeiro livro dos Provérbios, que se estende de 1.8 a 9.18. Um dos grandes temas do livro de Provérbios é o poder de seguir a sabedoria para obter uma vida longa e próspera. Esse tema recebe uma nota de sumário em Pv 4.13. Isso se repete aqui e no vs. 22, embora agora a saúde física seja acrescentada. Como é óbvio, uma vida longa e boa deve ser caracterizada pela boa saúde.

OUTRA CHAMADA PARA OUVIR: SUMÁRIO DA EXORTAÇÃO PARA OUVIR (4.20-27)

■ **4.20**

בְּנִי לִדְבָרַי הַקְשִׁיבָה לַאֲמָרַי הַט־אָזְנֶךָ׃

Filho meu, atenta para as minhas palavras. Uma vez mais o mestre (pai) convoca seu estudante (filho) a ouvir com cuidado suas palavras, visto estar ele começando uma nova exortação que requer atenção. O livro de Provérbios reitera tais exortações aqui e acolá. Cf. Pv 1.5,8; 4.1,10; 5.7; 8.6,33; 19.20,27; 22.17 e 23.19. Cada novo assunto tratado requer audição renovada. A tendência do aluno é tornar-se cansado e desatento. Nesse estado, ele perde de vista a lição. Nos versículos que se seguem, o aprendiz deve usar os ouvidos, os olhos, o coração e a boca, no que diz respeito à obtenção da sabedoria, e o acúmulo dos órgãos dos sentidos fala da intensidade e da sinceridade de sua busca. "... curva-te e inclina os ouvidos; escuta com atenção o que te é dito, como algo que se reveste do maior momento e importância" (John Gill, *in loc.*). Quanto à palavra "atenta", ver Pv 4.1,20; 5.1 e 7.24.

■ **4.21**

אַל־יַלִּיזוּ מֵעֵינֶיךָ שָׁמְרֵם בְּתוֹךְ לְבָבֶךָ׃

Não os deixes apartar-se dos teus olhos. Os olhos e o coração fazem parte do quadro da mente atenta e da sensibilidade para com a mensagem espiritual, ditames e promessas da sabedoria e da instrução. Os olhos fixam-se sobre a sabedoria; não se desviam dela para contemplar algo de menor importância. Em seguida, o coração (o homem interior, o homem espiritual) aceita a sabedoria. O coração, pois, torna-se o tesouro da sabedoria. Cf. este versículo com Êx 13.16 e também com os "frontais", que aparecem nesse versículo, onde temos o mesmo tipo de mensagem insistente no tocante à lei: "... coração, como um tesouro escondido na câmara mais interior de uma casa (2.1; 3.3,21; Dt 6.6)" (Fausset, *in loc.*). Um bom estudante deve concentrar o coração em sua busca espiritual. Não se trata de algo que foi adicionado à sua vida. Deve ser a sua própria vida.

Não os deixes apartar-se. Cf. Pv 3.21, cujas notas expositivas também se aplicam aqui. Quanto a "coração", ver Pv 2.2. A palavra "apartar-se" envolve os afetos da pessoa. O bom estudante deve amar a lei, na qual reside a sabedoria. Nesse caso, não amará os valores deste mundo.

■ **4.22**

כִּי־חַיִּים הֵם לְמֹצְאֵיהֶם וּלְכָל־בְּשָׂרוֹ מַרְפֵּא׃

Porque são vida para quem os acha. Uma vez mais, a sabedoria é aqui declarada como doadora de vida. Ofereço uma nota de sumário sobre isso em Pv 4.13. Para que um homem tenha vida longa e próspera, ele precisa também ter boa saúde; e essa é a razão pela qual temos essa promessa aqui. Oh, Senhor, concede-nos tal graça. Esse é o *sine qua non* da vida boa, embora existam santos, neste mundo, que conseguem viver bem espiritualmente, mesmo na enfermidade. Por outra parte, se eles estão fazendo isso, então que obtenham por isso uma recompensa. Oh, Deus, concede-nos boa saúde e vida longa, a fim de que possamos cumprir nossa missão e ver nossas tarefas terminadas, sem exceção. Dizer alguém que um homem bom não pode nem deve adoecer é naturalmente uma proposição extremada e insensata. Pois nas enfermidades mais está envolvido do que o simples pagar pelos pecados. Além disso, alguns homens bons aparentemente adoecem e, no entanto, vão para o Senhor, como foi o caso de Paulo (ver 2Co 12.8). Mas também existem santos que vivem fisicamente bem e usam de sua boa saúde para o bem. Portanto, Senhor, permite-nos fazer parte da segunda classe, se, porventura, isso não ferir alguma lei cósmica. E penso que essa é uma petição que podemos fazer a Deus, razoavelmente, visto que o presente versículo promete boa saúde àqueles que seguem a vereda da sabedoria. E o homem, por inteiro, receberá cura, o que deixa entendido que agora uma parte e, depois, outra, podem sofrer de alguma enfermidade, mas para novo caso de doença haverá cura da parte do Senhor.

Ele é quem perdoa todas as tuas iniquidades; quem sara todas as tuas enfermidades.

Salmo 103.3

Ver 1Tm 4.8, onde se lê que a piedade é proveitosa para tudo. Ela promete a vida, tanto neste mundo como no outro, e, presumivelmente, está em pauta uma vida boa, que pode incluir a boa saúde.

> *Será isto saúde para o teu corpo, e refrigério para os teus ossos.*
> Provérbios 3.8

> *Palavras agradáveis são como favo de mel, doces para a alma, e medicina para o corpo.*
> Provérbios 16.24

Este versículo tem sido espiritualizado a fim de falar do sangue de Cristo como a panaceia para todos os males humanos. "... as doutrinas do evangelho são as palavras saudáveis de nosso Senhor Jesus. Elas são sãs, salutares e saudáveis, e servem para manter a alma em bom estado de saúde, como também o corpo" (John Gill, *in loc.*).

■ 4.23

מִכָּל־מִשְׁמָר נְצֹר לִבֶּךָ כִּי־מִמֶּנּוּ תּוֹצְאוֹת חַיִּים׃

Sobre tudo o que se deve guardar, guarda o teu coração. *O Coração e a Saúde Espiritual.* As emoções e a vontade eram atribuídas, pelos hebreus, ao coração literal, mas muita coisa também era atribuída ao homem interior, o homem espiritual, simbolizado pelo coração. O livro de Provérbios usa a palavra "coração" com o sentido de "fé do coração", que corresponde à chamada para a sabedoria. Quando lemos o livro de Provérbios, vemos que o termo "coração" é usado mais ou menos no mesmo sentido em que usamos esse vocábulo no linguajar moderno. Aponta para o centro do ser humano, o homem interior, em contraste com o homem exterior, o homem físico. O coração precisa estar bem com Deus, e essa é outra maneira de afirmar que devemos ter uma espiritualidade genuína, e não uma espiritualidade superficial ou hipócrita. Ver Mt 15.19. Meus amigos, há cerca de oitenta referências ao coração em Provérbios, e cerca de cem no livro de Salmos. Convido o leitor a examinar em uma boa concordância todas essas referências. Dou alguns exemplos do livro de Provérbios: 2.2; 3.1; 4.4; 23.5,12; 10.8; 13.12; 14.33; 16.1 e 23.7.

> *Porque, como imagina em sua alma, assim ele é.*
> Provérbios 23.7

Porque dele procedem as fontes da vida. Tudo quanto faz a vida tornar-se digna de ser vivida origina-se no homem espiritual e então manifesta-se na vida externa do homem, de múltiplas maneiras. Estão em pauta todos os valores espirituais de um homem, bem como os atos daí resultantes. Provavelmente a alusão é a todas as artérias que, saindo do coração, alcançam todas as partes do corpo e levam nutrição a partir daquele centro. Como é óbvio, os antigos não tinham consciência da circulação do sangue, mas sabiam que o coração e o sangue que percorre o corpo estão, de alguma forma, relacionados. Cf. Mt 15.19 quanto às coisas negativas que procedem do coração. "O coração de um homem saudável é um coração saudável. A vida e a saúde de um homem dependem, em grande parte, das condições de seu coração" (Rolland W. Schloerb, *in loc.*).

> *Tudo o que é verdadeiro, tudo o que é respeitável, tudo o que é justo, tudo o que é puro, tudo o que é amável, tudo o que é de boa fama, se alguma virtude há e se algum louvor existe, seja isso o que ocupe o vosso pensamento.*
> Filipenses 4.8

■ 4.24

הָסֵר מִמְּךָ עִקְּשׁוּת פֶּה וּלְזוּת שְׂפָתַיִם הַרְחֵק מִמֶּךָּ׃

Desvia de ti a falsidade da boca. *Usos Próprios e Impróprios da Linguagem.* Ver Pv 11.9,13 quanto a notas de sumário. Este é, igualmente, um grande tema do livro de Salmos. Ver Sl 5.9; 12.2; 15.3; 17.3; 34.12; 35.28; 36.3; 39.9; 55.21; 64.4; 66.17; 73.9; 94.4; 101.5; 109.2; 119.172; 120.3,4; 139.4; 140.3; 141.3. No livro de Provérbios, ver também 2.12,14; 6.12. Cf. Ef 4.29. Há um artigo detalhado sobre *Linguagem, Uso Apropriado da*, no *Dicionário*. Cerca de cem versículos de Provérbios tratam do uso próprio ou impróprio da linguagem.

A falsidade da boca. Uma "linguagem distorcida" qualquer, como mentiras, engano, maldições. Ver a exposição sobre Pv 2.15.

> *A língua é fogo; é mundo de iniquidade; a língua está situada entre os membros de nosso corpo, e contamina o corpo inteiro e não só põe em chamas toda a carreira da existência humana, como é posta ela mesma em chamas pelo inferno.*
> Tiago 3.6

"Cuidado com a precipitação, a ira e a fala impensada. Não te deleites em contradizer e em impugnar e tenhas o cuidado de não caluniar nem atacar pelas costas o teu próximo" (Adam Clarke, *in loc.*). "Tal como o coração, assim também a boca deve ser resguardada com toda a diligência, pois há simpatia íntima entre o coração e a boca. A fala é o índice da mente (Tg 3.2-13)" (Fausset, *in loc.*).

■ 4.25

עֵינֶיךָ לְנֹכַח יַבִּיטוּ וְעַפְעַפֶּיךָ יַיְשִׁרוּ נֶגְדֶּךָ׃

Os teus olhos olhem direito. *As Figuras.* Os ouvidos (vs. 20), os olhos (vss. 21 e 25), o coração (vs. 21), a boca (vs. 24), as pálpebras (vs. 25) e os pés (vss. 26 e 27) devem estar todos envolvidos em evitar o mal e seguir os caminhos da sabedoria. Cada um dos membros do corpo simboliza alguma agência ou função da mente, do coração e da alma. Em outras palavras, o homem inteiro deve engajar-se na perspectiva espiritual e assim ser guiado pelo manual, a lei mosaica, que é a fonte originária da sabedoria, do entendimento e da instrução.

Os olhos sempre devem ter o propósito de ver as riquezas que as palavras de sabedoria do Senhor podem apresentar (vs. 21); eles também devem manter-se "olhando diretamente para a frente", no intuito de seguir a vereda reta e evitar caminhos tortuosos. Os olhos, olhando diretamente para o que está em frente, são uma evidência da mente veraz e das boas intenções do coração.

As pálpebras devem ser mantidas abertas, permitindo assim que os olhos vejam conforme devem ver. Elas simbolizam a capacidade de bloquear a visão, um ato voluntário que pode arruinar a visão espiritual, um pecado, uma visão inferior, uma perversão da verdade. "Sede francos em vossos alvos e andai na vida fazendo o vosso lar acima, e seus estatutos o vosso guia" (Fausset, *in loc.*). Quanto à lei mosaica como guia da vida, ver Dt 6.4 ss.

■ 4.26

פַּלֵּס מַעְגַּל רַגְלֶךָ וְכָל־דְּרָכֶיךָ יִכֹּנוּ׃

Pondera a vereda de teus pés. Agora a mente entra em ação, cuidando da própria vereda, na qual os pés devem caminhar. Os pés devem estar firmados na vereda reta, livrando-se das tendências para os desvios. A sabedoria empresta constância nos propósitos e no ato de andar.

Pondera. Este é um ato da mente, orientado pela sabedoria. A palavra hebraica envolvida é *palas*, que significa "pesar", "pensar seriamente a respeito", "equiparar". Uma pessoa deve pesar as questões a sério, sabendo onde jaz o peso da verdade, ou seja, o que é e o que não é importante. Esta palavra é encontrada por três vezes no livro de Provérbios (aqui e em 5.6,21) e está associada à diligência mental para tomar decisões corretas e pôr a decisão em execução. Yahweh pondera a vereda de um homem para verificar se essa vereda é boa e séria, conforme se vê na última referência.

> *Oxalá sejam firmes os meus passos, para que eu observe os teus preceitos.*
> Salmo 119.5

> *Crede no Senhor vosso Deus, e estareis seguros; crede nos seus profetas, e prosperareis.*
> 2Crônicas 20.20

■ 4.27

אַל־תֵּט־יָמִין וּשְׂמֹאול הָסֵר רַגְלְךָ מֵרָע׃

Não declines nem para a direita nem para a esquerda. Não devemos permitir que os pés se desviem nem para a direita nem para a esquerda, no caminho da sabedoria, como se houvesse algum outro caminho, mais proveitoso para um homem. O desvio para a direita ou para a esquerda seria uma volta para o mal, pois só existe uma boa vereda. Os pés simbolizam o caminho pelo qual um homem caminha. Ver no *Dicionário* o verbete *Andar*, quanto a essa metáfora. O coração e a mente estão por trás de todas as decisões tomadas pelos pés. Cf. este versículo com Js 1.7 e 1Rs 15.5. Talvez a imagem simbólica tenha sido aproveitada do caminho do rei (ver Nm 20.17 e Dt 2.27). A lei de Deus, naturalmente, é o seu caminho santo, que conduz à vida e à prosperidade. A lei traz a sabedoria para dirigir a pessoa pela vereda reta. Cf. os vss. 10-19, onde são contrastadas as veredas do justo e as veredas do ímpio.

A Metáfora das Veredas. Ver Pv 1.15; 2.8,9,13,15,18-20; 3.6,17; 4.11,14,18,26,27; 5.6; 7.25; 8.2,20. Ver no *Dicionário* o artigo chamado *Caminho*, que fornece detalhes abundantes sobre a metáfora.

As versões da Septuaginta, da Vulgata Latina e do árabe adicionam aqui dois versículos, após o vs. 27, provavelmente com o propósito de ornamentar o texto hebraico.

CAPÍTULO CINCO

DÉCIMO DISCURSO: O VALOR DA SABEDORIA PARA EVITAR O ADULTÉRIO (5.1-23)

Este é o décimo entre dezesseis discursos que compõem o primeiro livro de Provérbios, constituído na passagem de Pv 1.8 - 9.18. Havia considerável liberdade sexual para os varões, em Israel, mas não para as mulheres. A poligamia era uma maneira de viver, e então, em contraste, um homem podia tomar uma concubina por períodos maiores ou menores, e até por um único dia. Mas uma coisa definitivamente proibida era o adultério, o contato sexual ilegítimo com a esposa ou o esposo de outro cônjuge. As mulheres compartilhavam os homens, mas sempre dentro dos limites da lei, os quais eram, afinal de contas, muito liberais. Ver, no *Dicionário*, o verbete denominado *Adultério*. Fazer essa seção à nossa frente ensinar a monogamia é um anacronismo.

O texto diante de nós fornece instruções específicas concernentes aos perigos do adultério, enfatizando como mulheres impudicas provocavam isso (vss. 1-6); o preço a ser pago pelo adultério (vss. 7-14); os deleites do amor casado (vss. 15-20); e, finalmente, um lembrete de que o pecado é algo praticado, em última análise, contra Deus, e não contra o homem (vss. 21-23, completo com instruções).

"Tal como em Pv 1.14-19, este quinto capítulo do livro manifesta-se contra os prazeres imediatos do pecado e destaca suas consequências a longo prazo. O sábio toma o ponto de vista mais prolongado da questão" (Sid S. Buzzell, *in loc.*).

Advertência contra a Licenciosidade (5.1-14)

Mulheres Impudicas Tentam ao Adultério (5.1-6)

■ **5.1**

בְּנִי לְחָכְמָתִי הַקְשִׁיבָה לִתְבוּנָתִי הַט־אָזְנֶךָ:

Filho meu, atende à minha sabedoria. O primeiro versículo deste capítulo chama nossa atenção novamente, pois um novo assunto está começando. Já apresentei uma nota de sumário sobre essas urgentes exortações do pai (mestre) a seu filho espiritual (o estudante), em Pv 4.20. Lemos aqui que o estudante tem a obrigação de prestar atenção à sabedoria de seu mestre. Ver Pv 1.2 quanto à sabedoria, e ver também, no *Dicionário*, o verbete intitulado *Sabedoria*, que fornece detalhes sobre o assunto. Quanto à palavra "atende", Cf. Pv 4.1,20; 5.1 e 7.24. A sabedoria se mostrará suficiente para salvar do adultério.

inteligência. Ver a respeito em Pv 1.2,5; 2.2,3,6,11; 3.4; 4.1; 5.1; 6.32; 9.4; 10.13 e 21.6. Existem cerca de 55 exortações no livro de Provérbios acerca da inteligência ou compreensão, além de outras exortações em que as palavras "inteligência" ou "compreensão" não são empregadas diretamente. E há dez usos da ordem para que se "compreenda".

■ **5.2**

לִשְׁמֹר מְזִמּוֹת וְדַעַת שְׂפָתֶיךָ יִנְצֹרוּ:

Para que conserves a discrição. Ver sobre Pv 1.4. Os lábios que proferem o conhecimento também devem conservá-lo, como se fosse uma casa de tesouro, sendo essa uma metáfora desajeitada, mas perfeitamente compreensível. Usualmente são os lábios que proferem as palavras, mas é o coração que conserva a sabedoria como se fosse um tesouro. Esse santo tesouro dos lábios é contrastado com a fala maliciosa da adúltera potencial, que tenta o estudante e procura desviá-lo da vereda da sabedoria (vss. 3 ss.). Os lábios do mestre falam contra o que a mulher diz, e o estudante tem de fazer sua escolha quanto a que voz ele escutará. O versículo parece estar exortando o aprendiz a falar como o seu mestre, e parece também estar repreendendo a mulher, que diz palavras suaves como o azeite. Já vimos a ênfase que recai sobre o uso próprio e impróprio da linguagem, em Pv 4.24. A mulher sensual quer incendiar o coração do jovem com suas palavras bonitas e lascivas; mas o estudante esperto será capaz de atalhá-la com suas palavras e, assim, escapar à tentação. Lábios que falam sabedoria, tanto do estudante quanto de seu mestre, resguardam o aprendiz de cair em pecado grave. Podemos até subentender aqui que o aprendiz falará palavras de sabedoria, ajudando outros estudantes a obedecer aos ditames da sabedoria.

Conversas Sensuais e Convincentes (5.3-6)

■ **5.3**

כִּי נֹפֶת תִּטֹּפְנָה שִׂפְתֵי זָרָה וְחָלָק מִשֶּׁמֶן חִכָּהּ:

Porque os lábios da mulher adúltera destilam favos de mel. A fraqueza do homem diante dos pecados sexuais é notória, mas a mulher adúltera, que provavelmente significa a mulher (talvez casada por uma vez) agora prostituta, desenvolve uma linguagem atraente que garante que um jovem seja levado pela sua concupiscência. O impulso sexual do homem é excitado por quase tudo: pela visão, pela fala, pelo toque, pelo odor, pelos sons e pelo paladar. Ver as notas sobre Pv 2.16 quanto à mulher estranha (prostituta). A fala dela é doce para o homem ouvir, porquanto o sexo é algo doce, e ela sabe que linguagem usar para excitar o homem.

Os sonhos podem retratar o sexo, metaforicamente, como comer doces, pelo que a metáfora do autor é aprovada por Freud, sendo veraz para com aquilo que sabemos sobre a simbologia dos sonhos. O mel era a coisa mais doce que os antigos conheciam, pelo que o autor usa isso para falar do sexo. Então a boca da mulher torna-se mais suave do que o óleo, e as palavras rolam de seus lábios de maneira gentil e convincente. Os homens, que já são vítimas de sua própria biologia, facilmente caem diante de qualquer provocação. A mulher, esperta em seu negócio de sedução, não se arrisca a perder, e derruba o jovem com um potente golpe. Somente grande dose de sabedoria salvará o homem da conversa suave e doce de uma mulher, na hora crítica da tentação. Algumas das palavras atraentes que a mulher pode empregar são dadas em Pv 7.13-21. "Ela usa da linguagem mais enganadora, lisonjeadora e atrativa, que cai de sua boca como o mel cai do favo, e sua fala, tal como o mel, é a mais suave de todas" (Adam Clarke, *in loc.*).

A Omissão, Conspícua por sua Ausência. Em todas as passagens que escreveu sobre o sexo ilícito, o autor sacro falou somente sobre a mulher sedutora, quando, obviamente, os homens quase sempre falam de maneira doce e sedutora. Obter o sexo ilegítimo era tão fácil para um homem em Israel que talvez os homens, no antigo povo de Israel, se mostrassem menos sedutores que os homens atuais, pelo que a maior parte da sedução era efetuada pelas mulheres, quer fossem elas esposas, ex-esposas ou prostitutas. Contudo, é difícil acreditar nisso. Parece haver certo preconceito contra as mulheres, não somente no livro de Provérbios, mas também na maior parte da literatura de sabedoria, quando esses livros abordam questões sexuais. Ver no *Dicionário* o artigo chamado *Sedução*.

■ **5.4**

וְאַחֲרִיתָהּ מָרָה כַלַּעֲנָה חַדָּה כְּחֶרֶב פִּיּוֹת:

Mas o fim dela é amargoso como o absinto. O autor sagrado estava pintando um "quadro doce" sobre o jogo do sexo. De súbito, porém, começa a advertir-nos sobre os tremendos resultados de continuar esse jogo. Uma mulher sedutora é extremamente doce no começo da conquista amorosa, mas, no fim, a coisa toda torna-se em um absinto amargoso. Presumivelmente, ele está dando a entender alguma espécie de julgamento, interno e externo, resultante do ato de adultério. Principalmente, porém, o autor sacro temia que um bom aprendiz, que estivesse progredindo em seus estudos, fosse desviado do reto caminho, abandonando a vereda da sabedoria, que o mestre, tão laboriosamente, havia conseguido fazer o aluno seguir. O versículo que se segue nos dá a advertência mais urgente sobre essa questão toda.

Absinto. Antigamente era o elemento mais amargo conhecido pelos homens. Isso posto, o jogo da sedução começa como a coisa mais doce possível (o mel), porém termina como a coisa mais amarga possível (o absinto).

Agudo como a espada de dois gumes. Esta metáfora fala do poder destruidor do sexo ilícito. A espada de dois gumes matou muitos homens, e era um temido instrumento de matar. O versículo seguinte (vs. 5) intensifica a questão, trazendo ao quadro o sheol. Uma espada de dois gumes podia cortar em duas direções ao mesmo tempo; e, por igual modo, a prostituta podia prejudicar o corpo e a alma. "Esse é o contrário de sua fala suave e doce" (John Gill, *in loc.*).

■ 5.5

רַגְלֶיהָ יֹרְדוֹת מָוֶת שְׁאוֹל צְעָדֶיהָ יִתְמֹכוּ:

Os seus pés descem à morte. Encontramos aqui um paralelismo no qual a morte e o sheol se referem à mesma coisa. Deve haver poucos versículos, nos livros de Salmos e Provérbios, que deixam entendido que o sheol é mais do que o sepulcro. Ver Sl 88.10; 139.8 e 148.7, e Pv 2.18. Mas se o autor sagrado queria fazer do sheol aqui mais do que a morte física, não se esforçou para deixar seu ensinamento claro. A doutrina do sheol (hades) era semelhante a muitas outras, passando por um longo período de crescimento. A maior parte das referências ao sheol, no livro dos Salmos, aponta somente para a sepultura. O primeiro passo para longe dessa ideia simplista foi encarar o sheol como um lugar onde espíritos destituídos de mente vagueavam ao redor como fantasmas, mas sem consciência pessoal ou memória. Aparentemente é nesse ponto que encontramos a doutrina, em Sl 88.10. Em seguida, os fantasmas tornaram-se espíritos que tinham consciência, mas o próprio hades continuava como um único grande compartimento, tanto para almas boas quanto para ruins. Em seguida, o lugar foi dividido em dois compartimentos. Um deles era um lugar de juízo, ao passo que o outro era um lugar de bem-aventurança. Lc 16 é o ponto onde encontramos essa situação. Então havia o conceito de missões de misericórdia no hades, conforme encontramos em 1Enoque (livro pseudepígrafo do período intermediário entre o Antigo e o Novo Testamento) e também em 1Pe 3.18—4.6. Avançando um pouco mais, temos os Evangelhos de Nicodemos e de Pedro, que dão uma distorção universalista à missão remidora, tendo Cristo limpado completamente o hades, aplicando ao diabo um golpe de morte, pois ele perdeu todos os seus súditos. Ver na *Enciclopédia de Bíblia, Teologia e Filosofia* os artigos chamados *Hades* e *Descida de Cristo ao Hades*.

No que tange a Pv 5.5, supomos que a doutrina do sheol ainda estava no primeiro estágio. Aí, o sheol representava somente o sepulcro. Mas alguns estudiosos supõem que está aqui entendida, se não mesmo declarada, a ideia de punição no sheol para os que se afastaram da vereda da sabedoria. Contudo, calculo que a ameaça é a padronizada, a morte física prematura, um terror para a mente dos hebreus.

Este versículo tem sido cristianizado para apontar para os tormentos dos condenados no inferno, mas sem dúvida isso é um anacronismo.

Pode haver aqui uma alusão ao tipo de prostituta que buscava os cemitérios, reunia-se ali com seus clientes, ou os levava até ali, e tinha seus prazeres ilícitos entre os sepulcros. Essas prostitutas eram chamadas de *bustuariae boechae* (*Vid. Turnebi Advesar.* 1.13.cap. 19). Sem dúvida, isso envolvia alguma espécie de patologia, não sendo improvável que o autor do livro de Provérbios tivesse em mente um costume tão mórbido.

■ 5.6

אֹרַח חַיִּים פֶּן־תְּפַלֵּס נָעוּ מַעְגְּלֹתֶיהָ לֹא תֵדָע: פ

Ela não pondera a vereda da vida. O vs. 5 deste capítulo, falando sobre os passos da prostituta que conduzem ao sheol, já se referia à vereda da iniquidade. Agora, porém, o vs. 6 deixa explícita a alusão.

Um bom estudante, entretanto, deveria ponderar os seus passos (ver Pv 4.26). E também precisaria ver se, por um momento de prazer, valeria a pena arriscar uma morte prematura. Deveria ele seguir na vereda da mulher, ou deveria permanecer na vereda da sabedoria do mestre? A vereda da mulher ímpia é tortuosa (*Revised Standard Version*), é errante (nossa versão portuguesa). Por certo essa vereda não segue o caminho da vida (Pv 4.18), antes, é uma vereda onde os homens tropeçam e descem para as trevas (Pv 4.19). O original hebraico não é muito claro, mas fica evidente é que a prostituta se lançou por uma vereda precipitada, com resultados incertos. Ela desce de cabeça para baixo sem atender a nenhum apelo, e outro tanto acontece às suas vítimas. A mulher toma o dinheiro do homem (vs. 10), e ele pode terminar apanhando uma doença venérea (vs. 11), que pode estar mencionada ou não nesse versículo. O que é claro é que o jovem sofrerá de algo muito pior do que uma doença venérea.

O Preço da Infidelidade (5.7-14)

■ 5.7

וְעַתָּה בָנִים שִׁמְעוּ־לִי וְאַל־תָּסוּרוּ מֵאִמְרֵי־פִי:

Agora, pois, filho, dá-me ouvidos. Aqui, uma vez mais, o mestre convida seu estudante a ouvir cuidadosamente. Cada novo assunto abordado merece uma nova chamada para ouvir atentamente, apurando bem os ouvidos. O ensino é agora generalizado. O jovem continua sofrendo a sua tentação. Aqui o mestre chama à ordem os seus filhos, toda a sua escola de disciplina, os seus filhos espirituais. Ele fez uma aplicação geral do que vinha dizendo a seu filho. Já havia dado muitas instruções e agora estava em meio a uma importante instrução acerca da conduta sexual. Todos os seus alunos deveriam estar sofrendo tentações nessa área, pelo que todos precisavam ouvir, para seu próprio bem. "Não será suficiente ouvir, a menos que se ponha em ação apropriada as minhas palavras" (T. Cartwright, *in loc.*).

■ 5.8

הַרְחֵק מֵעָלֶיהָ דַרְכֶּךָ וְאַל־תִּקְרַב אֶל־פֶּתַח בֵּיתָהּ:

Afasta o teu caminho da mulher adúltera. O jovem havia sido convencido pela conversa adocicada e suave da prostituta. E agora a acompanhava à casa dela. Mas mesmo assim, ainda não era tarde demais. Ele ainda podia virar-se e fugir. Mas se ela conseguir fazê-lo entrar na casa, ele estará perdido. Portanto, enquanto segue caminho, ele deve tomar a sua decisão. Ele olha para a mulher, tão jovem, tão bela, tão desejável. E olha para um caminho lateral, pelo qual poderia escapar. Ele olha e olha, pois a cada passo aproxima-se mais da armadilha armada por ela. Ele já caiu na teia daquela mulher, e, como se fosse uma viúva-negra, ela se aproxima para matá-lo. A voz do mestre é ouvida em seu coração: "Foge! Não continues a acompanhá-la por outro passo!" ele continua indeciso. É nesse ponto que se encontra a maior parte dos homens, quanto a essa questão.

> *Porque a sua casa se inclina para a morte, e as suas veredas para o reino das sombras da morte.*
>
> Provérbios. 2.18

"Os homens não devem enveredar pelo caminho da tentação, confiando nas próprias forças. Pois poderão ser envolvidos e vencidos antes que tenham consciência disso" (John Gill, *in loc.*). "A grande salvaguarda em todas essas tentações, conforme todos os moralistas concordam, a uma só voz, é: foge!" (Ellicott, *in loc.*).

■ 5.9

פֶּן־תִּתֵּן לַאֲחֵרִים הוֹדֶךָ וּשְׁנֹתֶיךָ לְאַכְזָרִי:

Para que não dês a outrem a tua honra. As privações que um jovem pode ter incluem a perda da honra, a morte prematura ou a enfermidade, e também a perda do dinheiro (vss. 9,10). O estudante vinha obtendo honra entre os homens e perante Deus. Tornava-se cada vez mais sábio e inclinava-se por obedecer à lei de Moisés. Mas então entrou na casa de uma prostituta e deitou tudo isso a perder. Ele quebrara um mandamento importante, a saber, o sétimo. E assim sofreu um grande recuo. Não tinha vivido à altura de seu conhecimento.

Nem os teus anos a cruéis. Que o leitor nos acompanhe nos cinco pontos a seguir:
1. O sentido pode ser que o jovem trabalhara arduamente para ganhar o seu dinheiro, e passara um longo tempo juntando o que tinha, para então, precipitadamente, jogar tudo aos pés dos cruéis, ou seja, entregar esse dinheiro aos que viviam no negócio do sexo. Se essa, realmente, for a interpretação, temos de supor que o ofensor continuou ofendendo e gastando seu dinheiro inutilmente com as prostitutas, tal como fez o filho pródigo (ver Lc 15.11 ss.).
2. Ou então a perda da vida deve ser entendida literalmente, sendo esse o resultado que a vida pecaminosa eventualmente produz. Isso repetiria a essência do vs. 5.
3. Ou então o homem foi julgado por Deus e sofreu morte prematura ou contraiu alguma enfermidade e morreu em resultado, provavelmente de alguma doença venérea (conforme diria o vs. 11, de acordo com certa interpretação).
4. Ou então aquele jovem, mantendo o seu jogo do sexo com as prostitutas, se misturara com o tipo de gente da laia dela, em que ladrões e assassinos formam multidão, e, um dia, um dos companheiros traidores da mulher acaba matando-o. O fato é que algumas prostitutas servem de chamariz para levar os homens a armadilhas de ladrões e assassinos.
5. Este versículo tem sido espiritualizado, de forma que a pessoa cruel, aqui mencionada, é o diabo, o príncipe do inferno, ou então o anjo da morte, que finalmente recebe o pobre jovem (conforme opinou Jarchi, *in loc.*).

■ 5.10

פֶּן־יִשְׂבְּעוּ זָרִים כֹּחֶךָ וַעֲצָבֶיךָ בְּבֵית נָכְרִי׃

Para que dos teus bens não se fartem os estranhos. Perda geral de dinheiro e propriedades. O jovem agora está bem mais velho do que no princípio. Ele vinha levando uma vida dissoluta. Não ouvira a chamada do mestre (vss. 1 e 7) e se imiscuíra com prostitutas e seu bando de rufiões. Eles acabaram arrebatando o dinheiro dele e, mediante ameaças de morte, também ficaram com suas propriedades. Portanto, estranhos se tornaram seus companheiros, e desconhecidos ficaram com todo o seu dinheiro e todos os seus bens materiais. Todo o seu labor para juntar algo foi dilapidado, e ele ficou de bolsos vazios. Ele esbanjou as suas energias em troca de nada.

Pois este, quando encontrado, pagará sete vezes tanto; entregará todos os bens de sua casa.

Provérbios 6.31

■ 5.11

וְנָהַמְתָּ בְאַחֲרִיתֶךָ בִּכְלוֹת בְּשָׂרְךָ וּשְׁאֵרֶךָ׃

E gemas no fim de tua vida. Considere o leitor estes dois pontos:
1. Poderiam estar em pauta as dores da dissolução e do remorso, que desgastam a alma e o corpo de um homem. Tal homem rejeitara todas as instruções que havia recebido. Ele caiu no pecado com olhos bem abertos e foi apanhado no vórtice da transgressão. Ali ficou por muito tempo. Acabou perdendo seu dinheiro e suas propriedades (vs. 10). Finalmente, porém, percebeu o que havia feito. Seu corpo estava mais velho e alquebrado, e ele tinha perdido sua juventude brincando com o diabo. Sua vida dissoluta havia desgastado prematuramente seu corpo.
2. Ou então, no meio do bando de precipitados aos quais estivera associado, ele tinha apanhado doenças venéreas e outras enfermidades. Sabemos que entre os hebreus havia doenças venéreas, pelo menos a gonorreia; mas o texto sagrado parece apontar para algo mais destrutivo que a gonorreia. A sífilis é uma doença venérea que ataca todos os órgãos internos, sendo uma doença do sangue, e pode causar os tipos de debilitação física mencionados neste trecho. Trata-se de uma enfermidade muito antiga, e poderia estar em pauta (entre outras coisas) neste versículo.

No fim de tua vida. Ou seja, perto de sua morte.

O que adultera com uma mulher está fora de si; só mesmo quem quer arruinar-se é que pratica tal cousa.

Provérbios 6.32

■ 5.12

וְאָמַרְתָּ אֵיךְ שָׂנֵאתִי מוּסָר וְתוֹכַחַת נָאַץ לִבִּי׃

E digas: Como aborreci o ensino! Um pouco mais tarde, o antes bom estudante reconheceu que seu mestre estava com a razão. Ele tinha dado avisos corretos com grande sabedoria, mas o estudante fora atraído por uma vida de pecado, com muito vinho, mulheres e canções. Ele continuou escorregando, até perder todo o dinheiro, as propriedades e, finalmente, a saúde. E o último estágio de seus deslizes foi o remorso, que chegou tarde demais e não produziu efeito algum sobre a sua vida. Cf. Mt 25.30.

"O pecador, finalmente, maravilhar-se-á de sua própria insensatez em tempos passados; mas seu remorso veio tarde demais" (Fausset, *in loc.*).

Então me invocarão, mas eu não responderei; procurar-me-ão, porém não me hão de achar.

Provérbios 1.28

Quanto à instrução e à disciplina, ver Pv 1.2. Quanto à repreensão, ver Pv 1.23.

Porquanto aborreceram o conhecimento, e não preferiram o temor do Senhor.

Provérbios 1.29

Ver também Pv 1.25 e 12.1. "'Por que rejeitei uma vida caracterizada pela virtude, seguindo mulheres adúlteras?' Isso ele perguntou, admirado diante de sua estupidez, insensatez e loucura" (John Gill, *in loc.*).

Este versículo tem sido cristianizado para referir-se à rejeição do evangelho, a despeito de todos os indicadores de seu poder e excelência, com um remorso resultante no julgamento.

■ 5.13

וְלֹא־שָׁמַעְתִּי בְּקוֹל מוֹרָי וְלִמְלַמְּדַי לֹא־הִטִּיתִי אָזְנִי׃

E não escutei a voz dos que me ensinavam. Prossegue aqui o lamento do antigo estudante. Ele teve ampla oportunidade e privilégios, mas jogou tudo fora em troca da concupiscência sexual e, naturalmente, achara mais excitante correr juntamente com o bando de rufiões do que frequentar a escola do mestre. Ele acabara enfadando-se com todo aquele estudo sobre a lei de Moisés.

Meus mestres. No hebraico, "mestres" é *moray*, que vem da mesma raiz que a palavra hebraica *torah* (lei, instrução). Ver Pv 1.8. Estão em vista os sábios que encabeçavam as escolas estabelecidas para dar instruções na lei mosaica, bem como o corpo de sábios ensinamentos que acumulavam interpretações e aplicações da Fonte. Os bons pais do estudante podem ser incluídos nesta referência, pois foram os seus primeiros mestres.

O mau estudante nem ao menos inclinara os ouvidos para os seus possíveis instrutores. Ele simplesmente não os ouvira. Ver a nota de sumário sobre o ouvir piedoso, em Pv 4.20.

■ 5.14

כִּמְעַט הָיִיתִי בְּכָל־רָע בְּתוֹךְ קָהָל וְעֵדָה׃

Quase me achei em todo mal. Os resultados maléficos de uma série de más escolhas foram que o homem quase alcançou a ruína total, embora tivesse desfrutado de todas as suas oportunidades, bem no meio da congregação de Israel, onde a lei reinava suprema como guia (ver Dt 6.4 ss.). Quanto à congregação de Israel, ver Êx 16.1. Alguns estudiosos supõem aqui que a congregação se refere a assembleias especialmente convocadas para tratar de casos de renegados, como o do mau estudante. Algo tinha de ser feito com tão flagrantes infratores como ele era. Talvez "todo o mal" se refira à punição capital por causa do adultério, em obediência à legislação mosaica original. Nesse caso, o homem quase fora executado, mas escapara disso, tendo apenas recebido punições menores, mas mesmo assim severas, às mãos dos juízes. O original hebraico é difícil, o que deixa os intérpretes reduzidos a conjecturas. Alguns deles pensam no "todo mal" em que o homem quase caiu como todo tipo de pecado. Ele se tornara tão corrompido que experimentou quase todas as formas de males. "Os vícios, como os redemoinhos, varrem tudo para o centro de seu vórtice" (Adam Clarke, *in loc.*). "Dificilmente houve um pecado do qual ele não tivesse sido culpado" (John Gill, *in loc.*).

"A experiência do sexo ilícito foi considerada uma insensatez, visto que conduziu a algumas consequências realmente indesejáveis. Em vez de apontar para fatores morais, bem como para os erros praticados contra o próximo, o livro de Provérbios apela para o interesse próprio do mau estudante. O homem terminou pagando um preço muito alto pela sua vida de prazeres... A vida dissoluta tem o seu preço... A lei acabava apanhando os ofensores. No vs. 14 encontramos um homem que por pouco escapou da ira da assembleia... o interesse próprio somente deveria ter restringido o nosso homem" (Rolland W. Schloerb, *in loc.*).

Exortação à Fidelidade Marital (5.15-23)

■ 5.15

שְׁתֵה־מַיִם מִבּוֹרֶךָ וְנֹזְלִים מִתּוֹךְ בְּאֵרֶךָ:

Bebe a água da tua própria cisterna. Em contraste com as desastrosas consequências dos lapsos morais que o texto bíblico está descrevendo, existem galardões pela castidade que encorajam a pureza moral, incluindo aquela dentro do relacionamento do casamento. Não é mister supormos aqui a monogamia, mas esperava-se que os israelitas observassem uma vida sexual dentro dos limites especificados pela legislação mosaica. Mulheres casadas e prostitutas estavam fora do meio ambiente dos homens, mas a poligamia e o concubinato forneciam ampla variedade, pelo que qualquer homem prudente não teria dificuldade em obedecer a essa legislação. Alguns intérpretes, entretanto, supõem aqui que o autor estava exaltando o ideal da monogamia, mesmo que essa não fosse a prática do povo de Israel. Se esse era o caso, então a seção à nossa frente aproxima-se do que se tornou o padrão do Novo Testamento — um homem, uma mulher. Ver Mt 19.8 e o artigo detalhado do *Dicionário*, chamado *Monogamia*. Ver também os verbetes denominados *Poligamia* e *Concubina*.

Água da tua própria cisterna. Temos aqui o simbolismo oriental de uma esposa, a qual é comparada a uma fonte de águas, ao passo que os prazeres sexuais são comparados ao beber dessa "própria cisterna". Como é óbvio, a cisterna é pintada como sendo da propriedade do homem, ou seja, servia somente para seu próprio uso. Não era uma fonte pública de águas. Uma cisterna era uma fonte, e não meramente um depósito de águas paradas, porquanto de uma cisterna manavam águas continuamente. É uma fonte de águas vivas e produz águas deliciosas em abundância. Portanto, esperava-se que um homem permanecesse em sua casa, a desfrutar de sua fonte de águas (sua esposa), em vez de viver correndo para o terreno de seus vizinhos a fim de testar outra fonte, e certamente não procurar a multidão enlouquecida, onde encontraria prostitutas, que são fontes públicas de águas poluídas. Águas roubadas podem ser doces (Pv 9.17), mas não seguras. Em Jr 2.13, o próprio Deus aparece como fonte de águas vivas. Metaforicamente, o versículo presente é interpretado como as águas vivas do Espírito, que visam o aprazimento e o proveito do indivíduo; mas essa não é uma aplicação muito boa do versículo, pois nos desvia um tanto do centro das considerações. "Assim como todo homem tinha sua própria cisterna para o suprimento das águas necessárias (ver 2Rs 18.31), também cada homem deve ter a sua própria esposa, mas apenas uma" (John Gill, *in loc.*). Nessas palavras, os intérpretes veem o livro de Provérbios aproximar-se do ideal do Novo Testamento, e isso de modo contrário à prática do período no qual esse livro foi escrito.

■ 5.16

יָפוּצוּ מַעְיְנֹתֶיךָ חוּצָה בָּרְחֹבוֹת פַּלְגֵי־מָיִם:

Derramar-se-iam por fora as tuas fontes. Lemos aqui que as águas da fonte devem (ou não devem) ser dispersas ao redor. O original hebraico diz simplesmente: "Tuas fontes serão dispersas ao redor". Mas alguns intérpretes pensam que isso deve ser entendido como uma indagação. As duas interpretações do versículo são as seguintes:

1. A boa esposa, a fonte de águas, através de sua posteridade, espalhar-se-á ao redor, da mesma forma que uma fonte de águas pode transformar-se em um pequeno riacho, transportando assim o que é bom para outros lugares. Nesse caso, uma posteridade numerosa é encarada como a recompensa pela castidade marital. A esposa é a fonte de águas; seus filhos são os riachos de água que saem da fonte.
2. Ou então podemos ler a declaração como se fosse uma pergunta, que parafraseei como segue: "Devem essas fontes de água espalhar-se ao redor, ou seja, deve a esposa fiel ser dada a outros que não têm direito a ela?" A expressão "pelas praças" poderia ser uma alusão às prostitutas que caminham pelas praças para atrair as suas vítimas. Nesse caso, a propagação das águas da fonte seria como prostituir a esposa. A Septuaginta não lê a declaração desse versículo como uma pergunta, mas a traduz como uma negação: "As águas da fonte não devem ser espalhadas pelas praças".

Este versículo tem sido espiritualizado (como o foi por Jarchi) para indicar a multiplicação dos discípulos através do ensino.

■ 5.17

יִהְיוּ־לְךָ לְבַדֶּךָ וְאֵין לְזָרִים אִתָּךְ:

Sejam para ti somente e não para os estranhos contigo. Que o leitor acompanhe os três pontos seguintes:

1. Este versículo reforça a segunda das interpretações anteriores. Tal como um homem tem sua própria fonte de águas, e tal como os vizinhos não podem entrar em seu terreno, a fim de roubar suas águas, assim também é a sua esposa, sua fonte de águas metafórica. Ela está reservada somente para ele, e ele deveria ficar satisfeito com ela, resguardando-a dos lobos. Se este versículo não elimina outras esposas, fontes de água de sua própria propriedade, parece que o ideal da monogamia está sendo promovido. Cf. Pv 31.10.
2. Alguns veem as fontes de água como as águas deste versículo. Neste caso, o apelo é para evitar a parentela confusa envolvida no adultério e na poligamia. Que todos os filhos de um casal pertençam ao mesmo pai e à mesma mãe.
3. Ainda outros eruditos veem os riachos de água referindo-se aos desejos sexuais. Esses riachos devem ser resguardados dentro dos limites do lar. A primeira das três interpretações parece ser a que melhor se ajusta ao contexto, especialmente o vs. 16.

■ 5.18

יְהִי־מְקוֹרְךָ בָרוּךְ וּשְׂמַח מֵאֵשֶׁת נְעוּרֶךָ:

Seja bendito o teu manancial. O manancial é a esposa (vs. 15). Ela, como a esposa da juventude (o casal estava junto desde longa data), deve ser altamente honrada. Seu esposo deve regozijar-se nela, e não em outras mulheres, que estejam "lá fora". Os vss. 18-20 dão aqui, em uma linguagem não metafórica, o que acaba de ser dito mediante metáforas vívidas. A expressão "esposa da juventude" tem sido entendida como dando a entender que outras mulheres, na vida mais avançada, tornaram-se também esposas de um mesmo homem. Nesse caso, no meio dessa poligamia, a esposa original, que vivera por tanto tempo com o homem, deveria receber honras especiais como esposa principal. Essa interpretação se ajusta ao que realmente ocorria na sociedade judaica, mas os versículos diante de nós parecem estar promovendo um ideal, e não meramente tentando regulamentar a poligamia. O islamismo permite que cada homem tenha cinco esposas, mas o homem que se aproveitar dessa licença supostamente deve tratar todas elas com igualdade, o que é um ideal quase impossível de ser praticado.

A esposa ideal tornou-se a mãe de muitos filhos, e isso era considerado de grande valor para os hebreus. Cf. Sl 128.3, onde a esposa aparece como "videira frutífera", de quem se esperava a geração de muitos filhos. Naqueles dias de guerras e nos quais eram necessários trabalhadores nos campos, a sociedade em geral precisava que as mulheres produzissem muitos filhos. De que outra maneira poderia haver soldados para ir à guerra e agricultores para cuidar das plantações? Os filhos eram a principal vantagem de um homem. De que adiantaria uma videira sem cachos de uvas? De que adiantaria uma oliveira sem azeitonas abundantes? Cada homem teria seu próprio "projeto agrícola" no lar, pelo que seus projetos agrícolas nos campos seriam bem-sucedidos. Mas se as terras de um homem (sua esposa) fossem estéreis, outro tanto aconteceria às terras literais fora de sua casa, nos campos.

5.19

אַיֶּלֶת אֲהָבִים וְיַעֲלַת־חֵן דַּדֶּיהָ יְרַוֻּךָ בְכָל־עֵת בְּאַהֲבָתָהּ תִּשְׁגֶּה תָמִיד׃

Corça de amores, e gazela graciosa. Os hebreus não eram excessivamente pudicos, pelo que, ocasionalmente, ouvimos uma afirmação que choca ouvidos cristãos piedosos. Encontramos aqui um trio de declarações que descreve os prazeres sensuais que um homem obtém de sua esposa. Vemos o quadro de um "amor bastante selvagem" praticado nos dormitórios dos hebreus. Se esse amor fosse selvagem o bastante, isso seria satisfatório para o homem, impedindo que ele recorresse a outras fontes de prazer, ou, pelo menos, era isso que o mestre esperava que acontecesse. Considere o leitor estes três pontos:

1. Uma boa esposa deve ser como os animais brincalhões, graciosos e amoráveis do campo, que desconhecem qualquer coisa sobre inibições e para os quais todos os prazeres sensuais são legítimos. Todas as culturas têm comparado as mulheres a certos animais graciosos dos campos. A corça é conhecida por sua graça e beleza e também pelo grande amor que devota aos filhotes. O nome Dorcas (At 9.36) significa gazela, um tipo de antílope, e serve de exemplo do que foi dito aqui.

2. Os homens têm uma fixação pelos seios femininos, que provavelmente depende de algo genético decorrente do fato de que essa glândula é o suprimento alimentar do infante. Os seios da esposa de um homem são suaves ao toque e graciosos em aparência, como os filhotes de uma gazela (Ct 4.5; 7.3). Portanto, um homem deve ser cativado pelos seios femininos (vs. 20)" (Sid S. Buzzell, *in loc.*). "Como um infante fica satisfeito com os seios de sua mãe, assim um homem deve ficar com os seios de sua esposa" (Adam Clarke, *in loc.*, dizendo palavras um tanto quanto atrevidas). Por outra parte, nestes dias de sexo explícito, até mesmo para vender certas mercadorias inúteis, como cigarros, descrições como essas nem ao menos fariam nossas avós corar de vergonha. Ellicott, sentindo pejo, não comentou sobre o trio de que fala este texto exceto para referir-se à graça da gazela! John Gill, neste ponto, exagera em suas cristianizações e espiritualizações, fazendo os seios femininos simbolizar as ministrações do evangelho!

3. Um homem bom, para evitar sair de seu lar, supostamente deve ficar "apaixonado" pelos prazeres sensuais que sua esposa pode prover. A *King James Version* contém a palavra forte *ravished*, "cativado", ao passo que nossa versão portuguesa diz "embriagado", um belo termo para indicar os desejos sensuais. Por outro lado, há uma espécie de mágica em tudo isso, e um homem fica geneticamente ligado, tornando-se louco pelo sexo, a fim de que a raça humana não desapareça. Fausset (*in loc.*) comentou: "Transportado para fora de si mesmo", referindo-se às atividades sensuais. Os filósofos têm observado como uma boa experiência sexual tem certas qualidades próprias das experiências místicas. Há elementos estranhos e transcendentais em ambas as experiências. "... e se unirá à sua mulher e se tornarão os dois uma só carne" (Ef 5.31). Assim como Cristo e a igreja são uma só quanto à comunhão mística, também um homem e sua esposa idealmente o são, o que pode implicar alguma espécie de união mística mediante a qual as energias das duas pessoas são mescladas.

5.20

וְלָמָּה תִשְׁגֶּה בְנִי בְזָרָה וּתְחַבֵּק חֵק נָכְרִיָּה׃

Por que, filho meu, andarias cego pela estranha...? Visto que o homem anda apaixonado, em casa, pela sua esposa, por que haveria de apelar para uma prostituta a fim de experimentar daquelas fontes? O mestre falava sobre a satisfação no sexo, o que poucos homens têm conseguido, sem importar quão boas sejam as suas esposas. Assim como a monogamia é um belo ideal, o mesmo se dá com a satisfação sexual. A dama em casa deve ser suficiente, ao passo que a mulher estranha (de costumes frouxos) não deve ser abraçada. Talvez a verdadeira ideia, expressa por alguns, é que não exista tal coisa como a satisfação sexual. O homem bom simplesmente tem de conformar-se a viver insatisfeito com o sexo, mas isso não é tão ruim, afinal de contas. Existem outras coisas nas quais devemos encontrar a nossa satisfação. Outro problema é que poucas mulheres estão equipadas, psicológica e fisicamente, para serem as mulheres supersensuais que o autor imaginava; bem pelo contrário. Isso posto, a tese da satisfação sexual, quer em casa quer longe de casa, fica invalidada desde o começo. Um homem espiritual simplesmente tem de encontrar sua satisfação em alguma outra coisa.

5.21

כִּי נֹכַח עֵינֵי יְהוָה דַּרְכֵי־אִישׁ וְכָל־מַעְגְּלֹתָיו מְפַלֵּס׃

Porque os caminhos do homem estão perante os olhos do Senhor. Aqui aprendemos que os caminhos de um homem não são, meramente, o interesse do mestre. Foi o Senhor quem deu a lei de Moisés e igualmente quem inspirou as declarações de sabedoria. Por conseguinte, ele vive supremamente preocupado sobre como um homem, que afirma ser seu discípulo, se conduz ao longo da vereda reta. A lei de Moisés é o guia de um homem (Dt 6.4 ss.). Ver Pv 4.10-19 quanto aos caminhos do homem sábio e do homem insensato comparados e contrastados. Apresento no *Dicionário* um detalhado artigo chamado *Caminho*. O homem sábio continua a olhar para cima, sabendo que Deus está ponderando o seu caminho e a sua conduta em geral. Em Pv 4.26 encontramos a mesma palavra, mas ali aplicada ao ponderar do estudante sobre o seu próprio caminho.

> ... olhando firmemente para o Autor e Consumador da fé, Jesus, o qual em troca da alegria que lhe estava proposta, suportou a cruz, não fazendo caso da ignomínia, e está assentado à destra do trono de Deus.
>
> Hebreus 12.2

Quanto a Deus como aquele que é o espectador de nossos caminhos, Cf. Pv 15.3; Jó 31.1,4 e Hb 4.13. Quanto a como seus olhos percorrem a terra inteira para cá e para lá, ver 2Cr 16.9 e cf. Sl 11.4.

Retorno às Ameaças (5.22,23)

5.22

עֲווֹנוֹתָיו יִלְכְּדֻנוֹ אֶת־הָרָשָׁע וּבְחַבְלֵי חַטָּאתוֹ יִתָּמֵךְ׃

Quanto ao perverso, as suas iniquidades o prenderão. O autor sagrado encerra o décimo discurso retornando às ameaças contra o mau estudante que se desviara pelas veredas pecaminosas. Estes versículos sumariam a tese do que ocupou todo este capítulo. O estudante que se desvia para longe dos ensinos de seu mestre pagará um elevado preço por sua insensatez.

As iniquidades que um homem tiver cometido finalmente atuam como uma armadilha, um ardil no qual ele mesmo cai. Essa é uma maneira poética de falar sobre a *Lei Moral da Colheita segundo a Semeadura* (ver no *Dicionário*). E então é empregada outra metáfora. O homem foi fabricando fortes cordas, por meio de seus pecados, e, no fim, acaba preso por elas, como se fosse um prisioneiro. Ele será apanhado em uma armadilha; será detido; e terá uma vida miserável dali por diante. Aquilo que os homens fazem por meio de sua própria vontade, se ela for má, pode sair do controle, tornando-se para eles como cadeias da qual não conseguem escapar. Um homem, dessa maneira, é apanhado e aprisionado. Em seguida, se esse homem tolamente negligenciar o bem que é chamado a fazer, acabará perdendo o controle de sua vontade, e não mais poderá cumprir a sua tarefa. Assim sendo, o pecado tem uma maneira de operar a sua própria punição. É um pacote: pecado-punição. Cf. Jó 20.11, onde aprendemos que os ossos de um homem são cheios com os pecados cometidos na juventude.

> Semeai um hábito, e colhereis um caráter.
> Semeai um caráter, e colhereis um destino.
> Semeai um destino, e colhereis... Deus.
>
> Professor Huston Smith

5.23

הוּא יָמוּת בְּאֵין מוּסָר וּבְרֹב אִוַּלְתּוֹ יִשְׁגֶּה׃ פ

Ele morrerá pela falta de disciplina. A morte prematura é a cena final do espetáculo do sexo. Ele vinha recebendo instruções, que acabou rejeitando. Por isso as instruções falharam e o abandonaram. Seu pecado avançou e liquidou com ele. Tal homem se perdeu por causa de sua imensa insensatez. Ele se tornou um caso desesperador, ultrapassando o ponto da restauração. "Da mesma forma que a sabedoria confere vida, sua ausência traz morte. O homem se desviou e, por isso, se perdeu" (Charles Fritsch, *in loc.*).

> *Como o boi que vai ao matadouro; como o cervo que corre para a rede, até que a flecha lhe atravesse o coração; como a ave que se apressa para o laço, sem saber que isto lhe custará a vida.*
>
> Provérbios 7.22,23

Cf. este versículo com Jó 4.21 e 36.12. "Deus castiga os pecadores dando-lhes a experimentar o seu próprio caminho" (Fausset, *in loc.*).

CAPÍTULO SEIS

DÉCIMO PRIMEIRO DISCURSO: O VALOR DA SABEDORIA CONTRA A POBREZA (6.1-11)

Este é o décimo primeiro discurso dentre os dezesseis que constituem o primeiro livro de Provérbios, que ocupa o trecho de 1.8—9.18. Este capítulo se compõe de um grupo de diferentes espécies de discursos, sem continuidade entre um e o seguinte. Um homem pobre tinha de pedir emprestado para evitar o desastre. A lei de Moisés proibia a cobrança de juros de um israelita da parte de outro israelita. Ver Êx 22.25; Lv 25.36,37. Mas no judaísmo posterior, esse estatuto foi ignorado. Portanto, os ricos faziam dos pobres suas vítimas. A presente seção dá conselhos sobre como evitar a pobreza e as consequências mais drásticas de estar endividado diante de outras pessoas. Além disso, um homem de boas intenções poderia atrapalhar-se diante dos problemas do homem pobre, tornando-se fiador de suas dívidas, e assim empobrecer. Como tal homem deveria lidar com essa situação?

Ver no *Dicionário* o verbete intitulado *Juros*, quanto a informações sobre essa questão e quanto a ideias que servem para ilustrar o texto diante de nós.

6.1

בְּנִי אִם־עָרַבְתָּ לְרֵעֶךָ תָּקַעְתָּ לַזָּר כַּפֶּיךָ:

Filho meu, se ficaste por fiador do teu companheiro... Neste capítulo, a expressão "filho meu" aparece por três vezes (vss. 1,3,20). Cf. Pv 1.8,10,15; 2.1; 3.1,11,12,21; 4.3; 5.1; 10.1; 13.1; 23.15; 27.11; 31.2. Existem cerca de 45 discursos do pai espiritual (o mestre) a seu filho espiritual (o estudante) neste livro de Provérbios. O estudante bem intencionado ultrapassou os recursos financeiros e tornou-se fiador de um amigo pobre. Mas agora que chegou o tempo da restituição, o homem pobre não pode pagar a dívida, e o estudante ficou enterrado em dívidas. O estudante referido tinha muitas simpatias, mas pensava pouco. Ele permitia que seu coração falasse mais alto que o seu cérebro. A implicação dos versículos a seguir é que o sábio pagaria as dívidas de seu amigo sem se envolver em dívidas que podiam sair-lhe amargas. Porém, já que ele não tinha recursos financeiros para tanto, não deveria envolver-se de maneira alguma nos negócios do outro homem. Sob hipótese alguma deveria tornar-se fiador e sujeitar-se à misericórdia de homens perversos que ganham a vida por meio de empréstimos, cobrando juros exorbitantes sobre o capital. O mestre, pois, produziu declarações de sabedoria que podem aplicar-se a dificuldades financeiras.

> *A ninguém fiqueis devendo cousa alguma, exceto o amor com que vos ameis uns aos outros.*
>
> Romanos 13.8

E se te empenhaste ao estranho. No hebraico, literalmente, "tocado na mão" (ver 2Rs 10.15, "deu-lhe a mão"). Está em foco algum tipo de procedimento que incluía tocar na mão de alguém, como um gesto de acordo, algo parecido com o nosso "dar a mão".

Estranho. Está em pauta uma pessoa desconhecida para aquele que se torna fiador. Quase certamente, está em questão outro judeu, que entretanto não era conhecido pelo homem que entrou em dificuldades por ser generoso demais.

Quanto a outros versículos referentes a servir de fiador, ver Pv 11.15; 17.18; 20.16; 22.26,27; 27.13. Esse ensino não é contra servirmos de fiador de outrem, mas contra assumir esse compromisso sem reflexão prévia e sem recursos financeiros suficientes.

6.2

נוֹקַשְׁתָּ בְאִמְרֵי־פִיךָ נִלְכַּדְתָּ בְּאִמְרֵי־פִיךָ:

Estás enredado com o que dizem os teus lábios. O homem falava por demais generosamente, tendo feito promessas que não podia cumprir; ele não possuía recursos financeiros para poder cumprir a promessa de ser fiador de seu amigo. Suas palavras tornaram-se uma armadilha. Ele foi apanhado como se fosse um pássaro impotente na rede do credor. Era um homem arruinado, a menos que algo bastante incomum acontecesse. Por isso, ele correu para o mestre a fim de perguntar como poderia sair da cova onde havia caído. "As palavras preso e enredado (vs. 5) indicam que o homem, ao aceitar a responsabilidade pela dívida sobre a qual se cobravam altos juros, colocou-se em uma situação financeira da qual não tinha controle (vs. 3). Ao concordar em assinar, mediante uma promessa verbal, ele caiu em tribulação séria" (Sid S. Buzzell, *in loc.*). "Até aqui era um homem livre, mas agora está preso. Jovens descuidados pensam que proferir algumas poucas palavras e dar a mão a apertar-se de maneira superficial, solucionam todas as coisas. Esses se esquecem de quanto peso pode haver em uma afirmação aligeirada" (Fausset, *in loc.*). "Dá o que puderes, mas exceto em casos extremos, não te tornes fiador de ninguém" (Adam Clarke, *in loc.*).

Experiência Pessoal. Em meus trinta anos como professor universitário da UNESP, por muitas vezes tornei-me fiador de estudantes, pelas propriedades por eles alugadas. Naturalmente, houve dores de cabeça. Em um dos casos, os estudantes deixaram o apartamento em péssimo estado e vários reparos tinham de ser feitos. Eles tinham usado um dos dormitórios para fazer churrasco e haviam queimado o soalho a ponto de este não ser mais utilizável. O soalho inteiro precisou ser substituído. Em um outro caso, o apartamento foi tão danificado que a coisa toda precisou ser refeita. O proprietário, confuso com aqueles estudantes devido às leis do aluguel, contentou-se em fechar o seguinte acordo: eles simplesmente sairiam e cuidariam dos reparos. Em ambos os casos, fui chamado ao tribunal como fiador e considerado responsável pelo pagamento dos danos; mas em ambos os casos fui livrado de ter de fazer os pagamentos pela decisão de bons proprietários. Estudantes que queiram alugar apartamentos? Nunca mais! Por outra parte, a maioria dos estudantes cumpria as suas promessas, pagava os aluguéis e cuidava razoavelmente dos apartamentos. Um dos estudantes disse-me que apenas três professores tinham coragem de tornar-se fiadores, e eu era um deles. Minhas experiências mostram-me a razão disso.

6.3

עֲשֵׂה זֹאת אֵפוֹא בְּנִי וְהִנָּצֵל כִּי בָאתָ בְכַף־רֵעֶךָ לֵךְ הִתְרַפֵּס וּרְהַב רֵעֶיךָ:

Agora, pois, faze isto, filho meu. Ver as notas expositivas sobre isso, no vs. 1. O pai espiritual dava conselhos financeiros ao filho espiritual, e esses conselhos resultam em um apelo à piedade do proprietário, o homem rico e dotado de poder para fazer qualquer coisa que queira. A lei estava, definitivamente, do lado do credor. O homem que fizera promessas precipitadas não podia alterá-la, mas era capaz de tocar no coração do credor para que este não a aplicasse rigidamente.

A Abordagem Humilde. Os homens gostam de ser arrogantes e fazer ameaças. Algumas vezes, porém, uma abordagem humilde funciona melhor. Não precisamos então ser humildes no coração, mas tão somente com palavras cuidadosamente escolhidas. O jovem, neste caso, foi aconselhado a ser humilde e a implorar.

Importuna. Literalmente, no hebraico, temos um verbo que significa "cerca". Se o homem quisesse livrar-se daquele local apertado, teria de fazer um esforço geral, chorando e pleiteando. Se uma ave caísse presa em uma rede, faria qualquer coisa para livrar-se, pois sua vida estaria em perigo. A vida financeira do fiador estava em perigo. Ele tinha sido um negociante imprudente. O remédio teria de ser dado de graça, e não alicerçado sobre a lei, e nisso há uma lição espiritual embutida. É natural, pois, que este versículo seja cristianizado para falar das condições de penúria do pecador, enquanto se estiver apelando para a lei.

6.4

אַל־תִּתֵּן שֵׁנָה לְעֵינֶיךָ וּתְנוּמָה לְעַפְעַפֶּיךָ׃

Não dês sono aos teus olhos. O caso era urgente. O estudante insensato não podia quedar-se a esperar que as coisas se resolvessem automaticamente, sem esforço. O homem tinha apenas uma esperança, que consistia em conseguir alguma mudança no coração do credor. O homem "humilde" tinha de perder o sono até completar seu trabalho, uma hipérbole oriental que indica tomar decisões imediatas e decisivas, e não que o homem não podia deitar-se na cama enquanto o seu problema não fosse resolvido. Cf. Sl 132.4 quanto a uma declaração similar.

6.5

הִנָּצֵל כִּצְבִי מִיָּד וּכְצִפּוֹר מִיַּד יָקוּשׁ׃ פ

Exemplos a Serem Seguidos no Reino Animal. A tensão financeira do homem se exemplificava no reino animal. A gazela e os pássaros não são criaturas inteligentes como o homem, mas seu cérebro em miniatura, tipo computador, contém informações suficientes para saber quando a vida está sendo ameaçada. Eles conhecem alguns truques e, ocasionalmente, sabem escapar das redes, ou então, quando apanhados nas armadilhas preparadas para eles, conseguem livrar-se. O lobo pode roer parte de sua perna quando é apanhado em uma armadilha. É melhor perder parte da perna do que perder a vida. "... uma ave não tem pouca consideração para com a sua liberdade" (Fausset, *in loc.*), e, realmente, sem a liberdade, o homem terá perdido sua possessão mais preciosa. A essência dos esforços do estudante para libertar-se era mostrar-se humilde e clamar, pleitear, implorar, até que o homem com poder e dinheiro não aplicasse a lei, conforme poderia fazer. Provavelmente, o credor não perdoaria a dívida toda, mas poderia baixá-la até o ponto em que o fiador conseguisse fazer o pagamento.

Advertência contra a Preguiça (6.6-11)

6.6

לֵךְ־אֶל־נְמָלָה עָצֵל רְאֵה דְרָכֶיהָ וַחֲכָם׃

O autor mudou de assunto, mas continuou a advertir sobre questões financeiras. Mais frequente que o problema do fiador, abordado nos vss. 1-5, é o da pobreza produzida pela negligência e preguiça. Em ambos os casos, a sabedoria é um auxílio do homem, e havia declarações sábias que os mestres podiam manipular para tentar ajudar aos que estivessem enfrentando outro tipo de angústia financeira.

Vai ter com a formiga. Há no *Dicionário* um artigo chamado *Formiga*, que apresenta material que pode ser usado para ilustrar a presente seção. A despeito de seu minúsculo tamanho e fraqueza (ver Pv 30.25), as formigas são trabalhadoras diligentes e conseguem sobreviver galhardamente, seja qual for a sua espécie. Elas atacam quando o ferro ainda está quente, conforme dizemos em uma expressão idiomática moderna, fazendo provisões completas para os meses frios do inverno, quando o tempo se torna menos propício para juntar alimentos. Em contraste com as formigas, os homens, presumivelmente fortes e inteligentes, sofrem para simplesmente sobreviver, com frequência por causa de uma desavergonhada preguiça.

Ó preguiçoso. No hebraico, *'acel*. Esta palavra hebraica confina-se ao livro de Provérbios. Significa preguiça e negligência física, mas pode ter outras conotações. Em Pv 15.19, esse homem é contrastado com o homem reto, subentendendo que há algum pecado, na vida do preguiçoso, que o faz ser o que é. Ou então a preguiça é chamada pecado, ou ambas as coisas. O homem preguiçoso é um irresponsável (ver Pv 30.25). Quanto aos usos dessa palavra, ver Pv 6.6,9; 10.26; 13.4; 20.4 e 26.16. Ver no *Dicionário* os verbetes chamados *Preguiça* e *Preguiçoso*. Cf. Pv 22.13 e 24.30-34.

Como é óbvio, a preguiça é um problema social. Se a pobreza tem muitas causas, uma delas é que certas classes de pessoas não têm o desejo de trabalhar nem podem ser inspiradas a fazê-lo. Elas preferem a pobreza ao trabalho. Ver no *Dicionário* o verbete denominado *Pobre, Pobreza*. Há pessoas tão preguiçosas que, se apanham um pouco de alimento com uma das mãos, acabam não comendo, por serem preguiçosas demais para levá-lo à boca (ver Pv 19.24).

"O ócio é apenas o refúgio das mentes fracas e o feriado dos insensatos" (Lord Chesterfield). Os homens são perseguidos por muitas pragas, e a que é desculpada mais facilmente é a praga da inatividade infrutífera.

6.7

אֲשֶׁר אֵין־לָהּ קָצִין שֹׁטֵר וּמֹשֵׁל׃

Não tendo ela chefe, nem oficial, nem comandante. As pessoas preguiçosas deveriam ser inspiradas pelas formigas. Nas notas expositivas sobre este versículo e o seguinte, o leitor poderá acompanhar algumas questões importantes nos dois pontos abaixo:

1. Sem líder evidente. As formigas, de pleno acordo, concordam em fazer o que precisa ser feito. A maioria dos homens, para trabalhar, precisam de alguém que lhes diga o que fazer.

Pesquisas modernas demonstram que as formigas dispõem de um intrincado sistema de organização, mas não é claro que elas comuniquem seu sistema umas às outras. Um formigueiro é um lugar muito atarefado. Todos os membros do formigueiro trabalham. Portanto, é verdade o que diz Poor Richard, em seu *Almanaque*: "Ninguém prega melhor do que a formiga, e, no entanto, ela nada diz". Já o homem preguiçoso diz: "Há um leão nas ruas" (ver Pv 26.13). E assim o preguiçoso nada tenta, pois engana-se e desiste antes mesmo de começar.

Chefe... oficial... comandante. Talvez o autor sagrado quisesse comunicar os tipos de poderes que os governantes exercem sobre o povo: o sistema judicial, a polícia e o poder executivo sobre uma comunidade. Ou, simplesmente, talvez tenha multiplicado palavras que implicam autoridade somente para dizer-nos que as formigas nada têm de análogo e, no entanto, são capazes de envidar um esforço coordenado que lhes salva a vida. Quanto mais podem fazer os homens com seu intrincado sistema de líderes?

TRABALHO E PREGUIÇA

Vai ter com a formiga, ó preguiçoso,
considera os seus caminhos,
e sê sábio. Não tendo ela chefe,
nem oficial, nem comandante,
no estio prepara o seu pão,
e na sega ajunta o seu mantimento.

Provérbios 6.6-8

A DESGRAÇA DA PREGUIÇA

Na civilização não há lugar para o ocioso.

Henry Ford

Dentre todas as nossas faltas, aquela que desculpamos mais facilmente é o ócio!

François de la Rochefoucauld

O homem sem ambição é como a mulher sem beleza.

Frank Harris

6.8

תָּכִין בַּקַּיִץ לַחְמָהּ אָגְרָה בַקָּצִיר מַאֲכָלָהּ׃

No estio prepara o seu pão. O autor sacro continua aqui a mostrar as qualidades da formiga, que deveriam inspirar as pessoas preguiçosas:

2. A provisão diligente para o futuro, trabalhando no presente propício, é uma característica da formiga, que as pessoas preguiçosas não seguem. Os meses frios seriam fatais para as formigas, caso elas não fizessem estoque de alimentos para o inverno. As formigas trabalham durante o verão e dão toques finais nos preparativos durante o outono, isto é, o tempo da colheita, justamente antes de iniciar o frio. A Septuaginta e outras versões parecem

pensar que é um erro deixar de fora do quadro a industriosa abelha, pelo que insuflam esse inseto no texto sacro, mas certamente isso é apenas uma glosa. Era costume, entre os árabes, pôr uma formiga na mão de uma criança recém-nascida e proferir bênçãos como: "Que este menino cresça para ser um homem esperto!" Mas os preguiçosos não se importam em ser espertos como as formigas. Plínio (*História Natural* 1.11.cap. 30) dá-nos um exemplo da esperteza das formigas. Elas mordem as pontas das sementes para que não cresçam, mas permaneçam alimentos para serem guardados durante o inverno. John Gill (*in loc.*) recomendava que os jovens, que têm a juventude e a força ao seu lado, juntassem riquezas para a idade avançada e períodos de enfermidade. Por certo essa é uma coisa que as pessoas poderiam fazer, e que os modernos planos de pensão têm atrapalhado tanto. Mas algumas pensões de aposentadoria são tão pequenas que até uma pessoa que formalmente se aposenta de algum trabalho realmente não conta com coisa alguma para terminar seus anos. Tais pessoas acabam dependentes de seus filhos ou da caridade pública. Algumas terminam em total angústia e pobreza abjeta.

■ 6.9

עַד־מָתַי עָצֵל ׀ תִּשְׁכָּב מָתַי תָּקוּם מִשְּׁנָתֶֽךָ׃

Ó preguiçoso, até quando ficarás deitado? A partir deste versículo, o mestre deixa de lado a metáfora sobre as formigas e ataca diretamente o homem preguiçoso. Tal homem faz bem algumas coisas, como dormir e comer. Ali está ele agora, dormindo. Descansa por nada ter feito. O mestre procura despertá-lo do sono, mas ele continua deitado ali. Ainda não morreu de inanição porque alguém tem misericórdia dele, dando-lhe o bastante para comer. Ele possui pouco dinheiro, também dado pela caridade alheia, mas se encaminha rapidamente para a mais severa pobreza (vs. 11). As pessoas acabarão cansando de dar dinheiro a ele, sem resultado positivo algum. Esse homem dorme durante a noite e também durante o dia. Em contraste com tal homem, as formigas trabalham até durante a noite, à luz da lua. "O tempo não deve ser passado dormindo, com a negligência dos negócios desta vida, e certamente não com a negligência das realidades espirituais e da vida vindoura. Os homens não devem mostrar-se ociosos, nem nas coisas físicas nem nas coisas espirituais" (John Gill, *in loc.*).

> Não há lugar na civilização para o preguiçoso;
> Nenhum de nós tem direito ao lazer.
>
> Henry Ford

■ 6.10

מְעַט שֵׁנוֹת מְעַט תְּנוּמוֹת מְעַט ׀ חִבֻּק יָדַיִם לִשְׁכָּֽב׃

Um pouco para dormir, um pouco para toscanejar. Este versículo refaz ironicamente o vs. 9. O homem preguiçoso estava praticamente cataléptico. A carreira dele era feita do ato de dormir. O mestre gritou para ele, e ele conseguiu mexer-se um pouco. Mas logo recaiu no sono, dobrando as mãos sobre o peito, atitude de quem estava para dormir "um longo sono de inverno", conforme diz certo cântico de Natal. Esse homem sem dúvida tinha um problema tanto de atitude quanto de motivação.

O Ato Mais Preguiçoso Já Feito por um Homem. Um industrioso vendedor viajava velozmente em seu carro para certo destino. Mas ele fez uma curva errada e terminou em uma estrada que não lhe era familiar. Em breve estava inteiramente perdido. Viu um homem deitado debaixo de uma árvore, pelo que parou, dirigiu-se a ele e pediu orientação. O homem não se moveu de sua posição deitada, mas levantou uma das pernas e, com o artelho grande do pé, apontou para o lado certo. O industrioso vendedor disse a ele: "Se você me puder mostrar um ato mais preguiçoso do que esse, eu lhe darei cinco dólares". O preguiçoso replicou: "Basta que você me role de barriga para baixo e ponha os cinco dólares no bolso de trás".

■ 6.11

וּבָֽא־כִמְהַלֵּךְ רֵאשֶׁךָ וּמַחְסֹרְךָ כְּאִישׁ מָגֵֽן׃ פ

Assim sobrevirá a tua pobreza como um ladrão. O homem era um vagabundo, alguém que saiu de alguma rua deserta, inesperadamente. Mas alguns estudiosos apontam para uma pessoa má, que andava à caça de alguma má ação para praticar, um mero ladrão. Ou então a figura era simplesmente de alguém que viajava passo a passo, até que, finalmente, chegou ao seu destino. Nesse caso, está em foco a inevitabilidade da chegada da pobreza. Ellicott diz aqui: "Alguém que se move rapidamente", e então aponta para Sl 104.4, que fala sobre Deus "movendo as asas do vento". Enquanto o preguiçoso dorme, a pobreza ocorre rapidamente a ele. Quando, finalmente, ele acorda, a pobreza será sua companhia constante e indesejada.

Como um homem armado. Ele seria atacado e destruído por um soldado, mostrando-se indefeso. Ou então um ladrão armado pode estar em vista. Seja como for, a incapacidade de defender-se do que possa acontecer eventualmente está sendo enfatizada. As versões da Septuaginta, da Vulgata e árabe tentam dar alguma esperança ao homem, com outra exortação feita pelo mestre: "Mas se fores diligente, tua colheita será como uma fonte, e a pobreza fugirá para longe de ti", o que certamente é uma glosa. Ver as declarações sobre os vss. 10 e 11, que se repetem em Pv 24.33,34.

DÉCIMO SEGUNDO DISCURSO: VALOR DA SABEDORIA PARA SALVAR DA DISSENSÃO (6.12-19)

Encontramos aqui o décimo segundo discurso dentre os dezesseis que constituem o primeiro livro de Provérbios (1.8—9.18). Certas pessoas enganadoras e naturalmente descontentes costumam despertar a contenda como um passatempo. Elas se engajam em sete pecados específicos que são odiosos para Deus (ver os vss. 16-19). Os desastres comunais resultam da obra impensada delas. O homem perverso, para despertar as dissensões que tanto aprecia, se rebaixará e mentirá para conseguir seus propósitos distorcidos. Mediante olhares furtivos e referências crípticas, ele dá a impressão de que sabe mais do que realmente sabe, e o que ele sabe tem poder de criar sentimentos maus na comunidade. "Por onde quer que vá, tal pessoa lança suspeitas e cria discórdias entre os seus conhecidos. É a perdição da sociedade" (Charles Fritsch, *in loc.*).

■ 6.12

אָדָם בְּלִיַּעַל אִישׁ אָוֶן הוֹלֵךְ עִקְּשׁוּת פֶּֽה׃

O homem de Belial, o homem vil. É um homem vil aquele que faz o que será descrito. De fato, é um "homem de Belial" (o hebraico literal da segunda descrição). No judaísmo posterior, *Belial* é um dos nomes de Satanás personificado. Ver sobre esse termo no *Dicionário*. Mas aqui a sua raiz significa "uma pessoa sem valor", um homem depravado. Esse homem tem uma boca torta, uma boca que fala mentiras e calúnias, procurando alguma coisa maliciosa para proferir contra outras pessoas. Tal pessoa sente prazer em falsos rumores que causam dissensão entre os homens. Ele "anda ao redor com calúnias" (Sl 73.9) e sai ferindo as pessoas e assassinando a reputação delas. Cf. Pv 2.15 e 4.24; e a última dessas duas referências dá uma ordem direta contra tais atos. Esse homem é um técnico em linguagem pervertida. Ver no *Dicionário* o verbete intitulado *Linguagem, Uso Apropriado da*. Ver sobre *Belial* também em Pv 16.27 e 19.28. Cerca de cem versículos do livro de Provérbios tratam do uso da linguagem.

■ 6.13

קֹרֵץ בְּעֵינָיו מֹלֵל בְּרַגְלוֹ מֹרֶה בְּאֶצְבְּעֹתָֽיו׃

Acena com os olhos, arranha com os pés. Esse homem tem vários gestos perversos que sugerem que ele sabe mais do que faz, e aquilo que ele faz está condenando outras pessoas. Ele tem seus pequenos segredos que, se forem revelados, semearão a dissensão, e ele espera pelos momentos mais dramáticos para dizer alguma coisa que choque o ouvinte.

Os três sinais ou gestos são os seguintes:

1. Ele pisca um olho como quem sabe das coisas e diz: "Espere somente que eu lhe diga o que sei sobre um homem que você achava que era bom".
2. Então ele faz certos gestos tolos com os pés para que você possa notar. Ele sacode os pés, o que subentende que ele conhece algum grande segredo. Não temos esse gesto em nossa sociedade ocidental, pelo que não possui significação para nós.
3. Ele faz gestos com os dedos, como apontar o dedo indicador para alguém; com esse gesto, a nossa sociedade está familiarizada. Alguns eruditos pensam que os sinais aqui referidos são feitos

conspiradores que perfazem esse grupo maléfico e lhes dizem quando mover-se para fazer alguma vítima. Mas os ataques parecem ser verbais, e não atos de violência física.

■ 6.14

תַּהְפֻּכוֹת ׀ בְּלִבּוֹ חֹרֵשׁ רָע בְּכָל־עֵת מִדְיָנִים יְשַׁלֵּחַ׃

No seu coração há perversidade. Esse homem dá sinais externos de sua corrupção interior, visto haver perversidade em seu coração. Ela haverá de manifestar-se de várias maneiras. O homem está constantemente inventando alguma maldade para dizer ou fazer, maquinando o mal. Vive constantemente semeando contendas, sem nenhum motivo (ver Pv 3.30, quanto a notas expositivas completas). "Não contendas com um homem, sem motivo". Isso é o que nos diz a sabedoria, mas esse homem vil desfruta de contenção e de brigas. É um jogo doentio que ele joga *ad nauseum*. "A dissensão (Pv 6.19) é causada pelo ódio (10.12) e pelo temperamento descontrolado (15.18), pela perversidade (16.28), pela ganância (28.25) e pela ira (29.22). Cf. também Pv 17.1; 18.6; 20.3; 22.10; 23.29; 26.21 e 30.33.

Anda semeando contendas. Ele é como um agricultor perverso e louco que propositadamente sai a semear ervas daninhas, plantas prejudiciais e venenosas em lugar de boas sementes. Tal homem seria expulso de sua comunidade, mas agricultores de boca suja se movem livremente entre nós e até reúnem discípulos.

O Targum dá aqui um simbolismo diferente, fazendo o homem "projetar brasas de fogo" que causam muitos incêndios. Em outras palavras, o homem é um incendiário.

■ 6.15

עַל־כֵּן פִּתְאֹם יָבוֹא אֵידוֹ פֶּתַע יִשָּׁבֵר וְאֵין מַרְפֵּא׃ פ

Pelo que a sua destruição virá repentinamente. Esse homem terá uma má colheita, pessoalmente, visto que tem semeado semente má em detrimento de seus semelhantes. Ver no *Dicionário* o artigo chamado *Lei Moral da Colheita segundo a Semeadura*. Ele tinha saído disfarçadamente, tentando prejudicar outras pessoas com suas contendas sem causa, ou seja, sem motivo real. Mas o seu julgamento se dará abertamente, publicamente, decisivamente. Alguma calamidade haverá de sobrevir-lhe: ele será assaltado, ferido e morto; adquirirá alguma doença temível; ou sofrerá algum acidente. Ele morrerá de morte prematura, e Deus será a causa de seu fim. Ele será julgado sem remédio. Em outras palavras, nunca se recuperará daquilo que emprega total incapacidade ou morte. Esse homem vil será executado pela mão de Deus. "A queda desse homem é rápida, completa e certa" (Sid S. Buzzell, *in loc.*). "Ele será como um vaso de barro que se quebrou, e, uma vez quebrado, não mais poderá ser emendado. A ruína desse homem é súbita, inevitável e irreparável" (John Gill, *in loc.*).

Advertência contra Sete Pecados Mortais (6.16-19)

■ 6.16

שֶׁשׁ־הֵנָּה שָׂנֵא יְהוָה וְשֶׁבַע תּוֹעֲבַת נַפְשׁוֹ׃

Seis cousas o Senhor aborrece. A atividade do safado que acaba de ser descrito trouxe à mente do mestre aqueles pecados comuns, mas fatais, que homens pervertidos tão frequentemente cometem. Essas seis coisas, que logo se transformam em sete, compõem um artifício literário que também pode ser visto no capítulo 30 do livro de Provérbios e nos *Provérbios de Ahikar* e na literatura ugarítica. A progressão de seis coisas para sete tem por intuito chamar nossa atenção, o que realmente consegue fazer, subentendendo que o autor está provendo uma lista completa (representativa) de coisas que Deus aborrece. Cf. Am 1 e 2. Essa lista enfatiza a abominação envolvida em tal iniquidade. Ver Pv 3.32 quanto a isso. O texto sagrado, como é óbvio, refere-se a Deus como quem vê e sabe, e então age. Ele não se mostra indiferente para com o que os homens fazem. Ele abençoa os bons e retalia contra os feitos dos ímpios. É um Deus teísta, e não um Deus deísta. Em outras palavras, Deus é o Criador que não abandonou a sua criação, mas recompensa, castiga, intervém e aplica tanto sua providência negativa quanto sua providência positiva. Ver no *Dicionário* o artigo chamado *Teísmo*. O *Deísmo* (ver também no *Dicionário*) ensina que o Poder criador abandonou a criação aos cuidados das leis naturais.

"Ele aborrece seis coisas, mas a sétima é pior do que todas. Essa forma numérica de provérbio, intitulada *middah*, também foi empregada por escritores posteriores e pode ser encontrada em Pv 30.1,16,18,21,22,23,29-31; Jó 5.19; Am 1.3—2.1; Eclesiástico 23.16; 25.7; 26.5,38" (Ellicott, *in loc.*).

■ 6.17-19

עֵינַיִם רָמוֹת לְשׁוֹן שָׁקֶר וְיָדַיִם שֹׁפְכוֹת דָּם־נָקִי׃

לֵב חֹרֵשׁ מַחְשְׁבוֹת אָוֶן רַגְלַיִם מְמַהֲרוֹת לָרוּץ לָרָעָה׃

יָפִיחַ כְּזָבִים עֵד שָׁקֶר וּמְשַׁלֵּחַ מְדָנִים בֵּין אַחִים׃ פ

Olhos altivos, língua mentirosa. Há sete coisas que Deus abomina. Cf. estes pontos:

1. *Olhos altivos.* Ver Pv 30.13. Note como várias partes do corpo são empregadas para produzir o ensino. O homem mau emprega tudo quanto é e tem para praticar seus atos maus. Quanto aos *olhos altivos*, que significam que o homem tem um coração altivo, ver Pv 8.13; 30.13; Sl 18.27 e 101.5. Ver também 1Pe 5.5 e Mt 5.3. "... o olhar altivo, o desdém contra outros, considerados indignos de ser olhados, pois o indivíduo tinha-se em alta conta, o pecado dos anjos, o pecado por trás da queda: o orgulho, a primeira das sete coisas aborrecidas a serem listadas" (John Gill, *in loc.*, com algumas adaptações).

2. *Língua mentirosa.* Apanhando o que acabava de ser descrito com detalhes, nos vss. 13-16. Ver no *Dicionário* o artigo chamado *Mentira (Mentiroso)*, quanto a plenas anotações sobre a ideia. Cf. Pv 12.19; 21.6 e 26.28. Esse é um dos pecados mais comuns entre os homens, embora muitos o considerem uma falta leve. De fato, é referido entre sorrisos e piadas. Mas Deus aborrece tal pecado e, para ele, esse pecado é abominável.

3. *Mãos que derramam sangue inocente.* Os culpados são assassinos. Ver Pv 1.11,12 quanto a uma vívida descrição. Cf. Pv 1.16; Is 1.15; Rm 3.15.

4. *Coração que trama projetos iníquos.* Está sendo descrito aqui o homem iníquo, cujo homem interior, o coração, a alma, é corrupto, o que se torna a fonte originária de todos os tipos de planejamento maligno, visando o benefício próprio em detrimento de outras pessoas. Tal homem inventa inúmeras imaginações, que são planos para a prática do mal. Ele dedica sua vida a traçar planos complicados, que produzam confusão. O homem corrupto é corrupto de dentro para fora. Não há nele sanidade espiritual. Ele é pútrido e espalha sua putrefação com alegria feroz. Cf. Gn 6.5. Más imaginações resultaram no julgamento do dilúvio. Cf. o vs. 14 deste capítulo, onde encontramos o mesmo tipo de pecado. Ver no *Dicionário* o verbete intitulado *Coração*.

5. *Pés que se apressam a correr para o mal.* Aquilo que é planejado no coração logo é posto em prática na realidade, pelos pés, os agentes dos movimentos corpóreos e das expressões externas. Esses pés ruins correm, em lugar de andar. A pessoa se vê ansiosa para praticar o mal. O homem tem uma mente criminosa. Tal homem desfruta do mal. Ver Pv 1.11 ss., onde vimos esse tipo de atitude e ação. Esses homens não cedem diante das tentações após um período de luta. Antes, já se entregaram ao mal. São escravos das concupiscências e de atos deprimentes. Vivem para prejudicar seus semelhantes. São pecadores profissionais. Pecar é a única razão de sua existência. Cf. Is 59.7; Rm 3.15. Essa gente opera obras de iniquidade com ganância e alegria.

Porque os seus pés correm para o mal, e eles se apressam a derramar sangue.

Provérbios 1.16

6. *Testemunha falsa que profere mentiras.* Temos aqui o pecado de dizer mentiras em tribunal, buscando prejudicar algum oponente. Ver Sl 27.12; Pv 19.5,9 e 27.12. Esse pecado desobedece ao Décimo Mandamento. Ver Êx 20.16; 23.1,7 e Dt 5.20.

7. *O que semeia contendas entre irmãos.* Cf. Pv 3.30, onde dou notas adequadas sobre a questão. Este é o sétimo pecado da lista e, presumivelmente, o pior de todos, embora não pareça haver uma

progressão de males menores para maiores, dentro dessa enumeração. Se semear a discórdia entre irmãos é algo terrível, e está sucedendo com tal frequência em nossas igrejas de hoje em dia, também podemos dizer que dificilmente é pior do que o assassinato (o terceiro pecado da lista, vs. 17). Quanto a como é desejável que reine a harmonia entre irmãos, ver a vívida passagem de Sl 133. Ver o vs. 14 deste capítulo quanto ao homem mau que semeia discórdias. Semear a discórdia "... quer em um relacionamento natural, quer em uma sociedade civil, quer na comunidade religiosa" (John Gill, *in loc.*).

A origem de todas as guerras, a fonte de todos os males está em nós.

Pierre Lecomte Du Nouy

Quão incrível é que, nesta frágil existência, nos odiemos e nos destruamos mutuamente. Existem possibilidades suficientes em todos nós que queiram abandonar o domínio sobre outras pessoas, para buscarmos o domínio sobre a natureza. O mundo é grande bastante para todos buscarem a própria felicidade à própria maneira.

Lyndon B. Johnson

DÉCIMO TERCEIRO DISCURSO: O VALOR DA SABEDORIA PARA SALVAR DA IMORALIDADE SEXUAL (6.20—7.27)

Este é o décimo terceiro dentre os dezesseis discursos que compõem o primeiro livro de Provérbios — 1.8—9.18. Por cinco vezes, no primeiro livro de Provérbios, o mestre (pai espiritual) adverte os seus alunos (seus filhos espirituais) contra os pecados sexuais. Ver Pv 2.16-19; 5.3-34; 6.20-35; o capítulo 7 inteiro; e 9.13-18, onde a insensatez, personificada como uma mulher, sugere o assunto, embora sem mencioná-lo especificamente. Esse tema obviamente atraía muita atenção.

Pv 6.20—7.27 é a mais longa seção do primeiro livro de Provérbios, e era apenas natural e até mesmo inevitável que atacasse o ponto mais fraco do homem, o apetite sexual, que está sujeito a toda espécie de perversão. As declarações de sabedoria falam francamente acerca desse pecado. Os hebreus não eram um povo pudico em demasia, e ninguém corava diante de afirmações salgadas. A sabedoria fala sobre a desilusão do amor ilícito, e sobre como o remorso sem dúvida se seguirá, o que pode incluir até uma morte amarga, o julgamento de Deus contra a perversão.

■ 6.20

נְצֹר בְּנִי מִצְוַת אָבִיךָ וְאַל־תִּטֹּשׁ תּוֹרַת אִמֶּךָ:

Filho meu, guarda o mandamento de teu pai. O mestre (o pai espiritual do estudante) relembrou o filho espiritual sobre como sua mãe e seu pai biológicos lhe tinham dado certos ensinamentos vitais, incluindo os que dizem respeito aos pecados sexuais. Portanto, raramente essas instruções resultam em grande bem. Elas não podem impedir as tentações, e poucos filhos tentam fazer as tentações cessar, quando elas, finalmente, aparecem. Isso, entretanto, não isenta mães e pais de falarem as palavras certas sobre a questão, na esperança de que suas palavras surtam um bom efeito. Quanto às cinco passagens que falam dos pecados sexuais no primeiro livro de Provérbios, ver as notas de introdução à presente seção. O mestre tentou reforçar os próprios ensinos, lembrando ao seu estudante que seu pai e sua mãe já lhe haviam dito coisas semelhantes. Por conseguinte, a atenção do aluno foi chamada, de maneira especial, para esses ensinos. Cf. Pv 1.8, onde o mesmo método de instrução é empregado. O estudante já havia sido treinado em casa, antes de chegar à escola do mestre.

■ 6.21

קָשְׁרֵם עַל־לִבְּךָ תָמִיד עָנְדֵם עַל־גַּרְגְּרֹתֶךָ:

Ata-os perpetuamente ao teu coração. O estudante foi aqui convidado a atar os ensinos recebidos ao seu homem interior, ao seu coração, à sua consciência, à sua alma, na esperança de que essas instruções, na hora do teste, o salvassem dos pecados sexuais. Mas coisa alguma é dita a respeito do ministério do Espírito Santo. As declarações sábias foram concebidas como suficientes para guiar na vida reta, a saber, a aplicação da lei como guia (Dt 56.4 ss.). Contudo, a palavra *coração* implica mais do que o mero aprendizado intelectual e o assentir mental ao valor da verdade das declarações. Deve-se presumir que algo mais profundo esteja em pauta. Pv 3.3 é bastante similar, e as notas expositivas a respeito servem para ilustrar a passagem presente. Ver também Pv 7.3. Cf. este versículo com Dt 6.6-8.

■ 6.22

בְּהִתְהַלֶּכְךָ תַּנְחֶה אֹתָךְ בְּשָׁכְבְּךָ תִּשְׁמֹר עָלֶיךָ וַהֲקִיצוֹתָ הִיא תְשִׂיחֶךָ:

Quando caminhares, isso te guiará. Uma vez ligadas ao homem, as declarações de sabedoria, que são comentários sobre a lei mosaica, serão o seu guia e norma orientadora. Quando ele sair, terá a lei como seu companheiro; outro tanto quando se deitar; e quando estiver dormindo, igualmente, pois até mesmo então os mandamentos cuidarão dele, instruindo até sua mente subconsciente e seus sonhos. As declarações de sabedoria serão seu companheiro de todos os instantes e, dessa maneira, haverão de resguardá-lo de desviar-se para as coisas proibidas a que o coração humano, tendente ao desvio, naturalmente se inclina.

Tu me guias com o teu conselho, e depois me recebes na glória.
Salmo 73.24

O seu prazer está na lei do Senhor, e na sua lei medita de dia e de noite.
Salmo 1.2

Quanto ao que a lei, supostamente, significava para os hebreus, ver a nota de sumário em Sl 1.2. Quanto à lei de Moisés como o guia da vida de um homem, ver Dt 6.4 ss.

A lei é aqui apresentada como "uma enfermeira, uma mestra, uma guardiã, de dia e de noite. Um homem reto avança dirigido pela Palavra de Deus e guiado pelo seu Espírito" (Adam Clarke, *in loc.*).

Jarchi espiritualizou este versículo, fazendo o sono corresponder à morte. O homem continua ali sob a mão de Deus, e recebe a vida eterna.

■ 6.23

כִּי נֵר מִצְוָה וְתוֹרָה אוֹר וְדֶרֶךְ חַיִּים תּוֹכְחוֹת מוּסָר:

Porque o mandamento é lâmpada e a instrução luz. Mediante o uso de três palavras para indicar a lei, o autor sacro enfatiza a sua mensagem. Cada título recebe sua devida função:

1. O mandamento é uma lâmpada que ilumina o caminho do homem bom. Sua vereda é iluminada. Quanto a esse conceito, ver Pv 4.18. A palavra para "mandamento", neste passo bíblico, é *torah*, usada para a lei e para os livros da lei, o Pentateuco. A palavra "lâmpada", aqui usada (no hebraico, *ner*), significa basicamente uma lamparina, o tipo de lâmpada mais comum conhecida pelos antigos. Ver Sl 119.105 quanto a uma declaração similar.

2. A instrução (no hebraico *miçwah*), que é a interpretação da lei, é luz (iluminação, luminária). Os ensinos, dados com as devidas interpretações, proveem luz para a vereda pela qual segue o homem bom.

3. As repreensões da disciplina são a vereda, isto é, o caminho da vida. Em outras palavras, a lei, sob várias considerações, é vista como tudo-em-tudo para os hebreus, tal como Cristo é para os cristãos. "Para mim, o viver é Cristo" (Fp 1.21). A repreensão conserva o homem na vereda certa, e ele evitará a vereda do homem maligno. Quanto às duas veredas contrastadas, ver Pv 1.14 ss.; 2.8,9,18-20. Ver a *tríplice designação da lei*, em Dt 6.1. Quanto aos dez designativos aplicados à lei, ver a introdução ao Salmo 119.

"A disciplina (ver Pv 1.2,7), embora dolorosa (ver Hb 12.11), ajuda a conservar a pessoa na vereda certa, levando-a ao caminho da vida" (Sid S. Buzzell, *in loc.*).

■ 6.24

לִשְׁמָרְךָ מֵאֵשֶׁת רָע מֵחֶלְקַת לָשׁוֹן נָכְרִיָּה:

Para te guardarem da vil mulher. Depois de uma elaborada introdução (vss. 20-23), o mestre chega agora ao ponto central desta seção: as declarações da sabedoria, uma expressão da lei, se forem corretamente acolhidas e observadas, entrando no coração do indivíduo, podem salvá-lo de pecados sexuais. Esse tema foi enfatizado no capítulo 2 (vss. 16-19), bem como no capítulo 5 (vss. 3-23). Será o assunto abordado pelo capítulo 7, em sua inteireza; e então reaparecerá novamente (por inferência) em Pv 9.13-18.

Vil mulher. A mulher sedutora, a prostituta, a adúltera. É curioso que, em todas as passagens que exortam contra os pecados sexuais, não há nenhuma instrução para o homem não tentar seduzir a mulher, o que, obviamente, é o problema número um no jogo do sexo. É difícil acreditar que, na antiguidade, os homens fossem puros, e as mulheres fossem corruptas. Na literatura da sabedoria há certo preconceito contra as mulheres, de modo que, com frequência, elas são retratadas como sensuais, ao passo que os homens aparecem como vítimas dos encantos e dos esquemas delas. Pv 2.16 é virtualmente igual a este versículo, pelo que convido o leitor a examinar aquela passagem. Pv 7.5 é outra repetição virtual dessas mesmas palavras.

O USO APROPRIADO E INAPROPRIADO DA LINGUAGEM EM PROVÉRBIOS

Usos Perversos

- Mentiras: 6.16, 17; 12.19; 17.4; 19.5; 21.6; 26.28
- Calúnia: 10.18; 30.10
- Mexerico: 11.13; 16.28; 20.19; 26.20,22
- Falando demais: 10.8; 17.28; 18.2; 20.19
- Testemunha falsa: 12.17; 14.5; 21.28; 25.18
- Escárnio: 13.1; 14.6; 15.12; 17.5; 19.29; 21.11; 22.10; 24.9; 30.17
- Palavras ásperas e cortantes: 10.31; 12.18; 14.3; 15.1; 17.4; 19.1,28
- Jactância: 17.17; 20.14; 25.14; 27.1,2
- Brigas: 13.10; 15.18; 17.14; 19.13; 20.3; 21.9; 22.10; 25.24
- Engano: 7.19,20; 12.2; 15.4; 25.23
- Lisonja: 26.28; 28.23; 29.5
- Conversa leve, ignorante e tola: 14.7; 15.2; 18.6,7

Usos Saudáveis

- Encorajamento dos outros 10.11; 12.14; 15.4; 18.4, 20,21
- Palavras de sabedoria para instruir: 10.13; 14.3; 15.2; 16.10; 20.15
- Poucas palavras selecionadas para encorajar e instruir outros: 10.19; 11.12; 13.3; 17.27
- Palavras gentis e apropriadas para qualquer situação de necessidade: 10.32; 12.25; 15.1; 16.24; 25.11,15
- Palavras de verdade para repreender, instruir e encorajar: 12.17; 14.5,25
- Palavras cuidadosamente selecionadas para aplicar a qualquer situação: 13.3; 15.28; 16.23; 21.23

■ **6.25**

אַל־תַּחְמֹד יָפְיָהּ בִּלְבָבֶךָ וְאַל־תִּקָּחֲךָ בְּעַפְעַפֶּיהָ׃

Não cobices no teu coração a sua formosura. Vamos encarar de frente a questão — os homens se sentem tremendamente atraídos pela beleza das mulheres; e enfrentemos a questão diretamente: apreciar essa beleza (que é real!) já é um ato sexual, porquanto é difícil, se não mesmo impossível, separar os pensamentos sexuais da apreciação da beleza feminina. Jesus recomendou que não desejássemos as mulheres (ver Mt 5.28), e presumimos que isso é possível, mas não parece haver exemplos vivos ao derredor, para os quais possamos apontar e dizer: "Ele conseguiu!" — isto é, ele chegou ao ponto de olhar para mulheres bonitas e não desejá-las. Certa ocasião, ouvi um sermão no qual o pastor presumia que o primeiro olhar é inevitável. Mas um homem tem em seu poder não olhar segunda vez!

Tendo olhos cheios de adultério e insaciáveis no pecado.
2Pedro 2.14

Além de ser bonita, a jovem descrita neste versículo era sedutora e cheia de truques, e entre esses truques estava o que ela fazia com a língua, usando palavras suaves e de lisonja (vs. 24), bem como olhares de conquista que ela podia lançar, movimentando as pálpebras. As mulheres costumavam pintar as pálpebras e abaixo das sobrancelhas, que sempre estiveram entre as decorações femininas, e empregavam essas pinturas no jogo da sedução. Cf. 2Rs 9.30 e Ez 23.40.

Adam Clarke (*in loc.*) mencionou alguém que havia dito: "Os olhos delas parecem estar nadando na bem-aventurança". E, naturalmente, elas anelavam por compartilhar suas bênçãos com homens amigos.

Nem te deixes prender com as suas olhadelas. A jovem mulher preparava uma armadilha, e com que facilidade ela captura a sua presa! A imagem da armadilha significa, naturalmente, que a vítima morre no fim. A aranha viúva-negra encoraja o macho a ocupar-se no ato sexual, que a fertiliza para toda a vida, e então o mata e o come; mas, presumivelmente, ele morre feliz.

ANTES DE FALAR

Faz tudo passar diante de três portas de ouro:
As portas estreitas são: A primeira — É verdade?
Em seguida — É necessário? Em tua mente
Fornece uma resposta veraz. E a próxima
É a última e mais estreita — É gentil?
Se tudo chegar, afinal, aos teus lábios,
Depois de ter passado por essas três portas,
Então poderás relatar o caso, sem temeres
Qual seja o resultado de tuas palavras.

Beth Day

Não saia da vossa boca nenhuma palavra torpe, e, sim, unicamente a que for boa para edificação, conforme a necessidade, e assim transmita graça aos que ouvem.

Efésios 4.29

Um sobrinho de Henry James perguntou: "O que é que devo fazer com minha vida?" A resposta de James foi: "Há três coisas importantes nesta vida: Seja gentil. Seja gentil. Seja gentil".

■ **6.26**

כִּי בְעַד־אִשָּׁה זוֹנָה עַד־כִּכַּר לָחֶם וְאֵשֶׁת אִישׁ נֶפֶשׁ יְקָרָה תָצוּד׃ פ

Por uma prostituta o máximo que se paga é um pedaço de pão. Este versículo, de modo bastante interessante, contrasta a adúltera com a prostituta. O contato com uma prostituta é algo relativamente inofensivo. Em primeiro lugar, ela pode recolher para si mesma apenas um pão, em troca de seu serviço. Naturalmente, o autor está falando de mulheres de baixa categoria. Já Pv 5.9,10 conta outra história. Alguns envolvimentos com uma prostituta poderão custar a um homem seu dinheiro e suas propriedades, e até a própria vida. Naturalmente, estes versículos podem estar falando sobre a adúltera, e não sobre a simples prostituta. Um amigo missionário que trabalhou em um país latino-americano disse-me que na área onde ele trabalhava havia duas coisas baratas, "bananas e mulheres". Ao falar desses países latino-americanos, estamos falando das horrendas condições econômicas que forçam as mulheres a fazer quase qualquer coisa para conseguir dinheiro para sobreviver. Contudo, uma mulher adúltera sofisticada é outra questão. Ela não busca apenas o sexo. Quer o dinheiro de suas vítimas e continuará a perseguir o sujeito. Talvez ela continue casada e faça seu jogo com ou sem a aprovação do marido. Ela anda à cata da própria vida de suas vítimas, ou querendo uma relação duradoura, que custe muito no fim, ou usando o relacionamento como uma maneira de sobrevivência ou enriquecimento. Ela usará de ameaças: "Direi tudo a meu marido!" Ou então, se já se estiver separada do marido, empregará meios para obter tudo quanto puder. Essa mulher pode, eventualmente, levar um homem à ruína, conforme encontramos em Pv 2.18,19; 5.5,9,10,14; 7.22,23,26,27. "A imoralidade custa caro!" (Sid S. Buzzell, *in loc.*).

■ 6.27

הֲיַחְתֶּה אִישׁ אֵשׁ בְּחֵיקוֹ וּבְגָדָיו לֹא תִשָּׂרַפְנָה׃

Tomará alguém fogo no seio, sem que as suas vestes se incendeiem? Este versículo é um truísmo, sem importar se se refere ao fogo literal ou às chamas da paixão; o homem que aceitar qualquer dessas duas coisas certamente sairá queimado. Terríveis consequências devem ser esperadas de atos tão insensatos. Fazer sexo ilícito é brincar com fogo!

No seio. No caso das vestes, a dobra é aquela que se faz atravessando o seio e o colo. Como é óbvio, as vestes antigas tinham dobras, e não botões ou fechos de correr. No caso de roupas, o fogo deve ser considerado literal. No caso de uma mulher, entretanto, o fogo deve ser considerado figurado.

Disse Pitágoras: "É a mesma coisa cair no fogo do que cair em uma mulher" (Maximum, *Eclog.* cap. 39). As palavras hebraicas empregadas eram semelhantes quanto ao som: fogo é *esh*, e mulher é *ishah*.

■ 6.28

אִם־יְהַלֵּךְ אִישׁ עַל־הַגֶּחָלִים וְרַגְלָיו לֹא תִכָּוֶינָה׃

Ou andará alguém sobre brasas... ? Andando sobre o fogo. Sabemos hoje em dia que é possível caminhar por cima do fogo. Místicos orientais, alguns espíritas e até pessoas não religiosas, mediante meditação, têm sido capazes de fazer isso. Meu irmão, um missionário evangélico que trabalha no Suriname, também tem feito isso. Ele foi desafiado a tal coisa por um médico-feiticeiro que acabara de andar por sobre o fogo, no esforço de embaraçá-lo diante dos membros de sua igreja, para induzir o povo a abandonar a fé cristã. Sem preparação prévia (em contraste com os ritos a que o médico-feiticeiro se submetera), ele foi capaz de caminhar por cima de brasas vivas. Quando percebeu que seus pés não se queimavam, apagou as brasas com os pés descalços. Em seguida, na mesma ocasião, garrafas de cerveja foram quebradas e espalhadas ao redor, para que o médico-feiticeiro e meu irmão dançassem sobre os cacos de vidro. Ambos fizeram isso sem cortar os pés. E meu irmão disse que, quando viu que o vidro não estava cortando seus pés, pisou com força sobre os cacos e quebrou-os em pedaços ainda menores. Ao deitar-se, naquela noite, orou: "Oh, Senhor, se amanhã de manhã meus pés estiverem queimados ou cortados, então terás sofrido uma tremenda derrota". No dia seguinte, pessoas da vila vieram vê-lo. "Missionário, mostre-nos os seus pés", disseram eles. Ele lhes mostrou. Não havia um único golpe, uma única queimadura. E o povo disse: "Oh, Deus tem realmente poder!" Ver no *Dicionário* o artigo chamado *Milagres*.

Seja como for, o mestre nunca tinha visto nem ouvido tal coisa, pelo que considerava tal coisa impossível. Envolver-se com uma prostituta ou uma adúltera e não ficar queimado era tão impossível como passar sobre brasas acesas com os pés descalços e não sofrer dano. O homem e a mulher adúlteros eram apedrejados, em consonância com a lei mosaica. Mas se a filha de um sacerdote se prostituísse ou adulterasse, seria queimada. Ver Gn 38.24; Lv 20.10; 21.9; Dt 22.22-24. Ver no *Dicionário* o artigo chamado *Crimes e Castigos*.

■ 6.29

כֵּן הַבָּא אֶל־אֵשֶׁת רֵעֵהוּ לֹא יִנָּקֶה כָּל־הַנֹּגֵעַ בָּהּ׃

Assim será com o que se chegar à mulher do seu próximo. Temos aqui um caso claro de adultério, e não de prostituição, e isso estava sujeito à punição capital, por força da legislação mosaica (ver Dt 22.22-24). No judaísmo posterior, entretanto, a lei não era bem executada, pelo que o mestre não apelou para isso. Ele só tinha certeza de que haveria penalidades impostas contra tal infração. Talvez o marido ciumento matasse o culpado por causa do ocorrido (vs. 34); talvez requeresse muito dinheiro para "esquecer" o incidente (vs. 35). Mas as pessoas envolvidas sofreriam alguma punição divina específica. Brincar com esse tipo de fogo só poderia prejudicar os brincalhões. "Não há como escapar da terrível punição que espera pelo homem que se dá licença de experimentar o amor ilícito" (Charles Fritsch, *in loc.*). Cf. Nm 5.19 ss. e Jó 9.28.

■ 6.30,31

לֹא־יָבוּזוּ לַגַּנָּב כִּי יִגְנוֹב לְמַלֵּא נַפְשׁוֹ כִּי יִרְעָב׃

וְנִמְצָא יְשַׁלֵּם שִׁבְעָתָיִם אֶת־כָּל־הוֹן בֵּיתוֹ יִתֵּן׃

Não é certo que se despreza o ladrão, quando furta para saciar-se, tendo fome? Quase qualquer um furtará alimentos se estiver morrendo de fome, e, por essa razão, os homens mostram-se indulgentes com tal ladrão. Não obstante (vs. 31), se tal homem for apanhado, a lei contra ele pode ser executada. Nesse caso, ele terá de pagar sete vezes o valor do que fora furtado. Êx 22.1-4 prescreve cinco vezes, quatro vezes ou duas vezes, dependendo do tipo de furto que estiver envolvido. Um ladrão também podia ser vendido como escravo, nos casos mais graves. Uma devolução sete vezes maior é desconhecida nas leis judaicas, embora o número seja mencionado em relação aos julgamentos. Ver Gn 4.24 e Lv 26.28. Ou o mestre usou uma hipérbole oriental, ou usou o número sete para indicar uma devolução completa e perfeita. Embora o homem tivesse roubado para comer, teria de satisfazer plenamente a lei quanto a essa questão. O ponto do presente versículo é que tal furto não é muito condenado pelos homens, ao passo que o adultério, uma espécie de furto, é pesadamente condenado, pelo que deve ser tratado com a devida dureza.

■ 6.32

נֹאֵף אִשָּׁה חֲסַר־לֵב מַשְׁחִית נַפְשׁוֹ הוּא יַעֲשֶׂנָּה׃

O que adultera com uma mulher está fora de si. Os vss. 32-35 subentendem que o adúltero certamente morrerá por seu crime. Se a lei não cuidasse do caso, o marido irado certamente o faria. Talvez ele pudesse conseguir um acordo, oferecendo dinheiro, mas o mestre duvidava que se pudesse chegar a um entendimento pelo oferta de compensação. Visto que as consequências seriam tão drásticas, o adúltero mostrou que a ele faltava o bom senso. Os poucos momentos de prazer custariam a própria vida. Esse homem não tinha entendimento — literalmente, coração, a sede da compreensão. Ele se viu arrebatado e, apesar de sua erudição, não fora capaz de resistir à beleza e aos namoricos da mulher (vs. 25). O ladrão escapara com vida, pagando uma pesada compensação, mas a compensação que o adúltero deu foi a sua própria vida. Seja como for, existem crimes que só podem ser pagos mediante a própria vida, embora muitos de nossos sistemas judiciais tenham perdido esse fato de vista. Não há, nesta passagem, nenhuma ideia de retribuição no além-túmulo, o que seria anacrônico neste texto. Embora nossa versão portuguesa não use a palavra "alma", ou "vida" — pois prefere dizer "arruinar-se", há um problema relativo à palavra hebraica *nephesh* ("sua própria alma", no dizer da *King James Version*). No judaísmo posterior, a palavra veio a significar a alma imaterial e imortal, mas isso ainda não tinha acontecido quando o livro de Provérbios foi escrito. Seja como for, o "adultério é uma espécie de suicídio" (Sid S. Buzzell, *in loc.*).

Cf. o famoso caso do Novo Testamento, historiado no capítulo 8 do Evangelho de João, quando Jesus salvou a vida de uma mulher adúltera, com base no fato de que nenhum homem era inocente o bastante para atirar a primeira pedra. Naturalmente, nesse caso, a graça entrou e anulou a usual penalidade imposta pela lei. Naturalmente, para estender tal graça, Jesus requeria o arrependimento. A graça estava começando a substituir a lei, e isso significa vida para o mundo inteiro.

■ 6.33

נֶגַע־וְקָלוֹן יִמְצָא וְחֶרְפָּתוֹ לֹא תִמָּחֶה׃

Achará açoites e infâmia. Enquanto aquele que furtara o fizera por motivo de fome, o adúltero sofreria ferimentos e desgraças, e sua reprimenda nunca passaria. A lei requeria a sua morte (ver Dt 22.22-24; Lv 20.10), mas o texto nada diz sobre a antiga lei. É provável que o povo judeu tenha chegado a encarar a punição capital como severa demais para essa infração, ou então a aplicação da lei tivesse reduzido de tal modo a população masculina que uma legislação menos severa teve de ser decretada. Se a lei permitia que o homem fosse libertado, sendo castigado somente com uma pena mais leve (embora não especificada no texto), ainda assim ele teria de preocupar-se com o marido ultrajado, que estaria olhando para ele o tempo todo.

O texto supõe que o homem fora apanhado, o que deve ter ocorrido com pequena porcentagem dos casos de adultério. Em alguns países o adultério termina em divórcio, mas em outros países, até hoje, espera-se que um homem praticamente mate seu desafeto, se sua honra tiver sido tão severamente ferida como um homem adulterar com a sua esposa; e o texto presente parece estar dizendo que assim acontecia no Israel pós-exílico.

Adam Clarke, usualmente bastante pudico quando comentava sobre textos como este, fez uma exceção e contou sobre certo costume romano. Se um homem fosse surpreendido em ato de adultério, um grande rabanete era enfiado em seu ânus e ali mantido. Sem dúvida, isso lhe causava grande desconforto, e talvez o homem chegasse a morrer devido à situação. Assim sendo, o homem sofria desgraça e até sofrimentos físicos, se não mesmo a morte. E também temos o caso do rei Davi. A Bíblia não permitiu que o mundo esquecesse sua desgraça, quando ele cometeu o sério crime com a mulher de Urias.

■ 6.34

כִּי־קִנְאָה חֲמַת־גָּבֶר וְלֹא־יַחְמוֹל בְּיוֹם נָקָם׃

Porque o ciúme excita o furor do marido. O marido, ao ouvir sobre o caso, talvez por meio da confissão da mulher (conforme com frequência acontece), por causa de seu louco ciúmes, caiu em estado de fúria, apanhou a espada e em breve estava batendo na porta do ofensor. Soube pessoalmente de um caso desses, exceto pelo fato de que o marido enganado tomou um revólver e estava pronto a matar o ofensor. E note que o marido ofendido era um pastor. Outro pastor convenceu-o a esquecer o assassinato. Mas o pastor ofendido (que era um bom pastor) desistiu do ministério e nunca mais voltou a pastorear.

Um marido ultrajado haveria de vingar-se do acontecido e não iria para a prisão por essa causa, pelo menos em Israel. Porém, assassinato é assassinato, e assim o marido ofendido acaba pior do que o homem a quem matou.

■ 6.35

לֹא־יִשָּׂא פְּנֵי כָל־כֹּפֶר וְלֹא־יֹאבֶה כִּי תַרְבֶּה־שֹׁחַד׃

Não se contentará com o resgate. Peitas não funcionam nesses casos. O aterrorizado adúltero oferece generosos subornos, mas coisa alguma dá certo. O irado marido não está interessado em compensações. Simplesmente ele quer ver o culpado morto. A lei mosaica proibia o suborno (ver Êx 23.8; Dt 16.19 e 27.25), e outro tanto fazem outras passagens do Antigo Testamento (ver Jó 36.18; Sl 15.5; Ec 7.7; Is 33.15); como também faz o livro de Provérbios (6.35; 15.27; 17.8). Porém, quando se verifica adultério e assassinato, que é um suborno? A palavra hebraica usada para "suborno" é *kopher*, "cobertura", qualquer coisa dada em lugar de punição. O Targum diz que um marido enganado não aceitaria a face de ninguém que quisesse pagar uma compensação; ou, em outras palavras, o marido não demonstraria respeito por tal homem; antes, não teria compaixão. Ele está atrás de satisfação, e não de dinheiro, e somente o assassinato o satisfaria.

CAPÍTULO SETE

Continuamos aqui com o décimo terceiro dos dezesseis discursos que compõem o primeiro livro de Provérbios (1.8—9.18). Ver a introdução a esta seção, em Pv 6.20. O assunto permanece sendo como evitar a mulher vil, a prostituta e a adúltera. Existem cinco passagens semelhantes no livro de Provérbios: Pv 2.16-19; 5.3-23; 6.20-35; o capítulo 7 inteiro; 9.13-18 (por inferência, visto que estamos tratando da insensatez, personificada como uma mulher).

Cf. Pv 7.1 com Pv 2.1; 3.1 e 4.1. Tal como em Pv 6.20-23, os vss. 1-4 do presente capítulo introduzem o tema convidando o jovem estudante a ouvir as declarações da sabedoria em geral. Em seguida, o mestre aplicará essa questão aos pecados sexuais, produzindo declarações específicas de sabedoria.

■ 7.1

בְּנִי שְׁמֹר אֲמָרָי וּמִצְוֹתַי תִּצְפֹּן אִתָּךְ׃

Filho meu, guarda as minhas palavras. Esta é uma frase frequentemente usada no livro de Provérbios, que comento em 6.1. O mestre (o pai espiritual) dirigiu-se a um estudante de sua escola de sabedoria (um filho espiritual) e lembrou-o de seus deveres e privilégios. As "palavras", declarações sábias (todas elas baseadas sobre a lei de Moisés, como guia; ver Dt 6.4. ss.), revestem-se de grande valor, e devem ser consideradas um tesouro, constituído pelos mandamentos (ver Pv 2.1). Essas palavras transmitem vida e bem-estar, bem como prosperidade, se forem seguidas com diligência. Quanto a guardar as palavras, ver Pv 3.1; 4.4,21; 6.20. Quanto a guardá-las como um tesouro, ver Pv 2.1 e 10.14. Quanto a conservá-las, ver Pv 3.18; 4.4; 8.35. Cf. o tesouro escondido em um campo (ver Mt 13.44), bem como a pérola de grande preço (ver Mt 13.46); e cf. Cristo como aquele em quem estão ocultos todos os tesouros espirituais (ver Cl 2.3).

> *Todo escriba versado no reino dos céus é semelhante a um pai de família que tira do seu depósito cousas novas e cousas velhas.*
>
> Mateus 13.52

> *Guardo no coração as tuas palavras, para não pecar contra ti.*
>
> Salmo 119.11

■ 7.2

שְׁמֹר מִצְוֹתַי וֶחְיֵה וְתוֹרָתִי כְּאִישׁוֹן עֵינֶיךָ׃

Guarda os meus mandamentos, e vive. Guardar os mandamentos é outra admoestação comum, bem como a essência de toda a lei. Ver Pv 2.1.

Mandamentos. No hebraico, *torah*, a lei, interpretada de acordo com as declarações da sabedoria. Ver Pv 1.8. Quanto à lei como agente da vida, ver Dt 4.1; 5.33; 6.2 e Ez 20.1. Está em pauta uma vida física feliz, longa e próspera. No judaísmo posterior, isso se transformava na vida espiritual, a vida da alma, a vida eterna, e alguns intérpretes anacronicamente veem isso aqui.

Como a menina dos teus olhos. No hebraico, em vez de "menina" temos a palavra *ishon*, "homem pequeno". Ver Dt 32.10; Sl 17.8 quanto a essa imagem simbólica, que fala de algo de valor. Em Pv 7.9 a palavra é usada para denotar o centro (o meio) da noite, ou seja, o tempo das mais intensas trevas. Temos em vista, como uma metáfora, a pupila do olho, onde há um reflexo, em miniatura, daquilo que a pessoa está vendo, o que explica a referência ao homem pequeno. Esse ponto do olho é cuidadosamente guardado contra todo ferimento, para que a pessoa não fique cega. A ideia da preciosidade é estabelecida e, talvez, a vulnerabilidade do tesouro da lei seja indicada, visto que essa parte de nosso corpo é a mais sensível de todas as partes expostas.

"A lei assemelha-se à pupila do olho por ser, espiritualmente, o órgão sem o qual permanecemos nas trevas" (Fausset, *in loc.*). Cf. Pv 4.18.

Este versículo tem sido cristianizado para indicar a doutrina de Cristo, bem como a iluminação dada pelo Espírito Santo.

■ 7.3

קָשְׁרֵם עַל־אֶצְבְּעֹתֶיךָ כָּתְבֵם עַל־לוּחַ לִבֶּךָ׃

Ata-os aos teus dedos. Vemos mensagem similar em Pv 3.3 e 6.21, que versam sobre o prender a lei à própria pessoa. Em Pv 3.3, o atar é feito ao pescoço; em Pv 6.21, é feito ao coração. Aqui, esse ato é feito aos dedos. E poderíamos afirmar que um homem piedoso vive todo atado à lei. O homem bom é totalmente envolvido na lei, como seu guia e transmissor de vida.

Possivelmente a *mezuzah* (filactérias), referida em Dt 6.8,9, seja aqui aludida. Para o homem bom, a lei deveria ser guardada em evidência e para fácil referência. Ver no *Dicionário* o verbete intitulado *Filactérias*. Ver o comentário de Ellicott sobre essa questão, mais adiante.

Escreve-os na tábua do teu coração. Quanto a isso, ver Pv 3.3 e 6.21, onde apresento notas expositivas adequadas. A lei deve ser atada aos dedos, isto é, estar pronta para entrar em ação; e deve ser escrita no coração, para meditação constante.

"O fio da filactéria, que ficava no braço esquerdo, era enrolado por sete vezes em redor do braço, e pelo mesmo número de vezes em torno do dedo médio" (Ellicott, *in loc.*).

■ 7.4

אֱמֹר לַחָכְמָה אֲחֹתִי אָתְּ וּמֹדָע לַבִּינָה תִקְרָא׃

Dize à sabedoria: Tu és minha irmã. A sabedoria foi novamente personificada como uma mulher. Cf. Pv 1.20 ss. Aqui ela aparece como uma irmã, um parentesco íntimo, mas também poderia envolver uma esposa, a qual também era chamada de irmã. Ela é contrastada com a mulher alheia (prostituta ou adúltera) dos versículos seguintes. Um bom estudante prefere a primeira mulher à segunda, se, porventura, tiver sido capaz de absorver alguma das declarações da sabedoria.

Teu parente. Aquela mulher é um amigo íntimo, em contraste com a mulher alheia, que certamente é uma inimiga. A primeira faz bem ao homem; a segunda certamente o prejudica. O amigo íntimo é um parente. A mesma palavra é usada em Rt 2.1 e 3.2.

> *Arrebataste-me o coração, minha irmã, noiva minha; arrebataste-me o coração com um só dos teus olhares.*
>
> Cantares 4.9

A necessidade que o indivíduo tem de estar próximo da lei é enfatizada. O homem que aparece aqui vivia apaixonado pela lei. Este versículo tem sido cristianizado para referir-se a *Cristo como o nosso alvo* (ver a esse respeito no *Dicionário*).

■ 7.5

לִשְׁמָרְךָ מֵאִשָּׁה זָרָה מִנָּכְרִיָּה אֲמָרֶיהָ הֶחֱלִיקָה׃

Para te guardarem da mulher alheia. Se um homem está apaixonado pela lei, e se as declarações da sabedoria são sua esposa amada, então ele não ouvirá o chamado da mulher alheia; ele não se deixará impressionar pela sua beleza (ver Pv 6.25), nem por suas palavras lisonjeadoras e suaves como o azeite (ver Pv 6.24). Estará ocupado demais com as palavras de conhecimento e sabedoria de que a lei fala (ver Pv 2.6). "Não é a sabedoria humana, mas a sabedoria divina que pode segurar o jovem e impedi-lo de cair na concupiscência, pois a fragilidade humana é grande e as tentações são poderosas" (Fausset, *in loc.*). "Coisa alguma tem poder maior do que Cristo e o seu evangelho, e o conhecimento íntimo dessas coisas, e a sua retenção, que é capaz de guardar de todo pecado, de todas as concupiscências carnais, e do pecado da impureza... da mulher alheia que lisonjeia com as suas palavras (2.16; 5.3; 6.24)" (John Gill, *in loc.*).

> É o maior dos temas que soou através dos séculos;
> É o maior dos temas para a língua mortal.
> É o maior dos temas que o mundo já cantou:
> Nosso Deus é poderoso para livrar-te.
>
> William A. Ogden

O OLHO OBSERVADOR DO MESTRE (7.6-27)

■ 7.6

כִּי בְּחַלּוֹן בֵּיתִי בְּעַד אֶשְׁנַבִּי נִשְׁקָפְתִּי׃

Porque da janela da minha casa. Olhando da janela de sua casa, o mestre viu um jovem que estava sendo acossado por poderosa tentação. Porventura as instruções que ele tinha recebido haveriam de livrá-lo em crise de sua tentação? Uma armadilha feminina fora armada para ele, do tipo mais poderoso. O mestre observava enquanto o jovem caminhava, exatamente pela rua onde morava uma adúltera extraordinariamente bonita. E, para dizer a verdade, ali estava ela, não distante da esquina por onde ele dobrou, perto da casa dela. E ela era "jovem, esguia e amorável", e o jovem parou para contemplá-la. A mulher lança sua beleza sobre ele e profere algumas palavras doces, fazendo ao jovem um convite que ele não consegue recusar. Bem na esquina, ela o abraça e beija, e fala sobre a bela cama e o dormitório perfumado, todo arranjado com belas cobertas e cortinas. O marido dela está fora e não voltará por longo tempo. A mulher o convida a passar a noite com ela, o que lhes dará tempo de se deliciarem de amores. A beleza física da mulher e suas maravilhosas descrições matam toda a resistência dele, se é que ele tinha alguma. Isso posto, ele foi direto à casa dela, na companhia da mulher, tal como um boi vai para o matadouro. A história tem os sinais de ser uma narrativa contada por uma testemunha ocular.

"Os vss. 6-23 descrevem o engodo da adúltera com detalhes gráficos. 'Grades' é palavra que se refere a uma típica janela oriental, sem vidros, mas protegida por uma tela elaborada" (Charles Fritsch, *in loc.*). Esse tipo de janela provia dupla vantagem: permitia a entrada do ar fresco, mas impedia o olhar dos curiosos.

■ 7.7

וָאֵרֶא בַפְּתָאיִם אָבִינָה בַבָּנִים נַעַר חֲסַר־לֵב׃

Vi entre os simples, descobri entre os jovens. O jovem em apreço era um dos simples e inexperientes rapazes, mero aprendiz da lei, e assim facilmente sujeito às tentações. Diz-nos o texto sagrado que ele era "carecente de juízo". Ver Pv 1.4 quanto aos simples, aos quais o mestre queria levar à maturidade e à sabedoria. Esse jovem não era, em sentido algum, um malandro cheio de vícios. Ainda não tinha-se corrompido por esse mundo pecaminoso. Ele simplesmente estava de cabeça vazia de juízo. O termo hebraico empregado é *peti*, "ingênuo", "fácil de ser enganado". Faltava-lhe maior entendimento (ver Pv 6.32). Ele tinha "sangue quente, paixões fortes, combinados com julgamento fraco e inexperiência, o que podia tornar-se presa fácil para uma mulher esperta" (Fausset, *in loc.*). Ele ainda não possuía sabedoria suficiente para discernir entre um grande mal e o bem, nem tinha forças para resistir ao primeiro.

■ 7.8

עֹבֵר בַּשּׁוּק אֵצֶל פִּנָּהּ וְדֶרֶךְ בֵּיתָהּ יִצְעָד׃

Que ia e vinha pela rua junto à esquina da mulher. Até parecia que era o "destino" do jovem estar caminhando por uma rua perigosa, tendo feito uma curva precisamente naquela esquina. O sol descambava no horizonte, adicionando um toque de romance ao ambiente inteiro. O homem tanto tinha a cabeça vazia como era bastante inocente. Ele não enveredara por aquela rua sabendo o que encontraria ali. Mas encontraria a "sua sorte", conforme diz uma canção popular, falando sobre uma situação análoga.

■ 7.9

בְּנֶשֶׁף־בְּעֶרֶב יוֹם בְּאִישׁוֹן לַיְלָה וַאֲפֵלָה׃

À tarde do dia, no crepúsculo. O horário do dia era propício para uma tentação sexual. Era no fim da tarde, quando o sol já se punha no horizonte e somente raios vermelhos pintavam o céu. Era uma ocasião de encantamento, conforme se dá todo o fim de tarde, após um longo dia de trabalho. O jovem estava relaxando e apreciando o seu passeio, a brisa fresca lhe agradava o rosto e, enquanto ele caminhava, os últimos raios de luz do sol se apagaram e se fizeram trevas totais. A bela mulher veio abraçá-lo precisamente naquela ocasião, quando apenas uma fraca lâmpada iluminava a rua. Ele era um homem jovem e forte, cheio de felicidade. Sua mente estava livre de ansiedades; algumas horas de prazer eram exatamente o que o deleitaria naquele momento.

■ 7.10

וְהִנֵּה אִשָּׁה לִקְרָאתוֹ שִׁית זוֹנָה וּנְצֻרַת לֵב׃

Eis que a mulher lhe sai ao encontro. Eis! Se você estivesse dormindo enquanto lia a minha descrição, essa palavra deve tê-lo despertado. Eis! Ali está ela! Uma bela mulher, com o tipo de vestido que, conforme você sabe, mesmo em sua relativa inocência, é o que as mulheres costumam usar quando querem chamar a atenção dos homens. A alegada esposa fiel durante o dia tinha-se transformado em uma prostituta à noite, vestindo-se com trajes que anunciavam a todos que ela estava atrás de uma noite de amor. As mulheres se declaram inocentes quando se vestem daquela maneira; mas penso que há verdade na declaração que diz: "Todos os homens são malandros; todas as mulheres são exibicionistas".

"A mulher tinha todos os sinais reveladores de uma prostituta, o colo nu, os seios meio cobertos, os passos miúdos, o vestido feito de tecido fino e vaporoso, além de outros incentivos que excitam a admiração e a concupiscência" (Fausset, *in loc.*). Quanto às vestes características de uma prostituta, ver Gn 38.14. Além das vestes provocativas, a mulher também usava palavras provocantes, pois seu coração a impulsionava a tanto. Em contraste com o jovem simples, ela era uma mulher sofisticada e experiente, que tinha todo o equipamento físico e psicológico para prender um homem à sua armadilha. O Targum diz que tais mulheres "arrebatam o coração" dos jovens. Os jovens são impotentes contra tais mulheres. Naturalmente, há uma verdade na declaração que diz: "Os homens gostam de ser seduzidos, porquanto querem ser seduzidos; e, por isso mesmo, são facilmente seduzidos".

Conspícuos pela sua Ausência. Todas as cinco passagens sobre o sexo, no livro de Provérbios (veja-as o leitor identificadas em 6.20), deixam de lado o que é mais óbvio no que diz respeito ao sexo: o homem que seduz uma mulher. Essa é a real ofensa "lá fora". As mulheres sedutoras formam, em comparação, um pequeno grupo. É difícil explicar essa omissão nas exortações do mestre a seus jovens estudantes. Na literatura de sabedoria há certo preconceito, e a mulher sedutora é figura favorita. A mulher sedutora é também figura favorita na literatura moderna e ali, estou quase certo, essa figura também é empregada porque é o que certos homens mais desejam, ou, pelo menos, maior número de mulheres age assim para facilitar o jogo do sexo.

■ 7.11

הֹמִיָּה הִיא וְסֹרָרֶת בְּבֵיתָהּ לֹא־יִשְׁכְּנוּ רַגְלֶיהָ:

É apaixonada e inquieta. Aquela tímida dona de casa (vs. 19) é agora uma prostituta turbulenta e sem restrições. De fato, palavras atrevidas são sinal das mulheres de rua, mas não das sofisticadas jovens de aluguel, que cobram elevado preço de seus clientes. Essa profissão torna as mulheres bizarras, o contrário do que os homens esperam delas. Esse tipo de mulher, além de ser turbulenta, é também desviada (no hebraico, *sarareth*, vocábulo que normalmente significa "teimosa"). Ela não aceita ordens da parte de ninguém e, aparentemente, recebe ordens só de seu marido. Mas quando ele se ausenta, ela se transforma e ignora qualquer ordem que ele possa ter dado, e põe-se a percorrer as ruas, vendo que maldade pode pôr em prática. Esse tipo de mulher quase tem dupla personalidade. Ela desempenha dois papéis na vida. Tal mulher torna-se brava e refratária quando está em seu outro "eu". Ver Os 4.16. Então ela não é nem modesta nem uma dona de casa (ver Tt 2.5). Em casa trabalha em seus deveres domésticos, mas uma vez na rua fica atrás das diversões e dos prazeres. Adam Clarke (*in loc.*) tem um comentário perspicaz a respeito. Ele supunha que originalmente a mulher tenha caído em seu vício porque caminhava em público demasiadamente, expondo-se aos avanços dos malandros!

■ 7.12

פַּעַם בַּחוּץ פַּעַם בָּרְחֹבוֹת וְאֵצֶל כָּל־פִּנָּה תֶאֱרֹב:

Ora está nas ruas, ora nas praças. Transformada em sua outra personalidade, ela percorre as ruas, vestida em suas vestes sugestivas, expondo seu corpo, meneando os quadris, fumando o seu cigarro (se é que havia tal coisa, antigamente), bebericando com os rapazes nos bares, fazendo observações sugestivas, abordando atrevidamente os homens, vadiando pelas esquinas das ruas, mostrando as pernas provocativamente, jogando beijinhos. Ela "espreitava", utilizando-se o autor sagrado de uma linguagem própria da caça. Em pouco tempo, o leitor pode estar certo, passará nas proximidades uma vítima, e ela atacará seu homem como a aranha viúva-negra ataca o macho da espécie, para matá-lo e comê-lo. Ela está ora nas ruas, ora nos mercados, ora nas esquinas (palavras usadas pela *Revised Standard Version*), ansiosa por atacar e fazendo todas as provisões para agir. "Tendo lançado fora o jugo saudável das restrições religiosas e sociais, ela estava preparada para todo e qualquer pecado" (Fausset, *in loc.*).

■ 7.13

וְהֶחֱזִיקָה בּוֹ וְנָשְׁקָה־לּוֹ הֵעֵזָה פָנֶיהָ וַתֹּאמַר לוֹ:

Aproximou-se dele, e o beijou. Agora, à caça. O jovem estava passando perto da casa da mulher rameira, que o ataca habilmente. Ele está perdido. Ela começa a beijá-lo em público, mas protegida pelas trevas. Começa a usar sua linguagem de vendedora. Seu rosto desavergonhado revela sua natureza, mas é tão belo que o jovem não nota a fisionomia agressiva. A linguagem aqui usada é a da caça bem-sucedida. A mulher profere o absurdo de que estava esperando justamente por ele, o que é típico das lisonjas femininas (vs. 15). Os hebreus tinham uma declaração sobre o romance: um homem busca o que havia perdido, ou seja, a sua costela, para que possa ficar inteiro de novo. Mas vemos aqui a mulher sem-vergonha revertendo a propriedade normal das coisas, pois ela é como uma costela em busca de um corpo! Cf. este versículo com Jr 3.3 e Ap 17.5.

De cara impudente. Literalmente, o hebraico original diz aqui: "ela fortaleceu seu rosto", ou seja, fingiu um ar de coragem e ousadia, de determinação, contra o que o jovem não tinha defesa. Ela tinha fisgado a sua presa e não permitiria que se soltasse. Ela o dominou com a sua força de vontade superior. E, naturalmente, tocou em uma corda responsiva no coração dele, facilitando a questão. Como é natural, tudo isso aconteceu antes da AIDS, que atualmente encoraja a força de vontade de alguns homens, mais do que a fé religiosa ou a filosofia conseguiram fazer.

■ 7.14

זִבְחֵי שְׁלָמִים עָלָי הַיּוֹם שִׁלַּמְתִּי נְדָרָי:

Sacrifícios pacíficos tinha eu de oferecer. Este tipo de oferta pacífica foi feito em conexão com um voto, e a carne do sacrifício tinha de ser comida no mesmo dia ou, pelo menos, no dia seguinte. Naquele tempo, não havia refrigeração. Ver Lv 7.16. A mulher fizera suas oferendas e cumprira seus votos, e tinha muita coisa boa a oferecer em uma refeição suntuosa para seu convidado masculino. Ver no *Dicionário* o artigo geral sobre *Sacrifícios e Ofertas*, III. D.3.a. Os contatos sexuais tradicionalmente são introduzidos por refeições que armam o palco, mas usualmente é o homem que convida: "Você não gostaria de jantar comigo, hoje?" Aqui, entretanto, foi a mulher quem fez o convite para o jantar, a fim de satisfazer um apetite, antes do outro — de natureza sexual —, que constituía o principal evento do começo da noite.

"As ofertas pacíficas eram inteiramente voluntárias, realizadas para agradecer por alguma misericórdia alcançada. O peito e o ombro direito da vítima cabiam aos sacerdotes, mas o restante pertencia ao ofertante, o qual, em símbolo, era admitido ao banquete com Deus (Lv 3 e 7). A profanação desse privilégio era punida com a morte" (Ellicott, *in loc.*). Quanto às oito porções que pertenciam aos sacerdotes, ver Lv 6.26; 7.11-24,28-38; Nm 18.8; Dt 12.17,18. A mulher, quando estava em seu "eu" melhor, tinha o cuidado de observar seus deveres e privilégios religiosos. Mas o outro "eu" anelava para envolver-se em toda espécie de pecado, à noite, quando a oportunidade para isso se apresentava. Sabemos que os deuses eram, algumas vezes, adorados em bordéis, e assim, como uma pagã, a mulher transformava seus banquetes em festins de Baco. Mas não há aqui nenhuma ideia de que ela era uma prostituta secreta, profissional, sagrada. Em suma, ela se tornou como uma mulher pagã.

■ 7.15

עַל־כֵּן יָצָאתִי לִקְרָאתֶךָ לְשַׁחֵר פָּנֶיךָ וָאֶמְצָאֶךָּ:

Por isso saí ao teu encontro. A mulher possuía os ingredientes para um grande banquete e também o equipamento para sua "festa de amor", mas lhe faltava o homem. Este versículo dá a entender que ela declarou que o pobre jovem era alguém especial, que ela tinha procurado especialmente por ele, e talvez até que havia orado por ele, e ali estava a resposta de suas orações. Ela obtivera exatamente a pessoa que queria. Faz parte da lisonja feminina tentar fazer um homem sentir-se especial, quando a verdade da questão é que ele era o único homem disponível no momento. É possível que a mulher tenha culpado a feliz providência divina por arranjar precisamente aquele homem para ela, como se Deus, pessoalmente, fosse o inspirador e perpetrador da concupiscência. Cf. 1Sm 23.7 e Zc 11.5. A mulher também tivera boa sorte: seu marido estava viajando naquele dia propício.

■ 7.16

מַרְבַדִּים רָבַדְתִּי עַרְשִׂי חֲטֻבוֹת אֵטוּן מִצְרָיִם:

Já cobri de colchas a minha cama. A mulher fizera preparações elaboradas para sua noite de amor. Ela ornamentara seu leito com colchas importadas e belas, e lençóis de linho fino do Egito. Como é óbvio, ela era uma mulher de posses, e talvez parte de suas dificuldades fosse que a vida dela era por demais fácil e abastada, o que a deixava enfadada. Ela tinha tapetes bordados à mão, em várias cores, calculados para agradar o olho e dar ideia de riqueza. Geralmente ela vestia suas melhores vestes para as festas e, de modo geral, parecia uma mulher cheia de glamour. Como é óbvio, não era nenhuma pobre prostituta que se vendia em troca de pão (ver Pv 6.26). O mestre conhecia bem a matéria sobre a qual ensinava. Os desejos sexuais são definitivamente fomentados por belos ambientes e mulheres agradavelmente vestidas. As roupas contribuem muito para atrair um homem. Conheci um jovem, em São José dos Campos, que frequentava ali uma igreja evangélica. Ele sempre aparecia bastante sujo e desalinhado, mas uma jovem da igreja tinha suficiente imaginação para pensar em como seria a aparência daquele jovem, se ele andasse limpo e se vestisse corretamente. Por isso, ela começou a dar-lhe atenção, e os dois acabaram namorando. Em seguida, ela começou a arrumá-lo. Ele passou a aparecer limpo e bem vestido, com boa aparência. Outra jovem observou a grande mudança ocorrida com o rapaz e resolveu que era a melhor companheira para ele, e assim começou a conquistá-lo. E realmente o conquistou, para grande lamentação da jovem que tinha tido toda a trabalheira de endireitar a aparência do moço. E a perdedora observou: "Essa foi a última vez que endireitei um homem. Aceitarei todo homem tal e qual ele for".

A mulher de nosso texto tinha gosto e capacidade artística. E pôs isso para trabalhar a seu favor, a fim de obter a satisfação sexual que tanto desejava.

■ 7.17

נַפְתִּי מִשְׁכָּבִי מֹר אֲהָלִים וְקִנָּמוֹן׃

Já perfumei o meu leito com mirra. Além das excelentes vestes para seu leito e corpo, ela também perfumou o leito com várias espécies de especiarias e perfumes. Além disso, o mestre mostrou quão bem entendia o assunto. O olfato é uma parte importante da atração sexual, sejam os odores naturais do corpo que causam a excitação sexual, sejam os odores artificiais que produzem atração. Em seguida, o vinho verteria como parte da festa, e ambos, bastante intoxicados, agiriam sem inibições. "Essas substâncias aromáticas eram importadas pelos judeus de terras estrangeiras" (Charles Fritsch, *in loc.*).

Mirra, aloés e cinamomo. Ver sobre estes nomes no *Dicionário* quanto a detalhes. Cf. Ct 4.14. Horácio falou sobre certas misturas usadas nos leitos, que incluíam especiarias e perfumes (*Epod. Ode* 5.v.69,70).

■ 7.18

לְכָה נִרְוֶה דֹדִים עַד־הַבֹּקֶר נִתְעַלְּסָה בָּאֳהָבִים׃

Vem, embriaguemo-nos com as delícias do amor. Ver Pv 5.18 e Ct 4.12,15, onde beber de uma fonte (a mulher) é uma figura da experiência sexual. Seria uma sessão de amores de noite inteira. Há um toque de hipérbole oriental aqui. Haveria aprazimento sob a forma de delícias (nossa versão portuguesa) e deleites (*Revised Standard Version*).

Embriaguemo-nos. No hebraico temos "festejar nos seios". Cf. Pv 5.19, onde o homem se encanta com os seios femininos. Os hebreus também tinham fixação pelos seios femininos, tal como acontece aos homens modernos, e certamente não eram pudicos quando falavam de sexo. Adam Clarke (*in loc.*) informa-nos que o original hebraico aqui diz muito mais do que ele ou outros intérpretes gostariam de comentar.

■ 7.19

כִּי אֵין הָאִישׁ בְּבֵיתוֹ הָלַךְ בְּדֶרֶךְ מֵרָחוֹק׃

Porque o marido não está em casa. O hebraico literal diz simplesmente, "o homem", o que a mulher pode ter dito com certo tom de desprazer. A versão da Septuaginta suaviza a expressão "a meu marido", conforme é dito por muitas traduções.

O homem estava longe de casa em uma viagem de negócios que levaria, pelo menos, alguns poucos dias, pelo que o jovem usurpador não seria apanhado. Ele entraria na casa dela quando já fosse noite e sairia antes do amanhecer, e ninguém nem notaria o que estava acontecendo. Muitas prostitutas dizem às suas vítimas que são casadas, visto que as mulheres casadas são muito mais desejáveis para um homem do que uma prostituta comum. Mas a casa luxuosa da mulher mostrava que seu "marido" estava prosperando em seu negócio e a apoiando em sua vida luxuosa.

Alguém já disse: "O adultério, tal como o peculato, não é errado a menos que você seja apanhado". E essa é uma atitude geral "lá fora". Ao jovem foi oferecida a indução adicional de que ele não estava fazendo nada de errado, porque nunca seria apanhado. Isso nos faz lembrar da vida sexual dos macacos. O macaco macho dominante conserva todas as fêmeas para si mesmo. Se ele apanhar um macho (que acompanha o bando) fazendo sexo com uma de suas "esposas", prontamente o mata. Mas nos momentos de descuido do macho dominante, os machos mais fracos fazem sexo com as fêmeas, e estas estão sempre prontas a ceder perante os macacos mais fracos. O jogo do sexo entre os homens definitivamente parece atividade de macacos.

■ 7.20

צְרוֹר־הַכֶּסֶף לָקַח בְּיָדוֹ לְיוֹם הַכֵּסֶא יָבֹא בֵיתוֹ׃

Levou consigo um saquitel de dinheiro. O "homem" era um próspero homem de negócios. Tinha tomado um saquitel cheio de dinheiro e estaria atarefado por muitos dias, voltando para casa somente na lua cheia. A festividade da lua cheia caía na metade do mês, e ele, presume-se, tinha partido no começo do mês. Isso significa (se o raciocínio está correto) que a mulher teria duas semanas inteiras para brincar, e o jovem de nossa história provavelmente seria apenas um de seus companheiros de sexo. Ver o vs. 26. Em outras palavras, durante esse período de tempo ela faria o papel de seu outro "eu", a prostituta. E então, quando seu "marido" voltasse para casa, ela assumiria sua personalidade mais equilibrada. Alguns intérpretes calculam o tempo da partida do marido como a lua nova, quando a lua aparentemente estava coberta, ou seja, quando não dava a sua luz. A lua nova é o período em que a lua está entre a terra e o sol, pelo que mostra a face não iluminada para a terra. Os hebreus pensavam haver alguma força estranha que ocultava ou encobria a lua. Eles não compreendiam que a lua reflete a luz emanada do sol.

Lua cheia. Literalmente, temos aqui no hebraico a expressão "dia nomeado", mas está em vista a festa da lua cheia. Naquele dia, a lua iluminaria a noite, e a mulher adúltera operava somente quando a noite estava muito escura.

■ 7.21

הִטַּתּוּ בְּרֹב לִקְחָהּ בְּחֵלֶק שְׂפָתֶיהָ תַּדִּיחֶנּוּ׃

Seduziu-o com as suas muitas palavras. *Sumário*. A mulher, com um rosto que transmitia determinação, fez um discurso longo e convincente. A palavra hebraica, nesse caso, é *leqah*, algo justo, o que é irônico para a sedutora. Ela fez um discurso impressionante, que funcionou. A palavra "prudência" (ver Pv 1.5) é a mesma no original hebraico. A fala dela foi não somente suave, mas também "aprendida" de uma maneira perversa. A fala dela era persuasiva. O jovem simples não teve oportunidade e cedeu diante da tentação.

Com as lisonjas dos seus lábios o arrastou. Se é que ele tinha alguma força, o que os homens usualmente não têm, em breve ela o subjugou. "Ela venceu os escrúpulos dele e o constrangeu a ceder" (Adam Clarke, *in loc.*).

■ 7.22

הוֹלֵךְ אַחֲרֶיהָ פִּתְאֹם כְּשׁוֹר אֶל־טֶבַח יָבוֹא וּכְעֶכֶס
אֶל־מוּסַר אֱוִיל׃

E ele num instante a segue. Uma vez que ele tomou a decisão, imediatamente pôs-se a segui-la. Ao agir assim, era como um boi mudo, que, em silêncio, se dirige ao matadouro, inconsciente quanto à sorte terrível que o aguarda. O jovem estudante colocou-se na fileira dos condenados à morte. "Como se fosse um animal mudo, sim, e até pior, visto que poderia ter resistido, se quisesse fazê-lo, mas como um tolo marchou para a sua condenação" (Charles Fritsch, *in loc.*). "... como o boi segue feliz, porquanto pensa que está sendo levado ao pasto" (Fausset, *in loc.*).

Como o cervo que corre para a rede. Esta tradução procura extrair algum sentido do hebraico original, que causa tribulação aos tradutores e tem sofrido várias emendas. Nossa versão portuguesa acompanha a tradução do siríaco. O significado da palavra hebraica *'ekhes*, que significa "insensato", é emendada para rede. A tradução de Moffat diz "como um cão lisonjeado corre para a mordaça". Não há como recuperar o sentido do original aqui. Mas o que o trecho pretende dizer é perfeitamente claro. O pobre estudante termina como um homem preso por algemas; como um veado apanhado na rede; como um cão preso na focinheira, isto é, cativo e miserável, sujeito à morte, porquanto terminou apanhado em uma situação perigosa.

■ 7.23

עַד יְפַלַּח חֵץ כְּבֵדוֹ כְּמַהֵר צִפּוֹר אֶל־פָּח וְלֹא־יָדַע
כִּי־בְנַפְשׁוֹ הוּא: פ

Até que a flecha lhe atravesse o coração. O veado está preso na rede e debate-se para escapar, mas não consegue. Então chega o caçador e termina com o animal, com uma flechada certeira no coração. O jovem insensato, apanhado nas algemas, também poderia ser ferido; mas isso parece menos provável. Alguém traspassaria um cão com uma flecha, estando ele ali, preso na focinheira? Não é provável. A ambiguidade do trecho permanece de pé, pois não podemos solucionar o quebra-cabeças da última cláusula do versículo anterior. Seja como for, o sentido geral é perfeitamente claro. Há uma fatalidade, e essa é a sorte do adúltero. O resto do versículo é claro. Um pássaro insensato, à cata de alimentos, voava para lá e para cá, divertindo-se, quando, de súbito, vê-se apanhado na rede; certamente ele será morto pelo caçador, em troca de qualquer bem que o corpinho da ave possa oferecer. O mestre via o terrível resultado da insensatez do jovem estudante, ou de qualquer jovem que parasse na casa da mulher adúltera.

■ 7.24

וְעַתָּה בָנִים שִׁמְעוּ־לִי וְהַקְשִׁיבוּ לְאִמְרֵי־פִי:

Agora, pois, filho, dá-me ouvidos. *Observações Finais.* Depois de ter dado a longa ilustração de como um jovem insensato fora derrotado e corrompido pela astuciosa adúltera, o mestre chama a atenção de seus filhos. Que o leitor preste atenção à palavra "atenta", em Pv 4.20. Quanto aos estudantes do mestre, que foram chamados de filhos, por ser ele o pai espiritual, ver Pv 6.1. Quanto aos filhos atentando para as palavras do pai, ver Pv 4.1,20; 5.1 e 22.17.

■ 7.25

אַל־יֵשְׁטְ אֶל־דְּרָכֶיהָ לִבֶּךָ אַל־תֵּתַע בִּנְתִיבוֹתֶיהָ:

Não se desvie o teu coração para os caminhos dela. O mestre tinha ainda uma ou duas palavras para dizer contra a mulher sedutora. Ao estudante cabia encher o coração com as palavras da sabedoria que o desencorajavam a inclinar-se para a mulher adúltera, e, sendo esse o caso, certamente ele não enveredaria pelos caminhos dela. "Não deveria errar nem no coração nem nas ações: o inclinar-se expressava o começo do pecado, e o desviar-se indicava a continuação no pecado" (Fausset, *in loc.*). O pensamento dá início ao ato, e a inclinação dá início ao pensamento.

> *Finalmente, irmãos, tudo o que é verdadeiro, tudo o que é respeitável, tudo o que é justo, tudo o que é puro, tudo o que é amável, tudo o que é de boa fama, se alguma virtude há e se algum louvor existe, seja isso o que ocupe o vosso pensamento.*
> Filipenses 4.8

■ 7.26

כִּי־רַבִּים חֲלָלִים הִפִּילָה וַעֲצֻמִים כָּל־הֲרֻגֶיהָ:

Porque a muitos feriu e derrubou. O jovem estudante, fraco como era, não teve nenhuma chance contra a esperta adúltera. Ela já havia derrubado a muitos homens fortes, homens de autoridade e poder, na igreja, no estado e no exército. Ela os havia reduzido a uma massa de feridas. Ela era como um exército composto de uma única mulher, que, sozinha, tinha derrotado a uma tropa inteira. Ela causara morte prematura e uma morte em vida a muitos. Davi e seu filho, Salomão, serviram como exemplos de homens fortes a quem a concupiscência sexual injuriou; e quem poderia esquecer a história de Sansão?

■ 7.27

דַּרְכֵי שְׁאוֹל בֵּיתָהּ יֹרְדוֹת אֶל־חַדְרֵי־מָוֶת: פ

A sua casa é caminho para a sepultura. A mulher adúltera transformara sua casa luxuosa em um bordel, e assim tornou-se o portão para o sheol, ou seja, a morte. A expressão "câmaras da morte" sugere aquele lugar abaixo da superfície da terra, o *sheol*, ou *hades*. Ver sobre ambos os termos no *Dicionário*. Quanto a uma ilustração da noção hebraica do cosmos, de sua estrutura e de seus compartimentos, ver o artigo intitulado *Astronomia*. Por diversas vezes ofereço um sumário da ideia do sheol, doutrina que esteve em desenvolvimento, tal e qual sucede a todas as demais doutrinas da Bíblia. Existem poucos lugares, nos livros de Salmos e de Provérbios, que parecem indicar que a ideia original do sheol, como sinônimo da morte física, foi modificada. Ofereço tal nota expositiva em Pv 5.5, pelo que não a reitero aqui. Quanto a outros lugares que parecem ver o sheol como mais do que o sepulcro, ver Sl 88.10; 139.8; 148.7; Pv 2.18 e 5.5. Quanto à obra de Cristo no hades, que levou a esperança às almas presas naquele lugar, ver na *Enciclopédia de Bíblia, Teologia e Filosofia* os artigos chamados *Descida de Cristo ao Hades* e *Julgamento de Deus dos Homens Perdidos*.

Câmaras da morte. A palavra "câmaras", aqui usada, alude às câmaras luxuosas de adultério que a mulher tão elaboradamente preparava para suas vítimas (vss. 16 e 17), pelo que elas saíam de uma espécie de câmara para outra. Plauto (*Bacchides*, Act. 3., sec. 1. v. 1) também se refere ao hades como uma câmara.

Este versículo assinala o fim dos prazeres carnais e de todas as suas ilusões, e também fala sobre o sofrimento daqueles que foram enganados para seguir esse tipo de vida. Permanece em dúvida o estágio da doutrina do sheol. O que sabemos é que, na missão de Cristo, a esperança remidora foi injetada em um quadro em tudo mais deplorável.

CAPÍTULO OITO

DÉCIMO QUARTO DISCURSO: VALOR DA SABEDORIA É DEMONSTRADO EM SUAS VIRTUDES E RECOMPENSAS (8.1-21)

Este é o décimo quarto dos dezesseis discursos do primeiro livro de Provérbios (1.8—9.18). Este capítulo é um hino de louvor à sabedoria, a qual é personificada como uma mulher, conforme se vê em Pv 1.20 ss. Este capítulo está naturalmente dividido em três seções: 1. A recompensa da sabedoria aos sábios (vss. 1-21); 2. A exaltada posição da sabedoria diante do Criador (vss. 22-31). 3. Exortações de conclusão (vss. 32-36). A segunda parte — vss. 22-31 — foi cristianizada para falar sobre o Verbo do Novo Testamento (Jo 1.1). Ver as notas sobre isso na introdução ao vs. 22.

■ 8.1,2

הֲלֹא־חָכְמָה תִקְרָא וּתְבוּנָה תִּתֵּן קוֹלָהּ:

בְּרֹאשׁ־מְרוֹמִים עֲלֵי־דָרֶךְ בֵּית נְתִיבוֹת נִצָּבָה:

Não clama porventura a sabedoria. A sabedoria, personificada como uma mulher (ver Pv 1.20 ss.), é novamente retratada como a chamada ao homem ignorante para ouvir suas instruções, pois nelas estão a vida e a prosperidade. A sabedoria foi primeiramente equiparada ao entendimento (ver Pv 1.5 e 2.2). Diferentemente da prostituta e da adúltera, que se escondem na escuridão das ruas, à noite, essa mulher, a Sabedoria, assumia posição em lugar alto, em plena luz do dia, para que todos, que fossem e viessem, a pudessem ver e ouvissem. A mensagem da Sabedoria é saudável e curativa, e não destruidora. Em sua chamada há esperança e vida, em contraste com a morte, para a qual o convite da adúltera chama (ver Pv 7.27). O vs. 2 deste capítulo é uma espécie de modificação de Pv 1.21, onde aparecem notas expositivas mais completas.

"Em vez de postar-se em lugares escuros (ver Pv 7.8), como fazia a prostituta (ver Pv 7.9), a Sabedoria estava no alto de lugares altos, onde todos, que fossem e viessem, a poderiam ouvir" (Fausset, *in loc.*).

Junto ao caminho. Próximo às interseções das estradas principais que o público em geral segue, bem como em portões pelos quais as pessoas entravam e saíam da cidade e onde os homens efetuavam seus negócios e tratavam de casos da lei. "A Sabedoria é retratada como uma pessoa cativante que se movia entre a multidão, e não em um lugar recluso, acessível somente a alguns poucos" (Rolland W. Schloerb, *in loc.*).

Este versículo tem sido cristianizado para fazer de Cristo a mulher sábia, tendo ele um apelo franco e universal a homens de todos os lugares. Nesse caso, o evangelho é a essência do convite, e o fim da obediência a esse convite é a vida eterna.

■ 8.3

לְיַד־שְׁעָרִים לְפִי־קָרֶת מְבוֹא פְתָחִים תָּרֹנָּה׃

Junto às portas, à entrada da cidade. A sabedoria estava nos portões, lugares de comércio, tribunais e viagens. Ali ela encontrava toda a espécie de pessoas, ocupadas em suas atividades diárias. O autor sagrado usa três descrições diferentes para dizer a mesma coisa — os lugares de entrada e de saída da cidade: portas; entrada da cidade; entrada das portas. Isso tem sido cristianizado para falar sobre como o evangelho "é enviado ao mundo inteiro" (ver Mt 28.19).

"Ela vai a todos os lugares onde possa encontrar os maiores ajuntamentos de pessoas. '... não querendo que nenhum pereça, senão que todos cheguem ao arrependimento' (2Pe 3.9). Por esse motivo os apóstolos faziam das grandes cidades, centros populacionais como Antioquia, Éfeso e Corinto, os quartéis-generais de seus empreendimentos missionários" (Ellicott, *in loc.*). Cf. Jo 18.20; Mt 10.27 e Atos 20.20,27.

■ 8.4

אֲלֵיכֶם אִישִׁים אֶקְרָא וְקוֹלִי אֶל־בְּנֵי אָדָם׃

A vós outros, ó homens, clamo. "A sabedoria dirigiu-se a todos os homens e ofereceu tesouros incalculáveis a todos, se ao menos dessem ouvidos à sua voz e obedecessem às suas palavras" (Charles Fritsch, *in loc.*). "Os caminhos [da sabedoria] não estão limitados a um único povo ou a uma única raça ou nação. Coisa alguma que seja humana está fora do escopo de suas convocações. Nada existe de provincial acerca dos apelos da sabedoria. Ela inclui a todos. A sua voz pode ser ouvida onde quer que exista uma comunidade humana. Seu apelos não estão baseados no que sabedoria espera que os homens façam por ela. Ela os convoca aos seus caminhos por causa do que ela pode fazer por eles. A sabedoria tem o segredo da vida eficaz" (Rolland W. Schloerb, *in loc.*). A mensagem da sabedoria é o anúncio de uma profetisa. Ela tem autoridade. Até mesmo aqui o calvinismo limitador está em operação, fazendo os apelos da sabedoria ser dirigidos aos "chamados eternamente", e não às massas, o que é ridículo.

■ 8.5

הָבִינוּ פְתָאיִם עָרְמָה וּכְסִילִים הָבִינוּ לֵב׃

Entendei, ó simples, a prudência. Os simples (ver Pv 1.4), os ingênuos, os não instruídos são chamados a dar ouvidos e assim tornar-se sábios. Ver Pv 1.3. O propósito principal deste livro de sabedoria, o livro de Provérbios, é levar a sabedoria às massas. Ver no *Dicionário* o verbete chamado *Sabedoria*, quanto a ideias completas. Até os insensatos podem alcançar um coração compreensivo, se estiverem atentos à mensagem (ver sobre o entendimento, em Pv 1.2,6). A sabedoria ensina o discernimento.

■ 8.6

שִׁמְעוּ כִּי־נְגִידִים אֲדַבֵּר וּמִפְתַּח שְׂפָתַי מֵישָׁרִים׃

Ouvi, pois falarei cousas excelentes. Quanto à chamada para ouvir, tão frequente no livro de Provérbios, ver 4.20. O ouvinte cuidadoso ouvirá coisas excelentes (*Revised Standard Version*), cousas excelentes (*King James Version*, versão portuguesa). Essas coisas são os tesouros da lei, o guia (ver Dt 6.4 ss.), o doador da vida (ver Dt 4.1; 5.33; 6.2; Ez 20.1). O vocábulo hebraico aqui empregado, *neghidhim*, significa "príncipes", pelo que a sabedoria nos traz coisas principescas, coisas que podem fazer de homens, reis, e de nobres, seres espirituais. Alguns eruditos (como Toy e Oesterley, *in loc.*) emendam para *nekhohim*, "coisas verdadeiras", tradução favorecida por alguns intérpretes. Ambas as coisas são verazes, mas apego-me ao texto regular, porquanto a sabedoria não está chamando os homens meramente a caminhos verdadeiros; ela os convida a caminhos principescos, nobres. Fazendo o que é reto, os homens serão exaltados. Quanto ao que é reto (a equidade), ver Pv 1.3 e as notas expositivas ali existentes. Em Pv 8.9 são pessoas dotadas de discernimento que enveredam pelo caminho reto. A sabedoria não fala com pessoas levianas nem com aqueles que meramente fazem experiências com a fé religiosa. A sabedoria demanda ação decisiva e convicções de coração. Fala coisas augustas, conforme diz a versão da Septuaginta, e espera que os homens se elevem até essas coisas, deixando suas veredas humildes para trás.

> Resolvi não mais demorar-me,
> Encantado pelos deleites do mundo.
> Coisas superiores, coisas mais nobres,
> Essas enfeitiçaram a minha visão.

■ 8.7

כִּי־אֱמֶת יֶהְגֶּה חִכִּי וְתוֹעֲבַת שְׂפָתַי רֶשַׁע׃

Porque a minha boca proclamará a verdade. Falando a verdade, os lábios da sabedoria abominam a iniquidade. A Septuaginta faz isso referir-se aos abusos da linguagem, "uma abominação diante de mim são lábios falsos". Cf. Pv 4.24 e 6.12, onde essa ideia está realmente em vista. Mas de nada adianta abandonar o texto hebraico aqui. Existem muitas tentações que apontam para o caminho errado, encorajando a perversidade. Mas a sabedoria engaja-se nos caminhos da vida, e não nos caminhos da morte. A palavra da verdade aqui é, naturalmente, a lei, conforme essa legislação é interpretada por meio das declarações de sabedoria.

■ 8.8

בְּצֶדֶק כָּל־אִמְרֵי־פִי אֵין בָּהֶם נִפְתָּל וְעִקֵּשׁ׃

São justas todas as palavras da minha boca. Este versículo reforça o vs. 7. As palavras da sabedoria são retidão (ver Pv 1.3). Nessas palavras nada existe de perverso, o que corresponde ao vocábulo hebraico *pathal*, referindo-se, basicamente, a uma corda ou fio, devidamente entretecidos para se tornarem mais fortes. Ver Pv 2.15 quanto ao que é perverso ou distorcido. A sabedoria, diferentemente até de homens bons, não tem uma linguagem mista — ora boa, ora ruim; ora séria, ora frívola. Nem a linguagem da sabedoria é maliciosamente complicada, dando a entender uma coisa, mas querendo dizer outra. A sabedoria não fala com duplicidade.

"Nada existe nelas que seja contrário à lei de Deus, ou às Escrituras da verdade; e nada existe nelas que seja contrário à fé verdadeira" (John Gill, *in loc.*). Esse mesmo antigo autor também cristianizou o versículo para falar sobre a mensagem de Cristo, o evangelho concernente à vida eterna.

■ 8.9

כֻּלָּם נְכֹחִים לַמֵּבִין וִישָׁרִים לְמֹצְאֵי דָעַת׃

Todas são retas para quem as entende. O indivíduo que quiser saber e obedecer descobrirá que todas as instruções dadas pela sabedoria são retas (ou seja, boas e fáceis de ser seguidas, sem nenhum intuito de desvio). A palavra hebraica correspondente é *nakhoah*, que significa "defronte de" e então, metaforicamente, retas. As veredas para as quais ela aponta são fáceis e claras de ser seguidas, sem desvios laterais ou caminhos cruzados que levem um homem a duvidar que está no caminho reto. O conhecimento é a coisa principal a ser obtida, outra maneira de falar sobre a sabedoria. O temor do Senhor é o começo do conhecimento (ver Pv 1.7); os insensatos, entretanto, o odeiam (ver Pv 1.22); mas o homem bom clama por ele (ver Pv 2.3) e acaba encontrando-o (ver Pv 2.5); o conhecimento é agradável à nossa alma (ver Pv 2.10).

Para os que acham o conhecimento. No Targum encontramos o termo "os que desejam", e a versão siríaca concorda com isso. O homem bom deseja de tal modo o conhecimento que o busca com diligência; e então acabará por achá-lo. O livro do conhecimento não deve ser selado. Antes, deve ser um livro aberto que possa ser examinado e usado para ensino. À mente humana é conferida a capacidade de conhecer a verdade, quando essa verdade é diligentemente buscada. Naturalmente, isso se dá por meio do crescimento, não é um dom obtido de uma vez para sempre.

> Parte tu o pão da vida, Senhor, para mim, como partiste os pães à beira-mar.
>
> Mary Ann Lathbury

8.10,11

קְחוּ־מוּסָרִי וְאַל־כָּסֶף וְדַעַת מֵחָרוּץ נִבְחָר׃
כִּי־טוֹבָה חָכְמָה מִפְּנִינִים וְכָל־חֲפָצִים לֹא יִשְׁווּ־בָהּ׃

Aceitai o meu ensino, e não a prata. As instruções devem ser vistas e recebidas como coisas mais preciosas do que a prata e o ouro (vs. 10), e melhores do que as joias (vs. 11). Essa figura é vista em Pv 3.14,15, onde são mencionados os mesmos itens preciosos. Feliz é o homem que obtém a sabedoria, e não essas coisas (ver Pv 3.13). Note o leitor a tríade: instrução; conhecimento; sabedoria — diferentes formas de falar sobre a sabedoria. O autor sagrado continua variando seus termos, que falam todos sobre a mesma coisa: a sabedoria que é encontrada na lei de Moisés, conforme interpretada pelas declarações da sabedoria. O valor da sabedoria excede o valor das coisas terrenas que os homens tão diligentemente buscam. A sabedoria provê ganhos reais e duradouros. A sabedoria trata com a alma de um homem, com o seu ser interior, enquanto a prata, o ouro e as joias só podem melhorar seu estilo físico da vida. A figura da prata, do ouro e das joias é usada porque os homens a seguem diariamente e anelam ansiosamente por tais coisas. A sabedoria tenta apontar a ansiedade dos homens, dirigindo-a para algo mais digno de atenção. Homens carnais têm problemas de atitudes. A sabedoria, pois, tenta reorientar as atitudes dos homens.

> Não acumuleis para vós outros tesouros sobre a terra, onde a traça e a ferrugem corroem e onde ladrões escavam e roubam; mas ajuntai para vós outros tesouros no céu.
>
> Mateus 6.19,20

8.12

אֲנִי־חָכְמָה שָׁכַנְתִּי עָרְמָה וְדַעַת מְזִמּוֹת אֶמְצָא׃

Eu, a sabedoria, habito com a prudência. A sabedoria personificada informa o local de sua habitação, a saber, junto com a prudência. Esse é o seu lar. O original hebraico é *'ormah*. É indicada a sabedoria prática, ou seja, a inteligência para aplicar o estoque da sabedoria no coração e na mente. Essa palavra significa "sutileza", em bom ou mau sentido. No seu lar, onde habita com a prudência, a sabedoria tem o conhecimento e a discrição como companheiros e ajudadores. O indivíduo que se associa à sabedoria naturalmente também fica com suas ajudantes, referidas nos vss. 9,10. Discrição significa, basicamente, ter planos sagazes, o planejamento em um bom sentido; saber como proceder na vida, obedecendo aos preceitos da lei em todas as áreas. Ver em Pv 1.4 sobre o bom siso, do qual *discrição* é um sinônimo. As três palavras que aparecem neste versículo também são encontradas em Pv 1.4, cuja exposição adiciona detalhes.

8.13

יִרְאַת יְהוָה שְׂנֹאת רָע גֵּאָה וְגָאוֹן וְדֶרֶךְ רָע וּפִי תַהְפֻּכוֹת שָׂנֵאתִי׃

O temor do Senhor consiste em aborrecer o mal. O autor sacro leva-nos de volta ao tema central do livro, "o temor do Senhor", que anoto em Pv 1.7. Ver também Sl 119.38. Além disso, quanto a detalhes, ver no *Dicionário* o artigo chamado *Temor*. O temor do Senhor é uma frase do Antigo Testamento conforme a espiritualidade era vista no antigo Israel, e a lei era o guia do povo de Israel. Portanto, aqui, esse temor leva o crente a odiar o mal, porquanto existem muitos mandamentos contra uma grande variedade de pecados na lei de Moisés. O homem cujo coração é abençoado pela fé estará equipado para seguir os ditames da lei, tanto em suas injunções negativas quanto em suas injunções positivas, e essas injunções, no judaísmo posterior, eram mais de seiscentas! A sabedoria personificada nos mostra que há algumas poucas coisas que devem ser evitadas e representam possibilidades intermináveis:

A soberba. Foi por causa do orgulho que o diabo caiu em transgressão. Pode-se dizer que esse é um pecado básico, pai de todos os pecados. O indivíduo soberbo é aquele que quer ser mais do que realmente é. Foi o que derrubou Lúcifer. Trata-se de uma força destruidora, a base de muitas atitudes e atos errados. Ver no *Dicionário* o artigo chamado *Orgulho*.

A arrogância. Este é outro dos pecados que Deus abomina. Figura entre as sete coisas que são odiadas em 6.16 ss., sob o título olhos altivos (vs. 17). O orgulho, ou soberba, e a arrogância são ideias aparentadas e derivam-se de palavras hebraicas similares, *gerah* e *gaon*, as quais falam do orgulho em todas as suas expressões. Ver sobre *Orgulho*, no *Dicionário*, quanto a detalhes. O orgulho, como já dissemos, é um dos principais pecados, considerado por alguns estudiosos como um dos pecados mortais, se é que é legítimo fazer distinções entre pecados mortais e veniais, como diz a Igreja Católica Romana. Ver na *Enciclopédia de Bíblia, Teologia e Filosofia* o artigo intitulado *Sete Pecados Mortais*.

O mau caminho. Conforme já vimos, a Bíblia usa a palavra "caminho" para indicar a conduta seguida por uma pessoa. O "caminho mau" é o caminho errado ditado pelo diabo e pelo espírito da desobediência. Logicamente, Deus abomina esse tipo de pecado, que também devemos considerar um dos pecados basilares, ou seja, ele serve de trampolim a outros pecados. Ver no *Dicionário* o verbete chamado *Caminho*, quanto a maiores explicações a respeito.

A boca perversa. Encontramos aqui o pecado que consiste no abuso da linguagem. Tanto o livro de Salmos quanto o livro de Provérbios muito dizem sobre essa transgressão. Ver Pv 4.24 e 6.12, onde apresento notas expositivas de sumário. Ademais, ver Sl 5.9; 12.2; 15.3; 17.3; 34.12; 35.28; 38.3; 39.9; 55.21; 64.4; 73.9; 94.4; 101.5; 109.2; 119.172; 120.3,4; 139.4; 140.3 e 141.3. Ver sobre *Linguagem, Uso Apropriado da*, no *Dicionário*, quanto a maiores detalhes.

Cf. Pv 4.24, onde ofereço outras notas expositivas sobre a boca perversa. "... boca perversa, coisas contrárias ao próprio coração humano, contrárias à verdade, contrárias à regra da fé, ao evangelho de Cristo, contrárias aos melhores interesses das pessoas, coisas odiosas e abomináveis" (John Gill, *in loc.*). Cerca de cem versículos do livro de Provérbios abordam o uso próprio ou impróprio da linguagem.

Há um provérbio popular que diz que "falar é barato", e isso, naturalmente, contrasta a fala com a ação. Mas, na realidade, nada há de fraco acerca da língua:

> *A língua é fogo... chamas pelo inferno.*
>
> Tiago 3.6

Eu os aborreço. No texto presente, esse ódio é positivo, por expressar o quanto Deus abomina certas transgressões, listadas no começo deste versículo. Ver Pv 6.16 ss., quanto às sete coisas que o Senhor odeia ou abomina, às quais o homem bom também deveria odiar. Quanto ao ódio a todo caminho falso, ver Sl 119.104; quanto a odiar todos os pensamentos vãos, ver Sl 119.113. No entanto, em Sl 139.21 temos o homem bom odiando os homens maus, algo que não combina com a revelação superior do cristianismo.

O ódio é o equivalente diabólico do amor de Deus, uma força destruidora, a base de muitas atitudes e atos maus. No entanto, vemos o estranho espetáculo de muitas pessoas religiosas especializadas no ódio, e não no amor. Não será isso prova do erro fundamental da sua posição religiosa? Sem dúvida! Ver no *Dicionário* o verbete chamado *Ódio*, quanto a maiores detalhes.

8.14

לִי־עֵצָה וְתוּשִׁיָּה אֲנִי בִינָה לִי גְבוּרָה׃

Meu é o conselho e a verdadeira sabedoria. *Características da Sabedoria*. A sabedoria tem essas coisas como suas possessões. Acabamos de ver o que a sabedoria odiava, e agora somos informados a respeito do que ela ama e aprova.

Conselho. Bons conselhos acerca de como andar, viver e ser. Estamos falando das muitas instruções conferidas pela lei, conforme esta é interpretada pelas declarações da sabedoria.

Verdadeira sabedoria. A essência da lei de Moisés, posta em vigor na vida diária do indivíduo. Ver Pv 2.7, onde encontramos idêntica expressão.

Entendimento. Ver Pv 1.2 e o vs. 9 deste mesmo capítulo. Ver também Pv 2.7; Ec 7.19 e Is 11.2. Os termos são contrastados com a sabedoria humana, não iluminada ainda pela lei.

Minha é a fortaleza. Possuidora das qualidades mencionadas, a Senhora Sabedoria torna-se uma fortaleza em defesa do povo que a ouve e obedece ao que ela diz. Quanto ao próprio Deus como a fortaleza, ver Sl 18.2; 31.3; 71.3; 91.2 e 144.2. Trata-se de uma expressão militar. A fortaleza era o lugar do qual os soldados atacavam, e também para onde fugiam em busca de refúgio. Ver Deus como nosso refúgio, em Sl 46.1. A sabedoria aplicada (executar o que a lei recomenda e evitar o que ela proíbe) é a força de um homem. A sabedoria é capacitadora. A sabedoria é protetora. "Conhecer é poder" (Lord Bacon), e tanto mais quando esse conhecimento é divino.

A sabedoria fortalece ao sábio, mais do que dez poderosos que haja na cidade.

Eclesiastes 7.19

■ **8.15**

בִּי מְלָכִים יִמְלֹכוּ וְרוֹזְנִים יְחֹקְקוּ צֶדֶק:

Por meu intermédio reinam os reis. Os reis são capazes de reinar bem quando contam com a orientação da sabedoria. O poder não existe separadamente da justiça e da bondade. Nenhum rei governa bem se não for homem bom e justo. O rei, como qualquer pessoa, tem de levar uma vida pessoal boa e santa, pois, do contrário, não será um bom rei. Além disso, cabe-lhe a responsabilidade de dirigir a vida nacional por esse mesmo prisma. A lei não lhe ensinará quando tiver de declarar guerra ou quando não o tiver. Ele poderá obter algumas indicações relativas à vida de negócios como vindas de um oráculo, no templo, ou por meio de algum profeta. Essas vantagens também estavam às suas ordens para o exercício diário do poder. A sabedoria também está no oráculo e na palavra de um profeta. Os príncipes compartilham do poder, estando subordinados ao rei. Os príncipes tornam-se sábios através do mesmo *modus operandi*.

Os príncipes decretam justiça. Uma monarquia opera através de decretos, que podem ser temíveis ou benéficos, tudo dependendo da sabedoria e da bondade do homem que tem poder para baixá-los. Muitos decretos são obviamente prejudiciais a um povo. Muitos governantes também são obviamente prejudiciais a um povo, e o que eles são com frequência é determinado por aquilo que impõem ao povo sobre o qual exercem o mandato. O Targum faz a sabedoria ungir os reis com justiça. Este versículo tem sido cristianizado para falar de Cristo, o Rei, que é o governante justo final.

■ **8.16**

בִּי שָׂרִים יָשֹׂרוּ וּנְדִיבִים כָּל־שֹׁפְטֵי צֶדֶק:

Por meu intermédio governam os príncipes. Este versículo refaz levemente o anterior, adicionando os nobres à lista dos governantes e fazendo todos eles governar por intermédio da sabedoria, sem mencionar seus decretos, que são instrumentos de seu governo. O texto massorético também fala aqui em *juízes*, o que é secundado pela nossa versão portuguesa. Mas a versão da Septuaginta tem o verbo "governar" no lugar do substantivo "juízes", ou seja, a Septuaginta limita a menção dos governantes aos príncipes e aos nobres. Juntamente com o vs. 15, pois, temos o rei, os príncipes, os nobres e, talvez, os juízes, como aqueles que exercem o poder. A sabedoria, pois, concede entendimento a todos esses governantes, sem importar o nível a que eles pertençam, para que governem bem. Ver o *Dicionário* quanto aos artigos chamados *Massora (Massorah); Texto Massorético* e *Manuscritos Antigos do Antigo Testamento.* Algumas vezes, as versões têm um texto superior ao do texto hebraico padronizado, refletindo manuscritos hebraicos mais antigos do que os utilizados pelo texto hebraico padronizado. Os papiros do Mar Morto ilustram a sobejo esse fato, concordando ocasionalmente com as versões, sobretudo com a Septuaginta, e não com o texto hebraico posterior. Ver no *Dicionário* o artigo intitulado *Mar Morto, Manuscritos (Rolos) do*.

■ **8.17**

אֲנִי אֹהֲבֶיהָ אֵהָב וּמְשַׁחֲרַי יִמְצָאֻנְנִי:

Eu amo os que me amam. A sabedoria instrui e concede compreensão, mas a Senhora Sabedoria também ama àqueles que a amam e a buscam. O amor é mútuo, sendo esse o melhor tipo de amor. Compreendemos que Deus, como nosso Pai celestial, ama a seus filhos (ver Jo 3.16); e amar Deus é o primeiro dever e privilégio dos homens. Ver Dt 6.5 e 1Jo 4.7 ss.; 5.1. Guardar os mandamentos é amar a Deus. Ver também Jo 14.15. Aquele que ama busca o objeto de seu amor, e o homem que ama a sabedoria a busca. Ademais, a Senhora Sabedoria garante estar esperando ansiosamente pelo encontro. Em contraste, aqueles que rejeitam a sabedoria a buscam em vão (ver Pv 1.28). Deve haver amor mútuo, ou os benefícios da sabedoria serão retidos.

Aquele que tem os meus mandamentos e os guarda, esse é o que me ama; e aquele que me ama, será amado por meu Pai, e eu também o amarei e me manifestarei a ele.

João 14.21

"Todos fantasiam que amam Deus. Mas aqueles que não buscam Deus de modo algum, ou que o buscam friamente, ao mesmo tempo que buscam as vaidades do mundo, deixam claro que são conduzidos pelo amor ao mundo, mais do que pelo amor a Deus" (Fausset, *in loc.*).

■ **8.18**

עֹשֶׁר־וְכָבוֹד אִתִּי הוֹן עָתֵק וּצְדָקָה:

Riquezas e honra estão comigo. As verdadeiras riquezas e a honra estão com a Senhora Sabedoria em sua casa, em contraste com as riquezas do mundo, como prata, ouro e joias (vss. 10 e 11). As riquezas da sabedoria são permanentes, em contraste com as riquezas do mundo.

Essa ideia tem sido cristianizada para falar das recompensas ganhas após o sepulcro, no pós-vida. Mas o autor sagrado está falando sobre uma longa vida, plena de honrarias, prosperidade e bem-estar, agora mesmo na terra, a herança de Israel. Em vez de "justiça", algumas traduções dizem "prosperidade, çedhaqah, que pode significar isso ou 'boa sorte, dada por Deus ao homem'" (Charles Fritsch, *in loc.*). "A retidão é associada às riquezas duráveis, em contraste com as riquezas deste mundo, que perecem, são mal ganhas e logo se perdem" (Fausset, *in loc.*). Cf. Mt 6.33. Em Cristo existem riquezas duráveis, Ef 3.8 e 1Co 1.30. Quanto às riquezas permanentes, ver também Pv 14.24; 15.6 e 22.4.

Na sua casa há prosperidade e riqueza, e a sua justiça permanece para sempre.

Salmo 112.3

■ **8.19**

טוֹב פִּרְיִי מֵחָרוּץ וּמִפָּז וּתְבוּאָתִי מִכֶּסֶף נִבְחָר:

Melhor é o meu fruto do que o ouro, do que o ouro refinado. Aqui a Senhora Sabedoria é representada como produtora de um fruto superior ao ouro, superior mesmo ao ouro refinado que produz elevado preço no mercado. Sua produção é maior do que qualquer coisa que a prata depurada pode trazer a um homem. A figura simbólica é a de uma árvore frutífera, e a produção é tanto espiritual quanto material, pondo em eclipse qualquer tipo de riquezas terrenas.

Rendimento. Vocábulo usado na linguagem do mercado. O termo chama nossa atenção para a capacidade da sabedoria de produzir benefícios superiores a qualquer bem terreno. O homem que se tornar possuidor das riquezas da sabedoria terá uma produção superior àquele que fez de seu alvo o negócio de acumular o ouro e a prata. Ele terá vida mais longa, mais útil, mais justa, mais produtiva, menos perturbada do que o homem que negligencia a sabedoria. A Senhora Sabedoria dá àqueles que a amam todos os benefícios e, colocando-se à mão direita de Deus, ela tem um suprimento interminável, que vem do tesouro das riquezas divinas.

■ **8.20**

בְּאֹרַח־צְדָקָה אֲהַלֵּךְ בְּתוֹךְ נְתִיבוֹת מִשְׁפָּט:

Ando pelo caminho da justiça. A sabedoria sabe conduzir seus cultores pelo caminho justo e mais próspero, a saber, o caminho da justiça — as veredas da retidão. A metáfora da árvore é agora substituída pela metáfora do "caminho", tão frequentemente utilizada nos livros de Salmos (ver notas em Sl 37.5) e Provérbios (ver as notas em Pv 4.27). Ver no *Dicionário* o verbete chamado *Caminho*, quanto a detalhes. Quanto à metáfora de *andar pelo caminho*, ver sobre *Andar*, no

Dicionário. Ver também Is 30.21. "... da verdade e da santidade: caminhando em seus mandamentos e ordenanças; em todos aqueles preceitos que nos fornecem orientação, não contra a vontade do homem bom, mas em concordância com o seu desejo; correndo com a maior satisfação, naquelas veredas pelas quais ele anda" (John Gill, *in loc.*).

OS DONS DO AMOR

*Ando pelo caminho da justiça,
no meio das veredas do juízo,
para dotar de bens os
que me amam, e lhes
encher os seus tesouros.*

Provérbios 8.20,21

AS QUALIDADES DO AMOR

O amor é o símbolo da eternidade. Apaga todo o senso de tempo, destruindo toda a memória de um começo e todo o temor de um fim.

Madame de Stael

O químico que pode extrair do seu próprio coração os elementos de compaixão, de respeito, de anelo, de paciência, de lamento, de surpresa e de perdão; compondo-os em um só, pode criar aquele átomo que se chama Amor.

Kahlil Gibran

■ 8.21

לְהַנְחִיל אֹהֲבַי יֵשׁ וְאֹצְרֹתֵיהֶם אֲמַלֵּא: פ

Para dotar de bens os que me amam. A Senhora Sabedoria anela por dar àqueles que a amam uma herança, e essa herança é tão grande que enche todos os seus tesouros. Uma herança traz, de súbito, riquezas pelas quais não trabalhamos para conseguir. As heranças que obtemos geralmente vêm de entes queridos. É a última bênção para nós, a menos, naturalmente, que encontrem uma maneira de abençoar-nos estando no outro lado. Em Cristo somos herdeiros (ver Rm 8.17); e, sendo isso no país celestial, produzido pelo Ser divino, deve significar que temos grandíssima herança. Assim sendo, a sabedoria, um dom divino, enche os tesouros de todos quantos a amam. Cf. Mt 6.20.

Receberá a coroa da vida a qual o Senhor prometeu aos que o amam.

Tiago 1.12

Ver no *Dicionário* os verbetes intitulados *Galardão* e *Coroas*. Ver também 2Tm 4.8.

DÉCIMO QUINTO DISCURSO: A EXALTADA POSIÇÃO DA SABEDORIA (8.22-31)

Este é o décimo quinto dos dezesseis discursos que compõem o primeiro livro de Provérbios (1.8—9.18). A sabedoria retrocede ao tempo da criação, tendo sido um instrumento da criação. Naturalmente, a sabedoria já estava com Deus antes da criação, e fazia parte da doutrina judaica padrão que a lei incorporava essa sabedoria, que não começou com a lei de Moisés. Isso significa que a lei de Moisés foi um reflexo da eterna sabedoria de Deus. A sabedoria já existia antes da criação, sendo mencionada por cinco vezes nesta passagem: vss. 22 (duas vezes), 23, 25 e 26. A sabedoria estava presente quando Deus criou todas as coisas: vss. 24,27-29. Por sete vezes, o *quando* é declarado.

É apenas natural que uma passagem como a presente se refira ao Verbo (ver Jo 1.1), como que para descrever o Filho preexistente. Essa teoria é maculada, entretanto, pela palavra *criar* (de acordo com certas versões; e, talvez, por isso, em nossa versão portuguesa tenhamos o verbo "possuir") no vs. 22: "O Senhor me possuía no início de sua obra". Por isso mesmo, os intérpretes são forçados a modificar a frase para que tenha outro sentido, conforme se vê nos seguintes três pontos:

1. Em um dos pontos extremos, temos o comentário da *Scofield Reference Bible*: "Essa sabedoria é mais do que uma personificação de um dos atributos de Deus, ou da vontade deDeus como a melhor vontade para o homem, é antes um prefigurar distinto de Cristo, como algo firme na mente divina. Cf. Pv 8.22-26 com Jo 1.1-3 e Cl 1.17. Só pode estar em pauta o Eterno Filho de Deus" (*in loc.*).
2. No outro extremo, temos o atributo de Deus da sabedoria, vista como que personificada. Talvez a verdade esteja em uma posição intermediária.
3. "Este é um desenvolvimento do pensamento em 3.19,20 que se dirige ao conceito de um agente divino, 'o primogênito de toda a criação', por meio de quem 'todas as coisas foram criadas' (Cl 1.15,16; Jo 1.1-3" (*Oxford Annotated Bible*, comentando sobre o vs. 22).

Esse passo, na direção de tal conceito, também pode ser visto na ideia do Anjo do Senhor, sobre o qual Filo, algumas vezes, falava em termos pessoais. A doutrina do Logos, no Novo Testamento, sem dúvida foi mais um passo nesse processo, também influenciado pela ideia grega do Logos, uma doutrina antiquíssima. Ver na *Enciclopédia de Bíblia, Teologia e Filosofia* o verbete chamado *Logos (Verbo)*, quanto ao pleno tratamento sobre o assunto.

■ 8.22

יְהוָה קָנָנִי רֵאשִׁית דַּרְכּוֹ קֶדֶם מִפְעָלָיו מֵאָז:

O Senhor me possuía no início de sua obra. Consideremos dois pontos aqui:

1. Em vez de "possuía", devemos reparar que a expressão "criou", que aparece em outras versões, é uma tradução legítima da palavra hebraica *qanah*. Alguns tradutores e intérpretes preferem dizer aqui "o Senhor me criou".
2. Mas a nossa versão portuguesa diz "possuía", também uma tradução possível. Na verdade, o verbo hebraico original pode significar "estabelecer" (ver Gn 14.19, referindo-se à formação dos céus) e "gerar" (ver Dt 23.6), ou mesmo "comprar" (ver Gn 25.10) ou "adquirir" (ver Gn 4.1). É inútil, pois, tentar resolver o problema de estar em vista ou não o Verbo, por meio de um apelo ao sentido dessa palavra hebraica.

O cristianismo ortodoxo não fala sobre o Verbo como se ele tivesse sido criado. Ver a introdução ao vs. 22, acima, quanto ao problema do sentido do ensino sobre a Sabedoria preexistente, desde antes da criação e durante a criação. Esse mesmo tipo de dificuldade existe quanto ao significado de Cl 1.15, "o primogênito de toda a criação". Antes de tudo, penso que é ridículo tentar fazer o trecho de Pv 8.22-31 ajustar-se a Jo 1.1 e à doutrina posterior do Logos, forçando cada versículo a ensinar esse ensino posterior. Isso seria verdadeiramente anacrônico. Por outra parte, por que negar que a presente passagem é um passo a mais na direção da doutrina posterior? A maior parte das grandes doutrinas tem passado por um desenvolvimento que se processou durante muitos séculos. Nossa teologia, sempre deficiente, tem de crescer, ou não progrediremos. A verdade de Deus, entretanto, não pode ser contida pelas teologias humanas nem pela finita linguagem humana. Erasmo de Roterdã certamente tinha razão quando insistia em que a linguagem humana não pode aprisionar o infinito. Ele, sem dúvida, tinha razão quando defendeu vigorosamente a liberdade da investigação.

Antes de suas obras mais antigas. Consideremos aqui os dois pontos seguintes:

1. Nossa versão portuguesa dá a entender que Deus já possuía a sabedoria antes de seus atos de criação físicos. Por conseguinte, a controvérsia mencionada acima, sobre a primeira parte deste vs. 22, é perpetuada por duas opiniões diversas, e ambas alicerçadas sobre traduções possíveis do original hebraico.
2. Mas a tradução da Imprensa Bíblica Brasileira é: "O princípio dos seus feitos". E isso significa que a sabedoria foi a primeira coisa a ser criada, o princípio, depois do que se seguiram os demais atos da criação. Assim sendo, a sabedoria foi "o primeiro dos atos de Deus".

Observe o leitor os trechos paralelos, citados a seguir, que favorecem a segunda dessas ideias:

A sabedoria foi criada antes deles todos, e a sã inteligência desde a eternidade.

Eclesiástico 1.4

O próprio Senhor a [à sabedoria] *criou.*

Eclesiástico 1.9

Se esse é o real sentido de Pv 8.22, então que diferença faz uma ou outra tradução? Não procuramos no Antigo Testamento o ensino sobre o Logos. É ridículo que essa passagem tenha figurado com proeminência nas controvérsias cristológicas da igreja primitiva; e outro tanto pode ser dito quanto ao presente. O Targum, a Septuaginta e o siríaco dizem "criou".

■ 8.23

מֵעוֹלָם נִסַּכְתִּי מֵרֹאשׁ מִקַּדְמֵי־אָרֶץ:

Desde a eternidade fui estabelecida. Esta tradução parece falar da eternidade da sabedoria, contradizendo a ideia de que ela foi a primeira coisa criada. Mas também poderíamos traduzir por "era atrás", que indicaria que a sabedoria é antiquíssima, existindo antes da criação; mas a ideia da eternidade é deixada somente para Deus. Seja como for, a sabedoria foi "estabelecida" ou "moldada", o que também é possível. Portanto, dependendo da doutrina que queiramos promover aqui, podemos obter o apoio de traduções e intérpretes. É ridículo falar em heresia, se a doutrina ortodoxa do Logos não for seguida, porquanto isso não é o que está sendo ensinado, embora possa ser considerado um passo nessa direção. Por cinco vezes, nesta passagem, a sabedoria é declarada como existente antes da criação do mundo: vss. 22 (duas vezes), 23, 25 e 26; e por sete vezes lemos que ela já existia quando a criação veio à existência (vss. 24,27-29). Somente a terra é mencionada, e embora saibamos, mediante a ciência moderna, que a terra veio à existência depois do sol (pelo menos há evidências em favor dessa opinião), aqui se fala em toda a criação, porquanto nenhuma diferença cronológica existia, dentro das ideias da criação, entre os hebreus.

Fui estabelecida. A raiz do original hebraico, *nasakh*, parece ser "derramar". Nesse caso, pode estar em foco a ideia de emanação. Isso tem paralelos na literatura da sabedoria!

*Ela é o hálito do poder de Deus,
E pura emanação de seu poder todo-poderoso.*

Sabedoria de Salomão 7.25

Emanação (ver a respeito no *Dicionário*) era uma antiga ideia grega, mas não pertencia ao pensamento mais antigo dos hebreus. Entretanto, na literatura judaica posterior, encontramos a ideia especialmente na literatura da sabedoria. Ver também Eclesiástico 1.9. Filo, como neoplatônico que era, também defendia tal ideia.

■ 8.24

בְּאֵין־תְּהֹמוֹת חוֹלָלְתִּי בְּאֵין מַעְיָנוֹת נִכְבַּדֵּי־מָיִם:

Antes de haver abismos, eu nasci. Esta tradução, "eu nasci", favorece a segunda interpretação do vs. 22, a saber, que a sabedoria foi criada. A figura simbólica é alterada, como uma criança que ainda não nasceu, ainda não veio à existência. Somente quando nasce, começa realmente a vida daquela criança, a menos que estejamos falando em reencarnação, mas isso não está em evidência neste texto. Os cristãos ortodoxos chegaram ao absurdo de falar na "eterna geração", uma doutrina da teologia cristã primitiva, que certamente não é uma ideia do Antigo Testamento e com certeza se revela um anacronismo nesta passagem bíblica. Ver na *Enciclopédia de Bíblia, Teologia e Filosofia* o artigo intitulado *Geração Eterna*.

Seja como for, o nascimento da sabedoria ocorreu antes do começo dos abismos. O hebraico diz aqui *tehomoth*, ou seja, as águas primevas (ver Gn 1.2) que faziam parte da criação original. A cosmogonia dos hebreus pintava a terra como que repousando sobre um grande mar, havendo ainda outro mar acima do firmamento. Ver a ilustração no artigo chamado *Astronomia*, que mostra os dois mares e outras ideias sobre o que a criação teria produzido. Além disso, de dentro da terra, não havia nenhuma fonte a borbulhar, porquanto ainda não havia terra. O autor mencionou algumas poucas coisas representativas que constituíam a criação. Antes que todas as coisas da criação chegassem à existência, a sabedoria estava ali, já criada, tendo sido dada à luz.

■ 8.25

בְּטֶרֶם הָרִים הָטְבָּעוּ לִפְנֵי גְבָעוֹת חוֹלָלְתִּי:

Antes que os montes fossem firmados. A sabedoria já estava ali, antes que a formação das massas de terra viesse a ser firmada, com seus montes e colinas. O autor continuava sua lista representativa de coisas criadas, a fim de dizer-nos que a sabedoria já estava presente, quando essas coisas foram criadas ou emanadas (ver o vs. 23) do fogo divino. A cosmologia dos hebreus pintava as montanhas como grandes estruturas sólidas que repousavam sobre alicerces enterrados profundamente na terra. "Tudo quanto existe veio à tona pela comunicação do Ser infinito de Deus. Tudo quanto tem inteligência a tem por derivação da sabedoria soberana de Deus, e tudo quanto age o faz somente pelo impulso da suprema atividade" (Fenelon). O autor sagrado estava pensando em princípios, contradizendo a ideia grega da eternidade da matéria. O começo veio à superfície ou por criação, proveniente da essência de Deus, mediante o poder de Deus, ou através da emanação do Ser Divino. Quanto às diversas teorias sobre a origem das coisas, ver o artigo chamado *Criação*, segunda seção, onde apresento ideias a respeito.

■ 8.26

עַד־לֹא עָשָׂה אֶרֶץ וְחוּצוֹת וְרֹאשׁ עָפְרוֹת תֵּבֵל:

Ainda ele não tinha feito a terra, nem as amplidões. O autor sagrado continuava apresentando a sua lista representativa de coisas que foram criadas, e em cada caso assegurou-nos que a sabedoria já estava presente quando essas coisas começaram a existir. O hebraico deste versículo é enigmático, tanto a primeira como a segunda cláusula. "Amplidões" talvez indiquem os "lugares exteriores", e o "princípio do pó do mundo" talvez indique os "campos", mas o que significam as "amplidões" e o "princípio do pó do mundo"? As traduções conservam essas frases em sua forma essencialmente literal, e deixam-nos a conjecturar sobre o verdadeiro significado. Alguns pensam que está em pauta o trecho de Gn 2.7, que fala na criação do homem do pó da terra. E as "amplidões" poderiam apontar para os extremos da terra, ao passo que o "pó" da terra seria a camada mais externa do solo, que teria sido usada para que o homem pudesse sobreviver.

Criação Êx Nihilo? Ver no *Dicionário* sobre esse título. Deus, na realidade, criou tudo do nada? Teria ele transformado sua própria energia em matéria? O artigo assim chamado tenta dar alguma espécie de resposta.

■ 8.27

בַּהֲכִינוֹ שָׁמַיִם שָׁם אָנִי בְּחֻקוֹ חוּג עַל־פְּנֵי תְהוֹם:

Quando ele preparava os céus, aí estava eu. Agora temos a menção à criação dos céus, o que poderia incluir os elevados céus, onde habitam Deus e os seres angelicais, mas também o firmamento, que é a taça invertida, a grande cúpula com arco, sólida, que cobriria a terra. Ver sobre esse termo no *Dicionário* quanto a detalhes sobre a ideia. A equiparação do firmamento com os céus estrelados é uma interpretação moderna que procura afastar-se daquilo em que os hebreus realmente acreditavam. Ver a ilustração sobre a cosmogonia dos hebreus no artigo que versa sobre a *Astronomia*, no *Dicionário*. Quando a grande cúpula circular foi formada, fechou a terra dentro de seu círculo. A terra era vista como chata, fechada pela cúpula circular. A palavra "horizonte", aqui usada, não se refere a uma terra circular, como alguns intérpretes tentam forçar o texto sagrado. A referência é à cúpula circular da taça invertida, a qual, por ser dura, é chamada de *firmamento*. Cf. Gn 1.6. Ver também Jó 22.14 e Is 40.22.

■ 8.28

בְּאַמְּצוֹ שְׁחָקִים מִמָּעַל בַּעֲזוֹז עִינוֹת תְּהוֹם:

Quando firmava as nuvens de cima. A sabedoria estava ali, sendo empregada, quando o Criador estabeleceu o céu com nuvens e o grande mar sobre o qual a terra descansava. O hebraico, no caso de ambas as cláusulas, é incerto, pelo que tem sido emendado. Em lugar de nuvens, há versões que dizem céus, e então elas veem a expansão "lá em cima" como se tivesse sido estabelecida por um ato da criação, enquanto as águas inferiores teriam ficado confinadas por seus limites apropriados para servir de fundamentos da terra. Isso posto, condições caóticas foram postas em boa ordem, mas não parece que havia aqui nenhum ensino sobre o caos existente antes do ato criativo de Deus, o qual era então, não uma criação real, mas um vasto esforço de organização. *Céus*, neste caso, é considerado por alguns como outra referência à cúpula celeste. "Firmou os céus, concebidos como uma cúpula sólida que repousava sobre colunas de montes, nas extremidades de uma terra plana (ver Gn 1.6-8; Jó 26.10,11; Sl 104.2,3)" (*Oxford Annotated Bible*, comentando sobre o vs. 28).

■ **8.29**

בְּשׂוּמוֹ לַיָּם ׀ חֻקּוֹ וּמַיִם לֹא יַעַבְרוּ־פִיו בְּחוּקוֹ מוֹסְדֵי אָרֶץ׃

Quando fixava ao mar o seu termo. Além de haver um vasto mar sobre o qual a terra flutuaria, haveria mares conforme os conhecemos, enormes corpos de água que precisavam ser contidos, porquanto seriam, potencialmente, grandes forças destruidoras. Alguns estudiosos veem aqui o amansamento dos mares, mas outros veem esse mar, sobre o qual repousava a terra, como seu alicerce ainda visível. A segunda cláusula parece favorecer a segunda dessas ideias. Deus teria baixado um decreto a esse alicerce, a confinar o mar, para que permanecesse como alicerce apropriado. Talvez haja dupla referência, estando em vista tanto o mar que serve de alicerce como os mares à superfície. Ambos os mares precisariam ser regulamentados pelo decreto divino, ou a terra não seria um lugar habitável. Cf. o versículo com Jó 38.4,10,11. Ver também Gn 1.9; Jr 5.22; Jó 26.7; Sl 24.2 e 104.5.

■ **8.30**

וָאֶהְיֶה אֶצְלוֹ אָמוֹן וָאֶהְיֶה שַׁעֲשֻׁעִים יוֹם ׀ יוֹם מְשַׂחֶקֶת לְפָנָיו בְּכָל־עֵת׃

Então eu estava com ele e era seu arquiteto. A sabedoria estava presente antes de todos esses atos da criação previamente mencionados, e estava em companhia de Deus quando esses foram efetuados. A ideia de anterioridade é dada por cinco vezes, nos vss. 22, 23, 25 e 26. A ideia sobre o *quando* aparece por sete vezes, nos vss. 24, 27, 28 e 29. Um dos textos encara a sabedoria como se fosse uma criança criada por Deus e, assim sendo, presente em todos os atos da criação. Outro texto vê a sabedoria como um mestre artífice que se mostrou ativo durante o tempo da criação, de fato, o instrumento usado por Deus para criar. O texto marginal interpreta o texto como *criancinha*, que poderia ser o significado da palavra no texto, mas a outra ideia também é possível. Ambas as formas são excelentes figuras simbólicas: o Filho ocupado juntamente com o Pai (conforme o texto pode ser cristianizado); ou então o sábio arquiteto mestre seria o capataz da obra. A palavra hebraica em questão é '*amon*, que parece derivar-se de '*aman*, "confirmar", "apoiar". A ideia da sabedoria como mestre arquiteto também se acha no livro Sabedoria de Salomão 7.22:

A Sabedoria, a Moldadora de todas as coisas, me ensinou.

Fontes informativas rabínicas também têm essa figura, conforme nos informa Oesterley, em sua obra *Provérbios* (*in loc.*).

As possíveis figuras do filho e do mestre arquiteto também aparecem no primeiro capítulo do Evangelho de João. E assim ficam ligados o capítulo 8 de Provérbios com o primeiro capítulo do Evangelho de João e sua doutrina do Logos. A passagem no livro de Provérbios é um passo na direção da doutrina do Logos, mas é tanto exagero como anacronismo equiparar as duas coisas e fazer do capítulo 8 de Provérbios uma afirmação cristológica. A insistência quanto a isso tem produzido muita controvérsia insensata na igreja, quando ela luta para formar sua doutrina cristológica. Ver na *Enciclopédia de Bíblia, Teologia e Filosofia* o artigo intitulado *Logos (Verbo)*.

Deus deleitava-se na sabedoria, pelo que também essa qualidade foi personalizada: o cooperador do Filho amado, o instrumento da criação, dotado de inteligência como principal característica. Deus e a Sabedoria desfrutam de comunhão mútua. Nessa associação há amor e deleite. Houve regozijo na criação, tão grande e maravilhosa foi ela, e tão poderosos e maravilhosos foram os seus agentes. "Foi bom", algo no que Deus poderia ter o seu deleite.

■ **8.31**

מְשַׂחֶקֶת בְּתֵבֵל אַרְצוֹ וְשַׁעֲשֻׁעַי אֶת־בְּנֵי אָדָם׃ פ

Regozijando-me no seu mundo habitável. A terra e seu meio ambiente são agora vistos como criados e postos em boa ordem. O resultado dessa obra divina foi que a terra tornou-se habitável. Portanto, a Sabedoria, Filho e companheiro de Deus, agora foi levada a ter comunhão com os homens, e visto que havia deleite mútuo entre Deus Pai e o Filho, agora também o Filho se deleitava mutuamente com os filhos dos homens. A sabedoria sente grande alegria com os homens, pelo que se torna sua benfeitora. As leis da sabedoria, que governam o universo, são as mesmas que dirigem a vida dos homens. Da mesma maneira que a sabedoria ordena os mecanismos intrincados do mundo ao nosso redor, assim ela também pode ordenar a vida de todos quantos queiram viver de acordo com as suas palavras" (Charles Fritsch, *in loc.*). A aplicação da sabedoria é, assim sendo, universal: acima, em redor e dentro de nós. Cf. este versículo com Gn 1.31, onde é expressa a satisfação de Deus com sua criação. Ver também Sl 104.31 e Gn 3.8.

Este versículo tem sido cristianizado para falar sobre a encarnação do Logos, por meio da qual os benefícios divinos são trazidos aos homens. Ver Hb 2.16.

"Deus exibe a sua sabedoria de maneira especial ao ordenar e dirigir os seres humanos, e também ao providenciar para as necessidades deles. A sabedoria é uma manifestação especial de sua providência" (Adam Clarke, *in loc.*).

Alguns intérpretes chegam a incluir neste texto o favor eletivo de Deus, ignorando o caráter universal desse favor. Porém, onde houver homens neste mundo habitável, ali estará a sabedoria, deleitando-se neles e servindo-os como agente especial de Deus, da mesma maneira que ela foi a agente especial de Deus na criação física.

A principal alegria da sabedoria concentra-se no homem, por ser ele a coroa da criação de Deus.

O homem é um deus caído que se lembra dos céus.
Alphonse de Lamartine

Que obra tremenda é o homem!
Quão nobre em sua razão! Quão infinitas
As suas faculdades, como é parecido com os anjos,
Mas imitador dos demônios.
Ele é o modelo da nobreza e, no entanto,
É escravo do que é vil e baixo.

Blaise Pascal

PALAVRAS CONCLUSIVAS DE EXORTAÇÃO (8.32-36)

■ **8.32**

וְעַתָּה בָנִים שִׁמְעוּ־לִי וְאַשְׁרֵי דְּרָכַי יִשְׁמֹרוּ׃

Agora, pois, filhos, ouvi-me. Visto que a sabedoria é tão exaltada, tão poderosa e tão deleitosa, por igual modo convém que os homens lhe deem ouvidos. O mestre novamente convocou seus estudantes para que o ouvissem (ver as notas expositivas em Pv 4.20). Ele convocou os filhos dos homens com um apelo universal, tal como a sabedoria se deleita em todos os homens de todos os lugares (vs. 31). Agora, ele é o mestre da escola inteira dos homens, e não meramente de seu próprio pequeno bando de discípulos. Ele profere uma bênção sobre aqueles que ouvem e obedecem, convidando-os a um caminho abençoado (ver Pv 4.27). Isso significa seguir as instruções (vs. 33), a essência da lei, interpretadas pelas declarações da sabedoria. Quanto ao ato de ouvir, ver também Pv 1.8; quanto à instrução, ver Pv 1.2; quanto a recusar-se ou negligenciar, ver Pv 1.25. Tal como sucede no livro de Salmos, temos aqui uma repetição constante de ideias fundamentais, e a lei é a grande fonte de informações. Cf. este versículo com 1Jo 3.1.

Filhos. Ver Pv 6.1 quanto a esse apelativo. "Aqui a própria sabedoria dirige-se aos jovens, chamando-os de filhos, tal como o pai já havia feito por três vezes (ver Pv 4.1; 5.7 e 7.24)" (Sid S. Buzzell, *in loc.*). A relação entre pai e filho empresta qualidade ao símbolo, porquanto somos relembrados de Deus, como Pai, um de nossos mais elevados conceitos teológicos. Ver no *Dicionário* o verbete chamado *Paternidade de Deus*.

As Bem-aventuranças no Livro de Provérbios. Ver Pv 5.18; 8.32,34; 10.7; 20.7,21; 22.9; 31.28. Ver o artigo do *Dicionário* sobre esse tema.

■ 8.33

שִׁמְעוּ מוּסָר וַחֲכָמוּ וְאַל־תִּפְרָעוּ׃

Ouvi o ensino, sede sábios. Novamente encontramos o convite para ouvir, reforçando o versículo anterior. Os homens são convidados a ouvir atentamente ao ensino (Pv 1.2). Está em pauta a lei, conforme interpretada pelas declarações da sabedoria. Ver a *lei como guia*, em Dt 6.4 ss. Os sábios são aqueles que dão ouvidos à sabedoria, pelo que são eficazmente guiados por ela no caminho certo (4.27, ver também no *Dicionário* o artigo chamado *Caminho*, quanto a detalhes). Aqueles que se recusarem a isso (ver Pv 1.5) são os tolos e os miseráveis que caem em todos os tipos de armadilhas e desgraças. As instruções disciplinares levam os homens à sabedoria no fim, mas a vereda é longa e árdua, e requer a dedicação de estudantes sérios. Cf. este versículo com Pv 1.7; 15.32 e Hb 2.3.

■ 8.34

אַשְׁרֵי אָדָם שֹׁמֵעַ לִי לִשְׁקֹד עַל־דַּלְתֹתַי יוֹם ׀ יוֹם לִשְׁמֹר מְזוּזֹת פְּתָחָי׃

Feliz o homem que me dá ouvidos. Feliz é o homem que ouve, obedece e persevera na vereda ditada pela sabedoria. O estudante dedicado será encontrado diariamente nas portas da sabedoria para frequentar sua escola; ele esperará nas portas da sabedoria, querendo dialogar com ela. O quadro é o de estudantes que se reúnem na casa do mestre, onde ele efetua as suas classes. Os estudantes esperam ansiosamente que o mestre apareça para abrir as portas e permitir-lhes a alegria de frequentar as aulas em sua escola. Essa é uma escola feliz, como poucas delas são felizes. Alguns eruditos veem aqui um amante à porta de sua amada; mas o ensino (vs. 33) é que determina a figura, e vemos que se trata de uma escola. "A figura é a de um ardente estudante que espera que as portas da escola se abram para que ele possa começar os seus estudos" (Ellicott, *in loc.*).

Este versículo tem sido cristianizado para falar de Cristo como instrutor, e, nesse caso, é na igreja que ele conduz suas aulas. Além disso, a porta é a porta do céu, por ocasião em que os estudantes se formam. "... esperando ali pela admissão, para que possam ouvir cada palavra que ali será proferida, e não percam coisa alguma do ensino celestial" (Adam Clarke, *in loc.*).

> Oh, podes dizer que estás preparado, irmão,
> Pronto para o lar brilhante da alma?
> Quando Jesus vier para recompensar seus servos,
> Encontrar-nos-á preparados, esperando,
> Esperando pela volta do Senhor?

■ 8.35

כִּי מֹצְאִי מָצָא חַיִּים וַיָּפֶק רָצוֹן מֵיְהוָה׃

Porque o que me acha acha a vida. Um bom aluno, que busca ansiosamente a sabedoria em sua porta, a fim de receber e obedecer às suas instruções, a encontra, e não meramente as suas instruções. Ao encontrá-la, tal aluno encontra a vida, pois a sabedoria guia a esse grande benefício. Nessa vida, o estudante conta com o favor próprio do Senhor. Veja o leitor como a lei transmite vida (ver Dt 4.1; 5.33; 6.2; Ez 20.1). O judaísmo posterior (e, naturalmente, o cristianismo) interpretava este versículo como a vida eterna, mas isso é um anacronismo em relação ao presente contexto. O antigo ideal dos hebreus consistia em uma longa, boa e próspera vida física na Terra Prometida. O homem que vivesse por muitos anos podia participar por longo tempo do culto no templo, gozando de todas as vantagens, espirituais e materiais, pertencentes ao *pacto abraâmico* (ver as notas a respeito em Gn 15.18). Cf. este versículo com 1Jo 5.12; Jo 8.51 e Pv 3.18. A sabedoria é a árvore da vida, e todos os que participam de seu fruto sentem-se felizes. O que foi proibido no jardim do Éden foi gratuitamente oferecido pela Senhora Sabedoria.

Alcança. No hebraico, *puq*, literalmente, "retirar". O simbolismo é de alguém que retira água de uma fonte. A água é abundante e limpa. É doadora de vida. É a água do Senhor, por meio da qual ele satisfaz o coração do aluno. Esse é o favor de Deus para homens sérios, que buscam realmente a sabedoria, e a obtêm e vivem de acordo com ela. E assim o estudante se tornará, finalmente, um mestre.

■ 8.36

וְחֹטְאִי חֹמֵס נַפְשׁוֹ כָּל־מְשַׂנְאַי אָהֲבוּ מָוֶת׃ פ

Mas o que peca contra mim violenta a sua própria alma. Em contraste com o estado feliz do bom aluno, que acaba se tornando um mestre, o pecador (que se recusa a ouvir o convite da sabedoria, preferindo desviar-se por caminhos laterais) é punido. Esse violenta a sua própria alma. Ele sofrerá tribulações, desastres, crises desnecessárias. Terá de enfrentar a morte prematura. O julgamento para além do sepulcro não está em vista aqui, embora o judaísmo posterior e o cristianismo apliquem o versículo dessa maneira. Aquele que erra o alvo (um dos sentidos da palavra hebraica *hata*, "pecado") perdeu os benefícios que a Senhora Sabedoria pode conceder. Ele veio a odiar a sabedoria, e, assim sendo, chegou a amar a morte, uma notável expressão contraditória. Os homens amam a vida, o que se evidencia ao nosso derredor. Eles fazem tudo quanto podem para melhorar e prolongar a vida. Mas o pecador insensato ama a morte e faz tudo quanto está ao seu alcance para cultivá-la. Ele sofre de morte prematura e pode viver uma vida de morte em vida, antes mesmo que a morte, misericordiosamente, o arrebate da vida.

É o insensato quem cultiva a morte, pois é um insano. Assim também a mentalidade dos hebreus considerava insensatos a todos os homens que não buscassem anelantemente pela lei, o agente da vida. Quando as declarações da sabedoria vieram à existência, essa atitude foi reforçada por muitas máximas incisivas e discursos espertos. O objetivo da lei de Moisés era doar a vida. Antes da revelação cristã, a lei era considerada a própria fonte originária da qual manava a vida, manipulada pela mão divina. Então houve a missão do Logos de Deus, e viu-se que o poder de doar a vida estava em suas mãos. E essa é a nossa teologia.

> *O salário do pecado é a morte, mas o dom gratuito de Deus é a vida eterna, em Cristo Jesus, nosso Senhor.*
> Romanos 6.23

CAPÍTULO NOVE

DÉCIMO SEXTO DISCURSO: SUMÁRIO DO VALOR DA SABEDORIA, CONTRASTANDO O SEU CONVITE COM O CONVITE DA INSENSATEZ (9.1-18)

Este é o décimo sexto dos dezesseis discursos do primeiro livro de Provérbios (1.8—9.18). Os elementos deste capítulo são:

1. A sabedoria convida os homens à sua própria casa (vss. 1-6).
2. Segue-se uma seção de aforismos, enfatizando o valor da sabedoria.
3. Então a insensatez convida os homens à sua casa (vss. 13-18). Assim sendo, estabelece-se uma rivalidade. É necessário decidir entre a sabedoria e a insensatez. Essa é uma escolha permanente, da qual ninguém pode escapar.

"No livro de Provérbios, a sabedoria é, com frequência, personificada como uma dama digna (ver 1.20-33; 3.16-18; 4.3-6; 8.1-21,32-36; 9.1-6). Em Pv 9.1-6, ela aparece como uma construtora e dona de casa, preparando um banquete para aqueles a quem faltava a sabedoria" (Sid S. Buzzell, *in loc.*).

Os Convites da Sabedoria (9.1-6)

■ 9.1

חָכְמוֹת בָּנְתָה בֵיתָהּ חָצְבָה עַמּוּדֶיהָ שִׁבְעָה׃

A sabedoria edificou a sua casa. A sabedoria aparece aqui como uma construtora de casas e dona da casa. Ela tem sua própria casa. Essa casa funciona como um lugar de ensino para aqueles que buscam a sabedoria. Cf. isso com Pv 8.34. O lar da Senhora Sabedoria é um lar e uma escola esplendorosos. Conta com sete colunas cuidadosamente moldadas que suportam o peso da casa, o que significa que ali os alunos podem atingir compreensão completa, e essa compreensão é divina.

Lavrou as suas sete colunas. "*Sete Colunas.* Provavelmente aludindo às colunas que circundavam o átrio central da casa, três de cada um dos dois lados e uma no fim extremo. As interpretações alegóricas são inúmeras" (Charles Fritsch, *in loc.*). A seguir damos algumas sugestões:

1. As colunas são fundamentais a um edifício de natureza espiritual. Um homem precisa desse alicerce para a sua vida.
2. Ficam entendidos os sete dons do Espírito Santo (ver Is 11.2; Ap 1.4), que também eram tipificados pelo candelabro com *sete* lâmpadas, no tabernáculo (ver Êx 25.37).
3. *Sete* é número que implica as perfeições divinas da estrutura do edifício. A origem e o alicerce da sabedoria encontram-se em Deus.
4. A lei do Senhor é perfeita e restaura a alma (Sl 9.7). E o número *sete* fala simbolicamente sobre essa perfeição.
5. A casa é ampla e espaçosa, e é capaz de acolher a qualquer número de interessados.
6. Estão em foco os *sete* dias da criação. Assim como a Deus foram necessários todos esses dias, também o mundo da sabedoria é uma obra completa.
7. Este versículo tem sido cristianizado e, nesse contexto, as colunas assumem vários significados. Agora essa casa é a igreja, e as colunas são os ministros do evangelho.

Propositadamente, interrompo aqui as sete explicações sobre as sete colunas, para arquitetar um estudo simétrico. Existem também outras explicações. Não sabemos dizer quão complicado o autor sagrado esperava que ficássemos, na explicação de seus símbolos.

9.2

טָבְחָה טִבְחָהּ מָסְכָה יֵינָהּ אַף עָרְכָה שֻׁלְחָנָהּ׃

Carneou os seus animais, misturou o seu vinho. A Senhora Sabedoria preparou uma refeição suntuosa para seus convidados; foram abatidos animais selecionados, como touros, bodes e ovelhas; os melhores vinhos já estavam expostos sobre a mesa; a mesa estava toda enfeitada com coisas boas que agradam aos olhos e deleitam o apetite. Tudo isso simboliza os deleites da lei, conforme interpretada pelas declarações de sabedoria que alegram a mente e a alma daqueles que aprendem e obedecem. O vinho da Senhora Sabedoria foi misturado com especiarias, para ter melhor sabor. "O contraste entre o capítulo 9, onde a sabedoria é uma mulher atarefada que prepara um banquete, e o capítulo 8, onde ela é um ser divino, é notável" (Arthur Fritsch, *in loc.*). O ato de misturar água com vinho pode estar em mira, pois esse era um costume antigo. Esse tipo de vinho misturado com água era usado por ocasião da páscoa (ver Mt 26.29 ss.). Essa mistura era processada para aumentar o volume e diminuir a força alcoólica do vinho. Mas a fermentação natural dará apenas 8% de conteúdo de álcool. Conjecturo aqui que essa mistura serve para aumentar a força de atração do vinho, o que explica a presença de especiarias. Isso se ajusta melhor à simbologia, o quadro de uma refeição suntuosa, mais do que ter água na figura simbólica. Cf. Sl 75.8 e Is 5.22. Ambas as coisas, como é natural, podem estar em vista.

Este versículo tem sido cristianizado para falar do banquete cristão para a alma salva, a grande provisão do evangelho visando a salvação através de Cristo, o Pão da Vida, que também foi o Cordeiro que foi morto.

9.3

שָׁלְחָה נַעֲרֹתֶיהָ תִקְרָא עַל־גַּפֵּי מְרֹמֵי קָרֶת׃

Já deu ordens às suas criadas. A sabedoria já lançou o convite a todas as suas criadas para fazer o chamamento. Elas não perderão de vista um único lugar da cidade. As criadas vão aos lugares mais altos da cidade, para que possam ser ouvidas, de forma que ninguém deixe de vir ao banquete por não ter ouvido o convite. Cf. as criadas aos servos do senhor, no capítulo 22 de Mateus, bem como a chamada dos altos lugares da cidade, como os eirados, referidos em Mt 10.27.

"O ponto mais elevado da cidade (Cf. Pv 8.2) era algum lugar alto de onde muitos pudessem ouvir o convite. A Senhora Insensatez também faz o seu convite de um lugar alto (ver Pv 9.14)" (Sid S. Buzzell, *in loc.*).

Cf. o texto com Mt 22.2-10. Este versículo tem sido cristianizado de modo que se refira ao convite evangélico para que os homens se acheguem a Cristo e ao seu banquete celestial. A casa da Senhora Sabedoria era espaçosa e ampla, de modo que não se receava faltar espaço para acolher todos os convidados que quisessem vir. Por igual modo, não há falta de espaço nos céus, o lar daqueles que recebem o convite e agem de conformidade. Quanto ao envio cristão de pregadores, ver Rm 10.15.

9.4

מִי־פֶתִי יָסֻר הֵנָּה חֲסַר־לֵב אָמְרָה לּוֹ׃

Quem é simples, volte-se para aqui. Este é o segundo sermão que a Senhora Sabedoria apresentou na rua. Ver Pv 1.20. A sabedoria estava convocando os simples, os inexperientes, aqueles que tinham pouco conhecimento, mas ainda não estavam endurecidos no pecado. Ver os comentários sobre os *simples*, em Pv 1.4. Os simples, pois, são convidados a entender (ver Pv 2.20), um tema muito repetido neste livro. Era a lei, sob a forma de uma senhora, que chamava os homens à vida. Por sua vez, a Senhora Insensatez faria idêntico apelo (ver Pv 9.16). Por isso, uma decisão tinha de ser tomada. Naturalmente, dentro do convite cristão, até os pecadores endurecidos são chamados e podem ser capacitados a reverter suas miseráveis condições de vida. O evangelho é mais poderoso do que a lei, e por trás do evangelho temos a considerar a missão de Cristo e a inspiração do Espírito Santo.

O Espírito e a noiva dizem: Vem. Aquele que ouve, diga: Vem. Aquele que tem sede, venha, e quem quiser receba de graça a água da vida.

Apocalipse 22.17

9.5

לְכוּ לַחֲמוּ בְלַחֲמִי וּשְׁתוּ בְּיַיִן מָסָכְתִּי׃

Vinde, comei do meu pão. O convite foi para o banquete suntuoso que havia sido preparado (vs. 2), e o pão foi adicionado aos outros pratos já mencionados. "O pão da sabedoria, o pão da vida" são símbolos de uma vida boa, vivida em consonância com os ditames da lei. A Senhora Insensatez também tinha o seu pão, mas era autoindulgente no meio do pecado, pelo que comia em segredo (vs. 17). Cf. este versículo com os convites que aparecem em Is 55.1 e Jo 6.35. O homem bom só se deixará arrebatar por seu comer e beber espiritual. Uma espiritualidade superficial espanta para longe os possíveis discípulos. A Senhora Sabedoria preparou o seu banquete e um lanche. O valor desse banquete só pode ser testado pelo homem dotado de verdadeira fome e de verdadeira sede.

Um pouco de aprendizado é algo perigoso;
Bebe profundamente, ou não proves da fonte Pieriana:
Pois goles pequenos intoxicam o cérebro
Mas beber profundamente nos deixa sóbrios de novo.

Alexander Pope

9.6

עִזְבוּ פְתָאיִם וִחְיוּ וְאִשְׁרוּ בְּדֶרֶךְ בִּינָה׃

Deixai os insensatos, e vivei. *A Promessa da Vida.* A Senhora Sabedoria exortou seus alunos a esquecer o que a Senhora Insensatez haveria de oferecer-lhes. A vida estava em jogo. Ela, como representante da lei, oferecia a vida (ver Pv 3.18,22; 4.10,13; 5.23; 6.23; 10.11; 11.19; 13.12; 19.23; Dt 4.1; 5.33; Ez 20.1). Ver também as notas expositivas em Pv 8.35. "O dom da sabedoria é a vida longa, próspera e feliz. A morte prematura é a parte que cabe aos que desprezam a sabedoria (vs. 18)" (Charles Fritsch, *in loc.*). Quanto à compreensão que a sabedoria nos outorga, ver Pv 1.2. Cf. Sl 111.10 e 119.104. Ver também Ef 4.14 e 1Co 16.13.

Vários Ensinos da Sabedoria (9.7-12)

9.7

יֹסֵר ׀ לֵץ לֹקֵחַ לוֹ קָלוֹן וּמוֹכִיחַ לְרָשָׁע מוּמוֹ׃

O que repreende o escarnecedor, traz afronta sobre si. O banquete está preparado (vss. 2 e 5). Há carne, vinho e pão, que simbolizam as coisas boas que a Senhora Sabedoria traz para satisfazer a alma sedenta e faminta. Os vss. 7-12 fornecem algumas declarações sábias que dão exemplos da festa preparada pela sabedoria para os seus convidados. Após esses exemplos, a Senhora Insensatez apresenta-se para convencer os simples a participar de seu banquete e de sua vereda ímpia (vss. 13-17).

Os Perigos de Quem se Opõe ao Mal. O homem corajoso que tenta corrigir o zombador será "galardoado" com abusos. O homem que reprova o ímpio será injuriado. A maioria das pessoas erradas espera que os homens as louvem por causa daquilo que elas ganham por serem ímpias. Porém, o homem que se recusa a deixar-se corrigir o faz para malefício de sua própria alma (ver Pv 15.32); contudo, os pecadores são por demais cegos para enxergar a verdade que há nisso. Por isso pensam que ser corrigido é a mesma coisa que ser atacado pessoalmente. Eles reagem com violência. É difícil fazer discípulos de pecadores endurecidos, pelo que a Senhora Sabedoria convidou os simples (vs. 4), aqueles cujo coração ainda era maleável o bastante para se deixar impressionar. Talvez o intuito deste versículo seja algo parecido com a admoestação de Mt 7.6 — não lancemos nossas pérolas aos porcos. Cf. também Lc 8.10. "O escarnecedor vive repleto de arrogante autoconfiança, pelo que não sente nenhuma necessidade de aprender ou da religião (Pv 21.24)" (*Oxford Annotated Bible*, comentando sobre o vs. 7 deste capítulo).

9.8

אַל־תּוֹכַח לֵץ פֶּן־יִשְׂנָאֶךָּ הוֹכַח לְחָכָם וְיֶאֱהָבֶךָּ׃

Não repreendas o escarnecedor, para que te não aborreça. O conselho dado aqui é para o aluno sábio evitar os escarnecedores. Repreendê-los é o mesmo que gerar o ódio, e o homem bom faria bem em evitar tal coisa. Ver os comentários sobre o vs. 7, que também se aplicam aqui. A Senhora Sabedoria convocou os simples, que ainda não estavam endurecidos contra as coisas espirituais (ver o vs. 4). E as declarações dos vss. 7,8 confirmam a sabedoria dessa abordagem. Por outra parte, o homem sábio acolherá de bom grado a repreensão, para que se torne mais sábio ainda, mudando um hábito errado ou tornando-se mais atento em sua caminhada espiritual. "Os medicamentos não devem ser aplicados em casos de desespero" (Hipócrates), e o mestre do texto presente vê algo análogo no caso dos desesperadamente ímpios. Essas observações são boas, mas não absolutas, especialmente no caso do evangelho cristão, que é anunciado a todos os homens, incluindo os piores (ver 1Tm 1.15). Somente o homem inspirado sabe quando deve deixar suas admoestações e repreensões, e quando deve deixar que o homem mau siga o seu próprio curso, que foi por ele escolhido. O que quer que se dê para um homem sábio, isso lhe será uma oportunidade de colher algo de bom. Ele é como uma abelha, capaz de extrair mel de qualquer tipo de flor. Um homem verdadeiramente sábio saberá até amar àquele que o repreende, porque reconhece o bem que há na questão.

Ao que tem se lhe dará, e terá em abundância; mas, ao que não tem, até o que tem lhe será tirado.

Mateus 13.12

9.9

תֵּן לְחָכָם וְיֶחְכַּם־עוֹד הוֹדַע לְצַדִּיק וְיוֹסֶף לֶקַח׃ פ

Dá instrução ao sábio, e ele se fará mais sábio ainda. O homem simples, que ainda não foi endurecido pelo pecado, ouvirá quando for aconselhado. Ele progredirá no conhecimento da lei e trilhará o caminho da sabedoria. O homem que já estiver na vereda certa por longo tempo e já possuir razoável sabedoria, não se endurecerá a ponto de repelir (ver Pv 8.33) nossa doutrina. No versículo presente, o sábio e o justo são equiparados. Essa é uma equação frequente em Pv 10.1–22.16. Fica entendido que o aprendizado da lei produzirá uma fé sentida no coração, e que os ensinos bíblicos produzirão pessoas retas. Se a retidão era essencialmente aquilatada por quão bem um homem obedecia à lei, tanto a moral, como a cerimonial e ritual, efetuada no templo, o coração também estava envolvido nisso, porquanto não se tratava de uma questão mecânica, pelo menos para muita gente, embora possa ter sido tal para muitos. Existem cerca de oitenta referências ao coração no livro de Provérbios, a maioria das quais relacionada à fé religiosa. Ver alguns poucos exemplos em Pv 2.2,10; 3.1,3,5; 4.4,21,23; 6.21; 7.3,25; 10.8; 14.30; 15.14,28; 20.5,9; 22.11; 23.7,12,15.

Nenhum homem é tão sábio, tão obediente e tão espiritual que não possa ser mais sábio, mais obediente e mais espiritual. Ademais, o sábio é precisamente aquele que reconhece sua necessidade de progredir. O sábio é aquele que obtém maior retidão na vida, e não meramente aquele que aumenta seu conhecimento. "Um caráter piedoso ornamentará a sagacidade mental do indivíduo" (Sid S. Buzzell, *in loc.*). Cf. Mt 13.12 e 25.29.

O homem justo certamente não é perfeito, mas tem certa maturidade que está aprimorando. Ver Mt 5.48 e Fp 3.12,13. Seu negócio é aprimorar-se, pelo que acolherá bons ensinos e seguirá especialmente os bons exemplos.

9.10

תְּחִלַּת חָכְמָה יִרְאַת יְהוָה וְדַעַת קְדֹשִׁים בִּינָה׃

O temor do Senhor é o princípio da sabedoria. A parte inicial deste versículo reitera um tema e uma declaração central do livro de Provérbios. Ver Pv 1.7 quanto ao temor do Senhor. Quanto a essa mesma declaração no livro de Salmos, ver 119.38. Ver também, no *Dicionário*, o artigo chamado *Temor*, quanto a completos detalhes sobre esse conceito. No Antigo Testamento, essa expressão era um sinônimo para a espiritualidade.

Neste caso, a palavra para "princípio" é *tehillah*, que é o primeiro princípio da sabedoria, ou seja, o preceito ou princípio com o qual se inicia toda a sabedoria — a reverência pelo Senhor. A declaração paralela faz o conhecimento do Santo ser o princípio da sabedoria. A sabedoria consiste no entendimento, na aplicação da sabedoria à vida do indivíduo. Ver Pv 1.2 sobre o entendimento. Quanto ao *Santo de Israel*, ver no *Dicionário* o verbete intitulado *Deus, Nomes Bíblicos de*. Quanto a *nome santo*, ver Sl 30.4 e 33.21.

O *Santo* (chamado exatamente assim, forma encontrada somente aqui e em Pv 30.3) é aquele que nos dá discernimento espiritual sobre o que é exatamente a vida espiritual. E o seu nome, *Santo*, significa que o temor do Senhor resultará em um andar santo, por parte de seu povo. Ver no *Dicionário* o verbete denominado *Andar*. Ter conhecimento do Santo é andar na santidade, de acordo com as instruções da lei mosaica. É esse andar correto que é o temor do Senhor. Cf. Is 11.2, "o espírito do conhecimento".

Este versículo tem sido cristianizado para falar sobre Cristo, que é a nossa sabedoria (ver 1Co 1.30), e o crente anda segundo os ensinamentos de Cristo.

9.11

כִּי־בִי יִרְבּוּ יָמֶיךָ וְיוֹסִיפוּ לְּךָ שְׁנוֹת חַיִּים׃

Porque por mim se multiplicam os teus dias. A vida, dada aos que seguem a sabedoria, é um dos principais temas deste livro. Ver Pv 4.13 e 9.6 quanto a notas expositivas completas. Este versículo mostra que a vida prometida é a vida física, uma boa vida na Terra Prometida, uma vida espiritual próspera e repleta de bênçãos. O povo em pacto com Deus tinha uma espécie de vida diferente dos povos das nações gentílicas. Era um povo distinto (ver Dt 4.4-8). Ver também as notas expositivas sobre o vs. 6 deste mesmo capítulo.

Esse conceito sempre foi cristianizado para falar sobre a vida eterna que temos em Cristo: "Assim como comer pão (vs. 5) nutre a vida natural, alimentar-se do pão da vida espiritual outorga vida no seu sentido mais elevado e verdadeiro" (Fausset, *in loc.*).

9.12

אִם־חָכַמְתָּ חָכַמְתָּ לָּךְ וְלַצְתָּ לְבַדְּךָ תִשָּׂא׃

Se és sábio, para ti mesmo o és. A doutrina da responsabilidade individual é aqui destacada, o que, naturalmente, está vinculado à *Lei Moral da Colheita segundo a Semeadura* (ver a respeito no

Dicionário). Existem a *Lex Talionis* espiritual (ver também: *receber conforme o que fora feito*) e o *Livre-arbítrio* (ver o artigo desse nome). O homem que é sábio tem vida para si mesmo, ou seja, para seu próprio benefício (*vida*; o vs. 11 dá início ao grande benefício prometido).

Se és escarnecedor. No hebraico, *leç*, palavra cognata do vocábulo traduzido como "insensato". O homem que despreza a lei como algo sem importância é um insensato e colherá o que tiver semeado. Os hebreus tinham forte senso de comunidade, pelo que entre as suas doutrinas havia o ensino de morrer ou sofrer pelos pecados dos pais (ver Êx 20.5). Mas eles também falavam sobre morrer ou sofrer pelos próprios pecados (ver Dt 24.16 e Ez 18.20), e é com esse segundo conceito que concorda o presente versículo. O pior pecado que um judeu podia cometer era escarnecer da lei de Moisés e, na vida, contradizer seus mais de seiscentos mandamentos positivos e negativos, que abordavam todos os aspectos da vida. Este versículo sumaria o que foi dito antes (vss. 7-11). Cf. Jó 35.6,7 e Pv 16.26.

O Convite da Senhora Insensatez (9.13-18)

■ **9.13**

אֵשֶׁת כְּסִילוּת הֹמִיָּה פְּתַיּוּת וּבַל־יָדְעָה מָּה׃

A loucura é mulher apaixonada, é ignorante. O primeiro livro de Provérbios (1.8—9.18) tem cinco passagens que combatem os pecados sexuais: Pv 2.16-19; 5.3-23; 6.20-35; o capítulo 7 inteiro; e 9.13-18. A Senhora Insensatez, em contraste com a Senhora Sabedoria (vss. 1-6), convida as pessoas a uma vereda destrutiva. A insensatez é personificada como uma prostituta. Ela fala em voz alta (ver Pv 7.11), é insensata, e a palavra hebraica raiz, *pethi*, usualmente significa "simples". Ela não tem a capacidade de distinguir o bem do mal, e sempre segue a segunda coisa. O significado da palavra, conforme usada aqui, é incerto, pelo que alguns estudiosos a emendam para "corrupta" ou "devassa". Além disso, ela desconhece a vergonha. O resultado é que a Senhora Insensatez (neste versículo chamada de "loucura") termina sendo uma corruptora da moral. Ver as notas expositivas em Pv 7.11, quanto a uma caracterização geral. A Senhora Insensata é simples para o bem, mas sofisticada para o mal. Tem a cabeça vazia no tocante ao bem, mas é cheia de planos malignos acerca de toda espécie de impiedade: "desavergonhada, devassa, corruptora e arruinando eternamente as suas vítimas" (Fausset, *in loc*.). Ela é indisciplinada e simples, tal e qual aqueles a quem corrompe, embora fazendo deles sábios para o mundo. Por causa de sua ausência seletiva de conhecimento, ela perece (Os 4.6).

■ **9.14**

וְיָשְׁבָה לְפֶתַח בֵּיתָהּ עַל־כִּסֵּא מְרֹמֵי קָרֶת׃

Assenta-se à porta de sua casa. Tal como sua contraparte boa, a Senhora Sabedoria, a Senhora Insensatez também se assenta em lugares públicos elevados, nos cumes das colinas, nos eirados das casas, para que possa ser vista e ouvida, e atinja a audiência mais vasta que lhe seja possível. Ela também emite um apelo universal, tal e qual a sabedoria. Ela é uma evangelista maligna. Também se assenta à porta da sua casa, a qual é um bordel, visto que transformou seu lar em uma casa de prostituição.

Toma uma cadeira. Ou seja, a Senhora Insensatez também tem um trono. A perversa Senhora Insensatez entroniza-se ali, como se fosse a Rainha dos Pecados, e muitos contemplam o seu "esplendor" e apressam-se por vir a ela. É uma mulher que se ostenta em seu apelo universal, que tanto atrai a natureza pecaminosa dos homens. Ver Pv 7.6 ss. quanto a uma longa descrição acerca da natureza, dos atos e do fracasso final da Senhora Insensatez.

■ **9.15,16**

לִקְרֹא לְעֹבְרֵי־דָרֶךְ הַמְיַשְּׁרִים אֹרְחוֹתָם׃

מִי־פֶתִי יָסֻר הֵנָּה וַחֲסַר־לֵב וְאָמְרָה לּוֹ׃

Para dizer aos que passam. O homem simples, que ainda não está bem fundado sobre a sabedoria da lei, o inexperiente, o aprendiz espiritual, em contraste com o sábio, que desde há muito vem seguindo a vereda do bem, facilmente cairá vítima da Rainha dos Pecados. A Senhora Sabedoria também lança o seu apelo às pessoas simples (vs. 4), mas a fim de tentar instruí-las quanto à sabedoria. O texto sagrado supõe que aqueles que passam (vs. 15) pertençam, em sua maioria, à categoria dos simples. Algum ocasional e experimentado sábio também passa, mas não dá ouvidos ao convite da Rainha dos Pecados. Até mesmo os simples seguem seu caminho. Eles não estão procurando a corrupção, embora não tardem a ser desviados do reto caminho e a ser corrompidos. O texto sagrado fala em sedução. E também devemos compreender que, embora seja fácil para a Senhora Insensatez lançar o seu convite, ela encontra pouca resistência da parte daqueles que são seduzidos pelo próprio coração. "A Sabedoria estabeleceu a sua escola para instruir os ignorantes. A Insensatez também estabeleceu a sua escola na porta contígua, para derrotar os desígnios da Sabedoria. Reveste-se de grande verdade a declaração do satirista:

> Sempre que Deus erige uma casa de oração,
> O diabo sem dúvida edifica ali uma capela.
> E, após exame, descobre-se que
> A capela tem uma congregação mais numerosa.
>
> De Foe

O homem simples encontra-se com a Rainha dos Pecados e começa a especializar-se nas espertezas dela. É conforme asseverou Tennyson: "Faço parte de tudo o que tenho encontrado", para melhor ou para pior.

■ **9.17**

מַיִם־גְּנוּבִים יִמְתָּקוּ וְלֶחֶם סְתָרִים יִנְעָם׃

As águas roubadas são doces. Os prazeres sexuais são equiparados a beber de uma fonte (ver Pv 5.15). Um homem pode invadir a casa de outro homem e beber da fonte (esposa) daquele homem. Isso é o pecado de adultério. Mas o pecado da prostituição é pintado da mesma maneira, pelo que o sexo ilícito é retratado como "águas roubadas". O pão roubado tem o mesmo simbolismo relativo ao prazer, sendo também comparado a um banquete. Naturalmente, este versículo é geralmente interpretado para falar de qualquer tipo de pecado que oferece fruto proibido ou vantagem de qualquer espécie.

Pão comido às ocultas. A noite é o tempo propício para vários tipos de pecados e deboches. Os ladrões geralmente atacam à noite; o assassino mata nas esquinas escurecidas da noite; o adúltero ou fornicador encontra sua companheira de pecados à noite; os clubes noturnos operam à noite. As pessoas, seguindo cursos normais na vida, já estão dormindo quando muitas corrupções são praticadas "lá fora".

> *Aquele que pratica o mal, aborrece a luz e não se chega para a luz, a fim de não serem arguidas as suas obras.*
>
> João 3.20

Ver no *Dicionário* o verbete intitulado *Escuridão, Metáfora da*, quanto a detalhes completos.

Pão. Cf. os vss. 2 e 5 com esta passagem, quanto à figura da festa que a Senhora Sabedoria prepara. A mesma ideia se encontra neste versículo. A Senhora Insensatez também arma a sua mesa com uma refeição suntuosa, e seu salão de banquete fica repleto de gente. O prazer é uma das principais buscas de todo homem, embora talvez não seja a principal busca de alguns homens. Ver na *Enciclopédia de Bíblia, Teologia e Filosofia* o artigo chamado *Hedonismo*. Existem prazeres físicos, mas também há prazeres superiores: os prazeres mentais e os prazeres espirituais. Os pecadores não buscam ansiosamente esses prazeres superiores, ao passo que os homens espirituais se especializam nos prazeres mentais e espirituais.

■ **9.18**

וְלֹא־יָדַע כִּי־רְפָאִים שָׁם בְּעִמְקֵי שְׁאוֹל קְרֻאֶיהָ׃ פ

Ele, porém, não sabe que ali estão os mortos. As escolhas perfazem um destino.

> Semeai um hábito, e colhereis um caráter.
> Semeai um caráter, e colhereis um destino.
> Semeai um destino, e colhereis... Deus.
>
> Professor Huston Smith

No salão do banquete da Senhora Insensatez há muito barulho e folguedos, mas, se olharmos cuidadosamente, veremos uma congregação de homens mortos. Esses homens já estão com um pé no sheol, o sepulcro, porquanto a conduta deles os conduz à morte prematura. Metaforicamente falando, eles já estão nas "profundezas do sheol", o lugar da morte. Este versículo não está falando sobre algum tipo de julgamento no pós-vida, o que é ensinado pelo judaísmo posterior e pelo cristianismo. Ver Dn 12.2 quanto ao começo dessa doutrina, nas páginas do Antigo Testamento. Mas ver isso neste versículo é um anacronismo. Existem algumas poucas referências, nos livros de Salmos e de Provérbios, em que o sheol, na qualidade somente de morte física, parece ter ficado para trás em algum grau. Ver as notas expositivas em Sl 88.10; 139.8; 148.7 e Pv 2.18 e 5.5. A doutrina do sheol passou por um desenvolvimento que ilustro naquelas notas expositivas, e, por esse motivo, não as repito aqui. Ver no *Dicionário* os verbetes *Sheol* e *Hades*. "As duas veredas da Sabedoria e da Insensatez, que resultam na vida ou na morte, atingem um vívido clímax no capítulo 9 do livro de Provérbios. Quase cada versículo, no restante do livro, aponta para uma ou para ambas essas veredas e/ou suas consequências" (Sid S. Buzzell, *in loc.*). Cf. Pv 2.18-22, onde temos algo similar ao que se lê nesta passagem. Ver também Pv 7.21,23,26,27. As versões da Septuaginta, do siríaco e do árabe adicionam um versículo moralizador no fim deste capítulo, repetindo exortações contra a insensatez dos pecados de natureza sexual, tomando por empréstimo do capítulo 7 e deste capítulo.

É neste ponto que termina o primeiro livro de Provérbios — 1.8—9.18.

CAPÍTULO DEZ

PROVÉRBIOS DE SALOMÃO: PRIMEIRA COLEÇÃO (10.1—22.16)

Tradicionalmente, esses provérbios têm sido atribuídos a Salomão. Ver III. Autoria, na Introdução ao livro de Provérbios. A segunda coletânea de seus provérbios aparecem nos capítulos 25—29. Vários autores se envolveram na escrita do livro. Os capítulos 10—15 enfatizam o contraste existente entre a vida reta e a vida ímpia. Os capítulos 16—22 exaltam a vida reta. A passagem de Pv 10.1—22.16 contém cerca de 375 afirmações, a maioria das quais baseadas, de alguma maneira, na lei e nas declarações de sabedoria que interpretam essa lei. A maioria dessas declarações se compõe de dois versículos (linha métrica), o segundo dos quais é a antítese do primeiro. Esse tipo de apresentação chama-se *paralelismo antitético*. Mas o trecho de Pv 16.1—22.16 tem apenas alguns poucos desses tipos de versículos, e tem ou comparações (paralelismos sinônimos) ou segundas frases que completam a primeira ideia apresentada, o que é chamado de paralelismo sintético.

Os versículos são dispostos de forma bastante heterogênea, pelo que é impossível apontar divisões, exceto por capítulos e versículos. O que temos, pois, é uma longa compilação de declarações sábias, com uma mistura de alguns poucos versículos atados aqui e ali. Muitos assuntos são assim mencionados, junto com, ocasionalmente, dois ou mais versículos consecutivos que tratam de um único assunto.

■ 10.1

מִשְׁלֵי שְׁלֹמֹה פֵּן חָכָם יְשַׂמַּח־אָב וּבֵן כְּסִיל תּוּגַת אִמּוֹ׃

Provérbios de Salomão. Ver a introdução acima e a seção III, Autoria, na Introdução. Quanto a notas sobre os provérbios, ver Pv 1.1. Essa palavra pode significar declarações ou discursos sábios e incisivos, entre outras coisas.

O filho sábio alegra a seu pai. A seção começa no lar, onde a sabedoria é pela primeira vez insuflada no coração da criança. Presume-se que pai e filho, neste passo bíblico, apontam para relações físicas, ao passo que, na maior parte do primeiro livro (1.8—9.18), temos o pai espiritual (o mestre), que se dirige a seus filhos espirituais (alunos). O filho de um homem sábio também é sábio. Ele segue a lei de Moisés e põe em prática aquilo que tem aprendido. O hebraico original diz *hakkam*, que implica "possuir um conhecimento prático". A lei é o manual de instruções, mas é ajudado pela adição e interpretação das declarações de sabedoria.

Ensina a criança no caminho em que deve andar, e ainda quando for velho não se desviará dele.
Provérbios 22.6

Antítese. Contrastando com o que acontece no caso do pai sábio, que instrui seu filho, o qual, em seguida, também torna-se sábio, temos o caso do filho insensato, que desaponta o seu pai. A experiência demonstra que há muitos filhos insensatos, os quais se envolvem em toda espécie de encrenca, pois, mesmo depois de terem recebido um bom treinamento, o rejeitam. Mas este versículo parece significar que o pai, apesar de ser um homem bom, falhou em sua obrigação de criar o filho do modo correto. Ele se mostrou lasso em seu ensino. Baha Ullah dizia que a pior coisa que um pai pode fazer é conhecer os ensinos mas não os transmitir a seu filho.

O filho insensato é a tristeza de sua mãe. "Tristeza", aqui, literalmente, é peso. O coração da mãe de um filho insensato se entristece ou fica pesado. Não é fácil ver um filho fracassar espiritualmente, sem importar o que mais ele possa realizar em sua vida. A tristeza aqui é atribuída à mãe, porque a ela cabia a principal responsabilidade de treinar os filhos. Ela, porém, fracassou; ou o filho fracassou; e o resultado foi a tristeza. O autor sagrado não pretendeu excluir o pai. Ver Pv 17.21,25; 19.13, onde encontramos o pai entristecido por causa do filho. A variação entre o pai e a mãe é um artifício literário. Sempre que um deles é mencionado, devemos entender ambos.

■ 10.2

לֹא־יוֹעִילוּ אוֹצְרוֹת רֶשַׁע וּצְדָקָה תַּצִּיל מִמָּוֶת׃

Este versículo apresenta o modo antitético de exposição, pois o vs. 2 (linha métrica) provê um contraste com o primeiro, e é esse método de apresentação que domina os capítulos 10—15. Ver a introdução à seção sobre os modos de expressão da seção de Pv 10.1—22.16 (os Provérbios de Salomão, primeira coletânea).

Tesouros da impiedade. Devemos entender aqui os tesouros materiais, obtidos mediante práticas pecaminosas, desonestidade, furto e outros métodos ilegais. Contrastar o homem bom, que vive em consonância com a lei, e sobre quem se espera ser materialmente próspero. Sobre a lei como guia da vida, ver Dt 6.4 ss. O homem que negligencia a lei, a ponto de ir contra ela para enriquecer, descobrirá no fim que não obteve disso nenhum proveito. Ele perderá todo proveito, ou a sua vida, ou ambas as coisas. Seja como for, ele morrerá, talvez rico. Mas de que adianta isso se perder a própria alma?

Que aproveita ao homem, ganhar o mundo inteiro e perder a sua alma? Que daria um homem em troca de sua alma?
Marcos 8.35,37

Provavelmente, o autor não olhava aqui para além do sepulcro, mas sabia que a vantagem mal ganha de nada aproveita, eventualmente, nem mesmo nesta vida terrena.

Antítese. O homem bom que segue a lei não sofrerá morte prematura, antes obterá vida abundante. Ver as notas expositivas em Pv 4.13; 9.6,11, que abordam esse tema muito repetido.

Mas a justiça livra da morte. No que consiste essa "justiça"? No bem que é encorajado pela lei, e em evitar o mal. O vocábulo hebraico *çedhaqah* tem um sentido primário de esmola, embora a referência provavelmente seja geral: ser bom e fazer o bem. Dar esmolas era uma expressão dessa justiça e um ato muito enfatizado pelo judaísmo.

"Esses tesouros acabam definhando (ver Pv 13.11; 21.6) e não impedem a morte (Pv 11.4)" (Sid S. Buzzell, *in loc.*). Cf. este versículo com Sl 49.6; Lc 12.19,20 e Pv 11.4. Esta última passagem é quase idêntica ao presente versículo.

■ 10.3

לֹא־יַרְעִיב יְהוָה נֶפֶשׁ צַדִּיק וְהַוַּת רְשָׁעִים יֶהְדֹּף׃

O Senhor não deixa ter fome o justo. Prosseguindo com o assunto da bondade, da maldade e do dinheiro, o autor assegura-nos que o Senhor (Yahweh) é quem controla essas questões. Ele não permitirá que passe fome o homem que segue a lei.

Fui moço, e já, agora, sou velho, porém jamais vi o justo desamparado, nem a sua descendência mendigar o pão.

Salmo 37.25

É o Senhor quem supre aos justos as suas necessidades temporais. Ver Mt 6.33. Os vss. 3-5 discutem sobre a diligência e a preguiça. Espera-se do homem bom que ele trabalhe, e então Deus o fará prosperar em sua obra, para que goze sempre de um suprimento alimentar e outro suficiente. Seja como for, o autor sagrado não chamaria de bom um homem preguiçoso, sem importar quão bem ele conhecesse a lei e evitasse pecar. A preguiça é, por si mesma, um pecado sério e um defeito moral.

Antítese. O homem ímpio que ganha a vida de forma imoral (vs. 2) eventualmente sofrerá reveses e perderá o seu dinheiro e, quando se aproximar da sepultura, verá a vida inútil que tem levado, fazendo do dinheiro o seu deus. Ver 2Rs 4.27 como ilustração. Ver também Tg 4.3 e Jó 20.15.

■ **10.4**

רֹאשׁ עֹשֶׂה כַף־רְמִיָּה וְיַד חָרוּצִים תַּעֲשִׁיר׃

O que trabalha com mão remissa empobrece. O preguiçoso é retratado como alguém dotado de mão remissa. Sua mão é fraca. Ele trabalha pouco e por curto tempo e, no entanto, espera que o dinheiro chova do céu. Ele ficará desapontado. Ver no *Dicionário* os verbetes chamados *Preguiça* e *Preguiçoso*. Ver Pv 6.6-11, onde há uma passagem contra esse tipo de pecado e citações ilustrativas que embelezam o texto. O homem que se recusa a trabalhar fica pobre. Essa é uma das máximas do livro de Provérbios.

Quando ainda convosco, vos ordenamos isto: se alguém não quer trabalhar, também não coma.

2Tessalonicenses 3.10

Antítese. O homem bom terá mão forte para trabalhar e assim contará também com o suprimento de cada uma de suas necessidades.

A mão dos diligentes. "Diligente", no original hebraico, é *haruç*, "cortar". Talvez a alusão seja a alguém que corta madeira ou pedra, trabalhos pesados. O homem bom será um "pedreiro" moral e espiritual. Ele não procurará fugir de suas responsabilidades. Mas a alusão também poderia ser a "cortar o solo", ou seja, ocupar-se na agricultura. Ou então pode estar em foco uma qualidade moral, homens que diligente e entusiasmadamente fazem o que devem fazer.

■ **10.5**

אֹגֵר בַּקַּיִץ בֵּן מַשְׂכִּיל נִרְדָּם בַּקָּצִיר בֵּן מֵבִישׁ׃

O que ajunta no verão é filho entendido. O filho sábio, que alegra a seu pai e a sua mãe (vs. 1), terá, entre as suas boas características, a diligência no trabalho, de modo que possa sustentar a si mesmo, e não precise depender de seus pais. Ele terá seu próprio lar; sua própria família; seu próprio trabalho; seu próprio salário. Metafórica ou literalmente, ele colherá a sua própria colheita, tendo trabalhado arduamente durante a primavera e o verão em sua plantação. Ou talvez ele não seja um agricultor, mas aja como fazendeiro diligente. Ele possuirá suas próprias "terras" e nelas trabalhará. Cf. Pv 6.8. O inseto é um ser minúsculo e verdadeiramente humilde, mas tem bom senso suficiente para trabalhar durante o verão, para ter bastante que comer nos meses frios de inverno, que se seguirão inevitavelmente.

Antítese. O filho desapontador de seus pais, entretanto, irá se divertir durante o verão e dormirá durante o tempo da colheita, quando homens mais ativos estão trabalhando. Seu pai terá de dar-lhe o sustento, mas logo chegarão dias quando o "velho papai" não estará mais presente para efetivar esse programa. Então o filho sofrerá da pobreza e até padecerá fome. Ele faz seu pai envergonhar-se. Ver Pv 12.24; 17.2 e 19.15.

Tempos Bons e Tempos Maus. Quando um homem é jovem e forte, deve preparar diligentemente o seu caminho. Quando ele se tornar idoso e adoentado, então será muito tarde.

A súmula do provérbio diz que, no tempo da saúde e da juventude, as pessoas devem ser ativas e industriosas, em suas várias profissões e posições sociais, providenciando o necessário contra a idade avançada e as enfermidades. Elas não devem perder as oportunidades que se apresentarem, sejam de natureza natural sejam de natureza espiritual.

■ **10.6**

בְּרָכוֹת לְרֹאשׁ צַדִּיק וּפִי רְשָׁעִים יְכַסֶּה חָמָס׃

Sobre a cabeça do justo há bênçãos. O homem bom e industrioso tem "bênçãos sobre a cabeça", tanto de fontes divinas quanto de fontes humanas, ou seja, tem abundância de coisas materiais, porquanto ele trabalhou para que fosse assim. Esse homem reto obedece à lei e às declarações de sabedoria, incluindo as injunções concernentes à diligência e à produção. Ele permite que a lei seja seu guia e atende às palavras de seu pai literal e de seus pais espirituais (seus mestres).

Sobre a cabeça. Isso se refere às bênçãos do pai, que impõe as mãos sobre a cabeça do filho a quem abençoa, dando a entender que o Pai celestial também impõe suas mãos sobre a cabeça do homem bom e trabalhador. Esse homem conta com as bênçãos paternas e com a Bênção Paterna. Suas bênçãos tornam-se a coroa de aprovação.

Na boca dos perversos mora a violência. *Antítese.* O preguiçoso torna-se um homem mau, pelo que a sua boca é retratada como cheia de maldições. Um pecado conduz a outro, e assim um homem termina sendo um pecador confirmado. O hebraico original, aqui, pode ser entendido como um homem sujeito às maldições e declarações duras de outros. Ele é espancado na boca com palavras violentas e aviltantes de outras pessoas, bem como com as maldições de Deus. Ele acaba por amaldiçoar os pais com a sua vida e assim torna-se um homem amaldiçoado entre os homens. Deus abençoa o homem bom, mas amaldiçoa o preguiçoso e mau. "... Seus tratos violentos são francos e manifestos e são um escândalo para ele, envolvendo maldições proferidas contra ele" (John Gill, *in loc.*).

■ **10.7**

זֵכֶר צַדִּיק לִבְרָכָה וְשֵׁם רְשָׁעִים יִרְקָב׃

A memória do justo é abençoada. Uma vez que a morte tenha vindo e arrebatado o homem bom, sua memória permanecerá entre os homens como uma bênção. Isso é algo desejável para a maioria dos homens, embora, se for tudo quanto restar dele, então por quanto tempo essa memória continuará, e que bem final procederá daí? A esperança cristã da imortalidade, naturalmente, põe em eclipse quaisquer considerações como essa, mas tal esperança ainda não havia raiado na teologia hebraica. O homem cuja memória ainda abençoa os homens continua vivo nos céus, em um estado melhor. Ver sobre *Imortalidade* na *Enciclopédia de Bíblia, Teologia e Filosofia*.

Não será jamais abalado; será tido em memória eterna.

Salmo 112.6

Alguns intérpretes tomam este versículo como um mandamento: "Lembrai-vos do homem bom e segui o seu exemplo".

Antítese. Em contraste, a memória do homem mau será sempre uma abominação e, finalmente, acabará reduzida a pó. O hebraico original é ainda mais forte: a sua memória apodrecerá juntamente com a putrefação de seu corpo. "A memória do ímpio será tratada como algo putrefato e nojento (Sl 9.5,6; Ec 8.10)" (Fausset, *in loc.*).

Disse Cícero: "A vida dos mortos jaz na memória dos vivos" (*Orat.* 51. Philip. 9.). Naturalmente, como um estoico romano, ele acreditava na imortalidade da alma, mas apontava para a ideia de que os mortos ainda vivem entre os homens.

Um mestre afeta a eternidade. Ele jamais poderá dizer onde cessa a sua influência.

Henry Adams

Algo dotado de beleza é uma joia para sempre;
Aumenta a sua capacidade de ser amado;
Nunca passará para o nada.

John Keats

10.8

חֲכַם־לֵב יִקַּח מִצְוֺת וֶאֱוִיל שְׂפָתַיִם יִלָּבֵט׃

O sábio de coração aceita os mandamentos. É típico do segundo livro de Provérbios, a primeira coletânea dos provérbios de Salomão (ver a introdução ao capítulo 10), a saber, o trecho de Pv 10.1–12.16, ter breves provérbios densos, com frequência sem nenhuma conexão com os outros. Algumas raras vezes, alguns versículos permanecem com o mesmo tema e lhe dão um tratamento mais longo. Mas muitos versículos são declarações isoladas. Não há como esboçar esse material. Simplesmente passamos de versículo para versículo, observando capítulos e versículos, sem seções especiais. Assim, por exemplo, este vs. 8 nada tem a ver com os vss. 7 e 9. Esta coletânea consiste em cerca de 375 declarações.

O nosso homem, tendo obtido alguma sabedoria por conhecer e obedecer à lei mosaica como guia, continuará recebendo mandamentos em seu coração (ver Pv 4.23). Tal homem terá uma fé sentida no próprio coração. As declarações de sabedoria definem e reforçam a lei de Moisés. Existem cerca de oitenta declarações que incluem referências ao coração, no livro de Provérbios, pelo que está em pauta mais do que mera obediência mecânica a um código moral. Os mandamentos são fomentados e interpretados pelas declarações de sabedoria. "Uma pessoa sábia aprende com facilidade e se dispõe a tornar-se mais sábia (Cf. Pv 1.5 e 9.9)" (Sid S. Buzzell, *in loc.*).

Antítese. O homem de "lábios tolos", que abusa da faculdade da fala e transgride a lei de muitas maneiras, é um contraste com o homem bom, que continua aprendendo. Ele chegará à ruína. Quanto ao uso perverso da língua, ver Pv 4.24; 6.12; 8.13 e Sl 5.9; 12.2; 15.3; 17.3; 34.12 etc. Ver no *Dicionário* o verbete intitulado *Linguagem, Uso Apropriado da*. Há cerca de cem versículos, no livro de Provérbios, que abordam a questão da linguagem.

O estado de ruína do texto pode significar muitas dificuldades, e então, finalmente, uma morte prematura e desgraçada. Mas é um anacronismo fazer disso uma referência a um julgamento para além-túmulo. Contrastar com Dn 12.2. A ruína aparece por cinco vezes neste capítulo: vss. 8, 10, 14, 15 e 29.

10.9

הוֹלֵךְ בַּתֹּם יֵלֶךְ בֶּטַח וּמְעַקֵּשׁ דְּרָכָיו יִוָּדֵעַ׃

Quem anda em integridade anda seguro. "A jornada da vida, para o homem reto, é segura: íntegro, no hebraico *tom*, significa completo, são" (Charles Fritsch, *in loc.*). Esse homem será resguardado de perturbações como acidentes, enfermidades e ataques da parte dos ímpios. O resultado é que ele terá uma vida longa e feliz. Ademais, não será lançado no descrédito por parte de palradores insensatos; pelo contrário, estará a salvo de suas críticas, de suas palavras cortantes e requeimantes. "Ele poderá confiar quietamente no Senhor (Sl 112.8)" (Ellicott, *in loc.*). Cf. Pv 18.21.

Antítese. O homem que perverte o seu caminho não andará seguro, conforme acontece ao homem bom. Antes, passará por muitas perturbações, caindo em abismos e armadilhas ao longo do caminho. Ele será desmascarado quanto às coisas desonestas que fizer. Sua reputação sofrerá, e ele mesmo sofrerá. Será punido pelo infortúnio (ver Jr 31.10). Ver Pv 2.15 quanto aos pervertidos, onde é usada a mesma palavra empregada aqui. Ver o vs. 8, acima. A figura simbólica tencionada pode ser a de um animal que está sendo caçado e inicia um caminho extremamente tortuoso, na esperança de não ser descoberto. No fim, porém, o animal caçado é apanhado e sofre a ira do caçador. Cf. Pv 14.23 e Ez 19.7.

10.10

קֹרֵץ עַיִן יִתֵּן עַצָּבֶת וֶאֱוִיל שְׂפָתַיִם יִלָּבֵט׃

O que acena com os olhos traz desgosto. Ver Pv 6.13, que apresenta a mesma expressão. Um engano malicioso é o que, essencialmente, significa essa frase, e a pessoa que se ocupa dessa atividade acabará prejudicando alguém. "A pessoa que é o alvo de seu ridículo, ou contra quem sua malícia é dirigida, sofrerá tristeza" (Ellicott, *in loc.*). "Fazer gestos faciais para os companheiros sugere intenções pecaminosas. (Cf. Pv 6.13; 16.30; Sl 35.19). Não admira, pois, que isso conduza à tristeza as vítimas de seus planos malignos" (Sid S. Buzzell, *in loc.*).

O insensato de lábios vem a arruinar-se. Se esse é o texto correto (segue o original hebraico), então ambas as sentenças do versículo são negativas e paralelas, ou são sinônimas. Trata-se da mesma frase que se acha no vs. 8 deste capítulo, onde há notas expositivas. Todavia, a versão da Septuaginta diz aqui: "Mas aquele que reprova corporalmente estabelece a paz". Essa, pois, é a antítese da primeira parte do versículo, que é o padrão dos versículos do início do capítulo, bem como a característica da primeira coletânea dos provérbios de Salomão (Pv 10—15; ver também Pv 10.1). Usualmente, o texto mais difícil é o correto, e isso significaria que o original foi uma súbita mudança da antítese da segunda cláusula para uma cláusula sinônima. Ademais, a Septuaginta, para fazer este versículo compartilhar o mesmo padrão que a maior parte da seção, mudou o original para uma antítese. Algumas vezes as versões, sobretudo a Septuaginta, mostram-se corretas, em contraste com o texto hebraico padronizado, o chamado texto massorético. Ver no *Dicionário* o verbete intitulado *Massora (Massorah); Texto Massorético*. Ver também o artigo denominado *Manuscritos Antigos do Antigo Testamento* quanto a informações gerais e específicas sobre como os textos corretos são selecionados quando aparecem variantes.

Se a versão da Septuaginta está correta, então temos aqui um bom emprego da faculdade da linguagem, a saber, a repreenda contra aquilo que está errado, com o intuito de curar e trazer paz, e não tristeza. O homem bom se mostrará ousado o suficiente para corrigir as injustiças, sempre que puder, mas fará isso para ajudar, e não para prejudicar.

> ... corrige, repreende, exorta com toda a longanimidade e doutrina.
>
> 2Timóteo 4.2

Quanto à *Linguagem, Uso Apropriado da*, ver o *Dicionário*.

10.11

מְקוֹר חַיִּים פִּי צַדִּיק וּפִי רְשָׁעִים יְכַסֶּה חָמָס׃

A boca do justo é manancial de vida. Quando o homem bom fala, ele abençoa, e a sua fala é uma fonte. Ele ensina a lei, interpretada pelas declarações da sabedoria, ou seja, a fonte da vida, da material e espiritual. Ver Pv 4.13; 9.6-11. Ver também Dt 4.1; 5.33; 6.2 e Ez 20.1. O homem bom fornece água para o sedento, na jornada da vida. É um lugar onde almas sedentas param para beber das águas da vida, a fonte no meio do deserto. O que ele diz fortalece e refrigera outras pessoas. Quanto ao "manancial de vida", cf. Pv 13.14 (a lei seguida pelo homem sábio é a fonte); 14.27 (o temor do Senhor é essa fonte); 16.22 (a sabedoria é a fonte da vida). Neste caso, a fonte da sabedoria é um riacho de águas vivas; e a compreensão é uma fonte de vida (ver Pv 16.22).

Antítese. O contraste com a boca do homem reto é a boca do ímpio, que amaldiçoa e é amaldiçoado. Essa segunda parte do versículo é a mesma que a antítese do vs. 6. Ver as notas expositivas ali existentes.

10.12

שִׂנְאָה תְּעוֹרֵר מְדָנִים וְעַל כָּל־פְּשָׁעִים תְּכַסֶּה אַהֲבָה׃

O ódio excita contendas. O ódio é o substituto do diabo para o amor de Deus. Dizer que o ódio desperta contendas é um truísmo, mas também é um fator tão comum na vida, dentro e fora da igreja, que essa verdade se repita continuamente. Ver no *Dicionário* o artigo chamado *Ódio*, quanto a detalhes e a ilustrações sobre o assunto. O ódio se expressa "... mediante tagarelice, murmurações, más conclusões, mentiras inventadas, propagação de relatos falsos e calúnias, repreensões virulentas e calúnias" (John Gill, *in loc.*).

O amor cobre todas as transgressões. *Antítese*. Amor significa tolerância, devolução, perdão, simpatia, afetos fortes, desejo de fazer o bem a outrem. O artigo no *Dicionário*, chamado *Amor*, fornece detalhes e citações ilustrativas e poesia.

Cobre. No hebraico original, esse verbo é *kasah*, "avassalar", a ponto de apagar completamente as transgressões. "O amor concilia e remove os agravos; dá a melhor interpretação a todas as coisas; sobre as chamas derrama água, e não azeite" (Adam Clarke, *in loc.*).

Citações da segunda parte deste versículo no Novo Testamento:

Aquele que converte o pecador do seu caminho errado, salvará da morte a alma dele, e cobrirá multidão de pecados.
Tiago 5.20

E esta é uma bela maneira de terminar um livro:

Acima de tudo, porém, tende amor intenso uns para com os outros, porque o amor cobre multidão de pecados.
1Pedro 4.8

Ver esses versículos em *O Novo Testamento Interpretado*.

■ 10.13

בִּשְׂפְתֵי נָבוֹן תִּמָּצֵא חָכְמָה וְשֵׁבֶט לְגֵו חֲסַר־לֵב:

Nos lábios do entendido se acha a sabedoria. A sabedoria e a compreensão são companheiras constantes no livro de Provérbios. Ver Pv 1.2 quanto às notas expositivas. A sabedoria se encontra na lei e nas declarações de sabedoria que fomentam e interpretam essa lei; e o homem que conhece e põe em prática a lei é aquele que exerce entendimento. O sábio aplica discernimento à sua vida. Sua compreensão é do coração (ver as notas expositivas sobre Pv 4.23). Ver no *Dicionário* o artigo chamado *Sabedoria*, quanto a detalhes. O sábio tem entendimento, tem a mensagem em seus lábios. Ele se torna um comunicador da lei. Ver no *Dicionário* o artigo chamado *Linguagem, Uso Apropriado da*. "As palavras do sábio confirmam a sua sabedoria" (Fausset, *in loc.*).

Antítese. Como contraste, a vara divina está sendo aplicada ao insensato, que corrompeu o seu caminho. A aplicação da vara, a surra divina, serve para conquistar a atenção do pecador, levando-o a arrepender-se e a buscar a sabedoria. Ver no *Dicionário* o verbete intitulado *Açoite*.

A vara é para as costas do falto de senso. Cf. Pv 6.32; 7.7; 9.4,16; 11.12; 15.2; 17.18; 24.30; 28.16 e o vs. 21 deste mesmo capítulo. Se o insensato sabe alguma coisa sobre a lei, ele não a está pondo em prática. A vara divina, pois, haverá de tentar corrigi-lo (ver Pv 14.3; 26.3).

Está na boca do insensato a vara para a sua própria soberba.
Provérbios 14.3

"O insensato deve ser impelido como um animal, ao passo que o sábio é dirigido pela sabedoria" (Charles Fritsch, *in loc.*).

■ 10.14

חֲכָמִים יִצְפְּנוּ־דָעַת וּפִי־אֱוִיל מְחִתָּה קְרֹבָה:

Os sábios entesouram o conhecimento. O sábio conserva um conhecimento acumulado da lei e de suas declarações de sabedoria. De fato, é para isso que ele vive, embora obtenha seu dinheiro da parte de algum emprego secular. O nosso homem é um sábio, mas continua sendo um aprendiz diligente.

Entesouram. A sabedoria é o tesouro do homem bom, e ele vive adicionando riquezas a esse tesouro.

O homem bom tira do tesouro bom coisas boas; mas o homem mau do mau tesouro tira coisas más.
Mateus 12.35

Todo escriba versado no reino dos céus é semelhante a um pai de família que tira do seu depósito coisas novas e coisas velhas.
Mateus 13.52

Antítese. O indivíduo insensato diz coisas tolas que perpetuam a destruição de qualquer que lhe der ouvidos, ao mesmo tempo que o próprio insensato também perece. Isso seria uma antítese mais apropriada para o versículo anterior, que tem a boa mensagem do sábio em operação, na primeira metade. Mas o tolo diz coisas capengas e perigosas, que são surpresas desagradáveis. Cf. o vs. 19, a seguir. Palavras insensatas que se multiplicam naturalmente estão repletas de transgressões e provocam transgressões. *O tolo palra e produz muito engano. Pensa muito e fala pouco; e sempre pensa antes de falar*

(Adam Clarke, *in loc.*). Havia um homem que se jactava de ter muito conhecimento, mas pouco aplicava esse conhecimento à sua vida. Tal homem só trazia vergonha e confusão sobre si mesmo e sobre aqueles que estavam com ele.

CONHECIMENTO

Os sábios entesouram conhecimento.
Provérbios 10.14

Os modos de conhecimento

- **Através da percepção dos sentidos**: o método diário e científico.
- **Através da razão**: algumas coisas passamos a conhecer melhor através da razão do que através de nossos sentidos.
- **Por intuição**: algum conhecimento vem a nós sem ser requisitado e, aparentemente, sem nenhuma causa específica. Tal conhecimento é imediato. Ele pode vir de Deus ou de nossas almas, da mente universal, ou mesmo de fontes desconhecidas.
- **Através da revelação**: os Livros Sagrados nos fornecem conhecimento como um presente. A visão do profetas torna-se concreta nos livros. A igreja protege e ensina os livros.
- **Através de experiência mística**: a revelação é uma subcategoria do misticismo. O conhecimento vem de poderes espirituais mais altos e da própria alma da pessoa.

Os dois grandes pilares da espiritualidade são o conhecimento e o amor, e o amor é o maior dos dois.

O conhecimento é, de fato, aquilo que, ao lado da virtude, verdadeiramente e essencialmente, eleva um homem acima do outro.
Joseph Addison

Conhecimento é poder.
Francis Bacon

O conhecimento é de dois tipos: ou conhecemos por nós mesmos um assunto, ou então sabemos onde encontrar informações sobre ele.
Samuel Johnson

A ignorância é uma praga de Deus.
O conhecimento é a asa com a qual voamos aos céus.
Shakespeare

O conhecimento é um retiro e uma proteção confortável e necessária para nós quando tivermos idade avançada. Se nós não o plantarmos enquanto somos jovens, ele não nos dará sombra quando ficarmos velhos.
Lord Chesterfield

■ 10.15

הוֹן עָשִׁיר קִרְיַת עֻזּוֹ מְחִתַּת דַּלִּים רֵישָׁם:

Os bens do rico são a sua cidade forte. Parece melhor tomar aqui as riquezas como literais. Homens ricos podem comprar a proteção para si mesmos, e, se houver muitos homens ricos em uma cidade, eles serão capazes de promover defesa e segurança daquela cidade. As riquezas materiais, como é óbvio, têm sua vantagem, sem importar se pertencem a um homem só ou a muitos homens em uma cidade. Uma cidade rica terá maior segurança do que uma cidade pobre. O autor sacro, entretanto, não deixou entendido que aqueles homens ricos são piedosos e bons por serem ricos, mas talvez seja isso que devamos compreender. A mente dos hebreus sempre vinculou a bondade à prosperidade. "Embora as riquezas não sejam colocadas acima da honra (ver Pv 28.20) nem devam merecer a nossa confiança (ver Pv 11.4 e 23.5), podem prover uma cerca que nos protege contra alguns desastres" (Sid S. Buzzell, *in loc.*).

> *A sabedoria protege como o dinheiro.*
>
> Eclesiastes 7.12

> *O festim faz-se para rir, o vinho alegra a vida, e o dinheiro atende a tudo.*
>
> Eclesiastes 10.19

Antítese. Os pobres são destruídos por sua pobreza. Não é vantajoso para a maioria das pessoas não ter dinheiro suficiente. O homem pobre passa condições miseráveis na vida, e, quando uma criança adoece, nem ao menos há dinheiro bastante para comprar medicamentos. Para a mentalidade dos hebreus, a pobreza era um castigo proveniente da mão divina, embora isso não seja dito abertamente no presente versículo. A pobreza é uma opressão contínua. Cf. Pv 14.20; 18.23; 19.7; 22.7. O Novo Testamento, pelo menos em certos trechos, acha uma virtude alguém ser pobre e também uma iniquidade virtual e necessária alguém ser rico. Ver em Lc 6.20 os *pobres*, palavra essa que é modificada para *pobres de espírito*, em Mt 5.3. Ver Tg 5. "A pobreza arrasta um homem para baixo, tornando-o tímido (ou tolamente ousado) e deixando-o sem defesa alguma. Na realidade, é difícil elogiar a pobreza, como se ela pudesse produzir alguma virtude. Ver no *Dicionário* o artigo chamado *Pobre (Pobreza)*.

■ 10.16

פְּעֻלַּת צַדִּיק לְחַיִּים תְּבוּאַת רָשָׁע לְחַטָּאת:

A obra do justo conduz à vida. Quando os sábios trabalham, obtêm a vida material e espiritual. Ver Pv 4.13. Isso porque Deus os abençoa, devido à bondade deles. A expressão *trabalho* que aparece em algumas versões — como em nossa versão portuguesa — é traduzida por *rendimento*. O homem bom ganha um bom salário, porque Deus é quem o faz prosperar, dando-lhe um trabalho que rende bem. A palavra em foco pode significar o próprio trabalho ou a recompensa desse trabalho. O homem bom aplica seu dinheiro em coisas boas, em si mesmo, em seus familiares e no seu próximo. Então tal homem pode ter uma vida significativa, livre das opressões da pobreza. Cf. Pv 3.18,21,22; 4.4,13 e 7.2. Ver no *Dicionário* o verbete denominado *Riquezas*.

Antítese. O pecador trabalha para comer, beber e aprimorar a sua vida pecaminosa. Quanto mais dinheiro tiver, em mais maldades ele poderá envolver-se, pois usa o seu dinheiro para uma vida pecaminosa abundante. Essa é a noção de prosperidade dos ímpios. Naturalmente, o salário final do pecador é a morte (ver Rm 6.23), mas ele não sabe disso, nem que está no caminho certo do suicídio. Ele gasta em festins e excessos e colherá o que estiver em consonância com o que semeia: o desastre.

"... todos os seus ganhos... são usados em propósitos pecaminosos, como o orgulho, a luxúria, a devassidão, coisas que tendem para a morte, a saber, a morte eterna, o justo salário do pecado" (John Gill, *in loc.*, o qual, de modo anacrônico, faz o julgamento figurar como depois do sepulcro).

■ 10.17

אֹרַח לְחַיִּים שׁוֹמֵר מוּסָר וְעוֹזֵב תּוֹכַחַת מַתְעֶה:

O caminho para a vida é de quem guarda o ensino. A instrução aparece aqui como a fonte da vida, e essa instrução se processa na lei de Moisés, fomentada e interpretada pelas declarações da sabedoria. Verifique o leitor como a sabedoria transmite a vida, em Pv 4.13; 9.6,11 e 10.11. Esse é um tema comum do livro de Provérbios, o qual se fundamenta, afinal de contas, sobre o ensino da lei como transmissora de vida (ver Dt 4.1; 5.33; 6.2; Ez 20.11). Quanto às próprias instruções, ver Pv 1.2. O homem bom embarcou na vereda que conduz à vida. Quanto à *metáfora da vereda*, ver Pv 4.11. Ver também, no *Dicionário*, o verbete denominado *Caminho*, quanto a detalhes. Quanto ao *caminho do homem bom e ao caminho do homem mau*, ver a nota de sumário em Pv 4.27.

Antítese. O homem que repele a instrução se desvia e começa a vagabundear na vereda do pecado, a qual leva à morte. Um homem sábio, pois, aproveita-se da instrução que recebe, mas o homem mau torna-se infenso ao ensino e terá de sofrer as consequências de seu próprio estilo de vida. Ver no *Dicionário* o artigo chamado *Lei Moral da Colheita segundo a Semeadura*. Cf. Jr 42.20.

O que abandona a repreensão anda errado. Ver Pv 1.23. O pecador empedernido não ouve as instruções da lei nem as declarações da sabedoria. Por isso mesmo, haverá de sofrer no fim de sua vida. Conforme comentou Jarchi, *in loc.*, ele erra e leva outros a errar. Ele se torna, assim, fonte de desastres. Pode ser exortado, sendo-lhe mostrado quão culpado é seu andar errante, e, dessa maneira, ele tem a oportunidade de olhar para o caminho pelo qual está seguindo, em contraste com o caminho dos retos; mas, na verdade, ele já se tornou infenso ao ensino.

■ 10.18

מְכַסֶּה שִׂנְאָה שִׂפְתֵי־שָׁקֶר וּמוֹצִא דִבָּה הוּא כְסִיל:

O que retém o ódio é de lábios falsos. Encontramos aqui duplo sinônimo, em contraste com as linhas métricas antitéticas dos capítulos 10—15 deste livro. Certos homens ímpios ocultam o ódio em lábios mentirosos. Mas esse ódio pode ferir como uma serpente os inocentes, a qualquer momento, para fazer-lhes o mal. O ódio é aquele monstro que pode matar. Os vss. 18-21 falam sobre alguns aspectos do uso da língua, um tema comum dos livros de Salmos e Provérbios. Quanto a instruções contra o uso perverso da linguagem, ver Pv 4.24; 6.12; 8.13 e 10.8. No *Dicionário* ver o artigo chamado *Linguagem, Uso Apropriado da*.

Sinônimo. Outro tipo de pessoa que abusa da linguagem é o insensato que sai a caluniar as pessoas. Esse sai a semear a dissensão e a tribulação, e algumas vezes até pretende estar servindo a uma boa causa. Seja como for, tal homem fala abertamente, em contraste com o homem que oculta seu ódio por trás de lábios mentirosos. Embora ele seja um "tolo honesto", nem por isso deixa de ser um elemento destruidor. "Ele espalha o mal entre as pessoas e apenas obtém má vontade para si mesmo" (Ellicott, *in loc.*). O ódio e a calúnia são companheiros, pelo que o versículo apresenta ideias paralelas, e não ideias contrastantes. Gersom (*in loc.*) faz daquele que odeia secretamente um elemento mais pernicioso que o segundo tipo de caluniador. É difícil dar notas a tais questões. Ambos estão promovendo o mesmo tipo de jogo de ferimentos.

■ 10.19

בְּרֹב דְּבָרִים לֹא יֶחְדַּל־פָּשַׁע וְחֹשֵׂךְ שְׂפָתָיו מַשְׂכִּיל:

No muito falar não falta transgressão. O autor volta aqui às suas declarações antitéticas. É melhor falar pouco e pensar bem antes de dizer algo. Isso se dá porquanto as pessoas falam muito, e surgem transgressões nesse falar, tanto no que é dito como também no resultado desse muito falar. Falar demais não é virtude. Há muito poder nas palavras, e elas devem ser usadas parcimoniosamente. Costumamos dizer: "Falar é barato". E, de fato, assim é, quando as palavras não têm alvo, mas essa afirmação pode ocultar uma grande verdade. Todos os tipos de causas são promovidas por palavras que tocam no coração, quer para bem, quer para mal.

> *Digo-vos que de toda palavra frívola que proferirem os homens, dela darão conta no dia do juízo.*
>
> Mateus 12.36

É impossível falar muito e dizer somente a verdade. Além disso, as pessoas que falam em demasia caem na bisbilhotice e na calúnia, e também na conversa corrupta, que refletem um coração pecaminoso. Outrossim, poucas pessoas estão acima desse defeito.

Antítese. Um homem sábio e bom não vive falando incessantemente, pois no muito falar há excessos. Pelo contrário, ele restringirá os seus lábios quando se sentir tentado a falar demais. O homem que é sábio aprende a controlar a língua. Ver Tg 3.2-8, que é um extenso comentário sobre o uso correto da linguagem e o controle do mecanismo da fala. "... Ele não permitirá que os seus lábios profiram coisa alguma precipitada e sem consideração; mostra-se um utilizador moderado das palavras e cuida daquilo que diz; pesa as suas palavras. Tal homem é sábio, prudente e cheio de compreensão. Ver Pv 17.27,28" (John Gill, *in loc.*).

■ 10.20

כֶּסֶף נִבְחָר לְשׁוֹן צַדִּיק לֵב רְשָׁעִים כִּמְעָט:

Prata escolhida é a língua do justo. Uma língua que sempre diz o que é bom é como prata altamente refinada. A escória foi removida pelos testes da vida. A sabedoria é comparada à prata, ao ouro e às joias (ver Pv 2.4; 3.14; 8.10,19 e 16.16), mas acaba demonstrando que tem mais valor que essas coisas preciosas. Portanto, as palavras boas são como metais e pedras preciosas. A língua do homem justo é preciosa por causa da escolha e da natureza valiosa das palavras que ele profere, fazendo bem ao próximo e repreendendo o mal, tendentes à vida e afastando da morte. A boca fala da fonte do coração (ver Mt 12.34). É melhor dizer pouco do que dizer demais; e, quando dizemos algo, precisamos ministrar graça aos que ouvem.

> *Não saia da vossa boca nenhuma palavra torpe, e, sim, unicamente a que for boa para edificação, conforme a necessidade, e assim transmita graça aos que ouvem.*
>
> Efésios 4.29

Antítese. Em contraste, o coração, do qual o homem ímpio fala, está cheio de escória e é indigno, pelo que também suas palavras são inúteis e/ou prejudiciais. Os homens aprendem a desprezar as palavras dos pecadores. Não pode haver o bem nelas. Ver Pv 2.2 quanto ao coração (mente). Há mais de oitenta referências ao coração, no livro de Provérbios, incluindo aspectos positivos e negativos. Ver as notas expositivas em Pv 4.23.

■ 10.21,22

שִׂפְתֵי צַדִּיק יִרְעוּ רַבִּים וֶאֱוִילִים בַּחֲסַר־לֵב יָמוּתוּ:

בִּרְכַּת יְהוָה הִיא תַעֲשִׁיר וְלֹא־יוֹסִף עֶצֶב עִמָּהּ:

Os lábios do justo apascentam a muitos. Os lábios de prata do homem reto (vs. 20) são úteis para alimentar muitos, dando-lhes valiosas instruções para a aplicação na vida boa. O homem bom é uma fonte constante de bênçãos para outros. Ele lidera os homens no caminho da sabedoria, ou seja, para a vida (ver Pv 4.13; 9.6,11; 10.11,17).

Antítese. Os insensatos, longe de serem capazes de dar vida a outros, nem ao menos podem cuidar de si mesmos, e, por falta de sabedoria, morrem. Ademais, a bondade sempre esteve associada à prosperidade material na mente dos hebreus, ao passo que a pobreza esteve vinculada ao julgamento divino. Porém, é difícil acreditar que o autor falaria sobre isso e esqueceria as riquezas da alma, conhecendo a lei e pondo-a em prática, o sinal de um povo ímpar, pertencente ao pacto abraâmico (ver Gn 15.18). "Salomão recebeu suas riquezas pelas bênçãos especiais do Senhor, sem ao menos perguntar por elas (1Rs 3.13); e outro tanto aconteceu com Isaque (ver Gn 26.12)" (Fausset, *in loc.*).

Sinônimo. Usualmente as riquezas terrenas têm essa mistura de tristeza, mas as riquezas materiais ideais, dadas por Deus, não têm essa adição perniciosa. Ou então a ideia pode ser que as riquezas de Deus, sendo do tipo espiritual, naturalmente não têm nenhuma mistura com as tristezas, conforme as riquezas terrenas inevitavelmente têm. Nenhum acúmulo de trabalho humano pode produzir o tipo de riquezas que Deus concede. Se essa é a ideia desta declaração, então um trecho paralelo é o de Mt 6.33, que diz:

> *Buscai, pois, em primeiro lugar, o seu reino e a sua justiça, e todas estas coisas vos serão acrescentadas.*

"As bênçãos de Deus dão um aprazimento simplesmente, e ele não impõe nenhum imposto sobre esse conforto" (Adam Clarke, *in loc.*).

Existem tragédias associadas ao lucro ganho de modo ilegítimo (ver Pv 10.2), e o versículo pode significar apenas que o sábio, trabalhando arduamente, adquire riquezas sem que tenha de sofrer qualquer calamidade juntamente com elas, pois obteve seu ganho honestamente.

■ 10.23

כִּשְׂחוֹק לִכְסִיל עֲשׂוֹת זִמָּה וְחָכְמָה לְאִישׁ תְּבוּנָה:

Para o insensato praticar a maldade é divertimento. Os insensatos divertem-se com a vida caótica e prejudicial. Para eles, é tudo uma grande comédia. Eles gostam de pecar e de conduzir outras pessoas ao pecado. E também se divertem com os prejuízos causados e com a matança. Vemos essa atitude em Pv 1.11,12. O ímpio não precisa de motivos para fazer o mal. Ele é maligno e por isso pratica o mal. Outrossim, desfruta da destruição de seus semelhantes. Este versículo, pois, dá-nos certo discernimento quanto à mente criminosa. Estudos modernos confirmam isso. Em alguns casos, sem dúvida, estão envolvidas patologias cerebrais. Em outros, a possessão ou influência demoníaca está por trás de crimes hediondos. Os animais fazem coisas animalescas, e há pouca ou nenhuma consciência sobre a questão. Os esportes foram criados para aprazimento e alívio das pressões mentais. O homem mau não dorme enquanto não tiver tido chance de fazer algo de maligno (ver Pv 4.16). Portanto, antes de conseguir dormir, praticará seu esporte preferido, seus atos ilegais e destruidores.

Antítese. Em contraste, o homem bom continua praticando a sua profissão de obtenção de sabedoria e entendimento, para que possa fazer o bem por si mesmo e em favor de seus semelhantes. Esse é o esporte do homem bom, o que ele faz para divertir-se. Ele alcança isso tornando-se especialista no conhecimento da lei e em viver em consonância com ela, evitando o mal e fazendo o bem. "Da mesma maneira que um insensato desfruta a prática do mal, assim também um homem sábio desfruta sua conduta reta" (Charles Fritsch, *in loc.*). Ver Pv 8.30 quanto ao aprazimento do homem bom dotado de sabedoria e o que ele faz na vida. "O homem justo percorre o caminho dos mandamentos de Deus com grande alacridade e bom ânimo" (John Gill, *in loc.*), como um atleta que se regozija por estar participando de uma corrida (ver Sl 19.5).

■ 10.24

מְגוֹרַת רָשָׁע הִיא תְבוֹאֶנּוּ וְתַאֲוַת צַדִּיקִים יִתֵּן:

Aquilo que teme o perverso isso lhe sobrevém. O temor de súbito sobrevém ao homem ímpio, pois essa é a sua recompensa por estar praticando o seu esporte (vs. 23). Ele sofrerá calamidade e então morte prematura. "O ímpio e o justo receberão suas recompensas, respectivamente, bem como um galardão por causa do curso que estão seguindo na vida" (Fausset, *in loc.*). Cf. Is 66.4 e Hb 10.27. A ideia dessa linha métrica é que o ímpio teme certos resultados dos males por ele praticados, e seus temores lhe sobrevêm de súbito, na realidade. "O que ele teme em sua mente se tornará seu caso infeliz, mais cedo ou mais tarde, seu temor de aflições, calamidades, julgamentos divinos, nesta vida e na outra" (John Gill, *in loc.*).

Antítese. Em contraste, o homem bom obterá todas as coisas boas que deseja, materiais e espirituais, pois essa é a sua recompensa por seguir os ditames da lei. "A oração do crente assegura o cumprimento de seus desejos (ver Sl 140.19; 1Jo 5.14,15; 3.22,23)" (Fausset, *in loc.*). Deus é o doador, e assim o que for dado deve ser bom e abundante. O Espírito intercede pelo homem bom, para garantir o seu benefício.

> *Aquele que sonda os corações sabe qual é a mente do Espírito, porque segundo a vontade de Deus é que ele intercede pelos santos.*
>
> Romanos 8.27

■ 10.25

כַּעֲבוֹר סוּפָה וְאֵין רָשָׁע וְצַדִּיק יְסוֹד עוֹלָם:

Como passa a tempestade, assim desaparece o perverso. Os ímpios por certo enfrentarão uma tempestade, por causa daquilo que têm feito. Essa tempestade assemelha-se a um tornado, que os levará ao esquecimento da morte. A figura simbólica pode ser a da edificação ou cabana na qual vive o homem mau. A tempestade, pois, não poupará essa edificação. A tempestade derruba essa construção e, juntamente com isso, o homem mau será destruído. Cf. esta parte do versículo a Sabedoria de Salomão 5.14,15; Jó 21.18; Mt 7.24 ss. "A morte é a ruína do pecador, mas o ganho do homem reto (ver 2Tm 1.12)" (Ellicott, *in loc.*). Cf. Pv 1.27; 6.15; 29.10.

Antítese. Em contraste, o homem bom tem um alicerce firme e pode resistir a qualquer tempestade. A tempestade pode ameaçar e mesmo vir, mas o homem bom escapará de todo dano causado pelo temporal. Ele está sobre um alicerce firme, e sua vida é preciosa aos olhos do Senhor. Em contraste com o homem ímpio, que sofre de morte prematura, o homem bom terá uma vida longa, próspera e plena. Ele cumprirá todos os desejos, tanto os seus como os de outros, na realidade. Oh, Senhor, concede-nos tal graça! Deus não se apressará em arrebatar a sua vida. Ver Mt 7.24-27. O homem justo vive seguro, salvo nos braços de Jesus. Cf. Pv 10.9,30; 12.3. Ele conta com um alicerce eterno e está estabelecido para sempre.

■ 10.26

כַּחֹמֶץ לַשִּׁנַּיִם וְכֶעָשָׁן לָעֵינָיִם כֵּן הֶעָצֵל לְשֹׁלְחָיו׃

Como vinagre para os dentes e fumo para os olhos. As declarações dos sábios saltam de um assunto para outro, sem nenhuma ordem aparente. Algumas vezes dois versículos, ou alguns poucos deles, permanecem com o mesmo assunto. Um provérbio pode ser uma declaração simples e significativa, ou um discurso; e a seção dos capítulos 10—22 de Provérbios é, na maior parte, composta de declarações simples ou agrupadas de duas em duas. O vs. 26 é um provérbio isolado, sem conexão com os vss. 25 ou 27. Trata-se de um sinônimo (duas linhas métricas que falam sobre a mesma coisa).

Um mensageiro preguiçoso é o assunto deste versículo. Tal mensageiro é uma pessoa deveras irritante, que está sujeita a duas figuras simbólicas para ser descrito:

1. Ele irrita quem quer que o queira utilizar, tal como o vinagre irrita os dentes. Alguns vinagres, feitos de vinho, eram extremamente azedos, e essa é a ideia por trás da metáfora. Um mensageiro preguiçoso, pois, azeda uma situação inteira. Naqueles dias em que não havia ainda os correios, a profissão dos mensageiros era muito importante, tanto nos negócios particulares como nos negócios comunais, tanto na paz quanto na guerra.

O mau mensageiro se precipita no mal, mas o embaixador fiel é medicina.

Provérbios 13.17

2. A frase sinônima apresenta outra metáfora, que nos é familiar em nossos próprios dias. O mensageiro preguiçoso, que não desempenha seu papel rapidamente e bem, é como a fumaça que nos irrita os olhos. Esse é um dos piores irritantes que existem, só comparável ao caso do homem preguiçoso.

Assim é o preguiçoso. Ver Pv 19.24. Ver no *Dicionário* os artigos chamados *Preguiça* e *Preguiçoso*, quanto a detalhes completos. "O preguiçoso, como mensageiro, causa detrimentos a seu empregador, ou por não fazer o que é de seu dever, ou por fazê-lo mal feito" (Fausset, *in loc.*).

■ 10.27

יִרְאַת יְהוָה תּוֹסִיף יָמִים וּשְׁנוֹת רְשָׁעִים תִּקְצֹרְנָה׃

O temor do Senhor prolonga os dias da vida. Esta declaração, uma linha métrica com afirmação positiva, e então uma antítese, leva-nos de volta a um tema muito repetido em Salmos e Provérbios — seguir a lei e sua sabedoria dá a um homem uma vida longa e próspera. Mas o homem mau sofrerá morte prematura. Quanto às qualidades transmissoras de vida da lei (fomentada e ilustrada pelas declarações de sabedoria), ver Pv 4.13 (uma nota de sumário); 9.6-11; 10.11,17. Ver também Dt 4.1; 5.33; 6.2; Ez 20.1. Está em foco a vida física, com vantagens físicas e espirituais em abundância, e não a vida eterna, que este versículo, uma vez cristianizado, é forçado a dar a entender.

O temor do Senhor. Quanto a esse tema comum, ver Pv 1.7; Sl 119.38, e o artigo do *Dicionário* chamado *Temor*.

Antítese. Em contraste, o homem iníquo pode esperar carradas de tribulações e então morte prematura. Talvez ele espere viver por longos anos, mas sua expectativa não se cumprirá. Ver Jó 25.32,33; 22.16; Sl 55.23. A morte prematura era um terror para os hebreus.

Não sejas demasiadamente perverso nem sejas louco; por que morrerias fora do teu tempo?

Eclesiastes 7.17

■ 10.28

תּוֹחֶלֶת צַדִּיקִים שִׂמְחָה וְתִקְוַת רְשָׁעִים תֹּאבֵד׃

A esperança dos justos é alegria. Homens bons têm direito a cultivar altas esperanças. Elas terão cumprimento e, uma vez cumpridas, trarão alegria aos homens bons. Provavelmente entre essas esperanças está uma vida longa, cheia de prosperidade e boa saúde. Mas a referência aqui parece ser geral.

A esperança surge eterna no peito humano.

Alexander Pope

Nosso Deus, nossa ajuda nas eras passadas,
Nossa esperança por anos vindouros,
Nosso abrigo dos empuxes da tempestade,
E nosso abrigo eterno.

Isaac Watts

Ver sobre *Esperança* no *Dicionário*. Ver Rm 8.24.

Antítese. Em contraste, o pecador ímpio não precisa esperar por longo tempo. Suas expectativas não serão cumpridas, e ele mesmo provavelmente terá morte prematura, depois que suas esperanças fracassarem. Cf. esta parte do versículo com Pv 11.7 — as esperanças do homem iníquo morrem por ocasião de sua morte física. Ver também Jó 8.13; 11.30 e Sl 112.10.

■ 10.29

מָעוֹז לַתֹּם דֶּרֶךְ יְהוָה וּמְחִתָּה לְפֹעֲלֵי אָוֶן׃

O caminho do Senhor é fortaleza para os íntegros. Yahweh (o Senhor; ver sobre *Deus, Nomes Bíblicos de*, no *Dicionário*), o Deus eterno, é a fortaleza de todos os homens sábios que seguem o bom caminho. Ver sobre a metáfora do "caminho" em Pv 4.16, e ver também o contraste entre o caminho bom e o caminho mau, em Pv 4.27. O homem bom é fortalecido por sua sabedoria, pois é favorecido por Deus. Ele conta com esse alicerce eterno (ver Pv 10.2), e nenhum temporal poderá prejudicá-lo. "Quanto mais ele trabalha, tanto mais forte fica "(Adam Clarke, *in loc.*). Oh, Senhor, concede-nos tal graça! O homem bom é fortalecido a ponto de seguir até a perfeição (assim, pelo menos, diz o hebraico, literalmente: "Uma fortaleza para a perfeição é o caminho do Senhor"). "O caminho do Senhor é uma forte proteção para o homem bom, pois nenhum dano lhe poderá sobrevir enquanto ele segue por esse caminho (ver 1Pe 3.13)" (Ellicott, *in loc.*).

Antítese. O ímpio, seguindo caminho contrário, cai aos pedaços, em lugar de ser fortalecido. E assim, se arruína; ele é destruído pelos próprios pecados. Cf. Sl 1.6 e 37.20. Cf. em um contexto neotestamentário, uma declaração similar, em 2Co 2.15,16. Existe uma providência negativa e uma providência positiva, e os homens determinam o que receberão nos caminhos pelos quais enveredam na vida. Ver no *Dicionário* o artigo chamado *Providência de Deus*. Este provérbio, juntamente com muitos outros, enfatiza a importância de tomar e então cumprir escolhas apropriadas, pois nelas estão as fontes da vida.

■ 10.30

צַדִּיק לְעוֹלָם בַּל־יִמּוֹט וּרְשָׁעִים לֹא יִשְׁכְּנוּ־אָרֶץ׃

O justo jamais será abalado. A ideia, aqui, é a mesma do vs. 25, embora as metáforas tenham sido levemente modificadas. O homem bom conta com um alicerce firme, pelo que não poderá ser abalado. Quanto ao justo não poder ser abalado, ver Sl 55.22 e 66.9. Ver também Sl 37.22,29 e 125.1. "Eles se encontram no inabalável pacto da graça; eles se encontram na Rocha dos Séculos, Cristo Jesus; todas as Pessoas Divinas e suas perfeições estão ao lado deles. Eles são resguardados pelo poder de Deus, mediante a fé, para a salvação" (John Gill, *in loc.*).

Antítese. Em contraste, os ímpios não encontrarão alicerce algum em todo este largo mundo. Eles não continuarão a habitar na Terra Prometida; antes, serão removidos dali. No vs. 25 (que é um paralelo próximo deste versículo), o pecador é visto arrebatado por uma tempestade. Aqui fica entendido que a metáfora é o alicerce, ou uma casa sobre um firme alicerce. Os mansos retos herdarão a terra (ver Mt 5.5), mas, quando a herdarem, os pecadores já não serão encontrados.

Os retos habitarão a terra, e os íntegros permanecerão nela. Mas os perversos serão eliminados da terra, e os aleivosos serão dela desarraigados.

Provérbios 2.21,22

Conforme se pode ver facilmente, quando esta passagem de Provérbios foi escrita, não havia nenhum ensino de recompensa e punição na vida do pós-túmulo. Apesar disso, o versículo é forçado a dizer tal coisa; mas para isso os que assim dizem criam um anacronismo. O ensino sobre a imortalidade começou a ser referido nos Salmos e nos Profetas. A doutrina das recompensas e punições futuras logo se seguiu. Contrastar este provérbio com Dn 12.2. Ver também Sl 37.9,11,22,29 e 2Pe 3.13.

10.31

פִּי־צַדִּיק יָנוּב חָכְמָה וּלְשׁוֹן תַּהְפֻּכוֹת תִּכָּרֵת׃

A boca do justo produz sabedoria. O autor sacro de súbito muda sua atenção para o tema do uso apropriado da linguagem. Ver Pv 4.24; 6.12; 8.13; 10.8,18,19; Sl 5.9; 12.2; 15.3; 17.3; 34.12; 35.28; 36.3; 39.1,9; 55.21; 66.17; 73.9; 94.4; 101.5. Ver no *Dicionário* o verbete intitulado *Linguagem, Uso Apropriado da*. A boca do homem bom produz sabedoria, e a sabedoria é transmissora de vida (ver Pv 4.13; 9.6,11; 10.11,17). A metáfora aqui aludida é à árvore da vida. A boca do homem bom produz todas as espécies de benefícios deleitosos para os que enveredam pelo caminho da vida. Cf. Sl 92.14 e Mt 7.17.

A boca do justo profere a sabedoria, e a sua língua fala o que é justo.

Salmo 37.30

Antítese. A boca do pecador, em contraste com a boca do homem bom, é uma questão de morte. A língua dele, cortada de dentro de sua boca, conforme ditava um antigo castigo, algumas vezes era perdida devido a coisas prejudiciais que eram ditas, e, de outras vezes, por pura crueldade. "Se a língua de todo especialista e repreendedor fosse extraída, não teríamos tanto barulho neste mundo!" (Adam Clarke, *in loc.*, que disse a verdade em meio a um comentário muito ácido).

A língua da perversidade. Ver Tg 3.2 ss. quanto a uma passagem bíblica que versa sobre os abusos da língua. Apenas o homem verdadeiramente perfeito não injuria com a língua, pelo que temos aqui um pecado universal. Mas algumas pessoas, especialmente as mulheres, se especializam nesse pecado. Cf. Pv 2.12.

10.32

שִׂפְתֵי צַדִּיק יֵדְעוּן רָצוֹן וּפִי רְשָׁעִים תַּהְפֻּכוֹת׃

Os lábios do justo sabem o que agrada. O autor sacro continua aqui a abordar o tema do uso correto da língua. O homem sábio usa sua faculdade da fala de maneira correta, pelo que emprega os lábios para dizer o que é aceitável. Sua fala beneficia a outros, sendo instruções na lei, conforme ela é fomentada e interpretada pelas declarações de sabedoria. Esse tipo de linguagem traz todos os benefícios que a lei promete, incluindo vida longa, próspera e feliz (ver Pv 4.13; 9.6,11; 10.11,17). O homem que escuta a lei e a obedece vive melhor e por mais tempo. Os lábios do homem justo são como árvores frutíferas saudáveis (vs. 31).

O que agrada. Agrada a quem? A Deus e aos homens, pois se trata de uma linguagem graciosa e benéfica. Cf. Lc 4.22. "... agradável e proveitosa" (Adam Clarke, *in loc.*).

Antítese. Esta linha métrica repete a segunda linha métrica do vs. 31, pois ambos os trechos usam a palavra "perversidade", que no hebraico significa algo que "sai do caminho". Ver Pv 2.12.

CAPÍTULO ONZE

Não há nenhuma interrupção entre os capítulos 10 e 11. Apresento uma introdução à seção de Pv 10.1—22.16 (a primeira coletânea dos provérbios de Salomão), em Pv 10.1.

11.1

מֹאזְנֵי מִרְמָה תּוֹעֲבַת יְהוָה וְאֶבֶן שְׁלֵמָה רְצוֹנוֹ׃

Balança enganosa é abominação para o Senhor. O assunto aqui é negócios honestos, o que também é verdadeiro quanto a Pv 16.11; 20.10,23. A declaração sábia, aqui, está fundamentada sobre a lei mosaica (ver Lv 19.35,36; Dt 25.13-15, que condena as balanças enganosas e os pesos injustos). A palavra hebraica para "peso", aqui usada, é *eben shelemah*, que significa "pedra perfeita". Pedras eram usadas para servir de pesos, até ser inventado um método melhor. A própria balança poderia ser construída para produzir resultados falsos, e não apenas por uma vez, mas para todas as vezes. Um dos braços da balança era ligeiramente mais comprido do que o outro, produzindo um desequilíbrio que favorecia o negociante. Parece que pedras que serviam de pesos padrões eram mantidas por Davi e eram chamadas de "pedras do rei" (ver 2Sm 14.26). Presume-se, então, que pedras de peso quase igual foram então distribuídas. Como é óbvio, também podia haver pedras que substituíam as oficiais. Nesse caso, o engano era pespegado pelos próprios pesos, e não pela balança. Uma pedra era usada nas compras, e outra nas vendas.

Abominação para o Senhor. Esses pesos e balanças enganadores eram algo intensamente odiado pelo Senhor, por serem demonstrações da corrupção humana, tal como eram os ídolos, acerca dos quais a mesma palavra — abominação — é usada algumas vezes. Essa palavra é usada por vinte vezes no livro de Provérbios. A palavra hebraica *towebah* significa, ocasionalmente, alguma coisa especialmente desgostosa, abominável, principalmente artifícios idólatras, como ídolos e imagens. Ver no *Dicionário* o verbete chamado *Idolatria*. Quanto a outros usos dessa palavra no livro de Provérbios, eis alguns poucos exemplos: Pv 3.32; 6.16; 8.7; 11.20; 15.8,9; 21.27. Fora do livro de Provérbios também há alguns exemplos: Dt 7.25,26; 12.31; 17.1,4; 18.12; 22.5 e 24.4.

Antítese. Em contraste com os pesos enganadores, pesos justos eram agradáveis a Yahweh. "Usar pesos justos e medidas certas e fazer tudo justamente, nas negociações entre os homens, era o que Deus requeria; e tais coisas eram agradáveis diante de seus olhos. Ver Lv 19.35,36" (John Gill, *in loc.*).

11.2

בָּא־זָדוֹן וַיָּבֹא קָלוֹן וְאֶת־צְנוּעִים חָכְמָה׃

Em vindo a soberba, sobrevém a desonra. O orgulho é inerentemente associado à vergonha, porquanto envolve o indivíduo em atos altivos, deprimentes e, algumas vezes, até violentos. Sua antítese é a humildade, um dos aspectos da sabedoria. Quanto a outros versículos no livro de Provérbios que exaltam a humildade mas condenam o orgulho, ver Pv 13.10; 15.33; 16.18,19; 18.22; 22.4. Ver no *Dicionário* os verbetes denominados *Orgulho* e *Humildade* quanto a detalhes e referências bíblicas. Aristóteles fazia da humildade um dos vícios de deficiência, mas tanto o Antigo como o Novo Testamento a encaram como virtude positiva.

Com os humildes está a sabedoria. "Humildes" é tradução do vocábulo hebraico *çanua*, encontrado somente aqui e em Mq 6.8, em forma verbal, "andai humildemente" na presença de Deus. Deve fazer parte do caminho da vida, parte integrante do *Andar* (ver a respeito no *Dicionário*).

O orgulho (olhos altivos) é uma das sete coisas que Deus odeia (Pv 6.17). A palavra hebraica para orgulho é *zadon*, que significa, literalmente, "ferver", ou então *zid*, "cozinhar" (ver Gn 25.29). Os arrogantes fervem em sua importância própria e gostam de perseguir homens menores. Mas os humildes é que, eventualmente, serão exaltados (ver Lc 14.11). O arrogante Nabucodonosor teve o reino tirado de suas mãos (ver Dn 4.30,31).

11.3

תֻּמַּת יְשָׁרִים תַּנְחֵם וְסֶלֶף בּוֹגְדִים וְשָׁדָּם׃

A integridade dos retos os guia. O homem reto é integral, ou seja, é completo em sua espiritualidade, e também honesto, sem os desvios que tipificam os pecadores. Os vss. 3-6 contrastam a retidão com a iniquidade. A retidão como a estrada para a sabedoria, e a sabedoria como doadora de vida, são temas muito repetidos no livro de

Provérbios. Quanto à integridade, ver Pv 10.9; sobre reto, ver Pv 1.3. *Integridade* vem de uma palavra hebraica que significa, basicamente, "inculpável" (ver Jó 1.1). Está em pauta a integridade moral, aquele homem espiritual sem mácula e sem defeitos. A integridade guia um homem em sua vida como se fosse um nobre pastor de ovelhas. A obediência à lei é referida aqui.

Antítese. Em contraste, o homem mau é "guiado" em sua vereda tortuosa por forças sinistras, internas (pertencentes a ele mesmo) e externas (pertencentes a outras pessoas e às circunstâncias). Perversidade (no hebraico, *seleph*), significa, essencialmente, "duplicidade". Vem de uma raiz que quer dizer "dar meia volta" ou "virar de cabeça para baixo". Encontra-se somente aqui e em Pv 15.5. A duplicidade promove a transgressão, porquanto se manifesta contra o conhecimento e a luz que o indivíduo já possui. A destruição aguarda pelo indivíduo que anda na transgressão, que é o seu guia, em suas veredas tortuosas. Isso fala da desobediência à lei.

■ **11.4**

לֹא־יוֹעִיל הוֹן בְּיוֹם עֶבְרָה וּצְדָקָה תַּצִּיל מִמָּוֶת׃

As riquezas de nada aproveitam no dia da ira. É melhor ter dinheiro do que não ter, porquanto ele provê vantagens ao homem, conforme vemos em Pv 10.15. Além disso, a pobreza tende a amesquinhar um homem e conduzi-lo à ruína, como aquele mesmo versículo declara. Usualmente, porém, muito dinheiro serve somente para corromper uma pessoa e também atua como agente de sua destruição. Mas mesmo que isso não aconteça, no dia de sua morte, o rico é reduzido à pobreza, e suas riquezas não podem ampliar em mais um minuto sequer a sua vida. A morte é aqui chamada de "dia da ira", o que pode subentender que o rico será julgado pelas iniquidades que cometeu e, assim, sofrerá morte prematura, que pode ocorrer em meio à violência. É um anacronismo fazer isso referir-se ao julgamento evangélico, do além-túmulo. O dia da ira é o dia da visitação divina, quando a vida do homem é apagada. Essa afirmação nos garante que as riquezas não podem comprar uma vida longa, saudável e próspera, a principal ideia dos hebreus quanto a uma vida bem vivida. Para tanto, a pessoa carece do favor de Deus, e ninguém pode obter o favor de Deus sendo um transgressor.

Antítese. A justiça nos livra da morte, o que significa que o homem bom continuará vivendo, não sofrerá visitação divina ou julgamento; antes, terá vida longa, saudável e próspera. Ele terá tempo de fazer tudo quanto precisar fazer, por si mesmo e em favor de outras pessoas. Oh, Senhor, concede-nos tal graça!

Cf. Pv 10.2, um versículo essencialmente igual a este e onde há informações adicionais. Sobre como o temor do Senhor conduz a uma longa vida, ver Pv 10.27; sobre como a sabedoria promove esse tipo de vida, ver a nota de sumário em Pv 4.13. Ver também Pv 9.6,11; 10.11,17.

■ **11.5**

צִדְקַת תָּמִים תְּיַשֵּׁר דַּרְכּוֹ וּבְרִשְׁעָתוֹ יִפֹּל רָשָׁע׃

A justiça do íntegro endireita o seu caminho. O tema das duas veredas, uma das quais conduz à destruição, ao passo que a outra leva à vida eterna, é comum no livro de Provérbios (ver 4.27). Quanto à *metáfora da vereda*, ver Pv 4.11. Este versículo é uma recomposição do vs. 3. Aqui o íntegro é chamado de inculpável (no hebraico, *tamim*, palavra cognata de *tom*, usada em Pv 10.9, que significa "ser completo, são". Ver também Pv 1.12. A integridade espiritual de um homem torna-se seu guia, seu pastor no bom caminho.

Endireita o seu caminho. Ou seja, alisa, remove obstáculos, armadilhas e covas. Ver Pv 3.6 sobre isso. "... uma vida com menor número de obstáculos e dificuldades" (Sid S. Buzzell, *in loc.*).

Antítese. O homem ímpio, em contraste com o homem bom, sofrerá toda espécie de queda; sua vereda é cheia de dificuldades e retrocessos, e a própria iniquidade é seu guia ou pastor. Coisa alguma que fosse boa resultava daí, embora o homem possa parecer tirar proveito por algum tempo. Esse homem acaba caindo e nunca atinge nenhum alvo digno na vida. "O homem ímpio obscurece sua consciência mais e mais, devido aos males que pratica, até que vem a tropeçar durante a noite (ver Jo 11.9) e, finalmente cai, para nunca mais levantar-se" (Ellicott, *in loc.*). Naturalmente, sua vereda o está levando à morte prematura, e é ali que ocorre a sua queda final.

■ **11.6**

צִדְקַת יְשָׁרִים תַּצִּילֵם וּבְהַוַּת בֹּגְדִים יִלָּכֵדוּ׃

A justiça dos retos os livrará. Este versículo é uma ligeira modificação do vs. 5. Ali, a retidão do homem é o seu guia; aqui é seu agente de libertação. O vs. 3 também é similar. O livramento vem de obstáculos e dificuldades ao longo do caminho e também da destruição, afinal. "... da morte, tal como se vê no vs. 4, e de cair no pecado, total e finalmente" (John Gill, *in loc.*).

Antítese. A cobiça do homem mau o torna cativo (*Revised Standard Version*) e, como se ele fosse um animal encurralado, põe fim à sua vida. A palavra hebraica aqui envolvida é *hawwah*, "desejo apaixonado", conforme se vê em Pv 10.3. Suas próprias fortes paixões, de várias espécies, terminam por arruiná-lo. Os ímpios escavam as covas nas quais acabam caindo e são seus próprios caçadores cruéis. Eles se autodestroem através de seus desejos descontrolados. Quanto ao conceito de ser encurralado, ver Pv 1.17,18; 6.2; 7.22,23 e 12.13. É isso o que produz a transgressão da lei, sendo isso expresso através de muitas metáforas nas declarações da sabedoria. Ver no *Dicionário* o artigo chamado *Transgressão*, quanto a detalhes.

■ **11.7**

בְּמוֹת אָדָם רָשָׁע תֹּאבַד תִּקְוָה וְתוֹחֶלֶת אוֹנִים אָבָדָה׃

Morrendo o homem perverso morre a sua esperança. Este versículo é essencialmente igual a Pv 10.28, cujas notas expositivas também se aplicam aqui. O homem corrupto tem esperanças, tal e qual o homem bom. Mas "tudo quanto o homem ímpio esperou lhe é frustrado por ocasião da morte, a qual, usualmente, é prematura ou violenta" (Charles Fritsch, *in loc.*).

O homem perverso. "Perverso" é tradução do vocábulo hebraico *rasha*. Várias traduções dizem aqui "forte", "ímpio", "mau", "ruim", "iníquo". A Septuaginta diz "ímpios". Trata-se de homens fortes na iniquidade, que oprimem seus semelhantes; mas os transgressores destroem as próprias esperanças e acabam desolados. Ver no *Dicionário* o verbete chamado *Esperança*.

Sinônimos. A maior parte das linhas métricas desta seção dos capítulos 10—15 compõe-se de linhas métricas antitéticas, mas, ocasionalmente, obtemos uma linha métrica sinônima. As linhas métricas aqui são essencialmente as mesmas, exceto que o sinônimo iniquidade substitui o sinônimo ímpio. Todavia, estão em pauta essencialmente as mesmas pessoas, que sofrem a perda de suas esperanças (primeira linha métrica) e as veem reduzidas a nada (segunda linha métrica). "Riquezas, poder, glória, impunidade na opressão ao próximo e prazeres carnais, os objetos das esperanças do homem iníquos, o que ele pretende receber na vida, lhe são tirados por ocasião da morte" (Fausset, *in loc.*).

Este versículo tem sido cristianizado para fazer tal coisa referir-se às esperanças evangélicas que homens maus esperam ganhar, embora vivam iniquamente e sem restrições. A morte coloca ponto final nesse tipo de pensamento ridículo.

■ **11.8**

צַדִּיק מִצָּרָה נֶחֱלָץ וַיָּבֹא רָשָׁע תַּחְתָּיו׃

O justo é libertado da angústia. Uma vez mais, o autor sagrado repete, usando palavras levemente diferentes, um dos grandes temas deste capítulo 11. A retidão livra o indivíduo das tribulações e da morte (vs. 6).

Antítese. O homem mau cai em tribulações e na morte por ter um guia perverso, segundo se vê na segunda linha métrica do vs. 6. Escolhas diferentes conduzem a destinos diferentes. Cf. este versículo com Pv 21.18. Este versículo dá a figura simbólica do homem ímpio que sofre "em lugar" do homem bom, mas é provável que isso signifique apenas que ele termina nesse destino que o homem bom poderia ter sofrido, caso neste último fizesse uma escolha má e seguisse uma vereda tortuosa. "Conforme é declarado nos vss. 3,5 e 6, a vida reta ajuda a evitar as tribulações (ver Pv 12.13). Tal como se vê no livro de Ester, a tribulação que o ímpio Hamã planejou para Mordecai caiu sobre a cabeça do próprio Hamã (ver Et 3—7)" (Sid S. Buzzell, *in loc.*). Por conseguinte, encontramos aqui uma espécie de sofrimento vicário perverso, em que o homem ímpio sofre o que o homem bom poderia ter sofrido.

O perverso serve de resgate para o justo, e para os retos, o pérfido.
Provérbios 21.18

Porém, o que é dito aqui tem um tom poético e não se assemelha em nada a Is 53.5. O sofrimento pelo qual passa o ímpio em nada beneficia o homem bom, embora os sofrimentos do Homem Bom, Cristo, tenham feito o bem para os maus. A declaração do versículo, sem a poesia, simplesmente significa que o homem mau cai no desastre que o homem bom poderia ter experimentado, se tivesse enveredado pelo mesmo caminho seguido pelo ímpio.

■ **11.9**

בְּפֶה חָנֵף יַשְׁחִת רֵעֵהוּ וּבְדַעַת צַדִּיקִים יֵחָלֵצוּ׃

O ímpio com a boca destrói o próximo. A boca perversa do ímpio tem por intuito destruir o próximo. O autor retorna aos tremendos efeitos do abuso da linguagem. Ver Pv 4.24; 8.13; 10.8,18,19,30. Esse é um dos principais temas do livro de Salmos. Ver Sl 5.9; 12.2; 15.3; 17.3; 39.9; 55.21; 64.4; 66.17; 73.9; 101.5; 109.2; 119.174; 120.3,4; 140.3 e 141.3. Ver no *Dicionário* o artigo denominado *Linguagem, Uso Apropriado da*. O ímpio é um destruidor, e entre as suas armas estão as calúnias, os enganos e as falsidades. Ele é um *hipócrita* (ver a respeito no *Dicionário*). No hebraico temos a palavra *haneph*, cuja ideia básica é "inclinar-se para longe do que é reto", ou seja, "profano", "impuro". Cerca de cem versículos do livro de Provérbios tratam do uso próprio ou impróprio da linguagem.

Antítese. Embora caluniado pelos hipócritas profanos, o homem bom escapa das acusações. Talvez o homem tenha sido levado ao tribunal, mas o juiz foi capaz de perceber a fraude e o falso testemunho que fora dado. Pelo menos, Deus vê o que está acontecendo e recompensa o homem bom e julga o caluniador. Ou então, através da sabedoria, o homem bom é capaz de evitar a vereda do homem profano, e assim sai livre quando for julgado. O homem justo poderia ser corrompido pela fala do homem ímpio, mas possui sabedoria demais para isso.

■ **11.10**

בְּטוּב צַדִּיקִים תַּעֲלֹץ קִרְיָה וּבַאֲבֹד רְשָׁעִים רִנָּה׃

No bem-estar dos justos exulta a cidade. O justo traz alegria a uma cidade, porque suas obras são beneficentes. Essa alegria é expressa por meio de cânticos, danças e festividades. A bondade pessoal beneficia a comunidade. O homem bom se envolverá em obras de caridade e dará bons conselhos.

Quando triunfam os justos há grande festividade.
Provérbios 28.12

Quando sobem os perversos os homens se escondem, mas quando eles perecem, os justos se multiplicam.
Provérbios 29.2

Antítese. Os ímpios também causam regozijo em uma cidade, quando são derrubados. Quando os destruidores são arruinados, há razão para as outras pessoas se sentirem felizes. Deus está por trás de sua providência negativa. Mas a sua providência positiva está por trás de homens bons para torná-los uma bênção para outras pessoas. Ver no *Dicionário* o artigo chamado *Providência de Deus*. Cf. Jr 22.2-5. Ver também Is 60.21; Ap 11.15,17; 14.3,4; 18.20,21 e 19.1,2.

■ **11.11**

בְּבִרְכַּת יְשָׁרִים תָּרוּם קָרֶת וּבְפִי רְשָׁעִים תֵּהָרֵס׃

Pela bênção que os retos suscitam a cidade se exalta. Este versículo é uma leve modificação do vs. 10. Os retos são uma bênção para a cidade, que é exaltada por eles. "Deus abençoa a cidade por causa dos justos que nela residem e por ela intercedem (ver 1Tm 2.2; Jr 29.7; Ed 6.10)" (Fausset, *in loc.*).

Antítese. Em contraste, os ímpios são uma maldição para a cidade, operando destruição pelo lado de dentro e pelo lado de fora. Homens ímpios podem entregar uma cidade a invasores estrangeiros, causando a sua queda, ou a influência deles torna-se universal, corrompendo a cidade, e então Deus mesmo tem de derrubá-los, enviando um invasor estrangeiro, um terremoto, uma inundação, um desastre natural de alguma sorte. Simplesmente corromper-se por causa de palavras e ações más por parte de homens corruptos destrói os homens moral e espiritualmente, mesmo que algum desastre físico não atinja a cidade. Cf. este versículo com Pv 29.8.

■ **11.12**

בָּז־לְרֵעֵהוּ חֲסַר־לֵב וְאִישׁ תְּבוּנוֹת יַחֲרִישׁ׃

O que despreza o próximo é falto de senso. A mente do autor sagrado volta agora ao que ele dissera no vs. 9 e refaz um pouco essa ideia. O homem mau, neste caso, é alguém "destituído de coração", conforme diz o hebraico literal, que a versão portuguesa traduz como "falto de senso". Ver Pv 4.23. Existem cerca de oitenta referências ao coração no livro de Provérbios, usualmente falando de uma fé sentida no coração, e não de uma fé superficial ou meramente legalista. O homem sem coração despreza o próximo (segundo diz a *Revised Standard Version*).

Antítese. "Em contraste com o sábio que guarda para si mesmo os seus pensamentos, o insensato fala abertamente contra o próximo, e isso sempre conduz à tribulação" (Charles Fritsch, *in loc.*). O autor nos adverte tanto acerca dos julgamentos precipitados como acerca das acusações precipitadas. Ver Mt 7.1,2. Ele nos adverte contra julgarmos outras pessoas. O sábio hesita em condenar. Mesmo quando conta com evidências, sua tendência é manter-se tranquilo. "Simplesmente não encontra sentido em caluniar (Cf. Pv 10.18) alguém que reside ou trabalha nas proximidades. Isso inevitavelmente produz fricção ou dissensão. É melhor ficar quieto" (Sid S. Buzzell, *in loc.*).

■ **11.13**

הוֹלֵךְ רָכִיל מְגַלֶּה־סּוֹד וְנֶאֱמַן־רוּחַ מְכַסֶּה דָבָר׃

O mexeriqueiro descobre o segredo. *Contra a Maledicência*. Todas as pessoas se envolvem no mexerico, embora as mulheres se especializem na maledicência. Ver no *Dicionário* o artigo chamado *Mexerico*. Se não houver segredos a contar, o mexeriqueiro inventará algo para dizer. Alguns homens chegam a contar mentiras sobre si mesmos, para se exaltarem entre o bando de rufiões com o qual vive. Sempre haverá algo para contar, porque esses mortais, verdadeiramente, são insensatos. Mas o sábio mantém a boca fechada. A maledicência é condenada em Pv 16.28; 18.8; 26.20,22. Cerca de cem versículos do livro de Provérbios tratam do uso próprio e o uso impróprio da linguagem.

Faz tudo passar diante de três portas de ouro:
As portas estreitas são, a primeira: É verdade?
Em seguida: É necessário?
Fornece uma resposta veraz. E a próxima
E a última é mais estreita: É gentil?

E se tudo chegar, afinal, aos teus lábios,
Depois de ter passado por essas três portas,
Então poderás relatar o caso, sem temeres
Qual seja o resultado de tuas palavras.

Beth Day

Antítese. O homem que é "fiel de espírito" (*King James Version*) ou é "digno de confiança" (*Revised Standard Version*) controlará a sua língua quando houver qualquer coisa de escandaloso para dizer que dê prazer a outras pessoas. A maledicência é um esporte perverso de mentes pequenas. "Se você nunca repete o que lhe é dito, não lhe fará o pior" (Eclesiástico 19.7). Cf. Pv 20.19. "Os espalhadores de notícias lhe dirão seus próprios segredos, em lugar de nada dizerem" (Adam Clarke, *in loc.*).

■ **11.14**

בְּאֵין תַּחְבֻּלוֹת יִפָּל־עָם וּתְשׁוּעָה בְּרֹב יוֹעֵץ׃

Não havendo sábia direção cai o povo. Certos homens são sábios o bastante para serem guias, dando bons conselhos que ajudam indivíduos e cidades, ou então, conforme o caso, comunidades maiores, como estados ou mesmo países. Se não houver tais pessoas próximas, então uma pessoa, uma cidade, um estado ou um país caem, ou seja, entram em dificuldades ou ruína. "Direção" é tradução da palavra hebraica *tabulot*, usada também em Pv 1.5. Trata-se de um termo náutico, falando de "pilotar um navio". Quando não há pilotos a bordo, o navio do estado pode aventurar-se pelo oceano adentro e nunca mais voltar ao porto. Cf. essa parte do versículo com 1Reis 12; Pv 15.22 e 24.6.

Antítese. Um navio do estado é apropriadamente pilotado quando tem muitos pilotos. Cf. esta parte do versículo com Pv 24.6b, onde a ideia é repetida. Ver também Pv 15.22; 20.18. O autor presume que aqueles que pilotam são sábios, pois aprenderam muito da lei e das declarações sábias. Esses têm uma espiritualidade superior e, assim sendo, possuem capacidades superiores, na questão de justiça e de equidade.

O versículo é cristianizado para falar do Messias, o Maravilhoso Conselheiro (ver Is 9.6). Ele dirige o navio ao porto da salvação.

Quando há muitos conselheiros, cria-se um sistema de verificações e equilíbrio. Nenhum homem isolado está sempre correto. Um homem bom pode ter um ponto cego ou falta de discernimento quanto a algumas questões, ao mesmo tempo que se mostra sábio em relação a seus semelhantes. É então que outros conselheiros podem preencher o hiato. As democracias estão alicerçadas sobre esse princípio, mas as democracias populares com frequência caem em confusão com conselheiros conflitantes que lutam por si mesmos ou por interesses grupais.

■ 11.15

רַע־יֵרוֹעַ כִּי־עָרַב זָר וְשֹׂנֵא תֹקְעִים בּוֹטֵחַ׃

Quem fica por fiador de outrem sofrerá males. Cf. Pv 6.1,2 quanto ao problema de ser um fiador. Naquele texto está em foco ser fiador de alguém desconhecido, a quem a dívida é devida. Naturalmente, um homem pode tornar-se fiador de um desconhecido, como eu mesmo já fiz por estudantes que não conhecia de maneira alguma, ou conhecia muito pouco. Mas sem importar se nos tornamos fiadores de um vizinho, de um conhecido ou de uma pessoa desconhecida, a atitude do(s) autor(es) sagrado(s) do livro de Provérbios é essencialmente contra esse tipo de negócio. O fiador geralmente sofre males, no hebraico, *ra'a*, "mal", "ruim". Tornar-se fiador é um mau negócio, e há prejuízos financeiros a serem sofridos. O(s) autor(es), definitivamente, não adota(m) a atitude de generosidade de Jesus, refletida em Mt 5.42:

> Dá a quem te pede, e não voltes as costas ao que deseja que lhe emprestes.

Naquele texto, os versículos sobre o amor ao próximo são dados imediatamente a seguir. Ver no *Dicionário* sobre o artigo chamado *Generosidade*.

Quanto a outras declarações semelhantes a este versículo, no livro de Provérbios, ver 17.18 e 22.26,27.

Antítese. O homem que odeia ser fiador do próximo permanecerá em segurança financeira e evitará muita dor de cabeça. O autor sacro estava sendo pragmático sobre a questão, e não estava pensando como um cristão. Devemos lembrar que Jesus é a nossa segurança. Ver Hb 7.22. A medida de um homem é a sua generosidade, que é apenas outro nome para o amor. Ver no *Dicionário* o verbete denominado *Amor*.

■ 11.16

אֵשֶׁת־חֵן תִּתְמֹךְ כָּבוֹד וְעָרִיצִים יִתְמְכוּ־עֹשֶׁר׃

A mulher graciosa alcança honra. Este trecho é o único lugar, em todo o livro de Provérbios, onde são contrastados um homem e uma mulher. Uma mulher, membro do sexo fraco, pode conseguir muita coisa com seus encantos: dinheiro, roupas, presentes, propriedades etc. Ela pode atingir uma posição de riquezas e influência somente pela força de sua beleza física, se acrescer a isso seus encantos femininos. A palavra "honra", aqui usada, parece excluir mulheres vendidas, que obtêm coisas cedendo favores sexuais. Antes, a mulher é graciosa e obtém coisas que lhe exaltam a honra. A Septuaginta diz que o marido da mulher é que lhe presta honra, e isso faz lembrar Pv 31.10 ss. Isso pode fazer parte da questão, mas a mulher que figura neste texto parece ser uma pessoa bem-sucedida e independente, e não meramente alguém que faz seu marido enriquecer. As mulheres de caráter digno de elogios são mencionadas em Pv 12.4; 14.1; 19.14; 31.30,31.

Antítese. O homem, em contraste, obtém o que quer mediante a força bruta, ou pela determinação de sua vontade e pelas ações decisivas. O que ele obtém pode ser bom ou mau, e certamente o dinheiro faz parte do quadro. Os homens bons obtêm riquezas mediante trabalho árduo; os homens maus obtêm riquezas mediante atos ilegais e violentos. Há algumas poucas mulheres que também são assim, mas não muitas. Por outra parte, as mulheres que usam de seus encantos fazem as coisas zumbir em seu redor. "Cada sexo tem seu próprio poder" (Ellicott, *in loc.*).

Os poderosos. A maior parte dos homens ricos agiu de modo ilegal ou violento, ainda que não seja a violência que lança um homem nas prisões. Nesse contraste, a mulher sai ganhando, e o homem perde quanto às qualidades morais, e assim é que usualmente são as coisas.

■ 11.17

גֹּמֵל נַפְשׁוֹ אִישׁ חָסֶד וְעֹכֵר שְׁאֵרוֹ אַכְזָרִי׃

O homem bondoso faz bem a si mesmo. O homem bondoso beneficia a si mesmo e aos seus semelhantes. Ele é beneficente; as pessoas são bondosas com ele; ele dá de seu tempo e de seu dinheiro; e as pessoas dão de seu tempo e de seu dinheiro para ele. "A bondade é recomendada como benéfica para aquele que a põe em prática" (Charles Fritsch, *in loc.*). Além disso, Deus deve ser levado em conta como quem controla a *Lei Moral da Colheita segundo a Semeadura*. "... O homem que ama é amado" (Ellicott, *in loc.*). Cf. Pv 3.3. "Ninguém pode exibir um ato de misericórdia desinteressada sem beneficiar a própria alma e melhorar os seus sentimentos morais" (Adam Clarke, *in loc.*).

Antítese. Em contraste, aquele que não ama, não é gentil mas cruel, termina por prejudicar a si mesmo, porquanto outras pessoas começarão a tratá-lo conforme ele as trata; e também porque muitos inimigos haverão de assediá-lo; e a sua vida se tornará uma miséria. Esse homem estará preocupado com a retribuição que outros lhe darão e viverá em estado de ansiedade, deprimente para sua mente e para o seu corpo. Os britânicos têm uma declaração que diz: "Ele preocupa a carne de seus ossos" e, quanto mais ficamos sabendo sobre a medicina psicossomática, mais essa declaração é confirmada.

Os vss. 17-21 contrastam todos os resultados da vida caracterizada pelo amor, pela gentileza, por atos de retidão, com os resultados da iniquidade. O pecado ricocheteia. Existe a *Lex Talionis* (a retribuição segundo a medida do crime cometido) espiritual.

■ 11.18

רָשָׁע עֹשֶׂה פְעֻלַּת־שָׁקֶר וְזֹרֵעַ צְדָקָה שֶׂכֶר אֱמֶת׃

O perverso recebe um salário ilusório. O homem ímpio recebe um salário ilusório. E isso quer dizer que ele receberá dinheiro, mas também receberá tribulação, desastre e, provavelmente, acabará perdendo seu dinheiro no final. Ele chegará a um triste fim, e seu dinheiro mal ganho não o salvará da morte e, provavelmente, nem ao menos prolongará a sua vida. Pelo contrário, seus atos malignos produzirão morte prematura. Suas esperanças, a despeito do dinheiro, não se concretizarão (ver o vs. 7). Suas riquezas não lhe servirão de proveito ou ajuda no dia em que chegar a morte (ver Pv 11.4). Seus salários são enganadores — não lhe renderão um benefício permanente, mas certamente lhe renderão males.

Antítese. Mas o homem bom é como um agricultor que semeou a boa semente. A sua colheita será boa e abundante: vida longa, prosperidade, boa saúde, cumprimento de todos os seus alvos de realização. Seu galardão é certo; suas esperanças terão cumprimento; os males que poderiam prejudicá-lo errarão o alvo. Ele ganhará "o salário da verdade", em contraste com o "salário da ilusão". Ver em Gl 6.8,9 a lei da colheita segundo a semeadura. "A colheita corresponderá exatamente à semente que tiver sido semeada, bem como a recompensa pelo trabalho (ver Pv 22.18)" (Fausset, *in loc.*). Cf. este versículo com Pv 10.2.

11.19

כֵּן־צְדָקָה לְחַיִּים וּמְרַדֵּף רָעָה לְמוֹתוֹ׃

Tão certo como a justiça conduz para a vida... Uma vez mais temos a repetição de um dos grandes temas: a lei de Moisés, uma vez seguida, produz vida, e devemos compreender isso tal como foi fomentado e interpretado pelas declarações da sabedoria. Ver Pv 4.13; 9.6,11; 10.11,17 e 11.4. Ver também Sl 119.38. Ver Dt 4.1; 5.33; 6.2 e Ez 20.1.

Antítese. O insensato que não conhece nem obedece à lei, ou que é apenas ouvinte, mas não praticante, pois segue uma vereda distorcida, termina em morte prematura, com muitas desgraças ao longo do caminho.

O homem bom é fiel na retidão, trilhando o bom caminho com uma fé sentida no coração (ver Pv 4.23). Somente o homem que é "constante na retidão" recebe a promessa da vida. E é seguro que o homem mau nada sabe sobre esse tipo de constância. Ele é continuamente um pecador e, no entanto, ousa esperar pelo melhor. Suas esperanças serão desapontadas (ver Pv 11.7). "A verdadeira piedade promove a saúde e é o melhor meio de prolongar a vida, mas os homens ímpios não viverão a metade de seus dias" (Adam Clarke, *in loc.*).

Este versículo tem sido cristianizado para falar da vida eterna e do julgamento, para além do sepulcro.

11.20

תּוֹעֲבַת יְהוָה עִקְּשֵׁי־לֵב וּרְצוֹנוֹ תְּמִימֵי דָרֶךְ׃

Abomináveis para o Senhor são os perversos de coração. A mente é o construtor. Portanto, os homens de mente perversa são também obreiros da perversidade. Tudo isso é abominação à vista do Senhor e não pode deixar de ser notado.

> *Porque, como imagina em sua alma, assim ele é.*
> Provérbios 23.7

Os perversos. No hebraico é *'iqqesh*. Ver Pv 2.15. A palavra significa, basicamente, "torto", mas é sempre usada em um sentido moral no livro de Provérbios. Até os homens possuem mente e coração tortuoso. Eles são uma *abominação*, palavra comentada no vs. 1 deste capítulo.

Antítese. Em contraste, o homem que é reto no coração, que tem uma fé sentida no coração (ver Pv 4.23), segue um caminho julgado inculpável pelo Senhor. Isso significa que ele segue todos os ditames da lei, fomentado e interpretado pelas declarações da sabedoria. Seu caminho torna-se um deleite para o Senhor, porque ele é santo. Ver Lv 11.44.

11.21

יָד לְיָד לֹא־יִנָּקֶה רָּע וְזֶרַע צַדִּיקִים נִמְלָט׃

O mau, é evidente, não ficará sem castigo. Este provérbio ensina que as leis da retribuição são inexoráveis. O ímpio deve ser punido, e o homem bom deve ser recompensado, pois, do contrário, cairíamos no caos. Kant baseou um argumento em favor da crença em Deus e na alma imaterial neste princípio. É claro que, nesta vida, a justiça com frequência não é servida. Por conseguinte, deve haver uma alma que sobrevive a fim de receber a punição ou a recompensa apropriada (na outra vida), e também deve haver uma inteligência que seja poderosa o suficiente para efetuar tanto a punição quanto a recompensa. De outra sorte, teremos de acreditar que o caos é o verdadeiro deus deste mundo.

É evidente. No hebraico, literalmente, temos uma expressão que significa "mão para mão". Não faz sentido para nós, mas aparentemente é uma expressão idiomática, no hebraico, que tem a força de "para dizer a verdade", "evidentemente". As traduções que procuram preservar algo do hebraico literal não somente tornaram seus textos ininteligíveis, mas também erraram quanto ao sentido. A própria natureza de uma expressão idiomática é que ela não pode ser traduzida literalmente. "Mão para mão" talvez aluda a um acordo ratificado pelo aperto de mãos e, sabendo isso, ganhamos certo discernimento quanto à expressão. Ver Pv 16.5b, que tem a mesma expressão. Os indianos costumam ratificar um acordo quando um homem põe sua mão na mão do outro com quem estabeleceu um acordo qualquer.

Antítese. Em contraste, o homem bom certamente será abençoado, e parte disso será livrá-lo de maus eventos como os que ferem o homem mau. Essa é outra maneira de falar sobre a *lei da colheita segundo a semeadura* (ver Gl 6.7,8).

Mas a geração dos justos. Ou seja, os retos, e não a sua posteridade. Eles são os filhos e filhas de alguém, filhos de Abraão, o povo distinto, que obedece à lei.

11.22

נֶזֶם זָהָב בְּאַף חֲזִיר אִשָּׁה יָפָה וְסָרַת טָעַם׃

Como joia de ouro em focinho de porco. O autor sagrado nos convida a contemplar uma cena ridícula: O desprezado porco com um belo anel de ouro no focinho. Mas por que o anel estava no focinho do animal? Porque as mulheres, naqueles dias, usavam argolas no nariz, e o autor queria comparar o porco com a mulher do tipo que ele estava prestes a mencionar. A figura simbólica é curiosa, pois o anel de ouro é belo e valioso, mas o porco é um animal inútil. Nenhum hebreu que respeitasse a si mesmo haveria de criar porcos ou teria alguma coisa com eles, que eram os piores dentre os animais imundos. Ver no *Dicionário* o artigo *Limpo e Imundo*. Em seguida, o escritor sacro reverte a figura. A mulher é bela, mas não tem nenhum adorno de ouro. Pelo contrário, o seu "adorno" é a falta de discrição. A palavra significa aqui a discrição intelectual e moral. Ela pode não ser uma mulher de costumes frouxos, mas não está livre de cair em alguma aventura ocasional. Possui outros defeitos morais e é bastante vazia de cabeça, pelo que forma uma segunda linha métrica sinônima. Assim, a mulher, propriamente dita, é bela como um anel de ouro, mas ela mesma é uma mulher-porca, dotada de pouco valor e caráter duvidoso. Portanto, temos: ouro-anel-porco = ouro-beleza-porco-mulher.

A mulher é apropriadamente representada por um porco, porquanto se revolvia na concupiscência, e sua beleza facilitava essa desgraça. Jarchi aplica a figura a um discípulo da lei que abandonou o bom caminho e caiu na depravação moral. Esse discípulo é um estudante-porco.

11.23

תַּאֲוַת צַדִּיקִים אַךְ־טוֹב תִּקְוַת רְשָׁעִים עֶבְרָה׃

O desejo dos justos tende somente para o bem. O homem bom tem desejos e esperanças e, por seguir a lei com diligência, conforme ela é fomentada e interpretada pelas declarações de sabedoria, ele vê cumpridos esses desejos e essas esperanças. Ele terminará por ter uma vida boa e longa, próspera e feliz. Naturalmente, o homem bom só deseja as coisas que são boas e dignas de encômios, pelo que, naturalmente, a providência divina o ajuda a alcançar o que quer. Cf. as duas partes do versículo com Pv 10.24 e 13.4. "Bom é aquilo pelo qual ele está sempre desejoso, ou quer, ou ora a respeito, e bom é o que ele obtém eventualmente, aqui e no outro mundo" (John Gill, *in loc.*).

Antítese. O homem mau não deseja a ira (destruição, morte prematura e dificuldades que conduzem a isso), mas é isso o que ele cultiva, pelo que é isso o que obtém. Assim é a sua expectativa, o tempo todo, sem importar se sabe disso ou não. Conforme Jarchi, o ímpio "olha para a condenação, espera por ela e a obtém". Seu estilo de vida é que ele vive esperando um mau fim.

11.24

יֵשׁ מְפַזֵּר וְנוֹסָף עוֹד וְחוֹשֵׂךְ מִיֹּשֶׁר אַךְ־לְמַחְסוֹר׃

A quem dá liberalmente ainda se lhe acrescenta mais e mais. *Dar Significa Receber*. Algumas pessoas já aprenderam esse segredo. A generosidade leva um homem a ser continuamente abençoado, aumentando naquilo que ele tem. Essa é a *lei da colheita segundo a semeadura*. Vemos, algumas vezes, o paradoxo: "Alguns gastam prolixamente, mas ficam cada vez mais ricos". Isso não é uma questão de generosidade, mas meramente de curiosidade. As duas condições existem: o homem generoso é abençoado; o homem gastador, mediante a boa sorte ou mediante alguma outra razão qualquer, sabe-se lá qual, fica cada vez mais rico. Mas essa parte do versículo parece estar encorajando a *generosidade* (ver a respeito no *Dicionário*). "Doando liberalmente, uma pessoa tem em abundância, um evidente paradoxo (cf. 2Co 9.6)".

Antítese. Em contraste com o caso anterior, o homem miserável, que deveria ter em abundância pois nunca dá coisa alguma a ninguém, fica cada vez mais pobre. Essa é, igualmente, uma questão de como funciona a *lei da colheita segundo a semeadura*. O homem que semeia pouco, pouco colhe. Um homem que não dá para as necessidades alheias, termina, ele mesmo, padecendo necessidades. Cf. Pv 28.22. Por isso é que temos a afirmação dos britânicos: "Aquilo que gastamos, isso nós tínhamos. Aquilo que poupamos, isso perdemos. O que demos, isso é o que temos".

Este versículo tem uma aplicação espiritual: um homem precisa ser generoso, dando de seu tempo para ensinar, para que tenha uma grande colheita espiritual, e não apenas uma colheita material.

■ **11.25**

נֶ֣פֶשׁ־בְּרָכָ֣ה תְדֻשָּׁ֑ן וּ֝מַרְוֶ֗ה גַּם־ה֥וּא יוֹרֶֽא׃

A alma generosa prosperará. Este versículo repete, com duas linhas métricas sinônimas, a primeira linha métrica do vs. 24. O autor enfatiza o valor da *generosidade*, que é apenas outro nome para o *amor*. Ver sobre ambos os termos no *Dicionário*. A generosidade é a medida do homem, um indicador de sua espiritualidade essencial. O homem liberal será abençoado. Diz o hebraico original, literalmente: "a alma da bênção", ou seja, alguém que, de todo o coração, está sempre abençoando a outros: essa é a sua principal característica. Esse homem ou engordará, ou enriquecerá. Ele não permanecerá magro, que é a figura de um homem pobre. "aquele que dá aos aflitos, em verdadeiro espírito de amor, obterá cem vezes mais da parte da misericórdia de Deus. Quão maravilhoso é o Senhor!" (Adam Clarke, *in loc*.).

Sinônimos. Mediante outra figura simbólica, o autor enfatiza o mesmo ensinamento: "Aquele que rega, ou seja, consola a alma de outras pessoas com refrigérios espirituais e materiais, suprindo as suas necessidades, esse receberá um refrigério correspondente da parte do próprio Deus" (Fausset, *in loc*.). Temos aqui uma figura simbólica da necessidade de chuvas para que haja uma bem-sucedida agricultura. Um homem bom é como uma chuva abençoada para outros. Cf. Mt 5.7; Jó 29.23 e Sl 72.6. "Mais bem-aventurado é dar que receber" (At 20.35). A chuva é uma bênção indispensável para a agricultura. A generosidade é o *sine qua non* da espiritualidade.

■ **11.26**

מֹ֣נֵֽעַ בָּ֭ר יִקְּבֻ֣הוּ לְא֑וֹם וּ֝בְרָכָ֗ה לְרֹ֣אשׁ מַשְׁבִּֽיר׃

Ao que retém o trigo o povo o amaldiçoa. O autor sagrado dá outro reforço à sua tese sobre a necessidade da generosidade. A primeira linha métrica ilustra a segunda linha métrica do vs. 24. Um homem tem grãos, mas ele não os envia ao mercado e certamente não dá aos necessitados. Em outras palavras, ele nem vende o grão nem o distribui, deixando o povo "faminto". Ele retém o grão por querer obter um preço mais elevado. E prefere queimar o grão a vendê-lo a preço baixo, espetáculo que, por muitas vezes, já testemunhamos. Tal homem é amaldiçoado por Deus e pelos homens e não pode prosperar. Deus lhe negará o necessário em seu tempo de necessidade. O açambarcador descobrirá que, no seu caso, Deus também é açambarcador.

Antítese. Em contraste, Deus abençoará, e o povo louvará, o homem que não nega grão ao mercado, mas, a despeito dos preços baixos, oferece seu produto à venda. Em seu tempo de necessidade, Deus dará o grão a esse homem.

O versículo é espiritualizado e cristianizado para falar do obreiro cristão que ensina diligentemente e assim obtém o grão espiritual para os homens. Esses homens são aqueles que "partem o pão da vida e livre e abundantemente o dão aos filhos dos homens" (John Gill, *in loc*.).

■ **11.27**

שֹׁ֣חֵֽר ט֭וֹב יְבַקֵּ֣שׁ רָצ֑וֹן וְדֹרֵ֖שׁ רָעָ֣ה תְבוֹאֶֽנּוּ׃

Quem procura o bem alcança favor. Encontramos aqui outro reforço ao princípio da doação, que abençoa tanto aquele que dá quanto aquele que recebe. "Pelo próprio ato de esforçar-se em favor do bem, ele está buscando o favor tanto de Deus quanto do homem" (Ellicott, *in loc*.). A palavra hebraica aqui usada é *sahar*, que significa olhar cedo e anelantemente por algo, como ficar à espera do raiar do dia, após uma noite escura. Esse homem anseia por obter coisas boas para seus semelhantes, pelo que obtém a mesma coisa para si mesmo. Ele obterá para si mesmo "favor" (no hebraico, *rason*, "aceitação", "favor"). Visto que ele favorece, por isso mesmo é favorecido. O princípio de dar substância material é ampliado, incluindo todos os tipos de coisas boas, abrangendo as realidades espirituais. O homem busca anelantemente pelas bênçãos conferidas a outras pessoas, e, por sua vez, será favorecido tanto por Deus como pelos homens.

Antítese. Mas o homem mau, que é uma maldição na sociedade, receberá maldições da parte de Deus e dos homens. Alguns homens procuram o mal e acabam-no encontrando, e o mal volta-se contra eles e os fere com alguma calamidade. São esses os que criam calamidades, atraindo-as contra outras pessoas e contra eles mesmos. Esses estão no negócio de semear o joio, e não o trigo, e eles compartilham dessa colheita ridícula e prejudicial.

■ **11.28**

בּוֹטֵ֣חַ בְּ֭עָשְׁרוֹ ה֣וּא יִפֹּ֑ל וְ֝כֶעָלֶ֗ה צַדִּיקִ֥ים יִפְרָֽחוּ׃

Quem confia nas suas riquezas cairá. O homem mau confia nas suas riquezas, e não em Deus. Esse é o homem açambarcador e parcimonioso, que tenta reter tudo para si e, como usurário que é, senta-se no alto de seu montão de dinheiro a contá-lo todos os dias. Cf. Pv 10.2; 52.7; Jó 21.24; Mc 10.24; Lc 12.21 e 1Tm 6.17. Esse homem considera as riquezas materiais como seu deus e, obviamente, não honra nem serve a Deus dessa forma. Portanto, finalmente, cairá em ruína, pois ele está procurando isso com o seu estilo de vida. Suas riquezas, porém, são incertas; e incerta também é a caminhada dele. Nem ele nem seu estilo de vida permanecem estáveis. Um dia de tremendas necessidades deverá vir, um dia de fome da alma.

Antítese. Em contraste, o homem reto, que confia em Deus e se mostra generoso no tocante aos seus recursos materiais, não acumulando todas as riquezas para si mesmo, florescerá como um ramo saudável de uma árvore frutífera, carregada de frutos. Nossa versão portuguesa e outras traduzem "ramo" por "folhagem". Ver Sl 1.3:

Ele é como árvore plantada junto a corrente de águas, que, no devido tempo, dá o seu fruto, e cuja folhagem não murcha.

Cf. também Pv 11.30 e Sl 92.12-15 e Jr 17.7,8. "... um ramo que permanece na boa árvore, viva e verde, cheia de folhas e carregada de frutos. Assim, os justos são como ramos em Cristo, que dele recebem luz e nutrientes, e permanecem nele, e assim produzem fruto e florescem, como uma palmeira ou como cedros" (John Gill, *in loc*.). Ver Jo 15.

■ **11.29**

עוֹכֵ֣ר בֵּ֭יתוֹ יִנְחַל־ר֑וּחַ וְעֶ֥בֶד אֱ֝וִ֗יל לַחֲכַם־לֵֽב׃

O que perturba a sua casa herda o vento. Nenhum sucesso "lá fora" pode contrabalançar o fracasso no próprio lar. O homem que aparece neste versículo semeia o vento e colhe o redemoinho. Ele arruína a substância de sua família mediante uma vida de dissipações. Ele não está seguindo a lei, nem a ensina, nem mesmo a seus próprios familiares. Talvez ele não dê coisa alguma aos próprios familiares por ser um homem miserável, que pretende reservar tudo para si mesmo. E trata os familiares como se fossem o próximo ou amigos, se é que tem algum amigo. Em outras palavras, ele é um insensato em casa, nos vários relacionamentos familiares. Ou então prejudica ativamente a família, mediante atos insensatos. Ele é como uma vespa, que continua a ferroá-los e a fazê-los sentir-se miseráveis. Não sabe prover para seus familiares, que passam fome por causa de seu estilo de vida perdulário. Portanto, ele se mostra cruel com a própria carne. Ver Pv 15.27.

Sinônimo. O homem que não serve bem à sua família terminará sendo servo da casa de algum outro homem. Ele perderá o privilégio de ser o cabeça de uma família. Ele se tornou um insensato em seu próprio lar, pelo que se tornará o insensato de algum outro, para ser chutado ao redor. Mediante sua insensatez, ele se tornou escravo de outrem. "aquele que tanto obteve quanto perdeu os seus bens materiais de maneira tola, será tão reduzido que se tornará servo do homem que segue medidas sábias, tanto na obtenção quanto na guarda do que tem" (John Gill, *in loc*., que generalizou o conceito).

11.30

פְּרִי־צַדִּיק עֵץ חַיִּים וְלֹקֵחַ נְפָשׁוֹת חָכָם׃

O fruto do justo é árvore de vida. A ideia do vs. 28 é mais desenvolvida ainda. O homem justo é como uma árvore frutífera saudável; e isso resulta em vida. Assim também a sabedoria produz vida, um tema muito repetido e comentado em Pv 4.13. Ver também 9.6,11; 10.11,17; 11.4,19. Quanto à figura da *árvore da vida*, ver Pv 3.18, cujas notas expositivas também cabem aqui. "O homem justo, pela realização de seus deveres e boas obras, traz vida e cura (Ap 22.2)" (Ellicott, *in loc.*). A figura pode ser relativa a uma boa árvore frutífera, cujos frutos, uma vez comidos, dão vida aos que os consomem, que é a ideia da referência do versículo de Apocalipse, que acabamos de referir.

> *Ao vencedor dar-lhe-ei que se alimente da árvore da vida, que se encontra no paraíso de Deus.*
>
> Apocalipse 2.7

Ver no *Dicionário* o artigo chamado *Árvore da Vida*, quanto a um tratamento completo sobre a metáfora.

Antítese ou Sinônimo? Um significado vinculado à segunda linha métrica é o que diz que o homem bom obtém sucesso contra os seus inimigos e "toma vidas", ou seja, destrói outras pessoas. Esse é um significado comum da palavra "tomar". Mas isso, apesar de ser possível, parece ser estranho ao contexto. Portanto, rejeitamos a segunda linha métrica como antitética. O significado, pois, parece ser que o homem bom "toma almas para si mesmo, a fim de lhes dar seus frutos doadores de vida". Em outras palavras, ele os leva à obediência à lei, conforme esta é interpretada pelas declarações de sabedoria, e nisso eles encontram a vida, tal e qual o homem bom a possui. Ou o sentido poderia ser "a impiedade toma a vida". Então, não seria o homem bom que destrói e, sim, a própria impiedade do homem mau. Esse é o texto que se acha nas versões da Septuaginta e do siríaco, que assim faz da segunda linha métrica uma antítese. Mas esse texto requer a emenda da palavra hebraica *hakham*, "sábio", para *hamas*, "iniquidade".

Aplicação Evangélica. Tomando-se a segunda linha como sinônimo, salienta-se a atividade de salvação dos sábios, e a salvação evangélica é, então, a vida que está em vista. Esta é uma boa aplicação do texto, mas não o que o texto ensina. Se está em pauta a vida, então a vida é a do ideal do Antigo Testamento, uma vida longa, saudável, próspera, que compartilha das promessas do pacto. Não há aqui nenhuma ideia de vida para além do sepulcro, que veio a tornar-se uma doutrina dos hebreus, tendo penetrado na Bíblia primeiramente nos Salmos e nos Profetas. Cf. Dn 12.2, onde a ideia já aparece como firmemente estabelecida. As palavras "ganha almas" (vs. 30) não significam conquistar almas salvas por meio do evangelismo. Visto que "ganhar" significa, literalmente, "atrair" ou "tomar", a ideia pode ser que uma pessoa justa atraia outra para a sabedoria. Isso se ajusta ao pensamento da primeira parte do versículo, que retrata uma árvore que dá vida às pessoas por meio de seus frutos" (Sid S. Buzzell, *in loc.*).

11.31

הֵן צַדִּיק בָּאָרֶץ יְשֻׁלָּם אַף כִּי־רָשָׁע וְחוֹטֵא׃

Se o justo é punido na terra. A recompensa e a retribuição são certas e inevitáveis. O homem justo receberá a recompensa por ter mantido boa a sua vida. Ele receberá muitas bênçãos, muitos triunfos, boa saúde, vida longa, prosperidade e felicidade. A *Lei Moral da Colheita segundo a Semeadura* (ver a respeito no *Dicionário*) se mostrará eficaz em seu benefício.

Na terra. Não há aqui nenhuma ideia de recompensa no pós-vida. Se o coração dos hebreus já tinha avançado até essa doutrina, a teologia dos hebreus mostrava-se lenta e deficiente quanto a esse aspecto. Ver as notas sobre o vs. 30, sob "Aplicação Evangélica".

Antítese. O ímpio está sujeito à mesma lei da semeadura e da colheita que governa os justos. Ele receberá a devida punição, uma retribuição pelo mal que ele praticou. Novamente, não está em pauta um julgamento pós-túmulo. Essa doutrina apareceria mais tarde na teologia dos hebreus (e Dn 12.2 é um versículo conspícuo sobre isso).

A versão da Septuaginta tem uma tradução livre e curiosa deste versículo: "Se o justo é salvo com dificuldade, onde comparecerá o ímpio e o pecador?" Essa tradução é dada em 1Pe 4.18, mas, conforme se pode ver, está distante do hebraico. O Novo Testamento quase cita a Septuaginta (versão grega do Antigo Testamento), por causa do domínio exercido por esse idioma durante a era dos apóstolos.

Diz aqui o Targum: "Eis que os justos são fortalecidos na terra, mas os ímpios serão consumidos fora dela", que também é o sentido dado por Aben Ezra.

CAPÍTULO DOZE

Não há nenhuma interrupção entre os capítulos 11 e 12. Dou uma introdução à seção de Pv 10.1—22.16 (a primeira coletânea dos provérbios de Salomão), em Pv 10.1.

12.1

אֹהֵב מוּסָר אֹהֵב דָּעַת וְשֹׂנֵא תוֹכַחַת בָּעַר׃

Quem ama a disciplina ama o conhecimento. O sábio ama a instrução e também ama o conhecimento. Nossa versão segue de perto a *Revised Standard Version*, que diz "ama a disciplina". Aquele que ama a disciplina também ama o conhecimento, ou seja, a substância da lei, conforme fomentada e interpretada pelas declarações da sabedoria. Esse conhecimento é cheio de disciplina. Isso descreve o homem nobre, em contraste com o animal brutal da segunda linha métrica. Quanto à "instrução", ver Pv 1.2. "A correção é o caminho para o conhecimento" (Adam Clarke, *in loc.*). A vida boa tem de ser uma vida disciplinada. Sócrates asseverou: "A vida indisciplinada não é digna de ser vivida". Cf. isso com Pv 1.2,7 e 10.17.

Antítese. Em contraste com o homem nobre, o homem que odeia a disciplina é uma fera selvagem. Ele vive errando em sua vereda de destruição. Ouve ensinamentos que contêm reprimendas (ver Pv 1.23), mas rejeita esses ensinos por não estarem em acordo com o seu estilo de vida. Ele aprecia o estilo de vida que está levando e não quer que alguém o perturbe, mesmo que isso, na realidade, fosse melhor para ele. A fera vive sem nenhuma razão, e nada tem de nobre nela. O homem que não acolhe a correção se transformará nesse tipo de criatura.

12.2

טוֹב יָפִיק רָצוֹן מֵיְהוָה וְאִישׁ מְזִמּוֹת יַרְשִׁיעַ׃

O homem de bem alcança o favor do Senhor. O homem bom, que recebe a instrução e a disciplina, se continuar em sua boa vereda, obterá favor da parte do Senhor. É essencialmente o mesmo que encontramos em Pv 11.27. Esse homem receberá também o seu galardão (ver Pv 11.31). A *Lei Moral da Colheita segundo a Semeadura* operará em seu favor. Ele receberá benefícios advindos da providência positiva de Deus. Ver no *Dicionário* o verbete intitulado *Providência de Deus*.

Alcança. Literalmente, o hebraico significa "retira", como quem retira água de uma fonte.

Antítese. Em contraste com o homem bom, o homem que emprega maus artifícios (no hebraico, *mezimmah*, ver Pv 1.4) sofrerá a condenação divina, que no hebraico é *rasha*, termo forense que implica "culpa pronunciada". É o oposto de *yaçdiq*, "justiça pronunciada". Cf. Êx 22.9.

12.3

לֹא־יִכּוֹן אָדָם בְּרֶשַׁע וְשֹׁרֶשׁ צַדִּיקִים בַּל־יִמּוֹט׃

O homem não se estabelece pela perversidade. O ímpio não tem alicerce e, por isso mesmo, mostra-se instável. Finalmente sua casa cairá em ruínas, quando ele for chamado ao julgamento. Sua vida será abreviada, e as coisas que ele poderia realizar nunca serão cumpridas. A impiedade não pode servir nem de alicerce nem de raiz. Tal homem é superficial. Qualquer vento haverá de derrubá-lo. "Ser estabelecido e estável na Terra Prometida era algo valorizado pelos israelitas. Mas nem todos o experimentavam (cf. com o vs. 7 e Pv 10.25)" (Sid S. Buzzell, *in loc.*).

Antítese. "A condição do homem ímpio é sem permanência e incerta, ao passo que o justo não pode ser arrancado do chão, onde se acha profundamente arraigado (cf. o vs. 7 e 10.25: a figura de um

12.4

אֵשֶׁת־חַיִל עֲטֶרֶת בַּעְלָהּ וּכְרָקָב בְּעַצְמוֹתָיו מְבִישָׁה׃

A mulher virtuosa é a coroa do seu marido. Ver Pv 31.10-31 quanto a uma longa descrição da mulher virtuosa.

Virtuosa. No hebraico, *hayil*, vocábulo usado por quatro vezes no Antigo Testamento — aqui; em Pv 14.2; 31.10,19 e Rt 3.11. A longa descrição do capítulo 31 alerta-nos para o fato de que essa virtude é um complexo de muitas qualidades, e não se restringe à pureza sexual. Literalmente, ela é uma mulher dotada "de poder", ou seja, de diversas capacidades e de um caráter que se destaca. A palavra é usada para indicar homens capazes, em Êx 18.21, aqueles que eram capazes de serem líderes entre o povo, sem importar se nas questões civis ou militares, bons juízes ou bons soldados, ou em qualquer coisa que fossem chamados a realizar.

Essa mulher de poder e graça será como uma coroa de glória para o marido. Sua virtude fará seu marido tornar-se um homem orgulhoso. Ela era uma mulher esplêndida, e todos a reconheceriam como tal.

Antítese. Em contraste, a má mulher (sexualmente e em outras coisas) serviria de podridão aos ossos de seu marido, ou seja, a virtual destruição de sua vida, visto que os ossos representam o corpo inteiro, ou a vida de um homem. O corpo é armado em torno dos ossos como seu apoio necessário e poder unificador. Ver a mesma figura em Pv 14.30. Ver também Pv 3.8; 14.30; 15.30; 16.24 e 17.22. Essa é, igualmente, uma figura simbólica comum no livro dos Salmos. Ver Sl 6.2; 22.14,17; 31.10; 38.3; 42.10; 51.8; 53.5; 102.3,5; 109.18 e 141.7. Se os ossos de um homem apodrecerem, ele será um homem morto. O ensino, aqui, é que essa horrível mulher faz o marido viver a morte em vida. O homem que tiver essa espécie de esposa com frequência sentirá vergonha. Alguns estudiosos supõem que as doenças venéreas sejam aludidas aqui; e é bem possível que isso faça parte do quadro que está sendo descrito. O Targum ajunta que ela é como "um verme na madeira".

12.5

מַחְשְׁבוֹת צַדִּיקִים מִשְׁפָּט תַּחְבֻּלוֹת רְשָׁעִים מִרְמָה׃

Os pensamentos do justo são retos. A vida de pensamentos de um homem justo caracteriza-se pela retidão. Ele é um homem reto, e seus pensamentos correspondem a essa sua qualidade. De fato, os pensamentos retos de tal homem é que o têm feito ser o que é, pois, "como imagina em sua alma, assim ele é" (Pv 23.7). Parte desses bons pensamentos gira em torna da questão da justiça (cf. Mt 12.35). Um homem bom, que tenha recebido autoridade, administrará a justiça, pois sua mente será controlada por princípios justos. Ele agirá tal e qual costuma pensar.

Antítese. "Os vss. 5-9 contrastam o homem reto com o homem ímpio. O homem reto tem planos e desejos justos e honestos, quanto a si mesmo e quanto a outros. Mas o ímpio tem conselhos enganadores, que estimulam a desonestidade e só atendem a interesses próprios (perversos, vs. 8). Os pensamentos e as palavras de cada um usualmente são coerentes com o seu caráter" (Sid S. Buzzell, *in loc.*).

12.6

דִּבְרֵי רְשָׁעִים אֱרָב־דָּם וּפִי יְשָׁרִים יַצִּילֵם׃

As palavras dos perversos são emboscadas para derramar sangue. As palavras (os conselhos; vs. 5) planejam emboscadas para outras pessoas, a ponto de destruí-las. Ver Pv 1.11,12 quanto a uma vívida ilustração a respeito. Eles convencem os jovens, que se deixam influenciar facilmente, a aliar-se a eles em seus planos atrevidos.

As palavras. As palavras que produzem eventos destruidores são agentes de destruição. Encontramos aqui um uso maligno da faculdade da fala. Quanto ao uso próprio e ao uso impróprio da fala, ver Pv 4.24; 6.12; 8.13; 10.8,18,19,30; 11.9,13. Esse é, igualmente, um tema comum do livro de Salmos. Ver Sl 5.9; 12.2; 15.3; 17.3; 34.12; 35.28; 36.3; 64.4; 66.17; 73.9; 100.1; 101.5 e 119.172. As palavras maldosas originam-se em pensamentos corrompidos (vs. 5), e o fim desse processo é que outras pessoas são atingidas. Cerca de cem versículos do livro de Provérbios tratam do uso da linguagem.

Antítese. Em contraste, o homem bom, guiado por pensamentos beneficentes e justos (vs. 5), falará de tal maneira e dará conselhos tais que livrará os homens do mal, da ruína e da destruição. Parte disso será o pensamento e o falar diário envolvido no ensino aos homens para que andem na sabedoria e assim evitem veredas destruidoras. E parte serão casos específicos em que um homem fala, em âmbito privado ou público, ou em um tribunal de lei, podendo salvar vidas. O homem justo será instrumento no livramento de planos destruidores preparados por homens ímpios contra suas vítimas. Uma instância disso encontra-se em Pv 1.10 ss., onde o mestre adverte homens jovens contra aliarem-se com roubadores assassinos, que tomam a sociedade como presa e não hesitam em matar.

12.7

הָפוֹךְ רְשָׁעִים וְאֵינָם וּבֵית צַדִּיקִים יַעֲמֹד׃

Os perversos serão derrubados e já não são. Os vss. 5-9 contrastam os justos e os ímpios, o que eles são, fazem e sofrem, no fim. Portanto, temos aqui um resultado final para ambas as classes de pessoas. Os ímpios, que têm pensamentos perversos (vs. 5) e transferem esses pensamentos para a forma de palavras destruidoras (vs. 6), ferindo outras pessoas (vs. 6), finalmente são destruídos eles mesmos. Eles são derrubados, ou seja, totalmente derrotados, sofrendo tremendas perdas. Então são exterminados, e "já não são". A figura é militar: o que acontece a homens injustos em uma guerra injusta. Ou então a figura é a do caçador que finalmente prende e mata a sua presa. "A armadilha deles os apanha" (Sid S. Buzzell, *in loc.*). Alguns veem a ideia do alicerce de uma casa, ou então das raízes de uma árvore (ver Pv 10.25 e 12.3). Seja como for, o homem mau geralmente chega a um mau fim. Ele colhe aquilo que vinha semeando. Ver também Sl 38.36,37 e Pv 11.21.

Antítese. Em contraste, a casa do homem bom resiste à tempestade, conforme vemos em Pv 10.25; suas raízes o estabilizam e ele não sofre danos (ver Pv 12.3). Ver Mt 7.24 ss. A casa é a própria vida do indivíduo, e também é sua família e sua descendência. Toda a sua linhagem será forte na retidão e estabilizada na vida boa.

Este versículo tem sido cristianizado para falar sobre Cristo, o fundamento, bem como sobre a vida eterna e espiritual que há em Cristo.

12.8

לְפִי־שִׂכְלוֹ יְהֻלַּל־אִישׁ וְנַעֲוֵה־לֵב יִהְיֶה לָבוּז׃

Segundo o seu entendimento, será louvado o homem. Um homem bom que tenha seguido a vereda da sabedoria será elogiado por outras pessoas. Obterá boa reputação e será louvado por ser justo e benfeitor da sociedade. Ele pratica a sabedoria e não apenas fala sobre ela. Isso quer dizer que ele sabe, fala a respeito e põe em prática a lei, conforme ela é fomentada e interpretada pelas declarações da sabedoria. A palavra hebraica correspondente é *sekhel*, "bom senso", "prudência", "julgamento são". Ver no *Dicionário* os artigos *Sabedoria* e *Entendimento*. Ver também Pv 1.3. Esse homem tem bom senso e vive em concordância com isso. "... não de acordo com o seu nascimento ele será elogiado; nem em consonância com suas riquezas; nem em harmonia com os lugares de honra a que ele tiver galgado; mas de acordo com a sua sabedoria, que ele demonstrou em palavras e ações" (John Gill, *in loc.*).

Antítese. Em contraste, o ímpio é o homem de mente perversa. Para ele nada significa quebrar os mandamentos da lei de Deus. Ele não foi treinado na sabedoria nem segue o pouco que sabe. Sua mente é perversa, corrompida pelos caminhos do mundo e da carne. Tal homem será desprezado por outros, porquanto estabelece um exemplo de como se dilapida a própria vida. Cf. esta parte do versículo com 1Sm 2.30. Ele tem mente distorcida (no hebraico, *'awah*), pelo que inventa uma vereda tortuosa para si mesmo.

12.9

טוֹב נִקְלֶה וְעֶבֶד לוֹ מִמִּתְכַּבֵּד וַחֲסַר־לָחֶם׃

Melhor é o que se estima em pouco, e faz o seu trabalho. O trabalhador que trabalha em regime diário, o homem bastante humilde que trabalha para se sustentar (e não tem servos), é melhor do que o que jacta e exalta a si mesmo, pensando ser "superior a outras pessoas" e estar "acima da necessidade de trabalhar" (a antítese). O homem humilde pelo menos tem o bastante para comer, mas o jactancioso, apesar de sua arrogância, nem ao menos é capaz de pôr alimentos na própria mesa. Outra tradução do hebraico original faz o homem humilde ser proprietário de um escravo. Ele não é um homem abastado, mas de alguma maneira adquiriu um escravo pessoal. Parece que ser alguém proprietário de um escravo era considerado uma necessidade básica da vida, naquela época, mesmo no caso de pessoas de posição social humilde.

Encontramos pensamentos similares em Eclesiástico 10.26,27:

> Não exibas a tua sabedoria quando estiveres trabalhando, e não te elogies a ti mesmo quanto estiveres em necessidade. É melhor trabalhar e ter abundância em todas as coisas, do que te jactares, mas sofreres de falta de pão.

■ 12.10

יוֹדֵעַ צַדִּיק נֶפֶשׁ בְּהֶמְתּוֹ וְרַחֲמֵי רְשָׁעִים אַכְזָרִי׃

O justo atenta para a vida dos seus animais. O homem bom respeita e protege a vida animal. Cf. a atitude divina que transpira em Jn 4.11. Uma das razões pelas quais Deus não destruiu Nínive foi por causa de sua população animal! Geralmente os homens subestimam os animais. Mas talvez, conforme afirmam alguns eruditos, eles sejam pessoas; e talvez eles tenham alma, conforme Platão insistia. Ver na *Enciclopédia de Bíblia, Teologia e Filosofia* os verbetes chamados *Alma dos Animais* e *Animais, Direitos de e Moralidade dos*. Estudos demonstram que, quanto mais civilizado é um país, mais a vida animal é respeitada, e menor é a crueldade praticada contra os animais. É um crime infligir dor desnecessária à vida humana ou à vida animal. Ver Dt 25.4 quanto à bondade para com os animais. O homem bom é caracteristicamente misericordioso e não abandona a sua misericórdia no tocante às criaturas inferiores de Deus. Cf. Êx 23.9.

Antítese. Em contraste, até as mais ternas misericórdias do homem mau são cruéis. O homem ímpio não respeita a vida animal e regularmente inflige dor aos animais. Os hindus, naturalmente, pensam que todos nós, que nos alimentamos de carne, somos bárbaros. Talvez eles não estejam assim tão longe da verdade. Os abatedouros são, sem dúvida, lugares decisivamente cruéis. Ou pensemos nos abortos, em que o feto humano é apenas outro animal!

■ 12.11

עֹבֵד אַדְמָתוֹ יִשְׂבַּע־לָחֶם וּמְרַדֵּף רֵיקִים חֲסַר־לֵב׃

O que lavra a sua terra será farto de pão. A agricultura é aqui louvada como atividade proveitosa e digna. Trata-se da profissão que multiplica alimentos (pão). Um homem relativamente ambicioso, que conte com um bom terreno, pode sustentar a si mesmo. Além disso, a agricultura diligente resulta em abundância de alimentos, pelo que haverá produção de nutrientes que ultrapassam as necessidades básicas. Ver Pv 14.23 e 28.19.

Antítese. Em contraste, existem certas "profissões" destituídas de valor, mas muitas pessoas insensatas se misturam a elas. O que essas profissões são depende das pessoas envolvidas. A caça a tesouros (ver Pv 2.4) pode ser uma atividade interessante, mas rende dividendos para pouquíssimas pessoas. Para um maior número de pessoas, podemos falar da mineração do ouro. Este versículo também é interpretado como se estivesse falando em pessoas preguiçosas, que sempre seguem a companhia de outros que têm a mesma mentalidade, pois a profissão delas é nada fazer. "Pessoas vãs" e "atividades sem valor" são ambas traduções possíveis do original hebraico. Cf. Pv 6.23 e 10.13.

■ 12.12

חָמַד רָשָׁע מְצוֹד רָעִים וְשֹׁרֶשׁ צַדִּיקִים יִתֵּן׃

O perverso quer viver do que caçam os maus. O hebraico, neste versículo, é obscuro, o que deixa os intérpretes a conjecturar. Na primeira linha métrica o termo hebraico *maçodh* tem sido traduzido por "rede", "torre forte" ou "presa". Consideremos os pontos a seguir:

1. Se a verdadeira tradução for "rede", então poderia estar em pauta aquilo que é espalhado para apanhar a outros. Os ímpios se deleitam nesses feitos atrevidos.
2. Ou o significado pode ser aquilo que apanha o próprio homem mau, pois ele (aparentemente) "deseja" isso através de sua vida descuidada.
3. Se "presa" é o significado, então pode estar em pauta aquilo que é apanhado na rede. Os ímpios anelam por fazer certas vítimas por seus atos desgraçados.
4. Se "torre forte" for o sentido, então o significado é que o homem ímpio finalmente chega à ruína. Ele perderá suas defesas e cairá vítima de alguma calamidade. Esse significado é atingido pela emenda da palavra hebraica para *mecadh*, conforme reverberado pela Vulgata Latina. A segunda linha métrica implica que, qualquer que seja o mal desejado e obtido pelo ímpio, será apenas um ganho temporário, e não um termo a longo prazo. Cf. isso com Pv 1.19; 10.2,3 e 11.4,5.

Antítese. O homem bom permanece firme, tem vida estável e ganhos a longo termo, em contraste com o homem mau, que só obtém o que quer mediante algum artifício maligno. Esta parte do versículo também tem os seus problemas, pelo que pode significar uma das duas coisas seguintes:

1. A raiz do homem bom produz fruto, e com isso voltamos à metáfora da árvore (ver Pv 11.28,30).
2. Ou a ideia pode ser de firmeza, visto que as raízes dão estabilidade a uma árvore. O Targum concorda e diz: "A raiz dos justos permanecerá, ou será estabelecida". Essa é a ideia do vs. 3 deste mesmo capítulo.

■ 12.13

בְּפֶשַׁע שְׂפָתַיִם מוֹקֵשׁ רָע וַיֵּצֵא מִצָּרָה צַדִּיק׃

Pela transgressão dos lábios o mau se enlaça. O homem mau, que deseja a destruição dos outros, usa a faculdade de fala para promover sua causa maligna. Mas o que acontece é que ele deita uma armadilha para si próprio. Assim acontece que o caçador pode ser, de súbito, apanhado pela sua própria armadilha, rede ou ardil, tornando-se uma vítima de si mesmo. A metáfora da caça sempre subentende a morte do animal que for apanhado na armadilha. Ver Pv 11.6. Ver as notas em Pv 11.9 e 13 quanto a um sumário do uso perverso da língua. Cf. esta parte do versículo com Sl 7.16.

Antítese. O homem bom é capacitado por Deus a sair da tribulação na qual se meteu. A rede não poderá segurá-lo; a armadilha é despedaçada. Pelo contrário, o homem bom é livrado, pela graça de Deus. Aquele a quem o Filho liberta está realmente livre (ver Jo 8.36). Jarchi nos relembra o caso radical de Noé. Ele teve de passar pelo dilúvio, mas recebeu proteção durante o ocorrido.

■ 12.14

מִפְּרִי פִי־אִישׁ יִשְׂבַּע־טוֹב וּגְמוּל יְדֵי־אָדָם יָשׁוּב לוֹ׃

Cada um se farta de bem pelo fruto da sua boca. A primeira linha métrica deste versículo é praticamente a mesma que se encontra em Pv 13.2. Essa afirmação se repete em Pv 18.20. Um homem se satisfaz pelos frutos das palavras que ele profere, que são palavras de sabedoria, promovendo a lei naquilo que ela é compreendida através das declarações de sabedoria. "O homem bom deriva o mais amplo fruto do bem e das palavras bondosas e piedosas de sua própria boca. O mestre é beneficiado pelo seu próprio discurso proveitoso" (Fausset, *in loc.*). "Um conselho são as boas instruções e a sã doutrina que ele ensina a outros, o fruto dos lábios que procede de seu coração; essas coisas redundam em sua própria vantagem" (John Gill, *in loc.*). Ver 1Tm 4.6:

> ... alimentado com as palavras da fé e da boa doutrina...

Sinônimo. As mãos de um homem também lhe trazem benefícios. O trabalho que tiver feito retornará a ele. Ele faz o bem para outros e recebe esse bem de volta, por meio da *providência positiva de Deus* (ver a respeito no *Dicionário*).

> Lança o teu pão sobre as águas, porque depois de muitos dias o acharás.
>
> Eclesiastes 11.1

Um significado possível desta segunda linha métrica é que o homem que trabalha manualmente, como um fazendeiro, obtém uma colheita por seus esforços, e assim consegue o sustento para si mesmo e para seus familiares. Ver o vs. 11. Mas o significado metafórico é dominante, o que se adapta melhor à primeira linha métrica.

Dai, e dar-se-vos-á, boa medida, recalcada, sacudida, transbordante, generosamente vos darão; porque com a medida com que tiverdes medido vos medirão também.

Lucas 6.38

Este versículo ensina que o homem justo é recompensado por suas boas palavras e ações. Ver Gl 6.7. Cerca de cem versículos do livro de Provérbios tratam do tema do uso próprio e impróprio da língua. Ver Pv 11.9 e 13 quanto a detalhes.

■ 12.15

דֶּרֶךְ אֱוִיל יָשָׁר בְּעֵינָיו וְשֹׁמֵעַ לְעֵצָה חָכָם׃

O caminho do insensato aos seus próprios olhos parece reto. Alguns insensatos enganam a si próprios, mas não têm o monopólio dessa condição. Eles gostam de estar do lado errado; mas há outros tolos que se apresentam como exemplos que devem ser seguidos. Sem dúvida, o autor sagrado falava sobre insensatos morais, e não doutrinários. O pecado pode amortecer de tal maneira a consciência que o pecador perde de vista as más condições em que se encontra. "Ele é um insensato endurecido, de cabeça dura, que pensa que seu caminho está certo. Cf. Pv 21.2" (Sid S. Buzzell, *in loc.*).

Antítese. O homem sábio é alguém que abandonou a vereda errada por ter tido bom senso suficiente para dar ouvidos às instruções da lei, conforme fomentada e interpretada pelas declarações de sabedoria. (Cf. Pv 10.17; 11.14 e 12.1). Quanto a "conselho", ver Pv 8.14.

■ 12.16

אֱוִיל בַּיּוֹם יִוָּדַע כַּעְסוֹ וְכֹסֶה קָלוֹן עָרוּם׃

A ira do insensato num instante se conhece. Um homem insensato não tem controle próprio e se deixa provocar com facilidade, vive lutando por seus direitos e sempre suspeita do próximo. Quando pensa que está sendo desprezado, prepara-se para lutar. "O homem de mente fraca não governa a si mesmo; ira-se com facilidade e geralmente fala a primeira coisa que vem à sua cabeça" (Adam Clarke, *in loc.*). "Nem bem ele é provocado, e já o demonstra em sua fisionomia, mediante palavras e ações, através do olhar, no franzido do rosto, mediante os dentes que rilham, por meio dos pés que batem no chão e por suas observações amargas" (John Gill, *in loc.*).

Antítese. Em contraste, o sábio ignora um insulto ou injúria, como se isso não tivesse ocorrido. Brigar está abaixo da sua dignidade; palavras duras não podem passar por seus lábios; ele não planeja tirar vingança. Ele esquece o incidente inteiro. Caso se sinta irado, ele o esconderá. Certamente não se envolve em atos tolos de vingança, nem as suas palavras buscam retribuição. Esse homem assemelha-se a Jesus, conforme pode ser visto facilmente, pois ele, quando era insultado, não insultava (ver 1Pe 2.23).

Quando somos injuriados, bendizemos, quando perseguidos, suportamos.

1Coríntios 4.12

■ 12.17

יָפִיחַ אֱמוּנָה יַגִּיד צֶדֶק וְעֵד שְׁקָרִים מִרְמָה׃

O que diz a verdade manifesta a justiça. O homem que fala a verdade dá evidências honestas (*Revised Standard Version*). O sábio não fala precipitadamente nem em particular nem em público. Ele não profere falsas acusações em tribunal ou nas ruas. Provavelmente esta primeira linha métrica do versículo fala sobre questões judiciais, de processo em tribunal de lei. Cf. Pv 14.5. Um dos Dez Mandamentos é contra as falsas testemunhas. Ver Êx 20.16.

Antítese. Em contraste com o homem piedoso, o insensato, o pecador, o ímpio não hesita em falar mentiras contra o próximo, em tribunal ou em particular. O testemunho que ele dá visa propositadamente enganar e, assim, levar os juízes a errar em sua sentença.

Este versículo tem sido espiritualizado para falar de todas as espécies de verdade e de mentira, e tem sido cristianizado para referir-se ao Messias como o fiel de Deus e a testemunha verdadeira (ver Is 55.4; Ap 3.14).

O uso apropriado e impróprio da linguagem é um dos maiores temas do livro de Provérbios, sendo referido em cerca de cem versículos. Cf. Pv 4.24; 6.12; 8.13; 10.8,18,19,30; 11.9,13; 12.6,13. Também é um dos grandes temas do livro de Salmos. Ofereço uma lista de referências nas notas expositivas sobre Pv 11.30, com poemas ilustrativos e desenvolvimento do tema.

■ 12.18

יֵשׁ בּוֹטֶה כְּמַדְקְרוֹת חָרֶב וּלְשׁוֹן חֲכָמִים מַרְפֵּא׃

Alguém há cuja tagarelice é como pontas de espadas. O autor prossegue aqui com os seus ensinos contra o falar perversamente, e agora a boca do pecador aparece como se fosse uma espada de ponta aguçada, cortante, perfurante e mortífera. O insensato resolve prejudicar a outrem com suas palavras, e as suas vítimas são muitas. Cf. Sl 52.4: "palavras devoradoras". Quanto a palavras que são como espadas, ver Sl 55.21; 57.4; 59.7 e 64.3.

Antítese. Em contraste, o homem bom, que também é sábio, tem uma boca que "cura". Ele fala para acalmar as águas, curar as feridas e reconciliar. Ele defende os homens inocentes, encoraja as pessoas a ajudar-se mutuamente. Sua boca produz fruto bom (Pv 11.30; 12.14). O homem bom "suaviza os ferimentos feitos pelo conversador insensato e indiscriminado contra outros" (Ellicott, *in loc.*). Ver Pv 15.4.

Este versículo tem sido espiritualizado e cristianizado para referir-se à cura que o evangelho traz através das palavras de seus ministros.

■ 12.19

שְׂפַת־אֱמֶת תִּכּוֹן לָעַד וְעַד־אַרְגִּיעָה לְשׁוֹן שָׁקֶר׃

O lábio veraz permanece para sempre. A verdade precisa vencer, pelo que os lábios que dizem a verdade são vindicados e permanecem. A verdade, apoiada pelos fatos, perdura para sempre. Mas a falsidade logo é descoberta, por não ter base alguma, e assim logo se dissipa (o que é a antítese). Diz o original hebraico, literalmente: "Por um momento, até que eu pisque". A língua mentirosa é detectada e então silenciada, sem importar se isso é feito pelo homem ou por Deus. Disse Sófocles: "Nenhuma mentira atinge a idade avançada". Ninguém tem memória bastante boa para ser um bom mentiroso. Tal pessoa acabará traindo a si mesma com as suas palavras. Aben Ezra, Kimchi e Ben Melech interpretavam essas palavras como "Farei cessar para sempre a língua mentirosa", e veem nisso um julgamento divino.

A verdade, esmagada até a terra, levantar-se-á de novo.
Os anos eternos de Deus lhe pertencem.
Mas o erro, ferido, treme de dor,
E morre entre os seus adoradores.

William Cullen Bryant

■ 12.20

מִרְמָה בְּלֶב־חֹרְשֵׁי רָע וּלְיֹעֲצֵי שָׁלוֹם שִׂמְחָה׃

Há fraude no coração dos que maquinam mal. Os ímpios, querendo executar algum plano maligno, naturalmente enganam a outras pessoas, no intuito de apanhá-las de surpresa. Eles têm o engano em seu homem interior, suas intenções (coração), e assim têm facilidade em agir em consonância com essas intenções. Quanto às palavras "maquinam mal", ver Pv 3.29. O mal que fazem produzirá tristeza para muitos e, finalmente, para si mesmos. O ludíbrio é uma das principais características dos ímpios: ver Pv 6.14; 11.18; 14.8; 15.4; 26.19,24,26. Ver também o vs. 5 do presente capítulo.

Antítese. O homem bom, que tem um coração reto (ver Pv 4.23), está qualificado para ser um conselheiro que leva a paz, quer a indivíduos, quer a grupos de pessoas.

A paz. No hebraico temos a palavra *shalom*, "sanidade", "completo de ser", "harmonia" entre duas partes. A paz traz alegria ao coração, ao passo que a contenda e o mal terminam em tristeza para todos os envolvidos. Aben Ezra, seguido por alguns intérpretes cristãos, vê aqui a alegria da salvação.

12.21

לֹא־יְאֻנֶּה לַצַּדִּיק כָּל־אָוֶן וּרְשָׁעִים מָלְאוּ רָע׃

Nenhum agravo sobrevirá ao justo. Este é um dos temas constantes do livro de Provérbios. O livro de Jó desafia essa asserção ao demonstrar que um homem bom pode sofrer calamidades. Por outra parte, a retidão tem suas recompensas naturais, e isso usualmente opera que o homem bom recebe da providência positiva de Deus. As exceções (e há muitas delas!) não devem destruir nossa fé na *Lei Moral da Colheita segundo a Semeadura* (ver a respeito no *Dicionário*). Por que os homens sofrem, e por que sofrem como sofrem, esse é o grande problema do mal. O mal consiste no mal moral: as coisas prejudiciais que os homens praticam contra outros, devido à perversidade de suas vontades; e o mal natural, que consiste nos abusos da natureza, como acidentes, tempestades, inundações, terremotos, enfermidades, e o campeão de todos os males naturais, a morte. Ver no *Dicionário* sobre *Problema do Mal*, quanto ao que é dito sobre esse assunto, uma das questões mais difíceis tanto da teologia como da filosofia.

Antítese. A *lei da colheita segundo a semeadura* (ver Gl 6.7,8) opera, e assim o homem cai em toda espécie de calamidade e tribulação. Cf. Pv 11.8,21.

> Muito sofrimento terá de curtir o ímpio, mas o que confia no Senhor, a misericórdia o assistirá.
>
> Salmo 32.10

12.22

תּוֹעֲבַת יְהוָה שִׂפְתֵי־שָׁקֶר וְעֹשֵׂי אֱמוּנָה רְצוֹנוֹ׃

Os lábios mentirosos são abomináveis ao Senhor. O autor volta a explorar um de seus temas principais, o abuso da linguagem. Cerca de cem versículos no livro de Provérbios abordam esse assunto, que é também um dos grandes temas do livro de Salmos. Ver Pv 11.9,13, onde há notas que entram nos detalhes e dão referências quanto ao livro de Provérbios quanto ao livro de Salmos. Ver também, no *Dicionário*, o verbete chamado *Linguagem, Uso Apropriado da*.

Os lábios mentirosos são como os ídolos e a vil profanação, uma *abominação* para Deus. Ver as notas expositivas sobre essa palavra em Pv 11.1 e ver no *Dicionário* sobre a questão, quanto a detalhes completos. Ver também Pv 3.22. Este versículo é similar a Pv 11.20 (cf. também Pv 12.17).

Antítese. O Senhor deleita-se no homem que fala e vive a verdade, em cuja vida se evidencia a retidão, e em cuja fala a verdade é sempre exibida. "A veracidade é recomendada porquanto promove a justiça (Cf. Pv 12.17,19; 14.5,25)" (Sid S. Buzzell, *in loc.*).

Este versículo tem sido cristianizado para falar da veracidade no evangelho de Cristo, que opera aquele bem universal.

12.23

אָדָם עָרוּם כֹּסֶה דָּעַת וְלֵב כְּסִילִים יִקְרָא אִוֶּלֶת׃

O homem prudente oculta o conhecimento. Este versículo ilustra a diferença entre a reticência e a insolência de linguagem, elogiando a primeira e condenando a segunda. O homem sábio mostra-se prudente naquilo que diz, e discreto quanto ao que não deve dizer. Além disso, o homem prudente não anseia por demonstrar seu conhecimento pelo muito falar e pela jactância. O conhecimento (conforme concebido no livro de Provérbios) refere-se à lei, conhecê-la e praticá-la. Um bom rabino não vivia dizendo ao povo o quanto ele sabia, ao mesmo tempo que depreciava os ignorantes. Quanto a versículos similares a este, ver Pv 13.16 e 15.2. O homem bom fala com base no seu conhecimento, e aqueles que o ouvem reconhecem isso; ele deve, realmente, falar, e não exibir seu conhecimento. Ele é um mestre, e não um jactancioso inchado e convencido.

Antítese. Em contraste com o sábio, o insensato, que sabe tão pouco das coisas e pratica tão pouco da lei, está sempre abrindo desmesuradamente a boca, conforme se diz em uma expressão idiomática popular. A precipitação nas palavras é um dos grandes temas do livro de Provérbios. Cf. Pv 10.19; 13.3,16; 15.2; 18.2,13. O tolo tenta fazer uma exibição de seu conhecimento, mas só consegue demonstrar quão tolo é. A sua vida já vinha demonstrando esse fato. "O insensato não pode deixar escapar palavras precipitadas, exibindo assim sua ignorância e insensatez, que ele confunde com a sabedoria" (Ellicott, *in loc.*). O homem sábio, por sua vez, é prudente, ou seja, esperto no bom sentido, conforme pode significar a palavra hebraica aqui usada, *'arum*. Mas ao insensato falta bom senso, e em sua ingenuidade ele pensa que pode impressionar a outros com sua língua crua.

12.24

יַד־חָרוּצִים תִּמְשׁוֹל וּרְמִיָּה תִּהְיֶה לָמַס׃

A mão diligente dominará. Este versículo elogia a indústria e o zelo, e contrasta isso com a preguiça. Este é outro tema importante do livro de Provérbios. Ver Pv 10.4; 13.4; 19.15; 21.5 e o vs. 27 deste mesmo capítulo. A mão é o instrumento de trabalho; assim sendo, o homem que trabalha com diligência finalmente assume uma posição de autoridade sobre outros. Naturalmente, esse homem sabe controlar a si mesmo, que é onde começa o domínio, e assim é capaz de dominar cada situação em sua vida. Jarchi, em consonância com o ideal hebraico, faz desse homem um homem rico, conforme também se vê em Pv 10.4. Ele fica rico e, naturalmente, poderoso. Ver Pv 22.29.

Antítese. Em contraste, o homem preguiçoso termina servindo sob o regime de trabalho forçado (*Revised Standard Version*). O significado da palavra hebraica correspondente, *mas*, é desconhecido, mas provavelmente significa algo como trabalho de gangue. Pode estar em vista a escravidão, ou então, simplesmente, o trabalho manual árduo. Seja como for, esse homem preguiçoso termina trabalhando para outros, em contraste com o homem diligente, que tem seu próprio negócio, seus próprios empregados, ou atinge alguma posição de autoridade na comunidade. Cf. isso com a segunda linha métrica, de Pv 11.29.

12.25

דְּאָגָה בְלֶב־אִישׁ יַשְׁחֶנָּה וְדָבָר טוֹב יְשַׂמְּחֶנָּה׃

A ansiedade no coração do homem o abate. A medicina psicossomática nos tem confirmado a verdade desta primeira linha métrica. A *ansiedade* é algo terrível. Trata-se de uma forma de *medo*. Ver sobre ambos os termos no *Dicionário*; e, na *Enciclopédia de Bíblia, Teologia e Filosofia*, ver o artigo chamado *Angústia*. A ansiedade pode fazer um homem tornar-se fisicamente enfermo; e, seja como for, anuvia a mente e nos torna menos produtivos e miseráveis. Um homem é sobrecarregado (*Revised Standard Version*) e forçado a inclinar-se (*King James Version*). Franklin Roosevelt fez a corajosa declaração: "Nada temos a temer senão o próprio temor" (referindo-se às provações da Segunda Guerra Mundial). Algumas vezes, nossas ansiedades e temores devem-se às circunstâncias reais que nos ameaçam; e, nesse caso, temos de depender da fé. Mt 6.34 adverte-nos contra a ansiedade, e existem exortações que determinam que lancemos nossos cuidados nas mãos de Deus (ver 1Pe 5.7; Sl 37.5).

> A graça dele é grande o bastante para enfrentar as grandes coisas,
> A onda esmagadora que avassala a alma,
> As ondas que rugem deixam-nos perplexos e sem respiração,
> As tempestades súbitas que estão fora do controle de nossa vida.
>
> Annie Johnson Flint

Antítese. Em contraste com palavras e circunstâncias desencorajadoras, reais ou imaginárias, que fazem as costas do homem bom inclinar-se, existe aquela boa palavra que nos alegra. Oh, Senhor, que possamos ouvir mais esse tipo de palavras!

"Uma palavra bondosa e cheia de empatia pode dar a uma pessoa ansiosa e deprimida o apoio de que ela necessita e animá-la" (Sid S. Buzzell, *in loc.*, que também nos orienta a examinar o vs. 18 deste mesmo capítulo). Certas palavras podem curar uma alma doente.

Este versículo tem sido cristianizado para referir-se às boas palavras do evangelho de Cristo que removem a ansiedade e curam a alma (ver Is 50.4; 51.1-3 e 2Co 1.4).

12.26

יָתֵר מֵרֵעֵהוּ צַדִּיק וְדֶרֶךְ רְשָׁעִים תַּתְעֵם׃

O justo serve de guia para o seu companheiro. Encontramos aqui, uma vez mais, um tema comum do livro de Provérbios, o bom caminho do sábio e o mau caminho do insensato. Quanto à *metáfora da vereda*, ver Pv 4.11 e cf. o *caminho bom e o caminho mau*, contrastados em Pv 4.27, onde apresento uma nota de sumário. O homem reto segue o caminho prescrito pela lei, fomentado e ilustrado pelas declarações de sabedoria. Naturalmente, ele é capaz de evitar o mal que se transmuta em uma vereda má. O homem justo torna-se assim um guia para o seu vizinho e se mantém distante do mal, que é outro significado da primeira linha métrica, escudada sobre um hebraico incerto. A nossa versão portuguesa diz aqui "guia". Ver sobre a *lei como guia*, em Dt 6.4 ss. A palavra hebraica *tur*, "guia", significa basicamente "espionar", mas isso não faz sentido aqui. A segunda linha métrica sugere o sentido de guiar por um caminho.

Antítese. O ímpio é alguém que escolheu o mau caminho, o caminho sedutor; ele o segue pessoalmente e também influencia outros para que o sigam. O homem mau vagabundeia sem esperança. A lei era o guia dos judeus, mas o ímpio a rejeitou. Ele não ouviu as declarações de sabedoria que fomentam e interpretam a lei. O ímpio tem os olhos fixos sobre vantagens fáceis e imediatas e esquece as vantagens que só se obtêm a longo prazo.

12.27

לֹא־יַחֲרֹךְ רְמִיָּה צֵידוֹ וְהוֹן־אָדָם יָקָר חָרוּץ׃

O preguiçoso não assará a sua caça. Voltamos aqui ao tema da preguiça. Ver o vs. 24. Ver no *Dicionário* os verbetes intitulados *Preguiça* e *Preguiçoso*. O preguiçoso decidiu tornar-se um caçador. Ele queria assar o animal apanhado e organizar uma grande festa. Porém, tão preguiçoso é que ou esquece a questão inteira, ou então, se der início à caça, desiste de pronto e vai para casa, porque "caçar é trabalhoso demais". "O preguiçoso é por demais acomodado para preparar a própria comida" (Charles Fritsch, *in loc.*).

Não assará. A palavra hebraica assim traduzida é *harak* e tem um significado incerto. Ela não ocorre em nenhuma outra passagem do Antigo Testamento. O significado de "assar" é extraído de um hebraico posterior. O significado de "apanhar", que aparece em outras versões, vem de uma raiz árabe cognata.

Antítese. Em contraste, o sábio contará com riquezas preciosas (*Revised Standard Version*), e não meramente será um bom caçador. Um homem bom é como um caçador bem-sucedido, mas anda à cata de presas maiores: uma vida longa e saudável, em cumprimento às promessas da lei e do pacto abraâmico (ver a respeito em Gn 15.18).

Este versículo tem sido cristianizado para referir-se à vida eterna, dada por Cristo, em sua missão terrestre. O Targum diz: "A substância do homem bom é ouro precioso". A Vulgata Latina afirma que o homem diligente enriquecerá.

12.28

בְּאֹרַח־צְדָקָה חַיִּים וְדֶרֶךְ נְתִיבָה אַל־מָוֶת׃

Na vereda da justiça está a vida. O tema de como a lei, fomentada e interpretada pelas declarações da sabedoria, transmite vida, é muito repetido; e este versículo nos fornece duas linhas métricas sobre ele. Ver Pv 4.13; 9.6,11; 10.11,17; 11.4,19,30. Quanto a notas expositivas completas a respeito do conceito, ver Dt 4.1; 5.33; 6.2 e Ez 20.1.

Antítese ou Sinônimo? A segunda linha métrica deste versículo apoia-se sobre um hebraico original incerto; por essa razão, as traduções não passam de conjecturas. O hebraico literal diz aqui: "o caminho de uma vereda não morte". Algumas traduções dizem aqui: "A sua vereda não caminha para a morte". E se realmente assim reza a tradução verdadeira, então a segunda linha métrica repete a primeira, usando uma linguagem levemente diferente, ou seja, sinônima. Isso, pois, da parte de alguns intérpretes, recebe o toque impossível de essa vereda ser a imortalidade. Todavia, a tradução contém um anacronismo. A doutrina da alma e de sua sobrevivência diante da morte física começou a aparecer nos Salmos e nos Profetas. Dn 12.2 representa o judaísmo posterior; e o pensamento da imortalidade foi embelezado nos livros apócrifos e pseudepígrafos; e então se acentuou nas páginas do Novo Testamento.

A segunda linha métrica, entretanto, provavelmente é antitética. Nesse caso o hebraico original diz: "O caminho do erro conduz à morte". Assim dizem as versões siríaca e árabe. O Targum diz "o caminho do perverso"; e a Septuaginta declara "o caminho daqueles que se lembram do mal", emprestando à morte significado metafórico.

nossa versão portuguesa diz aqui: "No caminho da sua carreira não há morte", o que faz a segunda linha métrica ser sinônima. Ver no *Dicionário* o verbete chamado *Alma*; e na *Enciclopédia de Bíblia, Teologia e Filosofia*, ver o artigo denominado *Imortalidade*.

CAPÍTULO TREZE

Não há nenhuma interrupção entre os capítulos 12 e 13. Dou uma introdução à seção de Pv 10.1—22.16 (a primeira coletânea dos provérbios de Salomão) em Pv 10.1.

13.1

בֵּן חָכָם מוּסַר אָב וְלֵץ לֹא־שָׁמַע גְּעָרָה׃

O filho sábio ouve a instrução do pai. Cf. este versículo com Pv 2.1; 3.1 e 4.1. O mestre, o pai espiritual, dirigiu-se a seu estudante, chamando-o de filho, por ser seu filho espiritual. O pai convidou seus filhos a ouvir. Ver sobre isso em Pv 4.20. Quanto à expressão "filho meu", ver Pv 6.1. O estudante que está começando a sua caminhada pela vereda da sabedoria (instrução na lei, fomentada e interpretada pelas declarações da sabedoria) ouvirá as instruções que lhe forem dadas e, eventualmente, se tornará um sábio por seus próprios direitos. Um filho sábio ama a instrução. Ele está encantado pela lei de Moisés, e esta se tornou o seu deleite, a sua razão de viver. Alguns pensam que o pai, neste caso, é o primeiro mestre do aluno, seu pai literal. Posteriormente, outros mestres dão continuidade à tarefa de aperfeiçoar a obra. Ver Pv 10.1, onde estão em vista o pai e a mãe biológicos do aluno. O filho sábio acolhe o treinamento paterno de coração aberto.

Antítese. Em contraste com o filho sábio, há o filho estúpido. O termo hebraico correspondente é *leç*, que significa desprezador e arrogante, ou seja, alguém imune à instrução e que se mostra insolente a respeito. Um filho desviado zomba das instruções dadas por seus pais e não se torna membro de uma escola que esteja seguindo algum notório rabino. "... tais eram os genros de Ló e os filhos de Eli e Samuel" (John Gill, *in loc.*). Cf. esta parte do versículo com Pv 14.6; 15.6,12; 17.5; 19.29; 21.11; 22.10; 24.9 e 30.17.

13.2

מִפְּרִי פִי־אִישׁ יֹאכַל טוֹב וְנֶפֶשׁ בֹּגְדִים חָמָס׃

Do fruto da boca o homem comerá o bem. A primeira linha métrica deste versículo é virtualmente idêntica a Pv 12.14. Literalmente, temos aqui "Do fruto de uma boca de um homem ele come o bem, e o desejo (alma) do traiçoeiro é a violência". É destacado aqui o uso apropriado da fala. As questões da vida manam da boca, que fala do que está cheio o coração. Instruções corretas na lei mosaica, fomentada e interpretada pelas declarações da sabedoria, transmitem vida, um dos principais temas do livro de Provérbios. Ver uma nota de sumário sobre isso em Pv 4.13, onde são apresentadas outras referências e ideias.

Antítese. Em contraste, os pecadores comem a violência, ou seja, o desejo de seu coração. Essa é a violência perpetrada contra o próximo, que então ricocheteia contra os pecadores, pelo que terminam tendo mortes violentas ou sofrendo muitos desastres. Cf. esta segunda linha métrica com Pv 1.31 e 26.6. Pv 10.6 é paralelo direto da ideia da segunda linha métrica. Cerca de cem versículos do livro de Provérbios falam sobre o uso próprio e impróprio da linguagem.

13.3

נֹצֵר פִּיו שֹׁמֵר נַפְשׁוֹ פֹּשֵׂק שְׂפָתָיו מְחִתָּה־לוֹ׃

O que guarda a boca conserva a sua alma. Eis aqui outro versículo que versa sobre a vida e a morte. Ver Pv 4.23 e 12.13. O sábio, que guarda a boca, mostrando-se cuidadoso com o que diz e não infligindo danos a terceiros, preserva a própria vida. As palavras saídas da boca têm poder, dando instruções baseadas na lei, que transmite vida (Dt 4.1; 5.33; 6.2; Ez 20.1). O mestre, uma vez mais, manifesta-se contra a linguagem pesada. Ver Pv 21.3; Sl 39.1 e Tg 3.2 ss. Ver no *Dicionário* o artigo chamado *Linguagem, Uso Apropriado da*.

Antítese. O pecador, que fala precipitadamente, provoca a destruição de outras pessoas e também de si mesmo. As palavras que saem do coração produzem a realidade na vida. Quanto a falar precipitadamente, ver Pv 12.18, e quanto à ruína, ver Pv 10.8 e 14. Falar de modo nenhum é algo barato, embora ficar murmurando seja barato. Contudo, tanto os homens maus quanto os homens bons falam com seriedade, o que provoca acontecimentos, bons ou adversos.

> *O homem bom tira do tesouro bom cousas boas; mas o homem mau do mau tesouro tira cousas más.*
> Mateus 12.35

■ 13.4

מִתְאַוָּה וָאַיִן נַפְשׁוֹ עָצֵל וְנֶפֶשׁ חָרֻצִים תְּדֻשָּׁן׃

O preguiçoso deseja, e nada tem. O autor sagrado oferece-nos aqui outro comentário sobre a preguiça, contrastada com a diligência. Ver Pv 10.4 quanto a algo quase igual. Ver também Pv 6.6, onde apresento uma nota de sumário sobre a palavra "preguiçoso". Em seguida, ver no *Dicionário* os verbetes intitulados *Preguiça* e *Preguiçoso*, quanto a detalhes. O preguiçoso sonha com as riquezas, mas não tem coragem de seguir o seu sonho, e termina por nada conseguir, algumas vezes nem ao menos o suficiente para comer. O máximo que o preguiçoso pode fazer é trabalhar desejando ansiosamente coisas boas, mas não é capaz de traduzir esse desejo em ação e realidade.

Antítese. Em contraste, o homem bom obtém o que deseja porque trabalha para isso. Ver Pv 12.24. Ele fica satisfeito (ver Pv 11.23). Ele engorda com as suas riquezas.

"Gordo, ele se torna rico; aumenta no número de coisas temporais que possui: ele adquire grande prosperidade. Assim, por semelhante modo, acontece às questões materiais... Ele fica cheio e satisfeito, e os labores desenvolvidos por esse homem redundam na vida eterna. Ele chega ao estado em que não há mais fome nem sede, porquanto ele tem fome e sede da justiça" (John Gill, *in loc.*). Ver Mt 5.6.

■ 13.5

דְּבַר־שֶׁקֶר יִשְׂנָא צַדִּיק וְרָשָׁע יַבְאִישׁ וְיַחְפִּיר׃

O justo aborrece a palavra de mentira. O homem bom, de coração reto, ao desejar o bem e odiar o mal, naturalmente odeia a mentira, a falsidade. O autor sagrado volta a falar sobre os pecados da língua, tema que aparece por cerca de cem vezes no livro de Provérbios. Ver as notas sobre Pv 11.9 e 13, que dão um sumário sobre essa questão.

> *O temor do Senhor consiste em aborrecer o mal.*
> Provérbios 8.13

Entre os males abomináveis estão os pecados da língua pervertida, que profere mentiras. Quanto ao "temor do Senhor", ver Pv 1.7; Sl 119.38; e, no *Dicionário*, ver o artigo denominado *Temor*. Quanto a odiar a falsidade, Pv 12.22 declara: "Os lábios mentirosos são abomináveis ao Senhor".

Antítese. Em contraste com a fala graciosa do homem bom e com o fato de que o homem bom odeia a mentira, o pecador prima por "enganar" os homens, preferindo o original hebraico *yabhish* em lugar de *yabh'ish*. A outra palavra significa "nojento". As mentiras proferidas por esse homem perturbam a vida de muitos, e isso se torna uma condição odiosa. Ou então, ao perturbar outras pessoas com suas mentiras, esse homem cheira mal por onde quer que vá. O homem que age assim finalmente chega à vergonha ou à desgraça. As pessoas acabam descobrindo o verdadeiro caráter desse homem, e ele vem a tornar-se um elemento desprezado na sociedade. "O homem é abominável, mostrando-se corrupto em princípio e na prática, contaminado com pecados, apodrecido com ferimentos e feridas purulentas, do alto da cabeça até a planta dos pés" (John Gill, *in loc.*).

■ 13.6

צְדָקָה תִּצֹּר תָּם־דָּרֶךְ וְרִשְׁעָה תְּסַלֵּף חַטָּאת׃

A justiça guarda ao que anda em integridade. Os dois caminhos, o bom e o mau, novamente tornam-se o tema de um versículo do livro de Provérbios. Quanto à metáfora do caminho ou da vereda, ver Pv 4.11. Quanto ao contraste entre o caminho bom e o caminho mau, ver a nota de sumário em Pv 4.27. A retidão é uma defesa e uma guarda para o homem sábio que pratica a lei mosaica em sua vida.

Esse homem é protegido do mal e da calamidade. Ele viaja livremente ao longo da vereda da justiça e alcança uma vida plena e próspera. Cf. Pv 11.5. Além disso, dou ideias adicionais em Pv 2.11 e 4.6.

Antítese. Em contraste, o ímpio, seguindo sua senda tortuosa, é derrubado e levado à ruína pelo pecado. Ele é escravo do pecado e obtém o salário de sua servidão (ver Rm 6.23: "O salário do pecado é a morte"). Jarchi observou que o homem do texto "nada é senão pecado, uma massa de pecado e corrupção". Aben Ezra chama esse homem de "homem do pecado", o que lembra aos intérpretes cristãos 2Ts 2.3,8.

■ 13.7

יֵשׁ מִתְעַשֵּׁר וְאֵין כֹּל מִתְרוֹשֵׁשׁ וְהוֹן רָב׃

Uns se dizem ricos sem ter nada. Este versículo faz a comparação entre as riquezas e a pobreza de uma maneira diferente de tudo quanto estamos acostumados a ver. Um homem pode meramente fingir que é rico, e, no entanto, nada possuir. Este versículo é interpretado literal e figuradamente, o que é sugerido pela segunda linha métrica que trata do homem rico-pobre. Consideremos aqui estes três pontos:

1. O rico (literalmente) pode ser um homem pobre (espiritual e moralmente, em sua vida). Cf. Lc 12.21: "Assim é o que entesoura para si mesmo e não é rico para com Deus".
2. Ou então o homem realmente nada tem e nada é, mas jacta-se em ostentação pessoal. Ele adotou um estilo de vida próprio das riquezas, mas tem mais dívidas do que qualquer outra coisa. Ele se exibe para chamar a atenção de outras pessoas.

Antítese. 1. Mais raramente, encontramos algum homem rico que projeta uma situação ruim. Ele não quer que outras pessoas saibam que ele tem dinheiro e propriedades. Talvez esteja tentando evitar aqueles que lhe podem causar violência devido às suas riquezas, ou que estão sempre atrás de empréstimos e presentes. 2. Este versículo também tem sido interpretado para falar do homem que é pobre materialmente, mas rico espiritualmente. 3. Ou então o homem é literalmente rico, mas vendeu tudo quanto tinha e deu aos pobres, tornando-se assim um homem espiritualmente rico. Ver Lc 12.33 quanto a essa possibilidade.

■ 13.8

כֹּפֶר נֶפֶשׁ־אִישׁ עָשְׁרוֹ וְרָשׁ לֹא־שָׁמַע גְּעָרָה׃

Com as suas riquezas se resgata o homem. O dinheiro é algo que tem muitas vantagens, entre as quais está o poder de dar dinheiro para salvar uma vida. A maior parte dos homens violentos permitirá que suas vítimas vivam, se puderem pagar o bastante. As riquezas de um homem são como uma cidade forte (ver Pv 10.15). O dinheiro fortalece tanto esse homem como a comunidade na qual ele vive. Até um rei pode impedir que os invasores ataquem, se lhes der dinheiro e bens preciosos suficientes. As riquezas têm suas vantagens óbvias.

Antítese. Se um homem pobre dificilmente sofrerá um sequestro, porquanto os ímpios sabem que o pobre não tem o valor de ser resgatado, contudo, se ele ou algum membro de sua família vier a sofrer isso, ele nada terá para oferecer como resgate, nem por si mesmo nem por outrem. Alguns intérpretes pensam que este versículo fala da vantagem de alguém ser pobre. Ninguém faz ameaças contra ele (essência da *King James Version*). Uma das versões portuguesas vê o homem pobre sequestrado sem meios de pagar a sua redenção (tradução da Imprensa Bíblica Brasileira). Mas a versão Atualizada retém o sentido da *King James Version*, "ao pobre não ocorre ameaça".

■ 13.9

אוֹר־צַדִּיקִים יִשְׂמָח וְנֵר רְשָׁעִים יִדְעָךְ׃

A luz dos justos brilha intensamente. "Luz", aqui, serve de símbolo da alegria, visto que dissipa as trevas da tristeza e da ansiedade. A luz, neste caso, brilha através da sabedoria, a "luz de sua palavra". Em Pv 6.23, a *torah* (lei de Moisés) é a luz. A interpretação é que ela é uma luz secundária, mera lâmpada. Cf. também Pv 21.4; Jó 18.6. A luz e as lâmpadas são metáforas comuns (ver Pv 6.23; 20.20; 21.4; 24.20; Jó 18.5,6; Sl 119.105). Ver no *Dicionário* os artigos denominados *Luz, Metáfora da* e *Escuridão, Metáfora da*. Nas cidades antigas, onde a iluminação nas ruas era muito deficiente, se um homem não levasse consigo uma lâmpada, não teria luz alguma. Grande, pois, era a luz do dia, o símbolo da retidão. Na primeira linha métrica, essa luz, sem dúvida, é a lei, conforme fomentada e interpretada pelas declarações da sabedoria.

Antítese. O homem ímpio tem somente uma lâmpada, mas até mesmo ela será apagada, na calamidade e na morte. Ele repeliu para longe de si a luz de Deus (a sua lei) e ficou apenas com a pequena lâmpada, a sua própria compreensão e sabedoria. Com essa lâmpada, ele guia a sua vida. Se essa lâmpada se apagar, ele morrerá sem a luz de Deus. "O homem reto terá uma vida longa, mas o ímpio morrerá cedo" (Sid S. Buzzell, *in loc.*). Cf. este versículo com Mt 5.16; Sl 112.4 e Pv 4.18.

■ 13.10

רַק־בְּזָדוֹן יִתֵּן מַצָּה וְאֶת־נוֹעָצִים חָכְמָה׃

Da soberba só resulta a contenda. Os insensatos, na sua altivez, estão sempre criando contendas. Quanto ao contraste entre orgulho e humildade, ver Pv 11.2. Ver também 29.23. Ver Pv 6.16 ss. quanto às sete coisas que Deus abomina. Entre elas estão o orgulho e a altivez, os olhos altivos (vs. 17). O pecado do orgulho é atacado com frequência no livro de Provérbios (11.2; 16.5,18,19; 18.12; 21.24; 25.14; 26.12; 27.2; 30.13). O orgulho é abominação para Deus (ver Pv 15.25; 16.5; 21.4). A atitude do homem que diz "Eu sei tudo" naturalmente o leva a entrar em conflito com outras pessoas. Ele ama e promove as contendas. Ele se sente encantado quando está brigando. E não aceita conselhos da parte de outros.

Antítese. Em contraste, o homem verdadeiramente sábio e devidamente instruído na lei aceita facilmente a instrução e assim cresce em sabedoria. Seus professores lhe dizem o que deve e o que não deve fazer e mantêm abertas as suas avenidas de aprendizado. Já o insensato é um homem de "mente fechada". A humildade é exaltada no livro de Provérbios, como uma das virtudes do homem bom. Ver 15.33; 16.19; 22.4.

A sabedoria, porém, lá do alto é primeiramente pura; depois pacífica, indulgente, tratável, plena de misericórdia e de bons frutos, imparcial, sem fingimento.

Tiago 3.17

Ver no *Dicionário* o verbete chamado *Sabedoria*. Alguns homens já são "sábios demais" em si mesmos e, assim sendo, repelem a instrução. Mas o homem bom sabe que ainda há muita coisa para aprender, e faz da vida diária uma oportunidade de aprender ainda mais.

■ 13.11

הוֹן מֵהֶבֶל יִמְעָט וְקֹבֵץ עַל־יָד יַרְבֶּה׃

Os bens que facilmente se ganham, esses diminuem. Alguns homens enriquecem com grande velocidade, mediante desonestidade, roubo e violência. Esses não enveredaram pela longa estrada do trabalho árduo. As pessoas se vingarão de tais homens, e Deus também se volve contra eles. A *lei da colheita segundo a semeadura* também se manifesta contra eles; e, assim sendo, sua riqueza mal ganha diminuirá até desaparecer de todo. Cf. os tesouros mal ganhos, referidos em Pv 10.2, que não perduram por muito tempo (ver Pv 10.2; 13.22 e 23.5). "Todas as fortunas adquiridas mediante especulação, golpes de sorte e ministração ao orgulho ou ao luxo, em breve se dissipam" (Adam Clarke, *in loc.*).

Antítese. Mas o sábio que obtém riquezas por seus próprios labores extenuantes, ou seja, pelo trabalho árduo, pouco a pouco, obterá algo digno e duradouro. Outrossim, suas riquezas continuarão aumentando, por terem honestidade e bondade como suas fontes originárias.

O que ajunta à força do trabalho. Temos aqui um hebraico que, traduzido literalmente, diz: "por mão". Mas essa é uma expressão idiomática que significa fazer algo pouco a pouco, ou seja, gradualmente.

■ 13.12

תּוֹחֶלֶת מְמֻשָּׁכָה מַחֲלָה־לֵב וְעֵץ חַיִּים תַּאֲוָה בָאָה׃

A esperança que se adia faz adoecer o coração. Quando um homem espera por algo, mas isso não se concretiza, antes é adiado e adiado, o seu coração adoece. Isso descreve muito bem todas as variedades de desapontamento humano; e quem não ainda passou por tal experiência? Este versículo, entretanto, não parece apresentar razões morais para o adiamento. O sucesso é simplesmente adiado e mantido em dúvida pelas circunstâncias. A esperança adiada é como uma pequena morte. O indivíduo desmaia. "A demora na gratificação faz a mente doer" (Adam Clarke, *in loc.*). "... o coração se afunda e fraqueja; o homem fica desencorajado, pronto para desanimar" (John Gill, *in loc.*).

Antítese. Em contraste, o desejo cumprido é como uma *árvore de vida*. Ver Pv 3.18 quanto ao assunto, e ver também, no *Dicionário*, o verbete assim chamado. Se a esperança adiada pode não ser um mal não mitigado, a esperança cumprida torna-se uma alegria para sempre. Dá nova vida à alma e ilumina a mente. Confere nova coragem e novo impulso para viver. "A esperança cumprida consola e revigora tanto o corpo quanto a alma... Quantos mistérios profundos e talvez ainda desconhecidos existem ainda nessa árvore da vida" (Adam Clarke, *in loc.*).

Este versículo tem sido cristianizado para falar da esperança evangélica em Cristo por meio da qual nos chega a salvação. "A gratificação da esperança dá encorajamento como uma árvore doadora de vida (Cf. Pv 3.18; 11.30; 15.4)" (Sid S. Buzzell, *in loc.*).

A Tempestade que se Transformou em Esperança. O explorador português Bartolomeu Dias, em 1487, velejou ao longo das costas ocidentais da África, tendo ido mais longe do que qualquer outro navegador europeu antes dele. Finalmente, ele chegou à extremidade de um grande promontório. E o chamou de "Cabo das Tormentas", porquanto ali sempre havia tempestades que varriam terra adentro. Mas o rei de Portugal, João II, quando revisava o relatório preparado por Bartolomeu Dias, viu algo que o próprio Dias não vira. Vislumbrou a possibilidade de fazer da rota que tinha sido seguida por Dias, se continuada, um caminho para o Oriente e as suas riquezas. Dias deixou a esperança em "cumprimento". Mas, em 1497, Vasco da Gama provou que a intuição do rei estava certa. Ele chegou a Calcutá, na Índia, depois de ter velejado em torno daquele cabo. O rei João II tinha chamado aquele difícil cabo de "Cabo da Boa Esperança", e Vasco da Gama trouxe à realidade, para a humanidade, o cumprimento dessa esperança. Algumas vezes, temos de velejar em redor de uma tempestade, para que a nossa esperança se concretize.

■ 13.13

בָּז לְדָבָר יֵחָבֶל לוֹ וִירֵא מִצְוָה הוּא יְשֻׁלָּם׃

O que despreza a palavra a ela se apenhora. O indivíduo que é tão tolo a ponto de desprezar a palavra (a lei que instrui) será finalmente destruído, porquanto abandonou a fonte da vida (ver Pv 4.13). A palavra é a lei fomentada e interpretada pelas declarações da sabedoria. "A palavra deve referir-se à revelação divina do Deus de Israel na lei de Moisés (ver Dt 30.11-13). Um estudo cuidadoso das passagens de Pv 16.20; 19.16; 28.4,9; 29.18; 30.5,6 mostra que a Lei e os Profetas foram aceitos por sábios de Israel como escrituras canônicas e que os Escritos, a terceira divisão principal do cânon das Escrituras hebraicas, estava no processo de ser compilado, se não mesmo inteiramente completado. Os sábios, conforme mostra Pv 30.6, estavam ativamente engajados na formação do cânon" (Charles Fritsch, *in loc.*). Portanto, havia um corpo de Escritos Sagrados, um apelo lançado a eles como autoritativos, quanto à crença e à prática, que percorre todo o caminho seguido pelos Provérbios. O homem que ousa desprezar esses escritos só pode terminar muito mal.

Antítese. Fazendo contraste com essas coisas, o homem que dá a elas atenção apropriada recebe-as, vive-as, teme-as e será recompensado, principalmente por adquirir uma vida boa, longa e próspera, com o cumprimento de todas as suas esperanças. Aqui o temor do Senhor recebe uma subcategoria: "o temor de sua Palavra". Ver Pv 1.7; Sl 119.38; e, no *Dicionário*, ver os artigos chamados *Temor* e *Galardão*. Que o leitor faça o contraste entre "destruído" e "recompensa", que é a mesma coisa que morte e vida, o final de duas veredas, a má e a boa. Ver Pv 4.11 e 4.27. Ver como a sabedoria transmite vida, em Pv 4.13.

■ 13.14

תּוֹרַת חָכָם מְקוֹר חַיִּים לָסוּר מִמֹּקְשֵׁי מָוֶת׃

O ensino do sábio é fonte de vida. A primeira linha métrica deste versículo forma um paralelo direto com Pv 10.11; 14.27 e 16.22. Seguir a sabedoria é algo que nos conduz diretamente à fonte das águas vivas. Ver também Pv 10.11, onde a boca do sábio é essa fonte.

Este versículo tem sido cristianizado para significar a vida em Cristo, mas isso envolve um anacronismo. A vida é a vida boa, aquela retratada no pacto de Abraão (ver Gn 15.18), longa e próspera, com os benefícios de alguém ser um israelita.

Sinônimo. O homem sábio, que segue a vereda da retidão e chega à fonte da vida, escapará às armadilhas do mal que podem atravessar seu caminho. Ele "evita as armadilhas da morte" (*Revised Standard Version*). Há uma declaração similar em Pv 14.27, na segunda linha métrica. A sabedoria impede que uma pessoa caia em morte prematura (ver Pv 1.32,33; 2.11; 4.20-22; 8.35,36). A metáfora do caçador é empregada para ensinar a lição. O homem bom escapa dos ardis do mal e dos homens maus e assim chega à vida, em vez de terminar como uma presa morta pelo caçador. Cf. 2Tm 2.26.

13.15

שֵׂכֶל־טוֹב יִתֶּן־חֵן וְדֶרֶךְ בֹּגְדִים אֵיתָן׃

A boa inteligência consegue favor. O bom senso (*Revised Standard Version*) consegue obter o favor. Quanto a esse princípio, ver Pv 12.8 (compreensão, bom senso, discernimento). A lei, conforme fomentada e interpretada pelas declarações da sabedoria, é a fonte da compreensão. O homem bom sabe como agir bem e também como continuar sua vida de retidão. Ele possui mente iluminada e coração preparado, segundo os ensinos que tem recebido. O sábio receberá favor da parte de Deus e dos homens, e assim sua vida será enriquecida por toda a sorte de coisas boas e vantajosas.

Este versículo tem sido cristianizado para significar favor evangélico, ou seja, a salvação em Cristo. Cf. a primeira linha com Lc 2.52.

Antítese. Em contraste com o sábio, que recebe favores divinos e humanos de maneira esplêndida, o homem maligno sofre toda espécie de recuos e derrotas. Seu caminho é difícil, pois ele trilha a vereda da ruína, isto é, o caminho da morte (*Revised Standard Version*).

13.16

כָּל־עָרוּם יַעֲשֶׂה בְדָעַת וּכְסִיל יִפְרֹשׂ אִוֶּלֶת׃

Todo prudente procede com conhecimento. O sábio, que é prudente (no hebraico, *'ormah*, "esperto", no bom sentido), sempre age com o conhecimento obtido pelo estudo da lei, que é o seu guia (Dt 6.4 ss.). Todos os seus atos são controlados pelos ditames da lei, fomentados e interpretados pelas declarações da sabedoria. Ver também os comentários em Pv 12.23 e 1.4, onde aparece, pela primeira vez, a palavra *prudente* no livro de Provérbios.

Antítese. Em contraste com o prudente e sábio homem, o insensato propala sua estupidez e insensatez por aquilo que diz e faz. O ímpio exibe sua insensatez (Cf. Pv 12.23b) "como um mascate que espalha, à vista de todos, as suas mercadorias" (Crawford H. Toy, *in loc.*).

13.17

מַלְאָךְ רָשָׁע יִפֹּל בְּרָע וְצִיר אֱמוּנִים מַרְפֵּא׃

O mau mensageiro se precipita no mal. Um mensageiro ímpio ou preguiçoso, em vez de resolver problemas, complica-os ainda mais e leva seu empregador a entrar em tribulação. Cf. Pv 10.26 e 25.13, onde o mensageiro também está em evidência. Nos tempos antigos, quando havia falta de serviços postais do governo, os mensageiros alugados, que trabalhavam para particulares, desempenhavam importante ofício. Alguns deles serviam de elo de ligação entre indivíduos particulares, outros serviam ao comércio, e alguns trabalhavam a serviço do governo. Esses homens tinham de ser diligentes e fiéis. Este versículo é paralelo a uma afirmação existente no prólogo do *Ensino de Amen-em-Ope*, tratado que fazia parte da Literatura de Sabedoria do Egito, que nos diz que um dos propósitos desse escrito era ensinar a um mensageiro como executar fielmente suas obrigações. É provável que tanto nessa antiga obra literária como aqui, no livro de Provérbios, esteja em vista algum importante oficial do governo ou então um escriba que era um dos sábios, porquanto podia escrever (o que poucos podiam). Quanto ao relacionamento entre aquela peça de literatura egípcia e o livro de Provérbios, ver a *Introdução aos Provérbios* IX.B. A maior parte dos paralelos com aquela obra, que aparece no livro de Provérbios, encontra-se na seção de Pv 22.17—23.14.

O mensageiro, enquanto viaja, vê-se envolvido em coisas prejudiciais e assim pode desviar-se de seu propósito central, mergulhando (*Revised Standard Version*) em dificuldades. Assim, em vez de resolver problemas para seu empregador, ele complicava a vida de seu patrão. Ou então complicava os relacionamentos internacionais.

Antítese. Em contraste com o mensageiro infiel, o embaixador fiel leva a cura. Isso subentende que ele tem algum tipo de missão de reconciliação sensível; ele derramava água sobre carvões em brasa, suavizava os sentimentos feridos, trazia harmonia e em geral mostrava-se bem-sucedido em seu empreendimento de intermediação.

13.18

רֵישׁ וְקָלוֹן פּוֹרֵעַ מוּסָר וְשׁוֹמֵר תּוֹכַחַת יְכֻבָּד׃

Pobreza e afronta sobrevêm ao que rejeita a instrução. O indivíduo insensato que não ouve bons conselhos cai nos negócios ou em qualquer tarefa em que esteja envolvido. Em vez de obter muito dinheiro e sucesso, termina envergonhado e na pobreza. O conselho dado neste versículo pode ter sido extraído da lei: para alcançar êxito, um homem precisa ser espiritualmente sábio. Ou então temos aqui uma simples instrução financeira, baseada no bom senso e na justiça, algo que era requerido pela lei mosaica.

"Ignorar a disciplina (no hebraico, *musar*, "disciplina moral ou correção moral", ver Pv 1.2) é algo que resulta em pobreza e vergonha, porquanto uma pessoa que não se autodisciplina é preguiçosa, e outras pessoas se envergonham dela" (Sid S. Buzzell, *in loc.*).

Antítese. Um homem sábio é alguém que pode receber tanto instrução quanto repreensão, permitindo que essas coisas sejam guias de sua vida. Quanto à repreensão, ver Pv 1.23. Quanto a ter uma mente aberta, que recebe conselhos, ver também Pv 12.1; 13.1,13. A lei é a principal fonte das repreensões, e outras variedades de repreensões, quando válidas, devem estar baseadas nessa fonte, segundo a mentalidade dos hebreus. Cf. 1Sm 2.30.

13.19

תַּאֲוָה נִהְיָה תֶעֱרַב לְנָפֶשׁ וְתוֹעֲבַת כְּסִילִים סוּר מֵרָע׃

O desejo que se cumpre agrada a alma. Para obter um contraste apropriado com a segunda linha métrica deste versículo, o desejo da primeira deve ser visto, essencialmente, sobre uma realização espiritual e maior da guarda da lei, que leva o indivíduo a obter maior sabedoria. Naturalmente, outros desejos menores serão então conferidos, conforme indica Mt 6.33. Cf. Pv 13.12b. O homem que teme os mandamentos não perderá sua recompensa, mas obterá uma posição espiritual cada vez maior. Cf. também com Pv 13.12b e considerar o que disse Sid S. Buzzell, *in loc.*: "A satisfação e a alegria que surgem em cena quando uma esperança ou um sonho se cumprem".

Antítese. O apego a males abomináveis não permite que se chegue às esperanças apropriadas e às realizações espirituais. Cf. Pv 29.27b. Quanto à *abominação*, ver Pv 11.1, e cf. também Pv 3.32. Os insensatos habitualmente buscam aquilo que é moralmente inútil, e não abominam o abominável.

O homem maldoso "não pode tolerar o pensamento de abandonar suas concupiscências, tão deleitosas são para ele" (John Gill, *in loc.*).

13.20

הָלוֹךְ אֶת־חֲכָמִים וַחֲכָם וְרֹעֶה כְסִילִים יֵרוֹעַ׃

Quem anda com os sábios será sábio. A importância das boas companhias é um truísmo, mas se revela algo tão poderoso que é tema da primeira linha deste provérbio. O homem que vive na companhia habitual dos sábios tende a tornar-se, ele mesmo, um sábio. Ver sobre a metáfora do *Andar*, no *Dicionário*. No livro de Provérbios, ver também 1.15; 2.7,13,20; 3.23; 10.9; 14.2; 15.21; 19.1. 20.7; 28.6,18,26. Um homem pode tornar-se um sábio sem procurar a companhia de homens bons. Ele pode ter um empreendimento privado, mas uma maneira eficaz de promover a sabedoria é associar-se aos sábios. Dessa maneira, um homem aprende tanto pela força dos preceitos como pela força do exemplo. Ele recebe bons exemplos e oferece esse mesmo exemplo a outros. "Andar com" é uma expressão que subentende tanto o amor quanto o apego. Por isso há um antigo ditado popular que diz: "Mostra-me com quem andas, e eu te direi quem és".

Um homem é conhecido pela companhia que mantém.
Provérbio do século XVII

Antítese. O homem fraco, que tem os insensatos como companheiros, será destruído por essa associação. Ver Pv 1.10 ss. quanto a um vívido exemplo desse princípio.

É melhor andar sozinho do que em más companhias.
Provérbio do século XV

As más associações formam um dos grandes temas do livro de Provérbios. Cf. Pv 1.10,11; 2.12; 4.14-17; 16.29; 22.24,25; 23.20,21; 28.7.

... se tornará mau. O homem que tem como colegas os insensatos sofrerá muitas calamidades e reversões, se tornará um sujeito truculento e, finalmente, terá morte prematura.

A estrada é longa por preceito, mas é curta pela força do exemplo.
Sêneca

13.21

חַטָּאִים תְּרַדֵּף רָעָה וְאֶת־צַדִּיקִים יְשַׁלֶּם־טוֹב׃

A desventura persegue os pecadores. O mal é personificado e retratado como um caçador que persegue os pecadores, sem dúvida tendo em mente que o caçador finalmente logra êxito e, assim sendo, destrói a presa, ou seja, aqueles que são enganados pelos frutos da iniquidade. O caçador é a retribuição apropriada; e assim temos outro versículo sobre a *Lei Moral da Colheita segundo a Semeadura* (ver a respeito no *Dicionário*). O mal é a sua própria punição (ver Ap 22.11). Os vss. 21-23 enfatizam a pobreza e a prosperidade, e essa é uma das principais maneiras pelas quais um homem coleta aquilo que semeia. Um animal selvagem pode perseguir um homem, e isso serve de figura do destino inflexível que se abate contra o pecador. Ver Sl 11.6.

Antítese. O homem bom não é caçado pelo caçador; antes, é grandemente recompensado pelo Ser divino, a ponto de poder desfrutar de todas as coisas boas, como vida longa e prosperidade, boa saúde e realizações espirituais. Ele receberá boa medida, recalcada, sacudida e transbordante, em conformidade com a promessa de Lc 6.38, porquanto dedicou sua vida a princípios justos.

13.22

טוֹב יַנְחִיל בְּנֵי־בָנִים וְצָפוּן לַצַּדִּיק חֵיל חוֹטֵא׃

O homem de bem deixa herança aos filhos de seus filhos. Uma herança é uma coisa boa. Um homem prospera por causa de sua retidão e tem uma grande herança para deixar a seus filhos. O filho também é um homem bom e prospera; e assim o dinheiro se acumula e passa para o neto. Em outras palavras, uma família feliz, através das gerações, por causa dos bons frutos da retidão, continua a prosperar materialmente, coletando suas recompensas. O homem moralmente bom é tão abençoado que é capaz de ajudar até mesmo os netos, porque Deus está satisfeito com toda a linhagem familiar. Ver sobre riquezas duráveis, em Pv 18.18. Quanto à herança, ver também Pv 17.2; 19.14 e 20.21. Ver no *Dicionário* o verbete denominado *Herdeiro.* Cf. Pv 11.25: "A alma generosa prosperará".

Antítese. O homem mau pode conseguir muito dinheiro por meio de atos ímpios e violentos; mas um destino adverso haverá de cortá-lo pelo meio. O dinheiro cessará em seu próprio período de vida, e assim não haverá dinheiro para deixar a seus filhos, quanto menos a seus netos. De fato, os homens bons, aqueles que viverem em consonância com a lei, terminarão obtendo esse dinheiro. Novamente, aparece o tema de que as riquezas materiais e a pobreza estão ligadas diretamente à bondade e à iniquidade, respectivamente. Isso era algo que estava profundamente gravado na mentalidade dos hebreus. A pobreza era considerada sinal do desprazer divino, enquanto as riquezas serviam de sinal da aprovação divina.

A terceira geração não possuirá os bens que foram injustamente adquiridos.
Provérbio antigo

Cf. este versículo com Jó 27.16,17; Pv 28.8 e Ec 2.26.

13.23

רָב־אֹכֶל נִיר רָאשִׁים וְיֵשׁ נִסְפֶּה בְּלֹא מִשְׁפָּט׃

A terra virgem dos pobres dá mantimento em abundância. Este provérbio é uma leve reedição da ideia da colheita segundo a semeadura. O homem bom deseja e obtém coisas boas. O sábio é bem-sucedido em suas buscas, e não há que duvidar que as bênçãos materiais também estão em vista aqui. O homem justo recebe a fruição de seus desejos, que são agradáveis (vs. 19). O hebraico original deste versículo é quase ininteligível, mas significa algo como "A nova terra do homem pobre, por meio de trabalho árduo, produz muito alimento; mas o rico, por causa de seus atos injustos, deixa de obter nutrientes de sua terra, e é destruído" (Charles Fritsch, *in loc.*).

Antítese. Presume-se que o homem rico (compreendido em antítese com o homem pobre, que aparece na primeira linha métrica) termina mal, mesmo quanto às necessidades básicas, por causa de seu julgamento pobre (*King James Version*) ou de sua injustiça (*Revised Standard Version*). Ele é punido de tal maneira pela retribuição divina que nem ao menos tem o suficiente para comer. Suas plantações fracassam.

Uma Ideia Diferente. É possível compreender o versículo como se tivesse em mente apenas um homem, o homem pobre. A princípio ele tinha uma safra abundante e muito alimento, mas mediante seu julgamento deficiente (ou por ter-se tornado ímpio), perdeu tudo. Mas a outra ideia parece melhor, provendo maior contraste entre o pobre e o rico. Cf. Pv 16.8; Jr 17.11; 22.13 e Ez 22.29.

13.24

חוֹשֵׂךְ שִׁבְטוֹ שׂוֹנֵא בְנוֹ וְאֹהֲבוֹ שִׁחֲרוֹ מוּסָר׃

O que retém a vara aborrece a seu filho. *Punição Capital.* Entramos aqui em terreno perigoso. A maior parte da disciplina física que é aplicada por nossos pais baseia-se mais na impaciência ou nos desejos egoístas deles do que em um espírito de amor e no desejo de obter boa disciplina. Além disso, há um extremo de tratamento cruel, mediante o qual os pais ferem ou mesmo matam seus filhos.

Um bom pai ou mãe pode encontrar outros meios disciplinares exatamente tão eficazes, ou mais ainda, do que provocar dor física em seus filhos, mesmo que essa dor seja administrada com moderação e amor. O perigo é que os pais evangélicos se escondam por trás deste versículo, fazendo dele uma desculpa para ferir a seus filhos, em nome da disciplina bíblica. Nenhuma disciplina, obviamente, não é sinal de amor, mas pode ser até sinal de ódio, porquanto um filho indisciplinado pode tornar-se uma pessoa muito má. Em qualquer discussão sobre a questão, devemos lembrar a herança genética que opera a despeito do que os pais façam. Há casos históricos que mostram a regra geral: se seus filhos se tornarem adultos ruins, a culpa pode não ser sua, mas da herança genética. E se seus filhos mostrarem ser boas pessoas, não aceite muito crédito por isso. Ademais, não devemos esquecer a herança espiritual e o destino. Se um homem está destinado, pela vontade de Deus, a ter uma missão especial, as circunstâncias de sua vida o conduzirão a isso. Ademais, ele será mental e espiritualmente condicionado a essa missão. E, além disso, será mental e espiritualmente condicionado para poder desempenhar sua missão. E, por semelhante modo, terá a unção do Espírito para isso. Portanto, o que os pais de uma criança podem fazer talvez seja apenas uma pequena parte do quadro inteiro, e, de fato, um indivíduo pode não sofrer grande influência de seus pais, mesmo que eles sejam pessoas más. A lição aqui é clara: há muitos fatores em operação sobre o crescimento de uma criança, para o bem ou para o mal, e a disciplina paterna não é o grande fator; é apenas um dentre muitos. Não obstante, devemos cuidar desse fator, mesmo que muitos outros estejam, igualmente, em operação. Contudo, é ridículo que os pais tenham um ponto de vista inadequado sobre essa questão, imaginando que, somente por ensinarem a seus filhos a Bíblia e os disciplinarem corporalmente, eles obterão sucesso automático. A experiência da vida diária ensina-nos que as coisas não são assim tão simples.

Ensina a criança no caminho em que deve andar, e ainda quando for velho não se desviará dele.
Provérbios 22.6

Essa é uma bela regra, não devemos negligenciá-la. Infelizmente, porém, as coisas nem sempre funcionam dessa maneira, a despeito do amor e da disciplina que tiverem sido aplicados. No entanto, o senso de dever e o amor requerem que prestemos atenção ao que nos diz Pv 13.20 e 22.6.

Um Exemplo. Um jovem foi criado em um lar evangélico. A família tinha sido abandonada pelo pai, mas a mãe fez um bom trabalho, e duas irmãs mais velhas ajudaram na criação dos filhos menores. A família sempre ia à igreja. O rapazinho foi estudar em um seminário teológico e acabou sendo missionário. Terminou sendo um bom pastor, além de um bom pregador. Ele se ocupou por diversos anos nesse trabalho, que era aprovado pela igreja em que servia. Mas então ele começou a sofrer estranhas tentações. Começou a jogar e a beber, e a estar com mulheres, ao mesmo tempo que continuava servindo bem à sua igreja. Finalmente, começou a passar cheques sem fundo para pagar as dívidas em que estava incorrendo. Por esse motivo, acabou preso. Quando saiu da prisão, ele continuou em sua vida irregular, embora não tivesse ido novamente para a prisão. As investigações demonstraram que seu pai e seu avô tinham vivido vidas similarmente irregulares. Mas o nosso homem, o pastor, não fazia ideia de tudo isso nem fora influenciado pelo mau exemplo dado por eles. Ele simplesmente fazia o que já estava predeterminado para ele fazer. Nada de seu treinamento, que foi extenso e demorado, no lar, na escola e na igreja, deteve o processo. Não existem respostas simples para um caso como esse.

Antítese. Em contraste com o pai negligente, o bom pai certifica-se de que uma disciplina apropriada está sendo administrada, incluindo, ocasionalmente, a punição corporal. "A punição corporal fazia parte necessária do treinamento das crianças judias. Assim como Deus castiga àqueles a quem ama (ver Pv 3.12), um pai deve punir o seu filho, se realmente o ama e pretende ajudá-lo. O pai, pois, deve ser diligente na disciplina que aplica ao filho" (Charles Fritsch, *in loc.*).

"Mediante a negligência da correção na infância, os desejos (paixões) obtêm a ascendência; o temperamento torna-se irascível, tolo e lamuriento. O orgulho é assim nutrido, a humildade é destruída, e, através do hábito da indulgência, a mente é incapacitada a suportar as provações com firmeza" (Holden, *in loc.*). É hábito dos evangélicos dar atenção demasiada aos primeiros anos de vida da criança, esquecendo outros fatores. A Igreja Oriental acredita na preexistência da alma, e isso, se verdadeiro, é o fator principal naquilo que o homem é e faz. Alguns insuflam a reencarnação nesse quadro, e isso não deve ser rejeitado sem que se façam muito mais investigações. Ver na *Enciclopédia de Bíblia, Teologia e Filosofia* os artigos chamados *Reencarnação* e *Preexistência da Alma*. Não nos olvidemos, por igual modo, da herança espiritual, que pode ser muito mais poderosa do que a herança dos primeiros anos de vida, no lar. Por outra parte, não nos esqueçamos de nenhum fator que possa contribuir para o aprimoramento de nossos filhos.

■ 13.25

צַדִּיק אֹכֵל לְשֹׂבַע נַפְשׁוֹ וּבֶטֶן רְשָׁעִים תֶּחְסָר׃

O justo tem o bastante para satisfazer ao seu apetite. As necessidades físicas são cuidadas por decreto divino, em favor do homem bom. Ele sempre tem o bastante para comer, pelo que seu apetite (*Revised Standard Version*) é satisfeito. Cf. Pv 10.3, que é passagem bastante parecida com esta. Por meio de aplicação, podemos falar de todas as necessidades e desejos do homem, e não meramente de seus apetites físicos (a ideia principal da primeira linha métrica).

Apetite. Assim diz a nossa versão portuguesa, mas o original hebraico diz aqui "alma", embora essa palavra também possa referir-se aos apetites. No hebraico posterior, o vocábulo veio a significar a alma imaterial; mas não é isso que está em vista aqui, embora alguns intérpretes, anacronicamente, façam as necessidades da alma e seu bem-estar espiritual tomar parte no quadro.

Antítese. O ímpio fatalmente padecerá fome, se negligenciar a sabedoria. Seu estômago sofrerá necessidades. Seu apetite não será satisfeito. Por outro lado, a mente justa vive em um banquete constante (Adam Clarke, *in loc.*).

CAPÍTULO QUATORZE

Não há nenhuma interrupção entre os capítulos 13 e 14. Apresento uma introdução à seção de Pv 10.1—22.16 (a primeira coletânea dos provérbios de Salomão) em Pv 10.1.

■ 14.1

חַכְמוֹת נָשִׁים בָּנְתָה בֵיתָהּ וְאִוֶּלֶת בְּיָדֶיהָ תֶהֶרְסֶנּוּ׃

A mulher sábia edifica a sua casa. Diz aqui o hebraico, literalmente: "a sabedoria da mulher". Ao que parece, o autor sacro oferece-nos outro versículo sobre a Senhora Sabedoria. Por isso a *Revised Standard Version* traduz aqui por "A sabedoria edifica a sua casa". Cf. Pv 1.20-23; 3.16-18; 4.3-6; 8.1-21; 9.1-6. Contrastar isso com a Senhora Insensatez, em Pv 9.13 ss. Alguns intérpretes consideram uma glosa as palavras "a mulher", e isso, se é uma suposição correta, então o assunto do versículo é simplesmente a sabedoria. Seja como for, a Sabedoria edifica um lar que é bom para todos, mas a Senhora Insensatez só deseja derrubar o seu lar.

Antítese. A Senhora Insensatez, com as próprias mãos, derruba a boa casa que a Senhora Sabedoria edificou. Uma casa literal pode estar em pauta; ou então devemos pensar no lar de cada pessoa, que inclui a sua vida; mas não está em vista o lar eterno. A maior parte dos intérpretes considera que o versículo consiste em um mandamento que nos ordena cuidar bem de nossas casas, talvez sugerido por Pv 13.24. "A mulher insensata, através de sua negligência, má administração, autoindulgência e descuido com os filhos derruba a própria casa" (Fausset, *in loc.*). Isso contrasta com a mulher virtuosa de Pv 31.10 ss.

Este versículo tem sido cristianizado para indicar a casa espiritual que o evangelho edifica, a qual envolve o destino das almas. A casa simboliza aqui a igreja, fonte originária de toda a nutrição para os membros da casa, e o próprio Cristo é o Pai da casa.

■ 14.2

הוֹלֵךְ בְּיָשְׁרוֹ יְרֵא יְהוָה וּנְלוֹז דְּרָכָיו בּוֹזֵהוּ׃

O que anda na retidão teme ao Senhor. O temor do Senhor é um assunto muito repetido no livro de Provérbios. Comento sobre isso em Pv 1.7. Ver também Sl 11.38; e, no *Dicionário*, o verbete intitulado *Temor*. Essa ideia representa a espiritualidade, no Antigo Testamento, a qual se alicerça sobre a obediência à lei. No livro de Provérbios, temos a obediência à lei, fomentada e interpretada pelas declarações sábias. A obediência à lei produz uma vida abundante (ver Pv 4.13). O homem que anda na retidão, obedecendo aos ditames da lei, é aquele que, verdadeiramente, teme a Yahweh (o Deus eterno). Ver no *Dicionário* o artigo chamado *Deus, Nomes Bíblicos de*. Ver também o artigo chamado *Andar*, que indica a maneira pela qual uma pessoa usualmente vive. O homem bom deve ter o hábito de obedecer à lei, se tiver de atingir o temor devido ao Senhor, que é o lema deste livro de Provérbios.

Antítese. Em contraste com o homem bom, que anda pelo caminho da retidão, no temor do Senhor, está o homem mau, que anda por seus próprios caminhos pervertidos. Esse homem, longe de temer o Senhor, despreza-o, o que é uma descrição vigorosa mas veraz. Quanto à *metáfora da vereda*, ver Pv 4.11. Quanto aos *caminhos do homem bom e do homem mau*, contrastados, ver a nota de sumário em Pv 4.27. "O temor de Deus e sua ausência são vistos claramente na conduta externa" (Ellicott, *in loc.*). "A religião de cada homem deve ser estimada por meio de seus frutos. Despreza a Deus aquele que despreza a sua Palavra, mas tal homem é desprezado por Deus (ver 1Sm 2.10; 2Sm 12.9,10; Ml 1.6,7; Nm 25.30,31)" (Fausset, *in loc.*). Quanto à conduta reta e à conduta tortuosa, ver Pv 2.15.

■ 14.3

בְּפִי־אֱוִיל חֹטֶר גַּאֲוָה וְשִׂפְתֵי חֲכָמִים תִּשְׁמוּרֵם׃

Está na boca do insensato a vara para a sua própria soberba. Os insensatos arrogantes têm, em sua boca, uma vara que eventualmente é usada (pela providência divina) para bater-lhes nas costas, o que é uma metáfora estranha, embora compreensível.

"O orgulho sai da boca dos insensatos, trazendo ruína, ao passo que a fala dos sábios os protegem. Vara, literalmente, ramo ou raminho" (Charles Fritsch, *in loc.*). Quanto ao orgulho e à humildade contrastados, ver Pv 11.2; 13.10. Ver sobre olhos altivos, em Pv 6.17. Quanto à vara aplicada às costas, ver Pv 10.13 e 26.3. A vara do orgulho é a língua do insensato. Quanto ao uso impróprio da linguagem, ver Pv 4.24; 6.12; 8.13; 10.8,18,19,30. Ofereço notas de sumário em Pv 11.9,13, incluindo referências e ilustrações. Ver no *Dicionário* o artigo chamado *Linguagem, Uso Apropriado da*.

Antítese. Em contraste, o homem bom usa a faculdade da fala com sabedoria, o que termina por beneficiá-lo. Ele será poupado das dificuldades que os insensatos sofrem, visto que falam tanto.

Existem cerca de cem versículos no livro de Provérbios que descrevem o uso apropriado e impróprio da língua. Ver Tg 3.2 quanto a um extenso discurso sobre essa questão.

■ 14.4

בְּאֵין אֲלָפִים אֵבוּס בָּר וְרָב־תְּבוּאוֹת בְּכֹחַ שׁוֹר׃

Não havendo bois, o celeiro fica limpo. As colheitas, nos dias da antiguidade, dependiam do uso de animais domésticos, como o boi. Onde não havia bois, havia uma gamela de alimentos limpa. Isso significava menos trabalho para o agricultor, e, além disso, ter animais ao redor requer esforço constante para manter uma ordem relativa. Uma fazenda nunca é um lugar limpo, quando há animais domesticados por ali. Um agricultor poderia resolver ter uma fazenda limpa, mas, se preferisse essa alternativa, também não contaria com uma colheita, o que significa que a fome estava a caminho. A primeira linha do provérbio fala sobre um agricultor preguiçoso. Ver Pv 6.6 e, no *Dicionário*, os verbetes chamados *Preguiça* e *Preguiçoso*.

Antítese. Mediante o emprego de animais domésticos, um agricultor pode conseguir abundante colheita, o que quer dizer que ele terá alimentos suficientes e não sofrerá necessidades. Mas isso também significa que ele terá de ser diligente e esquecer o merecido descanso. "Ao investir tempo e dinheiro para alimentar e limpar o meio ambiente no qual viverão os bois, o agricultor terá abundância de alimentos, a saber, colheita abundante. Resultados significativos em qualquer empreendimento requerem o investimento de tempo, dinheiro e trabalho" (Sid S. Buzzell, *in loc.*). Jarchi, porém, espiritualizou a afirmação para falar daqueles que trabalham na lei mosaica e a ensinam a outros; e este versículo tem sido cristianizado para fazer dos agricultores os obreiros evangélicos que trabalham no evangelho.

Adam Clarke, que evidentemente tinha experiência na vida agrícola, louvou o boi como um animal superior e mais fácil de cuidar do que o cavalo. "O boi é o mais proveitoso de todos os animais na agricultura."

■ 14.5

עֵד אֱמוּנִים לֹא יְכַזֵּב וְיָפִיחַ כְּזָבִים עֵד שָׁקֶר׃

A testemunha verdadeira não mente. É uma das características dos provérbios de Salomão (10.1—22.16 e 25—29) devotar um versículo a um tópico qualquer e então passar para um tópico completamente diferente no versículo seguinte. Algumas vezes, entretanto, há mais de um versículo em seguida tratando de um tópico qualquer. Também é característico de nosso autor sagrado voltar ao tema sobre o qual ele já havia falado antes. Em outras palavras, as declarações do livro de Provérbios não são agrupadas de acordo com tópicos. Antes, acham-se espalhadas de maneira heterogênea. Portanto, voltamos aqui à questão das testemunhas verazes e das testemunhas mentirosas. Ver Pv 6.19; 12.17; 14.25. O testemunho falso, em tribunal, é denunciado em Pv 19.5,9; 21.28; 24.28 e 25.18. Isso está envolvido nos Dez Mandamentos. Ver Êx 20.16.

O homem bom não é mentiroso, nem em particular nem em público. Se for convocado a dar testemunho em tribunal, sempre dirá a verdade. Não prejudica os outros com a sua língua, sob nenhuma circunstância. Ver no *Dicionário* o verbete chamado *Mentira (Mentiroso)*.

Antítese. Em contraste, o homem iníquo está sempre pronto a prejudicar o próximo com a língua, dizendo mentiras e prestando falso testemunho, tanto em particular quanto publicamente. "Ele proferirá mentiras, por muitas vezes em seguida, de modo deliberado" (Mariana T. Cartwright).

... Se desboca em mentiras. Literalmente, respira. Para o homem iníquo, mentir é algo tão natural como respirar.

■ 14.6

בִּקֶּשׁ־לֵץ חָכְמָה וָאָיִן וְדַעַת לְנָבוֹן נָקָל׃

O escarnecedor procura a sabedoria, e não a encontra. Um escarnecedor não é o homem de tipo estúpido e embotado. Pelo contrário, é esperto e capaz de buscar a sabedoria, mas nunca consegue obtê-la porque não teme ao Senhor (ver Pv 1.7). Esse é o mais importante requisito para quem quer alcançar o verdadeiro conhecimento. Ver a exposição em Pv 1.22. Ver a nota de sumário sobre o escarnecedor, em Pv 13.1. Deus resiste aos orgulhosos (ver 1Pe 5.5), entre os quais se alinham os escarnecedores. Deus é quem dá sabedoria (ver 1Co 2.11), mas os escarnecedores não estão qualificados para receber esse dom divino.

Antítese. O homem que tem compreensão é aquele que chega ao conhecimento ou à sabedoria. Seu coração vive sintonizado com a lei; ele anda de acordo com os ditames da lei e também dá atenção às declarações de sabedoria que a fomentam e interpretam. Quanto ao entendimento, ver Pv 1.2.

Este versículo tem sido cristianizado para falar sobre Cristo, a nossa sabedoria, o seu evangelho e a vida que nos é dada através dele. Ver 1Co 1.30.

Zombai, zombai, Voltaire, Rousseau,
Zombai, zombai, será tudo em vão.
Jogais areia contra o vento,
Mas o vento a sopra de novo para trás.

Cada grão de areia torna-se uma gema,
Refletindo raios da divindade;
Soprados de volta, eles cegam os zombadores,
Mas nas sendas de Israel eles brilham tanto.

William Blake

■ 14.7

לֵךְ מִנֶּגֶד לְאִישׁ כְּסִיל וּבַל־יָדַעְתָּ שִׂפְתֵי־דָעַת׃

Foge da presença do homem insensato. O hebraico literal é estranho para nosso modo de dizer, e diversas traduções têm sido propostas. O sentido da frase parece ser que devemos fugir da presença do indivíduo insensato, porquanto nenhum bem derivaremos dessa associação. Cf. Pv 13.20, que fala das boas e das más companhias. Os vss. 7-9 incorporam uma série de declarações acerca dos insensatos.

Sintética. A primeira linha é explicada ou ampliada pela segunda. O homem bom nada ganha por andar misturado aos insensatos. Ele não ouvirá coisa alguma que lhe faça bem. Pelo contrário, ouvirá somente palavras prejudiciais. Assim, por que perder tempo com ele? O homem bom busca conhecimento, portanto deverá associar-se aos sábios que fornecem conhecimento. O conhecimento consiste em conhecer e obedecer à lei de Moisés, conforme ela é fomentada e interpretada pelas declarações de sabedoria. Quanto ao uso próprio e impróprio da linguagem (que aparece em cerca de cem provérbios), ver Pv 4.24, com notas de sumário em Pv 11.9,13. Ver também Sl 5.9; 12.2; 17.3 etc. e, no *Dicionário*, o artigo chamado *Linguagem, Uso Apropriado da*.

"Nunca se associe a um sujeito vão e vazio ao perceber que não poderá transmitir-lhe instruções nem receber instrução da parte dele" (Adam Clarke, *in loc.*). O Targum diz aqui: "Não há conhecimento algum em seus lábios".

■ 14.8

חָכְמַת עָרוּם הָבִין דַּרְכּוֹ וְאִוֶּלֶת כְּסִילִים מִרְמָה׃

A sabedoria do prudente é entender o seu próprio caminho. Um homem tem sabedoria para orientá-lo em seu caminho, ajudando-o a caminhar como deve fazê-lo. O homem aprende a lei e então obedece a seus ditames no andar diário. Ver no *Dicionário* o verbete chamado *Andar*. O homem prudente (que é esperto no bom sentido; no hebraico, *'arum*) considera cuidadosamente seus atos e sabe por que faz certas coisas, mas não outras. Ele tem mente instruída e segue essa mente. Não se deixa enganar com facilidade.

Antítese. Em contraste, o insensato vive sempre tão cheio de sua insensatez que ilude a si mesmo e lança-se a enganar outras pessoas. O resultado é que tal pessoa segue uma vereda insensata, precipitada e prejudicial. Cf. Pv 14.18,24,29. Um insensato pode até pensar que o seu caminho é certo (ver Pv 12.15), mas isso faz parte de ser enganado e não é uma estimativa verdadeira das coisas.

Quanto à *metáfora da vereda*, ver Pv 4.11; e quanto aos *caminhos do homem bom e do homem mau* contrastados, ver Pv 4.27. O conteúdo mental determina a direção do andar, ou seja, da conduta diária e constante. A versão da Septuaginta contém a segunda linha: "A insensatez dos insensatos leva-os a errar", em que a palavra hebraica para enganar, *math'eh*, foi levemente emendada para *mirmah*, "errar". Alguns pensam que isso reflete o original hebraico, que o texto massorético padronizado perdeu. Ver no *Dicionário* o artigo chamado *Massora (Massorah); Texto Massorético*. Algumas vezes, as versões, especialmente a Septuaginta, retêm um texto mais antigo que o texto hebraico padronizado, que é bastante tardio. Os manuscritos hebraicos dos Papiros do Mar Morto concordam, algumas vezes, com as versões, e não com os manuscritos hebraicos posteriores. Ver no *Dicionário* o verbete intitulado *Mar Morto, Manuscritos (Rolos) do*.

14.9

אֱוִלִים יָלִיץ אָשָׁם וּבֵין יְשָׁרִים רָצוֹן׃

Os loucos zombam do pecado. Considere o leitor estes pontos:
1. O ímpio é observado por Deus e por ele é desprezado, por causa de sua recusa em conhecer a lei divina e deixar-se dirigir por ela.
2. O hebraico original é obscuro, e algumas traduções fazem o insensato zombar do pecado na primeira linha. O insensato gosta da vida caracterizada pelo pecado e pensa ser ridículo abandonar o que é prazeroso. O hebraico diz aqui literalmente: "uma oferenda culpada zomba dos insensatos", e essa é a única referência do Antigo Testamento a isso, pelo que existem muitas emendas nas versões, como também entre os tradutores e os intérpretes. A *Revised Standard Version* substitui a palavra "oferenda" (no hebraico, *'ewilim*) pelo nome divino, *'elohim*, dando a entender que é o Deus eterno que zomba do homem. Isso requer a emenda adicional que consiste em substituir a palavra hebraica *'asham*, "oferenda pelo pecado", por *resha'im*, "iníquo".

Antítese. Em contraste, o homem bom desfruta tanto do favor divino, que é a aceitação (no hebraico, *rason*; ver Pv 8.35), quanto do favor dos homens (ver Lc 2.52).

Este versículo tem sido cristianizado para fazer da "oferta pelo pecado" a pessoa de Cristo. Para os homens, isso pode ser uma boa aplicação, mas dificilmente é a interpretação verdadeira do texto.

14.10

לֵב יוֹדֵעַ מָרַּת נַפְשׁוֹ וּבְשִׂמְחָתוֹ לֹא־יִתְעָרַב זָר׃

O coração conhece a sua própria amargura. "A dor interior (a amargura) e a alegria não podem ser experimentadas por nenhuma outra pessoa. São sentimentos individuais, particulares, sentidos na própria alma da pessoa" (Sid S. Buzzell, *in loc.*). Quanto às tristezas ocultas, ver Pv 13.12; 15.13; 17.22; 18.4. O indivíduo pode ocultar a própria tristeza com uma felicidade externa, falsa. Ver Pv 14.13. Ele esconde a sua tristeza com um riso falso.

Antítese. A alegria é o contrário da tristeza. A alegria de um homem também se oculta de outra pessoa. A alegria pertence somente a quem a sente. Mas alguns têm uma alegria fingida, que oculta sua tristeza, pelo que temos aqui uma antítese aparente, e não real. Contudo, a primeira ideia parece melhor. "Este provérbio ensina a individualidade de cada alma, em seu ser interior, pelo que ninguém, salvo aquele que sonda os corações, pode participar das tristezas ou alegrias de uma pessoa" (Fausset, *in loc.*). Ver como somente Deus pode conhecer uma pessoa com perfeição, em Pv 15.11; 16.2; 20.12 e 24.12.

Este versículo tem sido cristianizado para falar da tristeza originária do pecado, bem como da alegria que emana da salvação que temos em Cristo; mas este versículo não é profético nem messiânico.

14.11

בֵּית רְשָׁעִים יִשָּׁמֵד וְאֹהֶל יְשָׁרִים יַפְרִיחַ׃

A casa dos perversos será destruída. A casa forte do ímpio é contrastada aqui com a tenda do justo. No entanto, a casa dos perversos será derrubada ou pelas circunstâncias ou pelo juízo divino. Mas a tenda do justo (a antítese) resistirá a todos os assédios das circunstâncias e dos ímpios, e permanecerá firme, devido ao poder de Deus, que recompensa o homem bom por sua vida santa. A tenda do homem bom florescerá, por certo uma metáfora estranha, embora compreensível. A Septuaginta modifica a ideia da "inflorescência" para aquilo que esperaríamos, "ficará firme". Seja como for, a ideia transmitida é a de crescimento, prosperidade e segurança. Cf. este versículo com Pv 3.33. Ver também Mt 7.24 ss., os dois alicerces. A tenda que floresce (se é que podemos imaginar tal coisa) é como a árvore que floresce (Sl 13).

14.12

יֵשׁ דֶּרֶךְ יָשָׁר לִפְנֵי־אִישׁ וְאַחֲרִיתָהּ דַּרְכֵי־מָוֶת׃

Há caminho que ao homem parece direito. O indivíduo insensato, ou qualquer outro tipo de pecador, sem o conhecimento apropriado da lei, e certamente das declarações da sabedoria que interpretam a lei, poderá seguir uma vereda que ele pensa ser correta. Tal homem não tem consciência da destruição para a qual seu caminho o está conduzindo. Pv 16.25 repete verbalmente este provérbio. Parte do negócio do pecado consiste em ser enganado por ele, mesmo que a pessoa tenha boas intenções e não seja um pecador endurecido. É por isso que temos a declaração que diz:

> O caminho para o inferno está pavimentado com boas intenções.
> Provérbio do século XVIII

A vereda falsa é reta (conforme diz, literalmente, o original hebraico) e fácil de seguir, e, sendo reta, parece correta. Esse caminho reto promete sucesso e felicidade, mas é uma vereda traiçoeira e enganadora. Ver sobre a *metáfora da vereda*, em Pv 4.11.

Antítese. Embora a vereda do pecador seja reta e aparentemente correta, leva o pobre homem à ruína, à morte prematura, com muitos desastres ao longo do caminho. Quanto aos caminhos dos homens bons e dos homens maus, contrastados, ver Pv 4.27, onde apresento uma nota de sumário. Temos exemplos radicais da vereda aparentemente boa dos ímpios como um caminho caracterizado por extrema iniquidade, conforme se vê nas perseguições e nos assassínios religiosos, em que os homens esperam receber o favor divino por terem matado ou aleijado os "inimigos de Deus". Dificilmente haverá algo tão maligno e maldoso como as tragédias promovidas pelo zelo religioso.

> Temos religião bastante para fazer-nos odiar,
> Mas não o bastante para nos amarmos mutuamente.
> Jonathan Swift

14.13

גַּם־בִּשְׂחוֹק יִכְאַב־לֵב וְאַחֲרִיתָהּ שִׂמְחָה תוּגָה׃

Até no riso tem dor o coração. O riso pode ser fingido, ocultando a tristeza no coração (vs. 10). Ou então, o riso pode ser genuíno para o homem que ri, mas enganador, pois o pecador nenhum motivo tem para estar feliz. O homem que ri dá a impressão de estar cheio de alegria, mas pode estar encobrindo um coração tomado pela tristeza. Ver também Pv 15.13b.

Antítese. Considere o leitor estes quatro pontos:
1. Toda alegria é maculada pela tristeza, mesmo quando é genuína.
2. Além disso, mesmo nos tempos de alegria, existem tristezas ocultas que se escondem na alma.
3. Ademais, hoje temos alegria, e amanhã temos tristezas, pois a vida tende para esses dois pontos contrários, e ambos são inevitáveis. A Septuaginta (seguida por Toy e Oesterley) vê neste versículo o ensino da alternância inevitável entre alegria e tristeza na vida de uma pessoa.
4. O pior de tudo é que existe aquele ponto de vista pessimista que diz que a vida humana sempre termina em tristeza, atingida pela melancolia, sem importar as alegrias que possam ter sido experimentados no passado. Esse é o ponto de vista natural daqueles que não esperam a vida para além do sepulcro. As enfermidades e, finalmente, a morte, apagam qualquer coisa boa que possa ter

feito parte da vida de uma pessoa. A esperança cristã nos eleva acima desse ponto de vista e mitiga outros pontos de vista menos drásticos deste versículo. Ver na *Enciclopédia de Bíblia, Teologia e Filosofia* o artigo sobre *Imortalidade*.

"Seja como for, Deus quer ensinar-nos que coisa alguma pode satisfazer a alma do homem senão ele mesmo; e, assim sendo, exorta-nos a buscá-lo como o único objeto autêntico e legítimo de nossos desejos. Cf. Sl 36.8" (Ellicott, *in loc.*).

■ 14.14

מִדְּרָכָיו יִשְׂבַּע סוּג לֵב וּמֵעָלָיו אִישׁ טוֹב׃

O infiel de coração dos seus próprios caminhos se farta. O ímpio, que perverteu o seu caminho, deve participar dos frutos amargos que ele mesmo cultivou. Diz aqui o hebraico original, literalmente: "O coração desviado", ou seja, o indivíduo que é um apóstata moral, com o coração distorcido, que produz um caminho distorcido. A *Lei Moral da Colheita segundo a Semeadura* (ver a respeito no *Dicionário*) opera, dispensando a providência negativa e positiva de Deus, no caso de todo homem.

Antítese. Em contraste, o homem bom, por seu bom cultivo, colherá bons frutos. Ver a vereda do homem ímpio e a do homem bom contrastadas em Pv 4.27. Cf. Is 3.10. Ver também Pv 12.14.

Comerão do fruto do seu procedimento e dos seus próprios conselhos se fartarão.

Provérbios 1.31

Diz o Targum aqui: "O homem bom ficará satisfeito com o seu próprio temor", isto é, o temor do Senhor (ver Pv 1.7), de onde todas as coisas boas se derivam.

■ 14.15

פֶּתִי יַאֲמִין לְכָל־דָּבָר וְעָרוּם יָבִין לַאֲשֻׁרוֹ׃

O simples dá crédito a toda palavra. *Principiantes Espirituais.* Os simples, os insensatos crédulos (no hebraico, *pethi*; ver Pv 1.4), facilmente se deixam enganar e seguem as palavras dos enganadores e pecadores. O livro de Provérbios foi escrito para dar prudência aos simples (ver Pv 1.4). "Os vss. 15-18 falam do caminho do insensato e começam e terminam com uma referência aos símplices e aos prudentes. Os homens simples ('ingênuos', 'crédulos') são fáceis de influenciar (Cf. Pv 7.7-10,21-23); mas os prudentes (no hebraico, *'arum*, Pv 14.8,18) pensam antes de agir" (Sid S. Buzzell, *in loc.*). "... crianças no conhecimento, que são jogados para cá e para lá por toda conversa bonita; Ef 4.14; Rm 16.18" (John Gill, *in loc.*).

Antítese. Muita erudição na lei dá ao homem bom prudência, esperteza divina, de forma que o homem olha onde pisa, espia por onde anda, e pesa todos os conselhos. "O homem prudente sabe para onde está indo" (Charles Fritsch, *in loc.*). Ver os caminhos do homem bom e do homem mau contrastados, em Pv 4.27.

■ 14.16

חָכָם יָרֵא וְסָר מֵרָע וּכְסִיל מִתְעַבֵּר וּבוֹטֵחַ׃

O sábio é cauteloso e desvia-se do mal. O sábio é aquele que estuda, conhece e segue a lei, e nisso é ajudado também pelo seu conhecimento acerca das declarações da sabedoria, mostrando-se cauteloso e não correndo à frente das coisas, tolamente. Ele se desvia do mal, porquanto sabe o que o mal produz. O tema, aqui, não é especificamente o "temor do Senhor" (ver a nota de sumário em Pv 1.7), mas a "cautela", o temor de fazer coisas erradas, o temor de envolver-se no pecado e em seus maléficos resultados.

Antítese. Os insensatos não conhecem restrição. De fato, em sua arrogância, eles lançam fora toda restrição. O hebraico original, *'abhor*, "ultrapassar os limites", diz aqui, literalmente, "porta-se com insolência". A lei não teve oportunidade de ensinar-lhe a restrição e a prudência. O primeiro equívoco desse homem foi resolver que não estudaria a lei e não daria atenção às declarações da sabedoria. Faltando-lhe as restrições ali contidas, esse homem em breve estava correndo pela vereda errada. Passou a ter confiança nesse caminho errado e seu senso de valores foi distorcido. Ele agora confia no mal, ao mesmo tempo que o homem bom teme o mal. Cf. Pv 22.3. O homem mau "não teme nem a Deus nem os homens, e abre a boca contra ambos; ele ruge em seu coração, mesmo que não o faça com a boca, contra Deus e contra a sua lei, que proíbe a prática dos pecados que ele costuma cometer" (John Gill, *in loc.*).

■ 14.17

קְצַר־אַפַּיִם יַעֲשֶׂה אִוֶּלֶת וְאִישׁ מְזִמּוֹת יִשָּׂנֵא׃

O que presto se ira faz loucuras. O indivíduo que tem pavio curto, que se ira com facilidade, acaba agindo insensatamente, e isso com frequência, e essa atitude precipitada torna-se um modo de vida para ele. O hebraico diz aqui, literalmente, "curto em suas ventas", ou seja, aquele que logo está pondo fogo pelo nariz, diante de qualquer provocação.

Não te apresses em irar-te, porque a ira se abriga no íntimo dos insensatos.

Eclesiastes 7.9

Ver o artigo detalhado sobre *Ira*, no *Dicionário*, especialmente a seção III, *A Ira do Homem*, onde ofereço materiais que ilustram esse tema.

"... curto em suas ventas porque, quando um homem se ira, seu nariz se contrai e a ponta se aproxima mais dos olhos" (Adam Clarke, *in loc.*).

Antítese. Nesta antítese, vamos do mal para o pior. O homem que sempre se ira e vive criando confusão já é bastante ruim, mas pior ainda é o indivíduo que pode não ter sinais externos de ira (pois controla melhor as suas emoções) mas está sempre planejando coisas más em seu coração, e em seguida as coloca em prática. Franz Delitzsch, *in loc.*, diz que o contraste é entre o homem que se ira com facilidade, que explode subitamente em ira, e o homem de intrigas, que planeja secretamente contra os seus adversários, entre os quais está o homem bom. Mas a *Revised Standard Version* faz este versículo ter uma segunda linha sinônima: "... um homem discreto é paciente", seguindo a Septuaginta. Algumas vezes, essa versão tem um texto original que o texto hebraico padronizado perdeu. Ver sobre isso no vs. 8 do presente capítulo. Sem importar se o texto sinônimo está correto ou não, é verdade que o sábio aprende a controlar o temperamento, em contraste com o insensato, que vive explodindo em ataques de ira.

■ 14.18

נָחֲלוּ פְתָאיִם אִוֶּלֶת וַעֲרוּמִים יַכְתִּרוּ דָעַת׃

Os simples herdam a estultícia. O simples, que é um homem ingênuo, um principiante espiritual, um insensato crédulo (ver o vs. 15, o homem que acredita em tudo), acaba sendo um "insensato". Por quê? Por não ter feito da lei de Moisés o seu manual, o seu guia, a razão de sua vida diária. Outrossim, ele não prestou atenção às declarações de sabedoria dos mestres, que tinham por intuito fomentar e interpretar a lei. Portanto, ele tem o seu próprio manual e também a sua própria experiência, o fomento de suas tolas aquisições. Dessa forma, adquire a insensatez, e não a sabedoria. "Como a erva daninha medra em solo desocupado, assim também os símplices (ver Pv 1.22), cuja mente não vive ocupada com o bem, por muitas vezes tornam-se voluntariosos e sem o verdadeiro conhecimento espiritual" (Ellicott, *in loc.*).

Antítese. Em contraste, o homem prudente, que sempre aprende mais e mais da lei, é "coroado com o conhecimento". Várias traduções dizem aqui "coroa", o que a Septuaginta traduz simplesmente por "adquirir". O sábio vence a corrida pelo conhecimento e pela vida prudente, e assim é coroado como um vitorioso. Mas o homem insensato, em contraste, é um perdedor espiritual.

■ 14.19

שַׁחוּ רָעִים לִפְנֵי טוֹבִים וּרְשָׁעִים עַל־שַׁעֲרֵי צַדִּיק׃

Os maus inclinam-se perante a face dos bons. Idealmente, mas não com muita frequência, os ímpios inclinam-se diante dos bons, reconhecendo sua superioridade e seu direito à dominação. "A excelência moral sempre ganha nesta vida, finalmente, uma doutrina que, no curso dos anos, mostrou ser falsa. Essa ideia foi ultrapassada pela crença de que os ímpios são punidos e os justos são recompensados no outro mundo (cf. Sabedoria de Salomão 2—5)" (Charles Fritsch, *in loc.*). Kant alicerçou um argumento em prol da existência de Deus e da alma e sua sobrevivência ante a morte física com base nesta segunda suposição: É evidente que a justiça não é feita neste mundo; o mal não é adequadamente punido, e os bons não são adequadamente recompensados. Portanto, essas coisas precisam ser transferidas para uma vida do outro lado do sepulcro, pois a justiça precisa ser servida. Pois se a justiça não for servida, então o verdadeiro deus deste mundo será o caos. Para que um homem seja devidamente julgado, é necessário que ele sobreviva à morte biológica; e, para que ele seja julgado com justiça, deve haver um Juiz dotado de poder e inteligência suficiente para esse trabalho. Portanto, Deus deve existir.

Sinônimo. A crença antiga, que continuava, supunha que os ímpios finalmente sairiam aos portões, à procura dos sábios, buscando o favor deles e abandonando seus caminhos pecaminosos. Em outras palavras, os bons seriam vindicados. "Visto que raramente isso concorda com a experiência que temos nesta vida, pois, de fato, o contrário é o que sucede, este versículo pode estar falando sobre a vida futura, quando os ímpios estarão sujeitos aos piedosos" (Sid S. Buzzell, *in loc.*). Mas seria um anacronismo se o próprio autor sagrado estivesse dizendo tal coisa. A doutrina da imortalidade (com suas recompensas e punições no além-túmulo; ver Dn 12.2) começou a entrar na Bíblia nos Salmos e nos Profetas, mas não era ainda um ensinamento do livro de Provérbios.

■ 14.20

גַּם־לְרֵעֵהוּ יִשָּׂנֵא רָשׁ וְאֹהֲבֵי עָשִׁיר רַבִּים׃

O pobre é odiado até do vizinho. Este provérbio é um triste comentário sobre a natureza humana, e não um ideal a ser atingido. Os pobres não têm muito prestígio. Até os seus vizinhos, sem importar se abastados ou pobres, "não gostam" deles. A nossa versão portuguesa tem o forte verbo "odiar", que é justificado pela palavra hebraica. Quão desumano é ser menos caridoso, em proporção ao menos que um homem tem de riquezas materiais. Os menos afortunados são precisamente os que carecem de maior simpatia. Cf. Pv 19.7, onde esta declaração é repetida. O vs. 21 classifica tal preconceito como um pecado. A mentalidade dos hebreus tendia por pensar que os pobres estavam sendo julgados por Deus por causa de alguma iniquidade praticada, visto que era uma doutrina padronizada que a bondade atraía a abastança material. Esse fator, porém, provavelmente era a menor das razões para as pessoas desprezarem os pobres. Dinheiro representa poder e compra tudo. Um homem pobre talvez nem seja capaz de manter seus amigos, porquanto não tem dinheiro para comprar coisa alguma.

Antítese. Em contraste, o rico conta com muitos amigos aparentes. Ele tem dinheiro para influenciá-los e comprá-los; ele pode colocá-los em dívida e assim requerer a sua atenção, ou pode ajudá-los quando precisarem de ajuda. As pessoas anseiam por serem amigas dos ricos, porquanto podem ser recompensadas. Naturalmente, em muitos casos, não é ao homem rico que amam, e, sim, ao dinheiro dele. Por outra parte, os amigos do rico vêm e vão embora, e quase todos eles apelam para o rico nos tempos difíceis, agindo conforme fez Cícero, que comparou tais amigos às andorinhas:

Eles são como as andorinhas, que voam para longe no inverno e abandonam nosso clima frio. Só retornam quando o tempo esquenta. Mas assim que o inverno volta, eles vão embora novamente.

■ 14.21

בָּז־לְרֵעֵהוּ חוֹטֵא וּמְחוֹנֵן עֲנָוִים אַשְׁרָיו׃

O que despreza ao seu vizinho peca. Desprezar os pobres é pecado; favorecer o rico, meramente por causa do seu dinheiro, é falsidade e, portanto, também é pecado. "Desprezar" (no hebraico, *buz*, "desdenhar", "considerar em pouco", "ridicularizar"; cf. com "escarnecer", Pv 13.13) é uma palavra forte. Chega quase ao "ódio" (vs. 20), e é um pecado. Amor é uma grande palavra espiritual, mas homens carnais e egocêntricos acham mais fácil odiar do que amar. Que fazem essas pessoas quanto à lei do amor? Ver no *Dicionário* o verbete intitulado *Amor*. O homem pobre (no hebraico, *'anah*, vergado, afligido) fica ainda mais vergado pelas atitudes antipáticas de outras pessoas. "Sem importar quem seja o vizinho de um homem, seja ele um doente, ignóbil, ignorante, pobre — não deve ser desprezado. Pelo contrário, a misericórdia deve ser demonstrada para com ele" (Fausset, *in loc.*). Deve haver mais do que misericórdia; deve haver amor.

Antítese. O homem que demonstra misericórdia do pobre se sentirá feliz. Os termos aqui usados, "se compadece", falam primariamente em dar aquilo que era considerado uma elevada virtude no judaísmo posterior, e tinha base na lei mosaica que ordenava deixar os cantos das plantações para os pobres respigarem. Cf. Pv 14.31; 19.17 e 28.27. Diz aqui o Targum: "Aquele que dá aos pobres" é o homem feliz, porquanto pode esperar o favor da parte de Deus, para quem, em comparação, tal homem é apenas um pobre. Ver o detalhado artigo do *Dicionário* chamado *Pobre, Pobreza*, que presta informações aplicáveis ao texto presente. A porção 3.g daquele artigo oferece as regulamentações mosaicas concernentes aos pobres.

Um homem bom cuida dos direitos dos pobres;
um homem mau não se interessa por eles.

Moffatt

John Woolman era homem tão caridoso, tão sensível diante dos sofrimentos dos pobres, que teve um sonho no qual se via misturado com a massa cinzenta da humanidade. E estava de tal maneira identificado com essa massa que perdeu a própria identidade, e quando, no sonho, uma voz o chamou pelo nome, ele se sentiu incapaz de responder. Pois então ele não era mais John Woolman, mas fazia parte da massa cinzenta. Foi assim também que Jesus, o Cristo, assumiu nossa pobre natureza humana. Mas ele, em contraste com John Woolman, tinha o poder de elevar a massa inteira da humanidade, e assim fez em sua missão restauradora/redentora. Ver na *Enciclopédia de Bíblia, Teologia e Filosofia* o verbete denominado *Restauração*. Ver no *Dicionário* o artigo chamado *Salvação*.

■ 14.22

הֲלוֹא־יִתְעוּ חֹרְשֵׁי רָע וְחֶסֶד וֶאֱמֶת חֹרְשֵׁי טוֹב׃

Acaso não erram os que maquinam o mal? Uma pergunta retórica, no livro de Provérbios, é uma raridade, mas temos aqui uma dessas perguntas. Uma pergunta retórica espera uma resposta tão óbvia que nem é preciso responder. Nosso coração sabe qual é a resposta. É patente que aqueles que planejam o mal são pessoas que erram, as quais, naturalmente, devem esperar o julgamento divino contra o seu desvio. Quanto à palavra *maquinam*, ver Pv 3.29. O coração cheio de planos perversos pensa em todas as maneiras de promover a corrupção. O livro Sabedoria de Salomão 3.9 contém algo similar.

Antítese. Em contraste, aqueles que planejam coisas boas possuirão as virtudes da lealdade e da fidelidade, as quais eles exercerão em favor do próximo, e outras pessoas também exercerão favor em favor deles. Ver Pv 3.3 quanto à lealdade e à verdade (ou quanto à misericórdia e à verdade, conforme dizem outras traduções). Nossa versão portuguesa diz aqui "amor e fidelidade". O homem bom ganha e exerce essas qualidades espirituais, e Deus também as exerce na direção dele. Cf. Pv 3.3; 16.6 e 20.28.

Este versículo tem sido cristianizado para fazer com que a penalidade do planejador do mal seja a perdição, ao passo que a recompensa do homem bom seja a salvação. Mas não é esse o sentido do provérbio. O autor está interessado no que acontece a um homem nesta vida e neste mundo.

■ 14.23

בְּכָל־עֶצֶב יִהְיֶה מוֹתָר וּדְבַר־שְׂפָתַיִם אַךְ־לְמַחְסוֹר׃

Em todo trabalho há proveito. Pv 6.10 ss. é uma seção que se volta contra a preguiça. Ver no *Dicionário* os artigos *Preguiça* e *Preguiçoso*, cujas notas expositivas são úteis para ilustrar o valor do trabalho árduo ou labor. Neste versículo, todo labor (quando honesto) é louvado; e somos relembrados que há proveito no labor, em contraste com a pobreza que resulta da preguiça. Quanto a trabalho árduo, ver também Pv 10.4 e 12.11,24.

Trabalho. No hebraico, *éçebh*, que basicamente significa "dor" ou "ferimento", mas é vocábulo usado de modo geral para indicar "trabalho". Todos sabemos que o trabalho físico árduo pode ser doloroso, e essa palavra hebraica nos faz lembrar desse fato. Não obstante, a injunção é que continuemos a trabalhar, porque a dor sempre traz proveito. O trabalho fazia parte da economia do jardim do Éden (ver Gn 2.15) e fará parte da economia celestial (ver Ap 22.3). A preguiça é condenada, e o labor é elogiado. Esse tipo de mentalidade faz parte da espiritualidade.

Antítese. O homem que vive falando em trabalhar, mas nunca trabalha, não deve esperar proveito algum. "Os que falam muito são trabalhadores preguiçosos" (Fausset, *in loc.*). "Menos conversa e mais trabalho é um de nossos antigos conselhos (ingleses)" (Adam Clarke, *in loc.*). "Barris vazios são os que fazem mais barulho" (John Gill, *in loc.*).

Causas da Pobreza, no Livro de Provérbios. 1. A mesquinhez (Pv 11.24; 28.22). Não dê, e você nada obterá. 2. A pressa (Pv 21.5). Aqueles que se apressam por enriquecer, ficam descuidados e fracassam. 3. O hedonismo (Pv 21.17). 4. A opressão (Pv 22.16). 5. O favoritismo (Pv 22.16). 6. A preguiça (Pv 14.23).

■ 14.24

עֲטֶרֶת חֲכָמִים עָשְׁרָם אִוֶּלֶת כְּסִילִים אִוֶּלֶת׃

Aos sábios a riqueza é coroa. A primeira linha deste provérbio é bastante diferente no hebraico e na Septuaginta. Considere o leitor estes dois pontos:

1. O hebraico diz: "A coroa dos sábios é a riqueza deles", o que, presumivelmente, significa possessões materiais.
2. Mas a Septuaginta diz: "A coroa dos sábios é a sua sabedoria".

Entretanto, isso parece ter sido uma modificação de um texto mais difícil (o original) para um texto mais aceitável. Naturalmente, a ideia antiga de que a abastança material se deriva da espiritualidade era forte na cultura hebreia, pelo que (dando-se margem às exceções) o homem rico supostamente era aquele que tinha chegado a essa condição mediante a bênção de Deus. Portanto, bondade/riquezas eram uma boa demonstração de teologia. Todavia, como é claro, havia tantos homens ricos que também eram maus que os tradutores da Septuaginta se sentiram livres para emendar o texto para algo que lhes parecesse mais lógico. Ademais, as riquezas eram, com frequência, concebidas como um dom derivado da sabedoria (ver Pv 3.16 e 8.18). Cf. a primeira linha com Pv 3.16; 8.18,21; 15.6 e 22.4. O homem sábio também é um homem diligente, pelo que é um bom candidato a receber riquezas (o que é sugerido no vs. 23).

Este versículo tem sido espiritualizado para significar que as riquezas espirituais são a coroa do homem bom. E isso tem sido cristianizado para fazer de Cristo, como a sabedoria, a nossa riqueza (ver 1Co 1.30).

Note o leitor, em Pv 4.9, que a sabedoria é a coroa do homem bom, pelo que a alteração que ocorre na versão da Septuaginta provavelmente se alicerçou sobre aquele texto.

Antítese. Novamente discordam entre si o original hebraico e a versão da Septuaginta. O hebraico diz: "A insensatez dos insensatos é a insensatez". Mas essa tautologia não faz sentido. Assim sendo, a versão da Septuaginta, seguindo a ideia da primeira linha, faz da insensatez a grinalda dos insensatos. E a versão portuguesa, procurando preservar o texto hebraico, ao mesmo tempo que dá mais sentido ao texto sagrado, diz: "A estultícia dos insensatos não passa de estultícia" (Atualizada). Mediante essa tradução, porém, fica de fora a ideia de uma coroa, no contraste entre as duas coisas.

A insensatez não obtém bons resultados, mas resulta tão somente em uma conduta insensata, que é inútil. O insensato não tem coroa de nenhuma espécie. Ele nada ganha. Diz o Targum: "A glória dos insensatos é a sua insensatez", produzindo uma declaração semelhante à de Fp 3.19:

> *A glória deles está na sua infâmia, visto que só se preocupam com as coisas terrenas.*

■ 14.25

מַצִּיל נְפָשׁוֹת עֵד אֱמֶת וְיָפִחַ כְּזָבִים מִרְמָה׃

A testemunha verdadeira livra almas. O autor sagrado nos leva de volta à questão das testemunhas verdadeira e falsa, vista em Pv 6.19 e no vs. 5 deste capítulo. Ver também Pv 12.17. Êx 20.16 proíbe o falso testemunho, em particular no tribunal, sendo esse um dos *Dez Mandamentos* (ver a respeito no *Dicionário*).

O homem que diz a verdade em tribunal salvará certos homens inocentes que poderiam ser condenados à punição capital por um falso testemunho. Outro tanto pode acontecer no setor privado, visto que há vingadores no mundo lá fora. Ver no *Dicionário* o verbete denominado *Vingador do Sangue.*

Antítese. O indivíduo ímpio, que, naturalmente, também é um mentiroso, não hesitará em matar através do falso testemunho. O hebraico original desta segunda linha métrica é difícil, a saber, "aquele que respira mentiras é enganador". Isso é traduzido pela *Revised Standard Version* como: "Aquele que profere mentiras é um traidor", o que, sem dúvida, é o significado tencionado, embora pareça difícil extrair isso do original hebraico. Na antiga nação de Israel, onde os crimes eram, com frequência, investigados somente através do testemunho prestado pelas testemunhas, suas declarações eram, usualmente, cruciais para o resultado das investigações. Atualmente, os detetives esforçam-se por obter outras evidências, mas mesmo assim ocorrem erros de julgamento. Homens inocentes são executados, ao passo que homens culpados são libertados. Se as testemunhas forem falsas, será quase impossível haver julgamentos justos. Isso é verdade hoje em dia, e era até mais verdadeiro na antiga nação de Israel. Tão-pouco quanto duas testemunhas podia condenar um homem ou deixá-lo solto (ver Dt 17.6), a menos que algum juiz diligente se pusesse à cata de maiores evidências, em suas investigações particulares.

■ 14.26

בְּיִרְאַת יְהוָה מִבְטַח־עֹז וּלְבָנָיו יִהְיֶה מַחְסֶה׃

No temor do Senhor tem o homem forte amparo. O homem que teme o Senhor tem forte confiança. Os autores deixam para nós a tarefa de imaginar no que e por que o homem tem essa confiança: na promessa de uma vida longa e próspera, com boa saúde e riquezas materiais, e decorada com mais e mais sabedoria confiante de que haverá uma posteridade abundante, com todos os filhos andando pela boa vereda e abençoados com as mesmas bênçãos que o homem recebeu. Todos esses serão conservados na mão de Deus em segurança, paz e bênçãos. "... a maior confiança em sua misericórdia e bondade" (Adam Clarke, *in loc.*). O homem que teme a Yahweh (o Senhor) tem confiança em seu forte amparo (Pv 14.26). "... confiantes que ele os ama e se deleita neles; que seus olhos estão fixos sobre eles; e que seu coração está voltado para eles, suprirá cada uma de suas necessidades e os protegerá e defenderá" (John Gill, *in loc.*).

Sinônimo. Os filhos do homem bom compartilharão todas as vantagens e bênçãos que ele tem, e Deus será o seu refúgio. Esta é a única referência a Deus como refúgio do homem no livro de Provérbios, embora esse seja um tema comum no livro de Salmos. Ver a respeito em Sl 46.1. Ver no *Dicionário* o verbete chamado *Refúgio*, quanto a detalhes sobre essa metáfora.

O temor do Senhor é o lema do livro de Provérbios. Ver as notas sobre esse conceito em Pv 1.7 e Sl 119.38. Ver também, no *Dicionário*, o verbete chamado *Temor*, para detalhes.

■ 14.27

יִרְאַת יְהוָה מְקוֹר חַיִּים לָסוּר מִמֹּקְשֵׁי מָוֶת׃

O temor do Senhor é fonte de vida. O autor sagrado reforça os ensinos sobre a sabedoria com ainda outro versículo que fala sobre o "temor do Senhor", o lema deste livro. Ver Pv 1.7 quanto a uma nota de sumário a respeito, e ver no *Dicionário* o artigo chamado *Temor*. Quanto a como *a sabedoria transmite a vida*, ver Pv 4.13. Quanto à *fonte da vida*, ver Pv 10.11; 13.14 e 16.22. O temor do Senhor assegura *longevidade* (ver Pv 3.2,16; 9.10,11; 10.27 e 15.24), visto que protege os homens dos ardis que conduzem à morte. Ver Pv 10.2b; 11.4b; 13.14b. A fonte fala das águas que transmitem vida, que o homem bom bebe, sendo assim que ele vive. Ver no *Dicionário* o verbete chamado *Água*, quanto a detalhes sobre a metáfora. Ver Jo 4.14.

Sinônimo. Uma das maneiras que fazem o temor do Senhor ser a fonte da vida é que esse temor livra o homem dos ardis da morte. *Temor* envolve aqui a figura do caçador que cerca a presa para matá-la, e, para tanto, emprega redes, covas e armadilhas. É aqui mencionado qualquer tipo de perigo que inclua a desobediência à lei. Aben Ezra faz das armadilhas as obras das mãos de um homem perverso; mas outros intérpretes veem essas armadilhas como as do diabo; ou as corrupções do próprio homem; ou as várias tentações, vícios e perversidades. A espiritualidade de um homem, pois, serve-lhe de proteção. Nenhum mal pode prejudicar o homem espiritual, e nenhum temor o assaltará.

14.28

בְּרָב־עָם הַדְרַת־מֶלֶךְ וּבְאֶפֶס לְאֹם מְחִתַּת רָזוֹן:

Na multidão do povo está a glória do rei. Um rei bom goza do apoio de muita gente. Ele é bom e popular, por ter sido sempre benévolo. "O povo é a grande vantagem do rei. Mas, se não houvesse ninguém sobre quem reinar, seu elevado título e sua alta posição seriam inúteis. Um título pomposo sem nenhuma responsabilidade significativa atrairia pouco respeito" (Sid S. Buzzell, *in loc.*).

> Sem um bom rei, o mal operará sobre a terra, fazendo de muitos a sua presa, onde as riquezas se acumulam e os homens decaem.
> Fausset

Antítese. Um rei que governe alguns poucos é um rei secundário, ainda que seja um monarca verdadeiro. A falta de uma multidão a quem governar destrói um príncipe, porque ele se torna inútil e supérfluo. Um rei precisa ter um reino cheio de súditos contentes, pois, caso contrário, se tornará ridícula a ideia de um reino, no qual existam rei e súditos. Um rei precisa de súditos leais, pois do contrário seu reino logo será derrubado pela dissensão. A benevolência engendra a lealdade.

14.29

אֶרֶךְ אַפַּיִם רַב־תְּבוּנָה וּקְצַר־רוּחַ מֵרִים אִוֶּלֶת:

O longânimo é grande em entendimento. Este versículo é ligeiramente diferente do provérbio do vs. 17, pelo fato de que aqui o homem é lento em irar-se, contrastando com o homem precipitado e iracundo daquele versículo. O homem que não se ira com facilidade, que é dotado de autocontrole, é o sábio que conseguiu compreensão, mediante o estudo e a prática da lei, a fonte originária de todo bem, para a mente dos hebreus. Quanto a ser paciente, ver Pv 16.32 e 19.11.

Antítese. Esta linha métrica é, essencialmente, a mesma que a primeira linha métrica do vs. 17 deste mesmo capítulo. Uma ira fácil e imediata só pode terminar na insensatez. O homem iracundo exalta a insensatez, levantando-a bem alto como se fosse uma bandeira, para que todos a vejam, ao mesmo tempo que diz: "Esta bandeira me representa, o homem de ira fácil". Ele eleva a voz para louvar a insensatez. A palavra hebraica envolvida é *rum*, "exibir", isto é, elevar e mostrar, para efeito de exibição. Perder o autocontrole raramente é sábio, e fazer isso habitualmente é sinal de uma mente fraca.

O de ânimo precipitado. Literalmente, temos aqui uma expressão que quer dizer "espírito curto", isto é, o homem de quem os relâmpagos da ira são emitidos precipitadamente e geralmente com pouco razão. O controle de tal homem tem pouco poder de direção. Ele pouco se controla, e sua ira é de longa duração.

14.30

חַיֵּי בְשָׂרִים לֵב מַרְפֵּא וּרְקַב עֲצָמוֹת קִנְאָה:

O ânimo sereno é a vida do corpo. Literalmente, temos aqui, no hebraico, uma expressão que significa "coração de cura", uma mente tranquila, uma disposição saudável. O homem dotado de mente contente terá um corpo saudável, o que reconhecemos hoje em dia por meio dos estudos científicos. Cf. Pv 3.8; 15.13,30; 17.22; 18.14 quanto a declarações semelhantes. O homem dotado de mente tranquila é o homem bom e sábio, que adquiriu conhecimento e compreensão na lei. Os ímpios, por sua vez, vivem em turbulência, como as ondas do mar. Ver Is 57.20.

Antítese. A inveja destrói, agitando a mente e causando podridão nos ossos. A metáfora dos ossos é comum nos Salmos e em Provérbios. Os ossos representam o corpo, visto que são o arcabouço que sustenta o todo. Além disso, representam o homem em sua inteireza, e ossos saudáveis significam um homem saudável, ao passo que ossos enfermiços significam um homem física e psicologicamente doentio. Ver Pv 3.8 quanto a notas adicionais a respeito. Ver também Sl 102.3 quanto a outras ideias acerca dos ossos. Emoções negativas fortes (entre as quais a inveja, mas, especialmente, o ódio) destroem a saúde do corpo e da alma. Essas emoções corroem o homem e, assim sendo, o destroem. O ideal dos gregos era mente sã em corpo são, mas quando esse equilíbrio é perturbado, a sanidade tanto mental quanto física é perturbada. A mente perturbada chupa o tutano dos ossos (ver Pv 12.4; 17.22).

Diz o Targum que "como opera a podridão na madeira, assim atua a inveja nos ossos". A versão árabe diz aqui: "A traça corrói o homem pelo lado de dentro".

14.31

עֹשֵׁק־דָּל חֵרֵף עֹשֵׂהוּ וּמְכַבְּדוֹ חֹנֵן אֶבְיוֹן:

O que oprime ao pobre insulta aquele que o criou. Tirar vantagem do homem pobre, a fim de oprimi-lo, é o mesmo que oprimir o Criador, uma falha gravíssima. Cf. Jó 31.13,15. "A influência dos profetas pode ser vista aqui sobre os sábios de Israel. A mesma ideia é expressa em Pv 17.5; 19.1; 22.2; Jó 31.16. Quanto a esse nome da deidade, *Criador*, cf. Jó 4.17; 35.10; Is 51.13; 54.5; Sl 95.6" (Charles Fritsch, *in loc.*). "Deus criou tanto o pobre quanto o rico (ver 1Sm 2.7; Pv 22.2; Êx 4.11). O opressor do pobre, mediante palavras ou atos, persuade a si mesmo que Deus ou não quer ou não pode vindicar o pobre" (Fausset, *in loc.*).

Antítese. O homem que honra a Deus também honra e tem misericórdia do pobre, pois este faz parte da criação divina. O homem sábio e reto é bondoso para com o pobre: ver Pv 14.21; 19.17; 28.27. Ver as notas expositivas detalhadas sobre o vs. 21 deste capítulo. Considere o leitor a história de John Woolman, contada ali, que serve de vívida ilustração do princípio envolvido neste versículo.

14.32

בְּרָעָתוֹ יִדָּחֶה רָשָׁע וְחֹסֶה בְמוֹתוֹ צַדִּיק:

Pela sua malícia é derrubado o perverso. O indivíduo iníquo é um autoaniquilador e um autodestruidor, porquanto a sua iniquidade finalmente o lança por terra. Esta é uma prova da operação da *Lei Moral da Colheita segundo a Semeadura* (ver a respeito no *Dicionário*). Este versículo subentende o ato de Deus na retribuição. Ele perturbará as circunstâncias da vida do homem mau, que sofrerá calamidades, enfermidades e morte prematura. Ver Pv 6.15. Ver também Sl 34.21. Como a palha, esse homem é impelido adiante dos ventos da retribuição divina. Ver Sl 1.4.

Antítese. O homem reto, que seguiu caminho através da obediência à lei, encontra refúgio (*Revised Standard Version*) ou esperança (*King James Version*). E, em tempo de tribulação, é salvo da morte pela intervenção divina. Oh, Senhor, concede-nos tal graça! Esse homem é salvo através de sua integridade (no hebraico, *behummo*, a bondade sã e essencial). Ele encontra "esperança na morte", que parece dar a entender a ideia de sobrevivência diante da morte, uma luz minúscula e bruxuleante, na mente do mestre, de que o homem bom pode sobreviver à morte, por meio da alma, ou talvez, por ocasião da ressurreição. O autor sacro, porém, nos deixa hesitantes. Não entra em detalhes se isso é, realmente, o que ele quis dizer. A ideia da alma imaterial começou a surgir em cena nos Salmos e nos Profetas, não sendo impossível que tenhamos um vislumbre disso aqui. Ver na *Enciclopédia de Bíblia, Teologia e Filosofia* o artigo chamado *Imortalidade*.

Deus é o refúgio do homem, porquanto é o doador da vida física e espiritual. Ver sobre *refúgio* em Pv 14.26 e em Sl 46.1. Ver também no *Dicionário* sobre esse termo.

14.33

בְּלֵב נָבוֹן תָּנוּחַ חָכְמָה וּבְקֶרֶב כְּסִילִים תִּוָּדֵעַ:

No coração do prudente repousa a sabedoria. O interior do homem bom, o seu coração, é a residência da sabedoria, pois ali o homem preparou o seu caminho, adquirindo entendimento. A sabedoria é aqui personificada, talvez como a Senhora Sabedoria (ver essa figura simbólica em Pv 1.20-23; 3.16-18; 4.3-6; 8.1-21; 9.1-6; 14.1). A boa senhora estava procurando um lar e o encontrou no coração do homem bom, pelo que ali fixou residência.

Antítese. Entretanto, a Senhora Sabedoria foge do coração do homem insensato. Não há espaço para ela. A iniquidade já mora ali; o homem já está possuído pelo mal. Esse homem mau já tem uma residente fixa em seu homem interior, em sua alma. Ele convidou a pessoa errada e sofrerá por sua má escolha. A falta de sabedoria permitiu que o homem ruim servisse de residência para a insensatez e o pecado.

14.34

צְדָקָה תְרוֹמֵם־גּוֹי וְחֶסֶד לְאֻמִּים חַטָּאת׃

A justiça exalta as nações. A retidão é produto do estudo e do seguir a lei de Moisés. A nação que assim fizer será exaltada. Esse soerguimento afetará todos os aspectos da vida nacional, em seu estado moral, em sua força de defesa e de ataque, e em suas riquezas materiais. Essa nação, tal como o sábio, prosperará; e essa nação prosseguirá, enquanto outras serão destruídas por exércitos invasores. Naturalmente, o autor sacro tem no fundo da mente Israel, o povo de Deus, como a boa nação, em contraste com as nações pagãs que não possuem a lei mosaica nem são exaltadas por essa legislação. Ver em Dt 6.4 ss. sobre como a lei era o guia de Israel, e, em Dt 4.4-8, sobre como a lei fazia Israel tornar-se uma nação distinta.

Antítese. O pecado é um opróbrio para qualquer povo, incluindo Israel. Mas o autor sagrado estava pensando, especificamente nas nações pagãs, em contraste com Israel. Essa reprimenda separa as nações condenadas para receber o julgamento e a retribuição divina, o oposto do que a boa nação deveria esperar com justiça. A palavra hebraica aqui usada, traduzida como opróbrio, é *hesed*. Mas para que esse termo obtenha tal sentido somos forçados a apelar para o aramaico, pois *hesed* significa "bondade", "gentileza", o que dificilmente se adapta a este contexto. A Septuaginta diz aqui "necessidade", que segue o termo hebraico *heser.* "O pecado impõe necessidades às pessoas" (Oesterley, *in loc.*). "O pecado é a maldição e o escândalo do homem" (Adam Clarke, *in loc.*). A Septuaginta diz: "Os pecados diminuem as tribos".

14.35

רְצוֹן־מֶלֶךְ לְעֶבֶד מַשְׂכִּיל וְעֶבְרָתוֹ תִּהְיֶה מֵבִישׁ׃

O servo prudente goza do favor do rei. Um rei não pode desincumbir-se sozinho de seus deveres. Precisa, portanto, de muitos ministros. Alguns desses ministros serão bons, outros serão maus; alguns serão diligentes, outros serão preguiçosos; alguns cumprirão direito os seus deveres, ao passo que outros se descuidarão no cumprimento do dever. Aqueles que se mostrarem positivos em todos os aspectos de seu trabalho serão recompensados pelo favor real. Continuarão ocupando seus ofícios, receberão deveres ainda mais elevados e prosperarão. Naturalmente, o servo bom é o homem sábio, que estuda a lei e a segue na vida diária, bem como na carreira profissional. Um rei procurará tais homens para que o sirvam.

John Gill (*in loc.*) cristianizou o versículo ao comentar como segue: "... é assim que Cristo, o Rei dos reis, mostrará favor a seus servos sábios e fiéis (ver Lc 12.42-44)".

Antítese. Os servos perversos e preguiçosos fazem uma nação inteira cair em dificuldades. Eles envergonham o país e seu rei e, por sua vez, eles mesmos são envergonhados. A ira do rei cai sobre eles, porquanto é isso o que merecem. Quanto à ideia de *vergonha*, ver também Pv 10.5; 19.26 e 29.15.

É objeto do seu furor. "Furor", aqui, é tradução do termo grego *'ebrah,* que subentende uma explosão de ira que prejudica em grande grau aquele que a recebe. "A maior parte das guerras é ocasionada por maus ministros, homens sanguinários, que não sabem sentir-se felizes, a não ser que desenrolem o espírito da discórdia. Que todo coração humano ore desta maneira: 'Senhor, espalha o povo que se deleita na guerra!'" (Adam Clarke, *in loc.*). Cf. Lc 12.45-48.

CAPÍTULO QUINZE

Não há nenhuma interrupção entre os capítulos 14 e 15. Apresento uma introdução à seção de Pv 10.1—22.16 (a primeira coletânea dos provérbios de Salomão) em Pv 10.1.

15.1

מַעֲנֶה־רַּךְ יָשִׁיב חֵמָה וּדְבַר־עֶצֶב יַעֲלֶה־אָף׃

A resposta branda desvia o furor. Mais de cem provérbios referem-se ao uso próprio e impróprio da linguagem. Ver Pv 4.24, cujas notas expositivas incluem referências extraídas do livro de Salmos, onde a questão também é um tema importante. Ver no *Dicionário* o verbete denominado *Linguagem, Uso Apropriado da.* Em Pv 11.9,13 apresento notas de sumário que incluem ilustrações sobre esse assunto.

O uso apropriado da linguagem deve, necessariamente, incluir a resposta branda, que mostra a moderação de quem fala, e apaga as chamas da ira do seu oponente. Cf. o vs. 23 deste mesmo capítulo; e ver também Pv 24.26 e 25.15. "Falando de modo geral, podem-se discernir cinco orientações principais no tratamento da linguagem correta: gentileza; cortesia na resposta; sabedoria nos princípios e instruções orientadores; ou, conforme o caso possa exigir, o simples silêncio, que é a melhor resposta em alguns casos; e cautela (que recebe a maior parte da atenção)" (Oesterley, *in loc.*, com adaptações). A resposta branda é uma demonstração de bondade e sabedoria. E também é cautelosa.

Antítese. O homem precipitado, que não se mostra moderado em sua fala, que não é bondoso, que não é sábio, que não é cauteloso, despertará ira com as suas palavras, e isso terminará em conflitos prejudiciais, lutas e até violência. Cf. Tg 3.2 ss. Ele falará palavras duras (no hebraico, *'eçebh,* literalmente, palavras de dor). Onde palavras que ferem foram pronunciadas, só pode haver perdedores. Ver os exemplos do Antigo Testamento quanto a isso, bem como a ruína que essas palavras precipitadas trazem, em Jz 12.1-4; 1Sm 25.10,11,21,22; 1Rs 12.13,14.

15.2

לְשׁוֹן חֲכָמִים תֵּיטִיב דָּעַת וּפִי כְסִילִים יַבִּיעַ אִוֶּלֶת׃

A língua dos sábios adorna o conhecimento. O sábio tem conhecimento, e a sua linguagem reflete precisamente isso. Ele fala com autoridade, confiança e justiça. Ele edifica, em lugar de derrubar. Dá bons conselhos e envergonha o idiota que só abre a boca para dizer coisas insensatas. Ele "traz à tona o seu conhecimento, no tempo e no lugar apropriados" (Ellicott, *in loc.*).

> *O homem bom tira do tesouro bom cousas boas, mas o homem mau do mau tesouro tira cousas más.*
>
> Mateus 12.35

O que fala corretamente, dentro do contexto do livro de Provérbios, é o homem que aprendeu da lei e aplica o que aprendeu a cada setor de sua vida, incluindo seu falar.

Antítese. Em contraste, o insensato é como uma fonte de tolices, papagaiando e espumando. Sua fala é, no mínimo, inútil e, em seu pior aspecto, destrutiva. Esse é o homem que não estudou a lei e não está interessado nas declarações da sabedoria, que a fomentam e interpretam. "Ele tagarela à vontade, sem fazer escolha das suas palavras; e fala de modo confuso, copioso, rapidamente, como se fosse uma fonte a borbulhar; mas o que ele diz tem pouca substância" (Fausset, *in loc.*).

15.3

בְּכָל־מָקוֹם עֵינֵי יְהוָה צֹפוֹת רָעִים וטוֹבִים׃

Os olhos do Senhor estão em todo lugar. Deus é aqui pintado como se fosse um homem postado em sua alta torre de vigia, armada lá nos céus, olhando constantemente e observando tudo que todos os homens fazem, pois ele é o Deus que tudo sabe e a tudo vê. Vendo o bem que está sendo feito, ele recompensará o benfeitor; e, vendo o mal que é praticado, ele punirá o culpado, pois somente isso satisfará a *Lei Moral da Colheita segundo a Semeadura* (ver a respeito no *Dicionário*). Temos aqui um único provérbio composto de duas linhas sinônimas, o que contrasta com o tipo antitético usual. Os olhos de Deus buscam; ele vê e compreende tudo; e então aplica sua providência positiva ou negativa, conforme o caso. Ver no *Dicionário* o artigo chamado *Providência de Deus.* O autor, apanhado no dilema da linguagem humana, usa uma forte expressão antropomórfica, conferindo a Deus atributos humanos. Ver no *Dicionário* o verbete denominado *Antropomorfismo.* Portanto, Deus é aqui apresentado como quem tem "olhos", porque entendemos expressões como essa, mas ficamos confusos diante de teologias abstratas.

Deus é o vigia do universo, o que representa o *Teísmo,* em contraste com o *Deísmo* (ver sobre ambos os termos no *Dicionário*). O Criador continua presente em sua criação, recompensando, punindo e intervindo (teísmo). Ele não abandonou sua criação ao governo das leis naturais (deísmo). Quanto à *onisciência de Deus*, cf. Pv 5.21 e Hb 4.13. Ver sobre os "olhos do Senhor", em 2Cr 16.9. Ver também Jr 16.17; 23.23,24; Gn 15.16 e Sl 34.15,17. A criação inteira de Deus é a cidade de Deus, sobre a qual ele mantém vigilância.

■ 15.4

מַרְפֵּא לָשׁוֹן עֵץ חַיִּים וְסֶלֶף בָּהּ שֶׁבֶר בְּרוּחַ׃

A língua serena é árvore de vida. Novamente, o autor sagrado retorna ao uso próprio e impróprio da língua. Há cerca de cem provérbios, neste livro, que falam sobre o assunto. Ver as notas de sumário em Pv 11.9,13. Além disso, ver no *Dicionário* o verbete chamado *Linguagem, Uso Apropriado da*.

Língua serena. Diz aqui o hebraico, literalmente: "a cura da língua", ou seja, palavras que tendem para a cura e a harmonia, e não para a dissensão e a confusão. A língua que cura é *árvore de vida*. Quanto a essa figura simbólica, ver também Pv 3.18; 11.30 e 13.12. A sabedoria transmite vida (Pv 4.13; um dos temas principais do livro), e sua filha, a linguagem sábia, compartilha da propriedade de transmitir vida. A boa árvore produz frutos deliciosos e nutritivos, e outro tanto fazem as palavras bem escolhidas e gentis. A alusão, como é claro, é à árvore da vida que havia no paraíso. Um homem pode criar um paraíso na terra para todos os que vivem próximos dele, se observar uma linguagem gentil e instrutiva, originada de um coração sábio. Toda essa fala baseia-se no aprendizado da lei, a fonte originária da sabedoria e da vida.

Antítese. Em contraste, o homem que fala de modo precipitado e duro produz uma quebra no espírito tanto de quem falou como de quem ouviu, e o meio ambiente do homem sofre uma derrocada geral. A perversidade na fala e na vida diária esmaga as pessoas. Pensemos em como o protestantismo tem-se dividido pela linguagem abusiva e pela discussão dogmática, em que cada facção pensa ter esses dogmas corretos de alguma maneira especial. Quanto à fala e aos atos que quebram as coisas e as condições, ver Pv 15.13; 17.22 e 18.14. "Uma linguagem impura, sem castidade, sem caridade e corrupta prejudica o espírito dos homens; comunicações más corrompem o coração e as maneiras, contaminando a alma... a doutrina falsa e doentia corrói como o câncer... trazendo aflição e desespero" (John Gill, *in loc.*).

■ 15.5

אֱוִיל יִנְאַץ מוּסַר אָבִיו וְשֹׁמֵר תּוֹכַחַת יַעְרִם׃

O insensato despreza a instrução de seu pai. Ver Pv 13.1, que contém um provérbio muito semelhante ao deste versículo. O pai, neste caso, é o pai biológico, o primeiro professor do filho. Mas o menino também tem pais, ou seja, líderes espirituais, que tentarão reforçar as instruções recebidas em casa. Mas o filho insensato rejeitará tudo isso e se voltará para seu caminho perverso. Ver Pv 13.24, cujas notas expositivas também se aplicam aqui.

Antítese. Em contraste, existe o filho bom que também se tornará um homem sábio. Esse ouvirá seu pai natural, e também ouvirá seus pais espirituais. É uma pessoa aberta à instrução. Ele mesmo se tornará estudioso da lei. É um homem prudente e compreensivo. Segue as declarações da sabedoria e produz, ele mesmo, algumas dessas declarações. Ele é esperto, no bom sentido (ver Pv 19.25). Quanto aos atos do sábio ou do filho sábio, ver Pv 12.1; 13.1,13,18.

Este versículo tem sido cristianizado para falar das sábias instruções dadas aos homens através do evangelho de Cristo, onde se encontram as fontes da vida e da morte (2Co 2.16).

■ 15.6

בֵּית צַדִּיק חֹסֶן רָב וּבִתְבוּאַת רָשָׁע נֶעְכָּרֶת׃

Na casa do justo há grande tesouro. Quando ainda não havia bancos nem cofres, que guardam valores com segurança, os homens guardavam seus tesouros nas próprias casas ou então os enterravam no solo. O homem bom e sábio prospera, pelo que oculta seus tesouros em casa. Ele é recompensado por sua bondade com riquezas materiais, uma doutrina padrão no Antigo Testamento e certamente um ensino próprio da literatura de sabedoria. Ver no *Dicionário* o artigo chamado *Sabedoria*, seção III, *Literatura de Sabedoria*. O livro de Provérbios encontra-se entre esses escritos. Cf. as riquezas por meio da bondade, em Pv 3.16; 8.18,21; 14.24 e 22.4. Esta primeira linha do presente provérbio tem sido espiritualizada para significar as riquezas da alma, que se derivam da vida virtuosa. E tem sido cristianizado para significar as riquezas da salvação que nos chega de Cristo, que é a nossa sabedoria (ver 1Co 1.30). A tese que diz que a virtude é igual à prosperidade tem muitas exceções, mas isso não quer dizer que seja inútil.

Antítese. Em contraste, o homem mau não terá permissão de ser próspero nem de ajuntar tesouros em sua casa. Porém, se ele conseguir fazer isso por meios desonestos e violentos, eventualmente acabará perdendo o que ajuntou. Em seus esforços por ganhar dinheiro, esse homem nada obterá senão tribulações. Ver Pv 1.19 e 10.2 quanto a declarações similares. Toy (*in loc.*) emenda a palavra hebraica, *ne'kareth*, que literalmente significa "coisa perturbada", para *nikhrath*, "cortado", que diz que o homem insensato sofrerá morte prematura, tornando inúteis as riquezas ganhas desonestamente. "... a derrubada de suas rendas, que está prestes a ocorrer e já se acha presente em forma germinal" (Fausset, *in loc.*). Ver o vs. 27 e ss. O homem ganancioso perturba a própria casa, por haver obtido desonesta ou ilegalmente seu ganho.

■ 15.7

שִׂפְתֵי חֲכָמִים יְזָרוּ דָעַת וְלֵב כְּסִילִים לֹא־כֵן׃

A língua dos sábios derrama o conhecimento. O homem sábio fala sobre a abundância da sabedoria de seu coração, onde guardou os ditames e promessas da lei de Moisés, conforme ela é fomentada e interpretada pelas declarações da sabedoria. Sua fala é saudável e propala conhecimento. Ele é como um bom agricultor que sai a semear. Existem cerca de cem provérbios neste livro que descrevem o uso apropriado e impróprio da linguagem. Ver Pv 11.9 e 13 quanto a detalhes e referências, além de ilustrações. Ver no *Dicionário* o artigo chamado *Linguagem, Uso Apropriado da*.

Antítese. O insensato, em contraste, não é um bom agricultor; ele não semeia a boa semente. Se falar, fará vir à tona a insensatez que está em seu coração. Ele não recebeu instruções na lei de Moisés e não a ensina a outras pessoas. Ele é seu próprio ridículo manual. "Quando o manancial se resseca, como poderiam os canais fluir com águas da vida?" (Fausset, *in loc.*, mudando a figura, embora dizendo a mesma verdade). Cf. Pv 15.2, onde vemos o insensato a verter para fora de si a sua insensatez, como se fosse uma fonte borbulhante de nada.

■ 15.8

זֶבַח רְשָׁעִים תּוֹעֲבַת יְהוָה וּתְפִלַּת יְשָׁרִים רְצוֹנוֹ׃

O sacrifício dos perversos é abominável ao Senhor. O homem hipócrita ou semipiedoso, o homem corrupto que tem alguns sentimentos religiosos, podia fazer uma oferenda no templo ou realizar algum ato particular de devoção, mas, se ele assim fizesse, estaria praticando algo abominável aos olhos de Deus. Ver Pv 11.1 quanto ao verbete *Abominação*. Vemos o espetáculo da adúltera a oferecer a seu "convidado" os restos do sacrifício que ela fizera anteriormente (ver Pv 7.14)! Não há muitas referências a sacrifícios no livro de Provérbios, mas há um número suficiente delas para sabermos que, quando esse livro foi escrito, os sacrifícios ainda faziam parte da piedade externa dos hebreus. Ver também Pv 17.14; 21.3,27. "Sacrifícios desacompanhados da retidão não são aceitáveis ao Senhor, de acordo com os profetas e os sábios (cf. Am 5.22). Os sábios reconheciam a importância do ritual, mas não a salientavam" (Charles Fritsch, *in loc.*). Ver outra referência a uma abominação, no vs. 9. Quanto à ausência de valor dos sacrifícios, sem a obediência, ver 1Sm 15.22.

Antítese. A oração do homem bom é um deleite para o Senhor, e podemos supor que isso represente os exercícios espirituais dos quais ele se ocupa. Em consonância com a ausência de ênfase sobre os ritos, o autor sacro não nos diz que os sacrifícios feitos pelo homem bom são um deleite para Deus, mas, antes, os seus atos pessoais e espirituais de devoção é que lhe agradam. Ver no *Dicionário* o artigo chamado *Oração*. Que motivo temos aqui para a oração! Deus observa e se deleita nela, pelo que certamente dará uma resposta favorável aos pedidos que lhe fizermos. Ver no *Dicionário* o verbete intitulado *Desenvolvimento Espiritual, Meios do*.

Sobre o ódio de Deus aos sacrifícios oferecidos pelos ímpios, ver também 1Sm 15.22; Is 1.11; Jr 7.22; Am 5.22. "O oferecimento de sacrifícios, sendo um ato externo, mesmo quando feito pelo homem bom,

15.9

תּוֹעֲבַת יְהוָה דֶּרֶךְ רָשָׁע וּמְרַדֵּף צְדָקָה יֶאֱהָב׃

O caminho do perverso é abominação ao Senhor. Em primeiro lugar, aprendemos que os sacrifícios oferecidos pelos ímpios são abomináveis aos olhos do Senhor (vs. 8) e agora vemos que os caminhos dos ímpios também o são. Ver Pv 11.1 quanto à *abominação*. Quanto à *metáfora da vereda*, ver Pv 4.11. Quanto aos *caminhos do justo contrastados com os caminhos dos ímpios*, ver Pv 4.27. O ímpio não avança em conformidade com a lei; ele não tem bom senso nem entendimento, e também não conhece a prudência. Poderia ser um cidadão da nação de Israel, mas andava como pagão. Ver no *Dicionário* o artigo chamado *Andar*. O seu caminho é o caminho da violência, dos vícios e de pecados variegados, pelo que também é um caminho abominável. Ele pode acreditar teoricamente na existência de Deus, mas é um ateu praticante (ver Sl 14.1).

Antítese. Deus ama o homem bom, que avança pelo caminho por ele designado, a saber, em obediência à lei de Moisés, o manual seguido por todos os bons israelitas. Foi mediante a obediência a essa lei que Israel se tornou uma nação distinta (ver Dt 4.4-8). Essa lei é o guia de todo verdadeiro israelita (ver Dt 6.4 ss.). O homem bom segue a retidão, "... não de modo superficial ou ocasional, mas envidando todo o esforço em busca da retidão, como o grande objeto de sua busca" (Fausset, *in loc*.). Cf. Fp 3.12 ss.

"Embora a perfeição não possa ser atingida nesta vida, a alma graciosa pressiona atrás dela, e isso é agradável aos olhos de Deus" (John Gill, *in loc*.).

15.10

מוּסָר רָע לְעֹזֵב אֹרַח שׂוֹנֵא תוֹכַחַת יָמוּת׃

Disciplina rigorosa há para o que deixa a vereda. Severa disciplina (*Revised Standard Version*) deve ser aplicada ao homem que esqueceu a vereda da retidão, ou seja, o caminho requerido pela lei, que dá sabedoria. Calamidades ferirão esse homem, e então ele morrerá de morte prematura, ou de morte violenta, ou ambas. A segunda linha métrica, levando avante a ideia, identifica o ato de Deus em tais casos. Nos vss. 10-12, a segunda linha expande a primeira. Isto é, esses provérbios têm segundas linhas que são sinônimas, em contraste com as linhas antitéticas usuais.

Sinônimo. Que o leitor medite sobre estes dois pontos:

1. A segunda linha poderia significar que aqueles que rejeitam a disciplina severa (algo que só perde para a morte, quanto à severidade) sofrerão então morte violenta ou prematura. Esses serão considerados casos sem esperança.
2. Ou então a segunda linha define a primeira: uma disciplina rigorosa significa a morte violenta e/ou prematura. Seja como for, não há aqui ideia alguma de julgamento no além-túmulo, naquilo que poderia ser chamado de morte, como a segunda morte. As versões da Septuaginta e árabe dizem aqui "morte vergonhosa".

15.11

שְׁאוֹל וַאֲבַדּוֹן נֶגֶד יְהוָה אַף כִּי־לִבּוֹת בְּנֵי־אָדָם׃

O além e o abismo estão descobertos perante o Senhor. Esta comparação processa-se do maior para o menor. Deus, que tudo sabe, tem abertos, à sua frente, o *sheol* e o *abaddon*, e, portanto, muito mais aberto está o coração dos homens, a coisa menor e mais fácil de fazer. O sheol é o abaddon (destruição). Ver sobre ambos os termos no *Dicionário*. Ver também ali, sobre *hades*. Em Ap 9.11, Abadom é o nome do anjo do abismo. A doutrina do sheol passou por um longo processo de crescimento, e não podemos estar certos, em todos os casos, de exatamente em qual estágio algum autor específico se encontrava quando escreveu o seu versículo. A maior parte das referências do livro de Salmos ao sheol, por exemplo, refere-se apenas à morte física, ao sepulcro. Talvez Sl 88.10; 139.8 e 148.7 contenham um estágio mais avançado desse conceito. Ver Pv 2.18, que poderia significar algo mais do que o sepulcro, mas ali muitos intérpretes veem apenas a ameaça de morte prematura. Pv 5.5 parece conter uma declaração paralela à morte e ao sheol. Ali ofereço um breve sumário dos estágios do desenvolvimento dessa doutrina. A gloriosa doutrina do Novo Testamento é que Cristo teve uma missão de misericórdia no hades, tendo levado o seu evangelho aos espíritos ímpios que ali habitavam. Ver na *Enciclopédia de Bíblia, Teologia e Filosofia* o artigo de nome *Descida de Cristo ao Hades*. Ver 1Pe 3.18—4.6.

Há aqui algum avanço na doutrina do sheol, no próprio fato de Deus ser retratado a observar aquele lugar. Cf. Jó 26.6 e Sl 139.8. Visto que havia alguém para observar, então talvez o autor pensasse que o lugar envolvia mais do que o sepulcro. Nesse caso, permanecemos hesitantes, sem saber qual "extra" o escritor sagrado pode ter tido em mente. Fazer do sheol uma referência geral ao submundo dos espíritos, e do abaddon o compartimento do sofrimento, certamente é um anacronismo.

Sinônimo. Se Deus conhece tudo sobre o misterioso sheol, então conhecer o coração dos homens (sejam eles bons ou maus) é tarefa fácil para a mente divina. Conhecer os homens e seus caminhos permite que Deus os recompense ou castigue apropriadamente, sem arbitrariedade. A *onisciência* (ver a respeito no *Dicionário*) garante um julgamento justo, seja nesta vida, seja na vida além-túmulo. Os "esquecedores do caminho" (vs. 10) certamente serão chamados a prestar conta. Mas Deus não esquecerá os retos. Esses serão abençoados e galardoados; viverão vida longa e próspera e alcançarão a vida eterna (embora o autor deste provérbio provavelmente não estivesse antecipando tão avançada doutrina). Portanto,

> Estás vindo ao Rei,
> Traze grandes petições.
> Sua graça e poder são tais
> Que nunca podes pedir demais.
>
> John Newton

15.12

לֹא יֶאֱהַב־לֵץ הוֹכֵחַ לוֹ אֶל־חֲכָמִים לֹא יֵלֵךְ׃

O escarnecedor não ama àquele que o repreende. Além de não ouvir a repreensão, o escarnecedor não gosta daquele que o repreende. De fato, conforme já sabemos bem, ele o odeia. O sábio, em contraste, gosta de ser corrigido, porque isso o ajuda a obter sabedoria. Cf. Pv 15.31. A correção vem da lei, que é o guia (Dt 6.4 ss.). E esse guia orienta os homens para a vida (Dt 4.1; 5.33; 6.2; Ez 20.1). O zombador, porém, não se deixa ensinar. Isso é parte de sua insensatez, de seu estilo de vida. Cf. Pv 1.22 quanto ao escarnecedor. A Vulgata faz o homem mau não gostar da instrução e odiar o instrutor. Cf. Am 5.10. Esse homem "zomba da religião; escarnece da piedade e dos piedosos; trata do evangelho e de seus ministros com desprezo; zomba dos homens bons e de tudo quanto é bom; é um indivíduo pestilento" (John Gill, *in loc*.).

Sinônimo. Naturalmente, com seu problema de atitude, ele não se dirigirá aos sábios em busca de conselhos que poderiam exigir-lhe mudança de rota. Em contraste, aquele que está aprendendo a ser sábio, por meio das instruções da lei, fomentada pelas declarações da sabedoria, manterá convivência com os mestres, a fim de poder beneficiar-se. A Septuaginta diz que os homens maus não estão "com os sábios", ou seja, não desfrutam de sua companhia. A zombaria do homem faz parte de sua vida insensata. Ele não tem sabedoria suficiente para alterar isso. O homem mau não frequenta a casa do homem sábio; nem vai à sinagoga para ouvir alguém falar; muito menos comparece à escola dirigida por um sábio. Ele jamais se tornará discípulo de um sábio para aprender a lei.

Aborreceis na porta ao que vos repreende, e abominais o que fala sinceramente.

Amós 5.10

15.13

לֵב שָׂמֵחַ יֵיטִב פָּנִים וּבְעַצְּבַת־לֵב רוּחַ נְכֵאָה׃

O coração alegre aformoseia o rosto. Três versículos falam sobre o coração: um coração feliz (vs. 13); um coração entendido (vs. 14); um coração alegre (vs. 15). Ver Pv 4.23 quanto ao *coração*, bem como o artigo do *Dicionário* sobre esse tópico. Quando um homem tem um coração feliz, essa felicidade brilha em seu rosto. A alegria interior é como um fogo que não pode ser contido. "Há uma simpatia entre o corpo e a mente, pelo que uma mente feliz se reflete na expressão da fisionomia" (Fausset, *in loc.*). O autor não nos diz por que esse homem se sente feliz, nem por que o seu rosto resplandece, mas podemos presumir que ele tenha obtido prosperidade e bem-estar, ao obedecer à lei. Ele é um homem abençoado por Deus; tem boa saúde, prosperidade e esperanças quanto ao futuro.

Este versículo tem sido cristianizado para referir-se ao homem feliz cujos pecados foram perdoados por meio da missão de Cristo, e que, por esse motivo, tem a alegria do Senhor em seu coração.

Antítese. Em contraste, temos o homem de coração partido, cuja fisionomia revela tristeza. Seu espírito é quebrado por causa de suas cargas. Cf. Pv 12.25. Não somos informados por que esse homem se sente tão perturbado, mas presumimos que ele tenha sido julgado por seu caminho desviado, sentindo os golpes do chicote divino. "Cada gemido profundo lança uma porção de energia vital" (Adam Clarke, *in loc.*). Quanto ao espírito esmagado, Cf. Pv 15.4; 17.22 e 18.14.

> *A tristeza segundo Deus produz arrependimento para a salvação que a ninguém traz pesar; mas a tristeza do mundo produz morte.*
>
> 2Coríntios 7.10

Talvez seja um erro espiritualizar este versículo. É possível que ele seja uma observação sobre como operam a alegria e a tristeza, sem entrar em razões possíveis para esses estados de alma. "Felicidade e depressão são questões do coração. O que uma pessoa é internamente tem impacto mais duradouro em seu estado emocional do que o fluxo das circunstâncias. Algumas pessoas suportam mais as circunstâncias difíceis do que outras, porque têm mais força interior" (Sid S. Buzzell, *in loc.*).

■ 15.14

לֵב נָבוֹן יְבַקֶּשׁ־דָּעַת וּפְנֵי כְסִילִים יִרְעֶה אִוֶּלֶת:

O coração entendido procura o conhecimento. Topamos agora com o coração capaz de discernir. Ver sobre essa qualidade em Pv 1.2. Ver sobre *coração* em Pv 4.24, e consultar o artigo do *Dicionário* com esse título. O homem que estuda e pratica a lei tem discernimento e aplica a sua sabedoria na vida diária. O homem bom, sem importar quão sábio é, nunca se satisfaz com as suas realizações pessoais. Pelo contrário, continua a buscar o conhecimento, o que significa continuar a aprender mais e mais sobre a lei e sobre as declarações da sabedoria que a fomentam e interpretam. Quanto a uma busca constante pelo conhecimento, ver Pv 18.15; 19.25 e 21.11. Os hebreus não estavam muito interessados no conhecimento científico e tecnológico e nunca se tornaram muito eficientes nisso. Mas eram mestres no conhecimento moral, cerimonial e ritual que se expressa nas regras intermináveis alicerçadas sobre a lei mosaica. Eles tinham experiências místicas. Ver na *Enciclopédia de Bíblia, Teologia e Filosofia* o verbete chamado *Misticismo*. O ponto forte deles era a erudição na lei, o viver a lei, a redução de tudo à lei. O autor do Salmo 119 criou 176 declarações relativas à lei. Para conseguir esse número fantástico, ele teve de empregar um bom número de repetições, ditas de maneiras levemente diferentes, mas mesmo assim isso ilustra o fanatismo do povo judeu em relação à lei mosaica. A literatura de sabedoria está eivada de declarações, muitas delas práticas, destinadas à vida diária, mas a base de tudo é a lei de Moisés. O judaísmo posterior terminou tendo mais de seiscentos mandamentos específicos (negativos e positivos), que um israelita precisava obedecer.

Antítese. Em contraste com o sábio que é cheio de entendimento, consideramos o insensato, cujo papagaiar insensato mostra que lhe falta sabedoria. Ele se parece com uma vaca a pastar, mas a sua grama se compõe de insensatez. Tal como a vaca, ele se contenta com o seu alimento (a insensatez). Cf. Pv 15.2,21. "O insensato, estúpido e insensível (no hebraico, *kesil*) é apropriadamente retratado como um animal que rumina a sua insensatez" (Charles Fritsch, *in loc.*). "... conversas e gracejos tolos; questões não aprendidas; doutrinas tolas e falsas; concupiscências prejudiciais; preocupação com vento e com cinzas; prazeres e satisfações carnais: eles se alimentam dessas coisas" (John Gill, *in loc.*).

■ 15.15

כָּל־יְמֵי עָנִי רָעִים וְטוֹב־לֵב מִשְׁתֶּה תָמִיד:

Todos os dias do aflito são maus. O homem aflito passa todos os dias em aflição. Sua dor nunca diminui. Os *'ani*, os oprimidos, os aflitos, literalmente são os "encurvados", os "humildes", os "necessitados", conforme se vê em Pv 14.21. Essas aflições podem ter como causa infrações morais, ou o autor estava simplesmente fazendo uma observação sobre os enfermos crônicos, os aflitos, os pobres miseráveis. Algumas pessoas, sem razão aparente, estão sempre inclinadas sob tribulações e tristezas, pobreza e necessidades. Isso tudo faz parte do *Problema do Mal* (ver a respeito no *Dicionário*). Por que os homens sofrem, e por que sofrem conforme sofrem? A resposta padronizada "Estão pagando por seus pecados" nem sempre está correta. Há também o caos e perturbações inexplicáveis. No sofrimento há enigmas. As pessoas sofrem sob o mal moral (derivado da má vontade do homem para com os seus semelhantes); e também sofrem sob o mal natural (abusos da natureza, inundações, terremotos, incêndios, enfermidades e a morte). E nem sempre podemos discernir a razão desses males.

Antítese. Em contraste, há pessoas que vivem festejando e regozijando-se. Vivem de coração alegre porque o céu está sempre azul para elas. As nuvens tempestuosas não se ajuntam sobre sua cabeça. Novamente, não sabemos se o autor sagrado estava falando de pessoas que mereciam tais bênçãos, por causa de sua sabedoria e bondade, ou se ele estava meramente observando o que acontece "no mundo". "A alegria e o contentamento expelem as tristezas externas, a pobreza etc. (Ec 9.7)" (Fausset, *in loc.*, que vê homens oprimidos felizes em meio às suas dificuldades, porquanto têm o coração cheio de alegria, e assim vencem as circunstâncias externas).

■ 15.16

טוֹב־מְעַט בְּיִרְאַת יְהוָה מֵאוֹצָר רָב וּמְהוּמָה בוֹ:

Melhor é o pouco havendo o temor do Senhor. O autor sagrado agora reconhece que o homem bom pode ser alguém relativamente pobre. Embora sábio e temente a Deus (ver Pv 1.7), esse homem tem pouco. A bondade nem sempre resulta na prosperidade. Nesses casos, o homem relativamente pobre se contentará por ser abençoado em um nível aceitável e também por ter suas qualidades de alma para consolá-lo. Ele conhece e segue a lei; ele tem a espiritualidade típica do Antigo Testamento (o temor do Senhor). Ver no *Dicionário* o verbete chamado *Temor*, bem como as notas adicionais em Pv 1.7 e Sl 119.38. E isso, por si mesmo, já é um grande tesouro. Ademais, tal homem vive contente e não teme nem os homens nem as circunstâncias. Cf. Pv 1.8, trecho bastante similar a este, exceto pelo fato de que a retidão substitui o temor do Senhor. Ver também Pv 16.16.

Antítese. Em contraste, o homem que possui muitos recursos materiais pode ser uma pessoa miserável. As personalidades criminosas andarão à cata dele; ele terá de viver sempre ocupado em aumentar e preservar o que tem; a sua vida será agitada por pessoas que aparecerão querendo parte de suas riquezas como contribuições para alguma causa, boa ou má. Ele experimentará o "tumulto" (hebraico literal). A lição aqui é que as riquezas espirituais são superiores às riquezas materiais. As espirituais nos trazem contentamento; as outras, inquietação. O autor sacro não parece estar entrando nas razões morais daquilo que ele acabara de descrever. O rico não se sente vexado somente por haver obtido seu dinheiro desonesta e/ou ilegalmente. Isso pode ser verdade, mas não parece ser o que o autor sagrado queria dar a entender. Se, normalmente, a ideia dos hebreus era que a bondade naturalmente leva à prosperidade, o autor sagrado reconhecia que as riquezas materiais podem ser uma maldição, e não uma bênção divina.

■ 15.17

טוֹב אֲרֻחַת יָרָק וְאַהֲבָה־שָׁם מִשּׁוֹר אָבוּס וְשִׂנְאָה־בוֹ:

Melhor é um prato de hortaliças, onde há amor. Um homem pobre pode não possuir um único animal. Ele é um agricultor relativamente pobre, um agricultor com pouco sucesso. Pode almoçar legumes, coisas essas que colhe da natureza ou de sua própria plantação humilde. Mas em sua família predomina o amor, um por todos e todos por um. Isso é muito melhor do que ter continuamente bifes no almoço, em meio ao ódio e à contenda. As riquezas, embora desejáveis, nem sempre compram a felicidade, embora a pessoa se sinta mais confortável em sua miséria. O verdadeiro amor, naturalmente, é a qualidade divina que faz o homem pobre sentir-se rico. Ver no *Dicionário* o artigo chamado *Amor*, quanto a notas expositivas completas, com citações e poemas ilustrativos.

O almoço de um homem pobre é o "lanche dos viajantes", conforme diz a palavra hebraica por trás dessa tradução. Ou seja, está em pauta uma refeição de pequeno volume, arranjada para uma viagem rápida. O homem pobre, pois, sempre conta com esse tipo de refeição, mesmo quando não está viajando.

Antítese. Em contraste, temos a considerar os banquetes suntuosos dos abastados, que têm como prato principal a carne do boi cevado, ou seja, o animal que foi conservado confinado, recebendo muita alimentação, a fim de engordar para ser então abatido para o banquete. No entanto, os banquetes do homem rico podem estar misturados ao ódio e à contenda. Ele está em eterna competição com os seus convidados, que não nutrem amor por ele. Em sua própria família, aquilo que é realmente importante, o amor, está em falta. Portanto, ele se encontra em um pobre estado de alma, nas suas circunstâncias, a despeito de suas riquezas. Cf. esse provérbio com Pv 17.1, uma passagem virtualmente igual a esta.

O amor torna suportáveis as circunstâncias difíceis. Mas o ódio torna insuportáveis as circunstâncias do homem abastado.

■ **15.18**

אִישׁ חֵמָה יְגָרֶה מָדוֹן וְאֶרֶךְ אַפַּיִם יַשְׁקִיט רִיב׃

O homem iracundo suscita contendas. Este provérbio é similar aos provérbios que se acham em 14.17,29 e 15.1 deste livro. O homem que habitualmente se ira reflete isso em suas palavras, que são duras e cortantes. Com uma linguagem perversa e atos cruéis, ele suscita a contenda, como se fosse uma bebida fermentada venenosa que ele prepara para si mesmo e para outras pessoas. O "homem de calor" (hebraico literal) está sempre esquentando o seu meio ambiente. Cf. expressões similares em Pv 15.16,17,29; 19.19; 22.24. Os homens de calor, pois, são insensatos que vivem ao rubro. Eles promovem contendas e vivem em meio à dissensão. As pessoas não querem devotar-lhes amizade. Custa muito estar por perto deles. A dissensão que esse homem desperta (ver Pv 6.14,19; 10.12; 16.28; 28.25; 29.22) é contínua.

Antítese. Em contraste, o homem que sabe controlar a si mesmo é capaz de apagar as chamas da contenda. Cf. Pv 17.27 e 19.11. As palavras e os atos desse homem servem de pacificadores, pelo que o homem é abençoado (ver Mt 5.9). Ver também Tg 1.19. O homem paciente e de ânimo temperado pacifica aquilo que os ímpios agitam.

■ **15.19**

דֶּרֶךְ עָצֵל כִּמְשֻׂכַת חָדֶק וְאֹרַח יְשָׁרִים סְלֻלָה׃

O caminho do preguiçoso é como que cercado de espinhos. O homem preguiçoso permite que os espinhos cubram o seu caminho e, assim, sente-se constantemente vexado por eles. Mas ele é por demais preguiçoso para limpar o caminho dos espinhos. Ver no *Dicionário* os artigos chamados *Preguiça* e *Preguiçoso*, e cf. com Pv 6.6, onde há notas de sumário sobre o tema da preguiça, conforme o livro de Provérbios. Ver também Pv 22.5. Esse versículo, além de ter a vereda do homem preguiçoso coberta de espinhos, também a apresenta como cheia de covas e armadilhas. O homem cultiva esse tipo de vida por sua inação e em breve se vê avassalado por tribulações, obstáculos e ansiedades, tudo autoinfligido. Quanto à *metáfora da vereda*, ver Pv 4.11; quanto ao *contraste entre o caminho do homem bom e o caminho do homem mau*, ver Pv 4.27. Ver também Pv 19.24.

Antítese. Em contraste, o homem diligente prepara um belo caminho asfaltado para viajar, e com seu labor remove dele todos os obstáculos. Ele dispõe de um caminho nivelado, literalmente, um caminho "levantado", feito por meio do soerguimento de baixadas e da remoção de obstáculos. Cf. Jr 18.15; Is 40.3; 49.11; 57.14. Ver também Pv 4.26. "A retidão remove do caminho as dificuldades e, mediante ações frequentes, forma hábitos próprios, como um caminho plano e bem percorrido, de modo que desapareçam dali as pedras de tropeço. Ver Sl 119.165" (Fausset, *in loc.*).

■ **15.20**

בֵּן חָכָם יְשַׂמַּח אָב וּכְסִיל אָדָם בּוֹזֶה אִמּוֹ׃

O filho sábio alegra a seu pai. Este provérbio é praticamente idêntico a Pv 10.1, exceto pelo fato de que aqui temos as fortes palavras "mas o homem insensato despreza a sua mãe", em vez de simplesmente entristecê-la com seus atos tresloucados. Ver as notas expositivas ali. A primeira linha métrica é igual. Aqui, pai e mãe são os progenitores biológicos, os primeiros professores do menino. As instruções ministradas são então continuadas pelos seus pais espirituais. A lei é o livro de texto de ambos. Os vss. 20 e 21 falam do impacto da sabedoria ou da insensatez na vida e no lar de uma pessoa. O amor, em um lar, traz paz (vss. 16 e 17), e a obediência traz alegria aos pais. Por outra parte, a insensatez é uma espécie de ódio contra a própria mãe, pois tende a destruí-la. Isso faz a vida de uma mãe que tem um "filho como aquele" ser uma vida miserável e repleta de vergonha. Essa ousada declaração nos apresenta a antítese da primeira.

■ **15.21**

אִוֶּלֶת שִׂמְחָה לַחֲסַר־לֵב וְאִישׁ תְּבוּנָה יְיַשֶּׁר־לָכֶת׃

A estultícia é alegria para o que carece de entendimento. O indivíduo insensato aprecia sua vida de desvios. Essa é a sua alegria. Algumas pessoas chegam mesmo a gloriar-se em sua vergonha (ver Fp 3.19). A insensatez tem um sentido ético. O insensato envolve-se em toda espécie de atos pecaminosos, e alguns desses atos redundam em alegria para o insensato. Cf. Pv 6.32 e 10.13. Ver também os vss. 13, 23 e 30 do presente capítulo, que servem para contrastar tipos de alegria. "A insensatez é demonstrada nas oportunidades dilapidadas e na comissão do mal (ver Pv 10.23), ao passo que o homem de compreensão dirige o seu caminho em consonância com a vontade de Deus" (Ellicott, *in loc.*). O insensato, como é natural, é o homem que não aprendeu a lei, e o pouco que conhece a respeito, ele não coloca em prática. O insensato é um ateu praticante, embora possa ter um conceito teórico de Deus. Ver Sl 14.1.

Antítese. Em contraste, o homem que da lei extrai sabedoria e compreensão, avança de maneira correta. Ver no *Dicionário* o verbete intitulado *Andar*. Esse homem se entristece quando se desvia do caminho da retidão (ver 2Co 7.10).

Anda retamente. O hebraico diz aqui, literalmente, "faz reto o seu avanço", e a palavra *yashar* tem um sentido ético, não um significado literal. Ver Pv 3.6 e 9.15. Ver a *metáfora da vereda*, em Pv 4.16, e ver sobre o *contraste dos caminhos bom e mau*, em Pv 4.27.

> *Eu sei, ó Senhor, que não cabe ao homem determinar o seu caminho, nem ao que caminha o dirigir os seus passos.*
> Jeremias 10.23

Jesus, além de ser o Caminho, é quem nos mostra o caminho. Ver no *Dicionário* o artigo chamado *Caminho*.

■ **15.22**

הָפֵר מַחֲשָׁבוֹת בְּאֵין סוֹד וּבְרֹב יוֹעֲצִים תָּקוּם׃

Onde não há conselho fracassam os projetos. Este provérbio é muito similar a Pv 11.14, cujas notas expositivas também se aplicam aqui. A referência primária, tal como se vê ali, parece ser o "alto conselho" dos reis e do reino. Mas a mesma regra se aplica aqui. Os planos dão errados (*Revised Standard Version*), a menos que haja um bom conselho para planejar as ações. Quanto a conselhos, que corresponde ao termo hebraico *sodh*, ver Pv 3.32. A maior parte das pessoas e grupos de pessoas formula planos, fórmulas e sucessos que dependem de certo curso de ação. Até o homem bom, algumas vezes, fica em dúvida sobre a vontade de Deus em uma situação particular. A oração entra em ação, mas também é valioso obter conselhos de terceiros, que podem ver ou antecipar as coisas, algo de que a própria pessoa aconselhada não é capaz. O homem que não tem essas vantagens provavelmente acaba desviando-se.

Por quatro vezes no livro de Provérbios é enfatizada a importância dos bons conselhos. Ver Pv 11.14; 15.22; 20.18 e 24.6. A primeira linha descreve o homem que precisa decidir sozinho as suas questões.

Antítese. Um homem isolado, que ore, já tem alguma ajuda; mas o homem que tenha um bom amigo para lhe dar conselhos ainda está em melhor situação. Mas o homem bom, que tem muitos conselheiros, é o que se acha na melhor posição possível, quando precisa tomar certas decisões importantes. Ver no *Dicionário* o artigo chamado *Vontade de Deus, como Descobri-la*. O homem que tem muitos conselheiros provavelmente é um rei ou elevado oficial que tem poder e dinheiro para atraí-los. No nível popular, os homens têm amigos que fazem seu melhor serviço na prestação de bons conselhos.

■ 15.23

שִׂמְחָה לָאִישׁ בְּמַעֲנֵה־פִיו וְדָבָר בְּעִתּוֹ מַה־טּוֹב:

O homem se alegra em dar resposta adequada. Cf. este provérbio com Is 50.4. Uma palavra oportuna, que ajude a outrem ou dê uma resposta certa a um crítico, é uma questão de alegria para aquele que sabiamente a profere. Fica compreendido que essas palavras oportunas são produto da erudição na lei de Moisés, o guia da fala de um homem. Os vss. 23, 30 e 33 começam com segundas linhas que ampliam as declarações iniciais e são sinônimas. Quanto a palavras apropriadamente proferidas, ver Pv 25.11,12. Essas palavras são douradas e brilhantes, como pedras preciosas. Uma boa resposta da língua pode ser uma inspiração do Senhor (ver Pv 16.1), mas a instrução geral na lei pode produzi-las.

> *A vossa palavra sempre seja agradável, temperada com sal, para saberdes como deveis responder a cada um.*
> Colossenses 4.6

Este versículo tem sido cristianizado para falar do testemunho do evangelho cristão, dando instruções espirituais no caminho de Cristo.

Sinônimo. Uma palavra sábia, dita no momento preciso, serve a um bom propósito e, assim sendo, é boa. O autor não define a questão, portanto devemos pensar em toda espécie de situações em que bons conselhos são dados. Cerca de cem provérbios falam sobre o uso apropriado e impróprio da linguagem. Ver Pv 4.24 e, especialmente, Pv 11.9 e 13, onde ofereço notas expositivas de sumário, com ilustrações. Ver também no *Dicionário* o artigo chamado *Linguagem, Uso Apropriado da*. Uma boa palavra é boa tanto para o homem que a profere quanto para o homem que a recebe. A fala foi planejada para ser beneficente, e não prejudicial. Aquilo que distingue os homens dos animais irracionais (a linguagem) deve ser algo nobre, e não aviltado. Cf. Pv 25.11. A palavra oportuna e boa é uma raridade, como as decorações feitas de ouro e prata.

■ 15.24

אֹרַח חַיִּים לְמַעְלָה לְמַשְׂכִּיל לְמַעַן סוּר מִשְּׁאוֹל מָטָּה:

Para o entendido há o caminho da vida que o leva para cima. O homem sábio, que conhece e obedece à lei, conforme ela é fomentada e interpretada pelas declarações da sabedoria, viaja pela vereda que o leva à vida. Sobre como a lei transmite vida, através da sabedoria que ela produz, ver Pv 4.13, onde apresento notas de sumário. Ver também Dt 4.1; 5.33; 6.2 e Ez 20.1. Quanto à lei mosaica como o guia do caminho, ver Dt 6.4 ss. Ver sobre a *metáfora da vereda*, em Pv 4.14; e, no *Dicionário*, ver o verbete chamado *Caminho*. Em Pv 4.27 contrasto os *caminhos bom e mau dos homens*.

Para cima. Estas palavras têm sido cristianizadas para significar "para cima, para o céu", ou seja, a vida eterna, para além-túmulo, mas dificilmente há alguma chance de ser isso que o autor do livro de Provérbios tinha em mente. Todavia, temos as narrativas das translações de Enoque e Elias, que, por outra parte, poderiam ter inspirado esse pensamento. Cf. Dn 12.2, que reflete o judaísmo posterior (punições e recompensas após a morte física). Provavelmente, para cima, neste caso, significa apenas para fora do sheol, que é concebido como um lugar no mundo inferior, porquanto um homem desce para o sepulcro. Ou então, devemos pensar que há um lugar mais elevado e mais nobre a seguir.

Sinônimo. O homem sábio toma o caminho para cima, para a vida, ou seja, escapa do caminho inferior, que conduz ao sheol, ao sepulcro, em que o corpo do indivíduo é sepultado no solo. Alguns eruditos veem aqui a referência ao sheol como se fosse um lugar (uma câmara) na terra, abaixo da superfície. Não sabemos dizer se a teologia do autor sagrado já havia atingido esse ponto, que se tornou uma das características do judaísmo posterior. A doutrina do sheol, conforme aconteceu a muitas outras, atravessou vários estágios de desenvolvimento. Dou um breve sumário dos estágios pelos quais essa doutrina passou, em Pv 5.5. Ver no *Dicionário* os artigos chamados *Sheol* e *Hades*. Contudo, o mais provável é que esteja em pauta aqui a "sabedoria que pode conservar uma pessoa livre da morte prematura, um ponto com frequência salientado no livro de Provérbios (ver Pv 3.2,16; 4.10; 9.11; 10.27; 14.27)" (Sid S. Buzzell, *in loc.*).

■ 15.25

בֵּית גֵּאִים יִסַּח יְהוָה וְיַצֵּב גְּבוּל אַלְמָנָה:

O Senhor deita por terra a casa dos soberbos. O orgulhoso pecador se imagina seguro, mas o Senhor enviará contra ele o castigo, por causa de seus pecados, e demolirá a sua casa (tudo quanto é importante para ele). Ver Pv 11.2 e 6.17 (olhos altivos), quanto a tiradas contra os orgulhosos. Cf. também Pv 13.10 e 14.3.

Soberbos. No hebraico, *ge'eh* (a mesma palavra usada em Pv 16.19), que vem da raiz *ga'ah*, "levantar", "suspender". A expressão é extraída dos olhares tipicamente orgulhosos e da cabeça erguida dos arrogantes (ver Pv 6.17). Ver Pv 14.11 quanto à destruição das casas dos pecadores.

Antítese. Em contraste com a demolição das casas dos indivíduos arrogantes, o Senhor estabelece ou mantém (*Revised Standard Version*) a casa das viúvas. Aqui o autor fala das suas fronteiras, ou seja, dos limites de suas terras, que fazem parte da herança de sua família. Ver Dt 19.14. As terras eram conservadas pelas famílias, mas as viúvas tornavam-se vulneráveis diante dos que se apossavam fraudulentamente das terras. Ver também Dt 17.17; Jó 24.2 e Os 5.10.

■ 15.26

תּוֹעֲבַת יְהוָה מַחְשְׁבוֹת רָע וּטְהֹרִים אִמְרֵי־נֹעַם:

Abomináveis são para o Senhor os desígnios do mau. Até mesmo aquilo que o homem mau pensa, irrita a Yahweh, que abomina tais pensamentos. Ver Pv 11.1 quanto às abominações. Cf. Pv 15.8,9. Os maus desígnios dos pecadores são logo postos em ação, visto que a mente é o construtor.

> *Como imagina em sua alma, assim ele é.*
> Provérbios 23.7

O Senhor detesta tudo quanto diz respeito ao pecador, como os seus sacrifícios (suas observâncias religiosas, se houver alguma; vss. 8 e 9 deste capítulo) e até os seus pensamentos. No entanto, Deus ama o pecador (Jo 3.16) e o salva por meio da missão de Cristo. O vs. 11 do presente capítulo diz-nos que todas as coisas estão abertas diante do Senhor, até os lugares misteriosos, como o sheol e o abaddon (vs. 11), e, portanto, quanto mais franqueado diante do Senhor está o coração dos homens! Ver no *Dicionário* o artigo chamado *Onisciência*.

Antítese. As palavras dos homens puros agradam o Senhor, e assim, como é natural, Deus se sente feliz diante delas, em contraste com os pensamentos abomináveis dos malignos. As palavras se originam dos pensamentos, pelo que, como é óbvio, Yahweh também tem prazer nos pensamentos dos homens bons.

> *Tudo o que é verdadeiro, tudo o que é respeitável; tudo o que é justo, tudo o que é puro; tudo o que é amável, tudo o que é de boa fama; se alguma virtude há e se algum louvor existe, seja isso o que ocupe o vosso pensamento.*
> Filipenses 4.8

Ver também Sl 19.14, um paralelo direto da segunda linha do presente provérbio, e ver também Ml 3.16.

■ 15.27

עֹכֵר בֵּיתוֹ בּוֹצֵעַ בָּצַע וְשׂוֹנֵא מַתָּנֹת יִחְיֶה:

O que é ávido por lucro desonesto transtorna a sua casa. Cf. a primeira linha deste provérbio à segunda linha do vs. 6. O homem ganancioso obtém o que quer: riquezas. Mas estas se tornam uma maldição para ele. Presumivelmente, o homem ávido por lucro (ver o vs. 6) é também uma pessoa ímpia que não hesita em aplicar métodos desonestos e ilegais (ou mesmo violentos) para conseguir o que quer. Mas Deus o amaldiçoa conforme amaldiçoou Acã (ver Js 7.25, onde uma expressão parecida, "conturbar", foi usada). Aquele homem conturbou Israel com seu ato ganancioso. "Um pai desonesto, ao prover o necessário para a sua família, mediante meios injustos ou violentos, eventualmente fará sua esposa e seus filhos sofrer (cf. a conturbação com Pv 11.29 e 15.6)" (Sid S. Buzzell, *in loc.*).

Antítese. O homem que não aceita subornos (rejeitando o dinheiro fácil) haverá de viver, porquanto é homem sábio (ver Pv 4.13). Esta porção do versículo sugere que o homem ímpio usa os subornos recebidos para juntar riquezas, e então, quando já tem dinheiro suficiente, usa esse dinheiro para obter poder e escapar à punição merecida por quaisquer atos maus que tenha cometido.

"São aqui condenados os meios inescrupulosos e injustos para obter riquezas materiais, especialmente subornos dados a oficiais públicos" (Charles Fritsch, *in loc.*).

O homem sábio, ao aplicar o seu discernimento de muitas maneiras, prolongará a sua vida, ao passo que o homem ímpio sofrerá de morte prematura.

■ **15.28**

לֵב צַדִּיק יֶהְגֶּה לַעֲנוֹת וּפִי רְשָׁעִים יַבִּיעַ רָעוֹת׃

O coração do justo medita o que há de responder. O sábio é sábio até quanto à maneira de falar. Ele não dispara precipitadamente qualquer coisa que pensa, conforme faz o insensato. Pelo contrário, ele estuda (*King James Version*) o que deve dizer; pondera o que dirá (*Revised Standard Version*). Depois de haver meditado (conforme o verbo usado em nossa versão portuguesa), então ele profere uma palavra apropriada, algum conselho, algum discurso sobre determinado tema. Cf. o vs. 23 e Pv 25.11. Cerca de cem provérbios dizem respeito ao uso próprio e impróprio da fala. Ver Tg 3.2 ss. quanto a um bom discurso sobre o assunto. Ver Pv 11.9 e 13 quanto a notas de sumário sobre a questão, no livro de Provérbios. Ver então, no *Dicionário*, o verbete intitulado *Linguagem, Uso Apropriado da.*

Medita. Trata-se da mesma palavra usada em Sl 1.2, para a meditação do homem bom na lei de Moisés, o que faz noite e dia. Conhecer e praticar a lei torna um homem sábio, inspirando-o a falar com sabedoria, sem precipitações.

Antítese. Em contraste com a linguagem cautelosa do homem sábio, a boca do insensato enche-se de absurdos, ditos precipitadamente, sem reflexão anterior, prejudicando a todos quantos o ouvem. Ele é um homem ímpio e diz coisas iníquas. Ver o vs. 2 deste capítulo, onde a mesma palavra, "derrama" (em nossa versão portuguesa, "transborda"), é usada, e no mesmo contexto da conversa tola dos ímpios. Ver algo similar em Pv 10.19.

■ **15.29**

רָחוֹק יְהוָה מֵרְשָׁעִים וּתְפִלַּת צַדִּיקִים יִשְׁמָע׃

O Senhor está longe dos perversos. Para os homens ímpios, Deus é um Deus deísta. Ele é o Criador do homem, mas mantém-se distante. Naturalmente, ele se aproxima vez por outra para punir e fazer justiça. A oração do ímpio não é ouvida, ainda que, em um momento de crise, certamente ele ore. Até os ateus buscam Deus na noite escura da alma e, assim sendo, tornam-se ateus praticantes. Os olhos do Senhor estão em todos os lugares ao mesmo tempo (vs. 3), até em lugares misteriosos, como o sheol e o abaddon (vs. 11), pelo que o Senhor não se mantém indiferente para com o homem mau e seus pecados. Mas, no que tange ao bem, Deus se mantém distante e não o abençoa espiritualmente. Deus detesta os pecados desse homem (vss. 8,9,26) e, assim sendo, mantém-se afastado da corrupção malcheirosa.

Antítese. Em contraste, Deus é um Deus teísta para o homem bom. Ele é o seu Criador e não o abandonou. Pelo contrário, Deus ouve as suas orações e provê sempre para as necessidades e desejos daquele homem. Ver no *Dicionário* o artigo chamado *Oração* e também os verbetes intitulados *Teísmo* e *Deísmo.* Cf. esta segunda linha métrica com Sl 34.15,17; 1Pe 3.12. As orações do homem bom, por sua vez, agradam o Senhor (ver Pv 15.8) e, de fato, são seu deleite, pelo que não há maneira de o Senhor não responder favoravelmente.

■ **15.30**

מְאוֹר־עֵינַיִם יְשַׂמַּח־לֵב שְׁמוּעָה טוֹבָה תְּדַשֶּׁן־עָצֶם׃

O olhar de amigo alegra o coração. Uma pessoa qualquer está trazendo boas-novas, e seus olhos rebrilhantes já prenunciam, àquele que ouvirá essas notícias, que tal pessoa é mensageira de boas-novas ou encorajamento. Portanto, a pessoa prestes a ouvir o relatório já está regozijando-se.

Esta parte do versículo tem sido espiritualizada e cristianizada para apontar para a luz do rosto de Deus, que incide sobre os homens a fim de abençoá-los (ver Sl 4.6; 39.6; Nm 6.26). Além disso, temos a considerar o favor da missão de Cristo, que nos ilumina a face com *Alegria* (ver a respeito no *Dicionário*).

Sinônimo. Um bom relatório refrigera os ossos de uma pessoa, isto é, todo o seu ser. Quanto ao emprego metafórico do termo *ossos*, ver Pv 3.8 e 14.30. Ver sobre esse termo no *Dicionário*, quanto a detalhes. O hebraico, de forma literal, diz que tal relatório torna os ossos da pessoa gordos, isto é, saudáveis. "Faz bem ao coração ver alguém cujos olhos brilham de felicidade" (Ellicott, *in loc.*). Ver Pv 3.8 quanto à saúde dos ossos. Cf. Pv 12.25 e 16.24.

■ **15.31**

אֹזֶן שֹׁמַעַת תּוֹכַחַת חַיִּים בְּקֶרֶב חֲכָמִים תָּלִין׃

Ouvidos que atendem à repreensão salutar... O homem que é aprovado só pode chegar a esse lugar sendo, primeiramente, reprovado, e isso por muitas vezes. Ele deve ouvir ordens e instruções, tanto negativas quanto positivas, antes que possa chegar a qualquer grau de erudição e sabedoria. Seus pais, que foram seus primeiros mestres, e então seus pais espirituais (os professores que se seguem) cuidarão para que ele obtenha uma dose completa de ensino. A pior coisa que um homem pode fazer é ter os ensinos mas não os transmitir a seus filhos. Além disso, há três coisas que um pai deve a seus filhos: exemplo, exemplo, exemplo. A lei mosaica é seu manual de instruções e tem muitos mandamentos negativos e positivos. As declarações de sabedoria fomentam e interpretam os preceitos da lei de Moisés. Aqueles que os aprendem obtêm a sabedoria como resultado natural. Porém, o ouvido do aprendiz deve manter-se atento às repreensões e instruções de seu mestre. O ouvido representa o homem: esse é o seu aparelho de escuta, mas é o homem, em sua inteireza, que recebe as instruções.

Sinônimo. A reprimenda e a instrução, como instrumentos da sabedoria, transmitem vida. Ver Pv 4.13 e Dt 4.1; 5.33; 6.2 e Ez 20.1. Por transmitirem vida, essas instruções são chamadas de *repreensão salutar*. O homem que continua ouvindo (ver Pv 4.20) torna-se então sábio e pode assumir lugar entre os sábios. Eles serão sempre a sua companhia. Cf. Pv 19.25. Ele permanecerá entre essas instruções, ou seja, fixará residência com elas.

Este provérbio consiste em uma única sentença, mas, conforme vimos acima, podemos dividi-lo em declarações sinônimas. Em inglês temos uma afirmação semelhante:

Os conselhos destinam-se àqueles que os recebem.

■ **15.32**

פּוֹרֵעַ מוּסָר מוֹאֵס נַפְשׁוֹ וְשׁוֹמֵעַ תּוֹכַחַת קוֹנֶה לֵּב׃

O que rejeita a disciplina menospreza a sua alma. A principal coisa é obter a disciplina, a correção moral (no hebraico, *musar*, cf. os vss. 5 e 10 deste mesmo capítulo), porque o homem que se recusa a fazê-lo despreza a si mesmo e negligencia os seus melhores interesses. A lei de Moisés é o manual que nos mostra a disciplina. O homem que negligencia a lei negligencia a própria pessoa. E aquele que ignora a disciplina odeia e prejudica a si mesmo (ver Pv 8.36).

Antítese. Um homem bom é sábio por demais para ignorar a lei e promover a própria destruição. Ele dará ouvidos às instruções negativas (repreensões) e positivas da lei e assim escapará da vereda prejudicial do homem desregrado. Ele obterá compreensão e esperteza, no bom sentido. O termo hebraico literal para a compreensão, neste passo bíblico, é *coração*. Esse homem desenvolverá coração sensível às instruções divinas. Ver Pv 4.23 quanto a como esse vocábulo é usado no livro de Provérbios.

Dá-me teu coração, diz o Pai lá em cima,
Nenhum dom é tão precioso para ele como o nosso amor.
Suavemente ele sussurra, onde quer que estejas,
Agradecido, confia em mim e dá-me o teu coração.

Eliza E. Hewitt

15.33

יִרְאַת יְהוָה מוּסַר חָכְמָה וְלִפְנֵי כָבוֹד עֲנָוָה׃

O temor do Senhor é a instrução da sabedoria. Uma vez mais, o autor sagrado retorna ao lema do livro, "o temor do Senhor". Ver a nota de sumário sobre essa questão, em Pv 1.7 e Sl 119.38. Ver também, no *Dicionário*, o artigo chamado *Temor*, quanto a detalhes. Esse temor consiste em instrução e sabedoria, ou seja, o "princípio da sabedoria", conforme encontramos em Pv 1.7. A base do temor do Senhor é a lei de Moisés. Ela deve ser conhecida e seguida, pois é então que o indivíduo obtém a espiritualidade segundo os moldes do Antigo Testamento, que é apenas um outro nome para o temor do Senhor. A disciplina conduz-nos a esse temor augusto.

Sinônimo. O temor do Senhor nos ensina, entre muitas outras coisas, que a humildade vem antes da honra. O estudante começa a tomar suas lições na lei de Moisés. Ele se mostra humilde diante de seus mestres. Obtém mais e mais sabedoria e, finalmente, é honrado, ocupando lugar entre os sábios (vs. 31). E então, sábio como é, ao tomar seus próprios discípulos, ele é honrado. Esse mesmo processo é apropriado para qualquer indivíduo que começa humildemente e progride a um lugar de poder, autoridade e honra. Cf. Lc 1.52, que diz: "Derrubou dos seus tronos os poderosos e exaltou os humildes".

Quanto a um contraste entre o orgulho e a humildade, ver Pv 11.2; 13.10; 14.3; 15.25. "A humildade, que faz parte necessária do temor do Senhor, leva à honra. Essa assertiva é repetida em Pv 18.12b" (Charles Fritsch, *in loc.*).

Este versículo tem sido cristianizado para lembrar-nos de como o próprio Cristo subiu da humildade à honra (Fp 2.6 ss.) e assim deixou exemplo para ser seguido por todos os seus discípulos.

CAPÍTULO DEZESSEIS

A passagem de Pv 16.1—22.16 tem 191 versículos. A maior parte deles é composta de comparações (paralelos sinônimos), ou de termos, chamados *paralelismos sintéticos*. Existem alguns poucos exemplos de paralelismos antitéticos, que é o tipo que domina Pv 10.1—15.33, a primeira parte dos provérbios de Salomão. Seja como for, o autor continua as usuais duas linhas em cada provérbio, que são chamadas *linhas métricas*. Os primeiros versículos do capítulo 16 mostram a dependência do homem a Deus. "Embora o homem seja poderosamente encorajado em Provérbios, a fim de adquirir sabedoria, nem por isso ele é liberado da dependência ao Senhor" (Sid S. Buzzell, *in loc.*).

Não há nenhuma interrupção entre os capítulos 15 e 16. Apresento uma nota de introdução a esta seção, Pv 10.1—22.16 (a primeira coletânea dos provérbios de Salomão), em Pv 10.1.

PROVÉRBIOS QUE EXALTAM A VIDA RETA (16.1—22.16)

16.1

לְאָדָם מַעַרְכֵי־לֵב וּמֵיְהוָה מַעֲנֵה לָשׁוֹן׃

O coração do homem pode fazer planos. Os vss. 1-7 têm forte nota espiritual, e o nome do Senhor é empregado em cada caso. Considere o leitor estes dois pontos:

1. É o Senhor quem inspira os planos ou pensamentos do coração humano, pelo que há algo de divino naquilo que cada pessoa tenta fazer.
2. Mas alguns intérpretes fazem esses planos ser inteiramente humanos, e então a resposta certa, embora saindo da língua humana, vem do Senhor. Portanto, este versículo tem sido entendido como pertencente simultaneamente aos tipos sinônimo e antitético. Cf. a questão sobre o coração com Pv 15.32. O homem que ouve as instruções positivas e negativas (repreensão) é aquele que

honra os seus mestres. Esse homem obtém um coração sensível. É a lei mosaica que leva o indivíduo a esse resultado, e a lei veio da parte de Deus. Esse conceito concorda com a primeira das duas interpretações dadas aqui. Mas ver Pv 16.9, que concorda com a segunda interpretação.

Ninguém pode vir a mim se o Pai que me enviou não o trouxer.

João 6.44

"O Senhor é que provê as respostas certas, espertas, o uso próprio da linguagem, na solução de problemas ou nas repreensões. Ver Pv 15.23b, que é essencialmente a mesma coisa. Deus, em sua soberania, prevalece sobre o homem (cf. Pv 16.9). O coração e a fala de uma pessoa estão intimamente relacionados (ver Pv 4.23,24)" (Sid S. Buzzell, *in loc.*). Cerca de cem provérbios tratam do uso próprio e impróprio da língua. Ver Tg 3.2 ss. e também, no *Dicionário*, o verbete chamado *Linguagem, Uso Apropriado da*.

O Targum apoia o uso antitético deste primeiro versículo: "Do homem sai o conselho do coração, e do Senhor sai a fala da língua". Alguns interpretam o segundo princípio como se ele ensinasse que Deus controla a língua do homem para operar a sua vontade, e até usou, em um caso, a língua de um jumento. Ver os casos de Caifás e de Balaão.

16.2

כָּל־דַּרְכֵי־אִישׁ זַךְ בְּעֵינָיו וְתֹכֵן רוּחוֹת יְהוָה׃

Todos os caminhos do homem são puros aos seus olhos. Os homens, mediante a manipulação dos padrões, e mediante preconceitos francos em seu próprio favor, chegam a pensar que seus caminhos são sempre puros. No entanto, ao assim fazerem, esquecem as rígidas demandas da lei, que são o verdadeiro padrão de avaliação. Pv 21.2 duplica o provérbio deste versículo, mas substitui a palavra "puro" por "reto". Aben Ezra, a Septuaginta e as versões árabes, entretanto, apresentam uma tradução bastante diferente. Em primeiro lugar, o homem é um homem humilde; em segundo lugar, os seus caminhos são puros perante os olhos de Yahweh. Isso fazia a segunda linha ser sinônima da primeira, e não antitética. Ou a Septuaginta (bem como as outras traduções, que, evidentemente, dependeram da mesma fonte informativa) interpretou livremente o hebraico original ou então baseou-se em manuscritos hebraicos que se perderam. Algumas vezes, a Septuaginta preserva algum texto superior ao manuscrito hebraico posterior, que foi empregado para perfazer o texto massorético. Ver sobre *Massora (Massorah): Texto Massorético*, no *Dicionário*. Ver também, ali, o verbete chamado *Septuaginta*. Os próprios manuscritos hebraicos antigos, os Papiros do Mar Morto, algumas vezes concordam com a Septuaginta e discordam do texto massorético, embora a porcentagem seja bastante pequena. Ver no *Dicionário* o artigo *Manuscritos Antigos do Antigo Testamento*, que incluem informações sobre como os textos são escolhidos quando aparecem variantes. E ver também o artigo chamado *Mar Morto, Manuscritos (Rolos) do*.

Antítese. Se o caminho de um homem é puro e certo aos seus próprios olhos, seus juízos tendem a ser incorretos. É o Senhor quem pesa o espírito. Ele sabe não apenas como um homem age, mas também conhece os motivos por trás desses atos. Os homens são julgados à base do que e do por que fazem. Ver Pv 17.3; 21.2. O Senhor lê o coração humano, e não meramente os atos humanos. Ver Mt 6.4,8,18. O homem que tem uma vida limpa, mas um coração imundo, não será inculpável diante de Deus. Jesus tinha a mesma percepção. Ver Mt 5.21,22,27,28,33,34,38,39,43,44.

Quem há que possa discernir as próprias faltas? Absolve-me das que me são ocultas.

Salmo 19.12

16.3

גֹּל אֶל־יְהוָה מַעֲשֶׂיךָ וְיִכֹּנוּ מַחְשְׁבֹתֶיךָ׃

Confia ao Senhor as tuas obras. O homem depende de Yahweh, conforme enfatizam os primeiros versículos deste capítulo. O nome divino, *Yahweh*, aparece em cada um dos vss. 1-7. As coisas estão debaixo de seu escrutínio e controle. Assim sendo, um homem precisa entregar suas ações ao Senhor, para que tenham cumprimento e sejam efetuadas da maneira certa. O que é dito aqui aplica-se a todos os labores humanos, mas principalmente ao labor espiritual de obter sabedoria por meio da lei, conforme esta é fomentada e interpretada pelas declarações da sabedoria; e isso tem de ser cumprido segundo a orientação e o poder dados pelo Senhor. Nenhuma pessoa pode tornar-se sábia mediante seus próprios esforços isolados. Assim como as palavras vêm da parte de Yahweh, se tiverem de ser aptas e benéficas (vs. 1), outro tanto sucede às ações de uma pessoa.

Confia ao Senhor. O hebraico diz aqui, de maneira pitoresca, literalmente: "Rola tuas obras ao Senhor". A figura é a de um homem que rola sua carga sobre um camelo, estando esse animal em posição de joelhos. Uma vez que a carga seja rolada sobre o animal, então a viagem pode começar. Um camelo pode carregar a carga; o homem não pode. Outro tanto acontece às obras do homem. O homem bom precisa da assistência divina para estabelecer a sua missão. Oh, Senhor, concede-nos tal graça!

Sinônimo. O Senhor estabelece (faz acontecer) os planos de um homem, se esse homem rola suas obras sobre ele. Isso posto, o Senhor está nos planos e nas obras de um homem. E então as coisas começam a acontecer conforme devem.

> *Confirma sobre nós as obras de nossas mãos, sim, confirma a obra das nossas mãos.*
>
> Salmo 90.17

O trabalho começa e termina no Senhor, pelo que, com ele, o que tiver que ser feito será feito, e isso da maneira certa. Cf. 1Co 3.9 e 2Co 6.1. Ver também Sl 37.5 e 55.22.

■ 16.4

כֹּל פָּעַל יְהוָה לַמַּעֲנֵהוּ וְגַם־רָשָׁע לְיוֹם רָעָה׃

O Senhor fez todas as cousas para determinados fins. Este versículo é, naturalmente, extremamente calvinista. Deus aparece aqui como quem controla todas as coisas, e todas as coisas existem para ele, para o seu prazer, para cumprimento dos seus planos. E o paralelo sinônimo é: "até o perverso para o dia da calamidade". Que o leitor acompanhe estes comentários:

1. O dia da calamidade, de conformidade com a teologia da época em que o livro de Provérbios foi escrito, nada tinha que ver com a punição eterna ou com a retribuição para além do sepulcro. Isso aponta para uma morte prematura e/ou violenta. Assim sendo, se o versículo tem um tom calvinista, na realidade não diz o que afirmam certos teólogos cristãos de hoje em dia. A doutrina de recompensa e punição para além-túmulo pertence a um judaísmo posterior, refletido em Dn 12.2.
2. Contudo, dizer que faz parte do governo de Deus planejar e executar a morte física de certa porção dos homens é, realmente, um conceito muito duro. Isso é verdade, porquanto temos de assumir que todas as chamadas ao arrependimento, feitas aos ímpios (a esperança de que eles mudem seus caminhos e alcancem uma vida longa, próspera e saudável), serão anuladas. É perfeitamente inútil, pois, convidar os homens para que se arrependam, pois eles são incapazes disso. Isso faz de toda essa questão de ser humano algo bastante ridículo, como também torna outras Escrituras igualmente ridículas, embora elas tenham um tom muito esperançoso.
3. A solução para esse problema é, realmente, bastante simples: a teologia dos hebreus era deficiente. Essa teologia fazia de Deus a única causa, além de ser fraca quanto a causas secundárias. Assim sendo, se Deus é a única causa, então, como é óbvio, os homens maus foram criados por Deus como maus, e, ademais, Deus os mata por puro esporte, devido à sua maldade! Essa mesma deficiência passou para o calvinismo. Mas, agora, as coisas aparecem como realmente más, porquanto o dia da calamidade é o eterno dia do julgamento, em que os homens sofrerão nas chamas para todo o sempre. Sabemos que as chamas do hades foram acesas no livro apócrifo de 1Enoque, e dali, infelizmente, entraram em alguns lugares do Novo Testamento. Digo infelizmente, porque há uma teologia melhor no Novo Testamento, que ultrapassa essa antiga e deficiente, que também foi transferida para o Novo Testamento. 1Pe 3.18—4.6 até declara que Cristo pregou o evangelho no próprio hades, o que, realmente, é algo bastante diferente do que diz o presente versículo. Ver na *Enciclopédia de Bíblia, Teologia e Filosofia* o verbete chamado *Descida de Cristo ao Hades*.

Foi um erro importar as deficiências teológicas dos hebreus para o Novo Testamento, mas é bom saber que outras ideias ultrapassaram essas deficiências. Uma teologia melhor anulou essas deficiências.

> Somos para os deuses o que as moscas são para os meninos. Eles nos matam por puro esporte.
>
> Shakespeare

Parece-me que qualquer homem que pensa pode ver isso como uma teologia má.

4. Existem muitas causas secundárias em operação. Os homens maus tornaram a si mesmos maus. Eles são causas secundárias que se mostram contrárias à causa divina. Tais homens provocam sua própria morte miserável.
5. Além disso, a teologia dos hebreus também inventou o Deus voluntarista, que opera pelos caprichos de sua vontade, ignorando a razão. Se Deus quiser alguma coisa, isso estará correto, a despeito do que pensamos sobre a moralidade do que for feito. Mas, meus amigos, esse tipo de Deus, que brinca com a justiça, a misericórdia e o amor, não é o Deus do Novo Testamento. Ver na *Enciclopédia de Bíblia, Teologia e Filosofia* o artigo chamado *Voluntarismo*, quanto a completas informações.
6. Fico espantado por ver algumas de minhas fontes informativas distorcendo o presente versículo para tirar dele o horrível calvinismo extremado. Mas isso é uma desonestidade, buscando harmonizar a própria doutrina com uma posição prévia, a qualquer preço. Também me espanta ver algumas de minhas fontes informativas inclinando-se tão humildemente diante de uma teologia má, e até concordando que Deus pode ser esse tipo de Deus voluntarista. Elas falam sobre mistérios que não entendemos. Contudo, não há aqui nenhum mistério. Há somente uma teologia deficiente que os melhores aspectos do Novo Testamento abandonaram há muito tempo, o que também devemos fazer.
7. Portanto, digo, permitamos aos textos sagrados ensinarem o que realmente ensinam. Não os distorçamos. Deixemo-los onde e como estão. É tão terrível que essa seja a própria refutação deles. Não nos sintamos responsáveis por isso. Ademais, desde quando usamos versículos do Antigo Testamento para ensinar a teologia cristã?

■ 16.5

תּוֹעֲבַת יְהוָה כָּל־גְּבַהּ־לֵב יָד לְיָד לֹא יִנָּקֶה׃

Abominável é ao Senhor todo arrogante de coração. Pessoas de coração orgulhoso são abomináveis ao Senhor. Ver Pv 11.1 quanto a essa palavra; compará-la com Pv 15.8,9,26. Quanto aos orgulhosos, ver Pv 11.2 e cf. Pv 11.20,21 e 13.10, e, quanto aos olhos altivos, ver Pv 14.3. Notas expositivas adicionais também aparecem em Pv 6.17 e 15.25. Ver no *Dicionário* o artigo chamado *Orgulho*, quanto a detalhes e ilustrações.

Sinônimo. Os pecadores orgulhosos certamente receberão retribuição divina contra suas atitudes e atos. O autor queria dar a entender calamidades e, finalmente, morte violenta e/ou prematura, o que era extremamente temido pelos hebreus. Diz o Targum: "Ele não conseguirá livrar-se do mal".

■ 16.6

בְּחֶסֶד וֶאֱמֶת יְכֻפַּר עָוֹן וּבְיִרְאַת יְהוָה סוּר מֵרָע׃

Pela misericórdia e pela verdade se expia a culpa. O pecado pode ser expiado, e nessa expiação estão envolvidos o amor constante e a fidelidade de Deus. Essas virtudes divinas estão por trás dos sacrifícios de animais que eram oferecidos como expiação. Embora devamos compreender os sacrifícios envolvidos, este versículo assume um tom superior, não cerimonial, o que é um passo dado na direção do Novo Testamento. "Neste versículo, a expiação é levantada do campo cerimonial (sacerdotal) e posta na esfera moral (profética) de ação. Cf. Os 6.6. Quanto ao amor e à verdade constantes, ver Pv 3.3. O pecado, por ocasião da expiação, é coberto (no hebraico, *yekhuppar*), segundo a terminologia hebraica comum ligada à expiação. Ver no *Dicionário* o artigo chamado *Expiação*, quanto a detalhes.

Sinônimo. Uma vez que os pecados de um homem são cobertos, ele então prossegue avançando na espiritualidade, ou seja, no "temor do Senhor" (ver a nota de sumário em Pv 1.7). O temor do Senhor é o lema do livro e também um tema muito repetido. Ver Sl 119.38; e, no *Dicionário*, o verbete chamado *Temor*, quanto a detalhes. Um homem "não deve continuar no pecado. Ele deve evitar o mal (cf. Pv 16.17), por meio do temor do Senhor" (Sid S. Buzzell, *in loc.*).

Que diremos, pois? Permaneceremos no pecado, para que seja a graça mais abundante? De modo nenhum.

Romanos 6.1,2a

■ 16.7

בִּרְצוֹת יְהוָה דַּרְכֵי־אִישׁ גַּם־אוֹיְבָיו יַשְׁלִם אִתּוֹ׃

Sendo o caminho dos homens agradável ao Senhor... O homem bom, que agrada ao Senhor, tem grandes vantagens para si mesmo, para seus amigos e até para seus inimigos. Cf. Jr 39.12. Uma sentença contínua inclui a linha de sinônimo: "este reconcilia com ele os seus inimigos". Essa, naturalmente, é uma condição esperançosa e ideal, que não é obtida com frequência. Cf. Gn 16.28 e 2Cr 17.10,11 com o presente versículo. "Deus opera em favor deles, levantando-lhes amigos e até transformando inimigos em amigos" (Adam Clarke, *in loc.*). Abimeleque tornou-se amigo de Isaque, e até mesmo Jacó, Labão e Esaú, finalmente, tornaram-se amigos (ver Gn 31.24,29,44,45; 33.1-4).

■ 16.8

טוֹב־מְעַט בִּצְדָקָה מֵרֹב תְּבוּאוֹת בְּלֹא מִשְׁפָּט׃

Melhor é o pouco havendo justiça. Pv 15.16 é paralelo direto deste provérbio, e as notas expositivas ali também se aplicam aqui. Se tornar-se rico por causa da bondade era o ideal dos hebreus, isso nem sempre era conseguido. De fato, era o homem ruim e corrupto que terminava rico, por meios ilegais e violentos, que é a linha sinônima: "do que grandes rendimentos com injustiça". Em tais casos, o consolo é que o homem bastante pobre aprende a contentar-se com o pouco que possui, ao passo que o homem rico enfrentará tribulações por causa de riquezas mal ganhas. Presume-se que a retidão do homem pobre pelo menos lhe dará vida longa e desfrutável, como compensação por não ser muito abastado. Quanto ao ganho desonesto, cf. Pv 10.2,16; 13.11 e 15.27.

■ 16.9

לֵב אָדָם יְחַשֵּׁב דַּרְכּוֹ וַיהוָה יָכִין צַעֲדוֹ׃

O coração do homem traça o seu caminho. Um homem é capaz de fazer planos com os quais dá direção à sua vida, o que é um paralelo possível com Pv 16.1a (que pode ter um significado diferente; ver as notas ali). Espera-se que usemos nossos poderes de raciocínio, tentando fazer o melhor que estiver ao nosso alcance; mas o homem espiritual não se contentará somente com isso. Ele continuará orando, pedindo direção e ajuda.

Antítese. O poder real por trás das cenas é o Senhor, que invade a vida de um homem e assume o controle, dando-lhe orientação. Isso posto, vemos a verdade da declaração popular, que diz:

O homem propõe, mas Deus dispõe.

Este versículo pode dar a entender experiências místicas, o modo direto de Deus nos dar sonhos, visões e outros discernimentos intuitivos. Mas sempre haverá a lei, que é o guia do povo judeu (ver Dt 6.4 ss.), em muitas situações da vida diária. E essa lei veio de Deus, pelo que serve de instrumento de orientação em suas mãos. Ver no *Dicionário* o verbete intitulado *Misticismo*. Um homem bom não fica sem testemunho da parte de Deus.

O Senhor lhe dirige os passos. Está em foco cada elemento do *andar* do indivíduo (ver no *Dicionário* a respeito).

O Senhor firma os passos do homem bom, e no seu caminho se compraz.

Salmo 37.2)

Ver no *Dicionário* o verbete chamado *Vontade de Deus, como Descobri-la.*

■ 16.10

קֶסֶם עַל־שִׂפְתֵי־מֶלֶךְ בְּמִשְׁפָּט לֹא יִמְעַל־פִּיו׃

Nos lábios do rei se acham decisões autorizadas. Nesta altura do capítulo 16 de Provérbios encontramos vários versículos que tratam da realeza. Há muitas referências nas declarações de sabedoria sobre esse assunto. Ver os vss. 10-15; 8.15; 14.28; 19.12; 20.2,8,26,28; 21.1; 22.11; 23.1-3; 24.21,22; 25.2-7; 28.15,16; 29.2,4,12,14; 30.22,27,31; 31.2-8. Usualmente, há menção aos reis de Israel, mas algumas vezes as referências parecem ser aos reis em geral (ver Pv 8.15; 30.22; 31.4).

Um bom rei pode ser quase uma figura profética, tendo os oráculos do Senhor em seus lábios. Ou seja, ele recebe uma espécie de iluminação divina que lhe diz o que falar e como agir visando o benefício do seu reino. Esse homem toma "decisões inspiradas". O vocábulo hebraico por trás dessa expressão é *qesem*, que usualmente significa "adivinhação", "predição", em um mau sentido. Somente aqui e em Dt 18.10 é que essa palavra hebraica adquire sentido positivo. O texto fala sobre direção propícia, e não sobre infalibilidade, que alguns intérpretes tentam impor sobre o texto.

Sinônimo. O rei bom fala oráculos positivos, e a sua boca não peca nos juízos que emite. Cerca de cem provérbios tratam do uso próprio e impróprio da linguagem. Ver sobre isso em Pv 11.9 e 13, onde apresento ideias, referências e ilustrações. Cf. este versículo com Dt 17.18-20. Ali a lei de Moisés figura como o guia das palavras e das ações, e o bom rei deve ser bem treinado na lei de Moisés. Ver Dt 6.4 ss. quanto à lei como guia. O jovem Salomão anelava receber tal orientação, por meio de preceitos ou diretamente (ver 1Rs 3.9). Foi-lhe dada grande medida de sabedoria, da qual ele, contudo, acabou abusando. Cf. as nobres palavras de Davi, em 2Sm 23.3. Ver no *Dicionário* o verbete intitulado *Sabedoria.*

■ 16.11

פֶּלֶס וּמֹאזְנֵי מִשְׁפָּט לַיהוָה מַעֲשֵׂהוּ כָּל־אַבְנֵי־כִיס׃

Peso e balança justos pertencem ao Senhor. "Deus é quem ordena a maquinaria das transações" (Toy, *in loc.*). "O Senhor é quem concede todas as balanças e pesos, uma ideia paralela em fontes egípcias" (Charles Fritsch, *in loc.*). Este versículo é paralelo direto de Pv 11.1, onde apresento anotações que também se aplicam aqui. Ver também Pv 20.10,23, assim como a legislação mosaica sobre o assunto, em Lv 19.35,36 e Dt 25.13-15. As notas expositivas em Pv 11.1 dão detalhes que deixo de lado aqui. "O emprego de pesos e medidas desonestos era uma desobediência tanto a Deus quanto ao rei" (Sid S. Buzzell, *in loc.*). O tesouro do rei continha os pesos padrões (originalmente feitos de pedras), bem como medidas que tinham de ser duplicadas com precisão lá fora". Ver no *Dicionário* o artigo chamado *Balanças*.

Os pesos da bolsa. Ao que tudo indica, temos aqui uma alusão à bolsa ou sacola que, originalmente, era mantida no santuário e continha os pesos padrões, aos quais as cópias precisavam conformar-se. Os negociantes carregavam consigo uma bolsa, na qual havia pesos equivalentes usados nas negociações. A bolsa fornece-nos a linha sinônima do provérbio.

O Targum espiritualiza este versículo, observando: "Suas obras, todas elas, são pesos verdadeiros". E o versículo também é espiritualizado para significar os padrões do evangelho de Cristo, mediante os quais todas as coisas são espiritualmente submetidas a teste.

■ 16.12

תּוֹעֲבַת מְלָכִים עֲשׂוֹת רֶשַׁע כִּי בִצְדָקָה יִכּוֹן כִּסֵּא׃

A prática da impiedade é abominável para os reis. Um rei bom abomina a iniquidade (ver sobre essa palavra em Pv 11.1), porquanto tem plena consciência dos poderes destruidores do pecado, quer sobre um homem humilde, quer sobre um homem de posição, como um rei, quer sobre o povo em geral. Um bom rei, por conseguinte, mostra-se cuidadoso quanto à própria conduta, pois ela estabelece o exemplo para o povo seguir. Um rei, tal como um bom pai, dá a seus filhos exemplo, exemplo, exemplo. Cf. este versículo com Pv 25.5 e 29.4.

Sinônimo. O rei é justo, e também justo é o seu trono (governo, domínio). Ele fará prevalecer a justiça, encorajando o estudo e a obediência à lei, sendo ela o manual de sua própria bondade e sabedoria. Quanto ao trono de um rei, cf. Pv 20.28; 25.5 e 29.14, versículo que também enfatiza a retidão em conexão com a autoridade real. O que temos aqui era "um conceito muito elevado para um homem levar adiante, que se cumpriu somente na pessoa do Filho de Davi, o Rei dos reis e Senhor dos senhores (ver Ap 19.16)" (Ellicott, *in loc.*). Quanto a Davi como o *rei ideal*, Ver 1Rs 15.3. Quanto às direções gerais acerca do rei ideal, ver Dt 17.14 ss. A lei era a base de tudo.

■ 16.13

רְצוֹן מְלָכִים שִׂפְתֵי־צֶדֶק וְדֹבֵר יְשָׁרִים יֶאֱהָב׃

Os lábios do justo são o contentamento do rei. Um rei precisa ter conselheiros dignos de confiança, aqueles cujos conselhos e conduta em geral sejam temperados pelo conhecimento da lei; aqueles que busquem a justiça e joguem água sobre os ardentes conflitos internacionais. Ver Pv 14.25 e 22.7. Quanto aos conselheiros sábios, ver Pv 11.14; 12.20; 15.22 e 24.6.

Sinônimo. Os reis amam aos que falam com justiça e verdade, homens que se fazem sábios pelo estudo e pela prática da lei, e que aplicam essas coisas em sua carreira política. Naturalmente, este versículo pode ser aplicado a qualquer indivíduo que tenha relação com algum rei, e não apenas com conselheiros formais. Cerca de cem provérbios tratam do uso próprio e impróprio da linguagem. Ver Pv 11.9 e 13 quanto a notas de sumário sobre esse tema.

■ 16.14

חֲמַת־מֶלֶךְ מַלְאֲכֵי־מָוֶת וְאִישׁ חָכָם יְכַפְּרֶנָּה׃

O furor do rei são uns mensageiros de morte. Quando um rei tem razão para ficar irado, ele pode matar alguém, porquanto a vida e a morte estão nas mãos do monarca absoluto, e ele não hesitará em usar esse poder. A história dos reis, narrada no Antigo Testamento, fornece muitos exemplos de atos intempestivos de reis, alguns por motivos bastante triviais. A história dos reis orientais envolve muita violência e matanças insensatas. O Targum fala acerca dos "anjos da morte" do rei. Lembremo-nos do que Assuero fez a Hamã! Alguns intérpretes não podem resistir à cristianização desta primeira linha do versículo, vendo o Rei dos reis no papel de executor (ver Ap 6.15-17).

Antítese. O homem sábio, se manipular as coisas de modo correto, será capaz de escapar da ira do rei. Pelo menos, ele deve fazer uma experiência, visto que nada tem a perder. Um sábio proferirá palavras tencionadas a pacificar a ira do rei e fará qualquer tipo de promessa para livrar-se.

O homem sábio o apazigua. "Apazigua" é tradução de uma palavra hebraica que significa, literalmente, "encobrir". O sábio, pois, lançará água sobre a fogueira. O sábio usará de respostas brandas e argumentos cuidadosamente construídos. Ele também apelará à misericórdia do rei, embora, igualmente, ao seu interesse. Esse homem é sábio por ser bem instruído na lei de Moisés. Ele conseguirá encontrar na lei textos que apelam ao amor e à leniência, e o rei, que também é homem sábio, se deixará impressionar pelo seu uso das Escrituras. Cf. este versículo com Ec 10.4.

■ 16.15

בְּאוֹר־פְּנֵי־מֶלֶךְ חַיִּים וּרְצוֹנוֹ כְּעָב מַלְקוֹשׁ׃

O semblante alegre do rei significa vida. Se a face do rei se ilumina e brilha sobre um homem, então esse homem obterá a vida. Se a referência é ao provérbio anterior, então estamos sendo informados que o homem que quase perdeu a vida, por causa da ira do rei e de seus mensageiros da morte, efetuou uma defesa impressionante, desviando a ira do rei e suas intenções assassinas. Ver Pv 16.14b. Talvez a primeira linha do presente provérbio tenha sentido geral: todos os que obtiverem o favor do rei também obterão vida longa, próspera e com boa saúde, porquanto o rei tomará conta deles como súditos favorecidos.

O semblante. A fisionomia, a aparência de seu rosto, que nesse caso estará brilhando de aprovação. Cf. Pv 15.13; 25.23 e 27.17. Quanto ao semblante do Senhor, que abençoa, ver Nm 6.25. Ver Ec 8.1.

Sinônimo. O favor do rei é como a chuva transmissora de vida, a chuva serôdia, ou seja, as chuvas da primavera, na porção final da estação chuvosa, nos meses de março e abril. Essas chuvas eram criticamente necessárias para o amadurecimento das safras, pois, sem elas, haveria fracasso na colheita. Ver também Pv 19.12. As primeiras chuvas regavam a semente; as últimas chuvas preparavam as plantações para a colheita. "A chuva serôdia caía no fim de março, fazendo amadurecer a cevada e o trigo, antes da colheita, que ocorria em abril. Eram chuvas ardentemente esperadas, consideradas de importância capital. Cf. Sl 72.6" (Ellicott, *in loc.*). Ver no *Dicionário* o artigo chamado *Chuvas Anteriores e Posteriores*. Cf. este versículo com o rosto resplendente que figura em Sl 84.9 e 119.135.

■ 16.16

קְנֹה־חָכְמָה מַה־טּוֹב מֵחָרוּץ וּקְנוֹת בִּינָה נִבְחָר מִכָּסֶף׃

Quanto melhor é adquirir a sabedoria do que o ouro! Este provérbio é virtualmente idêntico a Pv 3.14, onde ofereço notas expositivas. Ver também Pv 3.15, que adiciona pérolas à comparação. A primeira linha refere-se ao ouro, ao passo que a segunda fala em prata. Se um homem tiver de escolher entre as riquezas materiais e a sabedoria, deve preferir a sabedoria. Mas, ao escolher a sabedoria, talvez também adquira riquezas materiais, conforme aconteceu a Salomão. Isso seria o ideal. Naturalmente, compreendemos que a fonte da sabedoria é a lei, fomentada e interpretada pelas declarações da sabedoria. Ver Pv 8.10,11,19, onde o ouro, a prata e as joias são o simbolismo empregado, mais ou menos como foi feito no texto presente. Pertence ao sábio a compreensão, isto é, a espertoza espiritual que o ajuda em todos os aspectos de sua vida. Ele sabe qual é o bem a ser seguido, e qual é o mal a ser evitado. Adam Clarke, *in loc.*, queixou-se de que poucos homens acreditam na declaração constante neste versículo, até mesmo aqueles que foram treinados para crer na inspiração divina. O mundo está sempre próximo de nós. A força de sua atração nunca cessa.

Buscai, pois, em primeiro lugar, o seu reino e a sua justiça, e todas estas cousas vos serão acrescentadas.

Mateus 6.33

■ 16.17

מְסִלַּת יְשָׁרִים סוּר מֵרָע שֹׁמֵר נַפְשׁוֹ נֹצֵר דַּרְכּוֹ׃

O caminho dos retos é desviar-se do mal. Usualmente temos a *metáfora da vereda* (ver Pv 4.11), e os *caminhos do homem bom e do homem mau* são contrastados (ver Pv 4.27). Seja como for, o sábio enveredа pela estrada real que o afasta do mal. Seu caminho é livre de obstáculos (ver Pv 15.19). Ele é moralmente certo, por ter aprendido a sabedoria mediante o estudo e a prática da lei. Quanto a evitar o mal, cf. o vs. 6 do presente capítulo, bem como Pv 3.7 e 8.13. Existe uma vereda plana ou estrada real do dever, que jaz bem à frente do sábio. Ela é ampla e isenta de obstáculos. O que se faz mister é a vontade de seguir por ela. Em contraste, o caminho do ímpio é torto e cheio de dificuldades, obstáculos e armadilhas. Cf. Sl 37.5. Ver também Pv 6.23.

Sinônimo. O homem que segue o caminho ou estrada corretos, mantendo-se dentro de seus limites, atinge a vida. Essa também é uma das realizações da sabedoria. Ver Pv 4.13 e também Pv 4.27 quanto aos bons resultados alcançados por quem segue a vereda certa.

Os massoretas identificam este ponto como versículo que assinala o meio do livro de Provérbios.

■ 16.18

לִפְנֵי־שֶׁבֶר גָּאוֹן וְלִפְנֵי כִשָּׁלוֹן גֹּבַהּ רוּחַ׃

A soberba precede a ruína. O orgulho é uma ofensa séria no livro de Provérbios. Ver 11.2; 13.10; ver sobre olhos altivos, em Pv 14.3. Ver também Pv 6.17; 15.25 e 16.5. Os versículos 18,19 deste capítulo discutem sobre o orgulho, a humildade e os desastres, adicionando algo mais ao estoque de declarações de sabedoria. Naturalmente, o vs. 18 é uma das declarações mais familiares e mais empregadas. O orgulho é personificado. Estamos diante de um homem arrogante, que se pavoneia por onde passa, dominando outras pessoas, buscando com quem brigar; mas então, de súbito, ele sucumbe. O homem orgulhoso tropeça em um obstáculo e cai numa cova. Ele é como o animal que um caçador, finalmente, apanha em sua armadilha. Sua queda é fatal. O caçador o apanha, e uma seta atravessa-lhe o coração. A segunda linha métrica provê o pensamento que fornece o paralelo sinônimo. Na primeira linha métrica, o orgulho se projeta; na segunda, os dias de projeção terminaram, pois o homem orgulhoso cai.

"O indivíduo que vive de cabeça levantada, olha sobranceiramente, e não para onde está indo, não vê aquilo em que tropeça, e cai. Outrossim, quanto mais elevada é a pessoa, maior é a sua queda... esse foi o caso de Nabucodonosor... Dn 4.30,31" (John Gill, *in loc.*). Contrastar este versículo com Pv 15.33.

■ 16.19

טוֹב שְׁפַל־רוּחַ אֶת־עֲנָוִים מֵחַלֵּק שָׁלָל אֶת־גֵּאִים׃

Melhor é ser humilde de espírito com os humildes. O saque garantia o salário dos exércitos antigos e, quanto maior fosse a matança, mais polpudo seria o salário das tropas. Um bom matador poderia ficar rico, caso conseguisse manter-se vivo por tempo suficiente. Por outra parte, o homem de espírito humilde, que não fosse um soldado orgulhoso que saísse a matar e a saquear, naturalmente não teria muitas riquezas materiais. Outrossim, seus companheiros serão como ele mesmo, homens de paz, mas dotados de poucas riquezas materiais. Porém, se você tiver de escolher entre as duas situações, fique na companhia dos humildes. As riquezas obtidas por meio da violência significarão a ruína do homem que prejudica a outros, eventual e inevitavelmente. O saque, neste caso, pode ser generalizado para apontar qualquer violência cometida. Os homens violentos transformam em presa homens mais fracos. Eles formam a segunda linha do provérbio, a linha métrica antitética.

Este versículo tem sido cristianizado para falar de Jesus, o homem humilde, enquanto os opressores dele e da igreja são as pessoas violentas que formam o contraste.

■ 16.20

מַשְׂכִּיל עַל־דָּבָר יִמְצָא־טוֹב וּבוֹטֵחַ בַּיהוָה אַשְׁרָיו׃

O que atenta para o ensino, acha o bem. Temos aqui uma referência formal à lei de Moisés, o manual de todo judeu bom. É possível que o processo de canonização já estivesse bem avançado quando o autor sacro escreveu este versículo, o que significava que o ensino também incluía os Profetas. O processo que conduziu ao termo *ensino* refere-se às Escrituras. Que o leitor dê atenção aos pontos enumerados a seguir:

1. As declarações de Deus, incluindo os seus oráculos, dirigidos aos homens, são o seu ensino.
2. Também temos de considerar a palavra criativa do Gênesis, uma expressão das declarações divinas.
3. Além disso, o ensino está contido no decálogo (ver Êx 20.1 e Dt 4.13).
4. E veio a significar todas as formas de lei que se desenvolveram a partir da lei mosaica, dada no monte Sinai.
5. Então passou a significar todas as Escrituras, concebidas como a inspirada Palavra de Deus, dada através dos profetas e de outros homens santos.
6. As Escrituras do Novo Testamento também chegaram a ser conhecidas como a Palavra. Ver Ef 1.13, a palavra da verdade, o evangelho, que se concretizou nos escritos santos. Ver também Fp 1.14; 2.16 e, igualmente, 1Tm 4.5.
7. O uso moderno faz a palavra ou ensino incluir todas as Escrituras, em suas divisões naturais do Antigo e do Novo Testamento.
8. Finalmente, devemos pensar na Palavra viva, o Logos, a palavra personificada em Cristo (Jo 1.1). Ver na *Enciclopédia de Bíblia, Teologia e Filosofia* o verbete chamado *Logos*.

O homem que dá atenção à palavra ou ensino, ou seja, a lei de Moisés, conforme ela é fomentada pelas declarações de sabedoria (e, talvez, nos Profetas), acha muitas coisas boas, e então encontra a coisa boa por excelência, a vida, uma vida longa e próspera. Ver sobre o ato de ouvir, em Pv 4.20. Prosperidade é algo prometido ao homem que faz da lei a base de sua vida. É o homem sábio que age dessa maneira.

Sinônimo. O homem que confia no Senhor é feliz, e ele aprende a confiar no Senhor através de sua palavra ou ensino. Ver Sl 2.2 quanto ao sentido dessa confiança.

Neste caso, temos o vocábulo hebraico *dabar*, que significa "palavra" ou "instrução" (ver Pv 13.13).

Quando andamos com o Senhor,
À luz da sua Palavra,
Que glória ele derrama em nosso caminho.

J. H. Sammis

"Não lhe falta nenhuma coisa boa. Ele é conservado em perfeita paz; ele vive no máximo da segurança, parecido com o monte Sião, que jamais poderá ser abalado. Ver Jr 17.7; Is 26.3; Sl 84.11,12; Sl 125.1" (John Gill, *in loc.*).

■ 16.21

לַחֲכַם־לֵב יִקָּרֵא נָבוֹן וּמֶתֶק שְׂפָתַיִם יֹסִיף לֶקַח׃

O sábio de coração é chamado prudente. O homem sábio, que tem uma fé sentida no coração, é chamado de prudente ou então homem dotado de discernimento. O professor que pudesse entregar eficazmente os seus ensinos aos estudantes ganhava a reputação de ser um homem de discernimento, porquanto o que ele ensinava ficava provado como verdadeiro à vida. E então, conforme o estudante ia crescendo em sua erudição, também obtinha a reputação de ser homem prudente.

Coração. Ver sobre este vocábulo e seus significados variegados, em Pv 4.23.

É chamado prudente. No hebraico, *nabon*, "inteligente", "dotado de discernimento". Ver Pv 1.2. Este homem é um esperto no bom sentido.

Sinônimo. Um mestre é ajudado em sua missão por meio de sua oratória persuasiva, sua maneira convincente de falar, seus lábios ungidos. Ele recebeu uma unção para aquilo que costuma fazer, e os homens sentem a presença do Espírito Santo quanto ele fala. Sua fala agradável resulta no aprendizado por parte daqueles que o ouvem.

O saber. No hebraico é *leqah*, "persuasão". Ver sobre esta palavra em Pv 1.5. Um bom mestre move e persuade seus estudantes. Eles são transformados em homens como ele é, seguindo tanto suas palavras quanto seu exemplo. As palavras doces (hebraico literal) podem conseguir coisas que palavras duras e de reprimenda não conseguem. Essa é uma observação que muitos mestres e pregadores deveriam aproveitar. As palavras de um homem sábio são atraentes e agradáveis, em vez de serem cortantes e requeimantes. Cf. Pv 9.9.

"A capacidade de expressar os pensamentos mediante uma linguagem graciosa aumenta muito a capacidade de aprender" (Ellicott, *in loc.*).

■ 16.22

מְקוֹר חַיִּים שֵׂכֶל בְּעָלָיו וּמוּסַר אֱוִלִים אִוֶּלֶת׃

O entendimento, para aqueles que o possuem, é fonte de vida. Novamente é reiterado o tema do poder da lei de transmitir a vida. Aqui, o entendimento, que se deriva da lei de Moisés, é fonte de vida (quanto a isso, ver Pv 10.11). Ver também Pv 14.27. Quanto à sabedoria como fonte da vida, ver Pv 4.13.

Entendimento. No hebraico, *sekel*, "prudência", "discernimento". Ver Pv 13.15; 19.11 e 14.27.

Antítese. O insensato está interessado em uma vida longa e próspera, mas ainda não encontrou a fonte da vida. De fato, é um desperdício de tempo instruir os insensatos. "Instruir os insensatos é uma insensatez" (*King James Version*). Mas a *Revised Standard Version* diz: "A insensatez é o castigo dos insensatos", ou seja, eles colhem aquilo que semearam e, assim, em lugar de obterem a vida, terminam mortos prematura e/ou violentamente. Visto que se recusam a ser ensinados pela lei, que provê a sabedoria, devem ser castigados pela própria insensatez.

Este versículo tem sido cristianizado para significar que Cristo, a nossa Sabedoria (ver 1Co 1.30), confere vida por meio de seu evangelho, e são uns tolos aqueles que não dão ouvidos às palavras dele, porquanto dessa maneira cultivam seu próprio julgamento final.

16.23

לֵב חָכָם יַשְׂכִּיל פִּיהוּ וְעַל־שְׂפָתָיו יֹסִיף לֶקַח:

O coração do sábio é mestre de sua boca. A mente do homem bom, saturada como anda da lei mosaica, torna sua fala judiciosa. Seu coração (conforme diz o hebraico, literalmente), portanto, instrui a boca do homem, dizendo a mesma coisa de maneira ainda mais literal. A lei, fomentada pelas declarações da sabedoria, é o manual do homem quanto a toda instrução. "Uma fala gentil e persuasiva é uma das características do homem sábio (vs. 21)" (Charles Fritsch, *in loc.*). Cerca de cem provérbios referem-se ao uso próprio e impróprio da linguagem. Ver as notas de sumário sobre essa questão, em Pv 11.9 e 13.

Sinônimo. A mente (coração; ver Pv 4.23) supre o aumento do conhecimento que ajuda o sábio a dizer o que deve, e a não dizer o que não deve. "... adiciona a persuasão aos seus lábios" (*Revised Standard Version*). "A sabedoria no coração sugere à boca o que, como, onde e quando a pessoa deve falar" (Fausset, *in loc.*).

> *O homem bom tira do tesouro bom coisas boas; mas o homem mau do mau tesouro tira coisas más.*
> Mateus 12.35

16.24

צוּף־דְּבַשׁ אִמְרֵי־נֹעַם מָתוֹק לַנֶּפֶשׁ וּמַרְפֵּא לָעָצֶם:

Palavras agradáveis são como favo de mel. A primeira linha métrica deste provérbio é essencialmente igual a Pv 16.21b, e a segunda linha é essencialmente igual a Pv 3.8b e 15.30b. Quanto a metáforas sobre os ossos, ver Pv 3.8; 14.30 e 15.30. Ver também 1Sm 14.27.

Palavras agradáveis. Estas palavras são doces como o mel, e o mel era a coisa mais doce que os antigos conheciam. Cf. Sl 19.10.

Sinônimos. As palavras que se assemelham ao mel são doçura para a alma e saúde para os ossos (o corpo físico, que depende dos ossos). Metaforicamente, a alma de um homem é abençoada pelas palavras doces que recebe da lei. Esse homem vive por meio dessa doçura, e tem uma vida doce, agradável, conforme aprende mais e mais da sabedoria, por meio da lei, conforme esta é fomentada pelas declarações da sabedoria. A lei dá palavras apropriadas (ver Pv 15.23) que se adaptam às necessidades de qualquer hora. "Palavras que encorajam, consolam, suavizam, recomendam, elevam" (Sid S. Buzzell, *in loc.*). "O que é saudável para a alma faz bem para o corpo ao mesmo tempo; ver Pv 15.30" (Fausset, *in loc.*). Cf. Sl 19.10; 119.103; Ct 2.3; Ez 3.3.

16.25

יֵשׁ דֶּרֶךְ יָשָׁר לִפְנֵי־אִישׁ וְאַחֲרִיתָהּ דַּרְכֵי־מָוֶת:

Há caminho, que parece direito ao homem. Temos aqui uma repetição exata de Pv 14.12. Ver as notas expositivas ali. Conforme os provérbios avançam, obtemos mais e mais repetições, mas usualmente da primeira ou da segunda linha métrica. Algumas vezes, entretanto, a primeira linha é repetição de um provérbio, ao passo que a segunda repete outro provérbio. Seria impossível criar 915 provérbios absolutamente originais, de duas linhas cada. Cf. o Sl 119, onde encontramos 176 louvores à lei mosaica. Ali também encontramos um bom número de repetições ou declarações similares.

16.26

נֶפֶשׁ עָמֵל עָמְלָה לּוֹ כִּי־אָכַף עָלָיו פִּיהוּ:

A fome do trabalhador o faz trabalhar. "A fome de um homem o impulsiona ao trabalho, o que, por sua vez, também é um meio de ganhar algo" (Charles Fritsch, *in loc.*).

A fome. Literalmente, a alma. O homem inteiro se vê envolvido por sua necessidade. "A fome, algumas vezes, pode motivar as pessoas, até as preguiçosas, a trabalhar, a fim de que seu salário lhes possa comprar mantimentos. Este versículo tem um interessante jogo de palavras: embora uma pessoa esteja trabalhando para outra pessoa, seu apetite está trabalhando para si mesmo" (Sid S. Buzzell, *in loc.*). A *Revised Standard Version* dá uma tradução bastante esquisita: "Sua boca o impulsiona para a frente". A primeira linha tem um apetite em operação; a segunda (sinônimo) fala sobre a boca, que tenta satisfazer a necessidade ou apetite. "A sensação de que ele está suprindo as suas próprias necessidades dá-lhe forças para trabalhar" (Ellicott, *in loc.*).

Este versículo tem sido espiritualizado e cristianizado para falar dos apetites espirituais que requerem satisfação e assim impulsionam um homem a labutar abundantemente por sua causa. Alguns ministros do evangelho parecem-se com isso. Ver o encorajamento à diligência, em Pv 10.4,5; 12.24; 14.23 e 28.19. Cf. este versículo com Ec 6.7, que diz algo semelhante:

> *Todo trabalho do homem é para a sua boca, e, contudo, nunca se satisfaz o seu apetite.*

16.27

אִישׁ בְּלִיַּעַל כֹּרֶה רָעָה וְעַל־שְׂפָתָיו כְּאֵשׁ צָרָבֶת:

O homem depravado cava o mal. Agora já contamos com diversos versículos (27-30) que abordam especificamente a prática do mal, principalmente mediante o uso da língua maligna. O homem ímpio ou sem valor (ver Pv 6.12) cava armadilhas para os seus inimigos, como um caçador sai à caça de um animal impotente para matá-lo.

Palavras-chave que indicam má vontade: 1. Os ímpios planejam o mal (vs. 27); despertam a contenda (vs. 28); lideram na violência (vs. 29); persistem no pecado (vs. 30).

Homem depravado. Literalmente, diz o original hebraico, "homem de belial". Contudo, a palavra "belial" ainda não tinha sido personalizada para indicar um diabo pessoal, conforme finalmente ocorreu no judaísmo posterior. Essa palavra — belial — significa, essencialmente, "sem valor". Está em pauta o homem de profunda degradação moral, conforme se vê no contexto. Ele cava calamidades, ou seja, cava armadilhas que produzem calamidades. Ver Sl 7.15.

Sinônimo. Outra coisa que o homem perverso faz para mostrar sua natureza envilecida é queimar outros com a sua língua. Sua boca é um fogueira ardente. Cf. Tg 3.5,6. Ver também Ez 20.17. Há cerca de cem provérbios que descrevem o uso próprio e impróprio da fala. Ver as notas de sumário sobre isso em Pv 11.9 e 13. "As palavras dele são inflamáveis, pois produzem contendas e desavenças entre os vizinhos, como o fogo quando pega na palha seca" (Adam Clarke, *in loc.*). "Os ímpios trabalham (vs. 26), mas somente para produzir o mal" (Fausset, *in loc.*).

16.28

אִישׁ תַּהְפֻּכוֹת יְשַׁלַּח מָדוֹן וְנִרְגָּן מַפְרִיד אַלּוּף:

O homem perverso espalha contendas. Os vss. 27-30 descrevem o homem sem valor, ímpio, perverso, e como ele opera. Ver o sumário de palavras-chave nos comentários sobre o vs. 27. Agora vemos esse mesmo homem perverso a espalhar contendas, outra de suas especialidades. A figura simbólica contempla o espalhar de sementes perniciosas para obter uma colheita perniciosa, de contendas, ódio, violência e tribulação. Cf. Pv 6.14,19; 10.12; 15.18; 28.25 e 29.22. Esse tipo de homem cria confusão propositadamente.

Sinônimo. Uma das principais armas do homem perverso, em seus atos ousados, é a língua. Propositadamente ele espalha mentiras para separar bons amigos, que, assim sendo, tornam-se inimigos. Ele sai ao redor sussurrando, para esconder os seus verdadeiros motivos. Vive sempre em uma campanha de sussurros, plantando sementes destruidoras. Ele conta mentiras desabridas e distorce a verdade.

"Ele separa amigos de amigos e aliena seus próprios amigos, que o repelem como um elemento inútil, como alguém com quem é perigoso conversar... Ele separa um homem de Deus (ver Is 59.2)" (John Gill, *in loc.*).

16.29

אִישׁ חָמָס יְפַתֶּה רֵעֵהוּ וְהוֹלִיכוֹ בְּדֶרֶךְ לֹא־טוֹב:

O homem violento alicia o seu companheiro. Os vss. 27-30, conforme dissemos anteriormente, descrevem o homem sem valor, ímpio e perverso, bem como a maneira como ele age. Ver as palavras-chave no vs. 27. Agora nós o vemos a aliciar seus vizinhos para que imitem sua iniquidade. Cf. Pv 1.10-19, onde é usada a mesma palavra no hebraico — em nossa versão portuguesa, "seduzir-te" — que indica o ato de aliciamento. É típico de pessoas de má índole desejar muita companhia em seus feitos maus. Esses "homens violentos" querem ajuda para realizar seus atos pervertidos.

Os que tais cousas praticam, não somente as fazem, mas também aprovam os que assim procedem.

Romanos 1.32

Sinônimo. Os esforços do homem perverso na maior parte das vezes são bem-sucedidos. Ele insta com os homens para que entrem no caminho do pecado e da violência, pelo que o que começou por um homem só termina com uma companhia engajada na mesma iniquidade, pois é assim que operam os exemplos em favor do bem ou em favor do mal. "Esse homem não se contenta com seus pecados pessoais. Pretende conduzir outras pessoas ao longo de seus caminhos ímpios (ver, por exemplo, Pv 1.10-14)" (Sid S. Buzzell, *in loc.*). Um único lobo em breve torna-se uma matilha inteira, e até as cidades são perturbadas. Eles encontram muitas vítimas que fazem de presa.

■ 16.30

עֹצֶה עֵינָיו לַחְשֹׁב תַּהְפֻּכוֹת קֹרֵץ שְׂפָתָיו כִּלָּה רָעָה׃

Quem fecha os olhos imagina o mal. Os vss. 27-30 descrevem o homem sem valor, ímpio e perverso, e como ele opera. Ver o sumário de palavras-chave nos comentários sobre o vs. 27. Agora vemos as piscadelas mediante as quais ele comunica seus planos perversos. Conhecedores dos sinais, os lobos observam tais piscadelas como código para atacar. Cf. Pv 6.13,14 e 10.10. Ver também Sl 35.19. Tal homem usa a boca para despertar contenda (vss. 27 e 28) e também usa indícios não verbais para promover planos destruidores. Alguns estudiosos interpretam a primeira linha como "fechar os olhos", e não como "piscar". Nesse caso, a ideia é que ele medita profundamente sobre como fazer avançar seus planos maldosos.

Sinônimo. Ele comprime ou faz sinais com os lábios, dando outro sinal não verbal a seus confederados. O autor sacro descrevia gestos faciais que comunicam más intenções. O segundo gesto, que aqui vemos, poderia significar "movendo os lábios em solilóquio mental; em silêncio, ele planeja os seus esquemas" (Fausset, *in loc.*). A Vulgata diz "morder" os lábios, que talvez seja um profundo sinal mental de preocupação com esquemas, conforme também se vê na nossa versão portuguesa. Esse gesto é visto por alguns estudiosos como algo equivalente a rilhar os dentes, gesto de desejo ardente pela vingança. Ver Sl 27.12. O Targum interpreta: "Ameaçando com os lábios".

■ 16.31

עֲטֶרֶת תִּפְאֶרֶת שֵׂיבָה בְּדֶרֶךְ צְדָקָה תִּמָּצֵא׃

Coroa de honra são as cãs. Presume-se que, quando um homem envelhece, seus cabelos branquejam como uma coroa de glória, porquanto conseguiu uma posição de retidão significativa. Pelo menos, esse é o ideal que admite muitas exceções. A afirmação que diz "Logo envelhecemos; tarde demais, ficamos espertos" tem aplicação aqui. Existem muitos casos de homens idosos por demais cansados e murchos de mente para prosseguir em sua vida de pecados. Portanto, o que resta, eles dedicam a Deus. O começo da vida já foi entregue ao diabo.

Existe algo de desgosto naqueles que se arrependem tarde na vida, que o fazem de cansados que estão, e dão o pouco que resta de sua vida a Deus.

Cansado estou de pedir, pés inchados e exausto;
A vereda tenebrosa aumentou espantosamente,
Mas agora uma luz surgiu, animando-me.
Descobri em ti a minha Estrela, o meu Sol.

Sr. C. H. Morris

Mohammad Ali, o famoso boxeador do passado, está atualmente com um caso avançado de doença de Parkinson. Ainda recentemente, ele declarou que sua enfermidade é uma bênção de Deus: "Quando eu era jovem, vivia às voltas com garotas. Mas agora, com esta enfermidade, não posso mais fazer isso. Portanto, agora tenho uma chance de ir para o céu!"

Seja como for, o vs. 31 relata o caso de um mestre que viveu a boa vida e agora envelheceu. A idade avançada é o seu ponto de mais elevada glória. Ele viveu bem e longamente e agora usa seus cabelos grisalhos como coroa de glória, dizendo: "Esta vida foi bem vivida, do começo ao fim, até a idade avançada". Esse homem correu bem e ganhou a grinalda que é dada aos vencedores. Cf. Pv 20.29.

Sinônimo. A coroa de glória não é dada a qualquer um. Está reservada ao homem que teve uma vida caracterizada pela retidão. Ele correu pelo curso reto, da maneira certa, e terminou sua carreira gloriosamente. O ímpio, por sua vez, já morreu prematuramente, e, assim sendo, foi removido da corrida. Alguns poucos homens idosos cruzam a linha de chegada e recebem a coroa. Quanto à morte prematura dos ímpios, ver Pv 2.22; 12.7 e 29.1.

Quando teus dias da juventude passarem e a idade
avançada tiver chegado,
E teu corpo se inclinar sob o peso da idade;
ele nunca te abandonará; ele irá contigo até o fim;
Deixa tua carga com o Senhor, e deixa-a ali.

C. Albert Findley

A vida espiritual foi assim vivida; e a lei do amor foi cumprida:

O amor não é um tolo do tempo, embora lábios róseos
e bochechas
Apareçam dentro de compasso da foice curva;
O amor não se altera com a passagem das horas
e das semanas,
Mas resiste a tudo, até a beira da condenação.

Shakespeare

■ 16.32

טוֹב אֶרֶךְ אַפַּיִם מִגִּבּוֹר וּמֹשֵׁל בְּרוּחוֹ מִלֹּכֵד עִיר׃

Melhor é o longânimo do que o herói da guerra. O autor elogia aqui o autocontrole, pois a vitória sobre o mal começa no coração de cada indivíduo. Cf. Pv 14.29 e 25.23. Diz Aboth 4.1: "Quem é forte? aquele que controla as suas paixões, conforme é dito..." e em seguida aparece a citação deste versículo. A ira é um instinto animal de autopreservação e domínio sobre outros. Ver no *Dicionário* o artigo chamado *Ira*. Todavia, aos olhos da pessoa que ainda não desenvolveu grande espiritualidade, a ira torna-se uma virtude. O homem dotado de paciência e autocontrole é melhor do que o soldado que aplica as habilidades de violência e captura uma cidade.

Sinônimo. O domínio próprio (Cf. Pv 14.17,29; 25.28; 29.11) é um feito maior do que conquistar uma cidade, e é essa, precisamente, a virtude de um homem bom. O autor sacro reverteu a estimativa sobre as coisas, em que a conquista militar é glorificada e os mansos e humildes são desprezados. Para o autor sacro, o herói é aquele homem calmo que se refreia dos pecados da língua e da violência. "A vitória sobre o próprio 'eu' é a mais difícil das vitórias" (Ellicott, *in loc.*). Cf. com 1Co 9.27.

Em todas as eras, encontra-se um número menor de pessoas
que conquistam suas próprias paixões do que aqueles que vencem os exércitos inimigos.

Cícero

Vivem,
Pensam que vivem,
Embora não tenham conhecido a vida.
Fazem suposições,
Querem dominar tudo,
Mas esquecem de dar o primeiro passo
Para o domínio do mundo interior.
Eu penso que um dia
Todos se voltarão
Para a própria alma,
Como quem respira,
Por enquanto não passam de estátuas,
Que querem ser colocadas no alto
Para serem adoradas.
Pobre humanidade ausente!

Maria Cristina Magalhães

16.33

בְּחֵיק יוּטַל אֶת־הַגּוֹרָל וּמֵיְהוָה כָּל־מִשְׁפָּטוֹ׃

A sorte se lança no regaço. As sortes eram lançadas na dobra de uma veste, que se formava como se fosse um bolso, e então uma delas era retirada; assim, pensava-se haver a chance de que essa sorte transmitiria algum significado predestinado. Presumia-se que o poder divino governava a sorte que seria tirada do meio das outras. As vestes antigas não tinham bolsos, botões e zíperes, pelo que dobras no tecido funcionavam como receptáculos. A linha métrica sinônima inclui Yahweh nessa forma de adivinhação. Era ele quem dispunha das coisas e dos acontecimentos. Cf. Pv 16.1,4 quanto a pontos de vista deterministas. Ver no *Dicionário* o artigo chamado *Determinismo*. Quanto ao *lançamento de sortes*, ver Pv 18.18 e At 1.26. Ver também o vs. 9 deste capítulo.

Os hebreus lançavam sortes e atreviam-se a usar adivinhações, contanto que fossem eles os que usassem desse esquema. Então a prática estava certa. Mas quando os pagãos usavam o mesmo método, eles diziam que eram guiados por forças malignas. Ver Nm 26.55. Nas mãos dos hebreus, como é lógico, quando eles lançavam sortes, apelavam a Deus, para dele receberem orientação. Ver no *Dicionário* o verbete intitulado *Vontade de Deus, como Descobri-la*. Estudos no campo da parapsicologia demonstram que aparentes adivinhações ao acaso podem render resultados surpreendentes, mas a maioria desses casos pode envolver a psicocinética, que é o poder da mente para afetar coisas físicas. Nesse caso, seria a própria mente do indivíduo (e não Deus) quem lhe daria a resposta que ele procurava. Tem sido demonstrado que a mente pode afetar (em pequeno grau) o lançamento dos dados.

A linha métrica sinônima dá a Yahweh o crédito pelo sucesso nos jogos de adivinhação, mas isso envolve mais fé do que ciência, mais pensamento de desejo do que realidade. Não é impossível que, algumas vezes, um elemento divino entre na questão. Alguns dizem que a sorte não existe, pelo que até o lançamento de sortes seria controlado por algum desígnio. Por outra parte, a chance e o caos parecem acompanhar-nos em nosso caminho através da vida. Mas o homem bom não é controlado por esses fatores. Não obstante, o homem sábio orará todos os dias contra as manifestações do caos. Quanto à sorte, que ela nos anuncie coisas boas!

CAPÍTULO DEZESSETE

Não há nenhuma interrupção entre os capítulos 16 e 17. Dou uma introdução à seção geral em Pv 10.1 — à seção de Pv 10.1—22.16 — que é a primeira coletânea dos provérbios de Salomão. A segunda parte desta seção começa em Pv 16.1, e dali até Pv 22.16 há 191 versículos, cada um com seu provérbio de duas linhas. Ver a introdução a essa subseção em Pv 16.1.

17.1

טוֹב פַּת חֲרֵבָה וְשַׁלְוָה־בָהּ מִבַּיִת מָלֵא זִבְחֵי־רִיב׃

Melhor é um bocado seco, e tranquilidade... Os primeiros vinte versículos deste capítulo estão relacionados, de alguma maneira, aos tópicos de contenda e paz. Cf. este versículo com Pv 15.17, que diz virtualmente a mesma coisa. Um pedaço antigo de pão seco, ou de carne ressecada, ou um velho pedaço de legume, que já perdeu sua umidade, poderia ser o elemento principal da refeição do homem pobre. Estamos falando aqui de uma condição de pobreza extrema, muito pior do que o arroz com feijão do pobre. Mas, mesmo que um homem seja reduzido à pobreza extrema e à quase inanição, sua sorte será melhor que a do homem ímpio, em meio aos seus banquetes, que é a segunda linha métrica, antitética, do provérbio. O autor apresenta um caso extremo a fim de enfatizar seu horror às contendas, sem importar as circunstâncias opulentas que as possam acompanhar. Pelo menos, o homem pobre come em paz e harmonia, com os seus convidados.

Carnes. O hebraico diz aqui, literalmente, *zebhah*, "sacrifício", o que poderia significar festins com as sobras da carne e dos cereais usados como sacrifícios no templo de Jerusalém. Os sacerdotes ficavam com suas oito porções (ver Lv 6.26; 7.11-24; Nm 18.8; Dt 12.17,18). O que sobrasse podia ser usado pelo ofertante para seus próprios banquetes com parentes, amigos e vizinhos. Portanto, esses termos foram provavelmente generalizados para significar qualquer tipo de banquete que envolvesse sacrifícios oferecidos no templo. Cf. este versículo com Pv 7.14.

17.2

עֶבֶד־מַשְׂכִּיל יִמְשֹׁל בְּבֵן מֵבִישׁ וּבְתוֹךְ אַחִים יַחֲלֹק נַחֲלָה׃

O escravo prudente dominará sobre o filho que causa vergonha. Até mesmo o escravo de um homem, se trabalhar fiel e sabiamente, será mais favorecido pelo pai de uma casa do que o próprio filho, caso esse se conduza de maneira vergonhosa e traga desgraças sobre sua mãe e seu pai. Cf. este provérbio com Gn 15.2,3 e 1Cr 2.35. Tal escravo acabará governando o filho desviado, e, de fato, o pai do rapaz dará ao escravo o cuidado de todas as tarefas domésticas.

Essa porção do versículo tem sido cristianizada para fazê-la referir-se aos gentios que tiravam proveito dos judeus, por terem estes rejeitado a missão e o governo do Messias. Eles eram descendentes de Abraão, mas quem não era filho se apossava da filiação deles.

Sinônimo. Não somente um escravo governaria um filho que tivesse desgraçado a si mesmo e ao nome de sua família, mas também ficaria com parte da herança como se fosse um filho do dono da casa, e um irmão dos filhos naturais daquele homem. A segunda linha deste provérbio tem sido cristianizada para falar da herança dos gentios, que se tornaram a igreja, ao passo que os judeus foram rejeitados, preferindo permanecer na incredulidade. Ver Rm 8.17. (Quanto a um exemplo veterotestamentário desta segunda linha, ver 2Sm 16.) Eliezer teria sido o herdeiro de Abraão, não fora o nascimento oportuno de Isaque. Escravos fiéis com frequência eram elevados a posições de poder e confiança e eram libertados diante da morte de seus proprietários. Ver Gn 24.2; 39.4-6. Ver no *Dicionário* o artigo chamado *Escravidão*. Jeroboão prevaleceu sobre Roboão, o filho desgraçado de Salomão, e o reino de Israel foi dividido em dois (ver 1Rs 12). Jeroboão terminou ficando com a maior parte — dez dentre as doze tribos.

17.3

מַצְרֵף לַכֶּסֶף וְכוּר לַזָּהָב וּבֹחֵן לִבּוֹת יְהוָה׃

O crisol prova a prata, e o forno o ouro. Os metais mais preciosos eram purificados no crisol (a prata) e no forno (o ouro). Os homens ficavam muito satisfeitos com os resultados do refinamento desses metais, porquanto produtos valiosos são assim produzidos. O refino dos metais preciosos revela o verdadeiro caráter desses metais mediante a retirada da escória.

Antítese. Em contraste com tal refinamento material, há o refinamento espiritual, por meio do qual o próprio Senhor purifica o coração dos homens bons. Desse modo, esses homens tornam-se mestres e pais espirituais, elementos de valor dentro da comunidade religiosa. O autor sagrado falava sobre instrução, repreenda, experiências boas e experiências más. Todas essas coisas produzem o calor necessário para a purificação, mas estão particularmente em vista as provações de várias formas. Cf. Tg 1.2,3 e 1Pe 1.7. Ver também Is 48.10 e Sl 17.3 quanto à figura do refinamento. E isso equivale a Pv 27.21a.

"Deus somente é capaz de conhecê-los e de submetê-los a teste; ver Jr 17.9,10" (John Gill, *in loc.*). Ver no *Dicionário* o artigo chamado *Refinar, Refinador*.

17.4

מֵרַע מַקְשִׁיב עַל־שְׂפַת־אָוֶן שֶׁקֶר מֵזִין עַל־לְשׁוֹן הַוֺּת׃

O malfazejo atenta para o lábio iníquo. O homem cujo coração já é mau prontamente dá ouvidos àquele que o encoraja a cometer algum pecado. O homem dotado de "lábios de iniquidade" (conforme diz literalmente o original hebraico) encontrará uma audiência ansiosa por essa "instrução". O homem ímpio anseia por ouvir maledicências, falas inflamadas, encorajamentos para o mal e planos malignos, e podemos estar certos de que terminará praticando alguma coisa ousada demais, por mostrar-se tão atento a instruções malignas. Especialmente no caso de mulheres, a maledicência é um esporte e pode ser extremamente destrutiva. Todavia, existem outras formas de fala pervertida que são ainda piores. Cerca de cem provérbios abordam a questão do uso próprio e impróprio da fala. Ver as notas de sumário sobre isso em Pv 11.9 e 13. Ver também, no *Dicionário,* o verbete denominado *Linguagem, Uso Apropriado da.*

Sinônimo. Os mentirosos gostam de ouvir mentiras e encorajamentos para a prática do mal. É aí que eles encontram prazer e alegria. "A malignidade nas ações geralmente está associada à falsidade" (Fausset, *in loc.*).

A língua maligna. No hebraico, *hawwet,* "ruína engolfadora", "destruição", que são resultados da fala mentirosa e prejudicial. Cf. Pv 11.13; 16.28; 18.8; 20.19; 26.20,22.

■ **17.5**

לֹעֵג לָרָשׁ חֵרֵף עֹשֵׂהוּ שָׂמֵחַ לְאֵיד לֹא יִנָּקֶה׃

O que escarnece do pobre insulta ao que o criou. O pobre é um homem humilde no poste totem da sociedade. Ele não dispõe nem de poder nem de dinheiro para influenciar os acontecimentos. Com frequência, apenas se interpõe no caminho dos mais abastados. Ele serve de embaraço, porquanto excita a piedade e requer esmolas, com o que muitos não mostram paciência. O homem pobre é desprezado até por seus vizinhos (ver Pv 14.20). Contudo, aquele que oprime um pobre insulta o seu Criador (Pv 14.31). Por conseguinte, o pobre merece simpatia e não escárnio. O indivíduo que zomba do pobre na realidade está zombando do seu Criador. A ideia de Deus, da parte dos hebreus, como a causa única, naturalmente via o pobre como feito dessa maneira pelo desígnio e poder de Deus. A teologia dos hebreus era fraca quanto a causas secundárias: o homem pobre tinha sido feito dessa maneira; assim sendo, por que ter piedade dele? A pobreza, no entanto, era concebida como sinal do desprazer divino, e, com base nisso, alguns sem dúvida escarneciam dos pobres. Ver no *Dicionário* o artigo chamado *Pobre, Pobreza,* quanto a detalhes sobre o assunto, nos quais não entro aqui.

Sinônimo. A zombaria contra um homem pobre pode até estender-se ao fato de que uma pessoa pode sentir-se feliz por causa das calamidades que atingem a um homem pobre. Qualquer felicidade dessa ordem, entretanto, por certo será punida pelo Ser divino. "Uma pessoa que se alegra diante dos infortúnios de outras pessoas sofrerá infortúnios" (Sid S. Buzzell, *in loc.*). Cf. esta porção do presente versículo com Pv 24.17 e Jó 31.29.

Este versículo tem sido cristianizado para falar contra aqueles que perseguem a igreja.

■ **17.6**

עֲטֶרֶת זְקֵנִים בְּנֵי בָנִים וְתִפְאֶרֶת בָּנִים אֲבוֹתָם׃

Coroa dos velhos são os filhos dos filhos. É bom que um homem atinja idade suficiente para ver os seus netos, sua coroa de glória. Cf. Pv 16.31. O homem sábio segue a lei e isso lhe dá vida longa e próspera (ver Pv 4.13). Parte da alegria da vida longa é ver os próprios netos e participar da vida deles.

Sinônimo. A glória, ou coroa de glória, dos filhos são seus pais (e avós), que muito se relacionam com seu treinamento para a obtenção da sabedoria e da boa vida, por meio da lei de Moisés. Ver Pv 22.6 e 15, quanto ao benefício que os pais trazem aos filhos através de seu treinamento e instrução. Portanto, este versículo fala de uma decoração mútua dentro da unidade da família. "Pais e filhos adornam uns aos outros" (Charles Fritsch, *in loc.*). Ver 1Rs 11.13 e Jr 33.21.

Este versículo tem sido cristianizado para falar do Pai, o Antigo de dias, o Pai celestial, e seus filhos.

■ **17.7**

לֹא־נָאוָה לְנָבָל שְׂפַת־יֶתֶר אַף כִּי־לְנָדִיב שְׂפַת־שָׁקֶר׃

Ao insensato não convém a palavra excelente. Um tolo nunca será achado a derramar da boca um discurso excelente. Ao assim dizer, o autor sagrado refere-se às palavras de sabedoria adquiridas por meio do aprendizado da lei. Ele não estava falando sobre uma retórica esperta, que os tolos podem manipular tão bem como qualquer outro. A palavra hebraica *yorker* significa, literalmente, "lábios de excesso" ou "lábios abundantes", mas compreendemos a eloquência, o muito falar bem. Os vss. 7-9 retornam à questão da fala própria e imprópria, o tema de cerca de cem provérbios. Ver as notas de sumário em Pv 11.9 e 13.

Insensato. No hebraico temos o vocábulo *nabhal,* que se encontra somente aqui e em Pv 30.22. Está em pauta uma pessoa desprezível, que causa vergonha, destituída de espiritualidade e até do bom senso comum.

Sinônimo. Não é nada fácil encontrar insensatos a discursar habilidosamente com base na lei, encorajando os homens a praticar o bem. Nem é fácil encontrar um bom príncipe que tenha lábios mentirosos. Um príncipe (no hebraico, *nadhibh*) é um homem dotado de caráter nobre, sendo o oposto mesmo de um insensato, pelo que dificilmente ele se envolverá em uma linguagem vil, tola e deprimente, repleta de inverdade. Um governante, se tiver de ser alguém que pratica o bem, deve ser homem íntegro, honesto e digno de confiança. Cf. o uso da palavra hebraica *nadib,* "nobre", em Is 32.8. Um governante que diga mentiras torna-se um insensato, sendo nisso que se transformam quase todos os nossos líderes políticos.

■ **17.8**

אֶבֶן־חֵן הַשֹּׁחַד בְּעֵינֵי בְעָלָיו אֶל־כָּל־אֲשֶׁר יִפְנֶה יַשְׂכִּיל׃

Pedra mágica é o suborno aos olhos de quem o dá. Algumas traduções dizem aqui "presente", porém é mais provável que devamos pensar aqui em "suborno". O dinheiro do suborno é posto diante dos olhos do homem, e esses olhos se iluminam. Há mágica naquele dinheiro, que pode fazer quase qualquer coisa neste mundo. A pedra mágica era uma espécie de encanto de boa sorte que as pessoas levavam consigo, ou sobre a qual meditavam quando queriam que algo bom acontecesse. Um suborno é como um desejo cumprido para o homem corrupto. Este versículo, naturalmente, não está encorajando o suborno. Está tão somente observando o que sucede no mundo "lá fora", onde o suborno é usado com frequência. Quanto à condenação ao suborno, ver Pv 15.27; 17.23; Êx 23.8; Dt 16.19 e 27.25. Além disso, ver a exposição sobre Pv 6.35. Os subornos mostram-se eficazes (ver Pv 17.8; 18.16 e 21.4), mas isso não os torna corretos. "O homem de Deus está acima do espírito mercenário. Cf. 1Sm 12.3; Dn 5.17; At 8.18-20" (Fausset, *in loc.*).

Sinônimo. O indivíduo que tiver recebido suborno põe-no a trabalhar, como se fosse um encantamento de sorte que o faz prosperar mais e mais. Ele também tomará outros subornos a qualquer tempo em que surja oportunidade. Outras pessoas acabam aprendendo que tal indivíduo pode ser comprado e também procurarão comprá-lo. Mas esse indivíduo continuará crescendo no acúmulo de bens, prosperando em seu mau caminho.

Para onde quer que se volte. Pode haver aqui uma alusão ao virar o contrário do encantamento da sorte, ou para os movimentos das pedras preciosas, que apanham luz e a refletem. Um homem rico que aceita subornos vive uma vida encantadora e com muitas vantagens, que continuam a se apresentar a ele. Como uma pedra preciosa reflete a luz quando movimentada, assim acontece a esse homem, em todas as suas ações.

■ **17.9**

מְכַסֶּה־פֶּשַׁע מְבַקֵּשׁ אַהֲבָה וְשֹׁנֶה בְדָבָר מַפְרִיד אַלּוּף׃

O que encobre a transgressão adquire amor. O significado destas palavras é que há homens que perdoam as ofensas que lhe são feitas. Diz literalmente o original hebraico, "cobre", "encobre". Esse homem tem uma expiação privada em seu próprio coração. Ele oferece amor e busca amor da parte do próximo, esperando que outras pessoas também se mostrem caridosas. Esse homem é um praticante da lei do amor. Ver 1Co 14.1. "O amor cobre todas as transgressões" (Pv 10.12b).

Antítese. O homem que sai ao redor dizendo como foi ofendido, como outros pecaram contra ele, separará amigos e azedará a vida em geral. Portanto, tal forma de maledicência é aqui condenada. Algumas vezes uma maledicência diz a verdade, mas isso não justifica os culpados de espalhar a má palavra. Ver Pv 17.4 quanto aos pecados da língua, onde também há uma lista de versículos que se voltam contra a maledicência. É provável que a segunda linha deste versículo tenha tido por finalidade atacar a maledicência, e não meramente atacar o hábito de espalhar histórias sobre como um homem foi vítima. Ellicott, *in loc.*, limita essa palavra a "espalhar antigas queixas". Ademais, Fausset declarou: "... repetir para outro alguma transgressão que deveria ser perdoada, desde muito tempo, por motivo do amor".

■ 17.10

תֵּחַת גְּעָרָה בְמֵבִין מֵהַכּוֹת כְּסִיל מֵאָה׃

Mais fundo entra a repreensão no prudente... Uma simples reprimenda tem mais valor para um sábio do que cem açoites nas costas do insensato (a antítese). O homem bom, devidamente instruído na lei e querendo atingir moralidade e sabedoria mais elevada, é sensível para com a palavra falada. Mas o insensato não modifica a sua conduta mesmo quando é severamente espancado.

> Um bom cavalo é governado até pela sombra da chibata, mas um animal preguiçoso não pode ser impulsionado nem por uma espora.
>
> Curtius

"Uma tenra susceptibilidade diante das admoestações de nosso Pai, mediante a sua Palavra, os seus ministros e a sua providência, é a marca de uma alma graciosa" (Fausset, *in loc.*).

A lei permitia somente quarenta chibatadas (ver Dt 25.2,3), e não as cem referidas neste versículo, que, provavelmente, reflete uma hipérbole oriental, e não uma referência histórica. "Um insensato casca-grossa não responde nem mesmo depois que severas medidas são tomadas. Uma pessoa má insiste em ser rebelde (Pv 17.11)" (Sid S. Buzzell, *in loc.*). Ver no *Dicionário* o artigo intitulado *Açoite*.

■ 17.11

אַךְ־מְרִי יְבַקֶּשׁ־רָע וּמַלְאָךְ אַכְזָרִי יְשֻׁלַּח־בּוֹ׃

O rebelde não busca senão o mal. O ímpio é alguém que se dedicou à rebelião, contra as leis de Deus ou dos homens. Esse homem parece-se com o insensato de Pv 17.10b: recusa-se a aprender mediante correção ou repreensões. Ele se ofereceu aos castigos de Deus e dos homens. Cf. Ez 2.7. "Esse homem nada faz senão o mal, e todo pecado é uma rebelião contra Deus, um desprezo contra a sua lei, uma transgressão... um ato de hostilidade contra o Senhor, o lançamento por terra de toda a lealdade. Diz aqui o original hebraico, literalmente, "rebeldia", e não o homem "rebelde", mas provavelmente esse é um uso do abstrato em lugar do concreto, no dizer de Ellicott, *in loc.* O Targum diz: "O homem rebelde", sendo provável que a referência primária seja contra o rei.

Sinônimo. O homem ímpio continua em sua atitude de rebeldia, mas um dia ele é surpreendido por alguma calamidade, um mensageiro cruel enviado por Deus. Foi Deus quem enviou a calamidade. Naturalmente, em muitos casos, há uma instrumentalidade humana, algum desastre da natureza, alguma enfermidade, ou a morte prematura e/ou violenta. Cf. com os anjos malignos de Sl 78.49. Houve um chefe dos executores que ansiava por efetuar a vingança ordenada pelo rei (cf. 1Rs 2.34,36). Ver também os atormentadores de Mt 18.34. Provavelmente a circunstância que provocou a formação desse provérbio foi um ato de rebeldia contra algum rei. Um rei anula toda rebelião política mediante a execução do ofensor. As versões árabes e a Septuaginta fazem Deus ser o vingador, ou seja, essas versões generalizam o versículo.

■ 17.12

פָּגוֹשׁ דֹּב שַׁכּוּל בְּאִישׁ וְאַל־כְּסִיל בְּאִוַּלְתּוֹ׃

Melhor é encontrar-se uma ursa roubada dos filhos... Um dos acontecimentos mais temidos nas florestas da Palestina era encontrar uma ursa que acabasse de perder os filhotes. Cf. 2Sm 17.8 e Os 13.8. Se o homem que encontrasse tal ursa estivesse desarmado, isso significaria morte certa e, mesmo que estivesse armado, ele não poderia garantir a própria vida.

Antítese. Um insensato irado é mais perigoso do que uma ursa. Estamos falando aqui sobre os insensatos violentos que saem a saquear outras pessoas como se fossem lobos soltos no meio da sociedade humana. Esses insensatos não hesitam em matar para conseguir o que desejam. "Considere o leitor encontrar um insensato armado com uma faca, uma arma de fogo, ou mesmo atrás do volante de um automóvel. Uma mãe ursa seria menos perigosa do que ele" (L. Alden, *in loc.*). Jarchi aplicou este provérbio aos insensatos que induzem outros a envolver-se na idolatria, o que é espiritualmente fatal.

■ 17.13

מֵשִׁיב רָעָה תַּחַת טוֹבָה לֹא־תָמִישׁ רָעָה מִבֵּיתוֹ׃

Quanto àquele que paga o bem com o mal... A *Lei Moral da Colheita segundo a Semeadura* (ver no *Dicionário*) garante que o homem que paga o bem com o mal não escapará da retribuição divina. Ver Pv 10.3; 22.4; 25.21,22. Yahweh é o poder por trás dessa questão. Muitos dos provérbios apelam para o interesse próprio do leitor, que é legítimo, mesmo que não seja muito elevado.

> *A mim me pertence a vingança, eu retribuirei, diz o Senhor. Pelo contrário, se o teu inimigo tiver fome, dá-lhe de comer; se tiver sede, dá-lhe de beber; porque, fazendo isto, amontoarás brasas sobre a sua cabeça. Não te deixes vencer do mal, mas vence o mal com o bem.*
>
> Romanos 12.19-21

> *Pagaram-me o bem com o mal, o amor, com o ódio.*
>
> Salmo 109.5

Sinônimo. O homem que comete o crime de fazer o mal para aquele que lhe fez o bem descobrirá que não somente ele, mas até sua casa e sua posteridade sofrerão por causa disso. Fazia parte da teologia dos hebreus que uma pessoa podia sofrer e mesmo morrer por causa dos pecados de seu pai, e isso poderia ocorrer durante a passagem das gerações. Ver Êx 20.5. Por outro lado, também fazia parte da teologia dos hebreus que um homem sofreria ou morreria somente por causa de seus próprios pecados. Ver Dt 24.16 e Ez 18.20. Permitirei que o leitor reconcilie as duas ideias entre si. Mas ofereço algumas sugestões nas notas das referências citadas. Talvez a ideia mais humana seja uma noção posterior, que anulou a teologia anterior. Ou então devemos supor que os descendentes também se envolvem em pecados pesados. Talvez seja assim, porém o mais provável é que não é isso que Êx 18.20 quer dizer. Devemos lembrar que a mente dos hebreus tinha um conceito fortemente comunal, e o pecado cometido por um dos membros da comunidade era concebido como pertencente a outros membros da família ou da comunidade. Cf. o conceito paulino dos dois homens de Rm 5.12,17,18. A raça humana tem cabeças federais boas e más, que determinam a bênção ou a maldição.

■ 17.14

פּוֹטֵר מַיִם רֵאשִׁית מָדוֹן וְלִפְנֵי הִתְגַּלַּע הָרִיב נְטוֹשׁ׃

Como o abrir-se da represa, assim é o começo da contenda. Ao que tudo indica, a saída da água refere-se a um pequeno racho em uma represa, através do qual a água começa a fluir. Se uma represa tiver rachado, a força da água em breve fará a rachadura abrir-se mais, e então haverá um grande derrame, totalmente descontrolado. Ou então, se uma abertura foi feita propositadamente, a mesma coisa aconteceria, e a água passaria por ali de modo tão abundante que fugiria completamente do controle humano. Uma pequena rachadura em uma represa em breve se amplia, por causa do poder escavador da água, e nem pode a rachadura ser reparada, uma vez que a água comece a fluir por ali. Talvez tenhamos aqui uma figura da represa de irrigação, e então estaria em vista uma circunstância de inundação.

Sinônimo. As querelas e contendas são como a água sobre a qual perdemos o controle. Portanto, a discussão tem de ser interrompida logo no início, antes que extravase. O termo hebraico por trás da palavra "abrir-se" é *gala*, encontrado somente aqui e em Pv 18.1 e 20.3. É, entretanto, uma palavra de sentido incerto. Considere o leitor estes três pontos:

1. Parece querer dizer "irromper, em um sentido hostil" (Charles Fritsch, *in loc.*).
2. Mas Ellicott, *in loc.*, conjectura "mostram seus dentes", a metáfora de um cão irado. Mantenha-se o cão calmo ou ele atacará, dando a entender, controle-se essa disputa, pois, do contrário, em

breve o cão estará mostrando os dentes, com os quais os homens serão despedaçados.
3. Adam Clarke diz "misturam juntos", onde os disputantes em breve serão reunidos em batalha. "Portanto, quando você vir que uma disputa se mostra possível, deixe-a imediatamente".

É mais fácil abster-se de uma briga do que retirar-se dela.

Sêneca

■ 17.15

מַצְדִּיק רָשָׁע וּמַרְשִׁיעַ צַדִּיק תּוֹעֲבַת יְהוָה גַּם־שְׁנֵיהֶם׃

O que justifica o perverso e o que condena o justo... O homem dotado de mente distorcida, que favorece indivíduos parecidos com ele mesmo, ao mesmo tempo que condena o justo, é abominação ao Senhor (a segunda linha, antitética). Provavelmente, o caso específico que está em mira aqui é o do juiz injusto, que talvez recebeu um suborno para fazer o que fez. Assim sendo, o resultado de seus julgamentos, sem importar a quem beneficiem, é fraudulento. Ele condena um homem justo e talvez até determine sua execução, ao passo que o criminoso é libertado. Ver Pv 11.1 quanto à abominação que ele é, juntamente com outros homens corruptos como ele. Cf. Pv 2.22 e 24.24. Ver também 1Sm 8.3; Sl 82.2 e Is 5.7. Um caso de julgamento podia depender do testemunho de apenas duas ou três pessoas (ver Dt 17.6) e não era difícil suborná-las. Até mesmo sem receberem dinheiro, testemunhas ímpias podem ansiar por cooperar com um juiz corrupto. Cf. Pv 21.3 e 25.21,22.

Não é justo aquele julgamento precipitado, mediante o qual um homem bom é julgado como mau, e um homem mau é julgado como bom.

Sófocles, *Oedi. Tryan.* 622

■ 17.16

לָמָּה־זֶּה מְחִיר בְּיַד־כְּסִיל לִקְנוֹת חָכְמָה וְלֶב־אָיִן׃

De que serviria o dinheiro na mão do insensato para comprar a sabedoria... Um insensato, se tivesse dinheiro suficiente, talvez tentasse comprar a sabedoria, mas ela não está à venda e, na verdade, não tem preço. Os sofistas, nos tempos de Sócrates, vendiam seu conhecimento, o que Sócrates considerava uma desgraça. Em outras palavras, eles cobravam grandes somas de dinheiro e tinham escolas onde os estudantes pagavam pela sabedoria. Talvez alguns rabinos andassem fazendo a mesma coisa, e este versículo pode ser uma repreensão direta contra eles. Ou então talvez o autor sagrado estivesse simplesmente imaginando tal cena e visse os tolos pagando em dinheiro, na tentativa de obter a sabedoria. Ou, por outra parte, talvez esta declaração seja apenas uma afirmação de que o dinheiro não é o meio adequado para obter a sabedoria. Mesmo que uma escola cobrasse uma taxa de admissão, e mesmo que os tolos pagassem por sua escolaridade, tais indivíduos não seriam sábios, ao terminar o curso. A insensatez deles persistiria. Os insensatos não podem ser ensinados, por terem eles coração e mente pervertida.

Sinônimos. Um insensato pode ter dinheiro, mas não tem mente ou, literalmente, coração capaz de adquirir sabedoria. Isso vem através do aprendizado da lei e da prática da lei mosaica. Uma pessoa precisa ser capaz de aprender e ser capaz de seguir. O insensato, entretanto, não tem nem mente nem capacidade de coração. Ele é infenso ao ensino. Se frequentar uma escola onde professores verdadeiros ensinem, poderá adquirir uma fisionomia de sábio, mas essa sabedoria não procederia de seu coração (ver Pv 4.23 quanto a esse termo). Cf. Pv 10.15,16.

■ 17.17

בְּכָל־עֵת אֹהֵב הָרֵעַ וְאָח לְצָרָה יִוָּלֵד׃

Em todo o tempo ama o amigo. A literatura de sabedoria salienta o valor da amizade. Cf. o capítulo 27, onde o tema é dominante. "O alto valor da amizade: aquele que tem um amigo possui um dos melhores dons que a vida pode trazer a um indivíduo. Um amigo ama o tempo todo. As mudanças nas condições atmosféricas não alteram a devoção de um amigo... Robert Louis Stevenson tinha razão quando disse: 'Nenhum homem é inútil, enquanto tem um amigo'... A amizade pode aproximar uma pessoa mais do que o parentesco chegado" (Rolland W. Schloerb, *in loc.*).

Aristóteles definiu a amizade como "dois corpos que compartilham uma só mente". "Se você quiser ser amado, ame" (Hecate).

O amor não é um tolo do tempo, embora lábios róseos e bochechas
Apareçam dentro de compasso da foice curva;
O amor não se altera com a passagem das horas e das semanas,
Mas resiste a tudo, até a beira da condenação.

Shakespeare

Sinônimo. Um bom amigo torna-se um companheiro mais chegado que um irmão (ver Pv 18.24). Esse bom amigo pode surgir na adversidade. Os que atravessam juntos alguma adversidade profunda têm o coração entretecido um ao outro. Então o nascimento de irmãos chegados ajuda-os a enfrentar outras adversidades. "Um amigo, em tempos de tribulação, torna-se como um parente em seu apego e devoção" (Charles Fritsch, *in loc.*). Amigo e irmão, neste trecho bíblico, são sinônimos. Não devemos iniciar a segunda linha com a palavra "mas", contrastando-a com a primeira, conforme fazem alguns intérpretes e traduções. Esse provérbio não pretende diminuir a importância das relações de sangue, pois, afinal de contas, usualmente "o sangue é mais espesso do que a água". Pelo contrário, este provérbio está meramente exaltando uma amizade autêntica. Mas, em Pv 18.24, um verdadeiro amigo é exaltado acima do irmão médio.

■ 17.18

אָדָם חֲסַר־לֵב תּוֹקֵעַ כָּף עֹרֵב עֲרֻבָּה לִפְנֵי רֵעֵהוּ׃

O homem falto de entendimento compromete-se. O autor sacro, de súbito, volta ao assunto de tornar-se fiador de outra pessoa. Ele tinha desencorajado essa prática como fonte originária de muitas dores de cabeça. Ver Pv 6.1 e 11.15, em cujas notas expositivas demonstro que a atitude do autor sagrado era pragmática, e não cristã. Ver também Pv 20.16; 22.26,27 e 27.13. O presente versículo é muito vigoroso e assevera que um fiador é um homem sem bom senso, um insensato, pelo menos quanto a esse aspecto.

Compromete-se. Literalmente, no hebraico, "apertar as mãos", o gesto de entrar em um acordo. Ver sobre isso em Pv 6.1, sob o termo *empenhaste*. Cf. 2Rs 10.15.

Sinônimo. Um fiador insensato faz parte de um empréstimo a elevados juros e se parece com uma ovelha que está sendo conduzida ao matadouro. Ele pretende beneficiar o próximo, e assim, na sua presença e na presença do credor sem entranhas, ele se compromete com o apertar das mãos. Mas, no fim, ele pagará e sofrerá.

■ 17.19

אֹהֵב פֶּשַׁע אֹהֵב מַצָּה מַגְבִּיהַּ פִּתְחוֹ מְבַקֶּשׁ־שָׁבֶר׃

O que ama a contenda ama o pecado. Temos muita dificuldade para compreender a mente criminosa. Há pessoas que amam a iniquidade e fazem de atos terríveis uma espécie de esporte, pois têm prazer no furto, no assassinato e em violências de toda sorte. Mas talvez esse pecador seja do tipo calmo. Ele não é violento, mas tem muitos hábitos corruptos, dos quais tanto gosta. Esses hábitos tornam-se seus amantes. Certos homens não caem na transgressão da lei de forma inconsciente. Eles amam a vida de transgressões e quebram a maioria, se não mesmo todos os mandamentos, e isso sobre bases regulares. Entre esses maus hábitos está a contenda, pois a vida e a sociedade do transgressor são caóticas, cheias de tempestades contínuas. "As contendas sempre acompanham a natureza rebelde (no hebraico, *pesha*); a destruição certamente sobrevirá a esse homem orgulhoso (ver Pv 13.10)" (Charles Fritsch, *in loc.*). Alguns vinculam a "contenda" referida neste versículo ao mau negócio do vs. 18. A situação de credor-devedor-fiador só pode terminar em contenda, mas isso parece limitar por demais este versículo, embora possa ser uma ilustração da questão.

Sinônimo. O transgressor tira proveito de sua vida de crime e engano e assim edifica para si uma casa espetacular, com uma porta de tamanho desmesurado. Essa casa é ornamentada com metais cuidadosamente entalhados. A construção atrai a atenção de todos quantos passam. Alguns fazem dessa porta a boca do homem (um vívido símbolo). Ele passa o tempo todo com a "porta" aberta, vangloriando-se de todas as suas realizações. O orgulho faz-se presente na casa literal do homem por causa daquela porta grande, e se faz presente no homem com a boca aberta, a "boca grande", conforme dizemos em uma moderna expressão idiomática. Em contraste, pessoas mais humildes por muitas vezes constroem portas baixas que tornam mais difícil aos saqueadores ter acesso a qualquer pequena riqueza que possuam. Algumas portas não tinham mais de 90 cm de altura, ao passo que outras eram imensas. Ver no *Dicionário* o artigo chamado *Porta*, quanto a materiais que ilustram o presente versículo.

■ 17.20

עִקֶּשׁ־לֵב לֹא יִמְצָא־טוֹב וְנֶהְפָּךְ בִּלְשׁוֹנוֹ יִפּוֹל בְּרָעָה׃

O perverso de coração jamais achará o bem. Alguns indivíduos são dotados de coração distorcido (ver Pv 4.23 quanto ao termo). Essa é a origem de toda a sua corrupção, pois como um homem pensa em seu coração assim ele é (Pv 23.7). Mas a vida não é muito feliz com o coração perverso e verifica-se que essa calamidade fere, eventualmente. Esse homem de mente distorcida jamais estudou a lei, e o pouco que aprendeu foi por ouvir dizer, pois não pensou que valia a pena pôr a questão em prática. A lei era o seu coração pervertido, que o impelia a "obedecer" aos impulsos malignos. Ele se tornou um seguidor confirmado do caminho distorcido e liderou outros nesse caminho distorcido. Ver Pv 4.27 quanto a um sumário dos *caminhos bom e mau* que os homens escolhem. Ver Pv 4.11 quanto à *metáfora da vereda*.

O perverso. No hebraico, 'iqqes, "distorcido", "torto". Ver Pv 2.15. Os motivos e a moral de uma pessoa são bizarros, ignorando toda lei.

Sinônimo. Um coração pervertido naturalmente se exprime através de atos e de uma fala pervertidos. Mas o homem de coração e de boca distorcidos só pode cair na calamidade, por causa da *Lei Moral da Colheita segundo a Semeadura* (ver a respeito no *Dicionário*). Ver Pv 17.13 como uma ilustração dessa situação. "Esse homem é abominação (ver Pv 11.1) diante de Deus e assim não ganha da parte dele bênção alguma" (Ellicott, *in loc.*). Ver o indivíduo de língua dúplice em 1Tm 3.8 e Tg 3.9,10. Cerca de cem provérbios falam sobre o uso próprio e impróprio da língua. Ver Pv 11.9 e 13 quanto a notas de sumário sobre esse tema.

■ 17.21

יֹלֵד כְּסִיל לְתוּגָה לוֹ וְלֹא־יִשְׂמַח אֲבִי נָבָל׃

O filho estulto é tristeza para o pai. Se um homem gera um insensato, então inevitavelmente sofrerá tristeza por causa disso. O autor nada diz sobre esse treinamento supostamente usado para garantir o sucesso. Ver Pv 22.6. Ele parece reconhecer, pela sua experiência, que um pai sábio pode, de fato, gerar um filho insensato, a despeito de seus bons esforços. E também há outros fatores envolvidos além do bom treinamento e do bom exemplo. Ver as notas expositivas em Pv 13.24, que entram nessa questão, propondo outras razões para os desastres na paternidade, mais do que a falta de esforço em prol do bem.

Sinônimo. O insensato (no hebraico, *kesil*) que figura na primeira linha é o mesmo insensato (no hebraico, *nabhal*) da segunda linha, mas isso é apenas uma variação literária. O insensato que traz dor a seu pai também não lhe traz alegria, a esperança de qualquer bom pai. Alguns, tentando estabelecer uma diferença entre *kesil* e *nabhal*, fazem a primeira palavra significar "cabeça dura", ao passo que a segunda indicaria alguém a quem falta sensibilidade ou percepção espiritual. Cf. este versículo com o vs. 7 deste mesmo capítulo e com Pv 30.22. "Os pais não deveriam anelar tanto por muitos filhos, mas, sim, por uma descendência piedosa" (T. Cartwright, *in loc.*).

■ 17.22

לֵב שָׂמֵחַ יֵיטִב גֵּהָה וְרוּחַ נְכֵאָה תְּיַבֶּשׁ־גָּרֶם׃

O coração alegre é bom remédio. O autor sagrado, por várias vezes, reconheceu o valor da medicina psicossomática. A mente (coração) exerce poder sobre o corpo. Ele conhecia isso por observação, e não por meio da ciência. Quanto a outras observações psicossomáticas, ver também Pv 3.8; 14.30; 15.13. A paz mental, a animação e certamente uma boa consciência são estados espirituais/mentais que conservam o corpo feliz e saudável.

Remédio. Os primeiros hebreus não confiavam nos médicos, em parte por pensarem que as enfermidades resultavam do pecado, e em parte porque somente Yahweh, segundo criam, poderia ser o verdadeiro curador (ver Sl 103.3). Os médicos antigos misturavam ervas medicinais com cânticos mágicos em suas curas, e esse aspecto mágico era o que mais irritava os hebreus. Ver no *Dicionário* o artigo chamado *Medicina, Médico*. Em tempos posteriores da história dos hebreus, até os sacerdotes, no templo de Jerusalém, contavam com médicos que os atendiam (conforme o Talmude mesmo o indica). Parece que, quando este versículo foi escrito, pelo menos ervas medicinais eram usadas, o que já foi um passo que afastava os judeus da posição mais radical do passado. Ver no *Dicionário* o artigo chamado *Cura*.

Porém, um coração correto e uma mente contente são a medicina real que ajuda o corpo, no presente versículo, embora isso também possa aludir a outras medicinas naturais.

Antítese. Uma mente negativa, cheia de cicatrizes produzidas pelo pecado, além de outros elementos negativos, pode prejudicar o corpo; e sabemos que isso é verdade. Quanto à metáfora dos ossos, ver Pv 3.8; 14.30; 15.30 e 16.24.

O espírito abatido. "Um espírito abatido refere-se ao fato de alguém andar deprimido, entristecido (ver Pv 18.14). Um exemplo de espírito abatido é a tristeza de um pai por causa de seu filho desviado do reto caminho (vs. 21)" (Sid S. Buzzell, *in loc.*).

■ 17.23

שֹׁחַד מֵחֵיק רָשָׁע יִקָּח לְהַטּוֹת אָרְחוֹת מִשְׁפָּט׃

O perverso aceita suborno secretamente. Ver o vs. 8, que também é contrário ao suborno, e cujas notas expositivas também se aplicam aqui. O suborno é como uma pedra mágica para o indivíduo subornado. É como um encantamento de boa sorte, que o faz prosperar. Com frequência, o propósito do suborno é perverter a justiça, conforme diz o presente versículo.

Secretamente. As vestes antigas não contavam com bolsos, botões e zíperes. Pelo contrário, tinham dobras. A dobra que havia à altura do peito funcionava como bolso. Portanto vemos aqui aquele que dava o suborno meter a mão nessa dobra e tirar dali um diamante, uma joia de ouro, o documento de uma propriedade ou alguma outra coisa dotada de valor, que apresentava como suborno, enquanto os olhos do subornado faiscavam de ganância e não haveriam de rejeitar a peita. Se o subornado fosse um juiz, isso significava que a justiça já havia sido pervertida. Temos no Brasil uma declaração popular que diz: "É dando que se recebe", e grande parte das doações entre os políticos consiste em suborno. No vs. 8 dou uma lista de referências onde o suborno é condenado. Ver também Pv 15.27, onde há outras ideias úteis sobre o assunto.

■ 17.24

אֶת־פְּנֵי מֵבִין חָכְמָה וְעֵינֵי כְסִיל בִּקְצֵה־אָרֶץ׃

A sabedoria é o alvo do inteligente. O sábio chega aonde está mediante o acúmulo gradual da compreensão, derivada do manual que é a lei, fomentada e interpretada pelas declarações da sabedoria. O homem capaz de discernir tem um alvo espiritual: obter sabedoria. Cf. com as declarações do vs. 10 deste capítulo. Um sábio judeu olhava para o lugar correto e óbvio onde a sabedoria que ele buscava podia ser encontrada, a lei de Moisés, o guia de sua vida (ver Dt 6.4 ss.).

Antítese. Em contraste, os olhos do insensato percorrem o mundo inteiro e não encontram alvo certo para seguir, mas tão somente um desvio contínuo. Seus olhos percorrem o horizonte, mas ele nunca descobre coisa alguma dotada de valor espiritual. Tal homem pode achar dinheiro; pode encontrar fama; pode obter poder. Mas essas realizações se reduzirão a nada no fim de sua vida. Cf. Dt 30.11-14. "Ele negligencia a palavra da fé, que está perto dele (ver Rm 10.8)" (Fausset, *in loc.*). Entretanto, "o homem sábio concentra-se sobre o alvo imediato" (*Oxford Annotated Bible*, comentando sobre o vs. 24). "... os desejos do insensato espalham-se por muitas áreas, tendo por alvo coisas impossíveis e ilegítimas" (Adam Clarke, *in loc.*).

17.25

כַּעַס לְאָבִיו בֵּן כְּסִיל וּמֶמֶר לְיוֹלַדְתּוֹ׃

O filho insensato é tristeza para o pai. Pv 17.25a repete a ideia do vs. 21 deste mesmo capítulo. Ver também Pv 15.20 e 17.21. Mas temos aqui uma palavra diferente e, talvez, mais forte, para indicar o sentimento de tristeza, a saber, *ka'as*, que aponta para uma tristeza profunda (ver Ec 1.18; 7.3). A palavra também pode significar "provocação" (ver Pv 27.3) e "importunação" (ver Pv 12.16). Um pai se entristece diante do filho que não saiu conforme ele esperava. Ver Pv 13.24, onde proponho outras razões pelas quais o treinamento de um filho pode falhar, em vez da falta de ensino e disciplina. Os vss. 21 e 25 parecem querer dizer que algumas vezes um bom pai, que fez tudo quanto estava ao seu alcance para criar corretamente um filho no caminho reto, fracassou. Por outra parte, é facilmente possível que o filho é que tenha fracassado, por culpa exclusiva sua, porquanto, afinal de contas, ele tem seu próprio livre-arbítrio, bem como os poderes para dirigir a sua vida. Além disso, há outros fatores possíveis que reviso na exposição sobre Pv 13.24.

Sinônimo. A mãe de um filho insensato também está diretamente envolvida na vida desse filho, primeiramente por haver-lhe dado nascimento e então por ter sido a sua primeira professora. Ela também fica amargamente desapontada com o resultado obtido. Por outra parte, se não fosse a sua mãe, o rapaz ainda seria pior do que é. Provavelmente ela fez alguma diferença para melhor, embora não tanto quanto esperava. A maioria dos pais e mães sofre alguma amargura na questão de criar filhos, mesmo depois de fazerem tudo quanto puderam fazer. Portanto, se essa for a sua situação, entregue a carga ao Senhor e deixe-a com ele.

> ... lançando sobre ele toda a vossa ansiedade, porque ele tem cuidado de vós.
>
> 1Pedro 5.7

"Jeroboão, filho de Nebate, foi causa de um amargor que fez Israel pecar. Ver Pv 10.1" (John Gill, *in loc.*). Ver 1Rs 12.28 ss. quanto ao pecado de Jeroboão.

17.26

גַּם עֲנוֹשׁ לַצַּדִּיק לֹא־טוֹב לְהַכּוֹת נְדִיבִים עַל־יֹשֶׁר׃

Não é bom punir ao justo. Este versículo é a repetição da ideia do vs. 15. Os ímpios escapam à punição, mas os justos são condenados (nos tribunais da lei, com subsequentes resultados terríveis). A palavra aqui traduzida por "punir", ao que parece, seria mais bem traduzida por "taxado". O homem bom sofre um julgamento injusto e termina sendo forçado a pagar um imposto, ou seja, sofre prejuízo financeiro.

Provérbios que dizem "não é bom": 18.5; 19.2; 24.23; 25.27; 28.21. Um homem sábio não se misturará no negócio dos insensatos, que pervertem a justiça e praticam uma variedade de pecados.

Sinônimo. O pior de tudo é que um homem bom pode ser espancado por crimes alegados que, entretanto, ele não cometeu. Somente os reis e os juízes, na antiga nação de Israel, podiam baixar ordens para um espancamento judicial, e devemos entender que, provavelmente, eles aceitavam peitas (vs. 23) a fim de condenar injustamente o homem bom. Ademais, eram necessárias apenas duas ou três testemunhas, as quais podiam ser subornadas para que um homem fosse injustamente condenado. Quanto aos açoites judiciais, ver Dt 25.1-3. Ver no *Dicionário* o artigo chamado *Açoite*.

Príncipe. Uma melhor tradução seria "nobre" e, não necessariamente, aqueles que tivessem subido a uma posição de autoridade.

17.27

חוֹשֵׂךְ אֲמָרָיו יוֹדֵעַ דָּעַת וְקַר־רוּחַ אִישׁ תְּבוּנָה׃

Quem retém as palavras possui o conhecimento. Este versículo é bastante parecido com Pv 10.19, onde ofereço notas expositivas sobre o tema da retenção da linguagem. O homem dotado de conhecimento sabe segurar a própria língua, sabe ponderar suas palavras, sabe usar sua inteligência na fala, em vez de usar de precipitação. Ver também Pv 12.17. "Um homem sábio mostra-se cauteloso quanto ao que diz (Cf. Pv 14.8) e não vive falando à toa" (Sid S. Buzzell, *in loc.*).

Sinônimo. O homem bom, que é cauteloso naquilo que diz e tem uma boa conversa, possui um espírito frio (na *Revised Standard Version*, "não se deixa provocar facilmente"). Essa versão traduz a palavra *kethibh*, e não o termo hebraico *qere* (excelente), encontrado em alguns manuscritos. O homem sábio "conserva a frieza", conforme diríamos em uma expressão idiomática. Esse homem não se deixa provocar nem irritar, e mantém seu temperamento sob controle. Cerca de cem provérbios tratam do uso próprio e impróprio da linguagem. Ver Pv 11.9,13 quanto a notas de sumário a respeito. Ver também, no *Dicionário*, o artigo chamado *Linguagem, Uso Apropriado da*. O Targum fala sobre o homem de espírito humilde.

17.28

גַּם אֱוִיל מַחֲרִישׁ חָכָם יֵחָשֵׁב אֹטֵם שְׂפָתָיו נָבוֹן׃

Até o estulto, quando se cala, é tido por sábio. Um homem insensato, nas raras ocasiões em que conserva a boca fechada, em vez de fazer seu barulho usual, aparece como um sábio, embora essa condição possa ser esperada como de curta duração. Esse homem, algumas vezes, faz o que um homem sábio faz habitualmente (conforme a descrição do vs. 27). Um silêncio que oculte a insensatez é uma espécie de sabedoria. Mas o insensato (no hebraico, *'ewil*) usualmente é um sujeito arrogante ou endurecido (ver Pv 1.7). No entanto, tal homem pode ter seus momentos de sabedoria — o que é a declaração sinônima (segunda linha métrica) deste versículo. Mas se houver aqui uma antítese, então a segunda linha se refere ao sábio citado no vs. 27, que forma o contraste com o "insensato" ocasional. Provavelmente a declaração é um sinônimo. Algumas vezes, porém, veremos o espetáculo do insensato invadindo o território moral do sábio, embora isso não seja muito frequente.

"Um homem pode ter boca de ouro e língua de prata quanto à sua eloquência; mas saber quando e onde falar, e quando se fazer silêncio, vale mais do que os diamantes" (Adam Clarke, *in loc.*).

CAPÍTULO DEZOITO

Não há nenhuma interrupção entre os capítulos 17 e 18. Dou a introdução à seção geral em Pv 10.1 (a seção 10.1—22.16 assinala a primeira coletânea dos provérbios de Salomão). A segunda parte dessa seção começa em Pv 16.1. Daí até 11.16 existem 191 versículos, cada um deles com seu provérbio de duas linhas. Ver a introdução à subseção de Pv 16.1.

18.1

לְתַאֲוָה יְבַקֵּשׁ נִפְרָד בְּכָל־תּוּשִׁיָּה יִתְגַּלָּע׃

O solitário busca o seu próprio interesse. O hebraico original deste versículo é ininteligível, pelo menos para nós. Talvez os hebreus pudessem arrancar algum sentido dessas palavras hebraicas. Por conseguinte, obtemos muitas conjecturas e não poucas emendas. A *King James Version* fornece uma tradução ininteligível, procurando imitar literalmente o hebraico. Considere o leitor estes quatro pontos:

1. Um dos significados possíveis é que o homem "independente", aquele que não frequentou as escolas dos mestres, segue os seus próprios padrões e desejos. Esse indivíduo isolado na realidade manifesta-se contra a sabedoria. É uma espécie de herege, um homem de mente independente.
2. Ou então esse homem afasta-se dos sábios que buscam pretextos para manter sua posição de independência e, assim sendo, encrespa-se contra todo o são julgamento.
3. Ou então este versículo poderia significar que certos sábios buscam a sabedoria com entusiasmo tal que esquecem tudo mais. São os fanáticos religiosos, dentro do contexto do Antigo Testamento, homens para quem "a lei era tudo".
4. Ou, ainda, este versículo quer dar a entender que certos amigos alienados buscam desculpas para iniciar qualquer sorte de contendas, sem ter, para tanto, boas razões. Assim, as palavras usadas pela Septuaginta, "insurge-se contra", seguidas pela nossa versão portuguesa, acompanham o mesmo original hebraico de Pv 17.14, onde a palavra também se reveste de significado duvidoso. Ver sobre o termo hebraico *gala*, sob *Sinônimo*.

18.2

לֹא־יַחְפֹּץ כְּסִיל בִּתְבוּנָה כִּי אִם־בְּהִתְגַּלּוֹת לִבּוֹ׃

O insensato não tem prazer no entendimento. Se este versículo tenciona dizer algo similar ao vs. 1, então a primeira das quatro interpretações daquele versículo provavelmente é a correta. Um insensato não segue os ditames das escolas de sabedoria. Ele não é discípulo da lei de Moisés e tem pouco uso para as declarações de sabedoria que fomentam e interpretam a lei.

Sinônimo. O louco não tem prazer no discernimento que se deriva da lei de Moisés. Ele tem seus próprios discernimentos (compreensão), seu próprio conjunto de prazeres — mentais e físicos —, os quais compõem a sua vida, e não a lei. Parte de seu prazer é exibir sua ignorância. Ele é um insensato que gosta de dar espetáculos. De sua boca esguicha insensatez (ver Pv 15.2). E ele não se cala, o que permitiria que os outros homens o confundissem com um sábio (ver Pv 17.28). Ele cai na armadilha de ser um produtor intempestivo de tolices (ver Pv 18.6,7). Esse homem só se interessa pelo tipo de sabedoria que fomenta os próprios desejos. Ou então se tem algo digno para dizer, ele o faz somente com propósitos de exibição e ostentação. Cf. Pv 26.1,3-12.

18.3

בְּבוֹא־רָשָׁע בָּא גַם־בּוּז וְעִם־קָלוֹן חֶרְפָּה׃

Vindo a perversidade, vem também o desprezo. Quando um ímpio chega para fazer uma visita a outrem, traz consigo um companheiro, a saber, o desprezo. Somente outro insensato saudará a sua presença e à de seu companheiro. Esse homem ímpio prejudicará a si mesmo e a outras pessoas com seu estilo de vida. "Cf. o sentido inteiro de Sl 106: a tristeza e a vergonha se seguem ao pecado" (Ellicott, *in loc.*).

Sinônimo. Quando a desonra vem nos fazer uma visita, traz sua companheira, a desgraça. Só os insensatos darão as boas-vindas a essas visitas. Essas várias palavras são usadas para produzir um contraste com os benefícios da retidão, a vida sábia. Isso deve incluir ou produzir honra e dignidade (ver Pv 4.7-9). Cf. este versículo com Pv 12.8.

18.4

מַיִם עֲמֻקִּים דִּבְרֵי פִי־אִישׁ נַחַל נֹבֵעַ מְקוֹר חָכְמָה׃

Águas profundas são as palavras da boca do homem. Estão em vista aqui as palavras de um homem sábio. Elas são profundas porque ele estudou profundamente a lei mosaica. E a fonte jamais poderá exaurir-se porque ela é divina. Alguns estudiosos pensam que as palavras da primeira linha significam "de dentro de uma cisterna", ou seja, palavras profundas mas estagnadas, produzidas somente pela sabedoria humana; mas isso parece ser contrário ao sentido verdadeiro das palavras em foco. O autor enfatizava a profundidade da lei que está no homem, uma fonte insondável. É melhor pensar nas profundezas misteriosas do oceano que na relativa superficialidade de uma cisterna.

Sinônimo. As palavras do homem sábio são, igualmente, parecidas com a fonte da sabedoria que envia um esguicho de água. Essa água é doce e refrigerante, abundante e transmissora de vida. Ver como a sabedoria transmite vida, em Pv 4.1. Quanto à lei como doadora de vida, ver Dt 4.1; 5.33; Ez 20.1. As palavras do sábio beneficiarão outras pessoas, em contraste com as palavras do insensato. Quanto a palavras ajudadoras e encorajadoras, ver Pv 10.11 e 13.14. Cerca de cem provérbios falam sobre o uso próprio e impróprio da linguagem. Ver Pv 11.9 e 13 quanto às notas de sumário sobre esse tema. Quanto à fonte da vida, ver Pv 13.14. "Vida e morte" estão no poder da língua. Ver o vs. 21 do presente capítulo.

18.5

שְׂאֵת פְּנֵי־רָשָׁע לֹא־טוֹב לְהַטּוֹת צַדִּיק בַּמִּשְׁפָּט׃

Não é bom ser parcial com o perverso. Quanto a provérbios iniciados com a introdução que diz "não é bom", ver Pv 17.26; 18.5; 19.2; 25.27 e 28.21. Aqui o que não é bom é usar de parcialidade em favor do perverso, em detrimento do homem bom. O que é especificamente condenado é a injustiça em tribunal. Cf. Pv 17.15,23,25; 24.23 e 8.21. O verdadeiro juiz não aceitará subornos (ver Pv 17.23). Ver também Êx 23.8.

Sinônimo. Um juiz injusto (ou uma testemunha falsa) não somente favorece o pecador, mas também priva o homem justo de justiça, levando-o a pagar uma multa (ver Pv 17.26) ou mesmo a ser executado, se seu alegado crime cair na categoria das ofensas sérias.

Ser parcial. Diz o hebraico, literalmente, "levantar a face de", ou seja, mostrar favoritismo olhando para o rosto de uma pessoa, para que esta encontre olhares e sorrisos favoráveis. Cf. este versículo com Lv 19.15.

18.6

שִׂפְתֵי כְסִיל יָבֹאוּ בְרִיב וּפִיו לְמַהֲלֻמוֹת יִקְרָא׃

Os lábios do insensato entram na contenda. Um indivíduo insensato continua falando e, quanto mais fala, mais contendas desperta. Cf. Pv 26.21. "Um insensato acaba por encontrar-se em tribulação, porquanto fala sem pensar (cf. o vs. 2), com base em um coração corrompido" (Sid S. Buzzell, *in loc.*). "Ele diz coisas que provocam disputas e contendas entre os homens, o que provoca ira e sentimentos adversos" (John Gill, *in loc.*).

Sinônimo (suplementar). Visto que esse insensato não pode deixar de falar, por isso mesmo alguém tem de detê-lo com um espancamento. Isso porque ele causa muita confusão, promove casos falsos nos tribunais, dá testemunho falso sobre negócios e atividades e, de modo geral, porta-se na sociedade como um destruidor. Seus crimes não são tão pesados que demandem a sua execução; mas, por causa deles, ele recebe um belo castigo físico. Ver Pv 10.13; 17.10 e 26.3. Ver o artigo geral que se chama *Açoite*, no *Dicionário*. O número de golpes aplicados era sempre proporcional à gravidade da ofensa, embora não pudesse exceder quarenta chibatadas (ver Dt 25.1-3). A segunda linha pode ser interpretada como significando que o insensato exige que um homem receba, injustamente, um espancamento; mas essa interpretação é menos provável. "Mediante a boca contenciosa, ele atrai golpes de chibata contra si mesmo" (Fausset, *in loc.*).

18.7

פִּי־כְסִיל מְחִתָּה־לוֹ וּשְׂפָתָיו מוֹקֵשׁ נַפְשׁוֹ׃

A boca do insensato é a sua própria destruição. Cf. esta primeira linha do presente provérbio com Pv 12.13, que diz essencialmente a mesma coisa, ainda que as palavras não correspondam. Ver também Pv 10.25; 12.3 e Mt 7.24-27. O vs. 21 lembra-nos de que a questão da vida e da morte está na boca.

A sua própria destruição. Provavelmente referindo-se a muitas calamidades que, finalmente, levam à morte prematura, correspondendo ao ponto de vista dos hebreus sobre o que acontece aos homens ruins.

Sinônimo. Os lábios da boca tornam-se uma armadilha armada pelo próprio dono que, finalmente, o apanha. A imagem é a do caçador que apanha a sua presa e então a despacha. O insensato é alguém que despacha a si mesmo. "Certamente ele é prejudicado por sua própria precipitação e devassidão de linguagem" (Fausset, *in loc.*). "Há um mundo de iniquidade na boca e na língua de um homem ímpio, o que atrai a destruição desse próprio homem e de outros; Tg 3.6,8" (John Gill, *in loc.*).

18.8

דִּבְרֵי נִרְגָּן כְּמִתְלַהֲמִים וְהֵם יָרְדוּ חַדְרֵי־בָטֶן׃

As palavras do maldizente são doces bocados... A calúnia e a maledicência são armas que infligem ferimentos. Cf. Pv 11.13; 16.28; 26.20. Cf. isso com as palavras que curam, em Pv 12.18.

Maldizente. Se a maledicência é um esporte, no qual se engajam principalmente as mulheres que pouco têm para fazer, é um esporte mortífero. E uma vez que você tenha sido acertado por uma flecha desse desportista, você se tornará um alvo constante. A verdade e a falsidade não são as regras do jogo. Qualquer história boa, verdadeira, falsa, parcialmente verdadeira ou exagerada, serve. A maledicência afasta para um lado, violentamente, a lei do amor, ou mesmo a lei da cortesia.

Alguém há cuja tagarelice é como pontas de espada.
Provérbios 12.18a

A Bondade. Um sobrinho de Henry James, de certa feita, perguntou o que deveria fazer na vida. A resposta do tio foi: "Três coisas são importantes na vida: A primeira é ser bondoso. A segunda é ser bondoso. A terceira é ser bondoso".

Bondoso: simpático; gentil; benévolo; amoroso. Esta é outra palavra que indica viver a lei do amor, o que, como é óbvio, condena as flechas da boca. Ver no *Dicionário* o artigo chamado *Amor*, bem como um excelente poema que ilustra a fala bondosa, em Pv 11.13. Ver no *Dicionário* o artigo chamado *Bom, Bondade*.

Sinônimo. As palavras que se parecem com espadas e flechas ferem as suas vítimas, mas aqueles que ouvem os contos do maldizente os engolem como se fossem bocados doces. A palavra hebraica para isso, *mithlahamim*, encontra-se somente aqui e em Pv 26.22. A raiz verbal significa "engolir com afã". Esses pedaços deliciosos são engolidos e terminam no íntimo das entranhas, uma expressão poética que dá a entender o sistema digestivo. Literalmente traduzidas do hebraico, essas palavras diriam "câmaras do ventre", e a referência pode ser somente ao estômago. Essa expressão se encontra somente no presente versículo. Alguns estudiosos, entretanto, dizem que essas palavras são metafóricas para "entesourado nos recessos mais profundos do coração" (Ellicott, *in loc.*). O caluniador e aqueles que recebem com apetite suas calúnias retirarão por muitas e muitas vezes essas histórias atrevidas e perversas de seu tesouro, até morrerem.

Doces bocados. Alguns pensam que a palavra hebraica aqui envolvida significa "ferimentos" (*King James Version*). Nesse caso, a figura é a de palavras que se parecem com espadas que atravessam o baixo ventre, infligindo um ferimento muito profundo ali. Mas a ideia dada ali provavelmente é a correta.

"... doces bocados, escondidos com uma malícia feroz" (Charles Fritsch, *in loc.*).

18.9

גַּם מִתְרַפֶּה בִּמְלַאכְתּוֹ אָח הוּא לְבַעַל מַשְׁחִית׃

Quem é negligente na sua obra... O preguiçoso não é assassino, nem ladrão; mas mesmo assim é irmão daquele que destrói. Isso acontece porque ele arruína a si mesmo e a outros, os quais dependem dele em sua inação. Ver Pv 6.1-15.

Sinônimo. Um grande perdulário, literalmente, "possuidor da destruição". "Um trabalho malfeito e incompleto difere de um projeto que alguém demoliu. Ambos os projetos não têm nenhum valor" (Sid S. Buzzell, *in loc.*). "A negligência do dever causa quase tanto prejuízo quanto uma vida de iniquidade ativa" (Ellicott, *in loc.*). "Um preguiçoso negligencia o seu trabalho, e os materiais referentes a esse trabalho são arruinados. Os desperdiçadores destroem os materiais. Ambos os tipos são destruidores" (Adam Clarke, *in loc.*).

Ver no *Dicionário* os artigos chamados *Preguiça* e *Preguiçoso*.

18.10

מִגְדַּל־עֹז שֵׁם יְהוָה בּוֹ־יָרוּץ צַדִּיק וְנִשְׂגָּב׃

Torre forte é o nome do Senhor. Isto é, a pessoa de Yahweh, o Deus eterno, também chamado de Elohim, o Todo-poderoso. Ver no *Dicionário* o artigo chamado *Deus, Nomes Bíblicos de*. Ver também o artigo denominado *Nome*, bem como esse assunto em Sl 31.1, e ver *nome santo*, em Sl 30.4 e 33.21.

Um sábio que esteja sob tribulação e provação tem o recurso da proteção divina, que age como uma *torre* (ver o artigo com esse nome, e também Sl 46.1). A metáfora é militar. As fortificações divinas pertencem ao homem bom. Ali ele tem proteção e força contra todos os inimigos, internos e externos. Ver também no *Dicionário* o artigo chamado *Refúgio*.

Senhor. No original hebraico temos a palavra *Yahweh*. Esse é o nome por meio do qual Deus se revelou a Israel (ver Êx 3); o nome no qual os pactos foram firmados. Ver no *Dicionário* o verbete chamado *Pactos*. O amor, os cuidados e a proteção estão com ele, e qualquer homem em pacto com o Senhor pode reivindicar essas coisas para si mesmo.

Sinônimo. O homem bom que esteja em aflição abriga-se na torre forte, sua fortaleza e refúgio. Ali são resolvidos todos os problemas.

Ele está em segurança e ali é abençoado. Cf. este versículo com Pv 3.5-8. Ver também Sl 59.1 e 69.29. Quanto à alta cidadela, ver Is 26.1. "Torre forte, uma torre alta, uma rocha de refúgio, mais alta do que os homens ou o próprio céu; e tais são, igualmente, aqueles que se refugiam nessa torre. Esses ficam fora do alcance do perigo, a salvo de todos os inimigos" (John Gill, *in loc.*).

18.11

הוֹן עָשִׁיר קִרְיַת עֻזּוֹ וּכְחוֹמָה נִשְׂגָּבָה בְּמַשְׂכִּיתוֹ׃

Os bens do rico lhe são cidade forte. Em contraste com o homem bom, cuja força e proteção estão em Yahweh, o rico se escuda, como sua força, em suas próprias riquezas. Mas essa é sempre uma posição precária. Para ele, porém, é como uma cidade forte. Se este versículo não vincula nenhuma estima a isso, e embora já tenhamos visto que existem vantagens próprias das riquezas (ver Pv 10.15, onde encontramos a mesma metáfora), o próprio contraste com o vs. 10 diz-nos que esse meio de proteção deve ser duvidoso e falso. Diz-nos, diretamente, a passagem de Pv 10.2: "Os tesouros da impiedade de nada aproveitam".

"O dinheiro não pode substituir o Senhor como base de segurança, embora os ricos imaginem que suas riquezas podem protegê-los. O dinheiro simplesmente não pode servir de escudo das pessoas contra os seus problemas" (Sid S. Buzzell, *in loc.*).

Sinônimos. Os ricos têm aquela vã imaginação que os consola: minhas riquezas cuidarão de mim em qualquer ocasião em que as dificuldades se aproximarem. Essas riquezas são como uma alta muralha que circunda uma cidade, não permitindo que o inimigo chegue a invadi-la. Mas as experiências da vida logo revelam a falácia dessa maneira de pensar. "É infinitamente melhor 'confiar no Deus vivo' do que na 'incerteza das riquezas' (1Tm 6.17)" (Fausset, *in loc.*).

18.12

לִפְנֵי־שֶׁבֶר יִגְבַּהּ לֵב־אִישׁ וְלִפְנֵי כָבוֹד עֲנָוָה׃

Antes da ruína gaba-se o coração do homem. O indivíduo arrogante continua exibindo seu orgulho tolo e sua falsa autoconfiança; mas eis que a calamidade o atinge. O pecado do orgulho é um dos temas mais importantes do livro de Provérbios. Ver o orgulho e a humildade contrastados em Pv 11.2; 13.10. Ver sobre os olhos altivos em Pv 14.3. Outros versículos no livro de Provérbios sobre esse assunto, são: 6.17; 15.25 e 16.5,18. Um homem precisa confiar na torre alta (vs. 10), e não em suas riquezas (vs. 11); e certamente não em si mesmo (vs. 12). Ver sobre confiança em Sl 2.12. O homem orgulhoso se empina alto (no hebraico, *gabah*, "alto", "elevado", "exaltado"), mas isso não faz dele a torre alta de que precisa. O homem que confia em si mesmo caminha na direção da destruição e certamente terminará em uma morte prematura e/ou violenta.

Antítese. Em contraste com o homem orgulhoso, temos o homem bom, que é humilde, e a humildade é a estrada que leva à honra. Esse homem conta com recursos divinos, e nisso está a sua proteção. Aqueles que sobem a grandes alturas propendem por cair, especialmente se não tomam as precauções apropriadas. Mas o homem que se posta no nível baixo da humildade não pode cair. Quanto à queda do homem orgulhoso, ver Pv 11.2; 16.18 e 29.23. O humilde, em contraste, é exaltado pelo Senhor (Tg 1.9).

18.13

מֵשִׁיב דָּבָר בְּטֶרֶם יִשְׁמָע אִוֶּלֶת הִיא־לוֹ וּכְלִמָּה׃

Responder antes de ouvir é estultícia e vergonha. O homem que não escuta primeiro é também mau respondedor. Cf. Pv 12.17 e Eclesiástico 11.8.

Não respondas antes de ouvir;
Não interrompas a ninguém
No meio do que ele está dizendo.

Tradução Americana

"Ouvir", conforme o vocábulo é aqui empregado, significa compreender (ver Dt 28.49). Mas existem pessoas que não estão interessadas em outras. Elas vivem superocupadas tentando exibir seu espetáculo de homem sozinho.

Sinônimo. Aqueles que não dão ouvidos a ninguém, permitindo-lhe dizer o que tem para ser dito, mas continuam a prestar atenção somente a si mesmos, são insensatos de causar vergonha. São pessoas que só se interessam por si mesmas, que gostam de exibir-se. Não respeitam o próximo nem as suas opiniões. Pensam que já têm todas as respostas. "São pessoas mal treinadas. Baixam seu julgamento antes de ouvirem a questão inteira... Quão absurdo, estúpido e insensato é isso!" (Adam Clarke, *in loc.*). Seus discursos, prematuros como são, servem somente para aumentar a confusão, e não para iluminar. São envergonhados como tolos que são. Cerca de cem provérbios descrevem o uso próprio e impróprio da linguagem. Ver Pv 11.9 e 13, onde ofereço notas de sumário sobre essa questão.

18.14

רוּחַ־אִישׁ יְכַלְכֵּל מַחֲלֵהוּ וְרוּחַ נְכֵאָה מִי יִשָּׂאֶנָּה:

O espírito firme sustém o homem na sua doença. Encontramos, neste livro de Provérbios, certo número de versículos psicossomáticos; mas esses versículos estão baseados na experiência diária, e não na ciência, que nos dá tais informações. Ver Pv 3.8; 14.32; 15.13 e 17.22. Um homem enfermo pode ser capaz de curar a si mesmo através do poder da mente; ou pode ser capaz de aliviar os seus sofrimentos; ou, simplesmente, pode ter a força, através do poder mental, de sofrer com maior graça os seus sofrimentos. Sua mente forte lhe confere o poder da resistência. Minha mãe resistiu por quatro anos e meio a um caso de câncer, embora os médicos tenham estipulado que ele terminaria a vida poucos meses depois de descoberta a enfermidade. Ela me disse certa ocasião: "Eles estão apostando que vou morrer; mas eu estou apostando que vou viver". Mas não sei como isso lhe foi proveitoso. O que ela conseguiu fazer foi expandir seu tempo de sofrimento. Atualmente, os médicos buscam a visualização para ajudar a curar as enfermidades. Um indivíduo atacado pela leucemia visualiza seus glóbulos brancos a agir como ursos polares que atacam uma situação adversa, por exemplo. Os homens tentam projetar em sua imaginação quadros que pintam metaforicamente a cura, e esse processo parece energizar o sistema de imunização natural. Além disso, temos de considerar a técnica do amor. Um membro do corpo está doente, e o enfermo deve amar aquele membro como amaria a uma pessoa. O amor é um grande poder, e o corpo pode corresponder ao amor.

Antítese. Por outra parte, a mente fraca, o espírito desanimado, não é capaz de curar nada, em si mesmo ou em outrem. A fonte de poder foi apagada. Ver no *Dicionário* o artigo chamado *Cura.* Existem curas naturais, medicinais, mentais (o poder natural da mente) e divinas; e todas elas são legítimas. Não precisamos de alguma dramática cura divina cada vez que adoecemos, mas algumas vezes só Deus pode estabelecer a diferença, e então invocamos o Senhor para que processe essa cura.

O espírito. No hebraico, *ruah,* "o princípio primário e sustentador de vida que vem diretamente da parte de Deus" (Charles Fritsch, *in loc.*). Talvez o conceito do espírito ferido inclua a antiga noção hebraica de que toda a enfermidade se deriva do pecado, pelo que o arrependimento é pré-requisito para a cura. Jó, entretanto, demonstrou ser isso uma falácia; mas o pecado é, realmente, uma força capaz de adoecer, pelo que temos de levar esse fator em conta. Ver Sl 103.3:

Ele é quem perdoa todas as tuas iniquidades; quem sara todas as tuas enfermidades.

18.15

לֵב נָבוֹן יִקְנֶה־דָּעַת וְאֹזֶן חֲכָמִים תְּבַקֶּשׁ־דָּעַת:

O coração do entendido adquire o conhecimento. O livro de Provérbios fala de uma fé sentida no coração (ver a respeito do *coração,* em Pv 4.23 e no *Dicionário*). Um homem sábio segue a lei com todo o coração e todas as forças. Ele se torna erudito na lei e aplica as declarações da sabedoria para interpretá-la e fomentá-la. Quanto à lei como guia, ver Dt 6.4 ss. Cf. esta parte do presente versículo com Pv 15.14.

Sinônimo. O homem bom tem coração diligente e ouvidos atentos (ver em Pv 4.20 quanto a ouvir). Combinamos a mente inteligente (*Revised Standard Version*) com o ouvido da sabedoria para chegar ao conhecimento que é teórico e prático, bem como a tudo quanto está envolvido no conhecimento e na prática da lei, o manual dos sábios. Cf. este versículo com Pv 23.12: "Aplica o teu coração ao ensino, e os teus ouvidos às palavras do conhecimento".

18.16

מַתָּן אָדָם יַרְחִיב לוֹ וְלִפְנֵי גְדֹלִים יַנְחֶנּוּ:

O presente que o homem faz alarga-lhe o caminho. Neste versículo, o assunto provável não é o suborno (ver Pv 6.35). Pelo contrário, está em vista a prática oriental de dar a homens investidos de autoridade presentes a fim de influenciá-los. Hodiernamente, isso é regulamentado por lei, em muitos países, porquanto quase todos esses presentes visam "comprar influência". A despeito das leis vigentes, a prática continua a florescer. Até mesmo homens de poder e riquezas gostam de ganhar presentes. Isso amimalha seu "ego" e aumenta, pouco a pouco, as riquezas que eles já conseguiram amealhar. E eles estão sempre interessados nesse "pouco". Cf. este versículo com Pv 19.6. "Não temos aqui o pensamento 'é mais bem-aventurado dar do que receber' (At 20.35), mas a ideia 'é sábio dar a fim de receber'. Essas doações são feitas com motivos egoístas" (Rolland W. Schloerb, *in loc.*).

O presente que se dá em segredo abate a ira...
Provérbios 21.14

Os homens que ocupam postos de mando sempre andam irados com alguém, que se interponha no seu caminho ou aja de maneira contrária aos seus interesses. Se você é objeto da ira de algum homem que ocupa um posto de mando ou influência, poderá evitar muita dificuldade se lhe der um presente "em segredo", pois outras pessoas compreenderão a doação como se fosse um suborno, se, porventura, tiverem conhecimento do presente. Mas se um presente transformar-se em suborno, então isso perverterá a justiça (Pv 17.23). Um presente bem colocado pode "abrir espaço" para uma pessoa, ou seja, pode abrir oportunidades e conseguir vantagens, e até comprar oficiais que ocupem posições estratégicas.

Sinônimo. Se o seu presente a alguém que tem influência for importante o bastante, talvez você seja honrado na presença dos grandes. E é provável que isso inclua mais do que apenas honras feitas por uma única vez. Está em vista um avanço na posição ocupada por uma pessoa. Talvez você se junte ao grupo deles e comece a receber presentes da parte de homens menos importantes. Os presentes são coisas admiráveis e tornam feliz o coração dos que os recebem. Porém, presentes que compram posições são a mesma coisa que subornos. O pecado sempre entra nessas questões.

Os presentes muito prevalecem diante dos deuses e dos homens. O próprio Júpiter fica muito agradado com seus próprios oferecimentos.

Ovídio

Ver Gn 22.20; 43.11 e 1Sm 25.27, quanto a presentes que aplacam outras pessoas.

18.17

צַדִּיק הָרִאשׁוֹן בְּרִיבוֹ יָבֹא רֵעֵהוּ וַחֲקָרוֹ:

O que começa o pleito parece justo... Em qualquer tipo de argumentação, em particular ou num tribunal (ou nas escolas teológicas!), o homem que tem a primeira oportunidade de declarar o seu caso está em vantagem. Entretanto, qualquer argumento precisa ser examinado em profundidade. Os homens sempre apresentam argumentos da maneira que melhor sirva a seus próprios interesses, ou aos interesses de seus grupos. Os modernos sistemas jurídicos proveem advogados de acusação e defesa, para garantir assim julgamentos o mais possível justos. Nos tribunais antigos, os hebreus tentaram obter idêntico equilíbrio mediante o emprego de testemunhas favoráveis e contrárias. Mas todos os sistemas são imperfeitos, pois, algumas vezes, um homem culpado sai livre, ao passo que um inocente é condenado. Erasmo de Roterdã certamente estava com a razão quando insistiu na live investigação de todas as questões. As pessoas de igrejas conservadoras têm mentes tipicamente fechadas, pois creem já possuir a verdade toda, e não querem ter ninguém que lhes perturbe o conforto mental. Isso não conduz ao crescimento espiritual.

Ouçamos e investiguemos a fim de considerar outros pontos de vista, e não para acumular mais evidências para aquilo que acreditamos ser a verdade.

Antítese. O outro homem deve ter o direito de defender sua posição. Que ele apresente o seu caso; e então você pondera a questão e verifica se deve modificar ou não as suas opiniões pessoais. Somente um morto ou um insensato nunca varia de opinião.

> Da covardia que teme novas verdades,
> Da preguiça que aceita meias-verdades,
> Da arrogância que pensa saber toda a verdade,
> Ó Senhor, livra-nos.
>
> Arthur Ford

■ 18.18

מְדָיָנִים יַשְׁבִּית הַגּוֹרָל וּבֵין עֲצוּמִים יַפְרִיד׃

Pelo lançar da sorte cessam os pleitos. Quanto a *sortes*, ver Pv 16.33 e o artigo com esse nome, no *Dicionário*. As notas expositivas em Pv 16.33 dão uma boa ideia sobre a questão, razão pela qual solicito ao leitor examiná-las. O presente versículo é muito forte: supõe que a orientação divina se faz sentir em jogos de adivinhação triviais. Deus, para os hebreus, era a causa única, pelo que até o lançamento de sortes seria controlado por ele. As sortes eram usadas para decidir até mesmo questões internacionais, quando ocorria algum dilema. "A decisão de sim/não, dada pelas sortes, ajudava a evitar a continuação de algum conflito ou litígio entre fortes oponentes" (Sid S. Buzzell, *in loc.*). Os apóstolos escolheram um novo apóstolo, em substituição a Judas Iscariotes, mediante o lançamento de sortes (At 1.26), o que é incompreensível para nós, mas que era abc no modo de pensar dos antigos hebreus.

Sinônimo. Até os poderosos usavam sortes. Se alguma aventura militar terminasse em dilema e fosse criada uma clara situação na qual não havia vencedores nem vencidos, então a questão podia ser decidida por alguma forma de adivinhação. Haveria um perdedor declarado (presumivelmente declarado por parte dos deuses), e o perdedor teria de pagar pelos prejuízos. Outro tanto podia acontecer em um tribunal, quando dois homens igualmente poderosos estivessem disputando. O lançamento de sortes era uma espécie de corte no nó górdio. Ver na *Enciclopédia de Bíblia, Teologia e Filosofia* o verbete chamado *Nó*, que trata dessa questão.

■ 18.19

אָח נִפְשָׁע מִקִּרְיַת־עֹז וּמְדוֹנִים כִּבְרִיחַ אַרְמוֹן׃

O irmão ofendido resiste mais que uma fortaleza. O hebraico original, neste versículo, é dificílimo de compreender, se não mesmo impossível; por isso também vários significados têm sido sugeridos, dentre os quais destacamos dois:

1. Fala-se aqui (tal como diz a *King James Version*) de um irmão ofendido. É mais difícil "conquistá-lo de volta" para a amizade do que capturar uma cidade forte. As pessoas sentem muito as ofensas e tornam-se duras de coração, não querendo reconciliar-se.
2. Ou então o irmão é ajudado (*Revised Standard Version*), conjectura feita pela Septuaginta sobre o que este versículo quer dizer. Temos de lembrar que essa versão da Septuaginta foi traduzida por judeus eruditos de Alexandria, que deveriam ser excelentes conhecedores do idioma hebraico. Se o significado, realmente, for o do irmão ajudado, devemos compreender que essa ajuda fará desse homem um aliado (e não um inimigo), e ele se tornará uma cidade forte. A versão siríaca e a Vulgata Latina, bem como o Targum, concordam com essa tradução. Adicione-se a isso a tradução da Imprensa Bíblica Brasileira. Mas a nossa versão portuguesa — a Atualizada — fica com a primeira possibilidade.

Sinônimo ou Antítese. Se estiver correta a primeira significação, acima, então a segunda linha do provérbio fortalece a ideia com uma adição sinônima. As divergências entre irmãos (amigos) tornam-se como as barras que guardam um castelo e não podem ser quebradas. Em outras palavras, a disputa nunca será solucionada, e a alienação se tornará permanente. Mas, se está correto o segundo sentido, que se vê acima, então a segunda linha métrica forma uma antítese. Em contraste com a boa união entre irmãos (amigos), haverá uma contenda que separa e aliena, e, como as barras de um castelo, não podem ser quebradas. "A amargura das querelas entre ex-amigos é proverbial" (Ellicott, *in loc.*).

A situação ideal é esta: Irmãos unidos são mais fortes do que um castelo; eles resistem juntos com maior vigor do que as barras de ferro de proteção de um castelo.

■ 18.20

מִפְּרִי פִי־אִישׁ תִּשְׂבַּע בִּטְנוֹ תְּבוּאַת שְׂפָתָיו יִשְׂבָּע׃

Do fruto da boca o coração se farta. Pv 12.14 é muito similar à primeira linha deste versículo, e as notas dadas ali também se aplicam aqui. E Pv 13.2a também é um paralelo direto. As palavras de um homem são como frutos. Podem ser bons (as palavras de um homem sábio) ou amargos e enjoativos (as palavras de um homem insensato). "As palavras com frequência amoldam nossa boa ou má fortuna na vida" (Adam Clarke, *in loc.*). "Cada qual obtém o fruto de sua boca, seja esse fruto bom ou mau, de acordo com as suas palavras, que podem ser boas ou más" (Fausset, *in loc.*).

Sinônimo. Sempre haverá uma colheita envolvida no uso apropriado ou impróprio da faculdade da fala. Pode haver uma colheita boa e benéfica: as palavras produzem o bem para aquele que fala, bem como para o ouvinte. Ou a colheita pode ser amarga e venenosa; e, nesse caso, tais palavras produzem o mal tanto para aquele que fala como para o ouvinte. Essa é apenas outra instância da *Lei Moral da Colheita segundo a Semeadura* (ver a respeito no *Dicionário*). Há cerca de cem provérbios que abordam o uso apropriado e impróprio da linguagem. Ver Pv 11.9 e 13 quanto a notas de sumário sobre essa questão.

■ 18.21

מָוֶת וְחַיִּים בְּיַד־לָשׁוֹן וְאֹהֲבֶיהָ יֹאכַל פִּרְיָהּ׃

A morte e a vida estão no poder da língua. As questões da vida e da morte estão na língua; ela pode abençoar e pode amaldiçoar. Pode dar vida e pode matar. Pode curar ou pode ser como uma serpente que pica e fere. Existem palavras que são como espadas e palavras que são como dardos, mas também existem palavras que curam. O falar demais envolve a transgressão (ver Pv 10.19); o falar precipitado causa o dano (ver Pv 17.28); o silêncio é elogiável, especialmente o silêncio de um homem insensato, que se torna temporariamente sábio por manter a boca fechada (ver Pv 17.28); o engano pode ganhar vantagens, mas acaba sendo maléfico (ver Pv 20.17); a maledicência é uma arma temível (ver Pv 11.13); uma resposta branda pode aquietar águas agitadas (ver Pv 15.1). Ver sobre Pv 11.9 e 13 quanto a notas de sumário sobre o assunto, e ver também, no *Dicionário*, o verbete intitulado *Linguagem, Uso Apropriado da*. No livro de Provérbios há cerca de cem provérbios que tratam desse assunto.

Sinônimo. Considere o leitor estes dois pontos:

1. Um bom discurso é como uma fruta (vs. 20), e aqueles que o apreciam comerão com satisfação.
2. Mas essa porção do versículo pode significar que as pessoas que falam muito amam o seu muito falar, mas sofrerão as consequências de seu excesso de palavras. Ver Pv 10.19; 18.2; 20.19.

Se a primeira dessas duas interpretações é a correta, então é um paralelo à vida referida na primeira linha métrica. Mas se a segunda é que está correta, então ela é paralela à morte referida na primeira linha. Cf. Tg 1.19,25; 3.6,8. Ver também Pv 12.13 e 4.23, onde se diz o mesmo tipo de coisa sobre o coração que é dito sobre a língua. Pense o leitor nos oradores eloquentes, cheios de vigor, e o bem ou o mal que eles projetam contra os homens cuja mente é conduzida por causas boas ou más.

"'Falar é barato'. 'Palavras, palavras, nada senão palavras'. 'Ele é apenas um falador'. Essas declarações ilustram uma comum depreciação da importância da fala. Porém, haverá alguma coisa no mundo mais potente para o bem ou para o mal do que as palavras? A fala é a faculdade que diferença os homens dos animais. A fala é sinal de personalidade. A autoconsciência se manifesta somente na fala. O pensamento é impossível sem as palavras, as quais representam ideias. As ações são precedidas por pensamentos, conforme Hence colocou a questão: 'O pensamento antecede as ações como os relâmpagos antecedem os trovões'. Mas o pensamento é impelido por sugestões verbais. Toda a cooperação entre os seres humanos depende das comunicações verbais para haver sucesso. A solidariedade cultural de um grupo se baseia em uma linguagem comum. O caráter se revela pela linguagem de cada indivíduo. 'O homem bom do bom tesouro do coração tira o bem, e o mau, do mau tesouro tira o mal; porque a boca fala do que está cheio o coração' (Lc 6.45). Assim sendo, Tiago (capítulo terceiro) não está equivocado quando dá tanta ênfase à língua" (Easton, comentando sobre Tg 3.2).

■ 18.22

מָצָא אִשָּׁה מָצָא טוֹב וַיָּפֶק רָצוֹן מֵיְהוָה׃

O que acha uma esposa acha o bem... Sócrates declarou algo similar. Se um homem tem como esposa uma mulher má, faladora, dura, injuriadora, ainda assim terá achado algo bom, porquanto essa mulher fará desse homem um filósofo. Por outro lado, se você conseguiu uma boa esposa, encontrou um tesouro. A esposa de Sócrates, a propósito, era uma megera de primeira linha. Cf. este versículo com Pv 31.10, e ver Pv 12.4 e 19.14. O autor sagrado oferecerá um discurso sobre o assunto da esposa ideal em Pv 31.10-31. "O matrimônio é desejável se a esposa é uma ajudadora à altura. Ver Gn 2.20. O Senhor sanciona o casamento, pois ele afirmou que encontrar uma esposa é algo bom, e ele se agrada com o casamento, visto que o seu favor repousa sobre o casamento" (Sid S. Buzzell, *in loc.*).

Sinônimo. O casamento é originário do favor divino. Deus aprova o matrimônio como instituição, e as esposas individuais, que aceitam a situação do casamento, também são aprovadas por ele. Além disso, ele abençoa um homem dotado de esposa. Ele mostra favor a um homem quando lhe dá uma esposa.

"O casamento, apesar de todas as dificuldades e embaraços, é uma bênção da parte de Deus. Há poucos casos em que uma esposa de qualquer tipo é pior do que nenhuma. Além disso, o celibato é um mal, porque Deus disse que não era bom que um homem vivesse sozinho" (Adam Clarke, *in loc.*). As versões acrescentam a palavra "boa" ao termo "esposa", que já subentendíamos, e a Septuaginta adiciona ao versículo a declaração de que um homem deve divorciar-se de uma mulher imoral, de costumes frouxos. Ver no *Dicionário* os artigos chamados *Matrimônio* e *Mulher*.

O que acha. O verbo "achar" foi empregado porque, usualmente, o casamento é antecedido por uma busca e uma escolha entre várias candidatas. A palavra pode indicar uma certa diligência. Não é fácil encontrar uma boa esposa.

■ 18.23

תַּחֲנוּנִים יְדַבֶּר־רָשׁ וְעָשִׁיר יַעֲנֶה עַזּוֹת׃

O pobre fala com súplicas. O homem pobre, que não tem poder por causa da falta de dinheiro, tem de passar a vida esmolando pelo que quer. A própria vida o humilha na presença de outras pessoas dotadas de meios financeiros. Talvez ele não peça por um pedaço de pão nas esquinas das ruas, mas o seu estilo de vida é uma espécie de esmolar contínuo, implorando que outros sejam generosos, lhe façam empréstimos etc. Cf. Pv 10.15,16 quanto a uma afirmação semelhante. Este versículo, incidentalmente, pode falar contra a preguiça, a qual atrai pobreza (ver Pv 6.10,11), visto que, com frequência, essa é a origem do estado de pobreza. Por outra parte, existem aqueles pobres que trabalham, mas são explorados pelos seus empregadores. Ademais, há o problema do desemprego, que garante que "os pobres sempre os tendes convosco" (Mt 26.11). Ver Pv 14.21 quanto à questão dos pobres; e ver no *Dicionário* o verbete intitulado *Pobre, Pobreza*.

Antítese. Em contraste com a situação dos pobres, devemos considerar o caso do homem rico e arrogante, que não tem medo da face de ninguém. Ele se pavoneia como se fosse um galo, emitindo o seu cântico tolo. Ele pode dar a outros respostas duras e apimentadas, sem temer o que possam fazer e sem se importar se eles gostam ou não do que ele faz. Portanto, bendito seja o dinheiro! Os ricos respondem duramente aos pobres, quando estes querem dinheiro. Talvez seja essa a principal questão tencionada, nessas respostas. O pobre é mal recebido quando se dirige ao rico, para pedir-lhe que aumente o seu salário, que lhe dê um empréstimo ou alguma importância em dinheiro para alguma necessidade especial. "A pobreza gera a impotência e a humildade; as riquezas geram a autossuficiência e a arrogância" (Fausset, *in loc.*).

"Encontramos aqui uma advertência contra os efeitos endurecedores das riquezas. Cf. Mc 10.23" (Ellicott, *in loc.*). "Eles respondem a outros com palavras duras e brutas, especialmente com os que lhes são inferiores e, particularmente, com os pobres. Não é assim que as coisas deveriam ocorrer, mas é o que comumente acontece" (John Gill, *in loc.*).

■ 18.24

אִישׁ רֵעִים לְהִתְרֹעֵעַ וְיֵשׁ אֹהֵב דָּבֵק מֵאָח׃

O homem que tem muitos amigos sai perdendo. Cf. este provérbio com Pv 17.17 e Ec 6.14-16. Ver no *Dicionário* o artigo chamado *Amigo, Amizade*. Assim se portam os homens socialmente amigos. Mas isso é diferente de ser amigo na hora mais escura. Esta primeira linha do provérbio tem sido interpretada de três maneiras:

1. Para ter amigos, um homem deve tomar a iniciativa e mostrar-se amigo dos outros (conforme diz a *King James Version*).

   Se você quiser ser amado, ame.

   Hecate

2. Ou então, a pessoa que socialmente é amiga, que faz amizades insinceras, pode ser ferida por esse tipo de atividade. Nesse caso, há aqueles que se fingem amigos para conseguir alguma vantagem pessoal.

3. Ou então temos apenas a observação de que um homem pode ter muitos amigos superficiais e, assim sendo, haver entre eles aqueles que se fingem de amigos, mas não o são. Essa interpretação não vincula nenhuma ameaça à questão. A versão siríaca e a Vulgata Latina, e também o Targum, deixam a questão nesse ponto. A diferença consiste em compreender o hebraico como sendo *ra'ah* (sem maus resultados) ou *ra'a* (com maus resultados), ou "amigável" ou "quebrando em pedaços".

Antítese. Em contraste com as amizades superficiais, as quais são essencialmente inúteis, mas não prejudicam, e com ter amigos falsos, que nos causam prejuízos, temos o caso de um amigo verdadeiro, alguém que é mais próximo que um irmão de sangue. Essa porção do versículo tem sido interpretada messianicamente, como se falasse sobre o grande Amigo, que é Cristo.

Que Amigo temos em Jesus,
Que levou todos os nossos pecados e tristezas.

Joseph Scriven

Em tempos duvidosos, o amigo genuíno é conhecido.

Cícero

No Antigo Testamento temos um exemplo de amizade verdadeira, entre Davi e Jônatas (ver 1Sm 19 e 20).

CAPÍTULO DEZENOVE

Não há nenhuma interrupção entre os capítulos 18 e 19. Apresento a introdução à seção em geral em Pv 10.1 (a seção é Pv 10.1—22.6, a primeira coletânea de provérbios de Salomão). A segunda parte dessa seção começa em Pv 16.1. Dali até Pv 22.16, há 191 versículos, cada um deles com duas linhas. Ver a introdução a essa subseção, em Pv 16.1.

■ 19.1

טוֹב־רָשׁ הוֹלֵךְ בְּתֻמּוֹ מֵעִקֵּשׁ שְׂפָתָיו וְהוּא כְסִיל׃

Melhor é o pobre que anda na sua integridade. Pv 19.1 é igual a Pv 28.6a, sendo que esta última passagem é a declaração original, com sua apta segunda linha que contrasta pobres e ricos. Aqui, a segunda linha é distante da primeira, e a combinação é um tanto quanto desajeitada. Seja como for, é melhor ser pobre, mas honesto, do que ser rico e viver na bancarrota moral. "Uma pobreza honrosa é preferível às riquezas mal ganhas e mal usadas" (Fausset, *in loc.*).

Antítese. Em contraste com o homem pobre mas íntegro, aparece o tolo que emprega constantemente uma linguagem pervertida. Talvez devamos compreender aqui o rico insensato, que obteve riquezas mediante o uso impróprio da linguagem. Cf. Pv 15.16,17. Ele disse mentiras, ofereceu e recebeu subornos, usou uma linguagem dúplice nos seus negócios, a fim de tirar vantagem de outras pessoas etc. Cerca de cem provérbios falam do uso apropriado e impróprio da linguagem. Ver as notas de sumário em Pv 11.9,13 e 18.24.

■ 19.2

גַּם בְּלֹא־דַעַת נֶפֶשׁ לֹא־טוֹב וְאָץ בְּרַגְלַיִם חוֹטֵא:

Não é bom proceder sem refletir. Quanto aos provérbios que começam com a declaração "não é bom", ver as notas sobre Pv 17.26. O que não é bom, neste caso, é que qualquer homem esteja sem conhecimento. Esse homem vive abaixo de seus privilégios, sem importar se a sua falta de conhecimento se deve à sua própria negligência ou a pais preguiçosos, indiferentes ou pecaminosos, ou à falta de oportunidade. O conhecimento aqui, naturalmente, é o conhecimento da lei, o guia do homem bom (ver Dt 6.4 ss.). Esse é o conhecimento que torna um homem sábio, e isso lhe transmite vida (Dt 4.1; 5.33; 6.2; Ez 20.1). O judaísmo posterior tinha mais de seiscentos preceitos da lei, e as declarações de sabedoria a embelezavam e interpretavam. O Targum, a Vulgata Latina e o siríaco fazem isso ser, especificamente, "o conhecimento da alma", que pode significar conhecer a alma imaterial, suas necessidades e destino, ou então "conhecer a própria alma", que é a pessoa essencial, algo parecido com a doutrina do "conhece-te a ti mesmo" de Sócrates. Ver na *Enciclopédia de Bíblia, Teologia e Filosofia* o verbete chamado *Imortalidade*, onde apresento vários artigos. Mas aqui a declaração é geral.

Antítese. O homem que está muito ocupado com outras coisas para envolver-se no estudo da lei anda, realmente, muito ocupado. Ele entra, apressado, pela vereda errada, mas perde o verdadeiro caminho da vida, já que esse caminho se encontra na lei. Esse é um daqueles casos em que, verdadeiramente, "a pressa é prejudicial". Não é bom que uma pessoa caia nessa espécie de calamidade. Quanto a outros versículos onde a pressa é prejudicial, ver Pv 21.5 e 29.20. "Uma vida impulsionada pela pressa perde muita coisa ao longo do caminho. Coisas importantes são perdidas sem que a pessoa perceba. Uma pessoa que passe de automóvel, pelo interior do país, a grande velocidade, não verá muita coisa " (Rolland W. Schloerb, *in loc.*). Aben Ezra compreendia a segunda linha deste versículo como uma referência à prontidão dos pecadores em cometer pecados grosseiros e violentos. Os pés dessa gente "se apressam a derramar sangue" (Pv 1.16 e Rm 3.15). O Targum diz: "Rápido para cometer o mal", ou seja, para cometer pecados em geral.

■ 19.3

אִוֶּלֶת אָדָם תְּסַלֵּף דַּרְכּוֹ וְעַל־יְהוָה יִזְעַף לִבּוֹ:

A estultícia do homem perverte o seu caminho. Nem todos os caminhos são iguais. Existem caminhos ruins, caminhos destruidores e caminhos ímpios. Ver a *metáfora da vereda*, em Pv 4.11, e o *contraste entre os caminhos dos bons e dos maus*, em Pv 4.27. É o insensato que subverte o próprio caminho e termina em desastre. Ele subverte a si próprio, conforme diz o hebraico, literalmente. Ele não aprendeu a lei, ou então, se aprendeu, ignorou os seus conselhos. E a lei não lhe serviu de guia. Ele foi seu próprio guia autodestruidor.

Sinônimo. Em vez de acusar a si mesmo pela massa confusa em que transformou a sua vida, esse homem acusa a Yahweh, e até rilha os dentes (*Revised Standard Version*) contra ele. O mundo está cheio de acusadores de Deus, os quais deveriam acusar a si mesmos. Por que os homens rilham os dentes contra Deus? Considere o leitor estas três respostas:

1. Porque eles sofrem coisas duras, causadas por eles mesmos. Eles dizem: "Foi Deus quem fez isso". Naturalmente, chegamos aqui ao *Problema do Mal* (ver a respeito no *Dicionário*). Por que os homens sofrem e por que sofrem como sofrem? Existe o mal moral: as calamidades que os homens lançam contra seus semelhantes, devido à sua vontade corrupta. E também existe o mal natural: os abusos da natureza, como incêndios, inundações, terremotos, desastres naturais de toda espécie, acidentes, enfermidades e a morte. Acima de todas as outras coisas, o problema do mal transforma os homens em ateus. Em 1776, a cidade de Lisboa, capital de Portugal, sofreu um terremoto devastador que matou muitos milhares de pessoas. Voltaire acusou a Deus pelo desastre, embora ele fosse deísta e acreditasse que a força criativa tinha abandonado o seu universo aos cuidados das leis naturais. Ver no *Dicionário* os artigos chamados *Deísmo* e *Teísmo*.
2. Os homens dizem: "A lei é dura demais. Não consigo observá-la. Assim sendo, o Senhor me lançou na perversão, com sua lei extremamente difícil".
3. Além disso, devemos pensar na antiga doutrina hebraica de que Deus é a causa única, pelo que foi ele quem fez o pecador ser quem é, para destruí-lo de qualquer maneira! Ver Pv 16.4. O conceito serve de provocação suficiente para fazer os homens rilhar os dentes de ódio contra Deus; mas, na realidade, temos nesse conceito uma doutrina errônea acerca de Deus.

Eclesiástico 15.11 ss. tem uma teologia melhor que Pv 16.4:

Não digas: "Foi por causa do Senhor que caí",
Pois ele não fará coisas que odeia.
Não digas: "Foi ele quem me fez desviar-me",
Pois ele não precisa do pecador.
O Senhor odeia todas as coisas abomináveis.

■ 19.4

הוֹן יֹסִיף רֵעִים רַבִּים וְדָל מֵרֵעֵהוּ יִפָּרֵד:

As riquezas multiplicam os amigos. As riquezas oferecem algumas vantagens naturais a respeito das quais o autor sagrado nada diz. Se um homem ganhou honestamente seu dinheiro, então possui algo bom. Ver Pv 10.2 quanto a uma declaração não moralista dessa natureza. Ver também Pv 10.15. Um homem muito rico atrairá muita atenção para si mesmo. E logo terá muitos amigos. A bem da verdade, alguns deles serão falsos; mas haverá alguns verdadeiros e bons amigos que o dinheiro e a posição social atraíram. Muita gente buscará o favor desse homem (vs. 6), gente boa e gente ruim. Cf. Pv 14.20. Alguns intérpretes, entretanto, fazem todos esses amigos estarem interessados somente no dinheiro do rico. Mas as pessoas ricas têm, de fato, bons amigos, tal e qual qualquer outra pessoa. Um homem rico tem a saúde das riquezas, bons relacionamentos e muitas vantagens advindas da abastança. Elvis Presley dava a seus melhores amigos automóveis Cadillac de ouro!

Antítese. Em contraste com o rico, o pobre tem a enfermidade da pobreza, o que faz com que a maior parte das pessoas se mantenha distante dele. Portanto, um homem pobre terá poucos amigos. Novamente, o autor sacro parece estar fazendo aqui uma declaração não moralista. Por certo ele não estava exaltando o pobre, nem invejando a sua situação. O homem pobre é até mesmo "desertado por seus vizinhos" (*Revised Standard Version*). "Muitas pessoas, infelizmente, querem evitar o embaraço de associar-se aos pobres (ver Pv 14.20a; 19.7)" (Sid S. Buzzell, *in loc.*). Um pensamento padronizado dos hebreus era que a pobreza assinalava o desprazer de Deus para com um homem, por causa de algum pecado. Mas este versículo não parece ter em mente tal ideia.

■ 19.5

עֵד שְׁקָרִים לֹא יִנָּקֶה וְיָפִיחַ כְּזָבִים לֹא יִמָּלֵט:

A falsa testemunha não fica impune. O autor sagrado leva-nos abruptamente de volta à questão da testemunha falsa. A justiça podia ser facilmente distorcida nos antigos tribunais dos hebreus. Somente duas testemunhas eram necessárias para condenar um homem (ver Dt 17.6). Quanto a testemunhas verdadeiras e falsas, ver as notas em Pv 12.17; 14.5,26, bem como o vs. 9 deste mesmo capítulo, que, novamente, trata da questão. Além disso, devemos considerar que tanto os juízes (ver Pv 15.27) quanto as testemunhas podiam ser subornados. Assim, testemunhas verazes revestiam-se de natureza crítica diante da justiça dos hebreus, como até hoje acontece em qualquer tribunal. Se uma testemunha falsa fosse apanhada, seria tratada como um criminoso, por causa de seu atrevimento de haver distorcido a justiça. A prática comum era que à testemunha falsa seria aplicada a punição exata do crime de que ela acusava falsamente a um indivíduo inocente. Cf. Pv 12.19 e 21.28. O julgamento divino precisava ser levado em conta. Deus puniria tais indivíduos com morte prematura e/ou violenta.

Sinônimo. O homem que cometesse perjúrio estaria despertando outros homens para combatê-lo, mas, especialmente, estaria despertando Deus. Esse tal não seria capaz de escapar. Sua perversão da justiça seria radical demais para ser ignorada. Ele tinha cuspido suas palavras falsas (conforme diz o hebraico original), pervertendo sua faculdade da fala, o principal fator que distingue um homem dos animais irracionais. Ver Pv 11.9,13 e 18.24 quanto a notas expositivas de sumário sobre a fala apropriada e a fala imprópria. Cerca de cem provérbios tratam dessa questão. Ver a temível advertência de Ap 21.8.

19.6

רַבִּים יְחַלּוּ פְנֵי־נָדִיב וְכָל־הָרֵעַ לְאִישׁ מַתָּן׃

Ao generoso muitos o adulam. Este versículo refere-se ao tipo de homem que tem muito poder e também muito dinheiro. Por isso há sempre alguém em seu portal, esperando dele alguma espécie de favor. Além disso, esse homem tem a reputação de ser generoso (o que é raro no caso dos ricos). Portanto, ele está sempre dando coisas e presentes a amigos, supostos amigos e até mesmo desconhecidos, se alguma boa história lhe toca o coração.

Amigos do que dá presentes. No hebraico encontramos o vocábulo *nadhibh*, que pode significar "príncipe" ou "generoso" (liberal). As pessoas buscam o seu *favor*, o que vem de uma palavra hebraica que significa "bater no rosto". Provavelmente havia um costume antigo de bater no rosto de um ídolo, quando se rezava pedindo a ele algum favor. As pessoas, pois, tratam o homem rico e liberal como se ele fosse um deus, esperando algum retorno. Esses "buscadores de presentes" são, em sua maioria, lisonjeadores insinceros, mas, ocasionalmente, aparece um verdadeiro fã do rico, que faz fila com os outros, defronte da sua porta.

Sinônimo. Um homem rico, poderoso e generoso já forma outra classe de pessoas, a classe daqueles que presenteiam e, assim sendo, fazem muitos amigos. Cf. esta linha com Pv 19.4a. Alguns intérpretes fazem da segunda linha deste provérbio outra descrição do homem rico e generoso, que figura na primeira. Ambas as classes de homens pertencem à categoria dos "homens de presente", conforme diz literalmente o hebraico. Ver Pv 18.16a quanto a uma declaração similar. Dar presentes faz coisas admiráveis. Ver Pv 18.11a quanto aos benefícios daquele que possui riquezas materiais em abundância. Ver também Pv 10.2,15 e 19.4 sobre esse assunto.

19.7

כָּל אֲחֵי־רָשׁ שְׂנֵאֻהוּ אַף כִּי מְרֵעֵהוּ רָחֲקוּ מִמֶּנּוּ
מְרַדֵּף אֲמָרִים לֹא הֵמָּה׃

Se os irmãos do pobre o aborrecem. *Um Trio*. Temos aqui a única declaração tríplice desta seção dos provérbios, os quais, consistem, usualmente, em duas linhas apenas, sendo elas antitéticas, sinônimas ou sinônimas suplementares. A segunda linha, aqui, é sinônima da primeira, mas a terceira é antitética.

A primeira linha métrica observa que até um homem pobre tem irmãos naturais que o odeiam. Pv 14.20 contém a mesma ideia, mas ali quem odeia o pobre são os seus vizinhos. Provavelmente devemos compreender que esses irmãos têm algum dinheiro, pelo que se exaltaram sobre o parente menos afortunado. Portanto, olham-no com desprezo e até se sentem envergonhados dele. E assim o irmão pobre torna-se um estorvo para os irmãos e amigos mais abastados. Cf. o tratamento que os irmãos de Jesus deram a ele (ver Jo 7.5; Mc 3.21; e ver Sl 38.11).

Sinônimo. Um homem pobre serve de motivo de desgosto até para os seus vizinhos e mais ainda para os seus irmãos naturais. Os vizinhos guardam distância da casa do pobre, embora vivam na mesma vizinhança. Cf. o caso de Jó (ver Pv 19.13,14).

Antítese. O pobre fora abandonado pelos próprios familiares e pelos vizinhos. Mas ele os buscou com muitas palavras, com um discurso preparado, ou 1. para obter dinheiro da parte deles, por estar em necessidade; 2. ou para obter da parte deles alguma atenção, tentando obter sua amizade; ou 3. Ele sai à procura deles, mas eles já se foram. Esses três pontos são conjecturas, porquanto a linha está incompleta, sendo, literalmente: "Aquele que busca palavras, não são dele" (ou eles são dele). Algo que é assim tão incompleto só pode ser inútil, provocando conjecturas e mais conjecturas. É difícil dizer por que essa linha ficou assim incompleta. Pode ser remanescente de uma declaração perdida ou corrompida.

19.8

קֹנֶה־לֵּב אֹהֵב נַפְשׁוֹ שֹׁמֵר תְּבוּנָה לִמְצֹא־טוֹב׃

O que adquire entendimento ama a sua alma. Diz certo mandamento: "... amarás o teu próximo como a ti mesmo" (Mt 19.19). Portanto, amar a nós mesmos é um amor legítimo, sendo a medida de quanto devemos amar o próximo. Cf. isso com a declaração paulina: "... ninguém jamais odiou a sua própria carne, antes a alimenta e dela cuida, como também Cristo o faz com a igreja" (Ef 5.29). Assim sendo, o homem sábio que cultiva amor próprio terá uma vida longa, saudável e próspera, através do estudo e da obediência à lei. Ver como a sabedoria transmite vida, em Pv 4.13. Nessa referência, há uma lista de referências similares no livro de Provérbios. Quanto à lei como doadora da vida, ver também Dt 4.1; 6.2; Ez 20.1. Cf. Pv 19.16, que tem algo similar.

Sinônimo. O homem que adquire entendimento, através da lei, haverá de prosperar tanto material quanto espiritualmente. Cf. Pv 16.20.

Entendimento. Literalmente, *coração*, apontando para a fé genuína e a prática dessa fé. Ver Pv 4.23. Diz o Targum: "Um bom coração", em contraste com os hipócritas que, na verdade, não se envolvem em sua busca religiosa, embora pareçam fazê-lo. Cf. este versículo com Pv 8.35,36.

A SABEDORIA

- Atributo de Deus (1Sm 2.3) perfeito (Jó 36.4), poderoso (Jó 36.5), universal (Dn 2.22), incomparável (Jr 10.7).
- O evangelho a contém, (1Co 2.7). A sabedoria é exibida nas obras de Deus (Sl 104.24).
- Possessão dos santos, (2Tm 2.19). Os santos devem magnificar a sabedoria de Deus, (Rm 16.17).
- Toda sabedoria humana deriva da sabedoria de Deus, (Dn 2.21).

Faça da sabedoria uma provisão para acompanhar você por toda sua jornada, da mocidade à velhice. É a melhor de todas as possessões possíveis.

Bias

O que adquire entendimento ama a sua alma.

Provérbios 19.8

Não sejas sábio aos teus próprios olhos: teme ao senhor e aparta-te do mal.

Provérbios 3.7

A sabedoria não é testada, finalmente, nas escolas.
A sabedoria não se passa de um para outro.
A sabedoria é da alma. Não precisa ser comprovada.
A sabedoria é a sua própria prova.

Walt Whitman

19.9

עֵד שְׁקָרִים לֹא יִנָּקֶה וְיָפִיחַ כְּזָבִים יֹאבֵד׃ פ

A falsa testemunha não fica impune. Este versículo é uma leve modificação do vs. 5, cujas notas também se aplicam aqui. Diz o vs. 5: "não fica impune"; e aqui temos as mesmas palavras. O autor sacro falava sobre calamidades que terminam em morte prematura e/ou violenta.

19.10

לֹא־נָאוֶה לִכְסִיל תַּעֲנוּג אַף כִּי־לְעֶבֶד מְשֹׁל בְּשָׂרִים׃

Ao insensato não convém a vida regalada. As duas linhas deste provérbio mencionam coisas incongruentes, circunstâncias ridículas que confundem a mente. Primeiramente, é bastante impróprio que um insensato viva no luxo. Esse tipo de vida deveria ser reservado ao homem que a ganha mediante entusiástica observância da lei. Por isso ele é recompensado com a prosperidade. Em contraste, o insensato deveria estar vivendo em abjeta pobreza, porquanto é isso o que merece. Isso concordava com a mentalidade dos hebreus no tocante às riquezas e à pobreza. Se um indivíduo insensato terminasse honrado, isso seria como neve em pleno verão (ver Pv 26.1). Um insensato munido de muito dinheiro apressaria a própria destruição. Não saberia manusear as suas riquezas. Pelo contrário, promoveria toda espécie de pecado, por estar isso ao seu alcance. E, nesse processo, prejudicaria tanto a si mesmo como a outras pessoas.

Sinônimo. Algo ainda mais impróprio do que um insensato que vive no luxo é um escravo que sobe até o ofício real e passa a mandar nos príncipes. Embora alguns escravos fossem honrados em troca de um serviço longo e fiel, dificilmente eles subiam à posição de monarcas. Pv 30.22 repete o presente versículo com leve modificação no fraseado. Quanto a versículos que têm ideias similares, ver Pv 26.1,3-12. Um escravo liberto, entretanto, pode tomar-se tão a sério e insolentemente que pisará aos pés aqueles que o trataram bem, se, de alguma maneira, obtiver o poder para fazê-lo. Tal situação seria verdadeiramente absurda. Ver Ec 10.6,7:

> *Vi os escravos a cavalos, e os príncipes andando a pé como escravos sobre a terra.*

Aqueles que ocupavam posições humildes e subiram a postos de mando, o que ocasionalmente acontece, geralmente mostram-se cruéis e brutais. Falta-lhes a educação que guia e modera os reis sábios. Consideremos o caso de Jeroboão. Naturalmente, Roboão, filho de Salomão, possuía idêntico caráter. Ambos eram insensatos, embora de maneiras diferentes.

Os povos antigos, que não compartilhavam nossos pontos de vista sobre as classes sociais e não tinham experiência com a democracia, viam algo de divino no arranjo da sociedade por classes. Era incongruente com a vontade de Deus, conforme pensavam, um escravo subir alto demais. Ver as notas sobre Pv 30.22, que se aplicam também aqui.

■ 19.11

שֵׂכֶל אָדָם הֶאֱרִיךְ אַפּוֹ וְתִפְאַרְתּוֹ עֲבֹר עַל־פָּשַׁע׃

A discrição do homem o torna longânimo. A tendência natural do homem é perder a paciência e ficar irado, mas o homem dotado de bom senso, que foi condicionado pela lei, mostra-se lento em irar-se. Essa é uma das qualidades espirituais desse homem. Conheci um homem que se esforçava por controlar o seu temperamento. Ele se tornou do tipo moderado, diplomata, e não do tipo que quer brigar diante de cada provocação. Portanto, essa tarefa pode ser realizada com propósito e prática. Quanto ao bom senso, ver Pv 12.8. "A paciência e um espírito perdoador são as características do sábio (cf. Pv 14.29)" (Charles Fritsch, *in loc.*). Quanto à exaltação da paciência, ver Pv 14.29a; 15.18b; 16.32 e 25.15. A sabedoria está por trás dessas excelentes realizações.

Sinônimo. Um homem é glorificado (elogiado) quando mostra que pode esquecer uma ofensa. Ele não permite que isso afete sua maneira de pensar e conduzir-se. É como se a ofensa realmente não tivesse ocorrido. O homem bom, mesmo depois de ofendido, perdoa e esquece. Quanto ao homem de cabeça quente, ver Pv 14.17,29b; 15.18a; 19.19; 22.24; 29.22. Quanto a ignorar as ofensas recebidas, ver Pv 12.16. Nutrir as ofensas recebidas, porém, serve somente para multiplicar as dificuldades de um homem. Um homem honrado resolve não fazer isso.

Perdoar as injúrias. Estas palavras presumem que haverá, realmente, muita coisa para ser perdoada, pois as pessoas por certo ofendem seus semelhantes, e sempre haverá pendências pelas quais devemos lutar. Mas o homem sábio aprende a perdoar e esquecer. Cf. Am 7.8; 8.2 e Mq 7.18. O homem que esquece as injúrias recebidas imita o seu Criador. Há algo de divino nessa atitude. Ver Mt 18.32-35. Ver sobre *Perdão* e sobre *Paciência*, no *Dicionário*.

■ 19.12

נַהַם כַּכְּפִיר זַעַף מֶלֶךְ וּכְטַל עַל־עֵשֶׂב רְצוֹנוֹ׃

Como o bramido do leão assim é a indignação do rei. Um rei, dotado de poder absoluto, ruge como se fora um leão, e seu bramido indica o poder que ele tem para punir alguém que o deixou indignado. A figura é tirada do contexto dos monarcas orientais, que se mostravam tão prontos para matar os ofensores como um leão faz da matança parte importante de sua vida.

> *O furor do rei são uns mensageiros da morte.*
> Provérbios 16.14

Ver também Pv 20.2. Os homens sábios aprendem a não provocar um poder que é potencialmente assassino. A experiência nos ensina a não confiar na sorte. Um rei está acima da lei. Nenhum homem o chamaria a prestar contas. "Nada existe de mais aterrorizador do que o rugido do tirano da floresta. Todos os animais fogem diante de sua voz aterrorizante. Um tirano oriental parecia-se com isso" (Adam Clarke, *in loc.*).

Este versículo foi espiritualizado por Jarchi para falar de Deus, e alguns o cristianizam para falar de Cristo; mas certamente essa é uma aplicação inadequada.

Antítese. Um rei, poderoso para destruir, também é poderoso no seu favor. Ele pode parecer-se com o orvalho transmissor de vida que rega a grama. Cf. Sl 72.6 e Os 14.5. Ver também Pv 16.15.

■ 19.13

הַוֹּת לְאָבִיו בֵּן כְּסִיל וְדֶלֶף טֹרֵד מִדְיְנֵי אִשָּׁה׃

O filho insensato é a desgraça do pai. Quanto ao filho insensato e à confusão que ele cria na vida dos pais, ver Pv 13.24 e 17.21. Nestas notas entro nas causas que levam um filho a agir erroneamente, mesmo depois de haver recebido instruções apropriadas. Quando os rapazes correm mal na vida, nem sempre a falha é dos pais. Ver também Pv 10.1; 15.20 e 17.25. Ter um filho mau é uma calamidade (no hebraico, *hahwah*) e deixa os pais agonizando e perguntando a si mesmos se eles fracassaram em suas boas intenções, que foram escudadas com o ensino e o bom exemplo. Ver Pv 17.4.

Sinônimo. Um homem pode ter um filho desviado (ver Pv 19.13a) e também uma esposa contenciosa. Esta vive à procura de alguma coisa para lutar e nunca se contenta com o que tem, causando dificuldades para seu marido, no lar e "lá fora". Ela se parece com o gotejar contínuo da chuva: continua com seu mau humor por longo tempo. Nos primeiros dias de movimento para o Oeste, nos Estados Unidos da América, em lugares onde não havia madeira disponível, os pioneiros construíam casas de barro misturado a grama. Tanto as paredes quanto o telhado eram feitos de barro. Ratos se escondiam nos telhados e, ocasionalmente, cobras vinham atrás dos ratos, pelo que, no telhado, havia cobras e ratos! Se chovesse por uma hora, ficava pingando água do telhado por diversos dias. A esposa contenciosa é como um telhado que pinga água. Ela mantém a casa em turbulência o tempo todo. Cf. esta parte do versículo com Pv 21.9 e 27.15. Existem cinco referências à esposa briguenta no livro de Provérbios: 19.13; 21.9,19; 25.24 e 27.15.

"Há três coisas que tornam uma casa intolerável: *tak* (um telhado que pinga); *nak* (uma esposa que se nega; e *bak* (insetos)" (proveniente de um provérbio árabe).

"O homem que tem tal espécie de esposa é como um homem pobre cuja cabana tem um furo no telhado... Que Deus ajude o homem que tem tal casa ou tal esposa!" (Adam Clarke, *in loc.*).

Como um gotejar contínuo era Xantipa, a esposa de Sócrates. Esse foi um dos fatores que o forçaram a ser filósofo. Naturalmente, havia também os oráculos de Delfos, que lhe davam as suas ordens.

■ 19.14

בַּיִת וָהוֹן נַחֲלַת אָבוֹת וּמֵיְהוָה אִשָּׁה מַשְׂכָּלֶת׃

A casa e os bens vêm como herança dos pais. Um homem pode ter a boa fortuna de herdar casas e terras de seu pai. Esse é um acontecimento humano comum. Nada existe de sobrenatural nisso. A sociedade humana vê esse acontecimento todos os dias. Naturalmente, isso está entre as coisas permitidas pela providência geral de Deus, mas não temos de atribuí-la diretamente à intervenção divina.

Antítese. É necessária a manifestação do poder divino para que um homem obtenha uma boa esposa. Uma boa esposa é prudente, qualidade obtida mediante o estudo e a prática da lei mosaica, um subproduto da sabedoria. Cf. Pv 31.10.

A esposa prudente. "Prudente" é tradução do vocábulo hebraico *maskaleth* (ver Pv 1.3). "Prudente: dotada de inteligência piedosa, de uma disposição agradável e de julgamento são no gerenciamento da casa... Uma boa esposa é um presente imediato de Deus... somente Deus sabe o que uma esposa mostrará ser. Os homens se surpreendem, para o bem ou para o mal" (Fausset, *in loc.*). "Essa esposa evita queixar-se, embora tenha amplas razões para tanto" (Adam Clarke, *in loc.*). Cf. Pv 18.22.

19.15

עַצְלָה תַּפִּיל תַּרְדֵּמָה וְנֶפֶשׁ רְמִיָּה תִרְעָב׃

A preguiça faz cair em profundo sono. Um preguiçoso dorme mesmo quando está desperto; também busca dormir desordenadamente, literalmente. Temos um paralelo direto a este pensamento em Pv 6.9,10, e um paralelo da segunda parte deste versículo é Pv 6.11. O labor estimula a mente e torna um homem bem desperto. Quanto mais um homem trabalha, tanto mais forte se torna. Mas o homem preguiçoso continua a mergulhar no esquecimento. Ver as notas detalhadas em Pv 6.6. Ver também, no *Dicionário*, os verbetes chamados *Preguiça* e *Preguiçoso*.

Sinônimo. Um homem preguiçoso sente fome. Isso faz parte de sua pobreza. Mas ele se mostra tão preguiçoso que nem mesmo providencia para si o alimento necessário. Cf. Pv 6.9-11, onde a mesma verdade é enfatizada. O preguiçoso é o homem dos mínimos: ele quase nem vive.

Este texto tem sido espiritualizado para falar dos homens que não têm fome nem sede de justiça (ver Mt 5.6). Eles nunca se satisfazem com alimento suficiente. O homem preguiçoso não estuda a lei. Se assim fizesse, seria inspirado a uma vida mais produtiva, pois, se é errado cometer um erro, também é errado nada fazer. O homem preguiçoso é um insensato que pertence a uma categoria específica. Se a lei o tivesse tornado um homem sábio, ele estaria trabalhando, ganhando dinheiro e dando exemplo para outras pessoas.

Se alguém não quer trabalhar, também não coma.
2Tessalonicenses 3.10

19.16

שֹׁמֵר מִצְוָה שֹׁמֵר נַפְשׁוֹ בּוֹזֵה דְרָכָיו יוּמָת

O que guarda o mandamento guarda a sua alma. Guardar os mandamentos é a mesma coisa que guardar a própria vida, salvá-la. Ver como a lei transmite vida, em Dt 4.1; 5.33; 6.2 e Ez 20.1. Ver também como a sabedoria concede vida, em Pv 4.13. Está em foco a vida física, uma vida longa, saudável e próspera, a recompensa do justo. A teologia dos hebreus ainda não havia avançado o bastante para considerar a alma imortal. Essa questão começou a surgir na Bíblia nos Salmos e nos Profetas. Ver Dn 12.2. A vida boa em Israel consistia em compartilhar as bênçãos do pacto na terra santa.

Antítese. O homem iníquo, em contraste com o homem bom, que obtém a vida, procurará evitar a morte prematura e/ou violenta, ignorando a lei mosaica em sua vida. Tal homem é um ateu praticante, se não um ateu teórico (ver Sl 14.1). Ele despreza a palavra, o que provavelmente devemos entender aqui como as Escrituras, o ponto onde o cânon bíblico já havia chegado: a lei, os profetas e as declarações de sabedoria. Ofereço notas expositivas sobre o avanço do termo *palavra*, até que ele chegou a significar Escrituras, em Pv 13.13. Requer-se aqui que a pessoa chegue à palavra, em lugar de caminhos, e isso pela mudança da palavra *derakhaw* para *haddabhar*. Se ficarmos com a ideia de caminhos, como o texto original, então compreenderemos os caminhos ensinados pela lei de Moisés. Os caminhos são os caminhos do homem, mas do homem bem treinado no estudo e na prática da lei. Ver sobre a *metáfora da vereda*, em Pv 4.15, e ver também os *caminhos do homem bom e do homem mau contrastados*, em Pv 4.27.

19.17

מַלְוֵה יְהוָה חוֹנֵן דָּל וּגְמֻלוֹ יְשַׁלֶּם־לוֹ׃

Quem se compadece do pobre ao Senhor empresta. Os pobres não devem ser oprimidos, embora seja isso o que usualmente acontece nas sociedades humanas; essa, contudo, era uma virtude muito enfatizada na antiga nação de Israel. Cf. Pv 14.31; 17.5; 21.13; 22.9,15,22,23; 28.3,27; 29.7. O homem que se compadece e empresta ao pobre (a criatura) na realidade está dando a Deus (o Criador), e por certo não perderá a sua recompensa. Cf. a espiritualização e a cristianização desse princípio, em 2Co 8.9. O grande doador dos pobres foi Cristo, que deu tanto que se tornou pobre "por nossa causa". Em sua pobreza, tornamo-nos ricos. Aquele que dá a um irmão pobre dá ao Mestre dos irmãos (ver Mt 25.40).

Sinônimo. O doador se tornará o beneficiário da bênção. As coisas são como alguém já disse: "Não se pode ultrapassar a Deus em termos de doação". O doador celestial é rico e dará abundantemente ao homem generoso. A generosidade é outro nome para o amor, e a medida real de um homem é a sua generosidade. Ver no *Dicionário* o verbete chamado *Liberalidade e Generosidade*.

"Oh, que tremenda afirmação é esta! O próprio Deus torna-se um devedor de tudo quanto é dado aos pobres" (Adam Clarke, *in loc.*). Ver no *Dicionário* o artigo chamado *Caridade*.

19.18

יַסֵּר בִּנְךָ כִּי־יֵשׁ תִּקְוָה וְאֶל־הֲמִיתוֹ אַל־תִּשָּׂא נַפְשֶׁךָ׃

Castiga a teu filho, enquanto há esperança. Este versículo é similar a Pv 13.24 e 23.13. A disciplina paterna, incluindo o castigo corporal (discutido em Pv 13.24), era norma comum na sociedade dos hebreus. O castigo era necessário para salvar o pobre menino de suas próprias tendências selvagens, que poderiam terminar destruindo-lhe a vida. Que todo pai agisse assim enquanto houvesse esperança de bom êxito. "A ordem que diz, disciplina o teu filho, é forte advertência contra a passividade paterna, sendo coerente com os ensinos de Pv 13.24; 22.15 e 23.13,14. Um menino culpado de más ações deveria ser castigado ainda pequeno, enquanto houvesse esperança de correção. A negligência quanto a esse dever podia resultar na morte da criança. A morte refere-se ou à punição capital, sob a lei mosaica (ver Dt 21.18-21), ou ao perigo das consequências naturais que necessariamente acompanham a conduta tola do menino" (Sid S. Buzzell, *in loc.*). A morte é o que os tolos podem esperar corretamente, e estamos falando aqui em morte prematura e/ou morte violenta. Ver Pv 1.32; 10.27; 21.25.

Antítese. A escolha radical é: disciplina o teu menino, ou poderás ser o agente da morte dele, por dar início ao processo daquelas circunstâncias que causam a morte de um insensato, eventualmente. Por meio do "temor do Senhor" os homens evitam a morte prematura e desgraçada (ver Pv 17.6). Ver sobre o *temor do Senhor* em Pv 1.7. "Não permitas que ele pereça por falta de castigo" (Ellicott, *in loc.*). Alguns estudiosos veem neste versículo um aviso contra a disciplina exageradamente severa, que pode levar um pai ou mãe a matar, literalmente, a sua criança; mas não parece ser isso que devemos perceber aqui. Cf. Ef 6.4 e Cl 3.21. O Targum e a Vulgata Latina falam desse tipo radical de disciplina que termina na morte física de uma criança.

19.19

גֹּרַל־חֵמָה נֹשֵׂא עֹנֶשׁ כִּי אִם־תַּצִּיל וְעוֹד תּוֹסִף׃

Homem de grande ira tem de sofrer o dano. O hebraico original é difícil, se não mesmo impossível de deslindar, e isso levou tradutores e intérpretes a conjecturas. 1. Talvez o que esteja em vista aqui seja: "Aquele que é grande em ira paga uma multa". Em sua ira, ele faz alguma coisa pela qual tem de pagar a multa exigida por um juiz. 2. Ou então o princípio é geral: as pessoas iracundas, de maneira natural, finalmente fazem coisas que prejudicam a si próprias, depois de terem prejudicado a outras. "Uma pessoa dotada de temperamento explosivo mete-se repetidas vezes em tribulação e acaba tendo de pagar por isso. Cf. Pv 5.18; 22.24 e 29.22" (Sid S. Buzzell, *in loc.*).

Sinônimo (suplementar). Esta segunda linha do versículo é ainda mais obscura do que a primeira. Portanto, poderia querer dizer: 1. Se for permitido que um homem se ire e não se cobre penalidade pelo que ele acaba de fazer, em breve ele estará fazendo de novo a mesma coisa. Nossa leniência mostrará ser insensata. 2. O homem de temperamento explosivo é incorrigível e imprevisível. 3. A piedade está fora de lugar no caso de pessoas violentas e destruidoras; portanto, cumpre o teu dever, punindo o mal. A reincidência é inevitável no estilo de vida do ímpio. Cf. o caso de Simei, em 2Sm 16.7 e 1Rs 2.46.

■ 19.20

שְׁמַע עֵצָה וְקַבֵּל מוּסָר לְמַעַן תֶּחְכַּם בְּאַחֲרִיתֶךָ:

Ouve o conselho, e recebe a instrução. Encontramos aqui outro chamamento à diligência no estudo e na prática da lei de Moisés, bem como nas declarações de sabedoria que a fomentavam e interpretavam. Ver o artigo chamado *Ouvir*, em Pv 4.20 e 18.15. Para o autor, a possessão da lei tinha de fazer diferença na vida do indivíduo; mas, para que isso sucedesse, era mister que a lei se tornasse a vida desse indivíduo. Ver sobre a *lei como guia*, em Dt 6.4 ss., e como essa lei tornava Israel uma nação distinta, em Dt 4.4-8. Cf. Pv 8.14 e ver as notas em Pv 9.7-9. O homem bom ama àquele que o instrui e reprova. Esse homem tira proveito disso e se torna mais sábio ainda. Ver sobre *ouvir*, em Pv 1.8; e sobre aceitar conselhos, em Pv 2.1; 4.10.

Instrução. Ou seja, correção moral e disciplina (no hebraico, *musar*).

Sinônimo. O homem que se mostra diligente ao longo do caminho torna-se finalmente um sábio, em algum tempo no futuro. Em outras palavras, ele tira proveito de um tempo de vida de disciplina e tem uma vida longa, próspera e saudável, a promessa da sabedoria (ver Pv 4.13, notas). Cf. esta parte do versículo com Pv 5.4 e 23.18.

O teu primeiro estado, na verdade, terá sido pequeno, mas o teu último crescerá sobremaneira.

Jó 8.7

■ 19.21

רַבּוֹת מַחֲשָׁבוֹת בְּלֶב־אִישׁ וַעֲצַת יְהוָה הִיא תָקוּם:

Muitos propósitos há no coração do homem. Este versículo é essencialmente paralelo a Pv 16.9. Ver também Pv 16.1 e 4. O homem tem muitos planos e propósitos e alcança certo sucesso ao levá-los à realidade por meio de suas próprias forças e inteligência. Todavia, as realizações humanas sempre deixam muito a desejar, sobretudo para o sábio, que é instruído quanto aos caminhos certo e errado, por intermédio da lei. Porém, sem importar quantos e quão laboriosos sejam seus planos e propósitos — demasiados, insuficientes ou parcialmente cumpridos — terminam parcialmente sem cumprimento. Os planos de um homem quanto a coisas boas podem terminar em pouco ou nada. Seus planos quanto a coisas más terminam injuriando a outros e a si mesmo.

Antítese. É o Senhor, operando através do homem, que consegue realizar coisas nobres e boas. O que ele faz será estabelecido permanentemente. O homem propõe, mas Deus dispõe.

Forte é o Senhor dos Exércitos,
E em seu grande poder.

Charles Wesley

Cf. este versículo com Pv 3.58; Sl 23.10,11; Is 46.10; Jó 23.13; Jr 44.28,29. "Quanto aos muitos esquemas do homem que serão os únicos a permanecer, aqueles que agradam a Deus prosperarão. Ver Rm 9.19 e Dn 4.35" (Fausset, *in loc.*).

■ 19.22

תַּאֲוַת אָדָם חַסְדּוֹ וְטוֹב־רָשׁ מֵאִישׁ כָּזָב:

O que torna agradável o homem é a sua misericórdia. A primeira linha deste provérbio tem sido variegadamente entendida: 1. Um homem torna-se uma pessoa agradável quando é gentil e faz o bem ao próximo. O homem que vive a lei do amor atrairá a atenção favorável de outros. Ver no *Dicionário* o artigo chamado *Amor*. 2. O que o Senhor ou outro homem buscam em um homem é a sua lealdade. O hebraico original é obscuro, o que explica as diferenças de opinião a respeito. "A lealdade (no hebraico, *hesed*, amor constante) é uma virtude que as pessoas desejam ver nos outros" (Sid S. Buzzell, *in loc.*).

Sinônimo (comparativo). Os homens e o Senhor também buscam a verdade em um homem, pelo que até o pobre e desprezado homem é melhor aos olhos das pessoas do que um mentiroso, sem importar qual seja a sua posição na vida. Ver Pv 19.4. Pv 19.1 é paralelo direto da segunda linha deste versículo. Ver também Pv 15.16,17. Quanto ao uso próprio e impróprio da língua, ver Pv 11.9,13 e 18.21. Cerca de cem provérbios foram dedicados a abordar esse tema. Um mentiroso pode ser materialmente rico, mas será um pobre espiritual, e o seu estado é pior do que o do homem materialmente pobre.

■ 19.23

יִרְאַת יְהוָה לְחַיִּים וְשָׂבֵעַ יָלִין בַּל־יִפָּקֶד רָע:

O temor do Senhor conduz à vida. Temos aqui outro versículo que estipula que o "temor do Senhor" conduz à vida. Esse é o princípio da sabedoria (ver Pv 1.7) e transmite vida (4.13). Cf. Pv 11.19 e 12.28. Gersom (refletindo o judaísmo posterior) observou que o temor do Senhor é o "começo da vida espiritual e leva à vida eterna". Ver no *Dicionário* os verbetes chamados *Vida* e *Vida Eterna*. O autor, naturalmente, pensa em uma vida longa, próspera, útil e saudável, o ideal dos hebreus antes que o ensino sobre a imortalidade se tornasse parte da teologia hebreia.

Sinônimo. Temos aqui duas declarações que, na realidade, fazem este provérbio tornar-se um trio. Cf. Pv 19.7. Alguns eruditos supõem, no entanto, que foi incluída aqui uma afirmação adicional, por outra mão, que agiu posteriormente. Seja como for, o homem que teme ao Senhor vive satisfeito e seguro, e não será visitado pelo mal. Os desastres não o atingirão; e ele não morrerá prematuramente. "Uma bênção maior ainda é prometida no Novo Testamento: não a imunidade diante da tribulação, mas, antes, a tribulação como um meio de avanço espiritual, ou seja, o progresso (ver Rm 8.28) e a proteção na santidade (ver 1Pe 3.13; Rm 8.35 ss.)" (Ellicott, *in loc.*). Cf. este provérbio com Pv 3.26.

■ 19.24

טָמַן עָצֵל יָדוֹ בַּצַּלָּחַת גַּם־אֶל־פִּיהוּ לֹא יְשִׁיבֶנָּה:

O preguiçoso mete a mão no prato. Este versículo é quase idêntico a Pv 26.15. Quanto ao preguiçoso, ver também Pv 6.6-11; 13.4; 22.13; 24.30-34; 26.13-16. A figura dada para ilustrar a preguiça extrema é variegadamente entendida com base no mesmo texto hebraico: 1. O preguiçoso é tão preguiçoso que, quando vai comer, não pode fazê-lo porque meteu a mão nas dobras de sua veste, na altura do peito, e não pode retirá-la dali, nem mesmo para comer (assim dizem a *King James Version* e a maioria das antigas versões, além de antigos comentários). 2. Ou então esse homem é tão preguiçoso que, depois de pôr a mão no prato, não tem energia necessária para trazê-la à boca. O livro de Provérbios gosta de fazer piadas sobre a condição do homem preguiçoso, da mesma forma que, atualmente, o beberrão é tema de comédias. Ambas as condições são deploráveis e estão longe de ser engraçadas, embora possam parecer hilariantes em certas ocasiões. Ver Pv 5.1-15 quanto a um discurso sobre o assunto. Ver no *Dicionário* os verbetes intitulados *Preguiça* e *Preguiçoso*, quanto a maiores detalhes. "É um caso estranho que um homem, mediante excessiva preguiça, prefira morrer de fome a ter o trabalho de comer" (Adam Clarke, *in loc.*). O autor sacro exagerou ao usar uma hipérbole oriental; porém, no tocante a certas pessoas, não foi grande exagero. Gussetius espiritualizou o versículo, vendo nele o homem espiritualmente preguiçoso, pois, embora tenha nas pontas dos dedos o banquete oferecido pela lei, não quer ter o trabalho de abrir o livro da lei e virar as suas páginas.

Prato. "O prato que ficava no meio da mesa, nas refeições orientais, onde os convidados mergulhavam a mão para tirar o alimento para si mesmos (ver Mt 26.23)" (Ellicott, *in loc.*).

Ateneu aumentou o humor do texto ao imaginar o preguiçoso à mesa, sem nada fazer senão abrir a boca, na esperança de que alguma ave assada e temperada entrasse "voando" em sua boca, poupando-o assim do trabalho de estender a mão. Esse pobre insensato seria, pelo menos, um homem de "fé".

■ 19.25

לֵץ תַּכֶּה וּפֶתִי יַעְרִם וְהוֹכִיחַ לְנָבוֹן יָבִין דָּעַת:

Quando ferires ao escarnecedor, o simples aprenderá a prudência. O mestre pensa que o insensato (no hebraico, *pethi*) pode aprender alguma coisa; mas essa não é uma tarefa fácil. Uma das maneiras pelas quais ele pode aprender é ver o espancamento público de um zombador. Cf. o vs. 29. Um homem simples pode ser atingido por certas medidas drásticas, mas nunca será um estudante apurado. Por outra parte, um escarnecedor jamais aprende (ver Pv 9.8; 13.1; 21.11). Ele terá avançado demais pela vereda da idiotice a ponto de estar endurecido; envolve-se em muitas atividades prejudiciais; zomba da lei e ocupa-se de uma conduta vergonhosa, contrária a instruções saudáveis. Deus pune os pecadores visando o próprio bem deles (ver Am 4.6 ss.), mas a maioria é empedernida.

Antítese. Em contraste com o zombador e o insensato, o homem bom pode tirar proveito da repreensão que recebe. Antes, obtém conhecimento, compreensão e sabedoria, o propósito mesmo da vida. Ver Pv 9.8,9, que é trecho diretamente paralelo. Se o escarnecedor não chega a tirar proveito algum de um espancamento que receba, o sábio é sensível até a uma repreensão verbal. Ele a ouvirá e modificará a sua conduta para melhor. A lei de Moisés é o manual, e um sábio é o professor. Seu projeto consiste em trazer à luz, mediante instrução e exemplo, outros como ele mesmo.

19.26

מְשַׁדֶּד־אָב יַבְרִיחַ אֵם בֵּן מֵבִישׁ וּמַחְפִּיר׃

O que maltrata a seu pai, ou manda embora a sua mãe. Filhos insensatos podem ser transformados em pecadores endurecidos, ou mesmo criminosos, que usam de violência contra os próprios pais. Esse insensato toma a casa e as propriedades de seu pai e expulsa dali a sua mãe. Ele é apenas um criminoso comum, a quem falta qualquer forma de afeição natural.

Insensatos, pérfidos, sem afeição natural e sem misericórdia.
Romanos 1.31

É bem provável que o caso mais comum que se ajusta à descrição deste versículo seja o de pais pobres que, quando envelhecem, ficam dependentes de seus filhos ou de algum filho. Mas o tal filho se cansa diante das despesas e tenta ver-se livre dos pais. E estes últimos tornam-se casos de caridade, cargas para a população em geral, ou simplesmente são abandonados para se desintegrarem em meio a condições desumanas. "... a expulsão de pais idosos da casa paterna" (Adam Clarke, *in loc.*).

Sinônimo. O tipo de filho aqui descrito causa vergonha e opróbrio aos pais, a si mesmo e a toda a vizinhança. "Desconsiderar as instruções dos próprios pais já é ruindade suficiente, mas abusar deles, material e fisicamente (amaldiçoá-los, ver Pv 20.20), é algo desprezível" (Sid S. Buzzell, *in loc.*). "A injúria precisa ser profunda o suficiente quando uma mãe é alienada (Is 49.15). Quão cuidadosos, pois, devem ser os pais quando estão educando os seus filhos!" (Fausset, *in loc.*).

19.27

חֲדַל־בְּנִי לִשְׁמֹעַ מוּסָר לִשְׁגוֹת מֵאִמְרֵי־דָעַת׃

Filho meu, se deixas de ouvir a instrução... Esta primeira linha do versículo não é fácil de interpretar com seu condicional: "se deixas". Consideremos, pois, os dois pontos seguintes:

1. Deixa de vir à escola para aprenderes, se não és realmente sério em continuar teu aprendizado, mas preferes seguir uma vereda ímpia. É melhor não conhecer a verdade, de maneira alguma, do que rejeitá-la e mostrar-se desleal para com ela.
2. Ou então a instrução, neste caso, não está baseada na lei, mas é o ensino de falsos mestres ou de ímpios que ensinam outras pessoas a ser como eles são. Abandona esse tipo de instrução, que só pode conduzir ao maior desastre. "... instrução, ou seja, o conselho de homens maus, as doutrinas dos mestres falsos" (John Gill, *in loc.*).

Sinônimo ou Antítese. Se estiver correta a primeira das duas interpretações, da primeira linha métrica, então a segunda linha é a sua antítese. As instruções do homem bom são rejeitadas; e o pobre aluno, o estudante rebelde que prefere abandonar a escola, termina mal a sua vida. Ele se desvia das palavras da verdade. Mas se a segunda das interpretações é que está correta, então a segunda linha é sinônima. O homem que aceita receber instruções de homens ruins terminará desviando-se da boa instrução e terá um mau fim. Jarchi e Aben Ezra cortaram o nó górdio ao rearranjar a ordem que diz: "Deixa, meu filho, de te desviares das palavras do conhecimento, para que ouças as palavras de instrução".

19.28

עֵד בְּלִיַּעַל יָלִיץ מִשְׁפָּט וּפִי רְשָׁעִים יְבַלַּע־אָוֶן׃

A testemunha de Belial escarnece da justiça. A testemunha falsa e inútil zomba da justiça. Ela dará testemunho falso e não sentirá a consciência protestar. Talvez até desfrute da perversão que estiver perpetrando. Ver Pv 12.17; 14.5,25 e 19.5,9 sobre o falso testemunho. Esse tipo de homem é um filho de Belial, a palavra hebraica que se acha aqui e provavelmente significa inútil, pois essa idéia adjetiva precedeu a personificação da palavra, quando então esse vocábulo tornou-se sinônimo de Satanás. Ver no *Dicionário* acerca de *Belial*. "Esse homem despreza as ordens da lei que condena o perjúrio (ver Êx 20.16; Lv 5.1. Cf. 1Rs 8.31)" (Ellicott, *in loc.*).

Sinônimo. O homem que é um Belial come a iniquidade como alimento legítimo. O quadro, aqui, é o de alguém que come vorazmente algo que aprecia. O homem mau ama o alimento do perjúrio, observando pessoas inocentes sofrer, enquanto o culpado é libertado. Cf. Pv 18.8b, que diz algo similar. Quanto ao uso próprio e impróprio da linguagem, ver as notas em Pv 11.9,13 e 18.21. Cerca de cem provérbios abordam esse tema. Cf. o ato de beber a iniquidade, como se fosse água, em Jó 15.16.

19.29

נָכוֹנוּ לַלֵּצִים שְׁפָטִים וּמַהֲלֻמוֹת לְגֵו כְּסִילִים׃

Preparados estão os juízos para os escarnecedores. Os zombadores serão punidos, e a condenação deles já foi preparada. Cf. o espancamento público referido no vs. 25. Visto que escarneceram da justiça, serão castigados por ela. Esses homens zombaram da lei, pelo que os juízes que ordenam o castigo de açoites zombarão deles. Visto que andaram de modo contrário à lei, esta se mostrará contrária a eles. Ver Pv 21.3. Aqueles escarnecedores são uns insensatos, conforme a linha métrica sinônima diz.

Sinônimo. Aqueles tolos escarnecedores devem sofrer espancamento público. Cf. Pv 17.10. Eles serão punidos com os plenos quarenta açoites que a lei permitia aplicar (ver Dt 25.2,3).

Este versículo tem sido espiritualizado para aplicar-se a qualquer tipo de punição que um homem mau possa sofrer, da parte de Deus ou dos homens. E tem sido cristianizado para falar do julgamento final, depois do sepulcro; mas isso é um anacronismo. "Penalidades... espancamentos (cf. Pv 10.3b; 14.3a e 26.3), cujo desígnio é corrigir um comportamento desviado, mas que não fazem bem algum aos zombadores e insensatos. Isso, novamente, aponta para os caminhos incorrigíveis dos zombadores (ver Pv 19.25)" (Sid S. Buzzell, *in loc.*).

CAPÍTULO VINTE

Não há nenhuma interrupção entre os capítulos 19 e 20. Ofereço a introdução à seção em geral em Pv 10.1 (a seção é Pv 10.1—22.16, que é a primeira coletânea dos provérbios de Salomão). A segunda porção dessa seção começa em Pv 16.1. Dali até Pv 22.16 há 191 versículos, cada qual com seu provérbio de duas linhas. Ver a introdução a essa subseção, em Pv 16.1.

20.1

לֵץ הַיַּיִן הֹמֶה שֵׁכָר וְכָל־שֹׁגֶה בּוֹ לֹא יֶחְכָּם׃

O vinho é escarnecedor, e a bebida forte, alvoroçadora. O vinho (no hebraico, *yayin*) é aqui personificado e transformado em um indivíduo escarnecedor. Essa bebida era feita de uvas. A bebida forte (no hebraico, *sekar*) era feita de cevada, tâmaras ou romãs. A tradução que aparece em algumas versões, *cerveja*, é um erro. Tem sido personificado para apontar um indivíduo briguento, que gosta de brigar e aproveita todas as oportunidades para meter-se em disputas. Tais bebidas eram vedadas aos sacerdotes (ver Is 28.7) e aos nazireus (ver Nm 6.1-3), mas não ao povo comum. "Moderação" é a palavra bíblica para ser usada quando se trata dessas coisas. Ver no

Dicionário os artigos chamados *Bebida, Beber* e *Bebedice*. Ver também o verbete intitulado *Alcoolismo*. A ciência tem demonstrado que o álcool no sangue pode atuar como sedativo suave e também pode cortar o colesterol, ou seja, prolonga a vida. Desde que aprendi isso, resolvi nunca beber, pois o álcool, na circulação sanguínea, destrói as células do cérebro. Assim, um homem bebe alguma bebida alcoólica e vive por mais tempo, mas também fica mais estúpido. Quem pode dizer onde jaz o ponto da moderação: viver por mais tempo ou não perder células cerebrais em excesso? Se outros puderem encontrar moderação, então que bebam de forma moderada. Quanto a mim, continuarei a tomar suco de maçãs, que também corta o colesterol. Quanto a outros versículos contrários a beber álcool em excesso, ver Pv 23.20,21,29-35 e 31.4,5.

Sinônimo. As vítimas das bebidas fortes são enganadas "... por sua fragrância, por sua força que intoxica, e os intoxicados são ridículos" (Adam Clarke, *in loc.*). "Quando o vinho entra, a mente sai. Engole a razão, amortece o cérebro, mas desperta as paixões" (Fausset, *in loc.*).

■ 20.2

Como o bramido do leão é o terror do rei. A primeira linha deste provérbio tem, essencialmente, o mesmo sentido de Pv 19.12a. Ver as notas expositivas ali. Aqui, as palavras "o terror do rei" (sabe que, a qualquer momento, ele poderá executar-te, ou poderá fazer alguma outra coisa terrível contra ti) são como ter um leão a cercar-te, esperando o momento certo de atacar. Ali a ira do rei é a coisa a ser temida, o que significa a mesma coisa. Quanto à ira do rei, ver também Pv 14.35 e 16.14. Quanto ao bramido do leão, ver Pv 19.12 e 28.15. Os monarcas orientais com frequência eram reis absolutos e tinham o poder de vida e morte, na palavra simples: "matar". Além disso, estavam acima da lei; portanto, não havia recurso diante de uma ordem real.

Sinônimo. Era preciso um homem poderoso para manifestar-se contra um rei, e tal homem precisava de muito apoio. Mesmo assim, ele podia perder a vida, caso promovesse alguma rebelião. Mas um homem comum, ou mesmo um príncipe, se provocasse a ira do rei, provavelmente teria a vida sacrificada. Lembremos o caso de Adonias, o irmão que provocou Salomão e foi prontamente executado, mesmo contra o desejo da mãe de Salomão (ver 1Rs 2.23,24). E Adonias foi executado no mesmo dia! Herodes executou diversas esposas e vários filhos a fim de preservar seu poder de qualquer assédio possível. Ver na *Enciclopédia de Bíblia, Teologia e Filosofia* o artigo intitulado *Herodes, o Grande*.

Peca contra a sua própria vida. Esta é uma tradução possível do hebraico, mas a *Revised Standard Version* diz: "perde a própria vida", provavelmente a tradução correta.

■ 20.3

Honroso é para o homem o desviar-se de contendas. É coisa honrosa para um homem manter-se distante das contendas. Diz o hebraico, literalmente, "sentar-se", ou seja, "manter-se quieto", refreando-se assim de contendas e brigas inúteis. No entanto, parece que, na igreja, esse conceito foi pervertido para significar: "É honroso entrar em tantas lutas quantas for possível", defendendo a fé, naturalmente. Usualmente, contudo, o que os homens defendem é o próprio entendimento, e não a própria verdade. "Da maneira que algumas pessoas se apresentam para entrar em querelas, pensaríamos que contender é honroso" (Sid S. Buzzell, *in loc.*).

Antítese. Os insensatos vivem promovendo contendas.

... Se mete em rixas. Diz aqui o hebraico, literalmente, "mostrando os seus dentes", como algum animal selvagem pronto a morder um oponente, e até matá-lo, se isso for possível. "Mostrando os dentes, pensando que a sua dignidade pessoal está em jogo" (Ellicott, *in loc.*). "É uma loucura alguém ser contencioso" (Charles Fritsch, *in loc.*).

Como o abrir-se da represa, assim é o começo da contenda; desiste, pois, antes que haja rixas.

Provérbios 17.14

Ver também Pv 19.11: o homem dotado de bom senso é lento para irar-se, e é sua glória esquecer as ofensas. No entanto, na igreja, com frequência os briguentos são glorificados. Podemos evitar discussões esquecendo os insultos (ver Pv 12.16); deixando passar questões potencialmente inflamadas (ver Pv 17.14); e livrando-nos dos zombadores que vivem procurando briga (ver Pv 22.10).

■ 20.4

O preguiçoso não lavra por causa do inverno. O problema real com o preguiçoso é que ele não tem coragem de enfrentar um trabalho duro, pelo que qualquer razão para "não trabalhar hoje" funciona. Ele sabe que, para ter uma colheita, ele precisará, primeiramente, arar, mas isso ocorria no outono (*Revised Standard Version*) ou no inverno (ASV) ou no tempo de frio (*King James Version*), e parecia razão suficiente para evitar a questão. O ato de arar ocorria depois da última colheita. O tempo certo para isso, no Oriente Médio, era na estação chuvosa que se poderia chamar de outono ou inverno. Os meses envolvidos eram setembro-outubro. Para dizer a verdade, esse não era um tempo muito agradável para alguém pôr-se a arar. Assim sendo, para evitar surpresas desagradáveis, um preguiçoso negligenciava aquilo que era realmente necessário, para ter uma colheita alguns poucos meses mais tarde. Ver sobre o preguiçoso, em Pv 6.6 e 19.15.

Sinônimo. Nada tendo feito para obter uma colheita, naturalmente ele nada tem, visto que se ocupava da agricultura. Portanto, o que fazer? Ele sai ao redor pedindo o que comer.

Este versículo tem sido cristianizado para indicar que o ato de evitar o frio corresponde à recusa de evitar a cruz (Melancthon).

Procura. Algumas traduções dizem aqui "mendigar", um sentido possível; mas alguns estudiosos supõem que o que é descrito aqui é o pobre tolo saindo em seu campo para verificar se, porventura, ele obteve alguma espécie de colheita, mesmo sem ter arado e semeado. E fica amargamente desapontado. Nada existe, porque ele nada fez.

■ 20.5

Como águas profundas são os propósitos do coração do homem. Quatro significados estão vinculados à primeira linha deste provérbio, conforme se vê nos pontos a seguir:

1. Aconselhar a outros é apropriado para o homem sábio, para o bom aluno, como águas profundas das quais ele pode extrair conhecimento.
2. Ou então um homem tem profundos propósitos e motivações que o inspiram a fazer o que é direito.
3. Ou ele tem planos profundos que aproveita para conduzir a sua vida. Cf. Pv 18.4, onde as palavras que saem da boca do homem bom são águas profundas. Seja como for, o homem sábio pode tirar dessas águas pensamentos verdadeiros, motivos corretos, informações certas, e assim continuar com a sabedoria em todas as suas atividades na vida. A figura é das fontes de água que suprem o homem e sua família.
4. Alguns estudiosos pensam que esses profundos pensamentos, intenções etc., pertencem a outro homem, que o sábio pode sondar e assim encontrar ajuda para qualquer problema através de melhor compreensão.

Sinônimo ou Antítese. Considere o leitor estes dois pontos:

1. Se estão em foco os pensamentos da própria pessoa, então a segunda linha métrica é um sinônimo. Tal pessoa tem pensamentos e motivações profundos e pode trazê-los à superfície para edificação própria.
2. Ou então, se um homem sábio pode ajudar a outro (quer esse outro homem seja sábio ou não) a sondar os pensamentos e motivos de seu coração, então a linha métrica é uma antítese. "A esperteza do coração dos homens é de uma profundeza insondável. Mas um homem de compreensão, mediante o dom do discernimento de espíritos e através do tato, pode apresentar à mente de outros homens o que há ali" (Fausset, *in loc.*).

20.6

רָב־אָדָם יִקְרָא אִישׁ חַסְדּוֹ וְאִישׁ אֱמוּנִים מִי יִמְצָא׃

Muitos proclamam a sua própria benignidade. Há muitos jactanciosos que saem a proclamar a própria bondade (*King James Version* e tradução da Imprensa Bíblica Brasileira e da Atualizada). Mas não se pode confiar em suas palavras, visto que, de fato, não existem muitos homens bons e sábios. Cf. o fariseu de Lc 18.11. Ver no *Dicionário* o artigo chamado *Jactância*. As versões do siríaco e da Vulgata Latina, além do Targum, emendam o texto para significar "muitos homens são chamados de homens bondosos", isto é, por parte de outros, sem importar se essa avaliação é verdadeira ou não.

Benignidade. No hebraico, *hesed*, "amor constante", infalível, o motivador de toda a lealdade (*Revised Standard Version*), bondade ou gentileza. Ver no *Dicionário* o artigo intitulado *Amor*.

Antítese. Apesar de muitos reivindicarem para si mesmos a bondade, e apesar de muitos reivindicarem a bondade para outras pessoas, o fato é que existem realmente poucas pessoas verdadeiramente boas. Portanto, quem pode encontrar uma pessoa boa? Quem pode encontrar um homem fiel? Diógenes saiu ao redor, com sua lamparina, tentando encontrar alguém verdadeiramente honesto, mas não logrou sucesso.

O homem fidedigno. "Fidedigno" vem da mesma raiz que o vocábulo "verdade", em Pv 12.7: o homem que fala e vive a verdade, que cumpre as suas promessas. Quantos homens são fiéis aos seus compromissos e profissões espirituais?

20.7

מִתְהַלֵּךְ בְּתֻמּוֹ צַדִּיק אַשְׁרֵי בָנָיו אַחֲרָיו׃

O justo anda na sua integridade. Um homem verdadeiramente justo anda em sua retidão: ele anda em sua integridade. Quanto a *justo*, ver Pv 1.3, e quanto a *integridade*, ver Pv 10.9. Os vss. 7-11 falam de várias espécies de conduta, boas e más. Ver no *Dicionário* o verbete *Andar*, quanto a essa metáfora. Alguns homens são moralmente sãos e se conduzem em concordância com isso.

Sinônimo. O que um homem bom faz por si mesmo, faz por seus filhos. Eles veem seu bom exemplo, recebem suas boas instruções e assim caminham no mesmo caminho fiel pelo qual o pai enveredara. Agindo assim, sentem-se felizes. Eles têm vida longa, saudável e próspera, assim como uma boa expressão espiritual, em geral. São pessoas respeitadas na comunidade, porque os outros sabem que podem confiar nelas. São leais à sua incumbência e cumprem missões dignas na vida. A princípio, essas pessoas pedem luz emprestada de seu pai, mas podem tornar-se luzes em si mesmas. A grande luz é a lei, da qual toda boa conduta é derivada, tanto a conduta do pai como a dos filhos. E por trás dessa luz está Deus, o qual é a Luz, o Pai celeste, por intermédio de quem os homens aprendem a ser corretos e a viver corretamente.

> Senhor, que ordena tudo para a humanidade,
> Tanto trabalhos benignos quanto ternos cuidados.
> Nós te agradecemos pelos laços que prendem
> A mãe e o pai ao filho.
>
> William Cullen Bryant

20.8

מֶלֶךְ יוֹשֵׁב עַל־כִּסֵּא־דִין מְזָרֶה בְעֵינָיו כָּל־רָע׃

Assentando-se o rei no trono do juízo... Um rei bom e sábio jamais tolerará o mal em seu reino, porquanto sabe qual confusão isso produzirá. Um rei é responsável pela boa administração em sua nação, pelo que a corrupção não pode encher a terra quando ele se assenta em seu trono. O rei bom mostra-se ativo não somente quanto a seus deveres de governo, mas também quanto a seus deveres morais. O bem do reino depende de ambos.

Sinônimo. O olho discernidor de um bom rei é como o instrumento de padejar do agricultor. Ele separa o trigo do joio, pelo que o seu reino floresce na bondade, e não apenas econômica e militarmente. "Ele separa o mal do bem, com os seus olhos" (Charles Fritsch, *in loc.*). Cf. Sl 1.4; Mt 3.12 e 2Co 15.16. Ver Pv 20.26, que é similar do presente versículo.

Este versículo tem sido espiritualizado para falar de qualquer pessoa dotada de autoridade, que deve agir como um bom rei. E tem sido cristianizado para fazer com que o Rei seja Cristo, o Rei dos reis, aquele que foi nomeado juiz e separará o trigo do joio (ver At 10.42).

20.9

מִי־יֹאמַר זִכִּיתִי לִבִּי טָהַרְתִּי מֵחַטָּאתִי׃

Quem pode dizer: Purifiquei o meu coração... ? A perfeição da impecabilidade é ridícula. Que idiota diria que está limpo e não tem pecado nenhum? Ver na *Enciclopédia de Bíblia, Teologia e Filosofia* o verbete chamado *Perfeccionismo*. Cf. isso com a confissão de Salomão em sua oração de dedicação (1Rs 8.46). Um homem, por meio do conhecimento e prática da lei, torna-se um especialista tão grande que dá aquele salto gigantesco para o pensamento: "Eu consegui isso. Sou sem pecado". O melhor que podemos dizer é que tal homem agora tornou-se melhor do que era; mas somente Deus é perfeito. Quanto à suposta impecabilidade de uma pessoa, cf. Jó 4.17-19; Sl 51.5; 130.3; Ec 7.20. É muito duvidoso que um homem possa ser, por mero instante, totalmente limpo, para nada dizermos sobre a sua vida e conduta em geral. O que os homens reivindicam nesta linha jamais é verdade. Ver 1Jo 1.8.

Sinônimo. Um homem nunca é absolutamente puro de seu pecado. Ele rebaixa o padrão do pecado, não sobe até o verdadeiro padrão da justiça. A perfeição da impecabilidade é um mito autoglorificador de pessoas boas que reivindicam tê-la alcançado. Cf. Pv 28.13. O homem que "encobre o seu pecado" não prospera. Os pecados podem facilmente escapar à nossa notícia (Sl 19.12; 1Co 4.4). Um homem jamais deve satisfazer-se consigo mesmo (ver Rm 9.20).

A *expiação* (ver a respeito no *Dicionário*) leva um indivíduo à impecável perfeição judicial, mas a luta contra o pecado na vida continua.

20.10

אֶבֶן וָאֶבֶן אֵיפָה וְאֵיפָה תּוֹעֲבַת יְהוָה גַּם־שְׁנֵיהֶם׃

Dois pesos e duas medidas... Pv 11.1 é virtualmente igual a este versículo. Ver as notas ali. Ambos os versículos chamam os falsos pesos e as falsas medidas de abominação ao Senhor. Ver também Pv 16.11 e o vs. 23 deste presente capítulo, onde há notas adicionais. A espiritualidade de um homem deve influenciar todos os aspectos de sua vida. Um homem bom na igreja local deve ser também um homem bom no comércio ou no escritório. A honestidade é uma qualidade básica do homem que segue a lei. Ver no *Dicionário* o artigo chamado *Honestidade*.

Sinônimo. Os pesos que diferem dos pesos oficiais são uma abominação ao Senhor. Foi ele quem deu ao rei seu peso real, mediante o qual todos os demais são aferidos. Outras pedras (os pesos oficiais eram feitos de pedras) eram usadas para fazer negócios; elas duplicavam as pedras reais, e o mesmo é verdadeiro quanto a medidas de qualquer espécie. Ver Pv 11.1 quanto à palavra *abominação*. Um homem bom não usava uma pedra para comprar e outra para vender. Ele só tinha uma pedra padrão para ambos os negócios.

20.11

גַּם בְּמַעֲלָלָיו יִתְנַכֶּר־נָעַר אִם־זַךְ וְאִם־יָשָׁר פָּעֳלוֹ׃

Até a criança se dá a conhecer pelas suas ações. Nem mesmo uma criança rebelde ou desviada está isenta de censura. Uma boa criança é chamada de "boa" por causa de sua conduta; e a criança má demonstra o mesmo com sua conduta. Quanto mais isso deveria ser verdade no tocante aos adultos, que já deveriam ter progredido na estrada espiritual! Os atos e a conduta são os grandes reveladores do caráter, e atribuímos caráter até mesmo a crianças. Mas elas mudam, e outro tanto pode ser dito com relação aos adultos.

A criança. No hebraico, *na'ar*, que pode referir-se a um jovem, conforme a palavra é usualmente usada nos capítulos 1—9. Porém, nos capítulos 10—31, essa palavra hebraica indica alguém que ainda vive sob os cuidados dos pais, ou seja, uma criança dependente.

Sinônimo. Uma criança pode ser pura e reta, ou então o oposto, e isso se tornará evidente em sua conduta. O argumento do vs. 11 parte do menor para o maior. Se uma criança tem de ser assim julgada segundo sua conduta, quanto mais um adulto, de quem se espera saber mais e melhor. A boa conduta, seja como for, deriva-se do conhecimento e da obediência à lei, o padrão de todas as coisas na mente dos hebreus. Por conseguinte, uma criança deveria ser treinada na lei para garantir uma conduta infantil apropriada; e uma pessoa adulta deveria receber o mesmo treinamento, para garantir uma conduta adulta apropriada. Havia apenas um manual para pessoas jovens e para pessoas adultas. Cf. este versículo com Pv 17.6. Pai e filho são adornos mútuos quando a bondade se manifesta em ambos. "Um julgamento pode ser mais bem formado no caso de crianças, porquanto raramente elas se mostram hipócritas" (Fausset, *in loc.*).

■ 20.12

אֹזֶן שֹׁמַעַת וְעַיִן רֹאָה יְהוָה עָשָׂה גַם־שְׁנֵיהֶם׃

O ouvido que ouve, e o olho que vê... Os órgãos do corpo humano são obras da mão de Deus, e por isso têm funções especiais que nos assustam. Contudo, é provável que o sentido moral esteja em foco aqui: o ouvido ouve a lei e lhe é obediente, idealmente. Ver Pv 4.20; 18.15 e 19.20. Os olhos veem o que é direito e seguem isso. Visto que Deus é a fonte originária de todos os nossos recursos, sejam físicos sejam espirituais, devemos reconhecer nossa dependência dele, agindo de acordo com isso. O verdadeiro olho espiritual olha para as palavras e obras de Deus (Pv 3.21; Dt 11.7).

Sinônimo. O olho e o ouvido foram feitos por Deus, como também suas qualidades espirituais correspondentes. Só Deus é independente. Os homens são dependentes e devem relembrar de quem dependem. Isso faz um homem encontrar o caminho para seu Senhor e verdadeiro Guia. Naturalmente, o instrumento do Senhor é a lei, que é o guia (Dt 6.4 ss.). Não nos olvidemos, igualmente, do cuidado vigilante de Deus, a quem devemos ser agradecidos. Ver Pv 15.3 e Sl 94.9. "Todo o bem que possuímos vem da parte de Deus, e só devemos usar nossos olhos e nossos ouvidos em estrita obediência à vontade do Senhor" (Adam Clarke, *in loc.*).

■ 20.13

אַל־תֶּאֱהַב שֵׁנָה פֶּן־תִּוָּרֵשׁ פְּקַח עֵינֶיךָ שְׂבַע־לָחֶם׃

Não ames o sono, para que não empobreças. O preguiçoso vive apaixonado pelo sono. Em primeiro lugar, na realidade ele está dormindo mesmo quando está desperto. Ademais, ele dorme demais. Está sempre tirando uma soneca para descansar depois de nada fazer. Vemos esse tema salientado em Pv 6.9,10 e 17.15a. Esse tipo de conduta conduz à pobreza (ver Pv 6.11; 10.4a e 19.1b).

Antítese. Uma conduta apropriada seria que o preguiçoso abrisse os olhos, ficasse bem acordado, saísse e trabalhasse, e assim obtivesse abundância de pão. O vs. 4 deste mesmo capítulo lembra que o preguiçoso não ara o solo nem planta, porque faz "frio". E então sai em busca de uma colheita, o que é impossível, ou então precisa esmolar para obter alimento. A própria ordem mundial, tal como se vê na natureza, conserva operantes todas as coisas; mas o preguiçoso contradiz essa ordem. "Um amante do sono é um caráter torpe e insignificante" (Adam Clarke, *in loc.*). "O sono é uma bênção natural verdadeiramente importante. É um dom de Deus, e a natureza requer que durmamos. É algo desejável e amado, mas não quando é excessivo. É algo doce para um homem, que deve mostrar-se grato pelo sono noturno. Mas um homem não deve entregar-se ao sono, em detrimento de suas atividades apropriadas na vida diária. Além disso, há um tempo próprio para dormir" (John Gill, *in loc.*, que foi um trabalhador prodigioso e o primeiro autor a produzir o primeiro comentário, versículo por versículo, da Bíblia em inglês. Ele costumava levantar-se cedo, para que pudesse terminar o seu trabalho de escritor).

■ 20.14

רַע רַע יֹאמַר הַקּוֹנֶה וְאֹזֵל לוֹ אָז יִתְהַלָּל׃

Nada vale, nada vale, diz o comprador. Homens maus, maus negócios — esse é o tema do autor, neste versículo. Um homem mau é desonesto e cheio de manipulações. Quando quer comprar alguma coisa, degrada seu preço diante do vendedor, para que este o baixe. Ele obtém o item barato e, saindo dali, põe-se a gabar-se da grande transação comercial que fez.

Antítese. A coisa "ruim", que foi comprada, de repente transforma-se em algo "muito bom". Este versículo declara o tema como uma questão de fato, mas isso é uma perversão, pois algo de valor foi roubado do primeiro dono por causa das manipulações de um comprador desonesto. As pessoas que comercializam, e têm seus próprios familiares para sustentar, devem ser cuidadosas com os caçadores de barganhas desonestos. "Uma prática comum nos mercados orientais é descrita aqui. O comprador despreza o artigo posto à venda, obtém esse artigo por um preço deflacionado e se vai, mas em seguida se jacta de sua esperteza por ter feito tal negócio" (Charles Fritsch, *in loc.*).

Agostinho contava uma história que ilustra este versículo (de *Trinitate*, lib. xiii. cap. 3): Certo charlatão envolvido em produções teatrais propagava ser capaz de sondar as profundezas de todo o coração humano, e convidava pessoas a vir assistir à demonstração do fato. As pessoas se ajuntavam em seus espetáculos para observar os poderes do grande homem, que haveria de desenterrar e trazer à luz os recessos de seu coração. Depois de muito drama, o homem vinha à frente realizar o feito. Ele simplesmente dizia: "Todos vocês haverão de comprar barato e vender caro". E povo presente se levantava e o aplaudia. O homem tinha descoberto o segredo que todos eles compartilhavam.

■ 20.15

יֵשׁ זָהָב וְרָב־פְּנִינִים וּכְלִי יְקָר שִׂפְתֵי־דָעַת׃

Há ouro e abundância de pérolas. O ouro não é um metal assim tão raro, e há certa abundância de pérolas no mundo, as quais têm sido encontradas no mar e polidas. Existem materiais preciosos como a prata, o ouro e as pedras preciosas. Existem coisas naturais muito apreciadas pelos homens, que os têm feito enriquecer.

Antítese. Porém, de maior valor que essas riquezas naturais é o uso apropriado da fala, quando os lábios de uma pessoa produzem pedras preciosas do conhecimento. Isso se reveste de grande valor espiritual. Está em vista o ensino da lei, o guia do homem (Dt 6.4 ss.), bem como o doador da vida (Dt 4.1; 5.33 e Ez 20.1). Ver como a sabedoria transmite vida, em Pv 4.13. Quanto ao uso apropriado da linguagem, ver Pv 11.9,13 e 18.21. Cerca de cem provérbios falam sobre esse tema, o que demonstra a sua importância. O ministério de ensino é assim glorificado.

Para outras comparações da sabedoria com coisas físicas mais preciosas, cf. Pv 3.14,15; 8.11; 16.16; 22.1 e 28.11. Cf. Jó 28.12-19 e Fp 3.8.

■ 20.16

לְקַח־בִּגְדוֹ כִּי־עָרַב זָר וּבְעַד נָכְרִים חַבְלֵהוּ׃

Tome-se a roupa àquele que fica fiador por outrem. Quanto a versículos similares, ver Pv 6.1-5; 11.15; 17.18 e 27.13. O autor condena ou acautela severamente as pessoas por quererem ser fiadoras. Acerca disso, ele toma uma posição prática, e não a posição cristã. O presente versículo ridiculariza o fiador. Ele se meterá em tantas dificuldades que terminará perdendo até a roupa que lhe protege as costas. Perderá o próprio paletó. Ficará "limpo", conforme se diz em uma moderna expressão idiomática. As vestes mais exteriores de um devedor algumas vezes lhe eram tiradas, e isso era garantia do pagamento da dívida (ver Êx 22.26). Mas um fiador insensato termina perdendo o próprio paletó, para pagar a dívida constituída por outrem!

Estrangeiros. Esse fiador era especialmente tolo, porquanto garantiu a dívida de alguém a quem não conhecia de maneira alguma, ou conhecia apenas superficialmente.

Sinônimo. Esse estrangeiro é agora identificado como uma mulher desviada (provavelmente uma prostituta), conforme diz uma nota marginal do texto hebraico, ou como uma estrangeira, conforme lemos no próprio texto. Ou então o autor sacro estava dando exemplos possíveis quanto ao tipo de pessoas que o estrangeiro podia ser. Pv 27.13 diz "mulher estranha" no próprio texto. Ver Dt 24.10-13 quanto aos itens valiosos dados como garantia.

■ 20.17

עָרֵב לָאִישׁ לֶחֶם שָׁקֶר וְאַחַר יִמָּלֵא־פִיהוּ חָצָץ׃

Suave é ao homem o pão ganho por fraude. Um homem mau pensa que o ganho desonesto é doce, suave. A palavra "pão" representa algo valioso e vital ao homem. Algumas pessoas se alegram diante de seus furtos, sejam eles pequenos ou grandes. Muitas mulheres furtam pequenos itens dos supermercados e outras lojas e se sentem muito bem a respeito. E existem também os furtos morais, que provocam um frenesi de satisfação a algumas pessoas. E algumas pessoas desfrutam desses pequenos atos de desonestidade porque lhes custam pequeno esforço. Porém, precisamos levar em consideração a mente criminosa que é distorcida e encontra alegria no que é pervertido. Talvez alguns cleptomaníacos devam sua distorção a uma anomalia cerebral. O que há de mais interessante nessa enfermidade é que ela aflige também os ricos, e não meramente os pobres. É divertido roubar e escapar à detecção, ou, pelo menos, assim pensam os desonestos. Alguns roubos são perpetrados para causar dor a outras pessoas, em vez de obter vantagens para si mesmos. Essa é outra perversão incompreensível. Quando pensamos sobre algo como doce, devemos compreender que a coisa roubada parece uma merenda deliciosa que um homem come. É a metáfora da alimentação.

> *As águas roubadas são doces, e o pão comido às ocultas é agradável.*
>
> Provérbios 9.17

Antítese. Mas a verdade da questão é que o homem mau, em vez de pôr um bocado doce na boca, mediante engano e furto, na realidade está enchendo a boca com pedrinhas de areia, ou seja, algo indigesto e nojento, que lhe fará mal, em vez de alimentá-lo e dar-lhe proveito. O ladrão, pois, vive sob maldição. "O pecado, usualmente atrativo em seus dividendos imediatos, finalmente volta-se contra o pecador e o ataca. Cf. Pv 7.14-23" (Sid S. Buzzell, *in loc.*). "Cinzas geralmente se misturam com o pão cozido ao borralho, de acordo com um costume oriental (Lm 3.16)" (Fausset, *in loc.*). Provavelmente é daí que a figura se derivou. Mas o autor sagrado tornou o quadro mais drástico substituindo as cinzas pela areia. Um homem pode comer um pedaço de pão com alguma cinza, mas quem pode comer um punhado de pedrinhas de areia?

■ 20.18

מַחֲשָׁבוֹת בְּעֵצָה תִכּוֹן וּבְתַחְבֻּלוֹת עֲשֵׂה מִלְחָמָה׃

Os planos, mediante os conselhos, têm bom êxito. Um planejamento habilidoso tem de ser feito no tocante a cada empreendimento bem-sucedido, de natureza pessoal ou comunal, tanto militar quanto pacífica. Para que haja um planejamento habilidoso, faz-se mister corretos conselhos. Os reis contavam com conselheiros profissionais. Ver Pv 11.14; 15.22; Lc 14.31. Ver Pv 8.14 quanto a conselhos.

Sinônimo. A guerra fazia parte constante da vida na antiga Palestina, pelo que servia como boa ilustração sobre a necessidade de receber bons conselhos antes de envolver-nos em alguma questão. É bom pensar que há outras pessoas envolvidas em nossos problemas, buscando o correto curso de ação. Porém, precisamos relembrar que é o Senhor que estabelece seus propósitos (ver 1Cr 29.18). Ver Pv 16.1. O homem propõe, mas Deus dispõe. Ver Pv 16.9 quanto a notas expositivas adicionais sobre o contraste entre os planos humanos e a orientação divina.

■ 20.19

גּוֹלֶה־סּוֹד הוֹלֵךְ רָכִיל וּלְפֹתֶה שְׂפָתָיו לֹא תִתְעָרָב׃

O mexeriqueiro revela o segredo. Cf. este versículo com Pv 11.13; 18.8; 20.19; 26.20,22 (o maldizente). Cf. também Pv 18.21. As questões da vida e da morte estão na língua. Ver sobre *mexerico*, em Pv 11.13 e 18.8. E ver sobre esse termo, no *Dicionário*, quanto a detalhes. O impacto deste provérbio é que o maledicente torna seu negócio o espalhar rumores. Por conseguinte, que o leitor não se associe a esse tipo de pessoas, pois, do contrário, em breve tudo a seu respeito se tornará questão de informação pública. A maledicência é denunciada em Pv 16.28; 18.8 e 26.20,22; e há várias razões para essa denúncia. Este versículo nos brinda com uma delas: é errado envolver-nos nas questões de outras pessoas e embaraçá-las publicamente, traindo assim sua confiança.

Antítese. Para evitar que sua confiança seja traída, e para evitar embaraço público, não se associe a maledicentes conhecidos. Eles falam como um insensato (no hebraico, "abrem exageradamente os lábios"), ou seja, nada mantêm oculto ou fechado; antes, fazem tudo tornar-se matéria de conhecimento público. A raiz, no hebraico, é *pathah*, "abrir". Porém, não se trata da franqueza da honestidade, e, sim, da exibição tola das coisas diante de todos. Um maledicente, quando está à nossa frente, louva e usa de lisonjas, mas por trás está cheio de amargura e observações cortantes a nosso respeito. Não é seguro fazer amigos de tais pessoas; e há tantas delas. Não entreguemos nas mãos das pessoas pedras para serem atiradas contra nós. Um maledicente não pode manter a boca fechada. Pelo contrário, sua boca estará sempre aberta enquanto ele circula pela sociedade, certificando-se de que muitos sejam feridos com o que ele diz. Ver o poema, em Pv 11.13, que ilustra bem a questão.

■ 20.20

מְקַלֵּל אָבִיו וְאִמּוֹ יִדְעַךְ נֵרוֹ בֶּאֱשׁוּן חֹשֶׁךְ׃

A quem amaldiçoa a seu pai ou a sua mãe... Quanto a relações entre pais e filhos, ver Pv 1.8; 10.1 e 19.26. Esta última citação refere-se a maus-tratos radicais aos pais, e o versículo à nossa frente continua esse pensamento. Amaldiçoar os pais viola o quinto mandamento, o que exigia punição capital. Ver Êx 20.12; 21.16; Lv 20.9. Amaldiçoar é abusar por meio de palavras e ações. Estão em vista atos como desprezar os pais, zombar deles, amaldiçoá-los com imprecações e palavras ásperas, tomar a casa deles para uso próprio e assim expulsá-los do lar (ver Pv 19.26), e atos semelhantes.

Sinônimo (resultado). Esses amaldiçoadores terão suas lâmpadas apagadas, morrerão de morte prematura e/ou violenta e não terão posteridade, e todas essas coisas eram calamidades, de acordo com a mentalidade dos hebreus. O hebraico diz aqui, literalmente, "pupila (do olho)" ou "trevas", a parte escura do olho, em que o centro se refere à parte mais escura da noite e, metaforicamente, aponta para a morte. Cf. Pv 7.2 quanto à metáfora do olho.

Este versículo tem sido cristianizado para indicar o julgamento além do sepulcro (Jd 14,15), mas tal interpretação é anacrônica aqui. Está em vista a calamidade física que leva à morte prematura.

■ 20.21

נַחֲלָה מְבֻחֶלֶת בָּרִאשֹׁנָה וְאַחֲרִיתָהּ לֹא תְבֹרָךְ׃

A posse antecipada de uma herança. Algumas heranças são obtidas apressadamente (no hebraico, *mebhoheleth*, que tem um sentido incerto). As versões dizem aqui apressadamente, superficialmente, além de outras traduções, posteriores. A referência é incerta, mas poderia significar: 1. Uma herança obtida antes que o doador morra, recebida por antecipação, como foi o caso do filho pródigo, cuja história é contada em Lc 15.11-20. 2. Ou então a herança foi obtida desonestamente, mediante algum engano. 3. Ou então, em casos radicais, o herdeiro mata aquele que lhe daria a herança para obtê-la com alguma antecedência. 4. Ou, finalmente, um homem deixa dinheiro ou propriedades para amigos ou conhecidos que não os esperavam nem tinham ligação de sangue com o doador.

Algumas versões têm duas palavras depois do termo "herança", isto é, "no princípio". Essas palavras têm um sentido incerto, que talvez possa encaixar-se em um destes três pontos: 1. Quando o herdeiro ainda é jovem, no começo de sua vida. 2. Ou então no começo da carreira de trabalho de um homem. 3. Ou ainda, no princípio, quando a herança foi dada, em contraste com as palavras "no fim", que também aparecem aqui, quando as coisas já "azedaram".

Antítese. As heranças "irregulares", ganhas legalmente ou não, têm a tendência de azedar. Ou são gastas à toa; ou levam um homem a entrar em dificuldades com a lei. Essas heranças estragam os herdeiros e os tornam preguiçosos. Em suma, tornam infelizes os herdeiros. Contrastar com isso a feliz outorga e recebimento de heranças vista em Pv 13.22. Este versículo dá a entender um julgamento divino contra os ímpios e/ou os insensatos, que adquiriram todo esse dinheiro antes do tempo.

■ 20.22

אַל־תֹּאמַר אֲשַׁלְּמָה־רָע קַוֵּה לַיהוָה וְיֹשַׁע לָךְ׃

Não digas: Vingar-me-ei do mal. Este é um versículo nobre, que se aproxima da ética do Novo Testamento. Cf. Pv 17.13; 24.29; Dt 32.25 e Rm 12.19. É melhor deixar a vingança com o Senhor. Finalmente, ele sairá em socorro dos que estão sendo perseguidos. Ver no *Dicionário* o verbete chamado *Vingança*, quanto a maiores detalhes.

Antítese. Em vez de tomar a lei nas próprias mãos e pagar o mal com o mal, um sábio "esperará no Senhor" — ou, em outras palavras, entregará tudo aos cuidados do Senhor, permitindo-lhe livrar o sofredor da dor e do prejuízo, além de julgar o pecador que o perseguira. Essa é a solução divina. Cf. 1Pe 3.13 e Rm 8.28. "A ausência de confiança paciente no Senhor torna os homens impacientes, na tentativa de tirar vingança pessoalmente. Não oremos para que Deus se vingue de nossos inimigos pessoais, mas oremos para que ele nos defenda" (Fausset, *in loc.*). "Entrementes, ore pela conversão de seu inimigo" (Adam Clarke, *in loc.*).

■ 20.23

תּוֹעֲבַת יְהוָה אֶבֶן וָאָבֶן וּמֹאזְנֵי מִרְמָה לֹא־טוֹב׃

Dois pesos são cousa abominável ao Senhor. Este versículo é virtualmente igual ao vs. 10 deste mesmo capítulo. Ali, entretanto, há uma referência a pesos e medidas desonestos, ao passo que aqui pesos e balanças é que são especificados. Mas, seja como for, o significado é o mesmo. Ver também Pv 11.1, onde temos outro versículo semelhante, e cujas notas expositivas também se aplicam aqui. A primeira linha aqui dá a mesma palavra, *abominação*, usada em Pv 11.1, a fim de descrever práticas comerciais desonestas, e então a segunda linha métrica, que é sinônima, menciona as balanças enganadoras que ajudam o negociante desonesto a fazer negócios fraudulentos. Ver no *Dicionário* o verbete denominado *Balanças*, quanto a informações completas de antigos métodos de pesagem. No livro de Provérbios, as referências a essa prática antiga aparecem em 11.1; 16.11 e 20.23.

■ 20.24

מֵיְהוָה מִצְעֲדֵי־גָבֶר וְאָדָם מַה־יָּבִין דַּרְכּוֹ׃

Os passos do homem são dirigidos pelo Senhor. Pv 16.9b diz que os passos de um homem são determinados pelo Senhor. "Confia em Deus, e ele fará plano o teu caminho" (Charles Fritsch, *in loc.*). Ver Sl 37.23, onde encontramos a mesma declaração. A soberania de Deus opera sobre a vida humana, e esse é um tema encontrado aqui e acolá no livro de Provérbios. A afirmativa mais radical dessa sorte encontra-se em Pv 16.4. Por outra parte, no livro de Provérbios há muitas afirmações que subentendem o livre-arbítrio humano e a sua capacidade de reagir e mudar. O livro não tenta reconciliar as duas ideias para formar um paradoxo, e é nesse ponto que devemos deixar a questão. Ver no *Dicionário* os artigos denominados *Determinismo* e *Livre-arbítrio*. Não nos devemos atolar na teologia controversa, que tem causado tão divisivo efeito na igreja cristã. Pelo contrário, consolemo-nos no fato de que o poder de Deus está conosco e dirige nossa vida. Oh, Senhor, concede-nos tal graça! Deus é quem dirige nossas decisões e nossa conduta. Ver Pv 16.1,9; 19.21.

> *Eu sei, ó Senhor, que não cabe ao homem determinar o seu caminho, nem ao que caminha o dirigir os seus passos.*
> Jeremias 10.23

Antítese. Visto que é o Senhor quem está por trás da vida de um homem, existem elementos misteriosos ali. Nenhum de nós pode compreender todas as distorções e voltas que a vida dá, nem compreender o grande bem e o grande mal que, às vezes, acompanham nossa vida. O *Problema do Mal* (ver a respeito no *Dicionário*) se mistura a toda essa questão, e certamente não entendemos isso. Ver sobre esse tema no *Dicionário*. "Visto que Deus tem a palavra final sobre a vida de uma pessoa, com frequência é difícil uma pessoa entender plenamente o próprio caminho" (Sid S. Buzzell, *in loc.*). E, se um homem se lança à tarefa de escavar o próprio caminho, pode acabar cortando os seus dedos.

O seu caminho. Ou seja, o caminho do homem, mas também podemos entender o caminho divino pelo qual estamos sendo conduzidos. Contraste o leitor os *caminhos bons e maus* que os homens podem tomar, em Pv 4.27. Tomando por base Pv 16.4, podemos entender que até mesmo o caminho do ímpio foi predeterminado por Deus; mas isso já seria uma má teologia, conforme explico naquela referência. Ver no *Dicionário* o artigo chamado *Providência de Deus*.

■ 20.25

מוֹקֵשׁ אָדָם יָלַע קֹדֶשׁ וְאַחַר נְדָרִים לְבַקֵּר׃

Laço é para o homem o dizer precipitadamente: É santo. Um homem se precipita em uma armadilha quando diz, apressadamente: "É santo", fazendo assim um voto que não pode cumprir. "Fazer promessas precipitadas sem pensar nelas plenamente é algo perigoso" (cf. Dt 23.21-33 e Ec 5.4,5)" (Sid S. Buzzell, *in loc.*). Este versículo fala, primariamente, em votos feitos no templo de Jerusalém, mas, mediante aplicação, pode estar em foco qualquer tipo de promessa. As palavras "é santo" significam "foi dedicado". Um homem fez uma promessa a Yahweh de que, "se ele fizer isto ou aquilo", ele corresponderá "desta ou daquela maneira". Consideremos o caso de Ananias e Safira, no capítulo 5 do livro de Atos, bem como o horrendo voto de Jefté, que prometeu sacrificar a primeira pessoa se encontrasse com ele, quando voltasse para casa depois de obter grande vitória militar, que ele muito quisera obter. Foi a própria filha dele que correu ao encontro de Jefté, e, estupidamente, ele a sacrificou. Isso nos mostra quão seriamente os hebreus tomavam os seus votos. Quanto a essa história de loucura, ver Jz 11.30,31.

Dizer precipitadamente. Isso pode significar "devorar" (no hebraico, *yalatz*), que é como a *King James Version* toma a declaração. Seria uma referência à festa que se seguia aos sacrifícios e aos votos cumpridos. Uma vez que os sacerdotes já haviam recebido suas oito porções (ver Lv 6.26; 7.11-14; Nm 18.8), o homem que trazia o sacrifício podia levar o restante das carnes para casa, a fim de festejar com os seus amigos. Cf. Pv 7.14. Mas alguns estudiosos pensam que isso significa que uma coisa acusada era devorada, ou seja, por um homem inferior, ou que se ajustasse aos sacrifícios. Essa, porém, é uma tradução improvável. Alguns supõem que um homem poderia ousar devorar algo separado somente para os sacerdotes, usurpando direitos que não possuía.

Antítese. O homem que se decidisse a sacrificar e tomar votos, ou a tomar votos separadamente dos sacrifícios, deveria primeiramente refletir (*Revised Standard Version*) sobre o que estava fazendo, a fim de evitar votos precipitados. É melhor pensar que agir. Por aplicação, esse princípio condena toda conduta insensata e precipitada por parte de homens não acostumados a pensar.

■ 20.26

מְזָרֶה רְשָׁעִים מֶלֶךְ חָכָם וַיָּשֶׁב עֲלֵיהֶם אוֹפָן׃

O rei sábio joeira os perversos. Esta parte do versículo é semelhante a Pv 20.8b, e ali ofereço notas expositivas. O rei bom tem discernimento e separa o trigo do joio, e então se desfaz do joio mediante alguma ação drástica, como, por exemplo, executando-o. Os olhos de um rei são como uma pá padejadora.

Sinônimo. Em primeiro lugar, o rei separa os homens maus e, então, lança a máquina de trilhar sobre eles e os corta em pedaços. Ele é o temível agricultor. "No ato de trilhar, um trilho munido de pontas era puxado por cima do grão para libertar o grão da palha que o encobria. No ato de padejar, o fazendeiro lançava o grão no ar, a fim de que o vento levasse a palha indesejável" (Sid S. Buzzell, *in loc.*). Assim sendo, este provérbio reverte a ordem do processo, mas mesmo assim continuamos sabendo do que se trata. Cf. Am 1.3. Ver também Sl 83.13; Is 28.27; 41.15; 2Rs 13.7. A palavra "tribulação" é derivada do termo latino *tribulum*, instrumento usado para trilhar o grão. Jarchi referiu-se ao conflito que houve no Egito, entre Moisés e o Faraó. O Faraó teve a máquina de trilhar passando sobre ele. A versão árabe vê aqui uma referência ao exílio.

Este versículo tem sido cristianizado para que o rei se transforme no Rei dos reis, em seu ofício como Juiz. Ver Mt 3.12 e Atos 17.31.

■ 20.27

נֵר יְהוָה נִשְׁמַת אָדָם חֹפֵשׂ כָּל־חַדְרֵי־בָטֶן׃

O espírito do homem é a lâmpada do Senhor. No hebraico, a palavra "espírito" é tradução do vocábulo *neshamah*, "hálito", usada em Gn 2.7, quando Deus soprou sobre o homem o sopro da vida. O uso original dessa palavra não falava da alma imortal, conforme a tentativa de cristianizar Gn 2.7 a faz significar. Essa doutrina, entretanto, começou a surgir na teologia dos hebreus nos livros dos

Salmos e dos Profetas. No Pentateuco jamais se vê um apelo a qualquer tipo de vida pós-túmulo, nem a qualquer punição ou recompensa para encorajar os homens a evitar o mal e a buscar o bem. Essa doutrina, contudo, já é evidente em Dn 12.2. Discute-se, porém, a questão de a palavra hebraica *neshamah* significar espírito imortal, aqui em Provérbios. Disse Delitzsch neste lugar: "Se na linguagem do Antigo Testamento há uma palavra separada para denotar autoconsciência, o espírito humano pessoal, em distinção ao espírito de um animal irracional, essa palavra, de acordo com o uso desse idioma, é *neshamah*". Mas aqui a tradução *consciência* parece melhor. Essa é a lâmpada de Yahweh que busca os profundos recessos da mente do homem e lhe diz o que é certo e o que é errado.

> A consciência do homem é a lâmpada do Eterno,
> Brilhando em sua alma mais interior.
>
> Tradução de Moffatt

Ver no *Dicionário* o verbete chamado *Consciência*, quanto a plenas informações. A existência e a função da consciência são, por si mesmas, indicação da alma imaterial, mas a mente dos hebreus não era filosófica o bastante para aplicar esse argumento, pelo menos no período antigo da história dos hebreus.

Sinônimo. Essa lâmpada do Senhor, a consciência humana, é um profundo sondador, penetrando até o mais interior do homem, testando seus pensamentos bons e maus, descobrindo seus motivos, aplicando a lei. Quanto ao *coração*, ver Pv 4.23. "Verifiquemos se estamos dispostos a permitir que nosso coração seja perscrutado por essa lei, a fim de que nenhum pecado secreto ou baixa motivação sejam poupados na revelação (Jo 3.21; At 24.15; 23.1; 2Co 1.12; 1Jo 3.20,21)" (Fausset, *in loc.*). Naturalmente, para que a consciência se mostre totalmente eficaz, é preciso que o Espírito a ilumine, o que o autor pode ter tido em mente, embora nunca tenha dito tal coisa.

É possível, como é claro, que a consciência se perverta e se torne iludida e, em certo sentido, isso é verdade no caso de todo homem. Filipe II e a horrenda Isabel, durante a Inquisição, infligiram sofrimento mais cruel sobre os seres humanos do que Nero e Domiciano foram capazes de fazer. Assim sendo, uma voz interior algumas vezes engana e uma voz perversa pode ser equivocada como se fosse a voz de Deus. Qualquer homem bom pode olhar para sua vida passada e identificar ocasiões em que sua consciência não foi suficiente para salvá-lo do erro, pelo contrário, até mesmo foi capaz de conduzi-lo ao erro. Contudo, se permitirmos algumas exceções, a consciência é um bom guia, e muito melhor do que nos dispomos a reconhecer. Ver Rm 2.14,15. E também existe a consciência cauterizada, mas essa já é uma situação inteiramente diversa. Ver 1Tm 4.2.

20.28

חֶסֶד וֶאֱמֶת יִצְּרוּ־מֶלֶךְ וְסָעַד בַּחֶסֶד כִּסְאוֹ:

Amor e fidelidade preservam o rei. Um rei que queira perdurar por longo tempo em seu ofício deve possuir as qualidades de lealdade (amor constante) e fidelidade. Convém que tal rei leve a sério a sua incumbência real e evite os excessos e as injustiças dos típicos monarcas orientais. Esse rei era rei de Israel, e isso era diferente de ser rei de uma das nações vizinhas de Israel. Quanto ao *rei ideal*, ver Dt 17.14 ss. Cf. Pv 16.10. "Misericórdia (amor) para com os humildes e os necessitados; verdade (fidelidade) no cumprimento de sua palavra" (Fausset, *in loc.*). Cf. Sl 130.4 e Jr 33.9. Quanto à *fidelidade*, ver Pv 3.3; 14.22 e 16.6. Quanto à *lealdade* (amor), ver Pv 16.12.

Sinônimo. Um trono justo será mantido e continuado mediante a retidão (conforme diz a Septuaginta) ou a lealdade (o original hebraico). Esse original repete uma qualidade da primeira linha, conforme se pode ver, pelo que algumas traduções seguem a versão grega (Septuaginta) aqui. Ver a exposição geral em Pv 16.10,15, trecho bastante similar. Essas virtudes morais são "as joias mais brilhantes da coroa real" (Adam Clarke, *in loc.*).

20.29

תִּפְאֶרֶת בַּחוּרִים כֹּחָם וַהֲדַר זְקֵנִים שֵׂיבָה:

O ornato dos jovens é a sua força. Os jovens se orgulham de sua força; e essa qualidade é a glória deles. Não olhamos para os jovens como indivíduos sábios ou bem equilibrados. Mas, se precisarmos guerrear, chamemos os jovens; e se precisarmos efetuar rapidamente um trabalho que requeira força física, convoquemos os jovens. Quando um rio estava prestes a extravasar, em um Estado oriental dos Estados Unidos, o que destruiria uma cidade, os jovens das escolas foram chamados para construir diques com sacas de areia. Eles obtiveram sucesso, e a revista *Reader's Digest* publicou o relato desse acontecimento.

Antítese. Os homens idosos têm beleza ou glória (ver Pv 16.31), ou seja, seus cabelos brancos, que, para eles, são uma coroa. Ver Jó 12.12. Os homens idosos, segundo se espera, devem ser sábios e capazes de dar sábios conselhos alicerçados sobre a lei, guiando os mais jovens através da instrução e do exemplo. Os cabelos brancos são símbolo dessas qualidades. Ver no *Dicionário* o artigo chamado *Sabedoria*. Assim sendo, cada faixa etária tem suas vantagens e usos especiais e também suas desvantagens. "Os homens idosos, que se tornam mais fortes devido às suas fraquezas, são mais sábios à medida que se aproximam de seu lar eterno" (Edmundo Waller). Ver Pv 20.24.

> Envelhece junto comigo!
> O melhor ainda está por vir,
> A última porção da vida, para a qual
> A primeira foi feita.
> Nossos tempos estão nas mãos de Deus, o qual disse,
> Planejei a vida inteira dos homens.
>
> Robert Browning

20.30

חַבֻּרוֹת פֶּצַע תַּמְרִיק בְּרָע וּמַכּוֹת חַדְרֵי־בָטֶן:

Os vergões das feridas purificam do mal. Literalmente traduzido, o original hebraico diz aqui: "As ronchas das feridas purificam do mal". Quando um homem é severamente espancado, seus ferimentos assumem a cor azul-arroxeada, e não vermelho-vivo, que é a cor dos ferimentos superficiais. É preciso um espancamento muito severo para arrancar a insensatez de um homem, recolocando-o na vereda certa, se até aquele momento ele estava desviado. O homem arroxeado será alguém purificado, a menos que esteja fora do alcance da reforma, conforme sucede a certos homens maus. Ver Pv 9.7-9, onde o autor assume um ponto de vista pessimista da eficácia do castigo para homens maus.

Esta porção do versículo tem sido cristianizada para falar dos castigos recebidos por Jesus, mediante os quais somos curados (ver Is 53.5).

Sinônimo. Os açoites podem ser curadores (ver Pv 18.6). Ver Dt 25.1-3, quanto aos espancamentos como uma maneira de punir o mal, de acordo com a lei de Moisés. O número de açoites era limitado a quarenta, e variava dependendo da seriedade do crime. Açoites suficientes eram aplicados se tivessem de ser atingidas as porções interiores, isto é, o coração. Esse homem precisa de uma mudança no coração antes que possa agir de maneira diferente na sociedade. Quanto às porções mais interiores do homem, cf. Pv 18.8. "A dor é, com frequência, o remédio das dores mais fatais" (Ellicott, *in loc.*). Em outras palavras, se um homem reagir à dor relativamente menor de ser espancado, tem oportunidade de escapar de algo pior. Aqueles que cristianizam o versículo lembram-se novamente dos sofrimentos de Jesus, que fizeram *expiação* (ver a respeito no *Dicionário*).

CAPÍTULO VINTE E UM

Não há nenhuma interrupção entre os capítulos 20 e 21. Ofereço uma introdução à seção geral em Pv 10.1 (a seção de Pv 10.1 - 22.16, a primeira coletânea dos provérbios de Salomão). A segunda parte da seção começa em Pv 16.1. Dali até Pv 22.16 há 191 versículos, cada qual com duas linhas. Ver a introdução àquela subseção em Pv 16.1.

21.1

פַּלְגֵי־מַיִם לֶב־מֶלֶךְ בְּיַד־יְהוָה עַל־כָּל־אֲשֶׁר יַחְפֹּץ יַטֶּנּוּ:

Como ribeiros de águas, assim é o coração do rei na mão do Senhor. Um bom rei é controlado pelo poder de Yahweh. Deus torna o coração desse rei semelhante a um ribeiro de águas refrescantes.

Cf. Pv 16.10. Os passos de um homem bom são determinados pelo Senhor (ver Pv 20.24). A lei é a fonte da vida que atua visando o bem das pessoas (ver Pv 13.14). O rei, habilidoso como é na lei de Moisés, será uma fonte de águas vivas. Ver no *Dicionário* o verbete chamado *Água*. "O coração do rei está na mão de Deus" (Ec 9.1), tal como estão os planos de todo o povo (ver Pv 16.1,9). Um agricultor direciona a água cavando valetas. Por semelhante modo, o Senhor dirige o coração do rei, como sucedeu, por exemplo, com o Faraó (ver Êx 10.1,2), Tiglate-Pileser (ver Is 10.5-7), Ciro (ver Is 45.1-6) e Artaxerxes (Ed 7.1; Ne 2.1-8). Deus é soberano (Pv 21.30)" (Sid S. Buzzell, *in loc.*). A metáfora da mão significa ação e poder, visto que é a mão o principal instrumento para fazer seu trabalho. Ver sobre a *mão de Deus*, em Sl 81.14, e sobre a *mão direita de Deus*, em Sl 20.6. Ver sobre o *braço de Deus*, em Sl 77.15 e 89.10.

Sinônimo. Visto que Deus tem o rei em sua mão, pode fazer com ele o que bem quiser. Quanto a versículos sobre o determinismo, ver Pv 16.1,4,9; 19.21 e 20.24. A *Providência de Deus*, em seus aspectos negativos e positivos, controla este mundo. Ver no *Dicionário* o artigo chamado *Providência de Deus*. A figura por trás do versículo provavelmente é a de um canal de irrigação, que um agricultor usava para dirigir a água para onde lhe parecia melhor, a fim de obter melhores resultados. Assim também se dá com o divino Agricultor.

■ 21.2

כָּל־דֶּרֶךְ־אִישׁ יָשָׁר בְּעֵינָיו וְתֹכֵן לִבּוֹת יְהוָה׃

Todo caminho do homem é reto aos seus próprios olhos. Ver a exposição em Pv 4.20-27. Pv 16.2 é um paralelo direto e as notas expositivas dadas ali se aplicam igualmente aqui. Até o insensato pensa estar agindo bem (ver Pv 12.15), mas o juiz real da conduta humana é o Senhor. O homem olha para a aparência exterior, mas Deus olha para o coração. Ver 1Sm 16.7, que forma a antítese do provérbio presente. Deus conhece as motivações internas das pessoas, e não meramente os atos de suas mãos (ver Pv 17.3). Deus é tanto soberano (Pv 21.1) quanto onisciente (vs. 2). Quanto à figura simbólica de pesar o coração, ver também Pv 16.2 e 24.12. Assim é que, de acordo com a religião egípcia, Thoth aparece como aquele que pesava o coração dos homens. O significado disso é exatidão na avaliação. Uma balança revela o peso exato de um objeto qualquer, e assim também a pesagem efetuada por Deus nos dá a avaliação divina exata de um homem, de seus pensamentos e de seus feitos. Ver o verbete intitulado *Coração*, em Pv 4.23. Ele é a fonte das ações de um homem e nele reside a espiritualidade, para que um homem seja reto e justo.

> *Há caminho, que parece direito ao homem, mas afinal são caminhos de morte.*
> Provérbios 16.25

■ 21.3

עֲשֹׂה צְדָקָה וּמִשְׁפָּט נִבְחָר לַיהוָה מִזָּבַח׃

Exercitar justiça e juízo... Encontramos aqui a influência da teologia profética que se movia na direção da compreensão do Novo Testamento. A mentalidade dos judeus se afastava para longe dos sacrifícios animais como o coração da fé religiosa, e se aproximava de uma espiritualidade sentida no coração, como o real sacrifício esperado da parte dos homens. Ver Am 5.22-24; Os 6.6; Mq 6.6-8 e 1Sm 15.22. Mas se um homem sábio, como aqueles que produziram as declarações da sabedoria a fim de fomentar e interpretar a lei de Moisés, não abandonava o sistema sacrificial, estava encontrando, em seu coração, um modo mais profundo de expressar a sua espiritualidade. Os sacrifícios, pois, tornaram-se subordinados à nova percepção. As demandas éticas da fé substituíam a fé ritualista. Cristo viria, finalmente, e substituiria todo o modo de expressão do Antigo Testamento, conforme a epístola aos Hebreus explica com muitos detalhes. Em Cristo, as questões de retidão e justiça receberam um significado novo e mais elevado. O acesso a Deus foi mais bem explicado. Quanto à *retidão*, ver Pv 1.3, e, no *Dicionário*, o artigo assim intitulado.

Antítese. A antítese da fé sentida no coração é o sistema de sacrifícios animais, que era o caminho mais antigo e inferior. "O Senhor detestava a hipocrisia de uma pessoa ímpia que lhe trazia um animal em sacrifício (Pv 15.8 e 21.27)" (Sid S. Buzzell, *in loc.*). Mas havia na questão mais que isso. Uma mudança de paradigma (modelo) estava sendo realizada. A mudança final foi o evangelho cristão e a redenção em Cristo. A sombra da lei cedia lugar à luz do avanço (ver Hb 10.1). Uma nova vereda de acesso estava sendo aberta (ver Rm 5.2; Ef 2.18 e 3.12).

■ 21.4

רוּם־עֵינַיִם וּרְחַב־לֵב נֵר רְשָׁעִים חַטָּאת׃

Olhar altivo e coração orgulhoso... O orgulho promove o pecado. Não há nele retidão alguma. Cf. Pv 11.2; 6.17; 13.10; 14.3; 15.25; 16.5,18 e 18.12. Olhares altivos (ver Pv 6.17) e cabeça erguida fazem os homens parecer ser algo, quando eles nada são.

Sinônimo. A segunda linha métrica é, na realidade, independente, não sendo necessário fazê-la corresponder à primeira linha. Os ímpios são como agricultores iníquos que se põem a arar o pecado (no hebraico, *nir*), palavra emendada para *ner*, "lâmpada". Muitos intérpretes aceitam que essa emenda provavelmente representa o texto original que se perdeu no texto massorético posterior. Ver no *Dicionário* o verbete chamado *Massora (Massorah); Texto Massorético.* Se *lâmpada* é, realmente, correto, então obtemos a figura da "lâmpada escura". Aquilo que deveria iluminar, nas mãos de indivíduos ímpios, faz o contrário e leva ao pecado, ou seja, às trevas. A lâmpada deveria produzir vida, mas, para o homem mau, traz a morte, visto que sua luz é perversa. As versões, de modo geral, dizem *lâmpada*, e assim diz o Targum.

■ 21.5

מַחְשְׁבוֹת חָרוּץ אַךְ־לְמוֹתָר וְכָל־אָץ אַךְ־לְמַחְסוֹר׃

Os planos do diligente tendem à abundância. O homem diligente tem planos que lhe são importantes, e sua vida se orienta na direção do cumprimento desses planos. Seguindo seu estilo de vida energético, eles terminam em abundância, tanto material quanto espiritual.

> *A mão dos diligentes vem a enriquecer-se.*
> Provérbios 10.4b

Antítese. Em contraste, aqueles que se apressam em ficar ricos, por meios fraudulentos ou desviados, terminam padecendo necessidades.

> *O que trabalha com mão remissa empobrece.*
> Provérbios 10.4a

Pv 28.20 é paralelo direto deste versículo. Ver ali algumas ideias adicionais. Os vss. 5 e 6 referem-se às riquezas ou à pobreza, e a como ambas são obtidas. A diligência e a preguiça são contrastadas em Pv 12.24,27 e 13.4. A pressa é tema de Pv 19.2; 28.20 e 29.20. O homem que quiser enriquecer rapidamente deverá aplicar algum tipo de meio questionável, ilegal ou violento para conseguir isso, pelo que vemos pecado nesta antítese. A pressa pode significar apenas ação preguiçosa, ação incompleta, esforços feitos sem pensar, com ausência de orientação apropriada. Cf. Pv 20.21 quanto a um tipo de pressa para enriquecer.

Quanto a uma aplicação espiritual dos pensamentos deste versículo, ver Hb 12.1.

> *Corramos com perseverança a carreira que nos está proposta.*
> Hebreus 12.1

■ 21.6

פֹּעַל אוֹצָרוֹת בִּלְשׁוֹן שָׁקֶר הֶבֶל נִדָּף מְבַקְשֵׁי־מָוֶת׃

Trabalhar por adquirir tesouro com língua falsa. Homens fraudulentos não hesitarão em mentir para obter alguma vantagem. Pv 10.2 é bastante similar a este versículo. Para a maioria das pessoas, o dinheiro é tudo, e é legítimo qualquer meio que as leve a obter dinheiro. Cf. com Pv 12.13. As riquezas ganhas por meios desonestos não perdurarão (a segunda linha antitética). Pelo contrário, fugirão de seu dono como o vapor e se tornarão armadilha de morte para aqueles mentirosos. Assim diz a Septuaginta, que emenda o termo hebraico *mebhaqqeshe* ("buscar a morte") para *moqeshe*. Os vss. 6-8 descrevem os males praticados pelos homens ímpios. O dinheiro ganho desonestamente serve de ardil, em vez de bênção. A morte é o fim dessa atividade. Aqueles que buscam ganhar de modo desonesto na realidade buscam a destruição.

21.7

שֹׁד־רְשָׁעִים יְגוֹרֵם כִּי מֵאֲנוּ לַעֲשׂוֹת מִשְׁפָּט׃

A violência dos perversos os arrebata. A *King James Version* contém a declaração de que a desonestidade dos ímpios acabará por destruí-los, mas a melhor tradução é mesmo *violência*, conforme se vê em nossa versão portuguesa. Os que aplicam a violência contra o próximo para obter ganhos desonestos sofrerão, eles mesmos, violência, a qual haverá de "varrê-los do mapa", ou seja, lhes dará fim definitivo. A figura simbólica parece ser a de um dilúvio que de súbito limpa a terra, livrando-a dos ímpios. Alguns veem aqui a rede que um pescador usa para apanhar o peixe, tirando-o do mar. Cf. Hc 1.15. O verbo hebraico *garar* é usado para indicar a pesca ou o arrasto dos peixes.

Sinônimo. Os violentos que sofrem violência são pintados aqui como sabedores do que é direito, mas manifestando-se propositadamente contra isso. Eles agravarão o alcance da rede. Nenhum peixe ruim escapará da operação de pesca por arrastão instituída por Deus. Ver no *Dicionário* o artigo chamado *Lei Moral da Colheita segundo a Semeadura*. Kimchi vê aqui uma metáfora diferente: "Eu os destruirei com uma serra". Cf. Pv 1.19 quanto a algo similar.

21.8

הֲפַכְפַּךְ דֶּרֶךְ אִישׁ וָזָר וְזַךְ יָשָׁר פָּעֳלוֹ׃

Tortuoso é o caminho do homem carregado de culpa. Este versículo contrasta o *caminho do bom* com o *caminho do mau*. Ver sobre isso em Pv 4.27, onde dou uma nota de sumário. Ver sobre a *metáfora da vereda*, em Pv 4.11. Os homens maus são tortuosos em suas negociações e, de modo geral, são distorcidos tanto por dentro quanto por fora, ou seja, naquilo que são e naquilo que fazem. Além disso, são os líderes da vereda da destruição. E outros vão sendo convencidos a vir ao mesmo fim mau que eles experimentarão.

Tortuoso. É o indivíduo perverso que segue pela vereda tortuosa. Alguns estudiosos dão "estrangeiro" em lugar de "tortuoso", pois compreendem de modo diferente o original hebraico. Os ímpios escolheram viajar pelo caminho "estrangeiro". Mas esse não é o caminho prescrito pela lei, nem pelas declarações de sabedoria que a fomentam e interpretam.

Antítese. Mas o homem puro ou inocente se conduz em concordância com as demandas da lei, pelo que segue pela vereda correta. A conduta desse homem é "pura e reta" (*Revised Standard Version*, bem como a tradução da Imprensa Bíblica Brasileira). Notemos o jogo de palavras: o homem culpado (no hebraico, *wazar*) é contrastado com *wezak*, o homem inocente. Cf. este provérbio com Pv 3.21-26.

21.9

טוֹב לָשֶׁבֶת עַל־פִּנַּת־גָּג מֵאֵשֶׁת מִדְיָנִים וּבֵית חָבֶר׃

Melhor é morar no canto do eirado. Este provérbio é repetido em Pv 25.24. "O significado deste versículo é que a paz com qualquer tipo de privação ou desconforto é melhor do que a contenda misturada ao luxo" (Charles Fritsch, *in loc.*). Ver versículos similares em Pv 19.13; 21.19 e 27.15,16. Dormitórios improvisados eram, algumas vezes, arranjados nos eirados planos das casas da Palestina. Seria melhor subir ali e reservar um cantinho, onde se pusesse um colchão, do que viver com uma mulher contenciosa embaixo do teto, embora com estilo e luxo. Está em foco uma esposa má, uma mulher contenciosa, resmungona e escandalosa.

"Os topos planos das casas eram, no Oriente, usados para fazer exercícios físicos (ver 2Sm 11.2), para dormir (ver 1Sm 9.26), para atos de devoção (ver At 10.9) e para vários propósitos domésticos (ver Js 2.6)" (Ellicott, *in loc.*).

Antítese. Se você descer de seu cantinho no eirado, terá de enfrentar a mulher contenciosa, e sua paz desaparecerá com o primeiro grito rancoroso que ela soltar. Naturalmente, essa mulher é a sua esposa, pelo que o que você está fazendo a respeito? Foi você que comprou a casa, mas ela a açambarcou como uma tirana. A única coisa que lhe resta fazer é retirar-se para o eirado, tantas vezes quantas puder fazer. Se alguém vier visitar a família, de repente a sua mulher se tornará quieta e meiga; mas, assim que os visitantes partirem, os ataques recomeçarão. Então você compreenderá por que os monges se retiravam para os mosteiros e deixará de criticá-los. José, José, tenho estado a pensar que mundo excelente seria este mundo se todas as mulheres fossem transportadas para o mar do Norte.

"... uma mulher, barulhenta e briguenta, com paixões violentas, proferindo uma linguagem tempestuosa, com voz de trovão" (John Gill, *in loc.*). É melhor enfrentar as tempestades no eirado do que as tempestades dentro de casa.

21.10

נֶפֶשׁ רָשָׁע אִוְּתָה־רָע לֹא־יֻחַן בְּעֵינָיו רֵעֵהוּ׃

A alma do perverso deseja o mal. Encontramos aqui outra sondagem na mente criminosa. O autor do livro de Provérbios não estava enganado com o contrassenso de dizer que não existem homens ruins e que lançam a culpa de tudo sobre um meio ambiente adverso. Na verdade, existem pessoas que já nascem criminosas. Isso pode proceder da preexistência, conforme a Igreja Oriental postula, defendendo essa doutrina como uma verdade autoevidente. Ver no *Dicionário* o artigo chamado *Preexistência*. Alguns eruditos defendem a *reencarnação* (ver na *Enciclopédia de Bíblia, Teologia e Filosofia*) como explicação da maldade resoluta de certas pessoas. Assim sendo, homens maus existiam e existem, trazendo consigo sua bagagem mental e espiritual. Muitos deles são maus por não possuírem privilégios e terem mães problemáticas. E alguns são maus por causa de defeitos ou deformidades cerebrais. Outros são possuídos ou influenciados pelos demônios. Ver no *Dicionário* o artigo chamado *Possessão Demoníaca*.

Todos os homens nascem com algum defeito, conforme a doutrina do pecado original revela; mas existem alguns indivíduos verdadeiramente pervertidos e malignos, que nos deixam assustados. Consideremos um caso ocorrido em janeiro de 1997, nos Estados Unidos. Uma babá foi chamada para cuidar de uma menininha com 1 ano de idade! Ela não gostava da maneira como a criancinha chorava, pelo que decepou as mãos e os pés da menina! Crimes como esse nos deixam horrorizados e estonteados. Alguns homens desejam fazer o mal e se alegram nisso. Não são vítimas de nada nem de ninguém. Coisa alguma que eles tenham passado na vida pode explicar suas atitudes.

Não dormem, se não fizeram mal, e foge deles o sono se não fizerem tropeçar alguém.

Provérbios 4.16

Sinônimo. Esses homens horrendamente ímpios não têm misericórdia de ninguém. As pessoas que se aproximarem deles sofrerão, enquanto eles se alegrarão ao vê-los sofrer, e jamais sentirão a menor piedade. São homens dotados de crueldade bárbara. Alguns homens amam o mal e odeiam o bem, porquanto reverteram completamente os sinais que anunciam a vida.

21.11

בַּעֲנָשׁ־לֵץ יֶחְכַּם־פֶּתִי וּבְהַשְׂכִּיל לְחָכָם יִקַּח־דָּעַת׃

Quando o escarnecedor é castigado, o simples se torna sábio. Este versículo é uma leve modificação de Pv 19.25. Se um homem zombador for espancado publicamente, então um homem simples, que está sob a tentação de tornar-se um pecador endurecido, fica assustado e se afasta desse tipo de vida. Os escarnecedores não têm proveito para ninguém, embora alguns possam ter alguma chance (se forem açoitados o bastante, ver Pv 20.30), mas um homem simples pode até tomar o estudo da lei e aprender a viver corretamente, tornando-se sábio. Ver sobre *Sabedoria*, em Pv 1.2, e no *Dicionário*, sob o mesmo título.

Sinônimo. O simples torna-se sábio (em contraste com o escarnecedor) porquanto inicia o estudo e a prática da lei. Ver Pv 1.4 e o verbete intitulado *Educação*, no *Dicionário*. "Quando o simples vê como prosperam os caminhos do sábio, passa a estudar para obter o conhecimento" (Gersom).

21.12

מַשְׂכִּיל צַדִּיק לְבֵית רָשָׁע מְסַלֵּף רְשָׁעִים לָרָע׃

O Justo considera a casa dos perversos. Que o leitor acompanhe os seguintes argumentos:

1. O justo observa a lei. Ele vê exemplos de como o pecado leva uma casa à ruína, com todos os seus membros. Ele anseia por evitar isso, pelo que continua estudando e praticando a lei, para ficar mais sábio ainda e andar corretamente. E assim evitará muita dor.
2. Alguns estudiosos fazem o "Justo", neste versículo, ser Deus, o qual observa todas as coisas e recompensa ou castiga, em consonância com o que vê. "O Justo aqui é Deus, e não um homem, porquanto somente ele pode saber o que os ímpios fazem, levando-os então à ruína" (Sid S. Buzzell, *in loc.*). Algumas versões, entretanto, preferem grafar a palavra "Justo" com inicial minúscula, "justo".

Sinônimo. Visto que o homem bom não pode arrastar a casa dos ímpios para o mal, algumas traduções suprem aqui a palavra "Deus", como o agente que aparece na segunda linha. Outras traduções não se dão ao trabalho de seguir muito de perto o original hebraico e simplesmente observam que "os ímpios são derrubados e arruinados", sem inserir nenhum título divino. Seja como for, a observação e a derrubada estão ligadas entre si, visto que ambas pertencem ao justo (humano e divino). Alguns, entretanto, supõem que realmente não há conexão entre a primeira e a segunda linha, por serem declarações separadas.

21.13

אֹטֵם אָזְנוֹ מִזַּעֲקַת־דָּל גַּם־הוּא יִקְרָא וְלֹא יֵעָנֶה׃

O que tapa o ouvido ao clamor do pobre... Ver Pv 19.17 quanto a um sentimento semelhante. A doação de esmolas era uma virtude importante para o judaísmo, tanto o antigo como o posterior. O Senhor que está lá no alto é o Doador. Em comparação com ele, todos nós somos pobres. Se um homem é rico para com os pobres neste mundo, então o poder divino se mostrará rico para com ele, e isso concorda com a *lei da colheita segundo a semeadura*. O homem pobre invoca um irmão mais abastado e expressa sua necessidade. O homem bom invoca (em oração) o Pai celestial. Se o homem bom não ouvir a voz dos pobres, então Deus ouvirá a voz do homem bom, e essa é a segunda linha métrica, sinônima, neste provérbio.

> *Porque o juízo é sem misericórdia para com aquele que não usou misericórdia.*
>
> Tiago 2.13

Um homem pobre é materialmente pobre e, por conseguinte, débil, fraco e impotente, outras significações possíveis do termo hebraico *dal*. Diante de Deus, todos nós somos débeis e impotentes. Cf. Mt 5.7 e 18.30. Ver no *Dicionário* o artigo *Lex Talionis*, que é a retribuição de acordo com a gravidade do crime cometido. Uma de nossas consternações é a oração que fica sem resposta; e, quando o homem pobre lança o seu apelo, mas não é ouvido, sente-se consternado.

21.14

מַתָּן בַּסֵּתֶר יִכְפֶּה־אָף וְשֹׁחַד בַּחֵק חֵמָה עַזָּה׃

O presente que se dá em segredo abate a ira. Um presente bem colocado, ou um suborno (conforme possa ser o caso), pode fazer maravilhas para acalmar alguém que foi ofendido, desviando a sua ira e as suas consequências. Cf. Pv 17.8. Ver o artigo chamado *Suborno*, em Pv 15.27, onde ofereço ideias e referências. O autor não estava justificando o suborno, mas meramente observou sua eficácia. O presente (primeira linha) desvia a ira, e um suborno (segunda linha, sinônima) tem o mesmo poder. Ver Êx 23.8 e Dt 16.19 contra o suborno.

Em segredo. Literalmente, "no seio", ou seja, um presente ou suborno que é escondido na dobra das vestes de quem recebe. As vestes antigas não tinham bolsos, botões e zíperes, pelo que as dobras do tecido serviam a esse propósito. O homem que oferecia um suborno em segredo tirava-o das dobras de suas vestes e punha-o nas dobras das vestes do recebedor; e esse ato é algo feito em segredo. Tão somente houve a transferência de um esconderijo para outro. As versões da Septuaginta, do siríaco e do árabe têm um sentido oposto. O homem que retém o presente em seu seio certamente sofrerá a ira daquele que não obteve o suborno: "O que poupa presentes desperta forte ira".

21.15

שִׂמְחָה לַצַּדִּיק עֲשׂוֹת מִשְׁפָּט וּמְחִתָּה לְפֹעֲלֵי אָוֶן׃

Praticar a justiça é alegria para o justo. A justiça colocada em prática redunda em alegria para o homem bom. O termo "justiça", neste caso, parece ser bastante amplo, não se referindo apenas à justiça nos tribunais de lei. Quando bons princípios governam uma sociedade, isso se torna algo sobre o que os bons se regozijam. A verdadeira justiça deve incluir a abundância de oportunidades para fazer o bem, para aprender a viver corretamente, mas também deve incluir a retribuição contra os malfeitores. Ademais, existe o princípio que não podemos esquecer: "A retidão é sua própria recompensa". É algo bom em si mesmo, tanto para o corpo quanto para a alma.

Antítese. O ímpio, que tira proveito de uma sociedade iníqua e escapa à punição que merece, pensará que a justiça é algo muito desprezível.

Espanto. No hebraico, *mehittah*, "desalento", "ruína", "destruição". Talvez *desalento* seja a melhor tradução aqui, em contraste com a "alegria" que aparece na primeira linha métrica. "Eles ficarão aterrorizados diante da justiça" (Ellicott, *in loc.*). Cf. Rm 13.3: "Queres tu não temer a autoridade? Faze o bem, e terás louvor dela".

21.16

אָדָם תּוֹעֶה מִדֶּרֶךְ הַשְׂכֵּל בִּקְהַל רְפָאִים יָנוּחַ׃

O homem que se desvia do caminho do entendimento... O indivíduo que se desviou, ao escolher uma vereda errada, e rejeitou o caminho recomendado pela lei, não tem entendimento. Existe o caminho do entendimento, descoberto pelo homem bom ao estudar a lei de Moisés, segundo ela é fomentada pelas declarações de sabedoria. Estará andando nesse caminho quando obedecer ao que aprendeu. Ele obedecerá aos mais de seiscentos mandamentos da lei (tanto positivos quanto negativos), e todos os aspectos de sua vida serão regulamentados dessa maneira. Nada haverá que temer. Quanto ao "entendimento" (no hebraico, *haskel*), ver Pv 1.3. Está em vista a prudência.

Antítese. Homens ímpios propositadamente rejeitam o caminho direito e se desviam para a vereda tortuosa. Ver os *caminhos dos bons e dos maus contrastados* em Pv 4.27. Ver sobre a *metáfora da vereda*, em Pv 4.11. Os que seguem a vereda tortuosa abandonaram o caminho da vida (a sabedoria transmite vida: Pv 4.13) e terminarão na terra dos mortos.

Na congregação dos mortos. No hebraico, a palavra *mortos* corresponde ao vocábulo *refaim* (ver a respeito no *Dicionário*. Ver Pv 2.18; 9.18 e Jó 26.5. No judaísmo posterior, esse termo se referia aos habitantes no sheol. O mais provável, entretanto, é que estejam em pauta aqui simplesmente os mortos. A doutrina do sheol passou por um desenvolvimento, partindo da sepultura, para designar o lugar da punição dos ímpios, onde estão as almas imateriais e imortais dos perdidos. Ver Sl 88.10; 139.8; 134.7; Pv 2.18 e 5.5, em que alguns estudiosos pensam que o sheol envolve mais do que o sepulcro. Nas notas sobre Pv 5.5 apresento uma breve história dos desdobramentos da doutrina do sheol. Ver no *Dicionário* o verbete intitulado *Hades*, quanto aos detalhes. O judaísmo posterior tinha uma doutrina mediante a qual somente as almas boas seriam ressuscitadas, enquanto as almas ruins permaneceriam no sheol. Ver Is 14.9 e 26.19. Alguns eruditos pensam que este versículo é uma profecia de retribuição após a morte (pertencente à ordem de Dn 12.2); mas isso parece um anacronismo, levando-se em consideração a época em que o livro de Provérbios foi escrito. Sem importar o significado exato da segunda linha métrica, é certo que ela ensina que os homens maus têm um mau fim, provavelmente sendo simplesmente extintos, no sentido absoluto.

21.17

אִישׁ מַחְסוֹר אֹהֵב שִׂמְחָה אֹהֵב יַיִן־וָשֶׁמֶן לֹא יַעֲשִׁיר׃

Quem ama os prazeres empobrecerá. Os hedonistas tendem a dedicar muito tempo aos prazeres, trabalhando bem pouco para obter dinheiro. Por conseguinte, os amantes dos prazeres comumente são pessoas pobres. Os prazeres compõem uma das coisas boas que a vida oferece, mas algumas pessoas exageram nisso e fazem dos prazeres o seu *summum bonum* (ver a respeito no *Dicionário*). Ver na *Enciclopédia de Bíblia, Teologia e Filosofia* o artigo chamado

Hedonismo. O autor sagrado tinha em mente, especialmente, prazeres como o vinho, os festejos, a dança e a alegria, conforme indicado pela segunda linha deste provérbio.

Sinônimo. Um dos prazeres especiais dos hedonistas eram os banquetes, que combinavam vários elementos agradáveis: havia excelentes pratos; muito vinho; muita dança; e, algumas vezes, mulheres bonitas e lascivas vinham apimentar os banquetes; a unção (embelezamento) com azeite; e, finalmente, a bebedeira que alguns muito apreciam. Muitas festas modernas, das quais os pecadores participam, continuam contando com esses deleites. A parte ruim de "ter nascido para festejar" é que pouco tempo resta para ganhar dinheiro. Ademais, os hedonistas terão pouco interesse pelo trabalho. Portanto, a menos que um homem tenha um pai rico, terminará bastante pobre, por motivo de sua adoração ao deus dos prazeres. Os hedonistas "serão merecidamente pobres, de modo que ninguém terá pena deles" (Adam Clark, *in loc.*).

Este versículo tem sido espiritualizado para fazer de um homem espiritualmente pobre a figura em foco, uma pessoa que negligencia os prazeres espirituais, mas se ocupa em demasia nos prazeres físicos. Epicuro defendia os prazeres mentais como superiores aos prazeres físicos, e podemos defender com sucesso os prazeres espirituais como superiores aos outros dois tipos.

■ 21.18

כֹּפֶר לַצַּדִּיק רָשָׁע וְתַחַת יְשָׁרִים בּוֹגֵד׃

O perverso serve de resgate para o justo. Este versículo não está ensinando que o homem perverso, em qualquer sentido literal, fará expiação pelo homem bom. Temos aqui apenas uma declaração frouxa de que os homens maus sofrem e, assim, em certo sentido, sofrem no lugar dos homens bons. Havendo todo esse pecado "lá fora", alguém tem de sofrer. Portanto, é o ímpio que cumpre esse ofício, ao passo que o justo sai livre. Temos uma boa ilustração desse fato no livro de Ester. Hamã foi executado por empalação, em lugar de Mordecai, para quem havia preparado o patíbulo. A ideia é similar à que aparece em Pv 11.8, onde se lê:

O justo é libertado da angústia, e o perverso a recebe em seu lugar.

Sinônimo. A segunda linha diz a mesma coisa que a primeira, exceto por usar "pérfido" em lugar de "perverso". Consequentemente, o autor, a fim de produzir sua linha métrica sinônima, simplesmente apresentou um jogo de palavras com o sinônimo.

■ 21.19

טוֹב שֶׁבֶת בְּאֶרֶץ־מִדְבָּר מֵאֵשֶׁת מִדוֹנִים וָכָעַס׃

Melhor é morar numa terra deserta... Temos aqui uma versão levemente diferente de Pv 21.9. Agora, em vez de subir a seu dormitório improvisado, que ele armara no eirado plano de sua casa (que era útil para ele escapar de sua esposa, uma mulher contenciosa), o homem foi para o *midhbar*, um pasto pouco habitado, para estar em sua "casa do interior". Dessa maneira, ele deixa a mulher rixosa e iracunda, para brigar consigo mesma, que é a ideia da segunda linha métrica, antitética. Talvez o homem saísse ao deserto para cuidar de seu rebanho de ovelhas, e isso lhe daria paz por algum tempo pelo menos. Lemos essas linhas com um sorriso no rosto, mas para o pobre homem, que tinha uma esposa desse tipo, não era uma questão de provocar o riso. Adam Clarke dizia que quase qualquer tipo de esposa é melhor do que nenhuma, mas não penso que você poderia convencer disso o homem desse texto. John Gill (*in loc.*) lembra-nos que, no deserto, o homem teria de enfrentar animais ferozes, solidão e tempestades de areia. Mesmo assim, seria melhor do que enfrentar o animal feroz que é a esposa rixosa, a má companhia e as brigas em casa.

■ 21.20

אוֹצָר נֶחְמָד וָשֶׁמֶן בִּנְוֵה חָכָם וּכְסִיל אָדָם יְבַלְּעֶנּוּ׃

Tesouro desejável e azeite há na casa do sábio. O sábio trabalhou arduamente para acumular o que havia entesourado em casa. Antigamente não havia bancos, pelo que a residência servia de banco privado de um homem. Esse homem sábio obedecia à lei, bem como às declarações de sabedoria que ensinam a diligência; e também se mostrava moderado em suas despesas, sendo controlado pelos bons ensinos. Esse homem sábio imitava a formiga industriosa (ver Pv 6.6-8), que passa os meses bons do verão preparando-se para enfrentar o inverno. Ele havia juntado tesouros razoáveis, incluindo o azeite, item que fazia parte dos tesouros antigos. Quanto a essa palavra, a Septuaginta diz "seu tesouro permanece". O sábio tem o bastante para servir de fundo de aposentadoria privada.

Antítese. Em contraste, o insensato está sempre sem dinheiro e, quando chega à idade avançada, estará residindo em uma casa pobre. O hebraico aqui é gráfico: ele "devora" suas riquezas gastando de modo descuidado, sempre comprando alguma coisa sem ter recursos adequados. Em outras palavras, ele vive acima de suas capacidades econômicas. O resultado é que possui muitas dívidas e, na realidade, está sempre abaixo de zero o tempo todo. Esse homem nada aprendeu ao observar o exemplo deixado pelos sábios ou pela humilde aranha.

John Gill (*in loc.*) espiritualizou o versículo: "... Ele malgastou seu tempo, negligenciou os meios da graça e todas as oportunidades mediante as quais os homens sábios crescem, tanto nas coisas materiais como nas realidades espirituais. Cf. Mt 25.1-10".

■ 21.21

רֹדֵף צְדָקָה וָחָסֶד יִמְצָא חַיִּים צְדָקָה וְכָבוֹד׃

O que segue a justiça e a bondade... O homem que obedece à lei naturalmente seguirá a retidão e a bondade, tópicos centrais da lei de Moisés. Estamos falando do homem sábio que obtém a vida através de sua sabedoria (ver Pv 4.13, onde ofereço ideias e referências).

Bondade. Quanto a uma boa ilustração sobre este princípio, ver os comentários sobre Pv 18.8. Ver também, no *Dicionário*, o verbete chamado *Bom, Bondade*. A palavra hebraica correspondente é *hesed*, que pode significar amor constante, bondade, amor leal ou misericórdia.

Há uma largueza na misericórdia divina,
Como a amplidão do mar.
Há uma bondade em sua justiça,
Que é mais do que a liberdade.
...

Pois o amor de Deus é mais amplo
Que a medida da mente humana,
E o coração do Eterno
É maravilhosamente bondoso.

Frederick W. Faber

A justiça. No hebraico, *çedheq*, "retidão", "ser direito e agir direito"; vem de uma raiz que significa *reto*. O autor sagrado falava sobre o homem justo e bom, qualidades obtidas mediante o conhecimento e a prática da lei e, presumivelmente, mediante o ministério do Espírito, que cultiva no homem tais qualidades. Ver Gl 5.22,23.

Sinônimo. O homem justo e bom obtém a vida: uma vida longa e próspera, com boa saúde e realizações, material e espiritualmente falando. Ver Pv 4.13 quanto a como a sabedoria transmite vida. O homem bom e justo também será honrado por Deus e pelos homens. Quanto à *honra*, ver também Pv 3.16,35; 4.8 e 8.18. A segunda menção da justiça provavelmente foi adicionada por equívoco, na segunda linha métrica, no texto massorético. Mas é omitida essa menção na Septuaginta e, dali, por intérpretes e por traduções. Nossa versão portuguesa, entretanto, repete a palavra neste versículo. Ver no *Dicionário* o artigo denominado *Massora (Massorah); Texto Massorético*.

■ 21.22

עִיר גִּבֹּרִים עָלָה חָכָם וַיֹּרֶד עֹז מִבְטְחָה׃

O sábio escala a cidade dos valentes. Um homem sábio é forte. É como um conquistador, como um guerreiro que escala uma muralha difícil, entra na cidade, conquista fortificações e derrota um inimigo poderoso. Cf. Pv 24.5. Primeiramente ele obtém a vitória sobre si mesmo; então vence obstáculos que tentem impedir o seu avanço; em seguida, aprende a lei e derrota os inimigos da alma. Talvez o autor sacro tivesse incluído também inimigos literais, físicos, que precisavam ser derrotados em tempos de guerra e de caos. Deus também dará a vitória diante desses adversários.

Sinônimo. Tendo usado a força para escalar a muralha (vitórias preliminares), o sábio prosseguirá a fim de derrubar a fortaleza do ímpio e da impiedade. Ele derrotará a confiança do ímpio, o qual confia em outras coisas que não são o Ser divino. "A sabedoria confere força e segurança, bem como as bênçãos mencionadas em Pv 21.21" (Sid S. Buzzell, *in loc.*). Cf. Ec 7.19 e também 9.14-16. "A sabedoria é mais eficaz do que a força física" (Fausset, *in loc.*). Ver no *Dicionário* o artigo chamado *Sabedoria*, bem como Pv 1.2.

■ 21.23

שֹׁמֵר פִּיו וּלְשׁוֹנוֹ שֹׁמֵר מִצָּרוֹת נַפְשׁוֹ:

O que guarda a sua boca e a sua língua... Cf. este provérbio com Pv 12.13. O sábio é alguém que aprendeu a controlar a língua, um membro indisciplinado que está sempre levando o homem a cair em dificuldades.

A língua, porém, nenhum dos homens é capaz de domar; é mal incontido, carregado de veneno mortífero.
Tiago 3.8

Cerca de cem provérbios tratam do uso próprio e impróprio da língua. Ver Pv 11.9,13 e 18.21 quanto a notas de sumário sobre esse assunto. Ver também, no *Dicionário*, o verbete chamado *Linguagem, Uso Apropriado da*.

Sinônimo. O homem que mantém a língua sob controle conserva-se longe das dificuldades.

... os lábios do prudente o preservarão.
Provérbios 14.3b

Pela transgressão dos lábios o mau se enlaça.
Provérbios 12.13a

Cf. também Pv 18.21. A língua é um agente poderoso, exercendo controle sobre questões de vida e morte.

Guarda. A alusão mais provável é ao freio posto na boca dos cavalos, a fim de controlá-los ou, talvez, ao jugo que controla os animais de carga para que carreguem o máximo de peso.

■ 21.24

זֵד יָהִיר לֵץ שְׁמוֹ עוֹשֶׂה בְּעֶבְרַת זָדוֹן:

Quanto ao soberbo e presumido... O homem orgulhoso é chamado de "zombador", por ser esse um mau hábito desse tipo de pessoa. Ele se julga grande, ao passo que os outros lhe são inferiores. Portanto, o orgulhoso zomba deles, quanto ao que eles são e fazem. Esse homem orgulhoso chega a impor sua vontade acima da lei, que o condena. Ver o *contraste entre o orgulhoso e o humilde*, em Pv 11.2; 13.10; 14.3; 15.25; 16.5,18; 18.12 e 21.4. Ver sobre *olhos altivos*, em Pv 16.17. "A atitude de zombaria mostra que uma pessoa se acha superior a outras. Essa atitude é detestável (ver Pv 16.5) tanto para Deus quanto para os homens" (Sid S. Buzzell, *in loc.*).

Sinônimo. Esse homem, em consonância com a sua natureza, "age com um orgulho arrogante" (*Revised Standard Version*, traduções da Imprensa Bíblica Brasileira e Atualizada). Contrastar com Ml 3.2,15. O hebraico diz aqui, literalmente, "na ira do orgulho", visto que o orgulho produz uma espécie de ira que procura ferir os supostos "inferiores".

■ 21.25

תַּאֲוַת עָצֵל תְּמִיתֶנּוּ כִּי־מֵאֲנוּ יָדָיו לַעֲשׂוֹת:

O preguiçoso morre desejando. O desejo avassalador do homem preguiçoso, que quer descanso e lazer e só deseja o caminho fácil de saída, para evitar o trabalho, finalmente, o matará; por causa de sua imensa inércia, ele deixará até de comer, para, finalmente, desaparecer. Vários filósofos estoicos antigos, para mostrar quão desinteressados (apáticos) se sentiam a respeito da vida, simplesmente paravam de comer e deixavam a natureza tomar o seu curso. Assim sendo, um preguiçoso apático pode seguir o caminho do suicídio.

Sinônimo. Evitando o trabalho, o homem não tem dinheiro para comprar alimentos, pelo que, recusando-se a fazer qualquer coisa, está cometendo suicídio. Cf. Pv 6.1-15. "O amor deles pela preguiça e pelos prazeres arruína-lhes a alma, o corpo e as finanças" (Ellicott, *in loc.*). Cf. Pv 13.4. Ver no *Dicionário* os artigos chamados *Preguiça* e *Preguiçoso*.

■ 21.26

כָּל־הַיּוֹם הִתְאַוָּה תַאֲוָה וְצַדִּיק יִתֵּן וְלֹא יַחְשֹׂךְ:

O cobiçoso cobiça todo o dia. Este versículo parece continuar a descrição sobre o preguiçoso. O hebraico diz aqui, literalmente, de maneira bastante desajeitada: "Os desejos desejam". A Septuaginta supre o sujeito: "O homem ímpio cobiça". Mas o versículo parece enfatizar como o preguiçoso tem tão grande desejo pelo lazer, ou pelo ganho fácil e abundante de coisas materiais, que é consumido por isso. Contudo, ele nada faz para satisfazer esse desejo por meio de algum tipo de trabalho. Ver Tg 4.3. O preguiçoso tem um desejo consumidor que o persegue o dia todo, mas isso em nada contribui para ele fazer alguma coisa.

Antítese. Em contraste, o homem bom trabalha o bastante para poder dar aos que padecem alguma necessidade, e não meramente para suprir as próprias necessidades. Cf. Lc 16.9 e At 20.35. Ver também Sl 37.25,26 e Ef 4.28. O homem bom é generoso. Ele não se nega a ajudar quando vê alguém em necessidade. Nem busca o caminho da fuga, evitando o trabalho.

■ 21.27

זֶבַח רְשָׁעִים תּוֹעֵבָה אַף כִּי־בְזִמָּה יְבִיאֶנּוּ:

O sacrifício dos perversos já é abominação. A primeira linha deste provérbio é igual a Pv 15.8a. Oferecer sacrifícios sem coração e vida santa é *abominação* (quanto a essa palavra, ver Pv 11.1). Trata-se de uma forma de sacrilégio, pretensão, hipocrisia e iniquidade. Ver no *Dicionário* o verbete chamado *Hipocrisia*. Espiritualidade significa que o coração tem de corresponder aos atos. Ver sobre *coração* em Pv 4.23.

Sinônimo. Uma abominação aumenta quando o pecador traz o seu sacrifício ao mesmo tempo que, no coração, planeja cometer outros feitos ímpios, continuando no caminho do pecado e aumentando o seu fundo de iniquidades. Esse homem espera que Deus continue negligenciando o seu pecado e não o julgue por causa de seus "rituais ímpios", que, presumivelmente, lhe dão proteção contra o juízo divino. Esse homem apresenta-se com maus motivos em seu coração. Talvez ele pretenda enganar os sacerdotes, para que pensem ser ele um homem nobre, enquanto, o tempo todo, ele não passa de um pecador horrendo. Ou então ele está procurando obter favor com o próprio Deus e pretende continuar sua vida pecaminosa impune. "Balaque e Balaão ofereceram sacrifícios tendo em vista induzir Deus a amaldiçoar Israel (ver Nm 23.1-3,13); Absalão (ver 2Sm 15.7-10); e Jezabel ofereceu sacrifícios como uma capa de traição (ver 1Rs 21.9-11), pois era apenas uma adúltera que pretendia continuar seduzindo (ver Pv 7.14,15)" (Fausset, *in loc.*, com alguns bons exemplos que ilustram o texto).

■ 21.28

עֵד־כְּזָבִים יֹאבֵד וְאִישׁ שׁוֹמֵעַ לָנֶצַח יְדַבֵּר:

A testemunha falsa perecerá. A primeira linha deste provérbio é igual a Pv 19.5 e 9, onde ofereço notas expositivas sobre a ideia. Quanto a outros versículos no livro de Provérbios contra o perjúrio, ver também Pv 6.19; 12.17; 14.5,25; 25.18. Ver no *Dicionário* o verbete intitulado *Falso Testemunho*. Êx 20.16 (um dos Dez Mandamentos) proíbe esse pecado.

Antítese. Esta linha é obscura. Diz o hebraico original, literalmente: "E um homem que ouve falará para sempre", que tem sido variegadamente manuseado, mas sempre ignorando o hebraico literal. Esta linha parece significar: O homem que cuidadosamente ouve e então repete com exatidão os fatos de um caso. Ele é uma testemunha verdadeira. Esse homem não é um mentiroso. Ele ouve e dá notícia com exatidão. Sempre poderemos confiar em sua palavra. Ele condenará o culpado, mas libertará o inocente. A Vulgata Latina faz este homem falar "vitória". Quando ele se apresenta em um tribunal, a justiça obtém a vitória.

21.29

הֵעֵז אִישׁ רָשָׁע בְּפָנָיו וְיָשָׁר הוּא יָכִין דְּרָכָיו

O homem perverso mostra dureza no seu rosto. O homem iníquo também é fingido. Ele esconde a sua iniquidade com uma fisionomia ousada, como se não tivesse do que se envergonhar. Ou então é ímpio e quer que todos saibam desse fato. Portanto, ele tem uma fisionomia ousada que revela sua rebelião externa, sua intenção de fazer o mal, e quem se importa com o que os outros pensam? Esse homem mostra-se insensível diante de qualquer repreensão. "A pessoa de rosto duro como metal é inconsciente de todas as outras pessoas, fazendo qualquer coisa que quiser sem levar em conta os outros" (Charles Fritsch, *in loc.*). Em sua arrogância e hipocrisia, apresenta uma fronte ousada perante outras pessoas. "Ele endurece a sua face contra toda a repreensão de pais e mestres, contra os ministros e contra qualquer outra pessoa. Não se envergonha de seu pecado nem tem pejo de seus atos ímpios. Pelo contrário, ele se gloria neles" (John Gill, *in loc.*).

Antítese. O homem bom é uma espécie diferente de pessoa. Ele se firma no caminho reto, o que corresponde a certo texto hebraico. Mas outro texto diz que tal homem "considera" o seu caminho, ou seja, pesa cuidadosamente as coisas, para que possa fazer o que é direito. Ele é um homem que recebe verdadeira orientação espiritual. Seus atos são corretos, em contraste com o homem de cabeça dura, ímpio, com sua fisionomia dura, o qual não exerce cautela alguma com o que faz. O homem iníquo adere ao que é errado (ver Is 3.9; Jr 5.3); mas o homem bom mostra-se franqueado diante da instrução e muda para melhor. Sua fonte de orientação é a lei de Moisés. Ele se mostra reto em seu coração e em seus atos, porquanto é um homem que aprendeu no manual santo.

21.30

אֵין חָכְמָה וְאֵין תְּבוּנָה וְאֵין עֵצָה לְנֶגֶד יְהוָה׃ פ

Não há sabedoria, nem inteligência, nem mesmo conselho contra o Senhor. Temos aqui uma única linha com três palavras que são sinônimos virtuais. Nem sabedoria, nem inteligência, nem conselho podem prevalecer em qualquer coisa contra o Senhor. Essas são palavras usadas acerca da lei; mas, se um homem tem uma lei própria, sem importar os elementos e os poderes que possua, não pode derrotar a Deus. Cf. 1Co 3.19; Is 44.17 e Sl 2.4. O autor contrasta a sabedoria humana com a sabedoria derivada da lei. Ele contrasta a compreensão e o conselho, produtos humanos falsos e até mesmo diabólicos, contra as qualidades genuínas da lei de Moisés. Aquele que perverte o julgamento divino e tenta distorcer os seus planos, ou anular a sua sabedoria, será amargamente desapontado. Cf. Pv 21.2; os caminhos dos homens são retos aos seus próprios olhos. Os homens gostam de apelar para contrafações. "Nenhum esquema humano formado com a maior sabedoria e prudência poderá prevalecer contra Deus ou pôr de lado ou impedir qualquer desígnio divino" (John Gill, *in loc.*).

21.31

סוּס מוּכָן לְיוֹם מִלְחָמָה וְלַיהוָה הַתְּשׁוּעָה׃

O cavalo prepara-se para o dia da batalha. O cavalo, antigo símbolo de poder, quando ainda não havia grandes máquinas de guerra, pode preparar-se contra um inimigo e esperar a vitória. Os cavalos não faziam parte dos exércitos israelitas originais, que não possuíam cavalaria e eram, essencialmente, infantarias. No entanto, eram importados cavalos, para dar uma espinha dorsal às suas forças e lhes dar maior chance de vitória contra os vizinhos, que contavam com cavalos, bem como com carros de combate de ferro e outras máquinas de guerra. A lei proibia a multiplicação de cavalos, mas Salomão não deu atenção a essa proibição (ver 1Rs 4.26; Dt 17.16). Os cavalos não eram vistos com bons olhos pelos elementos mais espirituais da população de Israel (ver Sl 20.7; os filhos de Israel não deveriam confiar neles, ver Os 1.7 e Zc 9.10). Sl 33.17 diz que os cavalos eram coisas inúteis quanto à segurança. Se os exércitos de Israel permanecessem como infantarias, quando conquistassem vitórias, elas seriam atribuídas a Deus, e não ao homem.

Antítese. Em contraste com a não proteção oferecida pelos cavalos, a segurança baseia-se em Yahweh, que daria a vitória na batalha, a despeito de Israel estar enfrentando forças superiores.

Este versículo tem sido espiritualizado para falar de qualquer oposição que possamos enfrentar e nos ameace derrotar. O Senhor é a nossa força e também a nossa vitória em qualquer situação.

Este versículo tem sido cristianizado para falar da salvação evangélica em Cristo, que nos dá vitória sobre o pecado. "Vitória em Jesus, meu Salvador, para sempre", conforme o hino diz.

> Conquistando agora, e ainda a conquistar,
> Cavalga o Rei, em seu poder;
> Liderança a hoste de todos os fiéis,
> No meio do combate.
> Não é dos fortes a batalha,
> Nem dos ligeiros a corrida.
>
> Fanny J. Crosby

CAPÍTULO VINTE E DOIS

Não há interrupção entre os capítulos 21 e 22. Ofereço a introdução à seção geral em Pv 10.1 (a seção é Pv 10.1—22.16, a primeira coletânea dos provérbios de Salomão). A segunda parte dessa seção começa em Pv 16.1. Dali até Pv 22.16 há 191 versículos, cada qual com seu provérbio de duas linhas. Ver a introdução a essa subseção em Pv 16.1. No vs. 17 deste capítulo começamos uma nova seção do livro, chamada "As Declarações dos Sábios", que se estende até Pv 24.34. Ver a introdução a essa nova parte do livro, em Pv 22.17.

22.1

נִבְחָר שֵׁם מֵעֹשֶׁר רָב מִכֶּסֶף וּמִזָּהָב חֵן טוֹב׃

Mais vale o bom nome do que as muitas riquezas. O bom nome corresponde à natureza real da pessoa. O indivíduo não pode ser hipócrita. Uma vez cumprida essa condição, então esse bom nome é algo que deve ser valorizado. O bom nome é preferível às grandes riquezas, que é o que a maioria dos homens busca tão diligentemente. O bom nome é o nome de um homem sábio, que estuda a lei e a segue. Pirke Aboth 4.17 tem uma excelente declaração que ilustra o versículo: "Existem três coroas, a coroa da Torah, a coroa do sacerdócio e a coroa do reinado; mas a coroa de um bom nome excede a todas essas coroas".

Sinônimo. O favor de Deus e dos homens (que reconhecem um bom homem quando veem um) deve ser preferível à prata e ao ouro. Já vimos que o valor da lei ultrapassa o valor do ouro, da prata e das pedras preciosas (ver Pv 3.14; 8.10,19; 16.16). O homem que labora na lei e adquire sabedoria obterá o favor do Senhor, que também é algo dotado de grande valor. Esse homem viverá uma vida longa e próspera, por meio desse favor, e terá a ajuda do Senhor a cada passo do caminho. Um homem ganha um bom nome por meio de uma vida boa. Ele não pode ganhá-lo por meio de suas vãs riquezas.

22.2

עָשִׁיר וָרָשׁ נִפְגָּשׁוּ עֹשֵׂה כֻלָּם יְהוָה׃

O rico e o pobre se encontram. Existem seres humanos pertencentes a várias classes sociais, mas, para Deus, isso nada significa, pois ele é o Criador de todos os homens (Cf. Pv 29.13). Um homem pode obter riquezas, mas isso não o separa da humanidade. Todo homem continua a ser pobre, em comparação com Deus, e também continua humilde, na realidade, a despeito de toda a sua pretensão em contrário.

Antítese. Os homens têm suas distinções de classes, que são sempre repletas de orgulho. Mas o Criador é, igualmente, o Benfeitor de todos os homens e, de fato, o Pai de todos, o que é um dos melhores conceitos religiosos. "Deus se interessa por todos, a despeito de suas condições econômicas" (Sid S. Buzzell, *in loc.*). Ver no *Dicionário* o artigo chamado *Paternidade de Deus*. "Os homens foram deixados neste mundo para ajudar-se uns aos outros, nesta passagem pela vida, lembrando que são irmãos, filhos de um só Pai (cf. 1Co 12.27)" (Ellicott, *in loc.*). Existem distinções humanas, convencionais, entre os homens; porém, na presença de Deus, estão todos no mesmo barco. Os homens, juntos, em suas várias classes, estão sempre em conflito, cada qual defendendo o próprio território. Defronte de Deus, entretanto, as contendas cessam. Deus está presente a fim de abençoar e salvar todos (ver Jo 3.16).

22.3

עָר֤וּם ׀ רָאָ֣ה רָעָ֣ה וְיִסָּתֵ֑ר וּ֝פְתָיִ֗ים עָבְר֥וּ וְֽנֶעֱנָֽשׁוּ׃

O prudente vê o mal, e esconde-se. Um homem prudente pode antecipar onde uma vereda o está levando, e pode desviar-se daquela rota quando prevê perigo ou desgraça. "Um homem prudente mantém-se fora do alcance das dificuldades, ao passo que um insensato (no hebraico, *pethi*) continua no caminho onde o perigo se esconde" (Charles Fritsch, *in loc.*).

O prudente. O termo hebraico correspondente é *'arum* (ver Pv 1.4). Esse é o homem esperto no bom sentido. É o contrário do insensato, que não pensa. Ver Pv 12.23. Um *pethi* é ingênuo, não é treinado na lei de Moisés. Mas o homem prudente estuda a lei.

Antítese. O insensato sai tropeçando ao longo de uma vereda perigosa e por certo cairá em uma armadilha ou será apanhado na rede do caçador. Esse homem não pode prever o mal que se aproxima. Não pode desviar os passos da ruína inevitável. É um pecador, no princípio tolo e ingênuo, mas então endurecido. Sofrerá miserável morte prematura, um terror para a mente dos hebreus.

Este versículo tem sido cristianizado para falar da vida eterna e também do julgamento eterno; mas isso é um anacronismo. Cf. o versículo com Is 26.20. Ver Pv 14.16. A declaração é repetida em Pv 27.12.

22.4

עֵ֣קֶב עֲ֭נָוָה יִרְאַ֣ת יְהוָ֑ה עֹ֖שֶׁר וְכָב֣וֹד וְחַיִּֽים׃

O galardão da humildade e o temor do Senhor... O homem humilde, que "teme o Senhor" (o lema do livro; ver Pv 1.7), será abençoado por ele, material e espiritualmente. "A recompensa pela humildade e pelo temor do Senhor é a riqueza e a honra" (*Revised Standard Version*, que é também a tradução da Imprensa Bíblica Brasileira). Quanto ao homem orgulhoso e ao homem humilde contrastados, ver Pv 11.2; 6.17; 13.10; 14.3,25; 16.5,18; 18.12 e 21.4. O homem dotado de espírito humilde é um estudante disposto da lei de Moisés. Ele aprende a temer o Senhor através do estudo da lei. Ver Sl 119.38, bem como o verbete chamado *Temor*, no *Dicionário*, para detalhes.

Sinônimo. É proveitoso alguém ser uma boa pessoa. O homem que teme ao Senhor obterá coisas realmente valiosas, como riquezas, honras e longevidade. Esse era o ideal dos hebreus, e as muitas exceções à regra não eram suficientes para mudar a mente dos hebreus. O apelo aqui é ao interesse próprio, o que não é muito elevado, mas compreenderemos naturalmente que esse seria o homem rico, também rico em espírito, com uma conduta agradável. Em outras palavras, ele cuida da vida espiritual, e não apenas busca riquezas. Ver Pv 21.21, um trecho bastante semelhante.

> *Buscai, pois, em primeiro lugar, o seu reino e a sua justiça, e todas estas cousas vos serão acrescentadas.*
>
> Mateus 6.33

22.5

צִנִּ֣ים פַּ֭חִים בְּדֶ֣רֶךְ עִקֵּ֑שׁ שׁוֹמֵ֥ר נַ֝פְשׁ֗וֹ יִרְחַ֥ק מֵהֶֽם׃

Espinhos e laços há no caminho do perverso. O indivíduo intratável (no hebraico, *'iqqesh*, perverso, intratável) seguirá uma vereda plena de laços e espinhos. Esse homem negligenciou a leitura dos textos santos, a lei; ou então, se os leu, não se mostrou obediente. Portanto, prosseguindo em seu caminho parecido com o de um touro marrador, encontra somente dificuldades. Ele é profano e ímpio, e deverá colher o que tem semeado. Ver no *Dicionário* o artigo denominado *Lei Moral da Colheita segundo a Semeadura*. Ver Pv 15.19 quanto aos espinhos que há no caminho.

Antítese. Em contraste com o homem perverso, o homem sábio, versado na lei, evita todas as dificuldades que o homem perverso cria com sua rebelião. Um homem sábio tem plena consciência das consequências das veredas más (ver Pv 22.3) e assim facilmente as evita.

22.6

חֲנֹ֣ךְ לַ֭נַּעַר עַל־פִּ֣י דַרְכּ֑וֹ גַּ֥ם כִּֽי־יַ֝זְקִ֗ין לֹֽא־יָס֥וּר מִמֶּֽנָּה׃

Ensina a criança no caminho em que deve andar. Existem vários versículos sobre a criação de crianças no livro de Provérbios, e este provavelmente é o mais conhecido. Ver também Pv 13.24; 19.18; 23.13,14; 29.17. Ofereço notas expositivas completas em Pv 13.24, as quais não repito aqui. Neste versículo temos uma regra nova e brava, e esperamos que, de modo geral, um bom treinamento signifique uma boa criança que se tornou um bom adulto e segue a vereda da retidão por toda a vida. A experiência mostra-nos, contudo, que as coisas nem sempre acontecem dessa maneira, e podemos concluir que existem outros fatores envolvidos nessa questão, e não apenas um ensino e exemplos apropriados. Afirmamos que um pai deve três coisas a seu filho: exemplo, exemplo e exemplo, o que repito várias vezes neste comentário. Mas nem mesmo isso é sempre o bastante. Em Pv 13.24 explorei os porquês dos fracassos quando um homem faz tudo quanto pode e, ainda assim, não atinge o sucesso.

Seja como for, os fracassos não devem anular o ensino que temos à nossa frente. Os pais têm o dever e o privilégio de treinar a criança. Baha Ullah declarou que a pior coisa que um homem pode fazer é conhecer os ensinos e não os transmitir a seu filho. Sobre bases veterotestamentárias, o manual de treinamento é a lei de Moisés. Por meio da lei o homem obtém sabedoria e vida (ver Pv 4.13). A lei é o guia, segundo se vê em Dt 6.4 ss.

Sinônimo. Um jovem bem treinado continuará no caminho quando se tornar adulto pleno. A fé de seu pai se tornará a sua fé, e ele a seguirá até o fim. Terá uma vida longa e próspera, tanto material quanto espiritualmente.

"Este versículo exprime um dos pontos fortes dos sábios hebreus, a saber, a insistência no treinamento moral de uma criança por parte de seus pais. Esse treinamento deve começar bem cedo, quando a mente da criança ainda estiver bastante impressionável. O uso da vara é encorajado como parte do processo educacional (ver Pv 13.24; 19.18 e 23.13,14). A grande alegria que os pais podem ter é um filho sábio (ver Pv 23.15,16,24). A tristeza mais trágica é ter um filho insensato (ver Pv 17.21,25). Treinar (no hebraico, *hanakh*, que significa "dedicar"). Cf. o nome da festividade dos hebreus, *Hanukkah*, que celebra a rededicação do templo de Jerusalém, no tempo dos macabeus, em 165 a.C. (ver Pv 4.52 ss.). Aqui a palavra significa treinar" (Charles Fritsch, *in loc.*).

Cf. este versículo com 2Tm 1.5; 3.15; Dt 6.7. John Gill (*in loc.*) queixa-se das exceções à regra, mas exorta os pais a prosseguirem com o bom plano, pelo que fazemos e esperamos o melhor.

22.7

עָ֭שִׁיר בְּרָשִׁ֣ים יִמְשׁ֑וֹל וְעֶ֥בֶד לֹ֝וֶ֗ה לְאִ֣ישׁ מַלְוֶֽה׃

O rico domina sobre o pobre... O homem sábio, com base em suas observações, apresenta dois truísmos dignos de ser repetidos. O homem rico tem poder e influência, pelo que, naturalmente, domina os pobres e vive continuamente explorando-os para aumentar suas riquezas e seu poder. Os ricos pagam salários baixos; transformam os pobres em escravos; roubam as suas propriedades, se é que eles têm alguma, por meios tortuosos; decretam leis que favorecem a si mesmos, mas impõem trabalhos pesados sobre os pobres.

Sinônimo. Uma das maneiras pelas quais os ricos tornam os pobres seus escravos é emprestando-lhes dinheiro. Dessa maneira, o pobre homem é lançado em uma prisão impossível de libertar-se. Ele não tem o potencial para libertar-se. Por isso, perde a sua casa; e é posto a trabalhar como escravo, que nunca produz o suficiente para pagar as suas dívidas; e também sofre ameaças. Ele pede emprestado ainda de outros, a fim de pagar ao primeiro credor, e isso apenas complica ainda mais a sua vida. Deus considerará o rico responsável por toda essa injustiça, embora este provérbio não se dê ao trabalho de lembrar a justa retribuição divina.

> *Não vendas a tua liberdade para satisfazer a tua luxúria.*
>
> Matthew Henry

> *Vós outros menosprezastes o pobre. Não são os ricos que vos oprimem, e não são eles que vos arrastam para os tribunais?*
>
> Tiago 2.6

PARALELOS ENTRE O LIVRO DE PROVÉRBIOS E A OBRA DE AMEN-EM-OPE

O livro egípcio, *A Instrução de Amen-En-Ope*, foi uma das fontes dos escritores de Provérbios.

A seção 22.22—24.22 tem pelo menos quatorze empréstimos. Oesterley encontra 23 das 30 declarações desta seção como dependentes da obra egípcia. No gráfico abaixo, forneço ilustrações com referências.

As declarações de Provérbios	Paralelos em Amen-em-ope
Primeira Declaração: 22.22,23	2: 4.4,5
Segunda Declaração: 22.24,25	9: 11.13,14
Terceira Declaração: 22.26,27	9: 13.8,9
Quarta Declaração: 22.28	6: 7.12,13
Quinta Declaração: 22.29	30: 27.16,17
Sexta Declaração: 23.1-3	23: 23.13-18
Sétima Declaração: 23.4,5	7: 9.14—10.5
Oitava Declaração: 23.6-7; 23.8	11: 14.5—10; 14.17,18
Nona Declaração: 23.9	21: 22.11,12
Décima Declaração: 23.10,11	6: 7.12-15; 8.9
Vigésima Quinta Declaração: 24.11	8: 11.6,7

Ver outros exemplos não incluídos na lista em 22.18; 22.20,21. O comentário acompanha e mostra a similaridade entre Provérbios, na seção sob consideração, e a obra egípcia, o que não deixa dúvida sobre a dependência.

Observações:

1. O livro de *Instruções de Amen-em-Ope* tem trinta capítulos. O livro de Provérbios 22.22—24.22 empresta exatamente trinta declarações.
2. O capítulo 30 de Provérbios (os provérbios de Agur) representa outro empréstimo, desta vez de uma ou mais fontes árabes. Assim, temos um óbvio empréstimo egípcio e um árabe. Nenhuma teoria sana de inspiração levanta argumentos contra a possibilidade de tais empréstimos.
3. O Novo Testamento cita amplamente o Antigo, mas não hesita em utilizar-se também de obras apócrifas, pseudepígrafas e pagãs. Ver esta afirmação ilustrada na *Enciclopédia de Bíblia, Teologia e Filosofia* no artigo *Citações no Novo Testamento*, ponto 5. Qualquer autor erudito, de instrução ampla, não se limitará aos livros canônicos na composição de seu livro.
4. Dou um tratamento mais detalhado sobre o assunto na introdução ao Livro de Provérbios com argumentos pró e contra. Devo afirmar que o problema é literário e não teológico. Não há nenhuma teologia bíblica contra ideias de tais empréstimos (que já são amplos nas Escrituras).
5. A ansiedade de alguns estudiosos para afirmar uma teoria de inspiração rígida e excessivamente fundamentalista cega os olhos, uma circunstância lastimável.

22.8

זוֹרֵעַ עַוְלָה יִקְצוֹר־אָוֶן וְשֵׁבֶט עֶבְרָתוֹ יִכְלֶה׃

O que semeia a injustiça segará males. A lei da retribuição é claramente afirmada aqui. Ver Gl 6.7,8. Ver também, no *Dicionário*, o verbete chamado *Lei Moral da Colheita segundo a Semeadura*. O homem mau semeia a iniquidade e está destinado a colher a calamidade. As palavras hebraicas envolvidas são 'awlah, a injustiça semeada, e 'awen, a injustiça ou tristeza colhida. Ver Pv 2.21, onde essa palavra pode significar dano. A tribulação inevitavelmente segue-se ao pecado (Os 10.13 e Gl 6.7).

Sinônimo. Um homem mau espanca as costas de seus servos com uma vara, para fazê-los trabalhar mais. Dessa forma ele extravasa sua ira insensata, conforme poderíamos traduzir literalmente. Porém, o que ele conseguir com essa brutalidade não perdurará. A vara de Deus está prestes a cair sobre o opressor, e esse será o fim da história. Cf. Is 14.4-6. "Quando esse tempo chegar, e a sua iniquidade estiver repleta, ele mesmo sofrerá a punição que impôs a outras pessoas, conforme aconteceu à Babilônia (ver Is 14.6) e à Assíria (ver Is 30.31)" (Ellicott, *in loc.*).

22.9

טוֹב־עַיִן הוּא יְבֹרָךְ כִּי־נָתַן מִלַּחְמוֹ לַדָּל׃

O generoso será abençoado. Alguns homens excepcionais têm "olhos do bem", isto é, são benévolos. Olham ao redor para verificar que bem podem fazer. E quando percebem uma necessidade, contribuem para sua realização. Ver no *Dicionário* o artigo intitulado *Liberalidade, Generosidade*, quanto a detalhes. Estamos falando sobre a lei do amor. Ver no *Dicionário* o artigo chamado *Amor*. A medida de um homem é a sua generosidade. Cf. Pv 19.17, bastante similar a este provérbio. "O homem bom é um bom olho. O homem mesquinho tem um olho mesquinho, mau (ver Pv 23.6; 28.22)" (Sid S. Buzzell, *in loc.*).

Sinônimo. Uma das maneiras pelas quais um homem bom exprime a sua benevolência é dando esmolas aos pobres (uma virtude constante dos hebreus). Ele supre os pobres com coisas básicas, como o alimento. Quanto à generosidade para com os pobres, cf. Dt 15.10; Pv 14.21,31; 28.27.

22.10

גָּרֵשׁ לֵץ וְיֵצֵא מָדוֹן וְיִשְׁבֹּת דִּין וְקָלוֹן׃

Lança fora o escarnecedor, e com ele se irá a contenda. Quanto ao escarnecedor ou zombador, ver Pv 9.7,8,12; 13.1; 14.6; 15.12; 19.25,29; 21.11,24; 24.9. O escarnecedor é o indivíduo que faz pouco dos "fanáticos" religiosos. Ele não tem utilidade para a lei de Moisés. Ele deprecia os piedosos. Mas, se você expulsar o escarnecedor, será o fim de sua obra nefanda; as contendas cessarão, e você terá paz no lar e na comunidade. O escarnecedor desperta desavenças, contenções, brigas. Enquanto ele estiver por perto, ninguém pode descansar.

Sinônimo. Se nos libertarmos do escarnecedor, seus insultos (no hebraico, *qalon*, "desgraça", "insultos", "reprimendas") cessarão. Sem o criador de tribulações, ficamos livres das dificuldades.

22.11

אֹהֵב טְהָור־לֵב חֵן שְׂפָתָיו רֵעֵהוּ מֶלֶךְ׃

O que ama a pureza do coração, e é grácil no falar... O indivíduo que, sob hipótese alguma é um hipócrita, antes, ama a pureza do coração, porquanto tem estudado e seguido a lei e as declarações da sabedoria, que a fomentam e interpretam, obterá o favor de Deus e dos homens. As pessoas desejarão ter por perto esse indivíduo. Ver Pv 4.23 quanto à fé sentida no coração. Ver 11.9,13 e 18.21 quanto ao uso apropriado da linguagem e, no *Dicionário*, o verbete intitulado *Linguagem, Uso Apropriado da*.

Sinônimo. O rei ouvirá sobre o homem puro de coração, que se tornou um notório homem sábio, e haverá de querê-lo ao redor. O monarca fará dele um de seus conselheiros, um dos amigos pessoais do rei. Isso se dará porque, de maneira especial, ele seguiu a lei de Moisés como o valor principal de sua vida.

22.12

עֵינֵי יְהוָה נָצְרוּ דָעַת וַיְסַלֵּף דִּבְרֵי בֹגֵד׃

Os olhos do Senhor conservam o que tem conhecimento. Os olhos do Senhor (sua onisciência; ver Pv 15.3) guardam o conhecimento, ou seja, mantêm vigilância sobre ele. O Senhor vê quem está obedecendo à lei e quem não está. Além disso, ele preserva e protege aquele corpo de conhecimentos, para que todos os homens tenham chance de aprender e de agir em concordância com princípios retos. A segunda linha subentende que a principal coisa que o Senhor observa e procura em um homem é uma linguagem correta, ou seja, o uso próprio da língua na vida diária e no ensino da lei. Seus olhos veem "homens que conhecem e falam a verdade; ver Pv 21.28" (Ellicott, *in loc.*). Ele considera com favor a tais homens, e os abençoa como recompensa por sua conduta de acordo com a lei e a prática dos mandamentos. A *Providência de Deus* é ativa na preservação de sua Palavra, como testemunho que deve ser prestado a todos os homens, algo que vai além do testemunho da natureza, o que é enfatizado no segundo capítulo da epístola aos Romanos.

Antítese. Em contraste com a preservação de sua lei, em um bom testemunho aos homens, o Senhor derruba as palavras de homens infiéis. O homem infiel é um transgressor que inventou o seu próprio código de ética e o promove, além de outras coisas absurdas, no lugar da lei. Portanto, é óbvio que a sua palavra não pode ficar de pé. Em breve ela será soprada para longe pela tempestade divina. Cf. com declarações semelhantes, em Pv 13.6; 19.3 e 21.12.

■ 22.13

אָמַר עָצֵל אֲרִי בַחוּץ בְּתוֹךְ רְחֹבוֹת אֵרָצֵחַ׃

Diz o preguiçoso: Um leão está lá fora. O homem preguiçoso apresenta desculpas absurdas para não ir trabalhar. Hoje ele ficará em casa porque pode suceder que um leão esteja nas colinas e venha encontrá-lo na rua! Havia muitos leões da montanha na Palestina, mas a chance de que algum deles descesse até as vilas ou cidades era mínima. Ademais, apresentar desculpas dessa natureza significaria que um homem nunca iria trabalhar. Pv 26.13 repete a mesma ideia. Talvez o autor sacro tenha escolhido um exemplo absurdo sobre o tipo de coisas que homens preguiçosos poderiam apresentar como desculpa para não trabalhar, mas não esperava que tomássemos a sério a desculpa. Ver Pv 6.6 e 19.15 quanto ao preguiçoso, e ver no *Dicionário* os verbetes intitulados *Preguiça* e *Preguiçoso*.

Sinônimo. O homem é uma presa fácil para um animal feroz, em contraste com outros animais, que podem lutar. Somente homens como Sansão podem vencer leões. Não faz muito tempo, uma mãe defendeu seu filhinho contra o ataque de um puma, não muito longe de Los Angeles, e obteve grande sucesso, armada apenas com uma vara! Mas isso foi uma exceção, e só podemos concluir que ela contou com alguma espécie de ajuda angelical. Também não era tempo de o menino morrer. O homem preguiçoso, entretanto, não confiava em casos excepcionais. Ele simplesmente ficou em casa, sem nada fazer, e dormiu por boa parte do dia (ver Pv 6.9,10; 19.15; 20.13). Esse homem estava definitivamente enfermo. Quanto à vitória de Sansão sobre o leão, ver Jz 14. Outros, entretanto, não tiveram tal sorte (ver 1Rs 13.24).

■ 22.14

שׁוּחָה עֲמֻקָּה פִּי זָרוֹת זְעוּם יְהוָה יִפּוֹל שָׁם׃

Cova profunda é a boca da mulher estranha. A mulher estranha é famosa abusadora da linguagem. Ela tem uma conversa de vendedor que convence. Sua boca é como uma cova profunda dentro da qual a presa cairá. A metáfora é a de um caçador e da cova que ele emprega para apanhar os animais que caça, somente para matá-los e usar o corpo deles para obter dinheiro. Uma mulher estranha podia ser uma esposa que se transformara em prostituta parte do tempo, ou podia ser simplesmente uma prostituta profissional. Ver Pv 2.16 e cf. Pv 23.27, onde a própria mulher estranha aparece como cova profunda, ou como poço estreito, nos dois casos armadilhas para os que de nada desconfiam.

Sinônimo. O homem que repele a conversa de vendedor de uma mulher será favorecido pelo Senhor; mas o homem que não oferece resistência sofrerá a ira divina. "O Senhor ira-se com aquele que se consorcia com uma mulher adúltera" (Charles Fritsch, *in loc.*).

"A boca das prostitutas; os beijos de sua boca; a sua linguagem lisonjeadora e suas palavras suaves; a conversa amorosa; a linguagem lasciva e imoral — tudo contribuía para atrair e prender os homens a cometer imoralidade com elas, o que os leva a uma cova de ruína, imunda, muito profunda, da qual não é fácil tirar um homem" (John Gill, *in loc.*).

Cerca de cem provérbios falam sobre o uso próprio e impróprio da linguagem. Ver Pv 11.9,13 e 18.21 quanto a notas de sumário sobre o assunto. Jarchi aplica este versículo à *idolatria* (ver a respeito no *Dicionário*).

■ 22.15

אִוֶּלֶת קְשׁוּרָה בְלֶב־נָעַר שֵׁבֶט מוּסָר יַרְחִיקֶנָּה מִמֶּנּוּ׃

A estultícia está ligada ao coração da criança. Ver as notas expositivas sobre o vs. 6 deste mesmo capítulo quanto a uma lista de versículos que abordam a educação de crianças. O presente versículo é uma espécie de repetição de Pv 13.24, onde são encorajadas as punições corpóreas, por parte dos pais. Ver as notas expositivas sobre esse ponto, quanto a ideias acerca disso. Todos sabemos quão tolas podem ser as crianças. Essa tolice, entretanto, não é paralela à insensatez dos insensatos, descrita no livro de Provérbios. Uma criança se parece com a maioria das crianças: bobinha; cheia de jogos e provocações, insolente e repleta de truques.

A palavra hebraica para "estultícia", neste caso, é *'ewil*, que pode significar "arrogante", "petulante", "tolo endurecido", o que alguns estudiosos veem aqui. Alguns falam sobre a total depravação do homem e veem todo o terror que já habita no coração de uma criança, escondendo-se ali pronto para manifestar-se. Portanto, devemos arrancar essa tolice do coração da criança. Mas isso já é exagero de um texto como o nosso. O autor não falava acerca de pequenos monstros, mas meramente sobre crianças travessas que saem do controle e nos testam a paciência a um grau exagerado, se não as disciplinarmos. Perderemos o sentido da questão, se quisermos fazer disso uma grande disputa teológica.

Está ligada. Como que por meio de cordas e correntes, pelo que é preciso esforço para rompê-las e libertar a criança. As crianças podem ter vontade de ferro, como qualquer pai ou mãe pode dizer-nos. São indivíduos completos, desde a tenra idade. São como cavalos selvagens, que precisam ser amansados.

Sinônimos. O castigo corporal é recomendado como método para manter crianças desobedientes na linha certa e evitar manifestações sérias de rebeldia, quando elas ficarem mais velhas. Ofereço ideias a respeito em Pv 13.24, pelo que não as repito aqui. Algumas crianças são depravadas desde a tenra infância, comportando-se como selvagens e monstros, mas esses casos são exceções. Ver também Pv 22.6.

■ 22.16

עֹשֵׁק דָּל לְהַרְבּוֹת לוֹ נֹתֵן לְעָשִׁיר אַךְ־לְמַחְסוֹר׃

O que oprime ao pobre para enriquecer a si... Aquele que oprime a outras pessoas encontra-se em um terreno frouxo, visto que a vontade divina está contra ele. Este versículo é difícil, o que as traduções ocultam; mas a maioria dos estudiosos vê aqui o sentido geral de "tanto oprimir os pobres quanto cortejar os ricos leva à pobreza" (Charles Fritsch, *in loc.*). Cf. os vss. 22,23 deste capítulo. É o Senhor quem defende a causa dos oprimidos.

Este versículo destaca o tema da exploração da personalidade. Emanuel Kant certamente estava com razão quando ensinou vigorosamente contra usarmos as pessoas como um meio, e não como um fim, ou seja, como maneiras de beneficiarmos o próprio "eu", e não aqueles que merecem ser beneficiados. "Portanto, age de modo a tratar da humanidade, quer em sua própria pessoa, quer qualquer outra pessoa, em cada caso, como um fim, e nunca apenas como um meio" (Kant, *Fundamental Principles of Metaphysics and Morals*, pág. 47). "Quando os seres humanos são explorados, uma afronta é cometida contra Deus, visto que ele os criou como fins, e não como objetos para serem usados" (Rolland W. Schloerb, *in loc.*).

Sinônimo. O explorador dos pobres é, igualmente, o homem que dá aos ricos, visando sempre o benefício próprio, porquanto, na realidade, não é um homem generoso. Ele só dá para obter de volta. Ele dá presentes e oferece subornos para obter o favor dos ricos. Ver Pv 15.27. O homem que explora os pobres, mas dá aos ricos, terminará na pobreza. O longo braço da retribuição de Deus achará esse homem, algum dia, em algum lugar. O vs. 23 apresenta o Senhor a tirar a vida desse homem e seus iguais. Ele pleiteia a causa do pobre; e faz justiça. Cf. Pv 21.13. O homem mau, neste caso, explora os pobres e tem dinheiro para dar aos ricos, a fim de gozar vantagens para si mesmo. É um indivíduo totalmente corrupto. Até mesmo sua aparente generosidade não passa de depravação.

PALAVRAS AOS SÁBIOS: PRIMEIRA COLETÂNEA (22.17—23.14)

Ver a introdução ao livro, sob a seção X, quanto ao esboço do conteúdo. Esta porção do livro é similar aos capítulos 1—9. O pupilo (ou filho espiritual) recebe o recado da parte do mestre (o pai espiritual). Foi empregada uma variedade de modos de apresentar as declarações, e não somente o método das duas linhas por provérbio, como se vê na seção anterior, os provérbios de Salomão (ver Pv 10.1—22.15).

Esboço da Seção:
1. Introdução (Pv 22.17-21)
2. Primeira Coletânea (Pv 22.22—23.14)
3. Segunda Coletânea (Pv 23.15—24.22)
4. Terceira Coletânea (Pv 24.23-34)

Pv 22.22—24.22 tem doze declarações bastante similares à antiga obra egípcia, *Instruções de Amen-em-Ope*. Quanto a essa questão, ver as notas no vs. 22 e também o gráfico que acompanha o texto.

Apresentação das Declarações. Diferentemente da seção de Pv 10.1—22.16, com provérbios de duas linhas cada, em que a primeira é seguida por uma segunda, contendo uma ideia sinônima ou antitética, nesta seção há certa variedade de apresentações:
1. Por cerca de vinte vezes, dois versículos são necessários para exprimir um pensamento completo. Exemplos: Pv 22.17,18, 20,21,24,25,26,27; 23.1-3; 23.4,5,6,7,10,11,14,15,17,18; 24.1,2,3,4,5,6,8,9,11,12,13,14,15,16,17-28; 19.20,21,22; 23-25; 30,31.
2. Sete provérbios são trios (três linhas dão o pensamento completo); 22.29; 23.5,29 (um duplo trio), 31; 24.14,27,31.
3. Duplas (declarações com duas linhas): Pv 22.24,28; 23.4,9,12; 24.7.

Muitas das declarações começam com um "Não", servindo de advertência; os exemplos são: Pv 22.22,24,26,28; 23.3,4,6,9,10,13, 17,20,22,23.

Presume-se que esta seção não tenha sido escrita por Salomão, mas por outros sábios, e provavelmente o que temos aqui é um compêndio compilado por um ou mais editores empregando o estoque das declarações de sabedoria. Ver no *Dicionário* o verbete chamado *Sabedoria*, seção III, *Literatura de Sabedoria*.

TRINTA DECLARAÇÕES DOS SÁBIOS (22.17—24.22)
INTRODUÇÃO (22.17-21)

A Chamada da Atenção. As palavras-chave da introdução às declarações de outros sábios que não Salomão são: 1. Inclina o ouvido (vs. 17). 2. Ouve (vs. 17); 3. Aplica o coração (vs. 17).

As razões para prestar atenção às palavras de sabedoria são dadas nos vss. 18-21: 1. É agradável memorizá-las (vs. 18). 2. São gemas para serem ditas pelos lábios (vs. 18). 3. Elas levam os homens a confiar no Senhor (vs. 19). 4. Professores especiais entregaram essas razões aos estudantes, a fim de que prosperassem nelas (vs. 19). 4. Essas razões foram reduzidas à forma escrita para facilitar o aprendizado (vs. 20). 5. Elas revelam o que é certo e verdadeiro (vs. 21). 6. Essas razões são verdadeiras respostas para os problemas que os estudantes tentavam resolver para outras pessoas (vs. 21). O vs. 20 diz-nos que trinta declarações se seguiriam.

■ 22.17

הַט אָזְנְךָ וּשְׁמַע דִּבְרֵי חֲכָמִים וְלִבְּךָ תָּשִׁית לְדַעְתִּי

Inclina o teu ouvido e ouve as palavras dos sábios. Considere o leitor estes três pontos:
1. O ouvido deve estar posicionado para ouvir as declarações e tirar proveito delas. Cf. Pv 4.1,20; 5.1 e 7.24. O aprendiz deve matricular-se na escola dos sábios. Uma vez ali, deve ser um estudante atento se tiver de realizar muita coisa na vereda da sabedoria. A primeira chamada diz-nos que o estudante deve esforçar-se. Nem tudo depende do professor.
2. Uma vez posicionados os ouvidos para ouvir, o estudante deve abri-los e receber as instruções. Ver o verbete chamado *Ouvir*, em Pv 4.20. Cf. Pv 1.8; 4.1,10,20; 45.1,7; 7.24; 8.32,33.
3. O que for ouvido deverá ser aplicado ao coração. Ver o artigo chamado *Coração*, em Pv 4.23. A fé de um homem tem de ser sentida no coração, e não somente aprendida pelo cérebro. Cf. Pv 2.2. Essa será uma fé com aplicação prática na vida.

A lei é o manual. Conforme se dá por todo o livro de Provérbios, esta seção se baseia na lei, que as declarações da sabedoria fomentam e interpretam. A lei é um guia (Dt 6.4 ss.) e transmite vida (ver Dt 4.1; 6.2; Ez 20.1). Ela torna uma nação (ou pessoa) distinta de outras nações ou pessoas (ver Dt 4.4-8).

■ 22.18

כִּי־נָעִים כִּי־תִשְׁמְרֵם בְּבִטְנֶךָ יִכֹּנוּ יַחְדָּו עַל־שְׂפָתֶיךָ׃

Porque é cousa agradável os guardares no teu coração. Existem razões para aprender as declarações de sabedoria que fomentam e interpretam a lei. Considere o leitor estes pontos:
1. É agradável memorizá-las (mantendo-as no interior), compreendendo, naturalmente, que serão postas em prática. O estudante muito haveria de divertir-se na escola do mestre. Não seria algo enfadonho. Diz aqui o hebraico original, literalmente, "em teu ventre", apontando para o "coração". As *Instruções de Amen-em-Ope* dizem algo similar:

> É coisa boa pô-los em teu coração
> — ai daqueles que os recusam —
> Que eles descansem no caixão de teu intestino,
> Para que sejam um limiar em teu coração.

Quanto aos paralelos das *Instruções de Amen-em-Ope* com Pv 22.22—24.11, ver as notas sobre o vs. 22 e o gráfico acompanhante que esclarece essa questão.

2. As declarações são gemas que devem ser ditas pelos lábios de todos quanto tiram proveito delas. Elas devem estar prontas para os teus lábios. Os estudantes, tendo-as aprendido na escola da sabedoria, ansiarão por sair e citá-las a outros, fazendo com que a sabedoria aumente na comunidade. As declarações livram a boca de pecar (ver Sl 141.3), mas também ensinam de modo positivo como as pessoas se devem conduzir, tocando sobre muitas questões, negativas e positivas.

■ 22.19

לִהְיוֹת בַּיהוָה מִבְטַחֶךָ הוֹדַעְתִּיךָ הַיּוֹם אַף־אָתָּה׃

Para que a tua atenção esteja no Senhor. Razões para que se continuem os estudos sagrados:
3. Aprender as declarações da sabedoria, que fomentam e interpretam a lei, ajuda os homens a confiar no Senhor, Yahweh, o Deus eterno. Quanto à *Confiança*, ver Sl 2.12, e, no *Dicionário*, ver o verbete intitulado *Fé*. O mestre estivera ativo, ensinando seus alunos, que lhe tinham dado especial atenção pessoal, para garantir o processo de aprendizado. Há certa urgência neste versículo que nos faz lembrar de trechos como Hb 3.13 e Is 55.1. Cada aluno é conhecido pelo mestre, sendo objeto de seus cuidados especiais.

Este versículo tem sido cristianizado para falar do grande Pastor e sua preocupação com cada ovelha, individualmente. "Hoje" é palavra que se refere ao contínuo dia de ensino, e não a um dia particular da semana: o dia da iluminação, o dia evangélico (que é aplicado à erudição cristã).

■ 22.20

הֲלֹא כָתַבְתִּי לְךָ שָׁלִישׁוֹם בְּמוֹעֵצֹת וָדָעַת׃

Porventura não te escrevi excelentes cousas. Continuam aqui as razões para fazer os estudos sagrados:
4. O estudo fora facilitado ao ser o texto reduzido à forma escrita. O processo não seria difícil; o estudante não ficaria confuso; ele tinha um manual fácil para estudar, pelo que deveria trabalhar e estudar. O que ele estudaria seria limitado a "trinta lições fáceis", ou seja, trinta declarações específicas de sabedoria. O estudante não seria avassalado pelo material do assunto. As *Instruções de Amen-em-Ope* foram escritas em "trinta capítulos", e o empréstimo do livro de Provérbios é óbvio. Ver o gráfico que acompanha as informações sobre os paralelos entre esta seção do livro de Provérbios e aquela obra egípcia. Ver as notas sobre o vs. 22.

Em lugar de trinta coisas, que se vê na *King James Version*, as versões portuguesas Atualizada e da Imprensa Bíblica Brasileira dizem excelentes cousas. Antes daquela descoberta da obra egípcia, os eruditos se admiravam diante do texto hebraico envolvido. O árabe diz "três maneiras", ou seja, o mestre tinha escrito de maneira abundante. Mas agora, com o paralelo, é claro o que está em pauta. Trinta declarações são aqui referidas.

■ 22.21

לְהוֹדִיעֲךָ קֹשְׁטְ אִמְרֵי אֱמֶת לְהָשִׁיב אֲמָרִים אֱמֶת לְשֹׁלְחֶיךָ: פ

Para mostrar-te a certeza das palavras da verdade. Prosseguem aqui as razões para continuarem os estudos sagrados:
5. As declarações da sabedoria revelam o que é certo, veraz e proveitoso para a vida. O mestre era bem treinado na lei. Ele só lembraria as declarações consonantes com o manual. Fazendo isso, o mestre seria um intérprete aprovado de Moisés, ou seja, o estudante não poderia errar em seu aprendizado. A lei foi inspirada por Deus, e as declarações da sabedoria, baseadas na lei, também são escritos inspirados.
6. O estudante se tornará um mestre. Ele ajudará outros com seus problemas e lhes transmitirá a sabedoria. Particularmente, ele tomará de volta as declarações sábias daqueles que o tinham enviado à escola. Porém, antes que fossem descobertas as *Instruções de Amen-em-Ope*, os intérpretes criam estar em foco os pais dos estudantes. Porém, naquela obra, parece estar em foco o mensageiro encarregado de levar de volta um relatório sobre o que estava acontecendo na escola. Naquela obra, temos:

> Conhecimento para responder àquele que fala,
> E como levar de volta um relatório
> Para aquele que o enviara.

O mensageiro traria de volta o seu relatório, e outros ouviriam as declarações da sabedoria, regozijando-se no progresso que o estudante seguia.

"O erudito deveria ser instruído não tendo em vista apenas o proveito próprio, mas também ser capaz de ensinar a outros (cf. 1Pe 2.15)" (Ellicott, *in loc.*).

> *O que de minha parte ouviste, através de muitas testemunhas, isso mesmo transmite a homens fiéis e também idôneos para instruir a outros.*
>
> 2Timóteo 2.2

PRIMEIRA COLETÂNEA DOS PROVÉRBIOS DOS SÁBIOS (22.22—23.14)

As Instruções de Amen-em-Ope. Formavam um antigo livro egípcio de instruções morais. O livro tem trinta capítulos, e suas declarações são muito mais longas do que se vê no livro de Provérbios. Esse livro pode datar de qualquer época entre os séculos X e VI a.C. Pv 22.18—24.11 tem catorze declarações ou mais que são paralelas, e quase certamente foram tomadas por empréstimo. Ver o gráfico que acompanha este texto, como ilustração. Na introdução, em Pv 22.17-21, vimos três paralelos. Consulte o leitor a Introdução ao livro, IX.B, Relação entre Provérbios e a Sabedoria de Amen-em-ope (também chamado de as *Instruções*). Alguns estudiosos supõem que o empréstimo foi feito pela obra egípcia do livro de Provérbios, ou que um fundo comum de declarações de sabedoria serviu de base para esses textos. Oesterley encontrou nada menos do que 23 das trinta declarações na seção à nossa frente, que dependem daquela obra. Mas outros estudiosos encontram menos dependências.

O capítulo 30 do livro de Provérbios, que contém os provérbios de Agur, apresenta outro empréstimo, a saber, de um sábio árabe. Portanto, temos um empréstimo egípcio e outro árabe. Nenhuma sã teoria da inspiração das Escrituras pode condenar esses empréstimos. Nem tudo precisou cair diretamente do céu para entrar na Bíblia. Quanto a maiores informações, incluindo o problema da inspiração das Escrituras, no que tange a empréstimos literários, ver o gráfico.

Os vss. 22,23 formam uma unidade. O vs. 23 explica por que os atos referidos no vs. 22 não devem ser praticados. Existem cerca de vinte instâncias na seção à nossa frente que requerem dois versículos para transmitir uma declaração completa.

Primeira Declaração

■ 22.22

אַל־תִּגְזָל־דָּל כִּי דַל־הוּא וְאַל־תְּדַכֵּא עָנִי בַשָּׁעַר:

Não roubes ao pobre, porque é pobre. Roubar os pobres é cometer um ato ousado. Isso pode ser feito por meio da fraude ou pelo roubo direto. O significado é que não nos devemos aproveitar dos pobres, que usualmente são impotentes para defender-se. Ver isso em Pv 14.31. O termo hebraico *dal* pode significar pobre, débil, fraco, impotente. Quanto aos aflitos, ver Pv 14.21 e 22.4. Os pobres e aqueles que padecem necessidades de qualquer espécie são presa fácil para pessoas inescrupulosas que podem obter deles o pouco que possuem por meio de ameaças, casos de tribunal, suborno, acusações falsas e até violência.

Em juízo. A porta da cidade era o lugar onde se buscava e se fazia justiça, onde casos fraudulentos eram julgados perante a lei, além de ser, igualmente, o lugar onde se comerciava e onde negócios tortuosos eram perpetrados. Os pobres seriam os perdedores em todas essas transações desonestas.

■ 22.23

כִּי־יְהוָה יָרִיב רִיבָם וְקָבַע אֶת־קֹבְעֵיהֶם נָפֶשׁ:

Porque o Senhor defenderá a causa deles. O vs. 23 completa o provérbio dos vss. 22,23, ou seja, ameaçar a todos quantos quisessem abusar dos pobres. Yahweh (o Senhor, o Deus eterno) defenderá a causa deles. Eles perderiam em juízo, na porta da cidade, mas ganhariam quando seus inimigos fossem julgados, e eles fossem recompensados. Os pobres eram despojados de seus bens, mas aqueles que os oprimiam seriam despojados de sua vida, ou seja, após enfrentar desastres, a vida deles seria abreviada. Morreriam miseravelmente, de morte prematura e/ou violenta. O vs. 23 não tem paralelo nas *Instruções de Amen-em-Ope*, mas o vs. 22 tem. O vs. 23 é uma observação dos hebreus quanto à situação, com paralelo em Pv 22.16. Ver também Pv 21.13.

O Paralelo. A primeira declaração (vs. 22) tem paralelo nas *Instruções de Amen-em-Ope*, no segundo capítulo, e em Pv 4.4,5.

> Cuida de não furtares os pobres,
> ou de seres valoroso contra os aflitos.

■ 22.24

אַל־תִּתְרַע אֶת־בַּעַל אָף וְאֶת־אִישׁ חֵמוֹת לֹא תָבוֹא:

Não te associes com o iracundo. Este é um provérbio de dois versículos, em que a unidade são os vss. 24,25. Aqui (vs. 24) temos um provérbio de duas linhas, com a primeira comentada pela segunda linha sinônima. A seção de Pv 22.17—24.34 tem certa variedade de tipos de provérbios que comento na introdução à seção, sob o título de *Apresentação das Declarações*. Alguns poucos provérbios são duplos; outros são trios; cerca de vinte deles são provérbios de dois versículos; e alguns são provérbios de quatro linhas. O homem iracundo (primeira linha) é um perturbador furioso (segunda linha).

É melhor deixar sozinho um homem irado. Tal homem estará sempre despertando contendas, e todos nós já enfrentamos dificuldades o bastante. O vs. 24 é paralelo a Pv 15.18.

Segunda Declaração

O vs. 24 é similar ao trecho de *Instruções de Amen-em-Ope*, capítulo 9, e Pv 11.13,14.

> *Não te associes ao homem apaixonado,
> nem te aproximes dele para conversação.*

■ 22.25

פֶּן־תֶּאֱלַף אֹרְחֹתָו וְלָקַחְתָּ מוֹקֵשׁ לְנַפְשֶׁךָ:

Para que não aprendas as suas veredas. Este é um comentário dos hebreus sobre a declaração do vs. 24. Aquele que se associa ao homem colérico acabará aprendendo os seus caminhos e passará a imitá-los. "Aprender", neste caso, é tradução baseada em uma rara palavra hebraica, *'alaph*, "aprender por associação". É encontrada somente aqui e por três vezes no livro de Jó, em todo o Antigo Testamento. Cf. este comentário com Pv 14.17,29; 15.18; 29.6,22, que descreve vários tipos de pecados nos quais um homem selvagem costuma cair.

> É melhor viver sozinho do que mal acompanhado.
> Provérbio do século XV

■ **22.26**

אַל־תְּהִי בְתֹקְעֵי־כָף בַּעֹרְבִים מַשָּׁאוֹת׃

Não estejas entre os que se comprometem. O vs. 26 é duplo, ou seja, uma declaração em duas linhas. O autor era contrário a alguém tornar-se fiador, um tema muito repetido no livro de Provérbios.

Ficam por fiadores de dívidas. Por trás dessa tradução portuguesa há uma expressão hebraica, "bater as mãos", que era acompanhada por gestos como o nosso apertar as mãos moderno. Ver Pv 6.1 quanto a isso. O homem teve misericórdia de um amigo em dívida e fez uma barganha em três direções, comprometendo-se com o seu dinheiro. O credor, sendo homem de coração endurecido, era a terceira parte nesse acordo dúbio. O livro de Provérbios apresenta uma visão pragmática, e não um ponto de vista cristão e generoso sobre a questão. Quanto a fiadores, ver Pv 6.1; 11.15; 17.18; 20.10; 22.26,27 e 27.13. Ver no *Dicionário* o artigo chamado *Fiança, Fiador*. Quanto à cristianização do conceito, ver *Fiador, Jesus como*.

Sinônimo. O fiador toma a responsabilidade pelas dívidas de outrem e, quase certamente, termina tendo de pagá-las. Aquele que assinasse a fiança teria de pagar a dívida que não fosse paga pelo que pedira o dinheiro emprestado, embora nada tivesse a ver com a criação da dívida, pela qual se tornara o fiador. Essas dívidas, literalmente falando, eram cargas que o homem extremamente generoso acabaria tendo de carregar, para sua tristeza.

Terceira Declaração
O vs. 26 constitui a terceira declaração paralela às *Instruções de Amen-em-Ope*, capítulo 9, e Pv 13.8,9. Ver a introdução ao vs. 22 quanto àquela antiga obra egípcia, onde também dou outras referências. Ver o gráfico acompanhante, que ilustra os paralelos.

■ **22.27**

אִם־אֵין־לְךָ לְשַׁלֵּם לָמָּה יִקַּח מִשְׁכָּבְךָ מִתַּחְתֶּיךָ׃

Pois se não tens com que pagar... Este versículo é um comentário dos hebreus sobre a declaração do vs. 26. O pobre fiador, que assumira as dívidas de outrem, em sua má barganha, podia perder até mesmo a cama em que dormia. Antes disso, perderia praticamente tudo o que possuía. O autor não favorecia a generosidade em tais casos. Ver no *Dicionário* o verbete intitulado *Liberalidade, Generosidade*, quanto à ideia oposta. O fiador potencial deveria ser sábio o bastante para prever o desastre em que se estava envolvendo, mediante a participação impensada no acordo de empréstimo feito. A lei proibia que se tomasse o leito de um homem (ver Êx 22.26,27), mas nas negociações comerciais os homens com frequência ignoravam a lei, conforme continuam fazendo até hoje. Mas as cobertas e os demais tecidos da cama podiam ser tomados! (ver 2Rs 4.1; Mt 8.25). Um homem bom podia acabar nu e destituído, se permitisse que a sua generosidade fugisse de seu controle.

■ **22.28**

אַל־תַּסֵּג גְּבוּל עוֹלָם אֲשֶׁר עָשׂוּ אֲבוֹתֶיךָ׃

Não removas os marcos antigos. Temos aqui uma simples declaração dupla, sem um segundo versículo que explique o primeiro. Os provérbios de duas linhas são comuns a esta seção (ver Pv 10.1—22.16). Neste caso, porém, a primeira linha é seguida por uma segunda, sinônima. Por seis vezes, a Bíblia proíbe que se mudem as pedras que marcavam os limites das propriedades. Ver Dt 19.14; 27.17; Jó 24.2; Pv 22.28; 23.10; Os 5.10. As terras familiares dependiam da permanência desses limites, e cada família israelita era proprietária de terras. Isso fazia parte do conceito de justiça e equidade entre os hebreus e da justa ordem social. Um agricultor, entretanto, facilmente podia ampliar as dimensões de seu terreno removendo as pedras que marcavam os limites. Essa era uma forma de furto que violava o oitavo mandamento (ver Êx 20.15).

Sinônimo. Os antepassados respeitados eram os que tinham estabelecido os limites dos terrenos pertencentes às famílias, e mexer com a justiça antiga, mediante uma perversão moderna, era, realmente, um pecado sério. Os próprios pagãos tinham leis similares (Ovídio, *Fast.* livro 1, vs. 50). Era sentido que os deuses requeriam e garantiam a preservação das linhas que determinavam os limites.

Quarta Declaração
Este provérbio tem paralelo nas *Instruções de Amen-em-Ope*, no capítulo 30, e em Pv 27.16,17. Ver as notas de introdução em Pv 22.22 quanto a maiores informações.

■ **22.29**

חָזִיתָ אִישׁ מָהִיר בִּמְלַאכְתּוֹ לִפְנֵי־מְלָכִים יִתְיַצָּב
בַּל־יִתְיַצֵּב לִפְנֵי חֲשֻׁכִּים׃ פ

Vês a um homem perito na sua obra? Este provérbio é um trio. Existem sete provérbios que são trios: Pv 22.29; 23.5,29,31 e 24.14,27,31. O homem diligente é notado; ele comparecerá à presença de reis, obtendo favor dos monarcas através de suas habilidades; não será encontrado na companhia de inferiores, homens obscuros e menos diligentes. O homem diligente é dotado de habilidade literária. Essa habilidade é útil ao rei e fará do diligente uma figura real, palaciana. O termo hebraico correspondente é *mahir*, também empregado em Sl 45.1. "Todo homem ativo e diligente se tornará, ao mesmo tempo, independente e respeitável" (Adam Clarke, *in loc.*).

Este versículo tem sido espiritualizado e cristianizado para referir-se à permanência na presença do Rei dos reis, tornando-se assim um dos seus ministros eternos. Consideremos os exemplos de José no Egito, de Neemias após a volta do cativeiro, e de Daniel durante o cativeiro. Todos esses se elevaram a posições de autoridade diante dos reis, por terem sido homens diligentes e extremamente habilidosos. Ver Gn 39.3-6; 41.42; Ne 1.11; 2.1; Dn 6.1-3; 7.27.

Quinta Declaração
Este provérbio tem paralelo nas *Instruções de Amen-em-Ope*, no capítulo 30, e em Pv 27.16,17. Ver o comentário sobre a introdução ao vs. 22, bem como o gráfico ilustrativo acompanhante. Essa obra estampa:

> Um escriba habilidoso em seu negócio,
> Que se tornou digno de ser um cortesão.

CAPÍTULO VINTE E TRÊS

Não há nenhuma interrupção entre os capítulos 22 e 23. Ver a introdução detalhada a esta seção em Pv 22.17. Ali começa a primeira coletânea das declarações dos sábios. A seção geral é Pv 22.1—24.34. A primeira coletânea fica em Pv 22.17—23.14; a segunda fica em Pv 23.15-24.22; e a terceira em Pv 24.23-34.

■ **23.1**

כִּי־תֵשֵׁב לִלְחוֹם אֶת־מוֹשֵׁל בִּין תָּבִין אֶת־אֲשֶׁר לְפָנֶיךָ׃

Quando te assentares a comer com um governador. Os vss. 1-3 dizem respeito às boas maneiras à mesa. Esses versículos constituem uma instrução paralela às *Instruções de Amen-em-Ope*. Ver Pv 22.22 quanto a informações a respeito.

Sexta Declaração
Os vss. 1-3 têm paralelo nas *Instruções de Amen-em-Ope*, no capítulo 23, e Pv 23.13-18. Nessas *Instruções*, lemos como segue:

> Não comas pão na presença de um dirigente,
> E não te inclines para a frente (?) com tua boca,
> perante um governador (?)

Quanto estiveres satisfeito com aquilo
a que não tens direito.

É apenas um deleite para tua saliva.
Olha para o prato na tua presença,
E que somente ele supra a tua necessidade.

O indivíduo que for convidado a comer com um governador deve mostrar-se humilde e comedido. Deve tomar consciência do ambiente, observando as maneiras das outras pessoas à mesa e imitando aqueles que fazem as coisas corretamente. Também deve dar-se conta de que seu hospedeiro é um governante, pelo que é seu superior e não pode ser ofendido. "O convidado deve evitar a conduta de um palhaço, mostrando-se um homem bem educado" (Adam Clarke, *in loc.*). "Não comas avidamente, nem como um leão, conforme fazes em tua casa" (Fausset, *in loc.*). Não olhes para todos os bons alimentos com ganância, come de alguns deles, mas não de outros, mostrando-te conservador.

■ 23.2

וְשַׂמְתָּ שַׂכִּין בְּלֹעֶךָ אִם־בַּעַל נֶפֶשׁ אָתָּה׃

Mete uma faca à tua garganta. Se o governante que te convidou tiver teus iguais no banquete, e eles estiverem agindo como um bando de glutões e beberrões, antes de começares a imitar o grupo, mete uma faca à tua garganta. Não te compete, como inferior, agir como se fosses um insensato. Portanto, mantém sob controle os teus apetites, a fim de deixares boa impressão sobre o homem que tem poder sobre a tua vida. O Targum fala acerca do "mestre da própria alma", o autocontrole e a moderação em todas as coisas. Ver sobre *Glutonaria* no vs. 21 deste mesmo capítulo e também em Pv 28.7.

Seja a vossa moderação conhecida de todos os homens.
Filipenses 4.5

■ 23.3

אַל־תִּתְאָו לְמַטְעַמּוֹתָיו וְהוּא לֶחֶם כְּזָבִים׃

Não cobices os seus delicados manjares. O governador terá todas as variedades de manjares gostosos, tanto domésticos quanto importados, os quais talvez não estejas acostumado a contemplar, quanto menos a comer. Se enches deles o teu estômago, com óbvio deleite, como se foras um glutão que não comia fazia uma semana, essas deliciosas porções poderão transformar-se em carne envenenada para ti. Não serás convidado novamente e perderás o favor que tinhas ganho, já que não controlaste o teu apetite. Tua oportunidade de deixar uma boa impressão e obteres o favor de um superior, o qual, em alguma data futura, poderia fazer-te o bem, terá sido perdida. Outra ideia tem sido vinculada a este versículo: Talvez o homem que fez o convite tenha motivos diferentes. Talvez ele esteja "preparando" para cometer algum dano e esteja usando aquele banquete suntuoso para apanhar-te fora de guarda. Cf. os vss. 1-3 a Eclesiástico 31.12-18, que diz algo similar e trata das maneiras apropriadas à mesa. Por conseguinte, é óbvio que as declarações da sabedoria incluíam questões assim práticas, e não apenas questões importantes da lei.

■ 23.4

אַל־תִּיגַע לְהַעֲשִׁיר מִבִּינָתְךָ חֲדָל׃

Não te fatigues para seres rico. Os vss. 4,5 formam uma unidade, sendo um provérbio de dois versículos. O vs. 4 tem um sinônimo duplo, ao passo que o vs. 5 expõe a primeira ideia.

Sétima Declaração
Os vss. 4-5 têm um paralelo nas *Instruções de Amen-em-Ope*, no capítulo sete, e em Pv 9.14-10-5. Ver as notas de introdução ao vs. 22 quanto a explicações sobre esses paralelos, e ver o gráfico acompanhante. Naquela obra egípcia encontramos estas palavras:

Não labutes pelas riquezas quando
tens o bastante para as tuas necessidades.
...

Eles fizeram para si mesmos asas como de ganso,
e alçaram voo para os céus.

Este versículo é semelhante a Pv 10.2. O desejo de enriquecer é verdadeiramente grande. Para conseguir isso, alguns se viciam no trabalho, dedicando todo o tempo e energia a ganhar dinheiro. Outros enveredam por um atalho e perpetram negócios desonestos, subornam e usam de métodos desviados e desonestos. Tais homens, no esforço por enriquecer, negligenciam as questões mais importantes da lei e com frequência contradizem esses princípios com uma conduta selvática, em sua loucura por dinheiro. "Esses versículos advertem contra o trabalho exagerado feito a fim de ganhar dinheiro" (Sid S. Buzzell, *in loc.*).

Sinônimo. O homem que foi iludido pela filosofia da "obtenção de dinheiro" dirige mal a sua sabedoria. Ele tem uma sabedoria de insensato, que só pode levá-lo a um fim adverso. Ele esqueceu a verdadeira sabedoria da lei e busca primeiramente as riquezas terrenas, talvez esperando que valores mais altos lhe sejam acrescentados, por meio de algum milagre. Ele deve "ser sábio o bastante para desistir de sua loucura de fazer dinheiro", conforme alguns entendem esta segunda linha. As versões da Septuaginta e árabe exortam-nos: "cessai de vossa própria sabedoria" (que visa reunir mais e mais riquezas).

■ 23.5

הֲתָעוּף עֵינֶיךָ בּוֹ וְאֵינֶנּוּ כִּי עָשֹׂה יַעֲשֶׂה־לּוֹ כְנָפַיִם
כְּנֶשֶׁר וְעָיֵף הַשָּׁמָיִם׃ פ

Porventura fitarás os teus olhos naquilo que não é nada? Encontramos aqui um trio. Um homem nada mais faz senão trabalhar, e o dinheiro é o seu alvo. Subitamente, porém, todo o fruto de seu labor desaparece como se fosse uma águia a voar, conforme diz o livro de Provérbios, em lugar do ganso referido nas *Instruções de Amen-em-Ope*. As riquezas foram ganhas mediante enorme esforço, mas se trata de um esforço baldado. Esse trabalho simplesmente desaparece. Ver no *Dicionário* o verbete chamado *Materialismo*. Essa é uma sacola cheia de vermes. A águia voa e fica fora de nosso alcance. Existem fatores que controlam as coisas, mas que o homem não pode trocar. O homem que não busca, em primeiro lugar, o reino de Deus, também descobre que essas outras coisas não lhe serão adicionadas de forma permanente (ver Mt 6.33). "A águia voa por mais tempo, cobrindo as maiores distâncias, e as riquezas imitam isso" (Fausset, *in loc.*).

■ 23.6,7

אַל־תִּלְחַם אֶת־לֶחֶם רַע עָיִן וְאַל־תִּתְאָו לְמַטְעַמֹּתָיו׃
כִּי כְּמוֹ־שָׁעַר בְּנַפְשׁוֹ כֶּן־הוּא אֱכֹל וּשְׁתֵה יֹאמַר לָךְ
וְלִבּוֹ בַּל־עִמָּךְ׃

Não comas o pão do invejoso. Estes versículos formam outra declaração em dois versículos, mas agem como unidade. Existem cerca de vinte desses pares no livro de Provérbios. Ver as notas de introdução, no vs. 17, sob *Apresentação das Declarações*.

Oitava Declaração
Os vss. 6,7 são paralelos das *Instruções de Amen-em-Ope*, capítulo 11, e também Pv 14.5-10. Ver a introdução ao vs. 22 sobre essa obra e seu paralelo no livro de Provérbios. Ver o gráfico acompanhante como ilustração.

A obra egípcia diz como segue:

Não cobices os bens de um dependente,
E não tenhas fome de seu pão.
...

Quando falhares diante de teu chefe,
e ficares embaraçado com suas declarações,
tuas lisonjas serão respondidas por maldições,
e tuas reverências por espancamentos.
Engoles um bocado grande demais, e
deves vomitar tudo de novo.
Dessa maneira, serás esvaziado de teus bens.

É melhor não comer o pão de um homem parcimonioso. Pois ele "cobrará" de ti de alguma maneira. Conforme diz literalmente o hebraico, ele tem um olho mau. Assim, ele se lamentará pelo que tomaste dele e descobrirá uma maneira de adquirir de volta o que pensa que tomaste dele. E te fará algum dano, de qualquer maneira que puder. Cf. Pv 28.22. Para ele, tu és um ladrão. Ele não considera que a hospitalidade tenha algum valor. Tudo é pura perda para ele.

"Os vss. 1-3 advertem contra comer ganaciosamente no banquete do governador. Os vss. 6-8 advertem contra comer o alimento servido por algum homem pão-duro" (Sid S. Buzzell, *in loc.*). Em contraste, o homem bom tem um bom olho (ver Pv 22.9). Ver Pv 28.22 quanto a outras ideias sobre o "olho mau".

O vs. 7 deste capítulo esclarece as implicações do vs. 6. Esse homem ganancioso diz: "Come e bebe muito", mas o seu coração está gritando contra ti, porquanto ele se ressente de estares ali a comer as suas "riquezas". Para ele, tu és um explorador, tirando vantagem de "sua boa vontade", como se ele tivesse alguma. Esse homem está "contando as suas perdas", mas fazendo o papel de um homem generoso. Portanto, é um hipócrita. É melhor guardar distância desse tipo de pessoa e certamente jamais aceitar um convite que ele possa fazer em um momento de fraqueza ou em um momento temporário de disposição para gastar, o que não é típico dele.

23.8

פִּתְּךָ־אָכַלְתָּ תְקִיאֶנָּה וְשִׁחַתָּ דְּבָרֶיךָ הַנְּעִימִים׃

Vomitarás o bocado que comeste. Este versículo participa do paralelo dado acima, semelhante à obra literária egípcia, no seu capítulo 11, e em Pv 14.17,18. Podemos considerar participar da oitava declaração, ou formar uma nona. Talvez somente os vss. 6 e 8 sejam realmente paralelos, enquanto o vs. 7 é uma expansão hebraica, posta entre esses versículos.

Se fores tão insensato a ponto de aceitar o convite de jantar da parte de um homem parcimonioso, então os acepipes que tiveres comido serão vomitados. Em outras palavras, em algum tempo, aquele homem do olho mau requererá que lhe pagues de volta o que ele te ofereceu em sua "generosidade" hipócrita. Tu ficarás enojado por esse tipo de generosidade e sentirás vontade de vomitar. E ficarás triste por haveres aceitado o convite daquele homem.

Sinônimo. De todas as coisas boas que tu disseste durante o jantar, nenhuma delas terá sido dita em vão. Tu terás dilapidado tuas palavras agradáveis. A conversa durante o jantar foi boa, mas não foi boa, afinal. Tu louvaste o homem por sua generosidade, mas tudo não passava de uma farsa.

23.9

בְּאָזְנֵי כְסִיל אַל־תְּדַבֵּר כִּי־יָבוּז לְשֵׂכֶל מִלֶּיךָ׃

Não fales aos ouvidos do insensato. Encontramos aqui um duplo simples de duas linhas, o que é comum e característico da seção de Pv 10.1-22.17, mas não no caso à nossa frente (ver Pv 22.17—24.34).

Nona Declaração

O autor prosseguiu com suas trinta declarações, em imitação aos trinta capítulos da obra egípcia *Instruções de Amen-em-Ope*. Aqui, os paralelos do capítulo 21 são Pv 22.11,12. Ver as notas expositivas sobre Pv 22.22 quanto a explicações, e o gráfico acompanhante quanto a detalhes. Diz o paralelo egípcio:

Não esvazies tua alma interior diante de todos,
nem estragues (dessa maneira) a tua influência.

A tentativa de ensinar um insensato é uma tarefa impotente e sem agradecimentos. Ele não aprende porque não quer fazê-lo. Tal pessoa não tem respeito pela lei de Moisés, com seus mais de seiscentos mandamentos para não fazer isto ou fazer aquilo. Tal pessoa não está atrás da sabedoria. Ela tem seu próprio manual, baseado no interesse próprio, e não na espiritualidade.

Insensato. Esta palavra é tradução do termo hebraico *kesil*, que significa uma pessoa embotada, de cabeça dura, teimosa, não inclinada a ouvir a ninguém.

Sinônimo. Visto que estás te intrometendo em seu negócio desonesto e condenando o seu estilo de vida mediante as tuas instruções, esse homem não te ouvirá meramente, mas também desprezará a tua sabedoria baseada na lei. Esse é um exemplo veterotestamentário de lançar pérolas aos porcos (ver Mt 7.6). Cf. este provérbio com Pv 9.8. O homem bom, em contraste, haverá de amar-te, juntamente com o que disseres, porquanto tu o ajudarás a melhorar a sua conduta.

23.10,11

אַל־תַּסֵּג גְּבוּל עוֹלָם וּבִשְׂדֵי יְתוֹמִים אַל־תָּבֹא׃

כִּי־גֹאֲלָם חָזָק הוּא־יָרִיב אֶת־רִיבָם אִתָּךְ׃

Não removas os marcos antigos. Encontramos aqui outro provérbio de dois versículos. Há cerca de vinte deles na seção à nossa frente. Ver as notas expositivas no vs. 17, sob *Apresentação das Declarações*.

Décima Declaração

Temos aqui um paralelo das *Instruções de Amen-em-Ope*, em seu capítulo 6, e em Pv 7.12-15.

Os limites são sagrados e não podiam ser modificados com impunidade. Representavam a provisão da lei em favor de todo o Israel. Em Israel não havia famílias destituídas de terreno, e os limites garantiam a preservação das terras familiares. Ver Pv 22.28, onde encontramos declaração similar e onde ofereço a exposição sobre o assunto.

Sinônimo. A segunda linha do vs. 10 reforça o mandamento contido na primeira linha, e o vs. 11 reforça a ambas. O *goel*, ou seja, o vingador (redentor) sairia atrás do culpado se este tentasse fraudar as terras de uma família. Ver no *Dicionário* o artigo chamado *Goel (Remidor)*. Algum tipo de vingança seria tomado.

Note o leitor que os vss. 10b,11 são paralelos de Pv 22.22,23. O homem que fraudasse a questão das terras de uma família injuriava viúvas e órfãos, que dependiam das terras para viver (a segunda linha do vs. 10). Portanto o defensor (o *goel*) viria com ira e executaria aqueles homens indignos (vs. 11). Yahweh preocupava-se com filhos sem pais (ver Dt 10.18; Sl 10.14,17,18; 68.5; 82.3 e 146.9). Portanto, o fraudador de terras enfrentaria a ira divina. Alguns estudiosos fazem a palavra "Vingador" (Redentor) ser grafada com inicial maiúscula, conforme faz a nossa versão portuguesa, para dar a entender que esse Vingador é Deus. Isso promete a retribuição divina, mas outras traduções preferem ficar com a ideia do goel humano. "O Poderoso Libertador (Êx 6.6) se vingará dos erros cometidos" (Ellicott, *in loc.*).

"Nada fiques com o que pertence a um órfão. A mais pesada maldição divina cairá sobre aquele que fizer isso... pois, não tendo eles nenhum parente, Deus tomará a causa deles e os vindicará" (Adam Clarke, *in loc.*). Cf. Jr 39.10.

INTRODUÇÃO ÀS DECLARAÇÕES DE PV 23.12-30

23.12

הָבִיאָה לַמּוּסָר לִבֶּךָ וְאָזְנֶךָ לְאִמְרֵי־דָעַת׃

Pv 22.17-21 introduz a seção de Pv 22.18—23.11. Agora temos outra declaração introdutória. Mas alguns eruditos veem uma segunda coletânea de declarações, a partir de Pv 23.15—24.22, e essa é uma ideia diferente quanto a arranjos.

Seja como for, o vs. 12 é similar a Pv 22.17. As notas dadas ali aplicam-se aqui, igualmente. O vs. 12 é duplo, ou seja, uma declaração em duas linhas. Ver Pv 22.17 quanto aos vários tipos de declarações na seção de Pv 22.17—24.22.

Aplica o teu coração. Ver Pv 23.17b quanto à mesma declaração, bem como os comentários sobre aquele versículo, que tenta encorajar o estudante a ser diligente em seus estudos. O seu manual é a lei, e o homem de sabedoria faz disso sua razão de viver. Assim sendo, obtém uma vida longa e próspera e muitas recompensas ao longo do caminho. Quanto a instruções, ver Pv 1.2.

Sinônimo. O ouvido deve ser inclinado (ver Pv 22.17) ou aplicado (o que fica implícito em 23.12). Ver sobre *Ouvir* (Pv 4.20) e *Coração* (4.23). Todos esses termos ordenam diligência e singeleza de coração, entusiasmo pela lei e seus ensinos, conforme são fomentados pelas declarações da sabedoria. O homem que é um entusiasta da lei obtém a sabedoria, e a sabedoria, por sua vez, transmite vida (ver Pv 4.13).

Este versículo tem sido cristianizado para falar do conhecimento que a missão de Cristo nos trouxe, bem como de Cristo como nossa sabedoria (ver 1Co 1.30).

23.13,14

אַל־תִּמְנַע מִנַּעַר מוּסָר כִּי־תַכֶּנּוּ בַשֵּׁבֶט לֹא יָמוּת׃

אַתָּה בַּשֵּׁבֶט תַּכֶּנּוּ וְנַפְשׁוֹ מִשְּׁאוֹל תַּצִּיל׃

Não retires da criança a disciplina. Encontramos aqui outro provérbio de dois versículos que trata da criação e da disciplina das crianças. Quanto à nota de sumário sobre essa questão, ver Pv 13.24, com ideias adicionais em Pv 22.15. Um bom ensino e um bom treinamento, segundo se supunha, obtêm sucesso: crianças sábias seguiam pais sábios, pois a sabedoria é derivada da lei de Moisés, fomentada pelas declarações da sabedoria. Ver os tipos de provérbios na seção de Pv 22.17-24; e ver em Pv 22.17 a seção intitulada *Apresentação das Declarações*.

Décima Primeira Declaração

Temos aqui a décima primeira dentre trinta declarações (Pv 22.20). Não há paralelo com as *Instruções de Amen-em-Ope* (ver as notas em Pv 22.27). Ambos os versículos encorajam que se aplique a punição corpórea como elemento de um bom treinamento e disciplina. A linha sinônima do vs. 13 assegura-nos que a disciplina física de uma criança não a mata, mas isso, por certo, foi dito com certo toque de humor. O autor sacro encorajava os leitores a ser moderados para poupar a vida da criança. Sabe-se de casos de espancamentos que levaram crianças à morte; mas nenhum homem sábio se deixaria envolver nisso. De fato, existem melhores maneiras de disciplinar uma criança do que as surras, e bons pais as aplicarão com tanta eficácia como é o caso da vara da disciplina.

O vs. 14 reforça o vs. 13, e a vara, ao ser usada (primeira linha), pode livrar uma criança da morte (segunda linha), longe de levá-la à morte. A palavra *sheol* é usada. Sabemos que somente na doutrina posterior dos hebreus o sheol tornou-se um lugar de punição para a alma imaterial e imortal (ver Dn 12.2), não havendo razão alguma para vincular esse significado à declaração deste versículo. O autor sagrado referia-se tão somente à morte física. Um filho insensato estará cortejando a morte prematura e/ou violenta, que é a advertência contida na segunda linha, sinônima.

O *sheol* (ver no *Dicionário* sobre esse nome e sobre *Hades*) foi visto por diferentes ângulos através dos séculos. A doutrina do sheol teve seu desenvolvimento. Traço esse crescimento no artigo do *Dicionário* chamado *Hades*, bem como em Pv 5.5, pelo que não repito essa informação aqui.

Este versículo tem sido cristianizado para falar sobre a punição para além-túmulo, mas tal conceito sem dúvida é anacrônico aqui. Fausset (*in loc.*) encoraja os pais a orar enquanto fustigam os filhos com a vara, para se manterem moderados, mas essa ideia é por demais ridícula para ser comentada aqui. Seria mais aconselhável orar para encontrar outras maneiras de disciplinar, que se mostrassem tão eficazes quanto o castigo físico.

SEGUNDA COLETÂNEA DOS PROVÉRBIOS PARA OS SÁBIOS (23.15—24.22)

A primeira coletânea é constituída pelo trecho de Pv 22.17—23.14. Ver a introdução à seção geral em Pv 22.17. Já vimos onze dos trinta provérbios. Quanto a esse número, ver Pv 22.20.

23.15,16

בְּנִי אִם־חָכַם לִבֶּךָ יִשְׂמַח לִבִּי גַם־אָנִי׃

וְתַעְלֹזְנָה כִלְיוֹתָי בְּדַבֵּר שְׂפָתֶיךָ מֵישָׁרִים׃

Filho meu, se o teu coração for sábio... Estes dois versículos constituem um par e chamam a atenção dos leitores com um provérbio.

Décima Segunda Declaração

Não há nenhum paralelo entre estes dois versículos e as *Instruções de Amen-em-Ope*. Ver as notas no vs. 22.17, quanto a informações sobre essa obra literária egípcia.

Filho meu. Estas palavras que iniciam a seção à nossa frente aparecem por diversas vezes. Ver sobre elas em Pv 1.8. Algumas vezes, um pai e um filho literal estão em vista, mas nesta seção devemos pensar no mestre (o pai espiritual) e no estudante (o filho espiritual). Ver sobre a expressão *meu filho*, nos vss. 15,19; 24.13,21. O filho deve obter uma fé sentida no coração, mediante o estudo da lei. Ver sobre *Coração*, em Pv 4.23. A fé não podia ser meramente cerimonial ou ritualista. No vs. 26 o pai diz: "Dá-me, filho meu, o teu coração". Dedicação e afeição estão envolvidas. O filho deve seguir os conselhos de seu pai, se tiver de obter a sabedoria. Ver no *Dicionário* o artigo chamado *Sabedoria*. O coração do estudante tinha de ganhar sabedoria, pois, do contrário, ele teria dilapidado o seu tempo na escola do mestre.

Sinônimo. O coração do mestre se encheria de alegria se o coração do estudante obtivesse sabedoria. Quanto a um filho sábio que faz o coração de seu pai alegrar-se, ver também Pv 10.1; 15.20; 23.24; 27.11 e 29.3. Ver no *Dicionário* o artigo chamado *Alegria*. Cf. este versículo com 1Ts 2.19,20; 2Jo 4 e 3Jo 4. A sabedoria é justificada por seus filhos (ver Lc 15.5,6; Mt 11.10. Cf. Lc 15.7,10,23,24).

Exultará o meu íntimo. Literalmente, no hebraico, temos aqui uma menção aos rins. Os antigos pensavam que os rins eram a sede dos afetos, e assim, metaforicamente, a palavra *coração* pode ser usada nas traduções. Mas as crenças sobre esses órgãos, entre os hebreus, eram complexas, e ofereço um artigo detalhado sobre *Rins*, no *Dicionário*. Talvez por isso, os revisores de nossa versão portuguesa tenham preferido a palavra "íntimo", indicando os recessos da alma humana. O fato é que aqui o íntimo se regozija, tal como no vs. 15 o coração é que aparece como sábio.

Sinônimo. Muitas coisas são capazes de fazer o coração do mestre regozijar-se, mas uma das razões seria quando o filho fala o que é certo. Tendo aprendido a lei, ele está equipado para falar palavras corretas de instrução a outras pessoas, tornando-se assim um mestre. Outras pessoas ouvirão suas palavras e também obterão sabedoria. Um coração sábio se revela por aquilo que a boca diz. Cerca de cem provérbios abordam o uso próprio e impróprio da linguagem. Ver Pv 11.9,13 e 18.21 quanto a notas de sumário sobre esse assunto. Ver também, no *Dicionário*, o verbete denominado *Linguagem, Uso Apropriado da*.

Fala, meu Senhor, fala, meu Senhor,
Fala, e te seguirei prontamente.

"A verdadeira sabedoria começa no coração (vs. 15); seu coroamento é a profissão e a confissão dos lábios, para a glória de Deus e para o bem dos homens" (Fausset, *in loc.*).

23.17,18

אַל־יְקַנֵּא לִבְּךָ בַּחַטָּאִים כִּי אִם־בְּיִרְאַת־יְהוָה כָּל־הַיּוֹם׃

כִּי אִם־יֵשׁ אַחֲרִית וְתִקְוָתְךָ לֹא תִכָּרֵת׃

Não tenha o teu coração inveja dos pecadores. Temos aqui outros dois versículos que compõem um provérbio. Isso acontece por cerca de vinte vezes na seção de Pv 22.17—24.34. Ver os vários tipos de provérbios existentes nesta seção, em Pv 22.17, sob o título *Apresentação das Declarações*.

Décima Terceira Declaração

Este par de versículos apresenta-nos a décima terceira dentre as trinta declarações (ver Pv 22.20). Não há paralelo entre estes dois versículos e as *Instruções de Amen-em-Ope* (ver as notas expositivas em Pv 22.22).

"Invejar os pecadores (cf. Pv 3.31; 24.1,19; Sl 37.1), querendo fazer o que eles fazem, é algo insensato, pois neles não há esperança (ver Pv 24.20). Os prazeres imediatos do pecado não podem comparar-se à esperança final associada ao temor do Senhor (cf. Pv 19.23; 24.21)" (Sid S. Buzzell, *in loc.*).

Os homens invejam os pecadores quando estes prosperam, esquecidos da nulidade essencial das riquezas materiais. Ver Sl 37.1 e 73.3. Um sábio terá alvos mais elevados do que um insensato.

Antítese. Em vez de emular os pecadores de maneira ridícula, os sábios ansiarão por aprimorar a espiritualidade, no "temor do

Senhor". Ver Pv 1.7 quanto a uma nota de sumário. Ver também Sl 119.38 e, no *Dicionário*, ver o verbete chamado *Temor*, quanto a detalhes completos, que não reitero aqui. Está em vista a espiritualidade própria do Antigo Testamento, com sua obediência à lei, que serve de guia (ver Dt 6.4 ss.).

Todo dia. Está em pauta uma prática contínua e a condição de manter esse temor, no coração, o dia inteiro.

Este versículo reforça o vs. 17. Há futuro para o homem bom, em contraste com o homem ímpio, que pode causar inveja. Haverá um galardão para a piedade (ver Pv 24.14,20; Sl 37.37). Contrastar com Pv 5.4. O vocábulo hebraico *'aharith* "denota o resultado da vida do homem reto, isto é, o seu galardão. Esse é o fim que coroa tudo quanto aconteceu antes: ver Pv 5.4 e 19.20. Pv 23.18b é quase idêntico a Pv 24.14b" (Charles Fritsch, *in loc.*).

Sinônimo. A esperança de um homem bom não será frustrada, como a esperança do iníquo. Ele terá vida longa, próspera e saudável, com o cumprimento pleno de sua missão. Oh, Senhor, concede-nos tal graça! Cf. com a ideia neotestamentária da "manifestação dos filhos de Deus" (ver Rm 8.19), quando os remidos assumirão a natureza do Filho (ver 1Jo 3.2).

■ **23.19**

שְׁמַע־אַתָּה בְנִי וַחֲכָם וְאַשֵּׁר בַּדֶּרֶךְ לִבֶּךָ׃

Ouve, filho meu, e sê sábio. O vs. 19 introduz outro provérbio em duas linhas. O estudante é novamente convocado a ser atento e diligente no caminho da espiritualidade. Ver sobre *Ouvir*, em Pv 4.20. Ao confiar e obedecer, o estudante torna-se sábio e assim cumpre as expectativas de seu pai espiritual, o mestre. "Confia e obedece, pois não há outra maneira de ser feliz em Jesus, para então confiar e obedecer" (J. H. Sammis). O coração de um bom estudante (ver Pv 4.23) será guiado ao longo do caminho, através da lei, fomentada e interpretada pelas declarações de sabedoria. Quanto à lei como guia, ver Dt 6.4 ss. O fato de alguém ser guiado é a segunda linha sinônima da chamada à obediência e à diligência.

Décima Quarta Declaração

Os vss. 20,21 constituem a declaração que não tem paralelo nas *Instruções de Amen-em-Ope* (ver as notas sobre Pv 22.17). Alguns incluem o vs. 18, perfazendo uma declaração em três versículos. Mas isso parece ser uma chamada introdutória aos homens bons para trilhar o reto caminho (ver a *metáfora da vereda* em Pv 4.11, bem como o *contraste entre o bom e o mau caminho*, em Pv 4.27). Parte da ideia de seguir esse caminho certo é dada na declaração a seguir, contra a bebedeira.

■ **23.20,21**

אַל־תְּהִי בְסֹבְאֵי־יָיִן בְּזֹלֲלֵי בָשָׂר לָמוֹ׃
כִּי־סֹבֵא וְזוֹלֵל יִוָּרֵשׁ וּקְרָעִים תַּלְבִּישׁ נוּמָה׃

Contra a Bebedeira e a Glutonaria. O primeiro destes dois versículos ataca ambos os pecados. Ver Pv 23.29 contra o primeiro deles. Ver a exposição sobre Pv 20.1. Outros versículos contrários à bebedeira excessiva são Pv 22.29-35 e 31.4,5. Ver no *Dicionário* o verbete chamado *Bebida, Beber*, para detalhes completos sobre o assunto.

Sinônimo. Um pecado semelhante ao da bebedeira é o comer em excesso. Quanto à *glutonaria*, ver Pv 23.2. Cf. Mt 24.49; Lc 21.34; Rm 13.13; Ef 5.18. Um sábio controlará seu apetite e praticará a moderação em todas as coisas (ver Fp 4.5).

Já o vs. 21 reforça os ensinos do vs. 20. Ambos os vícios tendem à pobreza, por causa das despesas que causam e também porque tornam as pessoas sonolentas e improdutivas, terminando assim vestidas em trapos, o que é um constante sinal de pobreza. Essa é a segunda linha, sinônima do provérbio.

"O comer em excesso e o alcoolismo provocam a sonolência nos homens, incapacitando-os para os negócios e tornando-os preguiçosos e ociosos. Gastam tudo quanto ganham com seu ventre, e assim não têm nada para comprar vestes que lhes protejam as costas, e terminam vestidos com trapos. Ver Pv 24.33,34" (John Gill, *in loc.*). Ver sobre *Preguiça*, em Pv 6.6 e 19.15.

Décima Quinta Declaração

■ **23.22,23**

שְׁמַע לְאָבִיךָ זֶה יְלָדֶךָ וְאַל־תָּבוּז כִּי־זָקְנָה אִמֶּךָ׃
אֱמֶת קְנֵה וְאַל־תִּמְכֹּר חָכְמָה וּמוּסָר וּבִינָה׃

Ouve a teu pai, que te gerou. Novamente temos um provérbio de dois versículos. Quanto aos tipos de declarações desta seção (Pv 22.17—24.34), ver Pv 22.17, sob o título *Apresentação das Declarações*. Esta declaração não tem paralelo nas *Instruções de Amen-em-Ope* (ver Pv 22.17 quanto a informações). Recebemos mais instruções sobre a necessidade de obedecer a pai e mãe, nossos primeiros professores. Eles prepararam o caminho para o mestre e sua escola da lei e das declarações da sabedoria, que aperfeiçoam a espiritualidade que os pais iniciaram.

No vs. 22 aprendemos que o pai de um homem deve ser ouvido quando está instruindo (ver sobre o ato de *Ouvir*, em Pv 4.20). A segunda linha, que é sinônima, requer o respeito pela mãe, no sentido de que ela não seja desprezada pelo filho, que age contra suas boas instruções e seu treinamento. O quinto mandamento requer esse tipo de reação da parte de um filho (ver Êx 20.12). Cf. Pv 1.8; 30.17 e Ef 6.1,2, onde encontramos instruções similares.

No vs. 23 aprendemos que aquilo que os pais do estudante lhe ensinam, e o mestre continua a enfatizar, deve ser comprado pelo aprendiz e jamais vendido. Em outras palavras, mediante esforço ele deve obter a sabedoria como possessão permanente. A sabedoria deve ser tão preciosa que ele nunca a venderá, ou seja, nunca a abandonará, como também jamais abandonará a vereda que ela ensina. É usada aqui uma metáfora comercial. Um bom estudante está ocupado em um negócio espiritual, procurando e obtendo o tesouro que fora ocultado no campo, bem como a pérola de grande preço (ver Mt 13.44,46).

Sinônimo. A verdade que um homem compra é a verdade da lei, agora explicada como algo que contém os elementos da sabedoria, da instrução e do entendimento, as descrições padronizadas da lei e seus benefícios, no livro de Provérbios. As declarações da sabedoria foram compostas para possibilitar a sua compra. Ver os vss. 12,13 deste capítulo, e ver sobre *entendimento*, em Pv 1.2-6. Ver também Pv 4.5,7, onde encontramos os mesmos elementos deste versículo.

Essas coisas boas são obtidas da parte de Deus (ver Tg 1.5), o qual dá a cada homem, liberalmente, sem palavras duras, por causa da ignorância humana. Ver também Is 55.1; Ap 3.18.

Décima Sexta Declaração

■ **23.24,25**

גּוֹל יָגוּל אֲבִי צַדִּיק יוֹלֵד חָכָם וְיִשְׂמַח־בּוֹ׃
יִשְׂמַח־אָבִיךָ וְאִמֶּךָ וְתָגֵל יוֹלַדְתֶּךָ׃

Grandemente se regozijará o pai do justo. Novamente temos um provérbio em duas partes, e cada uma delas tem duas linhas, e a segunda de ambas é sinônima. Ver as notas sobre Pv 22.17 quanto aos vários tipos de declarações na seção de Pv 22.17—24.34. Esta declaração não tem paralelo nas *Instruções de Amen-em-Ope* (ver Pv 22.22 para informações a respeito). Essa declaração reforça a de número quinze, que requer que os estudantes sejam obedientes aos pais, com resultados de alegria em ambos os casos. Cf. Pv 23.15,16, onde o pai espiritual do estudante, o mestre, alegra-se por ter-se tornado o seu filho um homem sábio, conforme suas instruções. Ver as notas expositivas em Pv 13.24 e 22.6,15 quanto à apropriada educação de filhos.

Se o menino comprar a verdade da lei (com sua sabedoria acompanhante, suas instruções e seu entendimento; vs. 23), então o pai reto será cheio de alegria, porquanto o filho se tornou um homem reto. Ele gerou aquele filho e agora lhe dá um segundo nascimento, duplicando nele a sua pessoa espiritual.

Sinônimo. A genitora do menino (a mãe dele) também seria tomada de alegria, porque seu filho estava transformando-se em uma pessoa espiritual, mediante outro tipo de geração espiritual. Cf. Pv 10.1 e 15.20. Ver também 2Tm 1.5.

O vs. 25 é, virtualmente, uma repetição do vs. 24, composto de duas linhas, a primeira referindo-se ao pai e sua alegria, e a segunda (sinônima) descrevendo a alegria da mãe. Filhos sábios trazem felicidade aos pais, ao mesmo tempo que filhos desobedientes lhes causam tristeza. Ver no *Dicionário* o artigo chamado *Alegria*. Muita coisa no caráter de um homem pode ser aprendida por meio daquilo que o torna feliz. Um homem bom se alegra por causa de outro homem bom, e não necessariamente por alguém que é bem-sucedido nas coisas temporais. Os valores espirituais estão muito acima dos valores materiais, e onde estiver o tesouro de um homem, aí estará, igualmente, o seu coração (ver Mt 6.21).

■ 23.26-28

תְּנָה־בְנִי לִבְּךָ לִי וְעֵינֶיךָ דְּרָכַי תִּרְצֶנָה

כִּי־שׁוּחָה עֲמֻקָּה זוֹנָה וּבְאֵר צָרָה נָכְרִיָּה:

אַף־הִיא כְּחֶתֶף תֶּאֱרֹב וּבוֹגְדִים בְּאָדָם תּוֹסִף:

Dá-me, filho meu, o teu coração. Temos aqui outra declaração em duas linhas que tem a sua própria introdução, conforme já vimos nos vss. 19-21. Alguns simplesmente preferem fazer este provérbio ter três linhas, mas prefiro a outra ideia como mais exata.

Décima Sétima Declaração

Ver Pv 22.17 quanto aos vários tipos de provérbios que a seção de Pv 22.17—24.34 contém, sob o título de *Apresentação das Declarações*. Esta declaração, por igual modo, não tem paralelo nas *Instruções de Amen-em-Ope* (ver informações em Pv 22.22). O mestre, o pai espiritual, adverte o filho (o estudante em sua escola, seu discípulo) a ter cuidado com as mulheres de costumes frouxos, assunto ao qual o autor sagrado dedicou duas declarações de duas linhas cada, com segundas linhas sinônimas.

A Advertência: Uma Chamada à Atenção

O mestre chama o estudante, intitulando-o de *meu filho*, para que lhe dê o seu coração. Em outras palavras, ele deveria ter uma fé sentida no coração (ver Pv 4.23), sendo transformado pela lei e pelas declarações de sabedoria que a fomentam. Cf. esta primeira linha com Pv 23.15,17,19. O dom do coração é o mais precioso que um homem pode dar a outra pessoa ou então a Deus. Ver Mt 22.37, sobre a ordem para amar. Ver no *Dicionário* o verbete chamado *Amor*.

> Dá-me teu coração, diz o Pai lá em cima,
> Nenhum dom é tão precioso para ele como o teu amor.
> Suavemente ele sussurra, onde quer que estejas:
> Confia em mim, agradecido, e dá-me o teu coração.
> — Eliza H. Hewitt

"Dá-me o teu coração. Observa as minhas instruções; segue-me; faze o que é correto diante de meus olhos. Acredita! Ama! Obedece! Essa é a súmula dos conselhos de Deus para a criança de todo homem" (Adam Clarke, *in loc.*).

Advertência contra a Prostituta

Vs. 27. O homem que dá seu coração ao mestre não o dará a prostitutas ou adúlteras. Advertências contra os desvios sexuais são comuns no livro de Provérbios. Cf. Pv 5.20; 6.24; 7.5 e 20.16. Ver Pv 7.6 ss. quanto a um relato gráfico de uma sedução. Ver no *Dicionário* os artigos chamados *Prostituição* e *Adultério*. A prostituta é como uma cova profunda na qual os insensatos caem como se fossem um pobre animal apanhado por um caçador numa armadilha. O animal será morto para render qualquer valor que as partes de seu corpo tenham no mercado.

Sinônimo. Nesta segunda linha, o mestre empregou outra metáfora, a do poço profundo e estreito no qual um homem (usualmente uma criança) poderia cair. Ocasionalmente, ficamos admirados por causa de alguma história de crianças que caem em poços. Também é estonteante quando um homem é apanhado no poço da imoralidade sexual. As mulheres aventureiras encontram muitas vítimas fáceis. Alguém já disse: "Um homem gosta de ser seduzido". Ele é uma vítima voluntária e facilita a caça e a queda. Cf. Pv 22.14, onde a boca de uma mulher sedutora é uma cova profunda. Yahweh fica muito irado pelo homem que é tão insensato a ponto de cair na armadilha das palavras suaves de uma mulher. Quanto às palavras de uma prostituta ou esposa desviada, ver Pv 2.16.

Vs. 28. Para reforçar a declaração do vs. 27, o mestre adicionou outra metáfora que descreve a prostituta. Agora ela é comparada a um ladrão que arma emboscada para a sua presa, e fere ou mata para obter o que quiser, saqueando a vítima. Como um criminoso violento está sempre à espreita, fazendo mais e mais vítimas, assim também acontece com a sedutora que vive à espreita.

A Estranha Omissão. Todas as passagens do livro de Provérbios que avisam contra o sexo imoral também descrevem a mulher sedutora. Mas não há nenhuma advertência que exorte os homens a deixar as mulheres em paz, que é o que mais comumente acontece no mundo "lá fora". Adam Clarke (*in loc.*) queixou-se a respeito das "bebidas alcoólicas e das mulheres que levam milhões de pessoas a transgredir"; mas muitos milhões mais vêm do lado masculino, e, enfrentemos a realidade, as mulheres é que usualmente são as vítimas, e não as agressoras.

Sinônimo. O número de vítimas cresce cada vez mais, e aumentam as transgressões entre os homens. Assim prossegue o sórdido jogo. Os vícios sexuais, fonte de intermináveis transgressões, não cessam.

A Tirada contra o Alcoolismo

■ 23.29

לְמִי אוֹי לְמִי אֲבוֹי לְמִי מִדְיָנִים לְמִי שִׂיחַ לְמִי

פְּצָעִים חִנָּם לְמִי חַכְלִלוּת עֵינָיִם:

Para quem são os ais? Para quem os pesares? *Vss. 29-35.* Temos aqui o mais longo e articulado ataque contra o uso imoderado das bebidas alcoólicas no livro de Provérbios. Para atingir o seu propósito, o autor sagrado introduz a questão com seis perguntas (vs. 29). Em seguida, fornece o tipo normal de provérbios de duas linhas cada (vss. 30-34). O autor sacro concluiu suas considerações com várias declarações (vs. 35). Isso posto, em sete versículos temos o estudo completo da questão, de uma maneira incomum. Quanto aos tipos de declarações existentes na seção de Pv 22.17—24.34, ver as notas sob o título *Apresentação das Declarações*, Pv 22.17.

Décima Oitava Declaração

Esta declaração, que na realidade é um discurso, não tem paralelo nas *Instruções de Amen-em-Ope* (ver Pv 22.22 quanto a informações).

Temos aqui no vs.29 seis questões que nos alertam quanto aos danos causados pelas bebidas alcoólicas. Ver também Pv 20.1; 23.20,21 e 31.4,5. Ofereço uma nota de sumário em Pv 20.1. Ver no *Dicionário* os artigos chamados *Bebida*, *Beber* e *Bebedice*.

As Seis Perguntas:

1. Que pode produzir "ais" como o alcoolismo? Os problemas criados pelo alcoolismo são pessoais, familiares e sociais. Ver no *Dicionário* o artigo chamado *Alcoolismo*.
2. O que gera tais tristezas — a mente embotada, o emprego perdido, os pais envergonhados e a família entristecida e quebrada, o divórcio, os filhos orfanados, cujo pai está presente mas é como se não o estivesse?
3. O que causa tantas contendas — as discussões intermináveis, os problemas sociais, as brigas nos bares, as detenções na rua, a permanência nos cárceres?
4. O que causa tantas queixas da parte das esposas, os maridos descontentes, os apelos inúteis das crianças, as queixas por parte da vizinhança?
5. O que causa tantos problemas físicos — os espancamentos aplicados pelos policiais, as brigas com outros bêbados que deixam ferimentos, as feridas infligidas contra as esposas e os filhos, o fígado estragado, o cérebro prejudicado?
6. O que causa olhos tão rapidamente injetados de sangue, o olhar vago, a face avermelhada, a aparência de "bêbado", tão fácil de distinguir?

Embriagar-se é uma coisa má (Pv 20.1). É algo acompanhado por torturas pessoais e familiares, dos amigos e da sociedade. Produz pobreza e desgraça (vss. 20,21). O sábio, pois, evitará tudo isso. Ver Eclesiástico 31.4,5 quanto a um paralelo próximo.

■ 23.30

לַמְאַחֲרִים עַל־הַיָּיִן לַבָּאִים לַחְקֹר מִמְסָךְ:

Para os que se demoram em beber vinho. Os que sofrem todos os problemas listados no vs. 29 são as "moscas de bares", conforme diz uma expressão moderna em inglês. E, quando essas pessoas chegam em casa, continuam a procurar a garrafa, companheira constante, que em breve se torna razão de viver.

Sinônimo. A fermentação natural produz somente um conteúdo de 8% de álcool. As bebidas alcoólicas modernas têm uma taxa maior de álcool, mas a "bebida misturada" deste texto era combinada a especiarias, para enriquecer o paladar. Os antigos misturavam água com suas bebidas fortes, mas isso provavelmente não está em vista aqui. O Targum fala nas "casas de misturas"; a versão siríaca fala em "casa de festejos"; e as versões árabe e Septuaginta falam em "rodadas de bebida". O Targum e o siríaco também mencionam bebedices públicas, referindo-se às ocasiões em que os homens se reúnem com outros do mesmo tipo, para compartilhar de sua vergonha.

■ 23.31

אַל־תֵּרֶא יַיִן כִּי יִתְאַדָּם כִּי־יִתֵּן בַּכִּיס עֵינוֹ יִתְהַלֵּךְ בְּמֵישָׁרִים:

Não olhes para o vinho, quando se mostra vermelho. O vinho tem um colorido atrativo para os olhos ou, pelo menos, para os olhos daquele que gosta de se embriagar. Também é agradável ao olfato. E os beberrões gostam da sensação de estar bêbados, um prazer complexo e deleitoso para eles.

Esta declaração é um trio:

1. O vinho tem aquela cor vermelha tão agradável à vista. O vinho lampeja e é delicioso. Popularmente, a cor vermelha faz lembrar a fermentação, mas não é a ideia desta parte do versículo. Todos os vinhos da terra de Canaã eram vermelhos, e era essa a cor que tanto atraía a visão dos beberrões. Esta primeira parte do versículo é, na realidade, equivalente a dizer: "Tu, beberrão — deixa de olhar para o vinho. Olha para alguma outra coisa, para variar. Encontra outra distração".
2. Não olhes para o vinho quando ele "dá seu olho" (conforme diz o hebraico, literalmente), ou seja, quando faísca no copo, parecendo tão atrativo. Os que amam falam sobre os olhos faiscantes daqueles a quem amam. O de que os beberrões mais gostam é daqueles olhos faiscantes do vinho, tão belos ali no copo, convidando-os a participar.
3. "E se escoa suavemente", ou seja, quando está sendo sorvido. Desce tão gostoso garganta abaixo; faz aquele que bebe sentir o líquido passar pela garganta e aquecer o estômago. O hebraico original diz aqui, literalmente, "desce direto", o que leva alguns comentadores a pensar nos movimentos causados no alambique, uma referência aos movimentos produzidos pela fermentação. Mas a passagem do vinho pela boca e pela garganta dos beberrões, que lhes parece tão agradável, provavelmente é o que esta referência quer salientar.

■ 23.32

אַחֲרִיתוֹ כְּנָחָשׁ יִשָּׁךְ וּכְצִפְעֹנִי יַפְרִשׁ:

Pois ao cabo morderá como a cobra, e picará como o basilisco. Enquanto o vinho desliza tão agradavelmente pela garganta abaixo, na realidade é como uma serpente que pica e enche a vítima de veneno fatal. É isso o que acontece no final, depois que o indivíduo insensato foi enganado por todas aquelas sensações deleitosas que o vinho oferece. "É tão devastador e doloroso como uma mordida de serpente" (Sid S. Buzzell, *in loc.*).

> Ai daqueles que se mostram bravos ao misturarem,
> e poderosos diante da taça de misturar.
>
> Isaías 5.22, Moffatt

Os beberrões continuam a contemplar "sua bebida" e ficam encantados diante do que veem; misturam especiarias para obter um gosto melhor; e bebem e continuam bebendo, pensando ter encontrado a razão de estarem vivos. Ficam bêbados por muitas vezes e desfrutam de cada bebedeira — mas então a serpente os pica. São apenas um bando de insensatos enganados. O corpo se debilita e o cérebro é atacado; eles passam por delírios de tremor e se enchem de estranhas alucinações. Meus amigos, conheci um homem que evidentemente foi iludido por uma dessas sessões de alucinações como se fosse uma visão divina; ele entrou em uma igreja evangélica por causa disso! Permaneceu ali por algum tempo e sentiu-se glorioso como um homem que tivesse recebido uma visão do Senhor. Mas em breve caiu de novo em seu antigo vício. Pessoalmente, não acreditei na história desde o começo, pois simplesmente não conseguia entender como o Senhor daria a um homem uma visão em um bar.

Sinônimo. A cobra é agora chamada de basilisco, serpente venenosa que pica as vítimas. Mas não há nenhuma diferença quanto ao significado. Trata-se apenas de uma variação poética, para efeito de ênfase. O álcool, uma vez circulando na corrente sanguínea, mata células do cérebro. O dano assim causado é tão grande, nos alcoólatras confirmados, que o cérebro deles não se presta mais para estudos científicos.

■ 23.33

עֵינֶיךָ יִרְאוּ זָרוֹת וְלִבְּךָ יְדַבֵּר תַּהְפֻּכוֹת:

Os teus olhos verão cousas esquisitas. Temos aqui uma referência direta ao *delirium tremens*, bem como às alucinações provocadas pelo alcoolismo adiantado. Algumas dessas alucinações serão sobre "coisas naturais", como prostitutas convidando o homem ao seu leito. A maioria dos beberrões fica sexualmente aviltada. A maioria passa a perseguir mulheres. Até em suas alucinações ficam agradados (ou atormentados?) por mulheres de vida fácil. Mas o termo hebraico aqui usado, *zaroth*, pode ser entendido como coisas estranhas. Na realidade, essa palavra hebraica pode significar tanto uma quanto outra coisa. Mas haverá alucinações que envolvem terrores e monstros, "visões horríveis e fantásticas", no dizer de Ellicott (*in loc.*).

Sinônimo. Um homem aviltado pelo álcool terá uma linguagem aviltada. Ou então essa linguagem se manifestará interiormente, no coração, murmúrios ímpios associados a visões aterrorizantes. As noções de certo e errado desse homem se tornarão completamente distorcidas.

> Um bêbado pode matar a própria mãe;
> E pode abusar de sua irmã.
> Ele perdeu de todo o autocontrole.
>
> Herbert

Winston Churchill perguntou, certa feita, a Bernard Shaw se era realmente verdade que ele nunca bebera coisa alguma. E Shaw replicou: "Já sou difícil de manter-me controlado como sou" (isto é, sem adicionar as bebidas alcoólicas, que distorcem a conduta).

■ 23.34

וְהָיִיתָ כְּשֹׁכֵב בְּלֶב־יָם וּכְשֹׁכֵב בְּרֹאשׁ חִבֵּל:

Serás como o que se deita no meio do mar. Em seu estado de alucinações, o homem terá toda a espécie de imaginação distorcida. Pensará estar deitado no meio do mar, talvez afundando, talvez flutuando. Ele balança enquanto caminha, e pensa que seus movimentos se devem a esse fato, e não à sua condição anormal de bêbado.

Sinônimo. As alucinações do beberrão tornam-se tão terríveis que ele pensará estar deitado no topo de um mastro, a balançar para cá e para lá com os movimentos da embarcação onde está o mastro. "Em seu estupor, ele poderá imaginar estar movimentando-se como um marinheiro, balançando no alto do mastro de um navio" (Sid S. Buzzell, *in loc.*).

■ 23.35

הִכּוּנִי בַל־חָלִיתִי הֲלָמוּנִי בַּל־יָדָעְתִּי מָתַי אָקִיץ אוֹסִיף אֲבַקְשֶׁנּוּ עוֹד:

E dirás: Espancaram-me, e não doeu. O autor sagrado termina a sua diatribe contra as bebidas alcoólicas com seis declarações, sendo que cinco são afirmações e uma é uma pergunta, da mesma maneira que começou fazendo seis perguntas. Mas as perguntas eram dele (vs. 29), ao passo que as declarações são de um beberrão.

1. O beberrão foi espancado, mas se mostrou insensível à dor. Talvez ele se vanglorie disso, pensando ser um sujeito durão.
2. O beberrão não foi ferido, a despeito do espancamento que recebeu. Ele confunde sua insensibilidade à dor com alguma coisa boa, tal como: "Posso suportar qualquer coisa. Sou forte. Sou invencível".

3 e 4. Essas duas declarações repetem as de números 1 e 2. Em sua admiração, o beberrão repetiu suas ideias. Ele pensa que se tornou um super-homem.

5. Em seguida, ele faz a si mesmo a pergunta: "Quando eu despertar deste estupor, ou de ser espancado por aqueles que me ferem, que farei?" Ou então o significado é: Depois que ele dormiu, e os efeitos da bebida alcoólica passaram, o que ele deve fazer? Deve ele abandonar aquele modo ridículo de vida, jogar fora seu estoque de garrafas de vinho, e ir estudar a lei na escola do sábio? Não! Pelo contrário, ele voltará à garrafa.

6. Ao despertar, o beberrão exclama: "Onde está a garrafa de vinho? Preciso de um gole". Ele acaba de passar por um ciclo de terror, mas, assim que for capaz, começará tudo de novo. Tal é o caminho do pecado, em que um homem é amarrado às correntes de maus hábitos. Ele perdeu a força de vontade; perdeu o controle sobre a própria vida. Ele só tinha poder de prosseguir em seu mau caminho; está fora do alcance da mudança. Tornou-se prisioneiro nas correntes que ele mesmo forjou.

CAPÍTULO VINTE E QUATRO

Não há nenhuma interrupção entre os capítulos 23 e 24. Ver a introdução à seção de Pv 22.17. É ali que começa a primeira coletânea das declarações dos sábios. A seção geral é Pv 22.17—24.34. A primeira coletânea fica em Pv 22.17—23.14; a segunda fica em Pv 23.15-24.22; e a terceira em Pv 24.23-34. Portanto, continuamos aqui com a segunda seção.

Décima Nona Declaração

■ 24.1,2

אַל־תְּקַנֵּא בְּאַנְשֵׁי רָעָה וְאַל־תִּתְאָו לִהְיוֹת אִתָּם׃

כִּי־שֹׁד יֶהְגֶּה לִבָּם וְעָמָל שִׂפְתֵיהֶם תְּדַבֵּרְנָה׃

Não tenhas inveja dos homens malignos. Encontramos aqui outro provérbio em dois versículos, ambos com duas linhas, em que a segunda é sinônima da primeira. A seção de Pv 22.17—24.34 tem vários tipos de declarações, ou seja, vários arranjos. Ver sobre isso em Pv 22.17, sob o título *Apresentação das Declarações*. A declaração dos vss. 1-2 não tem paralelo nas *Instruções de Amen-em-Ope* (ver Pv 22.22 quanto a informações). Ver também o gráfico acompanhante quanto a detalhes.

Vs. 1. O autor sagrado nos leva de volta ao assunto abordado em Pv 23.17, onde ofereço notas expositivas. Um homem bom não deve invejar os pecadores, por causa do dinheiro que eles são capazes de amealhar por meios duvidosos; nem existe coisa alguma, em torno dessas pessoas, que deva atrair a atenção dos homens bons. Os textos sobre não invejar os pecadores são Pv 3.31; 23.17; 24.1,19. Ver também Sl 37.1.

Sinônimo. Um homem sábio evitará até mesmo manter-se em companhia dos pecadores, para que não seja tentado a invejá-los. O paralelo, em sua linha sinônima, mostra o homem bom buscando o temor do Senhor, o dia inteiro, pelo que não tem tempo de invejar os pecadores, seu dinheiro, suas diversões, sua maneira frouxa de viver.

Vs. 2. Os pecadores inclinam-se para a destruição. Eles planejam coisas ruins que buscam prejudicar outras pessoas. São violentos e brutais, então por qual motivo deveriam ser invejados? O futuro de tais homens é triste (ver Pv 23.18; eles ficarão "frustrados"). Essa é outra boa razão para evitá-los. Mas qual homem, em sua mente sã, haveria de querer manter companhia com homens violentos, que obtêm seu dinheiro mediante saque e matanças? Um homem treinado na lei de Moisés por certo não desejará manter a companhia de tais homens.

Sinônimo. Outra má característica dos pecadores é a sua boca terrível. Quando têm a oportunidade de usá-la, não deixam escapar. Ver Pv 11.9,13 e 18.21 quanto ao uso apropriado da linguagem. Cerca de cem provérbios abordam o uso próprio e impróprio da faculdade da fala. Cf. Pv 1.10-19, onde isso é graficamente ilustrado. O que está no coração dele sai pelos lábios (ver Pv 4.23,24). Ver no *Dicionário* o verbete *Linguagem, Uso Apropriado da*.

A boca fala do que está cheio o coração.

Mateus 12.34

■ 24.3,4

בְּחָכְמָה יִבָּנֶה בָּיִת וּבִתְבוּנָה יִתְכּוֹנָן׃

וּבְדַעַת חֲדָרִים יִמָּלְאוּ כָּל־הוֹן יָקָר וְנָעִים׃

Com a sabedoria edifica-se a casa. Temos aqui mais um provérbio de dois versículos, cada qual com duas linhas, em que cada segunda linha é sinônima da primeira. A seção de Pv 22.17—24.34 tem cerca de vinte dessas declarações em dois versículos. Quanto aos vários tipos de provérbios (arranjos) desta seção, ver Pv 22.17, sob *Apresentação das Declarações*. A declaração contida nos vss. 3,4 não tem paralelo nas *Instruções de Amen-em-Ope* (ver sobre esse livro em Pv 22.22).

Vigésima Declaração

Esta é uma declaração de sabedoria, tal como a dos vss. 5,6. Em Pv 22.17-24.34 temos trinta declarações, em imitação aos trinta capítulos das *Instruções de Amen-em-Ope*. Ver em Pv 22.20 sobre esse número.

Vs. 3. A sabedoria edifica a casa, tanto a casa da vida como a casa literal de uma família, onde pais piedosos criam filhos sábios, instruindo-os na lei. A sabedoria provém da lei de Moisés, o que é fomentado e interpretado pelas declarações da sabedoria. Ver no *Dicionário* o artigo chamado *Sabedoria*; e ver como a sabedoria transmite vida, em Pv 4.13. O livro de Provérbios representa a literatura de sabedoria do judaísmo, cobrindo o que comento no artigo do *Dicionário* chamado *Sabedoria*, III seção. Ver sobre *sabedoria* e *entendimento* em Pv 1.2. "... uma casa é edificada. Ou seja, uma família, em suas atividades domésticas. Cf. Pv 9.1" (Adam Clarke, *in loc.*). A casa edificada pela iniquidade certamente ruirá (ver Jr 22.13-16; Am 5.11; Mq 3.10-12). Cf. Pv 14.1.

Sinônimo. A casa edificada pela sabedoria, em contraste com a casa edificada pela iniquidade, será cheia de coisas preciosas (Pv 24.4b), porque a sabedoria, operando por meio do entendimento, foi a construtora. Será uma casa bem planejada e estabelecida, que não ruirá jamais. É provável que a ideia da casa seja ampla o bastante para indicar a vida de um homem, bem como qualquer empreendimento que ele resolva realizar.

Este versículo tem sido cristianizado para apontar para a Igreja, a casa ou templo do Novo Testamento (ver Ef 2.20 ss.).

Vs. 4. Este versículo acrescenta algo às ideias do vs. 3, pois ambos operam como uma unidade, a fim de formar um provérbio geral. A sabedoria edifica a casa, e então o entendimento constrói suas várias dependências. O entendimento é a sabedoria aplicada, e ambas as coisas se referem às instruções da lei, fomentada e interpretada pelas declarações da sabedoria. Quanto ao significado da casa, ver o vs. 3. "Literal e figuradamente, a sabedoria ajuda a construir uma casa. Cf. Pv 9.1 e 14.1" (Charles Fritsch, *in loc.*).

Sinônimo. As dependências da casa estão repletas de riquezas preciosas e agradáveis, literalmente, no sentido de que ser bom supostamente era qualidade que tornava uma pessoa abastada, conforme o ideal hebraico; e, figuradamente, porquanto seguir a sabedoria torna a pessoa rica em sua alma. O maior de todos os tesouros era a própria sabedoria. Este versículo provavelmente promete o sucesso em qualquer realização feita pelo homem sábio. Cf. Lc 12.33 e 16.11. Ver também Pv 23.23 quanto à ideia de "comprar a sabedoria".

Vigésima Primeira Declaração

■ 24.5,6

גֶּבֶר־חָכָם בַּעוֹז וְאִישׁ־דַּעַת מְאַמֶּץ־כֹּחַ׃

כִּי בְתַחְבֻּלוֹת תַּעֲשֶׂה־לְּךָ מִלְחָמָה וּתְשׁוּעָה בְּרֹב יוֹעֵץ׃

Mais poder tem o sábio do que o forte. Ver a introdução aos vss. 3 e 4. As informações dadas ali também se aplicam aqui. Esta é outra declaração de sabedoria. Embora esta declaração provavelmente signifique, especificamente, que as guerras são ganhas através da sabedoria, porquanto são instrumentos que tornam fortes as nações e seus reis, a aplicação é geral. O homem sábio obtém forças para qualquer realização que resolva fazer. "Além de dar segurança e prosperidade (vss. 3 e 4), a sabedoria provê força para realizarmos várias tarefas" (Sid S. Buzzell, *in loc.*). Essa é a ideia da primeira linha do vs. 5. Dotada de sabedoria, uma nação que vá à guerra saberá planejar a campanha e construir máquinas de guerra superiores. E o homem engajado em sua própria "guerra" pessoal saberá planejar melhor e obter recursos para a sua realização.

E também poderemos supor que a própria pessoa será fortalecida para cumprir a sua tarefa. Ser-lhe-ão dadas forças físicas por seu anjo guardião e, assim sendo, ela captará forças do próprio ar, além do poder que lhe foi dado por seu código genético e pelo ambiente físico.

Quanto mais você trabalha, mais forte fica.
Adam Clarke, *in loc.*

Aquele que não trabalha abundantemente na realidade nunca submete a teste a situação para descobrir quão forte poderia ser. Um homem sábio é inspirado a trabalhar, a tentar realizar tarefas difíceis e, conforme trabalha, também se fortalece.

Sinônimo. O homem dotado de conhecimento, que segue a vereda espiritual, ganha força à medida que se esforça por fazer algo de valor.

Crescei na graça e no conhecimento de nosso Senhor e Salvador Jesus Cristo.
2Pedro 3.18

Cf. também Pv 21.22, pois um homem sábio é capaz de escalar as muralhas de uma cidade fortificada e então derrubar fortalezas. A sabedoria supre forças além do que alguém espera com base na razão.

Melhor é a sabedoria do que as armas de guerra.
Eclesiastes 9.18

Vs. 6. Este versículo aplica a ideia do vs. 5, especialmente no caso de guerra. A sabedoria ajudará os homens a fazer melhores planos de campanha e a construir melhor equipamento e armas inovadas. Então Yahweh, o Senhor dos Exércitos (ver as notas expositivas em 1Rs 18.15), conferirá forças divinas, confundirá os inimigos, enviará pânico sobre os inimigos em campos de batalha e fará fugir os ímpios. Cf. Pv 10.18b, paralelo direto de Pv 24.6a.

Sinônimo. O rei disporia de sábios conselheiros, que podiam ajudá-lo tanto em tempos de guerra como em tempos de paz. Pv 20.18a é paralelo a Pv 24.6b; ver também Pv 11.14, que fala sobre a necessidade de receber bons conselhos. "Uma pessoa sábia não depende somente de si. Ela espera que outras a aconselhem sobre como vencer na batalha" (Sid S. Buzzell, *in loc.*). Cf. o conselho de Pv 1.5. As guerras eram uma constante na Palestina e a sobrevivência dependia de quão favoráveis eram as batalhas. Não admira, pois, que algumas declarações da sabedoria fossem conselhos sobre essa realidade.

Vigésima Segunda Declaração

■ 24.7

רָאמוֹת לֶאֱוִיל חָכְמוֹת בַּשַּׁעַר לֹא יִפְתַּח־פִּיהוּ:

A sabedoria é alta demais para o insensato. Esta é a vigésima segunda dentre trinta declarações que aparecem na seção de Pv 22.17-24.34. Esta é uma declaração compactada em um único versículo, com uma segunda linha sinônima. Quanto aos tipos de declarações desta seção, ver Pv 22.17, sob o título *Apresentação das Declarações*.

O insensato (no hebraico, *'ewil*) é um pecador arrogante e empedernido (ver Pv 1.7) e, naturalmente, é alta demais para ele a sabedoria oriunda da lei de Moisés bem como das declarações de sabedoria que a fomentam e interpretam. A mente dele sempre vive fuçando na lama da corrupção. Ele não dispõe de iluminação celestial. E seu coração jamais lhe diz algo útil na linha espiritual, por causa de sua corrupção inerente.

Sinônimo. Na porta da cidade, reunia-se o tribunal de justiça. Nenhum homem chamaria um insensato corrupto e violento para decidir um caso. Se um insensato se manifestasse, tentaria subornar o juiz! Além disso, na porta da cidade eram efetuados negócios importantes. Mas nenhum homem convidaria o insensato para ajudar nas transações feitas ali. Tal indivíduo tentaria roubar a alguém e até aplicaria violência para apossar-se de algum dinheiro. Se um insensato aparecesse, seria convidado a manter-se calado.

Não roubes ao pobre, porque é pobre, nem oprimas em juízo ao aflito.
Provérbios 22.22

Cf. este versículo com Pv 1.21 e 8.3.

■ 24.8,9

מְחַשֵּׁב לְהָרֵעַ לוֹ בַּעַל־מְזִמּוֹת יִקְרָאוּ:
זִמַּת אִוֶּלֶת חַטָּאת וְתוֹעֲבַת לְאָדָם לֵץ:

Ao que cuida em fazer o mal... Existem cerca de vinte provérbios que ocupam dois versículos na seção de Pv 22.17—24.34. A maioria consiste em duas linhas, em que a segunda linha é sinônima, expandindo a ideia expressa na primeira. Ver sobre os tipos de declaração nesta seção, em Pv 22.17, sob o título *Apresentação das Declarações*.

Vigésima Terceira Declaração

Todas as pessoas são conhecidas por aquilo que fazem. Elas obtêm certa reputação por meio de seus atos. Portanto, aquele homem que faz planos maus, e então os executa, é chamado de má pessoa, ou seja, alguém que habitualmente vive de acordo com sua ímpia reputação.

Sinônimo. O planejador é também o realizador. E o realizador obtém a merecida reputação. O homem é um planejador do mal, literalmente, "um possuidor de planos maus", cheio de esquemas iníquos (ver Pv 12.12 e 14.17). Ele é um "mestre de maus intentos", que também pode ser traduzido por "senhor de planos" (reconhecidamente maldosos).

Vs. 9. Consideremos as gradações do pecado. Maus pensamentos são pecados; más intenções são pecados; atos maus são pecados; deixar de fazer o bem é pecado; exageros são pecados; quebrar a lei da moderação é pecado. E temos aqui que pensamentos insensatos são pecados. A *Revised Standard Version* diz "imaginar a insensatez é pecado", e isso nos leva à gradação das intenções. O Targum diz: "A esperteza do insensato é pecado". Cf. Gn 6.5: "Era continuamente mau todo desígnio do seu coração".

Sinônimo. Os insensatos que imaginam coisas ímpias também são zombadores, uma abominação para os homens e para Deus. Quanto aos *escarnecedores*, ver Pv 13.1; 14.6; 15.12; 22.10. Quanto às *abominações*, ver Pv 11.1; 15.8,9,26 e 16.5,12. Tais homens são detestados por Deus e também pelos homens bons. "O fato de zombarem de todas as coisas sagradas excita o desgosto, até dos homens do mundo" (Fausset, *in loc.*, tomando o termo *homens* no seu sentido geral).

■ 24.10

הִתְרַפִּיתָ בְּיוֹם צָרָה צַר כֹּחֶכָה:

Se te mostras fraco no dia da angústia. Quando chegam tempos maus, os seres humanos ficam fracos na fé (literalmente, "mostram-se frouxos"). "Tempos maus" pertence à primeira linha, e "força", à segunda, que é sinônima.

Vigésima Quarta Declaração

Com esse pensamento, o autor oferece a vigésima quarta declaração da seção. Ver Pv 22.20 quanto ao significado do número. Talvez o autor estivesse sugerindo que o homem fraco não fosse sábio, pois o sábio recebe forças da parte do Senhor. Ou então ele está simplesmente fazendo uma observação geral sobre a fraqueza humana, sem nenhuma implicação moral. A sabedoria dá forças (vs. 5), e isso poderia reforçar a teoria do "fraco por não ser sábio". Note o leitor o jogo de palavras: angústia (no hebraico, *sarah*) seguida pela palavra pequena (no hebraico, *sar*). Portanto, *sarah* resulta em *sar*. Temos aqui uma "exortação à coragem (cf. Hb 12.12) e o caminho mais excelente é revelado no versículo seguinte" (Ellicott, *in loc.*). Alguns estudiosos fazem este versículo falar sobre ceder diante das tentações, diante da fraqueza moral, mas essa conclusão não parece estar correta. Aben Ezra dá outro significado improvável: o homem que não ajuda um amigo em dia de tribulação acabará vendo-se fraco quando chegarem as provações.

24.11,12

הַצֵּל לְקֻחִים לַמָּוֶת וּמָטִים לַהֶרֶג אִם־תַּחְשׂוֹךְ׃

כִּי־תֹאמַר הֵן לֹא־יָדַעְנוּ זֶה הֲלֹא־תֹכֵן לִבּוֹת הוּא־
יָבִין וְנֹצֵר נַפְשְׁךָ הוּא יֵדָע וְהֵשִׁיב לְאָדָם כְּפָעֳלוֹ׃

Livra os que estão sendo levados para a morte. Temos aqui outra declaração que consiste em dois versículos. Isso acontece por cerca de vinte vezes na seção de Pv 22.17—24.34. Ver Pv 22.17, sob *Apresentação das Declarações*, quanto aos vários modos de arranjo das declarações. A maioria dos provérbios com dois versículos possui versículos com duas linhas cada, em que a segunda linha é sinônima da primeira. Muitas das trinta declarações são paralelas das *Instruções de Amen-em-Ope* (ver as informações em Pv 22.22), sendo esse o caso da presente declaração.

Vigésima Quinta Declaração

Esta declaração é paralela à obra literária egípcia *Instruções de Amen-em-Ope*, em seu oitavo capítulo, e em Pv 11.6,7. Aqui Yahweh perscruta o coração dos homens (v. 12), o que, na obra egípcia, é ato do deus Thoth.

Vs. 11. Os oprimidos estavam sendo levados para serem executados, ou por seus inimigos pessoais, ou por meio de decisões judiciais desonestas. Seriam executados por crimes que não cometeram.

Sinônimo. Nesses casos, o homem bom envida todo o esforço para fazer cessar a injustiça e salvar os pobres homens que estavam prestes a morrer. Ver sobre Pv 19.17 quanto aos oprimidos. Os profetas falavam em termos fortes contra tal opressão. Ver Am 2.7 e Os 4.2. Os oprimidos seguem tropeçando para o local de sua execução e merecem a nossa piedade.

Vs. 12. Este versículo reforça o anterior. O homem justo pode ter medo e conter-se, ou seja, não se envolver nos casos descritos no vs. 11. O homem justo pode fingir ignorância e olhar em outra direção, acovardando-se diante dos assassinos.

Antítese. Em contraste, Yahweh tem perfeita consciência do que está acontecendo, ao sondar o coração daqueles covardes. Esses não podem escapar da ira divina, se deixarem de ajudar a um irmão em aflição. Nas *Instruções de Amen-em-Ope*, é o deus Thoth que pesa o coração em tais casos. Cf. Pv 21.2. Deus conhece as motivações e os pensamentos. Ele verá as injustiças e será severo acerca da questão. Ele se preocupa com a sorte dos fracos e dos impotentes (ver Pv 22.22,23; 23.10,11). Cf. a atitude lassa dos covardes com a atitude de Caim: "Acaso sou eu tutor de meu irmão?" (Gn 4.9).

24.13,14

אֱכָל־בְּנִי דְבַשׁ כִּי־טוֹב וְנֹפֶת מָתוֹק עַל־חִכֶּךָ׃

כֵּן דְּעֵה חָכְמָה לְנַפְשֶׁךָ אִם־מָצָאתָ וְיֵשׁ אַחֲרִית
וְתִקְוָתְךָ לֹא תִכָּרֵת׃ פ

Filho meu, saboreia o mel, porque é saudável. Uma vez mais temos uma declaração em dois versículos, cada qual com duas linhas, onde a segunda é sinônima, em ambos os casos. Ver a introdução ao vs. 11, quanto a outras informações.

Vigésima Sexta Declaração

O mel é a substância mais doce conhecida pelos antigos e era considerado uma mercadoria boa quanto ao paladar, boa como alimento. Os antigos sabiam certas coisas sobre a nutrição por meio da experiência, mas é provável que não seja isso que esteja em vista aqui. O prazer de comer essa substância é enfatizado.

Sinônimo. O mel é doce, que é o gosto favorito de muitas pessoas. De fato, algumas pessoas são viciadas em mel. Portanto, todos os dias têm de satisfazer sua fixação no "chocolate" ou em "doces", tal como os alcoólatras ou viciados em drogas precisam satisfazer o seu vício. O autor sacro não está condenando o vício com os doces. De fato, ele usou essa circunstância de boa maneira (vs. 14). Ver sobre o "mel" por seis vezes, no livro de Provérbios (5.3; 24.13, por duas vezes; 25.16,27 e 27.7).

Vs. 14. O gosto mais doce ao paladar é o mel; o gosto mais doce para a alma é a sabedoria, que vem pelo conhecer e seguir a lei. Ver no *Dicionário* o artigo chamado *Sabedoria*. Epicuro defendia a tese de que os prazeres mentais são superiores aos prazeres físicos. Mas sabemos que os prazeres espirituais são superiores aos prazeres mentais, e é sobre isso que o autor sagrado falava aqui.

Sinônimo. A grande vantagem da sabedoria é que ela oferece um futuro. O homem sábio não terá suas esperanças cortadas pela morte prematura. Ele terá vida longa, próspera e saudável e realizará tudo o que quiser fazer ou espera poder fazer.

Este versículo tem sido cristianizado para falar do lar cristão na vida eterna, mas essa conclusão é anacrônica aqui. Ver Pv 4.13 sobre como a sabedoria conduz à vida, um dos principais temas do livro.

O pai espiritual convidou seu filho espiritual a reconhecer a verdade do que ele dissera (vs. 13). A expressão "meu filho" é usada por cinco vezes nas trinta declarações: Pv 23.15,19,26; 24.13,21.

Vigésima Sétima Declaração

24.15,16

אַל־תֶּאֱרֹב רָשָׁע לִנְוֵה צַדִּיק אַל־תְּשַׁדֵּד רִבְצוֹ׃

כִּי שֶׁבַע יִפּוֹל צַדִּיק וָקָם וּרְשָׁעִים יִכָּשְׁלוּ בְרָעָה׃

Não te ponhas de emboscada, ó perverso, contra a habitação do justo. Esta declaração é expressa em dois versículos, o que acontece por cerca de vinte vezes nesta seção, Pv 22.17—24.34. Ver Pv 22.17 quanto aos tipos de declarações desta seção, sob *Apresentação das Declarações*.

Vs. 15. O estudante é advertido a não se envolver em atos de violência, seguindo o exemplo de ladrões e assassinos brutais. Cf. Pv 1.10 ss. O lucro fácil é o motivo por trás dessa violência, embora homens ímpios encontrem prazer em crimes violentos que não compreendemos. Este versículo sugere uma angústia ou uma espécie de ataque surpresa no lar do homem bom para saquear seus bens ou mesmo para tomar suas propriedades. Um lar rural é indicado pelos termos *pasto* e *toca*, no original hebraico.

Sinônimo. Nenhuma violência deve ser cometida contra o lar do homem bom, mesmo que esse homem seja uma presa fácil e represente lucro fácil. Deus cortará um homem que faça coisas atrevidas. O homem "lá fora", nos campos, um agricultor ou pastor, terá suas riquezas *in situ*, pelo que é um homem fácil de ser roubado. O estudante bom rejeitará qualquer tentação como essa, pois está aprendendo a equidade e a não violência em seus estudos sobre a lei, a fonte originária da sabedoria.

Vs. 16. Este versículo reforça o anterior, para arredondar, de maneira favorável, a declaração apresentada. Um homem justo pode cair, mas em breve se levantará. De fato, um justo pode cair por sete vezes e tornará a levantar-se. Isso porque ser bom é vantajoso para quem quer avançar, compreendendo-se que Yahweh é a sua força. Portanto, é sábio deixar sozinho um homem como esse. Você não quer misturar-se aos sofrimentos infligidos contra um homem que é ajudado pelo Ser divino. "Ele cai em tribulação (não no pecado, conforme alguns supõem), mas se levanta. Portanto, a malícia de nada adiantará, pois a proteção de Deus está com ele" (Ellicott, *in loc.*, que nos convida a comparar este versículo com Jó 5.19; Sl 34.19 e 37.24).

Antítese. Em contraste com o homem bom que continua a levantar-se, o homem mau, uma vez ferido pelo relâmpago divino, estará acabado. Não se levantará mais. Ele é derrubado por tragédias e desastres divinamente causados. A *Lei Moral da Colheita segundo a Semeadura* está sempre em operação. Ver sobre isso no *Dicionário*. Como exemplo de um bumerangue divino, ver os capítulos 3 e 6 de Daniel, e considerar o caso de Hamã e Mordecai, no livro de Ester.

24.17,18

בִּנְפֹל אוֹיִבְךָ אַל־תִּשְׂמָח וּבִכָּשְׁלוֹ אַל־יָגֵל לִבֶּךָ׃

פֶּן־יִרְאֶה יְהוָה וְרַע בְּעֵינָיו וְהֵשִׁיב מֵעָלָיו אַפּוֹ׃

Quando cair o teu inimigo, não te alegres. Uma vez mais, temos uma declaração em dois versículos. Ver as notas na introdução ao vs. 15 sobre essa circunstância.

Vigésima Oitava Declaração

Vs. 17. É muito fácil desejar, antes de tudo, que um inimigo obtenha o que merece, e assim caia. E quando isso acontece, sentimos uma alegria interior a respeito, mesmo que, hipocritamente, finjamos tristeza ou choque. Um homem sábio nos adverte contra expressões pecaminosas que demonstram vileza de alma. A *lei do amor* (o princípio espiritual mais importante) não funciona dessa maneira. O "homem bom" (que na verdade não é assim tão bom) pode não procurar vingança pessoal, mas quando isso lhe é "dado" pelas circunstâncias da vida, ele se sente pessoalmente vindicado e tem prazer nisso.

Sinônimo. Um homem bom na realidade se sente feliz quando um seu inimigo pessoal cai, porque tal homem pode sentir alegria no coração diante da calamidade, quando deveria haver ali amor, para ajudar a desviar a calamidade. Davi nos deixou o exemplo aqui. Ele não gritou de alegria quando Saul morreu, embora tivesse sido perseguido por aquele homem por longo tempo. Ver 2Sm 1.17. Pelo contrário, ele se lamentou genuinamente. Cf. Pv 25.21,22 (que é citado em Rm 12.).

Vs. 18. Um homem pode evitar o tipo de abominação descrita no vs. 17 (e todos os outros tipos) por relembrar que é Yahweh quem observa todas as coisas, sendo ele o poder que está por trás, quer um homem caia, quer se levante. Se você tomar o seu lugar, mesmo em seu coração, sofrerá a retribuição divina. Em vez de seu inimigo ser amaldiçoado, você sofrerá maldições. Ao nutrir esse tipo de atitude, você se tornará um pecador que precisa sofrer o desprezer divino. Deus ama o mundo (ver Jo 3.16), e aqueles que odeiam são contrários à disposição divina.

Sinônimo. Quando você for julgado, o homem que você odiava será levantado por Deus. Há uma reversão divina que envolve eventos amargos, pois seu inimigo agora está de pé, enquanto você está caído. As boas-novas do cristianismo aceitam o fato de que os homens caem porque são humanos. Mas também afirmam que os homens não precisam permanecer caídos. A mão divina está próxima e pronta para ajudar um homem a levantar-se, caso ele tenha fome e sede de justiça. É isso o que está envolvido no evangelho. Os que agem como o homem do vs. 17 demonstram espírito contrário ao evangelho. O evangelho destina-se a você e ao homem que você odeia. Isso faz diferença para você?

24.19,20

אַל־תִּתְחַר בַּמְּרֵעִים אַל־תְּקַנֵּא בָּרְשָׁעִים׃

כִּי לֹא־תִהְיֶה אַחֲרִית לָרָע נֵר רְשָׁעִים יִדְעָךְ׃

Não te aflijas por causa dos malfeitores. Existem cerca de vinte declarações que ocupam dois versículos na seção de Pv 22.17-24.34. Quanto a informações a respeito, ver a introdução ao vs. 15.

Vigésima Nona Declaração

A inveja dos pecadores é condenada por três vezes nas trinta declarações desta seção: Pv 23.17; 24.1 e 19. O homem bom deve estar minimamente interessado naquilo que o pecador tem, pois o que os pecadores fazem não redunda em bem algum. Se um homem agir dessa maneira — invejando o malfeitor — será menos que sábio (pois será um principiante espiritual). Por conseguinte, o mestre adverte os estudantes contra a concupiscência de desejar as possessões e o estilo de vida do homem mau.

Não te aflijas. Um homem bom passará por momentos de ansiedade ou mesmo de desgosto, considerando seu estado de pobreza, ao passo que o iníquo prospera. Cf. Sl 37.1; 73.3 e Jr 12.1.

Sinônimo. Um homem bom não deve sofrer aflições interiores a respeito do que o pecador tem e faz, nem deve invejá-lo por razão nenhuma. Isso seria rebaixar-se ao nível do iníquo e desprezar os benefícios de quem obedece à lei de Moisés. Ver sobre *Inveja* no *Dicionário*, quanto a detalhes.

Vs. 20. Este versículo reforça o anterior, relembrando-nos que o homem iníquo, embora esteja voando alto no dia de hoje, será derrubado amanhã: ele não tem futuro; não viverá por muito tempo; suas riquezas serão saqueadas ou passarão para mãos alheias. Seus caminhos ímpios haverão de aprisionar-lhe os pés, e muito breve!

Sinônimo. A lâmpada do homem mau será apagada, isto é, sua vida será cortada por meio de alguma calamidade, violência ou enfermidade. Ele sofrerá morte prematura. Ele não tem futuro. Cf. Pv 13.9b, que é idêntico a esta segunda linha do vs. 20. Cf. a declaração em geral, com Pv 23.18. O vs. 20 mostra quão ridículo é alguém invejar o homem rico e ímpio, suas possessões e seu estilo de vida.

24.21,22

יְרָא־אֶת־יְהוָה בְּנִי וָמֶלֶךְ עִם־שׁוֹנִים אַל־תִּתְעָרָב׃

כִּי־פִתְאֹם יָקוּם אֵידָם וּפִיד שְׁנֵיהֶם מִי יוֹדֵעַ׃ ס

Teme ao Senhor, filho meu, e ao rei. Existem cerca de vinte declarações de duas linhas na seção de Pv 22.17—24.34. Ver sobre isso no vs. 15 deste capítulo.

Trigésima Declaração

Quanto ao número trinta, o número total dessas declarações, o que significa que esta é a última delas, ver Pv 22.10.

Vs. 21. Muito apropriadamente, as trinta declarações terminam na nota-chave da declaração que versa sobre o temor do Senhor. De fato, esse é o lema do livro. Ver sobre Pv 1.7 e Sl 119.38 quanto a notas expositivas. Há maiores detalhes no artigo do *Dicionário* sobre o assunto *Temor*. O temor do Senhor é a espiritualidade do Antigo Testamento. Baseia-se na lei de Moisés conforme ela é fomentada e interpretada pelas declarações da sabedoria. Quando os homens, de todo o coração, cumprem a lei, que é guia (ver Dt 6.4 ss.) e transmissor de vida (ver Dt 4.1; 5.33; 6.2 e Ez 20.1), então eles estão andando no temor do Senhor.

Sinônimo. Temer e obedecer a Yahweh significam também temer e obedecer aos poderes que ele estabeleceu para seu próprio governo. "A obediência a Deus e ao rei é recomendada aqui. Cf. 1Tm 2.1,2; Tt 3.1" (Charles Fritsch, *in loc.*). Além disso, devemos relembrar a passagem de Rm 13.1 ss. Os homens que desobedecem a poderes altos ou baixos sofrerão por isso. A Septuaginta diz "desobedecer", mas o hebraico diz "não te associes com aqueles que mudam" (ou seja, têm poder de mudar os acontecimentos). É melhor manter distância de tais poderes, a fim de não ser atropelado por eles. Talvez este versículo possa ser compreendido como a ordem para o homem pequeno não se misturar com a política, na qual ocorrem tantas intrigas e brigas de arma branca em punho.

Não te associes com os revoltosos. Outras versões dizem aqui "com os que mudam". Isso poderia referir-se ao costume de os governantes mudarem de ideia com tanta frequência, empregando ora uma norma política, ora outra. O homem comum, pequeno como é, poderia ser apanhado no fogo cruzado dos acontecimentos. Eles "gostam de mudanças". Mas a nossa versão portuguesa diz "revoltosos". É melhor não se misturar com bandidos.

Vs. 22. Perdição procede dos políticos que têm nas mãos o poder de vida e morte. A ruína também pode proceder de Yahweh quando ele lança seus raios contra os ofensores. Porém, é melhor assumir uma postura humilde diante tanto da perdição quanto da ruína.

Sinônimo. O homem que se mete com os poderes, sejam eles o divino ou os humanos, pode sofrer ruína: acontecimentos adversos, desastres e até mesmo morte. Ele pode ser um rebelde que se opõe aos poderes, ou pode ser apenas um indivíduo desviado do reto caminho, ou então alguém que se aproximou demais da fonte do poder mas não estava preparado para isso.

Venha sobre o inimigo a destruição, quando ele menos pensar.
Salmo 35.8

TERCEIRA COLETÂNEA DE DECLARAÇÕES (24.23-34)

Alguns estudiosos veem aqui uma espécie de apêndice que encerra a seção de Pv 22.17—24.34, chamada *Declarações dos Sábios* (outros que não Salomão). Esta é a terceira grande divisão do livro. No capítulo 25, retornamos aos Provérbios de Salomão, a segunda coletânea de provérbios. Ver a Introdução ao livro, seção X, Conteúdo e Esboço do Livro, quanto às suas divisões. O livro de Provérbios tem oito grandes seções.

A terceira coletânea adiciona outras seis declarações, além das trinta que foram dadas. Quanto a esse número, ver Pv 22.20. As novas seis declarações, como as anteriores, tratam de variadas questões, como a justiça ou a injustiça nos tribunais, a honestidade, as prioridades espirituais, o falso testemunho, a vingança e a preguiça, tópicos que já haviam aparecido antes no livro de Provérbios.

Primeira Nova Declaração

■ **24.23**

גַּם־אֵ֥לֶּה לַחֲכָמִ֑ים הַכֵּר־פָּנִ֖ים בְּמִשְׁפָּ֣ט בַּל־טֽוֹב׃

Este versículo tem duas linhas, e a segunda é sinônima da primeira.

São também estes provérbios dos sábios. Homens sábios foram os que afirmaram a verdade dos seis provérbios que se seguem, pelo que esta primeira linha serve de minúscula introdução para a coletânea. Homens sábios tinham estudado a lei de Moisés; esta era seu guia e inspiração. Eles eram autoridades sobre a lei. Suas declarações demandavam atenção e obediência e fomentavam e interpretavam a lei.

Sinônimo. Em concordância com a sabedoria dos homens treinados na lei, temos de reconhecer a necessidade de um julgamento imparcial nos tribunais. Tão pouco quanto duas testemunhas podiam determinar a vida ou a morte de um homem levado aos tribunais (ver Dt 17.6). Portanto, tinha de haver honestidade e nada de subornos ou outras influências para fazer a justiça ser ignorada ou pervertida. A parcialidade no julgamento é condenada em Dt 1.17; 16.19; Pv 17.15; 18.5; 24.23 e 28.21.

O hebraico diz aqui, literalmente, "considerar faces" (ver Pv 18.5 e 28.21), ou seja, ser parcial, favorecer a um, desfavorecer a outro, por outras razões que não a justiça e a verdade. Dinheiro e poder usualmente estão envolvidos nessa luta, mas de outras vezes também está envolvida a vingança. Ver Lv 19.15; Dt 1.17 e Jó 34.19. Cf. Tg 2.1-3.

■ **24.24**

אֹמֵ֤ר ׀ לְרָשָׁע֮ צַדִּ֪יק אָ֥תָּה יִקְּבֻ֥הוּ עַמִּ֑ים יִזְעָמ֥וּהוּ לְאֻמִּֽים׃

A parcialidade começa quando alguém, que ocupa a posição de juiz, pronuncia um homem inocente de culpado. Esse homem recebeu ou espera receber um suborno, ou obterá para si mesmo alguma coisa, se perverter o julgamento.

Antítese. Em contraste com o juiz injusto, estão as pessoas que amaldiçoam o homem e o indivíduo culpado que ele deixou em liberdade. Até as nações pagãs concordam e abominam tal indivíduo. O juiz pervertido não tem consciência, mas essa situação ainda está bem viva entre o povo. Ver no *Dicionário* o verbete chamado *Consciência*, e ver também Pv 20.27. Cf. este versículo com Pv 17.15 e Is 5.23.

■ **24.25**

וְלַמּוֹכִיחִ֥ים יִנְעָ֑ם וַ֜עֲלֵיהֶ֗ם תָּב֥וֹא בִרְכַּת־טֽוֹב׃

Um homem ímpio deve ser repreendido, conforme lemos na primeira linha deste versículo. O juiz iníquo não deve ter permissão de continuar com seu jogo doentio, nem o indivíduo a quem ele favorece erroneamente deve continuar em liberdade. O juiz justo deve convencer o homem ímpio de sua culpa. Esse juiz será louvado se assim fizer.

Sinônimo. A bênção de Deus e a dos homens virão ao justo juiz, bem como sobre qualquer um que insista em fazer justiça estrita. Os bons juízes são respeitados e apreciados, porquanto mantêm os alicerces de uma nação. Homens bons prosperarão material e espiritualmente. Disse Aben Ezra: "O Senhor será doce e deleitoso para eles. Ele também se agradará neles".

Confia ao Senhor as tuas obras, e os teus desígnios serão estabelecidos.

Provérbios 16.3

■ **24.26**

שְׂפָתַ֥יִם יִשָּׁ֑ק מֵ֜שִׁ֗יב דְּבָרִ֥ים נְכֹחִֽים׃

Como beijo nos lábios... Encontramos aqui a segunda das seis declarações adicionais. Ver a introdução ao vs. 23. Estamos abordando a terceira coletânea das declarações dos sábios, ou então um apêndice à seção.

Uma linguagem apropriada é aqui requerida. Cerca de cem provérbios tratam desse assunto. Ver sobre Pv 11.9,13 e 18.21. Ver também, no *Dicionário*, o verbete intitulado *Linguagem, Uso Apropriado da*.

Um beijo nos lábios será dado ao que fala bem. Ou então o homem que fala com retidão e dá boas respostas aos problemas é precisamente aquele que dá o beijo, agradando a quem o recebe.

"Uma boa resposta é tão boa como um beijo. Aquele que sabe responder bem faz algo que favorece ao que recebe a resposta. O beijo fala de afeição e, algumas vezes, de obediência (ver Sl 2.12 e Ct 8.1). *Afeto* é a ideia predominante aqui. "Um beijo é sinal de verdadeira amizade" (Charles Fritsch, *in loc.*).

Sinônimo. Um beijo é paralelo da resposta certa, da palavra que ajuda, do conselho benéfico, da palavra de consolo. Ver Pv 15.23, paralelo direto cujas notas também se aplicam aqui.

■ **24.27**

הָכֵ֤ן בַּח֨וּץ ׀ מְלַאכְתֶּ֗ךָ וְעַתְּדָ֣הּ בַּשָּׂדֶ֣ה לָ֑ךְ אַ֜חַ֗ר וּבָנִ֥יתָ בֵיתֶֽךָ׃ פ

Cuida dos teus negócios lá fora. A terceira declaração consiste em um conselho prático para o homem que está preparando a fazenda de sua propriedade. O sábio cuidará das coisas mais básicas, que, neste caso, são a terra, visto que essa era a ocupação mais comum na Palestina. Nessa preparação (segunda linha), um homem deve arar a terra e plantar as sementes. E enquanto a natureza cuidar das coisas, preparando tudo para a colheita, o homem pode olhar para outros interesses.

Antítese. Uma vez que a colheita esteja a caminho, devido aos processos normais da natureza, então um homem pode edificar a sua casa literal, ou casar-se e cuidar de sua família, o que pode ser chamado, figuradamente, de "edificar a própria casa". Este versículo diz aquilo que todos conhecemos, mas muitos não seguem: antes de casar-se e envolver a vida em tantas complicações, que cada um de nós certifique-se de ter atingido educação adequada e uma profissão rentável. É importante que cada indivíduo tenha as suas prioridades em boa ordem. O mestre recomenda bons planos e bons métodos. Cf. Rt 4.11. Ver também Lc 14.28,29, quanto à construção de uma torre, que pode servir de figura de muitos empreendimentos na vida, nos seus aspectos materiais e espirituais.

■ **24.28**

אַל־תְּהִ֣י עֵד־חִנָּ֣ם בְּרֵעֶ֑ךָ וַ֜הֲפִתִּ֗יתָ בִּשְׂפָתֶֽיךָ׃

Não sejas testemunha sem causa contra o teu próximo. A quarta nova declaração nos devolve à cena de um tribunal (ver os vss. 23,24 deste capítulo). Esta declaração é contrária às testemunhas falsas condenadas pelo nono mandamento (ver Êx 20.6). Quanto ao testemunho verdadeiro e ao testemunho falso, cf. Pv 12.17; 14.5,25 e 19.5,9,28.

Sem causa. Poderia haver ocasiões em que um homem teria de testificar contra seu vizinho, quando este cometera algum crime punido pela lei de Moisés. Nesse caso, o homem tinha de prestar testemunho veraz, e não mentiroso, que não desse margem a julgamentos falsos ou à parcialidade (vs. 23). E nunca deveria ser um farsante, testificando contra o próximo por motivos puramente egoístas.

Sinônimo. Um homem justo jamais dará um testemunho baseado no engano, na esperança de prejudicar um e agradar a outro, injustamente. Contra o *engano*, ver Pv 12.20. Ver no *Dicionário* o artigo chamado *Engano, Enganar.* A vingança nunca é uma razão válida para o falso testemunho, como também não o é o dinheiro.

■ **24.29**

אַל־תֹּאמַ֗ר כַּאֲשֶׁ֣ר עָֽשָׂה־לִ֭י כֵּ֥ן אֶֽעֱשֶׂה־לּ֑וֹ אָשִׁ֖יב לָאִ֣ישׁ כְּפָעֳלֽוֹ׃

Não digas: Como ele me fez a mim, assim lhe farei a ele! A quinta declaração está relacionada à quarta, do vs. 28. Esta declaração, que é uma das mais nobres do livro de Provérbios, é como a regra áurea ensinada por Jesus:

Tudo quanto, pois, quereis que os homens vos façam, assim fazei-o vós também a eles; porque esta é a lei, e os profetas.

Mateus 7.12

O homem sábio está falando em viver a lei do amor, que também cumpre a lei e os profetas. Ver Rm 13.8 ss. Ver no *Dicionário* o artigo chamado *Amor*, e examinar os comentários sobre Mt 7.12 no *Novo Testamento Interpretado*. A obra egípcia *Instruções de Amen-em-Ope* tem um paralelo (ver Pv 22.22):

> *Àquele que faz o mal, deves fazer o bem,*
> *Ao teu inimigo deves sempre agir com justiça.*

Sinônimo. Todo homem é tentado a pagar o mal com o mal: "Farei àquele homem a mesma coisa que ele fez contra mim!" Mas a lei do amor desencoraja esse tipo de atitude.

> *Se o teu inimigo tiver fome, dá-lhe de comer; se tiver sede, dá-lhe de beber; porque, fazendo isto, amontoarás brasas vivas sobre a sua cabeça. Não te deixes vencer do mal, mas vence o mal com o bem.*
>
> Romanos 12.20,21

Contraste o leitor com isso, o espírito severo expresso em Lv 24.19,20. Cf. Pv 20.22 e Tg 2.13. Ver também Rm 12.19.

Sexta Nova Declaração

■ **24.30-34**

30 עַל־שְׂדֵה אִישׁ־עָצֵל עָבַרְתִּי וְעַל־כֶּרֶם אָדָם חֲסַר־לֵב׃

31 וְהִנֵּה עָלָה כֻלּוֹ קִמְּשֹׂנִים כָּסּוּ פָנָיו חֲרֻלִּים וְגֶדֶר אֲבָנָיו נֶהֱרָסָה׃

32 וָאֶחֱזֶה אָנֹכִי אָשִׁית לִבִּי רָאִיתִי לָקַחְתִּי מוּסָר׃

33 מְעַט שֵׁנוֹת מְעַט תְּנוּמוֹת מְעַט חִבֻּק יָדַיִם לִשְׁכָּב׃

34 וּבָא־מִתְהַלֵּךְ רֵישֶׁךָ וּמַחְסֹרֶיךָ כְּאִישׁ מָגֵן׃ פ

Passei pelo campo do preguiçoso... Esta sexta nova declaração é, na realidade, um pequeno discurso, um dos significados possíveis da palavra *provérbio*, conforme usada no livro presente. Diz respeito ao preguiçoso, um tema comum do livro de Provérbios. Ver a nota de sumário sobre o *preguiçoso*, em Pv 6.6, e ver também outras notas em Pv 19.25. Ver no *Dicionário* os verbetes chamados *Preguiça* e *Preguiçoso*, quanto a detalhes completos.

"A preguiça é fortemente censurada pelos sábios hebreus. Cf. Pv 6.6-11. Os últimos versículos desta passagem são similares aos últimos versículos desta seção. Ver também Pv 10.4; 12.24,27; 13.4; 15.19; 18.9; 19.15; 20.4,13 e 21.25" (Charles Fritsch, *in loc.*).

Vs. 30. Este versículo atua como introdução ao pequeno discurso. Na primeira linha, vemos o sábio caminhando pelos campos de um agricultor preguiçoso; na segunda linha, sinônima, ele caminha pelo vinhedo de um preguiçoso que não tem bom senso. Esses dois homens preguiçosos não têm inclinação para o trabalho, e seu local de trabalho vive em um caos total. O sábio percebe que o caos que se vê no campo e no vinhedo é equivalente ao caos na mente do agricultor e do vinhateiro. Ao preguiçoso (ver Pv 19.24) falta bom juízo. Cf. Pv 6.32 e 10.13. Ele não estudou a lei de Moisés, ou, se a estudou, desconsidera suas declarações, que comandam o entusiasmo e as ações corretas. As declarações de sabedoria fomentam a lei e dão força a suas demandas. O preguiçoso, porém, é por demais dorminhoco para cuidar das demandas da lei. A lei do preguiçoso é o próprio lazer. Ele espera que outras pessoas supram as suas necessidades.

Este versículo deve ser conferido com Mt 21.33. Este discurso tem sido espiritualizado para falar da receptividade espiritual e do trabalho enérgico, em contraste com a indiferença espiritual. Ver Gl 5.22,23 quanto à metáfora agrícola. Ver no *Dicionário* o artigo chamado *Agricultura*.

Vs. 31. Este versículo combina os campos do agricultor e o vinhedo do vinhateiro. Os dois lugares estavam nas mesmas condições caóticas. Espinhos e urtigas tinham tomado conta de tudo, enquanto as cercas que marcavam os limites dos terrenos estavam derrubadas. O mestre, entretanto, não viu o homem preguiçoso porque ele estava em sua cabana pequena e suja, dormindo um pouquinho.

Há sete trios nesta seção — Pv 22.17–24.34; 22.29; 23.5,29 (um trio duplo),31; 24.14,27,31 —, que possui vários modos de apresentação das declarações. Ver sobre isso em Pv 22.17, sob o título *Apresentação das Declarações*. Note o leitor o trio:

1. Espinhos e ervas daninhas medravam por toda a parte, em vez de colheitas.
2. Espinhos chegavam a cobrir o solo, o qual, como é lógico, permanecia sem ser arado.
3. As cercas que assinalavam os limites dos terrenos estavam derrubadas, e isso vinha acontecendo fazia muito tempo.

"As paredes que serviam de limites eram formadas de pedras soltas e empilhadas, sem cimento e, por isso, se não fossem arrumadas de vez em quando, acabavam tombando no chão" (Fausset, *in loc.*).

O sábio contemplou aquele caos em incredulidade, balançando a cabeça e pensando nas condições caóticas correspondentes no coração do agricultor e do vinhateiro.

Vs. 32. O sábio quase não podia acreditar no que via. Ele continuava contemplando e desacreditando. Porém, sendo um sábio, foi capaz de extrair da cena algo de valor: ele mesmo recebeu instrução. "Embora os insensatos não possam aprender dos sábios, os sábios muito podem aprender dos insensatos" (Fausset, *in loc.*).

Sinônimo. O homem treinado na lei, que o tornara sábio, tinha impressa em sua mente, graficamente, a insensatez de alguém ser um preguiçoso, e essa é a razão pela qual temos esses versículos à nossa frente, compondo a sexta nova declaração. O homem bom anotou por escrito esses versículos, e hoje podemos ler e aprender a mesma lição que o mestre aprendeu naquele dia, quando caminhava ao redor. "A indolência, o permanecer no leito e descansar, quando é tempo de trabalhar, conduz à pobreza" (Sid S. Buzzell, *in loc.*).

Considerei. Literalmente, diz o original hebraico, "pus nisso o meu coração". Ver Pv 2.2. O sábio guardou no coração a cena, e dela extraiu uma lição.

Vs. 33. Este versículo duplica o trecho de Pv 6.10, onde ofereço as notas expositivas. O preguiçoso dorme a noite inteira, e então, no dia seguinte, descansa por nada haver feito. E novamente se deita; novamente dorme; ele fez do sono o seu objetivo na vida, bem como o seu estilo de vida. Os homens que seguiam esse estilo de vida tinham-se arruinado e lançaram suas terras no caos. Esperamos somente que eles não tivessem filhos.

Vs. 34. A pobreza cai subitamente sobre o preguiçoso, tal como o ladrão ataca a sua presa (conforme dizem a *Revised Standard Version* e a tradução da Imprensa Bíblica Brasileira, que substituíram o termo hebraico *mithhallekh* pelo vocábulo *kimehallekh*. A primeira dessas palavras significa *viajante*, sendo usada no trecho paralelo de Pv 6.11, onde ofereço a exposição).

Sinônimo. O homem armado ataca subitamente e sem aviso prévio, e depois faz ainda outra vítima. Ele se enriqueceu, mas suas orações empobreceram proporcionalmente. Um dos significados é que a vítima não pode resistir ao atacante, que está armado. Foi assim que o homem preguiçoso, através de anos de cultivo, criou circunstâncias de pobreza, e algum dia se verá impotente contra a mais abjeta pobreza.

> Todos aqueles para quem trabalhei tomaram o caminho de fuga mais fácil. Não estamos lutando por coisa alguma. Somos tão mentalmente preguiçosos, que já poderíamos ser considerados mortos.
>
> Beatie Bryant

Essa senhora nunca trabalhou para mim. Ela, entretanto, deve ter sido uma funcionária pública. Verdadeiramente, os empregadores que trabalham para o governo, e seus "empregados", ajustam-se à descrição dada acima. Ou seja, "muitos deles", porquanto a filosofia nos ensina que todas as generalizações falham em alguma coisa.

CAPÍTULO VINTE E CINCO

PROVÉRBIOS DE SALOMÃO: PRIMEIRA PARTE DA SEGUNDA COLETÂNEA (25.1—29.27)

A primeira coletânea dos provérbios de Salomão é constituída pelo trecho de Pv 10.1—22.16. Encontramos aqui uma antologia de declarações. Duas seções podem ser distinguidas: parte I (capítulos 25—27), similar à seção III do livro (Pv 22.17—24.35); e parte II (capítulos 28—29), similar à seção II do livro (Pv 10.1—22.16). Muitas das declarações da primeira parte abordam a sabedoria prática, diária, "secular"; mas a segunda parte tem um tom mais espiritual.

25.1

גַּם־אֵלֶּה מִשְׁלֵי שְׁלֹמֹה אֲשֶׁר הֶעְתִּיקוּ אַנְשֵׁי חִזְקִיָּה מֶלֶךְ־יְהוּדָה׃

São também estes provérbios de Salomão... Este versículo serve de nota expositiva introdutória, para informar-nos de onde vieram esses provérbios, os quais devemos seguir na seção de Pv 25—29. Sabemos que Ezequias, rei de Judá (721-693 a.C.), era homem de habilidade literária, além de ter sido patrono das artes. Ver 2Rs 18.18,37; 19.2,3; Is 38.10-20. Ezequias viveu cerca de 250 anos depois de Salomão, e é possível que muitos dos provérbios à nossa frente, atribuídos a Salomão, na realidade não fossem de sua autoria. Por outro lado, não há razão alguma para duvidar de que muitos provérbios genuínos desse homem estejam contidos na compilação; entretanto, os estudiosos conservadores, como é natural, supõem que todos os provérbios atribuídos a Salomão sejam, realmente, dele. Essa editoração, preparada pelos "homens de Ezequias" (provavelmente escribas profissionais), fez com que muitos dos provérbios fossem agrupados em unidades similares, e não segundo moldes heterogêneos, conforme acontece a tanto do livro de Provérbios.

Os quais transcreveram. No hebraico, *'athaq*, literalmente, "removidos". Mas isso significa removidos de um rolo para outro, mediante o processo de cópia. Supõe-se que Ezequias tinha conhecimento de um ou mais rolos com esses provérbios, os quais estavam disponíveis para uso. Há mais de cem desses provérbios na seção à nossa frente.

25.2

כְּבֹד אֱלֹהִים הַסְתֵּר דָּבָר וּכְבֹד מְלָכִים חֲקֹר דָּבָר׃

A glória de Deus é encobrir as cousas. Deus é o *Mysterium Fascinosum* e também o *Mysterium Tremendum* (ver sobre ambos na *Enciclopédia de Bíblia, Teologia e Filosofia*). O próprio Deus está cercado de muitos enigmas, e outro tanto pode ser dito acerca da criação, feita por ele. Tentamos conhecer algo sobre Deus falando dos atributos divinos no estágio das máximas, e assim caímos no *Antropomorfismo* e no *Antropopatismo* (ver a respeito no *Dicionário*). Então falamos a respeito de Deus como o "inteiramente outro" e deslizamos para afirmações negativas, que na realidade não dizem grande coisa. Tentamos provar a sua existência examinando a natureza, sua própria existência, causa, desígnio, e construímos belos argumentos nos quais os filósofos não demoram a encontrar toda a espécie de problemas. Ver na *Enciclopédia de Bíblia, Teologia e Filosofia* sobre os vários *Argumentos*, bem como um sumário no artigo sobre *Deus*, no *Dicionário*. O resultado de nossos argumentos é algum conhecimento e muitos mistérios. Ver na *Enciclopédia de Bíblia, Teologia e Filosofia* os artigos denominados *Via Negationis* e *Via Eminentiae*, quanto aos modos de tentar falar sobre Deus.

> *Ó profundidade da riqueza, tanto da sabedoria, como do conhecimento de Deus! Quão insondáveis são os seus juízos e quão inescrutáveis os seus caminhos!*
> Romanos 11.33

Antítese. Se o homem é um ser muito misterioso, sendo um elemento da inescrutável criação de Deus, pelo menos podemos dizer algo de inteligente aqui. Além disso, o rei está naturalmente ocupado a solucionar problemas, os quais, uma vez solucionados, redundam em honra para ele. Os vss. 2-7 fornecem várias declarações sobre os reis. Salomão podia falar da sua própria experiência, mas o que ele dizia era universal. O reino olha para o rei, esperando que ele solucione os problemas relativos ao seu bem-estar; e é de presumir que o rei ideal, instruído na lei e familiarizado com as declarações da sabedoria, terá boa medida de sucesso em seus empreendimentos de "pesquisa". Deve haver justiça e equidade no reino.

25.3

שָׁמַיִם לָרוּם וָאָרֶץ לָעֹמֶק וְלֵב מְלָכִים אֵין חֵקֶר׃

Como a altura dos céus e a profundeza da terra... A criação também é algo quase inescrutável. Sabemos de algumas coisas a seu respeito, e a nossa ciência tem feito rápido progresso. Os voos à Lua, por exemplo, apesar de terem encontrado respostas a algumas questões, escavaram mais mistérios do que resolveram problemas. Os céus são tão altos que nenhum homem pode calcular-lhes a altura, e a terra está tão lá embaixo que terminamos em um dilema quando tentamos calcular essa profundidade. As distâncias até o sol, a lua, as estrelas etc. não eram entendidas pelos hebreus, que também nada sabiam sobre as galáxias, e até o dia de hoje o que sabemos a respeito não é muito. Eles não faziam ideia das dimensões da terra, nem mesmo que ela é redonda, e não tinham nenhum conceito sobre a sua órbita em redor do sol, coisas que atualmente conhecemos.

Sinônimo. O rei, que, presume-se, é o mais sábio dos homens (Salomão usava a si mesmo como exemplo), também tem um coração insondável. Portanto, os homens deveriam aproximar-se do rei em atitude de admiração e nunca sentido-se por demais confiantes acerca dele. Os reis podem ter planos contrários às ideias menores dos homens, e fazer coisas e exercer grande poder, apanhando fora de guarda a homens menores. Um homem jamais deveria prescindir do favor dos reis. Os reis são agentes livres e têm nas mãos poder de vida e morte.

25.4

הָגוֹ סִיגִים מִכָּסֶף וַיֵּצֵא לַצֹּרֵף כֶּלִי׃

Tira da prata a escória... Se alguém refinar a prata, produzirá material apropriado para a fabricação de itens de valor. Portanto, a primeira linha deste versículo fala do material cru que tem de ser refinado para ser posto em uso, e a segunda linha, que é sinônima, informa que boas coisas podem ser produzidas nesse processo. Isso pode ser aplicado tanto material quanto espiritualmente. Só podemos obter bons produtos em ambos os campos se estivermos dispostos a refinar os materiais. A lei de Moisés é a grande refinadora do homem bom. É através da legislação mosaica que o homem se refina e sai da experiência como homem sábio. É tudo uma questão de confiar e obedecer, depois de termos obtido algum conhecimento, frequentando a escola de um mestre, ou individualmente, em nossa própria vida pessoal. Ver sobre Pv 17.3 quanto ao processo de refinamento. Cf. 2Tm 2.21. Quanto às metáforas do ouro, da prata e das pedras preciosas, que falam sobre a lei de Moisés e seu valor para produzir a sabedoria, ver Pv 3.14; 8.10,19; 16.16 e 22.1. Cf. também Pv 33.15; 17.8 e 24.4.

A aplicação específica desta declaração é que os reis têm de tirar do reino a escória, ou seja, os homens ímpios, que são elementos corruptores, se quiserem ter um governo bem-sucedido. A impunidade no mal transforma a prata em escória (ver Is 1.22). O vs. 5 dá ao vs. 4 esse tipo de significado.

25.5

הָגוֹ רָשָׁע לִפְנֵי־מֶלֶךְ וְיִכּוֹן בַּצֶּדֶק כִּסְאוֹ׃

Tira o perverso da presença do rei. Um rei, se quiser alcançar êxito, deverá ser um refinador, pois de outra sorte a iniquidade derrubará o seu reino. A corrupção faz uma nação ajoelhar-se, e a classe política está sempre mergulhada em imensa confusão moral. Se estiver cumprindo o seu dever, o rei precisará deter a maré da iniquidade que ameaça o bem-estar de qualquer país. Terá de refinar (vs. 4) a terra e remover os maus elementos que causam dano.

Sinônimo. Se um rei estiver disposto a refinar o seu reino com vigor, então esse reino será firmado na retidão, e a equidade, não a iniquidade, governará. Ver Dt 17.14 ss. quanto ao rei hebreu ideal, que conhece a lei e a segue, pois é na lei que se concentra a sabedoria. A lei tem de ser a refinadora, começando a atuar no coração do rei e daí passando a atuar por todo o reino. Homens maus precisam ser expurgados. "Pessoas iníquas devem ser afastadas do rei. Libertar-se de auxiliares ímpios (cf. Pv 20.8,26) capacita o rei a ter um governo justo. A linha final de Pv 25.5 é quase idêntica a Pv 16.12" (Sid S. Buzzell, *in loc.*). Cf. Jr 21.12; 22.3 ss. e Zc 7.9 ss.

■ 25.6

אַל־תִּתְהַדַּר לִפְנֵי־מֶלֶךְ וּבִמְקוֹם גְּדֹלִים אַל־תַּעֲמֹד׃

Não te glories na presença do rei. A primeira linha deste versículo é similar a Pv 23.1, exceto pelo fato de que ali temos um "governador", ao passo que aqui temos um "rei". Um homem deve ter cuidado sobre como deve comportar-se diante de outro homem que pode prejudicá-lo ou ajudá-lo, segundo o capricho de sua vontade. É, ao mesmo tempo, errado e perigoso tentar "promover-se" diante de um rei, afirmando ser mais do que ele realmente é. Homens verdadeiramente grandes não têm paciência com "fingidos" e podem pô-los em seus lugares com certa violência.

Sinônimo. O rei já conta com grandes homens em sua presença, aos quais escolheu pessoalmente. Se você é um grande homem autorrecomendado, em breve será descoberto. E os oficiais do rei o devolverão a seu verdadeiro lugar, talvez até usando de violência. O plano é ser tão bom quanto possível, e se você for realmente habilidoso em algo que seria útil ao rei, ele lhe dará atenção (conforme o Faraó prestou atenção em José) e o promoverá. Então você gozará de segurança enquanto aquele rei estiver no poder. O próprio Jesus ilustrou este princípio em Lc 14.7-10.

■ 25.7

כִּי טוֹב אֲמָר־לְךָ עֲלֵה הֵנָּה מֵהַשְׁפִּילְךָ לִפְנֵי נָדִיב אֲשֶׁר רָאוּ עֵינֶיךָ׃

Porque melhor é que te digam: Sobe para aqui... Sim, é melhor que alguém diga "sobe para aqui" do que: "Desce para onde pertences". Essas palavras são tão similares a Lc 14.7-10, que talvez seja correto dizer que Jesus tinha a passagem em mente quando disse essas coisas. A linha antitética fala de um fingido que foi devolvido ao seu verdadeiro lugar inferior. Portanto, o fingido é alguém que está destinado a ser envergonhado e a sofrer perda. Ele deveria ter-se mantido afastado dos jogos de poder. Perdeu oportunidade por mostrar-se demasiadamente ansioso. Este versículo pode ser aplicado à humildade espiritual, quando não nos guindamos a posições de superioridade na comunidade espiritual, tentando impressionar outras pessoas com nossa alegada grandeza. Os que são dignos espiritualmente se elevarão ao topo do montão e serão reconhecidos. Porém, basta algum tempo para desmascarar os pretensiosos. Os reis do Oriente chegavam a separar-se até da presença de seus auxiliares, os quais tinham de solicitar admissão à presença dos monarcas. Quanto mais um homem que finge ser mais importante do que é, deve manter-se distante do monarca!

Por que Dédalo saiu voando em segurança, enquanto Ícaro, seu filho, caiu e deu seu nome ao mar Icário? Não foi porque seu filho voou alto, enquanto o pai deslizava sobre a superfície do solo? Pois ambos estavam munidos com o mesmo tipo de asas. Aceite a palavra conforme ela é: aquele que vive privadamente, viva em segurança, e cada homem deve viver dentro dos limites de sua renda financeira. Da mesma maneira, nenhum homem ora para ter uma vida tranquila. Através disso, ficarás dignificado (Ovídio, *Trist.*, livro iii. El. 4., vs. 21).

■ 25.8

אַל־תֵּצֵא לָרִב מַהֵר פֶּן מַה־תַּעֲשֶׂה בְּאַחֲרִיתָהּ בְּהַכְלִים אֹתְךָ רֵעֶךָ׃

Não te apresses a litigar. A primeira aplicação destas palavras parece ser aos tribunais. Não te apresses a apelar para os tribunais, atirando-te contra algum oponente. Permite que segundos pensamentos sóbrios ocorram, conforme os gregos diziam: "É mais sóbrio, de alguma maneira". Esta declaração, naturalmente, pode aplicar-se a qualquer tipo de contenda na qual nos atiremos de cabeça. Você pode ter certeza de que está com a razão, ao passo que seu próximo está errado. Você anseia por provar o seu caso, tem certeza de que seu dogma está correto e que as ideias de seu oponente estão equivocadas. Você corre para atirar-se na controvérsia. Fez disso um estilo de vida e um esporte. No entanto, uma surpresa ruim pode estar esperando por você.

Antítese. O seu oponente pode ter melhores argumentos que os seus, no tribunal, e você então será condenado. Ele pode sair-se melhor na contenda que você despertou. As ideias dele poderão ser melhores que as suas, e você então terá de "engolir as suas palavras", conforme diz uma moderna expressão idiomática. Cf. Pv 24.28 com a cena do tribunal.

■ 25.9

רִיבְךָ רִיב אֶת־רֵעֶךָ וְסוֹד אַחֵר אַל־תְּגָל׃

Pleiteia a tua causa diretamente com o teu próximo. Em vez de te encaminhares diretamente ao tribunal, arrastando contigo o teu próximo, o que poderia transformar-te em um espetáculo público, vai humildemente a ele, em particular, e procura acertar as diferenças entre ti e teu adversário, longe do olho público. Cf. Mt 5.25 e 18.15, que parecem basear-se no conselho deste versículo.

Sinônimo. Se houver algum segredo envolvido na controvérsia, mostra-te sábio o bastante para manter tudo escondido da curiosidade pública. Não traias a confiança de teu próximo. Ele se tornará teu inimigo se saíres ao redor revelando tudo quanto sabes acerca dele. "Revelar os teus próprios segredos é insensatez. Contar os segredos de teu próximo é traição" (Fausset, *in loc.*). "Oh, a insensatez de apelar para a lei! Oh, a cegueira dos homens e a rapacidade de advogados sem princípios" (Adam Clarke, *in loc.*). Cf. o conselho de Paulo em 1Co 6.1 ss.

■ 25.10

פֶּן־יְחַסֶּדְךָ שֹׁמֵעַ וְדִבָּתְךָ לֹא תָשׁוּב׃

Para que não te vitupere aquele que te ouvir... O juiz poderá fazer com que pareças um insensato, se o teu caso não for bom. E então terás contado em vão todos aqueles segredos. Teu caso deu em nada, mas agora tens um forte inimigo que te derrotou no tribunal, e tu lhe contaste os teus segredos. Tuas dificuldades jamais terminarão. Além disso, terás ganho a reputação de ser um idiota ansioso, e as pessoas haverão de zombar de ti. Tu te tornarás motivo de piadas na comunidade, que é o sinônimo da segunda linha.

Indo ao Tribunal. Conselho de Sir John Hawkins. 1. A tua causa terá de ser muito boa. 2. Terás de ter uma bolsa cheia, ou seja, muito dinheiro. 3. Terás de contar com um bom e habilidoso advogado. 4. Tuas evidências terão de ser boas. 5. Deve haver um juiz bom e impoluto. 6. Deve haver um corpo de jurados inteligente, ansioso por fazer o que é certo. e 7. Boa sorte!

De outro modo, talvez descubras algo sobre a gloriosa incerteza da lei.

■ 25.11

תַּפּוּחֵי זָהָב בְּמַשְׂכִּיּוֹת כָּסֶף דָּבָר דָּבֻר עַל־אָפְנָיו׃

Como maçãs de ouro em salvas de prata. Cf. este versículo com Pv 18.21. Ver também Pv 15.23 e Is 50.4. Quanto ao uso próprio e impróprio da linguagem, ver Pv 11.9,13 e 18.21, onde ofereço notas expositivas de sumário. Cerca de cem provérbios falam desse tema. Uma palavra apropriada e oportuna, sem importar se for uma palavra de conselho, consolo ou instrução, ou de resposta a uma questão difícil, é algo precioso, redundando em grande bem em prol da comunidade e do próprio indivíduo. Tal palavra é como beijos de afeto (ver Pv 24.26).

Sinônimo. Palavras boas e oportunas são comparadas a ornamentos de ouro e prata. O original hebraico é incerto e é difícil identificar exatamente o significado. "Maçãs de ouro postas em uma escultura ou baixo revelo em prata, ou como brincos de ouro, postos em realce pela prata" (Sid S. Buzzell, *in loc.*).

Salvas de prata. Podem indicar uma espécie de base, de trabalho de rede ou, talvez, de trabalho de escultura. Os orientais eram excelentes no trabalho de ornamentação rendada, e parece ser isso o que está em vista aqui. Maimônides fala em trabalho de gelosia. Para que realmente se compreenda a figura, é preciso ver o item sobre o qual se está falando. Mas o significado é claro: falar bem é uma mercadoria bela e preciosa.

25.12

נֶזֶם זָהָב וַחֲלִי־כָתֶם מוֹכִיחַ חָכָם עַל־אֹזֶן שֹׁמָעַת׃

Como pendentes e joias de ouro puro. O autor aqui continua a metáfora concernente à boa linguagem, dando-lhe uma aplicação específica: a necessidade de repreensão. Neste versículo as figuras empregadas são fáceis de compreender. O círculo de ouro, para ser aplicado ao nariz, às orelhas ou ao dedo, era um ornamento muito apreciado. Na verdade, qualquer ornamento de ouro era muito valorizado. Cf. Pv 11.22, que é passagem muito instrutiva. Usualmente a narina esquerda era furada. A argola de ouro era um ornamento comum nos países orientais.

Sinônimo. Boas instruções (o uso apropriado da linguagem) devem incluir repreensões bem colocadas. O homem sábio se beneficiará disso, bem como das instruções positivas. Ver Pv 1.23. Um sábio haverá de amar você, se você o repreender com razão (Pv 9.8), porque ele usará a repreensão para tornar-se mais sábio ainda. O homem que se beneficia da repreensão passará a viver com os sábios (ver Pv 15.31). Ele fará seu lar ali, naquela espécie de companhia.

25.13

כְּצִנַּת־שֶׁלֶג בְּיוֹם קָצִיר צִיר נֶאֱמָן לְשֹׁלְחָיו וְנֶפֶשׁ אֲדֹנָיו יָשִׁיב׃ פ

Como o frescor de neve no tempo de ceifa... Esta declaração fala da "importância de enviar um mensageiro digno de confiança" (cf. Pv 22.21), em contraste com o que foi dito em Pv 10.26. A resposta que ele traz de volta é tão refrescante quanto um copo de água fria em um dia quente.

Frescor... neve. A neve é muito refrescante no calor, quer falando de bebidas misturadas com a neve, quer quando há queda da neve. A "colheita", "que se estendia de março a setembro, dependendo da espécie vegetal em foco, devia ser colhida" (Charles Fritsch, *in loc.*). Provavelmente, está em pauta a neve nas montanhas, e não aquela que cai sobre as plantações, pois pode destruí-las.

Sinônimo. Tão refrigerante quanto uma bebida fria em dia quente, ou um dia fresco quando está nevando nas montanhas, é a boa palavra que um mensageiro traz de volta ao seu enviador. Ver Pv 13.17 quanto a um sumário dos provérbios do mensageiro, em Pv 10.26 e 26.6. A neve com frequência caía nas colinas da Judeia, e é desse fato que a metáfora surgiu.

Este versículo tem sido cristianizado para falar de Cristo, o Mensageiro de Deus, que trouxe as novas refrigeradoras do evangelho.

25.14

נְשִׂיאִים וְרוּחַ וְגֶשֶׁם אָיִן אִישׁ מִתְהַלֵּל בְּמַתַּת־שָׁקֶר׃

Como nuvens e ventos que não trazem chuva... Um homem ridículo qualquer se jacta de um presente que "ele vai dar", mas que nunca dá. Diz o hebraico original, literalmente, "dom da falsidade", que toma o lugar de um presente real. Esse homem não vive a lei do amor; não se mostra generoso; é um homem hipócrita e mesquinho, que faz promessas falsas. Ver no *Dicionário* o artigo chamado *Liberalidade, Generosidade*.

Sinônimo. Esse homem é como as nuvens lá em cima, a flutuar, encorajando as esperanças dos homens pela chuva necessária, mas nunca satisfaz, pois não chove. Os homens eram e continuam sendo totalmente dependentes de nuvens "produtoras" de chuvas. Se não chover, a vida cessa. A água pode ser diretamente obtida dos oceanos, mas eles também dependem da chuva para encher de novo os depósitos de água.

Estes homens são... nuvens sem água impelidas pelos ventos.
Judas 12

O indivíduo instruído na lei será genuinamente generoso, amará ao próximo como a si mesmo, e será como uma nuvem que supre água abundante. O homem que é uma nuvem seca desobedece a lei e desconsidera as declarações da sabedoria.

25.15

בְּאֹרֶךְ אַפַּיִם יְפֻתֶּה קָצִין וְלָשׁוֹן רַכָּה תִּשְׁבָּר־גָּרֶם׃

A longanimidade persuade o príncipe. Embora seja duro e poderoso, um governante está sujeito à persuasão. Assim sendo, em vez de tentar forçar a questão mediante violência e ameaças, aplique-se a diplomacia. Isso posto, aprendemos que a paciência e a gentileza podem ser armas poderosas nas mãos dos sábios.

A longanimidade. Extrema paciência, palavra que, no original hebraico, significa "comprimento (lentidão) de ira". Ver Pv 14.29.

Persuade. Este vocábulo vem de um termo hebraico que, corretamente traduzido, significa "incitar", em Pv 16.29. Cf. Pv 1.10. Palavras poderosas mas gentis algumas vezes podem fazer alguém tornar-se um príncipe, aliado ou benfeitor, mais do que podem fazer armas de força.

Sinônimo. Uma língua suave pode quebrar um osso duro; e assim também palavras gentis algumas vezes podem quebrar um caso difícil, em que falhariam gritos iracundos ou ameaças de força. Ver Gn 32.4. Jacó e Esaú estavam sempre envolvidos em alguma situação volátil, mas um pouco de amor fez com que se abraçassem e chorassem. Ver a cura feita pelas palavras gentis de Abigail, que impediram que Davi matasse Nabal (ver 1Sm 24.16; 25.32). Jarchi faz a língua suave ser uma língua que ora, a qual soluciona as questões de maneira não violenta e em segredo.

25.16

דְּבַשׁ מָצָאתָ אֱכֹל דַּיֶּךָּ פֶּן־תִּשְׂבָּעֶנּוּ וַהֲקֵאתוֹ׃

Achaste mel? Come apenas o que te basta. Temos aqui um conselho simples: Não sejas glutão no consumo de mel. Isso pode causar tremenda dor de estômago ou provocar o vômito. A glutonaria é um pecado grave, um vício, como qualquer droga. Um pregador gordo é uma péssima propaganda para a doutrina. Ele não venceu essa área de sua vida, assim por qual motivo devemos confiar nele quanto a outras coisas? A moderação e o autocontrole eram virtudes tidas em alta conta pelos sábios de Israel. Ver no *Dicionário* o artigo chamado *Moderação*. "Moderação" era o grande lema dos gregos, a palavra-chave para todas as situações. Ver Fp 4.5 quanto ao uso que o apóstolo Paulo fez dessa ideia. O vs. 27 repete a declaração da primeira linha. Ver no *Dicionário* o verbete chamado *Glutão*. A glutonaria é uma das obras da carne (ver Gl 5.21). Neste versículo, pois, recomenda-se a moderação no consumo do mel (ver Pv 24.13), pelo que é o excesso que faz um homem tornar-se pecador.

Achaste mel? Antigamente, o mel não era cultivado, conforme acontece nos tempos modernos. Pelo contrário, os homens o procuravam nos campos e se deleitavam. O mel era abundante na Palestina, antes que os homens estragassem o meio ambiente e espantassem as abelhas para as colinas. "Enxames de abelhas abundavam nos bosques. Cf. Jz 14.8; 1Sm 14.27. É por isso que encontramos a expressão 'terra que mana leite e mel' (Êx 3.8; 13.5 e 33.3)" (Ellicott, *in loc.*). Cf. este versículo com Pv 23.20,21 e 28.7 quanto ao pecado da glutonaria.

Sinônimo. A glutonaria termina com vômitos que desgostam, o que faz os glutões provocar, de fato, desgosto. Os romanos, na antiguidade, lançavam mão dos vômitos nos longos banquetes. Quando estavam de estômago cheio, vomitavam, para que pudessem recomeçar a comer. Cf. Ap 3.16 quanto a uma aplicação espiritual do vômito.

25.17

הֹקַר רַגְלְךָ מִבֵּית רֵעֶךָ פֶּן־יִשְׂבָּעֲךָ וּשְׂנֵאֶךָ׃

Não sejas frequente na casa do teu próximo. Esta é uma aplicação possível e prática da declaração constante no vs. 16. Se fores visitar teu próximo, não permaneças ali por longo tempo. Ele ficará cansado de ti e haverá de querer vomitar-te. A *Revised Standard Version* traduz essa declaração como "Vás raramente à casa do teu próximo". O original hebraico usa a palavra *yaqar*, literalmente, "tornar raro", "fazer precioso". Em outras palavras, que tuas visitas à casa do próximo sejam raras.

"Uma pessoa deve refrear-se de visitar com frequência o próximo, para evitar ser um incômodo. Antes, deve fazer poucas visitas, as quais serão valorizadas" (Sid S. Buzzell, *in loc.*).

Sinônimo. Um homem pressionado pela presença constante de outro acabará cansando-se e poderá até vir a odiar seu vizinho. Esses são motivos para nos mostrarmos moderados em nossas visitas, da mesma maneira que devemos ser moderados no comer (vs. 16) e em todas as coisas que fizermos.

A familiaridade gera o desprezo.

Provérbio latino

"A intrusão deve ser evitada" (Fausset, *in loc.*). Outra aplicação deste provérbio é: "Não fiques tempo demais com teu irmão quando estiveres de viagem, nem uses a casa dele como ponto de parada". É melhor ir a um hotel e fazer visitas.

■ 25.18

מֵפִיץ וְחֶרֶב וְחֵץ שָׁנוּן אִישׁ עֹנֶה בְרֵעֵהוּ עֵד שָׁקֶר׃

Maça, espada e flecha aguda é o homem. Quanto a testemunhos verazes e falsos, ver as notas em Pv 12.17; 14.5,25; 19.5,9,28 e 24.28. Este versículo, com suas descrições de segunda linha, fala da seriedade do crime de testemunhos falsos. Bastavam duas testemunhas (ver Dt 17.6) para que um inocente fosse executado. Se houvesse uma única testemunha, um homem iníquo podia "comprá-la" facilmente, mediante suborno. O dinheiro era dado a testemunhas falsas e também a juízes corruptos.

Sinônimo. Uma testemunha falsa cede armas mortíferas: a maça ou cacete para esmagar; a espada para decepar a cabeça; e a flecha para atravessar o coração. Um testemunho falso podia causar multas pesadas; perda da reputação (uma das mais preciosas possessões de um homem, o seu bom nome); ou a morte.

■ 25.19

שֵׁן רֹעָה וְרֶגֶל מוּעָדֶת מִבְטָח בּוֹגֵד בְּיוֹם צָרָה׃

Como dente quebrado e pé sem firmeza. Quanto ao indivíduo infiel, ver Pv 2.22. Esse é um homem que pode ter boas intenções, mas é um mentiroso patológico. Seus votos nunca são observados; suas promessas são esquecidas; ele conta mentiras que enganam. É consternador confiar em um homem como esse, porquanto ele sempre nos decepciona; ele perturba nossos planos; interrompe nossos sonhos. Esse é o homem que administra desapontamentos onde quer que vá. Estando atribulado, talvez você o invoque, mas ele não ajudará em nada. Pelo contrário, falhará; ele complicará suas tribulações, em lugar de resolvê-las.

Sinônimo. O mestre ilustrou sua declaração com duas figuras simbólicas. A primeira é o dente cariado, que não para de doer. "Quebrado" é tradução literal do termo hebraico *ra'a*, "quebrado". Um dente quebrado não somente é doloroso, mas também é inútil na mastigação, da mesma maneira que um homem infiel é inútil quando chega a dificuldade. A palavra "mau", no hebraico, requer apenas a mudança de um ponto vocálico. Em seguida, esse homem também é como o pé que está "desconjuntado", ou melhor, que "deslizou", o que, no hebraico, é *ma'adh*, "escorregar", "cambalear". Um homem com essas duas aflições terá muita dificuldade em mastigar seu alimento e dificilmente poderá caminhar. O Targum diz dente ruim, e a versão siríaca diz dente cariado.

■ 25.20

מַעֲדֶה בֶּגֶד בְּיוֹם קָרָה חֹמֶץ עַל־נָתֶר וְשָׁר בַּשִּׁרִים עַל לֶב־רָע׃ פ

Como quem se despe num dia de frio. Este versículo é um aparente trio, mas muitos eruditos e tradutores omitem a primeira linha como repetição da segunda. A Septuaginta deixa de lado a primeira. Se, porventura, a primeira linha for genuína, então temos duas figuras simbólicas, as vestes tiradas quando deveriam ser deixadas, para proteger do frio, e o vinagre, que causa efervescência, isto é, perturbação. Por conseguinte, essas duas condições incongruentes ilustram a incongruência entre alegria e tristeza: essas coisas não caminham paralelas. Se a primeira linha tiver de ser omitida, então estaremos reduzidos à metáfora do vinagre. No lugar da palavra "soda", que aparece em algumas versões, a *Revised Standard Version* e a nossa versão portuguesa dizem "feridas" (no hebraico, *peça*), que também é a tradução da Septuaginta. Se você derramar vinagre em um ferimento recente, isso causará ardência, e você não fará tal coisa a menos que queira mesmo sentir dor. Por igual modo, a alegria e a tristeza não caminham juntas.

Sinônimo. Cânticos de alegria em honra a quem está entristecido são uma incongruência e devem ser evitados. Que o homem se lamente; que o homem seja curado pelo tempo, mas não tragamos cânticos tolos para tornar a situação ridícula. "Cantar canções a alguém cujo coração está pesado de tristeza é um exemplo de ação mal colocada... William Penn, em suas meditações e máximas, tem um parágrafo que chamou de 'tempo oportuno'. Há um tempo próprio para falar e agir, se alguém tiver de obter os seus propósitos" (Rolland W. Schloerb, *in loc.*). Quanto a instâncias neotestamentárias de coisas feitas oportunamente, ver Jo 7.6 e 16.12. Uma canção de alegria no tempo errado é uma ofensa. Talvez seu intuito seja demonstrar simpatia, mas produz o efeito contrário.

■ 25.21,22

אִם־רָעֵב שֹׂנַאֲךָ הַאֲכִלֵהוּ לָחֶם וְאִם־צָמֵא הַשְׁקֵהוּ מָיִם׃

כִּי גֶחָלִים אַתָּה חֹתֶה עַל־רֹאשׁוֹ וַיהוָה יְשַׁלֶּם־לָךְ׃

Se o que te aborrece tiver fome, dá-lhe pão para comer. Estes versículos atuam como primeira e segunda linha, mas o vs. 22 tem suas próprias duas linhas, e a segunda delas é sinônima. O apóstolo Paulo as citou em Rm 12.20, mas deixou de fora a parte do Senhor, que é dar ao homem uma recompensa pelo seu ato.

Esta declaração é contra a vingança tomada pessoalmente, sem o devido processo legal. Ou até pode ser entendida como uma proibição de tomar vingança, mesmo que seja através da lei de Moisés. Esta afirmação convida os homens a uma atitude de simpatia e amor, que controla os impulsos iracundos de retaliação. Ver as notas expositivas sobre a declaração, no *Novo Testamento Interpretado*, em Rm 12.20.

Vs. 21. Este versículo é constituído por quatro linhas, e a segunda linha de cada par é um sinônimo. O inimigo está faminto: devemos alimentá-lo; o inimigo está sedento: devemos dar-lhe algo para beber. Se agirmos assim, haveremos de "matá-lo com a bondade" (vs. 22), conforme diz certa expressão idiomática moderna. Ver no *Dicionário* o verbete intitulado *Vingança*, quanto a detalhes, e também os verbetes chamados *Bondade* e *Liberalidade, Generosidade*.

Vs. 22. As duas linhas sinônimas deste versículo funcionam juntas como uma espécie de antítese aparente do vs. 21, porquanto colocar brasas vivas sobre a cabeça de alguém não é um ato de bondade. Na realidade, contudo, essas brasas são sinônimos de atos de bondade. Se brasas reais matariam o indivíduo, as brasas, neste caso, representam a bênção que o homem bom acumulou sobre a cabeça do homem mau.

Sinônimo. O homem bom que abençoou o homem mau será, por sua vez, abençoado pelo divino Benfeitor. Ele obterá a recompensa por ter agido direito. Presume-se que o homem ímpio se envergonhará de suas anteriores más atitudes e ações, e assim se arrependerá e se tornará amigo do outro homem, o que seria uma bênção adicional para ambos.

Talvez as brasas de fogo aludam ao ritual egípcio de expiação, em que o homem, arrependido, levava uma panela com brasas de fogo, que serviam de sinal de seu arrependimento.

■ 25.23

רוּחַ צָפוֹן תְּחוֹלֵל גָּשֶׁם וּפָנִים נִזְעָמִים לְשׁוֹן סָתֶר׃

O vento norte traz chuva. O vento norte, que usualmente soprava na Palestina, era indicação de condições atmosféricas favoráveis. A Vulgata Latina (seguida pela *King James Version*) diz que esse vento tangia para longe a chuva, o que seria bom se já tivesse chovido o bastante. Mas a *Revised Standard Version* e a versão portuguesa Atualizada dizem que o vento trazia chuva, presumivelmente quando ela se fazia necessária; e isso seria bom. Seja como for, o vento traz bons benefícios.

Sinônimo. O vento norte, que era benéfico na Palestina, representa a mesma coisa que o bem feito quando uma carranca espanta ou anula a maledicência ou a crítica severa. Mas, se entendermos que o vento norte traz a chuva, devemos entender que olhares de raiva são prenúncio de palavras mordazes ou caluniadoras. Diz o original hebraico, literalmente, "uma língua secreta", ou seja, uma língua caluniadora. Isso posto, assim como alguém podia predizer facilmente o resultado do vento norte que soprasse, com igual facilidade pode-se predizer o resultado dos olhares raivosos. Na Palestina, a chuva usualmente não vinha com o vento norte, pelo que alguns supõem que essa observação tenha sido feita fora da Palestina. Cf. Jó 37.22 quanto ao norte associado a boas condições atmosféricas. Os que conhecem bem essas coisas dizem que o vento noroeste é que trazia a chuva, na Palestina, pelo que talvez o autor sacro se tenha mostrado ligeiramente inexato em sua observação.

■ 25.24

טוֹב שֶׁבֶת עַל־פִּנַּת־גָּג מֵאֵשֶׁת מִדוֹנִים וּבֵית חָבֶר׃

Melhor é morar no canto do eirado... Esta declaração é uma duplicação exata de Pv 21.9, onde apresento as notas expositivas.

■ 25.25

מַיִם קָרִים עַל־נֶפֶשׁ עֲיֵפָה וּשְׁמוּעָה טוֹבָה מֵאֶרֶץ מֶרְחָק׃

Como água fria para o sedento. Importantes mensagens eram enviadas por meio de mensageiros (ver Pv 13.17); importantes oficiais tinham seus meios de informação, que exigiam muito tempo para percorrer as distâncias; mensagens pessoais eram bastante raras e usualmente dependiam da agência de negociantes. Os persas tinham um sistema de correio, mas este se limitava a negócios do governo. Paulo enviava suas cartas por meio de amigos que aconteciam estar "naquela rota", ou, ocasionalmente, valia-se de mensageiros especiais, enviados precisamente com um propósito. Essa informação nos ajuda a compreender por que a "alma sedenta" era tão refrescada por notícias provenientes de uma região distante. O homem que sofria sede daria o seu reino por um gole de "água fria ou limpa", conforme diz uma antiga canção popular. "Sedento", neste caso, literalmente é "exausto", mas as duas condições caminham juntas.

Sinônimos. Uma boa notícia faz os ossos ficar gordos ou então refrigerados (ver Pv 15.30b). Aqui, tal relatório se assemelha a um copo de água fria para o homem sedento. A boa notícia chegou de longa distância, precisou de longo tempo para ser transmitida e mostrou-se muito oportuna para a ocasião. Se um parente querido foi para outro país, os amigos e parentes esperariam por longo tempo, ansiosamente, para ouvir que ele tinha chegado e passava bem.

Este versículo tem sido espiritualizado para falar da mensagem do evangelho, que veio do país celestial e se espalhou entre os homens sedentos por todo o vasto mundo. Ver Lc 2.10. "Os exilados saúdam com arrebatamento as boas-novas enviadas de um país distante — permissão para voltar para casa. Esse é o efeito da mensagem do evangelho quando ela é aceita por qualquer pecador, há muito exilado da casa do Pai" (Fausset, *in loc.*).

■ 25.26

מַעְיָן נִרְפָּשׂ וּמָקוֹר מָשְׁחָת צַדִּיק מָט לִפְנֵי־רָשָׁע׃

Como fonte que foi turvada e manancial corrupto... "Quando um homem bom falha, isso é uma catástrofe, especialmente se ele falha na presença do iníquo, o qual lhe aponta um dedo escarnecedor" (Charles Fritsch, *in loc.*). Esse desastre é comparado pelo autor a uma fonte turvada pelo barro, um manancial poluído, que depois foi purificado.

Sinônimo. Antes de sua queda, o homem bom era semelhante a uma límpida fonte de água, algo muito valorizado na árida Palestina. Mas, agora, olhem para ele. Ele é uma fonte contaminada. Talvez nunca mais fique puro novamente. Ele desapontou os que olhavam para ele, esperando liderança. Aquele que poderia liderar uma multidão de guerreiros espirituais está morto no campo de batalha.

> Quero ser autêntico, pois há aqueles que confiam em mim;
> Quero ser puro, pois há aqueles que se importam com isso;
> Quero ser forte, pois há muito a sofrer.
> Quero ser corajoso, pois há muito a ousar.
>
> Howard Arnold Walter

Contrastar este versículo com Pv 10.11a: "A boca do justo é manancial de vida".

■ 25.27

אָכֹל דְּבַשׁ הַרְבּוֹת לֹא־טוֹב וְחֵקֶר כְּבֹדָם כָּבוֹד׃

Comer muito mel, não é bom. "A busca pela própria honra (cf. o vs. 6; 27.2) é algo tão ruim quanto comer mel em demasia (cf. Pv 25.16; 27.7). Ambas as coisas criam problemas" (Sid S. Buzzell, *in loc.*). Ver em Pv 11.2 e 13.10 o contraste entre o orgulho e a humildade.

Sinônimo ou Antitético? Diz a segunda linha do trecho hebraico original: "buscar a sua glória é glória", o que pode ter feito sentido para os hebreus, embora não tenha nenhum sentido para nós. Considere o leitor os pontos seguintes:

1. Diz a *Revised Standard Version*: "Poupa as palavras de cumprimento". Isso é, essencialmente, o que diz a tradução da Imprensa Bíblica Brasileira. Essas palavras querem dizer: "Não elogies outra pessoa (ou a ti mesmo) de maneira desordenada".
2. Mas Ellicott (*in loc.*) sugeriu: "Pesquisar questões difíceis é uma honra". Nesse caso, o autor falava do sábio que nunca desiste em sua busca, querendo aprimorar o seu conhecimento, bem como a sabedoria resultante. Nesse caso, a segunda linha é antitética: a autoindulgência (comer mel demais) é contrastada com o estudo da lei e das declarações da sabedoria. A primeira linha da *Revised Standard Version* é sinônima, visto que estão sendo comparados dois tipos de excesso.

■ 25.28

עִיר פְּרוּצָה אֵין חוֹמָה אִישׁ אֲשֶׁר אֵין מַעְצָר לְרוּחוֹ׃

Como cidade derribada, que não tem muros. Este versículo elogia o autocontrole. O sentido aqui é, essencialmente, o oposto de Pv 16.32. Cf. também Pv 14.29 quanto a outras ideias. A primeira vitória de que uma pessoa precisa é sobre si mesmo. Ver no *Dicionário* o artigo chamado *Autocontrole*. Ver Pv 16.32 quanto a um poema ilustrativo e citações sobre a questão. O homem que não controla a si mesmo é como uma cidade exposta a todo o tipo de ataque, porquanto não tem defesas, o que já é uma ideia da segunda linha, sinônima. Cf. Pv 29.11.

"O autocontrole caracterizado pela oração e pela vigilância é o muro da cidade. Devemos cuidar para que não haja nenhuma brecha nesse muro, causada pela autodependência e indolência espiritual" (Fausset, *in loc.*).

> Nenhum conflito é tão severo como o daquele que se esforça
> por subjugar a si mesmo.
>
> Thomas a Kempis

CAPÍTULO VINTE E SEIS

Não há nenhuma interrupção entre os capítulos 25 e 26. Os capítulos 25—29 constituem a segunda coletânea dos provérbios de Salomão. Ver a introdução a esta seção imediatamente antes da exposição de Pv 25.1.

DESCRIÇÕES DO INSENSATO (26.1-12)

■ 26.1

כַּשֶּׁלֶג בַּקַּיִץ וְכַמָּטָר בַּקָּצִיר כֵּן לֹא־נָאוֶה לִכְסִיל כָּבוֹד׃

Como a neve no verão, e como a chuva na ceifa... Todos os versículos do trecho de Pv 26.1-12, exceto o vs. 2, contêm as palavras "insensato" ou "insensatez". Tomados em conjunto, esses versículos são um discurso sobre o assunto.

Durante o verão, a Palestina mostra-se quente e árida, obviamente sem neve e com muito pouca ou mesmo nenhuma chuva. Em consequência, se houve alguma neve, isso foi incomum e excepcional, contradizendo todas as expectativas. No verão, a chuva era incomum e certamente assim acontecia uma pesada chuva, capaz de prejudicar as plantações.

Sinônimo. Contradizendo também o bom senso e as expectativas, seria honrar um indivíduo insensato dar-lhe posição de honra (cf. Pv 26.8). Ele se tornaria um modelo prejudicial a ser seguido. "Esses elementos fora da estação do ano descrevem como não cabe a um insensato ocupar algum alto ofício" (Charles Fritsch, *in loc.*). "A chuva, no tempo da colheita, de março a setembro, era algo desconhecido, a menos que houvesse um milagre (1Sm 12.17)" (Fausset, *in loc.*).

■ 26.2

כְּצִפּוֹר לָנוּד כַּדְּרוֹר לָעוּף כֵּן קִלְלַת חִנָּם לֹא תָבֹא׃

Como o pássaro que foge, como a andorinha no seu voo. Este é o único versículo, em Pv 26.1-12, que não contém as palavras "insensato" ou "insensatez", mas está em foco um ato insensato. O versículo fala do imprevisível, de pássaros que ficam a voejar à toa para lá e para cá. Quem pode dizer quando um desses pássaros alçará voo ou pousará, ou descansará ou se mostrará enérgico? Somos incapazes de fazer previsões a respeito, como se houvesse poderes divinos por trás do aparentemente arbitrário. O autor sagrado, entretanto, não tem nada parecido em vista.

Sinônimo. Da mesma maneira que não podemos predizer coisa alguma sobre o voo dos pássaros, uma pessoa é incapaz de fazer uma maldição apegar-se a outrem, se essa pessoa não a merece. Considere-se o caso de Balaão. Ele não foi capaz de amaldiçoar Israel, depois que Deus havia abençoado essa nação (ver Nm 23.8). Os antigos do Oriente acreditavam no poder inerente das maldições e das bênçãos, e as maldições eram muito temidas. Mas o autor contradisse o ponto de vista, assegurando-nos que maldições não justificadas caem por terra, inúteis. Cf. Sl 109.17,18 e Is 55.11. As maldições não justificadas, entretanto, podem agir como um bumerangue, causando malefícios a quem as proferiu.

■ 26.3

שׁוֹט לַסּוּס מֶתֶג לַחֲמוֹר וְשֵׁבֶט לְגֵו כְּסִילִים׃

O açoite é para o cavalo, o freio para o jumento. A essência deste provérbio é o fato de um insensato não poder ser controlado pela razão. Cf. Pv 10.13 e 19.29. O cavalo precisa ser controlado por um rebenque. O jumento, o animal preferido para servir de montaria, não precisava ser açoitado, mas tinha de ser controlado pela brida. Nenhum desses dois animais faria o que o cavaleiro quisesse, não fosse algum mecanismo de controle. Não havia poder controlador dirigido pela razão, inerente nesses animais.

Sinônimo. Por semelhante modo, um insensato precisa ser controlado pela vara (punição física ou ameaça de tal punição), porquanto não se pode apelar para o seu intelecto (cf. Pv 10.13; 14.3 e 19.29). "A correção é tão apropriada a um tolo como o chicote é apropriado ao cavalo ou o freio ao jumento" (Adam Clarke, *in loc.*). O insensato é alguém que não foi capaz de estudar a lei de Moisés, ou então não quis mesmo estudá-la, e, afinal, não está em busca da sabedoria, pelo que também nunca muda. Você terá de aplicar sempre a força para que ele faça o que é direito. As versões da Septuaginta, siríaca e árabe dizem "espora" em lugar de "freio", mas isso não se recomenda como o texto original. Os insensatos são como feras brutas (ver Sl 32.9; Judas 10). Meras palavras são gastas à toa com eles. Instruí-los é algo doloroso.

■ 26.4

אַל־תַּעַן כְּסִיל כְּאִוַּלְתּוֹ פֶּן־תִּשְׁוֶה־לּוֹ גַם־אָתָּה׃

Não respondas ao insensato segundo a sua estultícia. Um homem não deve descer ao nível dos insensatos, em sua fala e em seus argumentos. Se ele o fizer, se tornará (pelo menos temporariamente) uma pessoa insensata (que é a segunda linha, sinônima). Este versículo nos proíbe discutir com os insensatos. Você desperdiçará o seu tempo se se envolver em tal tipo de discussão. O Talmude faz este versículo referir-se aos comentários insensatos, feitos por um indivíduo insensato, que o sábio meramente ignora. Jesus não se incomodou em responder a todo homem que lhe dirigia a palavra. Ele deixava propostas tolas e ímpias sem resposta. Ver Mt 21.23 ss.; Lc 13.23,24; 23.9; Jo 21.21,22. Ver também At 1.6 ss.

Sinônimo. Um homem sábio que começa a argumentar com um insensato torna-se igualmente insensato. Portanto, devemos manter-nos afastados de discussões frívolas, tolas e controvertidas, mesmo que pareçam ser teológicas.

■ 26.5

עֲנֵה כְסִיל כְּאִוַּלְתּוֹ פֶּן־יִהְיֶה חָכָם בְּעֵינָיו׃

Ao insensato responde segundo a sua estultícia. Em contraste com o versículo anterior, há ocasiões em que um sábio deve responder a um insensato; mas, nesse caso, deve fazê-lo com argumentos sábios e irrefutáveis que confundirão o insensato e mostrarão quem ele realmente é.

Sinônimo. O sábio deve dar uma resposta ocasional ao insensato, para não permitir que o insensato se afaste com sua tolice não respondida. O insensato tem de ser posto em seu devido lugar. A resposta pode ser um raciocínio que ultrapasse a capacidade de o insensato responder, ou pode ser misturada com zombaria e escárnio, que o insensato compreenderá e o deixará envergonhado. Uma boa resposta a um indivíduo insensato revelará sua insensatez e agirá como uma reprimenda. "O Talmude dos judeus sugere que o vs. 4 diz respeito a comentários insensatos que podem ser ignorados em segurança, ao passo que o vs. 5 se refere a ideias errôneas que precisam ser corrigidas" (Sid S. Buzzell, *in loc.*). Um sábio saberá quando dar resposta às duas injunções, respectivamente, que aparentemente são contraditórias. Há um tempo de falar e um tempo de ficar calado (ver Ec 3.7). A sabedoria sabe reconhecer cada um deles.

Tudo tem o seu tempo... tempo de estar calado, e tempo de falar.

Eclesiastes 3.1,7

■ 26.6

מְקַצֶּה רַגְלַיִם חָמָס שֹׁתֶה שֹׁלֵחַ דְּבָרִים בְּיַד־כְּסִיל׃

Os pés corta, e o dano sofre. Quanto a provérbios sobre os mensageiros, ver Pv 13.17, onde apresento a nota de sumário. Ver também sobre a palavra *mensageiros*, no *Dicionário*. Naqueles dias em que não havia comunicação de massa, o ofício de um mensageiro era muito importante e requeria fidelidade, prontidão e decisão. Jamais alguém empregaria um insensato como mensageiro.

Sinônimo. Os insensatos têm pés, mas não os usam corretamente ao transmitir mensagens. O homem que confia a um insensato esse mister metaforicamente corta os próprios pés. Pois aquele haverá de esquecer que sua mensagem deve ser entregue prontamente, sendo provável que a mensagem acabará nunca sendo entregue.

Sinônimo. Aquele que confia em um insensato acabará bebendo a violência. O negócio que ele quer conduzir falhará e criará hostilidade com o destinatário da mensagem. Talvez a mensagem diga respeito à conciliação em tempos de guerra, ou envolva animosidades pessoais que o remetente queria ver resolvidas. Haverá o envolvimento de aneiras que produzirão prejuízo, e não o bem que se esperava. Beber a violência significa "dano auto-imposto". Cf. Jó 15.16 e Pv 4.17. A má conduta do insensato ocasionará contendas, e delas certamente resultará alguma forma de dano.

■ 26.7

דַּלְיוּ שֹׁקַיִם מִפִּסֵּחַ וּמָשָׁל בְּפִי כְסִילִים׃

As pernas do coxo pendem bambas. Nem sempre, mas muitos casos de aleijão devem-se ao fato de que o pobre sofredor tem pernas de comprimento diferente. Assim, se ele não conseguir um lado de sapato mais alto, para compensar a diferença, ficará mancando. As pernas desses homens não estão cumprindo sua tarefa de maneira apropriada, que é dar ao homem um caminhar fácil e rápido.

Sinônimo. Esse homem é como um insensato que tenta produzir declarações sábias. Sua boca é aleijada, pelo que coisa alguma de brilhante será produzida por ela. Sua faculdade de falar está prejudicada. Ele não pode falar com sabedoria. Cerca de cem provérbios abordam o uso próprio e impróprio da língua. Ver Pv 11.9,13 e 18.21 quanto a notas de sumário sobre a questão. "Os provérbios que saem de sua boca são tão inúteis quanto as pernas desiguais de um homem aleijado (cf. Pv 25.19). Um insensato não sabe o que fazer com um provérbio. Ele não o compreende nem o aplica bem" (Sid S. Buzzell, *in loc.*). Declarações sábias foram invenções dos sábios, que explicavam a lei por meio delas. O insensato, porém, não tem nenhum treinamento na lei, assim como pode engajar-se em tal tipo de atividade?

26.8

כִּצְרוֹר אֶבֶן בְּמַרְגֵּמָה כֵּן־נוֹתֵן לִכְסִיל כָּבוֹד:

Como o que atira pedra preciosa num montão de ruínas.
Considere o leitor estes três pontos:
1. A funda era usada para lançar a pedra, mas, se a pedra estivesse presa à funda, seu propósito seria completamente frustrado. Tal coisa seria ridícula, e somente um louco a faria. O ato seria insensato e provavelmente prejudicial àquele que quisesse lançar uma pedra por meio de uma funda. Se tal homem estivesse em guerra, ou enfrentando um animal feroz, ficaria sujeito a um ataque e não teria defesa. Além disso, a pedra poderia resvalar, cortá-lo e feri-lo, em vez de atingir o alvo.
2. O hebraico original, no vs. 8, é obscuro, e alguns compreendem o lançamento de uma pedra preciosa entre pedras comuns em um montão (conforme pensa a Septuaginta), onde se perderia em meio às pedras comuns.
3. Ou, finalmente, a pedra é lançada e se perde em meio a nenhum outro benefício potencial.

Sinônimo. Uma coisa similar, inútil e potencialmente perigosa, daria honra a um tolo, se ele fosse posto em lugar de autoridade para governar outras pessoas. Pv 26.8b repete Pv 26.1b, pelo que as notas dadas ali aplicam-se também aqui. Um homem que dá a um insensato algum alto ofício também será chamado de insensato. Seu julgamento das coisas nunca mais será crível, e esse será outro mau resultado do ato.

26.9

חוֹחַ עָלָה בְיַד־שִׁכּוֹר וּמָשָׁל בְּפִי כְסִילִים:

Como galho de espinhos na mão do bêbado. Um homem, no auge da bebedeira, perde temporariamente o controle. Ele se encaminha na direção de um arbusto espinhento e fere com espinhos sua mão. Desse modo, faz algo insensato que um homem sóbrio teria evitado. Um bêbado sofre danos por causa de sua loucura. Várias coisas têm sido imaginadas sobre esta porção do versículo, a saber: 1. O bêbado fica com um punhado de espinhos nas mãos, algo doloroso para ele. 2. O homem apanha um arbusto de espinhos e o sacode, algo potencialmente doloroso para outras pessoas. 3. O bêbado, amortecido pela bebida alcoólica, não sente a dor causada pelos espinhos. Está insensível. 4. Esse homem é incapaz de tirar os espinhos das mãos. Provavelmente devemos pensar no primeiro ponto.

Sinônimo. Esses problemas "espinhosos", ridículos e potencialmente maléficos como são, acompanham os homens quando um insensato alegadamente diz coisas sábias, ou declarações sábias, que, contudo, se tornam ridículas na boca do insensato. Cf. esta parte do versículo com 2Pe 3.16. Gussetius fez do espinho mencionado neste versículo um anzol, aumentando a dor envolvida na ilustração.

26.10

רַב מְחוֹלֵל־כֹּל וְשֹׂכֵר כְּסִיל וְשֹׂכֵר עֹבְרִים:

Como um flecheiro que a todos fere. No original hebraico, este versículo é totalmente obscuro, pelo que provoca diferentes conjecturas sobre a intenção do autor sagrado. Considere o leitor estes pontos:
1. O grande Deus, que criou todas as coisas, recompensa tanto o insensato quanto o transgressor, segundo eles merecem (no dizer da *King James Version*).
2. Um arqueiro, se é insensato e não tem suficiente capacidade, fere a todos, sem distinguir entre amigos e inimigos. O mesmo acontece quando um homem contrata um insensato ou um beberrão para trabalhar para ele: dano e caos, no dizer da *Revised Standard Version*, da tradução da Imprensa Bíblica Brasileira e da Atualizada.
3. Ou então um mestre habilidoso em sua arte produz tudo por meio de sua sabedoria e previsão, em contraste com o homem que contrata um insensato para fazer algum trabalho, ou como alguém que contrata a outrem que está passando, tal qual um beberrão. O desastre será o resultado.

A segunda linha, que poderia ser um sinônimo (tudo dependendo de como a primeira linha for compreendida), é fácil: o mal e o caos resultarão para quem contrata um trabalhador que tanto é incapacitado quanto é inepto para o trabalho para o qual estiver sendo contratado.

26.11

כְּכֶלֶב שָׁב עַל־קֵאוֹ כְּסִיל שׁוֹנֶה בְאִוַּלְתּוֹ:

Como o cão que torna ao seu vômito. Algumas espécies caninas se empanturram com muito alimento e então vomitam uma porção para os filhotes comerem. Sendo esse o caso, não é grande coisa que um cão coma o próprio vômito. Isso para nós é motivo de asco, mas é deleitoso para o cão, porquanto concorda com a sua natureza. 2Pe 2.22 cita este versículo e aplica-o aos apóstatas que retornam a seus pecados anteriores, depois de terem sido libertados por algum tempo.

Sinônimo. Um insensato parece-se com um cão. Talvez tenha períodos em que fica livre de sua insensatez, mas seguindo os ditames de sua natureza inerente (pois ele é um insensato!), nunca se reforma; nunca aprende. Volta sempre a praticar seus horrendos hábitos pecaminosos, os quais, para ele, são o seu bom vômito. Para os hebreus, o cão era um animal imundo, e outro tanto era considerado o insensato. Ver no *Dicionário* o artigo chamado *Limpo e Imundo.* Os textos falam da "sem-vergonhice do insensato pecaminoso, sua voracidade no pecado e a imundícia de seus pecados" (John Gill, *in loc.*). Ver Êx 8.15 quanto a um exemplo bíblico dessa insensatez.

26.12

רָאִיתָ אִישׁ חָכָם בְּעֵינָיו תִּקְוָה לִכְסִיל מִמֶּנּוּ:

Tens visto a um homem que é sábio a seus próprios olhos? O falso homem sábio, que pensa saber muita coisa e é sábio "aos seus próprios olhos", na realidade não passa de uma espécie de insensato. Falta-lhe humildade, sinal de quem é verdadeiramente sábio. Ele é um tolo orgulhoso, mas nem tem consciência disso. Quanto ao orgulho e à humildade contrastados, ver Pv 11.2; 13.10; 14.3; 15.25; 16.5,18; 18.12 e 21.4. Ver sobre *olhos altivos* em Pv 6.17. Esse insensato especializado pode ter sido instruído na lei através de um bom mestre, mas a sabedoria nunca penetrou em seu coração. Ele é um "ministro profissional", e não um ministro feito pelo Espírito Santo. Existem grandes pregadores que são cristãos pequenos. Conheci um pregador famoso nacionalmente que falava com grande autoridade; mas aqueles que o conheciam diziam ser ele um homem inteiramente amoral e imoral.

> Superficiais meio-crentes de nossos credos casuais,
> Que nunca sentiram profundamente, nem desejaram claramente,
> Cujo discernimento nunca produziu fruto sob a forma de atos,
> Cujas vagas resoluções nunca foram cumpridas;
> Que dão origem a novos começos, e então novos desapontamentos;
> Que hesitam e fracassam diante da vida,
> E perdem amanhã o terreno conquistado hoje.
>   Matthew Arnold

Antítese. Há mais esperança para quem é um insensato óbvio do que para quem é aparentemente um "homem sábio", mas, na realidade, é um insensato especializado. O homem arrogante, que conhece a lei mas nunca a aceitou em seu coração, resistirá às instruções e reprimendas. Teoricamente, ele pode até conhecer mais do que nós. No entanto, nunca adquiriu sabedoria. Usualmente o livro de Provérbios também fala sobre os insensatos óbvios como casos sem esperança, mas Pv 29.20b é uma exceção. Cf. Rm 12.16 e Ap 3.17,18. Os publicanos e as prostitutas podiam entrar no reino de Deus antes dos fariseus e escribas (ver Lc 7.30). O orgulho de um homem o cega para a sua necessidade, e aquele que não busca mudar dificilmente conseguirá encontrá-la.

ACERCA DA PREGUIÇA (26.13-16)

26.13

אָמַר עָצֵל שַׁחַל בַּדָּרֶךְ אֲרִי בֵּין הָרְחֹבוֹת:

Diz o preguiçoso: Um leão está no caminho. Cf. esta seção com Pv 6.6; 19.15 e 24.30-34. Este versículo é idêntico a Pv 22.13, onde ofereço notas expositivas. Mas aqui a porção que diz que o preguiçoso teme ser "morto" pelo leão é deixada de lado; mas compreendemos isso. Ele permanecerá em seu leito, porquanto tem certeza de que a morte se esconde lá fora, no caso de ele ir trabalhar, mesmo que não houvesse outro perigo. Esse homem é assediado pela síndrome do pânico. Algumas pessoas têm um temor patológico que as mantém dentro de casa. Nas cidades populosas, onde há tantos crimes, muitas pessoas estão desenvolvendo esse tipo de fobia. Mas um preguiçoso é apenas patologicamente preguiçoso, pois, na realidade, não é atacado por nenhum pânico.

26.14

הַדֶּלֶת תִּסּוֹב עַל־צִירָהּ וְעָצֵל עַל־מִטָּתוֹ׃

Como a porta se revolve nos seus gonzos. Uma porta continua a revolver-se em torno de suas dobradiças, sem chegar a lugar algum, mas repetindo interminavelmente seu movimento rotineiro. Uma porta está presa ao seu umbral. Permanecerá para sempre onde sempre esteve. "Uma porta movimenta-se, mas não avança a lugar algum" (Fausset, *in loc.*).

Sinônimo. Um homem preguiçoso vive revolvendo-se na cama, aliando as áreas pressionadas de seu corpo, mas, tal como uma porta em suas dobradiças, nunca muda de lugar nem vai a lugar algum. Pelo menos uma porta serve a um propósito certo. O preguiçoso não está interessado em cumprir nenhum propósito e, realmente, não cumpre propósito algum, exceto comer o alimento que outra pessoa provê. O autor sagrado exagera aqui um tanto; o homem preguiçoso nem ao menos se levanta do leito, embora saibamos que, ocasionalmente, ele saia da cama.

Este versículo tem sido espiritualizado: "Assim sendo, os pecadores profanos jazem no leito das concupiscências pecaminosas e dos prazeres sensuais, sempre se dando licença para ficar mais algum tempo na cama, sem jamais levantar-se para fazer coisa alguma... Eles nunca obtêm conhecimento ou experiência espiritual" (John Gill, *in loc.*).

26.15

טָמַן עָצֵל יָדוֹ בַּצַּלָּחַת נִלְאָה לַהֲשִׁיבָהּ אֶל־פִּיו׃

O preguiçoso mete a mão no prato... O indivíduo que figura em nosso texto é tão preguiçoso que é retratado pondo a mão no prato; ele é tão preguiçoso que o alimento está diante dele, mas a preguiça não o deixa levar à boca, o que representa a segunda linha, antitética. Este versículo é quase uma duplicação de Pv 19.24, onde há notas adicionais. O preguiçoso não se mexe nem mesmo quanto ao que lhe é necessário.

26.16

חָכָם עָצֵל בְּעֵינָיו מִשִּׁבְעָה מְשִׁיבֵי טָעַם׃

Mais sábio é o preguiçoso a seus próprios olhos... Um homem verdadeiramente preguiçoso, que já perdeu toda a iniciativa, é igualmente um tolo cheio de si. Ele é sábio a seus próprios olhos, como o alcoólatra que se engana ao dizer que não é viciado e pode parar de beber a qualquer tempo que quiser fazê-lo. O homem é mentalmente preguiçoso e, no entanto, finge possuir profundo conhecimento das coisas. Ele se compara, inútil e favoravelmente, a homens sábios bem conhecidos. Talvez o insensato preguiçoso, quando deitado em seu leito, tenha "grandes pensamentos" e, assim, "medite". Ele pensa descobrir grandes segredos e penetrar no terreno do conhecimento oculto. Na realidade, porém, é um tolo, um preguiçoso auto-enganado, um fingido, uma farsa, um escândalo e até mesmo um jactancioso, julgando-se ser alguma coisa que nunca foi e nunca será.

Antítese. Em sua ilusão, ele pensa ter tanto conhecimento como certo número de homens (sete, falando de um número grande e redondo). Ele chega ao extremo de professar-se mais sábio do que os líderes das escolas de sabedoria. Ele não precisa frequentar as escolas dos sábios, porquanto "ensinou-se a si mesmo", tendo atingido magnífica sabedoria mesmo sem contar com nenhum professor. Os sábios estão equipados para dar boas respostas e razões para a fé e os ensinos deles. Mas o insensato pensa ser mais sábio do que aquele bando de homens que vive se garganteando de suas próprias declarações de sabedoria e das razões para essas declarações. Cf. o vs. 25 deste capítulo e também Pv 6.31 e 24.16.

Os doutos da lei de Moisés se assentavam quando ensinavam seus alunos. Mas os insensatos jazem deitados para entregar suas "palavras de sabedoria".

26.17

מַחֲזִיק בְּאָזְנֵי־כָלֶב עֹבֵר מִתְעַבֵּר עַל־רִיב לֹא־לוֹ׃

Quem se mete em questão alheia é como aquele que toma pelas orelhas um cão que passa. Temos aqui uma solene advertência para a pessoa não se misturar nas querelas e contendas de outras pessoas. Os vss. 17-28 falam nas querelas (vss. 17, 20 e 21) e nos enganos (vss. 18 e 19, 24 a 26), nas maledicências (vss. 20 e 22) e na mentira (vss. 23 e 28), todas essas coisas sendo abusos da faculdade da fala. Ver Pv 11.9,13 e 18.21 quanto a notas de sumário a respeito do tema, sobre o qual tratam cerca de cem provérbios. Uma das perversões da fala é a querela, discussões insensatas que só podem criar sentimentos e situações constrangedoras.

Sinônimos. Aquele que se intromete nas dificuldades de outras pessoas é como o homem que tem a coragem, a loucura de passar perto de um cão e agarrá-lo pelas orelhas, para fazê-lo parar e ser controlado. Os cães, nos países orientais, percorriam grandes distâncias em seus caminhos erráticos. Não eram bichos de estimação, conforme se vê no Ocidente. No Oriente, eles infestavam as ruas caçando alimentos e brigando uns com os outros. Eles se pareciam mais com lobos do que com cachorros, conforme os conhecemos atualmente. Teria você a ousadia de apanhar um cão pelas orelhas, que são tão sensíveis, e assim enraivecê-lo? Isso seria como vaguear na companhia de um cão oriental. Os perpetradores de loucura têm de pagar por sua insensatez. As versões da Septuaginta e árabe dizem que o insensato segurou o cão pela cauda, e não pelas orelhas, o que seria um ato igualmente louco.

26.18,19

כְּמִתְלַהְלֵהַּ הַיֹּרֶה זִקִּים חִצִּים וָמָוֶת׃

כֵּן־אִישׁ רִמָּה אֶת־רֵעֵהוּ וְאָמַר הֲלֹא־מְשַׂחֵק אָנִי׃

Como o louco que lança fogo, flechas e morte. Encontramos aqui um provérbio em dois versículos, conforme o estilo comum da seção de Pv 22.17-24.34, que tem cerca de vinte desses arranjos. Ver Pv 22.17, sob *Apresentação das Declarações*, quanto a várias maneiras pelas quais os provérbios são apresentados.

O mestre refere-se aqui ao arqueiro enfurecido que atira flechas ardentes em todas as direções. Ou a figura pode ser a de um homem que lança tochas contra edifícios, a fim de incendiá-los propositadamente. A morte é o resultado de atos de arqueiros ou incendiários loucos. Cf. esta parte do versículo com o vs. 10 deste capítulo, que fala sobre o arqueiro louco que fere a outras pessoas, insensivelmente. No presente versículo estão em foco principalmente os pecados da língua.

O louco. No hebraico, *mithpalpel*, palavra derivada de *lahah*, que significa "desmaiar", "ficar admirado", a qual foi emendada para *mithholel*, "um louco", derivada de *halal*. A emenda torna mais claro o significado, sendo esse, provavelmente, o verdadeiro sentido do texto.

Vs. 19. Este versículo é o paralelo sinônimo do vs. 18. O arqueiro enlouquecido é como o homem que engana o próximo, causando-lhe dano, e em seguida diz: "Oh, eu estava brincando!" Ele fez um negócio sério ser reduzido a mera brincadeira, abusando assim de sua faculdade da fala. "Seu engano, como se fora uma flecha mortífera, já causou o seu dano" (Sid S. Buzzell, *in loc.*). Portanto, praticamente nada adianta alguém dizer, depois de praticar uma loucura, que estava "apenas brincando".

As palavras transportam consigo o poder da vida e da morte e não devem ser usadas descuidadamente, tolamente. Ver Pv 18.21. "Muito daquilo que o mundo chama de brincadeira é, na realidade, uma brincadeira de mau gosto mortal" (Fausset, *in loc.*).

26.20

בְּאֶפֶס עֵצִים תִּכְבֶּה־אֵשׁ וּבְאֵין נִרְגָּן יִשְׁתֹּק מָדוֹן׃

Sem lenha, o fogo se apaga. A madeira sempre foi um dos bons e principais combustíveis. Mas quando o suprimento de lenha se acaba, o fogo se apaga. Embora seja um óbvio truísmo, a figura serve a seu propósito, revelado na segunda linha.

Sinônimo. É o difamador que conserva as chamas da contenda continuando em suas calúnias e maledicências. Ver Pv 11.13; 16.28; 18.8; 29.19 e 26.22. Quanto ao caluniador, ver Pv 13.1; 14.6; 15.12 e 22.10. Ver o artigo chamado *Mexerico* tanto no *Dicionário* quanto em Pv 11.13 e 18.8.

■ 26.21

פֶּחָם לְגֶחָלִים וְעֵצִים לְאֵשׁ וְאִישׁ מִדוֹנִים לְחַרְחַר־רִיב׃ פ

Como o carvão é para a brasa e a lenha para o fogo. Este versículo é um paralelo do vs. 20, dizendo a mesma coisa mas com uma figura diferente. Agora os "carvão" e a "lenha" são os combustíveis, em vez da mera lenha, conforme se lê no vs. 20. A madeira mantida perto do fogo em breve está queimando; a lenha é posta sobre brasas acesas e em breve pega fogo. O fogo facilmente se transfere e, nesse ato, ocorre grande queima.

Sinônimo. O homem briguento é como o fogo que incendeia a madeira, ou como brasas que fazem a lenha pegar fogo. Ele é o agente inflamador da sociedade, provocando chamas de contenda e ódio. Quanto às contendas, ver Pv 17.1; 18.6; 20.3; 22.10; 23.29 e 30.33. Ver no *Dicionário* o artigo chamado *Contendas*.

> *Onde há inveja e sentimento faccioso, aí há confusão e toda espécie de coisas ruins.*
> Tiago 3.16

■ 26.22

דִּבְרֵי נִרְגָּן כְּמִתְלַהֲמִים וְהֵם יָרְדוּ חַדְרֵי־בָטֶן׃

As palavras do maldizente são comida fina... Este versículo repete Pv 18.8, onde ofereço notas expositivas. Este versículo também alinha-se entre os provérbios atribuídos a Salomão, que cabem dentro da grande seção de Pv 10.1—22.16. Assim sendo, presumivelmente quando os escribas de Ezequias fizeram a sua compilação, incluíram a declaração nesta outra porção do livro. Ver Pv 25.1.

■ 26.23

כֶּסֶף סִיגִים מְצֻפֶּה עַל־חָרֶשׂ שְׂפָתַיִם דֹּלְקִים וְלֶב־רָע׃

Como vaso de barro coberto de escórias de prata. Um vaso pode ser esmaltado com uma fina camada de outra substância que oculte o humilde barro. A palavra *esmalte* tem sido ilustrada no ugarítico (Albright, "A New Hebrew Word for Glaze", in Prov. 26.23", no *Bulletin of the American Schools of Oriental Research*, págs. 24 e 25, abril de 1945). Do conhecimento assim obtido, a tradução "escórias de prata" tem sido rejeitada. A figura simbólica, conforme foi usada aqui, significa que o esmalte oculta a verdadeira natureza do vaso. O vaso é mais nobre pelo lado de fora do que pelo lado de dentro. O hebraico diz, literalmente, "prata de escória", mas isso se refere a um processo em que o esmalte não envolve, necessariamente, pó de prata, embora esse fosse um dos materiais empregados. Cf. as palavras de Jesus, em Lc 11.39. Um vaso pode ser limpo e atraente pelo lado de fora, mas cheio de corrupções pelo lado de dentro.

Sinônimo. O coração ímpio de um pecador pode ser como um vaso esmaltado. A fala suave oculta a corrupção e a violência do coração. O homem pode falar graciosamente (vs. 25), mas não nos devemos deixar enganar. Os lábios do homem são fervorosos, ou seja, zelosos e atrativos. É melhor traduzir aqui o termo hebraico *dalaq* como "requeimante", porquanto isso empresta uma conotação negativa, ao passo que a intenção do autor é dizer-nos que a fala do homem oculta um coração corrupto. Portanto, deve ser algo bom, atraente, suave, eloquente, zeloso — algo positivo. Mas Ellicott, *in loc*., diz "requeimando de amor", ao passo que no coração esconde-se o ódio e a contenda. É duvidoso, porém, o acréscimo das palavras "de amor". Não obstante, Fausset e John Gill permaneceram com essa espécie de explicação: "requeimando com a profissão do amor a Deus e da afeição pelos homens bons" (John Gill, *in loc.*). Seja como for, o homem é um hipócrita, dizendo uma coisa e sendo outra. Cerca de cem provérbios abordam o uso próprio e impróprio da língua. Ver Pv 11.9,13 e 18.21 quanto a notas de sumário sobre esse tema.

■ 26.24

בִּשְׂפָתָו יִנָּכֵר שׂוֹנֵא וּבְקִרְבּוֹ יָשִׁית מִרְמָה׃

Aquele que aborrece dissimula com os lábios. Encontramos aqui uma repetição do vs. 23, sem a figura do vaso esmaltado. Esta declaração diz somente o seguinte: aquele que odeia não fala como quem odeia. Antes, professa amar e preocupação por outrem. Mas sua linguagem é hipócrita. Ver no *Dicionário* o verbete intitulado *Engano, Enganar*. Ver também sobre *Ódio* e *Amor*. As palavras do homem em pauta ocultam o ódio, mas, quando ele tiver uma boa oportunidade, haverá de esmagar aquele que odeia. Ver no vs. 19 o trecho chamado *engano*.

Antítese. O coração do homem é contrastado com os seus lábios. Com os lábios, ele faz belos discursos, que ocultam a iniquidade e a violência de seu coração. Algum dia, porém, o coração e os lábios estarão em concordância perfeita, mas hoje podemos ser enganados por sua suave linguagem amorosa. O Targum, a Vulgata e o siríaco produzem duas declarações sinônimas neste versículo, fazendo os lábios revelar a corrupção do coração. A maneira de falar de um homem é indicador seguro do que está no seu coração. Se você prestar atenção, descobrirá que certo homem oculta o ódio em seu íntimo.

■ 26.25

כִּי־יְחַנֵּן קוֹלוֹ אַל־תַּאֲמֶן־בּוֹ כִּי שֶׁבַע תּוֹעֵבוֹת בְּלִבּוֹ׃

Quando te falar suavemente, não te fies nele. Este versículo expande o vs. 24. O homem dotado de um coração iníquo, que é ocultado pelas palavras suaves da boca, agora é retratado a falar com voz suave ou graciosa. Diz o original hebraico, literalmente, "quando ele faz a sua voz ser graciosa". A conversa de um homem pode ser encantadora (cf. os vss. 23 e 24), mas pode ocultar um coração perverso. Um homem sábio perceberá a farsa e não acreditará no que ouve, pois esse homem estará querendo obter alguma espécie de ganho, que certamente significará perda para quem ouve.

Antítese. Um homem fala suavemente, mas seu coração está cheio dos sete tipos de abominação (ver sobre essa palavra em Pv 11.1). O número *sete* significa muitos, numerosos. Cf. o vs. 16, "sete homens". Esse homem é um pecador perfeito; é versátil no negócio do pecado; tem muitos vícios; provavelmente desobedeceu a todos os Dez Mandamentos. Se existe algum mal do qual ele não participou, é porque ainda não ouviu falar a respeito. Cf. os sete demônios de Mc 16.9. Ver Pv 6.16 ss. quanto às sete abominações. Aben Ezra pensa que há uma referência direta, aqui, a isso, o que não é muito provável, embora a passagem sirva de ilustração.

■ 26.26

תִּכַּסֶּה שִׂנְאָה בְּמַשָּׁאוֹן תִּגָּלֶה רָעָתוֹ בְקָהָל׃

Ainda que o seu ódio se encobre com engano. A primeira linha deste versículo refaz, de leve, a ideia de Pv 26.24a. Esse é o homem do ódio e dos atos odiosos, mas a sua fala suave engana as pessoas. Sua vida interior pecaminosa, da qual se originam seus motivos e atos, é encoberta pelo engano. O vs. 23 tem outras declarações que significam a mesma coisa, pelo que o autor sagrado insiste neste ponto.

Antítese. Embora tenha sido quase perfeito em seu trabalho de disfarce, o homem acabará sendo desmascarado, finalmente, em tudo aquilo que ele realmente é. Ele é culpado de crimes e será levado à assembleia dos juízes, em um tribunal, onde será julgado e condenado. Não há aqui nenhum pensamento da assembleia celestial, diante do Juiz Supremo, a fim de sofrer alguma espécie de punição pós-túmulo. Sem dúvida isso exprime uma verdade, mas tal doutrina é anacrônica aqui. Ver Dn 12.2 quanto ao avanço havido na teologia dos hebreus que, finalmente, trouxe tal ideia ao seio do judaísmo. Os livros apócrifos e pseudepígrafos desenvolveram as doutrinas de punição e recompensa no pós-vida, e o Novo Testamento herdou e desenvolveu esses conceitos.

■ 26.27

כֹּרֶה־שַּׁחַת בָּהּ יִפֹּל וְגֹלֵל אֶבֶן אֵלָיו תָּשׁוּב׃

Quem abre uma cova nela cairá. A primeira linha deste versículo é essencialmente idêntica a Sl 7.15, onde ofereço a exposição. O dano perpetrado tem uma maneira de voltar-se contra o homem que pensa que quer prejudicar outros. A cova escavada acaba tornando-se a cova na qual o próprio caçador finalmente cairá. Ver no *Dicionário* o artigo chamado *Lei Moral da Colheita segundo a Semeadura*.

Sinônimo. O mestre usou outra metáfora, ou seja, a de fazer rolar uma pedra com o intuito de ferir alguém. Talvez a figura seja a de fazer rolar uma pedra grande, do alto de uma colina, contra algum objeto lá embaixo, como uma casa ou um aprisco de ovelhas, que uma pessoa pretenda destruir. Algum dia, uma pedra que role acabará atingindo aquele homem. "Por muitas vezes o livro de Provérbios afirma que o pecado atua como um bumerangue" (Sid S. Buzzell, *in loc.*).

Provavelmente, a figura do versículo é a seguinte: um homem está rolando uma pedra colina acima, mas em breve haverá de deixá-la rolar colina abaixo, pelo outro lado, para esmagar algum objeto que quer ver destruído. Mas, quando a empurra colina acima, visto que a pedra é por demais pesada, ele perde o controle, e a pedra rola de volta sobre ele, esmagando-o. Uma boa ilustração é o caso de Hamã, que foi enforcado na própria forca que havia preparado para Mordecai. Naturalmente, nesse caso, devemos compreender um aparelho de empalar. Ver o capítulo 7 do livro de Ester.

■ 26.28

לְשׁוֹן־שֶׁקֶר יִשְׂנָא דַכָּיו וּפֶה חָלָק יַעֲשֶׂה מִדְחֶה׃

A língua falsa aborrece a quem feriu. O ódio é o substituto do diabo para o amor de Deus e é tão destrutivo quanto o amor de Deus é construtivo. Aqueles que odeiam foram iludidos pelos demônios e são seus escravos. A língua mentirosa é uma das muitas armas do ódio. Ela esmaga as suas vítimas, conforme diz, literalmente, o hebraico. Ver no *Dicionário* sobre *Ódio*. As mentiras de um homem são como golpes esmagadores aplicados à cabeça da vítima. O Targum altera a declaração, transformando-a em um ataque contra a verdade.

Sinônimo. Exatamente tão destruidoras como as palavras inspiradas pelo ódio são as palavras lisonjeadoras, porquanto são uma forma de mentira. A mentira está oculta por trás do elogio. Há motivos falsos por trás do "bem" dito acerca de outrem. O homem que lisonjeia não está pensando em quão boa é a pessoa para quem ele está falando. Mas está pensando nos bens que poderá arrancar dela, mediante palavras mentirosas. O homem é levado a sentir-se bem consigo mesmo e, naturalmente, acerca de quem o elogia. Mas a questão inteira é um jogo doentio e uma farsa. Cf. isso com a mentira que Satanás pespegou em Eva: "Como Deus, sereis conhecedores do bem e do mal" (Gn 3.5), o que provocou grande confusão.

Quanto à *lisonja*, ver Pv 6.24; 7.5; 12.2; 20.19; 26.28; 29.5. As pessoas já têm uma opinião exagerada de si mesmas, e, assim, são facilmente enganadas por elogios insinceros. A palavra hebraica *chaluqqah* tem o sentido básico de algo suave, ou seja, uma conversa suave.

CAPÍTULO VINTE E SETE

Não há nenhuma interrupção entre os capítulos 26 e 27. Os capítulos 25-29 constituem a segunda coletânea dos provérbios de Salomão. Ver a introdução a esta seção, imediatamente antes da exposição a Pv 25.1.

■ 27.1

אַל־תִּתְהַלֵּל בְּיוֹם מָחָר כִּי לֹא־תֵדַע מַה־יֵּלֶד יוֹם׃

Não te glories no dia de amanhã. "Dezesseis dos 27 versículos deste capítulo abordam a questão do nosso relacionamento com as pessoas (vss. 2-6,9-11,13-18 e 21,22). A advertência sobre as incertezas do dia de amanhã é repetida em Tg 4.13-16. A palavra hebraica para 'jactância' é traduzida por 'louvores', nos vss. 2 e 21. Uma pessoa não deve elogiar a si mesma sobre o que fará no dia seguinte, pois ela realmente não tem como saber, com certeza, o que acontecerá" (Sid S. Buzzell, *in loc.*).

As *Instruções de Amen-em-Ope* (ver as informações sobre Pv 22.22) têm um paralelo:

> Na verdade, desconheces o desígnio de Deus,
> Não podes saber sobre o amanhã.

> O homem não sabe como será o amanhã,
> Os eventos da manhã seguinte estão nas mãos de Deus.

Os hebreus tinham uma expressão, "os filhos do tempo", para os eventos que surgem, mas estão fora do escrutínio humano. Por conseguinte, os homens devem submeter-se humildemente à vontade soberana de Deus, em vez de jactar-se orgulhosamente acerca do que são e do que podem fazer na continuidade do tempo. O oposto da jactância é a ansiedade, a qual, por igual modo, deve ser evitada (ver Mt 6.34). Um homem que confia no Senhor também não se mostrará ansioso. A confiança em Deus é o remédio tanto contra a arrogância como contra a ansiedade.

A *jactância* é o tema da primeira linha; não saber o que acontecerá no futuro próximo é o tema da segunda linha, que é antitética. Por isso mesmo é que costumamos dizer: "Se Deus quiser", faremos isto e executaremos os nossos planos (ver Tg 4.15). O Targum relembra-nos que não sabemos o que acontecerá hoje mesmo, quanto menos amanhã! A própria vida humana é incerta, e até o fato de continuarmos vivos está nas mãos de Deus, e não depende do que planejamos fazer.

■ 27.2

יְהַלֶּלְךָ זָר וְלֹא־פִיךָ נָכְרִי וְאַל־שְׂפָתֶיךָ׃

Seja outro o que te louve, e não a tua boca. Se alguém tiver de ser elogiado, essa pessoa deve refrear-se de elogiar a si mesma. Isso é pura arrogância inconveniente. Ver o orgulho e a humildade contrastados, em Pv 11.2 e 13.10. Os versículos paralelos são: Pv 14.3; 15.25; 16.5,18; 21.4. Ver também sobre *Olhos Altivos*, em Pv 6.17. No *Dicionário* dou artigos sobre *Orgulho e Humildade*.

Antítese. Uma palavra de elogio sincera e bem colocada anima a alma e insufla em nós um novo propósito. Essa palavra nos transmite alegria e confiança. Mas ela precisa sair da boca de outrem. Que outra pessoa comente o que você é e o que tem feito, pois então o elogio será bem colocado e, presumivelmente, sincero. Ver no *Dicionário* o verbete chamado *Jactância*. Outra pessoa não hesitará em salientar condições negativas, que estaremos ansiosos por negligenciar. Um homem fala sobre si mesmo de maneira abreviada. A outra pessoa conta a história inteira sem emendas e omissões. Mas o melhor de tudo é ser elogiado por Deus:

> *Porque não é aprovado quem a si mesmo se louva, e, sim, aquele a quem o Senhor louva.*
>
> 2Coríntios 10.18

■ 27.3

כֹּבֶד־אֶבֶן וְנֵטֶל הַחוֹל וְכַעַס אֱוִיל כָּבֵד מִשְּׁנֵיהֶם׃

Pesada é a pedra, e a areia é uma carga... Coisas físicas pesadas incluem pedras e areia. Os vss. 3-6 discutem vários relacionamentos interpessoais, e um dos mais difíceis de suportar ou mais pesados é quando temos de conviver com um insensato que continua a nos assediar.

Antítese. Nenhum peso físico pode comparar-se à ira ou à provocação de um insensato que, infelizmente, cruza nosso caminho.

Há uma passagem, em Eclesiástico 22.18, que ilustra o nosso texto.

> *Areia, sal e um pedaço de ferro, essas coisas são mais fáceis de carregar do que um homem sem entendimento.*

"A ira é a loucura, mas o insensato não sabe como estabelecer limites à sua ira. Ele não tem uma gota do orvalho do Espírito para apagar a chama" (Fausset, *in loc.*). Um homem sábio não reagirá à provocação do insensato, pois, do contrário, estará sempre em turbulência. "O insensato, neste caso, é a pessoa de cabeça dura, voluntariosa, que nunca aprendeu a controlar-se, mas que explode de ira quando interceptada" (Ellicott, *in loc.*).

Os Insensatos e a Insensatez. Este é um dos grandes temas do livro de Provérbios. Quanto a alguns exemplos, ver Pv 7.22; 10.8,10,18,23; 11.29; 12.15; 13.16; 14.16; 15.5; 17.7,10,12,16,21,24; 20.3; 23.9; 26.1,4-6,8,10-12; 27.22; 28.26; 29.11,20; 30.22. Cf. também Pv 12.23; 14.24; 15.2,14; 19.3; 22.15; 24.9 e 27.22.

27.4

אַכְזְרִיּוּת חֵמָה וְשֶׁטֶף אָף וּמִי יַעֲמֹד לִפְנֵי קִנְאָה׃

Cruel é o furor e impetuosa a ira, mas quem pode resistir à inveja? Dois poderosos vícios do ser humano, em suas condições perversas, são: a ira, que é cruel, e a inveja, por muitas vezes avassaladora contra o homem que é o seu alvo. Essas são obras da carne e manifestações da natureza carnal, e mostram-se abundantes neste mundo pecaminoso. Para detalhes, ver no *Dicionário* os verbetes *Ira* e *Crueldade*.

Antítese. Pior e mais devastadora do que a ira é a inveja. "A ira é como uma torrente. É como uma tempestade que ruge por algum tempo, deixa ruínas e então cessa. Mas a inveja é contínua. É persistente; estica a destruição" (Rolland W. Schloerb, *in loc.*). Ver no *Dicionário* o artigo chamado *Ciúmes*, quanto a detalhes.

O amor é forte como a morte, o ciúme é duro como a sepultura.
Cantares 8.6

Oh, cuidado, meu senhor, com a inveja,
aquele monstro de olhos verdes.

Shakespeare

Onde há inveja e sentimento faccioso, aí há confusão e toda espécie de cousas ruins.
Tiago 3.16

"Abel não pôde resistir diante da inveja de Caim, nem José diante de seus irmãos. Nem o próprio Senhor Jesus pôde resistir à inveja de seus irmãos e dos judeus... Um homem invejoso é pior do que um homem iracundo. A ira logo pode desaparecer, mas a inveja permanece e continua operando" (John Gill, *in loc.*).

27.5

טוֹבָה תּוֹכַחַת מְגֻלָּה מֵאַהֲבָה מְסֻתָּרֶת׃

Melhor é a repreensão franca do que o amor encoberto. A repreensão até que pode ser algo bom, se for sincera e salientar algo para ser corrigido na vida. Um homem sábio haverá de nos amar se o repreendermos de modo que ele possa tirar proveito da repreensão (ver Pv 9.8). Ver também Pv 1.23,25; 5.12; 10.17; 13.18; 15.10; 17.10; 28.23 e 29.15. A repreensão é uma das funções ou ofícios da boa doutrina (ver 2Tm 3.16). Naturalmente, há uma repreensão dura e odiosa, cujo propósito é ferir e não curar, e há muito desse tipo de repreensão no mundo. Ademais, ser alguém repreendido "francamente", isto é, "abertamente", conforme lemos neste texto, é especialmente difícil de receber, mesmo que a repreensão busque o nosso bem. Ver no *Dicionário* o artigo *Repreensão (Admoestação)*, quanto a detalhes.

Antítese. Qualquer tipo de repreensão é melhor do que o amor secreto, que é um tipo de afeto que não se exterioriza por meio de palavras ou atos. Essa virtude deve tornar-se pública e abertamente para tornar-se eficaz. Corrigir as próprias faltas pode ser sinal de amor, e a falha em corrigir essas faltas mostra ausência de amor. Além disso, há todas aquelas coisas positivas que o amor deve fazer. O amor é o princípio máximo da espiritualidade, sem o qual não poderia ter havido missão remidora (ver Jo 3.16), nem evidência do novo nascimento (ver 1Jo 4.7). Ver no *Dicionário* o verbete chamado *Amor*, quanto a detalhes, poemas ilustrativos e citações. Ver Pv 4.6; 8.17,21,36; 9.8; 10.12 e 16.13.

27.6

נֶאֱמָנִים פִּצְעֵי אוֹהֵב וְנַעְתָּרוֹת נְשִׁיקוֹת שׂוֹנֵא׃

Leais são as feridas feitas pelo que ama. Este versículo amplia a mensagem do vs. 5. Um homem que ama o seu amigo talvez tenha de feri-lo mediante repreensões, quando esse amigo estiver fazendo algo que é prejudicial a si mesmo e a seus semelhantes. Mas as feridas feitas por um amigo podem ser curadoras, tal como a cirurgia pode remover um câncer que nos ameace a vida ou corrigir um órgão vital defeituoso. Feridas de amizade podem ser marcas de verdadeira amizade e gentileza, e produzem o bem. Naturalmente, todos conhecemos as feridas produzidas com o propósito de prejudicar, que, de fato, prejudicam. Esse tipo de feridas não está na mente do mestre, aqui. Elas são administradas em meio ao ódio, e não com amor, por isso não têm valor remidor.

Antítese. Os beijos (favores) de um inimigo são na realidade feridas destruidoras, embora possam não ter essa aparência quando aplicadas pela primeira vez. Esses beijos podem levar-nos a pensar que estamos sendo favorecidos, mas não demorará muito para encontrarmos um punhal em nossas costas. Esses beijos são profusos, o que representa melhor tradução do original hebraico, mas também são hipócritas e produzirão danos. No mínimo, não têm significado, mesmo que, finalmente, não produzam efeitos maus. Lembre-se o leitor do beijo traidor de Judas Iscariotes! Nossos inimigos são filhos espirituais de Judas. Lembre-se o leitor, por igual modo, do beijo dado por Joabe, que facilitou uma estocada fatal (ver 2Sm 20.9).

Considera-os fiéis, não para louvarem tudo quanto digas e faças, mas aqueles que reprovam o que é errado.

Isócrates, *Ad Nicoclem*, pág. 38

27.7

נֶפֶשׁ שְׂבֵעָה תָּבוּס נֹפֶת וְנֶפֶשׁ רְעֵבָה כָּל־מַר מָתוֹק׃

A alma farta pisa o favo de mel. Se um homem comeu muito e está de barriga cheia, ficará doente ao pensar em comer coisas tão deliciosas como o mel. E chegará a odiar as coisas que ordinariamente ama.

Antítese. Um homem faminto estará ansioso por comer até mesmo coisas amargas que satisfaçam sua fome. "A fome é o melhor tempero" (Charles Fritsch, *in loc.*). "O versículo pode estar ensinando que a atitude de alguém para com as possessões materiais é influenciada por quanto esse alguém possui. Os que têm muito não apreciam ou não valorizam um presente tanto como os que têm pouco" (Sid S. Fritsch, *in loc.*). Ou então o provérbio é apenas uma simples observação sobre certas coisas comuns na vida, sem intenção de encobrir um significado oculto ou moral.

Este versículo tem sido espiritualizado e cristianizado para falar na fome e na sede de justiça (ver Mt 5.6), bem como no apreciar a boa mensagem do evangelho, que satisfaz a fome da alma destituída. Alguns, entretanto, abusam de seus privilégios espirituais, como foi o caso do filho pródigo (ver Lc 15.23-32). Essas pessoas têm abundância de coisas boas, mas não as apreciam. Negligenciam os valores espirituais por estarem estragadas pelas oportunidades excessivas. Este versículo pode ter por intenção falar sobre a *moderação*, da qual todos necessitam. Ver sobre esse termo no *Dicionário*.

27.8

כְּצִפּוֹר נוֹדֶדֶת מִן־קִנָּהּ כֵּן־אִישׁ נוֹדֵד מִמְּקוֹמוֹ׃

Qual a ave que vagueia longe do seu ninho. Para uma ave, o ninho é essencial à vida, pois é o lugar onde os filhotes se alimentam e se abrigam em segurança. A ave insensata (se é que há alguma!) afasta-se daquele lugar vital. Estou conjecturando que o mestre, neste ponto, inventou um caso hipotético, sem usar uma ilustração da natureza. É verdade que as aves, algumas vezes, escolhem lugares impróprios para fazer seus ninhos e então sofrem violência da parte dos homens ou dos animais. Uma provisão da lei tinha por intenção cuidar de tais casos (ver Dt 22.6).

Sinônimo. Em contraste com a ave mais sábia, ou em concordância com o pássaro que, hipoteticamente, fica vagabundando, vemos o espetáculo de homens vagabundos, que perdem o seu caminho, caindo em todos os tipos de situações perigosas e deprimentes. O texto pode apenas significar que os viajantes abandonam aquilo que é melhor, a fim de "verem o mundo"; ou poderia haver aqui uma referência a sábios itinerantes, que saíam por toda parte a ensinar. Eclesiástico 39.5, pois, bem poderia ser paralelo do presente versículo:

Um sábio servirá entre grandes homens.
E comparecerá diante de governantes.
Ele viajará através de terras de povos estranhos;
E submeterá a teste o que é bom e o que é mau entre os homens.

Em Pv 51.13 o sábio fala de quando ele era jovem, "antes de começar a vaguear ao redor". O versículo à nossa frente provavelmente fala das saudades que o professor itinerante sente de sua casa; e talvez ele até esteja dizendo em seu coração: "Valeu mesmo a pena?" A aplicação moral pode ser a aplicação do texto, entretanto. Cf. o filho pródigo (ver Lc 15.11-32). Jó esperava morrer em seu ninho (ver Jó 19.18). "O homem desassossegado leva consigo as raízes do descontentamento, por onde quer que vá" (Fausset, *in loc.*).

■ 27.9

שֶׁמֶן וּקְטֹרֶת יְשַׂמַּח־לֵב וּמֶתֶק רֵעֵהוּ מֵעֲצַת־נָפֶשׁ׃

Como o óleo e o perfume alegram o coração... O azeite era usado para efeitos de unção, embelezamento e curas, todas elas coisas boas. Perfumes eram usados para aumentar o prazer, mediante aromas agradáveis. Ver no *Dicionário* os artigos chamados *Azeite* e *Perfume*, quanto a detalhes. Esses tipos de coisas alegram o coração dos homens, porquanto são pequenos prazeres da vida de que todas as pessoas precisam.

Sinônimo ou Antitético? Considere o leitor os pontos seguintes:
1. A *King James Version* faz a segunda linha (que é difícil e talvez até corrupta no hebraico) ser sinônima da primeira. Os pequenos prazeres da vida, que tornam os homens felizes, são como bons conselhos dados aos sábios, mediante os quais os homens crescem em sabedoria e conhecimento.
2. A *Revised Standard Version* (seguindo a Septuaginta) faz a segunda linha ser antitética, falando da alma rasgada por tribulações, que é o contrário aos prazeres.
3. Além disso, alguns dão: "a doçura de um amigo fortalece a alma" (cf. Pv 16.24).
4. Isso faria a segunda linha ser sinônima. Nenhuma interpretação satisfatória da segunda linha tem sido encontrada, e por isso há muitas conjecturas a respeito.

■ 27.10

רֵעֲךָ וְרֵעַ אָבִיךָ אַל־תַּעֲזֹב וּבֵית אָחִיךָ אַל־תָּבוֹא בְּיוֹם אֵידֶךָ טוֹב שָׁכֵן קָרוֹב מֵאָח רָחוֹק׃

Não abandones o teu amigo, nem o amigo do teu pai. Temos aqui um trio que compõe um provérbio. Examine o leitor estes pontos:
1. A amizade fecha a lacuna das gerações. Um homem não deve abandonar seus amigos nem os amigos de seu pai. Existem aí dívidas que precisam ser pagas e ignoram a passagem do tempo. "Não se devem esquecer os antigos amigos da família" (Charles Fritsch, *in loc.*). Este provérbio defende tanto os laços familiares como a família ligada a outras famílias, e isso está de acordo com a forte consciência dos hebreus sobre a importância da comunidade. Ver no *Dicionário* o artigo chamado *Amizade*.

> Meu filho, não removas os amigos de teu pai,
> Para que teu amigo não te abandone.
> ...
>
> Meu filho, melhor é um amigo que está perto
> Do que um irmão que está longe.
>
> (Pv de Ahikar

2. Seria um estranho conselho dizer a um homem para não ir à casa de seu irmão em tempos difíceis, para obter simpatia e ajuda. Portanto, a linha significa somente que esse irmão estava distante, e não seria conveniente viajar um longo caminho só para obter o consolo de um irmão. Ver Pv 17.17.
3. Portanto, em tempos de calamidade, quando você precisar de consolo e ajuda, vá à casa de algum amigo que more nas proximidades. Ele substituirá bem seu irmão de sangue, nessa ocasião difícil. Quanto ao amigo que é mais próximo que um irmão, ver Pv 18.24.

Adam Clarke compreendia a palavra "longe" como se falasse da indiferença de um irmão para com outro, e não como uma referência à distância física. Mas essa é uma interpretação um tanto duvidosa.

■ 27.11

חֲכַם בְּנִי וְשַׂמַּח לִבִּי וְאָשִׁיבָה חֹרְפִי דָבָר׃

Sê sábio, filho meu, e alegra o meu coração. O pai espiritual (o mestre da escola de sabedoria) conclama seu filho espiritual (um estudante na escola) a alegrar o coração aprendendo e obedecendo àquilo que lhe foi ensinado. Ele estava aprendendo a lei mosaica, a qual é fomentada e interpretada pelas declarações da sabedoria. A lei de Moisés era o guia (ver Dt 6.4 ss.); o manual; a fonte de sabedoria e conhecimento; a lei era tudo, de acordo com a mentalidade dos hebreus. Os israelitas eram um povo de um Livro só, e outros livros eram escritos para facilitar a compreensão do Livro único, por parte das mentes piedosas. Quanto às palavras *filho meu*, ver Pv 6.1.

Sinônimo. Um filho espiritual que esteja andando no caminho reto e tornando-se sábio, torna possível ao mestre responder àqueles que o criticam. Ele pode apontar para seu bom aluno como um caso bem-sucedido; e isso seria um poderoso argumento em favor da retidão e do poder de sua doutrina, que está produzindo bons resultados. O professor, pois, poderá assumir a responsabilidade pelos erros do estudante, porque, afinal de contas, ele está fazendo bem a maior parte das coisas. Isso lhe permite demonstrar que foi um "pai" competente, a despeito de fracassos ocasionais. Alguns eruditos, entretanto, fazem esse pai ser o pai biológico, e, nesse caso, o filho bom provaria que o velho homem desempenhou bem a sua tarefa de criação de filhos. Cf. Pv 13.24 e 22.6. Ver também Mt 5.16.

■ 27.12

עָרוּם רָאָה רָעָה נִסְתָּר פְּתָאיִם עָבְרוּ נֶעֱנָשׁוּ׃

O prudente vê o mal e esconde-se. Um homem prudente pode ver a aproximação do perigo, e isso resulta de tipos específicos de atos. Vendo a aproximação do perigo, ele se esconde e, assim, escapa. Talvez esta linha tenha um tom moral: ele vê os perigos produzidos pelo pecado. Pv 22.3 é virtualmente igual, e o leitor deve examinar ali as notas expositivas. A segunda linha também é igual a Pv 22.3b. O homem bom avança pela estrada correta, porque parte de ser bom consiste em antecipar as consequências dos atos e das situações. Já o homem mau trilha o caminho ruim, porquanto ou não vê os efeitos adversos do que está fazendo, ou então pensa que, através de algum ato emergencial, pode evitar os maus efeitos de seus atos. Os vss. 12,13 são reiterações de provérbios anteriores. Quanto a essa circunstância, ver as notas que se seguem ao vs. 13.

■ 27.13

קַח־בִּגְדוֹ כִּי־עָרַב זָר וּבְעַד נָכְרִיָּה חַבְלֵהוּ׃

Tome-se a roupa àquele que fica fiador por outrem. Este versículo é uma duplicação de Pv 20.16, onde ofereço as notas expositivas. Pv 20.16 também está localizado em uma seção em que os provérbios são atribuídos a Salomão, o que é verdadeiro no tocante aos capítulos 25—29 do livro de Provérbios. Foi apenas natural que certos provérbios tenham sido repetidos, visto que havia diferentes coletâneas que continham algum material comum.

■ 27.14

מְבָרֵךְ רֵעֵהוּ בְּקוֹל גָּדוֹל בַּבֹּקֶר הַשְׁכֵּים קְלָלָה תֵּחָשֶׁב לוֹ׃

O que bendiz ao seu vizinho em alta voz, logo de manhã. Esta primeira linha fala em ostentação. O homem levanta-se cedo para louvar a seu próximo e certifica-se de que muita gente ouça a sua voz, pois ele fala em alto som. Outro tanto se dá como muitos aleluias e améns na Igreja. Aquele que profere essas palavras com voz mais alta atrai mais atenção de outras pessoas, as quais o louvarão por sua espiritualidade superior. "As profissões espetaculares de consideração, como beijos profundos aplicados sobre um inimigo (vs. 16), com razão incorrem na suspeita de desígnios sinistros" (Perowne, *in loc.*). Provavelmente, a bênção aqui relaciona-se às saudações (cf. Gn 47.7 e 2Rs 4.29). Talvez o homem que apela para a ostentação consiga arrancar da cama o vizinho, com os seus gritos. "Ações oportunas e sensibilidade diante de outras pessoas que estejam dormindo são atitudes importantes. O tempo errado para uma ação correta faz com que ela seja recebida como uma maldição" (Sid S. Buzzell, *in loc.*, o qual vê somente uma ação inoportuna, e não atos de ostentação, porquanto perdeu o ponto principal da declaração).

Antítese. Uma ostentação ansiosa, disfarçada de bênção proferida sobre outrem, termina em maldição tanto para o homem que grita como para quem escuta o louvor insincero. Azeda a relação entre as duas pessoas e faz o abençoador parecer um insensato. "As profissões públicas extravagantes devem ser pouco consideradas"(Adam Clarke, *in loc.*). A gratidão oferecida em segredo é recomendada por Deus (ver Mt 6.5,6).

■ **27.15**

דֶּלֶף טוֹרֵד בְּיוֹם סַגְרִיר וְאֵשֶׁת מִדְיָנִים נִשְׁתָּוָה׃

O gotejar contínuo no dia de grande chuva... Este versículo é igual a Pv 19.13b, onde ofereço as notas expositivas. Aqui o autor sagrado consegue obter um provérbio de duas linhas (com uma segunda linha sinônima), mediante a manipulação da segunda linha de outro provérbio (ver Pv 19.13b). Por uma razão, certos provérbios foram repetidos; ver o vs. 13 do presente capítulo.

■ **27.16**

צֹפְנֶיהָ צָפַן־רוּחַ וְשֶׁמֶן יְמִינוֹ יִקְרָא׃

Contê-la seria conter o vento. O autor sagrado ampliou a declaração do versículo anterior. Aquela mulher que é uma calamidade, que jamais para de falar e pinga continuamente como a chuva pinga através do teto, o dia inteiro, também se assemelha ao vento que não pode ser contido. Ela está fora de seu controle, pelo que chove e sopra o dia inteiro.

Sinônimo. O autor sacro produziu ainda uma terceira metáfora que descreve aquela mulher. Restringi-la em sua fala contínua e resmungona é uma tarefa tão impossível como juntar óleo na mão, a menos que o óleo esteja em um vaso. Não conseguiremos fazê-lo. Conseguiremos somente deixar nossas mãos oleosas. "... tão impossível quanto tentar juntar um punhado de óleo. O óleo é tanto instável quando escorregadio" (Sid S. Buzzell, *in loc.*).

Na mão. A mão direita é dotada de habilidade e poder, mas não há nem habilidade nem poder que possa realizar a tarefa de conter uma mulher contenciosa. A mão direita também pode referir-se a uma posição de autoridade. A mulher bizarra não haverá de querer dar ouvidos à nossa autoridade, expressa por meio de palavras de repreensão. "Cuidado para não escolheres uma esposa com base apenas em sua beleza ou riquezas; porquanto, se ela for uma mulher contenciosa, o mal não será facilmente remediado" (Fausset, *in loc.*). Ademais, não a escolhamos somente porque ela é crente. Em vários casos, isso não prova muita coisa.

■ **27.17**

בַּרְזֶל בְּבַרְזֶל יָחַד וְאִישׁ יַחַד פְּנֵי־רֵעֵהוּ׃

Como o ferro com o ferro se afia. Este provérbio provavelmente tem por intuito elogiar as graças sociais, mas também deve aludir ao trabalho de um professor na escola de sabedoria. Uma lima se fabrica de ferro, e esse é um bom instrumento para fazer um bom fio em uma faca de ferro. Ele torna a faca afiada e boa para uso. Afinal, uma faca é feita para cortar, mas, se não estiver afiada, não cumprirá sua tarefa de maneira alguma, ou, pelo menos, não apropriadamente.

Sinônimo. "... um homem afia a outro", da mesma maneira que a linha amola o fio de uma faca. Assim diz a tradução da *Revised Standard Version*, que deixa de fora a palavra "fisionomia" a fim de obter um sentido melhor; outro tanto que faz a nossa versão portuguesa. Está em pauta o processo de educação. Um homem afia outro. Ele forma um fio cortante no outro homem, ou seja, torna-o um instrumento apropriado para servir a outros, ou para que sua tarefa específica seja realizada. A sabedoria é o objeto do processo de afiação, e o instrumento para conseguir isso é a lei de Moisés, o guia dos israelitas (ver Dt 6.4 ss.). Talvez o provérbio seja lato o bastante para incluir a ideia das profissões em uma sociedade. Deve haver um apropriado programa de treinamento para que isso seja produzido. Aristóteles fazia da função a virtude de um homem. O homem torna-se um instrumento na sociedade, com uma função específica e útil. A educação tem por finalidade atingir esse alvo.

> Quero afiar a outras pessoas, como a pedra de afiar dá fio às facas, embora a própria pedra de amolar não tenha fio.
>
> Horácio, *Ars. Poet.*, vs. 304

Parte da boa criação de crianças, de acordo com a mentalidade dos hebreus, era equipar um filho para uma profissão qualquer, e não meramente ensinar-lhe a lei de Moisés. O homem que ensinava a seu filho a lei, mas omitia instruções sobre uma profissão, fazia apenas meio trabalho como pai. Quão crítica é essa ideia atualmente no Brasil! Muitos pais incorrem no equívoco de entregar à escola pública toda a educação dos filhos; mas a escola pública tem caído na decadência, e milhões de alunos são aprovados, embora tenham sido aprovados mediante a "cola", perturbando toda a carreira escolar. Eles chegam à universidade através da cola e continuam colando ao chegar ali. Dessa maneira, eles se formam, mas estão despreparados para qualquer boa profissão. A maioria dos estudantes nunca chega à universidade, e a sorte desses ainda é pior. Os pais sem visão condenam seus filhos a ganhar o salário mínimo!

■ **27.18**

נֹצֵר תְּאֵנָה יֹאכַל פִּרְיָהּ וְשֹׁמֵר אֲדֹנָיו יְכֻבָּד׃

O que trata da figueira comerá do seu fruto. Essa metáfora agrícola lembra-nos que, se os homens quiserem ter figos de uma figueira, terão de seguir o correto procedimento. O homem precisa ser diligente. Tem de cuidar de sua figueira. Para fazer isso, precisa de conhecimento e deve servir a sua árvore, a fim de torná-la saudável e produtiva. Se um homem obedecer às leis da natureza nessa questão, então a figueira responderá ao tratamento, produzindo figos em abundância. Cf. Pv 12.11 e 28.19 quanto a outras metáforas agrícolas, e ver no *Dicionário* o artigo chamado *Agricultura,* que tem uma aplicação metafórica.

Sinônimo. Esperaríamos que a segunda linha falasse do mestre a cultivar (a cuidar de) seu estudante. Mas o autor refere-se à necessidade de o aluno seguir seu professor, para certificar-se de que obterá dele tudo quanto puder. O estudante tem de honrar o professor estudando em casa e praticando o que lhe foi ensinado. Ele tem de fazer seu mestre sentir-se bem por ser professor, para que continue entusiasmado em sua tarefa. Se o mestre perder o entusiasmo, já não será tão eficiente. Um bom aluno será honrado, porque ajudou o professor a lograr o sucesso. O mestre e o estudante compartilham do mesmo sucesso. O sucesso pertence a ambos, e ambos são honrados diante de um trabalho bem feito.

> *Se alguém me servir, o Pai o honrará.*
>
> João 12.26

■ **27.19**

כַּמַּיִם הַפָּנִים לַפָּנִים כֵּן לֵב־הָאָדָם לָאָדָם׃

Como na água o rosto corresponde ao rosto. Na superfície da água, um homem pode ver o reflexo de si mesmo, correspondente à sua fisionomia — o homem e sua imagem refletida. O original hebraico é sucinto, mas compreensível: "Como a água, face a face, assim o coração (mente) de homem para homem".

Sinônimo. Considere o leitor estes pontos:

1. Isso poderia significar que os homens são semelhantes em sua formação espiritual e mental. Essas duas formações são mutuamente interativas e formam o caráter básico de um homem.
2. Ou então o coração de um homem é reflexo de seu verdadeiro caráter, porquanto coração e caráter são sinônimos virtuais.
3. Ou, seguindo a liderança da Septuaginta, a segunda linha poderia significar: "Tal como os homens podem reconhecer-se mutuamente pela aparência exterior, assim também reconhecem os caracteres interiores uns dos outros" (Charles Fritsch). Ver em Pv 4.23 os comentários intitulados *Coração*, que alguns estudiosos traduzem como *mente*.
4. Ou então pensamentos, expressos por meio de palavras, refletem o verdadeiro caráter daquele que os expressou.
5. Ou, finalmente, os homens têm o coração bastante parecido uns com os outros (o coração mau corresponde ao indivíduo mau, e o coração bom corresponde ao indivíduo bom). Portanto, para que você saiba como é outra pessoa, basta olhar para seu próprio coração. O que alguns homens encontram no próprio coração não é assim tão agradável, e o que os outros são também não é tão agradável.

Senhores, se o que pensais
Deixasse vestígios claros,
Os divórcios seriam mais,
E os casamentos bem raros.

Senhores, houvesse espelhos
Para ver o que pensamos,
E beijaríeis de joelhos
Toda lama que pisamos.

Augusto Gil

■ 27.20

שְׁאוֹל וַאֲבַדֹּה לֹא תִשְׂבַּעְנָה וְעֵינֵי הָאָדָם לֹא תִשְׂבַּעְנָה:

O inferno e o abismo nunca se fartam. Este provérbio diz-nos o quão insaciáveis são os desejos dos homens. O *sheol* e o *abaddon* (ver sobre ambos no *Dicionário*) nunca se enchem, embora milhões sejam postos em seus sepulcros e sofram a destruição da carne. Sempre há espaço para mais milhões. Ver os comentários sobre Pv 15.11 quanto ao *sheol* e ao *abaddon*, que não repito aqui. Esses "lugares" são personalizados como se fossem grandes monstros insaciáveis que devoram as pessoas. Ver o submundo a devorar almas imateriais certamente é anacronismo, e dificilmente é o que o autor do livro de Provérbios tinha em mente. Abordo a questão em Pv 15.11.

Sinônimo. Os olhos dos homens nunca se satisfazem; seus apetites nunca ficam satisfeitos. Seus desejos são insaciáveis. As concupiscências do homem são tão ilimitadas como o sheol.

Meu filho, o olho do homem é como uma fonte de água, e não se satisfaz com as riquezas enquanto estas não ficam empoeiradas.

Provérbios de Aicar

Ver na *Enciclopédia de Bíblia, Teologia e Filosofia* o verbete chamado *Aicar, Livro de*. Cf. este versículo com Ec 1.8; 4.8 e 19.20. O autor talvez quisesse dar a entender que a satisfação reside no estudo e na prática da lei, que ensina aos homens a moderação e, quando desejarem algo, que desejem o que é bom e benéfico.

■ 27.21

מַצְרֵף לַכֶּסֶף וְכוּר לַזָּהָב וְאִישׁ לְפִי מַהֲלָלוֹ:

Como o crisol prova a prata, e o forno o ouro. A prata passa através do crisol, e o ouro passa através do forno: ambas as coisas mostram o que são esses metais preciosos, retirando deles a escória estranha. Ver Pv 17.3a quanto às mesmas declarações, onde ofereço a exposição. Ver também no *Dicionário* o verbete chamado *Refinar, Refinador*.

Sinônimo. A qualidade dos elogios de um homem tem de ser submetida a teste, sendo "refinada", por assim dizer, de toda espécie de elementos estranhos. Consideremos os pontos seguintes:

1. Em primeiro lugar, contamos muito a respeito de um homem por meio daquilo que ele elogia. Talvez tenhamos de estar na companhia dele por algum tempo para fazer a descoberta, mas finalmente tudo virá à tona. Ele louva a virtude e a bondade, ou a sua mente está cheia de louvores por coisas inúteis e até mesmo pecaminosas? Um homem elogiará aquilo que lhe agrada.

2. Ademais, muita coisa pode ser dita sobre o caráter de um homem por meio daqueles que o elogiam. Essas pessoas são boas e sinceras, ou são pecadores réprobos? Ver Rm 1.32. Os ímpios se deleitam nos atos de outros ímpios e estão prontos a emulá-los.

3. Além disso, podemos dizer algo sobre o caráter de um homem mediante sua reação aos louvores. Porventura, ao ser elogiado, ele fica inchado como um homem orgulhoso e cheio de si? Ou então, quando criticado, ele se oculta em uma explosão de ira?

Podemos dizer qual é o caráter de cada homem, quando contemplamos como ele elogia e recebe elogios.

Sêneca, *Epístolas Morais*, LII

4. Um homem elogiará os valores que ele entesoura, e esses valores, por si sós, já nos dizem que tipo de homem é ele.

5. O crente transfere o louvor que lhe for dado a Deus, se ele é, realmente, um homem espiritual. "Não fui eu quem fez, mas Deus me capacitou, pelo que louvado seja Deus!"

Sou grato para com aquele que me fortaleceu...

1Timóteo 1.12

Trabalhei muito mais do que todos eles; todavia não eu, mas a graça de Deus comigo.

1Coríntios 15.10

■ 27.22

אִם תִּכְתּוֹשׁ־אֶת־הָאֱוִיל בַּמַּכְתֵּשׁ בְּתוֹךְ הָרִיפוֹת בַּעֱלִי לֹא־תָסוּר מֵעָלָיו אִוַּלְתּוֹ: פ

Ainda que pises o insensato com mão de gral entre grãos pilados. Os insensatos resistem a qualquer tentativa de correção e mudança. Somente um insensato ou um morto nunca muda. "É muito difícil separar o insensato de sua insensatez". Esta metáfora vê a pulverização de grãos com um instrumento para obter grãos puros separados das porções que não podem ser usadas como alimento. Cf. Nm 11.8, a preparação do maná. Pequenas quantidades de trigo eram preparadas em pequenos vasos, mediante esmagamento, ao passo que grandes quantidades eram preparadas nos moinhos.

Antítese. Um insensato, por outro lado, resistirá a todas as nossas tentativas para reformá-lo, separando a escória do pecado e da insensatez que há nele, mesmo que seja severamente espancado. Ele ignorará as repreensões, em contraste com o que acontece aos sábios (ver Pv 27.5). "As ronchas causadas pelos testes e castigos não conseguirão reformar o insensato. Assim sucedeu com Acaz (2Cr 28.22) e Judá (Is 1.5,6; 9.3)" (Fausset, *in loc*.). Uma criança pode ser corrigida por meio da vara (ver Pv 22.15), mas não um insensato empedernido. Um espancamento público pode curar alguns homens (ver Pv 20.30), mas não o insensato endurecido. O insensato que esteja apenas começando sua carreira de tolices pode até ser reformado pelo temor causado quando vê outrem receber um espancamento público (ver Pv 19.25). Entretanto, isso não funciona no caso de um insensato endurecido. Ele prefere morrer ali mesmo, na praça pública, a mudar seus caminhos. A lição que aprendemos aqui é que o pecado endurece um homem como o calor endurece os metais. Ver Pv 29.1.

O IDEAL BUCÓLICO (27.23-27)

■ 27.23

יָדֹעַ תֵּדַע פְּנֵי צֹאנֶךָ שִׁית לִבְּךָ לַעֲדָרִים:

Procura conhecer o estado das tuas ovelhas. Este provérbio tem aplicações espirituais, porém o mais provável é que se tenha destinado somente a prover bons conselhos sobre a agricultura. Um homem sábio não imitará jamais o insensato, descrito em Pv 24.30 ss. O homem preguiçoso permite que suas plantações e vinhas sejam arruinadas, pois teme trabalhar. Naturalmente, ter diligência em nossas tarefas é uma questão moral, visto que a preguiça é um pecado, ao passo que cuidar da própria família é uma virtude.

A primeira linha deste provérbio ordena a diligência no tocante aos rebanhos, ao passo que a linha sinônima fala sobre os rebanhos, e as duas linhas juntas representam a agricultura, que era a ocupação da grande maioria dos cidadãos da antiga nação de Israel.

Os vss. 23-27 apresentam o ideal bucólico, e o propósito deste discurso sem dúvida foi o de encorajar os jovens a levar avante a ocupação ideal da terra, sem se voltarem para os negócios ou para o comércio na tentativa de enriquecer. A agricultura era menos atacada pelas tentações mundanas, e essa era outra vantagem.

Quanto à aplicação espiritual de uma passagem como esta, ver 1Pe 5.2-4. Ademais, contamos com Cristo, o Bom Pastor, que não negligencia seu trabalho pastoral (ver Jo 10). Ver também At 20.28.

■ 27.24

כִּי לֹא לְעוֹלָם חֹסֶן וְאִם־נֵזֶר לְדוֹר דּוֹר:

Porque as riquezas não duram para sempre. Por qual razão um jovem prefere permanecer em sua fazenda, mesmo depois de ter estado em Paris? Porque as riquezas não são tudo. Por igual modo, não duram para sempre. E as riquezas são cercadas por uma série de problemas que a agricultura não envolve. Embora um negociante, como é óbvio, possa obter mais dinheiro em sua cidade mundana do que um agricultor em seu campo, o negociante também estará comprando para si mesmo algumas grandes desvantagens. Ver no *Dicionário* o artigo chamado *Riquezas*, quanto a detalhes sobre o assunto.

Sinônimo. Um jovem que fugisse para Alexandria, no Egito, poderia ter sorte e tornar-se líder de homens, governante ou mesmo rei vassalo de algum pequeno país. Lembre-se do que aconteceu a José, filho de Jacó. Ele obteve uma coroa ou outro símbolo de sua autoridade, e sua fortuna material ficou garantida. Certamente ele ficou rico, como acontece à maioria dos políticos. Teve uma vida agitada e enfrentou perigos para obter glória, através das conquistas militares. É verdade que um agricultor jamais poderia comparar-se com tudo isso. Por outra parte, há vantagens para quem permanece em casa e continua observando as tradições de seus antepassados. Além disso, ser um governante ou um monarca é um empreendimento de pouco tempo. E, mesmo se alguém governa como rei por longo tempo, as gerações que vão e vêm acabam varrendo tudo para longe.

■ **27.25**

גָּלָה חָצִיר וְנִרְאָה־דֶּשֶׁא וְנֶאֶסְפוּ עִשְּׂבוֹת הָרִים׃

Quando, removido o feno, aparecem os renovos. Os ciclos agrícolas vão e vêm, em contraste com a incerteza da vida de um negociante. Quando a erva desaparece durante o inverno, nova aparece na primavera; um homem planta e colhe; os campos ficam desnudos, mas o plantio e a colheita continuam a ocorrer interminavelmente, e a terra sempre coopera com o agricultor. O autor sagrado, entretanto, deixa de mencionar as secas, as enfermidades das plantas, o saque de terras por parte de invasores, e todas as coisas semelhantes, a fim de não enfraquecer a sua apresentação da estabilidade da vida agrícola. "A tranquila sucessão das colheitas e das estações é aqui descrita" (Ellicott, *in loc.*).

Sinônimo. Nossas ovelhas e rebanhos aumentarão e precisaremos de boas terras de pastagem. Mas a natureza cuidará disso para nós, porquanto as colinas certamente terão uma cobertura vegetal abundante e apropriada para os animais. Deus estará do nosso lado, pelo que olhemos para as colinas, de onde nos chegará ajuda. Assim sendo, se o trabalho de um agricultor é difícil, o bom resultado está garantido, porque a terra é abençoada por Deus, e ele pode não abençoar as nossas aventuras na cidade grande.

■ **27.26**

כְּבָשִׂים לִלְבוּשֶׁךָ וּמְחִיר שָׂדֶה עַתּוּדִים׃

Então os cordeiros te darão as vestes. Um bom fazendeiro contará com muito gado vacum, como também com ovelhas e cabras. A terra lhes fornecerá alimentos, e os animais darão ao fazendeiro outros bens de que ele necessite para viver. As ovelhas lhe proverão vestes. Se um homem for suficientemente industrioso, terá lã bastante para vender a outros, e sua esposa poderá vender produtos feitos de lã, obtendo dinheiro para adquirir outras coisas (ver Pv 31.24). Assim sendo, um agricultor talvez não fique tão rico quanto um rapaz citadino pode ficar, mas sustentará a si mesmo, não sendo forçado a ouvir a voz iracunda dos patrões.

Sinônimo. Tudo continuará a correr bem na fazenda. As cabras se multiplicarão e em breve o fazendeiro terá dinheiro suficiente para comprar um terreno extra. Em breve estará fazendo quase tanto dinheiro quanto o rapaz citadino, o qual, por esta altura, convenhamos, estará usando pesos e medidas desonestos (ver Pv 20.3) para aumentar seus lucros.

■ **27.27**

וְדֵי חֲלֵב עִזִּים לְלַחְמְךָ לְלֶחֶם בֵּיתֶךָ וְחַיִּים לְנַעֲרוֹתֶיךָ׃

E as cabras leite em abundância para teu alimento. O leite de cabra será abundante, tornando-se um dos principais alimentos da família e dos servos do proprietário das terras. As descrições são de um fazendeiro regularmente próspero, porquanto possui vários tipos de animais domesticados, além de vários servos, provavelmente incluindo alguns escravos.

Sinônimos. As servas do homem (provavelmente mencionadas nesta linha como as mais humildes de todas as pessoas que vivem em uma fazenda) também compartilharão das riquezas. As servas cuidavam do gado, especialmente das vacas produtoras de leite, bem como das cabras, e compartilhavam do leite e de outros produtos da fazenda. Todos terão o suficiente para as suas necessidades, mas não haverá luxos supérfluos (como os que são empregados nas cidades), e isso, por si só, figura entre as bênçãos da vida em uma fazenda.

CAPÍTULO VINTE E OITO

Não há interrupção entre os capítulos 27 e 28. Os capítulos 25—29 constituem a segunda coletânea dos provérbios de Salomão. Ver a introdução a esta seção geral em Pv 25.1. Ela está dividida em duas partes: parte I (capítulos 25—27) e parte II (capítulos 28—29). A primeira parte é similar à segunda seção do livro (ver Pv 22.17—24.35). E a segunda é similar a Pv 10.1—22.16 (seção II, isto é, a segunda divisão principal do livro).

PARTE II DA SEGUNDA COLETÂNEA DOS PROVÉRBIOS DE SALOMÃO (28.1—29.27)

■ **28.1**

נָסוּ וְאֵין־רֹדֵף רָשָׁע וְצַדִּיקִים כִּכְפִיר יִבְטָח׃

Fogem os perversos, sem que ninguém os persiga. Homens perversos têm a consciência culpada. Eles já cometeram muitos crimes e têm muitos inimigos. Portanto, não é preciso grande coisa para assustá-los. Talvez eles pensem que a polícia ou detetives particulares estejam atrás deles, ou então homens que anseiam por efetuar vingança pessoal. Além disso, alguns desses homens ficam olhando para cima, perguntando se Deus não os ferirá com um raio. "O som de uma folha tangida pelo vento fica a persegui-los" (ver Lv 26.17,36; Dt 37; Sl 125.1,2).

Antítese. Em contraste, o homem justo mostra-se ousado, crente de que o Senhor cuida de sua segurança; de que seus dias são numerados favoravelmente por Deus; de que ele viverá uma vida longa e próspera, por causa de sua retidão, que será recompensada. É como um leão, que não teme nenhum perigo, porquanto na floresta onde vive é rei. Ele confia em Deus. Não teme reprimenda por suas más ações. Ver 1Sm 17.32 ss. e Sl 91.1 ss. e 125.1,2. Píndaro compara um homem corajoso a um leão (*Isthem.* 4. antistroph. 3, col. 1).

■ **28.2**

בְּפֶשַׁע אֶרֶץ רַבִּים שָׂרֶיהָ וּבְאָדָם מֵבִין יֹדֵעַ כֵּן יַאֲרִיךְ׃

Por causa da transgressão da terra mudam-se frequentemente os príncipes. Existem períodos históricos em que há uma sucessão constante de reis porque a terra está cheia de transgressões. Não há estabilidade política, e os assassinatos são frequentes. O reino está em tribulação, por causa dos pecados e das traições. O reino do norte, Israel, exemplificou essa situação. Cf. 1Rs 15.27 ss. Já o reino do sul, Judá, estava relativamente estável, até perto do tempo do cativeiro babilônico; mas então o reino do sul também caiu no caos e teve uma rápida sucessão de monarcas. O reino do norte, em suas nove dinastias, teve vinte reis diferentes.

Antítese. Em contraste com o que dissemos anteriormente, quando a justiça se firma em um reino, há estabilidade política, e cada rei governa por um longo tempo. A lei de Moisés, naturalmente, é o padrão dos julgamentos. O bom rei realiza justiça, e assim tem o apoio de príncipes fortes e do povo em geral. Ocorrem rebeliões, promovidas por homens iníquos, mas essas rebeliões são abafadas sem que o reino se divida pelo meio. A linhagem de Davi, que controlava o reino de Judá, era comparativamente estável. Já o reino do norte, Israel, viveu em constante apostasia e não conheceu repouso.

Compreensão e Conhecimento. Estas coisas benéficas que o seguir a lei confere ocorrem porque a lei é o instrumento da sabedoria.

Diz o Targum: "Os filhos dos homens que compreendem, permanecerão" (cf. Ec 9.15).

28.3

גֶּבֶר רָשׁ וְעֹשֵׁק דַּלִּים מָטָר סֹחֵף וְאֵין לָחֶם:

O homem pobre que oprime os pobres é como chuva... Quando um pobre oprime outro homem pobre, então se instala uma estranha situação. Alguns eruditos não gostam da maneira como o texto está, apresentando o vocábulo hebraico *rash*, "pobre", e trocam essa palavra por outra, *rasha*, "ímpio"; mas para isso não há apoio por parte dos manuscritos. O autor sagrado destacava uma situação incomum de opressão, mas que acontece ocasionalmente. O homem que estava sofrendo opressão torna-se opressor. É um homem de coração duro, que nada aprendeu de sua própria experiência negativa.

Sinônimo. Essa situação é como uma chuva longa e pesada, que destrói as plantações e não deixa alimentos agrícolas no reino. O resultado é uma calamidade generalizada. Cf. Mt 18.28, onde um escravo persegue outro, do mesmo proprietário.

28.4

עֹזְבֵי תוֹרָה יְהַלְלוּ רָשָׁע וְשֹׁמְרֵי תוֹרָה יִתְגָּרוּ בָם: פ

Os que desamparam a lei louvam o perverso. A lei de Moisés era o guia (ver Dt 6.4 ss.) na antiga nação de Israel, o manual de crença e prática. Fonte de justiça e equidade, era repleto de mandamentos contra a iniquidade e o pecado de toda sorte. Mas houve muitos que abandonaram todas essas vantagens e seguiram seu caminho ímpio, ignorando o tradicional caminho da lei. Ver Pv 4.27 quanto a uma nota de sumário sobre os *caminhos contrastados dos bons e dos maus*. Os que desobedecem à lei elogiam outros que também a quebram, conforme aprendemos em Rm 1.32. Eles têm prazer naqueles que pertençam ao tipo igualmente pervertido. Esse tipo forma uma grande companhia, unida no propósito de fazer o mal e semear a discórdia. Na época em que o livro de Provérbios foi escrito, o Pentateuco certamente já estava canonizado e reconhecido como autoritativo.

Antítese. Havia também uma grande companhia de homens que reconhecia a autoridade do Pentateuco e, possivelmente, a autoridade das declarações de sabedoria e dos Profetas. Eles tinham seu padrão do bem e opunham-se a homens iníquos. A lei mosaica tornara Israel uma nação distinta (ver Dt 4.4-8). Cf. o vs. 9 deste mesmo capítulo e ver as notas expositivas sobre Pv 13.13. Ver também Ne 13.17 e Ef 5.11 quanto à ideia de contenção contra o mal.

28.5

אַנְשֵׁי־רָע לֹא־יָבִינוּ מִשְׁפָּט וּמְבַקְשֵׁי יְהוָה יָבִינוּ כֹל:

Os homens maus não entendem o que é justo. Os homens maus, que há muito tinham abandonado a senda do aprendizado da lei, e não a consideravam seu guia, não compreendem a justiça exigida pela lei. Eles substituem a lei da ordem e da equidade pela sua própria algaraviada de caos e corrupção. "Os homens maus não sabem o que é direito, visto que não buscam a vontade do Senhor, conforme ela se revela na lei" (Charles Fritsch, *in loc.*).

Antítese. Em contraste com o que lemos anteriormente, aqueles que buscam o Senhor, mediante o estudo da Palavra (no contexto do Antigo Testamento, a lei mosaica), recebem conhecimento e iluminação. Esses compreendem a justiça.

> Quando andamos com o Senhor,
> Sob a luz de sua Palavra,
> Que glória se derrama em nosso caminho.
>
> J. H. Sammis

"Deus se revela somente àqueles que O temem (ver Sl 25.14; 1Co 2.11; 1Jo 2.20). Seguindo a luz, eles são guiados a toda a verdade (ver Jo 16.13). Em contraste, o mal fecha os olhos dos ímpios e os torna incapazes de contemplar a luz, mesmo que o queiram fazer (Jo 12.39 ss.)" (Ellicott, *in loc.*). É impossível seguir os dois caminhos conflitantes ao mesmo tempo (ver 1Rs 18.21; Mt 6.24; ver 1Jo 2.20).

> *Ai do pecador que segue por dois caminhos.*
> Eclesiástico 2.14

28.6

טוֹב־רָשׁ הוֹלֵךְ בְּתֻמּוֹ מֵעִקֵּשׁ דְּרָכַיִם וְהוּא עָשִׁיר:

Melhor é o pobre que anda na sua integridade... É melhor alguém padecer necessidades materiais, mas possuir riquezas espirituais, do que possuir riquezas e ser uma pessoa iníqua. A primeira linha deste versículo é idêntica a Pv 19.1a, onde apresento as notas expositivas.

Antítese. O homem rico tem o que sempre foi cobiçado pelos indivíduos profanos: riquezas materiais, muito dinheiro, propriedades, prata, ouro, pedras preciosas e bens de consumo de toda espécie, grande parte deles importados. Se os homens a quem ele prejudicou não o perseguirem para fazer-lhe o mal, a retribuição divina o fará, porquanto ele vive pleno de transgressões e não pode ter uma vida longa em paz. Ver sobre o perverso, em Pv 2.15. Esse é o homem perverso, que caminha em sua vereda pervertida.

Nos seus caminhos. Ver sobre a *metáfora da vereda*, em Pv 4.11; ver Pv 4.27 quanto aos *caminhos bom e mau contrastados*; e ver sobre a *metáfora do andar*, no *Dicionário*. A questão dos caminhos pode ser traduzida por "perverso em dois caminhos", o que poderia significar o homem que tenta seguir dois caminhos diferentes, o reto caminho da lei e o seu próprio caminho tortuoso. Se esse é o verdadeiro significado aqui, então temos Eclesiástico 2.12 como um mandamento direto contra tal tentativa. Ver sobre o vs. 5, no fim, quanto às citações.

28.7

נוֹצֵר תּוֹרָה בֵּן מֵבִין וְרֹעֶה זוֹלְלִים יַכְלִים אָבִיו:

O que guarda a lei é filho prudente. É provável que esteja aqui em vista o relacionamento literal de pai e filho, e não o relacionamento entre mestre (pai espiritual) e aluno (filho espiritual). No relacionamento entre pai e filho, o ideal era que o filho fosse tão sábio quanto seu pai que obedece à lei. O filho sábio aprende e obedece à lei. Cf. o vs. 4 deste presente capítulo. Pv 29.3 é virtualmente idêntico. O filho que ama a sabedoria alegra o seu pai. O pai logrou êxito na criação de seu filho e duplicou nele sua vida moral e espiritual.

Antítese. Em contraste com o que acabamos de dizer, temos o temível espetáculo de um filho mau que se tornou colega da multidão que segue pelo caminho mau — os glutões, os pecadores em geral, as prostitutas, os preguiçosos e os pervertidos de toda espécie. Tal homem fará seu pai adoecer. Este ficará perguntando o que terá saído errado e por que a criação de seu filho saiu tão errada. Ver as notas sobre Pv 13.24 quanto a essa agonizadora situação. Algumas vezes, nem mesmo um treinamento apropriado produz o resultado tencionado, e isso nos faz indagar por quê. As notas sobre aquele versículo tentam dar uma ou mais respostas. O filho perverso faz seu pai envergonhar-se, tanto aos seus próprios olhos como aos olhos de seus familiares, e também na comunidade onde eles vivem. "As más companhias são uma armadilha para a juventude, porque os jovens amam demais os prazeres (ver Lc 15.13; Jó 27.16,17)" (Fausset, *in loc.*). Quanto às boas e más companhias, ver as notas expositivas em Pv 13.20, que podem ser usadas para ilustrar este versículo.

28.8

מַרְבֶּה הוֹנוֹ בְּנֶשֶׁךְ וּבְתַרְבִּית לְחוֹנֵן דַּלִּים יִקְבְּצֶנּוּ:

O que aumenta os seus bens com juros e ganância... Cobrar juros era proibido aos judeus, quando um hebreu pedia dinheiro emprestado de outro. Ver Êx 22.25; Lv 25.35-37. Essa lei, entretanto, não era bem observada, nem no judaísmo antigo nem no judaísmo posterior. Ver no *Dicionário* o artigo chamado *Juros*, quanto a um completo tratamento sobre o assunto.

Antítese. O homem que ganha dinheiro ilegal e imoralmente haverá de perdê-lo e terminará entre os pobres, mediante um ato de Deus. Cf. Pv 13.22; Ec 2.26 e Jó 17.16,17. Ver também Lc 19.24 e cf. 1Sm 15.28. Adam Clarke (*in loc.*) chamou tais exploradores de selvagens, desejando que as autoridades britânicas os enviassem para a Nova Zelândia, a terra dos selvagens, uma peculiar referência histórica. A *Providência de Deus* reverteria a situação, e outro tanto fará a *Lei Moral da Colheita segundo a Semeadura* (ver a respeito no *Dicionário*).

■ 28.9

מֵסִיר אָזְנוֹ מִשְּׁמֹעַ תּוֹרָה גַּם־תְּפִלָּתוֹ תּוֹעֵבָה׃

O que desvia os seus ouvidos de ouvir a lei. O indivíduo que despreza a lei fechou propositadamente os ouvidos para a lei. Tal indivíduo está em estado de rebelião. Ele teve a sua oportunidade, mas rejeitou-a em seu interesse próprio. Ele tem outras ideias que serão mais vantajosas, segundo ele pensa. O homem que rejeita a lei de Deus se colocou em posição de ser rejeitado por Deus. Ele está cortejando o desastre, pois não terá a vida resultante de seguir a sabedoria (ver Pv 4.13).

Sinônimo. Quando chegar o tempo da calamidade, esse homem não deve esperar que Deus o ouça e responda às suas orações desesperadas. Até sua oração será uma *abominação*. Quanto a essa palavra, ver as notas expositivas em Pv 11.1 e também o artigo com esse nome no *Dicionário*. Tradicionalmente, a oração ajuda os impotentes. Mas, quando o indivíduo perverso torna-se impotente (o que, inevitavelmente, acontece), ele é deixado em um estado muito triste. Ver no *Dicionário* o artigo chamado *Oração*, quanto a ideias completas e ilustrações. Cf. a segunda linha com Pv 15.8; Sl 66.18; Is 59.2. Se um homem não der ouvidos e obedecer à lei, o Senhor também não o ouvirá. Ver Zc 7.11 e At 7.57 (primeira linha, paralela); e Sl 109.7 (segunda linha, paralela).

■ 28.10

מַשְׁגֶּה יְשָׁרִים בְּדֶרֶךְ רָע בִּשְׁחוּתוֹ הוּא־יִפּוֹל וּתְמִימִים יִנְחֲלוּ־טוֹב׃

O que desvia os retos para o mau caminho. Temos aqui um trio, três declarações distintas. Considere o leitor estes três pontos:
1. Os homens perversos anseiam por tomar consigo a homens bons, a fim de corrompê-los, reproduzindo-se neles. Quanto a uma vívida passagem que ilustra isso, ver Pv 1.10 ss. Parte da diversão de ser corrupto consiste em corromper outros, algo muito comum "lá fora", que pode ser observado todos os dias. Um homem mau quer ter companhia, e em grande número. Ver sobre a boa e a má companhia em Pv 13.20, onde há notas expositivas detalhadas.
2. O homem que leva outros a desviar-se, escavando covas e pondo armadilhas à frente deles, para garantir o seu sucesso, acabará sendo preso em seus próprios esquemas, nos quais será destruído. Ver Pv 26.27, que ilustra vividamente esse princípio. Ver também Pv 1.18, onde encontramos a mesma ideia. Assim é o funcionamento da *Lei Moral da Colheita segundo a Semeadura* (ver Gl 6.7,8). Ver sobre essa lei no *Dicionário*.
3. O indivíduo sem culpa, que purificou o seu caminho através do aprendizado e da observância da lei, obterá boa herança, talvez sob a forma de dinheiro literal, e certamente sob a forma de benefícios da retidão, a herança espiritual da parte do Pai celeste (ver Rm 8.17). Quanto à palavra *íntegros*, ver Pv 10.9 e cf. Pv 28.6,18. A herança poderia ser a paterna, que ele viverá para receber, ao passo que os ímpios sofrerão morte prematura; mas o versículo parece ir além disso. Deus está presente para abençoar, através dos pais do homem e para além de seus recursos. Aleluia!

Este versículo tem sido espiritualizado para falar sobre a nossa herança em Cristo. Ver no *Dicionário* os verbetes chamados *Herdeiro* e *Herança*.

■ 28.11

חָכָם בְּעֵינָיו אִישׁ עָשִׁיר וְדַל מֵבִין יַחְקְרֶנּוּ׃

O homem rico é sábio aos seus próprios olhos. Um homem rico, visto ter dinheiro e poder, engana-se para pensar que é um verdadeiro líder de homens. Porém, não possuindo espiritualidade, ele se engana a si mesmo quanto às verdadeiras riquezas e à verdadeira grandeza. Um homem verdadeiramente grande pode ver a falácia que é a sua vida. Cf. esta primeira linha com Pv 26.5 e algo similar em Ec 9.11,15.

Nem sabes que tu és infeliz, sim, miserável, pobre, cego e nu.
Apocalipse 3.17

Antítese. Em contraste, o homem pobre, mas espiritual, tem a verdadeira compreensão que se deriva da lei de Moisés. Ele sabe quais são as verdadeiras riquezas e a espiritualidade, e também sabe que o homem rico e orgulhoso não tem esse tipo de possessão. Ele percebe a farsa com a maior facilidade.

■ 28.12

בַּעֲלֹץ צַדִּיקִים רַבָּה תִפְאָרֶת וּבְקוּם רְשָׁעִים יְחֻפַּשׂ אָדָם׃

Quando triunfam os justos há grande festividade. Quando as coisas saem corretamente, são os homens retos que triunfam e têm grande alegria. Eles desfrutam as bênçãos de Deus e o favor dos homens. Veem a lei ensinada e seguida, e a sabedoria é seu guia e benfeitor. Isso nos faz lembrar das festividades religiosas que celebravam o que era direito na terra e promoviam ritos e cerimônias no templo de Jerusalém. Eram tempos de grande alegria. Quando um bom rei ocupa o trono e promove a justiça e a equidade, o povo se sente feliz (ver Pv 11.10). Ver também Pv 28.2 e 28.

Antítese. Mas, quando um ímpio sobe ao trono, então é chegado o tempo de as pessoas de bem se esconderem, porque haverá muitas calamidades. Os homens se ocultam devido ao temor. Os retos serão perseguidos. Haverá assassinatos e aprisionamentos. Haverá calamidades em geral. O hebraico diz aqui, literalmente, "eles são procurados" mas não são encontrados. Cf. Pv 11.10 e 29.2, trechos bastante parecidos com este versículo. Ver também os vss. 15,16 deste mesmo capítulo, que também são similares.

■ 28.13

מְכַסֶּה פְשָׁעָיו לֹא יַצְלִיחַ וּמוֹדֶה וְעֹזֵב יְרֻחָם׃

O que encobre as suas transgressões jamais prosperará. Este versículo reflete a teologia hebraica e cristã padronizada. Um homem repleto de pecados finge ser um homem bom. Ele oculta de outras pessoas os seus pecados, e talvez até de si mesmo. Não tem consciência de seu verdadeiro caráter. A experiência mostra-nos que alguns homens encobrem suas transgressões porque as amam. Não querem que haja nenhuma investigação que revele o que eles são, porquanto estão enamorados de seu perverso estilo de vida. Lembre-se o leitor de como Adão e Eva ocultaram seus pecados (ver Gn 3.8), mas agiram assim temendo o que Deus faria, se os descobrisse. Ver também o caso de Davi, em Sl 32.3. Cf. esta linha com 1Sm 15.20,21. E ver também 1João 1.8-10.

Antítese. O homem bom também é pecador. Ele haverá de sofrer muitas quedas. Porém, não tentará encobrir seus pecados. Confessará seus erros àqueles a quem tiver ofendido e acertará as coisas com eles. Levará seus pecados à presença de Deus, para expiá-los (ver no *Dicionário* o artigo chamado *Expiação*). Deus esquecerá os pecados desse homem, e ele obterá misericórdia. Ver no *Dicionário* os verbetes intitulados *Arrependimento* e *Perdão*.

Se confessarmos os nossos pecados, ele é fiel e justo para nos perdoar os pecados e nos purificar de toda injustiça.
1João 1.9

Meu filho, se pecaste, não peques de novo,
E ora quanto a teus pecados passados.
Foge do pecado como se fora a cabeça de uma cobra;
Pois, se te aproximares dele, ele te picará.
Seus dentes são dentes de leão,
E destroem a alma dos homens.
Eclesiástico 21.1-3

Bramwell Booth passou muitos anos tratando dos males espirituais do povo e declarou que poucas coisas o deixavam tão surpreendido como a evidência contínua de pecados inconfessos e não abandonados. Isso criava toda espécie de confusão. O coração humano não foi criado para abrigar o pecado.

■ 28.14

אַשְׁרֵי אָדָם מְפַחֵד תָּמִיד וּמַקְשֶׁה לִבּוֹ יִפּוֹל בְּרָעָה׃

Feliz o homem constante no temor de Deus. Considere o leitor os pontos seguintes:

1. O homem que teme continuamente o Senhor será feliz. O original hebraico não tem um objeto para a palavra "temor", mas compreendemos o lema comum do livro de Provérbios, o *temor do Senhor*. Ver Pv 1.7, onde comento sobre esse conceito. Ver também Sl 119.38, bem como, no *Dicionário*, o artigo chamado *Temor*.
2. Um homem bom também deve temer o pecado, conforme compreendido à luz do vs. 13; mas isso é apenas um aspecto do temor a Yahweh.
3. O homem bom teme cair. Ele desconfia de si mesmo e volta-se para o Senhor, de quem espera ajuda (Sl 2.12).
4. O homem piedoso também teme as consequências do pecado, as quais ocorrem tanto naturalmente, mediante a reversão das circunstâncias, como diretamente, mediante retribuições de Deus.

Antítese. O homem que não tem o conjunto certo de temores tropeçará ao longo de seu caminho e, eventualmente, cairá no equívoco que poderia ter evitado. Esse homem não se sentirá feliz, como se sente o homem mencionado na primeira linha. Cf. Pv 29.1. O homem que habitualmente endurece o coração está encaminhando-se para a destruição, por meio da vingança divina.

Consideremos o caso do Faraó. Ele continuou endurecendo o seu coração e, finalmente, teve de enfrentar inúmeras calamidades. Ver Êx 14.5-8; 23.31.

■ 28.15

אֲרִי־נֹהֵם וְדֹב שׁוֹקֵק מֹשֵׁל רָשָׁע עַל עַם־דָּל׃

Como leão que ruge, e urso que ataca. Os animais ferozes eram uma ameaça constante contra os habitantes da Palestina. As feras mais temidas eram as cobras, os leões e os ursos. Não era seguro ficar vagueando por qualquer lugar. O leão mostra-se um caçador incansável e não conhece inimigo natural. O urso, percorrendo o seu caminho, à procura de alimentos, é um animal terrível. Algumas espécies de ursos matam qualquer pessoa quando a avistam, mesmo não estando famintos. Quanto ao poder devastador do leão, ver Pv 19.12 e 20.2.

Sinônimo. Quando um homem maligno sobe ao trono, ele se parece com um leão ou um urso. E faz muitas vítimas. De fato, a própria sociedade torna-se sua presa. Finalmente, algum "caçador" lhe dá um tiro e o mata; mas, antes disso, muitas vítimas inocentes sucumbem. "Os tiranos são, com frequência, comparados a leões (ver Jr 4.7; 50.17 e 2Tm 4.17). E o homem do pecado, o ímpio governante do fim, o grande opressor do pobre povo de Deus, é comparado tanto a um leão quanto a um urso. Ver Ap 13.2" (John Gill, *in loc.*).

Vosso adversário anda em derredor, como leão que ruge, procurando alguém para devorar.

1Pedro 5.8

■ 28.16

נָגִיד חֲסַר תְּבוּנוֹת וְרַב מַעֲשַׁקּוֹת שֹׂנְאֵי בֶצַע יַאֲרִיךְ יָמִים׃ פ

O príncipe falto de inteligência multiplica as opressões. Encontramos aqui o governante imoral típico, que chegou a seu posto de mando por meio de crimes, enganos e manipulações políticas. Esse homem não tem nenhuma compreensão. Ele nunca estudou a lei de Moisés, a origem da sabedoria, nem poderia importar-se menos do que se importa com os sábios e suas declarações. Tal homem está atrás de dinheiro, fama e poder, e fará o que for necessário para alcançar esses alvos. Ele se transforma em um cruel opressor, como o leão ou o urso do vs. 15. Sua obtenção de dinheiro e poder é injusta, e a lei de Deus, eventualmente, o alcançará; por algum tempo, porém, ele fará muitas vítimas. Ele fará guerras estúpidas e se tornará um matador em massa. Oprimirá o próprio povo até que se levante alguém que o destrone. Imporá pesados impostos, a fim de enriquecer e viver em alto estilo de vida. Ele perderá o que é valioso: a aprovação de Deus e o amor de seu povo. Fica entendido, igualmente, que o homem ímpio morrerá de morte prematura. O vingador, divino ou humano, cuidará disso.

Antítese. Em contraste, o homem que odeia o ganho injusto, bem como aquelas coisas nas quais os ímpios se regozijam, terá vida longa, próspera e saudável, com boas realizações. A sabedoria transmite vida (ver Pv 4.13), e o nosso homem é um sábio. Ele não está interessado em tesouros mal adquiridos (ver Pv 1.19; 10.2). Por conseguinte, obterá o tesouro divino de uma vida longa, plena das bênçãos de Deus e da aprovação dos homens. Cf. Êx 18.21.

■ 28.17

אָדָם עָשֻׁק בְּדַם־נָפֶשׁ עַד־בּוֹר יָנוּס אַל־יִתְמְכוּ־בוֹ׃

O homem carregado do sangue de outrem. O hebraico original deste versículo é extremamente obscuro, pelo que todas as interpretações são meras conjecturas. Mas parece que temos aqui um trio, com as seguintes três ideias:

1. Um homem é sobrecarregado por haver cometido um assassinato. Ele se sente "oprimido" pelo seu crime. Sua alma chora, a despeito de sua calma exterior. "A consciência de um assassino o amarra, atormentando-o e levando-o à tentativa de escapar da punição, mas a sua única escapatória é a morte" (Sid S. Buzzell, *in loc.*).
2. Um homem dotado de má consciência torna-se um fugitivo da vida, ou seja, enquanto viver, o que o autor prediz não durará muito tempo. Esse homem torna-se como o primeiro assassino, Caim. Ver Gn 4.12 e 9.6.
3. O homem continuará correndo até que alguém o mate, até que alguma enfermidade fatal o corte, ou até que alguma calamidade enviada por Deus o arrebate para a morte prematura. Ver no *Dicionário* o artigo chamado *Homicídio*. Este versículo fala da *Lei da Colheita segundo a Semeadura* (ver a respeito no *Dicionário*). Que tal homem não espere ajuda nem da parte dos homens nem da parte de Deus. Ele tem uma grande dívida a pagar.

■ 28.18

הוֹלֵךְ תָּמִים יִוָּשֵׁעַ וְנֶעְקַשׁ דְּרָכַיִם יִפּוֹל בְּאֶחָת׃

O que anda em integridade será salvo. Em contraste com o assassino (vs. 17), o homem reto anda em sabedoria e bondade, e será livrado de todos os perigos, vivendo assim uma vida longa, próspera e saudável, cumprindo todos os seus desejos e concretizando todas as suas esperanças. Não está em mira a salvação evangélica, embora essa seja uma aplicação legítima do texto. O homem reto é alguém versado na lei, que põe em prática todos os seus conceitos. A lei, conforme fomentada pelas declarações da sabedoria, tornou tal homem sábio; e a sabedoria transmite vida (ver Pv 4.13).

Antítese. Um homem ímpio não terá vida longa e próspera, conforme acontece ao homem bom. Pelo contrário, sua vontade perversa o encaminha à destruição. Diz o hebraico original: "Ele cairá em um", que a versão siríaca define como "uma cova". A Septuaginta corta o nó górdio deixando de lado as palavras "em um" e dando a entender a queda do homem. Quanto à *metáfora da vereda*, ver Pv 4.11. Quanto aos *caminhos bom e mau contrastados*, ver Pv 4.27. O hebraico tem um dual aqui, pelo que poderíamos traduzir por "em seus dois caminhos", como se ele estivesse hesitante e fosse incoerente, enveredando por um caminho um dia, e por outro no dia seguinte. Mas é provável que a tradução como plural — conforme se vê em nossa versão portuguesa — dê o sentido tencionado.

■ 28.19

עֹבֵד אַדְמָתוֹ יִשְׂבַּע־לָחֶם וּמְרַדֵּף רֵקִים יִשְׂבַּע־רִישׁ׃

O que lavra a sua terra virá a fartar-se de pão. Este versículo é similar a Pv 27.23-27. O autor sagrado encorajou os leitores a fazer da vida agrícola a profissão deles, em contraste com realizações sem valor. A leitura das notas nas referências dadas ilustra o assunto com interessantes detalhes. Pv 12.11 é quase igual ao presente versículo, e as notas expositivas dadas ali também se aplicam aqui. Ali, a segunda linha apresenta o indivíduo que busca alvos sem valor como se fosse um insensato sem bom senso. Aqui o homem fica pobre, em vez de enriquecer, sua motivação para as buscas "exóticas" ou profissões improváveis.

Antítese. O homem decidiu que não seria agricultor. Portanto, começou a atirar-se a buscas vãs, o que, provavelmente, significa profissões sem futuro. O homem que assim age é insensato (ver Pv 12.11) e termina a sua carreira na pobreza. Temos um paralelo deste versículo nas *Instruções de Amen-em-Ope* (ver a respeito dessa obra literária em Pv 22.2). Essa obra serviu de base para certas porções do livro de Provérbios ou, pelo menos, houve um fundo comum de provérbios no qual ambas as obras — as *Instruções de Amen-em-Ope* e o livro de Provérbios — se firmaram. O paralelo diz como segue:

> Ara teus próprios campos, e então descobrirás o que existe,
> E obterás pão de tua própria eira.

■ **28.20**

אִישׁ אֱמוּנוֹת רַב־בְּרָכוֹת וְאָץ לְהַעֲשִׁיר לֹא יִנָּקֶה:

O homem fiel será cumulado de bênçãos. O homem que merece confiança não empregará esquemas que tentem levá-lo à riqueza rápida. Antes, procurará ser um trabalhador árduo, obtendo seu ganho pela força do trabalho. De acordo com ele, esse é o homem que tem sabedoria e entendimento. Apesar de não enriquecer, não lhe falta coisa alguma; pelo contrário, ele obtém muitas bênçãos com o labor das próprias mãos, da parte de outros homens, que aprovam a sua conduta, e também da parte de Deus, que controla todos os acontecimentos.

Pv 13.11 é quase idêntico a este versículo, mas as linhas estão invertidas. O homem que obtém o que possui mediante trabalho enriquecerá com as bênçãos de Deus. Encontramos algo similar em Pv 20.21.

Antítese. O homem que tem pressa em enriquecer quase inevitavelmente se envolverá em métodos duvidosos e até criminosos para concretizar o seu propósito. Seus valores foram distorcidos, e outro tanto aconteceu à sua conduta. Ver Pv 28.22a.

> Ora, os que querem ficar ricos caem em tentação e cilada, e em muitas concupiscências insensatas e perniciosas, as quais afogam os homens na ruína e perdição. Porque o amor do dinheiro é raiz de todos os males; e alguns, nessa cobiça, se desviaram da fé, e a si mesmos se atormentaram com muitas dores.
>
> 1Timóteo 6.9,10

■ **28.21**

הַכֵּר־פָּנִים לֹא־טוֹב וְעַל־פַּת־לֶחֶם יִפְשַׁע־גָּבֶר:

Parcialidade não é bom... Cf. este provérbio com Pv 18.5. As primeiras linhas de ambos são idênticas. E Pv 24.23b é semelhante à primeira linha aqui. A parcialidade em um tribunal é o primeiro assunto envolvido. Era algo terrível que podia acontecer, porque apenas duas testemunhas podiam condenar um homem a pagar uma pesada multa ou mesmo a ser executado. Ver Dt 17.6.

Sinônimo. Proverbialmente falando, um "pedaço de pão" provavelmente representava algo dotado de bem pouco valor. E, no entanto, existem homens tão avaros que se deixam subornar por pequeníssimas somas, para dar um testemunho falso em tribunal e, assim, prejudicar um inocente. Ver os artigos chamados *Testemunha Verdadeira* e *Testemunha Falsa* em Pv 12.17; 14.5,25; 19.5,9,28; 24.28 e 25.18. Um pequeno suborno também pode comprar o silêncio de alguns homens, permitindo que o testemunho falso, prestado por outras pessoas, condene uma pessoa.

■ **28.22**

נִבְהָל לַהוֹן אִישׁ רַע עָיִן וְלֹא־יֵדַע כִּי־חֶסֶר יְבֹאֶנּוּ:

Aquele que tem olhos invejosos corre atrás das riquezas. A primeira linha deste versículo se parece com Pv 28.20b. Ver as notas expositivas ali. Ver também Pv 13.11a, que contém a mesma declaração. Aqui o homem que se apressa por enriquecer é chamado de egoísta. Ele não anda atrás das riquezas a fim de distribuí-las a outras pessoas. Quanto a uma discussão sobre *riquezas*, ver Pv 10.2. Ver também, no *Dicionário*, o artigo chamado *Riquezas*. O hebraico diz aqui "olho mau", que parece significar que o indivíduo busca as riquezas sem nenhum tipo de restrição moral e sem motivos remidores. Cf. Pv 23.6. A *Revised Standard Version* diz "parcimonioso" como interpretação de "olho mau"; parece, contudo, que mais está envolvido nessa expressão hebraica.

Antítese. Buscando as riquezas com olho mau, o homem parcimonioso esquece que, a menos que contemos com o favor de Deus, acabaremos na pobreza. Ele não é um homem inocente (vs. 20b). Tem motivos diferentes e ímpios. Teme o labor honesto (ver Pv 13.11a) e busca algum atalho para obter riquezas. Mas alcançará um alvo, o oposto do que tencionava: a pobreza.

■ **28.23**

מוֹכִיחַ אָדָם אַחֲרַי חֵן יִמְצָא מִמַּחֲלִיק לָשׁוֹן:

O que repreende ao homem achará depois mais favor. O homem que foi aqui repreendido é, naturalmente, o sábio que ama a quem lhe administrou a repreensão, porquanto isso se torna, para ele, um meio de aprimoramento. Ver Pv 9.5. Ver Pv 27.5 quanto à nota de sumário sobre *Repreensão*. Quando alguém é repreendido, mesmo que seja por parte de um amigo, pode ressentir-se disso por algum tempo e até tentar revidar contra o repreendedor. Mas alguém que é fiel, ao apresentar uma crítica construtiva, eventualmente será reconhecido como um homem bom que fez o seu dever e ajudou àquele que foi repreendido. E outras pessoas também reconhecerão que o repreendedor fez o que era correto.

Antítese. O caso da lisonja é exatamente o oposto do que dissemos anteriormente. A princípio, o lisonjeador pode parecer um amigo que ajuda e dá seu encorajamento. Mas pode-se descobrir que esse homem era um hipócrita e também deixou de corrigir uma má situação quando a viu. Quanto a versículos que mostram como a repreensão pode beneficiar, enquanto a lisonja prejudica, ver Pv 15.5,12; 25.12; 27.5,6; 29.5. O Targum chama aqui o lisonjeador de alguém com uma "língua dúplice", a mesma ideia da versão siríaca. Cf. Sl 141.3. Cerca de cem provérbios abordam os *usos apropriado e impróprio da língua*. Ver sobre isso em Pv 11.9,13 e 18.21, onde apresento notas com ilustrações e poesias.

■ **28.24**

גּוֹזֵל אָבִיו וְאִמּוֹ וְאֹמֵר אֵין־פָּשַׁע חָבֵר הוּא לְאִישׁ מַשְׁחִית:

O que rouba a seu pai, ou a sua mãe... Temos aqui um trio, uma das várias maneiras pelas quais os provérbios são apresentados. Quanto a esses modos de apresentação, ver o artigo chamado *Apresentação das Declarações*, em Pv 22.17. Considere o leitor estes três pontos:

1. Temos aqui um homem que atingiu as maiores profundezas da depravação, tornando-se capaz de roubar ao próprio pai ou mãe. Ver Pv 19.2a, bastante similar, onde apresento ideias sobre como uma coisa dessas pode acontecer. Cf. Mt 15.4-6.
2. O filho justifica o seu "furto", sem importar do quê, mediante a observação de que ele não transgrediu nenhuma lei. Ele descobriu como fazer o que faz sem quebrar qualquer lei conhecida; mas, afinal, que lhe importavam as leis morais em seu coração? Ou então ele raciocinou como segue: "Sou o herdeiro de meus pais. Portanto, se me apossar da herança antes do tempo, terei ficado somente com o que já era meu". Mediante esse truque filosófico, o filho encobriu uma ofensa muito séria. Ou então o seu raciocínio foi como segue: "Meus pais não me têm dado tudo quanto mereço. Eles têm negligenciado o dever deles; portanto, tomarei daquilo que eles deveriam ter-me dado faz muito tempo".
3. Tal filho é um criminoso comum, e pior ainda, porquanto roubou os indivíduos que mais tinham feito em favor dele, além de ter violado sua relação e responsabilidade com eles. Nem os animais tratam os pais dessa maneira. Esse homem é um destruidor, um assassino, e tornou-se companheiro desse tipo de pessoa. Cf. Pv 18.9.

■ **28.25**

רְחַב־נֶפֶשׁ יְגָרֶה מָדוֹן וּבוֹטֵחַ עַל־יְהוָה יְדֻשָּׁן:

O cobiçoso levanta contendas... Um homem cobiçoso anda atrás de dinheiro e empregará qualquer meio, legal ou ilegal, moral ou imoral, para obter o que quer. Naturalmente, pois, ele provoca contendas entre os homens. Aqueles que são como ele sentem-se infelizes, pois ele está obtendo mais do que merece. Homens bons não suportam o que ele está fazendo, nem a constante tribulação que ele causa mediante as vantagens que obtém. Algum dia, porém, esse homem será devolvido a seu legítimo lugar pelos homens ou por Deus.

O cobiçoso. Literalmente, no original hebraico, temos a expressão "grande de alma", porém, em um sentido negativo. Descontroladamente avarento por coisas materiais, esse homem ficou inchado, tornando-se expansivo de forma negativa. Ele tem um "apetite grande", uma tradução possível para *alma*. Ver no *Dicionário* o verbete intitulado *Cobiça*. A cobiça é um pecado condenado nos Dez Mandamentos. Ver Êx 20.17. As notas existentes no *Dicionário* oferecem versículos do Antigo e do Novo Testamento, bem como certo número de exemplos bíblicos.

Antítese. O oposto desse homem, que põe toda a confiança nas possessões materiais e faz delas o alvo de sua existência, é o homem que preferiu depositar a confiança no Senhor e assim vive de acordo com a sua lei, que requer moderação em tudo. Ver sobre *confiança*, em Sl 2.12. Ver também, no *Dicionário*, o artigo *Confiar*, quanto a uma nota detalhada sobre o assunto. Nas páginas do Antigo Testamento, a confiança naturalmente alicerçava-se na lei de Moisés e, aqui, no livro de Provérbios, apoia-se nas declarações de sabedoria que fomentam e ilustram a lei.

O homem que confia no Senhor engorda (hebraico literal), o que pode ser interpretado como "enriquece". Ele obtém tanto riquezas materiais como espirituais, na maneira e na quantidade certa, em contraste com o homem ganancioso, que desobedece diariamente à legislação mosaica.

Esse homem depende do Senhor quanto ao suprimento de todas as coisas boas, e não quanto a esquemas que tencionam levar rapidamente às riquezas. Ele busca o Senhor obedecendo à sua lei e, por igual modo, orando. Ele anda atrás do suprimento divino.

■ **28.26**

בּוֹטֵחַ בְּלִבּוֹ הוּא כְסִיל וְהוֹלֵךְ בְּחָכְמָה הוּא יִמָּלֵט׃

O que confia no seu próprio coração é insensato. O homem bom não confia em ganhos materiais e caminhos dúbios para adquirir riquezas (vs. 25); também não confia no próprio coração, nos próprios esquemas e planos para obter o que necessita, material ou espiritualmente. Pelo contrário, confia no Senhor (ver Pv 28.25b). O homem que confia em si mesmo é um insensato tão grande como aquele que confia no ganho secular. Essas duas coisas estão na mesma classificação das "coisas humanas". "Confiar nas próprias habilidades é uma insensatez concentrada. Um sábio confia em Deus. Quanto à mente, ver Pv 2.2. Aqui essa palavra poderia ser traduzida por 'eu', pois a mente é o homem" (Charles Fritsch, *in loc.*). A mente é o construtor. É daí que as coisas procedem. Mas o mestre convoca os seus ouvintes a uma confiança superior, a saber, no divino Construtor. Ver sobre o *Coração* em Pv 4.23. Cf. esta linha do versículo com 1Co 3.18 ss. Examinando a segunda linha, compreendemos que o homem insensato está a caminho da ruína. Ele não será livrado da destruição.

"Ele não cederá diante de sua própria vontade e de seus próprios impulsos (ver Pv 3.5,7; 23.4; Os 10.13)" (Fausset, *in loc.*).

Antítese. Em contraste com o insensato egocêntrico, o sábio anda na sabedoria da lei. Ver no *Dicionário* o verbete chamado *Andar*. Ele será livrado de calamidades, de vexames e da morte prematura. Um homem sábio terá inteligência dada por Deus para evitar perigos e abismos, pelo que terá vida longa, próspera, saudável e útil. A sabedoria começa com o *temor do Senhor* (o lema do livro de Provérbios). Ver Pv 1.7 quanto a notas de sumário sobre esse conceito. O sábio estará em segurança. Ver Pv 3.5,6; 28.18 e 29.25. O Targum diz aqui: "Ele será protegido do mal".

■ **28.27**

נוֹתֵן לָרָשׁ אֵין מַחְסוֹר וּמַעְלִים עֵינָיו רַב־מְאֵרוֹת׃

O que dá ao pobre não terá falta. A mensagem da primeira linha deste versículo é a mesma que as duas linhas de Pv 19.17. É bom negócio ser bondoso com os pobres. Ao homem generoso nada faltará, e o Senhor será o seu benfeitor. Aquele que usa de misericórdia com os pobres empresta ao Senhor, e o Senhor cuidará para que o homem prospere. Ver também Pv 29.7, que fala do mesmo tema. A generosidade é recompensada (ver Pv 11.24,25; 14.21b,31b; 19.17; 21.26; 22.9 e Dt 15.10). Ver no *Dicionário* o artigo chamado *Liberalidade, Generosidade*, quanto a detalhes.

Antítese. O homem que não é liberal, que nada tem para dar aos que padecem necessidades, que tapa os olhos diante do sofrimento humano, vive sob a maldição de Deus. Portanto, é verdadeira a declaração que diz: "É dando que se recebe". Ver Pv 22.16a quanto a uma declaração similar que ilustra esta segunda linha. Pv 11.24b e 26a são declarações parecidas. O povo amaldiçoa o indivíduo que não é liberal, e outro tanto faz o Senhor. Portanto, é melhor ser generoso, nem que seja por puro interesse próprio. Mas o homem verdadeiramente generoso é motivado pela lei do amor, e não por considerações pragmáticas. Ver no *Dicionário* o verbete *Amor*. A media de um homem é a sua generosidade. Eclesiástico 4.5,6 é similar à segunda linha deste trecho bíblico.

Afonso, rei da Sicília, era conhecido como homem extremamente generoso. Quando indagado sobre o que guardava para si mesmo, ele replicou: "Guardo aquilo que dou. O resto se perde".

■ **28.28**

בְּקוּם רְשָׁעִים יִסָּתֵר אָדָם וּבְאָבְדָם יִרְבּוּ צַדִּיקִים׃

Quando sobem os perversos, os homens se escondem. Este versículo é uma variação do vs. 12. Cf. Pv 11.10,11. A referência aqui é específica aos oficiais públicos. Os políticos não formam, exatamente, uma classe limpa, e alguns deles mostram-se criminosos declarados. Portanto, por muitas e muitas vezes, a experiência ensina-nos que, quando um grupo de políticos sobe ao poder, há debandada geral de cidadãos bons. Este versículo, naturalmente, fala dos mais radicais entre eles, criminosos dotados de poder que saqueiam e matam para obter o que desejam. Naturalmente, os homens se escondem quando sobe ao poder esse tipo de governante, pois por pequenas razões os homens podem ser punidos ou mesmo executados.

Antítese. Homens ímpios, incluindo aqueles que obtêm poder político, finalmente são assassinados ou morrem devido a alguma enfermidade ou acidente; e é então que os justos, de modo geral, prosperam, e alguns deles chegam até a obter poder e aprimoram as coisas. Ver Pv 11.11a.

"Quando os justos se multiplicam, aqueles que tinham-se ocultado reaparecem e são postos em ofício no lugar dos ímpios. Eles encorajam a verdade e a retidão, e em breve o número dos homens justos se multiplica. Isso serve de grande felicidade a uma nação, e mostra a utilidade e a vantagem de ter bons magistrados na terra" (John Gill, *in loc.*).

CAPÍTULO VINTE E NOVE

Não há nenhuma interrupção entre os capítulos 28 e 29 do livro de Provérbios. Os capítulos 25—29 constituem a segunda coletânea dos provérbios de Salomão. Ver em Pv 25.1 a introdução a esta seção geral, que está dividida em duas partes: parte I (capítulos 25—27), similar à seção III do livro (Pv 22.17—24.35); e parte II (capítulos 28—29), similar à seção II do livro (Pv 10.1—22.16).

■ **29.1**

אִישׁ תּוֹכָחוֹת מַקְשֶׁה־עֹרֶף פֶּתַע יִשָּׁבֵר וְאֵין מַרְפֵּא׃

O homem que muitas vezes repreendido endurece a cerviz. O insensato endurecido parece-se com o boi que endurece o pescoço, resistindo ao jugo e causando dificuldades no ato de arar. Estamos falando sobre um "homem de reprimendas", ou seja, alguém que sempre merece outra repreensão dos homens e de Deus, por causa de sua conduta ímpia e rebelde. Ver sobre Pv 1.23 quanto às repreensões. Ver no *Dicionário* o artigo chamado *Repreensão*, e ver também Pv 27.5. Esses homens são como "bois que tentam livrar-se do jugo, não querendo ser controlados (ver Is 48.4; Jr 17.23)" (Fausset, *in loc.*). Esse tipo de gente não aceita o jugo fácil de Jesus (ver Mt 11.29,30).

Sinônimo. De acordo com os ditames da *lei da colheita segundo a semeadura* (ver Gl 6.7,8), essas pessoas ímpias e rebeldes, que nada querem com o jugo da lei, serão subitamente cortadas e sofrerão morte prematura. E chegado o tempo certo, não haverá cura para elas. Cf. esta segunda linha com Pv 1.27; 6.15; 10.25a e 28.18.

A lei, o manual de onde todas as regras do jogo se derivam, impõe uma barganha difícil.

Um exemplo claro do que esta segunda linha diz é o caso dos filhos de Eli, que foram por tantas vezes reprovados, mas nunca mudaram. Ver 1Sm 2.25. Além disso, houve o exemplo contínuo da rebelde nação de Israel (ver 2Cr 36.16; ver também Mt 18.15-17; Tt 3.10).

■ 29.2

בִּרְבוֹת צַדִּיקִים יִשְׂמַח הָעָם וּבִמְשֹׁל רָשָׁע יֵאָנַח עָם׃

Quando se multiplicam os justos o povo se alegra. A primeira linha deste versículo é similar a Pv 28.12a e 28.b. Quando os justos aumentam em poder ou recebem autoridade, isso é causa de alegria. Diz o original hebraico, literalmente: "No aumento dos retos", ou seja, quando eles aumentam a ponto de receber autoridade. Um grande número de homens bons provavelmente não é o que está em vista aqui e, sim, o crescimento nas forças. Ver também Pv 11.10. Os homens retos são conhecidos por sua justiça e equidade. Então desaparecem os roubos e os assassinatos insensatos. O povo fica livre e seguro para dedicar-se aos negócios e ao estudo da lei, coisas essas que são aproveitáveis.

Antítese. Em contraste, quando os ímpios estão em ascendência, as pessoas se lamentam, porque então o reino entra em um estado de morte e decadência. Cf. Et 3.15. Ver Pv 28.12 e 28.15. Nessas ocasiões, o povo é oprimido e geme como escravos quando estão sendo espancados.

"Homens ímpios e a impiedade são encorajados e promovidos; pesadas taxas lhes são impostas; o número de homens é diminuído pelo assassinato; a crueldade e as injustiças se espalham; um poder arbitrário é exercido; nenhum indivíduo e sua propriedade estão seguros" (John Gill, *in loc.*).

> Oh, seguro, para a Rocha que é mais alta do que eu,
> Minha alma em seus conflitos e tristezas voaria.
> Por quantas vezes no conflito, quando oprimido pelo inimigo,
> Fugi para o meu Refúgio e deixei escapar o meu ai.
> William O. Cushing

■ 29.3

אִישׁ־אֹהֵב חָכְמָה יְשַׂמַּח אָבִיו וְרֹעֶה זוֹנוֹת יְאַבֶּד־הוֹן׃

O homem que ama a sabedoria alegra o seu pai. O pai, neste versículo, pode ser o pai biológico, mas também pode ser o pai espiritual, cujo filho se desviou dos ensinos de sua escola e correu para a vida mundana, incluindo a companhia de mulheres de vida fácil. Isso se ajusta bem a várias passagens da parte inicial do livro de Provérbios. Ver contra os pecados sexuais em Pv 2.16-19; 5.3-23; 6.20-25; todo o capítulo 7 e 9.13-18. Cf. também Pv 10.1; 23.15-24 e 27.11. Quando um filho segue os ensinamentos de seu pai, há alegria; mas os desvios para longe dessa norma arruínam tudo.

Antítese. O homem que mantém a companhia de prostitutas desperdiça suas riquezas, um elemento notável nessa espécie de pecado, embora não seja a única coisa deprimente. Ver Pv 5.9,10; 6.26; 28.7 e Lc 15.13,30. A sabedoria pode salvar um homem dos pecados sexuais, mormente o adultério. Ver Pv 2.12,16 e 5.1-3,7-11. Quando um pai vê um filho seu misturado com esse tipo de vida, sente tristeza, em contraste com a alegria que vemos na primeira linha.

■ 29.4

מֶלֶךְ בְּמִשְׁפָּט יַעֲמִיד אָרֶץ וְאִישׁ תְּרוּמוֹת יֶהֶרְסֶנָּה׃

O rei justo sustém a terra. Cf. esta primeira linha com Pv 16.10-15. O bom rei, instruído na lei e obediente a ela, promove justiça, e isso estabiliza o reino, porquanto elimina os elementos destruidores. Quanto ao fato de a justiça estabelecer uma nação, ver os vss. 2,7,14 do presente capítulo; e ver também Pv 14.34; 16.12; 20.8,26; 21.15 e 28.12.

Antítese. No entanto, um governante ganancioso pode causar confusão e desassossego generalizado. Literalmente, no original hebraico, ele é um "homem de cobranças", sempre desejoso por mais e mais no sentido de impostos e expectativa de presentes. A palavra hebraica correspondente é *terumah*, a qual comumente se refere a oferendas rituais, mas não é o que está em vista aqui. É provável que subornos também estejam em mira (ver Pv 15.27). Reoboão é um bom exemplo dessa espécie de atitude. Sua ganância foi instrumental na divisão do reino em parte norte — Israel — e sul — Judá. Ver 1Rs 12.1-19.

■ 29.5

גֶּבֶר מַחֲלִיק עַל־רֵעֵהוּ רֶשֶׁת פּוֹרֵשׂ עַל־פְּעָמָיו׃

O homem que lisonjeia a seu próximo... O homem que lisonjeia também engana, e mesmo que não engane, está atrás de alguma coisa, da parte do próximo, que causará dano. Cf. Pv 26.24,25,28 e 28.23. Quanto à *Lisonja*, ver Pv 6.24; 11.9,13 e 18.21.

Antítese. As palavras são belas, mas a intenção é maliciosa, algo semelhante à rede de apanhar que um caçador espalhou para a presa. A vítima será prejudicada e talvez até morta, de forma que seus bens materiais possam ser confiscados ilegalmente. Cf. 2Tm 2.26 e At 24.2-4. Alguns veem aqui a ideia de "para os seus próprios pés". "Ele foi apanhado na própria rede que armara para outros (cf. Pv 1.18; 28.10 e 29.6)" (Sid S. Buzzell, *in loc.*).

■ 29.6

בְּפֶשַׁע אִישׁ רָע מוֹקֵשׁ וְצַדִּיק יָרוּן וְשָׂמֵחַ׃

Na transgressão do homem mau há laço. Um homem iníquo prepara armadilhas e espalha laços. Ele sai a campo para explorar outras pessoas, tanto quanto puder. Enche-se de transgressões, mas estas se tornam armadilhas e ardis para ele, que acabará reduzido a nada. Essa é outra maneira de falar sobre a *Lei Moral da Colheita segundo a Semeadura* (ver a respeito no *Dicionário*).

Antítese. A vida do homem bom, em contraste com a do transgressor, produz alegria e cânticos. Ele goza de uma vida longa, próspera e feliz, e segue cantando o seu caminho, o que é uma expressão de sua bem-aventurança. "Ele desfruta de paz de consciência e não teme nenhum inimigo, nem os perigos o assustam; ele espera uma vida longa e de glória no mundo vindouro. É capaz de cantar até à beira mesma da sepultura" (John Gill, *in loc.*).

■ 29.7

יֹדֵעַ צַדִּיק דִּין דַּלִּים רָשָׁע לֹא־יָבִין דָּעַת׃

Informa-se o justo da causa dos pobres. O homem justo conhece a legislação mosaica quanto ao tratamento bondoso que deve ser conferido aos pobres. Está plenamente cônscio das declarações da sabedoria que fomentam a legislação mosaica e, portanto, mostra-se generoso para com eles, o que é bom tanto para ele mesmo quanto para os pobres. A bênção do Senhor o acompanhará ao longo de sua vida. No judaísmo posterior, a doação de esmolas tornou-se prática muito importante, tendo sempre desempenhado papel de proeminência na fé dos hebreus. O homem bom, entretanto, não levará em conta somente questões de dinheiro. Também defenderá o pobre nos casos legais, quando homens sem escrúpulos ameaçarem tomar o pouco que o pobre possui. Ver Pv 10.15. Ver também Jó 29.16; 31.1 e Sl 41.1.

Antítese. O homem ímpio, destreinado na lei de Moisés e seguindo a sua própria vereda de destruição, nada fará em favor dos pobres, mas continuará a ser um explorador dos mais fracos. A palavra hebraica *dal*, "pobre", indica não apenas os que não possuem dinheiro, mas também os débeis, os impotentes, os elementos mais pobres e fracos da sociedade humana.

■ 29.8

אַנְשֵׁי לָצוֹן יָפִיחוּ קִרְיָה וַחֲכָמִים יָשִׁיבוּ אָף׃

Os homens escarnecedores alvoroçam a cidade. Estão em vista aqui os esforços agitadores dos escarnecedores. Quanto a esse tipo de pessoas, ver Pv 1.1; 14.6; 15.12 e 22.10. Mediante sua oratória inflamada e seus atos malignos, eles lançam uma cidade inteira na confusão e no rebuliço. Os vss. 8-11 contrastam os insensatos iracundos com os sábios, os quais evitam as perturbações públicas e as situações deprimentes que prejudicam a poucos ou a muitos.

Antítese. Um homem sábio, bem treinado na lei de Moisés, que pratica a retidão e a moderação recomendada por essa legislação, continuará a jogar água na fogueira. E assim desviará a ira, resolverá disputas, arbitrará entre facções e ensinará paz. Cf. Ez 22.30; Êx 32.10-14 e Sl 106.23.

■ 29.9

אִישׁ־חָכָם נִשְׁפָּט אֶת־אִישׁ אֱוִיל וְרָגַז וְשָׂחַק וְאֵין נָחַת׃

Se o homem sábio discute com o insensato. É inútil discutir com o insensato. O sábio até pode tentar esse feito, mas o resultado será extremamente negativo. É melhor deixar sozinhos os insensatos empedernidos (os quais, inevitavelmente, são pecadores múltiplos). Talvez a questão específica em vista aqui seja a vitória alcançada em tribunal, num caso com o insensato endurecido e arrogante (no hebraico, 'ewel). Que o leitor evite essas difíceis questões legais.

Antítese. O homem bom fala em favor da paz, e usa calmamente palavras baseadas na razão. Mas o insensato espumeja e ri do homem bom, e o tribunal é lançado em confusão. Não pode haver paz em situações dessa ordem. É melhor esquecer a questão do litígio e deixar que os insensatos se aproveitem o quanto puderem de nossas riquezas. Se um debate comum estiver em foco, o mesmo caos haverá de prevalecer. Portanto, deixemos o insensato em sua fanfarronice, e que alguém, que não é tão sábio quanto nós, sofra com seus abusos. Pois não poderemos impressionar um insensato com nossos argumentos bem arquitetados. Ele está fora dos limites da lógica. Cf. Mt 11.16,17. Ver também Pv 27.22.

■ 29.10

אַנְשֵׁי דָמִים יִשְׂנְאוּ־תָם וִישָׁרִים יְבַקְשׁוּ נַפְשׁוֹ׃

Os sanguinários aborrecem o íntegro. Um homem íntegro torna-se conhecido por sua bondade e será o alvo natural de homens violentos e sanguinários. O homem justo defende a justiça, mas acaba ficando no meio do caminho do perverso, que faz da sociedade a sua presa. Quanto ao *homem íntegro*, ver Pv 10.9. Talvez a cena forense tenha sido transferida do versículo anterior para este versículo. Nesse caso, o significado deste versículo poderia ser: "As pessoas íntegras são odiadas pelos insensatos, que preferem matá-las, para que não possam testificar contra eles no tribunal. A integridade é, com frequência, entendida como inculpabilidade. Cf. Pv 28.6,10,18" (Sid S. Buzzell, *in loc.*).

Antítese. O hebraico original é aqui difícil, até mesmo ininteligível, se considerado literalmente. Diz como segue: "O justo busca a sua alma", o que, presume-se, poderia significar que ele busca preservar a própria alma, ou aprimorar ou salvar a alma de outras pessoas (os ímpios), em contraste com os "sanguinários" da primeira linha. Ou então os sanguinários buscam lançar contra os justos a justiça, na tentativa de eliminá-los. Mas esses homens sanguinários são assassinos e precisam ser executados, ou por parte dos homens (como em alguma ação legal) ou por parte de Deus (mediante divina retribuição). A palavra "reto" pode ser emendada para dizer "ímpio" (ou seja, uma emenda de *yesharim* para *resha'imI*. Nesse caso, a segunda linha será sinônima, e isso significa que temos aqui a comum declaração de que os perversos buscam prejudicar ou mesmo matar o justo.

■ 29.11

כָּל־רוּחוֹ יוֹצִיא כְסִיל וְחָכָם בְּאָחוֹר יְשַׁבְּחֶנָּה׃

O insensato expande toda a sua ira. Um homem insensato é um falador precipitado que está sempre procurando incendiar o ambiente com sua atitude iracunda. Ele desconhece o autocontrole e não está interessado em buscar essa virtude. Aprecia lutar e fazer confusão e usa linguagem ultrajante. Ver sobre o uso próprio e impróprio da linguagem, em Pv 11.9,13 e 18.21. Ver também, no *Dicionário*, o artigo chamado *Linguagem, Uso Apropriado da*. Cerca de cem provérbios discutem sobre esse tema. Quanto ao insensato (no hebraico, *kesil*), ver Pv 1.7,22. O insensato vive em constante estado de ira. Esse é o teor geral de sua vida. Ver Pv 15.1; 29.8,21.

Antítese. Em contraste com o insensato, o homem bom controla o próprio temperamento e busca um segundo pensamento, o qual, conforme diziam os gregos, "é um tanto mais sóbrio". O sábio tem paz no coração, e essa paz não é facilmente perturbada pelo insensato, que vive querendo brigar. O insensato, repreendido pela calma do homem sábio, precisa ir a algum outro lugar para brigar. Um sábio tranquiliza a tempestade que se forma em seu interior antes mesmo que esta se desenvolva; mas o insensato é um homem de tempestades em copo d'água.

Considere mais bravo aquele que conquista os seus desejos do que aquele que vence os seus inimigos. Pois a mais difícil de todas as vitórias é a vitória sobre o próprio "eu".

Aristóteles

■ 29.12

מֹשֵׁל מַקְשִׁיב עַל־דְּבַר־שָׁקֶר כָּל־מְשָׁרְתָיו רְשָׁעִים׃

Se o governador dá atenção a palavras mentirosas... Os homens anelam por enganar um governador, a fim de obter algum benefício para si mesmos. Ver no *Dicionário* o verbete chamado *Engano, Enganar*. Um governador, se não for homem muito sábio, haverá de dar boa acolhida aos mentirosos. Se for homem corrupto, terá o hábito de enganar e ser enganado. Um governador insensato não reúne ao redor de si mesmo bons conselheiros; antes, atrai homens que estão sempre traçando algum plano perverso, e não hesitam em mentir para obter alguma vantagem. Adam Clarke via aqui uma menção aos espiões e observou que já tinha visto casos de espiões que enganavam a ambos os lados. Em outras palavras, eram "agentes duplos", conforme se vê atualmente com tanta frequência.

Sinônimo. Os conselheiros de um rei podem ser totalmente corrompidos, e então não haverá como manter a paz e a boa ordem no reino. Ver sobre *conselheiros*, em Pv 11.14; 15.22; 16.13 e 24.6. Jeremias queixou-se de que, em seus dias, os profetas, os sacerdotes e todo o povo estavam sempre procurando enganar uns aos outros, formando um grande jogo caótico (ver Jr 5.31). Ver Pv 16.10.

Como o juiz de um povo, assim são seus oficiais, e como o governador de uma cidade são todos os seus habitantes.

Eclesiástico 10.2

■ 29.13

רָשׁ וְאִישׁ תְּכָכִים נִפְגָּשׁוּ מֵאִיר־עֵינֵי שְׁנֵיהֶם יְהוָה׃

O pobre e o seu opressor se encontram. O pobre (no hebraico, *ras*), alguém destituído de recursos e que vive faminto (ver Pv 28.3,6,27), é o oposto do opressor. Moralmente, os dois tipos são totalmente diferentes, e as vidas se distanciam uma da outra. Mas há um ponto no qual eles "se encontram", definido pela linha antitética, a seguir.

Antítese. O Deus gracioso fornece luz para os olhos tanto do pobre quanto do opressor. Cf. Jo 1.9.

A verdadeira luz que, vinda ao mundo, ilumina a todo homem.

Temos aí menção à iluminação evangélica, por meio da missão de Cristo, mas, no Antigo Testamento, está em vista a iluminação mediante a legislação mosaica. A lei fora outorgada ao povo israelita; agora estava sendo ensinada e podia mostrar a um homem, de alta ou baixa posição, bom ou mau, qual deveria ser o curso de sua vida. Cf. Pv 22.2. Cristo é o Senhor de todos. Em Pv 14.31 e 17.5 Cristo é o Criador de todos, pelo que une toda a vida humana, para que todos os homens recebam benefícios comuns. "Deus faz a sua lei brilhar sobre todas as classes de homens (ver Pv 22.2)" (Charles Fritsch, *in loc.*). Ver Sl 13.4.

■ 29.14

מֶלֶךְ שׁוֹפֵט בֶּאֱמֶת דַּלִּים כִּסְאוֹ לָעַד יִכּוֹן׃

O rei, que julga os pobres com equidade... Os reis evitam praticar abominações e cometer iniquidade (ver Pv 16.12a), e também agem com justiça em favor das classes menos privilegiadas. Esses são elementos necessários para o bem-estar e a continuação de um reino. Cf. a primeira linha deste versículo com Sl 72.2,4,13,17. Deve haver bondade no tocante aos menos capazes, para protegê-los. Também não pode haver parcialidade em prol dos ricos.

Pobres. No hebraico, *dal*, apontando para os que não apenas passam por privações materiais, mas também são fracos e débeis, não dispõem de recursos, nem interna nem externamente.

Sinônimo. Mediante ações justas, o rei garante a continuação de seu reino. O reino será estabelecido pela cooperação dos homens bons e pelo poder divino. Ver Pv 16.12b, quanto à mesma ideia, em uma passagem que omite as palavras "para sempre" usadas neste versículo. Ver também Pv 20.28, onde a misericórdia transmite longa vida e poder a um rei. O autor sagrado tinha fé de que o Benfeitor divino paga o rei com o bem, por seus cuidados com as pessoas débeis de seu reino.

■ **29.15**

שֵׁבֶט וְתוֹכַחַת יִתֵּן חָכְמָה וְנַעַר מְשֻׁלָּח מֵבִישׁ אִמּוֹ׃

A vara e a disciplina dão sabedoria. As escolas de sabedoria recomendavam punição física para as crianças. Ver as notas sobre isso em Pv 13.24 e 22.15, que oferecem detalhes e ilustrações. Se um pai sábio quisesse ter um filho sábio, não poderia deixar de lado a disciplina. A lei era o manual da sabedoria, o que mostra que o ensino da lei era algo necessário para lograr o sucesso na vida. Diz aqui o hebraico, literalmente, "a vara e a correção". Talvez isso aponte para a vara e outros meios de correção, incluindo a repreensão verbal. Ou então devemos pensar em: "a vara é o instrumento da correção".

Antítese. Um filho indisciplinado envergonharia sua mãe, a pessoa mais envolvida na educação de uma criança, em seus primeiros anos de vida. A criança era deixada aos seus próprios cuidados, ou seja, era-lhe permitido fazer o que bem entendesse, sem restrição. Portanto, ela fazia o que bem queria e se desviava da vereda certa, misturando-se a toda espécie de vícios. Quanto a envergonhar a própria mãe, cf. Pv 19.26 e 28.7. O hebraico literal aqui é muito vívido: A criança foi "enviada embora", foi expulsa, por assim dizer, da casa e da disciplina que deveriam ter sido providenciadas.

■ **29.16**

בִּרְבוֹת רְשָׁעִים יִרְבֶּה־פָּשַׁע וְצַדִּיקִים בְּמַפַּלְתָּם יִרְאוּ׃

Quando os perversos se multiplicam, multiplicam-se as transgressões. Este versículo é o oposto do vs. 2 deste capítulo. Quando os justos ocupam postos de autoridade, a terra vai bem e prospera. Mas, quando os ímpios estão no poder (aumentando em força, e não, necessariamente, em número, conforme dizem algumas traduções), as coisas dão errado porque as transgressões mantêm o país em estado de turbulência.

Antítese. Em contraste com o florescimento temporário, eventualmente eles caem na destruição final (queda). Os justos viverão o bastante para ver isso, embora possa demorar algum tempo. Ver Pv 28.12 e 28 quanto a ideias similares. Cf. Sl 58.10 e 59.10. Quanto a versículos semelhantes, ver também Sl 54.7 e 73.18 ss.

■ **29.17**

יַסֵּר בִּנְךָ וִינִיחֶךָ וְיִתֵּן מַעֲדַנִּים לְנַפְשֶׁךָ׃ פ

Corrige o teu filho, e te dará descanso. O autor sagrado, voltando a atenção para a disciplina das crianças, fornece outra declaração parecida. A vara e a repreensão fazem com que as crianças se tornem sábias (vs. 15). Um pai sábio obtém um filho sábio através da disciplina baseada na lei de Moisés. Além disso, um filho bem disciplinado não causará dificuldades ao pai, pelo que este descansará. O desassossego manifesta-se abertamente onde a transgressão é a lei. Um filho bom obedecerá à lei de Deus e, assim sendo, dará ao pai descanso de toda a turbulência causada pelo pecado. Ver Pv 22.6. "Treinamento" é a palavra-chave, e o conhecimento a respeito deriva-se da lei, fomentada e explicada pelas declarações da sabedoria.

Sinônimo. Além de trazer descanso para o pai, o filho bom e sábio também trará alegria que descerá até o seu coração, o seu homem interior. Em outras palavras, a alegria será genuína e profunda. O coração do velho homem "se deleitará" pela maneira como o filho se conduz. Pv 10.1 é um paralelo direto desta passagem. O professor fazia declarações generalizadas. Ele não nos fala sobre as exceções, nem por que existem essas exceções. As notas sobre Pv 13.24 e 22.15 tratam dessa questão. É importante notar aqui que o pai sábio é aquele que se deleita na espiritualidade de seu filho. Outros pais podem deleitar-se no dinheiro que seus filhos obtêm ou nas posições de autoridade que eles alcançam, ou outras realizações seculares.

■ **29.18**

בְּאֵין חָזוֹן יִפָּרַע עָם וְשֹׁמֵר תּוֹרָה אַשְׁרֵהוּ׃

Não havendo profecia o povo se corrompe. Alguns estudiosos consideram este versículo como uma referência à canonização do Antigo Testamento. Algumas traduções dizem aqui "visão", mas outros pensam que se tratam de visões proféticas, concretizadas nos livros proféticos. Nesse caso, o homem sábio defendia a canonização dos escritos proféticos, bem como a adição dessas Escrituras à já reconhecida lei de Moisés. A antítese, pois, reconhece a autoridade da lei. O argumento do autor sacro era que o povo de Israel precisava de Escrituras adicionais para não perecer, não possuindo um alicerce espiritual adequado. "Visão", neste caso, desvia do reto caminho de interpretação. Revelação (no hebraico, *hazon*) era o que os profetas recebiam. Além disso, o fato de que o povo perece não se refere a pessoas perdidas que estão morrendo no pecado. O verbo usado, *para'*, significa "desfazer-se de qualquer restrição". Sem a palavra de Deus, as pessoas se abandonam a seus próprios caminhos pecaminosos. Por outra parte, a observância da lei de Deus (cf. Pv 28.4,7) traz felicidade" (Sid S. Buzzell, *in loc.*, com uma excelente nota expositiva que atinge em cheio o verdadeiro sentido do versículo).

Sinônimo. Um homem sábio precisa dos escritos proféticos (bem como do dom da profecia, pelo menos em alguns casos) e também da lei, do Pentateuco. Ademais, ele precisa das declarações da sabedoria. Os livros que contêm as profecias, finalmente, foram canonizados. E os judeus ficaram bem equipados, porquanto agora possuíam uma biblioteca inteira para consulta e orientação. Ver Dt 6.4 ss. quanto à lei como guia. E então aos homens foi conferida vida, em lugar de perecerem, pois a sabedoria vem da lei, e a sabedoria transmite vida (ver Pv 4.13). Ver também Dt 4.1; 5.33; Ez 20.1. O homem bom sente-se feliz, quando estuda a lei e mostra-se obediente a ela. Ele é espiritualmente beneficiado e também será materialmente beneficiado.

■ **29.19**

בִּדְבָרִים לֹא־יִוָּסֶר עָבֶד כִּי־יָבִין וְאֵין מַעֲנֶה׃

O servo não se emendará com palavras. Não somente os filhos devem ser corrigidos com a vara (vs. 15), mas outro tanto deve acontecer aos escravos. Eclesiástico 33.24-28 aborda longamente o conceito de "castiga os teus escravos". Qualquer homem reduzido ao estado abjeto de nem mais possuir a própria vida, se mostrará teimoso e rebelde. É verdade que ele não ouvirá as nossas palavras, pelo que a solução natural é castigá-lo para que faça o que queremos que ele faça. A escravidão era uma constante na sociedade dos hebreus, no Antigo Testamento. O *status quo* foi mantido, embora a lei mosaica tivesse algumas instruções humanitárias concernentes aos escravos. O Novo Testamento apresentou a doutrina do "deixa-os ir", mas também a lei do amor, que as pessoas finalmente vieram a perceber ser totalmente incompatível com a escravatura. Ver no *Dicionário* o artigo *Escravo, Escravidão*. Thomas Jefferson declarou que "nenhum homem é livre enquanto todos os homens não forem livres"; e, no entanto, ele tinha escravos! Ademais, até os nossos dias temos certas formas de escravidão, como os salários de escravos ou como as opressões sociais que fazem as pessoas tornar-se escravos virtuais. Portanto, não progredimos tanto quanto alguns poderiam supor.

> *O jugo e a correia entortarão o pescoço dele, e as rodas e as torturas são para o servo que é um indivíduo maléfico. Ponham-no para trabalhar a fim de que ele não fique ocioso. Pois o ócio ensina muita maldade... e se ele não obedecer, carreguem-no com algemas.*
>
> Extratos de Eclesiástico 33.24-28

Antítese. Se você quiser conservar na linha seu escravo, usando meras palavras, ficará desapontado. Ele pode compreender o que você está dizendo, mas não obedecerá às suas ordens. Portanto, ponha-o na roda de tortura e torture-o; espanque-o e dê-lhe pontapés; acorrente-o e deixe-o sentado ali, a pensar por algum tempo "em seus pecados". Essas são declarações feitas pelos sábios acerca dos escravos. Desde então, porém, alguns homens sábios ficaram mais sábios do que isso.

■ **29.20**

חָזִיתָ אִישׁ אָץ בִּדְבָרָיו תִּקְוָה לִכְסִיל מִמֶּנּוּ׃

Tens visto um homem precipitado nas suas palavras? Aquele que se apressa a falar é uma espécie de insensato. Ele é insensato quanto às suas palavras. Ver sobre o uso próprio e impróprio da língua, em Pv 11.9,13 e 18.21. Cerca de cem provérbios tratam desse tema. Cf. esta primeira linha com Pv 15.2,28, pois trata-se de uma passagem paralela. Esse é o tipo de homem que responde antes de ouvir os argumentos de seus amigos (ver Pv 18.13).

Antítese. É muito difícil instruir na justiça a um insensato típico; mas, no caso de muitos deles, há maiores esperanças de modificação do que no caso dos que se precipitam no falar. O insensato no falar pode ser um elemento mais perturbador da sociedade do que outros tipos de insensatos. Ver Pv 17.19,20 e 18.6,7). "O insensato é alguém embotado e satisfeito consigo mesmo. Mas pode aprender a ser uma pessoa melhor. Mas o homem que é precipitado e mal-aconselhado em suas palavras encontra muito maior dificuldade para governar a própria língua. Cf. Tg 3.2 ss." (Ellicott, *in loc.*).

■ 29.21

מְפַנֵּק מִנֹּעַר עַבְדּוֹ וְאַחֲרִיתוֹ יִהְיֶה מָנוֹן׃

Se alguém amima o escravo desde a infância. Considere o leitor os pontos seguintes:

1. Se um homem tem uma criança que é seu escravo e cativa sua afeição, poderá criá-lo como filho e "estragá-lo com mimos", conforme diz uma moderna expressão popular.
2. O proprietário do escravo pode tornar-se tão afeiçoado ao menino que, eventualmente, o torne seu único herdeiro; mas isso constituiria um tremendo equívoco e abuso. Contudo, a palavra traduzida por herdeiro (no hebraico, *manon*) tem sentido desconhecido. Alguns estudiosos preferem traduzir essa palavra hebraica por "progênie", "descendência". Nesse caso, o significado seria que o homem sábio não deve mimar um seu escravo menino a ponto de transformá-lo em filho virtual. Nesse caso, poderia acabar com um caso parecido com o de Ismael e Isaque.
3. A Septuaginta apresenta um texto inteiramente diferente, e tanto que deve ter sido tradução de uma recensão diferente da seguida pelo texto massorético (ver no *Dicionário* o verbete chamado *Massora (Massorah); Texto Massorético*). Diz essa versão: "Aquele que vive no meio do luxo desde criança será um servo e, finalmente, se entristecerá". Algumas vezes, a Septuaginta preserva um texto mais antigo da Bíblia hebraica do que o texto massorético padronizado, conforme demonstram os papiros hebraicos do Mar Morto, que, ocasionalmente, combinam mais com a Septuaginta do que com o texto massorético. Ver no *Dicionário* os artigos *Septuaginta*; *Mar Morto, Manuscritos (Rolos) do* e *Manuscritos Antigos do Antigo Testamento*.

Sinônimo. Um menino que comece sua vida como escravo torna-se filho e herdeiro do proprietário, algo considerado uma perversão pelas mentes antigas. Seja como for, o menino foi mimado e avançou mais do que ditava a sabedoria. Esse menino pode ser visto aqui como quem tomou o lugar de filho.

■ 29.22

אִישׁ־אַף יְגָרֶה מָדוֹן וּבַעַל חֵמָה רַב־פָּשַׁע׃

O iracundo levanta contendas. Pv 29.22a é igual a Pv 15.18a. Ver as notas expositivas nesta última referência. A segunda linha ali, entretanto, é antitética, contrastando a atitude pacífica do sábio com as perturbações causadas pelo insensato. Partimos daqui e continuamos com uma linha sinônima, que fomenta o que foi dito antes.

Sinônimo. O homem iracundo e irritadiço abunda em transgressões e assim adiciona muitos pecados à sua ira. É homem violento; prejudica a seus semelhantes e talvez até mate alguns. Contrastar isso com Pv 16.32, o oposto do que vemos aqui. Ver no *Dicionário* o verbete chamado *Ira*, quanto a detalhes. Esse homem poderá ser conduzido à ruína completa e então voltar-se contra o próprio Deus, em sua ira (ver Pv 19.3).

■ 29.23

גַּאֲוַת אָדָם תַּשְׁפִּילֶנּוּ וּשְׁפַל־רוּחַ יִתְמֹךְ כָּבוֹד׃

A soberba do homem o abaterá. Esse é um provérbio comum. Ver quanto ao orgulho e à humildade contrastados em Pv 11.2; 13.10; 14.3; 15.25; 16.5,8; 18.12 e 21.4. Ver sobre olhos altivos em Pv 6.17. O trecho de Pv 18.12 é paralelo direto. Ver as notas expositivas ali existentes. No Novo Testamento, ver Mt 23.12; Lc 14.11 e 18.14.

Antítese. O homem humilde (presumivelmente sábio) terá de esperar, mas sua vez chegará. Ele será exaltado e honrado pelo poder divino e provavelmente também pelos homens.

Humilhai-vos, portanto, sob a poderosa mão de Deus, para que ele, em tempo oportuno, vos exalte.

1Pedro 5.6

Cf. Pv 16.18,19. Declarações como a presente supõem uma corrupção fundamental por parte dos orgulhosos, bem como uma bondade básica por parte dos humildes. Além disso, a corrupção vem da negligência à lei ou da desobediência propositada a Deus. E a bondade deriva-se de aprender e seguir a lei. Os insensatos são orgulhosos, mas os humildes são simples. Estão em vista qualidades espirituais básicas, e não apenas atos externos.

■ 29.24

חוֹלֵק עִם־גַּנָּב שׂוֹנֵא נַפְשׁוֹ אָלָה יִשְׁמַע וְלֹא יַגִּיד׃

O que tem parte com o ladrão aborrece a sua própria alma. O indivíduo que resolve ser o companheiro e o ajudante de um ladrão, fazendo mal ao próximo, é, na realidade, alguém que odeia a si mesmo, porque trabalha contra os próprios interesses. "O cúmplice de um ladrão torna-se o seu próprio inimigo, porquanto o envolvimento nos crimes opera contra ele. Em tribunal, ele faz um juramento, mas então deve ou mentir ou nada dizer. Se testificar, implicará a si mesmo; se nada disser, presumir-se-á que é culpado (ver Lv 5.1)" (Sid S. Buzzell, *in loc.*).

Sinônimo. As "maldições" aqui referidas provavelmente são falsos testemunhos, blasfêmias proferidas contra pessoas inocentes, em tribunal, e mentiras ditas em favor de criminosos. O termo hebraico *'alah* pode significar tanto maldição quanto juramento, e é o segundo desses sentidos que, provavelmente, está em vista neste versículo. "Ele não tem o temor de Deus, nem reverência pelos juramentos, visto que o seu coração está endurecido através do engano do pecado" (Adam Clarke, *in loc.*).

■ 29.25

חֶרְדַּת אָדָם יִתֵּן מוֹקֵשׁ וּבוֹטֵחַ בַּיהוָה יְשֻׂגָּב׃

Quem teme ao homem arma ciladas. O temor é uma coisa boa em muitas circunstâncias. Mantém o indivíduo fora de dificuldades e torna-o mais prudente. Para exemplificar, o temor à AIDS tem contribuído mais para refrear os excessos sexuais do que a religião e a filosofia juntas. Além disso, temos de considerar o *temor do Senhor*, que é o lema deste livro de Provérbios, conforme comento em Pv 1.7. Essa é a expressão usada para indicar a espiritualidade, nas páginas do Antigo Testamento. Ver no *Dicionário* o verbete chamado *Temor*, quanto aos vários tipos de temor, incluindo o temor ao homem, que é a referência do presente versículo. Temer o homem, entretanto, é como um ardil. A pessoa é envolvida pelo temor ao homem e se vê paralisada. E não pode mais fazer o que deve. O homem que teme a outro restringe suas palavras e suas ações à esfera do que esse outro gosta. As pessoas temem dizer no que realmente creem e se sentem mal na expectativa de que os outros as critiquem. Um pregador mantém-se tranquilo e diz somente o que seu povo quer ouvir. Se ele não se limitar, poderá perder o emprego e sua fonte de renda. As pessoas querem tanto ter conforto que se conformam com o público ao qual estão associadas. Os pastores reduzem-se a meros papagaios. Em vez de buscarem a verdade, os homens se acomodam à mistura de verdades e mentiras com a qual já se acostumaram. Muito dogma começa a ser considerado verdade, e assim passam-se os séculos, pois os homens temem levantar sua voz.

Da covardia que teme novas verdades,
Da preguiça que aceita meias-verdades,
Da arrogância que pensa saber toda a verdade,
Ó Senhor, livra-nos.

Arthur Ford

Antítese. Em contraste com temer o homem, temos a ideia de confiar no Senhor. Somente benefícios podem resultar da confiança no Senhor. Ver Sl 2.12 quanto à confiança, segundo os termos do Antigo

Testamento, e ver no *Dicionário* o artigo intitulado *Confiar*. O homem que confia no Senhor é "posto no alto", conforme diz o hebraico original, literalmente. Ele está "seguro", segundo outros traduzem o hebraico e como também se vê em nossa versão portuguesa. Confiar no Senhor é o mesmo que confiar em sua lei e nas declarações de sabedoria que a fomentam. O homem que obedece à lei confia nela como seu guia (ver Dt 6.4 ss.). "Esse homem é tão inabalável quanto Sião; acima do temor do homem; fora do alcance de seus inimigos, homens ou demônios. Ver Pv 18.10" (John Gill, *in loc.*).

"Nada temas mais do que a detestável covardia de um coração covarde e incrédulo" (Venn, *in loc.*).

■ 29.26

רַבִּים מְבַקְשִׁים פְּנֵי־מוֹשֵׁל וּמֵיְהוָה מִשְׁפַּט־אִישׁ׃

Muitos buscam o favor do que governa. Durante os tempos da monarquia, um homem devia obediência a uma grande autoridade, o que poderia ser bom ou mau para ele. Os homens naturalmente buscavam favores daquele que nas mãos tinha as questões de vida e morte. Eles buscavam favores para prejudicar a outros, e favores para beneficiar a si próprios. O rei tinha poderes para satisfazer tanto a uns como a outros. Por essa razão, era muito procurado. Essa era uma das razões pelas quais o acesso à pessoa do rei tinha de ser severamente resguardado. De outra sorte, ele seria transformado em mera máquina de dar coisas, satisfazendo necessidades ou caprichos da multidão.

A segunda linha deste versículo dá-nos a entender que buscar o rei ou mesmo obter favores da parte dele não servia de garantia de que a justiça sempre era servida. Um bom rei tentava cumprir bem o seu governo, mas, sendo ele homem falível, podia cometer equívocos. Mesmo em ótimas circunstâncias, sob as ordens de um homem ímpio, podiam prosperar, e os bons podiam sofrer perdas. Ver Pv 19.6 quanto a um paralelo direto da primeira linha do presente versículo.

Antítese. Há somente um Rei que é o despenseiro de justiça firme, e ele jamais se equivoca; esse Rei é o Rei celestial. Este versículo condena a dependência ao poder humano e convida-nos a considerar o poder divino. Fazemos isso mediante o estudo da lei de Moisés, fomentada pelos dizeres da sabedoria, e também mediante a confiança em Deus (vs. 25). Fazemos isso mediante as boas obras e as experiências místicas (ver no *Dicionário* o artigo chamado *Misticismo*).

Este versículo diz respeito, principalmente, àqueles que têm sido injustiçados em tribunal e em outras circunstâncias, por parte de homens iníquos. Eles são convocados a voltar-se para Deus, buscando vindicação, finalmente. Para Emanuel Kant, a verdadeira justiça só pode vir da parte de Deus e, plenamente, só no pós-vida. Ele argumentou em favor da existência de Deus e da alma imaterial defendendo que a justiça terá de ser servida, finalmente. Se isso não for feito, então o caos é o verdadeiro deus deste mundo. E é claro que a justiça não é plenamente servida nesta vida. Por conseguinte, deve ocorrer após a morte, na outra vida. Deve haver um Poder suficientemente inteligente para recompensar o bem e castigar o mal. E a esse Poder e inteligência é que chamamos de Deus. Além disso, os seres humanos têm de sobreviver à morte física para receber o bem ou o mal que tiverem praticado, o que significa que a alma deve existir e também sobreviver à morte biológica. Esse argumento é chamado de *Argumento Moral*. Ver a respeito na *Enciclopédia de Bíblia, Teologia e Filosofia*.

■ 29.27

תּוֹעֲבַת צַדִּיקִים אִישׁ עָוֶל וְתוֹעֲבַת רָשָׁע יְשַׁר־דָּרֶךְ׃ פ

Para o justo, o iníquo é abominação. As duas *abominações* (ver sobre essa palavra em Pv 11.1): a primeira delas é o ímpio, uma abominação para o homem reto; a segunda (que aparece na segunda linha, antitética) é o homem reto e o seu caminho, uma abominação para o pecador. Somos levados a compreender que os homens pensantes abominarão alguma coisa, e é a qualidade espiritual deles que determina que coisa é essa. O homem que se recusa a abominar o mal estará sempre batendo a cabeça em algum obstáculo, ao longo do caminho. Quando Benjamim Franklin era jovem, foi visitar o famoso pregador Cotton Mather. Depois que os dois homens estiveram na biblioteca de Mather, e este último guiava Franklin para fora, foi preciso atravessar uma estreita passagem com apoios acima da cabeça. Eles tinham de desviar desses apoios, até saírem da passagem. Assim também acontece no estreito caminho da vida. Um homem bom deve ter o cuidado de evitar a iniquidade e as circunstâncias adversas da vida, abaixando-se ou saltando por cima dos obstáculos. De outra maneira, estará sempre chocando a cabeça espiritual contra alguma coisa. Um homem deve identificar o que é abominável e desviar-se das abominações, se quiser fazer uma jornada bem-sucedida, do berço ao sepulcro. Há pessoas pecaminosas que servem de obstáculos para os justos. É melhor, para um homem justo, não se associar a elas. O autor sagrado, pois, recomenda-nos que devemos detestar o caminho do mal. Ver Sl 119.104 quanto a odiar todo caminho pecaminoso.

Antítese. Em suas perversões, o iníquo abomina o homem bom e sua vereda de retidão. O iníquo selecionou o contracaminho da maldade. Ver Pv 4.27 quanto ao *caminho bom e ao caminho mau contrastados*, e, em Pv 4.11, ver sobre a *metáfora da vereda*. Além disso, ver o verbete denominado *Caminho*, no *Dicionário*. Essa mútua abominação existiu desde o começo da história humana (ver Gn 3.15).

CAPÍTULO TRINTA

PALAVRAS DE AGUR (30.1-33)

A partir deste ponto, passaremos a examinar outros provérbios que não os de Salomão, ou então de sábios cujos nomes não foram fornecidos. Ver o esboço do conteúdo na Introdução ao livro, sob a décima seção, quanto às várias fontes informativas do livro e suas divisões principais, edificadas sobre essas fontes informativas. Ver no *Dicionário* o verbete chamado *Agur* (com notas adicionais em Pv 30.1), quanto ao pouco que se sabe e se conjectura sobre esse homem, um dos autores sagrados dos provérbios que aparecem neste livro. Sua contribuição limita-se a este capítulo.

As declarações deste capítulo podem ser naturalmente divididas em duas seções: vss. 1-14, reflexões pessoais de Agur; vss. 15-33, provérbios. Alguns estudiosos supõem que poucos dentre esses versículos sejam declarações isoladas não escritas por Agur, conforme os vss. 17,20 e 32,33.

Empréstimos. Existem no mínimo dois empréstimos literários no livro de Provérbios, provenientes de fontes não judaicas: 1. As *Instruções de Amen-em-Ope*, um sábio egípcio. Ver Pv 22.22 quanto a informações a esse respeito. 2. Além disso, o capítulo à nossa frente — o capítulo 30 — é um empréstimo feito de fontes árabes. Os nomes próprios que aparecem no vs. 1 apontam para um sábio árabe como fonte informativa. Nenhuma sã teoria de inspiração das Escrituras pode encontrar qualquer motivo pelo qual os autores e compiladores das Sagradas Escrituras não podem ter tomado de empréstimo material de fontes não judaicas. Além disso, nenhuma sã teoria de inspiração nega que autores não hebreus tenham sido autores de certas porções da Bíblia. O livro de Jó foi escrito por um sábio árabe, conforme demonstram os nomes próprios e o prólogo do livro. Outro tanto se revela pela ausência de genealogia, que era tão importante para a mente dos hebreus. E também não é mister supor que essas personagens não hebreias se converteram à fé dos hebreus. As declarações de Lemuel (ver Pv 31.1-9) podem ser outro empréstimo "estrangeiro". Ver Pv 31.1.

■ 30.1

דִּבְרֵי אָגוּר בִּן־יָקֶה הַמַּשָּׂא נְאֻם הַגֶּבֶר לְאִיתִיאֵל לְאִיתִיאֵל וְאֻכָל׃

Disse o homem: Fatiguei-me, ó Deus. *Elementos Deste Versículo.* Que o leitor examine estes pontos:

1. Os nomes próprios Agur e Jaque, que aparecem no subtítulo deste capítulo, são árabes, e não hebraicos, e se encontram somente aqui em todo o Antigo Testamento. A origem árabe desses nomes subentende fortemente, se não mesmo prova, que estamos tratando com um autor que era um sábio árabe, e não hebreu. Ver a introdução ao capítulo, onde comento sobre essa circunstância. Parece que o nome próprio *Agur* significa "colhedor" ou "mercenário". E o nome do pai dele, *Jaque*, parece significar "obediente" ou "piedoso". Ver sobre eles no *Dicionário*, quanto ao que se conjectura a respeito desses nomes próprios e dessas personagens.

2. "Massá" significa "sentença", "declaração" ou "oráculo". Alguns pensam que esse seja o nome de uma tribo árabe, que viveria a

leste da Palestina (ver Gn 25.14; 1Co 1.30). Ver também Pv 30.31. Mas outros eruditos dizem que a palavra significa "do oráculo" e fazem de Agur um homem que recebia oráculos, ou seja, uma espécie de profeta local. Ou então, Jaque, o pai, era esse tipo de homem e tinha um filho que seguiu suas passadas. Ou, ainda, esse vocábulo pode ser entendido como se quisesse dizer provérbio, e isso diria respeito aos provérbios de Agur: estes provérbios são dele. A Septuaginta não faz referência a nomes próprios nem os traduz, mas a maior parte das traduções e dos críticos prefere retê-los.

3. Os provérbios que aparecem em seguida (e outros como eles) foram endereçados a Itiel (que talvez signifique "Deus seja contigo") e Ucal (que talvez queira dizer "Sou forte"). Provavelmente foram discípulos dos sábios árabes, membros de suas escolas. Ucal não é mencionado em nenhum outro lugar da Bíblia, mas encontramos Itiel em Ne 11.7, embora, sem dúvida, não se tratasse do mesmo homem. Interpretações alegóricas fantasiosas repousam sobre o significado desses nomes, mas podemos ignorá-las com segurança. Coisa alguma é demonstrada sobre esses homens, exceto o que se pode conjecturar por meio do próprio texto sagrado.

■ 30.2

כִּי בַעַר אָנֹכִי מֵאִישׁ וְלֹא־בִינַת אָדָם לִי:

Porque sou demasiadamente estúpido para ser homem. Em evidente autodepreciação, Agur assume uma atitude muito humilde, antes de apresentar seus provérbios. Ele se considerava tão ignorante que nem podia ser classificado como homem, mas, presumivelmente, apenas como animal irracional. Ele não possuía a compreensão que um homem deveria ter, e essa é a segunda linha, sinônima, do provérbio. Esse homem era o modelo mesmo de um homem humilde, o oposto exato do indivíduo orgulhoso, que se jactava do muito que sabia. Naturalmente, o golpe principal é que ele conhecia toda espécie de coisas, mas sabia delas por meio de revelações, e não por sua própria sabedoria e realizações. Ver os vss. 5 e 6. Existe a Palavra de Deus, mas ele nada fazia para levá-la ao homem, nem mesmo a si próprio, simplesmente a aceitava.

Estúpido. No hebraico, *ba'ar*, ou seja, "brutal", "embotado na mente", como um animal (ver Sl 73.22; Pv 12.1). Conhecer Deus era o real padrão (vs. 3), e Agur não estava à altura desse conhecimento.

Platão falava sobre almas brutais que habitam em corpos humanos, mas, na realidade, são subumanas (De Leg. 1.10, parte 959). Mas ele estava falando sobre almas de grau inferior, e não meramente seres humanos com realizações mentais e espirituais baixas. Cf. Jó 11.12. Sl 72.22 é um paralelo deste versículo.

■ 30.3

וְלֹא־לָמַדְתִּי חָכְמָה וְדַעַת קְדֹשִׁים אֵדָע:

Não aprendi a sabedoria... Provavelmente, Agur era o cabeça de uma escola de sabedoria árabe e tinha estudantes, entre os quais Itiel e Jaque (vs. 1), mas não fazia reivindicações de sabedoria. Se ele era homem cheio de sabedoria (parcialmente, pelo menos, mediante o conhecimento da lei dos hebreus, conforme alguns de seus provérbios demonstram), faltava-lhe a verdadeira sabedoria, que, segundo ele julgava, pertencia ao Santo. Sem dúvida alguma, ele conhecia todas as descrições antropomórficas de Deus, mediante as quais atributos humanos são conferidos a Deus, embora em forma expandida, além do que ele sabia que Deus é chamado de transcendental. No entanto, ele não afirmava ter ganho muito conhecimento sobre Deus e seus caminhos. A confissão de Agur reflete ideias judaicas posteriores, quando os homens começaram a perceber a natureza "outra" de Deus. Ver Rm 11.33 ss.

Assim sendo, Agur admitiu sua pouca sabedoria na primeira linha; e, na segunda linha, que é sinônima, ele nos revelou o porquê: o verdadeiro conhecimento e a verdadeira sabedoria pertencem ao Santo. Ver Pv 9.10b quanto a esse título de Deus. Ver sobre o *Santo de Israel* no artigo chamado *Deus, Nomes Bíblicos de*. Foi excelente a percepção que os homens obtiveram de que o Deus Altíssimo e Poderosíssimo também tinha de ser o Santíssimo. "Conhecer Deus é a base da verdadeira sabedoria (ver Pv 1.7; 15.33)" (Sid S. Buzzell, *in loc.*). Este versículo, pois, fala da incapacidade básica do homem para saber grande coisa sobre o ser de Deus, embora possamos conhecer mais sobre as suas obras. Até sobre o homem sabemos bem pouco; e sabemos menos ainda sobre o Criador; sabemos tão pouco sobre a criação, e menos ainda sobre o Criador. Deus é o *Mysterium Fascinosum* e o *Mysterium Tremendum*. Ver sobre os dois termos na *Enciclopédia de Bíblia, Teologia e Filosofia*, e também os artigos *Deus* e *Transcendente, Transcendência*.

■ 30.4

מִי עָלָה־שָׁמַיִם וַיֵּרַד מִי אָסַף־רוּחַ בְּחָפְנָיו מִי צָרַר־מַיִם בַּשִּׂמְלָה מִי הֵקִים כָּל־אַפְסֵי־אָרֶץ מַה־שְּׁמוֹ וּמַה־שֶּׁם־בְּנוֹ כִּי תֵדָע:

Quem subiu ao céu, e desceu? Agur declarou que ele nada sabia a respeito de Deus, e agora ilustra isso com uma série de declarações que descrevem os mistérios do controle divino sobre a natureza, que os homens não podem perscrutar. Ele conseguiu fazer isso mediante cinco irretorquíveis perguntas sobre Deus.

1. Só Deus controla os céus, pelo que quem pode subir e descer, e quem pode entrar e sair daquele augusto lugar? Seu lugar de habitação é desconhecido, e suas comunicações para trás e para frente, da terra para o céu e do céu para a terra, são misteriosas. Temos as histórias de Elias e Enoque, no Antigo Testamento, e de Cristo, no Novo Testamento, que foram viajantes entre "o céu e a terra"; mas mesmo assim sabemos bem pouco, e os homens comuns não se envolvem nessas coisas, pelo menos não segundo o conhecimento de Agur.

2. É Deus quem controla as condições atmosféricas, como os ventos, que ele segura em suas mãos; e quem pode dizer alguma coisa sobre isso? A ciência humana demonstra muitas coisas a esse respeito e retira das condições atmosféricas muitas das coisas sobrenaturais; mas os antigos faziam de tudo coisas divinas e misteriosas.

3. As chuvas, em seu controle e usos, são tão misteriosas como os ventos; somente Deus sabe o que controla as chuvas e os ventos, pois, na realidade, ele é o controlador. Ele junta as águas como se elas fossem enroladas em uma peça de vestuário, e decide quando elas ficarão livres de restrições e quando as chuvas cairão sobre a terra. Talvez as vestes, neste caso, sejam as nuvens, e talvez o amarrar das águas refira-se também ao grande mar de águas acima do firmamento sólido que Deus conserva perto dele e distante da terra, como parte de seu sábio governo. Ver no *Dicionário* o verbete denominado *Astronomia*, onde apresento um gráfico ilustrativo que mostra o que os hebreus pensavam sobre o cosmos, em relação ao planeta Terra.

4. A Terra era apresentada como plana, e suas extremidades repousariam sobre montanhas, e então a própria terra repousaria sobre um grande mar de águas. Concebiam-se colunas estendendo-se para baixo, ao mesmo tempo que a terra repousava sobre elas; essas colunas repousavam nas águas, mas debaixo dessas águas ninguém calculava o que poderia existir. O artigo chamado *Astronomia* ilustra essas ideias. Cf. Jó 38.4,6; Pv 8.29.

5. Ademais, Deus não tem nenhum nome que o descreva com exatidão, pelo que, em certo sentido, nem ao menos temos um verdadeiro nome para Deus. Além disso, ele tem um ou mais filhos e, nesse caso, que nomes poderiam ter eles que nos dissessem alguma coisa sobre a divindade? Deus transmite sua natureza a outrem, conforme fazem os homens? Podemos descobrir alguma coisa sobre Deus mediante tais comunicações de ser e atributos?

Esta parte do versículo tem sido cristianizada para falar sobre o Filho, o qual comunicou coisas importantes sobre Deus. Ver Jo 1.18 e Hb 1.1 ss. Alguns estudiosos, pois, relacionam a Sabedoria personificada, em Pv 8.22 ss., ao que lemos aqui, e alguns também lhe dão uma distorção messiânica. Tais ideias, entretanto, dificilmente foram entendidas dessa maneira por Agur. Ele não falava de coisas que conhecemos, mas sobre coisas sobre as quais não sabemos absolutamente nada. Ele não queria solucionar mistérios, mas criar. Ver no *Dicionário* e em Sl 31.13 o verbete chamado *Nome*. "Nome" representa os atributos e a natureza de Deus.

Podemos compreender que Deus é maior do que qualquer coisa que compreendemos, que o seu Ser é um mistério que jamais poderemos sondar, que todas as coisas começam e terminam em mistério, o que sugere a riqueza e a maravilha do

Ser de Deus. Se pudéssemos compreender Deus, então ele não mais seria Deus.

Olive Wyon

■ 30.5

כָּל־אִמְרַת אֱלוֹהַּ צְרוּפָה מָגֵן הוּא לַחֹסִים בּוֹ׃

Toda palavra de Deus é pura. Tendo encerrado a introdução de que "nada sei", Agur agora lança-se à tarefa de dar-nos alguns poucos provérbios que comunicam algum conhecimento, mas não desenrolam os mistérios do Ser divino. Ele começou pela Palavra de Deus, seu propósito revelador, por meio do qual sabemos o que sabemos. Ele não exibiu a razão e a investigação como a fonte originária do que sabemos. Isso depende da *revelação* (ver a respeito no *Dicionário*). Ver na *Enciclopédia de Bíblia, Teologia e Filosofia* o verbete chamado *Conhecimento e a Fé Religiosa*, acerca de como conhecemos as coisas. A Palavra de Deus é pura e provê um conhecimento puro, sem as corrupções do raciocínio e das manipulações humanas. Ver o Salmo 119 quanto às 176 declarações concernentes à lei de Moisés, a Palavra de Deus. "Pura" (no hebraico, *ceruphah*) refere-se ao refinamento de metais. Ver no *Dicionário* o artigo chamado *Refinar, Refinador*. As palavras de Deus são submetidas à prova e não têm a mistura da escória humana. Sua palavra é purificada como se fosse a prata purificada no crisol (ver Sl 12.6). Cf. Pv 17.3. Sl 18.30 é quase igual ao presente versículo. A palavra aqui referida, na opinião de alguns, é a Bíblia Sagrada. Ver o vs. 6 e as explicações ali.

Sinônimo. Acompanhando a palavra está o refúgio que temos em Deus, em quem confiamos. Ver sobre *Refúgio* em Sl 46.1, bem como o artigo do *Dicionário* sobre esse assunto. Quanto à *confiança*, ver Sl 2.12; e, no *Dicionário*, o artigo chamado *Confiar*. Por conseguinte, temos um firme alicerce para nossos provérbios e nossa confiança no Deus misterioso. Pelo menos podemos tirar proveito de algum conhecimento prático que nos guie no andar diário. Deus também é *nosso escudo* (ver Sl 3.3; 7.9,10; 84.8; 89.18, bem como o *Dicionário*). Deus é a nossa proteção neste mundo de mistério e dor. Portanto, fugimos para Deus e aprendemos certas coisas que podem ser usadas de maneira prática em nossa vida.

■ 30.6

אַל־תּוֹסְףְּ עַל־דְּבָרָיו פֶּן־יוֹכִיחַ בְּךָ וְנִכְזָבְתָּ׃ פ

Nada acrescentes às suas palavras. Provavelmente, este é um dos primeiros versículos de reconhecimento do cânon, referindo-se à lei mosaica, aos Profetas e aos Escritos (incluindo aqueles relacionados à sabedoria). Cf. Pv 29.18. O fato de que o vs. 5 depende dos Salmos pode indicar que até mesmo aquele livro já tinha chegado a ser reconhecido como dotado de autoridade canônica. A tríplice referência às Escrituras aparece pela primeira vez, explicitamente, no prólogo do livro de Eclesiástico, que data de cerca de 132 a.C. Cf. Pv 13.13. Naturalmente, toda essa conversa sobre o cânon bíblico das Escrituras hebraicas é estranha nos lábios de um sábio árabe (vs. 1), e isso tem levado alguns estudiosos a pensar que Salomão foi o verdadeiro autor, e o fundo árabe é apenas um artifício literário para dar variedade ao livro, que se aproveitou de várias fontes informativas. Sobre tais coisas, podemos apenas conjecturar. Seja como for, o conceito de "nada adicionar" às Escrituras Sagradas já aparece aqui. Isso, entretanto, pode não significar "não adiciones mais livros" e, sim, não mudes aquilo que foi transmitido. Cf. Ap 22.18, que por certo tem esse significado.

Sinônimo. A serpente, conforme ficará provado, é uma mentirosa, uma pervertedora da revelação divina. Certamente ela sofrerá repreenda e julgamento divino, conforme encontramos em Ap 22.18. Ver também Dt 4.2. Se o significado das palavras de Agur é "não acrescentes mais livros", então ele mesmo estava violando a regra, visto que os seus provérbios iam além das Escrituras canonizadas e vieram, finalmente, a repousar na coletânea dos provérbios. Então seguir-se-iam outras porções do Antigo Testamento e todo o Novo Testamento. Portanto, tais declarações não devem estagnar Deus e seu propósito revelador, pois tal possibilidade é ridícula.

■ 30.7

שְׁתַּיִם שָׁאַלְתִּי מֵאִתָּךְ אַל־תִּמְנַע מִמֶּנִּי בְּטֶרֶם אָמוּת׃

Duas cousas te peço. Agur desejava muitíssimo que duas coisas lhe fossem dadas pela graça divina. Ele queria que elas fossem outorgadas antes de sua morte, e isso forma a segunda linha, sinônima. O número *dois* é um humilde substituto para *muitos*. Isso introduz uma série de seis declarações. Outra série é dada nos vss. 15,16; 18,19; 21-23; 24-28 e 29-31. Cf. esse tipo de arranjo numérico com Pv 6.16-19 e Am 1.3—2.6. Provérbios de semelhante tipo numérico também têm sido descobertos no material cananeu encontrado em Ugarite, de cerca do século XV a.C. Agur era homem que realmente queria saber, e assim apelou para o Ser divino em busca de informação. Ele também precisava de certas provisões divinas que contribuíssem para o seu bem-estar, e isso é enfatizado nas linhas que se seguem.

■ 30.8

שָׁוְא וּדְבַר־כָּזָב הַרְחֵק מִמֶּנִּי רֵאשׁ וָעֹשֶׁר אַל־תִּתֶּן־לִי הַטְרִיפֵנִי לֶחֶם חֻקִּי׃

Afasta de mim a falsidade e a mentira. As provisões divinas que foram requeridas por Agur eram:

1. Agur precisava da providência divina para ser resguardado da mentira e da falsidade, para que aquilo que ele sabia e expressava estivesse em acordo com a Palavra de Deus revelada (vs. 6). Ademais, em sua vida pessoal, ele desejava a integridade e a verdadeira espiritualidade, livre das corrupções que os homens promovem. "Falsidade", no hebraico, é *shaw*, "vazio", mas também mentiras, destituídas da verdade divina.
2. Ele queria ter dinheiro suficiente para continuar a vida, mas não queria cair na armadilha que as riquezas trazem. Ele queria estar em boa situação em meio à classe média, nem pobre nem rico, o que promove mais prontamente a espiritualidade, sem a inconsciência acompanhante (como se dá na pobreza) ou as tentações (como se dá na riqueza).
3. Ele precisava de alimento adequado e do suprimento de suas necessidades básicas. Ele não queria contender com a pobreza e sua luta absurda contra até as coisas mais necessárias. Ele queria "o pão de sua porção", conforme diz o hebraico, literalmente. Cf. Mt 6.11. Ele não via virtude alguma em ser pobre, e só enxergava armadilhas nas riquezas.

Agur buscava o meio-termo dourado em sua vida, a moderação sem as privações negativas da pobreza e sem os excessos das riquezas.

> Aquele que se apega ao meio-termo dourado,
> E vive contente entre
> O pequeno e o grande,
> Não sente as necessidades que beliscam o pobre,
> Nem as pragas que perseguem a porta do rico,
> Amargurando o seu estado.
>
> Horácio, Odes II.10

Paulo aprendeu a viver contente com o que possuía, na necessidade ou na abundância, conforme a vontade de Deus ditasse para cada período de sua vida. Ver Fp 4.12.

■ 30.9

פֶּן אֶשְׂבַּע וְכִחַשְׁתִּי וְאָמַרְתִּי מִי יְהוָה וּפֶן־אִוָּרֵשׁ וְגָנַבְתִּי וְתָפַשְׂתִּי שֵׁם אֱלֹהָי׃ פ

Para não suceder que, estando eu farto, te negue. Continuamos aqui a desfilar os pontos em consideração:

4. O homem abastado, aquele que vive pleno em todas as coisas, pode terminar negando sua necessidade de Deus, fazendo perguntas estúpidas, como: "Quem é o Senhor?", como se fosse independente e não precisasse da graça ou ajuda divina. Cf. Dt 8.12-17. Vivemos todos em estado precário. Todos somos dependentes do Ser divino até mesmo para viver o dia a dia. Naturalmente, espera-se que trabalhemos e planejemos, e não nos comportemos como idiotas que dependem de outros para conseguir o pão diário.
5. Em contraste, um homem realmente pobre, que não tem o suficiente para comer, pode terminar a vida como ladrão. Essa condição extrema também foi rejeitada por Agur. Ele não haveria de fazer um voto de pobreza.
6. Um ladrão termina desonrando Deus, o qual requer que o homem labute e proveja para as suas próprias necessidades. O indivíduo

que faz de outros sua presa incorrerá no desprazer e juízo divino. Deus é justo, e os homens precisam evitar as coisas que laboram contra a santidade, como a desonestidade, que é um pecado contra os mandamentos básicos da lei mosaica (ver Êx 20.15).

30.10

אַל־תַּלְשֵׁן עֶבֶד אֶל־אֲדֹנָו פֶּן־יְקַלֶּלְךָ וְאָשָׁמְתָּ׃

Não calunies o servo diante de seu senhor. Tendo terminado o seu provérbio numérico (vss. 7-9), o autor sagrado agora nos oferece um trio, outro modo comum de apresentar declarações. Ver Pv 22.17, sob *Apresentação das Declarações*, onde são demonstrados os vários modos de expressão.

Considere o leitor os pontos seguintes:
1. Um escravo não deve caluniar seu proprietário. Pelo contrário, cabe-lhe obedecer e prover um trabalho honesto, sem queixar-se. Cf. Pv 29.19, outro "provérbio de escravo". Além disso, um homem não deve caluniar o escravo de outro homem, pois nada tem a ver com os negócios alheios. É melhor uma pessoa não se imiscuir nos problemas domésticos dos outros.
2. Um escravo certamente amaldiçoará o homem intrometido, mas a declaração deste versículo refere-se à maldição do proprietário. Ele amaldiçoará a pessoa e dirá: "Importe-se com seus próprios negócios", e os dois se tornarão inimigos. A vida de um escravo já era intolerável, sem as complicações dos amigos do proprietário. Talvez tenhamos de pensar em uma acusação falsa, e isso certamente merecerá repreensão mais aguda do proprietário (cf. Pv 26.2), mas, mesmo que a acusação seja veraz, um amigo não tinha razão de envolver-se no relacionamento entre o escravo e seu proprietário.
3. Como resultado, o acusador será considerado culpado, em vez do escravo, e os amigos serão alienados um do outro, inutilmente. Entre outras coisas, este versículo desencoraja o mexerico. Ver no *Dicionário*, e em Pv 11.13 e 18.3, o verbete chamado *Mexerico*.

30.11

דּוֹר אָבִיו יְקַלֵּל וְאֶת־אִמּוֹ לֹא יְבָרֵךְ׃

Há daqueles que amaldiçoam o seu pai. Os vss. 11-14 apresentam quatro tipos de homens. Cada uma das declarações começa com a mesma expressão "há daqueles". Em nossa versão portuguesa, essa expressão parece significar uma classe de homens, e não um período de quarenta anos da vida humana. A primeira das declarações deve ser comparada com Pv 20.20, que descreve esse tipo de homem, aquele que amaldiçoa e abusa dos próprios pais. Ver também o vs. 17, mais a seguir, deste capítulo. Ver 2Tm 3.1 ss. quanto a algo similar.

Sinônimo. O indivíduo que amaldiçoa a seu pai também não bendiz a sua mãe, a pessoa que, acima de todas, mais merece seu respeito e suas bênçãos. Portanto, esse é um homem que perverteu os valores e está vivendo uma vida de extremo egoísmo. Ele está quebrando o mandamento de Êx 20.12 e, assim sendo, não viverá por muito tempo.

30.12

דּוֹר טָהוֹר בְּעֵינָיו וּמִצֹּאָתוֹ לֹא רֻחָץ׃

Há daqueles que são puros aos seus próprios olhos. Outra classe de homens é introduzida pela declaração "há daqueles". Existem os homens auto-iludidos que chamam a si mesmos de limpos (livres da corrupção moral e da culpa); mas isso só acontece "aos seus próprios olhos". O olho divino vê outra coisa, totalmente contrária, e até os olhos dos homens os consideram mentirosos. Grande parte é composta por homens fingidos, mas alguns poucos simplesmente não compreendem a profundidade do pecado, e como o pecado permeia um homem.

Antítese. Esses homens julgam-se limpos, mas nunca foram lavados de sua imundícia, nem mediante sacrifícios nem (o que é ainda mais importante) pelo arrependimento e pela mudança da conduta. A maior parte dos homens pensa ser melhor do que realmente é; mas alguns deles são totalmente hipócritas, declarando-se grandes, a despeito de sua vida corrupta. Alguns deles chegam a acreditar no mito da perfeição impecável. Ver no *Dicionário* o verbete chamado *Perfeccionismo*.

30.13

דּוֹר מָה־רָמוּ עֵינָיו וְעַפְעַפָּיו יִנָּשֵׂאוּ׃

Há daqueles — quão altivos são os seus olhos... Esta terceira declaração, começando com as palavras "há daqueles", descreve os orgulhosos, mais ou menos nos mesmos termos de Pv 6.17, onde lemos "olhos altivos". Quanto aos orgulhosos contrastados com os humildes, ver Pv 6.16,17; 11.2; 13.10; 14.3; 15.25; 16.5,18; 18.12 e 21.4 e as notas expositivas. Ver também Sl 18.27; 101.5 e Is 10.12.

Sinônimos. O homem de olhos altivos é, naturalmente, alguém que levanta para o alto os olhos, uma descrição sinônima. Ver Sl 131.1. Plínio fornece a estranha declaração de que as pestanas de um homem contêm parte de sua mente, pelo que, se você as observar, poderá dizer o que o indivíduo está pensando; e isso é especialmente verdadeiro quando se trata dos olhos altivos dos orgulhosos (*Hist. Natural* 1.11, cap. 37).

30.14

דּוֹר חֲרָבוֹת שִׁנָּיו וּמַאֲכָלוֹת מְתַלְּעֹתָיו לֶאֱכֹל עֲנִיִּים מֵאֶרֶץ וְאֶבְיוֹנִים מֵאָדָם׃ פ

Há daqueles cujos dentes são espadas. Homens especialmente iníquos são comparados a animais ferozes, que destroem os mais fracos, e essa é outra "classe" desprezível de homens. Seus dentes são como espadas. Eles destroem com os dentes, visto que é dessa maneira que os animais ferozes destroem outros animais menores e mais fracos, aos quais, em seguida, devoram. Cf. Sl 14.4, que tem a mesma figura. Esses homens iníquos são opressores, agressores e destruidores dos pobres, ou seja, dos fracos e débeis, muitos deles materialmente pobres, embora nem todos. A palavra hebraico es 'ani, aflitos e humildes. Os necessitados (no hebraico, 'ebyon) são suas vítimas, sendo provável que pobres e necessitados se refiram à mesma classe. São pessoas que "precisam de ajuda". Em vez de serem ajudados, entretanto, eles são mortos, o que constitui grande injustiça.

Sinônimo. Os opressores devoram suas presas, reduzindo-as a nada e matando literalmente a algumas, tal como os animais ferozes saem a campo para matar suas vítimas. Os débeis e necessitados são suas vítimas principais, embora não sejam as únicas. Eles fazem vítimas da sociedade em geral, mas como animais ferozes é que se aproximam silenciosamente de um bando de animais mais fracos, escolhendo a vítima e matando-a com facilidade. São tiranos, opressores, agressores, matadores, destituídos de misericórdia. Com essas descrições, o autor termina sua descrição das quatro classes de pessoas desprezíveis.

30.15

לַעֲלוּקָה שְׁתֵּי בָנוֹת הַב הַב שָׁלוֹשׁ הֵנָּה לֹא תִשְׂבַּעְנָה אַרְבַּע לֹא־אָמְרוּ הוֹן׃

A sanguessuga tem duas filhas, a saber: Dá, dá. Encontramos aqui outras declarações de ordem numérica. Ver as notas sobre o vs. 7. Existem duas filhas da sanguessuga; e existem três, ou melhor, quatro coisas que jamais se satisfazem e nunca dizem: "Para mim basta".

A sanguessuga. No hebraico, 'aluqah, que, embora seja uma palavra obscura, é traduzida por *sanguessuga* no siríaco e por autores rabínicos posteriores. Ver sobre o termo no *Dicionário*. Esse pequeno animal vive somente para obter sangue. A sanguessuga não dá coisa alguma. Diz, a cada nova sugada de sangue: "Dá! Dá!" E o quadro ainda fica mais complicado quando a sanguessuga se divide em duas filhas, as quais, por sua vez, se multiplicam em quatro, piorando a situação enquanto o processo prossegue, e as sanguessugas exigem cada vez mais sangue. A sanguessuga é o modelo do egoísmo e da ganância, e é vista como animal que vive do sangue de outro animal, uma apta metáfora para as pessoas gananciosas. Ver o detalhado artigo chamado *Cobiça*, no *Dicionário*.

Sinônimo. Existem quatro coisas ou entidades gananciosas representadas pela sanguessuga. Essas coisas nunca dizem: "Basta!" Como as sanguessugas, são modelos da ganância, formando um quarteto perene de insatisfeitos.

Se ele se apoderar de você, então a tortura
Será uma coisa temível. Ele se agarra a você até

Ver você morto. Ele é como uma sanguessuga,
Voraz pelo seu sangue.
Ele não desiste de seu cruel domínio sobre você
Até explodir, cheio de tanto sangue.

Horácio, *De Arte Poet.* vs. 475

30.16

שְׁאוֹל֙ וְעֹ֣צֶר רָ֔חַם אֶ֖רֶץ לֹא־שָׂ֣בְעָה מַּ֑יִם וְאֵ֖שׁ לֹא־אָ֥מְרָה הֽוֹן׃

A sepultura, a madre estéril... Considere o leitor os pontos seguintes:

1. A sepultura ou sheol é o primeiro membro do insaciável quarteto. Se, algumas vezes, a palavra *sheol* pode significar mais do que o sepulcro, não há razão alguma para supormos que essa é a verdade no caso deste versículo. A doutrina sobre esse lugar ou estado passou por um estado evolutivo. Quanto a isso, ver as notas em Pv 5.5. Em seguida, ver no *Dicionário* o verbete chamado *Hades*. Sl 88.10; 138.8; 148.7 e Pv 2.18 podem indicar, mediante esse termo, a sepultura. Seja como for, a morte avança, e os homens todos, um por um, caem presas dela. Jamais há diminuição do ritmo. Nunca há satisfação do apetite. De alguma forma, a taxa de nascimento consegue manter-se à frente das taxas de mortalidade, na média no mundo, mas isso significa apenas que há mais pessoas para alimentar, o que requer colheitas cada vez maiores. Pv 27.20 tem a mesma declaração, e ali ofereço notas expositivas que também se aplicam aqui.

2. O ventre estéril, que nunca produziu fruto, mas continuamente quer mais, mesmo porque é a segunda coisa insaciável. A mulher dotada de ventre estéril nunca desiste de sua esperança de ter filhos, pelo que continua tentando ficar grávida. Adam Clarke tem um curioso comentário aqui, emprestado do *Código das Leis Hindus*, capítulo 20, seção 1, parte 203: "Uma mulher nunca se satisfaz por copular com o homem, tal como o fogo nunca se satisfaz com o combustível para queimar, ou o oceano que recebe as águas dos rios, ou a morte com homens ou animais que morrem".

3. A terra nunca satisfaz sua sede por água, as manifestações atmosféricas. Ela absorve a água toda e a envia aos oceanos, repetindo interminavelmente os ciclos da chuva.

4. O fogo mantém-se aceso, queimando mais e mais coisas. O fogo vai devorando, sem nunca satisfazer-se, queimando mais e mais. O ganancioso sempre quer mais e mais. Nenhuma satisfação é jamais conseguida. Heródoto usava a figura do fogo como se fosse um animal irracional. O fogo devora tudo quanto lhe serve de combustível e morre somente quando nada mais há para consumir.

Essas quatro coisas são figuras simbólicas da ganância humana, que desconhece satisfação ou fim. A ganância quebra mandamentos básicos da lei (ver Êx 20.17). Tal como essas coisas nunca dizem: "Basta!", assim também a cobiça dos homens sempre está de boca aberta, querendo mais e mais.

30.17

עַ֤יִן ׀ תִּֽלְעַ֣ג לְאָב֮ וְתָב֪וּז לִֽיקֲּהַ֫ת־אֵ֥ם יִקְּר֥וּהָ עֹרְבֵי־נַ֑חַל וְֽיֹאכְל֥וּהָ בְנֵי־נָֽשֶׁר׃ פ

Os olhos de quem zomba do pai. Este versículo nos leva de volta ao vs. 11, cujas notas expositivas se aplicam aqui. Ver também Pv 23.22, que é essencialmente a mesma coisa. Mas o autor inventou aqui uma vívida metáfora. O filho mau é agora o olho que olha para o seu pai a fim de encontrar coisas de que possa zombar. Ele escarnece do "velho homem". E então olha para sua mãe e a despreza por não obedecer à instrução que lhe tinha dado. Esse homem só quer tirar vantagens, e até de seus pais faz vítimas. O filho desviado trilha o caminho dos ímpios, em vez de seguir o caminho que lhe fora ensinado por seus pais.

Antítese. O filho ímpio obtém tudo quanto quer, ao mesmo tempo que despreza seus pais; mas sua morte final será terrível. Os corvos e as águias chegarão aonde ele está. Ele se tornará presa de acidentes, da violência, das enfermidades e da morte prematura, vingadores de Deus.

Os olhos, que tinham olhado tão sem misericórdia para os pais, se tornarão comida deliciosa para o corvo. Essa espécie de pássaro gostava especialmente de comer o olho mole de suas vítimas e fazia desses órgãos a primeira coisa a ser comida. "É bem conhecida a propensão dos corvos de atacar, antes de tudo, os olhos" (Ellicott, *in loc.*). Outro tanto pode ser dito com respeito a outras aves de presa, como o comum urubu do Brasil. "A águia-mãe arranca primeiramente os olhos e os leva a seus filhotes" (Adam Clarke, *in loc.*). Assim o olho é comido pelos corvos.

Este versículo tem sido cristianizado para falar da retribuição para além do sepulcro, e até os corvos são transformados em demônios negros, mas essa ideia não tem aplicação aqui.

30.18

שְׁלֹשָׁ֣ה הֵ֭מָּה נִפְלְא֣וּ מִמֶּ֑נִּי וְאַרְבָּעָ֗ה לֹ֣א יְדַעְתִּֽים׃

Há três cousas que são maravilhosas demais para mim. Os vss. 18,19 nos conduzem de novo aos provérbios numéricos. Ver as notas sobre o vs. 7 quanto a isso.

Existem três coisas, e não quatro, que estavam fora da compreensão do autor sagrado, pelo que eram maravilhosas para ele, cheias de mistério e encantamento. A todas as coisas que se seguem são dados significados metafóricos, mas parece que Agur estava apenas admirando-se de certas coisas sem se deixar envolver na moral e na teologia, pelo momento. Ele só queria falar das quatro coisas maravilhosas.

30.19

דֶּ֤רֶךְ הַנֶּ֨שֶׁר ׀ בַּשָּׁמַיִם֮ דֶּ֥רֶךְ נָחָ֗שׁ עֲלֵ֫י־צ֥וּר דֶּֽרֶךְ־אֳנִיָּ֥ה בְלֶב־יָ֑ם וְדֶ֖רֶךְ גֶּ֣בֶר בְּעַלְמָֽה׃

As Quatro Coisas Maravilhosas. Que o leitor acompanhe estes quatro pontos:

1. A maneira como a águia conduz o seu voo, tão alto no ar, é realmente algo maravilhoso. Essa poderosa ave é rápida, ágil e forte. Os antigos nada sabiam sobre a aerodinâmica. Atualmente sabemos que o que a águia faz tem explicação, mas isso não remove a maravilha do seu voo. Pelo contrário, quanto mais sabemos sobre a natureza, mais admirável ela nos parece. Ver no *Dicionário* o artigo chamado *Águia*, quanto à informação que pode ser usada para ilustrar este texto.

2. O caminho da serpente sobre as rochas. Esta é outra coisa capaz de deixar a mente confusa. Algumas pessoas fazem das serpentes um estudo especial, e algumas poucas se consagram a esse mister. E elas têm descoberto coisas realmente admiráveis. Conheço uma senhora, especialista em aranhas, que é conhecida como "a dama das aranhas". A serpente não tem nem pernas nem asas, mas pode realizar feitos realmente admiráveis. Atualmente sabemos como isso funciona, o que em nada diminui nossa admiração a respeito.

3. Os hebreus e os árabes eram povos que viviam entalados entre a beira-mar e o deserto. No entanto, não eram um povo marítimo. Deixavam isso para os fenícios, embora Salomão e Josafá tenham tentado fazer algum comércio marítimo. Os hebreus não eram um povo científico, e as viagens marítimas estavam fora de suas parcas noções de matemática. Por isso, para eles, contemplar o mar Mediterrâneo e ver um navio que passava, tangido pelo vento (não sabiam eles como), parecia-lhes uma maravilha. Para eles, a embarcação seguia um caminho sem rastos. Portanto, como o navio não se perdia? Os fenícios sabiam por quê, mas os árabes e os hebreus sentiam-se inteiramente perdidos diante dessa indagação.

4. O caminho de um homem com uma donzela é outra coisa maravilhosa. Isso tem recebido diversas interpretações: a) Alguns, em contraste com o vs. 20, veem um simples e legítimo namoro aqui. A jovem mostra-se relutante; o homem é sempre o agressor; e, mediante truques, ele cativa a vontade da donzela, e em breve estão casados, criando uma nova unidade familiar. O processo é bastante confuso, mas divertido, sendo uma maravilha contemplá-lo. b) Outros estudiosos veem aqui uma sedução pecaminosa, que leva à defloração ilegítima. Para começar, a jovem era virgem (provável sentido da palavra hebraica *almah*, aqui). Ela é jovem, ingênua e inexperiente, e também uma presa fácil para o suave sedutor. O homem que se inclina apaixonadamente para satisfazer sua concupiscência por uma virgem adotou métodos variegados

que lhe garantiram sucesso. Seus métodos não podem ser inteiramente acompanhados e compreendidos e, assim sendo, são uma maravilha da natureza, embora uma maravilha negativa. c) Ou então o processo mediante o qual uma virgem jovem e inocente é transformada em prostituta é um exemplo radical de uma operação perversa da natureza, que os obreiros sociais e psicólogos têm estudado e discutido.

Não há como determinar o significado exato aqui, mas conjecturo que a posição a) é a correta, a qual deve ser contrastada com o vs. 20, em vez de tornar-se paralela a ele. Portanto, temos de considerar a exclamação: "O amor não é grandioso?!" Há algo de admirável no amor entre os sexos.

■ 30.20

כֵּן דֶּרֶךְ אִשָּׁה מְנָאָפֶת אָכְלָה וּמָחֲתָה פִיהָ וְאָמְרָה לֹא־פָעַלְתִּי אָוֶן׃ פ

Tal é o caminho da mulher adúltera. A quarta maravilha do vs. 19 é sugerida por este versículo, mas isso não quer dizer que seja um sinônimo. De fato, provavelmente faz contraste entre a maneira legítima de um homem com uma donzela e o adultério crasso. Também há algo de misterioso quanto a como a esposa fiel se torna adúltera e como fica tão calejada por esse pecado. Ver uma maravilhosa ilustração (do ponto de vista literário) sobre essa "dama especial" em Pv 7.6 ss., que deve ter sido um testemunho ocular de como uma mulher adúltera tão habilidosamente apanha a sua presa.

O Banquete. O ato sexual é comparado a um banquete, tal como em Pv 5.16,18 é assemelhado a uma fonte, ou seja, a mulher aparece ali como uma fonte. A mulher "come" tudo quanto quiser e então limpa a boca. Ela termina o ato, satisfeita (pelo menos por algum tempo). Haverá outras refeições. O ato de limpar a boca remove as provas de que ela comeu, o que significa que uma mulher adúltera tem o cuidado de "não deixar nenhum sinal incriminador", ou, em outras palavras, ela não deixa evidências, para seu marido e para outras pessoas, que permitam suspeitas ou provas do tipo de vida que ela está levando.

Sinônimo. Uma vez que ela termina o ato de adultério, não tendo deixado evidência alguma, não sofre nenhum choque da consciência. Na realidade, ela fica tão endurecida no seu pecado que não lhe resta consciência alguma a respeito. Se alguém a acusar de adultério, ela negará tal coisa peremptoriamente. E se alguém souber que o adultério ocorreu, ela negará que no ato houve qualquer coisa de errado. "Foi apenas uma daquelas coisas", conforme diz o cântico popular de dias passados. Ela se mostra inteiramente indiferente diante do ato. O adultério passou a fazer parte de sua vida diária normal. Por que fazer do adultério tão grande comoção? Cf. este texto com Pv 2.16-19; 5.1-14; 22.14 e 23.27,28.

A grande omissão, no livro de Provérbios, ou em qualquer outra passagem bíblica, é à ação de homens sedutores e suas vítimas, a menos que o vs. 19 do presente capítulo fale a esse respeito. As passagens bíblicas sempre falam da mulher como pecadora e agressora, e o homem sempre aparece como vítima. Isso não se ajusta ao que acontece no mundo "lá fora", na maioria dos casos.

■ 30.21

תַּחַת שָׁלוֹשׁ רָגְזָה אֶרֶץ וְתַחַת אַרְבַּע לֹא־תוּכַל שְׂאֵת׃

Sob três cousas estremece a terra. Os vss. 21-23 formam outro provérbio numérico. Ver sobre isso no vs. 7. Existem três, ou antes, quatro coisas que fazem a terra estremecer. Temos de entender essas declarações como metafóricas, porquanto não estamos falando de terremotos que sacodem literalmente a terra. Os vss. 21-31 incluem três listas de pessoas e criaturas que dizem respeito à liderança e às perversões contra ela. A palavra "rei" figura em cada uma dessas listas (vss. 22,27,31).

Nos vss. 21-23, "terra" significa os povos que habitam no mundo. O povo estremece por causa de certas condições e acontecimentos. Quatro tipos insuportáveis de pessoas são referidas aqui, dois homens e duas mulheres.

■ 30.22

תַּחַת־עֶבֶד כִּי יִמְלוֹךְ וְנָבָל כִּי יִשְׂבַּע־לָחֶם׃

Consideremos os pontos enumerados a seguir:

1. Pv 30.22a é equivalente a Pv 19.10b. A terra estremece quando um escravo sobe tanto que se torna rei de uma nação. Essa é uma ruptura de valores e normas sociais. O autor sagrado considera a questão chocante e por certo indesejável, uma calamidade. Hodiernamente, nas sociedades democráticas, é esperado e até agradável que um homem suba dos níveis mais baixos da sociedade e "mostre o seu valor", elevando-se a uma posição de governo. Abraão Lincoln nasceu em uma cabana de toras da fazenda de um dos Estados mais pobres dos Estados Unidos da América, e os livros de história são cuidadosos em salientar esse fato. Os povos antigos, no entanto, viam algo de divino em como os homens nasciam, em castas sociais específicas, e não queriam que houvesse perturbação nesse fato.

2. O insensato preguiçoso que come bem forma um tipo de contradição da ideia que diz: "Se não trabalhas, também não comas" (ver 2Ts 3.10). Portanto, temos aí uma pequena questão capaz de fazer a terra estremecer. Ver sobre *Preguiçoso* em Pv 6.6; 19.15; 24.30-34, e, no *Dicionário*, ver os artigos chamados *Preguiça* e *Preguiçoso*. Outra ideia vinculada a esta parte do versículo é que um homem, sempre de barriga cheia, mostra-se insensível para com as necessidades alheias. Nesse caso, não está em vista o preguiçoso insensato, mas o homem amimalhado, que causa pequenos terremotos na sociedade. "Os homens cujo ventre vive cheio de alimentos e cuja cabeça vive cheia de bebidas alcoólicas são muito dominadores. A língua deles vive solta e causa muitos distúrbios" (John Gill, *in loc.*).

■ 30.23

תַּחַת שְׂנוּאָה כִּי תִבָּעֵל וְשִׁפְחָה כִּי־תִירַשׁ גְּבִרְתָּהּ׃ פ

Sob a mulher desdenhada, quando se casa. Aqui continuam os pontos que começaram no vs. 22:

3. Quando finalmente arranja marido, uma mulher não amada perturba muitas mentes, especialmente se ela se casa bem. As pessoas olham para essa mulher e dizem: "Sei por que ela não se casava. Quem haveria de querê-la?" Mas o hebraico original diz *mulher odiada*, e não meramente mulher *não amada*, e isso implica um tipo escandaloso de mulher, que não merecia um bom casamento. A moral sexual, contudo, não parece fazer parte do quadro aqui descrito. Simplesmente existem algumas mulheres que perturbam a paz, dotadas de um temperamento difícil; elas são teimosas, egoístas, insensíveis. Coitado daquele que se casa com uma delas! Adam Clarke disse que quase qualquer esposa é melhor do que nenhuma, mas isso não diz que algumas esposas fazem um homem desejar nunca ter casado. John Gill (*in loc.*) vê tais mulheres a esconder suas qualidades negativas, até casarem. E então a história inteira é revelada. Os homens também são mestres nesse tipo de engano, pelo que estamos tratando aqui de uma rua de duas mãos.

4. Outra situação causadora de terremoto é quando uma escrava se eleva de tal maneira no favor de sua proprietária que se torna herdeira de sua senhora. Isso lembra aquelas histórias em que uma mulher rica deixa sua fortuna para os gatos. Esta declaração, entretanto, quer dizer que a escrava vem tornar-se a dona da casa, em lugar de sua senhora. Ou seja, a escrava torna-se a herdeira da situação de que sua senhora desfrutava, e não, necessariamente, de seu dinheiro. Outros eruditos veem a escrava tornar-se a dona da casa quando o homem da casa se divorcia de sua esposa, substituindo-a pela escrava. Qualquer dessas situações era uma calamidade para os antigos. Essa jovem escrava subiu demais para ser apreciada, tal e qual aconteceu ao escravo que se tornou rei (vs. 22). "A harmonia no seio da sociedade é encorajada por pessoas que mantêm seus papéis sociais apropriados, não vindo a ocupar posições difíceis de manusear" (Sid S. Buzzell, *in loc.*). Ver no *Dicionário* o verbete chamado *Escravo, Escravidão*.

■ 30.24

אַרְבָּעָה הֵם קְטַנֵּי־אָרֶץ וְהֵמָּה חֲכָמִים מְחֻכָּמִים׃

Há quatro coisas mui pequenas na terra. Nos vss. 24-26 temos outro conjunto de provérbios numéricos. Ver Pv 7.7 quanto a esse tipo de provérbios. O tema é "coisas pequenas mas sábias". Quatro animais ilustram o princípio. A lição é que o homem, o suposto rei dos animais, tem muito para aprender dessas criaturas comparativamente insignificantes. A sabedoria de Deus opera nesses animais, pelo que eles se tornam nossos professores.

"O homem que escreveu essas palavras não se impressionava pelo tamanho. Ele via a significação das coisas minúsculas. A formiga, os arganazes, os gafanhotos e o geco. Esses pequenos animais não se encontram na classe dos gigantes das florestas, nem podem ser comparados aos monstros de armadura que eram os monarcas do mundo. Contudo, essas pequenas criaturas sobreviviam. 'O homem que despreza as coisas pequenas falhará gradualmente' (Eclesiástico 19.1). As pessoas que vivem em nossa era atômica precisam de um lembrete da importância de elementos aparentemente insignificantes no mundo" (Rolland W. Schloerb, *in loc.*).

■ 30.25

הַנְּמָלִים עַם לֹא־עָז וַיָּכִינוּ בַקַּיִץ לַחְמָם׃

As formigas, povo sem força. Que o leitor acompanhe os pontos a seguir:

1. Cf. Pv 6.6-8, que elogia as formigas. As formigas não formam um "povo" forte, mas são sábias e industriosas. Elas sabem que têm de preparar-se para os meses de inverno, trabalhando arduamente nos meses produtivos, a fim de juntar um estoque adequado de alimentos. Assim sendo, o indivíduo preguiçoso é chamado a ir ter com a formiga para obter sabedoria (ver Pv 6.6).

Antítese. As formigas demonstram sabedoria e industriosidade trabalhando nos meses de verão, quando os alimentos são abundantes, e estocando alimentos extras para os meses de inverno, quando o alimento lá fora será difícil de conseguir. Para fazer isso, a formiga trabalha duplamente nos bons meses. "As formigas sobrevivem por causa de sua previsão" (Sid S. Buzzell, *in loc.*). Porém, não é bastante ser previdente: a pessoa precisa ser industriosa, aplicando às coisas aquilo que ela sabe. As formigas são fracas em comparação a muitos animais. Os árabes tinham um provérbio que dizia: "Tão fraco como uma formiga". Mas de seu forte trabalho surgiu outro provérbio árabe: "Mais forte do que uma formiga", que significa "fortíssima". O "povo" fraco é forte em sabedoria.

Povo. As formigas são um povo organizado. O poeta grego Focilides chamou as formigas de tribo ou nação (*Poem. Admon.* vs. 158, 159). Homero e Virgílio chamavam as abelhas de povo. Ver *Ilíada* 2. vs. 87, e *Georgic.* 1.4, vs. 4 e 5).

■ 30.26

שְׁפַנִּים עַם לֹא־עָצוּם וַיָּשִׂימוּ בַסֶּלַע בֵּיתָם׃

Os arganazes, povo não poderoso. Continuamos aqui a apresentar os pontos iniciados no vs. 25.

2. O segundo animal que tem alguma coisa para ensinar às pessoas é o *arganaz*, sobre o qual há um artigo detalhado no *Dicionário*. Há certa variedade de traduções a esse respeito. Apresento a tradução Atualizada no Brasil. Quanto a essa e outras possibilidades de identificação, ver o artigo. Lv 11.6 e Dt 14.7 dizem que o animal em questão rumina; mas isso representa uma observação equivocada. Era uma espécie de ruminação de lado para lado, dentro da boca, que enganava os observadores hebreus. Esse animal é bastante pequeno, mais ou menos do tamanho de um coelho, e bastante destituído de defesa. Eles também são chamados de "povo" (ver sobre o vs. 25).

Antítese. Embora seja fraco e indefeso, esse animalzinho é sábio o bastante para fazer sua moradia nas fendas das rochas, o que lhe fornece proteção natural e explica a sobrevivência da raça. Cf. Sl 104.18. O nome hebraico para esse animal é *shaphan*, que significa "escondedor". Isso diz respeito ao seu hábito de viver nas fendas de lugares rochosos. Essa espécie também tem por hábito manter um animal de vigilância, perto da entrada das covas, o qual solta um assobio avisando de algum perigo que se aproxime. Essa é outra pequena informação que ilustra a sabedoria dos arganazes. É a sabedoria que transmite vida ao homem bom (ver Pv 4.13).

■ 30.27

מֶלֶךְ אֵין לָאַרְבֶּה וַיֵּצֵא חֹצֵץ כֻּלּוֹ׃

Os gafanhotos não têm rei. Continuamos a apresentar aqui os pontos iniciados no vs. 25:

3. O gafanhoto, até onde os homens podem observar, não têm rei, mas de alguma maneira, pela inteligência que lhes dá seu cérebro de microcomputador, eles sabem trabalhar juntos e concretizar os seus propósitos. Ver no *Dicionário* o artigo chamado *Praga de Gafanhotos*, onde são reveladas coisas admiráveis sobre esse inseto.

Antítese. Os gafanhotos são pequenos e não têm rei, mas, trabalhando juntos, podem realizar coisas admiráveis, embora destrutivas, que o autor sagrado deixa de lado, para não arruinar a metáfora. Cf. este versículo com o segundo capítulo do livro de Joel. Eles voam em admirável ordem, cobrindo grandes distâncias e até oceanos, e devastam plantações como se fossem um exército imenso (ver Jl 1.4-7). O tamanho dos gafanhotos é pequeno, mas o trabalho que fazem (embora destruidor) é imenso.

■ 30.28

שְׂמָמִית בְּיָדַיִם תְּתַפֵּשׂ וְהִיא בְּהֵיכְלֵי מֶלֶךְ׃ פ

O geco que se apanha com as mãos. Continuamos aqui a apresentar os pontos iniciados no vs. 25:

4. O geco ou lagartixa é um animal bem pequeno e fraco, e para nada serve senão para devorar insetos prejudiciais, como as baratas. O geco é essencialmente destituído de defesa, pelo que se pode, com facilidade, apanhá-lo com as mãos. No entanto, a lagartixa tem uma qualidade admirável que surpreende a todos, conforme se vê na antítese.

Antítese. A despeito de sua insignificância, a lagartixa pode ser encontrada nos palácios reais, porquanto há taças de sucção em suas patinhas, que lhe permitem subir por todos os lados e ficar de cabeça para baixo em um teto de casa. A lagartixa usa sua incomum capacidade de subir para chegar aos insetos de que ela se alimenta, garantindo assim o seu prazer e sobrevivência.

Algumas traduções e o Targum fazem esse pequeno animal ser a aranha. Essa criatura também se encontra nos palácios reais e é conhecida por causa de suas teias habilidosas, que exemplificam sua sabedoria e inteligência. As teias da aranha são eficazes para prover a aranha de suas necessidades diárias.

Lições Ensinadas por Esses Quatro Pequenos Animais. 1. Eles compensam sua pequenez e falta de forças com alguma espécie de sabedoria, embora pouco compreendida. 2. Desempenham tarefas gigantescas com suas habilidades especiais. 3. Trabalham juntos em esforços comunitários eficazes. 4. Mostram-se diligentes. 5. Proveem sua própria proteção e sobrevivência contra grandes desigualdades. 6. Servem de ilustrações da sabedoria e *Providência de Deus*, que cuida de toda a sua criação. Ver no *Dicionário* o verbete chamado *Providência de Deus*.

■ 30.29

שְׁלֹשָׁה הֵמָּה מֵיטִיבֵי צָעַד וְאַרְבָּעָה מֵיטִבֵי לָכֶת׃

Há três que têm passo elegante, sim, quatro que andam airosamente. Os vss. 29-31 fornecem outro conjunto de provérbios numéricos. Ver sobre Pv 7.7 quanto a esse tipo de apresentação. Em Pv 22.17 demonstro os vários modos de arranjo dos provérbios, sob o título *Apresentação das Declarações*. Agora o leitor nos dá três, ou melhor, quatro ilustrações de lições valiosas ensinadas por animais maiores, em contraste com os minúsculos animais dos vss. 25-28. Esses animais de maior porte têm uma caminhada elegante e também se comportam de maneira elegante. Ver no *Dicionário* o verbete denominado *Andar*. Eles inculcam destemor e confiança naquilo que são e podem fazer. É uma bela cena contemplar esses animais caminhando. O andar do homem bom também deveria ser belo de contemplar.

30.30

לַיִשׁ גִּבּוֹר בַּבְּהֵמָה וְלֹא־יָשׁוּב מִפְּנֵי־כֹל׃

Considere o leitor os pontos seguintes:
1. O leão é, com toda a razão, chamado de rei dos animais. Ele caminha pelas savanas, e nenhuma criatura ousa desafiá-lo. Ele lança medo no coração de todos e não tem medo de ninguém. Disse Aristóteles, em sua obra *História* ix.44: "O leão nunca foge, nem treme. Ele pode ser forçado a retroceder, por causa de um grande número de outros animais, mas mesmo assim recua lentamente, um passo de cada vez". Ele tem uma fé audaz em si mesmo, tal como o homem bom tem uma fé audaciosa em Deus, e, assim sendo, entrega a sua vida ao princípio do bem. O leão tem uma infalível confiança em sua própria força, e nós, os crentes, confiamos na força do Ser divino para tudo quanto precisamos em nossa vida.

Sinônimo. Enquanto outros animais fogem, alarmados, com facilidade, o leão finca o pé. Ele não faz meia-volta diante de outra criatura. Ele controla a si mesmo e faz tudo à sua maneira, não se inclinando às ordens de outros. Portanto, que um homem seja alguém que "diga as coisas que realmente sente, e não diga coisas próprias de quem se ajoelha", conforme diz a letra de uma canção popular. O leão não volta as costas para ninguém nem para algum animal, pois sabe quão forte é. Ele avança decidido, e não em fraqueza; e o homem bom deve imitar essa qualidade, por amor à bondade e ao seu trabalho.

30.31

זַרְזִיר מָתְנַיִם אוֹ־תָיִשׁ וּמֶלֶךְ אַלְקוּם עִמּוֹ׃

O galo, que anda ereto, o bode. Continuamos aqui os pontos iniciados no vs. 29:
2. O galo tem um comportamento arrogante e autoconfiante. O hebraico diz aqui, literalmente, "cintado", ou seja, o galo é "fino nos lombos". Essa palavra hebraica tem sentido obscuro, pelo que há muitas conjecturas a respeito: o galo; o cavalo; o leopardo; vários pássaros; a abelha; a águia. *Dotado de cintura fina* poderia ajustar-se a certo número de animais diferentes.
3. O bode é um animal mal-humorado e líder do rebanho caprino e ovino. Ele tem um olhar arrogante que o coloca bem dentro das descrições dos quatro animais de "passo elegante", cheio de autoconfiança.
4. Finalmente, deixando de lado os animais, o autor descreve o rei, que caminha orgulhosamente defronte de seu povo, tentando comunicar força e ousadia. A expressão "a quem não se pode resistir" inclui uma palavra de sentido desconhecido no original hebraico. Isso deu margem a várias conjecturas. Alguns estudiosos pensam em "quando seu exército está com ele"; mas outros conjecturam "contra quem não há levante" ou "rebelião", o que parece estar por trás da nossa versão portuguesa. O Targum diz: "o rei, que se levanta e fala na casa de seu povo", o que também é uma conjectura.

Apresento significados metafóricos e espirituais possíveis para os vss. 29-31 nos comentários sobre os vss. 29 e 30.

30.32

אִם־נָבַלְתָּ בְהִתְנַשֵּׂא וְאִם־זַמּוֹתָ יָד לְפֶה׃

Se procedeste insensatamente em te exaltares. Temos aqui um trio, pois as duas primeiras declarações falam de pecados insensatos, ao passo que a terceira é uma linha métrica antitética, que serve de conclusão à primeira e à segunda linha. Considere o leitor os pontos seguintes:
1. O orgulho é condenado. O orgulho é ato próprio de um insensato que caminha ao longo do palco da vida, como um grande fingido. Ver o orgulho e a humildade contrastados, em Pv 11.2; 13.10; 14.3; 15.25; 16.5,18; 18.12; 21.4 e 30.12. Ver sobre *olhos altivos*, em Pv 6.17.
2. Além disso, há aqueles que planejam o mal, resolvidos a prejudicar ou ferir outras pessoas. Tais se valem da ajuda de outros e os convencem a aceitar palavras enganosas para aliar-se em planos iníquos.
3. A antítese faz contraste com o orgulho e os planos iníquos, que aparece na primeira e na segunda linha. As palavras "põe a mão na boca" significam "Cessa!" Cessa em teu orgulho, cessa nos teus planos maldosos. Ou então o sentido é: "Para de te jactares de quão grande és tu, bem como de teus maus desígnios". É típico dos pecadores jactar-se de seus pecados, o que constitui seu orgulho, ao passo que deveria ser a sua vergonha.

"Abstende-vos de toda desculpa e defesa quanto ao passado; procurai não falar; parai vossos maus esquemas" (Fausset, *in loc.*). "Clamai a Deus: *Imundo, imundo!* mas conservai-vos em silêncio diante de todas as outras pessoas" (Adam Clarke, *in loc.*).

30.33

כִּי מִיץ חָלָב יוֹצִיא חֶמְאָה וּמִיץ־אַף יוֹצִיא דָם וּמִיץ אַפַּיִם יוֹצִיא רִיב׃ פ

O autor encerra com um *trio* de declarações contra as contendas e as desavenças. Ele emprega duas metáforas e então faz observações sobre elas. Considere o leitor os pontos seguintes:
1. O fabrico de manteiga requer um trabalho cansativo. A palavra-chave aqui é "bater" (o leite), formando uma metáfora do ato de *forçar* a contenda mediante a agitação provocada pela ira. "Mediante violenta agitação, chamada o *bater* do leite, a manteiga é produzida" (John Gill, *in loc.*).
2. O *espremer* do nariz produz sangue, pois esse ato de violência rompe os capilares que não podem mais conter o sangue que possuem, e o sangue escorre.
3. *A ira é uma agitação* que produz a contenda. A palavra hebraica traduzida por "nariz" é *'ap*, e vem da mesma raiz que a palavra "ira" (no hebraico, *'appayim*), pelo que temos aqui um jogo de palavras. O orgulho e a ira militam contra a humildade. Ver no *Dicionário* o verbete *Contenda*. A agitação provocada pela ira produz a contenda. O sábio põe a mão sobre a boca (vs. 32). "Irritando as paixões dos homens e provocando-os com palavras de repreensão, que causam a ira, esses atos produzem contendas, inimizades e atos judiciários que não terminam logo. Por conseguinte, esse tipo de conduta deve ser cuidadosamente evitado" (John Gill, *in loc.*). A última linha leva-nos a compreender o uso errôneo das palavras, o assunto abordado em cerca de cem provérbios. Ver isso ilustrado em Pv 11.9,13 e 18.21.

CAPÍTULO TRINTA E UM

PALAVRAS DE LEMUEL (31.1-9)

O próprio texto não dá informações sobre esse homem, exceto que ele tinha uma mãe piedosa que lhe ensinou os conceitos aqui repetidos. O nome "Lemuel" significa "devotado a Deus". Várias conjecturas "aumentam" (ou confundem) o nosso conhecimento a seu respeito. Ver no *Dicionário* o artigo sobre *Lemuel*, quanto ao pouco que pode ser dito ou conjecturado sobre ele.

"Uma mãe conta ao filho os perigos representados pelas mulheres de costumes frouxos (vs. 3; cf. 23.26-38) e pelo vinho (Pv 31.4-7; cf. 23.29-35) e o faz lembrar as responsabilidades de ser o campeão da causa da justiça (vss. 8,9)" (Sid S. Buzzell, *in loc.*).

31.1

דִּבְרֵי לְמוּאֵל מֶלֶךְ מַשָּׂא אֲשֶׁר־יִסְּרַתּוּ אִמּוֹ׃

Palavras do rei Lemuel, de Massá. *Lemuel* é aqui chamado de rei, e, no entanto, não somos informados sobre qual era o seu reino. O texto hebraico massorético literal diz como segue: "Palavras de Lemuel, o rei, oráculo que sua mãe lhe ensinou". Como oráculo podemos dar o nome próprio "Massá" (ver sobre Pv 30.1). Essa poderia ser uma referência a uma tribo árabe, a leste da Palestina. Nesse caso, Lemuel pode ter tido alguma conexão com Agur, autor de Pv 30.1 ss. Aqui, neste capítulo, temos outro sábio árabe que contribuiu com algumas poucas afirmações. Quanto a essa fonte não judaica e quanto ao problema dos empréstimos feitos de fontes literárias não hebraicas, ver as notas de introdução a Pv 30, chamadas *Empréstimos*. Usualmente, os ensinos do pai mostram-se proeminentes, mas nos outros dois textos, os ensinos maternos é que foram enfatizados (ver Pv 1.8 e 6.20).

Massá. Está em foco aqui uma *profecia* inspirada pela experiência mística, um toque divino. Nesse caso, a mãe de Lemuel devia ser uma profetisa. No entanto, alguns estudiosos preferem emprestar à palavra "Massá" um sentido geográfico. Dou uma explicação completa dessa palavra em Pv 30.1.

■ 31.2

מַה־בְּרִי וּמַה־בַּר־בִּטְנִי וּמֶה בַּר־נְדָרָי׃

Que te direi, filho meu? Ó filho do meu ventre? Este versículo indica que Lemuel nasceu de uma mulher piedosa, que talvez tenha sido profetisa. Seu nascimento foi resposta a uma promessa feita por ela, como o voto feito pela mãe de Samuel. Ver 1Sm 1.11. A palavra aqui traduzida por "filho" vem do aramaico, e não do hebraico, o que, possivelmente, indica uma data posterior, ou então um contexto não hebraico. Mas a questão de um "voto" subentende que tudo aconteceu "no templo". Nesse caso, o meio ambiente teria sido hebraico, e talvez a mãe de Lemuel fosse convertida à fé dos hebreus. Mas isso talvez seja ver demais em um versículo, com base em bem pouca evidência. "As petições de uma mãe a seu filho geralmente mostram-se mais eficazes quando ela primeiramente pleiteara diante de Deus em favor dele" (Fausset, *in loc.*). "As mães eram consideradas com grande veneração nos países do Oriente, sendo tratadas com respeito (ver Pv 1.8 e 6.20). O Targum e o siríaco fazem a mãe de Lemuel repreendê-lo devido à vida que ele tinha escolhido, exibindo os vícios mencionados em seguida e chamando-o de volta à vereda reta, o caminho que ele tinha aprendido da parte dela; mas essa interpretação parece fora de lugar aqui.

■ 31.3

אַל־תִּתֵּן לַנָּשִׁים חֵילֶךָ וּדְרָכֶיךָ לַמְחוֹת מְלָכִין׃

Não dês às mulheres a tua força. Um *versículo* é dedicado a advertir contra as mulheres de costumes frouxos, um tema comum do livro de Provérbios. Cf. Pv 2.16-19; 5.1-14; cap. 7; 22.14 e 23.27,28. Ver no *Dicionário* os artigos chamados *Prostituta, Prostituição* e *Adultério*, quanto a detalhes completos. Se este livro geralmente salienta os resultados deprimentes das astúcias femininas, o livro de Provérbios, mediante *grande omissão, nunca apresenta* uma passagem que mostre as astúcias de homens sedutores, bem como a confusão que eles criam na sociedade, o que é bem mais frequente no mundo "lá fora".

O ato de "dar a própria força às mulheres" refere-se aos efeitos debilitantes do sexo excessivo, e também poderia aplicar-se à atividade sexual legítima mas exagerada. Mas a segunda linha, *sinônima*, é definitivamente contra o uso ilegítimo de uma função que debilita tanto os homens. Naturalmente, o exemplo de Salomão e suas mil mulheres nos vem à mente. Estritamente falando, ele tinha setecentas esposas e trezentas concubinas. Suas práticas lamentáveis, bem como os maus resultados disso (sobretudo a idolatria), são descritas em 1Rs 11.

■ 31.4

אַל לַמְלָכִים לְמוֹאֵל אַל לַמְלָכִים שְׁתוֹ־יָיִן וּלְרוֹזְנִים אוֹ שֵׁכָר׃

Não é próprio dos reis, Lemuel. Os vss. 2-7 fornecem uma longa advertência contra o uso imoderado das bebidas fortes, o que também é um tema comum no livro de Provérbios. Essa prática, tão usual entre os monarcas orientais, era um "vício de corte" especial. Os festejos constantes eram sempre acompanhados pela bebedeira. Lemuel estaria subjugado à pressão de seus pares para dar festas de vinho. Cf. este texto com Pv 20.1; 23.20,21,29-35. Um rei precisa ter a mente desanuviada, se quiser governar bem. As bebidas alcoólicas anuviam a mente, atrapalham a memória e causam uma conduta escandalosa, coisas impróprias para um rei alegadamente sábio.

Sinônimo. Essa linha estende a proibição da ingestão de vinho a todos os governantes, incluindo os subordinados do rei, os seus oficiais. Como é natural, eles também se envolviam nas festas de vinho e no deboche que, naturalmente, as acompanhava. Ver no *Dicionário* os seguintes verbetes: *Bebida Forte, Bebedice; Bebida, Beber* e *Alcoolismo*, quanto a um tratamento completo sobre o assunto. Cf. também este versículo com 1Rs 16.9; 20.16; Ec 10.17. "A perversão da justiça como resultado da folia também foi observada por Is 5.22,23. Cf. com o conselho de Paulo contra esse abuso, em 1Co 7.31.

Maus Exemplos. Ver os casos de Elá (1Rs 16.8,9), Ben-Hadade (1Rs 20.16) e Belsazar (Dn 5.2-4), e cf. Os 7.5; Is 28.7; 56.12 e Ef 5.18.

Mulher virtuosa, quem a achará?
O seu valor muito excede ao de finas joias.
Provérbios 31.10

MULHER

Quando uma bela mulher se entrega à loucura, e descobre muito tarde que o homem atraiçoa, que encanto existe que lhe tire a tristeza?
E que arte pode haver que lhe enxugue as lágrimas?
Oliver Goldsmith

Ai! O amor das mulheres!
Sabe-se que é coisa amável e temível!
Lord Byron

Não dês às mulheres a tua força.
Provérbios 31.3

Quero, entretanto, que saibais ser Cristo o cabeça de todo homem, e o homem o cabeça da mulher, e Deus o cabeça de Cristo.
1Coríntios 11.3

■ 31.5

פֶּן־יִשְׁתֶּה וְיִשְׁכַּח מְחֻקָּק וִישַׁנֶּה דִּין כָּל־בְּנֵי־עֹנִי׃

Para que não bebam, e se esqueçam da lei. Depois de *beber excessivamente*, quem pensaria na lei e em suas instruções? A lei era o *guia* dos judeus (ver Dt 6.4 ss.). Na lei está a *vida* (ver Dt 4.1; 5.33; Ez 20.1). Ela tornava Israel *distinto* entre as nações (ver Dt 4.4-8). Talvez toda essa conversa sobre a lei nos permita compreender que Lemuel e sua mãe se converteram à fé hebraica, mas alguns veem nisso uma indicação de que o nome *Lemuel* é apenas um artifício literário, dando várias fontes informativas aos Provérbios a fim de fomentar sua universalidade.

Sinônimo. Um dos piores resultados específicos da ingestão de bebidas alcoólicas é a perversão da *justiça*, a qual é um dos principais interesses dos reis. As bebidas fortes atingem um rei em um ponto vital, e ele terminará sendo um rei pervertido com um estilo de vida duvidoso, conforme aconteceu com tantos reis orientais. Ver no *Dicionário* o artigo chamado *Justiça*. Um rei que beba acabará envolvendo-se na opressão, e seus companheiros de boêmia complicarão a vida em todo o reino. A perversão da justiça, em resultado da libertinagem, também é observada em Is 5.22,23. Ver também 1Co 7.31. Cf. Ec 2.3. E os *aflitos*, que mais necessidade têm da ajuda do rei, terminam oprimidos, em vez de auxiliados, e isso seria uma grande injustiça que corromperia o reino. Quanto a *aflitos*, cf. Pv 22.4.

Somos informados sobre a história de certa mulher que fez um apelo a Filipe, rei da Macedônia, quando esse monarca estava embriagado. Ele deu um julgamento desfavorável acerca da mulher, pelo que ela disse: "Devo apelar para Filipe, mas somente quando ele estiver sóbrio". Isso o levou a ter um segundo pensamento, mais sóbrio. Ele revisou o caso quando estava sóbrio e, dessa vez, tomou uma decisão favorável à mulher (*Valer. Maxim.* 1.6, cap. 2).

■ 31.6

תְּנוּ־שֵׁכָר לְאוֹבֵד וְיַיִן לְמָרֵי נָפֶשׁ׃

Dai bebida forte aos que perecem. Abstinência total não é recomendada aqui. Há certas ocasiões em que beber um pouco é útil, pelo menos de acordo com a estimativa da mãe de Lemuel. Uma dessas ocasiões é quando um moribundo estiver sofrendo. O álcool pode suavizar as dores. O soldado ofereceu a Jesus uma bebida forte, estando ele na cruz, mas o Senhor rejeitou a bebida (ver Mt 27.34). Em nossos dias existem maneiras mais eficazes de aliviar a dor. Mas no antigo Ocidente norte-americano o whisky era um anestésico comumente usado para aliviar as dores quando se tinha de extrair uma bala de um homem, ou quando uma pessoa era submetida a cirurgias.

Sinônimo. O espírito ferido também se pode beneficiar de alguns poucos goles de bebida alcoólica, e isso é o que comumente ocorre hoje em dia. Essa máxima é corretamente posta em dúvida como ato moral legítimo. Com grande frequência, as pessoas se sentem infelizes por terem de fazer uso de alguma coisa alcoólica para aliviar sua preocupação. Pelo menos, as declarações provavelmente significam que homens menores algumas vezes usam a bebida para algum propósito legítimo; esse não era o caso de um rei, que não podia arriscar-se.

■ 31.7

יִשְׁתֶּה וְיִשְׁכַּח רִישׁוֹ וַעֲמָלוֹ לֹא יִזְכָּר־עוֹד׃

Para que bebam, e se esqueçam da sua pobreza. *Outro* uso alegadamente legítimo das bebidas fortes é destacado neste versículo: o homem pobre que está deprimido por ser tão pobre e oprimido pode dar-se ao luxo de usar bebidas alcoólicas ocasionalmente, mas dificilmente isso poderia ser aplicado ao caso de um rei. A linha *sinônima* supõe que as bebidas alcoólicas serão eficazes para aliviar a carga que o homem pobre tem de carregar. Ele não sentirá a miséria, pelo menos durante algum tempo, mas em breve estará bebendo de novo para receber outra folga temporária. Por conseguinte, pode parecer um bom conselho; mas, eventualmente, pode transformar-se em *excesso*, e esse é o perigo que envolve a ingestão de álcool. É melhor deixar em paz as bebidas alcoólicas e encontrar algum outro matador das dores e suavizador das preocupações mentais. O nosso texto, como é natural, ensina a *moderação* (ver a respeito no *Dicionário*), mas esse é um alvo difícil de atingir. Seja como for, o rei deveria manter-se afastado da tentação de até mesmo beber com moderação. A mãe do rei Lemuel, entretanto, abriu exceções para outras pessoas.

■ 31.8

פְּתַח־פִּיךָ לְאִלֵּם אֶל־דִּין כָּל־בְּנֵי חֲלוֹף׃

Abre a tua boca a favor do mudo. Os vss. 8,9 exigem que o rei seja sensível em relação à *justiça para todos*. O *mudo* figurado não pode proferir palavra e, assim sendo, não pode pleitear a sua própria causa, mesmo quando justa. Quem sabia falar bem haveria de condená-lo. Ao rei, pois, cabia impedir o aborto da justiça, fazendo intervenções pessoais ou cuidando para que os injustiçados obtivessem um bom advogado. Ele tinha de defender os que eram incapazes de defender a si mesmos. O rei tinha o poder de intervir nos tribunais, e assim realmente deveria agir para fazer cessar a injustiça.

Sinônimo. Nos casos desesperadores, em que um homem deve ser executado por crimes que não cometeu, ou receber multa pesada ou alguma outra sentença destrutiva, tudo mostra que o rei deveria fazer-se presente para calar aqueles que atacavam e condenavam o homem inocente. Ver quanto ao testemunho falso e ao testemunho veraz, em Pv 12.17; 14.5,25; 19.5,9,28; 25.18; 28.21. Quanto ao *Suborno*, ver Pv 15.27.

■ 31.9

פְּתַח־פִּיךָ שְׁפָט־צֶדֶק וְדִין עָנִי וְאֶבְיוֹן׃ פ

Abre a tua boca, julga retamente. Este versículo atua como uma espécie de sumário das ideias do vs. 8. O rei não podia manter a boca fechada quando as injustiças dos tribunais ameaçavam. O rei deveria estar presente, fazendo valer a sua voz, conforme diz uma moderna expressão idiomática, ou então deveria enviar um representante que o fizesse. Ele deveria calar a boca dos acusadores falsos, desmantelando os casos falsos dos advogados escroques. Deveria exigir a justiça da parte de juízes que se mostrassem corruptos ou que se deixassem arrastar facilmente por conversas espertas.

"Imitai a Deus, que é o patrono das viúvas e dos órfãos!" (Fausset, *in loc*.). Os *pobres* (no hebraico, *'ani*, aflitos e humildes) e os *necessitados* (no hebraico, *'ebyon*, os que tinham necessidade especial de ajuda; ver Pv 30.14 e 31.20), tão facilmente oprimidos, são precisamente aqueles que o rei, como justo governante, precisa defender.

A ESPOSA VIRTUOSA (31.10-31)

É apropriado que o livro de Provérbios termine com uma nota elevada e feliz sobre as mulheres, as quais, anteriormente (exceto como mães), tinham sido descritas em termos tão negativos. Assim é que temos visto estudos sobre *mulheres contenciosas* (ver Pv 19.13; 21.9; 24.24; 27.15), que são companhias indesejáveis. Então vimos bastante sobre as mulheres de *costumes frouxos* (ver Pv 22.14; 23.27; 27.13; 29.3; 31.3). Mas as mães são elogiadas, se tiverem cumprido direito o seu dever de treinamento de crianças (ver Pv 1.8,9; 10.1 e 17.25).

Esse *elogio à boa esposa* foi escrito em estilo *acróstico*, no qual a primeira letra de cada verso segue a ordem do alfabeto hebraico. Talvez o autor, mediante esse modo de apresentação, quisesse mostrar que estava trabalhando de maneira bastante exaustiva no assunto ou, pelo menos, de maneira bem ordeira e bem pensada. Na introdução ao Salmo 34, apresento notas expositivas mais detalhadas sobre o *artifício acróstico literário*.

"Esta seção final do livro de Provérbios é um poema acróstico que exalta a pessoa de uma nobre esposa. Cada um dos seus 22 versos começa com uma letra consecutiva do alfabeto hebraico. Os versos foram escritos por Lemuel ou pela mãe dele, por Salomão ou por algum desconhecido" (Sid S. Buzzell, *in loc*.).

■ 31.10

אֵשֶׁת־חַיִל מִי יִמְצָא וְרָחֹק מִפְּנִינִים מִכְרָהּ׃

Mulher virtuosa, quem a achará? *Alefe*. Não é fácil encontrar uma esposa boa (virtuosa). Quando um homem consegue encontrar uma boa esposa (a linha *sinônima*), é como encontrar um tesouro formado por joias. Rute foi chamada de *mulher virtuosa* (ver Rt 3.11). O termo hebraico, *hahil*, significa basicamente "capaz". Ou seja, essa mulher é vista como dotada de nobre caráter e conhecimento sobre coisas úteis, que fomentam seu ofício de esposa e de mãe. As *aplicações espirituais* deste versículo fazem a lei, o Espírito Santo, Cristo, o evangelho etc. ser simbolizados pela mulher.

Este texto é um *espelho para as mulheres* (Matthew Henry). A mulher aqui é um *ideal raro*, mas todas as mulheres podem possuir *alguma coisa* dessas virtudes.

> *A mulher virtuosa é a coroa do seu marido, mas a que procede vergonhosamente é como podridão nos seus ossos.*
> Provérbios 12.4

■ 31.11

בָּטַח בָּהּ לֵב בַּעְלָהּ וְשָׁלָל לֹא יֶחְסָר׃

O coração do seu marido confia nela. *Bete*. O marido da mulher virtuosa confia nela, o que significa que ela: 1. era sexualmente fiel a ele; 2. cumpria seus deveres de esposa; 3. demonstrava seu nobre caráter por meio de ações; 4. tinha capacidade de gerenciar a sua casa; 5. não dilapidava o dinheiro e os bens materiais do casal em coisas supérfluas.

Sinônimo. Se a nobre e virtuosa mulher realizasse bem todos os seus deveres, então na residência deles não haveria falta de coisa alguma. Antes, ela teria todo o necessário para um bom gerenciamento. A casa prosperaria de modo adequado. A palavra hebraica *shalal* significa *saque*, e isso podia significar que o homem não teria de sair à guerra, ou, de alguma outra maneira, não precisaria obter saque para sustentar sua casa. Em termos modernos, ele não teria de *trabalhar no turno da noite*, depois de trabalhar o dia inteiro, em seu emprego regular. E também não precisaria ter dois empregos para sustentar a casa. "Ele não teria de sair em excursões predatórias para prover o necessário à sua família, às expensas de tribos circunvizinhas" (Adam Clarke, *in loc*.).

■ 31.12

גְּמָלַתְהוּ טוֹב וְלֹא־רָע כֹּל יְמֵי חַיֶּיהָ׃

Ela lhe faz bem, e não mal. *Guimel*. A *boa* esposa fará o *bem* ao seu marido, desde o dia em que se casaram até um deles morrer, quando os dois, finalmente, se separarão. Ela fará o bem e evitará atos errados e feitos impensados que o prejudiquem. Ela continuará seguindo o *abc áureo* da esposa ideal, conforme disse Crawford H.

Toy. "Esse tipo de esposa é uma vantagem, e não uma desvantagem para o seu marido. O bem que vier ao homem será diretamente atribuído a ela. Ela o apoia e o encoraja" (Sid S. Buzzell, *in loc.*).

Sinônimo. A mulher virtuosa é coerente e persistente naquilo que faz. Enquanto viver, continuará a seguir o caminho da fidelidade. "... na enfermidade, na adversidade e na idade avançada" (Fausset, *in loc.*). A bondade dela não tem mistura alguma com o mal e é de longa duração.

■ 31.13

דָּרְשָׁה צֶמֶר וּפִשְׁתִּים וַתַּעַשׂ בְּחֵפֶץ כַּפֶּיהָ׃

Busca lã e linho. *Dalete*. Naqueles dias, em que ainda não havia lojas de departamentos que vendessem roupas feitas, e era caro demais contratar profissionais que fizessem o trabalho, esperava-se que a esposa fosse uma boa costureira. Ela tinha linho para fazer roupas de linho enfeitadas e usava lã mais durável (derivada dos rebanhos) para fazer roupas comuns. A mulher cuidava das roupas comuns e das roupas enfeitadas, para ocasiões especiais. Ela desenvolvia suas aptidões mediante o treinamento com sua mãe e tinha o cuidado de passar essas habilidades para suas filhas. Essa era uma profissão necessária para todas as esposas, a menos que o homem fosse rico e treinasse as escravas de sua casa para fazer o trabalho. Ver o vs. 22 quanto a outras habilidades com tecidos que as mulheres geralmente tinham. Dessa maneira, a esposa embelezava a casa, e não somente proveria o necessário.

Sinônimo. Essa mulher virtuosa tinha não somente habilidade, mas também tinha coragem de trabalhar, uma mente bem disposta e mãos diligentes. O hebraico diz aqui, literalmente, "no deleite de suas mãos". Em outras palavras, o que ela fazia, fazia com entusiasmo, e aquilo que é feito dessa maneira obviamente é mais bem feito. A mulher virtuosa não pensava que o trabalho doméstico era uma droga, para então fugir para alguma carreira secular. "Até as princesas, nos dias primitivos, faziam trabalho doméstico (ver Gn 18.6; 27.14)" (Fausset, *in loc.*). Isso também acontecia com as mulheres gregas e romanas, pelo que estamos tratando aqui com um *antigo costume*, muito diferente do que se vê em nossos dias modernos. Certos mitos gregos e romanos chegavam a atribuir habilidades manuais às *deusas*. Segundo se diz, foi Minerva quem fez a primeira máquina de fiar (Virgílio, *Cyrin.* 1939). As filhas de Minias e as ninfas também faziam tecidos e vestes (Ovídio, *Fast.* 1.3; Virg. *Metamorph.* 1.4; Fab. 1).

■ 31.14

הָיְתָה כָּאֳנִיּוֹת סוֹחֵר מִמֶּרְחָק תָּבִיא לַחְמָהּ׃

É como o navio mercante. *He*. A mulher virtuosa contava com mercados perto de sua casa, para comprar seu suprimento alimentar. Mas ela também tinha conhecimento sobre bens importados e trazia para casa algumas dessas mercadorias. Sabia onde conseguir esses bens para deleite de seus familiares. A segunda linha, que é *sinônima*, diz-nos que ela se sacrificava a fim de garantir boas refeições e ia buscar *longe* os alimentos consumidos pela família. Essa parte do versículo revela-nos que a família referida não pertencia às classes pobres, mas no mínimo à classe média alta. Note o leitor que a mulher virtuosa tinha escravas (servas), vs. 15. Isso está em consonância com a mentalidade dos hebreus, de que a bondade resulta na prosperidade. O autor esforça-se para evitar que *pensemos como os pobres pensam*. A mulher virtuosa traz coisas interessantes e incomuns para preparar diferentes tipos de refeições. Ela não prepara somente feijão e arroz. Talvez buscasse de mercados longínquos, supridos pelos navios que cruzavam o mar Mediterrâneo. Se vivesse perto do mar, então ela descia a portos para trocar mercadorias diretamente. Naturalmente, também havia mercadorias que chegavam de terras mais interiores, trazidas por caravanas de camelos, como as que vinham do Egito, bem como de países do norte e do nordeste, a Síria e a Babilônia. A mulher virtuosa provavelmente vendia suas mercadorias (os artigos fabricados por ela) nesses mercados, a fim de obter dinheiro, e também comerciava alguns itens diretamente.

■ 31.15

וַתָּקָם בְּעוֹד לַיְלָה וַתִּתֵּן טֶרֶף לְבֵיתָהּ וְחֹק לְנַעֲרֹתֶיהָ׃

É ainda noite, e já se levanta. *Vave*. A mulher virtuosa *costumava levantar-se cedo,* conforme fazem quase todas as pessoas que trabalham arduamente e se interessam em conseguir trabalho. De fato, um dos principais segredos para quem quiser fazer um grande trabalho é ter coragem suficiente para levantar-se cedo. Essas pessoas já fizeram metade do seu trabalho quando outras pessoas ainda estão bebericando o seu café. A mulher virtuosa se levantava quando ainda está escuro, ou seja, de madrugada, antes do nascer do sol. Outras pessoas da casa também costumavam levantar-se cedo, pelo que todos os moradores (exceto as crianças) já estavam de pé, incluindo as servas. Todos tomavam café bem cedo, e então cada qual partia para o seu trabalho. Seja como for, trabalhar arduamente importa em muita diversão, pelo que todos se divertiam. Que a mulher virtuosa tinha *escravas* às quais dava ordens, fornece um contexto bastante rico para esta passagem, servindo também de triste comentário sobre o costume da escravatura no mundo antigo. Ver no *Dicionário* o artigo chamado *Escravo, Escravidão*.

O ideal da feminilidade, nesta passagem, não é a reclusão das casas orientais, nem é a vida monástica, mas é a mulher ativa na casa, trabalhando e dando ordens a suas ajudantes. A esposa ideal é trabalhadora diligente e sábia, sempre visível, sempre produtiva. A *delegação de trabalho,* por parte da mulher virtuosa, consiste na segunda linha sinônima da declaração. Ela não somente trabalhava bem, pessoalmente; também era uma boa gerente da casa. Tanto a versão da Septuaginta quando o Targum falam das *obras* que a mulher delegava a outras mulheres, e não das porções de alimentos que ela providenciava para todos.

■ 31.16

זָמְמָה שָׂדֶה וַתִּקָּחֵהוּ מִפְּרִי כַפֶּיהָ נָטַע כָּרֶם׃

Examina uma propriedade e adquire-a. *Zaine*. Essa nobre e industriosa dama não somente é uma operária-gerente em casa, mas também está ali comprando e vendendo propriedades para dar segurança aos seus familiares. Presume-se que ela use corretamente o dinheiro de seu marido, pelo que faz alguma poupança, à qual adiciona algo que ela mesma ganha. Portanto, ela tem o dinheiro, o capital para a compra de propriedades. Esse tipo de trabalho usualmente era feito pelos homens, mas isso fala da elevada posição ocupada por *algumas* mulheres nos países do Oriente. Naturalmente, estamos falando da mulher ideal, dínamo de energia e modelo de justiça. Não estamos falando da esposa ordinária que nunca negociaria propriedades.

Sinônimos. A segunda linha assegura-nos que a mulher inacreditavelmente ideal é tão sábia que não somente negocia terras, mas também é capaz de plantar seu próprio vinhedo para ganhar mais dinheiro. Como é natural, muito do gerenciamento da obra dos outros está em pauta. Ela precisava de ajuda naquilo que fazia. Talvez o campo comprado (primeira linha) tenha sido transformado em vinha (segunda linha). Assim sendo, ela terminou dirigindo um *negócio literal,* e o dinheiro seria dedicado à família. Havia dinheiro para ser investido. Uma situação bastante abastada está sendo aqui descrita, mas note-se: o *trabalho duro* levou a família aonde ela estava. Ao trabalho árduo foi adicionada a sabedoria de uma mulher incomumente sábia, e, com essa combinação, como poderia haver perda? Os *frutos* adquiridos seriam *investidos*, e não dilapidados em coisas supérfluas. O autor fala sobre a *sabedoria* possuída por poucas pessoas.

■ 31.17

חָגְרָה בְעוֹז מָתְנֶיהָ וַתְּאַמֵּץ זְרֹעוֹתֶיהָ׃

Cinge os seus lombos de força. *Hete*. A dama em pauta enrola a saia e as mangas da blusa para trabalhar arduamente. Ela não tem problema de atitude. Gosta de trabalhar e tornou-se fisicamente forte nessa prática e, por trás dessa força física, há uma vontade forte. Ver as vestes atadas para que possa haver uma atividade forte, em Êx 12.11; 1Rs 18.46; Jó 38.3. Quanto ao "braço" como símbolo de força (a linha sinônima), ver Sl 77.15; 89.10 e 98.1. "Ela evitava o que debilitaria o seu corpo ou amoleceria a sua mente" (Adam Clarke, *in loc.*).

31.18

טָעֲמָה כִּי־טוֹב סַחְרָהּ לֹא־יִכְבֶּה בַלַּיְלָה נֵרָהּ׃

Ela percebe que o seu ganho é bom. *Tete.* Este versículo nos leva de volta aos vss. 15,16. Além de levantar-se *cedo*, ela fica de pé até *altas horas* da noite, trabalhando em suas roupas e atividades mediante as quais pode ganhar algum dinheiro. A linha *sinônima* diz-nos que várias pessoas podem ver a sua lamparina acesa até tarde da noite, o que lhes permite saber que ela trabalha noite adentro. A média de oito horas de trabalho não é bastante para os empreendimentos da mulher virtuosa. Ela não é mulher de ficar olhando para o relógio. Quando não está trabalhando em algum projeto, está planejando o próximo projeto. "As cinco virgens cujas lâmpadas não se apagaram foram elogiadas por sua previsão (ver Mt 25.4). O apagar de uma lamparina retratava a calamidade (ver Jó 18.6; Pv 13.9; 20.20)" (Sid S. Buzzell, *in loc.*). O homem produtivo é alguém cujo labor nunca cessa. Enquanto outros dormem, ele trabalha. A lamparina da mulher virtuosa fala de esperança, a esperança de uma vida melhor para a sua família; e ela jamais permite que essa lamparina se apague. O versículo (e, de fato, a passagem inteira) tem sido aplicado aos ministros da igreja, à missão de Cristo, à luz do Senhor, que é esperança, e a outras questões espirituais. Cf. Rm 8.24 e 1Co 9.10.

31.19

יָדֶיהָ שִׁלְּחָה בַכִּישׁוֹר וְכַפֶּיהָ תָּמְכוּ פָלֶךְ׃

Estende as mãos ao fuso. *Iode.* O principal trabalho da mulher virtuosa (mas não o único, conforme o texto seguinte deixa claro) consiste em fiar, produzir vestes e preparar objetos bordados, tanto roupas para a família como enfeites para a casa (vs. 22), além de artigos a serem vendidos para obter dinheiro que impulsionem outras atividades.

"Ela faz roupas fiando a lã ou o linho (vs. 13) usando o eixo de um fuso" (Sid S. Buzzell, *in loc.*). O *fuso* é a vara em torno da qual os fios eram enrolados ou desenrolados. "Diferentes eram as mãos dela, em relação à maioria das mulheres, que só usam as mãos para se enfeitar diante do espelho" (Fausset, *in loc.*).

Este versículo tem sido espiritualizado para significar a produção diligente de obras boas e beneficentes. A primeira linha fala de um instrumento de labor, e a linha sinônima representa o outro instrumento, os quais eram ambos necessários ao processo. Isso pode falar da preparação apropriada e do método de trabalho sem os quais o projeto pode cair no caos.

31.20

כַּפָּהּ פָּרְשָׂה לֶעָנִי וְיָדֶיהָ שִׁלְּחָה לָאֶבְיוֹן׃

Abre a mão ao aflito. *Cafe.* Além de servir à própria família, ela possuía o bastante para distribuir entre os pobres e também tinha a atitude certa para assim agir. Ela também cumpria o ideal da *generosidade*, a medida de qualquer pessoa. Ver no *Dicionário* o verbete *Liberalidade, Generosidade.* No judaísmo posterior, a caridade e a doação de esmolas eram *virtudes* principais. Ver também, no *Dicionário*, os verbetes chamados *Caridade* e *Bondade.* Não é suficiente que um homem seja justo, é mister que seja *generoso*, outro nome para o *Amor* (ver o artigo). Cf. Rm 5.7, onde é feita a distinção entre *justo* e *bom.* Ver Pv 19.17, que tem uma mensagem similar e notas que também se aplicam aqui.

Sinônimo. A segunda linha duplica a ideia da primeira, substituindo a palavra "aflito" por "necessitado", que usualmente significa a mesma coisa. Os pobres quase sempre são necessitados, pelo que deve haver alguém que supra aquilo de que precisam.

31.21

לֹא־תִירָא לְבֵיתָהּ מִשָּׁלֶג כִּי כָל־בֵּיתָהּ לָבֻשׁ שָׁנִים׃

No tocante a sua casa, não teme a neve. *Lamede.* O inverno estava chegando e roupas grossas se faziam necessárias. A mulher virtuosa não temia o inverno e as tempestades de neve. Ela começa a agir e faz as roupas pesadas que protegerão os entes queridos de sua casa. Chega o inverno. Mas quem se importa com isso? É como diz uma antiga canção popular: "As condições do tempo estão terríveis, mas a fogueira lá dentro é deleitosa; logo, enquanto tu me amares, que neve! Que neve! Que neve!" — e é assim que acontece. Quanto à neve na Palestina, ver 2Sm 23.20; Sl 147.16.

Sinônimo. Cada membro da família veste roupas de *duas* camadas. A Septuaginta e a Vulgata Latina dizem *duplas* (traduzindo o texto hebraico *shenayim*), em vez de *escarlate* (no hebraico, *shanim*). Alguns eruditos preferem essa emenda. Outros, porém, preferem ficar com a palavra "escarlate" e pensam estar em foco vestes *caras.* De fato, as vestes próprias para o inverno são caras, visto serem feitas de tecido pesado e serem elaboradamente moldadas, para manter o frio do lado de fora. O Targum, Jarchi e Aben Ezra também preferem a palavra "escarlate"; e John Gill diz que a palavra "dupla" teria requerido o dual no original hebraico, que o texto não contém. Se *escarlate* sugere a ideia de "calor", é difícil perceber por que as roupas de inverno devessem ser dessa cor. Provavelmente há aqui uma referência histórica que se perdeu.

31.22

מַרְבַדִּים עָשְׂתָה־לָּהּ שֵׁשׁ וְאַרְגָּמָן לְבוּשָׁהּ׃

Faz para si cobertas. *Meme.* O guarda-roupa da mulher virtuosa é luxuoso, feito de ótimos tecidos e belas cores, mas ela também adorna a sua casa com tapetes. Ela faz da casa um lugar belo e atrativo, onde se acham prazer e alegria. A primeira linha fala de adornos domésticos, e a segunda, *sinônima*, fala de decoração pessoal. A mulher virtuosa tem um ótimo senso de estética e decoração e põe isso para trabalhar. "Ela atende aos confortos necessários de sua casa antes de pensar em sua própria satisfação" (Fausset, *in loc.*). Alguns estudiosos pensam estar em foco as *cobertas* das camas. Os lares abastados dos países orientais tinham tapetes até nas paredes e cobertas enfeitadas, como se fossem tapetes, nos leitos. A palavra hebraica aqui envolvida, *marbaddim*, era lata o bastante para indicar toda a espécie de cobertas, incluindo tapetes do assoalho. As roupas da mulher virtuosa eram feitas com a melhor seda e eram tingidas de púrpura. Vestes desse tipo eram muito dispendiosas. A mulher virtuosa era elegante. Era uma ótima pessoa em uma ótima casa — uma pessoa ideal em um ambiente ideal.

31.23

נוֹדָע בַּשְּׁעָרִים בַּעְלָהּ בְּשִׁבְתּוֹ עִם־זִקְנֵי־אָרֶץ׃

Seu marido é estimado entre os juízes. *Nune.* A dama nobre tinha um marido nobre, conhecido nas portas da cidade como juiz ou abastado mercador. Ver Pv 1.21 quanto às *portas.* A mulher, sábia e industriosa como era, fomentava a posição de seu marido entre os outros homens da comunidade. Por outra parte, ele tinha o seu próprio prestígio, pois a *mulher virtuosa* não se casaria com qualquer um.

Sinônimo. O bom homem tinha ocupado seu lugar entre os mais importantes da comunidade, os anciãos que administravam a justiça nas portas da cidade. "Embora ela fosse uma mulher obviamente agressiva e competente, agia de maneira que honrava a liderança de seu marido, em lugar de denegri-la. Ela o respeitava e o edificava" (Sid S. Buzzell, *in loc.*). Cf. Pv 22.22b. "Não tendo ansiedades domésticas, ele era livre para fazer o que lhe competia na vida pública" (Ellicott, *in loc.*).

31.24

סָדִין עָשְׂתָה וַתִּמְכֹּר וַחֲגוֹר נָתְנָה לַכְּנַעֲנִי׃

Ela faz roupas de linho fino, e vende-as. *Sameque.* A mulher virtuosa nunca desistia de seu comércio particular, o que já vimos nos vss. 16 e 18. Ela fazia roupas finas que podia vender, ou *roupas de linho* — roupas feitas, segundo alguns entendem essas palavras. "Provavelmente referia-se a uma capa grande, usada por cima das roupas, durante a noite. Os 'mercadores', literalmente, eram os 'cananeus'. Os fenícios ou cananeus eram negociantes tão notórios que o nome deles tornou-se sinônimo de mercador" (Charles Fritsch, *in loc.*).

Sinônimo. Outro item fabricado pela mulher virtuosa eram as *cintas,* faixas postas sobre a cintura. Havia cintas feitas de tecido de seda e outros tecidos nobres, definitivamente itens de exportação. Alguns desses itens eram decorados com ouro e prata, ou pedras preciosas. As vestes orientais frouxas eram confinadas no lugar por essas faixas. Ver no *Dicionário* o artigo chamado *Cinto,* quanto a detalhes. Vários sentidos figurados são vinculados a essa ideia, que explico no artigo. A dama tinha costureiras habilidosas, pelo que sempre havia mercadores ansiosos por comprar suas peças. Assim sendo, ela também contribuía para que eles ganhassem algo, e não trabalhava meramente em benefício próprio. Seja como for, o trabalho árduo rende proveito.

A tradução árabe, aqui, é interessante: "Ela faz toalhas de mesa e vende-as aos habitantes de Basra (cidade da Mesopotâmia), e ótimas peças de linho, e vende-as aos cananeus".

■ 31.25

עֹז־וְהָדָר לְבוּשָׁהּ וַתִּשְׂחַק לְיוֹם אַחֲרוֹן׃

A força e a dignidade são os seus vestidos. *Aine*. A mulher *virtuosa* fazia belas roupas (vss. 22), e ela mesma se vestia com belas roupas metafóricas: a força e a dignidade, que eram qualidades morais e espirituais que a embelezavam. Tais vestes espirituais serviam-lhe de alegria e proteção. Cf. Sl 147.16.

Sinônimo. De acordo com algumas traduções, essa dama se regozija naquilo que ela sabe que o futuro reserva para ela. Outros dizem aqui "ela se ri do futuro", tão grande é sua autoconfiança. Ela sabe que suas qualidades morais atrairão a proteção e as bênçãos de Deus, pelo que também, no futuro, coisa alguma poderá insuflar-lhe o medo. Ela enfrenta o futuro com confiança enquanto outros vivem cheios de ansiedade. As formigas se preparam para o futuro, demonstrando sabedoria recomendável aos homens (ver Pv 6.6-8). Além disso, não devemos tomar as coisas levianamente, nem nos jactar do futuro (ver Pv 27.1), mas isso não significa que não podemos confiar a respeito.

Este versículo tem sido cristianizado para falar da esperança em Cristo e da vida eterna, e sobre isso podemos regozijar-nos e não sentir temor algum.

■ 31.26

פִּיהָ פָּתְחָה בְחָכְמָה וְתוֹרַת־חֶסֶד עַל־לְשׁוֹנָהּ׃

Fala com sabedoria. *Pe*. Vimos que a mulher virtuosa é generosa (vs. 20) e agora tomamos conhecimento de que ela é *bondosa*. Não basta alguém ser justo, é preciso também ser *bondoso*, conforme fica implícito em Rm 5.7. Além de todas as suas outras virtudes, a mulher virtuosa também é *mestra* da sabedoria, e uma de suas principais lições é sobre a bondade, segundo se vê na segunda linha, *sinônima*. A mulher virtuosa conseguira destacar-se no terreno intelectual, mas canalizava isso como um apelo para viver a lei do amor. "Ela cuidava de interesses superiores e sabia guiar aqueles com quem falava, com a sua sabedoria" (Ellicott, *in loc.*). Quanto a textos sobre o uso próprio e impróprio da língua, ver as notas de sumário em Pv 11.9,13 e 18.21. Cerca de cem provérbios abordam esse tema.

Um sobrinho de Henry James perguntou o que deveria fazer com a sua vida. Sua resposta foi: "Três coisas na vida são importantes. A primeira é ser *bondoso*. A segunda é ser *bondoso*. E a terceira é ser *bondoso*".

Bondoso. Simpático, gentil, amoroso. Essa é outra palavra usada para falar sobre a lei do amor.

■ 31.27

צוֹפִיָּה הֲלִיכוֹת בֵּיתָהּ וְלֶחֶם עַצְלוּת לֹא תֹאכֵל׃

Atende ao bom andamento da sua casa. *Tsade*. A mulher virtuosa faz um bom trabalho de gerenciamento e supervisão, cuidando de cada detalhe de sua casa e de cada membro da família. Ela não corria para todos os lados, ocupando-se com os negócios de outras pessoas, usando de maledicências, assistindo a intermináveis novelas, metendo-se na vida dos outros ou atarefando-se em outras atividades próprias das "mulheres".

Sinônimo. A mulher virtuosa "não comia o pão da ociosidade". Cf. o "pão da tristeza", em Sl 127.2. "Comer" é uma metáfora que significa "estar ocupado com", "achar importante", como se fosse algo essencial ou vital. A dama virtuosa mostrava-se industriosa (vss. 13 e 17). No entanto, neste versículo, a expressão parece significar: "comer pão que a pessoa não ganhou com seu trabalho, visto andar no ócio o tempo todo". Em outras palavras, a mulher virtuosa ganhava com seu trabalho tudo quanto obtinha. Ela não era um parasita.

■ 31.28

קָמוּ בָנֶיהָ וַיְאַשְּׁרוּהָ בַּעְלָהּ וַיְהַלְלָהּ׃

Levantam-se seus filhos, e lhe chamam ditosa. *Cofe*. A mulher *virtuosa* merece louvores, e os primeiros a reconhecer isso são os seus filhos. Eles se levantam e a ovacionam, entusiasmados! Eles a chamam de bem-aventurada, feliz, e a elogiam sem isenção. Ela não tem defeitos e nunca incorre em erro. É um anjo disfarçado, ou assim parece ser. A maior coisa que seus filhos podem fazer é louvá-la e seguir o seu bom exemplo. Nenhuma mulher conseguirá ultrapassar o bom exemplo deixado por ela, mas muitas se tornarão exemplos significativos para outros, se tentarem sinceramente.

Sinônimo. O marido da mulher virtuosa, mais difícil de impressionar e agradar que os filhos, concordará de modo absoluto com a aclamação dos filhos. Ele também se levantará e a ovacionará de bom grado. Ele não encontra no que criticá-la, e dirá somente palavras de louvor. Seu marido a louvará quando ela sair a fazer algum trabalho, e na porta da cidade dirá: "Ela é a maior mulher do mundo". E, realmente, mesmo que haja no mundo uma mulher parecida com ela, inquestionavelmente, ela será a *maior*. É como diz uma antiga canção:

E quando os anjos me pedirem para relembrar
Quem é a maior, responderei:
"Ela é a maior, ela é a maior,
Ela é a maior de todas elas".

■ 31.29

רַבּוֹת בָּנוֹת עָשׂוּ חָיִל וְאַתְּ עָלִית עַל־כֻּלָּנָה׃

Muitas mulheres procedem virtuosamente. *Reche*. A esposa e mãe era também uma *filha* de Israel, pelo que "filha" era um sinônimo virtual para *mulher*. Além disso, o casamento não desfez os laços originais de família da mulher, que continuavam a exercer autoridade sobre ela, pelo que ela continuava sendo uma *filha* daquela família. Seja como for, aquela *filha* tinha ultrapassado a todas as outras, embora houvesse muitas outras mulheres virtuosas e notórias. Isso também elevou o prestígio dessa nobre mulher, visto que ela tinha ultrapassado a muitas mulheres excelentes. A *excelência* é a segunda linha da declaração, sinônima. Ela era a mais nobre das mulheres entre uma companhia piedosa de mulheres que se notabilizavam. O termo "filha" era, com frequência, usado para indicar *afeto*, e talvez esse seja o motivo pelo qual o termo se encontra neste versículo.

Este versículo tem sido cristianizado para falar da igreja, a noiva de Cristo, a qual, espiritualmente falando, ultrapassa em excelência a todas as noivas.

■ 31.30

שֶׁקֶר הַחֵן וְהֶבֶל הַיֹּפִי אִשָּׁה יִרְאַת־יְהוָה הִיא תִתְהַלָּל׃

Enganosa é a graça e vã a formosura. *Chine*. A formosura por muitas vezes engana. Rebrilha em alguém e obtém vantagens para si mesma. Por muitas vezes é enganadora, insincera, calculista. O autor sacro falava do famoso encanto feminino, sobre o qual todos nós bem sabemos. O valor de uma mulher não está em sua influência psicológica nem reside em sua beleza física, tão agradável, mas, afinal, algo *vão*, por não ser uma qualidade real e duradoura. Tanto o encanto como a beleza física são valores transitórios e, mesmo enquanto existem, não são valores autênticos. Ambas as coisas afagam o orgulho, a indolência, a concupiscência e o mau temperamento. "As graças externas não perduram" (Ellicott, *in loc.*).

Beleza. "Elegância de formas, simetria na fisionomia, dignidade nas maneiras, beleza do rosto, todas essas coisas são vãs. A enfermidade as deforma; o sofrimento as macula e a morte as destrói" (Adam Clarke, *in loc.*).

Antítese. Em contraste com aqueles "valores" encantadores mas duvidosos, está o verdadeiro valor, o "temor do Senhor"; isso é o que realmente vale para um homem ou uma mulher. Ver as notas de sumário sobre Pv 1.7; cf. Sl 119.38, e ver, no *Dicionário*, o artigo chamado *Temor*, quanto a detalhes. Esse é o *lema* do livro de Provérbios, apropriadamente reiterado aqui, no fim do livro. Portanto, esse lema começa e encerra o livro. Reflete a espiritualidade do Antigo Testamento, que tem a lei como guia. Produz a vida, porquanto promove a sabedoria (ver Pv 4.13). O homem ou a mulher que possuem sabedoria serão *elogiados* tanto pelos homens quanto por Deus. A mulher que a possui tem favor e beleza duradouros, verdadeira fé e graça, harmonias e simetrias da alma. Ela merece louvor permanente e é dotada de beleza imorredoura. Os olhos de Deus estão sobre ela, comunicando-lhe a sua graça.

31.31

תְּנוּ־לָהּ מִפְּרִי יָדֶיהָ וִיהַלְלוּהָ בַשְּׁעָרִים מַעֲשֶׂיהָ׃

Dai-lhe do fruto das suas mãos. A *mulher virtuosa* trabalha arduamente em favor de outros e tem grande responsabilidade, a qual cumpre com um desígnio altruísta. Mas ela não será deixada de fora. Ela também se beneficiará do bem que fizer. Não perderá a sua recompensa. O favor do homem e de Deus lhe pertence. Ela colherá muitos frutos agradáveis de seus labores. As *obras* dela se erguerão e lhe darão uma viva ovação, juntamente com as ovações de seus filhos e de seu marido (vs. 28).

Sinônimo. A mulher virtuosa é uma dama famosa, tão incomum é. Até os anciãos nas portas falarão ocasionalmente sobre ela, elogiando-a e observando sua graça incomum. Eles falarão de sua diligência no trabalho, bem como de sua sabedoria e autêntica espiritualidade. Afinal, ela é o paradigma do sexo feminino, o principal exemplo a ser seguido por todas as mulheres da aldeia. Essa mulher possui as qualidades que foram exaltadas por todo o livro e tornou-se um *exemplo* a ser seguido, tanto por homens como por mulheres.

Sendo a principal matrona da aldeia, ela deixou três coisas para os filhos de sua comunidade: *exemplo, exemplo, exemplo.*

Há um *tributo histórico* prestado por Adam Clarke à esposa de Samuel Wesley, mãe de John e Charles Wesley, que ilustra admiravelmente o texto e encerra de modo apropriado nossos comentários sobre esta passagem. É também uma nobre exortação à prática de *valores duradouros*:

A Susana Wesley
Esposa de Samuel Wesley
E mãe de John e Charles Wesley

Conheci pelo menos uma mulher que se equiparava a ela, uma filha do Rev. Dr. Samuel Annesly, esposa de Samuel Wesley, pai, reitor de Epworth, em Lincolnshire, e mãe dos falecidos e extraordinários irmãos, John e Charles Wesley. Sinto-me constrangido a adicionar este testemunho, depois de ter acompanhado a vida dela, do nascimento à morte, através de todos os relacionamentos que uma mulher pode ter na face da terra. O cristianismo dela deu às suas virtudes e excelências uma elevação que uma matrona judia não era capaz de possuir. Ademais, ela era mulher de grande erudição e estava muito bem informada, dotada de mente profunda e alcance de pensamento, como raramente se encontra entre as filhas de Eva, e não muito frequentemente entre os filhos de Adão.

ECLESIASTES

O LIVRO QUE EXPRESSA O PESSIMISMO E O CETICISMO DO HOMEM NATURAL

> *Vaidade de vaidades! Diz o pregador; vaidade de vaidades! Tudo é vaidade!*
>
> ECLESIASTES 1.2

| 12 | Capítulos |
| 222 | Versículos |

INTRODUÇÃO

ESBOÇO:
I. Caracterização Geral
II. Autor
III. Integridade
IV. Inspiração Histórica da Obra
V. Data
VI. Canonicidade
VII. Uso e Atitudes Cristãs
VIII. Conteúdo
IX. Bibliografia

I. CARACTERIZAÇÃO GERAL

Este livro representa um tipo pessimista de literatura de sabedoria oriental, que mistura declarações otimistas que sugerem que um segundo autor pudesse estar envolvido, ou que um compilador posterior misturou os sentimentos expressos por dois autores diferentes. O título, no hebraico *Qoheleth*, que significa Pregador ou Orador da Assembleia, foi traduzido por *ecclesiastes*, no grego (Septuaginta), de onde também deriva o título em português. À base do vocábulo hebraico temos o substantivo *kahal*, "assembleia". Presumivelmente, foi o próprio Salomão quem convocou a assembleia para entregar seus discursos de grande sabedoria. Este livro contém uma coleção um tanto frouxa de material, sendo difícil estabelecer um estrito esboço do seu conteúdo. O trecho de Ec 9.17—10.20 poderia ser incluído no livro de Provérbios. Algumas porções apresentam o autor refletindo sobre suas próprias experiências ou admoestando outras pessoas, em vez de dirigir um discurso formal a algum tipo de assembleia. A *integridade* do livro é difícil de ser defendida. Quanto a peças literárias, este vocábulo aponta para o conceito de que o livro foi produzido essencialmente por um único autor, e que existe até hoje conforme foi originalmente escrito. Ver sob esse título.

II. AUTOR

Precisamos lembrar que, nos tempos antigos, atribuir um livro a um autor famoso era considerado uma honra prestada a esse autor, especialmente se algumas de suas ideias estivessem sendo perpetuadas. Porém, muitas obras antigas eram atribuídas a pessoas bem conhecidas com o propósito próprio de promover certas ideias ou filosofias e com a esperança de que o nome vinculado ao livro ajudasse em sua distribuição. Os antigos simplesmente não pensavam como nós, no que concerne a essas práticas. Portanto, a afirmação de que certa pessoa é declarada autora de um antigo livro não garante que assim realmente tenha sucedido. Um exemplo notório dessa atividade aparece nos livros chamados *pseudepígrafos* (ver a respeito no *Dicionário*), uma coleção que tem vários nomes de profetas do Antigo Testamento ou líderes espirituais, como se eles fossem seus autores, embora a realidade tivesse sido outra. É significativo que os Manuscritos do Mar Morto incluam partes de vários destes livros, mostrando que as pessoas, bem ao lado da entrada de Jerusalém, consideravam-nos escritos sagrados. Não nos deveria surpreender, portanto, que alguns poucos dos livros *canônicos* da Bíblia, no Antigo e no Novo Testamento, tenham a eles nomes vinculados como autores, embora a realidade fosse outra.

O trecho de Eclesiastes 1.1 atribui o livro a Salomão. Mas Lutero negava a veracidade dessa afirmativa. De modo geral os eruditos liberais concordam com a avaliação de Lutero, e é seguro dizer que muitos intérpretes conservadores também o fazem. Unger afirma que poucos estudiosos conservadores de nossos dias continuam defendendo a tese de que Salomão foi o autor do livro.

Em favor de Salomão como autor do livro, temos a considerar os pontos seguintes:
1. Eclesiastes 1.1 atribui o livro a Salomão e 1.12,13 quase certamente também o faz.
2. A sabedoria da Salomão é refletida em vários textos, com declarações que mostram Salomão a falar. Ver Ec 1.16; 2.3-6 e 2.7,8.
3. O trecho de Ec 9.17—10.20 contém muitos provérbios, o que sugere que o autor do livro de Provérbios (Salomão) também foi o autor de Eclesiastes.
4. O caráter ímpar da linguagem e do estilo do livro parecem separá-lo das obras do período pós-exílico, conforme alguns acreditam ser sua data. Isso poderia ser explicado como o desenvolvimento, por parte de Salomão, de uma espécie de gênero de linguagem e expressão literária. Há alguma similaridade com os escritos cananeus e fenícios antigos, o que sugere que Salomão poderia ter tirado proveito dessa literatura, com adaptações próprias. M. J. Dahood, em seu artigo "Influência Cananeu-Fenícia no *Qoheleth*", *Biblica*, 33, 1952, defende essa comparação. Ele examinou inscrições e escritos que datam do século XIV a.C., os tabletes de Ugarite, o *Corpus Inscriptionum Semiticarum* e inscrições fenícias e púnicas. Tentou defender sua teoria com base em fatores como a ortografia fenícia, a inflexão dos pronomes e das partículas, a sintaxe e empréstimos léxicos, termos especiais referentes a itens comerciais e um vocabulário comercial. Os trechos de 1Rs 9.26-28 e 10.28,29 mostram que Salomão pode ter tido contato com a língua fenícia, tendo usado termos e expressões comerciais e estilos literários empregados pelos fenícios.

Contra Salomão como autor do livro, têm sido sugeridos os seguintes argumentos:
1. Coisa alguma é mais clara, nos documentos antigos, do que o fato de que as declarações que afirmam autoria com frequência são espúrias.
2. O autor sagrado pode ter sido um admirador de Salomão e de sua sabedoria, pelo que incluiu referências pessoais a ele, bem como circunstâncias de sua vida, embora esse autor não fosse o próprio Salomão. O que nos admira é que não existam ainda mais livros atribuídos a Salomão. O livro apócrifo, Sabedoria de Salomão, é outro exemplo do nome desse monarca judeu sendo usado para dar prestígio a um livro.
3. Um autor posterior poderia ter imitado os Provérbios de Salomão, tendo incluído no livro (Ec 9.17—10.20) uma breve compilação, chegando a tomar por empréstimo certos pensamentos, sem que ele mesmo fosse Salomão.
4. Os argumentos de natureza linguística poderiam provar uma data antiga para o livro de Eclesiastes, mas também demonstrariam que o autor dificilmente poderia ter sido o mesmo autor do livro de Provérbios. Ademais, um autor antigo, que tivesse escrito em um estilo bastante distinto, poderia ter tomado por empréstimo alguns elementos fenícios, sem que tivesse alguma conexão pessoal com Salomão. De fato, a verdadeira natureza distintiva deste livro parece militar mais contra Salomão, como seu autor, do que em favor dele, a menos que suponhamos que ele conseguisse escrever de duas maneiras inteiramente diferentes, quando passava de um livro para outro, algo que sabemos ser contrário ao que conhecemos a respeito dos autores e seus livros. A linguagem e o estilo literário são as impressões digitais dos autores, o que não se modifica facilmente de um livro para outro senão à custa dos mais ingentes esforços. Exemplos históricos disso são dificílimos de achar.
5. Certas ideias são contrárias à afirmação de que Salomão escreveu o livro de Eclesiastes. Alguns eruditos simplesmente não podem entender como um homem com a sabedoria de Salomão, com uma postura judaica ortodoxa, poderia ter escrito um livro tão pessimista quanto Eclesiastes. Paralelos egípcios e babilônios demonstram que tal livro poderia ter sido escrito na época de Salomão, mas é inteiramente possível que aquilo que achamos neste livro sejam invasões do pensamento helenista cético.

De fato, o propósito central do livro de Eclesiastes foi demonstrar que TUDO É VAIDADE ou inutilidade; que não existem valores permanentes, e que um jovem deveria cuidar para desfrutar o máximo de sua vida *(hedonismo!)*. (Ver Ec 1.2; 3.13 ss.; 11.9—12.8.) Outrossim, o jovem que fizer isso terá pairando sobre a sua cabeça o juízo divino, outro elemento da tese de que tudo é vaidade. "Faze o que bem entenderes; mas sabe que terás de pagar por isso." Esse é um conselho muito difícil de seguir. É possível que Salomão, no declínio e apostasia que

caracterizaram sua idade avançada, na verdade, tenha caído nesse tipo de armadilha; e, nesse caso, isso poderia refletir a autoria de Salomão.
6. Alguns linguistas detectam no livro de Eclesiastes um hebraico posterior, bastante diferente do hebraico da época de Salomão e mais próprio dos tempos helenistas.
7. O pregador mostrou ser muito mais um filósofo e suas atitudes foram bastante similares às atitudes dos filósofos epicureus gregos, após o período da guerra do Peloponeso (404 a.C.). A atitude negativa dos gregos contra a religião judaica reflete-se em livros como 1Macabeus e o Livro da Sabedoria, e o autor do livro de Eclesiastes parece ser um reflexo similar. O autor sagrado teria chegado ao mesmo tipo de conclusões a que chegaram seus vizinhos pagãos. O livro, pois, representa uma espécie de meio caminho na direção do paganismo, embora com o desejo de manter a posição da antiga fé. Por esse motivo, a lei continua sendo um elemento importante, e até mesmo o dever do homem (Ec 12.13), mas ela não conseguiu impedir que o autor sagrado chegasse a conclusões tão pessimistas.
8. Finalmente, há a questão da canonicidade. Ver a seguir a seção *Canonicidade*. Os próprios judeus não sabiam ao certo o que fazer com o livro de Eclesiastes. Se eles tinham certeza de que Salomão era o seu autor, não é provável que tivessem precisado de tanto tempo para incluí-lo no cânon do Antigo Testamento. A canonicidade do livro é algo que continuava sendo disputado nas escolas judaicas dos dias de Jesus Cristo.

Após o exame das evidências disponíveis, parece que a autoria salomônica repousa mais sobre o desejo de conservar a tradição do que sobre a consideração dos fatos envolvidos. As evidências inclinam-se em favor de uma produção helenista, e não de uma produção que antecede a quase 1000 a.C.

III. INTEGRIDADE

Alguns eruditos argumentam em favor de dois autores distintos que teriam estado envolvidos na escrita do livro de Eclesiastes, em vista de contradições nele encontradas. Outros estudiosos, porém, supõem que isso possa ser explicado pela atividade de algum editor. Há tentativas para atribuir ao Koheleth dois, três ou mais autores; mas as evidências em favor dessa forma de atividade estão longe de ser convincentes. Por outra parte, é patente que algum editor procurou corrigir a incredulidade expressa pelo autor. Esse autor tem sido chamado de "o maior herege da antiga literatura dos hebreus", e algumas de suas declarações deixam consternados os eruditos da Bíblia, desde que o livro de Eclesiastes foi escrito. Para começar, sua filosofia básica de que tudo é vaidade (Ec 1.2) é uma atitude pessimista que não concorda com o pensamento comum dos hebreus. O seu hedonismo (Ec 2.24 ss.; 11.9—12.8) dificilmente concorda com a ética dos hebreus. Uma mesma sorte atinge o sábio e o insensato (Ec 2.12-17), de acordo com ele, o que é contrário à essência da teologia hebreia. Ele chega mesmo ao extremo de dizer: "Pelo que aborreci a vida... sim, tudo é vaidade e correr atrás do vento" (Ec 2.17). Ele nega qualquer vantagem à sabedoria e ao conhecimento, pois essas coisas também produzem no homem o desespero (Ec 1.17,18). O sábio morre como o insensato, e ambos acabam no olvido (Ec 2.16,17). Ele também nega a imortalidade da alma, pois o destino do homem seria o mesmo que o destino de um animal irracional (Ec 3.18-20). O versículo que se segue especula que pode haver certa diferença entre um homem e um animal irracional — o espírito do primeiro subiria (para alguma outra forma de vida), ao passo que o espírito do segundo desceria, presumivelmente para ser esquecido — o que aparece sob a forma de uma indagação. O autor demonstra esperança, mas não exibe muita fé. Contudo, o trecho de Ec 12.7 afirma categoricamente que "o espírito volta a Deus". A maioria dos eruditos pensa que em tudo isso há a obra de um editor, ou de um segundo autor, que procurou suavizar o ceticismo do autor original. Ou o autor original, ao chegar ao final do livro, apesar do seu desespero, resolveu deixar a sua sorte nas mãos de Deus e manifestou-se em favor da imortalidade como um meio de reverter o dilema humano?

Quase todos os estudiosos acreditam que o trecho de Ec 12.9-14 consiste em adições editoriais. De fato, o nono versículo foi escrito na terceira pessoa do singular. Ele fala sobre o pregador como uma pessoa diferente dele mesmo. Outras provas de que houve um editor ou um segundo autor encontram-se em Ec 2.26, onde se faz clara distinção entre o sábio e o insensato. Ali lê-se que ao homem bom são conferidos sabedoria, conhecimento e alegria, ao passo que o ímpio é coberto de vexames. Isso suaviza um tanto a filosofia do livro: "Tudo é vaidade". O trecho de Ec 3.17 parece ser outra adição, visto que o autor apela para o julgamento divino como meio de estabelecer diferença entre o homem bom e o homem mau. O trecho de Ec 12.12 provavelmente constitui uma crítica ao autor original, por parte do editor, louvando as declarações do homem sábio, que aparece como um Pastor (vs. 11), e adverte contra passar daí, o que, como é evidente, ele pensava que o autor fizera em seu pessimismo. No vs. 14, ele apela novamente para o juízo divino e indica que este é importante, apesar das declarações pessimistas do autor, pois seremos julgados de acordo com aquilo que tivermos praticado. De fato, a passagem de Ec 12.9-14 é uma espécie de adição, onde são acrescidos valores e limitações ao livro, segundo o espírito de ortodoxia. Se algum editor esteve atarefado nisso, é provável que o tenha feito mediante declarações mais otimistas e ortodoxas.

Em favor da integridade do livro, alguns estudiosos pensam que as declarações contraditórias podem ser explicadas mediante a suposição de que um único autor ficou divagando em seus pensamentos, defendendo ora uma posição ora outra, mostrando-se assim contraditório, e isto sem se importar em procurar harmonizar ideias mais pessimistas com ideias mais otimistas. Além disso, muitos pensam ser estranho que um editor tentasse salvar uma obra herética, cuja publicação só serviria para prejudicar o judaísmo em sua corrente central. A primeira dessas sugestões é possível. Eu mesmo falo nesses termos, algumas vezes. A segunda dessas sugestões constitui uma boa resposta, até onde posso ver as coisas. Qualquer pessoa que raciocine sobre o livro, apesar de seu pessimismo, fica impressionada pelo fato de que ele é uma excelente peça literária. Suas declarações são sucintas e precisas, curiosas, às vezes, dotadas de penetrante discernimento. Há muitas boas citações, que são frequentemente ouvidas, extraídas desse livro. Um editor qualquer, fascinado pela beleza do livro, contentar-se-ia em procurar corrigir alguns pontos falhos, em vez de descartá-lo inteiramente. Sua excelência como peça literária é tão inequívoca que aqueles que finalmente fixaram o cânon hebreu (embora ortodoxo) não puderam deixar de incluí-lo, embora a questão há séculos viesse sendo debatida entre os judeus.

Minha conclusão a respeito é que temos apenas um autor principal do Eclesiastes, que um editor posterior procurou tirar as arestas da obra original, e que o trecho de Ec 12.9-14 é sua nota de rodapé, como uma sua conclusão sobre a obra do autor. Mas exatamente quanto material foi adicionado, é algo que terá de permanecer em dúvida.

IV. INSPIRAÇÃO HISTÓRICA DA OBRA

Se procurarmos entender o espírito deste livro, descobriremos que o autor era um *filósofo* que, embora judeu, havia sido influenciado pela pessimista filosofia dos gregos, especialmente da variedade epicureia. Os epicureus sentiam fortemente a inutilidade das coisas, objetando às ameaças de deuses imaginários, que receberiam homens que já teriam vivido de modo miserável, para fazê-los sentir-se mais miseráveis ainda, com seus múltiplos e horrendos julgamentos. Eles preferiam o olvido à imortalidade, como maneira de pôr fim a tanto sofrimento, e reduziam os poderes divinos, a entidades deístas. Se eles realmente existiam, então não teriam interesse nem pelo homem bom nem pelo homem mau. Devemos lembrar que nem todos os judeus ofereciam resistência à helenização. Nem todos os judeus retiveram sua fé ortodoxa em face de inimigos que avançavam destruindo e dispersando, e assim expunham filosofias que podem ter sido consideradas uma avaliação mais justa da vida do que a avaliação apresentada pelo judaísmo, embora essas outras filosofias fossem mais pessimistas. Se o livro de Eclesiastes foi escrito em torno de 225 a.C., então consiste em uma espécie de reafirmação daquilo que restou da fé judaica, visando algumas pessoas, fora da corrente principal do judaísmo, mas que continuavam judias. Muitos judeus haviam começado a duvidar da doutrina dos galardões divinos em favor dos piedosos e dos julgamentos divinos contra os iníquos. Eles chegavam a sentir que, afinal de contas, não há distinções fundamentais entre uns e outros. Nesta vida, a tragédia desaba sobre uns e sobre outros, igualmente; agora ambos vivem na inutilidade; e ambos entram no olvido, após a morte física. Não obstante, o autor sagrado exibe saudável respeito pela lei de Deus. Ele não se bandeara inteiramente para o pensamento pagão. Ver o quinto capítulo do livro, do começo ao fim. Esse foi o elemento que o editor enfatizou, em sua conclusão (Ec 12.13,14).

V. DATA
Se partirmos do pressuposto de que os argumentos em favor de Salomão como autor do livro de Eclesiastes são fortes, então teremos de pensar que a data de sua composição gira em torno da época de Salomão, cerca de 990 a.C. Impressiona-nos o caráter ímpar da linguagem usada e suas afinidades com as expressões fenícias, mesmo que não aceitemos Salomão como o autor do livro. E podemos supor que este livro seja bastante antigo, se é que sofreu a influência fenícia. Mas, se ficarmos impressionados pela similaridade de ideias com certas ideias helenistas, então talvez devamos pensar numa data de composição em torno de 225 a.C. A maneira como os próprios judeus disputaram sobre o livro, tendo-o incluído no seu cânon sagrado somente após muita relutância, a despeito de ele próprio reivindicar haver sido escrito por Salomão, pesa em favor da data posterior.

VI. CANONICIDADE
Ver no *Dicionário* o artigo geral sobre **Cânon**, do Antigo e do Novo Testamento.

Quando foi definido o cânon da Bíblia hebraica, por ocasião do concílio de Jamnia, em cerca do ano 90 d.C., muitos judeus opuseram-se ao livro de Eclesiastes, alegando que ele não era digno de se posicionar entre os Escritos Sagrados. E mesmo mais tarde, quando o livro já estava fisicamente presente na coletânea sagrada, supostamente investido de autoridade, muitos rabinos continuaram opondo-se a ele. Quando um judeu piedoso segurava algum livro sagrado, lavava as mãos em seguida, em demonstração de respeito. Mas muitos deles, após manusearem o livro de Eclesiastes, não pensavam que essa providência seria necessária, por não considerarem o livro uma obra inspirada. Seria apenas uma habilidosa peça filosófica, e não um dom do Espírito. Ver a Mishinah, *Yadaim* 3.5. Jerônimo, tão tarde quanto 389 d.C., conhecia judeus que se sentiam insatisfeitos com a inclusão do livro de Eclesiastes entre as Escrituras do Antigo Testamento. Não obstante, o livro tem encontrado um uso devido no seio do judaísmo. O livro de Eclesiastes é lido no terceiro dia dos *Sukkoth* (Tabernáculos), a tradicional festa da colheita entre os hebreus, com o propósito de lembrar aos homens a natureza transitória desta vida, e como uma advertência contra a cobiça pelas riquezas e vantagens materiais, além de servir para reiterar o importantíssimo princípio da necessidade de obedecer à lei de Deus como o maior e mais solene dos deveres humanos.

VII. USO E ATITUDES CRISTÃS
Os eruditos **liberais** não podem perceber o motivo para tantos debates. O livro volta-se contra certas crenças ortodoxas. E daí? Há pontos bons no texto: o livro exibe bons discernimentos; confere-nos uma melhor compreensão sobre certos desenvolvimentos do judaísmo... De que mais precisaríamos? E os *conservadores*, que têm de defender a ideia da inspiração a qualquer custo, para todos os livros do cânon, são forçados a acomodar-se ao livro, provendo razões *pelas quais* o Espírito Santo teria achado apropriado incluí-lo no cânon. As respostas quanto a essas questões são similares àquelas que acabo de frisar acerca do cânon. O livro diz algumas coisas boas sobre a natureza transitória da vida humana, sobre a vaidade das coisas e atividades terrenas, e contém alguns versículos que servem de excelentes citações. Mas que dizer sobre a sua *falta de ortodoxia*? Até hoje lembro-me de uma noite quando eu estava no escritório do presidente de uma das escolas teológicas que frequentei, quando ele fora chamado ao telefone. Alguém telefonara para fazer uma pergunta sobre o livro de Eclesiastes. Como é que declarações daquela ordem podem ter penetrado na Bíblia? Ele replicou dizendo que o Espírito deixou que esse livro fizesse parte da Bíblia a fim de mostrar-nos o que o *homem natural* pensa e como ele chega a conclusões negativas, enquanto não recebeu ainda a fé apropriada. Em outras palavras, o livro, em sua porção não-ortodoxa, serviria como uma espécie de exemplo ao contrário, mostrando-nos as coisas que devem ser evitadas, que precisam ser observadas e repelidas. Esse tipo de raciocínio parece atrativo para a mente ortodoxa. E não digo que é uma posição inútil, embora, de certa, maneira seja uma resposta superficial.

C. I. Scofield, em sua Bíblia anotada, diz *in loc.*, afirmando a posição conservadora da melhor maneira possível: "Este é o livro do homem *debaixo do sol*, que raciocina sobre a vida; é o melhor que o homem pode fazer com o conhecimento de que existe um Deus santo, e que ele levará tudo a juízo. As expressões-chaves são *debaixo do sol, percebi* e *disse em meu coração*. A inspiração mostrou acuradamente o que sucede, mas a conclusão e o raciocínio, afinal, são do *homem*. Sua conclusão de que tudo é vaidade, em face do julgamento, pelo que o homem não deve consagrar sua vida às coisas terrenas, certamente é verdadeira; mas a *conclusão* (12.13) é legal, o melhor a que o homem pode chegar, à parte da redenção, sem antecipar o evangelho".

Essa é uma boa declaração, mas mesmo assim continua sendo curioso que um livro herético encontrasse caminho até o cânon do Antigo Testamento, por causa de seu estranho encanto. Não há explicação que possa alterar a estranheza desse acontecimento.

VIII. CONTEÚDO
A discussão anterior nos provê a natureza essencial do conteúdo do livro de *Eclesiastes*. Abaixo damos um esboço acompanhando ideias bem gerais:

I. A Vaidade de Todas as Coisas (1.1-3)
II. Demonstração da Tese Básica da Vaidade (1.4—3.22)
  1. Todas as coisas na vida são transitórias (1.4-11)
  2. O mal é provado por seus resultados (1.12-18)
  3. Há inutilidade no lucro, no trabalho e nos prazeres (2.1-26)
  4. A morte mostra que tudo é inútil (3.1-22)
III. Um Desenvolvimento Mais Detalhado do Tema (4.1—12.8)
  1. As injustiças da vida mostram a inutilidade das coisas (4.1-16)
  2. As riquezas para nada servem (5.1-20)
  3. A brevidade e futilidade da vida do homem provam a inutilidade das coisas (6.1-12)
  4. A inescrutável providência divina prova a inutilidade das coisas (7.1—9.18)
  5. As desordens e frustrações da vida ilustram a vaidade (10.1-20)
  6. Jovens e idosos demonstram a inutilidade das coisas (11.1—12.8)
IV. Conclusão (12.9-14)

O dever inteiro do homem: guardar a lei na esperança de receber um bom julgamento divino.

IX. BIBLIOGRAFIA
AM G I IB KOH SCO UN Z

Ao Leitor
O estudante sério deste livro preparará o caminho para este estudo, lendo primeiramente a *Introdução*, onde são abordados assuntos como: caracterização geral; autor; integridade; inspiração histórica; data; canonicidade; uso e atitudes cristãs; conteúdo. A introdução é suficientemente longa para dar informações e compreensão úteis, mas não tão longa a ponto de desanimar o estudante. Este livro apresenta alguns problemas distintos, principalmente suas várias posições não ortodoxas, que têm levado os eruditos a indagar por qual motivo um livro como o de Eclesiastes foi incluído no cânon. Como é usual, alguns estudiosos conservadores negam que existam problemas reais, mas isso apenas demonstra a atitude de quem quer "conforto a qualquer preço, nem que seja à custa da honestidade", que permeia o fundamentalismo extremo.

Naturalmente, há problemas de pontos de vista conflitantes, dentro do mesmo livro, e posições não ortodoxas que um rabino médio teria aprovado. Mas esses são "problemas engraçados", que nos dão a oportunidade de investigar, usando a mente e testando nossas ideias. Em vez de tentar omitir-nos, destaquemos as palavras de Erasmo de Roterdã, quanto à necessidade e ao direito de fazermos *livres investigações*. Todos compartilhamos da liberdade de expressão no mundo político, mas qual mundo é mais fechado e qual desfruta menos liberdade de expressão que algumas instituições religiosas? Portanto, enquanto pensamos que a falta de liberdade de expressão "lá fora" é uma afronta à liberdade e aos direitos humanos, alguns estudiosos supõem que a liberdade de expressão, no seio da igreja, seja uma afronta contra a ordem correta das coisas. Aqueles que não se ajustam a isso são submetidos a um programa de perseguição. Nosso objetivo neste mundo não consiste em nos conformarmos, mas, sim, em crescer no conhecimento e na sabedoria. Portanto, lancemo-nos à discussão, sem rancor e sem ódio.

Muitas reflexões deste livro são as de um filósofo, e não tanto as crenças e os ensinamentos morais de um rabino hebreu. O autor evita a insistência sobre a *revelação* para a resolução de problemas. Pelo contrário, ele se mostra interessado na *investigação*, naquilo que via e observava, nas conclusões a que tinha chegado, no conhecimento que continuava buscando. Deus, para ele, como para muitos filósofos, é o *originador inescrutável* das coisas, bem como o determinador da sorte humana. Quanto ao lado *pessimista*, ele sentia que o caráter humano e as realizações não faziam diferença na sorte que eventualmente o atingiria. Quanto ao *lado otimista*, ele via o espírito humano retornando para Deus (Ec 12.7). Não obstante, no início do livro, não há atitude de retorno, e o destino humano é idêntico ao dos animais: o *nada* (Ec 3.18-20). Para muitos eruditos, tais declarações contraditórias indicam dois autores, e não um único, que mudou de atitude mental conforme foi avançando. De modo geral, os livros do Antigo Testamento são marcados pelo otimismo, mas certas partes caem no mais profundo pessimismo, cuja primeira definição é: "a própria vida é um mal".

Literatura de Sabedoria. O livro de Eclesiastes assume seu lugar paralelamente à literatura de sabedoria, embora, em muitas instâncias, trate-se de um reflexo dos pontos de vista pessimistas dessa forma de literatura. Ver *Sabedoria*, na terceira seção, da *Literatura de Sabedoria*, tanto a canônica como a não canônica.

Se a questão da data é controvertida, o tom racionalista do livro e suas reverberações das filosofias gregas apontam para uma data em torno do século III a.C., mas verificar a discussão na seção V da *Introdução*.

"A inclusão, na Bíblia, de uma obra que varia tanto com seu ensino dominante, causa perplexidade. Pode ser explicada por sua associação tradicional com Salomão, seu patrocínio por *homens sábios* e influentes, bem como pela inclusão de um pós-escrito ortodoxo (Ec 12.9-14), que exibe a posição religiosa à luz da qual o livro deve ser entendido" (*Oxford Annotated Bible*, na introdução ao livro). Tendo-se afirmado isso, outra coisa precisa ser dita: trata-se de um livro encantador e bem escrito (embora nenhuma tentativa tenha sido feita para conseguir uma estrutura formal), pleno de declarações concentradas, que atraem nossa atenção (embora algumas sejam bastante pessimistas e céticas). Em outras palavras, o tratado era simplesmente bom demais, considerado como um todo, para ser deixado de lado. Esse tratado oferece, para teólogos e filósofos, boa chance de exercerem sua capacidade de discussão, argumentação e debate.

Pode-se deduzir que o autor sacro, depois de muita pesquisa, veio a advogar o niilismo como filosofia de vida. Ver os comentários em Ec 2.25, que chegam a essa tentativa de conclusão. Ver na *Enciclopédia de Bíblia, Teologia e Filosofia* o artigo chamado *Niilismo*.

O Uso de Filosofia. O pregador (segundo a palavra hebraica correspondente) foi na realidade um filósofo. Era um hebreu que abordava a filosofia com alguma habilidade; no entanto, seu pessimismo explica as contínuas conclusões negativas apresentadas. É necessário saber algo sobre filosofia, para entender este livro. Ao longo do caminho, recomenda-se que o leitor examine na *Enciclopédia* os artigos indicados, para que compreenda o que o escritor sagrado estava tentando dizer.

EXPOSIÇÃO

CAPÍTULO UM

É impossível traçar o esboço deste livro, já que ele não segue nenhuma ordem ou divisão de *apresentação* dos temas. O melhor que podemos fazer é fornecer uma essência de cada capítulo. São tratados tantos assuntos diferentes, que podemos apenas apontar, aqui e ali, grupos de versículos que seguem, por algum tempo, um tema comum.

Literatura de Sabedoria. Quanto a uma discussão sobre a literatura de sabedoria canônica e não canônica, ver no *Dicionário* o artigo chamado *Sabedoria*, seção III. O livro de Eclesiastes é um membro canônico desse tipo de literatura.

Essência do Capítulo 1. "Koheleth (o pregador) assevera que o curso da natureza não se altera. O presente é como o passado; coisa alguma é nova, e essa eterna igualdade continua a ser a natureza da existência humana. O autor teve uma experiência de vida bem ampla e já havia aprendido que isso não nos conduz a nenhuma *vantagem duradoura*. A sabedoria que ele possuía não fazia diferença alguma em suas condições, exceto pelo fato de que isso aprofundava a tristeza causada por sua compreensão da utilidade da vida" (O. S. Rankin, introdução ao livro).

O autor sagrado não acreditava em um pós-vida com castigos pelo mal e recompensas pelo bem, e essa era a base real de seu pessimismo sobre a vida. Ver na *Enciclopédia de Bíblia, Teologia e Filosofia* o artigo chamado *Pessimismo*. A primeira definição do pessimismo é que a própria existência é um mal, sendo essa, essencialmente, a posição que o autor do livro de Eclesiastes (de modo tão contrário ao restante do Antigo Testamento) tomava. A conclusão ortodoxa do último capítulo do livro, provavelmente escrita por algum editor, reverte tal posição, mas esse não é o princípio orientador do livro de Eclesiastes.

INTRODUÇÃO: FUTILIDADE DE TODO EMPREENDIMENTO HUMANO (1.1-11)

A Vaidade de Todas as Coisas (1.1-3)

O autor identificou-se (vs. 1), afirmou seu tema inicial (vs. 2) e defendeu-o.

■ 1.1

דִּבְרֵי֙ קֹהֶ֣לֶת בֶּן־דָּוִ֔ד מֶ֖לֶךְ בִּירוּשָׁלָֽ͏ִם׃

Palavra do Pregador, filho de Davi. No hebraico original, "pregador" é tradução de *koheleth*, termo que também tem sido traduzido por *filósofo*, visto que o livro é como o discurso de um filósofo pessimista, e não tanto como a pregação de um rabino ou de um homem sábio. O autor chamou a si mesmo de filho de Davi, rei de Jerusalém, o que nos dá razões para compreender que se tratava de *Salomão*. A maior parte dos críticos, entretanto, pensa tratar-se de uma convenção literária, e não de uma declaração séria de que Salomão tenha sido o *verdadeiro autor* de Eclesiastes. Os costumes antigos, no tocante à autoria de um livro, *permitiam* esse ponto de vista, já que um homem podia escrever no nome de outrem; é o que se dá no caso presente, no qual Salomão, o mais sábio dos homens, aparece como o autor sagrado, honrando-o como tal, ou, pelo menos, assim o verdadeiro autor sacro o apresentou. Os antigos estavam acostumados a essa espécie de "autoria", embora a questão fosse anacrônica. Em outras palavras, não podemos aplicar nossas ideias sobre a alegada imoralidade de tais reivindicações. Os antigos nada viam de errado nessa prática, a qual refletia uma forma literária generalizada, como também um costume usual. Lutero negava a veracidade da reivindicação da autoria de Salomão, e muitos outros estudiosos emitem a mesma opinião, com base no conteúdo do livro, que, segundo eles sentiam, não poderia ser atribuído ao mais famoso sábio de Israel. Ver esse assunto, com opiniões a favor e contra, na *Introdução*, seção II. Quanto a uma nota mais detalhada sobre a palavra hebraica *koheleth*, ver a seção I da *Introdução*, I, *Caracterização Geral*.

■ 1.2

הֲבֵ֤ל הֲבָלִים֙ אָמַ֣ר קֹהֶ֔לֶת הֲבֵ֥ל הֲבָלִ֖ים הַכֹּ֥ל הָֽבֶל׃

Vaidade de vaidades! diz o Pregador. O pregador continuava a pregar, ou, então, o filósofo continuava o seu discurso pessimista, lançando seu fundamento: *tudo é vaidade* (no hebraico, *hebhel*, isto é, mero *sopro*, um bafo de vento). O bafo de vento vai e vem, mas coisa alguma acontece; coisa alguma é importante; coisa alguma se reveste de relevância; coisa alguma tem substância; a vida humana é vã e inútil: essa é a posição do *pessimismo* (ver a respeito na *Enciclopédia de Bíblia, Teologia e Filosofia*).

Os montes gemeram nas dores do parto;
Grandes expectativas encheram a terra.
E eis! um ratinho nasceu.

Fedro, Fábulas, IV.22.1

"Vaidade, *sopro*, indicando a natureza infrutífera, a falta de alvo, o vazio e a transitoriedade de tudo quanto sucede à face da terra (cf. Ec 2.26)" (O. S. Rankin, *in loc.*).

Note o leitor que a palavra hebraica *hebhel* foi usada cinco vezes neste versículo. "Quatro dessas vezes são a dupla repetição de uma construção no *superlativo*, no hebraico, que poderia ser traduzida por 'vaidade de vaidades' (*King James Version*); *sem sentido, sem sentido!*" (Donald R. Glenn, *in loc.*, que conseguiu assim comunicar a natureza enfática da declaração).

Tudo é vaidade. Isto é, toda a vida e todos os empreendimentos humanos, incluindo a obtenção de sabedoria, tão valorizada entre os sábios do Oriente. Todavia, esse "sábio" apresentava uma sabedoria canhestra, eloquente, sim, mas totalmente pessimista.

Este versículo apresenta a nota-chave do livro inteiro de Eclesiastes. O vocábulo "vaidade" ocorre 37 vezes aqui, e somente 33 vezes no restante do Antigo Testamento.

O propósito do livro de Eclesiastes é "ensinar a natureza insatisfatória de todas as coisas terrenas, e também que, por todos os lados, abundam necessidades, tristezas e temores" (Fausset, *in loc.*). O epílogo ortodoxo procura redimir tudo isso, mas, sem dúvida, foi feito por um editor posterior que tentou tornar o livro mais aceitável aos ouvidos dos judeus. O epílogo (capítulo 12) encontra valor em Deus; e isso exprime uma verdade, embora essa não seja a luz orientadora do livro. De fato, o princípio normativo do livro de Eclesiastes são as trevas, e não a luz. Ver Ec 12.8, que é uma duplicata deste versículo e encerra as palavras do triste filósofo. Há ali mais detalhes sobre o *vazio*. Ver também Ec 2.24,25.

■ 1.3

מַה־יִּתְרוֹן לָאָדָם בְּכָל־עֲמָלוֹ שֶׁיַּעֲמֹל תַּחַת הַשָּׁמֶשׁ:

Que proveito tem o homem de todo o seu trabalho...? O autor sacro ataca aqui o *trabalho do homem*, para ilustrar a sua tese e, contra o restante do Antigo Testamento, descobre que essa é apenas uma das muitas formas de vaidade, inutilidade e vazio; nada senão *sopro*, a brisa que passa e se vai em um instante, sem ter conseguido realizar nada de novo.

Que proveito...? Algo que nos concede alguma *vantagem* ou algo de valor. Esta palavra aparece nove vezes no livro, sempre em contextos negativos: Ec 1.3; 2.11,13; 3.9; 5.9,16; 7.11; 10.10,11. Todo proveito, porém, é inútil, visto que não há proveito genuíno em coisa alguma que os homens façam à face da terra.

Debaixo do sol. Em *todos os lugares,* por toda a parte, à face da terra, os homens trabalham em alguma coisa, levando a sério a si mesmos e a seu trabalho. Muitos homens fazem de seu labor a própria vida, como se fosse uma esposa; eles casam com o trabalho e dedicam a ele toda a energia. Mas, sob um escrutínio mais acurado, o autor sacro descobriu que todo labor era ignorante, estúpido e inútil. Trabalhar ou não trabalhar, tudo se reduz ao *nada*.

Os vss. 3-8 foram escritos como uma composição poética, cuja substância é a de que a natureza revela uma monotonia mortífera, que termina em nada. O autor sagrado apresenta várias ilustrações dessa mesma espantosa vaidade: não há proveito final no labor humano. Os homens trabalham a fim de ganhar alguma coisa, fixando sua atenção nisso, mas um vácuo espera por toda essa labuta. Por outro lado, não trabalhar conduz os seres humanos ao mesmo alvo: o nada. Se levássemos a sério o que disse o autor sagrado, todos pararíamos de trabalhar para desfrutar os prazeres, que também são inúteis, mas, pelo menos, divertem e enchem de alegria nossa mente.

DEMONSTRAÇÃO DA TESE BÁSICA DA VAIDADE (1.4—3.22)

Todas as Coisas da Vida São Transitórias (1.4-11)

Existem as trocas incessantes e inúteis das gerações (vs. 4); os intermináveis ciclos sem proveito da natureza (vss. 5-7); o labor humano que, embora cansativo, nada produz de satisfatório ou permanente (vss. 8-11). Ademais, todas essas coisas trazem a mais terrível fadiga e o pior enfado. Isso é o *pessimismo*. Ver esse termo na *Enciclopédia de Bíblia, Teologia e Filosofia*.

■ 1.4

דּוֹר הֹלֵךְ וְדוֹר בָּא וְהָאָרֶץ לְעוֹלָם עֹמָדֶת:

Geração vai, e geração vem. Cada indivíduo é levado a pensar que pertence a algo especial, ou que tem algo especial a fazer. Mas cada indivíduo passa, conforme acontece e aconteceu a todos os outros. Não há vida além do sepulcro que redima esse desperdício. Além disso, não há reencarnação que dê continuidade à existência ou crie propósito para ligar as gerações, cooperando para alguma espécie de benefício. O autor sacro nada descobriu de remidor na vida humana. A única coisa permanente são as mudanças, mas essa é uma falsa permanência.

Cf. este versículo com Eclesiástico 14.19, que contém algo similar. Este livro tem, realmente, como autor, um homem que tateia seu caminho à *luz do dia*, que, na realidade, são *trevas*. O livro não é redimido pela revelação divina senão no *epílogo* (capítulo 12), o qual, sem dúvida, foi escrito por outro autor, como apêndice editorial. Os escritores judeus posteriores e intérpretes cristãos não cessam de injetar, nestes versículos, esperança e luz divina, querendo que fixemos nossos olhos no alto, embora o próprio autor sacro não tenha feito isso. Que o homem anuncie sua pesada mensagem e se volte para outro lugar, para dali receber iluminação.

■ 1.5

וְזָרַח הַשֶּׁמֶשׁ וּבָא הַשָּׁמֶשׁ וְאֶל־מְקוֹמוֹ שׁוֹאֵף זוֹרֵחַ הוּא שָׁם:

Levanta-se o sol. A própria natureza está pasmada na mesma rotina mortífera que termina em nada. O sol aparece e desaparece, aparece e desaparece, subindo e descendo no mesmo lugar; produzindo luz e, então, ocultando sua luz. E daí? Que bem se deriva de tudo isso? O maior crime do homem foi ter nascido e se misturado a toda essa insensatez e nulidade. A morte, porém, põe fim à futilidade, substituindo-a pelo eterno nada. A incessante repetição da natureza, quanto às mesmas coisas, é tão inútil como a labuta sem alvo do homem (vs. 3). Nenhum hebreu ortodoxo teria falado sobre os céus de Deus em termos semelhantes. Temos aqui o discurso de um filósofo oriental pessimista. Portanto, como seu livro penetrou no cânon do Antigo Testamento? Ver a seção VI da *Introdução* e também o parágrafo intitulado "Ao Leitor", imediatamente antes da introdução ao capítulo 1. O que convém admitir é que o livro de Eclesiastes é uma produção literária aguda e eloquente, qualidades que, sem dúvida, obtiveram votos quando a eleição ocorreu.

Volta ao seu lugar. No hebraico temos, literalmente, a palavra que significa "arfa", como se estivesse correndo e respirando com dificuldade para cumprir seu circuito. Mas a pressa demonstrada pelo sol significa apenas outra *repetição* da mesma futilidade cósmica. O sol "arfa", ou seja, cansa-se tal e qual acontece aos homens em seu trabalho: por nada.

■ 1.6

הוֹלֵךְ אֶל־דָּרוֹם וְסוֹבֵב אֶל־צָפוֹן סוֹבֵב סֹבֵב הוֹלֵךְ הָרוּחַ וְעַל־סְבִיבֹתָיו שָׁב הָרוּחַ:

O vento vai para... volve-se e revolve-se. Os ventos são coisas misteriosas. Mas até onde podemos discernir, eles correm para o sul, então para o norte, volvendo-se e revolvendo-se em circuitos insensatos, que resultam em absolutamente nada, servindo a propósito nenhum. Hoje eles se põem em sua carreira louca, e amanhã a dose se repete. Que diferença faz aos ventos soprar ou não soprar, soprar para o sul ou para o norte, ou não soprar de maneira alguma? O norte e o sul eram as direções mais constantes que tomavam os ventos na Palestina. Por isso mesmo, são as direções citadas na Bíblia. Portanto, além da vaidade *humana* (vs. 3) e da vaidade *cósmica* (vs. 5), temos também a vaidade *atmosférica* (vs. 6). Essa foi a maneira pela qual o *triste filósofo* sumariou as coisas para provar sua tese da *inutilidade* total. Não faz diferença alguma, entretanto, se ele provou ou não sua tese, nem se escreveu este livro ou não. Por outra parte, ele não tinha mais o que fazer, pelo que foi o autor do livro. Escrever um livro é um tédio, e não escrever um livro é maçante, e ambas as coisas são manifestações da vaidade.

■ 1.7

כָּל־הַנְּחָלִים הֹלְכִים אֶל־הַיָּם וְהַיָּם אֵינֶנּוּ מָלֵא אֶל־
מְקוֹם שֶׁהַנְּחָלִים הֹלְכִים שָׁם הֵם שָׁבִים לָלָכֶת׃

Todos os rios correm para o mar. Chegamos agora à inutilidade dos ciclos terrenos. A evaporação retira água do mar, forma nuvens e deposita água em terra firme; ali, a água forma rios que, obedientemente, correm de novo para sua origem, o mar, e o mesmo processo desanimador acontece seguidamente. As águas poderiam permanecer no mar. É verdade que, na terra, as águas promovem vida, mas a vida é vã. Mas, se as águas tivessem permanecido no mar, pelo menos seriam tranquilas, e, se todas as coisas morressem, então teríamos a serenidade, em vez de todo esse correr frenético e sem propósito. Não obstante, a calmaria é uma manifestação do nada, da mesma maneira que o é a agitação. Somente os perdedores jogam esse jogo, pois todos os homens são perdedores.

Note-se como o autor sacro deixa Deus do lado de fora de tudo isso, o que um judeu ortodoxo jamais faria. O autor sacro é um filósofo mecanicista, que vê a natureza como uma espécie de engrenagem. Ele não encontra no homem e na natureza nenhuma operação divina ou propósito.

A despeito de todos os *esforços frenéticos* dos rios, como se quisessem *encher* os mares, eles fracassam. Os mares mantêm seu nível, mas, mesmo que isso não ocorresse e eles transbordassem, também nada significaria. Todas as atividades da natureza são monótonas; a natureza toca uma única música e, sem dúvida, o filósofo estava cansado dessa música. Cf. Eclesiástico 40.11.

■ 1.8

כָּל־הַדְּבָרִים יְגֵעִים לֹא־יוּכַל אִישׁ לְדַבֵּר לֹא־תִשְׂבַּע
עַיִן לִרְאוֹת וְלֹא־תִמָּלֵא אֹזֶן מִשְּׁמֹעַ׃

Todas as cousas são canseiras. *Todas as cousas* significam tudo quanto o filósofo havia descrito: os labores do homem; os movimentos inúteis do sol e dos ventos; os ciclos inúteis pelos quais passam as águas; tudo isso é bulício que leva à exaustão. Tanto o homem quanto a natureza se cansam da monotonia e da repetição inútil das coisas. A situação é tão sinistra, que um homem não pode encontrar palavras adequadas para descrevê-la, o que é apenas mais uma falha, em meio à falência geral. Seus olhos continuam vendo, seus ouvidos continuam ouvindo, mas a percepção dos sentidos é apenas outra forma de vazio, despropositada, pois ver é a mesma coisa que não ver, ouvir é o mesmo que não ouvir. O espírito do homem torna-se cansado de tanto ver e ouvir. Afinal, que diferença faz se um homem está vivo ou morto, usando sua percepção dos sentidos ou não? "Todas as coisas estão enfadadas em seus respectivos cursos. Ninguém pode descrever tudo isso. Não vive o olho farto de tanto ver e o ouvido sobrecarregado de tanto ouvir?" (O. S. Rankin, *in loc*.). "Este versículo enseja outra tradução, com o seguinte sentido: outras instâncias da mesma espécie poderiam ser mencionadas, mas são tão numerosas que seria uma canseira contá-las uma a uma" (Ellicott, *in loc.*, o qual, entretanto, rejeita essa tradução como sendo boa). O Targum dá-nos a ideia da *incapacidade* do homem de ver e ouvir tudo. Mas, se um indivíduo pudesse ver e ouvir tudo, prestando contas perfeitas de todas as coisas, isso também faria parte da mesma vaidade geral. As ilustrações e argumentos do autor são suficientes para provar sua tese de *vazio generalizado*.

■ 1.9

מַה־שֶּׁהָיָה הוּא שֶׁיִּהְיֶה וּמַה־שֶּׁנַּעֲשָׂה הוּא שֶׁיֵּעָשֶׂה וְאֵין
כָּל־חָדָשׁ תַּחַת הַשָּׁמֶשׁ׃

O que foi, é o que há de ser. O que foi feito, o será novamente; nada de novo acontece debaixo do sol. *Tremenda monotonia* assinala a existência inteira, e a monotonia é a própria essência de toda vida e de toda a existência. Os vss. 9-11 formam uma espécie de conclusão dos vss. 3-8. É por isso que perguntamos: "Se houvesse algo novo sob o sol, seria de alguma utilidade?" O autor sagrado teria apresentado uma dúzia de argumentos para mostrar que as *coisas novas* seriam tão vãs como as antigas. Ademais, as coisas novas logo seriam interminavelmente repetidas e se tornariam antigas.

Numa época em que a ciência era muito primitiva, verdadeiramente pouquíssimo surgia que pudesse ser chamado de novo. Mas mesmo nestes dias, de coisas verdadeiramente novas, ouso dizer que nosso triste filósofo não teria modificado suas declarações pessimistas.

Que o leitor contraste este versículo com Jr 31.22; Is 43.18; 65.17. Coisas novas nos excitam a mente e aliviam o enfado. Mas estar ou não enfadado representa sempre igual futilidade, embora sejam polos opostos da mesma coisa. Sêneca, embora não fosse pessimista, observou as repetições intermináveis das coisas: "Nada de novo eu vejo; nada de novo eu faço" (Epíst. 24). Trazer à baila, aqui, a novidade do Novo Testamento é anacronismo. Sabemos que o triste filósofo tinha uma filosofia inadequada, mas deixemos que ele diga o que tinha para dizer, sem interrompê-lo continuamente.

■ 1.10

יֵשׁ דָּבָר שֶׁיֹּאמַר רְאֵה־זֶה חָדָשׁ הוּא כְּבָר הָיָה
לְעֹלָמִים אֲשֶׁר הָיָה מִלְּפָנֵנוּ׃

Há alguma cousa de que se possa dizer: Vê, isto é novo? Este versículo reitera essencialmente as ideias do anterior. O filósofo desafia a que se apresente um exemplo de coisa nova. Ele estava certo de que qualquer coisa que fosse mencionada facilmente poderia parecer antiga e, portanto, tediosa e inútil. Certas coisas poderiam ser esquecidas, como se estivessem fora da existência, como se nunca tivessem acontecido. Mas um pouco de investigação demonstraria que, "lá atrás, no passado", aquela coisa tinha existido, ou tal acontecimento ocorrera. A expressão "já foi" significa um passado indefinido e ocorre oito vezes no livro de Eclesiastes: 1.10; 2.12,16; 3.15; 4.2; 6.10; 9.6,7. Isso aparecia com frequência no hebraico posterior. Ao convocar testemunhas, o autor universalizou as declarações pessoais que já tinham sido proferidas anteriormente.

■ 1.11

אֵין זִכְרוֹן לָרִאשֹׁנִים וְגַם לָאַחֲרֹנִים שֶׁיִּהְיוּ לֹא־יִהְיֶה
לָהֶם זִכָּרוֹן עִם שֶׁיִּהְיוּ לָאַחֲרֹנָה׃ פ

Já não há lembrança das cousas que precederam. As coisas que aconteceram são logo esquecidas. O mesmo se aplica a coisas que ainda irão acontecer. Grande inundação, de certa feita, atingiu um dos Estados orientais dos Estados Unidos da América. Entre outros atos de destruição, a inundação alcançou um ou mais cemitérios. Um esquife de bronze foi encontrado a flutuar em um rio e nele havia o corpo bem preservado de uma bela e jovem mulher. Ela tinha longos cabelos ruivos, que lhe desciam pelos ombros. O esquife tinha mais de cem anos. Sabia-se onde e em que época esses esquifes eram fabricados, mas ninguém sabia quem era aquela mulher e de onde o esquife viera. Podemos imaginar que, quando ela morreu, tenha havido choro e lamentações, mas não restou ninguém para continuar chorando. Tudo seria realmente inútil, a menos que houvesse uma vida para além da vida biológica. O triste filósofo que escreveu essas linhas não acreditava em reversão, de espécie alguma, em um pós-vida.

O MAL É PROVADO POR SEUS RESULTADOS (1.12-18)

A Vida Humana Não Tem Propósito. O pregador (filósofo) apresenta agora seu juízo sobre o valor da vida, tese inerente ao material escrito antes deste ponto. E ele acaba brindando-nos com certo número de julgamentos de valor. O filósofo era um triste homem mecanicista, mas isso não quer dizer que não encontrasse mal no mundo. Ele não era moralmente neutro, mas que diferença faz a moralidade?

■ 1.12

אֲנִי קֹהֶלֶת הָיִיתִי מֶלֶךְ עַל־יִשְׂרָאֵל בִּירוּשָׁלָ͏ִם׃

Eu, o Pregador. O triste filósofo reafirma sua "identidade salomônica" e assim obtém prestígio para suas declarações. Ele era rei de Israel e operava em Jerusalém, pelo que não lhe faltavam credenciais; sobejavam-lhe oportunidades de observar as coisas, grandes e pequenas, importantes e sem importância. Ver o vs. 1, quanto a uma discussão sobre a autoria do livro, e a seção II da introdução.

O autor retrata-se como Salomão considerando suas experiências de vida anteriores, com muitas coisas a dizer. Infelizmente, porém, tudo quanto ele tinha para dizer era negativo e inútil, simplesmente nada. O autor sacro mostrou-se um tanto descuidado, porquanto retratou Salomão como se ainda estivesse vivo, considerando o seu passado, mas falando como se não fosse mais rei. Em Ec 2.7,9, o autor sacro falou sobre outros reis que viveram antes dele; mas só houve, em Israel, dois monarcas anteriores a Salomão: Saul e Davi. Havia um costume, entre os reis do Egito, de fazer discursos de sabedoria quando *capitulavam*, e o presente versículo pode ser um reflexo desse costume. Seja como for, o pseudo-Salomão-triste-filósofo pode ser um reflexo desse costume antigo, dando prosseguimento a seus discursos pessimistas, a fim de atrair a atenção das pessoas, fazendo drapejar a bandeira de Salomão. Esta seção está repleta dos termos "sem sentido", ou algum sinônimo, dificilmente usados pelo mais sábio de todos os homens.

■ **1.13**

וְנָתַתִּי אֶת־לִבִּי לִדְרוֹשׁ וְלָתוּר בַּחָכְמָה עַל כָּל־אֲשֶׁר נַעֲשָׂה תַּחַת הַשָּׁמָיִם הוּא עִנְיַן רָע נָתַן אֱלֹהִים לִבְנֵי הָאָדָם לַעֲנוֹת בּוֹ׃

Apliquei o coração a esquadrinhar. O *pseudo-Salomão-triste-filósofo* já tinha visto todas as coisas; aquilo que ele não tinha visto pessoalmente, investigara detalhadamente com os *próprios olhos*. Ele perscrutou a questão da *sabedoria humana*, investigou por toda parte e leu muitos livros, para ver o que poderia descobrir. Ele sondou a sabedoria e *aplicou toda a sabedoria de que dispunha* em suas investigações. Erasmo de Roterdã teria gostado do autor sagrado, porquanto também apreciava a *livre investigação*. O pregador procurava tirar algum sentido do que acontece neste mundo, mas ficou amargamente desapontado. "*Deus só tem dado aos homens uma atividade infeliz* (Revised Standard Version) ou um *dolorido* labor" (King James Version). Os homens, ao tentar trabalhar com o material dado por Deus, só têm encontrado desapontamentos. O filósofo identificou Deus como a causa única e inventou uma providência divina toda-negativa, do que resultariam apenas *pesadas cargas* para os homens, conforme alguns traduzem o original hebraico. A palavra assim traduzida (*inyan ra'*) também aparece em Ec 2.23,26; 3.10; 4.8; 5.3,14 e 8.16, mas não figura em nenhuma outra passagem do Antigo Testamento. Essa palavra é comum entre os rabinos hebreus. Deus é retratado a infligir aos homens suas cargas pesadas. Ele é a fonte originária de toda calamidade. A teologia dos hebreus era fraca quanto a causas secundárias, e isso passou para o Novo Testamento em passagens como o capítulo 9 da epístola aos Romanos, bem como na teologia calvinista, que faz de Deus a origem do mal, e não meramente do bem, porquanto também nesse sistema Deus é a causa única.

Algumas teologias asseveram ser o homem motivo de desapontamento para Deus, mas aqui Deus figura como a causa do desapontamento para os homens. Deus não tratava os homens com justiça. Essa era, igualmente, uma declaração de Jó, um dos problemas sobre os quais ele meditou e sobre o qual muitos têm meditado, desde então. Por que os homens sofrem, e por que sofrem da maneira como sofrem? Essa é a essência do *Problema do Mal* (ver no *Dicionário* a respeito, quanto a explicações).

■ **1.14**

רָאִיתִי אֶת־כָּל־הַמַּעֲשִׂים שֶׁנַּעֲשׂוּ תַּחַת הַשָּׁמֶשׁ וְהִנֵּה הַכֹּל הֶבֶל וּרְעוּת רוּחַ׃

Atendei para todas as obras que se fazem debaixo do sol. O *triste filósofo* foi capaz de obter uma visão panorâmica de todas as obras que os homens fazem debaixo do sol, e também, presumivelmente, de todas as obras da natureza. Sua avaliação foi totalmente negativa: tudo não passa de uma baforada de fumaça, de uma brisa soprada pela *vaidade*, que é vazia e representa o nada. Ver o vs. 2 deste capítulo, onde a tese é ousadamente proferida, sendo agora confirmada, após longa e diligente investigação. Ele procurou por toda parte "debaixo do sol", isto é, na terra, e não encontrou razão alguma para modificar sua mente pessimista a respeito da sombria inutilidade da vida humana. As obras do homem são moralmente boas ou más (e a lei é que as determina), mas igualmente inúteis.

A vida é cavada a ferro na melancolia central,
E aquecida até ficar em brasa com temores requeimantes.
Mergulhada em banhos de lágrimas profusas,
Espancada com os choques da condenação.
Tennyson, *In Memoriam*

E correr atrás do vento. Há uma frase parecida com essa, em Os 12.1: "persegue o vento". Trata-se de uma "fotografia gráfica de esforços gastos sem a obtenção de resultados, pois ninguém pode apanhar o vento em suas mãos. Essa expressão é usada nove vezes em Ec: 1.14,17; 2.11,17,26; 4.4,6,17 e 6.9" (Donald R. Glenn, *in loc.*).

■ **1.15**

מְעֻוָּת לֹא־יוּכַל לִתְקֹן וְחֶסְרוֹן לֹא־יוּכַל לְהִמָּנוֹת׃

Aquilo que é torto não se pode endireitar. Quando o filósofo fala sobre coisas tortas, quase certamente está fazendo um julgamento de valor. Há coisas tortas neste mundo, pois os homens praticam o mal e a natureza os aflige. Torto também significa, nesta passagem bíblica, algo escuro, errado, as cargas pesadas do vs. 13: coisas boas e más, mas sem conserto. E, ainda que houvesse remédios, elas tomariam formas de inutilidade. As coisas foram determinadas, precisam acontecer da maneira como são; mas, de qualquer modo, são erradas. As coisas são *incompletas*, como se não pudessem ser numeradas. Portanto, há aquilo que é bom e aquilo que é mal, coisas incompletas, coisas que correm erradas, tudo manifestando o problema do mal. Existem imperfeições e sofrimentos inexplicáveis; existem desastres, enfermidades, assassinatos e ultrajes. E quem pode fazer alguma coisa a esse respeito? "A sabedoria do Koheleth é tristemente incompleta" (Gaius Glenn Atkins, *in loc.*).

■ **1.16,17**

דִּבַּרְתִּי אֲנִי עִם־לִבִּי לֵאמֹר אֲנִי הִנֵּה הִגְדַּלְתִּי וְהוֹסַפְתִּי חָכְמָה עַל כָּל־אֲשֶׁר־הָיָה לְפָנַי עַל־יְרוּשָׁלָםִ וְלִבִּי רָאָה הַרְבֵּה חָכְמָה וָדָעַת׃
וָאֶתְּנָה לִבִּי לָדַעַת חָכְמָה וְדַעַת הוֹלֵלוֹת וְשִׂכְלוּת יָדַעְתִּי שֶׁגַּם־זֶה הוּא רַעְיוֹן רוּחַ׃

Disse comigo: Eis que me engrandeci e sobrepujei. O *grande Salomão*, que tinha obtido toda aquela fantástica sabedoria, mais que qualquer homem em Jerusalém, antes ou depois dele, e que tinha vastíssima experiência e conhecimento, chegou à conclusão de que até mesmo isso era "correr atrás do vento" (vs. 17). Por que deveria haver algo tão completamente inútil? Por ser *incompleto*? Em parte, mas não somente por essa razão: porque *em si mesmo* nada valia. Isso contradiz toda a literatura do tipo positivo, onde a *sabedoria* é o tesouro que deve ser obtido, para uma *vida plena*, feliz e útil (Pv 4.13). Toda a literatura de sabedoria esforça-se por convencer os homens de que obter sabedoria é uma experiência útil e recompensadora, muito desejável e digna de ser buscada. Ademais, a sabedoria está alicerçada na lei, e isso era tudo para os hebreus. Por conseguinte, temos aqui o espetáculo de um sábio a descobrir, no fim, que a lei não era tão boa assim, algo inconcebível para a mentalidade dos hebreus.

O Poeta Sacro Fez Julgamentos de Valores. Ele descobriu tanto a insensatez quanto a sabedoria, e veio a compreender ambas as coisas, mas isso não lhe fez bem algum, nem a levou a nenhuma finalidade; não resolveu problemas para ele, porquanto a busca inteira era fútil. Se um homem não acredita na existência pós-vida, o que acontecia com o autor sagrado, é fácil saber por que ele termina chegando a tal conclusão.

Não existe método para distinguir, de modo absoluto, a verdade do erro, a sabedoria da insensatez. Poderia haver ilusão no processo inteiro. O que parecesse sabedoria, na realidade, poderia ser apenas insensatez disfarçada. Se essa era uma das posições defendidas pelo triste filósofo, então ele terminou em um pessimismo relativo. Ver na *Enciclopédia de Bíblia, Teologia e Filosofia* os artigos denominados *Relativismo* e *Pessimismo*.

1.18

כִּי בְּרֹב חָכְמָה רָב־כָּעַס וְיוֹסִיף דַּעַת יוֹסִיף מַכְאוֹב:

Porque na muita sabedoria há muito enfado. Supostamente, a sabedoria nos diz como as coisas *devem ser,* mas vemos que elas não são daquela maneira e nos sentimos vexados. A sabedoria traz consigo uma espécie de fraqueza e derrota, antes da sorte, o que nos maltrata a despeito do que sabemos. Sua aquisição, longe de aliviar a depressão criada por um ponto de vista mundial pessimista, na realidade aumenta a angústia mental (a tristeza) e o abatimento de coração. O conhecimento é o aliado da sabedoria e produz o mesmo efeito que ela. Quanto mais conhecemos sobre nosso próprio "eu" e sobre o dos outros, mais pessimistas nos tornamos quanto aos ideais.

As Quatro Máximas dos Vss. 15-18:
1. O homem sábio, com sua doutrina de Deus como causa única, amargura-se perante o que a sorte faz, e não vê recurso contra isso (vs. 15).
2. O sábio busca um guia infalível para a vida e a existência, e, quando não descobre nenhum guia, amargura-se e sente-se abandonado (vs. 16). Sua sabedoria acaba decepcionando-o, pois promete mais que entrega.
3. O aumento da sabedoria e do conhecimento traz maior senso de fraqueza e fracasso. A sabedoria não oferece solução para o problema da tragédia humana (vs. 17).
4. Aplicar sabedoria à vida é, no mínimo, incerto. Nisso, manifesta-se a tristeza (vs. 18).

CAPÍTULO DOIS

A INUTILIDADE DOS PRAZERES, DO LUCRO E DO TRABALHO (2.1-26)

Os Prazeres e a Busca pelos Prazeres São Inúteis (2.1-11)
A experiência com os prazeres: vss. 1-2. Como a experiência foi usada na prática: vss. 3-10. A futilidade de qualquer coisa dessa ordem: vs. 11. Não basta aplicar meras teorias. Um homem precisa experimentar para compreender as coisas. Portanto, o filósofo decidiu verificar com o que se parecia a vida do hedonista, para então fazer sua própria avaliação. Assim, adotou o vinho, as mulheres e as canções como estilo de vida, durante algum tempo. Os reis orientais tinham todas essas coisas em abundância, e o filósofo continuou a apresentar seu caso *como se fosse* o caso de Salomão. "Tendo experimentado a sabedoria e a investigação filosófica, ele prosseguiu a fim de averiguar de que forma um aprazimento jubiloso contribuiria para tornar um homem feliz" (Ellicott, *in loc.*). Portanto, ele se tornou um eudemonista em sua posição filosófica. Em outras palavras, hedonisticamente, ele passou a buscar a felicidade por meio dos prazeres, talvez o mais comum de todos os empreendimentos humanos. Ver na *Enciclopédia de Bíblia, Teologia e Filosofia* os verbetes chamados *Eudemonismo* e *Hedonismo.*

2.1

אָמַרְתִּי אֲנִי בְּלִבִּי לְכָה־נָּא אֲנַסְּכָה בְשִׂמְחָה וּרְאֵה בְטוֹב וְהִנֵּה גַם־הוּא הָבֶל:

Disse comigo: Vamos! Eu te provarei com a alegria. A *triste filosofia* assim se tornou por suas falsas presunções acerca do valor do trabalho (vs. 3), e por causa do enfado de atos repetitivos no cosmo, na natureza e no homem (vss. 4-8); todas as coisas são antigas, vexatórias e enfadonhas (vss. 9-11). A própria sabedoria é desapontadora e somente acrescenta mais tristeza à vida (vss. 13-18). Por conseguinte, experimentemos os prazeres que os homens tanto apreciam, para ver se esses descobriram algum segredo que os sábios esqueceram.

O *filósofo* comungou com o próprio coração, dizendo: "Vamos testar os prazeres. Divertir-me-ei à vontade para tentar obter a felicidade e algo digno de se falar". Sendo assim, o homem bom iniciou uma campanha em busca dos prazeres. Ele visitou todos os lugares onde havia bebidas e comidas; visitou também cada baile onde se dançava, cada bordel onde havia mulheres. Mas, logo no começo de suas experiências, ele já tinha aprendido a mesma antiga lição: esse estilo de vida é vazio, é como um hálito, uma brisa que sopra, um nada. Exatamente como todas as outras coisas que ele já tinha experimentado.

Evita a estrada áspera e espinhenta da sabedoria,
Essa vereda paga pouco pela tua labuta.
Vai agora para as veredas floridas do prazer;
Vai, enche-te de alegria. Às paixões
Entrega-te de coração. Não permitas que um pensamento sério
Entre em tua cabeça. Faze o que a juventude e
Os ricos te dizem para fazeres.
Adam Clarke

2.2

לִשְׂחוֹק אָמַרְתִּי מְהוֹלָל וּלְשִׂמְחָה מַה־זֹּה עֹשָׂה:

Do riso disse: É loucura. *Elementos da Insensatez.* 1. O homem bom achou que o riso era uma *forma de loucura.* 2. Acerca dos prazeres, ele disse, depois de ter experimentado cada um deles: "Isso não tem utilidade". O triste filósofo não estava falando sobre o uso moderado e legítimo dos prazeres. Falava dos excessos da desgraça. A ideia da experiência era saciar-se e saturar-se com os prazeres. O homem não seria contido em sua experiência.

Até no riso tem dor o coração, e o fim da alegria é tristeza.
Provérbios 14.13

"... o riso, oriundo dos aprazimentos sensuais" (Fausset, *in loc.*). Os prazeres de todos os tipos, em um mesmo pacote, são mais diáfanos que a própria respiração. O saco está vazio, embora carregado com deleites sensuais. Os prazeres nada realizam. Não é esse o caminho da felicidade.

2.3

תַּרְתִּי בְלִבִּי לִמְשׁוֹךְ בַּיַּיִן אֶת־בְּשָׂרִי וְלִבִּי נֹהֵג בַּחָכְמָה וְלֶאֱחֹז בְּסִכְלוּת עַד אֲשֶׁר־אֶרְאֶה אֵי־זֶה טוֹב לִבְנֵי הָאָדָם אֲשֶׁר יַעֲשׂוּ תַּחַת הַשָּׁמַיִם מִסְפַּר יְמֵי חַיֵּיהֶם:

Resolvi no meu coração dar-me ao vinho. *Os elementos da insensatez continuam aqui:* 3. Em seguida, nosso homem experimentou muito vinho e embriaguez. Se pudesse obter algum bem da bebida, o triste filósofo certamente o faria. O homem "refrigeraria" (Elitzsche com um paralelo talmúdico) o seu corpo com o vinho. Ele se deixaria atrair pelo vinho e cederia diante de seus encantos. Sua mente, treinada a buscar a sabedoria, verificaria se era sábio intoxicar-se pela bebida alcoólica. Uma vez embriagado, ele se entregaria a toda a espécie de insensatez. As prostitutas eram suas companheiras de bebedeira, com quem ele se deitavam no leito. E, então, ele descobriria se os homens que agem dessa maneira, durante os *poucos* dias de sua existência, teriam descoberto algum segredo que sua mente filosófica teria negligenciado. O homem estava fazendo experiências com os prazeres sexuais, tornando o corpo o seu deus, em lugar da mente. "Ele queria testar os efeitos da busca pelos prazeres, para ver se realmente eram dignos de valor" (Donald R. Glenn, *in loc.*). Ele sempre fora um homem moderado, mas agora perdera o controle. Misturou-se ao mais profano bando, pois queria estar onde as coisas aconteciam. Ele usava os poderes da mente para *guiá-lo* a pecados de todas as espécies. A lei mosaica não era mais o seu guia. Suas paixões lhe diziam o que fazer. Se antes ele tinha *abraçado* a sabedoria, agora seus braços desvairados se estendiam para a insensatez. Seria a insensatez da sensualidade melhor que a sabedoria da restrição? Nosso homem descobriria que o *summum bonum* é prazeroso? Haveria felicidade? Muito paradoxalmente, "ele usou a sua sabedoria para valer-se da insensatez" (Gaius Glenn Atkins, *in loc.*).

2.4

הִגְדַּלְתִּי מַעֲשָׂי בָּנִיתִי לִי בָּתִּים נָטַעְתִּי לִי כְּרָמִים:

Empreendi grandes obras. Ainda buscando prazeres, para além das concupiscências mais crassas, o filósofo fez *grandes obras,* todas calculadas para aumentar seus confortos. Edificou várias residências para sua conveniência e plantou vinhedos particulares para garantir um bom suprimento de vinho. Os ricos não precisam transportar maletas em viagens, porquanto têm casas que lhes pertencem, em vários lugares, cada uma equipada com todas as coisas necessárias para a vida diária: móveis, roupas, utensílios etc. Devemos pensar aqui em *propriedades*, e não meramente em casas em uma agradável vizinhança. Salomão naturalmente serve-nos de exemplo: ele possuía uma casa na floresta do Líbano (ver 1Rs 7.1); uma residência separada para a rainha; o templo de Jerusalém, e tantas outras moradias. Ver 1Rs 5.1; 9.10; 10.18; 2Cr 8.1,4. Todas essas edificações apelavam para a concupiscência dos olhos e para o orgulho da vida (1Jo 2.16).

■ 2.5

עָשִׂיתִי לִי גַּנּוֹת וּפַרְדֵּסִים וְנָטַעְתִּי בָהֶם עֵץ כָּל־פֶּרִי׃

Fiz jardins e pomares para mim. O homem aumentou a extensão e beleza de suas propriedades com *jardins (pardesim)*, "paraísos", palavra tomada por empréstimo do idioma persa) e *pomares*. A *Revised Standard Version* diz aqui "parques". Ele plantou grandes pomares que produziam várias espécies de frutos. O triste filósofo conseguiu criar um paraíso na face da terra. Ele testava se tais cercanias lhe trariam felicidade, através dos prazeres que haveriam de fornecer. Ele vivia em meio ao luxo real, em harmonia com o costume do conceito oriental da realeza. Ele tinha *alimentos* em grande abundância, *bebidas e medicamentos* em seus pomares, conforme diz o Targum.

■ 2.6

עָשִׂיתִי לִי בְּרֵכוֹת מָיִם לְהַשְׁקוֹת מֵהֶם יַעַר צוֹמֵחַ עֵצִים׃

Fiz para mim açudes. Para certificar-se de que seus pomares implantados medrassem bem, mesmo quando não chovesse, o autor sagrado construiu reservatórios para efeito de irrigação. Construções que serviam como açudes foram encontradas a sudeste da cidade de Belém, sendo chamados de "reservatórios de Salomão", mas os cientistas demonstraram que essas construções são do tempo dos romanos. Não há razão para duvidarmos, contudo, que aquele homem tivesse reservatórios similares, conforme relata Josefo (*Ant.* vii.7.3; *Guerras* v. 4.2). O triste filósofo sabia da existência de tais projetos, tendo-os citado em suas descrições sobre uma vida luxuosa, da qual, supostamente, as pessoas derivavam o prazer que leva à felicidade.

■ 2.7,8

קָנִיתִי עֲבָדִים וּשְׁפָחוֹת וּבְנֵי־בַיִת הָיָה לִי גַּם מִקְנֶה בָקָר וָצֹאן הַרְבֵּה הָיָה לִי מִכֹּל שֶׁהָיוּ לְפָנַי בִּירוּשָׁלָ͏ִם׃

כָּנַסְתִּי לִי גַּם־כֶּסֶף וְזָהָב וּסְגֻלַּת מְלָכִים וְהַמְּדִינוֹת עָשִׂיתִי לִי שָׁרִים וְשָׁרוֹת וְתַעֲנוּגֹת בְּנֵי הָאָדָם שִׁדָּה וְשִׁדּוֹת׃

Comprei servos e servas. *Uma multidão de escravos* foi adquirida como trabalho barato para cuidar das propriedades, executar tarefas domésticas e irrigar terras. Além dos escravos adquiridos, havia aqueles nascidos na "casa" (nas suas propriedades), o que aumentava ainda mais o número deles. O nosso homem tinha sob seu controle pessoal cidades virtuais, que lhe pertenciam e aumentavam suas riquezas e prazeres. Quanto à grande quantidade de escravos de Salomão, cf. 1Rs 10.5.

Para aprimorar o lado *estético* da vida e aumentar o aprazimento das coisas, homens e mulheres cantores, além de tangedores de instrumentos musicais, tornaram-se parte da vida diária (vs. 8). O triste filósofo tinha orquestras, coros e solistas bem conhecidos que tocavam música em dias especiais e música na corte, além de música ambiente, para todos quantos estivessem trabalhando na corte. Quanto aos usos da música, cf. Is 5.12; Am 6.6; Ec 32.5 e 49.1. Isso deve ser comparado ao uso que Davi fez de cantores profissionais (2Sm 19.35). Uma família inteira de levitas recebeu a incumbência de tocar música sacra para o culto do templo (ver 1Cr 25) e isso mostra a ênfase que os hebreus davam à questão. O rei-filósofo ultrapassou tudo isso, porém, para entretenimento pessoal, visando a alegria profana, e não o culto religioso.

Para aumentar suas riquezas, o autor sagrado possuía vastos rebanhos de animais domesticados (vs. 7), acima de tudo que jamais fora criado em Jerusalém. *Exagero* era o seu lema. Ele experimentava o esplendor terreno, utilizando-se de coisas que trariam prazer, o que levaria à felicidade.

Das delícias dos filhos dos homens: mulheres e mulheres. Onde nossa versão portuguesa diz "mulheres e mulheres", a *Revised Standard Version* traduz certa palavra hebraica, de sentido duvidoso, como "em grande número". Na monarquia dos hebreus, Salomão estabeleceu o recorde em seu harém, com setecentas esposas e trezentas concubinas (ver 1Rs 11.1-3). Mas estamos informados de que alguns reis persas nunca faziam sexo com uma mulher por mais de uma vez, pelo que, com a passagem dos anos, alguns deles devem ter excedido a prodigiosa atividade sexual de Salomão. Esse é um prazer usufruído tanto por ricos quanto por pobres, e o rei-filósofo certificava-se de saciar nesse aspecto, buscando concluir se isso era suficiente para trazer-lhe a felicidade. A Septuaginta traduz a frase por "copeiros machos e fêmeas", mas essa tradução arruína toda a diversão, tornando o autor sagrado um hedonista menor do que realmente foi.

■ 2.9

וְגָדַלְתִּי וְהוֹסַפְתִּי מִכֹּל שֶׁהָיָה לְפָנַי בִּירוּשָׁלָ͏ִם אַף חָכְמָתִי עָמְדָה לִּי׃

Engrandeci-me e sobrepujei a todos os que viveram antes de mim. Esta é uma breve nota de "sumário". O homem era *grande e sobrepujou* a todos quantos tinham vivido antes dele, em Jerusalém, o que nos permite concluir que ele efetuou uma experiência completa e exaustiva, para checar se a felicidade poderia ser achada nessas atividades. Suas experiências não falhariam por falta de informes. Ele tinha toda a espécie de riquezas, todo o tipo de prazer, toda a modalidade de prestígio e, durante esse excesso, sua sabedoria não o abandonou; portanto, não podemos dizer que ele trocou a sabedoria pelas experiências, razão pela qual teria terminado infeliz. O vs. 3 mostra-nos que ele empregou sua sabedoria para aumentar a sua insensatez, pelo que a usou para uma tarefa pervertida, mas podemos supor que sua sabedoria tenha continuado a servi-lo sempre. Isso posto, podemos presumir que um homem como esse fosse o mais contente e feliz de todos os homens; mas as experiências dele azedaram, conforme somos informados mais adiante. O Targum diz-nos que a sua sabedoria o "ajudou", e que o homem teve uma vida plena e produtiva, e não apenas luxuosa. Ele foi o homem "máximo". Portanto, o homem estava feliz?

■ 2.10

וְכֹל אֲשֶׁר שָׁאֲלוּ עֵינַי לֹא אָצַלְתִּי מֵהֶם לֹא־מָנַעְתִּי אֶת־לִבִּי מִכָּל־שִׂמְחָה כִּי־לִבִּי שָׂמֵחַ מִכָּל־עֲמָלִי וְזֶה־הָיָה חֶלְקִי מִכָּל־עֲמָלִי׃

Tudo quanto desejaram os meus olhos não lhes neguei. Nosso homem nada negava a si mesmo, pois tinha dinheiro e poder para adquirir qualquer coisa que atraísse seu olhar. Além disso, ele satisfazia qualquer alegria que seu coração desejasse e também descobriu que conseguia deleitar-se com todos os seus labores, realizações e prazeres. Ele recebia *amplas recompensas* por suas labutas elaboradas e por seus preparativos. Estava percorrendo um vasto caminho com tudo isto; parece que suas experiências no campo dos prazeres tinham provado que o *tipo de homem* em que ele se transformara era o homem feliz, donde se conclui que os prazeres conduzem à felicidade. Mas, quando lhe ocorreu o segundo pensamento sóbrio, tudo se despedaçou (vs. 11).

■ 2.11

וּפָנִיתִי אֲנִי בְּכָל־מַעֲשַׂי שֶׁעָשׂוּ יָדַי וּבֶעָמָל שֶׁעָמַלְתִּי לַעֲשׂוֹת וְהִנֵּה הַכֹּל הֶבֶל וּרְעוּת רוּחַ וְאֵין יִתְרוֹן תַּחַת הַשָּׁמֶשׁ׃

Considerei todas as obras que fizeram as minhas mãos. Conforme diziam os gregos: "Pensamentos sóbrios tornam-se, de alguma maneira, ainda mais sóbrios". A sabedoria do autor sagrado ergueu-se e gritou para ele: "Toda essa vida que você está levando é vaidade". E ele sabia que essa era a avaliação correta. O homem passou em revista todas as suas propriedades; todos os seus luxos; visitou seu vasto harém; revisou e classificou suas obras magníficas, mas, como já havia constatado, "tudo era como seguir após o vento". Ele não tinha sido capaz de reter o vento em suas mãos, embora tivesse se esforçado para tanto. Lamentavelmente, a felicidade o tinha iludido novamente. Ele tinha provado, através de grande experimentação, que a felicidade não nos chega através dos prazeres, conforme afirmam alguns indivíduos. Quando todos os seus informes já estavam recolhidos, ficou demonstrado que ele estivera envolvido em uma grande *farsa*. Ao refletir sobre os valores reais de todas as suas atividades, descobriu que tudo era destituído de *significado* e "mero correr atrás do vento". Cf. Ec 1.14,17; 2.17,26; 4.4,6,16; 6.9. "Não houve vantagem real ou final (vs. 3) em todas as suas realizações debaixo do sol (ver Ec 1.3)" (Donald R. Glenn, *in loc.*). A questão inteira só deixava ainda mais *agoniado o seu espírito*, porquanto ele fez um esforço heroico para provar que os prazeres trazem a felicidade, e somente constatou (o que ele já sabia) que isso era mentira. Seja como for, ele precisava eliminar essa opção, razão que também nos leva a agir de determinadas maneiras, algumas vezes. A opção dos prazeres estava agora eliminada, e o filósofo continuou na sua *infelicidade*.

A Busca da Sabedoria Torna-se Fútil, Mediante o Reflexo sobre a Morte (2.12-17)

Nosso homem, cansado de todos aqueles prazeres, riquezas e pompa, retornou à sua sabedoria, mas, dessa vez, sem os excessos, para verificar se poderia achar a felicidade nisso, encontrando algo digno pelo que viver. Ele se cansou do hedonismo bizarro que o cercou, quando estava experimentando os prazeres (vss. 1-11), e descambou para o extremo oposto. Agora, ele era um homem sábio e sóbrio, piedoso e diligente. Encontraria assim a felicidade?

■ 2.12

וּפָנִ֣יתִי אֲנִי֮ לִרְא֣וֹת חָכְמָ֔ה וְהוֹלֵל֖וֹת וְסִכְל֑וּת כִּ֣י ׀ מֶ֣ה הָאָדָ֗ם שֶׁיָּבוֹא֙ אַחֲרֵ֣י הַמֶּ֔לֶךְ אֵ֥ת אֲשֶׁר־כְּבָ֖ר עָשֽׂוּהוּ׃

Então passei a considerar a sabedoria e a loucura e a estultícia. Ao iniciar a leitura do versículo, encontramos uma diferença de opinião quanto ao seu significado. Alguns dizem que o homem diligentemente procurou a sabedoria, a loucura e a estultícia, como opções na busca da felicidade. Mas, conforme Gordis, isso poderia significar: "Voltei-me para considerar a sabedoria, mas notei ser ela estupidez e estultícia". Essa é uma declaração radical para um homem "sábio", porquanto se supunha que ele encontrasse aí o significado da vida (Pv 4.13), pois a sabedoria prometia dar vida. Lembremos de que a sabedoria vem através do estudo e da prática da lei mosaica, dentro de um contexto hebreu. Assim sendo, esse "homem sábio" assegurava que até isso é totalmente vão, uma forma de loucura e insensatez, algo que um hebreu ortodoxo jamais teria dito. Pura blasfêmia! Nos vss. 16,17, ele haverá de segregar-nos a grande razão de seu pessimismo acerca de tudo: um sábio morre da mesma forma que um tolo; a morte é o fim de tudo; portanto, como pode alguma coisa ser útil? Pensando não haver esperança para além-túmulo, dentre todos os homens, ele é o *mais miserável* (1Co 15.19). As experiências feitas pelo nosso homem foram tão completas, que qualquer outro, depois dele, ao fazer as mesmas experiências, teria obtido idênticos resultados. Seria inútil se algum outro homem, após o escritor sagrado, repetisse as mesmas experiências. Os informes estavam recolhidos. O caso fora solucionado e a conclusão fora a mais lamentável possível: tudo era vão e vexatório para o espírito. Na experimentação das coisas vãs da vida, quaisquer outros esforços seriam ridículos. A resposta definitiva já fora colhida.

■ 2.13

וְרָאִ֣יתִי אָ֔נִי שֶׁיֵּ֥שׁ יִתְר֛וֹן לַֽחָכְמָ֖ה מִן־הַסִּכְל֑וּת כִּֽיתְר֥וֹן הָא֖וֹר מִן־הַחֹֽשֶׁךְ׃

Então vi que a sabedoria é mais proveitosa do que a estultícia. A sabedoria tem decisiva vantagem sobre a estultícia (os prazeres insensatos). A sabedoria fornece mais luz sobre a verdadeira natureza das coisas. Mas essa *vantagem* termina sendo uma *desvantagem*, pois, quanto maior for a luz, mais fúteis serão vistas as coisas. Portanto, para que adquirir maior luz? "A sabedoria tem uma vantagem sobre a insensatez, mas quão repleta de vaidade é essa vantagem? Que o sábio adquira a sua sabedoria, mas logo a morte chega e ele é esquecido, e tudo quanto ele tiver obtido com seu labor se apaga" (Ellicott, *in loc.*).

É um erro injetar neste texto a ideia de "sábio mundano", como se um homem verdadeiramente sábio pudesse encontrar qualquer coisa diferente disso. O triste filósofo não estava fazendo distinção quanto a tipos de sabedoria. Isso já é um anacronismo cristão. O Pentateuco não tem declarações sobre um pós-vida. A lei mosaica não ameaçava os ímpios com uma punição pós-morte nem prometia recompensa para os piedosos, em uma vida futura. No entanto, guardar a lei e obter uma longa vida física, evitando assim a morte prematura, era tido como algo a ser diligentemente buscado. As declarações da sabedoria fomentavam e interpretavam a lei, e a mesma atitude era mantida. Considerava-se uma grande calamidade sofrer morte prematura. Mas o triste filósofo, que não acreditava em um pós-vida, não via vantagem em guardar ou não a lei, pois a morte vinha igualmente para os bons e os maus, os sábios e os insensatos, marcando o fim da existência do indivíduo. Nosso homem era definitivamente contra a ortodoxia de seus dias. A noção da imortalidade começou a aflorar nos tempos dos Salmos e dos Profetas, mas é claro que o triste filósofo ainda não havia adotado tal doutrina. O epílogo (capítulo 12) traz à luz essa possibilidade, mas o autor desse epílogo não parece ser o mesmo que aqui escrevia.

■ 2.14

הֶֽחָכָם֙ עֵינָ֣יו בְּרֹאשׁ֔וֹ וְהַכְּסִ֖יל בַּחֹ֣שֶׁךְ הוֹלֵ֑ךְ וְיָדַ֣עְתִּי גַם־אָ֔נִי שֶׁמִּקְרֶ֥ה אֶחָ֖ד יִקְרֶ֥ה אֶת־כֻּלָּֽם׃

Os olhos do sábio estão na sua cabeça. Um sábio tem os olhos na cabeça, ou seja, ele é capaz de discernir a luz das trevas e, assim, caminhar pela vereda da luz, quer dizer, pelo caminho da lei, obedecendo a tudo quanto ela recomenda. O estulto, entretanto, caminha ao longo de sua própria vereda escura, ignorando a lei de Moisés. Isso, de conformidade com a ortodoxia da época, uma distinção vital, e o caminho do homem bom devia ser buscado com diligência, ao passo que a senda do homem mau devia ser evitada. A sabedoria conduz à vida (ver Pv 4.13), mas nosso triste filósofo não ortodoxo rejeitava essa verdade, pois via com seus *olhos de sabedoria* que a mesma sorte (por ocasião da morte) capturaria os dois tipos de homens. Ele também percebeu que ambos os caminhos desembocariam no *mesmo nada*. Além disso, ele estava trabalhando com a teoria que dizia: "Deus é a causa única", e foi Deus quem decretou, de antemão, tão tenebroso fim para ambos. Assim sendo, para que combater essa sorte inevitável? A vida não é boa. De fato, ela é má. O pior crime de um homem foi ele ter nascido. Ver na *Enciclopédia de Bíblia, Teologia e Filosofia* o verbete chamado *Pessimismo*.

> Embora grande seja a diferença entre
> As duas veredas, o que vi muito claramente,
> Contudo, um só evento espera todos, bons e maus,
> E a sabedoria não pode proteger do perigo,
> Nem dos desapontamentos, nem da tristeza,
> Nem da dor, nem daquele ponto final: a morte.

Cf. Jó 21.26. É ridículo tentar harmonizar isso com o judaísmo posterior e seu ponto de vista mais iluminado da vida, e é ridículo tentar fazer o nosso homem ser, em qualquer sentido, uma voz do judaísmo ortodoxo de seus dias. Ele era, antes, um pensador pessimista independente.

■ 2.15

וְאָמַ֨רְתִּֽי אֲנִ֜י בְּלִבִּ֗י כְּמִקְרֵ֤ה הַכְּסִיל֙ גַּם־אֲנִ֣י יִקְרֵ֔נִי וְלָ֧מָּה חָכַ֛מְתִּי אֲנִ֖י אָ֣ז יוֹתֵ֑ר וְדִבַּ֣רְתִּי בְלִבִּ֔י שֶׁגַּם־זֶ֖ה הָֽבֶל׃

Pelo que disse eu comigo. O "homem sábio" percebeu, no fim, que ele não era diferente de um estulto qualquer, quando a vida é deixada para trás, no sepulcro. Em seus raciocínios internos, ele chegou à conclusão de que não havia diferença entre ele e um insensato, visto que ambos terminariam no mesmo nada. Por conseguinte, a vida humana seria uma piada; então, por que tomá-la a sério, como se importasse aquilo que uma pessoa faz ou deixa de fazer? A vida é somente uma tragicomédia, e aqueles que a levam a sério terão de pagar elevado preço por suas pretensões. Nosso homem foi o pai espiritual e mental de Schopenhauer. A sabedoria pode parecer um ponto vantajoso, mas, de fato, apenas aumenta a dor. "Por que tanto me esforcei para obter a sabedoria? Em que me tornei melhor, por causa da sabedoria? Que felicidade ela me trouxe? Ela não me trouxe vantagens sobre os tolos" (John Gill, *in loc.*). Nosso homem estava atolado no sofrimento e na futilidade humana. Ver no *Dicionário* o verbete intitulado *Problema do Mal*: por que os homens sofrem e por que sofrem da maneira como sofrem? Este livro de Eclesiastes até se parece com as passagens pessimistas do livro de Jó.

■ 2.16

כִּי אֵין זִכְרוֹן לֶחָכָם עִם־הַכְּסִיל לְעוֹלָם בְּשֶׁכְּבָר הַיָּמִים הַבָּאִים הַכֹּל נִשְׁכָּח וְאֵיךְ יָמוּת הֶחָכָם עִם־הַכְּסִיל׃

Pois assim do sábio como do estulto, a memória não durará para sempre. Quando o triste filósofo fala em não restar *lembrança* do sábio, mais do que a do estulto, não está considerando meramente se outros se lembrarão dele ou não. Ele se referia à *consciência*. Não há mais lembrança porque o sábio cessou de existir, em sentido absoluto. O registro das memórias é completamente obliterado. Por certo, outros seres humanos esquecerão o homem, mas Deus também o esquecerá. Nada haverá que chame a atenção para ele. O tempo varre totalmente tanto as memórias como as entidades capazes de ter alguma memória, pelo que nada restará. O sábio morre tal qual o insensato, e ambos caem no esquecimento.

■ 2.17

וְשָׂנֵאתִי אֶת־הַחַיִּים כִּי רַע עָלַי הַמַּעֲשֶׂה שֶׁנַּעֲשָׂה תַּחַת הַשָּׁמֶשׁ כִּי־הַכֹּל הֶבֶל וּרְעוּת רוּחַ׃

Pelo que aborreci a vida. Disse o triste filósofo: "Aborreci a vida", pois ele tinha observado que ela era tão bruta, tão inútil, tão insensata, tão fútil, tão enganadora, tão dolorosa que, finalmente, levava a nada. Mas, pelo menos, ele era *honesto*. Ele nem procurava ajustar sua teoria para adaptar-se à *ortodoxia*, nem tentava agradar os ortodoxos, mediante a adição de declarações suavizadoras, para torná-los mais felizes. Todas as obras humanas, realizadas durante algum tempo, tornaram-se amargas para ele. Tudo não passava de vaidade e pobreza de espírito. Tudo quanto ele tinha feito era "seguir o vento", mas não fora capaz de reter a brisa que vinha ao seu encontro. A morte, a grande niveladora, tinha arruinado tudo, lançando suas sombras sobre o homem bom, não menos que sobre o homem mau. Cf. Jó. 10.1.

> A morte é o grande nivelador.
>
> Provérbio do século XVIII

Os Frutos Preciosos do Labor de um Homem Serão Desperdiçados por Outros (2.18-21)
O triste filósofo agora imaginava as riquezas de Salomão sendo deixadas para um homem menor, como Roboão, seu sucessor, que desperdiçaria os frutos de seu labor. Portanto, que vantagem haveria em ter ele feito o que fez, e em ter desperdiçado sua vida em todo aquele esforço por excelência?

■ 2.18

וְשָׂנֵאתִי אֲנִי אֶת־כָּל־עֲמָלִי שֶׁאֲנִי עָמֵל תַּחַת הַשָּׁמֶשׁ שֶׁאַנִּיחֶנּוּ לָאָדָם שֶׁיִּהְיֶה אַחֲרָי׃

Também aborreci todo o meu trabalho. O autor chegou a aborrecer tanto a própria *vida* (vs. 17) quanto o seu *trabalho* (vs. 18). Haveria algo de duradouro nessas coisas? Absolutamente, não. Em primeiro lugar, seus sucessores reduziriam tudo a nada. E, caso não o fizessem, mesmo assim tudo era inútil, conforme ele mesmo já havia demonstrado em 1.3. Certamente os estultos herdariam todas as riquezas daquele homem, incluindo suas propriedades e qualquer outra coisa que ele deixasse para trás. Por outra parte, visto que os insensatos e os sábios são a mesma coisa, no fim, ele não teria vantagem alguma se todos os seus bens caíssem nas mãos dos sábios. Compare-se isso à sabedoria superior de George Frederic Watts: "O que gastei, perdi; o que economizei, perdi; o que dei, conservei".

Temos a considerar um antigo ditado: "Não podemos levar deste mundo o que nele ganhamos". Eis por que um moribundo verteu tudo quanto tinha em "cheques de viagem", a fim de carregá-los consigo; esperemos que ele tenha assinado direitinho os seus cheques! Talvez algumas das obras dos homens bons terminem em museus, para serem admiradas, mas o triste filósofo não veria nisso nenhuma vantagem. Cf. este versículo com Eclesiástico 9.19. O tolo usufrui o resultado dos labores do sábio. Isso é ridículo. Na verdade, porém, assim eram a vida e seus frutos, no parecer deste pessimista. O Targum lembra-nos de que Salomão deixou suas riquezas materiais para seu filho insensato, Roboão, e, devido a certas circunstâncias, também para o selvagem Jeroboão. Esses dois insensatos dividiram o reino de Israel. Eles repartiram os despojos do sábio que tinha dado a Israel sua época áurea.

DESOLADO

*Aborreci a vida, pois me foi penosa a obra que se faz
debaixo do sol; sim, tudo é
vaidade e correr atrás do vento.
Também aborreci todo o meu trabalho, com que
me afadiguei debaixo do sol, visto que o seu ganho eu o
havia de deixar a quem viesse depois de mim.
...
Então me empenhei por que o coração
se desesperasse de todo trabalho
que me afadigara debaixo do sol.*

Eclesiastes 2.17,18,20

FUTILIDADES

Perecem, e ninguém indaga
Quem ou o que foram eles,
Mais do que indaga quais ondas
Na solidão do luar,
No meio do oceano, se empolaram,
Espumejaram por um momento e
desapareceram.

A maioria dos homens chega à beira do abismo
Aqui e ali — comem e bebem,
Conversam, amam e odeiam,
Colhem e dilapidam; são elevados
No alto, são lançados no pó.
Esforçando-se cegamente, realizam
Nada; e então morrem.

Matthew Arnold

■ 2.19

וּמִי יוֹדֵעַ הֶחָכָם יִהְיֶה אוֹ סָכָל וְיִשְׁלַט בְּכָל־עֲמָלִי שֶׁעָמַלְתִּי וְשֶׁחָכַמְתִּי תַּחַת הַשָּׁמֶשׁ גַּם־זֶה הָבֶל׃

E quem pode dizer se será sábio ou estulto? Este versículo repete essencialmente as ideias do vs. 18. Um sábio pode amealhar riquezas; um insensato também pode amealhá-las; mas o resultado será o mesmo. Um homem bom se esforçaria por acumular bens, mas chegariam tolos que passariam a desperdiçá-los e, mesmo que não os desperdiçassem, os bens seriam deles, e não de quem os acumulou. Por conseguinte, o homem bom perderia tudo quanto se tivesse esforçado por alcançar, nesta terra que está debaixo do céu. Portanto, que pode ser dito depois de tudo isso? Tudo é *vaidade*. É contrário ao bom senso que um insensato ou mesmo um sábio fique com os bens materiais de um homem que acabou de morrer. Também é uma incongruência que a morte oblitere o sábio. É claro, portanto, que a vida inteira não se reveste de sentido. A vida, para o triste filósofo, era o "incongruente". De nada adiantava tentar extrair dela algum sentido.

■ 2.20

וְסַבּוֹתִי אֲנִי לְיַאֵשׁ אֶת־לִבִּי עַל כָּל־הֶעָמָל שֶׁעָמַלְתִּי
תַּחַת הַשָּׁמֶשׁ׃

Então me empenhei por que o coração se desesperasse. O autor sagrado perdera a coragem enquanto pensava na vaidade da vida; desencorajado, desprezou a própria vida, bem como suas obras, e também se entristeceu por haver nascido. Não teve um único pensamento remidor. Todas as suas teorias se azedaram. Estava tudo errado, e não havia remédio para nada. Todas as coisas que ele antes considerara virtudes - conhecer e praticar a lei de Moisés, obter conhecimento e sabedoria, trabalhar arduamente e ajuntar bens materiais, esforçar-se por realizar grandes projetos, tentar ser um grande homem — todas essas coisas boas, juntamente com qualquer outra que se possa imaginar, foram lançadas na lata de lixo filosófica. Esse homem tornou-se tão negativo, que nenhuma escola filosófica decente haveria de querer que ele ali ensinasse, e nenhuma igreja abriria as portas para ele. Ele era um pária, lançado fora por si mesmo e pelo próximo; mas a aceitação por parte de outras pessoas é apenas outro falso valor.

Nosso homem cessou a busca pela sabedoria, abandonou a busca pelos prazeres, interrompeu os labores diligentes e terminou como um nada que nada fazia, apenas outra forma de vaidade. A vida era uma piada doentia, cujo centro era ele próprio.

■ 2.21

כִּי־יֵשׁ אָדָם שֶׁעֲמָלוֹ בְּחָכְמָה וּבְדַעַת וּבְכִשְׁרוֹן
וּלְאָדָם שֶׁלֹּא עָמַל־בּוֹ יִתְּנֶנּוּ חֶלְקוֹ גַּם־זֶה הֶבֶל וְרָעָה
רַבָּה׃

Porque há homem cujo trabalho é feito com sabedoria. Além disso, há aqueles indivíduos cujo trabalho não envolve questões materiais, mas obras de retidão e promoção da justiça na sociedade. Até mesmo essas obras, entregues aos insensatos, são logo desfeitas e terminam em nada. Note-se que tais qualidades são requeridas pela lei; mas que bem isso faz aos que obedecem à lei, nesta vida sem significado? Não existe nenhuma lei de justiça, exata e bem equilibrada, que dê a cada pessoa o que ela merece, garantindo o bem para os bons. Um homem pode deixar uma herança moral e espiritual, em vez de uma herança material; mas que bem isso faz? Essas coisas não são melhores que as materiais que outros poderiam deixar. Os que surgem em cena mais tarde garantem que tudo se reduza à mesma inutilidade. Tudo é vaidade, tudo é um *grande mal*. A *Revised Standard Version* diz habilidade, como tradução do termo hebraico *kishron*, que nossa versão portuguesa traduz como *destreza*, uma compreensão legítima do termo. Nesse caso, o versículo simplesmente repete o que já tinha sido dito antes, sem apontar nenhuma espécie de herança espiritual ou moral que um homem possa deixar. Um homem trabalha com destreza por ser treinado e sábio, mas os insensatos sem treinamento obtêm o mesmo pelo que os sábios tanto trabalham para adquirir.

■ 2.22

כִּי מֶה־הֹוֶה לָאָדָם בְּכָל־עֲמָלוֹ וּבְרַעְיוֹן לִבּוֹ שְׁהוּא
עָמֵל תַּחַת הַשָּׁמֶשׁ׃

Pois, que tem o homem de todo o seu trabalho...? O filósofo repete os mesmos sentimentos que já tinham sido ventilados, embora com um fraseado levemente diferente. O que um homem consegue mediante todo o seu labor diligente? Sua esfera de labor era a terra, debaixo do sol, e todas as coisas feitas ali se reduziram a nada; o que ele ganhou com tudo isso? Nada, essa é a verdade. Ele obteve somente *vexação* no coração. Ele labutou diligentemente, quase chegando à *exaustão*. Mas, visto que pensamos ser isso uma virtude, continuamos na mesma lida, dia após dia. Jactamo-nos de quão duro trabalhamos, e esperamos que outras pessoas nos elogiem. O triste filósofo chama tais homens de estultos. Antes, ele mesmo havia trabalhado segundo esse método, mas já abandonara a vereda do trabalho duro, por considerá-lo vão, tal como qualquer outra vereda é inútil. Todas as veredas são vaidade; a própria vida é uma vaidade; a morte aniquiladora é a grande verdade, e a única questão *aparentemente* importante é se cometeremos suicídio ou não. Esse homem definitivamente tinha um problema de atitude.

■ 2.23

כִּי כָל־יָמָיו מַכְאֹבִים וָכַעַס עִנְיָנוֹ גַּם־בַּלַּיְלָה לֹא־
שָׁכַב לִבּוֹ גַּם־זֶה הֶבֶל הוּא׃

Porque todos os seus dias são dores. Visto que o homem era um trabalhador duro, todos o elogiavam. Mas, na verdade, o que estava acontecendo? — pergunta-nos o triste filósofo. Ele trabalhava arduamente, mas tudo estava eivado de dores; seu próprio trabalho se tornara uma vexação. Ele realmente desfrutava todo o labor árduo? Nesse caso, nosso homem responde: "Desfrutar também é vaidade". Mesmo à noite, aquele homem enlouquecido não descansava. Ele continuava preocupando-se em como faria seu trabalho, mas viveria o suficiente para completá-lo? Ele perdeu o sono, em sua ansiedade, e essa era outra parte ridícula de seu estilo de vida. Existe algo de irracional e arbitrário na própria vida. Schopenhauer chamava o seu deus de "insano" e supunha que essa fosse a razão pela qual existem tantas coisas loucas nesta vida. O "deus" do nosso filósofo não estava distante da avaliação de Schopenhauer sobre a divindade.

■ 2.24

אֵין־טוֹב בָּאָדָם שֶׁיֹּאכַל וְשָׁתָה וְהֶרְאָה אֶת־נַפְשׁוֹ טוֹב
בַּעֲמָלוֹ גַּם־זֹה רָאִיתִי אָנִי כִּי מִיַּד הָאֱלֹהִים הִיא׃

Nada há melhor para o homem do que comer. Provavelmente, este versículo é irônico. E se não é irônico, é apenas uma nota de desespero. O filósofo já nos havia dito, com detalhes, que o prazer não é bom nem vale o esforço para desfrutá-lo (Ec 2.1-11). De fato, após efetuar uma experiência complexa, por ser hedonista, ele concluiu que tudo era vaidade. Assim, como poderia estar recomendando o prazer, moderado ou excessivo, como o *único bem* a ser buscado? Ele afirmou que nada existe *melhor* do que isso, então, entre outros males, tome-se esse que é o menor. Aparentemente, ele inclui Deus no ato prazeroso, ao dizer que isso era tudo quanto Deus lhe havia dado. Em outras palavras, Deus, como a causa única, não pensara em algo mais digno que a vida de prazeres. Se Deus não pudesse pensar em coisa de maior valor que isso, então nada deve haver mais digno de valor. Portanto, que cada qual aceite o que puder. Foi Deus quem pôs a humanidade nessa vida inútil, com seus prazeres inúteis! O texto massorético e a Septuaginta adicionam aqui um "não": "Não é bom, da parte do homem, que ele coma... ". Isso salva a ortodoxia, mas já aprendemos que, usualmente, o texto difícil é o correto. Os escribas costumam trocar textos difíceis por textos fáceis. Por conseguinte, pode-se calcular que a mensagem do triste filósofo é: "Os prazeres, ao que tudo indica, são a única coisa digna que Deus nos deu, mas isso também não é bom, como tudo mais".

A Vulgata Latina e os comentários de Jarchi transformam esta afirmação em uma interrogação: "Será bom um homem adotar a vida de prazeres?" E, naturalmente, a resposta esperada é: "Não!" Essa é apenas outra fuga para longe de um texto difícil. Cf. Ec 3.12,22; 5.17; 8.15; 9.7-10; 10.19; 11.7,9,11 e 12.1.

■ 2.25

כִּי מִי יֹאכַל וּמִי יָחוּשׁ חוּץ מִמֶּנִּי׃

Pois, separado deste, quem pode comer, ou quem pode alegrar-se? O filósofo insiste em sua ideia de predestinação. Deus determinou todas as coisas. Portanto, se nada existe melhor que os prazeres, e estes não são *bons*, então temos de aceitá-los. A teologia dos hebreus era fraca quanto às causas secundárias, pelo que o autor sacro não via outra causa para explicar a total futilidade de tudo. Em outras palavras, Deus é o autor da vaidade; a vaidade combina com a sua vontade, e tudo continuará sendo dominado pela vaidade. Deus é quem concede os prazeres: ele é a fonte originária desse único falso bem. Isso é tudo quanto poderemos obter; portanto, faça de você mesmo um insensato, sendo um hedonista! Esse raciocínio, naturalmente, está distorcido. O triste filósofo havia começado com más premissas e também terminou com más conclusões.

O autor sagrado, pois, cometeu a *falácia natural* que diz "O que é, é direito". Mas existem muitas coisas que são, e não deveriam ser. Aquilo que existe, como é óbvio, não é o que Deus quer, em muitos casos. O triste filósofo fez de cada estrada um beco sem saída e, então, lançou sobre Deus a culpa disso, como se o Senhor só planejasse becos sem saída para a vida humana.

Epicurismo? Diversos intérpretes pensam que podemos descobrir, no vs. 25, a verdadeira filosofia do autor sagrado, o *epicurismo*. Em contraste com o hedonismo espalhafatoso (a busca enérgica pelos prazeres como o *summum bonum* da vida humana), o epicurismo defendia os prazeres físicos *moderados*, acompanhados de prazeres mentais (que são até superiores), os quais constituiriam o suprassumo da vida humana. O hedonismo, pelo contrário, favorecia os prazeres físicos crassos. Ver na *Enciclopédia de Bíblia, Teologia e Filosofia* os artigos chamados *Hedonismo* e *Epicurismo*, quanto a amplas explicações. Ver os vss. 3.12,22 e 8.15, que parecem indicar isso. Ou, estaria o triste filósofo lançando no ridículo qualquer teoria e tomando uma posição *niilista?* Portanto, ele disse: "Vá adiante, e seja um epicureu. Nada existe de melhor a fazer. Mas, se fizer isso, você será um tolo!" Pode-se supor que nosso homem fosse niilista. Ele veio a desprezar qualquer vereda, como se fosse um homem bom, visto que, embora sendo insensato, sem importar o que se venha a fazer, sempre haverá alguns prazeres ao longo do caminho. Visto que Deus determinou o niilismo, sua divindade deve ser niilista. Essa era uma "bela" posição teológico-filosófica para atingir após tanta busca! Talvez o niilismo, afinal, seja o *lema do livro*, excetuando-se o seu epílogo (capítulo 12), que foi adicionado por outra mão, na tentativa de salvar o livro com uma injeção de ortodoxia. Ver na *Enciclopédia de Bíblia, Teologia e Filosofia* o artigo intitulado *Niilismo*, especialmente o terceiro ponto, *Niilismo Ético*. Não existem valores genuínos.

■ **2.26**

כִּי לְאָדָם שֶׁטּוֹב לְפָנָיו נָתַן חָכְמָה וְדַעַת וְשִׂמְחָה וְלַחוֹטֶא נָתַן עִנְיָן לֶאֱסוֹף וְלִכְנוֹס לָתֵת לְטוֹב לִפְנֵי הָאֱלֹהִים גַּם־זֶה הֶבֶל וּרְעוּת רוּחַ׃

Porque Deus dá sabedoria, conhecimento e prazer ao homem. Vários eruditos tomam este versículo como se fosse uma espécie de *glosa ortodoxa,* adicionada para tentar salvar o livro das tendências radicais pelas quais o autor sagrado enveredou. Deus continua sendo a causa única, mas agora ele não dá mais aos homens, como seu *summum bonum,* somente os prazeres (vs. 25), mas também lhes concede outras coisas realmente boas, como sabedoria, conhecimento e alegria. Aos *homens bons* ele dá essas coisas, mas aos ímpios ele confere *trabalho duro,* na semeadura, na colheita e no recolhimento em celeiros (isto é, em todas as atividades da vida). O homem mau, embora engajado em todo esse trabalho, termina entregando todas essas coisas a outras pessoas, ou, então, através das circunstâncias, todas as coisas lhe são tiradas e entregues a outros. Isso reflete um pensamento ortodoxo e é totalmente contraditório ao que o autor disse momentos antes. Assim, o homem mau é aquele que termina na vaidade, a correr atrás do vento; mas, até agora, isso se referia a todos os homens. Ver Ec 1.2,3,8 e, de fato, todo o primeiro capítulo do livro. O triste filósofo não tinha falado da divina retribuição contra os homens maus, mas somente da avassaladora futilidade lançada sobre todos os homens pela causa única. Até onde se pode concluir, este versículo não se reconcilia com o que foi visto até agora, sendo muito provavelmente uma glosa ortodoxa. Parece ridículo tentar imputar ao livro de Eclesiastes as mesmas coisas expressas pelos livros de Salmos ou de Provérbios, que são ortodoxias da antiga fé dos hebreus. Se Eclesiastes concorda com eles, então não é um livro diferente. Mas, até agora, tem sido *muito diferente*.

O Targum diz-nos, corretamente, que a vaidade aqui referida se aplica ao pecador. Mas, até este ponto, ela tem sido aplicada a todos os homens de todos os lugares. Alguns supõem que o filósofo tenha falado aqui *ironicamente,* não esperando que os leitores (depois de terem lido até este ponto) o levassem a sério. Ele não *escorregou,* assim de repente, para a ortodoxia.

CAPÍTULO TRÊS

A MORTE MOSTRA QUE TUDO É INÚTIL (3.1-22)

A doutrina dos hebreus, segundo a lei, conseguiu criar uma vida útil, sem a esperança da imortalidade. As declarações da sabedoria, que fomentam e interpretam a lei, também encontravam uma vida digna de ser vivida, mesmo sem a esperança de uma "vida além desta". Mas o triste filósofo viu a *falácia* nesse tipo de crença. O homem morre como os animais, e cessa sua existência (vss. 19,20). Alguns veem um vislumbre de esperança no vs. 21, como se o autor tivesse olhado para o alto, por um momento, encontrando uma esperança de algo melhor para a vida humana. O autor via um lugar de julgamento temporal na vida humana, tanto para os bons quanto para os maus, mas não interpretava essa doutrina como sendo uma administração séria de retribuição divina, a fim de que houvesse uma prestação de contas. Certamente, ele não projetava ideias de uma vida pós-morte. Antes, ele defendeu sua noção de Deus como a causa única, vendo-o atuar em todas as coisas e até permitindo a ação da injustiça (vss. 16,17). Tudo faria parte da providência eterna, imutável (vs. 14) e inescrutável (vs. 11) da causa única, o que também torna inteiramente sem proveito o labor de todo homem (vs. 9). O autor continua com seus pontos de vista niilistas (ver Ec 2.25, quanto a uma definição), fazendo de Deus a causa do nada que ele observava no mundo. É ridículo pretender que este capítulo apresente um judaísmo ortodoxo e certamente também nada há de cristão no capítulo. Todos os *tempos* estão nas mãos de Deus, mas ficamos boquiabertos diante daquilo que é atribuído ao Senhor, enquanto ele controla tudo.

"A história do mundo é um ciclo de eventos e de seus opostos, que ocorrem interminavelmente. Contra essa corrente de acontecimentos de ordem dual, determinada por Deus, o homem nada pode fazer. Ele está cercado e amarrado, em todas as coisas e em todos os lugares, por uma premente necessidade. O homem naturalmente pode trabalhar e ter prazer nisso (Ec 2.10,24), aceitando o vislumbre de alegria que Deus lhe dá, mas, no todo, sua obra é ineficaz e sem proveito (vs. 9), visto que ele é impotente contra os acontecimentos fixos e prescritos de sua existência" (O. S. Rankin, *in loc.*).

■ **3.1**

לַכֹּל זְמָן וְעֵת לְכָל־חֵפֶץ תַּחַת הַשָּׁמָיִם׃ ס

Tudo tem o seu tempo determinado. Deus é a causa única e está por trás de tudo, em absoluto. Ele ordena os eventos em forma de teses e antíteses (opostos), e há um tempo e uma época pré-arranjados para tudo. Todas as coisas operam através de uma *lei inexorável* (Volz, *in loc.*). Ver na *Enciclopédia de Bíblia, Teologia e Filosofia* o artigo chamado *Determinismo.* Se Deus é a causa única, então é, igualmente, a causa do mal. Essa ideia está incorporada no presente capítulo. A teologia dos hebreus era fraca quanto a *causas secundárias,* o que lhes deixava à mercê de uma doutrina distorcida. O calvinismo radical compartilha os mesmos defeitos e os mesmos tipos de resultados. O capítulo 9 de Romanos contém a ideia da causa única; ali, o Todo-poderoso é o agente de homens maus e de coisas más. Outras porções do Novo Testamento, porém, ultrapassam essa marca, e assim também aconteceu ao judaísmo, mediante muitos autores.

E há tempo próprio para todo propósito. O autor se refere às estações tanto da natureza quanto da vida humana (*zeman,* "tempo determinado", palavra hebraica encontrada somente na literatura posterior, como aqui e em Ne 2.6; Et 9.27,31 e nos livros de Daniel e Esdras).

Tempo. No hebraico, *'eth,* "ocorrência", dando a entender principalmente *evento específico,* que ocorre dentro de uma estação determinada.

Para ilustrar sua tese, o autor sacro fornece quatorze itens duais, *sete jogos* (cada jogo perfaz um dual) em oposição. Podemos ter certeza de que esse número foi escolhido para exprimir a perfeita *Providência de Deus* e de seu controle sobre *todas as coisas.* Cada versículo, do segundo ao oitavo, tem dois jogos de oposição, com dois itens cada jogo.

Mediante *aplicação,* poderíamos falar em *oportunidades* pessoais e nacionais que devem ser aproveitadas no tempo certo. "Faz parte da sabedoria descobrir onde apanhar a maré favorável, sem desperdiçar esperança e esforço naquilo que não pode ser realizado no momento específico. Aproveitar o momento é um dos elementos necessários ao sucesso" (Gaius Glenn Atkins, *in loc.*).

Há uma maré nos negócios dos homens,
Que, aproveitada no seu máximo, leva à fortuna;
Omitida, toda a viagem de sua vida
Estará presa nos baixios e na miséria.

Shakespeare

Para todo propósito. "Propósito" é tradução da palavra hebraica *cheephetz*, "desejo", "inclinação", "desígnios", "intenções humanas" governadas pelos desígnios da providência divina. É provável que estejam em vista especialmente os *conselhos divinos*, concordando com a ideia da causa única.

■ **3.2**

עֵת לָלֶדֶת וְעֵת לָמוּת עֵת לָטַעַת וְעֵת לַעֲקוֹר נָטוּעַ:

Há tempo de nascer, e tempo de morrer. *Jogos de oposições* (cada jogo formando um dual); *primeiro jogo:* itens 1 e 2 (cada qual é um dual).

1. Um tempo para *nascer* e um tempo para *morrer*. É comum, na doutrina religiosa, dizer que o dia do nascimento e o da morte de uma pessoa já estão determinados. Os estudos no campo do misticismo indicam que há certa folga quanto a essa questão. Algumas mortes têm de ocorrer em determinadas datas, mas outras mortes não estão fixadas, podendo-se ganhar alguns anos, para "marcar passo", pois nada de especial é feito; nada é ganho, nada é perdido. Nosso filósofo, contudo, que tinha Deus como a causa única, não poderia ter imaginado algo como uma *folga*, o que não seria um bom determinismo. Cf. essa ideia com Jó 14.5, cujas notas fornecem detalhes.

    Ezequias orou para viver por mais algum tempo e obteve sua petição equivalente a quinze anos! Ver 2Rs 20. Se há uma folga para muitos morrerem, é razoável pensar que também podemos dizer o mesmo quanto ao nascimento. De modo geral, os tempos estão nas mãos de Deus. Cf. este versículo com Sl 31.15 e Jo 7.8,30. Quanto a tais ideias aplicadas a Israel como nação, ver Dt 32.39; Sl 65.20; 80.18; Ez 37; Os 6.2; Hc 1.12 e 3.2.

2. Há também um tempo para "plantar" e outro para "arrancar", incluindo-se o tempo de colher. A agricultura é governada pelas estações determinadas por Deus, e os homens são obrigados a segui-las, se quiserem obter êxito no plantio. Toda a vida humana depende do sucesso da agricultura, e a agricultura depende de Deus, a causa única. A natureza está sujeita ao controle divino, como o está, igualmente, o homem.

Por *aplicação*, Deus planta e arranca eventos, quer pessoais quer comunais. Ver Sl 44.2; 80.8,12,13; Jr 18.7,9; Am 8.15; Mt 15.13; Ap 2.5. "Arrancar" pode significar "arrancar pelas raízes", isto é, matar. Pode haver um fim para a vida vegetal, tal como o há para a vida humana. Plantas ou árvores estéreis, velhas, ou que não se queira mais, podem ser arrancadas e destruídas.

■ **3.3**

עֵת לַהֲרוֹג וְעֵת לִרְפּוֹא עֵת לִפְרוֹץ וְעֵת לִבְנוֹת:

Tempo de matar, e tempo de curar. *Segundo jogo de oposições* (cada jogo formando um dual); itens 3 e 4 (cada qual é um dual).

3. Um tempo para *matar*, como sucede na guerra, nas vinganças dos vingadores do sangue, nas execuções e, talvez, na autodefesa, nas matanças *legítimas*, por mais repelentes que nos pareçam. Mas também há um tempo para *curar*, tratar dos ferimentos, aplicar medicamentos que curem, e invocar o Senhor para eliminar alguma enfermidade. Os hebreus dependiam da cura divina, não confiando em médicos, remédios ou artes mágicas. Ver as notas em Sl 103.3.
4. Tempo de *derribar*, e tempo de *edificar*. Estão em vista as edificações, ou a formação e o rompimento dos relacionamentos. As derribadas de cidades e propriedades são os atos comunais dessa espécie. Outro tanto é verdadeiro no começo e no fim das nações, nos ciclos mundiais.

■ **3.4**

עֵת לִבְכּוֹת וְעֵת לִשְׂחוֹק עֵת סְפוֹד וְעֵת רְקוֹד:

Tempo de chorar, e tempo de rir. *Terceiro jogo de oposições* (cada jogo formando um dual); itens 5 e 6 (cada qual é um dual).

5. Um tempo de *chorar* e de *rir*. A *Providência de Deus* envia as tristezas, os desastres, as calamidades, as enfermidades e a morte, manifestações do *Problema do Mal* (ver a respeito no *Dicionário*), o que obriga os homens a sofrer. Assim, os homens choram, e tudo ocorre pela vontade de Deus, que é a causa única. Deus é a causa por trás de todas as formas de mal e sofrimento. Nossa teologia, entretanto, avançou para além dessa espécie de ideia. Verdadeiramente, esse era um sistema deficiente, mas um calvinismo radical, hoje em dia, continua a promover a ideia. Além disso, os ciclos de alegria seguem-se aos ciclos de tristeza.
6. Tempo de *prantear* e de *saltar de alegria*. Chegam, então, os tempos de tristeza, um ciclo natural. Em seguida, vêm tempos de alegria. Todas as vicissitudes realmente vêm da parte de Deus: tempos de tristeza, de alegria e de vitória; tempos de festas e de prazer; tempos de enfermidade e de boa saúde; tempos de pobreza e de riqueza; tempos em que as coisas vão mal ou vão bem.

■ **3.5**

עֵת לְהַשְׁלִיךְ אֲבָנִים וְעֵת כְּנוֹס אֲבָנִים עֵת לַחֲבוֹק וְעֵת לִרְחֹק מֵחַבֵּק:

Tempo de espalhar pedras, e tempo de ajuntar pedras. *Quarto jogo de oposições* (cada jogo formando um dual); itens 7 e 8 (cada qual é um dual).

7. Um tempo de *espalhar pedras*. Parece estar em vista a edificação. Um homem seleciona seu material e se desfaz das pedras que não prestam para a construção de paredes e casas. Outro significado poderia ser a limpeza de um terreno, eliminando-se as pedras soltas, para o preparo dos campos de cultivo. Ver Is 5.2; 62.10; 2Rs 3.19,25.

    E, então, ocorre o tempo para *juntar* pedras. As pedras certas são escolhidas para a construção. A referência é literal. Figurativamente, há a edificação espiritual, e também Cristo, a pedra angular, escolhida e incorporada (Ef 2.19,20; Mt 21.42). A Midrash Qoleth Rabbah refere-se a lançar fora o sexo marital. O recolhimento de pedras fala da pessoa que deve refrear o sexo, mas é duvidoso que esse tenha sido o significado original.
8. Um tempo de *abraçar*, e outro de *afastar-se do abraço*. Tempos de amar e tempos de romper relacionamentos. Um tempo de exibir afeto, e outro de não se envolver em afetos.

Mediante todos esses relacionamentos, o triste filósofo via os homens envolvidos em planos divinos predeterminados, usados como meros títeres, tendo de rir e suportar qualquer destino a que fossem forçados. E *cada passo* ao longo do caminho era um desdobrar detalhado de planos que não faziam parte da sua formação, e que eles não conseguiam alterar.

■ **3.6**

עֵת לְבַקֵּשׁ וְעֵת לְאַבֵּד עֵת לִשְׁמוֹר וְעֵת לְהַשְׁלִיךְ:

Tempo de buscar, e tempo de perder. *Quinto jogo de oposições* (cada jogo formando um dual); itens 9 e 10 (cada qual é um dual).

9. Um tempo de *buscar* e um tempo de *perder*. O sentido, aqui, é a obtenção e a perda de vantagens na vida, a obtenção e a perda de riquezas, ou quaisquer ações que envolvam vantagem ou desvantagem, ciclos de restauração e de desintegração.
10. Tempo de *guardar* e tempo de *deitar fora*. Estão em foco coisas materiais, relações pessoais, vida e morte e as vicissitudes que essas coisas trazem, bem como propriedades e perda desse poder sobre as coisas.

■ **3.7**

עֵת לִקְרוֹעַ וְעֵת לִתְפּוֹר עֵת לַחֲשׁוֹת וְעֵת לְדַבֵּר:

Tempo de rasgar, e tempo de coser. *Sexto jogo de oposições* (cada jogo formando um dual); itens 11 e 12 (cada qual é um dual).

11. Um tempo de *rasgar* e um tempo de *costurar*, tomados literalmente da profissão das costureiras, mas, figurativamente, representando relações, aventuras no mundo dos negócios e todos os tipos de atividades que têm seus ciclos de rasgar e emendar de novo. Alguns veem aqui os ciclos do nascimento e da morte, a

formação e o desmanche de famílias. Com essas coisas vêm o regozijo e a lamentação. Em uma oportunidade um homem grita de alegria, em outra ele sofre em silêncio. Cf. Jó 2.12,13 e o vs. 4 deste mesmo capítulo.

12. Tempo de estar *calado* e tempo de *falar*. Atos que estão relacionados aos anteriores e ao modo como os homens reagem a tais acontecimentos. Tempos de calamidades, pessoais ou nacionais, fazem os homens cair no silêncio. Tempos de vitórias, pessoal ou nacional, fazem os homens prorromper em gritos de regozijo. Ver Lv 10.3. Mas a sabedoria aconselha que, em certas ocasiões, é bom fazer silêncio, ao passo que, em outras, é conveniente falar.

■ 3.8

עֵת לֶאֱהֹב וְעֵת לִשְׂנֹא עֵת מִלְחָמָה וְעֵת שָׁלוֹם: ס

Tempo de amar, e tempo de aborrecer. *Sétimo jogo de oposições (cada jogo formando um dual);* itens 13 e 14 (cada qual é um dual).

13. Um tempo de *amar* e um tempo de *odiar*. Está em foco amar àqueles que nos são próximos e àqueles que merecem amor, por causa do que fazem por nós; e um tempo para odiar pessoas destrutivas e o mal que elas praticam; de amar a própria pátria e de odiar os inimigos nacionais que invadiram nosso território, dispostos a matar-nos; de amar os bons e de odiar os maus; de amar à lei de Moisés e de odiar o desregramento.

14. Um tempo de *guerra* e um tempo de *paz*. A guerra é algo terrível, mas ser atacado e conquistado é ainda pior. Um país precisa defender-se, mas chega o tempo de negociar a paz e pôr fim às hostilidades. Existem negócios nas nações sobre os quais os indivíduos exercem pouquíssimo controle, pois supostamente todas essas coisas estão sob o controle de Deus, sendo ele a causa única de tudo.

Comentários. A lista acima é apenas representativa dos tipos de oposições que ocorrem aos pares, resultantes da *Providência de Deus* e que incluem coisas boas e más, pois Deus é a causa de tudo, sem exceção. O autor sagrado forneceu-nos *sete jogos,* cada jogo formando um dual, mas, estritamente falando, quatorze oposições, isto é, um duplo sete. Portanto, ele nos deu 28 itens, cada qual formando um dual, perfazendo quatorze, o duplo sete. Mediante essa numerologia, ele fala da providência divina completa e perfeita, sem importar o que poderíamos pensar sobre a bondade ou a maldade, sobre a justiça ou a injustiça do que é dito. O argumento do autor é que *todas as coisas* vêm de Deus, que nós estamos sujeitos à sua vontade toda-poderosa e nada temos que dizer. Em outras palavras, temos de levar em conta um *determinismo* todo-poderoso (ver na Enciclopédia de Bíblia, Teologia e Filosofia). A teologia dos hebreus era fraca quanto a causas secundárias e, com plena certeza, atribuía todos os acontecimentos a Deus. Isso, sem dúvida, formava uma teologia deficiente, que continua na igreja cristã, no calvinismo radical. É um engano de proporções gigantescas atribuir o mal a Deus. Existe um ponto de vista superior a respeito de Deus, em outras passagens bíblicas, e é a ele que devemos apegar-nos. Ver no *Dicionário* o verbete denominado *Predestinação,* onde tento encontrar o equilíbrio da questão. Ver também o artigo chamado *Livre-arbítrio,* que existe, de fato, e não pode atuar em um sistema absolutamente determinado. Temos aqui um ponto de vista *voluntarista* de Deus. Ver na *Enciclopédia de Bíblia, Teologia e Filosofia* o artigo chamado *Voluntarismo,* quanto a detalhes sobre esse assunto vital para a compreensão desta passagem.

A Labuta É Sem Proveito (3.9-15)

■ 3.9

מַה־יִּתְרוֹן הָעוֹשֶׂה בַּאֲשֶׁר הוּא עָמֵל:

Que proveito tem o trabalhador naquilo em que se afadiga? *O pobre e triste filósofo,* laborando sob o seu sistema de determinismo absoluto, abateu-se e viu claramente que todo trabalho humano é vão. O homem é *esbofeteado* pelos ventos divinos e jamais poderá chegar a coisa alguma digna ou duradoura. Hoje ele tem aquilo que chama de bom, mas amanhã o vento varrerá tudo de sua frente. Não há valores permanentes. Quando adotamos uma teologia deficiente, isso certamente distorcerá nossa maneira de pensar sobre as coisas. E foi precisamente isso que o triste filósofo fez nesta passagem. Naturalmente, existem coisas de valor a serem obtidas ali, mas nos enganamos quando aceitamos o caso do autor, conforme está, e não nos erguemos nem objetamos a seus pontos de vista extremados de bom senso e de boa doutrina.

"Se as ações de um homem são destituídas de liberdade, visto que seus próprios atos ou pensamentos são ditados por uma vontade fora dele mesmo, que valor podem ter esses atos? Qual seria o uso do esforço humano? Diante dessa pergunta, a resposta é que o trabalho de um homem não se revestiria de nenhum valor real" (O. S. Rankin, *in loc.*).

Cinco Conclusões. Essas conclusões estão baseadas na doutrina do determinismo absoluto, no tocante ao trabalho humano: ver os vss. 10 e 11, 12 e 13, 14 e 15, que contêm as cinco conclusões e onde cada versículo oferece uma conclusão.

■ 3.10

רָאִיתִי אֶת־הָעִנְיָן אֲשֶׁר נָתַן אֱלֹהִים לִבְנֵי הָאָדָם לַעֲנוֹת בּוֹ:

Vi o trabalho que Deus impôs aos filhos dos homens. *Primeira Conclusão.* Foi Deus quem impôs o *trabalho árduo* aos homens. Ele lhes deu as coisas que são obrigados a fazer, a fim de exercitar-se. Os homens não têm escolha sobre essa questão, e os resultados podem ser o que chamamos de bons ou maus, embora tudo seja inútil e cause sofrimento. Esta primeira declaração reitera o Deus do autor, a causa única, mas ignora completamente que outros fatores operam no mundo — as *causas secundárias,* que se originam entre os homens, nas comunidades, na natureza, na lei natural e até no caos. O homem carrega um *fardo pesado,* enviado por Deus, e precisa fazer o melhor que puder, não se queixando nem questionando a justiça do Deus voluntarista. A vontade de Deus é suprema e arbitrária (até onde os homens podem determinar). Mas a vontade de Deus, com ou sem razão, é suprema. O ensino não diz: "O homem é um pecador, assim tem de trabalhar". Antes, é o seguinte: "O homem está sujeito à vontade divina, que, naturalmente, faz dele um sofredor".

■ 3.11

אֶת־הַכֹּל עָשָׂה יָפֶה בְעִתּוֹ גַּם אֶת־הָעֹלָם נָתַן בְּלִבָּם מִבְּלִי אֲשֶׁר לֹא־יִמְצָא הָאָדָם אֶת־הַמַּעֲשֶׂה אֲשֶׁר־עָשָׂה הָאֱלֹהִים מֵרֹאשׁ וְעַד־סוֹף:

Tudo fez Deus formoso no seu devido tempo. *Segunda Conclusão.* Se houver alguma coisa no mundo a que chamamos de *belo,* então podemos atribuir essa coisa a Deus e, naturalmente, as coisas feias também são de sua criação (o que compreendemos por implicação). O bom e o mau, o belo e o feio trocam-se em suas manifestações, cada coisa em seu devido tempo e estação (vs. 1). Todos os ciclos e condições procedem de Deus: portanto, sorri e suporta tudo, pois nada podes fazer a respeito.

Pôs a eternidade no coração do homem. *Eternidade,* literalmente, é "mundo". Foi Deus quem pôs no coração dos homens o desejo de compreender os mistérios do mundo, da vida e de seus possíveis significados. As pessoas procuram saber se há ou não algo de extratemporal em si mesmas; se são apenas animais ou se existe algo em um homem que o distinga dos irracionais. Ele pode até querer saber se há alguma parte, em si mesmo, que sobreviva à morte biológica; mas o vs. 18 despedaça essa esperança, se, de fato, o autor sacro, neste versículo, a está levantando.

O homem busca, mas nunca descobre muito sobre o significado dos mistérios. Deus pôs esse desejo no coração humano, mas não lhe garantiu sucesso. O homem é deixado a pairar sobre sua admiração e investigação. E a própria investigação consiste em vaidade. Nenhum homem pode descobrir o que Deus tem feito, por qual razão ele assim o fez, ou por que ele o fará. O homem é uma espécie de microcosmo do todo, mas não é capaz de discernir muito sobre si mesmo, a ponto de "ler alguma coisa sobre Deus". Ele implantou as ideias, que se agitam na mente de um homem e buscam explanações para os mistérios da existência. Mas esses mistérios estão ocultos em Deus, e nenhum homem, por nenhum modo de investigação, pode explicar o Ser divino ou as coisas divinas. Deus é o *Mysterium Fascinosum* e também é o *Mysterium Tremendum* (ver a respeito na *Enciclopédia de Bíblia, Teologia e Filosofia*). A mente humana sente um pouco desses mistérios, mas seus esforços por chegar a *conhecê-los* fracassam miseravelmente, e ele é deixado na vaidade.

Uso da Filosofia. O autor sagrado, chamado neste livro de "pregador", termo tipicamente hebraico, na realidade é um *filósofo*. Era um hebreu que se metia na filosofia com alguma habilidade; mas era um pessimista, o que explica suas conclusões obscuras. É necessário conhecer um pouco de filosofia para entender o livro. Ao longo deste comentário, refiro-me aos artigos cuja leitura é fundamental para permitir uma compreensão mais exata do que o autor sagrado procurava transmitir.

■ 3.12,13

יָדַעְתִּי כִּי אֵין טוֹב בָּם כִּי אִם־לִשְׂמוֹחַ וְלַעֲשׂוֹת טוֹב בְּחַיָּיו:

וְגַם כָּל־הָאָדָם שֶׁיֹּאכַל וְשָׁתָה וְרָאָה טוֹב בְּכָל־עֲמָלוֹ מַתַּת אֱלֹהִים הִיא:

Sei que nada há melhor para o homem. *Terceira Conclusão.* O vs. 12 é igual, em sua essência, a Ec 2.24,25, onde existem notas expositivas. Percebendo a natureza determinada de todas as coisas, que inexoravelmente trazem o bem ou o mal que vitimam o homem, como ele deve reagir e conduzir sua vida? A resposta aparente do triste filósofo é o epicurismo, ou seja, os prazeres moderados, pois somente neles há algum valor aparente. Mas pode-se calcular que a posição verdadeira do autor sagrado seja a do niilismo. Ver as explicações em Ec 2.24,25, que desenvolvem essa ideia, e cujas referências devem ser lidas, para permitir melhor compreensão; além disso, há referências a artigos que parecem refletir a mensagem do presente versículo. O autor deixou claro que não existem valores reais. Ele não poderia promover o epicurismo, como se tivesse valor real. Esse é um *falso valor*, mas é a única coisa que descobrimos em meio a toda essa prisão do determinismo.

E também que é dom de Deus que possa o homem comer, beber e desfrutar. Este versículo reforça a ideia expressa no vs. 12. Ser capaz de participar do falso valor dos prazeres moderados, como se isso fosse o *summum bonum* da existência humana, é dom de Deus, visto que todas as coisas são determinadas por ele. "O meio de aprazimento e a capacidade de desfrutar também são dons de Deus (cf. Ec 5.19), ou seja, tal é a operação de Deus, e não alguma coisa que um homem possa fazer por si mesmo" (O. S. Rankin, *in loc.*). Mas é um falso dom aquele que nos ajuda a participar de um falso valor. No fim, após a investigação, fica provado que tudo é apenas *vaidade*. O autor fez experiências com os prazeres, e os informes por ele colhidos mostraram que, ali, nada havia de valor (2.1-11). Estamos usando a palavra "valor" de maneira relativa. Não estamos falando em valores verdadeiros, permanentes e reais, mas tão somente nos aparentes. Era isso o que o triste filósofo nos procurava dizer em seu discurso altamente heterodoxo.

As fontes informativas examinadas, que conheciam somente teologia e pouca ou nenhuma filosofia, perderam-se nesta passagem, onde se faz necessário algum conhecimento filosófico fundamental, para uma boa compreensão. Existem coisas de valor para o homem espiritual que ultrapassam a esfera de conhecimentos teológicos. Portanto, que o leitor não seja tão estrito a ponto de ter a teoria da "teologia somente" ou a teoria da *Bíblia somente*. Existem coisas de valor para o homem espiritual que vão além da esfera teológica de estudo. Antes, que o leitor abra todas as portas e janelas, obtenha todo o conhecimento que puder, em tantos campos quantos tenha tempo e capacidade para estudar. Todo o conhecimento, afinal, deriva-se de Deus.

■ 3.14

יָדַעְתִּי כִּי כָּל־אֲשֶׁר יַעֲשֶׂה הָאֱלֹהִים הוּא יִהְיֶה לְעוֹלָם עָלָיו אֵין לְהוֹסִיף וּמִמֶּנּוּ אֵין לִגְרֹעַ וְהָאֱלֹהִים עָשָׂה שֶׁיִּרְאוּ מִלְּפָנָיו:

Sei que tudo quanto Deus faz durará eternamente. *Quarta Conclusão.* Tudo quanto Deus faz perdura para sempre; coisa alguma pode ser adicionada ao que ele determinou; e coisa alguma pode ser tirada do que ele estabeleceu. *Determinismo absoluto* é o nome do jogo. Portanto, faça como os filósofos estoicos e aceite tudo e, então, sem importar se prosperar ou sofrer, você estará cumprindo a vontade de Deus. Deus age dessa maneira para fazer com que os homens *o temam*. E aqui devemos pensar em temor literal, e não meramente em respeito reverente, conforme se vê em muitos outros lugares. Essa *conclusão acerca do temor* é paralela a Pv 1.7, onde há uma nota de sumário quanto ao "temor ao Senhor". Ver Sl 119.38, quanto a outras notas expositivas e, ver, no *Dicionário*, o artigo intitulado *Temor*. O triste filósofo, tão pleno de ideias pessimistas, podia apenas *tremer* diante do Deus Todo-poderoso, que estava pronto a lançar alguns dardos envenenados sobre ele, a fim de reduzir sua vida a tragédia e lamentação. Nesse caso, estaríamos tratando com o *terror* (conforme disse Williams, *in loc.*), e não com a mera reverência. Esse temor compele a pessoa à aceitação e à resignação.

> Somos para os deuses como as moscas são para os meninos.
> Eles nos matam por diversão.
> Shakespeare

O leitor poderá observar que muitas declarações desanimadoras do livro são parecidas com as do livro de Jó, que caiu em profundo pessimismo em seus sofrimentos. Para o autor do livro de Eclesiastes, a vida se caracteriza por um profundo sofrimento, no qual os homens vivem presos. Mas ele tinha a ideia distorcida de que Deus planejou as coisas exatamente dessa maneira, visto que o mal faz parte integrante desse determinismo absoluto.

Quem estudou Schopenhauer e o livro de Eclesiastes de pronto reconhecerá que estamos tratando do mesmo tipo de mente. Poderíamos descrever, corretamente, essa mente como patológica. Ambos eram homens de gênio e escreveram com tanta maestria que seus escritos perduram até hoje. Os homens continuam indagando como o livro de Eclesiastes entrou no cânon do Antigo Testamento hebraico. Ver a seção VI da introdução ao livro, que trata desse tema. Antigos hebreus e até cristãos notáveis, como Martinho Lutero, rejeitaram este livro como obra heterodoxa e superficial. Por outra parte, o livro de Eclesiastes serve de maravilhosa demonstração de como funciona a mente pessimista. Portanto, que o leitor permita que o livro continue onde está e tire dele tudo quanto puder. Quem estiver buscando iluminação espiritual, deve investigar em outro lugar.

■ 3.15

מַה־שֶּׁהָיָה כְּבָר הוּא וַאֲשֶׁר לִהְיוֹת כְּבָר הָיָה וְהָאֱלֹהִים יְבַקֵּשׁ אֶת־נִרְדָּף:

O que é já foi, e o que há de ser, também já foi. *Quinta Conclusão.* Este versículo é, essencialmente, a recuperação da ideia de Ec 1.9,10. Coisa alguma nova jamais ocorre. Todas as coisas estão fixadas em ciclos que se repetem como os do estoicismo grego, que têm subentendido o determinismo absoluto. De acordo com a doutrina do autor, o próprio Deus estaria em período de cio. O triste filósofo estava chegando a conclusões com base em sua teoria do determinismo absoluto, segundo o qual Deus é a causa única. Ao método usado por Deus, o autor atribuiu o *modus operandi* bastante embotado da repetição interminável. Essa foi a quinta conclusão alicerçada na sua premissa. É perfeitamente possível que o filósofo tenha emprestado sua ideia diretamente do estoicismo. Deus, como a causa única, fazia parte da teoria dos hebreus, bem como das teorias de outras etnias, mas os ciclos eternamente repetidos faziam parte da teoria favorita do estoicismo. Não é bastante aqui, acompanhando Franz Delitzsch, falar nas mesmas leis que reproduzem os mesmos fenômenos. Isso não é o mesmo que os *ciclos* repetitivos, segundo os quais o passado volta a repetir-se e, então, o futuro espera outra repetição. Aquilo que foi repelido por Deus, em algum tempo, é chamado de volta, a fim de acontecer de novo. A filosofia normal da história dos hebreus propunha um ponto de vista linear: a história começava na criação, movia-se ao longo de uma linha e terminava em alguma espécie de conclusão apropriada para o processo. Ver, na *Enciclopédia de Bíblia, Teologia e Filosofia*, o artigo chamado *Filosofia da História*. A posição assumida pelo autor sagrado era, definitivamente, heterodoxa, tal como o eram muitas de suas ideias. Ver também o artigo intitulado *Estoicismo*.

Deus fará renovar-se o que se passou. O original hebraico por trás dessa tradução tem deixado perplexos os eruditos. Mas Barton (*in loc.*) provavelmente está certo ao falar de *ciclos em revolução*. Deus traz de volta aquilo que já havia acontecido antes. Coisa alguma permanece repelida ou "expulsa" (*Revised Standard Version*). Embora tudo continue voltando, nunca muda; isso é puro estoicismo.

O LUGAR DA INJUSTIÇA NO ABSOLUTISMO DE DEUS (3.16—4.3)

A Amoralidade da Ordem Natural (3.16-22)

■ 3.16

וְעוֹד רָאִיתִי תַּחַת הַשָּׁמֶשׁ מְקוֹם הַמִּשְׁפָּט שָׁמָּה הָרֶשַׁע
וּמְקוֹם הַצֶּדֶק שָׁמָּה הָרָשַׁע:

Vi ainda debaixo do sol que no lugar do juízo reinava a maldade. "A prova de que não existe ordem mundial moral, mas meramente uma ordem da natureza, à qual pertencem o homem e os animais" (Carl Siegfried, *in loc.*) é o argumento do triste filósofo que, agora, temos de enfrentar. Ansiamos por objetar à ideia do determinismo absoluto do filósofo, com base em que isso, natural e *necessariamente*, nos leva à conclusão ridícula de que Deus é, igualmente, o *autor do mal*. O calvinismo radical também se vê obrigado a enfrentar o mesmo dilema.

O Senhor fez todas as cousas para determinados fins, e até o perverso para o dia da calamidade.

Provérbios 16.4

Ver as notas sobre esse versículo. Esta passagem diz mais ou menos a mesma coisa e cria o mesmo problema. Nesse caso, como podemos falar em um universo amoral, e como pode Deus ser a causa do mal? Pois, se ele é a causa única, então essa é a única conclusão a que podemos chegar. Respondemos dizendo simplesmente: "Isso reflete uma teologia má", e não nos sentimos responsáveis por tal conclusão. Essa não é a mensagem da maior parte da Bíblia, tanto no Antigo quanto no Novo Testamento. Portanto, fiquemos com a melhor parte.

O filósofo olhou para o mundo e viu o fato terrível da injustiça e da maldade que, por toda parte, tinham tomado o lugar da justiça e da bondade. Como pode existir tal condição, se Deus é Todo-poderoso, Todo-bondade e também a causa única? O vs. 18 é a nossa resposta, de acordo com o louco e triste filósofo. Os homens não são melhores que os animais irracionais. Eles servem ao propósito para o qual foram criados, e isso envolve todos os seres humanos, não somente os chamados homens "bons". De alguma maneira, tanto os bons quanto os maus, tanto os justos quanto os injustos, tanto os piedosos quanto os ímpios (conforme os chamamos, em nosso próprio idioma), todos servem a Deus, pois ele é o Criador de todos. Se não há outras causas, então devemos dizer que, por definição *divina, todas as coisas são boas,* embora isso nos possa parecer ridículo. Todas as coisas terminam no *nada* (vss. 19 e 20), e isso também corresponde ao plano de Deus. Temos, agora, o problema do vs. 17, que indica que Deus levará todas as coisas a julgamento, endireitando as situações. Como se pode endireitar o que é bom, que Deus criou com seus próprios propósitos e para seu prazer? Se algo está perfeito, da maneira como está, devemos deixá-lo em paz. Mas, algum editor piedoso adicionou o vs. 17, para retificar aquilo que não pode e não deve ser retificado.

■ 3.17

אָמַרְתִּי אֲנִי בְּלִבִּי אֶת־הַצַּדִּיק וְאֶת־הָרָשָׁע יִשְׁפֹּט
הָאֱלֹהִים כִּי־עֵת לְכָל־חֵפֶץ וְעַל כָּל־הַמַּעֲשֶׂה שָׁם:

Então disse comigo: Deus julgará o justo e o perverso. Este versículo, que trata da *retribuição e da retificação divina,* por certo é adição de algum editor piedoso, que tentou tornar mais aceitável aos ouvidos judaicos o que o filósofo estava dizendo. Portanto, ele acrescentou a comum doutrina veterotestamentária da lei da colheita segundo a semeadura, a lei da justiça e da retribuição, das recompensas e das punições. Afirmou que Deus, que determina todas as coisas, também determina o julgamento e a retribuição e, talvez, até esteja aludindo a algum tipo de recompensa e punição para além-túmulo (uma ideia judaica posterior e, portanto, anacrônica nesta passagem). "A doutrina da retribuição divina não é coerente com o pensamento do Koheleth (o pregador), que é inteiramente determinista. O autor deste versículo, que anuncia o julgamento contra os justos e os injustos, dificilmente poderá ser a mesma pessoa que, no vs. 18, diz que os homens são *animais* e têm a mesma sorte" (O. S. Rankin, *in loc.*). As tentativas de reconciliar os vss. 16, 17 e 18 são bastante forçadas. Por que os homens tentam tornar ortodoxo um filósofo herege? Nosso autor sagrado, sem dúvida, mostrava-se definitivamente não ortodoxo, e fez esforços extenuantes para provar isso. Ele chegou a rejeitar as ideias ortodoxas judaicas, substituindo-as por uma *doutrina diferente*, que ele sentia ser uma avaliação mais honesta. Um autor ortodoxo de Eclesiastes faria dele apenas mais um livro de Provérbios. Há um ponto que faz Eclesiastes não ser outro livro de Provérbios. A filosofia do autor sagrado não tinha asas, não podia levá-lo além de suas conclusões obscuras. E, por certo, ele não tinha forças para elevar-se acima do sepulcro, para ver o quadro brilhante lá no alto. Nosso homem amava o tenebroso, tinha a mente voltada para esse tipo de amor. Portanto, que o leitor evite tirar dele o que amava. Decididamente, ele tinha um problema de atitude.

■ 3.18

אָמַרְתִּי אֲנִי בְּלִבִּי עַל־דִּבְרַת בְּנֵי הָאָדָם לְבָרָם
הָאֱלֹהִים וְלִרְאוֹת שְׁהֶם־בְּהֵמָה הֵמָּה לָהֶם:

Disse ainda comigo: É por causa dos filhos dos homens. Esta certamente é a verdadeira conclusão do vs. 16. De acordo com nossos padrões, o mundo está cheio de injustiças e caos moral. No entanto, o triste filósofo disse: "E daí? Foi isso o que Deus fez, para provar que os homens nada são além de animais que compartilham a mesma sorte. Todos procedem do pó e ao pó tornarão (vs. 20), e tudo faz parte do perfeito plano de Deus". Os intérpretes de inclinações mais fundamentalistas não podem deixar em paz esse herege, afirmando que o que é dito neste versículo não significa que os homens não têm alma, e que não existe vida após a morte física. Não obstante, o filósofo asseverou, enfaticamente, que o homem é pó e voltará a ser pó, tal e qual acontece aos animais irracionais. Sabemos que os homens têm alma; sabemos que haverá vida após o sepulcro, e que nossas contas serão resolvidas diante de Deus. Mas não era nisso que acreditava o louco e triste filósofo. Pelo contrário, o homem estava ansioso por defender sua posição heterodoxa, sem adicionar testemunho aos demais autores bíblicos. Ademais, no estágio em que o judaísmo se encontrava então, nem mesmo os judeus ortodoxos tinham chegado a acreditar na imortalidade da alma, embora cressem na retribuição divina, aqui mesmo na terra.

Note-se, agora, a conclusão absurda a que chegou o louco filósofo: reina a injustiça, em lugar da justiça, e isso está em harmonia com a vontade de Deus, que testa o homem. Ele procurou demonstrar que os seres humanos são criaturas de valor nenhum, pois terminam na cova, como os animais irracionais. A vontade de Deus opera para provar essa tese. Isso reflete o puro *voluntarismo* e também um puro *pessimismo*. Ver sobre esses vocábulos na *Enciclopédia de Bíblia, Teologia e Filosofia*.

■ 3.19

כִּי מִקְרֶה בְנֵי־הָאָדָם וּמִקְרֶה הַבְּהֵמָה וּמִקְרֶה
אֶחָד לָהֶם כְּמוֹת זֶה כֵּן מוֹת זֶה וְרוּחַ אֶחָד
לַכֹּל וּמוֹתַר הָאָדָם מִן־הַבְּהֵמָה אָיִן כִּי הַכֹּל
הָבֶל:

Porque o que sucede aos filhos dos homens, sucede aos animais. Falemos agora sobre a *sorte* final. Seriam os homens diferentes dos animais, quanto a essa questão? "De maneira alguma", afirma o filósofo. A sorte dos homens e dos animais é *idêntica*. E no que consiste essa identidade? No "nada". Ambos morrem e são reduzidos ao "nada". Os homens e os animais têm de respirar. Um homem não tem vantagem alguma sobre os animais. Na verdade, *tudo é vaidade.* Quanto ao mesmo hálito entre os homens e os animais, ver Jó 34.14,15 e Sl 104.29. No vs. 21, o filósofo fez uma diferença potencial entre os dois "hálitos"; e alguns estudiosos pensam, aqui, em "espíritos". É ridículo afirmar que tudo quanto o filósofo quis dizer era que o corpo dos homens e dos animais tinha a mesma sorte, mas isso não se aplicava à alma deles. Permitamos que o filósofo diga o que *ele* quis dizer, não o que nós queremos dizer.

3.20

הַכֹּל הוֹלֵךְ אֶל־מָקוֹם אֶחָד הַכֹּל הָיָה מִן־הֶעָפָר
וְהַכֹּל שָׁב אֶל־הֶעָפָר׃

Todos vão para o mesmo lugar. Tanto os homens quanto os animais são criaturas que são pó e ao pó voltarão. Ver Gn 2.7 e 3.19. Ver também Sl 104.29. O judaísmo posterior e o cristianismo levantaram a cabeça do pó e viram uma luz mais brilhante. Mas o filósofo não tinha luz. O *pó* simboliza a brevidade e a mortalidade. O pó também representa o que é fugitivo e inconsequente. Os lamentadores lançavam pó sobre a cabeça, em sua consternação por causa da morte. O filósofo não disse coisa alguma para tirar os homens do desespero, mas tomou a estranha posição de dizer que o desespero é correto, porque assim Deus o quis. A vida não é uma peregrinação entre dois montes de pó. Há uma peregrinação que termina em mundos de luz. Mas o filósofo sagrado não sabia disso.

3.21

מִי יוֹדֵעַ רוּחַ בְּנֵי הָאָדָם הָעֹלָה הִיא לְמָעְלָה וְרוּחַ
הַבְּהֵמָה הַיֹּרֶדֶת הִיא לְמַטָּה לָאָרֶץ׃

Quem sabe que o fôlego de vida dos filhos dos homens se dirige para cima...? Ao menos por um momento, nosso homem poderia conduzir sua mente para algo mais alto. Talvez fosse verdade (conforme alguns dizem) que se pode fazer uma diferença entre o *hálito* (espírito) de um homem e o *hálito* de um animal irracional. Talvez o espírito humano não *desça* para o sepulcro ou hades, mas, antes, *suba* para Deus, o Criador. Isso faria um paralelo com Ec 12.7. As histórias de Enoque e Elias poderiam ilustrar o ponto. Se era isso o que nosso homem estava dizendo, então temos aí a primeira instância, no Antigo Testamento (excetuando-se as histórias de Enoque e Elias) de um espírito que, potencialmente, subiu a uma espécie de céu, lá no alto, em vez de descer ao sepulcro ou *seol*, lá embaixo. Além disso, surge em cena a pergunta se o filósofo estava referindo-se a uma continuação da vida nessa ida para cima. Ele não responde a isso. Cf. Pv 15.24. O filósofo deixou essa especulação no ar, e também não a contradisse no vss. 20. Por alguns momentos, ele permitiu que suas perguntas cessassem; ele deve ter pensado: Ninguém *sabe*. Ninguém jamais viu um espírito humano (se é que existe tal coisa) subir ao céu. Naturalmente, nas experiências místicas, isso já tem acontecido. Mas nosso homem nada sabia sobre essas experiências. Ver, na *Enciclopédia de Bíblia, Teologia e Filosofia*, o artigo intitulado *Misticismo*.

Uma Interpretação Melhor? Talvez seja melhor aceitar como *sarcasmo* a declaração deste versículo. "Alguém deve ter ouvido as especulações sobre um homem que sobrevive diante da morte. Mas talvez seja o animal que sobrevive, não o homem! Talvez o seu espírito suba, enquanto o do homem desce. Por outra parte, talvez coisa alguma aconteça, e tudo termine no pó, conforme já fora dito (vs. 20)".

3.22

וְרָאִיתִי כִּי אֵין טוֹב מֵאֲשֶׁר יִשְׂמַח הָאָדָם בְּמַעֲשָׂיו כִּי־
הוּא חֶלְקוֹ כִּי מִי יְבִיאֶנּוּ לִרְאוֹת בְּמֶה שֶׁיִּהְיֶה אַחֲרָיו׃

Pelo que vi não haver cousa melhor do que alegrar-se o homem nas suas obras. Dizendo o que realmente podemos dizer (deixando de fora conjecturas como as do vs. 21), o filósofo retornou ao único valor existente: seu presumível epicurismo, ou seja, o único "valor" digno de ser usufruído são os prazeres moderados. Contudo, já se admitiu que sua posição verdadeira era a do *niilismo*. Ver as notas em Ec 2.24-25, com notas adicionais em Ec 3.12. O presente versículo é, essencialmente, o mesmo. A vida é limitada pelo pó voltando ao pó; mas, se há mesmo alguma coisa além disso, quem pode dizê-lo? Não podemos edificar nossa vida sobre tais especulações. Visto que nenhum homem pode olhar para depois do "pó final", façamos o que pudermos e desfrutemos nossa pequena vida. Isso também é *vaidade*; porém, que mais poderíamos fazer? Um homem não pode contemplar sua vida para além das condições atuais e, muito menos, para algum estado além da mortalidade. Por conseguinte, não desperdicemos nosso tempo em tentativas. A mensagem deste versículo é "tirar vantagem" dos pequenos dias da vida, de qualquer maneira, e o filósofo recomenda um falso valor: prazeres moderados. Mas o que

ele estava realmente dizendo é que não existem valores humanos.

CAPÍTULO QUATRO

DESENVOLVIMENTO MAIS DETALHADO DO TEMA DA VAIDADE (4.1—12.8)

AS INJUSTIÇAS DA VIDA MOSTRAM A INUTILIDADE DAS COISAS (4.1-16)

Não há interrupção entre o fim do capítulo 3 e o início do capítulo 4. Esta seção começou em Ec 3.16, onde existe uma introdução. O filósofo, agora, prossegue a fim de falar sobre a miséria que governa este mundo, e constata que estava descrevendo uma morte em vida, algo pior que a própria morte.

4.1

וְשַׁבְתִּי אֲנִי וָאֶרְאֶה אֶת־כָּל־הָעֲשֻׁקִים אֲשֶׁר נַעֲשִׂים
תַּחַת הַשָּׁמֶשׁ וְהִנֵּה דִּמְעַת הָעֲשֻׁקִים וְאֵין לָהֶם מְנַחֵם
וּמִיַּד עֹשְׁקֵיהֶם כֹּחַ וְאֵין לָהֶם מְנַחֵם׃

Vi ainda todas as opressões que se fazem debaixo do sol. Este versículo descreve o *mal moral*, que faz parte do *Problema do Mal* em geral. Ver sobre isso no *Dicionário*. Há duas classes gerais do mal: o moral e o natural. O *mal moral* é aquele que os homens praticam contra seus semelhantes, devido à perversidade de sua vontade. O *mal natural* consiste nos abusos da natureza, como incêndios, inundações, terremotos, desastres naturais de todas as sortes, enfermidades e, finalmente, a morte. Por que os homens sofrem, e por que sofrem da maneira como sofrem? Por que Deus não elimina todo esse sofrimento, se sabe tudo e é Todo-poderoso? O autor limita-se a descrições vívidas de sofrimentos, mas não tem a coragem de erguer-se e dizer, em consonância com sua tese constante: "Deus, em sua soberania, fez os homens ímpios ser o que são, pelo que estão servindo à vontade de Deus, da mesma maneira que o estão servindo ao sofrer aflições. A vontade de Deus está com a razão, mesmo que assim não pareça aos nossos olhos. Portanto, devemos ficar quietos e continuar a sofrer, mediante o que cumprimos nossa parte na vontade de Deus". Naturalmente, existem melhores respostas para o problema do mal, e no artigo chamado *Problema do Mal* (no *Dicionário*), tento dar algumas dessas respostas, mas ainda há muitos *enigmas* quanto à questão. Nosso melhor apelo é à imortalidade, quando as coisas são retificadas diante de nós, mas o louco filósofo não levou isso em consideração.

O Mal Moral Neste Versículo. O mal moral expressa-se através da opressão dos ímpios contra os justos. As lágrimas escorrem, mas não há ninguém para consolar. Os opressores têm o poder, pelo que os inocentes sofrem sem recurso e sem defesa. Estamos falando sobre a *impotência desesperada*. Pode Deus estar por trás de todas essas coisas? "Sim!", responde o filósofo, embora não o diga neste parágrafo. Ele apenas nos permite dar uma boa espiada no que está acontecendo. Os vss. 1-3 desenvolvem a ideia de Ec 3.16, pelo que, naturalmente, devemos ter a mesma resposta para esse problema que naquele versículo. A resposta se constitui das declarações pessimistas dos vss. 18-22.

4.2

וְשַׁבֵּחַ אֲנִי אֶת־הַמֵּתִים שֶׁכְּבָר מֵתוּ מִן־הַחַיִּים אֲשֶׁר
הֵמָּה חַיִּים עֲדֶנָה׃

Pelo que tenho por mais felizes os que já morreram. O *triste filósofo* continua aqui a descrever o mal moral. Durante todo o tempo ele vinha trabalhando a respeito da questão, falando-nos sobre ela em sua doutrina de "Deus como a causa única". Os homens e os animais irracionais terminam ambos no pó, portanto que diferença se faz entre *o pó e o pó* (3.20)? Seja como for, os sofrimentos são tão terríveis nesta vida, e o filósofo invejava os mortos que já estavam livres de seus sofrimentos e "descansavam" em seu eterno nada, o que é muito melhor que a morte em vida. Este versículo é outra reafirmação da convicção do autor, de que não existe vida para além do sepulcro (3.18,19). Ademais, ele havia abandonado toda a esperança que tivesse visto em alguma alegada pós-vida (3.21). Certamente, ele não estava falando de paz, em algum melhor pós-vida, que alguns intérpretes, insensatamente, forçam no texto. Ele estava falando do aniquilamento total.

■ **4.3**

וְטוֹב מִשְּׁנֵיהֶם אֵת אֲשֶׁר־עֲדֶן לֹא הָיָה אֲשֶׁר לֹא־רָאָה אֶת־הַמַּעֲשֶׂה הָרָע אֲשֶׁר נַעֲשָׂה תַּחַת הַשָּׁמֶשׁ:

Porém mais que uns e outros tenho por feliz aquele que ainda não nasceu. A vida é tão má e os sofrimentos são tão grandes que bem-aventurado é o homem "potencial", que ainda não nasceu. Ele evitava a terrível farsa da qual consiste a vida inteira. O triste filósofo não estava falando sobre alguma alma que ainda não tivesse encarnado. Falava de *não entidades*, que poderiam existir se as circunstâncias tivessem contribuído para tanto. Ao autor sagrado, parecia melhor ser uma absoluta não entidade do que estar vivo no momento, ou, então, estar morto, que ter de passar pelo pesadelo da vida mortal.

> Nunca ter existido de modo algum
> É mais excelente do que toda a fama;
> Mas o melhor de tudo é
> Passar rapidamente para o lugar
> De onde todos viemos.
>
> James Shirley

Buda observou que, se todas as lágrimas já vertidas pudessem ser recolhidas, elas encheriam os oceanos. Buda buscava escapar na cessação dos desejos. O triste filósofo buscava escapar no *nada*. Jó, em seus momentos mais tenebrosos, chegou à mesma conclusão. Ver Jó 3.11,16,21. Ver também Pv 6.3.

Os expositores judeus posteriores esforçavam-se por provar, por meio deste texto, a *preexistência da alma*. A igreja cristã oriental, como um todo, tem advogado essa doutrina, que parece fazer mais sentido que as teorias do *criacionismo* e do *traducionismo*. Ver esses três assuntos na *Enciclopédia de Bíblia, Teologia e Filosofia*. Não há a menor chance de que a doutrina judaica, nos dias de nosso filósofo, ou a doutrina defendida por ele mesmo, contemplasse a ideia da *preexistência da alma*.

Competição e Cooperação (4.4-12)

■ **4.4**

וְרָאִיתִי אֲנִי אֶת־כָּל־עָמָל וְאֵת כָּל־כִּשְׁרוֹן הַמַּעֲשֶׂה כִּי הִיא קִנְאַת־אִישׁ מֵרֵעֵהוּ גַּם־זֶה הֶבֶל וּרְעוּת רוּחַ:

Então vi que todo trabalho, e toda destreza em obras... A *rivalidade* e a *competição* explicam o labor de muitos homens. Esses homens não produzem por razões nobres, mas apenas para ultrapassar outros homens. Portanto, muito trabalho humano está alicerçado sobre *motivos ignóbeis*. Outra maneira possível de compreender este versículo é que alguém labora arduamente, mas tudo quanto obtém é a agressão de outras pessoas, que o invejam e querem derrubá-lo. Trabalha-se arduamente para ultrapassar outrem e ser invejado por aquilo que se faz e, assim, recebem-se críticas; pior ainda, tudo é vaidade e vexação de espírito, ou é seguir o vento que não se pode conter na mão; tudo isso é inútil e destituído de esperança. Cf. este versículo com Ec 1.14,17.

■ **4.5**

הַכְּסִיל חֹבֵק אֶת־יָדָיו וְאֹכֵל אֶת־בְּשָׂרוֹ:

O tolo cruza os braços, e come a própria carne... Um homem, percebendo toda a confusão que o trabalho cria (vs. 4), e também sabendo que o labor é tão infrutífero e vão (1.3), pode decidir nada fazer, como alternativa razoável ao trabalho, o que também é loucura vã. Isso acontece porque o indivíduo que cruza os braços e nada faz, na realidade, "está comendo a própria carne". Em outras palavras, ele se reduziu à pobreza e sofre muitas privações. Ou, então, isso poderia significar que o homem está reduzido a viver à custa de seus *parentes* (que são a sua própria carne, pelo que está consumindo figurativamente).

"Os intérpretes usualmente tomam essas palavras metaforicamente, tal como se vê em Sl 27.2; Is 49.3; Mq 3.3, compreendendo-as como condenação da conduta *suicida* do preguiçoso" (Ellicott, *in loc.*).

■ **4.6**

טוֹב מְלֹא כַף נָחַת מִמְּלֹא חָפְנַיִם עָמָל וּרְעוּת רוּחַ:

Melhor é um tanto de descanso do que ambas as mãos cheias de trabalho. Entre a loucura do trabalho excessivo e não trabalhar de maneira alguma, há o meio-termo da moderação. Trabalhe o bastante para obter aquilo de que você necessita. Não desperte o ódio de outras pessoas, que lhe perturbarão a paz, com todo o seu trabalho duro. Além disso, não seja um idiota preguiçoso que acabe vivendo à custa de outras pessoas. Contente-se, pois, o leitor com um pouco, que é modesto, mas suficiente. O homem moderado poupa-se de muito trabalho e não termina "correndo atrás do vento", conforme faz o superdiligente. "A calma (tranquilidade que flui de um trabalho moderado) é o meio feliz entre a indolência ruinosa, por um lado (vs. 5), e a aquisição laboriosa de riquezas que engendra invejas, por outro (vs. 4; Pv 15.16,17; 16.8)" (Fausset, *in loc.*).

O Labor Algumas Vezes é Motivado pela Ganância (4.7-12)

■ **4.7**

וְשַׁבְתִּי אֲנִי וָאֶרְאֶה הֶבֶל תַּחַת הַשָּׁמֶשׁ:

Então considerei outra vaidade debaixo do sol. O triste filósofo nunca desistiu. Suas investigações continuavam. Ele seguia observando intermináveis manifestações de vaidade "debaixo do sol", onde os homens vivem e lutam com as vicissitudes da vida. Aben Ezra fala sobre os diferentes tipos de insensatos que nosso homem encontrava. Ele tinha abundância de materiais para fazer suas pesquisas.

■ **4.8**

יֵשׁ אֶחָד וְאֵין שֵׁנִי גַּם בֵּן וָאָח אֵין־לוֹ וְאֵין קֵץ לְכָל־עֲמָלוֹ גַּם־עֵינָיו לֹא־תִשְׂבַּע עֹשֶׁר וּלְמִי אֲנִי עָמֵל וּמְחַסֵּר אֶת־נַפְשִׁי מִטּוֹבָה גַּם־זֶה הֶבֶל וְעִנְיַן רָע הוּא:

Um homem sem ninguém, não tem filho nem irmã. Ele não tinha laços familiares imediatos. Não tinha esposa, irmão ou filho, mas vivia sempre trabalhando, amealhando cada vez mais para si mesmo. Ele se levantava cedo para trabalhar e permanecia acordado, trabalhando, até altas horas da noite. Era um fanático total, mas por uma razão apenas: a *ganância*. Esse homem tinha "febre de trabalho". Nunca parou para perguntar por que se estava privando de tudo, incluindo pequenos prazeres da vida. Ele se submeteu a uma *enfadonha ocupação* e *vaidade*, somente para obter mais e mais bens e riquezas para si mesmo. Ver no *Dicionário* o artigo chamado *Ganância*. *O negócio dele era miserável,* conforme alguns definem o seu labor (no hebraico, *ínyan ra, tarefa desagradável*). Ele carregava uma *carga inútil,* que vinha consumindo a sua vida.

■ **4.9,10**

טוֹבִים הַשְּׁנַיִם מִן־הָאֶחָד אֲשֶׁר יֵשׁ־לָהֶם שָׂכָר טוֹב בַּעֲמָלָם:

כִּי אִם־יִפֹּלוּ הָאֶחָד יָקִים אֶת־חֲבֵרוֹ וְאִילוֹ הָאֶחָד שֶׁיִּפּוֹל וְאֵין שֵׁנִי לַהֲקִימוֹ:

Melhor é serem dois do que um. É melhor viver e trabalhar aos pares, e sem inveja (contrastar com o vs. 4). O *companheirismo,* se for amigável e compartilhador, é melhor que o caso do solista louco do vs. 8. Os lucros podem ser divididos e, no tempo da necessidade, tem-se um amigo próximo para ajudar (vs. 10). Por outra parte, se um homem estiver sozinho e falhar (chegar ao ponto de calamidade ou não alcançar sucesso em sua tarefa), não será ajudado por ninguém. Antes, terá uma longa, e talvez final, reversão da fortuna. Kipling observou que toda a corrida é ganha "pelo próprio sujeito" que corre, e não pelas pernas de outrem. Assim acontece no caso das corridas a pé, ou no caso de muitos empreendimentos; mas essa tende a ser uma corrida fútil e solitária, quando estão envolvidas as questões da vida. A *amizade* é importante em todos os labores e empreendimentos humanos. Ver no *Dicionário* o verbete denominado *Amizade*. O tema continua nos vss. 11 e 12, com ilustrações. "Laços de união, casamento, comunidades de família ou religiosa, são melhores do que a solidão egoísta do miserável (ver Gn 2.18), porquanto há vantagens no esforço combinado. Por isso mesmo, diz o Talmude: 'Um homem sem um companheiro é como a mão esquerda sem a mão direita'" (Fausset, *in loc.*). Jesus enviou os trabalhadores do evangelho de dois em dois (ver Lc 10) e, onde dois ou três estiverem reunidos, em nome dele, ele estará no meio deles (ver Mt 18.20).

■ 4.11

גַּם אִם־יִשְׁכְּבוּ שְׁנַיִם וְחַם לָהֶם וּלְאֶחָד אֵיךְ יֵחָם:

Também, se dois dormirem juntos, eles se aquentarão. O autor ilustra aqui sua teoria de que "dois é melhor do que um só", começando pela relação do matrimônio, pois duas pessoas, deitadas na mesma cama, se mantêm aquecidas, entre outras vantagens. O casal deitado gera *calor*, mas uma pessoa deitada sozinha fica fria. O calor estende-se a todas as coisas boas que um bom casamento pode prover. É conforme Adam Clarke disse: "Quase qualquer esposa é melhor que nenhuma". Cf. este versículo com 1Reis 1.4. A ideia do *calor* pode ser aplicada a toda boa relação humana, pelo que costumamos falar sobre o "calor da bondade humana", que todos precisamos dar e receber. Cf. Lc 24.32 e At 28.15.

■ 4.12

וְאִם־יִתְקְפוֹ הָאֶחָד הַשְּׁנַיִם יַעַמְדוּ נֶגְדּוֹ וְהַחוּט הַמְשֻׁלָּשׁ לֹא בִמְהֵרָה יִנָּתֵק:

Se alguém quiser prevalecer contra um, os dois lhe resistirão. Em tempos de tribulação e oposição, uma luta entre duas pessoas deixa o resultado na dúvida. Mas, em uma luta onde um só tem de lutar contra dois, a vitória dos dois está assegurada. O "inimigo" pode ser outra pessoa ou qualquer circunstância. O inimigo, pois, sempre poderá ser enfrentado com maior confiança quando dispomos de um amigo. Mas, assim como dois é melhor que um, também três é melhor que dois. Os três formam uma corda de três dobras, que não pode ser rebentada com facilidade. É melhor contarmos com laços sociais mais amplos; a comunidade inteira é melhor que dois companheiros. Talvez a aplicação primária seja representada pela família, formada por pai, mãe e filho. As três cordas estão bem apertadas uma à outra, e nisso consiste a força da corda de três dobras. Mas, se as dobras forem separadas, então a *fraqueza* será a palavra do dia.

Este versículo tem sido cristianizado para falar sobre o Pai, o Filho e o Espírito Santo, a unidade celestial que é fonte originária de toda a força e benefício. Mas isso já é uma aplicação fantasiosa deste texto. "Calor, consolo, segurança e proteção fluem da nossa associação com outras pessoas" (O. S. Rankin, *in loc.*).

A Inutilidade de Buscar a Fama (4.13-16)

■ 4.13

טוֹב יֶלֶד מִסְכֵּן וְחָכָם מִמֶּלֶךְ זָקֵן וּכְסִיל אֲשֶׁר לֹא־יָדַע לְהִזָּהֵר עוֹד:

Melhor é o jovem pobre e sábio do que o rei velho e insensato. A ideia deste versículo parece ser aquele antigo e romântico tema, de como um pobre jovem, por meio de sua sabedoria e esforço incansável, subiu até o trono. Tais narrativas eram comuns nas escolas de sabedoria. Cf. Eclesiástico 11.5,6.

Muitos espezinhados têm sentado em um trono,
E aqueles que nunca pensaram nisso,
Têm terminado por usar uma coroa. Muitos exaltados,
De antemão, têm sofrido grandes humilhações.

Esse homem substituirá o rei velho e insensato, que se mostrara indigno do cargo. Muitos têm subido ao poder, mas o poder permanente depende do apoio popular. O povo quer ver-se livre de maus reis, buscando um substituto digno para um rei indigno. Todavia, a aclamação popular é algo vão, e todos os monarcas fracassam quando o povo esquece quem fez o bem, ou quem não fez o que é correto. Tudo termina na mesma vaidade (vs. 16). Este parágrafo, portanto, ilustra a "natureza transitória da fama e do prestígio, mas a interpretação e significação exata destes versículos ficam um tanto obscuras, por causa da ambiguidade das expressões" (Donald R. Glenn, *in loc.*).

■ 4.14

כִּי־מִבֵּית הָסוּרִים יָצָא לִמְלֹךְ כִּי גַּם בְּמַלְכוּתוֹ נוֹלַד רָשׁ:

Ainda que saia do cárcere para reinar. Um dos sentidos deste versículo é que o homem que se tornara rei saiu "da prisão para subir ao trono", ao passo que o homem que nasceu no reino que estava governando caiu em desgraça, foi destronado e terminou na pobreza. Nesse caso, estão em pauta as reversões da sorte. Ou talvez o homem que "saiu da prisão para reinar" tenha sido, em sua própria pátria (ou no mesmo reino do rei anterior), alguém pobre e sem influência. Nesse caso, o sentido seria expresso pelo ditado popular: "dos trapos para as riquezas".

Consideremos o caso de José, filho de Jacó. Ele saiu diretamente da prisão para tornar-se o primeiro-ministro da mais poderosa nação da terra. Além dele, consideremos o caso de Jeroboão, o qual tomou de Roboão as dez tribos nortistas, a nação de Israel. Tais relatos são impressionantes, mas sempre terminam da mesma maneira. Subiu ao trono do Egito um faraó que não conhecera José. E Jeroboão caiu na desgraça, diante de Deus e dos homens. O final de todos esses empreendimentos humanos é a vaidade e a perseguição do vento (vs. 16). Isso é ilustrado mediante um antigo provérbio persa: "A estrela brilhante transformou-se em uma lua (uma luz maior), mas a noite futura escurecerá a lua". Alguns rabinos aplicavam este versículo a Abraão, o qual veio de longe e preparou para si mesmo um novo lugar.

■ 4.15

רָאִיתִי אֶת־כָּל־הַחַיִּים הַמְהַלְּכִים תַּחַת הַשָּׁמֶשׁ עִם הַיֶּלֶד הַשֵּׁנִי אֲשֶׁר יַעֲמֹד תַּחְתָּיו:

Vi todos os viventes que andam debaixo do sol. O jovem substituto do idoso rei, entretanto, era apenas outro ser humano que sofreria sorte similar. Outro sucessor acabará ficando com o seu trono. O homem que "saiu da prisão para o trono" e "dos trapos para as riquezas" terá o mesmo fim inglório de outros, que foram homens menos ambiciosos e alcançaram menos êxito. O redemoinho da nulidade haverá de arrebatá-lo e às massas sobre as quais ele reinou, bem como a todas as massas populares. Isso demonstra a vaidade inútil da busca pelo prestígio e pela fama. Salomão, o homem que guindou Israel à época áurea, murchou, e o insensato Roboão dividiu o reino, por causa de seu conflito com Jeroboão. Roboão ficou somente com duas tribos, ao passo que Jeroboão ficou com dez. Mas ambos eram homens débeis e, em breve, foram reduzidos a nada, arrastando seus respectivos reinos. Herodes Agripa saiu da prisão a fim de governar (Josefo, *Antiq.* xviii, cap. 6), mas a *confusão* foi a palavra-chave de tudo o que ele fez. Seu trajeto foi "da prisão para o trono e do trono para a desgraça", e isso conta bem a história dos reis e de todos quantos se esforçam por alcançar a fama.

■ 4.16

אֵין־קֵץ לְכָל־הָעָם לְכֹל אֲשֶׁר־הָיָה לִפְנֵיהֶם גַּם הָאַחֲרוֹנִים לֹא יִשְׂמְחוּ־בוֹ כִּי־גַם־זֶה הֶבֶל וְרַעְיוֹן רוּחַ:

Era sem conta todo o povo que ele dominava. *Conclusão do "Jogo da Fama"*. O rei que saiu "da prisão para o trono", durante algum tempo, desfrutou autoridade sobre as massas e caminhou por altos escalões. Mas as massas vão e vêm, e a nova multidão não favorecia o homem. Ele não tinha mais razão para continuar a regozijar-se com sua riqueza e poder. Na realidade, tudo terminou em vaidade e perseguição ao vento. Os homens vêm e vão, dançando e saltitando no palco da vida, como se tivessem de ser reis do "terreiro", para sempre. Porém, assim que a maré do tempo os leva embora, fica demonstrado quão fúteis e vãs são as suas vantagens temporárias. Tudo era apenas uma farsa, pois estavam somente perseguindo o vento (Ec 1.14,17; 2.11,17,26; 4.4,6; 6.9).

CAPÍTULO CINCO

AS RIQUEZAS PARA NADA SERVEM (5.1-20)

Votos Precipitados Anulam os Frutos do Labor (5.1-7)
Um homem sábio se mostrará cauteloso quanto às práticas religiosas e devoções. Terá cuidado em realizar votos, mas também será cuidadoso em não fazer votos insensatos que o prejudiquem.

"*Eclesiastes 5.1-7*. Estes versículos são frequentemente interpretados como um interlúdio no argumento de Salomão. São geralmente compreendidos como um trecho que fornece conselhos sobre a adoração, incluindo a atitude de adoração apropriada (vs. 1); a prática apropriada da oração (vss. 2 e 3); e o pagamento apropriado dos votos (vss. 4-7). Na realidade, entretanto, fazem parte importante do argumento de Salomão, advertindo contra seguir votos precipitados, o que leva uma pessoa a perder os frutos de seu trabalho, quando Deus destrói o trabalho de suas mãos (vs. 6). Foi assim que Salomão advertiu contra a insensatez dos votos precipitados que ele chamou de 'sacrifícios de tolos' (vs. 1). Ele advertiu contra proferir um *voto* precipitado e mal considerado para com o Senhor. 'Não sejas precipitado com a tua boca. Não te apresses em teu coração' (vs. 2)" (Donald R. Glenn, *in loc.*). Ver no *Dicionário* o verbete chamado *Votos*, e também sobre o campeão dos votos maus, *Jefté*, em Jz 11.1—12.7.

■ **5.1** (na Bíblia hebraica corresponde ao **4.17**)

שְׁמֹר רַגְלְךָ כַּאֲשֶׁר תֵּלֵךְ אֶל־בֵּית הָאֱלֹהִים
וְקָרוֹב לִשְׁמֹעַ מִתֵּת הַכְּסִילִים זָבַח כִּי־אֵינָם
יוֹדְעִים לַעֲשׂוֹת רָע׃

Guarda o teu pé, quando entrares na casa de Deus. Cuida bem do que fizeres quando fores ao templo de Jerusalém realizar os teus sacrifícios, rituais e votos. Quando estiveres ali, poderás ser arrebatado com um falso entusiasmo e terminar oferecendo um *sacrifício de tolos*, isto é, um *voto errado*, que não possas cumprir, ou que, se for cumprido, te prejudicará. O triste filósofo não estava degradando os sacrifícios de animais como se fossem tolos. Mas alguns considerariam sanguinários esses sacrifícios, e os que os oferecem, insensatos, já que eram bons apenas na aparência, pois tinham toda espécie de perversões e corrupções no coração. "Esses oferecem sacrifícios por seus pecados, mas, como tolos, não se afastam deles" (Adam Clarke, *in loc.*).

Chegar-se para ouvir. Ou seja, é melhor obter instruções dos ministros que estão nos templos, o que já seria razão suficiente para evitar votos tolos.

■ **5.2** (na Bíblia hebraica corresponde ao **5.1**)

אַל־תְּבַהֵל עַל־פִּיךָ וְלִבְּךָ אַל־יְמַהֵר לְהוֹצִיא דָבָר
לִפְנֵי הָאֱלֹהִים כִּי הָאֱלֹהִים בַּשָּׁמַיִם וְאַתָּה עַל־הָאָרֶץ
עַל־כֵּן יִהְיוּ דְבָרֶיךָ מְעַטִּים׃

Não te precipites com a tua boca. Como fica claro, temos aqui um homem estulto que se entusiasma e faz um voto precipitado. O homem imaginário fala na *presença* de Deus, porquanto está fazendo uma promessa ou um voto no templo. Ele exagera e promete aquilo que não pode cumprir. Os hebreus levavam muito a sério a questão dos votos. No caso de Jefté, ele acabou sacrificando a própria filha, a fim de cumprir uma promessa que fizera em campo de batalha, "caso Yahweh lhe desse a vitória". Ele prometeu que, se obtivesse a vitória sobre o inimigo, sacrificaria a primeira coisa que viesse em sua direção, quando se aproximasse de casa. E, então, aconteceu o inconcebível: sua *filha* se aproximou. O insensato Jefté sentiu que tinha de cumprir o voto tolo, temendo que Yahweh nunca mais o favorecesse em seus empreendimentos. Ver Jz 11.1—12.7.

Este versículo não se declara contra o *muito falar* (como fazem os pagãos) em suas orações, conforme alguns comentadores supõem. Ver Mc 12.40. O versículo também não increpa as orações superficiais e tolas, nem o fato de se familiarizar com Deus, proferindo palavras superficiais diante do Todo-poderoso. Para dizer a verdade, esses também são erros comuns entre os homens, mas não é o erro aqui combatido. Deus, estando no céu, considera o homem à face da terra, humilde e pequeno, responsável pelo que acontece no templo. Por conseguinte, o conselho do versículo é o de que o leitor se mostre moderado e respeitoso quando estiver ali, controlando a própria língua, que costuma inclinar-se em proferir palavras insensatas. Que o leitor falasse poucas e humildes palavras ali, já que não era o proprietário do lugar nem do que dali se deriva.

■ **5.3** (na Bíblia hebraica corresponde ao **5.2**)

כִּי בָּא הַחֲלוֹם בְּרֹב עִנְיָן וְקוֹל כְּסִיל בְּרֹב דְּבָרִים׃

Porque dos muitos trabalhos vêm os sonhos. As muitas atividades durante o dia provocam uma noite repleta de sonhos, mas tudo não passa de vaidade. Os sonhos excessivos consistem apenas na tentativa de aliviar a mente das ansiedades do dia. Por isso mesmo, os insensatos tornam-se conhecidos por *outros excessos*, como falar em demasia e fazer votos precipitados mediante palavras ousadas, que não se baseiam na realidade, da mesma forma que os sonhos também não são a vida real. Naturalmente, o triste filósofo não sabia muita coisa sobre a teoria dos sonhos, considerando-os todos triviais e vãos (vs. 7). Mas sabemos que muitos sonhos têm profundo significado; podem ser nossos juízes e jurados quanto a questões morais, e alguns são precognitivos. Ver no *Dicionário* o verbete intitulado *Sonhos*, quanto a um sumário do que se sabe sobre os sonhos. Não obstante, o ponto foi bem fixado: o homem precipitado, que faz muitos votos, é apenas um sonhador que nunca verá o que quer ver realizado na vida real. Ademais, ele pagará pelas promessas precipitadas que tiver feito. Os sonhos podem ser incoerentes, mera bagagem mental, e o insensato que faz votos precipitados é um homem incoerente. Algumas pessoas religiosas exageram quanto aos sonhos e os transformam em mensagens místicas, regular e constantemente. Pensam que Deus vive a falar com elas por meio de seus sonhos, mas são apenas *tolos místicos*. Assim sendo, o homem que entra na casa de Deus e fala demais, por estar entusiasmado com este meio ambiente santificado, também pode não passar de um tolo místico.

■ **5.4** (na Bíblia hebraica corresponde ao **5.3**)

כַּאֲשֶׁר תִּדֹּר נֶדֶר לֵאלֹהִים אַל־תְּאַחֵר לְשַׁלְּמוֹ כִּי אֵין
חֵפֶץ בַּכְּסִילִים אֵת אֲשֶׁר־תִּדֹּר שַׁלֵּם׃

Quando a Deus fizeres algum voto, não tardes em cumpri-lo. Os votos são *questões sérias* e devem ser feitos com toda a sinceridade, seletivamente, em harmonia com a capacidade de se cumprir aquilo que se prometeu. Um homem deve pagar seus votos assim que puder. O pagamento dos votos, quando excessivamente adiado, não é válido. Um homem fez um voto e descobriu que não podia cumpri-lo, assim adiou o pagamento, na esperança de que houvesse uma mudança de circunstâncias que o capacitasse a cumprir suas promessas. Por conseguinte, ele espera e espera, mas nada sucede, porquanto ele prometeu para além de seus meios. Esse homem mostrou ser um insensato, mas Deus não se apraz com tais homens nem favorece tais indivíduos na administração diária de sua providência.

Conclusão. Faze teus votos com moderação; cumpre os teus votos, o mais imediatamente possível. Se assim o fizeres, poderás esperar o favor de Deus. Cf. Dt 23.21-23, que diz essencialmente a mesma coisa. Cf. Eclesiástico 18.22 e Is 62.4. A tendência dos homens é fazer promessas em algum momento de teste ou necessidade, para, em seguida, esquecer prontamente as promessas feitas, uma vez que as coisas se desanuviem. A lei mosaica não *requeria* que os filhos de Israel fizessem votos; eles eram feitos voluntariamente. Portanto, uma vez feitos, eles tinham de ser cumpridos prontamente.

■ **5.5** (na Bíblia hebraica corresponde ao **5.4**)

טוֹב אֲשֶׁר לֹא־תִדֹּר מִשֶּׁתִּדּוֹר וְלֹא תְשַׁלֵּם׃

Melhor é que não votes do que votes e não cumpras. É prático, moral e espiritualmente melhor não nos envolvermos na questão dos votos, se não podemos cumprir nossas promessas. Fazer votos não era requerido na lei de Moisés; eles podiam ser uma adição valiosa à piedade básica, mas tinham de ser aplicados com cautela. A "autoconsagração" pode ser boa. Um homem pode acrescentar algo à sua espiritualidade, impondo algumas coisas a si mesmo, embora a lei básica de Moisés não requeresse tais coisas. Esse compromisso, entretanto, é algo sério, e não devemos abusar. Está o leitor lembrado do homem que se lançou ao projeto de construir uma torre, mas acabou ficando sem dinheiro? Ele terminou sendo ridicularizado por todos (ver Lc 14.28). Se você se impuser ao castigo de uma cruz autoinfligida, então deverá ter certeza de que é forte o bastante para transportá-la. Consideremos o desastre dos votos tomados por Ananias e Safira (ver At 5.1-11). A calamidade deles foi acrescida pela desonestidade na questão. Eles doaram algum dinheiro, mas terminaram perdendo a própria vida.

■ **5.6** (na Bíblia hebraica corresponde ao **5.5**)

אַל־תִּתֵּן אֶת־פִּיךָ לַחֲטִיא אֶת־בְּשָׂרֶךָ וְאַל־תֹּאמַר
לִפְנֵי הַמַּלְאָךְ כִּי שְׁגָגָה הִיא לָמָּה יִקְצֹף הָאֱלֹהִים
עַל־קוֹלֶךָ וְחִבֵּל אֶת־מַעֲשֵׂה יָדֶיךָ׃

Não consintas que a tua boca te faça culpado. A boca pode levar uma pessoa a cair em pecado. Ver quanto ao uso próprio e impróprio da língua, em Pv 8.21 e 11.9,13. Ver no *Dicionário* o verbete intitulado *Linguagem, Uso Apropriado da*. O pecado especial da presente passagem consiste em permitir que a língua faça promessas tolas que só resultam em vexação. O insensato poderá dizer, mais tarde, quando alguém, como um ministro do templo, estiver pronto para colher o que fora prometido: "A promessa foi um equívoco, um erro de cálculo, algo que prometi inadvertidamente". O coletor, entretanto, não dará ouvidos a tal conversa. Ele há de querer seu dinheiro, verificando se você fez o devido pagamento, mesmo que isso o reduza à pobreza, pois ele tem a lei do seu lado; por conseguinte, você não terá escolha. Os tribunais talvez tenham de decidir a questão, e o precipitado fazedor de votos por certo perderá a causa. O próprio Deus reduzirá esse homem a nada, destruindo as obras de suas mãos. Suas possessões lhe serão confiscadas, ele perderá seu gado e sua casa. Talvez até seus terrenos sejam perdidos no ano do Jubileu, depois que ele morrer. E sua família sofrerá por causa de sua loucura.

Diante do mensageiro de Deus. Isto pode significar que o homem fará seu discurso de desculpas e mentiras na presença do Senhor; o mais provável, porém, é que se trate de um *mensageiro* encaminhado para fazer a coleta do dinheiro, como um sacerdote enviado da parte do templo. Ver Ml 2.7. Além de desagradar ao mensageiro, o homem se poria sob o desprazer divino, pelo que seu empreendimento começaria a falhar. Ele perderia tudo quanto tivesse trabalhado para ganhar, e os seus projetos futuros cairiam por terra. Aprendemos aqui algo sobre a santidade das palavras. "As palavras têm um poder além de nosso conhecimento. Elas servem de pontos para toda a amizade. Podem curar ou ferir, mobilizam exércitos e lançam couraçados, ou podem lançar bombas dos céus. Podem aumentar ou aliviar tensões entre os homens e as nações. Elas tocam no divino" (Gaius Glenn Atkins, *in loc.*, com algumas adições).

■ **5.7** (na Bíblia hebraica corresponde ao **5.6**)

כִּי בְרֹב חֲלֹמוֹת וַהֲבָלִים וּדְבָרִים הַרְבֵּה כִּי אֶת־
הָאֱלֹהִים יְרָא׃

Como na multidão dos sonhos há vaidade. Assim como uma multidão de sonhos traz vaidades à mente humana, também o muito falar, na formação de votos, leva um homem ao nada, conforme explicado nos comentários sobre o versículo anterior. Além disso, o ato, em *si mesmo*, é próprio dos insensatos e vaidade. "Na multidão dos sonhos há futilidade e ruína no dilúvio das palavras" (possível tradução do versículo).

Teme a Deus. Poderíamos interpretar o "temor ao Senhor", a piedade padronizada dos hebreus, que é a essência da espiritualidade do Antigo Testamento (ver Pv 1.7; Sl 119.38; e ver no *Dicionário* o verbete chamado *Temor*). Ou, então, devemos pensar no *terror real* imposto pelo Ser divino, que pode reduzir um homem a nada, se ele cometer certos pecados, que podem feri-lo, meramente porque ele é um homem, não melhor que um animal. Quanto ao *temor* dessa sorte, ver Ec 3.14. O trecho de Ec 12.13 tem a expressão em seu uso tradicional.

A Vaidade das Riquezas (5.8-20)

As Extorsões de Oficiais Corruptos Podem Reduzir uma Pessoa a Nada (5.8,9)

■ **5.8** (na Bíblia hebraica corresponde ao **5.7**)

אִם־עֹשֶׁק רָשׁ וְגֵזֶל מִשְׁפָּט וָצֶדֶק תִּרְאֶה בַמְּדִינָה
אַל־תִּתְמַהּ עַל־הַחֵפֶץ כִּי גָבֹהַּ מֵעַל גָּבֹהַּ שֹׁמֵר
וּגְבֹהִים עֲלֵיהֶם׃

Se vires em alguma província opressão de pobres... As riquezas materiais, de uma pessoa ou de uma nação podem excitar a ganância dos dirigentes corruptos. Os pobres são, com frequência, oprimidos, e os que têm um pouco mais de dinheiro inevitavelmente excitam a cobiça. E também há a *hierarquia do poder*. Todos os oficiais da ordem social são corruptos, e cada um deles espera poder cobrar do oficial inferior alguma coisa de valor, através de atos injustos. Desde o menor até o rei, encontramos homens gananciosos e extorsivos, que formam um bando de lobos e exploram as pessoas, cada qual roubando seus inferiores e dependentes. Confere tudo isso, com a avaliação de Samuel, do que acontece quando um povo escolhe um rei (ver 1Sm 8.10-18).

Salomão, em sua loucura pela ostentação e por obras públicas cada vez mais suntuosas, cobrou pesados impostos do povo de Israel e empobreceu muitos súditos; assim, nem mesmo esse sábio rei pôde escapar da observação que encontramos nos vss. 8,9. Ver 1Rs 4.7,22,23. Alguns intérpretes veem Deus como se estivesse acima de todos os governantes. É verdade que o triste e louco filósofo não fazia ideia muito digna da divindade, promovendo seu Deus brutal, sem coração e voluntarista (ver Ec 3.16,18-20). Portanto, é possível que o autor esteja apresentando Deus aqui como o maior dos exploradores e opressores, embora eu pense que isso é altamente improvável. Jó, entretanto, não deixava de falar de Deus nesse sentido. Ver na *Enciclopédia de Bíblia, Teologia e Filosofia* o artigo chamado *Voluntarismo*. Os homens têm inventado e lançado sobre as pessoas alguns conceitos bastante estranhos sobre Deus, como se fossem "verdades de Deus". Mas a pior de todas as coisas é que alguns homens levam a sério esses pontos de vista distorcidos sobre Deus, como é o caso do deus destruidor do calvinismo radical.

■ **5.9** (na Bíblia hebraica corresponde ao **5.8**)

וְיִתְרוֹן אֶרֶץ בַּכֹּל הִיא מֶלֶךְ לְשָׂדֶה נֶעֱבָד׃

O proveito da terra é para todos. No topo do grande número de oficiais gananciosos acha-se o próprio rei, que encabeça a alcateia de lobos. É o rei quem controla um país inteiro, de onde provém as riquezas do país. Ele é igualmente o chefe dos oficiais menores, corruptos, fazendo com que todos o sirvam com impostos exorbitantes (cobrados do povo em geral), presentes e subornos. Os verdadeiros perdedores são as pessoas que têm de pagar essa horrível conta da corrupção. Como é usual, a *política* é o tema do triste filósofo. O próprio grande Salomão, que levou Israel à época áurea, fê-lo mediante a exploração do povo (1Rs 4.7,22,23).

Os vss. 6-9 têm um hebraico obscuro, pelo que têm recebido diferentes interpretações. Uma delas diz que Deus, que julga os votos precipitados dos homens (vss. 6-7), cuidará para que os oficiais corruptos paguem por terem explorado o povo. Mediante essa interpretação, Deus não aparece como o maior dos exploradores, mas, antes, é o Juiz de todas as autoridades humanas que atuam debaixo dele. Porém, para chegarmos a essa interpretação, temos de vincular os vss. 8,9 aos vss. 4-6, como se prometessem vingança contra os governos humanos corruptos; mas tal conexão é duvidosa.

Um Homem Pode Perder os Frutos de seu Trabalho pela Própria Ganância (5.10-12)

■ **5.10** (na Bíblia hebraica corresponde ao **5.9**)

אֹהֵב כֶּסֶף לֹא־יִשְׂבַּע כֶּסֶף וּמִי־אֹהֵב בֶּהָמוֹן לֹא
תְבוּאָה גַּם־זֶה הָבֶל׃

Quem ama o dinheiro, jamais dele se farta. A tendência das autoridades gananciosas é querer mais e mais. Os verdadeiramente ricos juntam quantias cada vez maiores de dinheiro, como se isso fosse um esporte; e, para eles, sem dúvida, assim a questão parece ser. Ainda recentemente, li sobre um homem que apostava 20 mil dólares por dia em jogos, pois indubitavelmente essa era a sua noção de diversão. Todos somos testemunhas de como os homens são capazes de perder vastas fortunas mediante atos de imprudência. O dinheiro lhes dá um falso senso de segurança, pelo que eles arriscam, com frequência na esperança de conseguir mais dinheiro ainda, embora não tenham necessidade de coisa alguma e, talvez, nunca venham a ter necessidade de nada (se ao menos forem levemente prudentes). Um homem da antiguidade, que tinha muita prata, deveria ter ficado satisfeito, visto que a prata, depois do ouro, é o mais nobre e precioso dos metais. Mas o proprietário de tanta prata quis tornar-se proprietário de maior quantidade do metal e, assim, aventurou-se com as suas riquezas. E acabou querendo ser um grande proprietário de ouro e joias e, mais tarde, quis ser o maior proprietário de terras do país. Aquele homem nunca se dava por satisfeito. Ele punha as mãos em tudo quanto seu coração desejava. Ora, essa é uma grande demonstração de *vaidade*. Caso ele não conseguisse apossar-se de tudo, só faltava enlouquecer, outra demonstração de extrema *vaidade*. O negócio do dinheiro, independentemente de vencer ou perder, nessa luta, é um jogo vão.

O triste e enlouquecido filósofo percebeu isso com clareza, mesmo que tivesse errado em suas crenças a respeito de outras coisas. Por outra parte, em harmonia com sua teoria básica, "ter dinheiro ou não é tudo uma mesma vaidade" (como em tudo mais; ver Ec 1.3). Nosso homem gostava de falar sobre diferentes tipos de vaidade, pelo que o dinheiro foi um de seus tópicos.

A *principal afirmação* aqui é que as riquezas materiais não *satisfazem*. Mas mesmo que satisfizessem, o triste filósofo em breve nos informaria que essa satisfação também é uma forma de vaidade. A maré do tempo, algum dia, haverá de varrer isso. O triste filósofo não podia encontrar valor real em nada. Ele era um *niilista*: não existiam valores verdadeiros. Portanto, poderíamos dizer:

> A inutilidade do dinheiro aumenta com o seu volume; e a inutilidade da pobreza aumenta conforme vamos empobrecendo. A satisfação é uma farsa; e por certo o dinheiro não é suficiente para que haja satisfação. Mas, afinal, que diferença faz tudo isso? O nada espera por todas as coisas. Não importa o que eu tenha escrito neste livro, e não faz a mínima diferença se você o leu ou não.
>
> O triste, louco e mau filósofo

■ **5.11** (na Bíblia hebraica corresponde ao **5.10**)

בִּרְבוֹת הַטּוֹבָה רַבּוּ אוֹכְלֶיהָ וּמַה־כִּשְׁרוֹן לִבְעָלֶיהָ כִּי אִם־רְאִית עֵינָיו:

Onde os bens se multiplicam, também se multiplicam os que deles comem. Quando um homem obtém mais e mais, crescem em número e virulência os gananciosos, desejos de ficar com aquilo que ele tem. Eles criarão toda espécie de esquemas para separar o homem de seu dinheiro. Ele perderá o sono e, provavelmente, também o dinheiro, por fim. Isso posto, qual a vantagem de ter toda aquela riqueza? Ele chegou a ver todo aquele dinheiro, mas este *desapareceu* diante de seus olhos. Este versículo é similar a Ec 4.4. Portanto, o que usualmente sucede, quando os homens obtêm grandes riquezas, é que eles nunca atingem o aprazimento total. Apenas obtêm mais tribulações *internas* (na ansiedade, procurando conservar e aumentar o que possuem), e também *externas* (mediante os ataques de indivíduos gananciosos). "Todo aquele que obtém riquezas passa a devorar" (Lutero). Parte do significado do versículo pode ser a de que o homem rico também aumenta suas despesas, mediante uma família numerosa, muitas propriedades para cuidar e muitos servos que ele põe a trabalhar. Em suma, embora tenha muito mais dinheiro, ele também tem muito maiores despesas do que quando era pobre. O nosso triste homem também viu o dinheiro passando diante dos seus olhos. Ele não conseguiu poupar muito para seu próprio uso.

■ **5.12** (na Bíblia hebraica corresponde ao **5.11**)

מְתוּקָה שְׁנַת הָעֹבֵד אִם־מְעַט וְאִם־הַרְבֵּה יֹאכֵל וְהַשָּׂבָע לֶעָשִׁיר אֵינֶנּוּ מַנִּיחַ לוֹ לִישׁוֹן:

Doce é o sono do trabalhador. O trabalhador diário e comum, pelo menos, pode dormir bem à noite. Ele ganha aquilo de que necessita dia após dia, e não tem grandes responsabilidades sobre os próprios ombros. Mas o rico, que vive sobrecarregado de dinheiro, também fica sobrecarregado com toda espécie de cuidados e ansiedades. O "pobre" homem nem ao menos pode obter uma boa noite de sono. Enquanto isso, o pobre pode desfrutar dos seus sonhos, que compensam sua pobreza. Mas o rico só tem sonhos de ansiedade (vs. 7), nem ao menos tem uma vida agradável de sonhos. Sendo rico, provavelmente ele também é opressor, pelo que poderá haver crimes em sua mente, ferindo-lhe a consciência.

"A menos que haja riqueza na alma, os homens descem ao sepulcro de mãos vazias. Os prazeres corretos são simples. O contentamento nesses prazeres é um dom de Deus, mas todos os contentamentos são fugidios. Vivemos e morremos com desejos insatisfeitos. Omar Khayyan disse algo similar:

> Não somos outra coisa além de uma fileira em movimento
> De formas de sombras mágicas, que vão e vêm.
>
> O *Rubaiyat*, estrofe xviii

Tanto para o Koheleth (pregador) quanto para Omar, "haveria uma porta para a qual nenhuma chave pode ser encontrada" (Gaius Glenn Atkins, *in loc.*).

O Labor para Acumular Frutos do Trabalho Pode Resultar em Miséria (5.13-17)

■ **5.13** (na Bíblia hebraica corresponde ao **5.12**)

יֵשׁ רָעָה חוֹלָה רָאִיתִי תַּחַת הַשָּׁמֶשׁ עֹשֶׁר שָׁמוּר לִבְעָלָיו לְרָעָתוֹ:

Grave mal vi debaixo do sol. O triste filósofo chama-nos a atenção para um grave e terrível mal que ele tinha observado em suas investigações: os homens obtêm riquezas que terminam por prejudicá-los, em vez de ajudá-los, precisamente o oposto daquilo que muitos têm imaginado. A futilidade do trabalho e do que ele pode produzir é demonstrada pelos frutos que podem ser envenenados e, consequentemente, destruir o seu cultivador. O *fazendeiro rico* termina a sua carreira em uma colheita venenosa, capaz de destruir-lhe a vida. Esse é um *infortúnio depressivo*, conforme pode ser traduzido o original hebraico deste versículo.

A palavra aqui traduzida por *grave*, no original hebraico é *holah*, e significa primariamente *enfermo*. O que acontece torna a pessoa enferma, apenas em contemplar o sucedido. Comparar as palavras "o próprio dano" deste versículo com Ec 6.2; Jr 14.17; Na 3.19. O homem tem seus bens roubados, ou os desperdiça, em uma insensatez, devorados que são por seu alto estilo de vida. Ou então alguém o ataca fisicamente para ficar com o seu dinheiro, ou mesmo para tirar-lhe a vida. Ato contínuo, Deus o julga por ter obtido ilegalmente os seus bens, ou por ser ganancioso demais; talvez isso tenha sido decidido por Deus, pois o homem, afinal, não é melhor que um animal testado pelo desastre (ver Ec 3.18-19). O desastre é a sorte do ser humano, predestinado por Deus, e isso deve estar correto, porquanto assim Deus o quis. Afinal, Deus é a causa única de tudo. Ver na *Enciclopédia de Bíblia, Teologia e Filosofia* o artigo chamado *Voluntarismo*.

■ **5.14** (na Bíblia hebraica corresponde ao **5.13**)

וְאָבַד הָעֹשֶׁר הַהוּא בְּעִנְיַן רָע וְהוֹלִיד בֵּן וְאֵין בְּיָדוֹ מְאוּמָה:

E se tais riquezas se perdem por qualquer má aventura. Uma das maneiras pelas quais as riquezas podem ser perdidas é através de *más aventuras nos negócios*. Um homem perde o seu dinheiro e, exatamente naquele momento errado, começa a constituir família, tem um filho e assume maiores responsabilidades. Mas, como perdeu o dinheiro, sua mão está *vazia*. As coisas vão de mal a pior, e a vida daquele homem se debate em dificuldades. Cf. Jz 14.6, quanto a ter nada na mão, uma expressão de desespero. O homem, antes abastado, torna-se um pobretão, e isso é realmente um *grave mal* (vs. 13). Aquele homem, cujos filhos confiavam ser cuidados por ele, foi despido de seu potencial financeiro. Sua família necessita dele, mas ele não tem recursos.

■ **5.15** (na Bíblia hebraica corresponde ao **5.14**)

כַּאֲשֶׁר יָצָא מִבֶּטֶן אִמּוֹ עָרוֹם יָשׁוּב לָלֶכֶת כְּשֶׁבָּא וּמְאוּמָה לֹא־יִשָּׂא בַעֲמָלוֹ שֶׁיֹּלֵךְ בְּיָדוֹ׃

Como saiu do ventre de sua mãe, assim nu voltará. Finalmente, o homem é reduzido ao nada absoluto, à *nudez*, o estado em que ele veio ao mundo. Assim, quando morrer, sairá daqui nu, tal e qual chegou. Ele não poderá levar nada consigo, mesmo porque tinha muito pouco, e suas longas horas de planejamento e trabalho serão reduzidas a nada. Sua mão estará vazia, conforme já vimos no vs. 14, e o momento de sua morte confirma esse veredicto. "Visto que uma pessoa não pode levar consigo nenhum fruto de seus labores, ao morrer, na realidade ela nada ganhou com a vida no mundo. Todo o seu labor se desperdiça como se ela tivesse perseguido o vento (vs. 16)" (Donald R. Glenn, *in loc.*).

Este versículo repete o veredicto tenebroso sobre a vida, conforme se vê em Ec 1.3. O autor não olha para cima, não pode ver a vida para além-túmulo, pois não acreditava nisso (Ec 3.19,20). Qualquer indivíduo que não ver a vida além-túmulo, após a morte biológica, não pode deixar de ser um niilista; se não há vida no além, nem recompensa nem retribuição, é muito difícil defender "valores reais", porquanto tudo se reduz a nada, no momento em que se morre e se deixa de existir no sentido absoluto do termo.

É provável que o triste filósofo tenha emprestado de Jó 1.21 a ideia de vir a este mundo e sair dele *nu*; parece quase certo que ele também emprestou parte do seu pessimismo do mesmo livro. Ou, então, ele já era um pessimista declarado, e aquele livro apenas o ajudou a confirmar seu pessimismo. Ver na *Enciclopédia de Bíblia, Teologia e Filosofia* o verbete denominado *Pessimismo*.

■ **5.16** (na Bíblia hebraica corresponde ao **5.15**)

וְגַם־זֹה רָעָה חוֹלָה כָּל־עֻמַּת שֶׁבָּא כֵּן יֵלֵךְ וּמַה־יִּתְרוֹן לוֹ שֶׁיַּעֲמֹל לָרוּחַ׃

Também isto é grave mal: precisamente como veio, assim ele vai. Ver as notas expositivas sobre o vs. 13, quanto a explicações. Isso é capaz de deixar qualquer um *enfermo*. Em vez de repetir que um homem veio nu e sairá deste mundo nu, temos a declaração generalizada: "precisamente como veio, assim ele vai", ou seja, com absolutamente nada. Portanto, temos aqui um truísmo: "Todos entramos no mundo sem nada e saímos do mundo da mesma forma". Para dizer algo que ultrapasse isso, é preciso falar sobre uma alma que sobreviva à morte biológica, mas o autor sagrado não disse isso, porquanto não acreditava em tal doutrina. Visto que o homem vem do nada e volta para o nada, que proveito obtém de todo o labor de sua vida? O homem laborioso somente correu atrás do vento, procurando retê-lo em suas mãos. Em outras palavras, ele foi um tolo trabalhador e não um tolo preguiçoso, mas na morte não importa se ele foi um trabalhador ou não. Isso, naturalmente, reflete um ponto de vista pessimista da vida, afinal supomos que o ato de trabalhar seja honroso, e seus frutos, dignos do trabalho. Porém, o filósofo triste diz que estamos errados quando cremos nisso, porquanto seu ponto de vista heterodoxo é o correto.

■ **5.17** (na Bíblia hebraica corresponde ao **5.16**)

גַּם כָּל־יָמָיו בַּחֹשֶׁךְ יֹאכֵל וְכָעַס הַרְבֵּה וְחָלְיוֹ וָקָצֶף׃

Nas trevas comeu em todos os seus dias. Cada dia que aquele homem vive é como uma noite escura, igual ao próprio alimento que ele consome: é a sua porção diária de tristeza, consternação e ressentimento. Seria difícil alguém inventar declaração mais pessimista. O homem vivia uma morte em vida. Sua vida era intolerável. O sol brilhava no firmamento, mas em seu coração fazia-se noite. Ele comia refeições suntuosas, mas tudo se parecia com uma noite tenebrosa. "Ele passava os seus dias em trevas e em tristeza" (Septuaginta, seguida pela *Revised Standard Version* e pela tradução portuguesa da Imprensa Bíblica Brasileira).

O Melhor que se Pode Fazer em Meio à Miséria (5.18-20)

■ **5.18** (na Bíblia hebraica corresponde ao **5.17**)

הִנֵּה אֲשֶׁר־רָאִיתִי אָנִי טוֹב אֲשֶׁר־יָפֶה לֶאֱכוֹל־וְלִשְׁתּוֹת וְלִרְאוֹת טוֹבָה בְּכָל־עֲמָלוֹ שֶׁיַּעֲמֹל תַּחַת־הַשֶּׁמֶשׁ מִסְפַּר יְמֵי־חַיָּו אֲשֶׁר־נָתַן־לוֹ הָאֱלֹהִים כִּי־הוּא חֶלְקוֹ׃

Eis o que eu vi: boa e bela cousa é comer e beber. O autor sagrado retorna agora ao seu tema de prazeres moderados como o *summum bonum* da vida. Compreendemos que ele estava descrevendo um *falso valor*, a única coisa "positiva" que se poderia dizer sobre a vida humana, embora tal declaração não seja grande coisa. Este versículo se parece muito com Ec 2.24-25, onde há notas expositivas detalhadas. Ver também Ec 3.12,22 e 8.15, quanto a declarações similares. O autor não abandonou sua "teoria de que não existem valores reais" (o niilismo); ele diz tão somente que o melhor que o homem pode fazer, sob circunstâncias geralmente desesperadoras (a noite na qual consiste a vida, vs. 17), é divertir-se um pouco, o que não tem valor real. Ao ser humano foram dados apenas poucos dias, para logo deixar de existir. Deus determinou que ele teria apenas *poucos dias de vida*, para, em seguida, ser reduzido a nada. Essa é a sua *porção predestinada*. Deus é a causa única, e ele determinou que a vida humana fosse algo miserável. Por conseguinte, em uma espécie de "autodefesa", desfruta um pouco do que tens, em meio à tua vida de trabalhos cansativos. Perdemos de vista o ponto do livro, quando pensamos que nosso triste filósofo supusesse existirem valores reais na vida. Ele estava meramente falando sobre o *menor dos males*, e fazia desse mal o *summum bonum* da existência humana. Quanto à *sorte* (porção) do homem, cf. Ec 3.22; 5.19 e 9.9.

■ **5.19** (na Bíblia hebraica corresponde ao **5.18**)

גַּם כָּל־הָאָדָם אֲשֶׁר נָתַן־לוֹ הָאֱלֹהִים עֹשֶׁר וּנְכָסִים וְהִשְׁלִיטוֹ לֶאֱכֹל מִמֶּנּוּ וְלָשֵׂאת אֶת־חֶלְקוֹ וְלִשְׂמֹחַ בַּעֲמָלוֹ זֹה מַתַּת אֱלֹהִים הִיא׃

Quanto ao homem, a quem Deus conferiu riquezas e bens... isto é dom de Deus. Um homem rico tem sua porção determinada por Deus. Se Deus não tivesse determinado que ele seria um insensato rico, "dançando e saltitando através da vida", ele não o seria. Portanto, ele é um homem feito por Deus e não pode fazer na vida coisa melhor que usufruir de pequenos prazeres, embora esses, na verdade, não valham nada. A vida inteira e aquilo que os homens fazem com ela são *dons* de Deus e seguem exatamente o que Deus planejou (o ponto de Ec 3.1-11, "os tempos e as estações estão todos em suas mãos").

O homem, entretanto, não é melhor que os animais irracionais e logo se ajuntará a eles em seu pó final. Isso posto, que o leitor não fique empolgado acerca de qualquer tipo de vida que Deus lhe concedeu. Todas as vidas determinadas por Deus são dons "tenebrosos". O triste filósofo era um pessimista confirmado, e ver nele qualquer outra coisa nos faz perder o ponto do livro. Os capítulos 1—3 interpretaram cuidadosamente a sua "filosofia de vida", e apenas arruína a mensagem do livro tentar torná-lo mais brilhante. Deus dá aos homens o poder de *gozar a vida*. Isso figura entre os dons de Deus, é apenas o desfrute dos insensatos, o que todos os homens são, enquanto tateiam na noite que é esta vida. Ec 6.2 nos dá a verdadeira declaração: "Mas Deus não lhe concede que disso coma". Esse é o sentido absoluto das palavras de nosso filósofo, enquanto em um sentido relativo o homem pode desfrutar essas coisas, pelo dom de Deus. Tudo termina em *vaidade e grave aflição*, conforme afirma aquele versículo.

■ **5.20** (na Bíblia hebraica corresponde ao **5.19**)

כִּי לֹא הַרְבֵּה יִזְכֹּר אֶת־יְמֵי חַיָּיו כִּי הָאֱלֹהִים מַעֲנֶה בְּשִׂמְחַת לִבּוֹ׃

Porque não se lembrará muito dos dias da sua vida. O homem consegue esquecer todos os males de seus poucos dias determinados, porquanto sua mente deles se desvia, mediante seus breves prazeres. Mas a questão inteira é um procedimento enganador. Na realidade, ele nada tem pelo que viver, mas vive *como se* houvesse algum valor em sua lúgubre vida. Ademais, é Deus quem está por trás do engano, dando-lhe, por assim dizer, alguma espécie de bebida intoxicadora que o leva a esquecer suas misérias. As misérias são reais, e o aprazimento é enganador.

CAPÍTULO SEIS

A BREVIDADE E A FUTILIDADE DA VIDA DO HOMEM PROVAM A INUTILIDADE DAS COISAS. A FRUSTRAÇÃO DOS DESEJOS E DAS ESPERANÇAS (6.1-12)

■ 6.1

יֵשׁ רָעָה אֲשֶׁר רָאִיתִי תַּחַת הַשָּׁמֶשׁ וְרַבָּה הִיא עַל־הָאָדָם:

Há um mal que vi debaixo do sol. Esta passagem prova a tese que venho defendendo (que é a tese do autor, tão magnificamente declarada nos capítulos 1—3): não existem valores reais. Por algum tempo, pode parecer ao homem ter encontrado, nos pequenos prazeres, alguma razão para viver, como se esse fosse o *summum bonum* da vida (Ec 5.18-20; cf. notas em Ec 2.24-25). Mas obter prazer na vida, crendo que nela há algum bem, é um procedimento enganador.

O que o homem realmente descobre, quando investiga a questão "debaixo do sol" (aqui, nesta terra miserável), é bastante diferente disso. Há somente o mal que *pesa muito* sobre um homem (*Revised Standard Version*, Atualizada). Essa vida vã e pesada foi determinada pelo próprio Deus, pois ele é a causa única de tudo quanto acontece. A teologia dos hebreus era fraca quanto às causas secundárias, pelo que o mal foi determinado por Deus, e planos divinos sinistros tornam a vida dos homens miserável. Os versículos que se seguem fornecem alguns detalhes sobre o desespero que constitui a vida do homem, tudo por decreto divino. Isso, gostemos ou não, é a doutrina do triste e louco filósofo. É inútil tentar corrigir a posição dele, como é inútil acreditar em coisas como essas que distorcem qualquer teoria sã do que constitui a vida humana. Ver no *Dicionário* o verbete intitulado *Problema do Mal*, quanto a ideias que ajudam a ilustrar a questão.

■ 6.2

אִישׁ אֲשֶׁר יִתֶּן־לוֹ הָאֱלֹהִים עֹשֶׁר וּנְכָסִים וְכָבוֹד וְאֵינֶנּוּ חָסֵר לְנַפְשׁוֹ מִכֹּל אֲשֶׁר־יִתְאַוֶּה וְלֹא־יַשְׁלִיטֶנּוּ הָאֱלֹהִים לֶאֱכֹל מִמֶּנּוּ כִּי אִישׁ נָכְרִי יֹאכֲלֶנּוּ זֶה הֶבֶל וָחֳלִי רָע הוּא:

O homem a quem Deus conferiu riquezas, bens e honra. Um homem que possui riquezas, poder, saúde, honra (coisas boas da vida, aparentemente) não pode desfrutá-los, porque Deus determinou *todas as coisas*, incluindo o poder de desfrutar ou não dessas coisas. Com uma das mãos, Deus dá a um homem o que, *aparentemente*, é valioso, mas com a outra, ele tira todas essas coisas, porquanto também determinou que o homem não poderá desfrutar das coisas boas que lhe foram dadas. Isso contradiz o trecho de Ec 5.18-20, onde o homem usufrui aquilo que possui. A contradição, porém, é apenas aparente. Em sentido relativo, um homem desfruta de seus prazeres, mas, em sentido absoluto, não há valor algum que ele possa desfrutar. O filósofo niilista é igualmente um relativista, pelo que pode variar sua expressão, sem alterar sua tese. É ridículo interpretar as declarações do autor sagrado de maneira que esse herege se transforme em um rabino ortodoxo. Na realidade, ele é um filósofo especulativo pessimista.

Outra pessoa obterá as vantagens materiais do homem, e isso serve somente para aumentar a sua miséria. Mas *essa* não é a razão verdadeira pela qual o homem não pode usufruir de suas riquezas e de seus prazeres. Ele é inerentemente incapaz disso, por força de um decreto divino. E, então, *circunstancialmente*, ele não pode desfrutar dessas coisas por não *perder* as suas vantagens. Deus também determinou as circunstâncias das perdas do homem. Portanto, conforme dizemos em uma moderna expressão: "Uma pessoa não pode ganhar sem perder". Em outras palavras, a vitória não pode ser obtida por causa de *toda* a perda. "Riquezas, bens ou honras" são coisas que os homens muito valorizam, e foram usufruídas, juntamente, no caso de Salomão (2Cr 1.11).

■ 6.3

אִם־יוֹלִיד אִישׁ מֵאָה וְשָׁנִים רַבּוֹת יִחְיֶה וְרַב שֶׁיִּהְיוּ יְמֵי־שָׁנָיו וְנַפְשׁוֹ לֹא־תִשְׂבַּע מִן־הַטּוֹבָה וְגַם־קְבוּרָה לֹא־הָיְתָה לּוֹ אָמַרְתִּי טוֹב מִמֶּנּוּ הַנָּפֶל:

Se alguém gerar cem filhos, e viver muitos anos. O autor sagrado apresenta um caso radical, a fim de ilustrar sua tese de que "não existe bem, afinal". Temos aqui um homem que vive longamente (e aparentemente bem); ele tinha cem filhos, e uma prole numerosa era muito valorizada na sociedade dos hebreus (Sl 127.5), no entanto, ele *não* desfrutava todas as coisas boas que possuía, porquanto Deus resolveu que ele seria incapaz para tanto; além disso e de sua "calamidade por ter nascido um homem", ele também não recebeu sepultamento decente (tão importante para os hebreus e para outras raças antigas). Teria sido melhor se a mãe desse homem tivesse sofrido um aborto e ele não tivesse vindo à luz. O fato de ele não ter recebido sepultamento decente não deveria desviar nossa atenção da *declaração central:* mesmo que um homem tenha uma vida excelente, ainda assim, por decreto divino, ele não pode desfrutar dela. Deus fez dele o tipo de criatura que é incapaz do verdadeiro aprazimento. Na verdade, nada existe para ser desfrutado, embora existam falsos aprazimentos.

Era melhor ser um natimorto (ver Jó 4.15), ou seja, ter nascido morto, que viver numa morte em vida. Quanto ao infortúnio de não ser apropriadamente sepultado, ver Is 14.19; Jr 22.19. Sepultar os mortos era um dever piedoso (Tobias 1.18; 2.4-5). Os gregos imaginavam que, se o corpo não fosse devidamente sepultado, isso impediria o avanço da *alma* em sua transição para a vida além. Os hebreus, naturalmente, não adicionavam essa noção à ideia geral.

■ 6.4

כִּי־בַהֶבֶל בָּא וּבַחֹשֶׁךְ יֵלֵךְ וּבַחֹשֶׁךְ שְׁמוֹ יְכֻסֶּה:

Pois debalde vem o aborto e em trevas se vai. Na ocorrência da morte, até mesmo um homem de vida *excelente* chega à vaidade e às trevas. O nome do homem é ofuscado pelas trevas. A história termina em uma melancolia que não pode ser redimida nem modificada. O homem é uma criatura que veio do pó e ao pó voltará (ver Ec 3.20). Por conseguinte, quer um homem nasça, quer seja abortado sem nunca ter visto a vida, é tudo a mesma coisa: nada. Tudo se reduz à mesma miséria, à mesma noite escura. Se um homem não tem um pós-vida, então a única questão realmente vital é se ele cometeu suicídio ou não. Um homem entra na vida em meio à vaidade, e sai da vida em uma noite escura; seu nome se perde; a memória de qualquer ser humano, que foi abortado ou chegou a viver, se perde (Ec 2.16). Ao longo do caminho, vemos alusões a Jó. Ver Jó 4.15, que é paralelo dos vss. 3,4 deste capítulo, na questão da natimortalidade e do aborto.

■ 6.5

גַּם־שֶׁמֶשׁ לֹא־רָאָה וְלֹא יָדָע נַחַת לָזֶה מִזֶּה:

Não viu o sol, nada conhece. O indivíduo abortado tem uma vantagem sobre aquele que chegou a viver: ele nunca viu o sol, pelo que não teve uma vida de miséria "debaixo do sol", conforme sucede aos outros homens. Portanto, ele teve mais *descanso* do que outros, gozou de repouso relativo, ou seja, ficou livre da labuta e da miséria que é a vida humana. Essa é a tese do pessimismo: *a própria vida é um mal*, e seria melhor nunca tê-la vivido. Também seria melhor que Deus quisesse modificar a vida dos homens, para que todas as coisas deixassem de existir e passassem, de uma vez por todas, para o *nada*. Isso seria a redenção, a única forma de experiência que um homem poderia viver. Assim, enquanto no cristianismo a esperança da vida é um glorioso pós-vida, a esperança para o pessimismo é a não existência, final e absoluta. Ver na *Enciclopédia de Bíblia, Teologia e Filosofia* o artigo chamado *Pessimismo*. O pior "crime" que nosso homem cometeu foi ter nascido.

6.6

וְאִלּוּ חָיָה אֶלֶף שָׁנִים פַּעֲמַיִם וְטוֹבָה לֹא רָאָה הֲלֹא
אֶל־מָקוֹם אֶחָד הַכֹּל הוֹלֵךְ׃

Ainda que aquele vivesse duas vezes mil anos. Este versículo é um forte reforço do pessimismo que encontramos no vs. 3. Agora, o homem não viverá cem anos, mas ridículos mil anos, e isso duplicado para dois mil! Mas qual seria o bem de vida tão longa, se o homem, na realidade, nunca vivesse nenhum bem duradouro? Afinal, todos os homens vão para o mesmo lugar, o *pó*, e isso os reduz a nada, quer tenham sido natimortos, quer tenham vivido poucos anos, ou até dois mil anos. Cf. Ec. 3.18-20, onde os homens são retratados como meros animais que sofrem a mesma sorte de todos os irracionais. Este versículo é uma declaração franca dos verdadeiros sentimentos do autor acerca da vida; todas as demais declarações, que parecem modificar esta afirmativa, permitindo que os prazeres simples da vida tenham algum bem (conforme se vê em Ec 5.18-20), devem ser compreendidas à luz desse incansável pessimismo.

6.7

כָּל־עֲמַל הָאָדָם לְפִיהוּ וְגַם־הַנֶּפֶשׁ לֹא תִמָּלֵא׃

Todo trabalho do homem é para a sua boca. Este versículo significa uma dentre duas coisas: 1. O *homem médio* vive tão carente, que tudo quanto faz é alimentar-se; ele nada possui de extra, não conta com pequenos prazeres que o mantenham feliz. 2. Ou, então, *todos os homens* realmente trabalham somente para sua *boca*. No caso presente, a *boca* é a representação metafórica de todos os apetites e desejos dos homens, e não meramente sua necessidade de alimento. Seja como for, todo o trabalho é aqui apresentado como uma tentativa para somente satisfazer os apetites, o que não é um objetivo muito nobre. Embora esse objetivo seja tão baixo, nem mesmo isso é plenamente cumprido a ponto de dar satisfação. A satisfação é *ilusória*, como é ilusório o trabalho do homem para obter satisfação, já que só existem itens de futilidade geral na vida humana. O homem rico, que tem muito mais do que simplesmente o alimento necessário, não está em condições muito melhores que o homem que trabalha arduamente, apenas para comer. Ambos ficam insatisfeitos e para ambos a vida é fútil e destituída de sentido. O filósofo pessimista deixou completamente de fora qualquer ideia de um labor digno ser recompensado na outra vida, fato que é tão importante para o cristianismo (ver 1Co 15.58).

6.8

כִּי מַה־יּוֹתֵר לֶחָכָם מִן־הַכְּסִיל מַה־לֶּעָנִי יוֹדֵעַ
לַהֲלֹךְ נֶגֶד הַחַיִּים׃

Pois que vantagem tem o sábio sobre o tolo? Todos os homens são estultos: existem estultos pobres, preguiçosos, ricos, sábios, laboriosos, estultos que quebram a lei, estultos que guardam a lei, mas todos eles são apenas estultos e terminam no pó de onde vieram. Eles sofrem a mesma sorte que os animais, e foi Deus quem os predestinou para o nada final. Ver Ec 3.20. Espera-se que os ricos tenham valores distorcidos e caminhem nas veredas da iniquidade. Talvez os pobres, não sofrendo as tentações que atacam os ricos, andassem em consonância com os ditames da lei mosaica. Os pobres têm uma espécie de sabedoria que escapa aos ricos, mas que bem isso lhes traz? Eles estão a caminho do mesmo zero final que é o alvo dos ricos. Mediante tal convicção, esse triste e pessimista filósofo nega qualquer valor nos ensinos da escola de sabedoria. "Que vantagem tem o sábio sobre o estulto, o homem de compreensão sobre aquele que vive impensadamente?" (Galling, em *den Tag laben*), que é um sentido possível deste versículo. O autor fez uma pergunta retórica para a qual esperava uma resposta negativa: "Não há nenhuma vantagem no caso do sábio!"

6.9

טוֹב מַרְאֵה עֵינַיִם מֵהֲלָךְ־נָפֶשׁ גַּם־זֶה הֶבֶל וּרְעוּת
רוּחַ׃

Melhor é a vista dos olhos do que o andar ocioso da cobiça. Este versículo parece levar-nos de volta ao tema de Eclesiastes 2.24,25 (ver as notas expositivas). O que um homem *pode ver*, o que pode ser realizado (em vez de apenas desejado), são os prazeres simples da vida. Portanto, que o leitor se ocupe deles, e não da busca de grandes desejos. Seja como for, você terminará na mesma vaidade, na perseguição do vento, que não se pode apanhar com as mãos; o autor enfatizou a segunda possibilidade como a mais aparentemente fútil.

Esta declaração sobre o *correr atrás do vento* é usada nove vezes no livro de Eclesiastes, e o presente versículo é a nona ocorrência (Ver também Ec 1.14,17; 2.11,17,26; 4.4,6,16). "Essa frase abre apropriadamente e conclui a primeira metade do livro sobre a futilidade das realizações humanas" (Donald R. Glenn, *in loc.*). O homem sábio reconhecerá a vantagem da *inquirição simples*, embora, no fim, nenhuma inquirição signifique coisa alguma. Desenvolvi este tema *niilista* em Ec 2.24,25. O vs. 6 deve ser mantido diante de nossos olhos como chave para a interpretação do texto. Embora a maneira simples pareça a melhor, pelo que deve ser seguida, na realidade não há valores, nenhuma busca é frutífera. O triste filósofo deixou suas avaliações relativas, passando para as absolutas; mas as avaliações relativas não deveriam enevoar o verdadeiro significado de sua filosofia. Ocasionalmente, o autor sagrado recomendou *males menores* em vez de grandes males. Para ele nada há de inerente e verdadeiramente bom, nem *qualidade alguma* que perdure.

6.10

מַה־שֶּׁהָיָה כְּבָר נִקְרָא שְׁמוֹ וְנוֹדָע אֲשֶׁר־הוּא אָדָם
וְלֹא־יוּכַל לָדִין עִם שֶׁהַתַּקִּיף מִמֶּנּוּ׃

A tudo quanto há de vir já se lhe deu o nome. O autor sagrado volta aos seus eternos e repetitivos ciclos de vaidade, divinamente decretados, o que os torna *inevitáveis*. Cf. Ec 3.15, onde há notas expositivas sobre o conceito. Temos sido condicionados a pensar que Deus predestinou os bons (ver Rm 8.28 ss.), mas nosso louco filósofo acreditava que isso era uma farsa. Todo o mal que se vê lá fora, sempre se repetindo, é obra de Deus! O calvinismo radical, com seu Deus que é a causa única, cai na mesma armadilha. O mais poderoso de todos, com o qual um homem não pode disputar, certamente é Deus. O capítulo 3 elabora longamente essa teoria, colocando todos os tempos e estações nas mãos de Deus, sem folga para nenhuma causa secundária. Os homens disputam sobre esse fato, constroem seus vãos argumentos com muitas palavras, mas é inútil. Deus age conforme melhor lhe parece, sem se importar em nos agradar. Por isso, diz o Targum: "Tudo é decreto da palavra do Senhor".

6.11

כִּי יֵשׁ־דְּבָרִים הַרְבֵּה מַרְבִּים הָבֶל מַה־יֹּתֵר לָאָדָם׃

É certo que há muitas cousas que só aumentam a vaidade. Este versículo expande a *vã argumentação* dos homens e o amontoado de palavras vazias, na tentativa de *disputar* com Deus, já mencionados no vs. 10. Quanto mais palavras um homem conseguir amontoar, mais vaidade estará gerando, pelo que é melhor manter-se calado e aceitar o terrível poder absoluto que o condenou à vaidade absoluta. Quanto mais o homem argumentar com o Deus voluntarista, menos realizará (cf. Ec 10.12-15). Ver, na *Enciclopédia de Bíblia, Teologia e Filosofia*, o verbete denominado *Voluntarismo*.

6.12

כִּי מִי־יוֹדֵעַ מַה־טּוֹב לָאָדָם בַּחַיִּים מִסְפַּר יְמֵי־חַיֵּי
הֶבְלוֹ וְיַעֲשֵׂם כַּצֵּל אֲשֶׁר מִי־יַגִּיד לָאָדָם מַה־יִּהְיֶה
אַחֲרָיו תַּחַת הַשָּׁמֶשׁ׃

Pois quem sabe o que é bom para o homem durante os poucos dias da sua vida...? Somente Deus sabe o que é *melhor* para o homem *nesta vida*. Mas, no contexto da filosofia do enlouquecido autor, o que é *bom* não foi definido da maneira conforme o homem o define. De fato, o que é bom, assim o é porque Deus o quis, e não por ser bom em si mesmo, de acordo com as definições humanas. Isso reflete um voluntarismo puro, segundo o qual a vontade é suprema e a razão não pode chamar a questão à responsabilidade; nem os valores humanos podem chamá-la à prestação de contas. Mediante tais definições, Deus é a causa única e a vontade pura. O que Deus faz é bom, embora possa significar sofrimento, desastre, destruição e o nada final para o homem. O homem não seria melhor que os animais irracionais e terminaria, juntamente com eles, no esquecimento (Ec 3.18-20). De acordo com essa teoria, todos os males que Deus preordenou para o homem servem somente para mostrar-lhe que criatura miserável ele é, e como não merece nem obtém consideração alguma. O homem ímpio foi criado por Deus a fim de que o Senhor possa julgá-lo. Justiça e opressão são obras de Deus (Ec 3.16)!

O homem passa seus poucos dias de vida como uma sombra e em sofrimento constante. Os homens não compreendem essas coisas nem deveriam entendê-las. Quanto à vida como uma sombra, ver Ec 8.13 e Jó 14.2. É inútil tentar reconciliar essa triste e insana filosofia do autor sagrado com qualquer sã filosofia de outras Escrituras.

CAPÍTULO SETE

A INESCRUTÁVEL PROVIDÊNCIA DIVINA PROVA A INUTILIDADE DAS COISAS (7.1—9.18)

O APRAZIMENTO DO BEM RELATIVO (7.1-22)

"Na seção anterior, as palavras 'o que é bom para o homem durante os poucos dias da sua vida'...? (6.11) aparecem em conexão com a crença de que todas as coisas estão determinadas, o que nega a possibilidade do bem moral em sentido absoluto. Mas o Koheleth (o pregador) admitiu que existem *bens relativos* que um homem pode desfrutar e que um homem sábio procurará obter" (O. S. Rankin, *in loc.*). Do ponto de vista absoluto, não existem coisas melhores nem piores, porquanto Deus preordenou todas as coisas, todas as estações, todos os acontecimentos, todos os destinos. Portanto, só podemos falar relativamente sobre coisas *melhores*. O triste filósofo *condescendeu* em aceitar todos os tipos de declarações que uma pessoa poderia ouvir nas escolas de sabedoria, conferindo-lhes falso reconhecimento. Pode-se supor que se tenha aqui uma espécie de sarcasmo condescendente, e não uma real apresentação de coisas boas em torno de um destino pessimista. Inevitavelmente, nos próximos versículos, ele fará algumas observações práticas sobre o que os homens pensam que sejam coisas boas e até melhores, mas não acreditará realmente nelas.

Se fosse convidado a uma discussão, o filósofo acabaria falando sobre a futilidade de todas aquelas coisas relativamente boas que ele havia mencionado. Alguns críticos chegam a pensar que o capítulo 7 não foi essencialmente composto pelo triste filósofo; antes, representa uma série de adições feita por um homem sábio, que injetou no livro as coisas que *ele* gostaria de ter dito. Por meio de tais adições, ele esperava tornar o livro menos radical e mais aceitável aos ouvidos dos judeus, o que se verá também no capítulo 12, no verdade, promove um ponto de vista ortodoxo sobre a vida. Mas nosso filósofo não era um sábio ortodoxo.

■ 7.1

טוֹב שֵׁם מִשֶּׁמֶן טוֹב וְיוֹם הַמָּוֶת מִיּוֹם הִוָּלְדוֹ:

Melhor é a boa fama do que o unguento precioso. Um homem sábio *valoriza a boa reputação*, evitando coisas que o derrubem no conceito de outras pessoas. Se o triste filósofo disse isso, então, quando muito, ele estava recomendando um *valor relativo*, visto que seu determinismo absoluto não lhe permitiria confessar que existe um valor real, do ponto de vista humano. Portanto, é possível, conforme insistem alguns eruditos, que este capítulo seja formado por uma coletânea de declarações de sabedoria, injetadas por algum editor no livro de nosso filósofo. Ver a introdução ao presente capítulo, com especulações que seguem essa linha, e também quanto à tentativa de *situar* esta seção dentro da discussão geral do livro. Cf. a primeira linha deste versículo; ver Pv 15.30 e 22.1, onde há declarações similares; isso mostra que se trata de declarações comuns de sabedoria, repetidas pelo filósofo, e não criadas por ele. Se o filósofo escreveu realmente esta seção, então sua série de coisas *melhores* por certo é composta de coisas *relativas*. Ele não estava defendendo valores verdadeiros, pois sua filosofia niilista não promovia tal coisa. Seja como for, um bom nome é melhor que unguentos preciosos, usados pelos homens nos banquetes, para se saudarem uns aos outros.

Unguento. No hebraico, *shemem*. Mas o original hebraico diz aqui *shem* ("nome"). Portanto, o autor produziu um bom jogo de palavras, usando letras e sons semelhantes. Nos banquetes, a pessoa adquiria um bocado de *shemem*, "unguento", ao mesmo tempo que perdia seu *shem*, "nome".

O dia da morte melhor que o dia do nascimento. *Antítese*. Em contraste com alguma coisa *melhor* na vida, temos a ideia de que o dia da morte é melhor que o do nascimento de uma pessoa. *Essa declaração* realmente parece uma afirmação do triste filósofo. Por ocasião da morte, quando a pessoa passa para o *nada*, ela terá terminado seu curso de "terror" e descansará para sempre. Não há aqui nenhuma ideia sobre um pós-vida que dê recompensa e felicidade aos homens, noção que alguns intérpretes injetam no texto, a fim de suavizar o seu pessimismo. Ec 3.18-20 mostra que o filósofo não acreditava na alma ou na vida após a morte. Estamos informados de que o povo que habitava na Trácia, na região dos montes Cáucasos, onde os nascimentos eram lamentados e as mortes eram celebradas, acreditava que a vida humana se caracterizava pelo sofrimento, e que escapar da vida era melhor que entrar nela (Heródoto, *Terpsichore*, 1.5, cap. 4).

■ 7.2

טוֹב לָלֶכֶת אֶל־בֵּית־אֵבֶל מִלֶּכֶת אֶל־בֵּית מִשְׁתֶּה
בַּאֲשֶׁר הוּא סוֹף כָּל־הָאָדָם וְהַחַי יִתֵּן אֶל־לִבּוֹ:

Melhor é ir à casa onde há luto do que ir à casa onde há banquete. Este versículo reforça a segunda linha do vs. 1 do capítulo. Visto que o fim de tudo é a morte, e nela está o descanso dos sofrimentos e das excentricidades da vida, é *melhor* ir a um lugar onde as pessoas estejam lamentando a morte de um amigo ou parente, do que ir a um salão de banquete, onde há excessos e folguedos insensatos. Na casa da lamentação, um homem é mais autêntico, porquanto ele vê em que realmente a vida consiste: nada. Dessa maneira, ele obtém uma espécie de sabedoria que não há na ingestão de bebidas e alimentos e em meio aos cânticos; tal homem obtém maior clareza sobre a vaidade da vida. Tendo conseguido sabedoria superior, ele se contentará com alguns prazeres simples que acompanharão sua triste viagem através da mortalidade (ver Ec 2.24,25); no entanto, se fosse indagado acerca desses prazeres, ele não os defenderia como valores reais. O autor sagrado criticava o *hedonismo* e recomendava, por implicação, o *epicurismo*. Ver as notas do vs. 4.

■ 7.3

טוֹב כַּעַס מִשְּׂחֹק כִּי־בְרֹעַ פָּנִים יִיטַב לֵב:

Melhor é a mágoa do que o riso. A tristeza é melhor do que o riso, porquanto é mais *autêntica*, refletindo com maior realismo o que a vida realmente é, ao passo que o riso põe uma *máscara* na vida. Um sábio deve refletir sobre a vida de modo realista, não se deixando envolver por excessos. Ele pode voltar aos prazeres simples, como algo dotado de valor relativo, e escapar de toda a conduta sem sentido dos estultos. Cf. Sl 90.12, que também nos convida a uma atitude séria em relação à vida. Uma sociedade hedonista esquece essa atitude e continua sua maneira frívola e distorcida de viver.

Quando uma atitude séria penetra o coração do indivíduo, ele abandona seus excessos, o que lhe garante a atitude apropriada. Isso pode ser chamado de *alegria*, mas não levemos muito a sério essa palavra. Os prazeres simples da vida podem dar ao homem uma espécie de alegria, mas finalmente mostram ser totalmente vãos, já que, na total extinção, que importarão algumas alegrias simples que ele tenha desfrutado enquanto viveu? Mas, pelo menos, enquanto estiver a caminho do nada, ele terá sido menos estulto que aqueles que costumam frequentar os banquetes e seu falso riso. Ao longo da vida, pois, tal homem se elevou um pouco acima dos outros homens, mas, por ocasião da morte, ele é nivelado na mesma futilidade.

■ 7.4

לֵב חֲכָמִים בְּבֵית אֵבֶל וְלֵב כְּסִילִים בְּבֵית שִׂמְחָה:

O coração dos sábios está na casa do luto. Um homem sábio tem o *coração* preso na casa da lamentação pelos mortos. Os insensatos, entretanto, sempre podem ser encontrados em alguma festa. Este versículo diz a mesma coisa que o vs. 3, embora de maneira levemente diferente. Devemos recuar ao vs. 2, às duas casas, uma de lamentação pelos mortos, e a outra, a casa da festividade. O autor sacro criticava o *hedonismo*, o qual ele tinha experimentado longamente e rejeitado; ver Ec 3.1-11. Ele recomendou a moderação e o contentamento com os pequenos prazeres (Ec 2.24-25), *por implicação*. Ele contrastou o *epicurismo* com o *hedonismo* (ver esses termos na *Enciclopédia de Bíblia, Teologia e Filosofia*) e recomendou o *epicurismo*, não como um verdadeiro valor, mas como o menor dos males que um homem encontra nesta vida.

■ 7.5

טוֹב לִשְׁמֹעַ גַּעֲרַת חָכָם מֵאִישׁ שֹׁמֵעַ שִׁיר כְּסִילִים׃

Melhor é ouvir a repreensão do sábio. A primeira linha deste versículo, que fala em tirar proveito da repreensão de um sábio, era uma declaração comum das escolas de sabedoria. Ver Sl 141.5; Pv 13.18; 15.31,32. Por certo, é melhor que ficar ouvindo as canções insensatas dos bêbados que se reúnem nas festas. "As reprimendas piedosas ofendem à carne, mas beneficiam o espírito; os cânticos dos insensatos, na casa da alegria, agradam a carne, mas injuriam o espírito" (Fausset, *in loc.*).

■ 7.6

כִּי כְקוֹל הַסִּירִים תַּחַת הַסִּיר כֵּן שְׂחֹק הַכְּסִיל וְגַם־זֶה הָבֶל׃

Pois qual o crepitar dos espinhos debaixo duma panela, tal é a risada do insensato. O riso dos estultos é qual o crepitar de espinhos que queimam sob uma panela. Há um esperto jogo de palavras, aqui, onde a palavra hebraica *sirim* (espinhos) é paralela à palavra hebraica *sir* (panela). Os tradutores alemães tentam equiparar esse jogo de palavras usando as palavras *nettle* (um tipo de espinho) e *kettle* (uma panela). Plumbtre dá ao versículo um ritmo de *stubble* com *bubble*: "o crepitar do *stubble* (restolho) que faz a panela *bubble* (borbulhar). Seja como for, os *espinhos* não são bons para ninguém (embora tenham por finalidade proteger a planta que os produz), nem produzem um fogo bom. Isso posto, o riso dos insensatos não é somente inútil, mas também irritante, tal como são todos os espinhos. Todo aquele falso regozijo não passa de vaidade, ao passo que a repreensão de um homem sábio (vs. 5) pode produzir algum bem, embora "aquecido". Estrume seco de vacas era um combustível comum, desagradável, mas de longa duração. O fogo de espinhos queimava rapidamente e era fácil de ser usado, mas bastante ineficaz. "As chamas de espinhos fazem grande *ruído*, são altas, mas se extinguem dentro de poucos momentos. Assim, também as alegrias da vida são ruidosas, refulgentes e transitórias" (Adam Clarke, *in loc.*).

■ 7.7

כִּי הָעֹשֶׁק יְהוֹלֵל חָכָם וִיאַבֵּד אֶת־לֵב מַתָּנָה׃

Verdadeiramente a opressão faz endoidecer até o sábio. Se um homem sábio for *oprimido* o bastante, pode ficar irado (*King James Version*) e passar a agir como um insensato. Isso também pode deixá-lo *enlouquecido* (Atualizada) e, então, ele começará a fazer coisas não características que mancharão sua reputação. Por igual modo, um *suborno* corrompe a mente daquele que o recebe, e ele terminará por fazer coisas que normalmente não faria. Ver Êx 23.8; Dt 16.19 e Pv 15.27. Ver também, no *Dicionário*, o artigo intitulado *Suborno*. Duas ou três testemunhas podiam condenar um homem inocente ou libertar um culpado, e esse era o número mínimo de testemunhas requeridas pela lei mosaica (ver Dt 17.6). Por conseguinte, era fácil influenciar o resultado de um caso, ou mesmo criar um caso falso, mediante um suborno bem colocado. Além disso, havia juízes corruptos, disponíveis para fornecer decisões perversas. Por certo, esses juízes dariam boas-vindas a um suborno para enriquecer.

■ 7.8

טוֹב אַחֲרִית דָּבָר מֵרֵאשִׁיתוֹ טוֹב אֶרֶךְ־רוּחַ מִגְּבַהּ־רוּחַ׃

Melhor é o fim das cousas do que o seu princípio. O autor sacro já nos havia dito que o dia da morte é melhor que o do nascimento (vs. 1). Agora, esse conceito foi expandido para ser aplicado a todos os começos e fins. Zélia Gattai, a esposa de Jorge Amado, afirmou que a coisa que mais a deixava descansada no mundo era entregar um livro terminado ao editor. O produto final de qualquer processo é a *fruição* do labor, enquanto o começo de um grande projeto nos espanta. Além disso, há aquela ansiedade: "Posso fazer isso? Terei tempo para fazer tal coisa? Minhas energias serão suficientes para o projeto?"

> Começa teu trabalho com mente paciente,
> E verifica se foi inspirado por Deus.
> Ele não faz coisa alguma, nem tolera
> Que qualquer coisa seja feita, exceto que ele vê
> Desde o começo o seu bendito fim.
>
> Russell Champlin

A segunda linha contém um provérbio comum que louva a humildade e a paciência, e condena o espírito impaciente e orgulhoso. Ver esse contraste em Pv 11.2; 13.10; 14.3; 15.25; 15.5,18; 18.12; 21.4 e 30.12,32. Ver sobre os *olhos altivos* em Pv 6.17. Em seguida, ver no *Dicionário* os artigos intitulados *Orgulho* e *Humildade*. Se essa segunda linha tem por propósito responder à primeira (sem ser um pensamento distinto e não relacionado ao primeiro), então aprendemos que um homem deve começar seu projeto com espírito paciente e mente humilde. Se um projeto for iniciado com orgulho e impaciência, acabará prejudicado e provavelmente nunca será concluído. Ademais, a segunda linha pode estar convocando para a submissão humilde à vontade de Deus. Deveríamos ter o cuidado em não criticar o Ser divino por projetos mal planejados ou por resultados desfavoráveis, como se isso fosse falha de Deus. Alguns vinculam a segunda linha ao vs. 5: é sábio sofrer, com paciência e humildade, a repreensão do sábio, e não com impaciência e espírito altivo, o que anularia o provável benefício a ser recebido. Outro tanto pode ser dito sobre o modo como devemos aceitar ou não a providência divina em nossa vida, de cuja decisão resulta qualquer empreendimento.

■ 7.9

אַל־תְּבַהֵל בְּרוּחֲךָ לִכְעוֹס כִּי כַעַס בְּחֵיק כְּסִילִים יָנוּחַ׃

Não te apresses em irar-te. Esta recomendação contra a ira procede do teor comum às declarações de sabedoria. O homem que facilmente perde o próprio controle mostra a atitude própria de um insensato cheio de má vontade e pouca paciência. Cf. Pv 14.17; 16.32 e Tg 1.19. Ver no *Dicionário* o artigo chamado *Ira*, quanto a detalhes. A ira é um fogo no peito que o sábio já aprendeu a apagar; mas os insensatos com frequência nela são consumidos, com a boca flamejando vitupérios. Muitas são as vítimas *queimadas* pela ira, uma das quais será o próprio iracundo.

> *A ira do louco o destrói, e o zelo do tolo o mata.*
>
> Jó 5.2

"O peito ou seio são comumente representados como a sede da ira, por outros escritores (Claudiano, *de 4 Consul.* Honor. *Panegry*, vs. 241)" (John Gill, *in loc.*).

> *Irai-vos, e não pequeis; não se ponha o sol sobre a vossa ira.*
>
> Efésios 4.26

■ 7.10

אַל־תֹּאמַר מֶה הָיָה שֶׁהַיָּמִים הָרִאשֹׁנִים הָיוּ טוֹבִים מֵאֵלֶּה כִּי לֹא מֵחָכְמָה שָׁאַלְתָּ עַל־זֶה׃

Jamais digas: Por que foram os dias passados melhores do que estes? É comum ouvirmos alguém dizer: "Os bons e antigos dias", porquanto o passado, mesmo quando não foi "tão bom assim", é relembrado com *saudades*. Mas o triste filósofo, com sua doutrina de Deus como a causa única, vê como blasfêmia toda a conversa dessa natureza, visto que Deus predeterminou tanto o presente como o passado. Portanto, *caluniar* o presente por meio de comparações desfavoráveis com o passado é, para dizer a verdade, caluniar a Deus. O homem que fala assim não fez investigação adequada sobre as *razões* das condições do presente. Tal homem estará demonstrando rebeldia para com a determinação divina. "Não ponhas em dúvida as maneiras de Deus fazer os dias antigos melhores que os dias presentes, conforme aconteceu com Jó (29.2-5). Cf. os queixadores de Jd 16" (Fausset, *in loc.*).

■ 7.11

טוֹבָה חָכְמָה עִם־נַחֲלָה וְיֹתֵר לְרֹאֵי הַשָּׁמֶשׁ׃

Boa é a sabedoria havendo herança. A *prosperidade* é uma coisa boa quando acompanhada pela sabedoria. É bom obter uma herança que dá um impulso financeiro súbito. Este versículo não chama a sabedoria de herança. O triste filósofo, repetindo certas máximas das escolas de sabedoria, não chama aqui todas as coisas de vaidade; simplesmente ele falou favoravelmente dos prazeres simples, como o de ter dinheiro. Ou, então, conforme alguns estudiosos supõem, este capítulo tem muitas "inserções" de provérbios comuns, para tornar o ponto de vista do filósofo, bastante lúgubre, um pouco mais aceitável aos ouvidos dos judeus. Essas "inserções" foram feitas por um editor ortodoxo. Isso, quase certamente, foi o que aconteceu no capítulo 12, que é um apêndice ortodoxo do livro. Obter um pouco de dinheiro inesperado é uma *vantagem* para o sábio, mesmo que não afaste a atmosfera geralmente lamentável da vida humana. O dinheiro é uma defesa contra problemas vexatórios, pelo que é apreciado pelo indivíduo que o obtém. Ter dinheiro faz uma pessoa sentir-se mais *confortável* em suas misérias.

■ 7.12

כִּי בְּצֵל הַחָכְמָה בְּצֵל הַכָּסֶף וְיִתְרוֹן דַּעַת הַחָכְמָה תְּחַיֶּה בְעָלֶיהָ׃

A sabedoria protege como protege o dinheiro. A sabedoria e o dinheiro são *defesas*. Essas coisas (em conjunto) podem resolver certos problemas que causam vexação. Mas a sabedoria, que aqui serve de sinônimo de *conhecimento*, confere vida. Essa é uma afirmação sábia extremamente comum. Ver a questão anotada em Pv 4.13, onde outras referências dizem a mesma coisa. Ver em Dt 4.1; 5.33; 6.2 e Ez 20.1 como a lei dá vida. Essa vida é física e temporal, a boa vida, com prosperidade, saúde e bom desempenho, em contraste com a morte prematura. A teologia judaica ainda não havia avançado até uma "vida pós-morte", e certamente essa não era a doutrina do triste filósofo (ver Ec 3.18-20). Este versículo parece ser outra inserção feita por um editor ortodoxo. Certamente não soa como as ideias do filósofo pessimista. Por outra parte, ele pode ter escorregado para certas afirmações ortodoxas, a fim de preencher o seu espaço. Ele queria publicar um bom livro, de volume respeitável, para que outros homens não o acusassem de nada ter para dizer.

A sabedoria cria um *abrigo* de proteção que, no hebraico, é literalmente *sombra*. O homem era protegido do sol quente dos eventos adversos, em seu *trecho sombreado* (sabedoria combinada com dinheiro). Um homem de vida sábia e moderada viverá por mais tempo que um insensato estragado pelos vícios (cf. Ec 7.17 e Pv 13.14). O vs. 12 expande a ideia do versículo anterior.

■ 7.13

רְאֵה אֶת־מַעֲשֵׂה הָאֱלֹהִים כִּי מִי יוּכַל לְתַקֵּן אֵת אֲשֶׁר עִוְּתוֹ׃

Atenta para as obras de Deus. Agora, o autor do versículo quase certamente é o filósofo pessimista. Ele volta à doutrina densa do *determinismo absoluto*, um mundo assim criado por Deus, a causa única. Todas as coisas foram determinadas por Deus, e tudo o que acontece a um homem sucede por necessidade, tanto o que é bom quanto o que é mau. Temos, aqui, o *torcido* e o *reto*, definições humanas das obras que Deus impõe aos homens. Ambas as possibilidades são inevitáveis, pelo que os homens simplesmente devem submeter-se e parar de queixar-se. "Tudo quanto ocorre foi predestinado, ninguém pode alterar nada, tendo em vista melhorar as coisas. Ver Ec 1.15a; 3.15 e 6.10" (O. S. Rankin, *in loc.*). Sua disposição é imutável (Ec 3.14). E se dissermos "é injusto" ou "é errado", somente terminaremos com uma rebelião insensata. O autor não levou em consideração a possibilidade de *causas secundárias* que, por certo, nos trazem todas as espécies de coisas desagradáveis, bem distantes da vontade de Deus. Ele foi obrigado a chegar a más conclusões, porquanto suas premissas básicas eram más. Portanto, o mal se origina do mal, mas o filósofo disse que estava prestando um serviço a Deus e, repetindo a terrível doutrina de que Deus é a causa do mal, ele dizia somente a verdade.

O capítulo 3 muito se esforça por provar a armadilha de blasfemar contra Deus. Outro tanto faz o calvinismo radical, e ambos caem no ardil de blasfemar contra Deus. Não faz bem algum que essa tese equivocada fale sobre *propósitos inescrutáveis*, além da compreensão finita (cf. Ec 8.17). Sabemos que isso existe, mas também sabemos que qualquer doutrina sã, sobre a vontade de Deus, negará que ele seja a causa do mal. Jarchi chegou a supor que nem mesmo no pós-vida uma coisa torta se endireitasse, porque o propósito condenador não respeita a divisão artificial entre a vida antes e depois da morte.

■ 7.14

בְּיוֹם טוֹבָה הֱיֵה בְטוֹב וּבְיוֹם רָעָה רְאֵה גַּם אֶת־זֶה לְעֻמַּת־זֶה עָשָׂה הָאֱלֹהִים עַל־דִּבְרַת שֶׁלֹּא יִמְצָא הָאָדָם אַחֲרָיו מְאוּמָה׃

No dia da prosperidade goza do bem. Deus é um especialista nos opostos, conforme o capítulo 3 deste livro demonstrou tão bem. Portanto, hoje você pode prosperar, para amanhã estar lançado no desespero. Na insensatez, você diria: "Ontem foi um dia bom, mas o dia de hoje é mau". Do ponto de vista divino, entretanto, falar assim é insensato, porque Deus fez tanto o ontem como o hoje, e ambas as coisas são "boas", por definição divina. Nunca se pode confiar no futuro, que está nas mãos de Deus. Portanto, se hoje as coisas são "boas", por sua avaliação, então se valha do presente momento, cultive os pequenos prazeres da vida (Ec 2.24,25 e notas expositivas), porque isso é o melhor que um mortal pode fazer. Mas tudo é vaidade e correr atrás do vento, pois não existem valores reais e duradouros do ponto de vista humano. "Se você receber dádivas temporais da parte de Deus, desfrute e seja agradecido ao Doador. Lembre-se, entretanto: a luz do sol não perdurará para sempre. Deus equilibrou as doses de prosperidade e adversidade, igualmente" (Adam Clarke, *in loc.*).

As *últimas palavras* deste versículo são obscuras: 1. Os opostos de Deus não permitem que um homem prediga o futuro ou nele confie, pelo que mantenha o futuro em abjeta sujeição ao plano de Deus e não como se você pudesse controlá-lo.
1. O Targum diz que nenhum homem pode encontrar falta naquilo que ele é ou será, visto que Deus é o autor de ambas as coisas.
2. A Vulgata Latina e a versão siríaca fazem dessa declaração uma repreenda contra a queixa humana sobre os ditames injustos da sorte.
3. A transformação da prosperidade em necessidade mantém um homem confiante em Deus, e não em seus dons *temporais*. Por conseguinte, ser rico e vir a tornar-se pobre, de repente, é bom para o seu humano!
4. Ou, então, desfrutar o presente com seus prazeres é o melhor que se pode esperar da vida. O amanhã será negro.

■ 7.15

אֶת־הַכֹּל רָאִיתִי בִּימֵי הֶבְלִי יֵשׁ צַדִּיק אֹבֵד בְּצִדְקוֹ וְיֵשׁ רָשָׁע מַאֲרִיךְ בְּרָעָתוֹ׃

Tudo isto vi nos dias da minha vaidade. O triste e pessimista filósofo agora se opõe a uma das máximas mais comuns das escolas de sabedoria. Diz-se: "Sê bom e terás dinheiro e boas coisas. Sê mau e sofrerás adversidade e terminarás morrendo prematuramente". Mas eu digo: "Minhas observações têm demonstrado que essa máxima está equivocada. Na verdade, com grande frequência, o oposto é que é a verdade. O homem bom enfrenta adversidades e morre ainda jovem; o homem mau continua pecando e corrompendo-se por todo o caminho e, no entanto, vive por longo tempo e tem muito dinheiro. Ambos morrem como animais e são reduzidos ao mesmo nada (Ec 3.18-20); portanto, onde está a famosa justiça na qual você continua a falar?" (Cf. Ec 8.14. Ver Jó 2.10).

Nosso homem, em seu pessimismo, falou como o triste filósofo, queixando-se, em altas vozes, de que suas expectativas, como homem bom, não se cumpriram. Ver Eclesiástico 21.7. Por que os homens sofrem, e por que sofrem conforme sofrem? Ver no *Dicionário* o artigo chamado *Problema do Mal,* quanto a algumas tentativas de respostas. O trecho de Sl 1.3,4 contém as expectativas piedosas do judaísmo comum, que muito frequentemente fracassam. Apelamos para um pós-vida, para resolver esse problema, e dizemos coisas que serão endireitadas ali. O louco filósofo, entretanto, não abria a porta da esperança. Antes, conservava os homens encerrados no desespero.

■ 7.16

אַל־תְּהִי צַדִּיק הַרְבֵּה וְאַל־תִּתְחַכַּם יוֹתֵר לָמָּה
תִּשּׁוֹמֵם:

Não sejas demasiadamente justo, nem exageradamente sábio. Como o filósofo pode ter-nos advertido para não sermos por demais piedosos? Consideremos o cenário. Aqueles orgulhosos homens da escola de sabedoria continuavam proferindo, o dia inteiro, suas declarações santas. Além disso, continuavam estudando a lei para descobrir mais e mais detalhes, e usavam sua capacidade de escrever para ajuntar um número cada vez maior de declarações piedosas, máximas e regras para que os homens obedecessem. Eles conservavam suas classes e infeccionavam seus alunos com *exagerada piedade*, pois não pensavam em mais nada. Se eram sinceros acerca disso tudo, então eram *insensatos sinceros,* que tinham exagerado. Portanto, que o leitor não imite *essa piedade exagerada*.

Além disso, os exageradamente piedosos também eram exageradamente sábios. Era somente nisso que pensavam, eram pessoas saturadas pela lei. Comiam e dormiam a lei. Os extremos de conduta podem levar um homem à morte prematura, e não afastá-lo dela. A palavra "destruirias", da segunda parte desta afirmação, é paralela à palavra do vs. 15, "perece", que se refere aos que perecem relativamente jovens. Alguns supõem que o autor sagrado estivesse advertindo contra o tipo farisaico de autor-retidão, e isso pode ser em parte verdadeiro, mas esta assertiva volta-se principalmente contra a falta de moderação, na qual ele via um poder prolongador da vida. Por outra parte, com um ponto de vista tão pessimista, de que lhe aproveitava prolongar tão miserável vida? O homem, pois, caiu em incoerência.

■ 7.17

אַל־תִּרְשַׁע הַרְבֵּה וְאַל־תְּהִי סָכָל לָמָּה תָמוּת בְּלֹא
עִתֶּךָ:

Não sejas demasiadamente perverso nem sejas louco. Agora o triste filósofo instrui os ímpios a ser moderadamente ímpios! Eles também não deveriam ser exageradamente ímpios; nem deveriam os insensatos ser exageradamente insensatos. Essas coisas também podem provocar a morte prematura. Foi Deus quem criou os ímpios e os justos; ambos são *produtos de Deus,* pelo que o oposto da bondade foi feito por Deus! O falso sábio, esse louco filósofo, convidou os homens a serem moderados dentro das condições estabelecidas por Deus. Adam Clarke (*in loc.*) queixou-se de um sermão que ouviu de um erudito doutor, que levou esse texto a sério demais, e chocou os ouvintes ao pregar que essa declaração deveria ser posta em prática. Por outro lado, é estúpido distorcer o que esse filósofo pessimista dizia, tentando transformá-lo em um porta-voz da ortodoxia.

Seja como for, os mártires fiéis e os criminosos são sepultados no mesmo cemitério. Na Greyfriars' Churchyard em Edimburgo, Escócia, há uma inscrição pessimista no sepulcro de um homem bom:

Ele jaz aqui misturado aos assassinos e outros homens semelhantes, aos quais a justiça perseguiu justamente até a morte.

De acordo com a avaliação do filósofo, isso é tudo quanto terminaram obtendo, os bons e os maus, igualmente.

■ 7.18

טוֹב אֲשֶׁר תֶּאֱחֹז בָּזֶה וְגַם־מִזֶּה אַל־תַּנַּח אֶת־יָדֶךָ כִּי־
יְרֵא אֱלֹהִים יֵצֵא אֶת־כֻּלָּם:

Bom é que retenhas isto, e também daquilo não retires a tua mão. "O mundo tem um aspecto justo e outro injusto, e um homem simplesmente deve levar ambas as coisas em consideração, sabendo lidar com elas. Ele deve aceitar o mundo conforme o encontra" (O. S. Rankin, *in loc.*), porquanto esses opostos são criados por Deus. Ele é a causa única de todas as coisas. E como poderia ser diferente? Assim seguia o raciocínio do filósofo, que continuava a promover seu *determinismo pessimista*. Todavia, até hoje, o calvinismo radical promove a mesma doutrina, mas até *piora* as coisas, porquanto estende essa situação até o mundo além-túmulo; e, mais ainda, já que ele é *eterno e imutável!* Sinto-me triste em dizê-lo, mas essa é uma doutrina insana, independentemente de quem a tenha ensinado.

A última linha é obscura, se tomarmos o versículo palavra por palavra. Mas a Mishnah nos ajuda neste particular. Estamos abordando uma expressão idiomática que não pode ser traduzida literalmente. O homem que teme a Deus "de tudo isto sai ileso", frase que significa: "cumprirá os seus deveres em qualquer caso". Ele "preservará uma atitude digna" (Odeberg), realizando seu dever. Aplicará cautela e moderação em seus atos e não ficará ofendido por *excessos* (ilustrado nos vss. 17-18). Mas John Gill (*in loc.*) afirma que a frase "de tudo isso sai ileso" significa "livre de excessos".

O Temor de Deus. Podemos ter aqui uma menção ao tradicional "temor do Senhor", que exprime a espiritualidade do Antigo Testamento, comentada em Pv 1.7 e Sl 119.38, bem como, no *Dicionário*, no artigo chamado *Temor.* Ou, então, podemos ter o *terror* do filósofo, comentado em Ec 3.14. Seja como for, o homem que temente a Deus terminará cumprindo os seus deveres, se tratar com respeito os opostos da vida, determinados por Deus, e não praticar excessos.

■ 7.19

הַחָכְמָה תָּעֹז לֶחָכָם מֵעֲשָׂרָה שַׁלִּיטִים אֲשֶׁר הָיוּ
בָּעִיר:

A sabedoria fortalece ao sábio. Na *era helenística,* era comum haver cidades governadas por um conselho de *dez homens*. No número há força, e esperava-se que esses homens fossem fortes. Mas o sábio tinha mais força que eles. A afirmação é similar à que louva o homem que governa a si mesmo como mais forte que aquele que conquista uma cidade. Ver Pv 16.32b. Vemos no vs. 16 que é um costume destruidor ser justo demais ou ser ímpio demais. Portanto, contra esse pensamento, existe outro que diz que a sabedoria dá a proteção que falta ao excesso. Por conseguinte, este versículo torna-se uma simples declaração de sabedoria, em harmonia com as declarações feitas pelas escolas de sabedoria; e o autor sagrado não a distorceu, para afirmar algo pessimista. Ou teria o editor piedoso acrescentado este versículo ao texto? Seja como for, retornamos às assertivas do vs. 12, onde a sabedoria e o dinheiro atuam como defesas, e a sabedoria confere a vida. Talvez Pv 21.22 seja um trecho paralelo. Nesse caso, a principal ideia do texto pode ser a sabedoria aplicada à guerra, ou no planejamento das batalhas, ou no fabrico de armas e defesas superiores, que levam os homens a vencer batalhas. Ec 9.8 cria outra afirmação, uma metáfora militar, que contém sabedoria comparada ao poder militar. O Targum lembra-nos a história de José, que em sua sabedoria, tornou-se mais forte que seus dez irmãos.

■ 7.20

כִּי אָדָם אֵין צַדִּיק בָּאָרֶץ אֲשֶׁר יַעֲשֶׂה־טּוֹב וְלֹא
יֶחֱטָא:

Não há homem justo sobre a terra, que faça o bem e que não peque. A observação de que todos os seres humanos são pecadores (cf. 1Rs 8.46; 2Cr 6.36; Pv 20.9; Rm 3.23 e 1Jo 1.8) é mais uma observação contra o *perfeccionismo* (ver a respeito no *Dicionário*). Antes, parece uma *justificação* da doutrina pessimista do filósofo, de não ser santo demais, nem ímpio demais. O verdadeiro significado, pois, talvez seja: "Não há sentido em *não* se comprometer com o mundo, em não ficar no meio-termo; não existe homem absolutamente bom, sem nenhum defeito moral" (O. S. Rankin, *in loc.*). Em outras palavras, sê um pecador moderado, transige com o mal, não espera demais de ti mesmo. Expectativas muito elevadas, como aquilo que acontecia nas escolas de sabedoria, apenas levam à loucura. É melhor ser um pecador moderado que ser um louco. Seja como for, é isso o que *são* todos os seres humanos, sem importar as pretensões contrárias. Talvez não apreciemos o conselho do filósofo, mas é isso o que ele estava dizendo.

Tudo isso assume uma grande lógica se acreditarmos que Deus é a causa única, que criou o mundo para possuir esses opostos, bons e maus. Seja bom e seja mau, mas mantenha a moderação em ambas as coisas. Dessa maneira, você estará cumprindo a vontade de Deus. É inútil (conforme fazem algumas de minhas fontes informativas) tentar transformar esse autor herético em um mestre ortodoxo. O versículo diz que Deus fez os homens como pecadores moderados, pelo que isso é bom! O que será feito de todos os *pecadores excessivos*? Porventura Deus também os criou? O louco filósofo teria de responder com um "sim!" E não é exatamente isso que certas passagens da Bíblia dizem acerca do faraó? Quando não admitimos causas secundárias, e quando eliminamos o livre-arbítrio humano, inevitavelmente terminamos tornando Deus a causa do mal. É a isso que o determinismo absoluto nos força a chegar; e o louco filósofo era um determinista absoluto.

■ 7.21

גַּם לְכָל־הַדְּבָרִים אֲשֶׁר יְדַבֵּרוּ אַל־תִּתֵּן לִבֶּךָ אֲשֶׁר לֹא־תִשְׁמַע אֶת־עַבְדְּךָ מְקַלְלֶךָ׃

Não apliques o teu coração a todas as palavras que se dizem. Um sábio não tentará espionar, para ouvir conversações; ele não investigará para saber quem disse o quê. Se insistir em fazer isso, inevitavelmente ouvirá os homens a despedaçá-lo com suas palavras. Você pensa que as pessoas "lá fora" estão falando bem de você? Nesse caso, mantenha-se em sua ignorância. Não tente descobrir o que, realmente, outras pessoas estão dizendo a seu respeito, porquanto a maior parte do que dizem sobre você não é boa. É melhor conservar-se desinformado. Você aprenderá que até os *escravos* (seus inferiores) falam mal de você. E quanto mais falarão mal de você seus iguais e superiores? Em outras palavras:

> Onde a ignorância é uma felicidade,
> É loucura ser sábio.
>
> Thomas Gray

■ 7.22

כִּי גַם־פְּעָמִים רַבּוֹת יָדַע לִבֶּךָ אֲשֶׁר גַּם־אַתָּה קִלַּלְתָּ אֲחֵרִים׃

Pois tu sabes que muitas vezes tu mesmo tens amaldiçoado a outros. Se você realmente quiser saber o que as pessoas estão dizendo a seu respeito, consulte o seu coração e seja honesto: O que você costuma dizer sobre os outros? O que você diz sobre outras pessoas é essencialmente o que elas dizem sobre você. Se ocasionalmente os outros o elogiam, na maioria das vezes o estarão criticando e destacando as suas faltas. E, sejamos honestos, você tem muitas faltas a serem criticadas. E também tem-se mostrado ansioso para criticar o próximo. Você chega a apreciar as bisbilhotices, que revolvem a sujeira. Ver sobre *Mexerico*, em Pv 11.13 e 18.8, e ver o verbete com esse nome, no *Dicionário*.

"Quem está isento de falar mal ou de falar descarinhosamente? Quem está livre de detalhar as faltas do próximo? Quem está livre dos mexericos e das calúnias, dos murmúrios e das tagarelices? Não penses que é maravilhoso Deus permitir que aconteça contigo o que costumas fazer contra as outras pessoas. Você, com frequência, tem caluniado outros. Ver Sl 15.1-5" (Adam Clarke, *in loc.*). Quanto ao uso perverso da linguagem, ver Pv 11.9,13 e 18.21, onde ilustro o ponto com declarações apropriadas e com poemas. Ver também, no *Dicionário*, o artigo intitulado *Linguagem, Uso Apropriado da*.

■ 7.23

כָּל־זֹה נִסִּיתִי בַחָכְמָה אָמַרְתִּי אֶחְכָּמָה וְהִיא רְחוֹקָה מִמֶּנִּי׃

Tudo isto experimentei-o pela sabedoria. Este versículo introduz as *observações para seguir*. O filósofo fez investigações e chegou a certas conclusões, mas confessou não ter atingido a sabedoria. De fato, a sabedoria estava muito distante dele, ele a havia buscado, mas não conseguiu encontrá-la. Ele estava destituído de sabedoria e suas investigações mostraram-lhe que somente um, em cada mil homens, é sábio, e entre tantas mulheres, ele não encontrou uma que fosse sábia (vs. 28)! O Targum restringe aqui a sabedoria àquela que pertence à legislação mosaica, mas na verdade a declaração é mais ampla. Tudo quanto poderia ser chamado de sabedoria, neste mundo, fugiu das pesquisas do filósofo.

■ 7.24

רָחוֹק מַה־שֶּׁהָיָה וְעָמֹק עָמֹק מִי יִמְצָאֶנּוּ׃

O que está longe e mui profundo, quem o achará? Se realmente existe algo a que se possa chamar de sabedoria, então está muito *distante*, excessivamente *profundo;* e quem pode dizer-nos algo sobre essa coisa? O triste filósofo fracassou no encontro da sabedoria, e supôs que outros homens não tivessem sido mais bem-sucedidos que ele; conforme aconteceu a Sócrates, que buscou no mercado um homem sábio, e ficou amargamente desapontado. Esse filósofo só descobriu insensatos, até mesmo entre aqueles que aparentemente eram mais sábios que outros, como os poetas, com suas observações profundas; Sócrates descobriu que eles falavam mais por inspiração do que por saberem, realmente, o que estavam dizendo. Portanto, pode-se perceber que a sabedoria é algo muito mais profundo do que um homem pode perscrutar. Todos os homens são superficiais.

Alguns estudiosos pensam que não devemos falar em sabedoria neste versículo e, sim, nos mistérios da vida, que estão ocultos. Mas este texto, quase certamente, leva adiante a ideia contida no anterior, onde a sabedoria é o assunto central. Por outra parte, sem dúvida, temos aqui a busca para descobrir qual é a constituição básica e o significado do mundo. A expressão "o que está" denota a constituição do universo, tal como se vê em Ec 1.9; 3.15 e 6.19. Ver também Ec 8.17, que é bastante revelador sobre esse assunto. Seja como for, o filósofo não atingiu uma sabedoria que pudesse resolver esses, e nem mesmo os problemas menores, que podemos observar na vida diária. O autor estava definitivamente falando aqui como os filósofos, e não como os rabinos judeus.

■ 7.25

סַבּוֹתִי אֲנִי וְלִבִּי לָדַעַת וְלָתוּר וּבַקֵּשׁ חָכְמָה וְחֶשְׁבּוֹן וְלָדַעַת רֶשַׁע כֶּסֶל וְהַסִּכְלוּת הוֹלֵלוֹת׃

Apliquei-me a conhecer, investigar e buscar a sabedoria e meu juízo de tudo. Este versículo refere-se à sabedoria de buscar "a razão das coisas", que já tinha sido mencionada no vs. 24. Ele queria conhecer a razão das *coisas*, mas também as *razões por trás* da iniquidade, da insensatez e da loucura. Por que os homens são assim? De onde vêm o mal moral, o pecado e todas as suas ramificações? Cf. Ec 2.12-17, onde encontramos algumas afirmações similares. Ele já nos havia dado tais respostas, ou seja, que tudo provém de coisas secundárias, do bem e do mal. Deus é o autor delas! Mas não sabemos dizer *por qual motivo* Deus criou um universo alicerçado em princípios opostos (ver Ec 3.1-11). Talvez a resposta esteja na tentativa de descobrir por que as coisas foram assim ordenadas por Deus, o qual é a causa única. Talvez o triste filósofo quisesse descobrir *quão* estúpidos e ímpios os homens realmente são e, não tanto, as razões para isso, o que uma de minhas fontes informativas sugere.

■ 7.26

וּמוֹצֵא אֲנִי מַר מִמָּוֶת אֶת־הָאִשָּׁה אֲשֶׁר־הִיא מְצוֹדִים וַחֲרָמִים לִבָּהּ אֲסוּרִים יָדֶיהָ טוֹב לִפְנֵי הָאֱלֹהִים יִמָּלֵט מִמֶּנָּה וְחוֹטֵא יִלָּכֶד בָּהּ׃

Achei cousa mais amarga do que a morte. O filósofo pessimista não estava levando a si mesmo muito a sério. Ele tinha atingido os elevados alvos de que algumas pessoas falam. Mas não era um sábio. O pouco que ele tinha conseguido provava tão somente que a busca por sabedoria está entre as vaidades. Ver os capítulos 1 e 2. Ramificando suas pesquisas, ele quis ver se havia *homens* sábios e/ou bons. E, novamente, ficou desapontado. E, então, buscando uma mulher sábia e/ou boa, não encontrou nem uma em mil, mas *encontrou* a mulher de costumes frouxos (vs. 26), parecida com uma caçadora que faz muitas vítimas na sociedade. A descrição dessa mulher é vívida: ela é mais amarga que a morte; o coração dela é como um ardil ou armadilha onde caem suas vítimas, que de nada suspeitam e não mais podem escapar; suas mãos prendem um homem como correntes de ferro. Algumas pessoas, que se inclinam por agradar a Deus, escapam dela, mas muitos insensatos acabam prisioneiros da mulher de costumes frouxos e, por causa disso, sofrem. O discurso contra as mulheres de costumes frouxos era o favorito das escolas de sabedoria. Ver sobre *Prostituta,* em Pv 22.4; sobre *Dama Louca,* em Pv 9.13 e ss., e sobre *Adultério,* em Pv 5. Quanto às cadeias da mulher de costumes frouxos, ver Pv 2.18,19; 5.3-6; 7.24-26, que têm descrições similares às do presente versículo, além de muitas outras. Um homem dotado de espiritualidade razoável, que tenha aprendido a obedecer à lei de Moisés, pode escapar dessa mulher. Cf. Ec 2.26.

Este versículo, concernente à mulher de costumes frouxos, serve de *exemplo conspícuo* sobre a insensatez da qual o autor sagrado queria tomar maior conhecimento, ao tentar conhecê-la por suas causas e por seu caráter real (vs. 25).

■ 7.27

רְאֵה֙ זֶ֣ה מָצָ֔אתִי אָמְרָ֖ה קֹהֶ֑לֶת אַחַ֥ת לְאַחַ֖ת לִמְצֹ֥א חֶשְׁבּֽוֹן׃

Eis o que achei, diz o Pregador. O homem sábio, ou seja, o homem que pelo menos tentou obter alguma sabedoria, adicionou seus experimentos e informes um por um, acumulando um corpo de evidências. Cf. Ec 3.1-11, onde ele é visto a investigar o problema dos prazeres, e se estes têm ou não valor real. Dos informes acumulados, ele poderia extrair algumas tentativas de conclusões. Pelo menos, isso lhe permitiu ter mais a dizer do que se não houvesse investigado. Ele continuou em sua "inquirição para descobrir o esquema das coisas" (Donald R. Glenn, *in loc.*). Alguns se referem às palavras "uma cousa com a outra" como específicas ao homem sábio/bom ou à mulher sábia/boa que ele estava procurando (vs. 28). Mas este versículo pode ser uma descrição geral do "método científico" do homem em recolher informações, quanto a qualquer caso no qual estivesse trabalhando.

■ 7.28

אֲשֶׁ֛ר עוֹד־בִּקְשָׁ֥ה נַפְשִׁ֖י וְלֹ֣א מָצָ֑אתִי אָדָ֞ם אֶחָ֤ד מֵאֶ֙לֶף֙ מָצָ֔אתִי וְאִשָּׁ֥ה בְכָל־אֵ֖לֶּה לֹ֥א מָצָֽאתִי׃

Juízo que ainda procuro, e não o achei. A exemplo de *Diógenes,* o homem que queria ser sábio procurava por um homem bom e sábio. O nosso filósofo já tinha examinado 999 candidatos antes de descobrir um que se ajustasse ao seu ideal. Talvez ele estivesse exagerando, mas, ao menos, podemos dizer que um homem verdadeiramente bom e sábio é uma grande raridade. O filósofo encontrou muitos fanfarrões e pretensiosos, mas bastou um pouco das indagações socráticas para que se descobrisse que esses casos eram mentiras deslavadas. Ato contínuo, o filósofo repetiu o programa entre mil mulheres, mas não achou uma só que fosse boa e sábia! Ele encontrou muitas mulheres, como aquela de costumes frouxos do vs. 26; mas não achou uma única semelhante, mesmo que de leve, à mulher do capítulo 31 do livro de Provérbios. Já sabemos que poucas pessoas são tão boas quanto pretendem ser, que a hipocrisia é o nome do jogo, mas, mesmo assim, não teríamos antecipado o triste resultado obtido pelo filósofo. Sabemos que as coisas são ruins, mas não tão ruins como demonstraram ser.

O Targum aumenta o negativismo radical deste versículo, asseverando que a pesquisa vem desde Adão até Abraão, e por milhares de reis que se reuniram para construir a torre de Babel, mas nem um homem bom foi encontrado. A busca não demonstrou a existência de uma única mulher como Sara. Fausset ressalta isso, ao dizer-nos que nenhuma mulher foi escolhida para escrever nenhum dos livros da Bíblia, e somente um homem apareceu como perfeito: Jesus, o Cristo, pois naturalmente ele é o "mais distinguido entre dez mil" (Ct 5.10).

■ 7.29

לְבַד֙ רְאֵה־זֶ֣ה מָצָ֔אתִי אֲשֶׁ֥ר עָשָׂ֛ה הָאֱלֹהִ֖ים אֶת־הָאָדָ֣ם יָשָׁ֑ר וְהֵ֥מָּה בִקְשׁ֖וּ חִשְּׁבֹנ֥וֹת רַבִּֽים׃

Eis o que tão somente achei. Este versículo quase certamente é uma glosa do editor piedoso, que tentou fazer o tratado pessimista do triste filósofo ajustar-se melhor ao judaísmo ortodoxo. Agora, encontramos menção a *causas secundárias:* Deus criou o homem como um ser reto, contudo o próprio homem, mediante sua livre vontade corrupta, distorceu a boa obra, desviando-se para veredas tortas e buscando maus esquemas. Esses sentimentos contradizem declarações anteriores. Deus, como a causa única, chegou a criar o homem mau para seu próprio prazer, a fim de reduzi-lo a nada, no fim (ver Ec 3.6,18-20). Cf. Pv 16.4.

A declaração também contradiz as palavras deste mesmo capítulo, que mostram que o filósofo não conseguiu achar nenhum homem bom (exceto algum raro homem, aqui e ali). Ademais, ele exortou as pessoas a serem pecadoras, mas não pecadoras exageradas. Ver os vss. 16,18-20. Na realidade, o vs. 29 transmite um sentimento típico e ortodoxo de literatura de sabedoria. Há aqui um jogo de palavras: um homem mau usa a sua *razão* para inventar *esquemas* (no hebraico, *heshbon,* que tem como paralelo o termo hebraico *hishshebhoneth,* o qual em 2Cr 26.15 é traduzido por "máquinas"). O filósofo usou a razão em sua busca (vss. 25 e 27). Portanto, encontramos aqui uma razão corrompida que termina criando más maquinações. O filósofo pessimista diria: "O homem mau opera dessa maneira, porque Deus o fez tolo e ele finge não o ser. Contudo, não fique o leitor desanimado diante dessa situação. Deus também sentirá prazer em destruir aquele vaso corrupto que ele formou, tal como o oleiro despedaça seu vaso defeituoso e não se arrepende disso". Somente esse tipo de raciocínio justifica a doutrina de que Deus é a causa única.

CAPÍTULO OITO

Continuamos aqui a explorar o mesmo tema geral de que a inescrutável providência divina prova a inutilidade das coisas (ver Ec 7.1—9.18).

IGNORÂNCIA HUMANA DO ENIGMA DA RETRIBUIÇÃO DIVINA. NECESSIDADE DE TRANSIGÊNCIA (8.1-9)

"A falha da retribuição, que não atinge os ímpios, é uma *anomalia* que a pessoa deve aceitar. Se Deus é amigável ou hostil, ninguém sabe" (*Oxford Annotated Bible,* na introdução ao capítulo 8).

Temos aqui o exemplo prático de como um homem deve agir neste mundo longe de ser perfeito. Um rei, por exemplo, tem muito poder; as questões da vida e da morte estão debaixo de sua autoridade. Portanto, se alguém estiver servindo a um homem assim, deverá ser cuidadoso. Os monarcas, em sua maioria, viviam inchados com seu poder, eram injustos e manipuladores. Suas ações eram, com frequência, arbitrárias. Como se poderia servir a um homem assim? O próprio servidor teria de ser manipulador em seus compromissos. Via de regra, é sábio obedecer ao rei, mas a manipulação às vezes é uma necessidade de sobrevivência. O rei, se fosse brutal, feriria e mataria a outros. Talvez alguém pensasse que deveria defender o homem justo contra a ira do rei, mas sua própria sobrevivência viria em primeiro lugar. Por conseguinte, o melhor seria transigir e fazer o possível para sobreviver, sem envidar nenhum esforço heroico autodestruidor; em outras palavras, falar como um idealista, mas agir como um pragmático. Esse tipo de conselho está em harmonia com o ponto de vista pessimista e niilista do nosso filósofo. "A sabedoria capacita um homem a evitar a ira do rei (vss. 2-9), mas nem mesmo um sábio pode calcular os enigmas da tribulação da justiça divina (vss. 10-17)" (Donald R. Glenn, *in loc.*). E com a palavra *sabedoria,* aqui usada, queremos dar a entender uma *manipulação pragmática.* O triste filósofo já nos havia dito que um homem não é capaz de atingir a verdadeira sabedoria (Ec 7.23,24).

■ 8.1

מִ֚י כְּהֶ֣חָכָ֔ם וּמִ֥י יוֹדֵ֖עַ פֵּ֣שֶׁר דָּבָ֑ר חָכְמַ֤ת אָדָם֙ תָּאִ֣יר פָּנָ֔יו וְעֹ֥ז פָּנָ֖יו יְשֻׁנֶּֽא׃

Quem é como o sábio? E quem sabe a interpretação das cousas? Quando é que um homem age como um sábio? Como ele pode resolver graves problemas, especialmente se é uma pessoa humilde, a serviço de um rei potencialmente perigoso e arbitrário? Ele é o homem das *manipulações práticas*, que sabe interpretar as situações. Ele conhecia a *solução* para as coisas: ... *interpretação*... no hebraico, *pesher* (palavra tomada por empréstimo do aramaico). *Solução* é melhor, aqui, do que "interpretação". O sábio manipulador "sabe qual é o caminho de saída" (Graerz, *in loc.*).

Esse manipulador pragmático tinha o rosto reluzente. Havia nele certo encanto que resolveria problemas difíceis, mais facilmente que a força bruta. Talvez ele fosse um homem de má catadura, mas não o demonstrava. Talvez ele fosse *ousado*, mas preferisse uma *abordagem suave*, quando isso lhe prometesse soluções vantajosas. Os intérpretes erram, quando falam sobre um gracioso homem bom que procura ser honesto. Pelo contrário, esse homem era um "bom homem de frente", esperto operador, falador suave, exatamente o tipo de homem que se esperaria encontrar no serviço de um rei brutal e arbitrário.

■ 8.2

אֲנִי פִּי־מֶלֶךְ שְׁמוֹר וְעַל דִּבְרַת שְׁבוּעַת אֱלֹהִים׃

Eu te digo: Observa o mandamento do rei. A primeira regra de sobrevivência quando se serve a um rei perigoso, que pode ordenar a morte em um segundo, é observar estritamente o juramento de obediência feito a ele. Esse juramento é *sagrado*, porque ele obrigou a jurar pelo nome de Yahweh; se ele achar conveniente matar por causa de alguma infração, pode lançar a culpa sobre Yahweh, a quem se teria traído, visto que se traiu o *rei*. O juramento sagrado tem sido explicado como:

1. Um juramento feito a *Deus* de que a pessoa se mostraria totalmente leal e obediente ao rei.
2. Um juramento feito na *presença de Deus*, afirmando a fidelidade ao rei.
3. Um juramento feito ao rei como se ele fosse uma divindade; seu contexto é o Egito ou outras nações que divinizaram seus reis.

Provavelmente, a interpretação correta é a de número 2. O rei em Israel tradicionalmente era tido como representante de Deus, a quem o Senhor dava poder, sendo possível que até reis ímpios retivessem seu chamado "direito divino dos reis".

Se você fez esse juramento sagrado, não se *desanime* (*Revised Standard Version*) se ele lhe ordenar ferir ou matar, ou confiscar a propriedade de um homem inocente ou outra tarefa difícil de qualquer espécie. Obedeça! Você não é pessoalmente responsável, não se preocupe com a moralidade; a moralidade consiste em obedecer ao rei. Você sobreviverá por mais tempo, se seguir essa regra.

■ 8.3

אַל־תִּבָּהֵל מִפָּנָיו תֵּלֵךְ אַל־תַּעֲמֹד בְּדָבָר רָע כִּי כָּל־אֲשֶׁר יַחְפֹּץ יַעֲשֶׂה׃

Não te apresses em deixar a presença dele. Se o rei ordenar-te que faças alguma coisa desagradável, não corras gritando: "Não! Não farei isso!" E também não resignes teu cargo para escapar da obediência ao monarca. Se agires assim, em breve o rei enviará o executor, e não continuarás fugindo. O original hebraico pode ser traduzido como "Não te apavores!", o que intensifica o significado. O rei diz: "Faz isso agora mesmo!" e isso te enche de temor e precipitação. Alguns veem aqui o rei a censurar um suboficial, assustando-o com algum tipo de ameaça, por causa de alguma infração; mas isso parece menos provável.

Nem te obstines em cousa má. Se esta é a tradução correta, então obtemos a ideia do servo que, tendo cometido alguma infração, agora argumenta com o rei, tentando justificar-se. Mas a *Revised Standard Version* provavelmente está correta com sua tradução: "Não te demores quando a questão for desagradável", que significa: "Se o rei te disser para realizares uma tarefa desagradável, avante, cumpre a ordem, esse é o teu dever! Cuida de tua própria sobrevivência, mais que do homem a quem poderás prejudicar se cumprires a ordem do rei".

"A lealdade é a medida mais segura" (Gaius Glenn Atkins, *in loc.*).

■ 8.4

בַּאֲשֶׁר דְּבַר־מֶלֶךְ שִׁלְטוֹן וּמִי יֹאמַר־לוֹ מַה־תַּעֲשֶׂה׃

Porque a palavra do rei tem autoridade suprema. Quando um rei fala, eis que fala com seriedade, e ninguém pode duvidar de sua palavra. Ninguém ousará dizer: "Que estás fazendo?" É melhor dizer: "Sim, senhor!", para então cumprir o que o monarca disse. A palavra do rei é como a lei e, se ele te disser para fazeres algo que pensas estar errado, a lei do rei é mais poderosa que a lei de tua consciência. Cf. este versículo com Jó 9.12. Temos visto um bom número de empréstimos aparentes desse livro, e parece que um pessimista se deixou atrair por outro. Jó caiu nessa armadilha mediante grandes sofrimentos, e o nosso filósofo porque se associou demasiadamente a uma filosofia má.

■ 8.5

שׁוֹמֵר מִצְוָה לֹא יֵדַע דָּבָר רָע וְעֵת וּמִשְׁפָּט יֵדַע לֵב חָכָם׃

Quem guarda o mandamento não experimenta nenhum mal. Um suboficial do rei deverá obedecer à ordem do monarca, para, assim, não sofrer dano. Ele será sábio o suficiente para executar as ordens, mesmo que desagradáveis. "Ele saberá qual o melhor curso de ação e quando deverá aplicá-lo" (Donald R. Glenn, *in loc.*). Os intérpretes continuam a pensar que a ordem, aqui, foi dada por um bom rei, ou mesmo pelo *Rei*. O Targum chega a falar em cumprir os "mandamentos do Senhor", para que a pessoa não sofra dano no mundo por vir; mas essas interpretações não acertam diretamente o alvo, embora possam servir como *aplicações* do que foi dito.

Os julgamentos dos criminosos de guerra, e de outros criminosos, igualmente, que agem sob a autoridade alheia, sempre produziram a situação que aparece nestes versículos. Coisas ousadas têm sido feitas por aqueles que "obedecem ordens". Se alguém recebeu ordens de um poder mais alto, cumpre essas ordens e faz algo de terrível, de quem será a culpa? Pode alguém ser chamado à responsabilidade, por haver obedecido a ordens superiores? Na maioria dos casos, fica entendido que a desobediência significaria execução ou outra penalidade severa. Quase sempre, os que estão sob ordens fazem o que lhes é ordenado e pleiteiam inocência, porquanto "não tiveram escolha", senão agir obedientemente. Mas, tão tradicionalmente quanto isso, os tribunais de justiça têm rejeitado esse tipo de desculpa pelo erro cometido.

Sócrates experimentou exatamente esse tipo de situação. Foi-lhe ordenado pela democracia ateniense que buscasse um homem para ser julgado e, talvez, receber a sentença de morte. Ele partiu em busca do sujeito, mas seu guia espiritual lhe disse internamente que voltasse, e ele voltou! Quando foi julgado por essa mesma democracia (e logo foi executado por certo número de razões falsas), ele relembrou àqueles homens perversos que, em *outra* ocasião, eles tinham agido mal, mas ele não tomara parte no ato!

Determinismo Novamente (8.6)

■ 8.6

כִּי לְכָל־חֵפֶץ יֵשׁ עֵת וּמִשְׁפָּט כִּי־רָעַת הָאָדָם רַבָּה עָלָיו׃

Porque para todo propósito há tempo e modo. Este versículo é um minúsculo sumário do que foi explicado em Ec 3.1-11: o determinismo absoluto de Deus como a causa única. Todos os tempos e todas as eras estão adrede determinados, e tudo acontece inevitavelmente. Essa é a temível (e falsa) explicação dada pelo triste e louco filósofo para o *Problema do Mal* (ver a respeito no *Dicionário*): Por que os homens sofrem e por que sofrem como sofrem? A resposta dada pelo filósofo foi: Deus assim fez as coisas. É Deus quem faz os homens sofrer como sofrem. Essa é uma decisão de sua *vontade*. Não há razão alguma para esperar uma resposta racional, nem deveríamos esperar alguma razão moral. Esse conceito, obviamente, é niilista e voluntarista. Ver na *Enciclopédia de Bíblia, Teologia e Filosofia* os artigos chamados *Niilismo* e *Voluntarismo*, quanto a amplas explanações.

Porquanto é grande o mal que pesa sobre o homem. O homem tem pesado sofrimento nesta vida mortal, porquanto *Deus* o predestinou exatamente para isso. Ato contínuo, o homem descerá ao sepulcro, sem redenção, para o nada final, como se fosse um animal (Ec 3.16,18-20).

Alguns estudiosos tentam forçar este versículo a continuar a ideia sobre o rei e o servo, já mencionados, colocando o rei a impor tempos difíceis sobre o servo, quando este obedecia às suas ordens; mas, na verdade, o versículo passa a explorar uma nova ideia. O pensamento anterior tem de ser combinado com o deste versículo, como uma miséria geral. Ver as notas expositivas na introdução ao capítulo 3 deste livro, bem como Ec 3.1, para maiores explicações.

■ 8.7

כִּי־אֵינֶנּוּ יֹדֵעַ מַה־שֶּׁיִּהְיֶה כִּי כַּאֲשֶׁר יִהְיֶה מִי יַגִּיד לוֹ׃

Porque este não sabe o que há de suceder. O *futuro constitui um grande peso* para a mente humana, porquanto, tal como o passado e o presente, está determinado por um ato gigantesco da vontade divina. A experiência ensina-nos a não esperar nenhum alívio ou esperança. De fato, sabemos que o futuro nos trará total extinção, provavelmente antecedida por intensos sofrimentos, enfermidades, calamidades etc. Há tristeza na antecipação do que poderá acontecer, bem como tristeza no conhecimento do que de fato acontecerá, a saber, o que temos descrito em Ec 3.16,18-20. O homem é pó e ao pó voltará, mas enquanto não voltar é candidato a todos os tipos de terrores. É ridículo e anacrônico falar aqui sobre o homem, ignorante de seu tempo de oportunidade, que negligencia a salvação e cai em ruína. O louco filósofo, porém, não tinha tais pensamentos em sua mente. Para ele, a *redenção* era aquele bendito *nada* para onde o sofrimento humano, finalmente, leva a pessoa.

■ 8.8

אֵין אָדָם שַׁלִּיט בָּרוּחַ לִכְלוֹא אֶת־הָרוּחַ וְאֵין שִׁלְטוֹן בְּיוֹם הַמָּוֶת וְאֵין מִשְׁלַחַת בַּמִּלְחָמָה וְלֹא־יְמַלֵּט רֶשַׁע אֶת־בְּעָלָיו׃

Não há nenhum homem que tenha domínio sobre o vento para o reter. Alguns intérpretes supõem que o triste filósofo tenha aliviado seu próprio programa pessimista, com um olhar para cima, vendo o espírito do homem (que teria sobrevivido à morte biológica) na volta para Deus (conforme a declaração de Ec 12.7). Pode ser atrativo esperar nesses termos e tentar ler tal coisa no texto presente, mantendo esse tipo de esperança; provavelmente, tudo quanto o versículo diz é que essa *animação* da estátua de argila, que Deus inspirou em um homem, mediante a criação, quando de seu *sopro*, é removida por ocasião da morte, de tal modo que o homem retorna ao pó de onde procedeu (Ec 3.20). A referência é a Gn 2.7, onde o hálito divino dá vida ao homem, partindo do pó. É um anacronismo ver, nesse ato, a colocação de um espírito imaterial e imortal no homem, que sobreviveria à morte biológica, conforme a doutrina de muitos intérpretes cristãos. Isso simplesmente não combina com a doutrina do judaísmo primitivo. Esse tipo de pensamento começou a aparecer entre os hebreus, nos Salmos e nos Profetas. Desenvolveu-se nos livros pseudepígrafos e apócrifos do período intertestamentário e, mais ainda, no Novo Testamento.

A Vida é como uma Guerra. Nesta vida miserável, que leva ao nada, na morte, quando a respiração nos é retirada, somos como soldados que vivem em um conflito desesperado e fútil. Dessa guerra da vida, nenhum ser humano é dispensado, nem um ser humano é isentado. Os poderes malignos e destruidores da vida são avassaladores, como um inimigo que não pode ser derrotado. De fato, o inimigo nos destruirá. Esse é o ponto de vista pessimista, para o fim da humanidade, que era asseverado pelo triste e louco filósofo. Ser bom ou mau não livra o homem do golpe final da morte. Tanto o homem bom quanto o mau estão igualmente sujeitos à matança final do inimigo, que os deixará totalmente destruídos, no fim da guerra da vida. Por conseguinte, o homem é uma criatura feita de pó, que ao pó voltará, e é inútil lutar contra esse caminho determinado por Deus.

■ 8.9

אֶת־כָּל־זֶה רָאִיתִי וְנָתוֹן אֶת־לִבִּי לְכָל־מַעֲשֶׂה אֲשֶׁר נַעֲשָׂה תַּחַת הַשָּׁמֶשׁ עֵת אֲשֶׁר שָׁלַט הָאָדָם בְּאָדָם לְרַע לוֹ׃

Tudo isto vi quando me apliquei a toda obra que se faz debaixo do sol. O *triste filósofo* viu coisas melancólicas quando tomou sobre si a tarefa de descobrir no que a vida realmente consiste, e quando se pôs a investigar as coisas profundas da vida, seus mistérios e suas misérias (ver Ec 7.24-25). Ele viu homens dominando outros e tornando-lhes a vida miserável, tal como no caso do rei mencionado em Ec 8.2 ss. Mas todos esses males temporários acabarão reduzidos ao nada, no descanso final. Este versículo naturalmente reforça a interpretação dos vss. 2-5, como o mau rei que forçou seu servo a fazer coisas más. Tudo quanto acontece "debaixo do sol" é miserável e fútil, o tema dominante do triste filósofo (ver Ec 1.3). Os opressores, no fim, sofrerão a grande opressão, mas nem por isso os oprimidos terminarão de forma melhor.

■ 8.10

וּבְכֵן רָאִיתִי רְשָׁעִים קְבֻרִים וָבָאוּ וּמִמְּקוֹם קָדוֹשׁ יְהַלֵּכוּ וְיִשְׁתַּכְּחוּ בָעִיר אֲשֶׁר כֵּן־עָשׂוּ גַּם־זֶה הָבֶל׃

Assim também vi os perversos receberem sepultura e entrarem no repouso. Os ímpios eram louvados por todos, até pelos sacerdotes e ministros do templo de Jerusalém. Eles tinham uma impressionante forma externa de piedade. Atendiam a seus deveres nos sacrifícios e nos rituais do templo, realizavam atos atrevidos na cidade e, no entanto, eram louvados por aqueles que os temiam. Mas o filósofo estava ali para ver homens tão miseráveis sendo sepultados, passando assim para o seu merecido nada. Não há, aqui, nenhuma ideia de sofrer algum julgamento no além-túmulo. Aqueles ímpios eram homens de pó, que voltariam ao pó, e, embora agitassem muita poeira entre os dois pontos, seriam totalmente extintos, no fim de sua história agitada. Eles terminariam, como a vaidade em geral, no nada a que toda a vida leva os homens. Esse era o ensinamento heterodoxo do filósofo, pelo menos, para os antigos hebreus, que, apesar de não acreditarem na sobrevivência da alma, pelo menos acreditavam na retribuição divina nesta vida terrena. Isso nem sempre acontece, contra as expectativas dos piedosos, mas o nada da morte nivela todos os problemas.

■ 8.11

אֲשֶׁר אֵין־נַעֲשָׂה פִתְגָם מַעֲשֵׂה הָרָעָה מְהֵרָה עַל־כֵּן מָלֵא לֵב בְּנֵי־הָאָדָם בָּהֶם לַעֲשׂוֹת רָע׃

Visto como não se executa logo a sentença sobre a má obra. *Os vss. 11-13* são tentativas forçadas do editor piedoso, o qual tentou tornar o texto do filósofo mais aceitável aos ouvidos judeus. O vs. 10 deixa implícito que os ímpios não eram punidos, mas chegavam à morte acompanhados pelos elogios e aprovação dos homens. Esse aspecto definitivamente era contra o ponto de vista ortodoxo de que os ímpios têm de sofrer o desfavor divino, na forma de calamidades, aqui mesmo na terra, ou algo estaria faltando na justiça de Deus. No entanto, o triste filósofo não via isso acontecendo, pelo menos em muitos casos de iniquidade. Na realidade, ele via exatamente o oposto. Os bons sofriam e os ímpios ficavam em liberdade. Mas o editor piedoso insistiu que, embora a retribuição divina pareça demorada, ela é *certa*. Além disso, o editor piedoso também propôs uma *causa secundária*, que combate a doutrina do louco filósofo, de que Deus é a causa única. Ele via a iniquidade humana, inspirada pelas vontades corruptas, como o *agente* que faz o relâmpago de Deus atingir em cheio os ímpios. A posição do triste filósofo foi a de que homens bons e maus assim foram feitos por Deus, por sua vontade inescrutável e propósito insondável, mas acabam sofrendo a mesma sorte lúgubre. O que acontece ao longo do caminho, se os ímpios prosperam e se os bons sofrem, entre os dois extremos do pó, é responsabilidade de Deus e não está aberto à inquirição. Porém, o editor piedoso abre uma inquirição e vê demora no julgamento divino, embora esse julgamento, inevitavelmente, venha a ocorrer. É ridículo cristianizar estes versículos e ensinar que a longanimidade de Deus com o mal tem por intuito conduzir os homens ao *arrependimento* (ver Rm 2.4). Esse é um bom princípio cristão, mas não foi antecipado pelo louco filósofo.

■ 8.12

אֲשֶׁר חֹטֶא עֹשֶׂה רָע מְאַת וּמַאֲרִיךְ לוֹ כִּי גַּם־יוֹדֵעַ אָנִי אֲשֶׁר יִהְיֶה־טּוֹב לְיִרְאֵי הָאֱלֹהִים אֲשֶׁר יִירְאוּ מִלְּפָנָיו׃

Ainda que o pecador faça o mal cem vezes. O pecador continua repetindo o mesmo pecado ou crime por *cem vezes*; e, no entanto, não sofre a morte prematura que os homens bons supõem que devesse acontecer a ele. A despeito disso, algo de ruim haveria de ocorrer com ele (segundo o editor piedoso deixou entendido). Basta que fiquemos a observá-lo, para vermos a vingança divina atingi-lo. Em contraste, o triste filósofo pensava que poderia avançar o caminho inteiro até a morte, sem ser atingido (vs. 10). Ele poderia ser louvado no fim. O editor piedoso também nos assegurou que "tudo iria bem" com o homem bom, finalmente, embora ele sofresse toda a espécie de reversão, enquanto esperava a recompensa divina por sua bondade. Mas essa ideia, com sua noção de "deve acontecer", é contra o que se lê em Ec 3.16,18-20. O homem só obterá o bem se assim o determinou a inescrutável vontade de Deus. Mas talvez a vontade do Senhor determine justamente o contrário: esse homem bom só receberá calamidades em sua vida e voltará ao pó.

O editor piedoso agora apresenta aquele pensamento padronizado da fé hebraica: o "temor do Senhor" fará uma diferença agora mesmo, nesta vida. O homem bom que exercitar esse temor terá uma vida longa, próspera, saudável e feliz. O nosso filósofo, em seu pessimismo e através de suas observações astutas, viu que essa "bela esperança" por muitas vezes foi despedaçada por aquilo que realmente acontece "lá fora". Ver sobre o "temor do Senhor" em Pv 1.7; Sl 119.38, bem como no artigo chamado *Temor*, no *Dicionário*. O caso de Jó era uma prova de que a regra geral, com frequência, não tem aplicação. O filósofo não via as coisas sendo fixadas por ocasião da morte, numa existência pós-vida; e, por essa razão, permitia que a história inteira do homem terminasse no pessimismo. Mas é isso o que obtemos quando insistimos na teoria de "Deus como a causa única". O calvinismo radical termina no mesmo pessimismo, e pela mesma razão, mas aumenta a dor, por não permitir que a morte traga o descanso final a todos os homens.

Emanuel Kant arquitetou um argumento em favor da existência de Deus e da existência e sobrevivência da alma, ante a morte biológica, com base na própria observação de que, "nesta vida", a justiça raramente é feita. Os ímpios prosperam, enquanto os bons sofrem. Mas Kant insistia na justiça e, assim, propôs o pós-vida como o tempo em que Deus providencia que a justiça real seja feita. A alma tem de existir e sobreviver para receber recompensa ou punição apropriada, depois desta vida; e Deus também tem de existir, porquanto ele é o Deus *Todo-poderoso* e *Todo-sábio*, capaz de fazer justiça. Esse argumento é chamado de *Argumento Moral* de Kant (ver na *Enciclopédia de Bíblia, Teologia e Filosofia*).

Contra o pensamento judaico ortodoxo, não era exigida justiça nesta vida. Contra o triste filósofo, é aplicada justiça à vida pós-túmulo. Kant, como é natural, foi influenciado pelo pensamento cristão, mas basta a razão para fornecer-nos esse discernimento. Se a justiça não for feita, finalmente, em algum ponto, prevalecerá o verdadeiro deus deste mundo, o *caos*. Do ponto de vista humano, essa era a divindade do filósofo. Ao aplicar o conceito dos *mistérios*, o filósofo tenta salvar o seu deus da crítica humana. Ver as notas no vs. 13, quanto a outros raciocínios.

■ **8.13**

וְטוֹב֙ לֹֽא־יִהְיֶ֣ה לָֽרָשָׁ֔ע וְלֹֽא־יַאֲרִ֥יךְ יָמִ֖ים כַּצֵּ֑ל אֲשֶׁ֛ר אֵינֶ֥נּוּ יָרֵ֖א מִלִּפְנֵ֥י אֱלֹהִֽים׃

Mas o perverso não irá bem, nem prolongará os seus dias. Nem sempre o ímpio será tão feliz e próspero como ele é visto agora. Seu dia mau já se aproxima, nesta vida. Pode parecer-lhe estar prolongando sua vida, tal como as sombras do fim da tarde se esticam, mas essas sombras têm de parar em algum lugar. Sua noite de sofrimento, *nesta vida*, cortará essas sombras. Isso se dá porque ele não tem temor ao Senhor, tal como acontece ao homem bom (vs. 12). Assim sendo, apesar de parecer que as sombras se esticariam indefinidamente, na verdade a vida daquele homem era como uma sombra fugidia que logo chegou ao fim. Cf. Ec 6.12; Sabedoria 2.6; 4.8; Sl 102.11; 144.4.

A igreja cristã oriental postula a preexistência da alma, para explicar as desigualdades desta vida, e alguns estudiosos postulam a reencarnação como resposta possível a essas desigualdades. Estamos vendo aqui somente *um capítulo* de uma vida. Os capítulos precedentes poderiam explicar por que os homens sofrem da maneira como sofrem, e por que alguns prosperam, enquanto nós supomos que eles devessem sofrer. Ver na *Enciclopédia de Bíblia, Teologia e Filosofia* os artigos chamados *Preexistência* e *Reencarnação*.

O Targum, nesta passagem, em consonância com o judaísmo posterior, transferiu a justiça para a vida vindoura.

■ **8.14**

יֶשׁ־הֶ֗בֶל אֲשֶׁ֣ר נַעֲשָׂה֮ עַל־הָאָרֶץ֒ אֲשֶׁ֣ר ׀ יֵ֣שׁ צַדִּיקִ֗ים אֲשֶׁ֨ר מַגִּ֤יעַ אֲלֵהֶם֙ כְּמַעֲשֵׂ֣ה הָרְשָׁעִ֔ים וְיֵ֣שׁ רְשָׁעִ֔ים שֶׁמַּגִּ֥יעַ אֲלֵהֶ֖ם כְּמַעֲשֵׂ֣ה הַצַּדִּיקִ֑ים אָמַ֕רְתִּי שֶׁגַּם־זֶ֖ה הָֽבֶל׃

Ainda há outra vaidade sobre a terra. O triste filósofo retorna agora, após o interlúdio do editor piedoso, e diz-nos o que ele realmente pensava, o que ele tinha observado quando fizera as suas investigações. Homens retos recebem o castigo merecido pelos ímpios, e ímpios recebem a recompensa que cabe aos justos. Isso parece ultrajante, até que lembramos que Deus, na qualidade de causa única, determinou que as coisas acontecessem dessa maneira. Por conseguinte, a vida é caótica e injusta, caso se aplique a razão humana a esse enigma. O poder divino, entretanto, é voluntarista, e não está sujeito aos rótulos que os homens lhe aplicam. O triste filósofo negou o valor da verdade deste excelente poema:

> Embora os moinhos de Deus moam lentamente,
> Eles moem excessivamente fino.
> Embora com paciência ele fique esperando,
> Com exatidão mói a todos.
>
> Longfellow

Para que isso seja verdade, tem-se de incluir o pós-vida na questão, porquanto a observação, por certo, não verifica as coisas por esse prisma. O mau filósofo não incluiu o pós-vida na questão; ele simplesmente negou que sentimentos tão esperançosos reflitam o que realmente acontece na vida humana. Se não mais se tentar fazer desse filósofo pessimista um mestre ortodoxo, então não haverá problema na compreensão do que ele estava dizendo. Como é que terminamos? Como sempre: *Tudo é vaidade*. Que o leitor não tente extrair algum sentido desses enigmas; eles estão ocultos em Deus, a causa única. A vida humana não tem sentido (Ec 1.3). Esse é o tema constante e muito ilustrado dos capítulos 1—3 deste livro. O filósofo não se tornou ortodoxo conforme o tempo avançava.

■ **8.15**

וְשִׁבַּ֤חְתִּֽי אֲנִי֙ אֶת־הַשִּׂמְחָ֔ה אֲשֶׁ֨ר אֵֽין־ט֤וֹב לָֽאָדָם֙ תַּ֣חַת הַשֶּׁ֔מֶשׁ כִּ֛י אִם־לֶאֱכ֥וֹל וְלִשְׁתּ֖וֹת וְלִשְׂמ֑וֹחַ וְה֞וּא יִלְוֶ֣נּוּ בַעֲמָל֗וֹ יְמֵ֥י חַיָּ֛יו אֲשֶׁר־נָֽתַן־ל֥וֹ הָאֱלֹהִ֖ים תַּ֥חַת הַשָּֽׁמֶשׁ׃

Então exaltei eu a alegria. Que podemos aproveitar de toda essa futilidade? Podemos aproveitar os pequenos prazeres da vida como um tipo de *falso valor*, que na verdade nada é, mas, *aparentemente*, é um pouco mais que nada. Disso deriva a afirmação do autor sacro: "A vida, se tiver poucos prazeres, vale mais que nada". Isso ainda não é muita coisa, embora possa ser o *summum bonum* da vida. Contudo, o pensamento real do filósofo era niilista. Ele não era um autêntico filósofo epicurista. Era um niilista: não existem valores verdadeiros e duradouros. Tudo é fútil (vaidade). Ver notas expositivas em Ec 2.24-25, onde esse falso epicurismo foi introduzido pela primeira vez. Ver também Ec 3.12,22; 5.17 e 9.7-10. Ver na *Enciclopédia de Bíblia, Teologia e Filosofia* os verbetes denominados *Epicurismo* e *Niilismo*. O filósofo encontrou algum consolo ao desfrutar prazeres moderados, como comer e beber, regozijar-se em festa, e outras coisas dessa natureza, o que acrescentaria um pouco de "pimenta" à sua vida normalmente cheia de trabalhos. Disse ele, tristemente: "Isso é tudo quanto existe". Aceita-se isso, porquanto não se pode obter outra coisa que possa ser rotulada de *valor*.

■ **8.16**

כַּאֲשֶׁ֨ר נָתַ֤תִּי אֶת־לִבִּי֙ לָדַ֣עַת חָכְמָ֔ה וְלִרְאוֹת֙ אֶת־הָ֣עִנְיָ֔ן אֲשֶׁ֥ר נַעֲשָׂ֖ה עַל־הָאָ֑רֶץ כִּ֣י גַ֤ם בַּיּוֹם֙ וּבַלַּ֔יְלָה שֵׁנָ֕ה בְּעֵינָ֖יו אֵינֶ֥נּוּ רֹאֶֽה׃

Aplicando-me a conhecer a sabedoria, e a ver o trabalho que há sobre a terra. A busca da sabedoria, que é uma atividade vã, não foi capaz de encontrar mais do que esta descoberta melancólica, desencorajadora e fútil: desfruta um pouco os pequenos prazeres da vida, porquanto nada mais existe, e até mesmo isso é absorvido pela morte, quando os homens entram no nada, para sempre. O filósofo havia feito uma investigação honesta da natureza das coisas, procurando verificar a razão pela qual elas acontecem da maneira que acontecem. Mas sua busca diligente não o levou a lugar algum. Ele se tornou um falso estudante da escola de Epicuro, e um falso adepto daquele falso valor: prazeres moderados. Mas ele era realmente um *niilista:* não existem valores verdadeiros e duradouros.

Entrementes, um resultado constante de toda essa questão pessimista é que o indivíduo não pode dormir e descansar, nem durante o dia nem durante a noite, pois fica pleno de ansiedades, e essa futilidade se mistura aos sofrimentos. Como pode um homem dormir com tudo isso em sua mente? Cf. Sl 132.4 e Pv 6.4. Ver também Gn 31.40. Um homem pode ter tanta intensidade em seus estudos e investigações, que nem ao menos encontra tempo para dormir, mas o resultado de sua diligência não o levará a nenhuma conclusão decente. O fruto de sua diligência será a futilidade.

■ 8.17

וְרָאִיתִי אֶת־כָּל־מַעֲשֵׂה הָאֱלֹהִים כִּי לֹא יוּכַל הָאָדָם
לִמְצוֹא אֶת־הַמַּעֲשֶׂה אֲשֶׁר נַעֲשָׂה תַחַת־הַשֶּׁמֶשׁ בְּשֶׁל
אֲשֶׁר יַעֲמֹל הָאָדָם לְבַקֵּשׁ וְלֹא יִמְצָא וְגַם אִם־יֹאמַר
הֶחָכָם לָדַעַת לֹא יוּכַל לִמְצֹא׃

Então contemplei toda a obra de Deus. O homem bom realmente queria saber a verdade. Por conseguinte, não poupou esforços para fazer um exame completo daquilo que realmente acontece no mundo, das razões para os acontecimentos e da verdadeira natureza das coisas. Sua mente foi despertada pela observação de que existem grandes injustiças, se definirmos as coisas de acordo com a razão humana. Ademais, existe toda a labuta na qual as pessoas se deixam envolver. E, finalmente, há a finalidade da morte. Por conseguinte, ele indagou: "O que está acontecendo no mundo?" Mas os seus ingentes esforços para descobrir algum ritmo e razão para as coisas falharam completamente. Ele nem chegou a compreender os enigmas e mistérios de Deus, nem a acreditar que *nenhum outro homem,* sem importar quão diligente fosse em sua investigação, pudesse apresentar melhor solução: não há solução alguma.

"... ninguém pode compreender os caminhos de Deus (Ec 3.11; cf. Is 55.9 e Rm 11.33), mesmo que gastasse todas as suas energias e poder mental e afirmasse que poderia fazê-lo" (Donald R. Glenn, *in loc.*). Naturalmente, haverá quem pretenda, com falsa sabedoria, conhecer essas coisas, pondo-se a explicar tudo, a partir de seus pequenos dogmas.

> Nossos pequenos sistemas têm sua época,
> Eles têm seu dia e logo passam.
> São apenas pequenas lamparinas que bruxuleiam
> Ao lado de tua Luz, ó Senhor.
>
> Russell Champlin

> Tem piedade de nossa ânsia por saber
> De onde viemos e para onde estamos indo;
> Como chegamos a este mundo, e por quê;
> O pecado e sua filha, a miséria.
>
> Schiller

CAPÍTULO NOVE

A seção de Eclesiastes 7.1—9.18 (ver a introdução a essa seção) trouxe à nossa atenção a "inescrutável *Providência de Deus,* que prova a inutilidade das coisas". Agora repassaremos uma instância dessa inutilidade:

A Morte como Sorte Comum. O Homem Não Sabe o que Acontecerá. O autor continuava repetindo suas palavras desanimadoras: "Ninguém sabe" (Ec 9.1,12; 10.14); e também: "Tu não sabes" (Ec 11.2,6). O homem não pode predizer o que acontecerá em sua vida, embora saiba que a morte o aguarda. Mas, nessa morte, nada existe que anule o valor que pode haver na vida humana. As fórmulas que dizem: "ninguém sabe" e "tu não sabes" introduzem subseções, e levam avante a lamentável filosofia deste homem triste, não ortodoxo e "sábio". É inútil tentar achar alguma ortodoxia em seus discursos. Ele simplesmente não fazia parte do rebanho dos homens sábios normais, já que escreveu especificamente a fim de descobrir buracos em suas teorias e negar o valor de sua sabedoria. O bom caráter não é necessariamente recompensado com algo bom (vss. 1-6); a habilidade e a aptidão obterão o que um homem busca, mas o que ele obtém é apenas futilidade (vss. 11,12); a sabedoria obterá sua própria recompensa, honra e fama, mas de que isso adianta (vss. 13-16)? O melhor que um homem poderá esperar são os pequenos prazeres da vida, para apimentá-la com tudo o que há de mais lamentável (vss. 7-10).

■ 9.1

כִּי אֶת־כָּל־זֶה נָתַתִּי אֶל־לִבִּי וְלָבוּר אֶת־כָּל־זֶה
אֲשֶׁר הַצַּדִּיקִים וְהַחֲכָמִים וַעֲבָדֵיהֶם בְּיַד הָאֱלֹהִים
גַּם־אַהֲבָה גַם־שִׂנְאָה אֵין יוֹדֵעַ הָאָדָם הַכֹּל לִפְנֵיהֶם׃

Deveras me apliquei a todas estas cousas para claramente entender tudo isto. *Deus, como a causa única,* tem tudo sob o controle de suas mãos e fará exatamente como quiser, sem importar se os homens gostem ou não, chamem isso de bom ou mal, de justo ou injusto. "Todos os feitos dos homens estão nas mãos do Senhor", e até suas motivações. Ele está controlando todo o amor e ódio que há "lá fora". O homem não passa de um miserável boneco, a dançar e saltitar através dos poucos dias que tem para viver debaixo do sol. O homem costuma levar a si mesmo e à sua vida tão a sério, mas só existe uma coisa com a qual ele deve importar-se: *Deus* — o qual faz tudo de acordo com a sua vontade. Ver na *Enciclopédia de Bíblia, Teologia e Filosofia* os verbetes chamados *Voluntarismo; Determinismo* e *Pessimismo.*

E se é amor ou se é ódio. Muitos estudiosos pensam que temos, aqui, menção ao amor e ao ódio de Deus (ver Ml 1.1-3; Rm 9.13), que determinam a natureza e o resultado de toda a vida humana. Deus favoreceria alguns e desfavoreceria outros, pelo que, até quando todos compartilham da mesma sorte (o nada, por ocasião da morte), os homens percorrem um curso desigual, não por causa do que são, mas porque Deus o quer, à parte da vontade e dos feitos humanos (ver Rm 9.16):

> Assim, pois, não depende de quem quer, ou de quem corre, mas de usar Deus de sua misericórdia.

O triste filósofo tinha uma teologia defeituosa e deficiente, porquanto não permitia espaço para *causas secundárias,* as quais, por certo, existem. Outro tanto se dá no caso do capítulo 9 da epístola aos Romanos e no caso do calvinismo radical. O pessimismo é o resultado consequente dessa maneira de pensar. Na maior parte do Novo Testamento, a ideia de Deus como a causa única é uma doutrina não ortodoxa.

"Os homens não são os donos de sua própria sorte. Aquilo que eles fazem e são está sujeito à vontade soberana de Deus" (Donald R. Glenn, *in loc.*).

■ 9.2

הַכֹּל כַּאֲשֶׁר לַכֹּל מִקְרֶה אֶחָד לַצַּדִּיק וְלָרָשָׁע לַטּוֹב
וְלַטָּהוֹר וְלַטָּמֵא וְלַזֹּבֵחַ וְלַאֲשֶׁר אֵינֶנּוּ זֹבֵחַ כַּטּוֹב
כַּחֹטֶא הַנִּשְׁבָּע כַּאֲשֶׁר שְׁבוּעָה יָרֵא׃

Tudo sucede igualmente a todos. Este versículo é uma declaração extremamente certa do determinismo e da futilidade da vida humana. É como Ec 3.1-11, com uma série de oposições. *Uma sorte* ocorre a todos os homens, sem importar o que estejam praticando ou por quem estejam sendo governados. Essa sorte consiste no aniquilamento da morte, que ocorre tanto ao homem bom quanto ao mau, indiscriminadamente. Tudo que o homem faz depende da causa única,

Deus. É inútil tentar fazer esse triste, louco e mau filósofo transformar-se em um homem da escola ortodoxa de sabedoria. De fato, ele se lançou à tarefa de demonstrar que era um homem diferente. Ele simplesmente não acreditava nos dogmas das escolas judaicas ortodoxas de sabedoria. O que há de mais ridículo em tudo isso é que os intérpretes cristãos insistem em tentar "salvar" o homem da sua heresia, distorcendo suas declarações, para que se tornem uma ortodoxia aceitável.

Os Princípios Opostos:
1. O ímpio e o justo.
2. O limpo e o imundo. Aquele que cumpre seus deveres, oferecendo sacrifícios, e aquele que negligencia seus deveres.
3. O homem bom e o pecador.
4. O homem que jura e faz promessas piedosas, e o homem que negligencia esses detalhes das práticas religiosas.

Todos esses, entretanto, esperam a mesma sorte lamentável: o nada da morte, onde os homens se parecem com os animais irracionais (Ec 3.15,18-20). O homem é uma criatura feita de pó e ao pó voltará; mas, tendo dito isso, ainda não se disse coisa alguma importante. Cada indivíduo tem sua própria parte predeterminada a desempenhar no drama da vida. Ele assim o faz, porque Deus já determinou para ele a sua parte. Mas a vida humana é apenas uma tragicomédia, sem propósito que possa ser discernido. E se existem propósitos nisso, eles estão ocultos na inescrutável vontade de Deus. Nenhum acúmulo de investigações pode dizer os *porquês* envolvidos em tudo isso, e, de fato, não pode afirmar se existem razões na *vontade inexorável de Deus.*

■ 9.3

זֶה רָע בְּכֹל אֲשֶׁר־נַעֲשָׂה תַּחַת הַשֶּׁמֶשׁ כִּי־מִקְרֶה
אֶחָד לַכֹּל וְגַם לֵב בְּנֵי־הָאָדָם מָלֵא־רָע וְהוֹלֵלוֹת
בִּלְבָבָם בְּחַיֵּיהֶם וְאַחֲרָיו אֶל־הַמֵּתִים׃

Este é o mal que há em tudo quanto se faz debaixo do sol. O fato de que todas as coisas terminam da mesma forma lamentável é rotulado de *mal,* pelo filósofo, mas ele estava falando de maneira humana. Ele estava consternado, mas não tinha nenhuma declaração de alívio a respeito. Ele simplesmente rotulou isso de *mal.* Parte desse mal é que o coração de alguns homens está repleto de pecados, crimes e loucura, mas sua situação é igual à do homem bom, por ocasião da morte; ou, em outras palavras, estão todos sujeitos à mesma inutilidade final, o aniquilamento do sepulcro. Assim, o espírito volta a Deus, mas não há julgamento do homem mau após a morte, nem recompensa para o homem bom. "... não somente todos, incluindo o justo e o sábio, compartilham da mesma distribuição inescrutável e prosperidade *durante* a vida, mas também compartilham da mesma sorte final, *por ocasião da morte,* pois estão todos *mortos*" (Donald R. Glenn, *in loc.).* "... o nada da morte é um fim apropriado para eles" (O. S. Rankin, *in loc.).*

■ 9.4

כִּי־מִי אֲשֶׁר יְבֻחַר אֶל כָּל־הַחַיִּים יֵשׁ בִּטָּחוֹן כִּי־
לְכֶלֶב חַי הוּא טוֹב מִן־הָאַרְיֵה הַמֵּת׃

Para o que está entre os vivos há esperança. A despeito da triste realidade de tudo, os homens apegam-se à esperança como a última coisa que morrerá, pois calculam que é melhor ser um cão vivo que um leão morto. Naturalmente, todo esse raciocínio também é vão. O filósofo nada acrescenta a essa declaração, como se, realmente, nela houvesse alguma esperança. Ele estava apenas observando quão tolamente os homens continuam esperando, a despeito das infelizes evidências contrárias. O leão era o rei dos animais, temido e honrado pelos homens e pelos animais irracionais. O cão selvagem do Oriente (onde não se criavam cães como animais domésticos) era um predador imundo e desprezado. Mas um cão daquela natureza desprezível, se estivesse *vivo,* seria melhor que um nobre leão em adiantado estado de putrefação. Alguns estudiosos reduzem, aqui, essa *esperança* aos pequenos prazeres da vida (vss. 7-10), o falso *summum bonum* da vida humana; mas isso parece distante demais da realidade dos fatos.

Os vivos sabem que morrerão e, quando essa esperança morre (vs. 5), eles continuam a esperar por algo melhor. Existem coisas melhores que isso, mas nosso filósofo não acreditava em nada que trouxesse deleite. Ele foi um pessimista do começo ao fim. Não tinha asas para voar, era como um réptil a rastejar pela lama.

O tempo, como uma corrente sempre a rolar,
Arrasta consigo todos os seus filhos.

Isaac Watts)

Abandonai toda a esperança, todos vós
Que entrais aqui.

Dante

Não obstante,
A esperança mana eterna, no peito humano. O homem nunca é, mas sempre quer ser abençoado.

Alexander Pope

■ 9.5

כִּי הַחַיִּים יוֹדְעִים שֶׁיָּמֻתוּ וְהַמֵּתִים אֵינָם יוֹדְעִים
מְאוּמָה וְאֵין־עוֹד לָהֶם שָׂכָר כִּי נִשְׁכַּח זִכְרָם׃

Porque os vivos sabem que hão de morrer. Este versículo tem sido erroneamente interpretado como se dissesse que é bom estar vivo, porquanto há real esperança na vida, e aqueles que estão vivos têm expectativas, o que não acontece com os que já morreram. Mas é o contrário que exprime a verdade: esta vida é desesperada e miserável, com uma miséria adicional, "o temor da morte". Mas os mortos pararam de temer, ou pararam com qualquer outra coisa, pelo que têm ao menos essa vantagem. Saber que se deve morrer é um pensamento solene e causa de muita ansiedade. O temor da morte escraviza os vivos (ver Hb 2.15). Quando minha mãe foi afetada por sua doença final (ela era, então, uma paciente de câncer terminal), disse-me: "Saber que se tem de morrer algum dia não é a mesma coisa que saber que se vai morrer em breve". *Nós* sabemos que existe esperança para além-túmulo, mas o triste filósofo não sabia. Por conseguinte, ele pensava que os mortos, havendo passado para o nada, tinham vantagem sobre os vivos, que viviam em miséria e ansiedade, uma das quais era: "Um dia você terá de morrer".

Os mortos *nada* sabem e não mais recebem recompensas por fazer algo, como sucedia quando estavam vivos. Os mortos estão realmente *mortos* e não ganham mais proveitos. Por outra parte, não há nada que possam perder, porquanto tudo já se perdeu de maneira absoluta. Acrescentando-se insultos à injúria, nenhum homem ao menos lembra aqueles que já morreram. A morte nada é, mas é melhor que viver uma morte em vida.

■ 9.6

גַּם אַהֲבָתָם גַּם־שִׂנְאָתָם גַּם־קִנְאָתָם כְּבָר אָבָדָה
וְחֵלֶק אֵין־לָהֶם עוֹד לְעוֹלָם בְּכֹל אֲשֶׁר־נַעֲשָׂה תַּחַת
הַשָּׁמֶשׁ׃

Amor, ódio e inveja para eles já pereceram. Este versículo fomenta o pessimismo do vs. 5, adicionando alguns detalhes. Os mortos não fazem nada do que caracterizava sua vida; eles não amam, não odeiam, não promovem outra pessoa, não invejam nem praticam males contra o próximo. Em suma: não compartilham nada que está envolvido na vida humana, pois não têm vida. Este versículo nos leva de volta a vários princípios opostos do vs. 3, isto é, todas as coisas más que os homens fazem, porquanto assim estão *predestinados* pela vontade divina, a qual não pode ser perscrutada. Mas este versículo não pretende injetar, neste quadro lamentável, nenhuma ideia de que o amor e o ódio dos *homens* determinam as coisas, como se essas fossem *causas secundárias* a operar neste mundo. Pelo contrário, toda a sequência de causa e efeito é obra de Deus. O fim de todas as coisas, entretanto, decreta o nada. Os mortos param de engajar-se naqueles opostos fúteis que governam a vida humana. Ver Ec 3.1-11, quanto a esse tipo de raciocínio, com maiores detalhes.

A MELHOR COISA (MISERÁVEL) QUE ESTA VIDA OFERECE (9.7-10)

9.7

לֵךְ אֱכֹל בְּשִׂמְחָה לַחְמֶךָ וּשֲׁתֵה בְלֶב־טוֹב יֵינֶךָ כִּי כְבָר רָצָה הָאֱלֹהִים אֶת־מַעֲשֶׂיךָ׃

Vai, pois, come com alegria o teu pão e bebe gostosamente o teu vinho. Temos aqui a conclusão do pessimismo precedente. Os vss. 7-10 reiteram o triste *summum bonum* do filósofo: desfrutemos os pequenos prazeres da vida, porquanto esses prazeres também são vaidade e não têm valor real ou seja, são o melhor que podemos fazer nesta vida miserável. Esses prazeres ordinários podem aliviar um pouco a agonia da existência humana. Portanto, avancemos e tiremos vantagem deles. Nada mais existe pelo que se deva viver. Há notas expositivas detalhadas sobre esse ponto de vista em Ec 2.24-25. Ver também Ec 3.12,22; 5.17 e 8.15. É um equívoco pensar que o mau filósofo terminou como um epicurista. Ele era um niilista que balançava a cabeça na direção do epicurismo (prazeres moderados) como o *summum bonum* da vida, como o *menor dos males* que o homem encontra na vida. Ele já havia demonstrado que o hedonismo (busca desenfreada pelos prazeres) é fútil (Ec 2.1-11). Ele valorizava mais o epicurismo (os prazeres moderados), mas não afirmava haver valor real nisso. Quanto à plena compreensão, ver na *Enciclopédia de Bíblia, Teologia e Filosofia*, os verbetes intitulados *Epicurismo; Hedonismo; Summum Bonum; Niilismo* e *Pessimismo*.

O Uso da Filosofia. Todos os ramos do conhecimento humano oferecem algum benefício. A filosofia é especialmente útil àqueles que estudam a Bíblia e a teologia, visto que muitas áreas se justapõem. Aquele que conhece alguma filosofia compreenderá melhor a teologia. O estudo do livro de Eclesiastes demonstra isso, mas outro tanto faz o estudo da teologia geral. Um teólogo que seja apenas teólogo, ao examinar o livro de Eclesiastes, versículo por versículo, perderá muito do significado do autor sacro, que era um filósofo, e não um rabino comum, meramente um sábio. Portanto, o homem que pode compreender melhor este livro é o teólogo-filósofo que sabe tirar proveito dos dois campos, para explicar os meandros dos pensamentos do nosso triste filósofo. Este é um *livro divertido*, que contém muitas declarações absurdas e afirmações heterodoxas. É divertido descobrir que coisas disparatadas o autor dirá em seguida. Ele diz os seus absurdos de maneira alegre e interessante. O homem mostra-se eloquente e espirituoso. Ele simplesmente não tinha asas, e manteve-se resvalando em seu meio ambiente lamacento. Mas era um resvalador ágil; era um réptil e não um pássaro, pelo que não devemos desperdiçar tempo tentando transformá-lo em um mestre ortodoxo.

O Pessimismo Antigo e o Pessimismo Moderno. O louco filósofo, que escreveu o livro de Eclesiastes, tinha uma espécie de redenção: o nada da morte. Nesse estado, o sofrimento havia sido interrompido. Schopenhauer, o maior porta-voz do pessimismo moderno, acreditava na *reencarnação!* Por isso ele defendia a horrorosa doutrina de que a *Vontade Louca* (sua divindade) nunca deixava o pobre ser humano escapar. O homem experimentava os mesmos sofrimentos por muitas vezes. A *Vontade Louca* decidiria anular tudo, obliterar toda a vida e existência, depois que se cansasse de algum jogo doentio e repetitivo. Se a *Vontade Louca* fizesse isso, então todas as coisas seriam reduzidas a *nada*, e essa era a redenção pela qual Schopenhauer tanto ansiava.

Alguns dos Pequenos Prazeres da Vida. A partir deste ponto, o infeliz filósofo nos diz o que vale a pena buscar, se você *forçá-lo* a usar tal expressão: *come* muito, mas não tanto a ponto de ficares doente; *bebe* muito, mas não tanto a ponto de ficares embriagado; desfruta a festa, diverte-te, ri. Poderás fazer todas essas coisas sem temor, porque foi Deus quem te deu essas dádivas e te *destinou* a viveres usufruindo delas. Ele já tinha aprovado a maneira epicurista de viver, como o menor dos males; portanto, não temamos viver dessa maneira. E vamos lembrar que os prazeres mentais são superiores aos físicos, pelo que não devem ser negligenciados.

9.8

בְּכָל־עֵת יִהְיוּ בְגָדֶיךָ לְבָנִים וְשֶׁמֶן עַל־רֹאשְׁךָ אַל־יֶחְסָר׃

Em todo tempo sejam alvas as tuas vestes. Entre os pequenos prazeres da vida estão as *vestes finais*, especialmente no caso das damas. É ótimo vestir-se com vestes excelentes. Roupas absolutamente brancas eram cobiçadas pelos frequentadores das festas, visto que, com essas vestes, eram ali favorecidos. Ver 2Sm 12.20; 14.2; Sl 65.8; 104.4; Ap 7.9. Essa parte do versículo tem sofrido várias interpretações metafóricas: pureza moral, salvação em vestes brancas etc.; mas, na verdade, o autor sacro não estava pensando em coisas sérias como essas. Além disso, óleos fragrantes eram usados nas festas, sendo os pés e a cabeça as principais partes do corpo que recebiam esses unguentos e óleos. As unções também serviam à pureza e à beleza e, se essas coisas nada significam para nós, eram por demais apreciadas pelos antigos. Ver Sl 23.5; Lc 7.46 e Mt 6.17.

9.9

רְאֵה חַיִּים עִם־אִשָּׁה אֲשֶׁר־אָהַבְתָּ כָּל־יְמֵי חַיֵּי הֶבְלֶךָ אֲשֶׁר נָתַן־לְךָ תַּחַת הַשֶּׁמֶשׁ כֹּל יְמֵי הֶבְלֶךָ כִּי הוּא חֶלְקְךָ בַּחַיִּים וּבַעֲמָלְךָ אֲשֶׁר־אַתָּה עָמֵל תַּחַת הַשָּׁמֶשׁ׃

Goza a vida com a mulher que amas. O *sexo* também é uma coisa boa, numa *vida casada* normal; mas a prostituição e o adultério são truques dos hedonistas; portanto, evita esses excessos, a menos, naturalmente, que Deus te tenha predestinado para esse tipo de vida! Se o filósofo fosse coerente, ele não negaria que a vida de uma prostituta foi aquilo que Deus predeterminou para ela. Ele foi coerente (ver Ec 3.16), mas não quis confundir o quadro aqui. Pode-se viver uma vida jubilosa com uma boa esposa a quem se ama, mas a totalidade da vida é pura vaidade, e *isso* faz parte da vida. Não obstante, uma boa esposa é uma dádiva de Deus, para ajudar a resistir a todas as *outras* coisas vãs. A questão resume-se a dizer: toda a tua *porção* te foi predestinada, pelo que deves suportar tudo da melhor maneira, desfrutando os pequenos prazeres da vida. Se estiveres trabalhando muito, para ocasionalmente para usufruir algum prazer na vida.

9.10

כֹּל אֲשֶׁר תִּמְצָא יָדְךָ לַעֲשׂוֹת בְּכֹחֲךָ עֲשֵׂה כִּי אֵין מַעֲשֶׂה וְחֶשְׁבּוֹן וְדַעַת וְחָכְמָה בִּשְׁאוֹל אֲשֶׁר אַתָּה הֹלֵךְ שָׁמָּה׃ ס

Tudo quanto te vier à mão para fazer, faze-o conforme as tuas forças. O triste filósofo agora iria completar sua lista dos pequenos prazeres da vida, bons para experimentar e aliviar a miséria geral da existência. Até o *trabalho* pode oferecer prazer, embora exagerem os que trabalham demasiadamente. Os prazeres mentais são os melhores, portanto estudemos e trabalhemos com diligência. Mostremo-nos entusiasmados naquilo que fizermos, aplicando todo o nosso poder, e tudo nos parecerá divertido. Pensemos grande e anotemos tudo no papel, publiquemos livros e artigos, conforme fez o louco filósofo. Seu livro continua a entreter-nos até hoje. Não há fim no fabrico de livros e, quando se fica apegado a isso, poderá parecer interminável e cansativo (ver Ec 12.12). Não obstante, quando se recebe o dinheiro dos direitos autorais, isso traz benefícios.

O Targum diz-nos que devemos *fazer boas obras* e dar esmolas, práticas valiosas conforme o judaísmo. Obras de altruísmo também dão prazer a algumas pessoas. Se a maioria das pessoas apenas *arranja* dinheiro, poucas desfrutam *dar coisas* a seus semelhantes, tanto de seu tempo quanto de seu dinheiro. Portanto, se esse tipo de trabalho lhe dá algum prazer, então ocupe-se desses empreendimentos.

Conclusão. No *seol* (isto é, no sepulcro) cessam todo o labor e prazer. Os pensamentos também tornam-se impossíveis, porque não há ali mentes para pensar. Não existem esquemas nem maquinações no sepulcro; não há conhecimento nem sabedoria. E, não se esqueça disso, porque é para ali que *você* está indo. Portanto, o que você deve fazer é desfrutar um pouco a vida; e não se olvide dos pequenos prazeres, o *summum bonum* da existência humana, embora, estritamente falando, isso também seja vaidade. Algumas vezes, nas páginas do Antigo Testamento, o *seol* parece significar mais que o sepulcro. Essa doutrina passou por uma longa evolução. Ver Pv 5.5, quanto a uma breve declaração a respeito. Ver, no *Dicionário*, Seol e Hades. Não há que duvidar de que o filósofo estava falando sobre o *seol* como o sepulcro, onde termina toda a existência humana. Ele não acreditava em nenhum tipo de pós-vida, mas não era um ser humano especialmente iluminado. Contrastar isso com Dn 12.2, onde está em pauta um pós-vida. Ver na *Enciclopédia de Bíblia, Teologia e Filosofia* o artigo chamado *Imortalidade*.

> Despedida do Discurso do Autor:
> Ede (come), bibe (bebe), lude (brinca).
> Post mortem nulla voluptas.
> Após a morte nada desfrutarás.
>
> Come, bebe e brinca
> Enquanto puderes fazê-lo aqui
> Pois, em breve, quando a morte
> Tirar-te o último suspiro,
> Nunca mais verás
> Um dia animado.
>
> Adam Clarke

Isso é o que nosso triste filósofo nos ofereceu na vida, o que não é muito, para dizer a verdade. Nem o seu conselho é o melhor, pois, como podem os prazeres ser o *summum bonum* da vida, a menos que estejamos falando de prazeres espirituais? Quanto a isso, esse mau filósofo nada tinha para dizer.

DE VOLTA AO DETERMINISMO ABSOLUTO (9.11-12)

■ 9.11

שַׁבְתִּי וְרָאֹה תַחַת־הַשֶּׁמֶשׁ כִּי לֹא לַקַּלִּים הַמֵּרוֹץ וְלֹא לַגִּבּוֹרִים הַמִּלְחָמָה וְגַם לֹא לַחֲכָמִים לֶחֶם וְגַם לֹא לַנְּבֹנִים עֹשֶׁר וְגַם לֹא לַיֹּדְעִים חֵן כִּי־עֵת וָפֶגַע יִקְרֶה אֶת־כֻּלָּם:

Vi ainda debaixo do sol que não é dos ligeiros o prêmio. Do ponto de vista humano, a própria sabedoria está sujeita a um futuro incerto. Falham todas as habilidades humanas; elas não estão em consonância com nossas expectativas. *Cinco* dessas habilidades foram enfatizadas pelo filósofo. A razão pela qual os esforços humanos fracassam é porque a vontade divina ordenou as coisas de maneira surpreendente. E, visto que todas as coisas foram predestinadas, e que existem reversões surpreendentes, os caminhos humanos são perturbados.

"Sem a menor sombra de dúvida, o *Koheleth* (o pregador) tinha visto a industriosidade ser recompensada e o gênio ser coroado, mas ele estava mais impressionado pelos inúmeros exemplos de habilidade não reconhecida, ou de excelência que não deixou a sua marca" (O. S. Rankin, *in loc.*). O que surpreendeu o homem foi quando o destino divino produziu resultados inesperados no labor humano. A sorte divinamente orientada continuamente distorce os planos e as lutas humanas. O que parece ser acaso e caos, na verdade, tem por trás a vontade divina, assim as coisas que parecem caóticas só o são para a mente humana. Ver a introdução ao capítulo 3 e Eclesiastes 9.1, quanto ao determinismo divino.

Reversões Humanas:
1. A corrida não é vencida pelos ligeiros, metáfora atlética que fala de qualquer esforço humano prolongado, parecido com uma corrida. Em uma corrida haverá apenas um vencedor, e as pessoas já fazem ideia do homem que é o mais forte e mais habilidoso. Ocasionalmente, surpreendemo-nos nas corridas literais, mas, na corrida da vida, podemos ver muitas reversões da fortuna. O suposto homem fraco sai-se vencedor, e o homem supostamente forte fracassa. Cf. Rm 9.16. Deus é o poder por trás daquele que ganha ou perde a corrida. Ele não se surpreende porquanto já predeterminou o resultado da corrida. Ver no *Dicionário* o artigo chamado *Chance*. Cf. 2Sm 18.22,23 e Jó 20.4-6.
2. Um exército mais fraco pode vencer a batalha, não por causa da força humana, mas porque a vontade divina já determinou o resultado. Ver também quanto às batalhas da vida. Cf. 1Sm 17.47; Sl 33.16; 2Cr 14.9,11,15.
3. Algumas vezes, falta ao sábio até o pão, e ele padece fome, ou sente falta de outras coisas necessárias à vida diária. Além disso, o insensato tem muito para comer e ganha uma grande herança! A *Providência de Deus* (ver a respeito no *Dicionário*) opera de maneiras inexplicáveis.
4. Esperamos que o homem inteligente ganhe muito dinheiro e, de outras maneiras, seja bem-sucedido em seus empreendimentos. Mas algumas vezes o homem inteligente termina pobre e fracassa em seus labores. Entrementes, um estulto obtém boa sorte, e nem ao menos precisa ser inteligente, porquanto a vontade divina assim o ordenou.
5. Há pessoas habilidosas que de alguma maneira falham em seus empreendimentos, ao passo que aqueles que não têm talento conseguem juntar as coisas mediante a boa sorte. O que parece ser mero acaso, na realidade é a providência divina em operação, produzindo coisas surpreendentes.

O tempo e o acaso perturbam os planos dos homens; os tempos estão nas mãos de Deus, que contradiz o tempo do homem. Ver Ec 3.1. Ademais, aquilo que os homens pensam ser mera *chance*, na verdade é algo determinado pela vontade divina. Ver no *Dicionário* o verbete chamado *Chance*. Os tempos dos homens estão nas mãos de Deus (Sl 31.15). "A chance não é um poder independente de Deus" (Fausset, *in loc.*). Os tempos são ocorrências ou eventos específicos, alguns bons e outros maus, mas todos adrede predestinados.

■ 9.12

כִּי גַּם לֹא־יֵדַע הָאָדָם אֶת־עִתּוֹ כַּדָּגִים שֶׁנֶּאֱחָזִים בִּמְצוֹדָה רָעָה וְכַצִּפֳּרִים הָאֲחֻזוֹת בַּפָּח כָּהֵם יוּקָשִׁים בְּנֵי הָאָדָם לְעֵת רָעָה כְּשֶׁתִּפּוֹל עֲלֵיהֶם פִּתְאֹם:

Pois o homem não sabe a sua hora. Consideremos estes dois pontos:
1. Existem tempos bons e tempos ruins, isto é, coisas que Deus envia ou que o caos aparentemente nos apresenta, boas e más. Mas se os *tempos* estão nas mãos de Deus (Sl 31.15; Ec 3.1), não significa que todos os tempos são favoráveis. Esses tempos serão o que a vontade divina determinar, e não o que o homem espera que sejam. Os tempos são ocorrências específicas.
2. Alguns tempos são parecidos com os eventos adversos que acontecem aos peixes. A *rede de pesca* apanha o pobre peixe e ele termina na frigideira. Ou o caçador apanha o animal em sua armadilha e logo atravessa o coração do pobre bicho com uma flecha, para dividir seu corpo, a fim de vendê-lo ou usá-lo. Assim também acontece a homens que são apanhados em *ardis* ou *armadilhas* e tornam-se, por assim dizer, bucha para canhão, tão inutilmente destruídos, por nenhuma razão aparente. Entretanto, é Deus quem está manipulando as redes e as armadilhas, e nenhum ser humano é capaz de defender-se. Os desastres ocorrem de súbito, fatalmente. Isto posto, sucede que os tempos nas mãos de Deus são eventos terrivelmente adversos, que estonteiam os homens. Ver por que os homens sofrem e por que sofrem como sofrem, no artigo chamado *Problema do Mal*, no *Dicionário*.

No vs. 11, o triste filósofo informa-nos que as coisas não saem como esperamos, depois de pesarmos as probabilidades. Agora, ele nos diz que, quando as coisas não acontecem conforme esperamos, usualmente algo de sinistro ocorre. Esse é o ponto de vista lúgubre que o filósofo pessimista projetou. Mas, então, devemos compreender que Deus está por trás de tudo. Não nos admira que, para os pessimistas, a redenção se encontre no nada da morte (ver Ec 3.18-20).

Emerson tinha um pedido muito humilde: "Dá-me saúde e um dia em que eu torne ridícula a pompa dos imperadores" (*Natureza*, capítulo 3). Com isso, ele quis dar a entender que uma coisa supostamente simples, como *gozar* boa saúde e ser capaz de desfrutá-la um dia, é mais do que os imperadores têm, pois eles, inevitavelmente, caem em calamidade. Cf. Pv 7.23; Ez 12.13 e Os 7.12.

A SABEDORIA É FORTE, MAS POR MUITAS VEZES É NEGLIGENCIADA E NÃO É RECOMPENSADA (9.13-18)

■ 9.13

גַּם־זֹה רָאִיתִי חָכְמָה תַּחַת הַשָּׁמֶשׁ וּגְדוֹלָה הִיא אֵלָי׃

Também vi este exemplo de sabedoria debaixo do sol. A sabedoria era muito procurada, e os que se especializavam nela eram homens bons. Mas, mesmo confessando que a sabedoria, ao que tudo indica, é algo bom, isso não elimina as muitas dificuldades que cercam a questão. O triste filósofo já havia demonstrado a vaidade da sabedoria (ver Ec 2.12-17). Ele mesmo havia mostrado que seus esforços heroicos por obter a sabedoria não tinham rendido muito, nem recompensara outros homens que concentraram nela sua atenção (Ec 8.15,16). Agora, ele apresenta uma série de declarações que mostram quão fraca e geralmente imperfeita é a sabedoria.

A Parábola da Pequena Cidade (9.14,15)

■ 9.14

עִיר קְטַנָּה וַאֲנָשִׁים בָּהּ מְעָט וּבָא־אֵלֶיהָ מֶלֶךְ גָּדוֹל וְסָבַב אֹתָהּ וּבָנָה עָלֶיהָ מְצוֹדִים גְּדֹלִים׃

Houve uma pequena cidade em que havia poucos homens. Sim, a cidade era pequena, mas contra ela se atirou um grande e poderoso rei. O poder do exército da pequena cidade era como nada, mas o do rei era muito grande. Portanto, se a cidade tivesse de sobreviver, precisava de *sabedoria*. Estão totalmente fora de lugar, aqui, as interpretações fantasiosas que dizem que a pequena cidade é o corpo humano, atacado por concupiscências; ou, então, que ela representa a igreja, atacada por inimigos poderosos e ferozes. Ademais, é vão tentar encontrar na história uma situação equivalente. A história tem muitas instâncias em que forças armadas inferiores derrotaram forças superiores, através de planos astutos.

■ 9.15

וּמָצָא בָהּ אִישׁ מִסְכֵּן חָכָם וּמִלַּט־הוּא אֶת־הָעִיר בְּחָכְמָתוֹ וְאָדָם לֹא זָכַר אֶת־הָאִישׁ הַמִּסְכֵּן הַהוּא׃

Encontrou-se nela um homem pobre, porém sábio. O filósofo não se dá ao trabalho de contar-nos qual o estratagema esperto que o homem sábio, mas não humilde e insignificante, usou, e que salvou a cidade, porquanto ele falava sobre um acontecimento histórico. Ele estava meramente ilustrando as fraquezas que circundam a questão da sabedoria. Para nós, basta constatar que a sabedoria se mostrou eficaz, embora não tivesse sido devidamente apreciada. O povo mostrou-se egoísta e negligente. Uma vez que a segurança deles foi garantida pela sabedoria do homem humilde, prontamente o esqueceram. O pobre homem não obteve fama alguma pelo que fizera, nem recompensa; seu exercício de sabedoria fora inteiramente vão, quanto a ele mesmo. Por conseguinte, temos aqui outra ilustração do princípio de que "tudo é vaidade". O valor da sabedoria pode ser anulado pelas circunstâncias e pelas fraquezas humanas.

■ 9.16

וְאָמַרְתִּי אָנִי טוֹבָה חָכְמָה מִגְּבוּרָה וְחָכְמַת הַמִּסְכֵּן בְּזוּיָה וּדְבָרָיו אֵינָם נִשְׁמָעִים׃

Então disse eu: Melhor é a sabedoria do que a força. É verdade que a sabedoria é melhor do que a força física, mas isso não significa que os homens passarão a apreciar a sabedoria, que pode ser *desprezada* e não aplicada por homens insensíveis e ímpios. O autor, pois, falava sobre a *inutilidade* da sabedoria, segundo certo ponto de vista. Ele deixou de lado o fato óbvio de que aquele pouco de sabedoria beneficiou a cidade inteira, que obteve retumbante sucesso. Mas ele acaba mostrando que, para o humilde homem sábio, a sabedoria não teve valor. Esse era o *fato* que ele estava ilustrando. Ele não estava aplicando outros "fatos" possíveis ao caso; ele falava de sua própria experiência pessoal. Para ele, o pobre homem sábio, tinha ficado demonstrado que a sabedoria é apenas outro elemento da vaidade generalizada (Ec 2.12-17); pessoalmente, ele não tinha conseguido tirar grande proveito da sabedoria (Ec 8.15,16), e não pensava que outros sábios tivessem tirado melhor proveito que ele. Aben Ezra (*in loc.*) supõe que o fato de outros indivíduos não apreciarem a sabedoria do pobre homem não significa que ele próprio também a desprezasse; mas isso já é o oposto do que o triste filósofo procurava transmitir. Ele não apreciou sua própria sabedoria, se é que tinha alguma. Por que haveria de querer que outros homens a apreciassem?

■ 9.17

דִּבְרֵי חֲכָמִים בְּנַחַת נִשְׁמָעִים מִזַּעֲקַת מוֹשֵׁל בַּכְּסִילִים׃

As palavras dos sábios, ouvidas em silêncio. Alguns estudiosos fornecem um esboço de mudança aqui, deduzindo que Ec 9.17—10.20 contenha *diversas máximas* sobre a sabedoria. Esse grupo de intérpretes pensa haver, nesse trecho, várias interpolações feitas por um editor piedoso, que tentou tornar mais aceitável, à audiência judaica, a filosofia pessimista de nosso filósofo. Os versículos de Eclesiastes 9.17—10.1 dizem que o valor da sabedoria pode ser anulado pela insensatez, o que significa que, frequentemente, a loucura é mais forte que a sabedoria. Isso exibe, uma vez mais, a inerente fraqueza daquilo a que chamamos de sabedoria, e diminui seu valor aparente. Ou, então, podemos considerar Ec 9.17,18 e 10.1 como máximas distintas e autocontidas sobre a alegada sabedoria.

O vs. 17 informa-nos que a sabedoria, embora insignificante e desprezada pelos homens, é melhor (mesmo quando ouvida no silêncio) que os gritos dos homens profanos, incluindo governantes que se associam aos tolos. Presumivelmente, esse rei está dando a seus súditos instruções e ordens e, mediante gritos, enfatiza o que quer dizer. Henry Ward Beecher, famoso pregador do passado, confessou que, quando tinha pouca coisa a dizer, encobria o fato com um sermão crivado de altas exclamações. O insensato dirige discursos bombásticos a seus seguidores; o pregador que prega aos gritos tenta impressionar seus ouvintes com o volume do som de suas exortações, em vez da grandiosidade de pensamento, como se isso demonstrasse sabedoria. De fato, um pensamento grandioso será como um relâmpago, mesmo que dito tranquilamente. O Targum fala das *orações silenciosas* dos sábios, que eram ouvidas e se tornavam eficazes, ao passo que os gritos dos estultos não impressionavam a Deus.

■ 9.18

טוֹבָה חָכְמָה מִכְּלֵי קְרָב וְחוֹטֶא אֶחָד יְאַבֵּד טוֹבָה הַרְבֵּה׃

Melhor é a sabedoria do que as armas de guerra. Esta máxima nos reconduz à parábola da pequena cidade (vss. 14,15). A sabedoria é mais poderosa que os armamentos de um grande rei. Foi a sabedoria que deu a vitória à pequena cidade. Mas os pecadores, ou mesmo um único pecador, podem anular as propriedades beneficentes da sabedoria. Esta passa despercebida, sem aplicação, e é até mesmo desprezada pelos insensatos, e tal circunstância ilustra sua fraqueza, colocando a sabedoria dentro da classificação geral de "tudo é vaidade" (Ec 1.3). Um bom caso ilustrativo deste versículo é o de Acã e sua ganância, que prejudicou a comunidade inteira de Israel e anulou a sua força (ver Js 7.1,11,12).

Este versículo tem sido cristianizado para apontar a destruição da alma, e também os atos de Satanás, que prejudicam a igreja; mas tais ideias são, quando muito, meras aplicações do texto. A versão siríaca fala de como o pecado destrói muita coisa, e isso é algo que pode ser observado diariamente. Portanto, onde está a sabedoria? Está sendo anulada pelos pecados e pela insensatez, e isso demonstra sua fraqueza e, com frequência, sua inconsequência; isso nos dá razões para identificar a sabedoria com a mesma classe de todas as outras coisas.

CAPÍTULO DEZ

AS DESORDENS E FRUSTRAÇÕES DA VIDA ILUSTRAM A VAIDADE (10.1-20)

Este capítulo continua a série de máximas de nosso filósofo, algumas das quais concordam com sua filosofia pessimista, e outras que não concordam, podendo ser adições do editor piedoso que tentou fazer os ensinos do filósofo se ajustarem à ortodoxia padronizada dos hebreus. O triste filósofo não era um mestre comum da escola de sabedoria. Ele era um renegado que gostava de ser diferente e dizer coisas grotescas (de acordo com a avaliação da ortodoxia).

■ 10.1

זְבוּבֵי מָוֶת יַבְאִישׁ יַבִּיעַ שֶׁמֶן רוֹקֵחַ יָקָר מֵחָכְמָה מִכָּבוֹד סִכְלוּת מְעָט׃

Qual a mosca morta faz o unguento do perfumador exalar mau cheiro. O óleo da *unção* era usado para ungir profetas, sacerdotes e reis; ou seria aquele óleo muito prezado para ungir as pessoas que iam às festas (Ec 9.8); ou, então, podia ser usado privadamente, para limpeza, embelezamento ou medicamento. Ver no *Dicionário* o verbete chamado *Azeite*. Seja como for, tanto os unguentos quanto o azeite de oliveira eram considerados coisas boas.

Perfumes. Tanto os homens quanto as mulheres usavam perfumes nos dias bíblicos. Esses extratos eram feitos de especiarias de vários tipos e pétalas de flores esmagadas. Os elementos básicos eram misturados com azeite, e o produto final era conservado em garrafas feitas de pedra. Ver no *Dicionário* os detalhes do artigo chamado *Perfume*. No entanto, se penetrassem moscas em um vaso de perfume e elas morressem, todo o unguento precioso se corromperia e já não prestaria para nada. Assim acontece à sabedoria. Ela é tão facilmente corrompida, que se torna inútil, transformando-se em apenas outro elemento do nada generalizado (Ec 1.3). Os unguentos tinham excelente odor, mas as moscas mortas, que porventura neles houvesse, os faziam exalar mau cheiro. Assim também, uma vez corrompida, a sabedoria cheira mal e torna-se inútil. O indivíduo pessimista provavelmente estava dizendo-nos que as escolas de sabedoria eram lugares que exalavam mau cheiro, e os mestres que havia nelas com frequência anulavam todos os bons elementos mediante seus defeitos e pecados pessoais. Aqueles que tinham a reputação de homens sábios e honrados podiam cair em desgraça. "Um pouco de insensatez destrói a mais escolhida sabedoria" (O. S. Rankin, *in loc.*). "Não se pode considerar um indivíduo seguro, enquanto ele não chega ao paraíso de Deus" (Adam Clarke, *in loc.*). Um bom nome ou a reputação de alguém eram muito importantes para os homens das escolas de sabedoria. Mas tudo quanto defendiam podia ser reduzido à mera vaidade, por um pouco de estultícia.

■ 10.2

לֵב חָכָם לִימִינוֹ וְלֵב כְּסִיל לִשְׂמֹאלוֹ׃

O coração do sábio se inclina para o lado direito. Este versículo pode ser comparado a Mt 25.33, onde os lados direito e esquerdo simbolizam o homem bom e o homem mau, respectivamente. O *homem interior* do sábio inclina-o para o bem, mas o coração do insensato verga-se para o mal; isso é um truísmo, concorda-se, mas nem por isso deixa de ser verdadeiro. Ver no *Dicionário* e em Pv 4.23 artigos sobre *Coração*. Está em pauta o caráter de um homem, aquilo que um ser humano é em sua mente e em seu coração: a essência ou ausência de espiritualidade. A mão direita é o lugar da proteção e do poder (ver Sl 16.8; 110.5; 121.5). Ver sobre a *mão direita de Deus*, em Sl 20.6. Esse contraste entre a mão direita e a esquerda, sem dúvida alguma, se originou no fato fisiológico de que, usualmente, a mão direita de um homem é mais poderosa, habilidosa e digna de confiança que a mão esquerda. Por certo, ser canhoto apenas complica as coisas e é tido como desvantagem. O Targum faz o homem bom inclinar-se para a lei, o insensato, para as coisas terrenas, como as riquezas, o poder e a posição social. O manual usado nas escolas de sabedoria, a legislação mosaica, era fomentado e interpretado pelas declarações de sabedoria. A despeito das qualidades superiores da sabedoria, grande parte é anulada pelas inclinações perversas dos insensatos.

■ 10.3

וְגַם־בַּדֶּרֶךְ כְּשֶׁהַסָּכָל הֹלֵךְ לִבּוֹ חָסֵר וְאָמַר לַכֹּל סָכָל הוּא׃

Quando o tolo vai pelo caminho, falta-lhe o entendimento. Um homem estulto, seguindo seu próprio caminho ou apresentando-se como um sábio que segue pelo caminho direito, a vereda da lei, por suas ações, revela aquilo que realmente é, e todos podem perceber claramente seu verdadeiro caráter. Ver Pv 4.11, quanto à *metáfora da vereda;* ver Pv 4.27, quanto aos caminhos contrastados do homem bom e do homem mau. Consultar no *Dicionário* o artigo chamado *Caminho*. O estilo de vida de um homem, e muitos de seus atos individuais, revelam seu verdadeiro caráter, e isso mostra que os homens que anularam a sabedoria são insensatos.

■ 10.4

אִם־רוּחַ הַמּוֹשֵׁל תַּעֲלֶה עָלֶיךָ מְקוֹמְךָ אַל־תַּנַּח כִּי מַרְפֵּא יַנִּיחַ חֲטָאִים גְּדוֹלִים׃

Levantando-se contra ti a indignação do governador. A essência dessa declaração é que, algumas vezes, a transigência é necessária, sendo um ato mais sábio do que "tentar defender os nossos direitos" em todos os casos. Cf. Ec 8.1-9. O rei é o homem que brande o poder. Ele já havia matado, e mataria de novo. Faria vítimas, daqueles que se opusessem a ele. Não corra dele "para viver e lutar por mais um dia". Pelo contrário, ceda diante do homem e negocie o quanto puder. Se você não puder negociar, a rendição total é melhor que a morte. Seu ato de ceder poderá pacificar o atacante. O conselho é prático e pragmático e seria aplicado às situações da vida de muitas pessoas, e não meramente em tempo de guerra. Esse é o tipo de conselho que Jeremias deu à nação de Judá, quando atacada pela Babilônia. Alguns estudiosos pensam que o rei aqui é o próprio rei do indivíduo, enquanto o homem que cede é um dos oficiais do rei. Se assim realmente o era, então o versículo é paralelo a Ec 8.1-9. Nesse texto, o pragmatismo é declarado melhor, em alguns casos, que a moralidade. O que funciona é a "verdade", com frequência melhor que a "verdade pura", que não funciona ou traz algum mau resultado. Ver na *Enciclopédia de Bíblia, Teologia e Filosofia* o verbete chamado *Pragmatismo*. O triste filósofo era, sem dúvida, um pragmatista, quando isso lhe prometia melhores resultados que ser um moralista. Naturalmente, a maioria dos homens conduz sua vida dessa maneira, a despeito do que sejam seus códigos éticos. O mais provável é que muitos estudantes das escolas de sabedoria estivessem treinando para o serviço governamental. Eles aprenderiam, mediante a dura experiência, a transigir e ceder diante de poderes superiores, tendo em vista a sobrevivência e o avanço em direção aos objetivos. Sempre será bom agradar poderes que possam prejudicar ou beneficiar. Os idealistas não perdurarão por longo tempo no governo. *Pragmatismo* é o nome desse jogo.

■ 10.5

יֵשׁ רָעָה רָאִיתִי תַּחַת הַשָּׁמֶשׁ כִּשְׁגָגָה שֶׁיֹּצָא מִלִּפְנֵי הַשַּׁלִּיט׃

Ainda há um mal que vi debaixo do sol, erro que procede do governador. O governo também é pleno de acontecimentos e reversões estranhos (ver Ec 9.11,12). Ali há males paradoxais. O erro se origina no rei, que contradiz todo o bom senso e toda a boa expectativa. Existem levantes e acusações acerca de coisas piores que, com frequência, revelam algo defeituoso no próprio governo. O rei pode ser a fonte dos problemas que vão surgindo, e isso é contra a boa liderança. O oficial, em vez de ser recompensado pelo serviço fiel, pode ser prejudicado, demovido ou removido de seu ofício. Homens inferiores podem tomar o seu lugar. Não há dúvida de que o filósofo havia sofrido tais reversões da sorte, pelo que sabia do que estava falando, com base em sua experiência pessoal. Tais acontecimentos tomam lugar no *não* geral deste mundo miserável, que está cheio de erros prejudiciais. Tudo faz parte da vaidade geral que afeta todas as coisas (Ec 1.3).

Alguns eruditos interpretam o governante aqui como Deus, o qual, em sua inescrutável providência, parece cometer erros e ser a fonte do caos. Se esse é *o* sentido (ou *um* dos sentidos possíveis), então o presente versículo é paralelo a Ec 3.1-11 e 9.2,11,12. Essa pode ser uma aplicação do texto, mas dificilmente é o que ele está ensinando.

■ 10.6

נִתַּן הַסֶּכֶל בַּמְּרוֹמִים רַבִּים וַעֲשִׁירִים בַּשֵּׁפֶל יֵשֵׁבוּ׃

O tolo posto em grandes alturas. Os insensatos, detrimentos para o reino, são exatamente os que terminam sendo exaltados. Mas os ricos, dotados de poder e influência, terminam em lugares inferiores. No governo, qualquer coisa pode acontecer. Não há como predizer essa questão. Algumas dessas reversões podem ser boas, como quando os insensatos caem, mas usualmente a questão se torna cada vez pior. Alguns eruditos pensam que "ricos", neste caso, signifiquem "ricos em sabedoria", ou seja, pessoas dotadas de nível superior. São essas pessoas que terminam humilhadas e ocupando lugares inferiores. Isso fornece um sentido melhor do que uma avaliação pessimista do que acontece nos governos. Os *ricos*, ao que se presume, chegaram a isso obedecendo à legislação mosaica e recebendo recompensa da parte de Deus. Isto posto, em um sentido bem frouxo, os ricos é que são os sábios. Pelo menos, isso está de acordo com uma situação ideal.

■ 10.7

רָאִיתִי עֲבָדִים עַל־סוּסִים וְשָׂרִים הֹלְכִים כַּעֲבָדִים עַל־הָאָרֶץ׃

Vi os servos a cavalo, e os príncipes andando a pé. As *reversões* incluem a exaltação dos escravos a altas posições, pelo que montam em cavalos brancos destinados aos dignitários. Em seguida, os príncipes terminam a pé, ao lado dos cavalos, reduzidos à posição de escravos. A inescrutável *Providência de Deus* é razoável diante dessas mudanças inesperadas e indesejáveis (ver Ec 3.11,12). Ver Pv 19.10 e 30.22, passagens paralelas diretas do presente versículo. O que era ultrajante para o livro de Provérbios, para o triste filósofo, eram atos primários da providência divina insondável. "O mundo vira de ponta-cabeça; os indignos são exaltados (ver Jr 17.25). Lembre-se o leitor de como Davi fugiu de Jerusalém, a pé, enquanto o traiçoeiro Absalão se sentou no trono (2Sm 15.30)" (Fausset, *in loc.*). *Lição:* A sabedoria dos governantes fracassa.

■ 10.8

חֹפֵר גּוּמָּץ בּוֹ יִפּוֹל וּפֹרֵץ גָּדֵר יִשְּׁכֶנּוּ נָחָשׁ׃

Quem abre uma cova, nela cairá. *Ilustrações sobre Outras Situações Inesperadas.* O caçador emprega redes e armadilhas para cumprir seus desígnios. Ele também cava buracos para apanhar os infelizes animais, ao longo dos trajetos que eles tomam para chegar até à água. Porém, em um momento de descuido, o próprio caçador cai no buraco que cavou. Ele morrerá ali, de fome e sede, enquanto os animais irracionais continuarão felizes, por seu caminho, a beber água. Essa é uma vívida ilustração do que pode acontecer na vida de qualquer homem. Seus planos fracassam, ele adoece e morre. Ninguém pode evitar as armadilhas da vida, todos estamos sujeitos à calamidade.

Ou, então, um homem que está derrubando um muro, a fim de construir outro melhor, acerta no ninho de uma serpente e é picado por ela. Ou, ainda, um soldado surge por trás de um muro, mas, em vez da flecha do inimigo, encontra uma serpente! Talvez seja o muro de um vizinho que o homem esteja transpondo, nesse caso merece a mordida da serpente. Não obstante, tudo está predestinado pelo Deus voluntarista, que não sofre surpresas em seu governo absoluto, mas continua a surpreender o homem humilde, por meio de seus relâmpagos. Essa é a filosofia que o triste e louco filósofo promovia, sem nunca pensar que causas secundárias provocam confusões neste mundo. Ver a introdução ao capítulo 3. As situações contrárias de Ec 3.1-11 também foram preordenadas por Deus, que exerce controle absoluto sobre todas as coisas, sendo a causa única de tudo, até mesmo do mal. Portanto, a vida humana consiste em pura vaidade; não se pode ter certeza de nada. *Lição:* a sabedoria do caçador fracassa.

■ 10.9

מַסִּיעַ אֲבָנִים יֵעָצֵב בָּהֶם בּוֹקֵעַ עֵצִים יִסָּכֶן בָּם׃

Quem arranca pedras, será maltratado por elas. Também temos o caso do homem que trabalha nas pedreiras. Um dia, ele sai ferido ou mesmo esmagado por uma das pedras que estava cortando, ou seja, ele destrói a si próprio. A mesma tragédia pode acontecer ao madeireiro que é esmagado por dois troncos entre os quais descia corredeira abaixo. Ou, então, o lenhador pode ferir-se brandindo o próprio machado. Há muitas reversões ridículas e tragédias estúpidas, de acordo com as estimativas humanas. Mas Deus está por trás de tudo. Deus pode ter ou não um plano; talvez ele faça as coisas mediante puro capricho de sua vontade, sem razão evidente. Quem pode dizer a verdade? Quem pode perscrutar o que Deus está fazendo? Mas podemos ter certeza (conforme diz o filósofo pessimista) de que Deus está por trás de todas essas tragédias aparentes e ridículas. Assim sendo, quando os homens dizem: "Senhor, tem misericórdia de mim", estão dizendo algo bastante significativo. Sem a misericórdia divina, nenhum homem suportaria a vida por muito tempo. Por outro lado, talvez Deus tenha predeterminado a misericórdia em uma situação, mas o desastre em outra. Por conseguinte, a vida humana é vaidade e termina no nada absoluto. O homem saiu do pó e a ele voltará; o que acontece entre esses dois extremos não é muito encorajador. Ver Ec 3.18-20. *Lição:* vários tipos de sabedoria fracassam.

■ 10.10

אִם־קֵהָה הַבַּרְזֶל וְהוּא לֹא־פָנִים קִלְקַל וַחֲיָלִים יְגַבֵּר וְיִתְרוֹן הַכְשֵׁיר חָכְמָה׃

Se o ferro está embotado e não se lhe afia o corte, é preciso redobrar a força. A sabedoria é como o fio dos ferros de cortar. Sem um bom fio, é preciso muito mais esforço para que o corte seja feito. Os homens usam um rebolo para afiar machados, a fim de torná-los instrumentos mais cortantes. Portanto, a sabedoria é como um instrumento de bom corte, aplicado a muitas situações. A sabedoria pode facilitar as coisas, mas não resolve grandes mistérios. Ela pode ser pragmática, isso é tudo quanto devemos esperar dela (ver Ec 8.16,17, quanto às suas limitações). A sabedoria tem a vantagem de conferir sucesso em algumas situações.

■ 10.11

אִם־יִשֹּׁךְ הַנָּחָשׁ בְּלוֹא־לָחַשׁ וְאֵין יִתְרוֹן לְבַעַל הַלָּשׁוֹן׃

Se a cobra morder antes de estar encantada, não há vantagem no encantador. Um *encantador de serpentes* mostra-se muito confiante em relação à sua cobra; certamente ela não o picará. Muitas vezes ele já encantou a serpente, antes de iniciar sua apresentação. Mas um dia a cobra ataca subitamente, antes de estar encantada, e o pobre encantador de serpentes cai fulminado pelo veneno do réptil. A situação do encantador mordido pela serpente equivale à do homem que trabalha nas pedreiras e morre esmagado por uma das pedras que cortava, ou à situação do lenhador que foi golpeado pelo próprio machado. Coisas ridículas acontecem aos homens, enquanto "viajam do pó ao pó" e desaparecem no olvido. Quando um infeliz encantador de serpentes é picado antes de o animal estar encantado por seu balbuciar ininteligível, em um dia crítico, de nada adiantou sua habilidade.

O Significado: A Sabedoria é Considerada um Bem Valioso. O homem que corta pedras tem sabedoria para tal; o lenhador tem sabedoria para cortar madeira; o encantador de serpentes tem sabedoria para encantá-las; mas todas essas modalidades de sabedoria podem fracassar. Isso ilustra a tese do triste filósofo sobre a vaidade de todas as coisas, inclusive a da sabedoria. Isso posto, o indivíduo, em sua escola de sabedoria, pronunciando grandiosos e sábios ensinamentos, também pode enfrentar o fracasso, pois estará levando a si mesmo muito a sério. Ele não pode solucionar todos os problemas práticos da vida e muito menos sondar os mistérios mais profundos. Cf. este versículo com Ec 12.13: "Quem terá compaixão do encantador que foi picado pela serpente?" Ver também Jr 8.17. O encantamento de serpentes era uma habilidade comum no Oriente e nunca deixou de atrair uma multidão de curiosos, que queriam observar a "maravilha". Ver no *Dicionário* o verbete intitulado *Encantamento de Serpentes*.

■ 10.12

דִּבְרֵי פִי־חָכָם חֵן וְשִׂפְתוֹת כְּסִיל תְּבַלְּעֶנּוּ׃

Nas palavras do sábio há favor. O *louco filósofo* tinha acabado de demonstrar que a sabedoria pode fracassar, por meio de uma série de ilustrações extraídas de diferentes profissões. O versículo parece tentar impressionar os leitores com essas circunstâncias e pode ter sido a adição de um editor piedoso, que buscou tornar o tratado do filósofo mais aceitável aos leitores judaicos. Se este versículo não é um trabalho de solidificação, então meramente admite que o mestre na escola de sabedoria era realmente melhor do que um estulto, e tinha mais com que contribuir, embora não fosse maior solucionador de problemas. Nem era ele tão grande quanto se julgava. Uma das vantagens das palavras do sábio é que elas "conquistam favor para ele" (*Revised Standard Version*), enquanto o insensato destrói a si mesmo com seus muxoxos. Os vss. 12-14 dão algumas declarações sobre o uso impróprio da linguagem. Cerca de cem provérbios (no livro de Provérbios) abordam o mesmo tema. Quanto a ilustrações e comentários, ver notas expositivas de sumário em Pv 11.9,13 e 18.21. No *Dicionário*, ver o verbete denominado *Linguagem, Uso Apropriado da*.

■ 10.13

תְּחִלַּת דִּבְרֵי־פִיהוּ סִכְלוּת וְאַחֲרִית פִּיהוּ הוֹלֵלוּת רָעָה:

As primeiras palavras da boca do tolo são estultícia. Em contraste com o uso judicioso das palavras por parte do sábio (vs. 12), o insensato começa e termina com puras bobagens. Assim que começa, já se percebe que ele está derramando tolices de sua boca. Talvez ele esteja falando sobre os deleites dos prazeres, sobre a sua maneira de viver; talvez esteja tentando imitar um sábio e dizer coisas de peso. Sua fala, entretanto, resulta somente em desvario. Se ele tiver falado sobre a solução de problemas, suas sugestões serão destrutivas e inúteis. Ele chega a aconselhar seus semelhantes a fazer coisas moralmente erradas, para obter alguma vantagem. Se ele for um político, ocultará seus verdadeiros sentimentos e tentará iludir os ouvintes com sua conversa enganadora. Essencialmente, ele é um destruidor de si mesmo e de outras pessoas (vs. 12). Essa é apenas outra ilustração da vaidade generalizada que governa todas as coisas neste mundo miserável.

■ 10.14

וְהַסָּכָל יַרְבֶּה דְבָרִים לֹא־יֵדַע הָאָדָם מַה־שֶׁיִּהְיֶה וַאֲשֶׁר יִהְיֶה מֵאַחֲרָיו מִי יַגִּיד לוֹ:

O estulto multiplica as palavras. Embora cheio de palavras que parecem levar à destruição, o insensato nunca desiste. Ele aumenta mais e mais suas declarações, *multiplica suas palavras*, mas é fraco em suas atitudes. Ele chega a predizer "o que provavelmente acontecerá", embora sem real discernimento. Nenhum ser humano sabe o que o futuro lhe reserva, especialmente o estulto que é um *grande pretensioso*. Nenhum homem pode afirmar, com confiança, o que acontecerá depois que ele for embora, quem governará, quem será derrubado, quem prosperará, quem sofrerá perda. Um insensato fingirá conhecer tudo sobre o presente e o futuro, mas nem um sábio conhece muitas coisas em nenhuma dessas áreas (ver Ec 8.16,17). O nosso filósofo pessimista poderia afirmar que qualquer indivíduo é insensato, mesmo se tentar grandes coisas ou se tiver a reputação de ser sábio. O insensato afirma que sabe de tudo, do presente e do futuro, e nem ao menos conhece o caminho para a cidade na qual vive (vs. 15). O homem genuinamente sábio dirá poucas palavras, cuidadosamente escolhidas.

■ 10.15

עֲמַל הַכְּסִילִים תְּיַגְּעֶנּוּ אֲשֶׁר לֹא־יָדַע לָלֶכֶת אֶל־עִיר:

O trabalho do tolo o fatiga, pois nem sabe ir à cidade. Um insensato fala muito, mas, quando se trata de agir, falha miseravelmente. O pequeno esforço que ele faz o deixa exausto e, assim, ele nem chega a ir à cidade. Ou, então, o sentido dessa declaração é que, apesar de sua grande labuta, ele nem chega à própria cidade ou a alguma outra vila onde pretenda chegar. "Essa é uma expressão proverbial de extrema ignorância, algo parecido com o provérbio moderno: 'ele não sabe o bastante ao menos para sair da chuva'. Essa é a razão pela qual um estulto acha seu trabalho tão cansativo, esse trabalho *o cansa*" (Donald R. Glenn, *in loc.*). Cf. este versículo com Is 35.8. "Ele talvez trabalhe, mas por falta de bom juízo, se cansa sem propósito" (Adam Clarke, *in loc.*). Um homem insensato nunca tem alvos definidos e, mesmo que os tenha, não sabe por qual caminho deve enveredar.

■ 10.16

אִי־לָךְ אֶרֶץ שֶׁמַּלְכֵּךְ נָעַר וְשָׂרַיִךְ בַּבֹּקֶר יֹאכֵלוּ:

Ai de ti, ó terra, cujo rei é criança. *Liderança Faltosa*. Consideremos os seguintes pontos:

1. Pode estar em foco uma criança, literalmente falando, um jovem imberbe e inexperiente que subiu ao trono prematuramente.
2. Mas também pode estar em foco um homem que age como criança, destituído de sabedoria e desqualificado para a posição de rei.
3. Ou podemos pensar ainda em um homem de berço humilde, como um escravo sem *know-how* para o cargo, que chegou ali pelo poder militar ou por algum outro dessa natureza. Ver Pv 19.10; 30.22 e o vs. 7 do presente capítulo, "o escravo montado a cavalo". Ai da terra que tem esse tipo de rei. Calamidade seguir-se-á à calamidade. Nesse país as coisas mergulharão em um estado de caos geral.

Ali os príncipes se "banqueteiam já de manhã". Eles farão coisas erradas no tempo errado, transformando dias em noites, e noites em dias. Estarão mais interessados nos prazeres triviais do que em governar bem. Naquele país, todos os governantes serão apenas um bando de idiotas, pelo que ai de qualquer país que for governado por eles, pois fazem parte da vaidade generalizada (ver Ec 1.3). Esse *rei criança* é contrastado com o nobre bem nascido, referido no vs. 17; e isso pode subentender que estamos frente a frente com um rei-escravo, de humilde nascimento, que chegou à sua posição por algo que não foi a sabedoria. Cf. 2Sm 16.1 ss. O Targum aplica este versículo a Jeroboão.

■ 10.17

אַשְׁרֵיךְ אֶרֶץ שֶׁמַּלְכֵּךְ בֶּן־חוֹרִים וְשָׂרַיִךְ בָּעֵת יֹאכֵלוּ בִּגְבוּרָה וְלֹא בַשְּׁתִי:

Ditosa tu, ó terra, cujo rei é filho de nobres. *Boa Liderança*. Em contraste com o rei criança do versículo anterior, temos o nobre rei que é sucessor na linhagem legítima dos reis, de pai para filho. Esse homem será considerado sábio e terá *know-how*. Então o seu país será beneficiado e será feliz. Seus príncipes não se banquetearão logo pela manhã, como o fazem os suboficiais do rei-escravo. Pelo contrário, eles conservam as coisas em boa ordem; comem no tempo devido; dormem quando é hora de dormir. Usam devidamente suas habilidades e não dissipam suas energias na bebedeira, o que é especialmente desprezível no caso de governantes. Eles fazem as coisas decentemente e em ordem para obter forças e, assim sendo, governam com entusiasmo e aptidão. Comem para adquirir forças, e não para debochar. Os egípcios não permitiam que seus reis fossem beberrões. Eles só podiam beber certa quantidade de vinho por dia (Plutarco, *de Isir*, em princípio). Entre os indianos, um rei beberrão era considerado uma desgraça especial. Uma rainha que matasse um rei beberrão (seu marido) era recompensada, tornando-se a esposa de seu sucessor (Estrabão, *Geografia* 1.15, parte 488). Platão observou que seria uma coisa absurda se um guardador (governante de uma cidade-estado) precisasse de alguém que o guardasse (isto é, cuidasse do governo quando ele estivesse embriagado). Isso seria contrário a toda lei e bom senso (*De Republic.* 1.3, parte 621). Ver no *Dicionário* os artigos chamados *Beber, Bebida* e *Bebedice*.

■ 10.18

בַּעֲצַלְתַּיִם יִמַּךְ הַמְּקָרֶה וּבְשִׁפְלוּת יָדַיִם יִדְלֹף הַבָּיִת:

Pela muita preguiça desaba o teto. *Contra a Preguiça*. Cf. este versículo com Pv 6.6; 19.15; 24.30-34. Ver no *Dicionário* os verbetes intitulados *Preguiça* e *Preguiçoso*. Você pode ter construído um belo edifício, ou pode estar morando em uma excelente residência, mas, se você for uma pessoa preguiçosa, a edificação se desintegrará, e sua beleza será maculada. E o mesmo se aplica a qualquer condição ou empreendimento na vida. O telhado enfraquecerá e terá goteiras. É por causa de *mãos preguiçosas* que acontecem fatos dessa natureza. É preciso diligência para que as coisas sejam feitas e mantidas com dignidade. Ver no *Dicionário* os artigos chamados *Trabalho, Dignidade e Ética do*, e *Labor*.

10.19

לִשְׂחוֹק עֹשִׂים לֶחֶם וְיַיִן יְשַׂמַּח חַיִּים וְהַכֶּסֶף יַעֲנֶה אֶת־הַכֹּל׃

O festim fez-se para rir. Há alguma utilidade nas festas, no riso e na diversão, se tudo for feito no tempo certo (em contraste com o vs. 16b) e da maneira correta. De fato, os pequenos prazeres da vida são o *summum bonum* da existência humana, embora esse valor, como todos os demais, seja um falso valor. Ver notas expositivas em Ec 2.24,25. Porém, existe um valor maior ainda que o das festas: o *dinheiro!* E esse valor é bom para todos os propósitos. O dinheiro é como um *sexto sentido*, sem o qual não se podem provar os outros cinco. O dinheiro é necessário para promover os pequenos prazeres da vida e quase tudo o que se quiser fazer. A *New English Version* traduz este versículo como segue: "A mesa tem seus prazeres, e o vinho perfaz uma vida animada, mas o dinheiro está por trás de tudo".

O dinheiro é a resposta para tudo. "Esta declaração tem prevalecido por toda parte" (Adam Clarke, *in loc.*). Tal afirmação pode referir-se especialmente aos governantes que vivem de acordo com ela: "Tendo dinheiro, eles podem ter o que quiserem. Todas as coisas podem ser compradas com dinheiro, e isso resolve todos os problemas. Portanto, eles aceitam subornos para sustentar suas extravagâncias, e daí derivam-se muitos males (vss. 5,6). Cf. com Is 1.23. Lembre-se dos impostos pesados de Roboão, dos quais resultou a perda das dez tribos do Norte: Israel" (Adam Clarke, *in loc.*).

10.20

גַּם בְּמַדָּעֲךָ מֶלֶךְ אַל־תְּקַלֵּל וּבְחַדְרֵי מִשְׁכָּבְךָ אַל־תְּקַלֵּל עָשִׁיר כִּי עוֹף הַשָּׁמַיִם יוֹלִיךְ אֶת־הַקּוֹל וּבַעַל הַכְּנָפַיִם יַגֵּיד דָּבָר׃

Nem no teu leito amaldiçoes o rei. *Discrição em Todas as Coisas.* O rei é o homem que tem nas mãos as questões da vida e da morte. Até os seus oficiais têm de ser cuidadosos com ele e não se rebelar contra as suas ordens (Ec 8.1-5). Talvez este versículo seja outro conselho para tais homens, ou, então, um conselho geral. O braço do rei pode estender-se e atingir qualquer um que fale contra ele, no reino. Por conseguinte, não amaldiçoe o homem poderoso, nem mesmo em pensamentos. Alguém poderia captar essa mensagem telepaticamente ou, em um momento de descuido, você poderia falar para si mesmo em voz audível. Então, mesmo na privacidade de seu dormitório, você não deve falar contra o rei ou contra homens ricos e poderosos que poderão prejudicá-lo. Não *amaldiçoe,* não faça críticas pesadas. Se você fizer esse tipo de crítica, um pássaro poderá ouvir e contar ao rei. Ou esse pássaro esperto poderá informar autoridades menores que o rei. "As aves são consideradas, desde a antiguidade, possuidoras de conhecimento sobrenatural. Elas podem propiciar acontecimentos iminentes" (G. H. Box, comentando sobre Ed 5.6). Assim sendo, apesar de o autor sagrado exagerar o papel dos pássaros, ele estava dando conselhos práticos e sérios. O autor sagrado não estava pensando literalmente em um pássaro, como se estivesse falando da jumenta de Balaão. Ele falava, poeticamente, sobre algum transmissor *inesperado* de informações, alguma fonte desconhecida que pudesse repetir coisas indiscretas ditas por alguém. Um *informante* poderia estar ouvindo as suas palavras-chave. Ele seria essa "criatura alada" que sairia voando para contar o que você disse.

CAPÍTULO ONZE

JOVENS E IDOSOS DEMONSTRAM A INUTILIDADE DAS COISAS (11.1—12.8)

A NECESSIDADE DE AÇÃO (11.1-8)

É melhor trabalhar com diligência, mesmo que não se saiba o que o futuro reserva. Ec 9.1—11.6 oferece (entre outras coisas) várias declarações sobre a ignorância acerca do futuro. As palavras "não sabes" são repetidas aqui por três vezes, nos vss. 2, 5 e 6. A incerteza do futuro deveria paralisar um homem e deixá-lo inativo. Mas manter-se ativo e aparentemente produtivo é inútil, já que toda a atividade humana é vaidade. Deus é a causa única, e tudo quanto acontece foi determinado de antemão por ele. Ele fez com que os esforços humanos fossem inerentemente vãos, mas não sabemos dizer por que as coisas são assim. Não devemos permitir que essa ideia nos paralise, igualmente. Desfrutemos os pequenos prazeres da vida, o *summum bonum* da existência humana, embora isso também seja apenas um falso valor. Tão somente, saiamos e façamos o que pudermos, sem nos preocupar com grandes problemas morais e filosóficos. A vida inteira está envolta em mistérios e, até hoje, ninguém foi capaz de perscrutar esses mistérios (Ec 8.16,17). Se a vida humana tem alguns valores verdadeiros, talvez algum dia Deus tenha por bem, em sua maneira toda-poderosa, permitir-nos ver isso. Entrementes, continuemos trabalhando por qualquer bem que isso envolva. Contudo, o triste e louco filósofo talvez estivesse querendo afirmar que os seres humanos não estão envolvidos em nada de valor autêntico e duradouro. É inútil tentar corrigir a sua filosofia e transformá-lo em um mestre ortodoxo, porque de ortodoxo ele *não tinha nada.*

11.1

שַׁלַּח לַחְמְךָ עַל־פְּנֵי הַמָּיִם כִּי־בְרֹב הַיָּמִים תִּמְצָאֶנּוּ׃

Lança o teu pão sobre as águas. *Generosidade e Investimento.* A *interpretação espiritual* deste versículo é contribuir para bons empreendimentos, tanto com dinheiro como com esforço pessoal; é ser generoso para com os que padecem necessidades; é pagar salários decentes àqueles que se esfalfam no trabalho do Senhor. E então em harmonia com a *Lei Moral da Colheita segundo a Semeadura,* a pessoa generosa receberá de volta ampla recompensa, novamente sob a forma de dinheiro ou outras coisas valiosas, especialmente recompensas, no céu, no pós-vida. Essa é uma interpretação cristã e espiritual que não deve ser esquecida, mas o sentido original quase certamente era econômico, falando de um *sábio investimento.* As ideias principais são as seguintes:

1. O comércio marítimo, envolvendo longas viagens que podem significar grandes lucros para o comerciante disposto a arriscar-se na aventura.
2. O plantio de arroz no terreno alagado, quando a inundação do rio Nilo baixava, pois essa providência era um bom procedimento agrícola e rendia colheitas abundantes para o plantador.
3. Uma antiga máxima dos hebreus, acerca da *generosidade,* especialmente no caso dos pobres. As sementes da gentileza teriam finalmente recompensa abundante.
4. Um conselho bastante pessimista, no sentido de dar contribuições a causas de caridade e a pessoas carentes, sem muita esperança de receber de volta o que foi dado. "Lança o teu pão na superfície das águas, embora não seja provável encontrá-lo de novo". Contudo, coisas estranhas realmente sucedem, pelo que avança e sê generoso.
5. Um conselho para investir largamente, em diversas coisas, em um jogo cujo nome é dinheiro, e esperar os resultados. O vs. 2, pois, apresentaria a sabedoria dos investimentos múltiplos, por causa da segurança.
6. O Targum afiança que este versículo fala em dar aos pobres marinheiros, com o que a Vulgata Latina concorda. Mas tal interpretação é muito estreita.

A quinta possibilidade, vista à luz do vs. 2, parece ser a correta, embora certa variedade de aplicações seja instrutiva.

11.2

תֶּן־חֵלֶק לְשִׁבְעָה וְגַם לִשְׁמוֹנָה כִּי לֹא תֵדַע מַה־יִּהְיֶה רָעָה עַל־הָאָרֶץ׃

Reparte com sete, e ainda com oito. Quando tiveres de investir, *diversifica.* Emprega o teu dinheiro em sete ou oito (um grande número de empreendimentos) lugares. Visto que não sabes que mal te atingirá neste mundo imprevisível, é melhor que não apliques todo o teu dinheiro em uma única atividade. Põe dinheiro em um banco; compra propriedades, ouro, uma fazenda e animais domésticos; compra uma casa de praia que possas alugar a turistas durante os meses de verão; compra algumas joias e pedras preciosas; investe em ações de uma companhia sólida.

Cf. a expressão "com sete, e ainda com oito" com Pv 6.16; 30.7,15,16,18,19, 21-31, que fazem parte dos chamados Provérbios numéricos. Ver especificamente as notas em Pv 30.7. Cf. também, Jó 5.19 e Am 1.3—2.6. Esse número significa um número grande, indefinido, isto é, *muitos*.

Tempos Ruins Podem Chegar. Deus controla todas as coisas com as suas mãos. Ele é a causa única, mas a experiência ensina que aquilo que ele determinou pode ser destrutivo e não apenas beneficente. Portanto, investe o melhor que puderes, em face das *incertezas* do futuro (do ponto de vista humano). Tudo é vaidade, afinal. O dinheiro não significa muito, mas poderás usufruir *conforto*.

■ 11.3

אִם־יִמָּלְאוּ הֶעָבִים גֶּשֶׁם עַל־הָאָרֶץ יָרִיקוּ וְאִם־יִפּוֹל עֵץ בַּדָּרוֹם וְאִם בַּצָּפוֹן מְקוֹם שֶׁיִּפּוֹל הָעֵץ שָׁם יְהוּא:

Estando as nuvens cheias, derramam aguaceiro sobre a terra. *Os processos naturais da natureza,* dirigidos pela vontade divina, continuam cumprindo seu dever. Esses processos nunca cessam; eles continuam repetindo suas tarefas determinadas. As nuvens são formadas mediante evaporação do mar; elas cobrem a superfície inteira do globo terrestre, depositando suas águas; os rios assim formados precipitam-se para os mares; a evaporação é contínua; a formação das nuvens é contínua; a chuva é contínua; a natureza obedece aos decretos divinos.

E, então, se uma árvore cair (o que também acontece por decreto divino), isso poderá parecer uma orientação arbitrária, na direção sul ou norte, mas até a direção da queda de uma árvore está determinada. Quando a árvore bater no chão, jazerá exatamente onde caiu, o que serve de outra indicação da determinação divina. É ridículo dizer que podem chegar homens para movimentar aquela árvore, isso só estragaria a analogia. O ponto do versículo é que todas as coisas foram ordenadas de antemão, e não há mero acaso. Mas já que não sabemos como as coisas ficarão, se boas ou más, ou quando acontecerão, continuemos a fazer a parte que nos cabe: trabalhar com diligência e esperar pelo melhor. Não tenhamos medo dos ventos, é preciso semear e colher tudo quanto pudermos.

Carma? Alguns estudiosos supõem que a árvore que cai e fica onde caiu seja uma declaração misteriosa acerca de como um homem inevitavelmente colhe aquilo que tiver semeado. Sua vida é como a queda de uma árvore: o que ele tiver feito levará a árvore a permanecer exatamente onde cair. A fortuna de um homem consiste em continuamente encontrar-se consigo mesmo.

■ 11.4

שֹׁמֵר רוּחַ לֹא יִזְרָע וְרֹאֶה בֶעָבִים לֹא יִקְצוֹר:

Quem somente observa o vento, nunca semeará. Talvez, para alguns, a natureza não esteja cooperando como deveria, pois atrapalha a agricultura; assim, eles deixam de trabalhar quando deveriam. Não se deve esperar, da natureza, atos de perfeição. O trabalho contínuo e a espera pela cooperação da natureza são o melhor a fazer. O homem temeroso, que continua observando as nuvens e o vento, perderá sua oportunidade. Este versículo encoraja os homens a entrar em ação, a despeito das aparentes incoerências da natureza. Se você fizer o que puder, então talvez Deus abençoe seus esforços; por outra parte, ele pode não querer abençoá-los. Mas, independentemente do que aconteça, Deus continua no controle das coisas; ele decreta todas as regras, garante todas as colheitas, bem como todas as falhas de safra. Mas você não sabe o que ele garantiu para você, portanto continue trabalhando e esperando pelo melhor. Outro tanto se aplica a todos os empreendimentos da vida humana, e não somente às atividades agrícolas. "É inútil tentar resguardar-se de todas as falhas possíveis. Exigir certa medida de sucesso, antes de agir, seria a mesma coisa que nunca agir" (Ellicott, *in loc.*).

■ 11.5

כַּאֲשֶׁר אֵינְךָ יוֹדֵעַ מַה־דֶּרֶךְ הָרוּחַ כַּעֲצָמִים בְּבֶטֶן הַמְּלֵאָה כָּכָה לֹא תֵדַע אֶת־מַעֲשֵׂה הָאֱלֹהִים אֲשֶׁר יַעֲשֶׂה אֶת־הַכֹּל:

Assim como tu não sabes qual o caminho do vento. Encontramos, neste versículo, duas ilustrações das misteriosas operações de Deus na natureza. Considere o leitor estes pontos:

1. O autor continuou a falar sobre o *vento*, e talvez devamos compreender aqui o vento literal. Nesse caso, a primeira parte do vs. 5 simplesmente continua a falar sobre os ventos mencionados no versículo anterior.
2. Alguns estudiosos pensam que se trata de menção ao *sopro da vida* que anima o corpo do embrião que se forma no ventre da mãe. Em outras palavras, temos aqui uma repetição do ato criativo de Deus, em Gn 2.7, quando ele insuflou no homem o sopro da vida.
3. Ademais, alguns eruditos supõem que se trate de menção ao espírito humano, unido ao embrião, conforme este cresce. Isso se refere ao *criacionismo* como a explicação da formação do ser humano total. Mas essa ideia é forçada, no versículo, pelo pensamento cristão; ela poderia dar apoio à noção do *traducionismo,* ou seja, o mistério da concepção inclui a parte espiritual, que não é, então, atribuída a um ato direto de Deus. Em outras palavras, Deus criou o homem para reproduzir-se segundo a sua espécie, o corpo e a alma, e isso faz parte natural da procriação. Mas também é forçar, neste versículo, outra doutrina posterior.

Foram os filósofos estoicos que promoveram essa ideia, que veio a tornar-se uma das explicações do cristianismo, quanto ao complexo humano do corpo e da alma. Ver na *Enciclopédia de Bíblia, Teologia e Filosofia* os artigos chamados *Criacionismo* e *Traducionismo.* Provavelmente, a primeira destas três posições expressa a interpretação correta.

Além disso, devemos pensar em outro mistério, sobre o qual praticamente nada sabemos, ou seja, como o embrião se desenvolve no ventre materno. Atualmente, sabemos mais do que sabiam os povos antigos, mas nosso conhecimento ainda não encontrou solução para todos os mistérios da concepção. Isso não significa, contudo, que eles não ocorram, ou que os homens não devam procriar, porque isso os faria penetrar em mistérios profundos. Outro tanto se dá com todas as ações e empreendimentos humanos. Os mistérios circundam todas as coisas, mas continuamos agindo e esperando pelo melhor.

Os ossos. Os ossos, estrutura da qual depende o corpo inteiro, foram aqui usados metaforicamente para aludir ao corpo inteiro. Cf. Sl 102.3, quanto a notas e referências. Ver também, no *Dicionário,* o artigo denominado *Osso(s).*

Tudo faz parte da obra de Deus, os resultados já foram determinados; o homem deve agir, embora para ele as coisas sejam incertas e misteriosas.

■ 11.6

בַּבֹּקֶר זְרַע אֶת־זַרְעֶךָ וְלָעֶרֶב אַל־תַּנַּח יָדֶךָ כִּי אֵינְךָ יוֹדֵעַ אֵי זֶה יִכְשָׁר הֲזֶה אוֹ־זֶה וְאִם־שְׁנֵיהֶם כְּאֶחָד טוֹבִים:

Semeia pela manhã a tua semente. Um agricultor tem de ser ativo *pela manhã e à noite*, semeando e efetuando os atos normais envolvidos na agricultura. O que o agricultor fizer pode dar certo; todas as suas esperanças podem estar de acordo com aquilo que Deus já determinou, mas também podem discordar. Seja como for, ele continua trabalhando e esperando pelo melhor. O labor humano é vão (vs. 8; Ec 1.3), mas precisamos continuar cumprindo a nossa parte, deixando todas as coisas nas mãos de Deus.

■ 11.7

וּמָתוֹק הָאוֹר וְטוֹב לַעֵינַיִם לִרְאוֹת אֶת־הַשָּׁמֶשׁ:

Doce é a luz, e agradável aos olhos ver o sol. A vida é aparentemente doce e agradável. Desfrutamos a luz do sol brilhando em nosso rosto e a esperança enche nosso coração. A luz do sol é, ao mesmo tempo, doce e agradável, e empresta essas qualidades à vida. Os homens gostam de viver e não antecipam todas as tristezas que poderão vir. Dias de trevas estão chegando, mas, quanto a nós, continuemos a fazer o que pudermos, esperando sempre pelo melhor. Por isso os homens costumam dizer: "É bom estar vivo para desfrutar a luz do dia" (NCV). Se isso envolve uma ilusão, é tudo quanto temos, pelo que devemos viver a vida com atitude positiva. Assim, enquanto puder, desfrute os pequenos prazeres. Esse é o falso *summum bonum* da vida. Ver notas expositivas sobre Ec 2.24-25, quanto a ideias completas.

11.8

כִּי אִם־שָׁנִים הַרְבֵּה יִחְיֶה הָאָדָם בְּכֻלָּם יִשְׂמָח וְיִזְכֹּר אֶת־יְמֵי הַחֹשֶׁךְ כִּי־הַרְבֵּה יִהְיוּ כָּל־שֶׁבָּא הָבֶל׃

Ainda que o homem viva muitos anos, regozije-se em todos eles. Algum dia explodirá a bolha ilusória do otimismo. As trevas substituirão a deliciosa luz da vida. Tudo deixará de existir. Haverá somente a negridão do nada, então ficará demonstrado aquilo que o triste filósofo procurava dizer o tempo todo: tudo é vaidade. Um homem pode viver muitos anos, desfrutando a luz do sol. Sua vida pode ser doce e agradável, mas o fim predestinado por Deus apagará tudo. Primeiramente, virão dias de trevas, tantos quantos foram os dias de luz. Então, o nada será levado à noite eterna (Ec 3.18-20). A mesma antiga tese será demonstrada novamente: tudo é vaidade; tudo é inútil; a vida humana não vale a pena ser vivida; os homens morrem como animais; não há pós-vida. Tal era a visão de mundo do triste, louco e mau filósofo, e é ridículo tentar fazer dele um mestre otimista ou ortodoxo. O vs. 8 mostra que o alegado *summum bonum* da vida (os pequenos prazeres da vida, vs. 7) é, realmente, um falso valor. Mas que se pode fazer a respeito disso? Fica-se impotente no meio do pessimismo geral da vida, devendo-se viver uma vida de prazeres moderados. Nada mais existirá para ser feito ou para ser esperado. Esse tipo de vida é o que representa o menor dos males. Portanto, busquemos esse tipo de vida. Cf. Ec 8.14. E tudo se reduzirá à falta de *sentido*.

11.9

שְׂמַח בָּחוּר בְּיַלְדוּתֶיךָ וִיטִיבְךָ לִבְּךָ בִּימֵי בְחוּרוֹתֶךָ וְהַלֵּךְ בְּדַרְכֵי לִבְּךָ וּבְמַרְאֵי עֵינֶיךָ וְדָע כִּי עַל־כָּל־אֵלֶּה יְבִיאֲךָ הָאֱלֹהִים בַּמִּשְׁפָּט׃

Alegra-te, jovem, na tua juventude. Que podemos dizer agora aos jovens tão plenos de entusiasmo? Devemos dizer-lhes as mesmas coisas que dizemos aos homens maduros. Vocês têm a juventude, usem-na nos pequenos prazeres da vida, animem o coração com as coisas que parecem boas; cumpram o que seus olhos pedem, obtendo coisas boas e agradáveis. Mas Deus implantou no entretecido da própria existência seus inevitáveis julgamentos contra os excessos. Por outra parte, provavelmente vocês sofrerão grandes reversões, independentemente de viverem em meio a excessos ou de maneira moderada. Contudo, se vocês quiserem tirar proveito dos pequenos prazeres da vida, isso é o melhor que poderão fazer.

Além disso, tentem tirar da mente, enquanto vocês são jovens, o fato da negridão do nada que fatalmente virá. Essa condição em breve chegará. O triste filósofo novamente enfatizou seu *lema* de vida: os prazeres moderados, com os quais um homem poderá apimentar sua vida, para aliviar um pouco suas misérias. Dou notas expositivas completas sobre esse aparente *epicurismo*, em Ec 2.24,25. A verdadeira posição do autor, entretanto, era a do niilismo: não existem valores reais e duradouros na existência humana. Portanto, temos aqui um pacote entristecedor, como sempre: *Epicurismo* (um valor falso), misturado ao *Pessimismo* (a verdade real das coisas) e ao *Niilismo* (a verdadeira avaliação da vida). Ver esses termos na Enciclopédia de *Bíblia, Teologia e Filosofia*.

O triste filósofo apresentou-nos o falso *summum bonum* da vida. Ele não tinha coisa alguma melhor para dizer, razão pela qual o disse novamente. Sua doutrina era reptiliana. Ele nunca adquiriu asas para voar acima de sua melancólica doutrina.

11.10

וְהָסֵר כַּעַס מִלִּבֶּךָ וְהַעֲבֵר רָעָה מִבְּשָׂרֶךָ כִּי־הַיַּלְדוּת וְהַשַּׁחֲרוּת הָבֶל׃

Afasta, pois, do teu coração o desgosto e remove da tua carne a dor. O melhor que tu, jovem, podes fazer, é viver os prazeres moderados da vida, enquanto removes de tua mente os dias negros vindouros, que serão seguidos pelo nada absoluto. Não deixes que a vexação de tua mente amargure tua vida, pois logo tudo ficará amargo. Faze o quanto puderes para aliviar a dor física, porque, se isso sair do controle, terás a amargura de tua vida, mais brevemente do que poderia acontecer. O capítulo 12 mostra que a idade avançada, em breve, azedará a vida por meio da decrepitude; por enquanto, porém, que o jovem combata isso com seu corpo jovem. Que o jovem adie o processo do envelhecimento, tanto quanto possível. Naturalmente, tudo isso é apenas vaidade, mas é o melhor que se pode fazer. A juventude, por si só, já é uma vaidade tão grande quanto a idade avançada, embora isso não pareça tão evidente para os homens; por conseguinte, vivamos *como se* a juventude não fosse um tempo de vazio e vaidade!

A juventude. No hebraico, temos aqui a expressão "alvorecer da vida". A vida tem o seu alvorecer (a juventude), bem como a sua noite (a idade avançada). Ambas as fases são igualmente melancólicas e vãs, mas a juventude parece ser melhor que a idade provecta. Portanto, que os jovens procurem os pequenos prazeres da vida nesse contexto falsamente melhor. A palavra "juventude" (no hebraico, *shakaruth*) ocorre somente aqui, em todo o Antigo Testamento; mas uma expressão hebraica semelhante, que significa *cabelos negros*, encontra-se em Lv 13.37 e Ct 5.11. Ter cabelos negros é universalmente considerado melhor que ter cabelos brancos (símbolo da idade avançada). De fato, ambas as fases da vida são igualmente vãs. O Targum diz: "A criancice e os dias de cabelos negros são vaidade".

CAPÍTULO DOZE

Continuamos aqui com a seção geral que diz que os jovens e os idosos demonstram a inutilidade das coisas (Ec 11.1 e 12.8). Os vss. 1-8 deste capítulo ilustram graficamente como os homens idosos cumprem seu papel no quadro da vaidade geral: seu corpo vai-se desintegrando, dói e ele sofre até que a morte o arrebata e o conduz ao pó para o qual está predestinado a retornar. Novamente é demonstrado, incansavelmente, que o ser humano veio do pó e ao pó haverá de voltar. Ver Ec 3.18-20. O *epílogo*, adicionado pelo editor piedoso (vss. 9-14), tenta terminar o livro com uma distorção ortodoxa, a fim de torná-lo mais aceitável aos leitores judeus médios. Mas o triste, louco e mau filósofo termina seu tratado em atitude de desespero, que é a maneira como ele o começou (Ec 1.3): tudo é vaidade e vexação de espírito, tudo é apenas perseguir o vento, tudo é inutilidade. Alguns intérpretes acreditam que até mesmo esta seção, vss. 1-8, tem certos toques do editor ortodoxo, o qual, periodicamente, tentou corrigir o ponto de vista pessimista do filósofo.

12.1

וּזְכֹר אֶת־בּוֹרְאֶיךָ בִּימֵי בְּחוּרֹתֶיךָ עַד אֲשֶׁר לֹא־יָבֹאוּ יְמֵי הָרָעָה וְהִגִּיעוּ שָׁנִים אֲשֶׁר תֹּאמַר אֵין־לִי בָהֶם חֵפֶץ׃

Lembra-te do teu Criador nos dias da tua mocidade. Antes de chegar ao estado lastimável da idade avançada, o autor sagrado recomenda aos jovens que se lembrem de seu Criador. Diversas interpretações têm sido vinculadas a este versículo:

1. Presumivelmente, com o Criador em sua consciência, o jovem agirá corretamente, guardará a legislação mosaica e viverá, dessa maneira, uma vida longa e próspera (Pv 4.13; Dt 4.1; 5.33; Ez 20.1). Mas se esse for, realmente, o sentido, então é provável que este versículo seja uma glosa por parte do editor piedoso, que tentou fazer o livro de Eclesiastes conformar-se melhor à ortodoxia dos judeus.

2. Ou, então, mediante leve emenda, podemos mudar o Criador por *cisterna,* um sinônimo hebraico para *esposa* (ver Ec 9.9). Nesse caso, o triste filósofo estava novamente volvendo os olhos para o seu *lema*: viver os pequenos prazeres da vida, um dos quais é viver bem com uma boa esposa.

3. Ou talvez este versículo seja determinista: lembra-te que o teu Criador determinou de antemão todas as coisas. Portanto, vive da melhor maneira que puderes; tira vantagem da tua juventude, pois em breve chegará a noite escura da idade avançada e, então, virá o nada final. Isso nos faria retroceder a Eclesiastes 11.9,10 e

formaria, segundo pensamos, uma declaração aceitável por parte do filósofo.

4. Ou, ainda, serve a Deus com o viço da tua juventude; dá o que tens de melhor para o teu Senhor; não lhe dês as fezes da tua idade avançada; não te tornes piedoso na velhice, entregando a Deus o que tiveres de resto. Se esse é realmente o sentido do versículo, então temos aqui o editor piedoso em ação.

> Dá de teu melhor ao Mestre,
> Dá da força de tua juventude.
> Vestido na armadura inteira da salvação,
> Junta-te na batalha pela verdade.
>
> Sra. Charles Barnard

Essas palavras expressam um belo sentimento cristão; mas não temos certeza se é isso o que significa a passagem de Ec 12.1. Talvez a terceira das quatro posições anteriores seja a correta.

"Quando os homens se tornam virtuosos na idade avançada, eles somente fazem a Deus um sacrifício daquilo que o diabo deixou" (Alexander Pope).

LEMBRA-TE DO TEU CRIADOR

Lembra-te do teu Criador nos dias da tua mocidade, antes que venham os maus dias e cheguem os anos dos quais dirás: Não tenho neles prazer.

Eclesiastes 12.1

> Dá ao Mestre o seu melhor.
> Dá a ele as forças da tua juventude.
> Entrega à batalha toda a tua alma.
> Jesus deu o exemplo: jovem, corajoso
> e invencível foi ele.
> Dá a ele a tua devoção.
> Dá a ele o melhor que tens.
>
> Mrs. Charles Barnard

> Velhice mal-humorada e a juventude não podem coabitar:
> A juventude é cheia de prazer;
> A velhice é cheia de ansiedades;
> A juventude é como um dia de verão;
> A velhice é como um dia de inverno.
>
> Shakespeare

■ 12.2

עַד אֲשֶׁר לֹא־תֶחְשַׁךְ הַשֶּׁמֶשׁ וְהָאוֹר וְהַיָּרֵחַ וְהַכּוֹכָבִים וְשָׁבוּ הֶעָבִים אַחַר הַגָּשֶׁם׃

Antes que se escureçam o sol, a lua e as estrelas do esplendor da tua vida. Este versículo reforça o vs. 1 deste capítulo. O sol traz o que é doce e agradável (Ec 11.7) e a luz (o dia da juventude) fica tão brilhante que enche a vida com uma falsa esperança. Além disso, há o brilho da lua e das estrelas. Todos esses corpos luminosos dão luz a este mundo tenebroso; assim, a juventude tem a sua luz, e faz-se dia ou, pelo menos, uma noite devidamente iluminada. Mas a terra inteira ficará entre trevas quando chegar a noite da idade avançada; então, haverá a noite eterna, quando a morte apagar todas as lâmpadas. E mesmo depois que as chuvas cessarem e o sol romper novamente, luminoso, as nuvens retornarão para criar outra tempestade. Isso posto, a natureza é imprevisível, e a traiçoeira juventude será suplantada pela ainda mais traiçoeira idade avançada. Portanto, o conselho do triste filósofo à juventude é: "Anda na luz da juventude, enquanto ela perdurar", pois a verdade é que não perdurará por longo tempo. Quando você for velho, olhará para trás e dirá: "Como foi que *eu* envelheci?" Você olhará para o espelho e não acreditará no que estiver vendo.

> Nada prometo: os amigos se separarão!
> Todas as coisas terminarão, pois todas começaram;
> E a verdade e a singeleza de coração
> São mortais, tal como o homem o é.
>
> A.E. Housman

■ 12.3

בַּיּוֹם שֶׁיָּזֻעוּ שֹׁמְרֵי הַבַּיִת וְהִתְעַוְּתוּ אַנְשֵׁי הֶחָיִל וּבָטְלוּ הַטֹּחֲנוֹת כִּי מִעֵטוּ וְחָשְׁכוּ הָרֹאוֹת בָּאֲרֻבּוֹת׃

No dia em que tremerem os guardas da casa. *A casa é o corpo humano.* Nos sonhos e nas visões, uma *casa* com frequência simboliza o corpo humano. Agora estamos chegando ao exame do que acontece ao corpo (casa) do homem velho. As pessoas que cuidavam da casa, para ter certeza das boas condições de saúde, tomavam precauções para preservar essas boas condições físicas. Mas quando chegavam as tempestades da idade avançada, os guardas do corpo (talvez sejam as mãos e os pés) eram derrotados e postos em fuga. Os homens fortes que tinham por incumbência proteger a casa falhavam quando soldados inimigos se aproximavam e ameaçavam a pessoa de morte. Ou talvez as ameaças partissem de elementos criminosos que invadiam a casa. Assim sendo, o corpo de um homem idoso fica sujeito aos ataques de grande variedade de inimigos que matam seus defensores.

Os *moedores da boca* eram as mulheres que supriam a casa com alimentos. Quando inimigos se aproximavam, os moedores deixavam suas tarefas e fugiam. Essas mulheres representavam as medidas tomadas para preservar a saúde do corpo, como o alimento. O alimento nutre o corpo e o mantém vivo, mas chegaria o tempo em que esse ofício nada significaria. As pessoas olhavam pelas janelas para ver o que estaria ocorrendo do lado de fora; talvez homens maus ficassem sob vigilância, ou talvez isso represente maus acontecimentos. Os moedores, pois, olham para fora, cuidando das tribulações, a fim de evitá-las. Os moedores talvez simbolizem os *olhos* dos homens, que são um dos fatores da defesa do indivíduo. Assim, também esses moedores podiam falhar, conforme o homem envelhecesse. A visão do homem falha, do mesmo modo que as demais faculdades físicas. Mas os moedores também podem ser os dentes, que se enchem de cáries e caem. Esse é um símbolo nos sonhos e nas visões de morte.

"Naquele tempo, teus braços perderão as forças; tuas fortes pernas se tornarão fracas e tortas; teus dentes cairão, e já não poderás mastigar; teus olhos não mais verão com clareza" (NCV). *Símbolos possíveis:* "guardas" = mãos, braços e pernas; "homens outrora fortes" = defesas naturais do corpo; "moedores" = dentes; "teus olhos nas janelas" = olhos.

■ 12.4

וְסֻגְּרוּ דְלָתַיִם בַּשּׁוּק בִּשְׁפַל קוֹל הַטַּחֲנָה וְיָקוּם לְקוֹל הַצִּפּוֹר וְיִשַּׁחוּ כָּל־בְּנוֹת הַשִּׁיר׃

Os teus lábios, quais portas da rua. No hebraico, "portas" está no número dual, indicando "portas duplas", ou seja, portas com duas folhas. Poderiam estar em vista os maxilares ou os lábios, ou, mais provavelmente, os *ouvidos*. Os ouvidos também falham quando um homem envelhece. A surdez corta um homem do mundo externo, fato ilustrado inúmeras vezes. Moer os grãos de cereais faz um forte ruído, mas um homem quase surdo não se preocupa com isso. Quando a música está tocando na casa, o pobre homem não pode ouvi-la ou apreciá-la. Ironicamente, porém, o barulho suave dos passarinhos, que cantam ao amanhecer, o despertam e perturbam o seu sono! E assim, o homem idoso não pode descansar à vontade. Devido a muitos anos de formação de hábitos, o homem velho acorda de manhã cedo, mas para quê? Ele nada tem para fazer, exceto continuar ali, deitado, com pensamentos lúgubres. Talvez as "aves" aqui mencionadas sejam os maus presságios. Essas aves levantam suas vozes; o homem, quase surdo, as ouve muito bem. A morte já está a caminho. Cf. Sl 102.6,7 e Sf 2.14.

As atividades do dia, no Oriente Próximo e Médio, começavam ao amanhecer, sem relógio despertador. Os galos viviam cantando nessas horas matinais, e outro tanto faziam os pássaros. Os homens levantam-se com o ruído produzido pelas aves, e o homem idoso e doente desperta, mas não tem forças para levantar-se.

A JUVENTUDE
por Samuel Ullman

Uma redação sobre a juventude, escrita por um americano, prendeu a imaginação dos japoneses. Muitos industriais e empresários japoneses carregam uma cópia dessa redação em suas carteiras. A juventude é uma jornada espiritual e não uma questão de idade biológica.

A juventude não é uma época da vida, é um estado de espírito; não é uma questão de bochechas rosadas, lábios vermelhos e joelhos flexíveis, é uma questão de desejo, emoções vigorosas; é o frescor das profundas nascentes da vida.

A juventude significa a predominância temperamental da coragem sobre a timidez de apetite, da aventura sobre o amor às coisas fáceis. Isso, normalmente, existe mais em um homem de mais de 60 anos do que em um rapaz de 20. Ninguém envelhece meramente em número de anos. Envelhecemos por desertarmos os nossos ideais.

Os anos podem enrugar a pele, mas desistir do entusiasmo enruga a alma. Preocupação, medo e falta de autoconfiança rendem o coração e transformam a alma em poeira.

Seja 60 ou 16, em todo coração humano existe o desejo pelo desconhecido, o infalível apetite infantil que vem depois e a felicidade do jogo da vida. No centro de seu coração, e do meu, existe uma estação sem fio: enquanto ela receber as mensagens da beleza, da esperança, da felicidade, da coragem e da força dos homens e do Infinito, será sempre jovem.

Quando as antenas estiverem no chão, e quando sua alma estiver coberta com as neves do cinismo e com o gelo do pessimismo, então você estará velho, mesmo se tiver 20 anos; mas enquanto suas antenas estiverem erguidas para captar as ondas do otimismo, há esperança de que você morra jovem aos 80.

■ 12.5

גַּם מִגָּבֹהַּ יִרָאוּ וְחַתְחַתִּים בַּדֶּרֶךְ וְיָנֵאץ הַשָּׁקֵד וְיִסְתַּבֵּל הֶחָגָב וְתָפֵר הָאֲבִיּוֹנָה כִּי־הֹלֵךְ הָאָדָם אֶל־בֵּית עוֹלָמוֹ וְסָבְבוּ בַשּׁוּק הַסֹּפְדִים:

Quando também temeres o que é alto. Mais descrições sobre a lamentável idade avançada e sobre a morte. A essência da declaração é: um homem vive cheio de *temores* e ansiedades, tais como aqueles que atacam as pessoas que temem lugares elevados; ele *temerá* dar um passeio a pé, receando cair e quebrar as pernas frágeis; os cabelos tornam-se *brancos* como as flores de uma amendoeira, pois o dia de sua juventude definitivamente terminou; ele está *aleijado* e, se pode continuar andando, manqueja como se fosse um gafanhoto. Seus *desejos* o abandonam, incluindo-se o impulso sexual, e ele se torna um impotente! Essa é uma das coisas mais temidas pelos homens idosos. Então, o homem morre e isso significa o fim de tudo. Poucos amigos reúnem-se em seu funeral e ali lamentam, talvez artificialmente, a sua morte; mas a maioria dos presentes diz: "Oh, ele era apenas um homem velho, chegou o seu tempo". E amanhã, quem se lembrará dele?

> Todos nós nos esforçamos para sua cura,
> Mas a morte é a cura de todas as enfermidades.
>
> Sir Thomas Burton

> Ah! Por certo nada morre,
> Mas alguma coisa levanta uma lamentação.
>
> Lord Byron

Símbolos Empregados:
1. O *lugar alto* espanta muita gente (e não somente as pessoas idosas); simboliza todas as espécies de coisas que causam ansiedades e temores nos idosos.
2. A *amendoeira*, cuja castanha era um fruto muito apreciado como acepipe, agora tem somente flores brancas, simbolizando as cãs da pessoa idosa. O idoso não tem mais estômago para alimentos saborosos.
3. O *gafanhoto* é um inseto que voa muito bem, mas, se tenta caminhar, só sabe arrastar-se pelo chão. Um homem idoso é como um gafanhoto que perdeu as asas. Ele só se arrasta pelo chão, daquela maneira típica.
4. A *alcaparreira* (tradução da Septuaginta), que supostamente tinha propriedades afrodisíacas, não mais surte efeito no homem idoso. Ele se tornou impotente. Além disso, seu estômago não mais lhe permite comer como antes. De modo geral, seus *desejos* estão amortecidos ou mortos.

Casa eterna. Ou seja, o sepulcro, o lugar do silêncio eterno. Não se encontra aqui a esperança da *vida eterna* e do *lar eterno*, nos céus, embora alguns estudiosos cristianizem este versículo para significar precisamente isso. Tal ideia é completamente estranha ao sistema do triste filósofo (ver Ec 3.18-20).

■ 12.6

עַד אֲשֶׁר לֹא־יֵרָחֵק חֶבֶל הַכֶּסֶף וְתָרֻץ גֻּלַּת הַזָּהָב וְתִשָּׁבֶר כַּד עַל־הַמַּבּוּעַ וְנָרֹץ הַגַּלְגַּל אֶל־הַבּוֹר:

Antes que se rompa o fio de prata. Mais símbolos sobre esta fútil vida terrena:
1. Um *fio de prata* pode ser usado para suspender uma taça preciosa ou outro objeto de decoração. Se esse fio se romper, então o enfeite se despedaçará no chão, tornando-se inútil. Esta parte do presente versículo tem sido tradicionalmente compreendida como o *fio de prata*, uma forma de energia que se parece com uma corrente de prata, corda fina que liga o corpo físico ao corpo espiritual e imaterial, ou alma. Essa energia tem cerca de 5 cm de espessura, parecida com filamentos de eletricidade, que formam uma espécie de cadeia. Trata-se de uma corda umbilical espiritual, e, quando esse fio se rompe, há separação final entre o corpo físico e a alma. É então que a pessoa morre. Esse fio de prata já foi visto por pessoas que têm alguma experiência fora do corpo, ou por aqueles que entram nos primeiros estágios da morte, o que se chama de "experiências de quase-morte". Ver na *Enciclopédia de Bíblia, Teologia e Filosofia* o artigo chamado *Experiências Perto da Morte*. Ver também, no *Dicionário*, o verbete intitulado *Corda (Cordão) de Prata*. É possível que essa parte do versículo seja um reflexo de antigas experiências nas quais os homens viram essa corda ou fio de prata. Mas é indiscutível que o nosso filósofo pessimista não fazia esse tipo de aplicação da questão. Isso, entretanto, não nega a veracidade de tal experiência.
2. O vaso ou objeto ornamental que estava suspenso pelo fio de prata, quando este se rompeu, se quebrou. Talvez esta parte do versículo seja independente da outra. Um homem pode quebrar acidentalmente um vaso precioso, sem que seja dito como isso sucedeu. Isso simboliza a *morte*. O vaso é o homem ou seu corpo. O corpo se "parte", morre, e é o fim da história daquele homem na terra.
3. Um *pote* quebra-se acidentalmente nas mãos de uma mulher que o levara à fonte ou ao poço, e torna-se inútil. Temos aí outra figura simbólica da morte. O pote quebrado não mais contém água em seu interior. Antes, *morreu*.
4. A *roda* junto ao poço, o aparelho que era empregado para tirar água do poço, quebra-se e torna-se inútil. Por semelhante modo, o corpo de um homem, cheio de mecanismos e funções maravilhosas, desconjunta-se completamente e torna-se inútil. O homem está morto. Estabelece-se a putrefação. Talvez a roda (o sarilho), o aparelho que há à beira do poço, faça alusão ao coração.

> Bebe, dança, ri e deita-te,
> Ama a meia-noite agitada até o fim,
> Pois amanhã morreremos.
>
> Dorothy Parker

■ 12.7

וְיָשֹׁב הֶעָפָר עַל־הָאָרֶץ כְּשֶׁהָיָה וְהָרוּחַ תָּשׁוּב אֶל־הָאֱלֹהִים אֲשֶׁר נְתָנָהּ:

E o pó volte à terra, como o era, e o espírito volte a Deus, que o deu. Este é um dos mais citados versículos do livro de

Eclesiastes, mas os intérpretes não concordam quanto ao seu significado. É claro que o corpo retorna ao pó, conforme encontramos em Ec 3.18-20. O homem é uma criatura feita de pó que ao pó retornará. A alusão é à formação do homem do pó da terra (ver Gn 2.7). Mas um homem, formado do pó da terra, volta ao pó, do qual ele é formado (ver Gn 3.19).

Os intérpretes não estão de acordo sobre o significado, aqui, da palavra "espírito". Consideremos os pontos abaixo:

1. Este versículo pode ter sido uma adição feita pelo editor piedoso. que agora aproveitava a oportunidade para reverter o pessimismo do triste filósofo. Se ele admitiu que o corpo é temporal e retorna ao pó, também disse que há no homem uma parte imaterial, o espírito (ou alma), que retorna a Deus por ocasião da morte, pois foi ele quem o deu ao homem; o espírito pertence a Deus. É provável que quando o livro de Eclesiastes foi escrito, ideias gregas e orientais tivessem sido adotadas por alguns judeus; assim, esse tipo de doutrina, que durante séculos foi comum a alguns povos e sistemas, tivesse sido defendida, ao menos, por alguns judeus. A noção da existência da alma começou a penetrar no pensamento dos hebreus nos Salmos e Profetas, de onde tal ponto de vista não seria anacrônico, para alguns judeus.

2. Quiçá o próprio filósofo, já no final de seu tratado, tenha adotado o ponto de vista mais otimista que aquele que ocorre por ocasião da morte. Essa ideia, entretanto, é altamente improvável. Se houver aqui alguma declaração atinente à sobrevivência da alma, ela pertence ao editor piedoso, e não ao filósofo pessimista que escreveu a maior parte do livro de Eclesiastes.

3. Talvez o triste filósofo seja o autor deste versículo, mas nesse caso ele não falava em sobrevivência da alma. Deus deu ao homem o hálito animador, por ocasião da criação (ver Gn 2.7), pelo que o homem passou a viver como um ser vivo, animado. Mas quando Deus recolhe o *hálito* do homem, o próprio homem morre, finalmente.

"... é evidente que Salomão não se referia aqui ao retorno de espíritos humanos individuais a Deus, a fim de serem julgados. Descrições similares da morte (como a dissolução do corpo e a retirada do hálito, por parte de Deus) acham-se presentes em Jó 34.14,15 e Sl 104.29,30. Cf. também Jó 10.9" (Donald R. Glenn, *in loc.*). Em contraste, temos a observação feita por Gaius Glenn Atkins, *in loc.*: "Terra para terra, pó ao pó, por ocasião do sepultamento dos nossos mortos, um réquiem tão antigo como a própria mortalidade e, no entanto, há um resplendor final de esperança que o Koheleth (o pregador) reconheceu; uma esperança que o sepulcro não poderia conter nem a argila dissolver. Pois Deus havia soprado sobre a argila e o homem se tornara um espírito vivo, e aquilo que foi extraído do abismo incomensurável, agora, volta novamente de onde veio".

Um belo objeto serve de alegria para sempre; sua força de atração aumenta; nunca se reduzirá a nada.

John Keats

Tenciono chegar a Deus,
Pois é para Deus que viajo tão depressa;
Pois no peito de Deus, meu próprio lar,
Depositarei meu espírito, finalmente.

Johannes Agricola

Esses são sentimentos belos e verdadeiros, sem dúvida, mas, se for indagada qual dessas três interpretações é pretendida pelo presente versículo, suponho que seja a de número 3. O triste filósofo permaneceu triste até o fim. Ele não tinha asas, continuou advogando sua doutrina reptiliana. O pó assinala a história à beira do túmulo, mas há sinetes a tocar do outro lado. O triste filósofo, todavia, não os ouvia. O vs. 8 mostra que ele terminou conforme tinha começado, no mais denso pessimismo.

■ 12.8

הֲבֵל הֲבָלִים אָמַר הַקּוֹהֶלֶת הַכֹּל הָבֶל׃

Vaidade de vaidade, diz o Pregador, tudo é vaidade. Este versículo é uma duplicação de Ec 1.2, onde há outras notas expositivas. O triste, louco e mau filósofo não cedeu diante da tentação para mudar sua ideia a respeito da completa futilidade da vida humana. Ele via somente o vazio, a solidão e a vaidade em toda a vida humana e seus empreendimentos. Ele assinou seu nome aqui, nos últimos versículos do livro que realmente lhe pertenciam. Um epílogo, por parte de outro autor, segue-se para tentar tornar o livro mais aceitável aos leitores judeus. Isso empresta um toque ortodoxo ao livro, mas o próprio filósofo certamente não era um mestre ortodoxo. Portanto, ele assinou seu nome, ao final, com a mesma nota de pessimismo do começo. Disse ele: "Fui eu, o filósofo, quem disse isto. E repito essa declaração: *tudo é vaidade*". Por conseguinte, se tivermos de confiar nele, devemos desistir da esperança e aceitar a tese tenebrosa de que viver não faz nenhuma diferença, no fim. Todas as coisas se reduzem ao *nada* (Ec 3.18,20). O homem não é melhor que os animais irracionais e compartilha a mesma sorte deles (Ec 3.19). Deus predeterminou tudo; isso significa que, usualmente, as coisas correm mal desde o começo, e mesmo não sendo assim, certamente correrão mal no fim (Ec 3.1-11,16). Deus é a causa única de tudo, e todo o mal que sobrevém a uma pessoa está em harmonia com o plano lúgubre de Deus para ela. A redenção consiste em *cessar* a existência, e não em subir para uma vida mais alta, melhor. Se houver algum valor na vida, certamente não será real e duradouro. Prazeres simples são tudo quanto nos resta; esses prazeres são os *summum bonum* da vida humana; mas, quando nos colocamos a examiná-los, verificamos que também são falsos valores (Ec 2.24,25).

O maior pecado do homem
É que ele nasceu.

Schopenhauer

Ver no *Dicionário* o verbete chamado Problema do Mal, e ver na *Enciclopédia de Bíblia, Teologia e Filosofia* o artigo chamado *Pessimismo*.

Tudo é inútil. Diz o mestre: Tudo é inútil.

NCV

Sem sentido, sem sentido! Diz o mestre: Tudo é sem sentido.

NIV

Quanto a outras notas expositivas que adicionam maiores detalhes à declaração deste versículo, ver Ec 2.24,25 e também Ec 1.2.

EPÍLOGO: O EDITOR PIEDOSO TENTA CORRIGIR O LIVRO (12.9-14)

Quase certamente, os vss. 9-14 foram escritos por um editor ortodoxo que tentou tornar o livro de Eclesiastes mais aceitável à mentalidade dos judeus. Ele acrescentou um *epílogo ortodoxo* ao livro, na tentativa de suavizar a dura mensagem que há em sua maior parte: tudo é vaidade, vazio, futilidade. Alguns estudiosos veem um editor atuando nos vss. 9-11, e outro editor atuando nos vss. 12-14. Além disso, há em todo o livro uma nota ocasional cujo intuito é suavizar as duras declarações do triste filósofo. É impossível determinar se uma ou mais pessoas estiveram ocupadas no trabalho de correção do livro. Mas é quase certo que alguma edição ocorreu. Por que o livro de Eclesiastes foi aceito no cânon do Antigo Testamento? Ver discussão a respeito na seção VI da *Introdução: Canonicidade*. O editor queria convencer-nos de que o *Koheleth* era um bom mestre em sabedoria, um profissional, contanto que ele editasse o material do autor aqui e acolá. Mas ele não pôde ocultar a verdade: o autor era um mau filósofo, não um judeu mestre em sabedoria.

■ 12.9

וְיֹתֵר שֶׁהָיָה קֹהֶלֶת חָכָם עוֹד לִמַּד־דַּעַת אֶת־הָעָם
וְאִזֵּן וְחִקֵּר תִּקֵּן מְשָׁלִים הַרְבֵּה׃

O Pregador, além de sábio, ainda ensinou ao povo o conhecimento. Qualquer pessoa pode perceber que o homem, agora elogiado pelo editor, não era um verdadeiro sábio. De fato, muitas coisas por ele escritas atacam diretamente os conceitos das escolas de sabedoria. Ele era filósofo com alguma habilidade, mas um filósofo triste, louco e ruim. Sem dúvida, era um homem notável e eloquente, de grande reputação, e certas pessoas não queriam discernir sua bela peça escrita.

Assim, em vez de jogá-la fora, pareceu-lhes melhor corrigi-la um pouco para agradar os leitores judeus e dar-lhes algum conforto mental. O triste filósofo escreveu muito e, aqui e acolá, temos uma joia de conhecimento. De modo geral, porém, ele simplesmente fez nossa teologia confortável virar de cabeça para baixo, oferecendo um tipo de conhecimento que nenhuma pessoa sã jamais apresentaria. Talvez o livro não tenha sido escrito originalmente para distribuição geral. Pode ter sido um tratado contra os mestres exageradamente sábios das escolas de sabedoria. Mas a obra saiu tão expressiva, que o editor, talvez por ordem do autor, tenha desejado entregá-la "ao povo". Mas, antes que pudesse fazer isso, o editor adicionou suas declarações ortodoxas, na esperança de que o povo não se desanimasse diante da mensagem do livro, colhendo o que lhe fosse útil. A verdade, entretanto, continuou, e apenas algumas passagens puderam agradar ao "sábio". O restante era uma filosofia não ortodoxa, que seria mais bem ensinada em Atenas do que em Jerusalém.

■ 12.10

בִּקֵּשׁ קֹהֶלֶת לִמְצֹא דִּבְרֵי־חֵפֶץ וְכָתוּב יֹשֶׁר דִּבְרֵי אֱמֶת:

Procurou o Pregador achar palavras agradáveis. O editor ortodoxo prossegue com seus elogios ao filósofo não ortodoxo. Ele era um homem dotado de percepção e expressão, que procurou encontrar *palavras agradáveis*. Ora, isso é uma piada! A última coisa em que o triste filósofo estava interessado era agradar às pessoas. Pelo contrário, ele queria "chocá-las". Além disso, ele não escreveu com "retidão", de acordo com qualquer definição sadia. Pelo contrário, suas declarações pessimistas eram um *desafio* direto ao que os sábios costumavam dizer. Ele não era, como eles, um promotor da sabedoria que vem por intermédio da lei. De fato, ele negava que a sabedoria fosse possível (Ec 1.12-18; a sabedoria *não tem sentido*), declarando que ela não pode ser encontrada por nenhum ser humano (Ec 8.16-17). "O Koheleth nunca sacrificou sua integridade na busca do que era agradável" (O. S. Rankin, *in loc.*).

Além disso, a busca do triste filósofo não era chegar à verdade e, sim, mostrar que a verdade *não pode ser alcançada*. Esse editor diz tantas coisas disparatadas, que nos admira ter ele realmente lido o livro que nós estamos lendo. O nosso filósofo era um *niilista*: não existem valores. E as *verdades* que os sábios buscavam eram essencialmente verdades morais, como aquelas emitidas pela lei. O triste filósofo não era um típico homem da lei, antes, era herético. A única razão pela qual ele não disse coisas piores foi que lhe faltaram ideias e, após o seu rótulo de "sem sentido", em todas as coisas, depositou sobre a mesa a sua pena. De fato, *sem sentido foi a sua assinatura*.

■ 12.11

דִּבְרֵי חֲכָמִים כַּדָּרְבֹנוֹת וּכְמַשְׂמְרוֹת נְטוּעִים בַּעֲלֵי אֲסֻפּוֹת נִתְּנוּ מֵרֹעֶה אֶחָד:

As palavras dos sábios são como aguilhões. Continuam aqui os elogios do editor ortodoxo ao filósofo não ortodoxo. Ele foi classificado entre os sábios, e suas declarações foram comparadas a *aguilhões*. Até mesmo animais mudos podem ser direcionados por meio de um aguilhão. Assim, esse sábio estava sempre espetando a morte de seus estudantes, arrancando deles reações obedientes. Ele não se contentava meramente em dizer alguma coisa, queria resultados, e os estava alcançando. Dentro do contexto ortodoxo, isso significa ensinar a lei e tornar certo que os estudantes compreendessem e obedecessem às suas declarações; incluía-se o cumprimento fiel dos ritos, leis e votos regulares no templo de Jerusalém, embora isso fosse menos enfatizado no período posterior da história dos judeus, do que no princípio da história dos israelitas. O triste filósofo, entretanto, não parecia muito preocupado com tais coisas. Não obstante, essa foi a recomendação do editor piedoso.

Além disso, os ensinamentos do filósofo eram como *pregos bem fixados*, que sustentavam firmemente as coisas. O filósofo foi capaz de fixar seus ensinamentos na mente dos alunos. Ademais, foi elogiado como um *pastor*, ou seja, um pastor espiritual de seus estudantes, que seriam as ovelhas. Essa era a avaliação de apreciação predileta entre os rabinos, em favor dos bons mestres e líderes. Isso mostra que o triste filósofo, apesar do negativismo e do pessimismo, era um membro amado da comunidade judaica. É possível que aquilo que ele fazia fosse melhor que aquilo que dizia, ao passo que, no caso da maioria das pessoas, o contrário é que exprime a realidade dos fatos. Entretanto, alguns estudiosos veem o *Pastor* como se fosse *Deus*. A *Revised Standard Version*, tal como a nossa versão portuguesa, inicia a palavra Pastor com um "P" maiúsculo. Ele era o manancial mesmo da sabedoria. Além disso, outros eruditos fazem as declarações do triste filósofo parecer coisas fixadas por pregos em uma coletânea. Assim, há várias ideias, mas o significado exato, de partes do presente versículo, permanece na dúvida. Quanto a Deus como Pastor, cf. Gn 49.24; Sl 80.1; 95.6,7. O Criador é, igualmente, o Pastor. Ele estava por trás da escola de sabedoria, inspirando ensinamentos e pastoreando estudantes, que eram as suas ovelhas.

■ 12.12

וְיֹתֵר מֵהֵמָּה בְּנִי הִזָּהֵר עֲשׂוֹת סְפָרִים הַרְבֵּה אֵין קֵץ וְלַהַג הַרְבֵּה יְגִעַת בָּשָׂר:

Demais, filho meu, atenta. Alguns veem um *epílogo adicional*, por parte de um editor diferente, nestes versículos (vss. 12-14); mas esse trecho poderia ser o tiro final do homem piedoso, que nos forneceu comentários ao longo do livro e, nos vss. 9,10, em uma tentativa de tornar o livro do triste filósofo mais aceitável aos estudantes judeus. Alguns vinculam o vs. 12 ao material que o precede, e fazem dos vss. 13,14 a declaração final. Seja como for, o editor chamou seus leitores de *filhos*, o que faz parte do vocabulário típico das escolas de sabedoria, em que o mestre era um pai espiritual e seus alunos eram filhos espirituais. Ver sobre isso em Pv 6.1. Poderíamos ter aqui um pai e um filho literais. Ver, porém, Pv 2.1; 3.1 e 4.1, quanto à metáfora do pai e do filho.

Instruções acerca dos Livros:

1. Primeiramente, temos de considerar uma simples observação: existem inúmeros livros "lá fora", disponíveis para a leitura, portanto seja um ávido leitor, leia um estoque interminável de livros; haverá muitas coisas que serão instrutivas e valiosas.
2. Ou, então, conforme dizem alguns traduções, *cuidado* com todos os livros que existem lá fora. Leia somente os livros aprovados pelas autoridades competentes. Outros poderão corromper os leitores. Se esse é realmente o sentido da afirmativa, então temos aqui um conselho deveras estranho, pois o que poderia ser menos ortodoxo que o livro do triste filósofo?

A *segunda instrução* será interpretada em harmonia com a nossa compreensão da primeira parte do versículo:

1. Para corresponder à primeira das duas ideias anteriores, devemos compreender que o estudante se cansaria de ler todos os livros disponíveis. Presumivelmente, porém, seus esforços seriam recompensados.
2. Se concordarmos com a segunda ideia anterior, então o editor estava dizendo: "Não desperdice o seu tempo lendo todos aqueles 'outros' livros não aprovados. Leia tão somente os livros das escolas de sabedoria, eles serão suficientes para sua edificação. Se essa é a ideia, temos um triste exemplo da *censura* antiga; mas dificilmente poderemos transformar isso na defesa de qualquer tipo de cânon primitivo do Antigo Testamento. Além disso, o editor não estava reivindicando inspiração divina para esses ou para outros livros de sabedoria; apenas os estava recomendando como de leitura proveitosa.

■ 12.13

סוֹף דָּבָר הַכֹּל נִשְׁמָע אֶת־הָאֱלֹהִים יְרָא וְאֶת־מִצְוֹתָיו שְׁמוֹר כִּי־זֶה כָּל־הָאָדָם:

De tudo que se tem ouvido, a suma é: Teme a Deus. Encontramos aqui a alegada *conclusão* do livro. Mas *essa conclusão* foi preparada pelas escolas ortodoxas de sabedoria, centradas no conhecimento da lei e na sua obediência, tudo fomentado e interpretado pelas escolas de sabedoria. A conclusão do triste filósofo, contudo, vemos em Ec 12.8: "Vaidade de vaidade... tudo é vaidade". Foi assim também que esse tratado começou (ver Ec 1.2). Mas, nas escolas de sabedoria, os homens eram homens "da lei". A lei era o guia (Dt 6.4

ss.); a lei transmitia vida (Pv 4.13); a sabedoria consistia em conhecer e obedecer à lei; a lei tornava *distintos* a nação ou o indivíduo. Todos os deveres do indivíduo giravam em torno do conhecimento e da observância da lei. O *summum bonum* do indivíduo sábio e ortodoxo consistia em obedecer à lei. Mas o *summum bonum* do triste filósofo eram os pequenos prazeres da vida (Ec 2.24,25), e até mesmo isso ele considerava um falso valor. Os homens das escolas de sabedoria consideravam inteiramente possível a obtenção do saber, porquanto a obediência à lei era considerada a própria sabedoria. Mas o triste filósofo não pensava que a sabedoria pudesse ser obtida por homem nenhum (ver Ec 8.16,17). Os homens das escolas de sabedoria aplicavam o seu conhecimento para o bem, mas o mau filósofo pensava que ninguém era verdadeiramente bom (Ec 7.16,17). A conclusão que encontramos no vs. 13 seria boa para o livro de Provérbios, mas, por certo, não é a conclusão a que chegou o filósofo que escreveu Eclesiastes.

12.14

כִּי אֶת־כָּל־מַעֲשֶׂה הָאֱלֹהִים יָבִא בְמִשְׁפָּט עַל כָּל־נֶעְלָם אִם־טוֹב וְאִם־רָע׃

Porque Deus há de trazer a juízo todas as obras. Este versículo é, por igual modo, contrário ao que o triste filósofo pensava. Para ele, todas as coisas são absolutamente predeterminadas e tendem a manifestar-se como princípios opostos (Ec 3.1-11). Um homem bom poderia ter um mau destino, ao passo que um homem ruim poderia terminar de maneira próspera e feliz. O que determinaria tais coisas é a vontade inexorável de Deus, e não o que o próprio indivíduo faz. Ver Ec 3.16,18-20 e 9.11,12. A mensagem deste livro é a de Rm 9.16: "... não depende de quem quer, ou de quem corre, mas de usar Deus a sua misericórdia". A afirmação das escolas de sabedoria era que um homem colhe aquilo que semeia. Mas a afirmação do louco filósofo era que um homem bom colhe o mal, ao passo que o homem ruim colhe o bem. Não obstante, ambos terminam no nada da morte, indistintamente (Ec 3.19,20; Ver também Ec 8.10-14). O vs. 14 é especialmente pertinente neste contexto. Todas essas vãs condições e acontecimentos teriam inspirado o triste filósofo a apresentar o seu *summum bonum* da vida humana como os pequenos prazeres. Ver esse pensamento em Ec 2.24,25; 3.12,22; 5.17; 8.15; 9.7-10; 10.19; 11.7,9,11 e 12.1. Mas até mesmo a isso ele chamou de falso valor. O nosso filósofo era um *niilista*, não uma figura das escolas de sabedoria, e não há como reconciliar os livros de Provérbios e Eclesiastes, na filosofia básica.

Ideias-chaves do Livro de Eclesiastes. Pessimismo, niilismo, epicurismo, determinismo (ver sobre todas essas coisas na *Enciclopédia de Bíblia, Teologia e Filosofia*). Essas *não* eram as ideias-chaves do judaísmo ortodoxo, excetuando-se o "determinismo", que usualmente era diferente, porquanto não era aplicado tão *radicalmente*.

LIVROS

Não há limite para fazer livros, e o muito estudar é enfado da carne.
Eclesiastes 12.12

Nunca li um livro que não me transformou — um pouco.
John Updike

Quando vieres, traze a capa que deixei em Trôade, em casa de Carpo, e os livros, especialmente os pergaminhos.
O apóstolo Paulo, 2Timóteo 4.13

O meio mais efetivo de comunicação e o mais nobre,
A despeito de toda nossa modernidade, ainda é O LIVRO.
Russell Champlin

Aquele que mata um homem mata uma criatura racional de Deus. Mas aquele que destrói um bom livro, mata a própria razão.
Areopagítica

Um bom livro é o precioso sangue da vida de um espírito-mestre, um tesouro que versa sobre a vida além da vida.
Areopagica

Ó Deus! Que alguém pudesse ler o livro do destino!
Shakespeare

Então se abriram livros. Ainda outro livro, o livro da vida foi aberto.
E os mortos foram julgados, segundo suas obras.
Apocalipse 20.12

CANTARES DE SALOMÃO

O LIVRO QUE CELEBRA
O AMOR ROMÂNTICO

As muitas águas não poderiam apagar o amor, nem os rios afogá-lo; ainda que alguém desse todos os bens da sua casa pelo amor, seria de todo desprezado.

CANTARES 8.7

8	Capítulos
117	Versículos

INTRODUÇÃO

No hebraico, *shir hashirim*. Na Septuaginta, *Ásma* ou *Ásma asmáton*. Na Vulgata Latina, *Canticum Canticorum*.

Dentro da Bíblia hebraica, este livro é o primeiro dos cinco rolos (no hebraico, *Megilloth*), que eram lidos quando das festas religiosas judaicas. Geralmente tem o nome de Cântico dos Cânticos nas diversas versões, mas a nossa versão portuguesa prefere "Cantares de Salomão". A forma hebraica, *shir hashirim*, é a forma superlativa (Ct 1.1), que significa "o mais excelente dos cânticos". Dentro das tradições judaicas, os Cantares eram lidos por ocasião da páscoa, para os judeus, a mais importante das festas religiosas.

ESBOÇO

I. Pano de Fundo
II. Autoria
III. Data
IV. Unidade do Livro
V. Lugar de Origem
VI. Destino
VII. Motivo de sua Escrita
VIII. Propósito do Livro
IX. Canonicidade
X. Estado Atual do Texto
XI. Conteúdo e Esboço
XII. Interpretação da sua Mensagem
XIII. Teologia do Livro
XIV. Bibliografia

I. PANO DE FUNDO

Os que pensam que Cantares de Salomão é obra de autoria de Salomão, rei de Israel, veem o princípio da monarquia israelita como o pano de fundo da obra. O tom pastoril de seu quadro poético sugere um longo período de paz em Israel, naquele período que os historiadores têm chamado de "época áurea" da cultura dos hebreus, as monarquias de Davi e Salomão.

Acresça-se a isso que o livro de Cantares contém numerosas referências a animais e plantas exóticas, tudo o que nos faz lembrar da fama de Salomão nos campos da biologia e da botânica. Isso nos leva de novo ao período inicial da monarquia hebreia. As diversas alusões geográficas existentes no livro parecem indicar uma fase da história dos hebreus em que o reino ainda não havia sido dividido em dois: o reino do norte, Israel, e o reino do sul, Judá. Assim, o livro fala sobre lugares nortistas como o Líbano (Ct 3.9; 4.8,11,15), o monte Hermom (4.8), Tirza (6.4), Damasco (7.4) e o Carmelo (7.5), como se formassem um único reino, juntamente com Jerusalém e as terras em redor. Todavia, isso poderia significar apenas que os arroubos poéticos do autor não eram considerações puramente locais, conforme alguns estudiosos têm salientado. Seja como for, o livro mostra claramente que o autor estava familiarizado com a geografia de toda a região da Síria-Palestina, desde as montanhas do Líbano até En-Gedi, perto do mar Morto (Ct 1.14). Mas, apesar de o livro mencionar produtos exóticos do Extremo Oriente, não há nenhuma indicação de que o material tenha sido escrito fora da Palestina, ou com um pano de fundo estritamente palestino.

II. AUTORIA

Quase todos os eruditos modernos rejeitam a autoria de Cantares por parte de Salomão. Esses preferem ver no livro uma coletânea de cânticos que celebrariam o amor pré-marital e marital. Seja-nos permitido observar que dificilmente esse tema teria tornado o livro aceitável aos judeus, para ser incluído no cânon sagrado, pelo que se trata de uma opinião muito duvidosa. Além disso, dizem alguns que a única prova de que o livro teria sido escrito por Salomão é o título, ou introdução editorial, conforme alguns eruditos o têm descrito, porquanto a forma mais completa do pronome relativo só é usada em Ct 1.1: "Cântico dos cânticos de Salomão". Um ponto técnico gramatical é que no hebraico há nisso uma construção ambígua, pois a partícula atributiva poderia significar "para", "acerca" ou "segundo", ou então poderia aludir à autoria direta de Salomão. No entanto, o nome do famoso monarca hebreu, Salomão, aparece por seis vezes no texto do livro (Ct 1.5; 3.7,9,11 e 8.11,12). E o último trecho, Ct 8.11,12, refere-se de passagem às riquezas materiais desse rei. No terceiro capítulo, Salomão é mencionado em três ocasiões diversas, em conexão com um elaborado cortejo, onde devemos ver a personagem histórica chamada Salomão. As alusões ao "rei" também são, geralmente, associadas a Salomão (Ct 1.4,12 e 7.5). Todavia, embora o grande rei hebreu seja a figura central de certos poemas (entre os quais se destaca o de Ct 3.6-11), na verdade ele nunca aparece como aquele que fala, e por esse motivo, certos estudiosos pensam que pelo menos alguns dos poemas foram escritos sobre Salomão, e não diretamente por ele.

Os argumentos em favor de uma autoria que não a de Salomão, geralmente, também falam em uma data posterior para o livro, e isso sobre bases linguísticas. Para exemplificar isso, há 49 vocábulos hebraicos que só ocorrem no livro de Cantares, em todo o Antigo Testamento; e alguns desses termos são de natureza botânica. Também há palavras e frases que parecem refletir o aramaico usado em certas composições pós-exílicas, sem falarmos em palavras que parecem ter sido tomadas por empréstimo do persa e do grego. Tudo isso pode ser naturalmente explicado pelo fato de que o vocabulário de um livro qualquer depende muito do assunto que estiver sendo tratado ali. Não admira, pois, que haja tantas palavras técnicas que se referem à zoologia e à botânica nesse livro, que não se acham em outros livros do Antigo Testamento. Quanto a outros vocábulos, também não é difícil justificá-los. Assim, no caso do nome da especiaria que era importada do Oriente, "cinamomo" (Ct 4.14), temos um termo importado. O comércio entre a Índia e a Mesopotâmia já estava bem firmado desde o terceiro milênio a.C., como também o comércio com o Egito. Isso quer dizer que, na época de Salomão, havia uma longa tradição de contatos comerciais com o Extremo Oriente. Por essa razão é que os nomes de certos produtos e substâncias, mencionados no livro, têm paralelos obviamente sânscritos. Poderíamos citar os casos do "nardo" (no sânscrito, *naladu* — Ct 1.12; 4.13,14) e a "púrpura" (no sânscrito, *regaman* — Ct 3.10 e 7.5). E alguns eruditos pensam que a palavra hebraica para "palanquim" (ver Ct 3.9) não veio através do grego, conforme muitos acreditam, mas derivou-se diretamente do termo sânscrito *paryanka*. Quanto à presença de alguns termos aramaicos no livro, isso nada significa, porquanto há vários outros livros do Antigo, e até do Novo Testamento, que contêm termos aramaicos, sem que isso altere em coisa alguma as questões da data ou da autoria desses livros. Ademais, o aramaico era língua gêmea do hebraico, mas que, desde o segundo milênio a.C., pelo menos, vinha sendo falada na Assíria e em outros lugares a leste da Palestina. Portanto, nada existe na linguagem em que foi escrito o livro de Cantares que requeira uma data posterior para a sua composição. Concluímos, pois, que devemos aceitar a autoria salomônica que, tradicionalmente, tem sido dada a esse livro.

III. DATA

Os críticos que atribuem um dos dois poemas do livro de Cantares a Salomão naturalmente datam-nos dentro de seu reinado, admitindo que o restante do livro foi coligido por ele (970-930 a.C.). E a menção a Tirza (Ct 6.4), como se fosse a contraparte nortista de Jerusalém, aponta para uma data comparativamente antiga da composição, ou, pelo menos, daquela porção do livro. Antes do governo de Onri (885/884—874/873 a.C.), Tirza fora a principal cidade do reino do norte; mas, quando Onri subiu ao trono de Israel, então, estabeleceu Samaria como a sua capital, tendo construído ali um esplêndido palácio real, além de numerosos outros edifícios e de ter fortalecido muito a cidade. Portanto, se Tirza aparece em Cantares como a principal cidade da porção norte do país, assim como Jerusalém era a principal cidade da porção sul, então a seção poética envolvida bem pode ser datada no século X a.C., a época de Salomão.

IV. UNIDADE DO LIVRO
Talvez o livro seja a coletânea de vários poemas que cantam o amor rústico, interiorano, de origem incerta. Nesse caso, Salomão teria sido o compilador e editor, que deu um burilado geral ao livro. Mas fê-lo de tal modo que o livro estampa sinais bem claros de unidade de estilo e de tema geral. Em face do que parece ser a unidade mais central da obra, a saber, o tema da riqueza do amor humano, parece que as tentativas de fragmentação do livro, que alguns críticos têm sugerido, são forçadas e artificiais. Portanto, devemos pensar que, da pena de Salomão, o livro de Cantares saiu como uma única obra literária.

V. LUGAR DE ORIGEM
Se o livro foi, realmente, composto por Salomão, então, o lugar de origem da obra deve ter sido a corte real, em Jerusalém. O trecho de 1Rs 4.32 fala sobre as habilidades literárias de Salomão. Todavia, os críticos que não aceitam a autoria salomônica têm pensado que pelo menos alguns dos poemas constantes no livro de Cantares foram escritos no reino do norte, quando da monarquia dividida. Porém, todos os argumentos nesse sentido já foram respondidos.

No entanto, se estão certos os estudiosos que pensam que o livro de Cantares nada tem a ver com Salomão como seu autor, então, a passagem do livro que gira em torno de Ct 6.4 pode ter sido escrita em Samaria ou nas proximidades. É mister, contudo, deixar claro que toda a opinião acerca do lugar de origem do livro precisa alicerçar-se sobre pura especulação, posto que não há indicações no livro que nos permitam precisar o local exato, dentro da Palestina, onde a obra poderia ter sido preparada. Por exemplo, não há provincialismos perceptíveis.

VI. DESTINO
A maneira como interpretamos o material do livro de Cantares também determina os possíveis destinatários da obra. Não parece que o autor sagrado tenha visado outra gente além dos próprios israelitas. Se os poemas foram compostos apenas para exaltar o amor humano, em suas várias facetas, então, não é provável que os destinatários tenham sido pessoas fora do povo em pacto com Deus, o povo de Israel. Um costume surgiu posteriormente entre os árabes, de recitar poemas eróticos, conhecidos entre os árabes por *wasfs*, diante de um noivo e sua noiva, pouco antes da cerimônia do casamento. Por essa razão, alguns eruditos têm pensado que o livro de Cantares serviria a um propósito similar, em Israel. Contudo, não podemos depender de um costume árabe para explicar a finalidade de uma composição escrita em Israel, cuja mentalidade sobre questões morais era tão diferente. Dificilmente um *wasf* seria aceito entre os livros canônicos de Israel.

VII. MOTIVO DE SUA ESCRITA
Não se sabe dizer o que teria motivado um autor sagrado a compor o livro de Cantares. Se o livro é apenas uma antologia de poemas líricos, que exaltam o amor físico, de proveniência salomônica em geral, então poderia ter sido motivado por um ou mais dos numerosos casamentos desse monarca hebreu. Mas, se o livro consiste em uma coletânea de cânticos nupciais de várias regiões do reino hebreu, então algum editor desconhecido apenas quis preservar para a posteridade esses poemas líricos. A própria subjetividade do processo de produção do livro, visto que no livro nada se lê que nos esclareça a respeito, inevitavelmente, faz com que a questão seja nebulosa para nós.

VIII. PROPÓSITO DO LIVRO
Muitos expositores têm sentido grandes dificuldades para justificar a inclusão do livro de Cantares de Salomão no cânon das Escrituras Sagradas. Parte dessa dificuldade se deve ao seu flagrante erotismo. Por outro lado, o livro é um longo *mashal* ou provérbio, ilustrando a riqueza e a beleza do amor físico humano; e, como tal, faz parte firme da tradição gnômica da literatura de sabedoria dos hebreus. Devemo-nos lembrar de que esse material originou-se no Oriente Próximo, onde imperavam diferentes atitudes quanto a certos pontos de moral. Deve-se observar que somente pessoas de classes abastadas poderiam dar-se ao luxo de empregar as substâncias exóticas e caríssimas, mencionadas nesses poemas. Tais pessoas, em contradição com as classes populares, estavam acostumadas a considerar o sexo em termos não tanto ascéticos, como uma questão não embaraçosa. Todavia, talvez essas pessoas e esses poemas se excedam um tanto, em relação com aquilo que nós estamos acostumados. Porém, o livro escolhe um curso que é um meio-termo entre a perversão, ou, pelo menos, o excesso sexual, por um lado, e a negação rígida e emocional das necessidades físicas, por outro lado, descendo até momentos da maior intimidade física entre um homem e uma mulher que se amam. No dizer de E. J. Young, talvez tudo isso reflita um amor mais puro que o nosso; ou, então, comentamos nós, uma atitude não tão vitoriana quanto a nossa.

IX. CANONICIDADE
A julgar pelas fontes rabínicas, é claro que o livro de Cantares de Salomão não obteve inclusão imediata no cânon das Escrituras hebraicas. O Talmude chega a atribuir essa composição escrita a Ezequias e seu grupo de escribas, uma opinião que pode estar alicerçada sobre as atividades do grupo que, aparentemente, editou outros materiais escritos de Salomão (cf. *Baba Bathra* 15a e Pv 25.1). A Mishnah (*Yadaim* 3.5) indica que o livro de Cantares não foi aceito no cânon senão com alguma disputa no tempo do suposto concílio de Jamnia (cerca de 95 d.C.). Após pareceres favoráveis e desfavoráveis quanto à inclusão do livro no cânon sagrado do Antigo Testamento, foi o rabino Aqiba quem comentou: "...todos os Escritos são santos, mas o Cântico dos Cânticos é o santo dos santos". Porém, bastaria isso para mostrar-nos que havia muitas dúvidas se o livro deveria ser incluído ou não no cânon. E toda a oposição à sua inclusão devia-se à natureza erótica do conteúdo da obra. De fato, quando da inclusão do livro no cânon, houve também a cautela de ser proibido o uso de qualquer de porção sua em banquetes e reuniões semelhantes, a fim de que não houvesse abusos que envolvessem um livro considerado canônico. A solução para esse aspecto erótico do livro consistiu em interpretá-lo não em sentido literal, mas como uma alegoria. Essa interpretação tem prevalecido tanto entre os judeus como no cristianismo em geral.

X. ESTADO ATUAL DO TEXTO
As obscuridades do livro de Cantares parecem mais devidas à presença de um número incomum de palavras raras, devido à natureza do assunto tratado, do que a algum manuseio por parte de escribas. Visto que a Septuaginta e o Siríaco Peshitta seguem bem de perto o texto massorético, essas versões não nos ajudam em coisa alguma a determinarmos melhor o sentido exato de certas palavras existentes no texto de Cantares. Além de consideráveis dificuldades de tradução em trechos como Ct 6.12 e 7.9, também não se sabe o sentido de quatro palavras hebraicas diferentes, ali existentes, em Ct 1.17; 4.4; 5.14 e 7.6. E o complicado simbolismo empregado no livro aumenta mais ainda as dificuldades de tradução.

XI. CONTEÚDO E ESBOÇO
Não é fácil apresentar uma análise do livro de Cantares à maneira convencional, pelo fato de que todos os diálogos são muito entretecidos e difíceis de deslindar. Há ali diálogos (por exemplo, Ct 1.9 ss.) e solilóquios (por exemplo, 2.8—3.5), e as palavras passam de uma personagem para outra com tanta frequência que é impossível identificar precisamente essas personagens. As "filhas de Jerusalém" são mencionadas durante a exposição (Ct 1.5; 2.7; 3.5 etc.), e a elas são atribuídas certas respostas, no diálogo (por exemplo, Ct 1.8, 5.9; 6.1 etc.). Uma situação similar ocorre no caso dos habitantes de Sulém (Ct 8.5) e os de Jerusalém (Ct 3.6-11). Entretanto, em termos gerais, poderíamos esboçar o conteúdo do livro de Cantares como segue:

1. A noiva exprime seu anelo pelo noivo, e canta seus louvores (1.1—2.7).
2. Aprofundando-se a afeição mútua entre eles, a noiva continua a elogiar seu amado, usando símbolos da natureza (2.8—3.5).
3. Louvores ao rei Salomão, à noiva e aos desposórios (3.6—5.1).
4. O noivo ausenta-se por algum tempo, durante o qual a noiva anela pela volta do noivo e continua a elogiá-lo (5.2—6.9).
5. Uma série de passagens descritivas sobre a beleza física da noiva (6.10—8.4).

6. Conclusão, que aborda a permanência do verdadeiro amor (8.5-14).

XII. INTERPRETAÇÃO DA SUA MENSAGEM

Nenhum livro do Antigo Testamento tem sido interpretado de tantas maneiras diferentes como o livro Cantares de Salomão. Isso se deve ao fato de que não há no livro nenhum tema especificamente religioso e central. Quatro abordagens principais devemos destacar aqui: a interpretação alegórica, a interpretação cúltica, a interpretação dramática e a interpretação lírica.

A *interpretação alegórica* foi adotada pelos rabinos e pelos pais da Igreja como a única maneira de resolver os problemas associados à aceitação do livro no cânon das Escrituras; essa é a interpretação até hoje favorecida pela Igreja Católica Romana e pelos comentadores judeus ortodoxos. Para estes últimos, Deus seria o grande amante dos poemas, e Israel seria a noiva, que receberia as demonstrações das misericórdias divinas. Às mãos dos cristãos, porém, houve alguma modificação, pois a noiva passou a ser a Igreja cristã. De fato, isso transparece em certos trechos do Novo Testamento, como, por exemplo, Jo 3.29, Ef 5.22,23, Ap 18.23 e 22.17. Foi Orígenes quem desenvolveu a interpretação alegórica clássica, sendo seguido por Jerônimo, Atanásio, Agostinho e muitos outros. No entanto, a maioria dos expositores cristãos tem evitado os problemas que surgem quando se expande o livro de Cantares em termos da história da Igreja cristã. Uma variante dessa interpretação, postulada por alguns escritores patrísticos, é a que diz que o livro reflete a relação entre Deus e a alma individual. Essa variante também foi iniciada por Orígenes, tendo sido adotada por alguns dos pais da Igreja e por certos escritores medievais. Ambrósio e alguns comentadores católicos romanos, mui caracteristicamente, têm identificado a noiva com a Virgem Maria, ao passo que Martinho Lutero opinava que a noiva nada mais seria do que o reino salomônico personificado. E alguns intérpretes identificam variegadamente a noiva, como se ela representasse, em um trecho ou em outro, Israel, a Igreja cristã, a Virgem Maria e o crente individual. Porém, a própria subjetividade da interpretação alegórica contribui para desacreditá-la. Apesar disso, a interpretação alegórica do livro de Cantares é a que tem predominado no pensamento protestante, pelo menos até recentemente.

A *interpretação cúltica* tem sido favorecida por alguns estudiosos à luz das liturgias do Oriente Próximo que comemoravam a morte e a ressurreição de alguma divindade. Segundo esse ponto de vista, o amante do livro de Cantares seria um deus que morrera e ressuscitara, ao passo que sua noiva seria sua irmã ou sua mãe, que se lamentava por sua morte e saíra freneticamente atrás de seus restos mortais. Algo similar teria acontecido a Baal e Anate, dos cananeus, a Tamuz e a Israel, dos babilônios, e a Osíris e Ísis, dos egípcios. E os idealizadores dessa ideia dizem que o que servia para comprovar isso era que o livro era usado por ocasião de uma festividade religiosa dos judeus. Mas, além de quatro outras composições canônicas serem usualmente empregadas em festividades religiosas dos judeus, não há nenhum indício de que Israel jamais tivesse qualquer cerimônia que se assemelhasse a isso.

A *abordagem dramática* de Cantares de Salomão surgiu quando começou a declinar o interesse pela interpretação alegórica, no começo do século XIX. Todavia, também podemos atribuir a Orígenes a ideia inicial, que foi reiterada nos escritos de Milton. A partir de 1800 desenvolveram-se duas formas dessa interpretação. A primeira delas, exposta por F. Delitzsch, que pensava que o livro cantava duas personagens principais, Salomão e uma donzela interiorana descrita como a sulamita (Ct 6.13). O livro contaria como Salomão a encontrou em suas rústicas cercanias e a trouxe para Jerusalém, onde, desposando-se com ela, aprendeu a amá-la com mais do que um puro amor carnal. A outra forma dessa interpretação dramática foi proposta por Ewald, além de Salomão e da jovem sulamita, introduziu na narrativa uma suposta terceira personagem, um pastor que seria o amante da jovem. E ela, levada para a capital pelo rei, lembrava-se apaixonadamente do rapaz, elogiando as suas qualidades, até que Salomão permitiu a volta dela para o rapaz. Essa teoria, conhecida como "a hipótese do pastor", tornou-se, geralmente, aceita entre os estudiosos liberais. A principal dificuldade da posição de Ewald, contudo, é que não há nenhuma evidência textual em favor da existência de um suposto pastor, que seria uma das personagens centrais do livro. Além disso, ele supõe que tenha havido grande resistência da parte da jovem à conquista amorosa, ao passo que a narrativa bíblica mostra, precisamente, o contrário. Acresça-se a isso que Ewald dá a impressão de que o rei que queria seduzi-la à força, transformando Salomão em um vilão, e não no herói da história. Por esses e outros motivos, tal interpretação está inteiramente desacreditada.

A *quarta* interpretação principal do livro de Cantares é a da *abordagem lírica*. Esta pensa somente que o livro consiste em uma coletânea de poemas líricos, sem nenhuma conexão com a festa de casamento ou ocasiões festivas especiais. Se essa interpretação tão simples tem alguma vantagem a seu favor, essa vantagem é somente que evita as dificuldades inerentes às três outras principais interpretações.

Também poderíamos falar sobre a interpretação chamada *típica*, favorecida por certos eruditos conservadores. Ela tem a vantagem de preservar o sentido óbvio dos poemas, ao mesmo tempo em que percebe um sentido espiritual e, portanto, mais elevado do que uma mensagem puramente sensual ou erótica. De conformidade com essa interpretação, o livro de Cantares refletia o puro amor espiritual que se verifica entre Cristo e os seus seguidores. Também haveria ideias paralelas na Bíblia, conforme se vê em trechos como Oseias 1—3; Ez 16.6 ss. e Efésios 5.22 ss. E o uso que Cristo fez da narrativa sobre Jonas (Mt 12.40), bem como a alusão à serpente de metal, levantada no deserto (Jo 3.14), são aduzidas como compatíveis com esse método geral de interpretação.

O conteúdo do livro de Cantares revela uma atitude para com a natureza que raramente se encontra em outros trechos do Antigo Testamento. Os hebreus, geralmente, concebiam a natureza como algo que revelava o esplendor e a majestade de Deus, pois ele controlaria totalmente essas forças naturais, segundo o seu querer. Mas, no livro de Cantares, os ciclos da natureza correspondem aos sentimentos dos amantes. Talvez isso se deva ao fato de que esse livro tenha incluído noções poéticas puramente folclóricas. O fato é que o amado chega ao campo no instante em que os poderes vitais da terra estavam novamente se manifestando (Ct 2.8-17; 7.11-13). Se esses poemas realmente tinham alguma conexão com cerimônias nupciais, então a habilidade das personagens das festas poderia ser comparada à capacidade profissional das lamentadoras, que, em Jr 9.17, são descritas como "mulheres hábeis". E visto que o livro de Cantares esteve associado à autoria salomônica desde o começo, a relação entre essa composição e a epítome de sabedoria de Israel parecia confirmar sua posição entre as obras de literatura de sabedoria de Israel. Todavia, quando a autoria salomônica foi posta em dúvida, então essa coleção de poemas foi relegada a outros gêneros literários.

Visto que o material de Cantares é essencialmente poético, por isso mesmo há nele características próprias de outras composições poéticas do Antigo Testamento. Ver no *Dicionário* sobre *Poesia dos Hebreus*. Essas características incluem itens como sinônimos, paralelismos, sintéticos e antitéticos, e acentos rítmicos que salientam pontos importantes.

XIII. TEOLOGIA DO LIVRO

O livro de Cantares ocupa uma posição *sui generis* no cânon do Antigo Testamento, devido ao fato de não conter nenhuma teologia explícita. Os estudiosos que creem que temos ali somente uma coleção de cânticos líricos ou folclóricos veem nisso uma confirmação para a sua opinião. Portanto, somente através de interferências podemos determinar a posição teológica do livro; e, quando é encarado por esse ângulo, o livro de Cantares ajusta-se às mil maravilhas à tradição hebreia do monoteísmo. Porquanto não há ali nenhum traço das influências mágicas ou das crenças politeístas que se acham, por exemplo, em cânticos de amor similares, provenientes do Egito. O amado só suspirava pela sua amada, exaltando assim o ideal da monogamia. Incidentalmente, isso parece contradizer a autoria salomônica, visto que o terceiro rei de Israel foi homem com muitíssimas mulheres e concubinas. Ver 1Rs 11.3-8. Embora as imagens poéticas sejam quase totalmente estranhas para o gosto moderno, a composição nunca se torna obscena, mesmo de acordo com os padrões da civilização ocidental. De fato, o livro reflete os cânones tradicionais da moralidade sexual que fazem parte da legislação mosaica, e jamais tolera qualquer coisa que poderia ser descrita como baixa ou imoral. O livro também reflete as tradições expressas em Gn 2.24, que mantêm que, no casamento, institui-se uma unidade psicofísica entre o marido e sua mulher. E toda a discussão sobre as emoções dos dois amantes é mantida em um elevado nível de sensibilidade e moralidade. Portanto, a pureza e a beleza do amor humano físico, como um dom divino, é o amor dominante do livro. O relacionamento natural entre um homem e sua esposa, que se amam, aponta no livro para a riqueza do amor humano, um pequeno exemplo do muito mais amplo, profundo e puro amor de Deus que lhe pertencem.

XIV. BIBLIOGRAFIA
AM E I IB IOT ND WES YO Z

Ao Leitor
O estudante sério do livro de Cantares de Salomão preparar-se-á para o seu estudo lendo, em primeiro lugar, a *Introdução,* onde abordo questões como pano de fundo; autoria; informes; unidade do livro; lugar de origem; destinatários; motivos de sua escrita; propósito do livro; canonicidade; estado atual do texto; conteúdo e esboço; interpretação da mensagem; teologia.

Sumário dos Itens de Interesse:
1. O livro de Cantares contém cerca de 25 poemas líricos (em alguns casos, fragmentos apenas), tratando dos temas do namoro e do casamento, e talvez considerados apropriados para serem recitados nos casamentos (Jr 33.11).
2. A poesia não é melindrosa ou vitoriana, e é tão abertamente sensual que foi "suavizada" em algumas traduções modernas. Os hebreus não eram um povo melindroso, mas amantes da música, da dança, do vinho e do sexo. A atitude sexual dos hebreus, entretanto, não era promíscua, já que buscavam o *ideal:* um homem = uma mulher. O tratamento, contudo, era bastante sensual.
3. Em certos lugares, os poemas são altamente eróticos, sensuais, mas ainda assim graciosos. Há poucas alusões aos mitos antigos de deuses e deusas dos quais parecia depender a fertilidade da natureza. Contudo, essas alusões não nos envolvem em problemas teológicos como o politeísmo ou o monoteísmo. Não temos aqui, portanto, um livro teológico.
4. O livro mostra-se compacto, passando de um poema para o próximo, em uma espécie de continuação de temas, em vez de compor uma rígida estrutura literária.
5. O livro de Cantares não tem franco conteúdo religioso. Tal conteúdo é insuflado mediante interpretações simbólicas, alegóricas e místicas por parte de autores judeus posteriores e cristãos. Precisamos assumir simbolismos místicos para que este livro se torne uma obra de caráter religioso, mas há dúvidas de que essa tenha sido a intenção do autor original.
6. A inclusão do livro no cânon veterotestamentário deveu-se aos rabinos, os quais devem ter pensado que o livro deveria ser encarado tal como o livro de Oseias, uma espécie de parábola na qual o Senhor aparece como o esposo, e Israel como a esposa. Os autores cristãos seguiram essa orientação, vendo Cristo como o marido, e a igreja como a mulher. Ver Os 2.16-19 quanto à primeira ideia, e Ap 21.2,9 quanto à segunda.
7. A forma presente do livro de Cantares data de cerca do século III a.C., embora contenha materiais muito mais antigos. O livro é atribuído a Salomão, provavelmente por convenção literária. Abordo essa questão na *Introdução,* seção II.
8. Uma grande variedade de interpretações tem sido dada ao livro, pelo modo alegórico de interpretação, e examino essa questão na seção XII da *Introdução.*

O conteúdo altamente erótico do livro tem dado certo alívio aos meninos e rapazinhos das escolas dominicais, os quais, enfadados com as lições recebidas, podem voltar-se para o livro de Cantares com excitação. E não poucos desses adolescentes também reavivam os tempos de sermão na igreja, com a mesma duvidosa atividade!

EXPOSIÇÃO

CAPÍTULO UM

A NOIVA EXPRIME SEU ANELO PELO NOIVO E CANTA LOUVORES A ELE (1.1—2.7)

O esboço do livro dá uma caracterização geral. Há vários oradores: a *mulher* (a noiva potencial, e, mais tarde, a noiva); o *homem* (o noivo potencial, e então o noivo); e os *amigos*. A identidade dos locutores se faz possível pelo gênero dos pronomes hebraicos empregados: *macho, fêmea* (amante, homem, amado, fêmea). Outra palavra é *amigos.* Em alguns casos, é impossível determinar o que está em pauta, e então temos de recorrer a adivinhações. Ver o gráfico a seguir a respeito dos oradores em Cantares.

A MULHER FALA (1.2-4)

■ 1.1

שִׁיר הַשִּׁירִים אֲשֶׁר לִשְׁלֹמֹה׃

Cântico dos cânticos de Salomão. *Título.* "Cântico dos cânticos é um superlativo, como "Santo dos Santos".

De Salomão. "Ou seja, ou acerca de Salomão, porquanto ele é nomeado em Ct 3.9,11 como o rei que se casaria, ou por Salomão, o alegado autor, que provavelmente é uma adição posterior, baseada em 1Rs 4.32" (*Oxford Annotated Bible,* comentando sobre o vs. 1). Talvez pudéssemos traduzir a frase por "o maior cântico de Salomão". Trata-se de um cântico de amor, romântico, sensual e francamente erótico, o tipo de cântico que seria entoado em um casamento. Quanto a detalhes, ver a *Introdução* ao livro e também as notas adicionais sob o título anterior: *Ao Leitor.* Quanto a uma discussão sobre a *autoria,* ver na *Introdução* a segunda seção. A melhor das canções não deve ser entendida como a melhor das canções da Bíblia (melhor que os cânticos de Moisés, de Débora etc.), mas o melhor dos cânticos de Salomão ou, então, simplesmente, "o melhor de todos os cânticos", particularmente o melhor dos cânticos de amor.

O NAMORO (1.2—3.5)

O TEMA DA SAUDADE (1.2-4)

■ 1.2

יִשָּׁקֵנִי מִנְּשִׁיקוֹת פִּיהוּ כִּי־טוֹבִים דֹּדֶיךָ מִיָּיִן׃

Beija-me com os beijos de tua boca. Esta seção é farta de expressões de desejo sexual, embora a restrição seja exercida pelos amantes. Após a cerimônia do casamento (Ct 3.6-11), podemos perceber notável ausência de restrição sexual. Assim, esta primeira seção fala de namoro romântico sem o cumprimento sexual, o que é assim apresentado como o ideal a ser seguido pelos amantes solteiros.

O namoro, apesar de não incluir sexo franco, é cheio de beijos na boca, o que, enfrentemos a questão, é um ato sexual. Mas isso era permitido pelo ideal dos hebreus, além de ser universalmente praticado. Alguns crentes acreditam que os beijos na boca deveriam ser evitados com total abstinência, devido à estimulação sexual que provocam. Conheci uma jovem (que queria comportar-se melhor do que uma freira) que permitia receber beijos somente na mão ou na testa, com um lenço por cima da testa! Em outras palavras, o homem tinha permissão de beijá-la na testa, mas somente com a proteção de um lenço. O par casou-se, teve cinco filhos, mas a jovem nunca foi muito boa esposa. Ver no *Dicionário* o artigo chamado *Beijo.*

Melhor é o teu amor do que o vinho. Os hebreus eram um povo do vinho, das danças e das festividades, o que dificilmente combina com o ideal evangélico, embora coisas estranhas estejam acontecendo ultimamente nas igrejas evangélicas. O vinho deixa uma pessoa embriagada, pelo que ela perde o bom equilíbrio. Um homem bêbedo fica um pouco doido, e outro tanto acontece aos casais que se entregam aos beijos — ficam mentalmente intoxicados, literalmente drogados e, pelo menos, meio loucos. A ciência tem demonstrado que as pessoas que se entregam aos beijos ficam, literalmente, drogadas, mas as drogas são *anfetaminas* naturais. O truque da natureza é que essas substâncias são produzidas em abundância por cerca de apenas três anos, usualmente tempo suficiente para uma mulher ficar grávida. Então diminui o suprimento de drogas naturais e, junto com essa diminuição, o grande impulso para o amor romântico, pelo menos no caso daquela mulher particular. Os homens usualmente apelam para outras mulheres, para se drogarem novamente. Alguns pensam que nisso consiste o amor e, quando os desejos selvagens passam, acreditam que deixaram de estar apaixonados. A maior parte desse jogo consiste no sexo, antecipado ou real; mas o amor já é outra entidade.

Deixa um beijo no cálice para mim,
E não solicitarei vinho.

Ben Johnson

Além disso, há aquela história moderna, celebrada em um cântico de amor, do amante que foi visitar sua namorada. Ele teve de passar por uma grande tempestade de neve para chegar à casa dela. Tendo enfrentado a tempestade, foi saudado calorosamente pela namorada. Ela se mostrou muito carinhosa e lhe deu um beijo. Na ocasião, a lareira estava acesa e mantinha a casa quentinha. Assim, a caminho de volta para sua casa, atravessando de novo a tempestade de neve, ele disse: "O tempo fora da casa está terrível, mas o fogo que há dentro de mim é delicioso! Que assim continue enquanto me amares: Que neve! Que neve! Que neve!" Na verdade, há vários tipos de calor, como também vários tipos de frio.

CANTARES DE SALOMÃO — OS ORADORES

OS ORADORES	TEXTOS
A amada	1.2-4; 1.4-7; 1.12-14; 1.16—2.1; 2.3-13; 2.
	2.15—3.11; 4.16; 5.2-8; 5.10-16; 6.2,3;
	6.11,12; 7.9—8.4; 8.5-7; 8.10-12; 8.14
Amigos do amado	1.4; 1.8; 1.11; 5.9; 6.1; 6.10; 6.13; 8.5
O amante	1.9,10; 1.15; 2.2; 2.14; 4.1-15; 5.1; 6.4-9;
	6.13—7.9; 8.13
Deus	5.1
Os irmãos amados	8.8,9

Beija-me ele com os beijos de tua boca; porque melhor é o teu amor do que o vinho.
1.2

Eu sou a rosa de Sarom, o lírio dos vales.
2.1

Como és formosa, querida minha, como és formosa!
4.1

Vem depressa, amado meu, faze-te semelhante ao gamo ou ao filho da gazela que saltam sobre os montes aromáticos.
8.14

■ **1.3**

לְרֵיחַ שְׁמָנֶיךָ טוֹבִים שֶׁמֶן תּוּרַק שְׁמֶךָ עַל־כֵּן עֲלָמוֹת אֲהֵבוּךָ:

Suave é o aroma dos teus unguentos. A cena de amor se completava com óleos e unguentos perfumados e com aromas que, para algumas pessoas, são significativos despertadores do desejo sexual. Pelo menos, esses perfumes ajudam a produzir uma atmosfera agradável. Ver no *Dicionário* os verbetes chamados *Azeite; Unção* e *Perfume*. Nos tempos bíblicos, tanto os homens quanto as mulheres usavam perfumes. Eram substâncias com aromas agradáveis, feitos de especiarias, como o cinamomo e as pétalas esmagadas, misturadas a uma base de óleo e guardadas em receptáculos enfeitados. O homem que era o alvo das atenções atraía muito as mulheres, pelo que as virgens também lhe cantavam louvores. Elas eram as companheiras da futura noiva e estavam torcendo para que o casamento se concretizasse, desejando coisas boas para a sua amiga. Se Salomão estava em pauta, então algumas dessas outras mulheres, companheiras da noiva, haveriam de tornar-se outras esposas ou concubinas. O livro de Cantares apresenta um ponto de vista monógamo, mas todos sabemos o que sucedeu posteriormente na sociedade judaica, não meramente no caso de Salomão.

Nome. As qualidades do noivo potencial e seus óleos fragrantes e perfume davam a ele um bom nome na presença das virgens. Este versículo, nos escritos dos rabinos, fala sobre o nome de Deus, ou então, segundo a interpretação cristã, sobre o nome de Cristo. Foi esse tipo de interpretação que deu entrada a Cantares no cânon do Antigo Testamento, embora não haja conotações religiosas reais no livro. Mediante *aplicação*, podemos inserir essas conotações religiosas no texto, mas por uma *interpretação estrita* tal aplicação não é permitida.

As donzelas. "No hebraico, *alamoth,* jovens donzelas. Ver Ct 6.8. Aqueles que entendem que Salomão era o objeto dos desejos, expressos no presente contexto, entendem por *alamoth* as jovens do harém" (Ellicott, *in loc.*). A interpretação cristã, entretanto, faz com que a jovem seja a igreja e talvez, mediante um esforço da imaginação, possamos ver os membros femininos desse organismo eclesiástico. A tais interpretações, entretanto, só podemos chegar mediante aplicações e, assim sendo, não continuarei a salientar a questão no texto. Estamos tratando com um *cântico de amor,* não com um hino eclesiástico. Fazer as amigas da noiva potencial (a igreja) ser Israel é apenas ridículo demais para mencionar.

■ **1.4**

מָשְׁכֵנִי אַחֲרֶיךָ נָּרוּצָה הֱבִיאַנִי הַמֶּלֶךְ חֲדָרָיו נָגִילָה וְנִשְׂמְחָה בָּךְ נַזְכִּירָה דֹדֶיךָ מִיַּיִן מֵישָׁרִים אֲהֵבוּךָ: ס

Leva-me após ti, apressemo-nos. As donzelas, atraídas pelo gracioso noivo potencial, seguiam-no sempre que tinham oportunidade. Iriam às câmaras dele, o que sugere o leito nupcial do noivo potencial. A noiva teria suas companheiras, mas no momento crítico elas desapareceriam de cena. Essas amigas da noiva são, noutro lugar, chamadas de *filhas de Jerusalém* (Ct 1.5; 2.6; 3.10; 5.8,16) ou *filhas de Sião* (3.11). Devemos imaginar a jovem noiva e suas companheiras como um *coro* que entoa louvores ao noivo potencial.

O rei. Uma referência a Salomão. Foi ele quem chamou a noiva e a introduziu na sua casa, um lugar de muitas e belas câmaras, bem como da *câmara,* a suíte dos noivos.

A suíte dos noivos seria um lugar pleno de vinho e amor sensual, e nenhuma mulher jamais esqueceria sua visita àquele lugar. Ela *amaria certamente o rei,* e outro tanto pode ser dito sobre as demais donzelas. O senso moral aqui não é o detalhe que se destaca. Antes, o que mais se destaca aqui são as excelências do amor do homem. Por causa disso, ele era amado "com razão" (nossa versão portuguesa e a *Revised Standard Version*).

A MULHER FALA DE SUAS COMPANHEIRAS (1.5,6)

■ **1.5**

שְׁחוֹרָה אֲנִי וְנָאוָה בְּנוֹת יְרוּשָׁלָםִ כְּאָהֳלֵי קֵדָר כִּירִיעוֹת שְׁלֹמֹה:

Eu estou morena, porém, formosa. A jovem especial tinha a tez morena, por genética, ou então amorenada, por causa dos raios do sol; mas, embora tivesse a pele morena, ainda assim era muito bonita. Cf. Teócrito, em *Idílios* X.26-29, onde Bambice é chamada de bonita, embora requeimada do sol. Este versículo não reflete nenhum preconceito racial em favor da pele branca, conforme temos na famosa afirmação de Joseph Smith sobre as mulheres: "Branca e deleitosa". As mulheres hebreias normalmente tinham cabelos negros e pele mais trigueira do que a maioria dos judeus modernos, que foram esbranquiçados pela mistura com europeus (enquanto os árabes permaneceram geneticamente uma raça mais pura e, assim, usualmente, mais morenos que os judeus). A jovem, sem dúvida, trabalhava nos campos e vivia queimada de sol. Talvez tivesse a tez mais morena do que as mulheres habitantes das cidades, que eram conservadas nas casas, em relativa reclusão. Essas mulheres citadinas, como é natural, tinham pele mais clara. Talvez a *jovem* não pensasse que sua pela morena fosse tão bela quanto a das mulheres das cidades, mas a verdade é que ela era uma mulher muito bonita. Além disso, o noivo potencial não notava a coloração morena da pele dela. Visto que tão grande era sua beleza, quem prestaria atenção à sua pele? A jovem se comparou com as tendas de Quedar, feitas de peles de animais, também de um tom *trigueiro*. Havia uma tribo de beduínos que vivia no norte da Arábia, cujas tendas eram feitas de pelos de cabra trançados, os quais eram negros. A nossa jovem era morena, mas não tão morena quanto os pelos de cabra! Ver no *Dicionário* o artigo chamado *Quedar*.

Então a jovem comparou-se com as cortinas do palácio de Salomão, com os tapetes coloridos com muitas cores, mas que certamente não eram brancos, e assim se orgulhava do colorido de sua pele. Ademais, esses tapetes eram belas obras de arte, e ela era, acima de tudo, uma obra de arte moldada pela natureza. Contrastar isso com a jovem comparada à lua e ao sol (Ct 6.10), bem como ao marfim, a saber, *branco*.

Ó filhas de Jerusalém. Quanto aos vários títulos dados às donzelas, ver as notas sobre Ct 1.4.

■ **1.6**

אַל־תִּרְאוּנִי֙ שֶׁאֲנִ֣י שְׁחַרְחֹ֔רֶת שֶׁשְּׁזָפַ֖תְנִי הַשָּׁ֑מֶשׁ בְּנֵ֧י אִמִּ֣י נִֽחֲרוּ־בִ֗י שָׂמֻ֨נִי֙ נֹטֵרָ֣ה אֶת־הַכְּרָמִ֔ים כַּרְמִ֥י שֶׁלִּ֖י לֹ֥א נָטָֽרְתִּי׃

Não olheis para o eu estar morena. Agora a jovem diz por que ela estava morena ou queimada de sol. Seus irmãos a tinham forçado a trabalhar no campo como guardadora das vinhas, pelo que ela apanhava sol todos os dias. E eram as vinhas *deles* que a jovem tinha de guardar, e não as próprias vinhas dela! Ela fora reduzida a uma escrava virtual, e sua tez escura lembrava sua condição humilde. Assim, a donzela exortou suas companheiras a negligenciar seu rosto escurecido, o que, para ela, era uma feiúra, não um ponto de atração. Mas a beleza da jovem era evidente, a despeito da condição amorenada de sua pele. Este versículo nos fornece um ambiente semelhante ao da história de *Cinderela*. Ela era a moça pobre dos campos, aquela de rosto queimado de sol, que o rei havia escolhido como noiva! Talvez a vinha da jovem fosse *ela mesma*. Ela estivera tão ocupada, cuidando da vinha de seus irmãos, que não tivera tempo de cuidar de si mesma, como uma mulher normal teria feito. Ela se sentia tão infeliz com o tratamento que estava recebendo de seus irmãos que os chamou de *filhos de sua mãe*, uma referência indireta. Eles tinham agido não como irmãos verdadeiros, mas como os proprietários de uma escrava.

■ **1.7**

הַגִּ֣ידָה לִּ֗י שֶׁ֤אָהֲבָה֙ נַפְשִׁ֔י אֵיכָ֣ה תִרְעֶ֔ה אֵיכָ֖ה תַּרְבִּ֣יץ בַּֽצָּהֳרָ֑יִם שַׁלָּמָ֤ה אֶֽהְיֶה֙ כְּעֹ֣טְיָ֔ה עַ֖ל עֶדְרֵ֥י חֲבֵרֶֽיךָ׃

Dize-me, ó amado de minha alma. A jovem falou do profundo de sua alma, de seu ser interior, de todo o seu coração, onde seu amado cuidava de seu rebanho, a fim de que ela fosse com pressa ao lugar onde ele estivesse, sem ficar vagueando pelas propriedades de outro homens, procurando em vão seu amado. Visto que ela se sentia segura, iria apressadamente para o lado dele, mas para tanto precisava de orientação. O amado é apresentado como um pastor. Até os reis tinham seus rebanhos particulares, embora essa expressão seja apenas poética. Ela precisava chegar onde ele estava ainda naquele mesmo dia, pois, do contrário, ficaria *velada*, ou seja, cairia em lamentação (ver 2Sm 15.30; 19.4). Somente as prostitutas andavam ao redor sem véu, mas não há aqui nenhuma sugestão de que ela estivesse evitando ser identificada com essa classe, usando sempre o véu. Seja como for, mulheres que não usassem o véu eram tidas como prostitutas, as quais não usavam o véu exatamente como sinal de sua profissão. Ver Gn 38.14,15. Ver no *Dicionário* o artigo chamado *Véu*.

Minha alma. Podemos ter aqui um simples semitismo para "eu". "A deusa da fertilidade é regularmente apresentada como uma mulher velada" (Theophile J. Meek, *in loc.*). Mas não há aqui alusão ao culto de qualquer religião de fertilidade, ou ao fato de que a mulher quisesse fazer parte dessa religião.

FALAM AS MULHERES (FILHAS DE JERUSALÉM) (1.8)

■ **1.8**

אִם־לֹ֤א תֵֽדְעִי֙ לָ֔ךְ הַיָּפָ֖ה בַּנָּשִׁ֑ים צְאִי־לָ֞ךְ בְּעִקְבֵ֣י הַצֹּ֗אן וּרְעִי֙ אֶת־גְּדִיֹּתַ֔יִךְ עַ֖ל מִשְׁכְּנ֥וֹת הָרֹעִֽים׃ ס

Se tu não o sabes, ó mais formosa entre as mulheres. Essas mulheres formavam um coro, e o poema é apresentado como se fosse cantado. Dirigiram-se a ela como a mais formosa entre as mulheres; e assim, se as *mulheres* podiam ver isso, então é que essa apreciação era veraz. Ela poderia encontrar o seu homem seguindo as pisadas do rebanho dele, que a levariam ao rebanho dele, ou seja, à propriedade do amado. Que ela conduzisse até ali suas cabras e as pusesse a pastar nas proximidades. Então a jovem estaria posicionada para ver seu amado e fazer contato pessoal com ele.

O HOMEM FALA (1.9-11)

■ **1.9**

לְסֻסָתִי֙ בְּרִכְבֵ֣י פַרְעֹ֔ה דִּמִּיתִ֖יךְ רַעְיָתִֽי׃

Às éguas dos carros de Faraó te comparo. Um homem que procurasse por uma esposa esforçar-se-ia por comparar as mulheres e escolher entre elas! Algumas vezes, porém, é a mulher que faz a comparação e a escolha! Mas a jovem aqui, embora incomumente *bela* (o que é a glória das mulheres, ao passo que a *inteligência* é a glória do homem) era tímida e permitiu que o homem fizesse seus avanços. O homem viu uma *beleza extraordinária* na jovem (sem dúvida ela tinha outras qualidades também, conforme o poema mostrará à medida que avançarmos). Várias símiles são empregadas para descrever a beleza da jovem. Aqui ela é comparada aos finos cavalos que puxavam, em particular, a carruagem real do Faraó. Esses cavalos eram sempre garanhões, mas uma égua é referida aqui porque esse belo espécime de mulher era precisamente isso, uma *mulher*. Por conveniência, pois, o autor refere-se aqui aos cavalos do Faraó como éguas. Quando o Faraó escolhia seus cavalos reais, podemos estar certos de que eram os mais poderosos, mais belos e de maior graça. Assim também o autor sagrado, ao escolher uma esposa, considerou somente a melhor mulher para ser sua companheira pela vida toda. "Anacreonte (60) e Teócrito (*Idílio* xxviii.30,31) e também Horácio (*Odes* iii.11) compararam a beleza feminina à beleza equina" (Ellicott, *in loc.*).

Estava ali uma beleza não menor que a de Helena, que foi a grande heroína do *Idílio*, de Teócrito:

> A dourada Helena, alta e graciosa, aparece como distinguida entre nós como o sulco no campo, o cipreste no jardim ou um cavalo tessalonicense no carro.

■ **1.10**

נָאו֤וּ לְחָיַ֙יִךְ֙ בַּתֹּרִ֔ים צַוָּארֵ֖ךְ בַּחֲרוּזִֽים׃

Formosas são as tuas faces entre os teus enfeites. A jovem estava enfeitada com todos os tipos de belos ornamentos, joias e pedras preciosas. No Oriente Próximo e Médio, as joias eram usadas em torno da testa, com voltas penduradas nas bochechas (o que explica a referência a essa parte do rosto da jovem). Ao redor do pescoço havia um colar de pérolas ou pedras preciosas. O hebraico indica aqui *contas*. As mulheres orientais apreciavam muito os braceletes, as argolas de tornozelo e os anéis, e as maneiras que elas encontravam para usar esses adornos eram intermináveis. Mulheres não muito abastadas tinham de contentar-se com voltas de moedas de prata penduradas na testa, que se pareciam com escamas de peixes. As damas persas com frequência usavam duas ou três fieiras de pérolas na largura da testa. Assim sendo, se no Novo Testamento a moderação é recomendada às mulheres (ver 1Tm 2.9), no caso desse homem, quanto maiores fossem as decorações que sua noiva potencial tivesse, mais ele a apreciava. Ver no *Dicionário* o artigo intitulado *Joias e Pedras Preciosas*.

■ 1.11

תּוֹרֵי זָהָב נַעֲשֶׂה־לָּךְ עִם נְקֻדּוֹת הַכָּסֶף׃

Enfeites de ouro te faremos. A jovem dispunha de um grande suprimento de ornamentos, mas o homem prometeu-lhe um maior número ainda de joias. Ele mandaria fazer para ela ornamentos de ouro cravejados de prata, como braceletes. Ou então as próprias vestes dela seriam enfeitadas com objetos de ouro ou de prata bordados. O rei atraiu a jovem rústica com esses ornamentos preciosos, exibindo-os diante dos olhos dela.

Parece que os enfeites das vestes da jovem tinham a forma de fileiras, dando voltas em torno da saia, ou talvez isso faça alusão a mulheres que prendiam fileiras de enfeites nos cabelos, para ajudar a formar *tranças*.

Resisto à tentação de encontrar símbolos místicos e metafóricos em toda essa descrição, Cristo, o noivo, e a Igreja, toda enfeitada com virtudes morais e espirituais.

A MULHER FALA (1.12-14)

■ 1.12

עַד־שֶׁהַמֶּלֶךְ בִּמְסִבּוֹ נִרְדִּי נָתַן רֵיחוֹ׃

Enquanto o rei está assentado à sua mesa. "Mesa" é aqui, literalmente, "divã", onde a pessoa se reclinava para comer. A jovem ainda não havia obtido acesso ao dormitório do homem. A palavra hebraica deriva-se de *hiphil*, "fazer círculos", pelo que alguns estudiosos imaginam estar em pauta uma mesa circular. O uso posterior do vocábulo, entretanto, perdeu a ideia de um círculo, e simplesmente referia-se a um divã, que, aliás, era bem baixo, quase ao nível do chão.

■ 1.13

צְרוֹר הַמֹּר דּוֹדִי לִי בֵּין שָׁדַי יָלִין׃

O meu amado é para mim um saquitel de mirra. Agora a figura torna-se mais íntima. A jovem imaginou o homem como uma sacolinha de mirra, pendurada ao pescoço dela, posicionada entre os seus seios. O homem não seria capaz de ver a pequena sacola de perfume doce, mas certamente sentiria o aroma e seria atraído pela mulher. Seja como for, isso transmitia uma mensagem íntima, equivalente a dizer "Eu sempre o tenho deitado entre os meus seios", refletindo a fixação sobre os seios, tanto de homens como de mulheres, que se repete por diversas vezes no livro de Cantares. Ver 4.5; 7.3,8; 8.8,10. E embora os hebreus não soubessem muita coisa sobre os assuntos científicos, estava claro para eles, tal como está para nós, que os seios são órgãos sexuais secundários. Portanto, é impossível separar o desejo e o sexo dos seios femininos. O assunto inteiro é completamente louco, mas nossa genética nos apanhou em seus meandros. O homem foi programado pelos seus genes a pensar que os seios femininos são uma grande coisa, sem nenhum jogo de palavras. A mirra era uma goma de aroma agradável, que exsuda de certas árvores pequenas da Arábia. A mirra é mencionada, igualmente, em 1.13; 3.6; 4.6,14; 5.1,5 (duas vezes). Ver detalhes sobre isso no artigo chamado *Mirra*, no *Dicionário*.

> *Meu amante é uma sacolinha de mirra que jaz a noite inteira entre meus seios.*
>
> NCV

■ 1.14

אֶשְׁכֹּל הַכֹּפֶר דּוֹדִי לִי בְּכַרְמֵי עֵין גֶּדִי׃ ס

Como um racimo de flores de hena nas vinhas de En-Gedi. A donzela continuava a pensar em metáforas que descrevessem o seu amado. Ele era como um ramalhete de *hena*. Ver no *Dicionário* o verbete intitulado *Hena (Planta)*. Trata-se de uma espécie vegetal, cientificamente denominada *Lawsoina inermis*, um arbusto de cor rósea, com o odor similar ao da rosa. Essa planta era cultivada em várias regiões do Oriente Próximo e Médio. Ver essa espécie também mencionada em 4.13 e 7.11. A flor medra em ramalhetes e até hoje, na Palestina, as folhas e as inflorescências da planta são pulverizadas, e então o pó é aplicado a várias partes do corpo. *En-Gedi* (ver a respeito no *Dicionário*) era um oásis nas costas ocidentais do mar Morto, local onde o cultivo dessa espécie era possível, bem como o de vinhas, e, como é óbvio, de outras espécies vegetais também, conforme este versículo sugere. A imaginação da bela jovem estava sendo despertada e corria solta, e ela chegou a imaginar toda a espécie de coisas que jamais esperaríamos encontrar na Bíblia. Comparar isso com o poema de Tennyson:

> Eu gostaria de ser o colar dela,
> O dia inteiro a cair e a levantar-me
> Em seus seios de bálsamo,
> A cada risada ou suspiro dela;
> E à noite eu jazeria tão de leve
> Que ela não me desataria.

O HOMEM FALA (1.15)

■ 1.15

הִנָּךְ יָפָה רַעְיָתִי הִנָּךְ יָפָה עֵינַיִךְ יוֹנִים׃

Eis que és formosa, ó querida minha, eis que és formosa. O noivo potencial dirige-se agora à belíssima jovem que, com tanto entusiasmo, o perseguia. Ele tinha o seu próprio jogo de metáforas para expressar amor e admiração, e através delas descrevia a estranha beleza física dela, que o deixava intoxicado como se fosse vinho. Em primeiro lugar, ele simplesmente declara a natureza incomum da beleza da jovem e a chama de seu *amor*. Então fixa os seus olhos nos dela, que considera serem olhos de pombas. A comparação com pombas é frequente no livro de Cantares. Os olhos da jovem eram pacíficos e gentis. Ver Ct 1.15; 2.14; 4.1; 5.2,11 e 6.9. A pomba simbolizava as deusas de fertilidade. Mas também simbolizava a pureza e a constância, qualidades que um homem gosta de encontrar em uma mulher. "De acordo com o ensino dos rabinos, uma noiva possuidora de belos olhos, segundo se esperava, também possuiria um belo caráter. Seus belos olhos transmitiam uma ideia de seu caráter" (S. M. Lehrman, *in loc.*). Este versículo é reiterado em Ct 4.1.

> ... *Aqueles olhos de pomba que podem fazer reis resignar a seu ofício.*
>
> Shakespeare

> Ouço-a a cantar como antigamente,
> Minha ave de cabeça brilhante,
> Minha pomba com seu olhos ternos.
>
> Tennyson

A MULHER REPLICA (1.16—2.1)

■ 1.16

הִנְּךָ יָפֶה דוֹדִי אַף נָעִים אַף־עַרְשֵׂנוּ רַעֲנָנָה׃

Como és formoso, amado meu, como és amável. A donzela copiou o estilo usado pelo homem e primeiro fez uma simples declaração sobre a formosura dele, seguida por uma metáfora de amor. No entanto, em sua segunda cláusula, ela chama o homem de "amável". Talvez essa palavra pudesse ter sido traduzida por "encantador", referindo-se mais à sua personalidade do que à sua aparência física.

O amável homem lembra à jovem o belo leito dos dois, que literalmente é *verde*. Isso pode ser comparado ao leito nupcial de Zeus e Hera (Homero, *Ilíada*, xiv.347-351). Esse leito era feito de relva verde e fresca, lótus orvalhado, açafrão, jacinto, tanto grosso quanto mole, coisas que a terra divina havia preparado para eles. Pode haver, neste versículo, uma referência aos campos onde o homem e a donzela se encontraram, e onde o pomar era uma espécie de cama. Ali os dois se apaixonaram e desfrutaram, pela primeira vez, da companhia um do outro. Ou então, se devemos pensar em uma cama literal, então algo parecido com o leito de Zeus e Hera está em vista aqui. O casamento sagrado do rei, que veio a tornar-se parte da festividade do Ano Novo, tornou-se tema de tratados e dramas orientais.

1.17

קֹרוֹת בָּתֵּינוּ אֲרָזִים רַחִיטֵנוּ בְּרוֹתִים:

As traves de nossa casa são de cedro. A imaginação da jovem continuava a alçar-se, ou então a descrição veio daquilo que ela, finalmente, obteve em seu casamento. A jovem tinha uma casa de luxo, feita com cedros do Líbano, com caibros de cipreste. Ver sobre ambas essas madeiras no *Dicionário*. Talvez a jovem se referisse à cena campesina na qual os dois se encontraram pela primeira vez, como uma espécie de casa com suas árvores altas servindo de paredes e esteios. Nesse caso, o espaço entre as árvores era como um leito, e as árvores, tão altas que eram, pareciam-se com as paredes de uma casa. Ou talvez o casal contasse somente com uma *cabana* no campo; porém, na imaginação da jovem, essa cabana tornou-se como um castelo, visto que o amor dos dois era tão grande. O amor deles engrandeceu a tudo e, com um pouco de imaginação, a bela jovem se admirava de tudo.

Com o fim deste capítulo, presumivelmente as cerimônias do *primeiro dia* da festa do casamento realmente tiveram cumprimento.

CAPÍTULO DOIS

A seção iniciada em Ct 1.1 continua até 2.8. Portanto, não há interrupção entre os capítulos 1 e 2.

2.1

אֲנִי חֲבַצֶּלֶת הַשָּׁרוֹן שׁוֹשַׁנַּת הָעֲמָקִים:

Eu sou a rosa de Sarom, o lírio dos vales. A bela jovem, tão impressionada estava com o que o seu amante lhe dizia, resolveu elogiar-se a si mesma. Ela era uma "rosa de Sarom" e um "lírio dos vales". *Sarom* (ver a respeito no *Dicionário*) era uma região costeira fértil, no território de Israel, que se estendia de Cesareia a Jope. A palavra hebraica aqui traduzida por "rosa" ocorre novamente no Antigo Testamento apenas em Is 35.1. Alguns falam no *açafrão,* planta que floresce na primavera, com flores ou púrpura ou brancas. Era uma flor comum dos prados. No acádico, a palavra refere-se ao *açafrão dos prados*. Se essa é realmente a referência, então o significado é que a bela jovem era como os prados cobertos de flores, quando esses florescem no tempo da primavera.

Ela também se parecia com os lírios dos vales, quando eles florescem. Essa flor é mencionada em vários lugares no livro de Cantares. Ver 2.1,2,16; 4.5; 5.13; 6.2,3; 7.2. A jovem demonstrava humildade, pois se referia a si mesma como as humildes flores dos campos; por outro lado, entretanto, essas flores tinham uma beleza toda especial, a cujo adorno nem Salomão, em toda a sua glória, jamais conseguiu se equiparar (ver Mt 6.28,29). Contraste o leitor esse autoelogio com as observações de Ct 1.5,6. Não se pode duvidar que *ser amado* é algo que transforma uma pessoa. "A maior coisa que você aprenderá é amar e ser amado" (conforme diz uma antiga canção popular). "Beleza, delicadeza e humildade pertenciam a ela, tal como pertenciam a ele (ver Mt 11.29)" (Fausset, *in loc.*).

O HOMEM FALA (2.2)

2.2

כְּשׁוֹשַׁנָּה בֵּין הַחוֹחִים כֵּן רַעְיָתִי בֵּין הַבָּנוֹת:

Qual o lírio entre os espinhos, tal é a minha querida entre as donzelas. Tirando proveito do tema de que a jovem era uma *flor do campo,* o homem incluiu um campo coberto de espinhos, ervas daninhas ou sarças, entre os quais a bela jovem teria crescido. Todas as *outras mulheres* eram como arbustos espinhentos, e a jovem se distinguia como o lírio. "Ele concordou que ela era um lírio, mas não qualquer lírio! Era *ímpar*, tal como o lírio se destaca entre os espinhos" (Jack S. Deere, *in loc.*).

"O amor está à beira do que é miraculoso. Em torno do amor há algo inefável, indizível e até mesmo irracional. O amor dá de si mesmo sem medida e sem calcular os custos" (Hugh Thompson Kerr, *in loc.*). "O amor vive sempre acreditando em milagres" (J. C. Powys). Ver no *Dicionário* o artigo chamado *Amor*.

A MULHER FALA (2.3-7)

2.3

כְּתַפּוּחַ בַּעֲצֵי הַיַּעַר כֵּן דּוֹדִי בֵּין הַבָּנִים בְּצִלּוֹ
חִמַּדְתִּי וְיָשַׁבְתִּי וּפִרְיוֹ מָתוֹק לְחִכִּי:

Qual a macieira entre as árvores do bosque. A bela jovem apanha agora a essência da metáfora usada pelo homem, no versículo anterior. Tal como ela era o lírio entre os espinhos, assim também ele era como a macieira no meio de outras árvores (sem frutos) no meio da floresta. Se a macieira não tem mais beleza natural do que as demais árvores de um bosque, contudo, se você estiver andando pela floresta e ficar com fome, seria uma deleitosa surpresa encontrar uma macieira, para satisfazer a sua fome com as maçãs. Tal como ela era *ímpar* (vs. 2), ele também o era (vs. 3). Levando adiante a metáfora, poderíamos dizer que ele era ímpar e doce, tal como uma maçã também o é. A palavra hebraica para maçã é *tappuach* (traduzida por "maçã", na Septuaginta e na Vulgata Latina), mas alguns estudiosos dizem que aqui está em vista o marmelo. O marmelo, porém, era uma fruta ácida, que não se ajusta ao versículo. Outros eruditos pensam estar em foco alguma fruta cítrica. Nos montes, porém, haveria um clima frio o bastante para produzir a maçã. A própria palavra hebraica é plástica, podendo ser variegadamente traduzida.

Além de avantajar-se da *fruta doce,* a donzela também obteve *sombras* (proteção) debaixo da árvore e *refrigério* no calor do dia, isto é, nas árduas experiências da vida. Cf. este versículo com Sl 94.19; Ef 2.6; 1Pe 1.8. Ver no *Dicionário* o verbete chamado *Maçã*, quanto a um amplo tratamento da questão da fruta em foco neste versículo.

2.4

הֱבִיאַנִי אֶל־בֵּית הַיָּיִן וְדִגְלוֹ עָלַי אַהֲבָה:

Leva-me à sala do banquete. Tinha prosseguimento a festa do casamento e agora o rei introduz a bela jovem na casa do banquete, o que a leva a soltar exclamações sobre as maravilhas desse lugar. A tradução literal seria "casa do vinho"; mas isso nos sugere as ideias de banquete, de festividade e de satisfação dos apetites. A donzela não estava falando meramente sobre a satisfação de seus desejos físicos, mas de tudo quanto o homem significava para ela. Ele se tinha tornado a vida dela. Ela buscava por ele, e ele buscava por ela, e assim a satisfação de ambos ficava garantida.

> O amor sacrifica todas as coisas,
> Para abençoar o objeto amado.
>
> Edward B. Lytton

> Busquei o Senhor, e depois eu soube que ele impeliu minha alma para buscá-lo, buscando-me.
>
> Um hino anônimo

O seu estandarte sobre mim é o amor. Ela avançou sob a liderança e sob a proteção dele, como faz um soldado sob um poderoso general. Esta parte do versículo pode dar a entender que a bela jovem foi conduzida ao salão do banquete por uma guarda dos militares da elite do rei, o qual pode ter ordenado que um pendão fosse desfraldado sobre a cabeça dela, quando eles entraram no salão do banquete. Ou então a coisa toda é figurada. O rei era, igualmente, o principal general do seu exército e, naqueles dias brutais, somente os guerreiros mais fortes tornavam-se reis. A brutalidade da época requeria fortes militares para que a nação pudesse sobreviver. Contudo, aquele homem poderoso tinha-se tornado o protetor pessoal dela, e os seus amáveis cuidados pela jovem eram motivados pelo *amor,* o qual, afinal, é a coisa mais poderosa que existe à face da terra.

"Somente o amor é suficiente por si mesmo; agrada por si mesmo e por sua própria causa. Em si mesmo é um mérito, e é a sua própria recompensa. Nunca tem causa nem consequência fora de seus próprios domínios. É o seu próprio fruto; seu próprio objeto e sua própria utilidade" (Bernardo de Clairvaux, extraído do livro de sua autoria, *Oitenta e Seis Sermões Sobre os Cantares de Salomão,* parte 509).

"Ela foi introduzida na casa do banquete de maneira grandiosa, imponente e majestática, em meio a um feérico colorido. Escrita na bandeira estava a palavra AMOR" (John Gill, *in loc.*).

Quando os soldados marcham, a bandeira deles é facilmente avistada. Assim também, o amor daquele homem por aquela jovem mulher era evidente. Era como uma bandeira que drapejava no ar.

■ 2.5

סַמְּכוּנִי בָּאֲשִׁישׁוֹת רַפְּדוּנִי בַּתַּפּוּחִים כִּי־חוֹלַת אַהֲבָה אָנִי:

Sustentai-me com passas, confortai-me com maçãs. A mulher continuava seu discurso. Intoxicada de amor, ela estava "adoentada" por tanto participar de coisas boas (retratadas como alimentos). No salão do banquete do rei, todas as suas necessidades e desejos físicos, por vinho e por alimentos, seriam satisfeitos. Na verdade, porém, ela já fora saciada com o amor. Havia aqueles deliciosos bolos de uvas passas no banquete, um acepipe oriental (ver 1Cr 12.40; Is 16.7; Os 3.1). Esses regalos estavam associados aos cultos de fertilidade dos pagãos. É difícil perceber por que maçãs literais seriam refrigeradoras para alguém adoentado. O sentido da frase poderia ser: "Faze-me uma cama com folhas de macieira", o que serviria para curar a jovem doente. Talvez os aromas dessa fruta a refrigerassem, mas provavelmente a referência é ao desejo de a jovem ser *saciada com o sexo*. Em outras palavras, a referência é metafórica, não literal. "O dardo do amor a havia ferido, e ela estava inflamada de amor" (John Gill, *in loc.*). Essencialmente, o que este versículo faz é mencionar itens da festa, transformando-os em símbolos eróticos.

■ 2.6

שְׂמֹאלוֹ תַּחַת לְרֹאשִׁי וִימִינוֹ תְּחַבְּקֵנִי:

A sua mão esquerda esteja debaixo da minha cabeça. Agora a imaginação da jovem foi diretamente ao objetivo de seus desejos. Ela estava deitada no leito. A mão esquerda do homem estava sob a cabeça dela, e com o braço direito ele a abraçava, o que, provavelmente, é um eufemismo para indicar o jogo do amor com a mão livre. Alguns intérpretes pensam que a donzela estava de pé, enquanto ocorria um simples abraço, mas isso dificilmente intensifica o que já foi dito no versículo anterior. Temos aqui "o anelo da jovem pelo amor, no tempo certo" (*Oxford Annotated Bible*, comentando sobre o vs. 6). Adam Clarke, corando de vergonha, deixou de lado este versículo, em seus comentários. John Gill faz tudo aplicar-se a Cristo e à sua igreja, o que é ridículo. No versículo anterior, a jovem (em sua imaginação) preparou-se espalhando folhas sobre o leito. Neste presente versículo, ela está deitada no leito ou, pelo menos, é o que o texto faz parecer.

■ 2.7

הִשְׁבַּעְתִּי אֶתְכֶם בְּנוֹת יְרוּשָׁלַםִ בִּצְבָאוֹת אוֹ בְּאַיְלוֹת הַשָּׂדֶה אִם־תָּעִירוּ וְאִם־תְּעוֹרְרוּ אֶת־הָאַהֲבָה עַד שֶׁתֶּחְפָּץ: ס

Conjuro-vos, ó filhas de Jerusalém. *A Mulher Dirige-se às suas Atendentes.* A jovem estava vencida por seus sentimentos eróticos, tendo entregado as rédeas do controle à sua imaginação; assim sendo, ela ordenou às suas atendentes que não piorassem as coisas, excitando-a a fazer amor, mediante as suas palavras, os seus gestos, as histórias que poderiam contar, os olhares apaixonados, e outras coisas afins. Ela rogou, pois, que não despertassem o seu amor, mas permitissem que este jazesse dormente, até que chegasse o momento exato. O amor não pode ser forçado. O momento certo se aproxima rapidamente. Ela não queria estragar a hora do encantamento. Ela fez um juramento em torno dos animais dos montes, seus companheiros nas florestas e nos campos. Naturalmente, as gazelas e as corças eram animais sagrados para a deusa do amor, Astarte, e alguns estudiosos supõem que, por essa razão, a jovem tenha jurado por eles, como controladores ou excitadores da paixão, mas, no momento, ela preferia que agissem como controladores. É difícil dizer quanto paganismo entrou nesses discursos. Quiçá as alusões, que certamente parecem existir, eram apenas instrumentos convenientes dos discursos, e não elementos encarados seriamente. Aqui, por exemplo, a jovem poderia ter feito essas alusões e proferir tais expressões sem fazer nenhum juramento literal aos auxiliares da deusa do amor. Por outro lado, se tivermos de levar a sério a atmosfera salomônica do livro de Cantares, então o juramento pode ter sido literalmente feito. O rei foi dominado pelo paganismo e pela idolatria por meio da influência de suas muitas mulheres não hebreias. Além disso, houve muitos períodos em que o paganismo invadiu a fé dos hebreus.

Filhas de Jerusalém. Esta expressão também se acha em Ct 1.4; 3.5; 8.4. Todas as mulheres de Jerusalém eram filhas de algum hebreu, e assim as palavras "filhas" e "mulheres" tornaram-se sinônimos. Para obter alguma variedade poética, a jovem variou os títulos que deu às mulheres que lhe serviam de auxiliares. Ver Ct 1.3, "donzelas".

APROFUNDANDO-SE A AFEIÇÃO MÚTUA ENTRE ELES, A NOIVA CONTINUA A ELOGIAR SEU AMADO, USANDO SÍMBOLOS DA NATUREZA (2.8—3.5)

A MULHER FALA (2.8-13)

■ 2.8

קוֹל דּוֹדִי הִנֵּה־זֶה בָּא מְדַלֵּג עַל־הֶהָרִים מְקַפֵּץ עַל־הַגְּבָעוֹת:

Ouço a voz do meu amado. A imaginação da jovem continuou inventando todas as espécies de imagens, e ela via o seu amado em todos os lugares e em todas as coisas. Agora a jovem ouvia a voz dele, e reconheceu que ele já se aproximava, saltando por cima dos montes, ultrapassando as colinas, ansioso para estar ao lado dela. Ele vinha correndo como se fora um deus, superior a qualquer homem; estava cheio de forças e vigor físico. Demonstrava grande poder sobre os animais dos montes e dos campos, os quais, quanto à resistência física e aos atos de força, são muito superiores aos homens.

Ouçam! Meu amante!
Olhem! Eis que aqui vem ele —
Saltando por cima dos montes,
Ultrapassando as colinas.

NIV

■ 2.9

דּוֹמֶה דוֹדִי לִצְבִי אוֹ לְעֹפֶר הָאַיָּלִים הִנֵּה־זֶה עוֹמֵד אַחַר כָּתְלֵנוּ מַשְׁגִּיחַ מִן־הַחֲלֹּנוֹת מֵצִיץ מִן־הַחֲרַכִּים:

O meu amado é semelhante ao gamo. Quando o amante da jovem se aproximava da casa dela, a donzela sentiu grande excitação. Lá se vinha ele, como um fogoso animal dos campos, que ela tanto havia admirado quando trabalhava ao ar livre (Ct 1.6). E assim como ele achou tanta graça e beleza na jovem, comparando-a a uma bela égua que puxava a carruagem do Faraó (1.9), também ela achou nele a beleza de um animal dos campos, o *gamo* ou o *veado*. As ações dele davam a impressão de força e agilidade, e o aspecto dele era gracioso. Ele chegara à casa dos pais da jovem, e olhara para dentro da janela, e ao vê-la, seu coração saltou de excitação.

Detrás da nossa parede. Essa parede circundava o pátio, pelo lado de fora da casa. Ele fora visto ali pela primeira vez; e então se aproximou da janela do quarto da jovem. Tenho procurado evitar os exageros de interpretação, com frequência tolos, que o livro de Cantares tem recebido, em que alguma coisa da igreja de Cristo é visto em quase cada palavra. Por exemplo, a *parede* tem sido explicada como: 1. a lei, que bloqueia a graça de Deus dos homens, emprestando poder ao pecado; 2. a parede que separa os judeus dos gentios e que foi derrubada por Cristo; 3. os pecados dos homens, que os separam de Deus; 4. os intermediários de Deus que falam em seu nome; 5. a humanidade (carne) de Cristo, que ocultava a sua divindade; 6. o muro de proteção que foi erguido em torno de seus filhos, a fim de protegê-los. Listo aqui essas interpretações para mostrar ao leitor por que as estou deixando de fora, com coerência, e chegando ao sentido real do livro: *um amor romântico e erótico*.

■ 2.10

עָנָה דוֹדִי וְאָמַר לִי קוּמִי לָךְ רַעְיָתִי יָפָתִי וּלְכִי־לָךְ:

O meu amado fala e me diz: Levanta-te, querida minha. As palavras deste versículo introduzem o poema que se segue e são a única composição prosaica que há no livro de Cantares. O homem pede que a jovem dê um passeio com ele pelo interior do país, na floresta, até o coração mesmo da natureza, a fim de que eles, juntos, possam desfrutar da companhia um do outro e das belezas naturais. A primavera foi belamente descrita, e podemos supor que essa estação do ano representasse o "amor jovem" deles. Nesse tempo, caros leitores, pensamos que viveremos para sempre, quando nossa saúde e nossas forças físicas estão ainda intactas. Ademais, é então que o vibrar do namoro está tão fresco e forte, antes que a idade avançada e a repetição diminuam seu fogo. "Quando uma pessoa se apaixona, os sentimentos se assemelham aos que temos na primavera, pois tudo parece fresco e novo. E o mundo passa a ser visto por uma perspectiva diferente" (Jack S. Deere, *in loc.*).

A MULHER RELATA O QUE O HOMEM DISSE (2.11-17)

■ **2.11**

כִּי־הִנֵּה הַסְּתָו עָבָר הַגֶּשֶׁם חָלַף הָלַךְ לוֹ׃

Porque eis que passou o inverno, cessou a chuva e se foi. O inverno havia passado, as tempestades tinham cessado, a primavera havia chegado, o amor era jovem: tomemos vantagem da primavera da vida; que o amor domine tudo.

Inverno. Essa palavra é tradução do termo hebraico *setaw*, a estação chuvosa de março e abril que trazia as *últimas chuvas*. Ver no *Dicionário* o verbete denominado *Chuvas Anteriores e Posteriores*. No fim das chuvas posteriores, a estação do crescimento das plantas começa com toda a força.

■ **2.12**

הַנִּצָּנִים נִרְאוּ בָאָרֶץ עֵת הַזָּמִיר הִגִּיעַ וְקוֹל הַתּוֹר נִשְׁמַע בְּאַרְצֵנוּ׃

Aparecem as flores na terra, chegou o tempo de cantarem as aves. As *flores da primavera* tinham começado a florescer com abundância; os animais dos campos podiam ser encontrados em todos os lugares, fazendo-se ver em sua jubilação diante da primavera, incluindo as muitas aves, como a *rola* (ver a respeito no *Dicionário*). A rola era uma ave migratória e seu aparecimento sinalizava a primavera (ver Jr 8.7). Era chegado o tempo da natureza pôr-se a cantar, e o efeito no coração humano era sempre evidente. A harmonia e a alegria da primavera reavivavam o coração dos amantes, pois seu amor também se manifestava "na primavera".

> *Florescências aparecem por toda a terra.*
> *É chegado o tempo de cantar.*
> *O arrulho das pombas pode ser ouvido.*
>
> NCV

■ **2.13**

הַתְּאֵנָה חָנְטָה פַגֶּיהָ וְהַגְּפָנִים סְמָדַר נָתְנוּ רֵיחַ קוּמִי לָכִי רַעְיָתִי יָפָתִי וּלְכִי־לָךְ׃ ס

A figueira começou a dar seus figos. *A vegetação irrompe para a plena vida.* As árvores frutíferas, como as figueiras, de novo ofereciam suas bênçãos aos homens; as uvas enfeitavam o interior do país; as fragrâncias da primavera excitavam os sentidos. A natureza convidava os amantes a fazer seus passeios e suas observações, a desfrutar por inteiro da primavera de seu amor, antes que as estações desfavoráveis diminuíssem ou extinguissem os prazeres. Assim como a primavera tem seus encantos, também a donzela era bela. O homem e a jovem formavam um par, e o homem estava bem consciente da comparação e da harmonia que existiam entre os dois. "A figueira, na Judeia, produz uma *dupla* safra, a primeira das quais amadurece na primavera. Mas a figueira, conforme já tive ocasião de observar algures, produz figos o ano inteiro, contanto que o clima seja favorável a essa produção. A figueira sempre tem frutos, maduros e verdes. Nunca vi uma figueira saudável nua de frutos. Mas, no começo da primavera, os figos crescem rapidamente e são muito suculentos e doces" (Adam Clarke, *in loc.*).

O HOMEM FALA (2.14-15)

■ **2.14**

יוֹנָתִי בְּחַגְוֵי הַסֶּלַע בְּסֵתֶר הַמַּדְרֵגָה הַרְאִינִי אֶת־מַרְאַיִךְ הַשְׁמִיעִינִי אֶת־קוֹלֵךְ כִּי־קוֹלֵךְ עָרֵב וּמַרְאֵיךְ נָאוֶה׃ ס

Pomba minha, que andas pelas fendas dos penhascos. As pombas fazem seus ninhos nos penhascos (ver Jr 48.28) a fim de proteger-se dos predadores. Brincando, o homem compara sua noiva àquela ave, como se ela estivesse se escondendo dele. Ele queria ver seu rosto amorável e ouvir sua voz agradável. A jovem ainda não saíra ao ar livre para acompanhar o amado em seu passeio pela natureza, mas estava "escondida", como se estivesse em sua câmara, arreliando o homem. Os amantes, como é natural, queriam estar sozinhos, somente os dois, e que o resto do mundo cuidasse de si mesmo. Mas com o casamento, as crianças, o trabalho e um milhar de distrações, que se tornam impossíveis de contornar, esse romance fica difícil; e assim o amor jovem murcha, e a rotina mortal toma o lugar do romance. Naquele momento mágico, porém, as coisas corriam direito. "O amante compara sua amada a uma *pomba*, hesitante por juntar-se a ele nos campos. Assim, uma vez mais (Ct 2.10,13), o amado a convidou a deixar o lar dela e reunir-se a ele, para que ele pudesse usufruir da voz suave e doce dela, bem como seu rosto digno de ser amado" (Jack S. Deere, *in loc.*).

■ **2.15**

אֶחֱזוּ־לָנוּ שׁוּעָלִים שׁוּעָלִים קְטַנִּים מְחַבְּלִים כְּרָמִים וּכְרָמֵינוּ סְמָדַר׃

Apanhai-me as raposas, as raposinhas, que devastam os vinhedos. As raposas ou chacais estariam nos vinhedos, estragando as vinhas por suas escavações ou comendo as uvas. Esses animais eram conhecidos por suas atividades destruidoras nos plantios. Talvez as atividades desses animais sugiram problemas que tinham de ser resolvidos no relacionamento do casal. Livrarem-se eles desses problemas seria garantir a continuação do amor livre, dos deleites do namoro. Mesmo nos casos de namoro e casamento ideais surgem problemas que precisam ser resolvidos, para que maior harmonia seja atingida. Deve haver a disposição para o casal resolver os problemas, quando os pontos de irritação são solucionáveis. Alguns estudiosos supõem que tenhamos aqui um trecho de uma canção rústica. Seja como for, a "passagem inteira da natureza" é o equivalente humano das danças de fertilidade da natureza. Os animais ocupam-se de danças intrincadas, mediante as quais os pares se juntam e revolucionam, usualmente o macho em torno da fêmea. Ademais, a maioria dos sons da natureza são chamadas sexuais, convites para o coito. Além disso, o colorido superior dos machos serve de atraente sexual para as fêmeas, como quando o pavão espalha sua cauda, que é o ato mediante o qual ele chama atenção de sua companheira. A maioria dos animais têm seu período fértil, mas os seres humanos ocupam-se dos jogos sexuais o ano inteiro.

> Odeio aquelas raposas de caudas de vassoura que a cada noite estragam as vinhas de Micom com suas mordias mortíferas.
>
> Teócrito, *Idílio*, v.112

A MULHER FALA (2.16,17)

■ **2.16**

דּוֹדִי לִי וַאֲנִי לוֹ הָרֹעֶה בַּשּׁוֹשַׁנִּים׃

O meu amado é meu, e eu sou dele. O jovem casal está agora passeando pela natureza, e a jovem observa seu excelente homem, que é *dela*, e ele é distintamente um pastor que cuida de suas ovelhas nos campos cobertos de lírios. Ou então o amante é pintado como um animal do campo que encontra grande quantidade de alimentos nos campos férteis por onde caminha. A rústica jovem continua a ver seu marido para futuro breve como um dos atraentes animais do campo, que ela observava todos os dias ao trabalhar nos vinhedos de seu irmão (Ct 1.6). Mas o hebraico parece favorecer a ideia do amante como pastor em seu trabalho agradável e frutífero para todos. A bela jovem descansava, segura na qualidade de pastor de seu amante, o qual, conforme pensava, cuidaria dela como cuidava das ovelhas.

■ 2.17

עַד שֶׁיָּפוּחַ הַיּוֹם וְנָסוּ הַצְּלָלִים סֹב דְּמֵה־לְךָ דוֹדִי לִצְבִי אוֹ לְעֹפֶר הָאַיָּלִים עַל־הָרֵי בָתֶר׃ ס

Antes que refresque o dia, e fujam as sombras. Usando uma excelente metáfora, que tem achado caminho até em hinos e poemas, a jovem fala do próximo alvorecer, quando o dia começaria a *respirar* de novo (conforme diz o hebraico original, literalmente), quando as sombras da noite fugiriam de diante dos gloriosos raios do sol matinal.

> Quando a manhã doura os céus,
> Meu coração, despertando, clama:
> Que Jesus Cristo seja louvado.
> Sê assim, enquanto a vida me pertence,
> Meu cântico divino.
>
> Traduzido do alemão por Edward Caswall

Alguns compreendem aqui que as sombras fugidias se referem ao fim da tarde, com suas longas sombras que terminam com a chegada da noite. Nesse caso, as duas metáforas falam do *dia inteiro*, da alvorada ao cair da noite, conforme podemos julgar com base em Ct 4.6.

Volta, amado meu. O significado da palavra *volta*, neste versículo, é obscuro, mas parece apontar para a ida do amante a seus postos de caça nos montes, como a gazela que se diverte em seu *hábitat*, ou como o jovem veado que sobe pelas colinas em sucessão que formam os seus domínios. O homem ocupava-se de seus deveres como pastor desde cedo pela manhã até o anoitecer, pelo que agora estava pronto para ocupar-se de seu trabalho agradável, em favor de suas ovelhas e em favor de sua noiva, sua pequena ovelha.

Os montes escabrosos. A referência poderia ser a Bitrom, que aparece em 2Sm 2.29, a qual ficava do lado oposto do rio Jordão — as chamadas colinas da *divisão*, que dividiam aquela parte do país do resto, o que também se dava com o rio Jordão. Mas a *Revised Standard Version* diz "áspero" onde a referência é obscura. O hebraico original diz aqui *hare bater*, "colinas da separação".

CAPÍTULO TRÊS

Não há divisão entre os capítulos 2 e 3. Esta seção começa em Ct 2.8, onde dou notas expositivas de introdução.

■ 3.1

עַל־מִשְׁכָּבִי בַּלֵּילוֹת בִּקַּשְׁתִּי אֵת שֶׁאָהֲבָה נַפְשִׁי בִּקַּשְׁתִּיו וְלֹא מְצָאתִיו׃

De noite, no meu leito, busquei o amado de minha alma. *A Mulher Fala e Sonha.* O rei, que fizera sua visita ao interior do país e saíra em seu passeio com a bela jovem, sua futura esposa, voltara a Jerusalém. A pobre e bela jovem agora estava sozinha em sua casa. Ela se virava e se agitava no seu leito, e tinha sonhos estranhos. Só pensava em uma coisa, estivesse desperta ou dormindo — seu amante. Inflamada de amor e desejo, chamou o nome de seu querido, mas estava e sem resposta da parte dele. O hebraico talvez indique "noite após noite". O sofrimento de amor da jovem era prolongado. Ela anelava para que o casamento se consumasse. Estava cansada de viver sozinha em sua cabana, no interior do país. "De noite, no meu leito" provavelmente indica a vida de sonhos da jovem. Ela estava obcecada e dominada por pensamentos de amor.

Caros leitores, o *amor jovem* é, verdadeiramente, uma coisa louca, uma espécie de embriaguez; um tempo em que ser insano é permitido e até admirado. Schopenhauer, em seu pessimismo, não podia deixar essa joia da natureza sozinho e permitir que as pessoas a admirassem. Portanto, declarou: "O amor é uma insanidade, curável por meio do casamento". A *alma* da jovem amava o homem, o que é repetido quatro vezes nesta passagem (vss. 1, 2, 3, 4). Schopenhauer queixou-se de que o amor e o sexo são as únicas coisas nas quais os jovens podem pensar, e ele considerava isso um louco desperdício de tempo. Por outro lado, visto que há tempo para tudo (ver Ec 3.1), que o amor entre os jovens tenha a sua oportunidade.

■ 3.2,3

אָקוּמָה נָּא וַאֲסוֹבְבָה בָעִיר בַּשְּׁוָקִים וּבָרְחֹבוֹת אֲבַקְשָׁה אֵת שֶׁאָהֲבָה נַפְשִׁי בִּקַּשְׁתִּיו וְלֹא מְצָאתִיו׃

מְצָאוּנִי הַשֹּׁמְרִים הַסֹּבְבִים בָּעִיר אֵת שֶׁאָהֲבָה נַפְשִׁי רְאִיתֶם׃

Levantar-me-ei, pois, e rodearei a cidade. A donzela estava desesperada e já não aguentava suportar por mais tempo a sua vida solitária; assim sendo, fez uma viagem à cidade, em busca de seu homem. Alguns eruditos supõem que este versículo descreva um sonho que a donzela teve. O vs. 4 certamente afirma essa ideia. Ela não tinha descanso, nem de dia nem de noite, e até saía, em seus sonhos, em busca de seu amante. As ruas e as praças eram da "cidade grande", Jerusalém. A jovem interiorana perdeu-se na teia de ruas, sendo obrigada a pedir orientações ao vigia que patrulhava a cidade (vs. 3). Ela estava amando seu querido com a *sua alma* (repetido quatro vezes nesta passagem; vss. 1, 2, 3 e 4). O vigia encontrou a jovem vagando perdida pela cidade, e, assim, ela tirou proveito das circunstâncias para indagar sobre o seu amante. Ele era o rei, e todos sem dúvida o conheceriam, mas ninguém o tinha visto e ninguém pôde ajudá-la; por isso, sua busca particular prosseguiu. E novamente ela repetiu a frase que "a alma dela o amava".

■ 3.4

כִּמְעַט שֶׁעָבַרְתִּי מֵהֶם עַד שֶׁמָּצָאתִי אֵת שֶׁאָהֲבָה נַפְשִׁי אֲחַזְתִּיו וְלֹא אַרְפֶּנּוּ עַד־שֶׁהֲבֵיאתִיו אֶל־בֵּית אִמִּי וְאֶל־חֶדֶר הוֹרָתִי׃

Mal os deixei, encontrei logo o amado da minha alma. Em seu sonho, a jovem, adoentada de amor, subitamente correu para o seu amado, a quem sua alma amava. Ela correu para ele o abraçou, e não permitiu que ele se fosse. De súbito, porém, ela despertou, e ali estava na casa de sua mãe, no leito da mulher que a tinha dado à luz. Então ela acordou, e seu sonho se reduziu a nada. Ela estava sozinha de novo. Em seu sonho ela havia trazido seu amante para a sua casa, mas isso foi apenas — como na maioria dos sonhos — a satisfação de um desejo, que a compensava pela real satisfação. Ver no *Dicionário* o verbete denominado *Sonhos*. No Oriente Próximo e Médio, se as mulheres casadas contavam com compartimentos separados na casa grande da família, é provável que a maioria das jovens solteiras dormisse com suas irmãs ou compartilhasse do dormitório de sua mãe.

■ 3.5

הִשְׁבַּעְתִּי אֶתְכֶם בְּנוֹת יְרוּשָׁלַםִ בִּצְבָאוֹת אוֹ בְּאַיְלוֹת הַשָּׂדֶה אִם־תָּעִירוּ וְאִם־תְּעוֹרְרוּ אֶת־הָאַהֲבָה עַד שֶׁתֶּחְפָּץ׃ ס

Conjuro-vos, ó filhas de Jerusalém. *A Mulher Fala a suas Atendentes.* Este versículo é uma repetição de Ct 2.7. Como ali, isso assinala o fim de uma seção. A seção que aqui termina é aquela que descreve o namoro. Doravante temos o começo da seção do casamento (Ct 3.6—5.1). A jovem, embora impaciente, foi capaz de atravessar todo o período de namoro e agora obteria o seu prêmio: o casamento. Ver as notas expositivas sobre o significado desse refrão, em Ct 2.7.

LOUVORES AO REI SALOMÃO; A NOIVA E OS DESPOSÓRIOS (3.6—5.1)

A MULHER CONTINUA O DISCURSO ÀS SUAS ATENDENTES (3.6-11)

O namoro chegara ao fim. Agora teria lugar a cerimônia do casamento. O noivo chega, resplendente; e, excitada, a bela jovem chama suas companheiras para apreciarem a cena.

3.6

מִי זֹאת עֹלָה מִן־הַמִּדְבָּר כְּתִימֲרוֹת עָשָׁן מְקֻטֶּרֶת מוֹר וּלְבוֹנָה מִכֹּל אַבְקַת רוֹכֵל׃

Que é isso que sobe do deserto, como colunas de fumo...? Surgindo na linha do horizonte do deserto, como uma coluna de fumaça, a liteira de Salomão é avistada. Sua liteira estava perfumada com mirra e incenso, bem como os pós preciosos e fragrantes que costumavam ser negociadas pelos comerciantes. Provavelmente devemos pensar aqui em talcos perfumados, feitos de especiarias, pétalas de flores esmagadas e misturadas em uma base de óleo. Ver as notas sobre Ct 1.3. A "alusão à fumaça" fala das *nuvens de poeira* levantadas no ar pelos cavalos e pela carruagem real. Talvez a liteira também estivesse envolta pelas nuvens do incenso que era queimado à frente e atrás dela.

"O costume de antecipar um cortejo com incenso era muito antigo e bastante generalizado no Oriente. Talvez fosse uma relíquia de cerimônias religiosas, nas quais os deuses eram carregados nas procissões" (Ellicott, *in loc.*).

3.7,8

הִנֵּה מִטָּתוֹ שֶׁלִּשְׁלֹמֹה שִׁשִּׁים גִּבֹּרִים סָבִיב לָהּ מִגִּבֹּרֵי יִשְׂרָאֵל׃

כֻּלָּם אֲחֻזֵי חֶרֶב מְלֻמְּדֵי מִלְחָמָה אִישׁ חַרְבּוֹ עַל־יְרֵכוֹ מִפַּחַד בַּלֵּילוֹת׃ ס

É a liteira de Salomão. A liteira era puxada pelos mais excelentes garanhões e acompanhada por uma escolta militar de cerca de sessenta homens poderosos, os mais importantes soldados e oficiais de Israel, as *tropas de elite*. Cada um daqueles homens era um guerreiro de renome; cada um deles era habilidoso com seus armamentos, sobretudo com a espada, que cada qual brandia ao seu lado (vs. 8). O rei era o comandante em chefe do exército e, normalmente, o maior guerreiro de sua tribo ou nação. Homens elevavam-se ao trono por seu poder militar, e esse poder era muito prezado naqueles dias, quando o povo sobrevivia à força. Era comum que os amigos do noivo o acompanhassem até o lugar onde a cerimônia seria efetuada, sendo provável que alguns dos que faziam parte da guarda militar do rei fossem amigos especiais do monarca. Davi tinha uma guarda pessoal dessas (ver 2Sm 23.3), formada em sua maioria por seus amigos pessoais, e outro tanto, como é provável, também se dava com Salomão. Alguns intérpretes supõem que a noiva viesse em companhia do noivo e que a guarda era necessária para efeito de proteção. O cortejo pode ter vindo de tão longe quanto o Líbano (4.8,15) e, assim sendo, teria de cruzar territórios infestados de bandidos. Até homens fortes *temem a noite,* quando estão em território inimigo. Toda precaução tivera de ser tomada. Cf. At 23.23 quanto à guarda de Paulo, quando ele foi escoltado até Cesareia.

3.9

אַפִּרְיוֹן עָשָׂה לוֹ הַמֶּלֶךְ שְׁלֹמֹה מֵעֲצֵי הַלְּבָנוֹן׃

O rei Salomão fez para si um palanquim de madeira. Salomão era o homem que estava chegando na liteira. Seu veículo era real, feito dos melhores materiais, incluindo o cedro do Líbano, que pode ter sido a pátria da noiva e de onde o rei a estava transportando. Nesse caso, não era a jovem quem falava no versículo, a menos que ela tenha sido retratada como presente de alguma maneira, em espírito, para dirigir-se às suas companheiras. Cf. Ct 4.8,15.

3.10

עַמּוּדָיו עָשָׂה כֶסֶף רְפִידָתוֹ זָהָב מֶרְכָּבוֹ אַרְגָּמָן תּוֹכוֹ רָצוּף אַהֲבָה מִבְּנוֹת יְרוּשָׁלִָם׃

Fez-lhe as colunas de prata. A liteira não era uma liteira comum. Além de ter sido feita de cedro, tinha colunas de prata, e sua espalda era de ouro puro. Seu assento era da mais excelente púrpura e tinha sido decorado pelas melhores bordadeiras de Jerusalém.

Este versículo apresenta várias dificuldades de tradução, pelo que existem emendas. Mediante uma comparação com a versão árabe, o interior da liteira aparece decorado em couro. Alguns manuscritos omitem as palavras "filhas de Jerusalém", no final do versículo. Isso também ocorre na Septuaginta e em alguns antigos manuscritos latinos. Além disso, Orígenes não encontrou essas palavras no texto que ele usou. Os melhores artífices prepararam a liteira, e as filhas de Jerusalém embelezavam-na com amor. Alguns dizem que uma "amável jovem" fez o interior da liteira.

3.11

צְאֶינָה וּרְאֶינָה בְּנוֹת צִיּוֹן בַּמֶּלֶךְ שְׁלֹמֹה בָּעֲטָרָה שֶׁעִטְּרָה־לּוֹ אִמּוֹ בְּיוֹם חֲתֻנָּתוֹ וּבְיוֹם שִׂמְחַת לִבּוֹ׃ ס

Saí, ó filhas de Sião, e contemplai ao rei Salomão com a coroa. A admirável liteira havia chegado, e a ordem agora era que as companheiras da noiva saíssem e dessem uma boa olhada no carro. Elas veriam a belíssima liteira e, lá dentro, o rei Salomão, sentado com todas as suas vestes reais. Sua mãe tinha mandado confeccionar uma coroa especial para ele, exatamente para *aquela oca*sião, ou seja, o dia de seu casamento, quando ele se sentiria tão feliz. Os hebreus costumavam usar coroas preciosas de vários tipos em dias especiais. A coroa nupcial, entre os gregos e os romanos, era apenas uma grinalda de flores; mas parece que a mãe de Salomão fez muito mais do que isso.

CAPÍTULO QUATRO

Não há interrupção entre os capítulos 3 e 4. Esta seção começa em Ct 3.6, onde dou algumas notas expositivas de introdução.

O HOMEM FALA COM A MULHER (4.1-15)

4.1

הִנָּךְ יָפָה רַעְיָתִי הִנָּךְ יָפָה עֵינַיִךְ יוֹנִים מִבַּעַד לְצַמָּתֵךְ שַׂעְרֵךְ כְּעֵדֶר הָעִזִּים שֶׁגָּלְשׁוּ מֵהַר גִּלְעָד׃

Como és formosa, querida minha, como és formosa! A beleza da noiva é elogiada mediante uma série de metáforas que não têm muito sentido para nós, hoje em dia, mas faziam parte do arsenal dos poetas dos tempos antigos. Em primeiro lugar, o homem chama sua amada de "formosa" por duas vezes. Ele via seus dotes naturais destacados pelas suas pinturas de rosto, suas joias e suas vestes esplendorosas. E então observa os olhos dela, os quais, para ele, eram como os olhos de uma pomba. Essa figura simbólica já havia sido usada em Ct 1.15, onde há notas expositivas. Ela trazia o véu sobre a cabeça, mas ele podia ver através dos panos para contemplar os belos olhos que o fitavam. Então os cabelos dela, que são uma grande atração sexual para os homens, eram longos e flutuantes e, para ele, pareciam um grande rebanho de cabras descendo pelas ladeiras de Gileade. Os cabelos dela eram negros, como os pelos das cabras, e uma bela visão para ser admirada, da mesma maneira que um homem dos campos pensa que uma revoada de pássaros ou um rebanho de animais são belos. Os cabelos dela eram negros, lustrosos e graciosos. As montanhas de Gileade ficavam para além do rio Jordão, na fronteira com o deserto da Arábia. Ver no *Dicionário* o verbete denominado *Gileade*. Ver também ali os artigos *Cabelo* e *Véu*.

> Quão bonita és, minha querida,
> Oh! Quão bonita tu és!
> Teus olhos por detrás de teu véu são como pombas.
> Teus cabelos são como um rebanho de cabras
> Descendo pelo monte Gileade.
>
> NCV

4.2

שִׁנַּיִךְ כְּעֵדֶר הַקְּצוּבוֹת שֶׁעָלוּ מִן־הָרַחְצָה שֶׁכֻּלָּם מַתְאִימוֹת וְשַׁכֻּלָה אֵין בָּהֶם׃

São os teus dentes como o rebanho das ovelhas recém-tosquiadas. Os dentes dela lembravam o homem de um rebanho de ovelhas brancas que tivessem sido recentemente tosquiadas e banhadas.

Em seguida, o homem relembrou que aquelas ovelhas eram tão férteis que todas tinham gêmeos, e, enquanto ele admirava a beleza física dela, sua mente rodopiava em torno de questões como casamento, sexo e filhos. Não é preciso muita coisa para que a mente de um homem passe a girar em torno de coisas assim. Para tanto, basta um belo palmo de rosto feminino. Naturalmente, as ovelhas são lavadas antes de serem tosquiadas, pelo que o homem não foi muito cuidadoso quanto à ordem de apresentação de suas declarações. Os dentes da jovem eram perfeitos, irrepreensivelmente equiparados uns aos outros, como se fossem gêmeos, e foi essa qualidade que provavelmente fez a mente do homem desviar-se para a questão da procriação.

4.3

כְּחוּט הַשָּׁנִי שִׂפְתֹתַיִךְ וּמִדְבָּרֵיךְ נָאוֶה כְּפֶלַח הָרִמּוֹן רַקָּתֵךְ מִבַּעַד לְצַמָּתֵךְ׃

Os teus lábios são como um fio de escarlate. Os *símbolos metafóricos* continuaram a jorrar da boca do homem: os lábios da jovem eram como um fio de escarlate. Ela os tinha pintado, tal como as mulheres fazem em nossos dias. Quando eu era jovem, isso era tabu nas igrejas evangélicas, mas esse assunto nada significa hoje em dia. Uma mulher que pinta os lábios e põe um colorido nas bochechas é o menor de nossos problemas atuais. Naturalmente, o *vermelho* é a cor da *paixão*, e a mulher pinta os lábios e colore para lembrar ao homem desse fato. O que ela tem em mente é amor, casamento, reprodução, filhos, família — e é isso que a cor vermelha diz. É como se ela dissesse ao homem: "Venha e fique comigo!" Se o homem corresponder ao convite, então ela terá conseguido todas as coisas que considera valiosas na vida.

No mundo animal, *vermelho* é a cor comum da atração, mas ali é o macho que tem essa coloração; contudo, é exatamente por essa razão que a mulher colore o seu rosto. Os dotes naturais de uma mulher são perfeitamente suficientes para ela conseguir candidatos para o casamento. Mas como a mulher é uma criatura de fé relativamente pequena, ela se pinta para aumentar suas chances de atração.

Além disso, as bochechas da donzela eram como metades de uma romã, isto é, avermelhadas. Essa fruta também possui muitas sementes, o que poderia ser outra figura da fertilidade. O homem estava vendo através do véu da jovem, mas isso não o impedia de perceber toda a beleza, com base na qual ele imaginava tanta coisa. Ver no *Dicionário* o artigo chamado *Romã*, e ver também Ct 4.13; 6.7,11; 7.1,12 (na Septuaginta) (vs. 13, no original hebraico); e 8.2.

A romã traz à minha mente o corar de minha amada, quando o rosto dela se vê coberto de um modesto embaraço.

Uma ode persa

O poeta oriental usou a romã em sua metáfora, ao passo que um poeta ocidental usaria a maçã.

4.4

כְּמִגְדַּל דָּוִיד צַוָּארֵךְ בָּנוּי לְתַלְפִּיּוֹת אֶלֶף הַמָּגֵן תָּלוּי עָלָיו כֹּל שִׁלְטֵי הַגִּבּוֹרִים׃

O teu pescoço é como a torre de Davi. O pescoço da donzela era como a *elegante torre* de Davi, edificada para ser um *arsenal*. Esta última palavra tem um sentido incerto, embora, para alguns, fale em *elegância*. Mas outros eruditos falam em *fileiras de pedras,* provavelmente montadas com habilidade e graça, de forma que a torre formava uma excelente estrutura. Os soldados penduravam seus escudos na parede da torre, e quem passasse por ali podia ver um milhar de escudos pendurados. Essa era uma visão impressionante; e outro tanto sucedia ao lindo pescoço da jovem. Essa metáfora não pretende falar em força, mas em elegância e beleza que impressionam a mente. Alguns veem aqui a ideia do aspecto de realeza da jovem; mas por que o homem falaria sobre o *pescoço* dela aqui? Ele deveria ter falado sobre o olhar ou sobre o andar dela, se quisesse mencionar a questão. Porventura ela manteria a cabeça erguida (no alto de seu pescoço), com um olhar penetrante e de autoridade? Talvez o homem estivesse falando sobre todas aquelas joias penduradas em várias voltas em torno do pescoço da jovem, o que sugeria os muitos escudos pendurados da torre de Davi. Nesse caso, então ela deve ter pensado que aquelas joias punham em destaque a sua beleza. Cf. essa ideia com Ez 27.11.

4.5

שְׁנֵי שָׁדַיִךְ כִּשְׁנֵי עֳפָרִים תְּאוֹמֵי צְבִיָּה הָרוֹעִים בַּשּׁוֹשַׁנִּים׃

Os teus dois seios são como duas crias, gêmeas de uma gazela. Um homem dos campos admiraria as duas gazelas gêmeas que visse a pastar em um campo de lírios ou a beber em uma poça de água. Ele ficaria *encantado* diante de tal visão. A maioria dos animais jovens, mesmo quando não são belos, são, pelo menos, curiosos; e, quando avistados, oferecem certa excitação à mente humana. Cf. Ct 1.13; 7.3,7,8; 8.8,10 quanto à fixação de Cantares sobre os seios femininos. Comento esse fenômeno em Ct 1.13, pelo que não repito aqui as observações. Parece que os homens antigos se mostravam tão ridículos em torno dos seios femininos quanto os homens modernos se mostram, e a questão inteira, muito provavelmente, tem um fundo genético: apenas mais uma das armadilhas da natureza para garantir a procriação e a extensão da raça humana. Podemos falar na admirável simetria dos seios femininos; e também podemos explicar suas funções mamárias, coisas notáveis e verdadeiras. Mas os seios de uma mulher, como órgãos sexuais secundários, apontam para o desejo sexual, tanto do homem quanto da mulher. Sua importância para as funções sexuais dificilmente pode ser subestimada. Em um poema de amor como é o livro de Cantares, não havia como o autor deixar de lado um assunto como esse.

"Olhar para a pele suave de uma pequena gazela faz uma pessoa querer tocar nela. Salomão queria que sua noiva soubesse que sua gentil e suave beleza tinha acendido nele o desejo por ela, e quis expressar esse desejo com suas carícias" (John S. Deere, *in loc.*). Ellicott, movido pelo pejo, ignora este versículo. Plutarco pensava que a natureza deu à mulher dois seios, a fim de que, se tivesse gêmeos, pudesse alimentar a ambos ao mesmo tempo! (*De Liberis Educand.* vol. 2, parte 3).

Algumas fontes informativas espiritualizam de tal modo este versículo que o deixam irreconhecível. Uma dessas fontes sugere que os *dois seios* simbolizam as *duas ordenanças* da igreja, o batismo e a Ceia do Senhor! São ideias tolas como essa que têm impedido de envolver-me nas interpretações alegóricas do livro de Cantares. Ver no *Dicionário* o verbete chamado *Alegoria*.

4.6

עַד שֶׁיָּפוּחַ הַיּוֹם וְנָסוּ הַצְּלָלִים אֵלֶךְ לִי אֶל־הַר הַמּוֹר וְאֶל־גִּבְעַת הַלְּבוֹנָה׃

Antes que refresque o dia. Este versículo nos derruba da cadeira onde estamos sentados! O *monte de mirra* é um dos seios, e o *outeiro de incenso* é o outro. As mulheres antigas perfumavam os seios para tornar essa parte do corpo mais atraente aos homens, como se isso fosse necessário! Cf. Ct 8.14, onde temos outra referência a essa prática. O rei estava tão apaixonado pelos seios da jovem que prometeu que não deixaria a jovem sozinha, enquanto o alvorecer não lhe interrompesse as atividades. Já havia sido empregada a bela expressão sobre o começo do alvorecer e sobre a fuga das sombras, em Ct 1.17, onde temos outro versículo que versa sobre a fixação nos seios femininos. Ver as explicações ali. Consideremos aqui estes dois pontos:

1. Poderia estar em foco o irrompimento da manhã e a chegada das trevas noturnas, que eliminam as sombras da noite — a saber, *o dia inteiro.*
2. Ou essa expressão pode significar somente o *alvorecer,* quando as sombras da noite são abolidas.

Se o primeiro sentido está em foco, então o homem se ocuparia de suas atividades eróticas o dia inteiro; mas se devemos pensar no segundo sentido, então ele se ocuparia dessas atividades a noite inteira, somente para ser interrompido pelo dia, quando teria de parar e fazer alguma outra coisa. Naturalmente, estamos falando sobre o *amor jovem.*

4.7

כֻּלָּךְ יָפָה רַעְיָתִי וּמוּם אֵין בָּךְ׃ ס

Tu és toda formosa, querida minha. O nosso homem cessou em suas metáforas floridas por alguns minutos e apenas declarou a grande beleza que via em sua amada. Cf. Ct 4.1, onde ele diz duas vezes: "Como és formosa!" Aqui ele faz essa afirmação apenas uma vez, mas então afirma que ele não via, absolutamente, nenhum defeito nela. Presumivelmente, a jovem não tinha defeitos físicos. Isso é o que diz a maioria das pessoas sobre aquelas com quem vão casar-se. *Depois do casamento* é que as falhas começam a aparecer, algumas das quais bastante grandes. As pessoas têm o hábito de "apresentar-se no melhor de sua forma" quando estão namorando. Além disso, o romance produz anfetaminas naturais que propiciam ao indivíduo um alto estado drogado. Portanto, quando alguém está namorando, esse alguém torna-se uma pessoa diferente. Mas, quando o romance morre, o corpo produz quantidades cada vez menores da droga. Além disso, em cerca de três anos, o corpo abandona completamente o negócio da produção de drogas. Por essa época, a mulher provavelmente está grávida, e é nisso que consiste todo o jogo do amor. Portanto, cuidado com a "teoria da falta de defeitos". Esse é apenas outro dos truques da natureza. E a natureza torna-se mais cheia de truques quando engajada no romance.

> Ele viu os lábios dela, uma coisa tão doce;
> Ele olhou para seus dedos cônicos e
> Viu os seios dela que arfavam. Ele louvou
> Tudo quanto viu, e creu que maiores
> Belezas, ainda desconhecidas, veria.
>
> Ovídio, *Metam.* livro 1, vs. 497

■ 4.8

אִתִּי מִלְּבָנוֹן כַּלָּה אִתִּי מִלְּבָנוֹן תָּבוֹאִי תָּשׁוּרִי מֵרֹאשׁ
אֲמָנָה מֵרֹאשׁ שְׂנִיר וְחֶרְמוֹן מִמְּעֹנוֹת אֲרָיוֹת מֵהַרְרֵי
נְמֵרִים׃

Vem comigo do Líbano, noiva minha. *Todos os nomes próprios* deste versículo são comentados em artigos do *Dicionário*. Este versículo dá a entender que a noiva era do Líbano e, especificamente, de um lugar próximo às áreas geográficas especificadas. Era um lugar montanhoso, onde leões e leopardos tinham suas covas. É de presumir que o noivo foi com sua enfeitada liteira àquele lugar e obteve a sua noiva, e então houve a cena que precede a esta, sua entrada triunfal em Jerusalém, tão impressionante para todos quantos a contemplaram. Pode haver aqui uma alusão pagã a Astarte, a qual, a certo dia de cada ano, descia dos montes do Líbano ao rio Adonis, em Afaca. O Líbano era um dos centros do culto a Astarte. Assim sendo, a bela jovem pode ter sido comparada àquela deusa das colinas.

Cume de Amana... de Senir e de Hermom. O cume de Amana ficava na parte oriental da cadeia do Anti-Líbano, defronte de Damasco. O *Senir* e o *Hermom* são dois picos da cadeia do Hermom. Dt 3.9 faz desses dois nomes sinônimos. Nos vss. 8-12, Salomão chamou a mulher de *noiva*, o que nos mostra que o capítulo 4 trata da *noite do casamento*.

■ 4.9

לִבַּבְתִּנִי אֲחֹתִי כַלָּה לִבַּבְתִּנִי בְּאַחַד מֵעֵינַיִךְ בְּאַחַד
עֲנָק מִצַּוְּרֹנָיִךְ׃

Arrebataste-me o coração. Diz aqui o hebraico, literalmente, "tu me fortaleceste o coração", isto é, tocaste em meu coração e excitaste a minha mente. Diz aqui a NCV: "Emocionaste o meu coração", e tudo quanto ela fez para isso foi um simples olhar nos olhos e uma joia no pescoço. O versículo fala em total paixão, do que resultou um desejo sexual quase incontrolável, conforme o restante do capítulo haverá de provar abundantemente.

Irmã, noiva. Ou seja, uma hebreia, mas agora transformada em noiva. Nos cultos pagãos da área, uma irmã era, com frequência, uma noiva; e, quando falamos sobre a relação existente entre deuses e deusas, havia irmãos e irmãs que se casavam, e até mães e filhos que se juntavam por matrimônio. Mas parece um exagero ver tal relacionamento referido aqui e, naturalmente, a rústica jovem das colinas do Líbano não era irmã consanguínea de Salomão. Nos países do Oriente, *irmã* era um nome que, afetuosamente, se dava a uma esposa.

Este versículo dá a entender que até um *único* item associado com a bela jovem, como uma peça de joalheria, o bastante para incendiar o homem, quanto mais a própria jovem. Portanto, o amor dela era o vinho que intoxicava o homem. Ele estava embriagado o tempo todo, fora do bom equilíbrio mental.

■ 4.10,11

מַה־יָּפוּ דֹדַיִךְ אֲחֹתִי כַלָּה מַה־טֹּבוּ דֹדַיִךְ מִיַּיִן וְרֵיחַ
שְׁמָנַיִךְ מִכָּל־בְּשָׂמִים׃

נֹפֶת תִּטֹּפְנָה שִׂפְתוֹתַיִךְ כַּלָּה דְּבַשׁ וְחָלָב תַּחַת לְשׁוֹנֵךְ
וְרֵיחַ שַׂלְמֹתַיִךְ כְּרֵיחַ לְבָנוֹן׃ ס

Que belo é o teu amor, ó minha irmã, noiva minha! *Outras coisas o inflamavam o homem,* como a visão dos lábios da jovem, ou a fragrância de seus vestidos, que tinham sido perfumados com o propósito distinto de atrair a atenção masculina e excitar-lhe o desejo. O *mel*, que podia ser encontrado com certa abundância nos campos e nas colinas, era o alimento mais doce que os antigos conheciam, o que explica o frequente uso metafórico do produto. Era produzido por abelhas selvagens, não cultivadas nem "domesticadas", conforme se verifica hoje em dia. Além disso, o leite, de cabras ou de vacas, era um alimento básico na dieta dos povos da Palestina. Assim sendo, a combinação de *leite e mel* era comum quando as pessoas se referiam aos produtos beneficentes daquela área. Ver sobre ambos os itens no *Dicionário*, e vê-los então combinados nas referências literárias de Êx 3.8; 33.3; Lv 20.24; Nm 13.27; 14.8; Dt 6.3; 11.9; Js 5.6; Jr 11.5 e Ez 20.6,15. O que esses itens eram para os habitantes da Palestina, para benefício deles, assim era a jovem para o seu futuro marido.

Os vss. 10 e 11 falam sobre os prazeres sexuais. Estamos agora considerando as descrições da noite de casamento. O homem estava participando dos prazeres que a jovem lhe oferecia, e eles eram como as coisas deleitosas da terra, o leite e o mel. A boca da donzela exsudava como que de leite e mel, uma referência aos beijos de amor. Os envergonhados deveriam manter-se distantes do livro de Cantares! "Ela não era de maneira alguma passiva em seu jogo de amor. Seus beijos eram tão desejáveis quanto o lei e o mel... Tal como a terra, rica em prosperidade agrícola, era uma fonte de bênção e de alegria para o povo, assim também os beijos dele eram uma fonte de alegria para ela. Ela tinha aplicado, a si mesma e às suas vestes, um perfume comparável à doce fragrância dos cedros do Líbano (ver 1Rs 5.6; Sl 29.5; 92.12; Is 2.13; Os 14.5,6)" (Jack S. Deere, *in loc.*).

■ 4.12

גַּן נָעוּל אֲחֹתִי כַלָּה גַּל נָעוּל מַעְיָן חָתוּם׃

Jardim fechado és tu... manancial recluso. Mediante duas metáforas, tomamos conhecimento de que a donzela era virgem. Ela era como um *jardim fechado,* onde nenhum homem havia jamais entrado. Salomão foi o primeiro homem a entrar naquele jardim, e o primeiro a participar da fonte das águas. Ela estivera *inacessível* aos homens, até a sua noite de casamento, mas naquela noite seus frutos e suas águas ficaram à disposição de seu homem. Os jardins geralmente eram murados, para impedir a entrada de intrusos. As fontes, algumas vezes, eram muradas ou cobertas, quando estavam em propriedades particulares. Assim sendo, a bela jovem se mantivera selada para todos os outros, até que o destino lhe trouxera o seu devido marido. Quanto aos deleites sexuais de uma mulher, comparados a uma fonte, cf. Pv 5.15,21.

> Ela tinha preservado intocado o selo de sua virgindade.
>
> Nonnus, *livro ii*

■ 4.13

שְׁלָחַיִךְ פַּרְדֵּס רִמּוֹנִים עִם פְּרִי מְגָדִים כְּפָרִים עִם־
נְרָדִים׃

Os teus renovos são um pomar de romãs. A metáfora do jardim é mais desenvolvida ainda. A jovem era fonte de muitos frutos deliciosos, produtos do jardim, entre eles a *romã*, símbolo de fertilidade por causa de suas muitas sementes, mas esse era apenas um dos *frutos seletos* (*Revised Standard Version*) ou "frutos excelentes" (nossa versão portuguesa). Ela era um jardim versátil, que também produzia todos os tipos de especiarias deleitosas e flores. Quanto à *hena*, ver Ct 1.14. Essa era uma inflorescência branca, que pode ter sido cuidadosamente escolhida para simbolizar a pureza da mulher. O *nardo* era um unguento fragrante, feito de plantas nativas da Índia. Consultar Ct 1.12. Ver detalhes sobre esses dois termos no *Dicionário*. Os deleites oferecidos pela mulher, na noite de seu casamento, eram estranhos e variegados. Tudo isso faz parte da linguagem exagerada do amor jovem, que tem sua época, mas logo passa.

4.14

גֵּרְדְּ וְכַרְכֹּם קָנֶה וְקִנָּמוֹן עִם כָּל־עֲצֵי לְבוֹנָה מֹר
וַאֲהָלוֹת עִם כָּל־רָאשֵׁי בְשָׂמִים׃

O nardo e o açafrão, o cálamo e o cinamomo. O homem continuou a louvar os *prazeres* que a jovem lhe oferecia na noite do casamento deles, mencionando várias especiarias, muito valorizadas pelos homens e itens do comércio internacional. "O contexto inteiro sugere luxúria e fertilidade" (Theophile J. Meek, *in loc.*). Todos os nomes próprios deste versículo recebem artigos no *Dicionário*. O *nardo* é repetido com base no vs. 13; o *açafrão* era um pó feito dos pistilos de uma planta da variedade do açafrão (ver Ct 2.1, onde provavelmente está em vista essa planta). Era usado como uma especiaria para melhorar o gosto dos alimentos. O *cinamomo* era usado em perfumes; a *mirra* (ver Ct 1.13) tinha qualidades apreciadas pelo perfumista; o *aloés* era uma planta nativa da área do mar Vermelho, cuja madeira parcialmente estragada fornecia um aroma fragrante. Então temos um termo generalizado, *as principais especiarias,* incluindo as que acabamos de mencionar e outras que não foram citadas. Considerando os itens acima, somos informados de que a jovem era atraente a todos os sentidos, a visão, o tato, o olfato e o paladar. A donzela sabia excitar a percepção dos sentidos, e isso porque era uma mulher em todos os seus aspectos. O noivo deixou de lado o sentido da *audição*, mas podemos estar certos de que a jovem o excitava com sua conversa amorosa, seus comentários e suspiros, conforme o ato prosseguia.

4.15

מַעְיַן גַּנִּים בְּאֵר מַיִם חַיִּים וְנֹזְלִים מִן־לְבָנוֹן׃

És fonte dos jardins, poço das águas vivas. O homem agora retornava à *metáfora da fonte,* que também havia apresentado no vs. 12. Ali a fonte estava fechada, mas agora estava aberta e manava, deixando escapar águas vivas, limpas e puras, como as águas que manavam dos montes do Líbano. A referência, naturalmente, alude aos fluidos lubrificantes da mulher, que, a propósito, dão aos espermatozoides um bom ambiente de sobrevivência, quando estes se aproximam do óvulo a fim de concebê-lo. Os espermatozoides medram bem nesse líquido, sem o qual não poderiam fazer a "longa viagem" para conceber o óvulo feminino. Que os envergonhados se mantenham distantes do livro de Cantares! As fontes das montanhas são refrigerantes e doadoras de vida; e assim também se dá com uma mulher, com suas misteriosas propriedades doadoras de vida, que começam no sexo e terminam na reprodução. Ellicott, envergonhado, ignorou este versículo, preferindo perceber todo tipo de significados místicos e espirituais.

Torrentes que correm do Líbano! A fonte é elevada, alimentada pelas neves perpétuas do Líbano, refrigerando os vales e desertos lá embaixo, levando águas vivas para Damasco.

A MULHER FALA (4.16)

4.16

עוּרִי צָפוֹן וּבוֹאִי תֵימָן הָפִיחִי גַנִּי יִזְּלוּ בְשָׂמָיו יָבֹא
דוֹדִי לְגַנּוֹ וְיֹאכַל פְּרִי מְגָדָיו׃

Levanta-te, vento norte, e vem tu, vento sul. A fim de cumprir, de maneira grandiosa, seus deveres e prazeres da noite do casamento, a jovem invocou a ajuda das forças da natureza. Os ventos refrigeravam os jardins e bafejavam em derredor doces fragrâncias. O vento, neste caso, representa as *provocações* que são despertadas pelo ato sexual, contribuindo para os prazeres e para a eficácia na concepção. A mulher desejava ser *possuída,* ou seja, que o amante adentrasse seu jardim (ela mesma), e queria que o momento mágico perdurasse pela noite inteira, enquanto os ventos, soprando brandamente, a ajudavam com a excitação assim provida. O versículo é "um convite delicado, poeticamente belo, para que o amante da jovem a possuísse inteiramente (entrasse nela). Ela desejava estar, através de seus encantos, disponível para ele como um fruto em uma árvore, pronto para ser apanhada (cf. o vs. 13)" (Jack S. Deere, *in loc.*).

CAPÍTULO CINCO

Não há interrupção entre os capítulos 4 e 5. Esta seção teve começo em Ct 3.6, onde dou notas expositivas de introdução. A nova seção começa no vs. 2 deste capítulo. Uma divisão em capítulos apropriada faria o vs. 2 ser o vs. 1.

O HOMEM FALA (5.1)

5.1

בָּאתִי לְגַנִּי אֲחֹתִי כַלָּה אָרִיתִי מוֹרִי עִם־בְּשָׂמִי
אָכַלְתִּי יַעְרִי עִם־דִּבְשִׁי שָׁתִיתִי יֵינִי עִם־חֲלָבִי אִכְלוּ
רֵעִים שְׁתוּ וְשִׁכְרוּ דּוֹדִים׃ ס

Já entrei no meu jardim, minha irmã, noiva minha. A mulher tinha convidado o homem a tomar posse dela, de modo pleno e satisfatório (Ct 4.16), porquanto ela, o jardim, até então fechada, agora estava franqueada para ele. Ct 5.1 assinala o momento da possessão, além de muitos momentos em seguida, na noite do casamento. Ele entra no jardim, respirando palavras apaixonadas à bela jovem, chamando-a, afetuosamente, de irmã-noiva. Quanto a isso, ver Ct 4.9,10,12. Chamar uma noiva de "irmã" era um tratamento afetuoso. O homem, uma vez no jardim, tirou proveito dos frutos e das especiarias. É como o leite e o mel, e também como o vinho, que intoxica. As figuras de linguagem registradas são aquelas que vemos nos vss. 11, 13 e 14 (onde essas questões são comentadas). Mas agora é acrescentado o vinho, que já tinha sido mencionado antes, a fim de dizer-nos que "o amor é como isso" — intoxicante e agradável. Ver Ct 1.4 e 4.10. Entusiasmado, Salomão declara que o casamento estava consumado. Ele tinha desfrutado inteiramente de seu "jardim" e todas as suas expectativas tinham sido cumpridas. Possuir a donzela havia sido mais deleitoso do que uma visita ao mais belo e atraente jardim. Este versículo (e a presente seção) termina com um convite renovado, por parte da noiva, ao homem, para cumprir todos os seus desejos, possuindo-a como seu jardim. E esse convite inclui a *continuação* dos prazeres do casamento. Por longo tempo, aquela primeira sessão mágica seria repetida.

O NOIVO AUSENTA-SE POR ALGUM TEMPO, DURANTE O QUAL A NOIVA APELA POR SUA VOLTA E CONTINUA A ELOGIÁ-LO (5.2—6.9)

Os vss. 2-8 deste capítulo repetem o que temos em Ct 3.1-5, uma experiência de *sonho*. Ver no *Dicionário* o artigo chamado *Sonhos*. A seção geral trata do casamento; suas intimidades; suas alegrias; e os desejos físicos que o casamento produz, que não tinham diminuído desde a noite do casamento e foram tão vividamente descritos no capítulo 4. Alguns veem o problema da indiferença entrando no quadro, algo tão comum nos casamentos. Esse é um problema marital muito sério, e os materiais à nossa frente sugerem as soluções.

A MULHER SONHA; O HOMEM FALA NO SONHO (5.2)

5.2

אֲנִי יְשֵׁנָה וְלִבִּי עֵר קוֹל דּוֹדִי דוֹפֵק פִּתְחִי־לִי אֲחֹתִי
רַעְיָתִי יוֹנָתִי תַמָּתִי שֶׁרֹאשִׁי נִמְלָא־טָל קְוֻצּוֹתַי רְסִיסֵי
לָיְלָה׃

Eu dormia, mas o meu coração velava. As primeiras palavras dos vss. 2-8 são identificadas como uma *experiência de sonho.* A mais óbvia função dos sonhos é o cumprimento dos desejos; em seguida, temos a solução de problemas. Alguns sonhos tratam de questões morais e espirituais e podem ser instrutivos e, ocasionalmente, revelações. Ver no *Dicionário* o verbete chamado *Sonhos*. A donzela teve um *sonho erótico*: 1. Ou porque seu marido estava viajando por algum tempo e a tinha deixado sozinha; 2. ou ele tivera uma "ausência mental" e se esquecera das primeiras paixões do casamento. Se esse foi, realmente, o caso, então o sonho preencheu as funções de *cumprimento de desejo*. Ela queria recapturar seu primeiro amor apaixonado. Não estava feliz com a indiferença que se havia instalado entre os dois, o que é um dos principais problemas maritais.

No sonho, ela imaginou seu amado batendo à porta do dormitório. Ele chegou cheio de desejo e chamou-a por aquele termo afetuoso, *irmã*. Cf. Ct 4.9,10,21 e 5.1. Essa *irmã* também era seu *amor*, sua *pomba*, e era *perfeita*, o que repete descrições anteriores. *Pomba* (Ct 1.15; 2.14; 4.1); *amor* (1.15; 2.7,10,13; 4.1); *perfeita*, isto é, sem falha alguma (4.7). O homem estivera fora, e seus cabelos vinham cobertos de orvalho, sempre tão pesado em Israel. Era noite, o tempo apropriado para a renovação de seu amor sexual.

A MULHER FALA (EM SONHO) (5.3-8)

5.3

פָּשַׁטְתִּי אֶת־כֻּתָּנְתִּי אֵיכָכָה אֶלְבָּשֶׁנָּה רָחַצְתִּי אֶת־רַגְלַי אֵיכָכָה אֲטַנְּפֵם:

Já despi a minha túnica, hei de vesti-la outra vez? *Uma Aparente Apatia?* A donzela já estava preparada para recolher-se ao leito. Já tirara a túnica e também suas roupas íntimas; já havia lavado os pés (um costume oriental) e não queria sujá-los de novo. Portanto, ela não queria dar admissão a ele. E, além disso, preferia continuar dormindo. Ou ela estava brincando com ele, deixando-o chateado, como se *ela* tivesse ficado indiferente a ele, e assim deu uma desculpa falsa e trivial para não se levantar e abrir a porta; ou, no início, ela realmente estava indiferente. O amor poderia esperar pelo dia seguinte.

5.4

דּוֹדִי שָׁלַח יָדוֹ מִן־הַחֹר וּמֵעַי הָמוּ עָלָיו:

O meu amado meteu a mão por uma fresta. O marido, um tanto desajeitado, tentou abrir a porta, pondo a mão *na fresta*. A referência é obscura, e a *Revised Standard Version* diz simplesmente "no trinco". "A fresta era a abertura feita na porta, acima da fechadura, que permitia a introdução da mão com a chave, para a posição certa de abertura" (Ellicott, *in loc.*). A fechadura comum era apenas uma espécie de barra que passava por uma presilha fixada na porta e se ajustava à ombreira da porta. Essa barra era oca e tinha perfurações nas quais seriam postos pinos. Para que a barra se movesse, era mister remover os pinos. A chave tornava possível a remoção dos pinos. Ver no *Dicionário* os verbetes intitulados *Fechadura; Trancar (Cadeado, Fechadura, Pino)*, que esclarecem mais ainda a questão. Ouvindo toda essa tentativa do marido de abrir a porta, a jovem teve um súbito ataque de paixão. "O coração dela se enterneceu" (*Revised Standard Version*); seu coração "começou a bater forte" (NIV).

5.5

קַמְתִּי אֲנִי לִפְתֹּחַ לְדוֹדִי וְיָדַי נָטְפוּ־מוֹר וְאֶצְבְּעֹתַי מוֹר עֹבֵר עַל כַּפּוֹת הַמַּנְעוּל:

Levantei-me para abrir ao meu amado. Em seu sonho, a mulher saltou da cama e correu, ansiosa, para a porta. Sua mão gotejava mirra e, com os dedos cobertos pela mesma substância, ela destrancou o mecanismo da fechadura. Algumas vezes, a mirra estava associada ao ato de amor (ver Pv 7.17; Ct 4.6; 5.13). Devemos compreender que a jovem se recolheu ao leito com toda aquela maquilagem que as mulheres até hoje passam nas mãos, no rosto e no corpo. Naturalmente, o quadro é aqui exagerado, para destacar ainda mais a descrição. Era um costume romano ungir as portas da câmara nupcial com óleos fragrantes, e talvez exista aqui uma alusão a um costume similar entre os hebreus. Nesse caso, em vez de já ter passado óleo nas mãos, estas ficaram oleosas quando agarraram o mecanismo da fechadura.

5.6

פָּתַחְתִּי אֲנִי לְדוֹדִי וְדוֹדִי חָמַק עָבָר נַפְשִׁי יָצְאָה בְדַבְּרוֹ בִּקַּשְׁתִּיהוּ וְלֹא מְצָאתִיהוּ קְרָאתִיו וְלֹא עָנָנִי:

Abri ao meu amado, mas já ele se retirara e tinha ido embora. O sonho transformou-se em pesadelo quando, ao abrir a porta, a jovem descobriu que seu apaixonado marido já se havia ido embora, desistindo dela. Talvez algum outro dia ele tivesse mais sorte. Ela então lembra como seu coração desmaiou quando ele a chamou (vs. 4), e lamentou amargamente o desaparecimento do amado. Chamou por ele, nas trevas da noite, mas ele já estava muito distante para ouvi-la.

5.7

מְצָאֻנִי הַשֹּׁמְרִים הַסֹּבְבִים בָּעִיר הִכּוּנִי פְצָעוּנִי נָשְׂאוּ אֶת־רְדִידִי מֵעָלַי שֹׁמְרֵי הַחֹמוֹת:

Encontraram-me os guardas que rondavam pela cidade. Continuando seu sonho, a bela jovem correu pelas ruas, na noite escura, procurando seu marido. Mas, em vez de encontrá-lo, ela encontrou os vigias noturnos. E eles lhe deram uma surra, pensando que se tratava de uma prostituta procurando vítimas. Então tiraram sua túnica fina, que ela tinha vestido com pressa, antes de sair no escuro da noite. O hebraico tem aqui a palavra *redid*, talvez algo semelhante à *tsaiph* de Rebeca (Gn 24.65). Alguns eruditos acreditam estar em vista um grande *véu*. Isso faria sentido, porque a remoção do véu identificaria a mulher como prostituta. Por outro lado, devemos relembrar que estamos tratando com um sonho. Além disso, o fato de lhe terem tirado a túnica poderia significar que "a deixaram nua", embora o sonho não fale de modo tão radical. Contudo, teria sido muito embaraçoso para uma mulher perder sua túnica externa, deixando expostas suas roupas íntimas (ou vestes noturnas). Cf. Ct 3.3, um sonho anterior que também envolveu guardas.

O Significado do Sonho. A indiferença demonstrada por ela espantou o seu homem. Ela deveria ter correspondido às paixões do marido, sem deixá-lo "seco de desejo", conforme poderíamos dizer. Portanto, ela foi punida. Em vez de ser tratada como uma jovem da sociedade, foi maltratada e se viu desnuda. Em outras palavras, ela foi envergonhada por sua conduta de vergonhosa indiferença. *Mensagem*: Que a jovem voltasse a seu anterior caminho apaixonado e satisfizesse a seu marido, ou ele iria embora, e ela ficaria triste quando fosse tarde demais.

5.8

הִשְׁבַּעְתִּי אֶתְכֶם בְּנוֹת יְרוּשָׁלָםִ אִם־תִּמְצְאוּ אֶת־דּוֹדִי מַה־תַּגִּידוּ לוֹ שֶׁחוֹלַת אַהֲבָה אָנִי:

Conjuro-vos, ó filhas de Jerusalém, se encontrardes o meu amado... Abalada pelo sonho, e ainda no sonho, a mulher pediu que suas companheiras encontrassem o marido dela, a fim de que ela pudesse corrigir a situação. Ela ficara *chocada* com sua experiência no sonho e estava ansiosa por mudar de atitude. Ou então, na manhã seguinte, impressionada pelo sonho da noite anterior, ela chamou suas atendentes para buscarem o marido dela. *Agora* ela estava tomada pela paixão, "doente de amor", conforme estivera antes de casar-se. Ver Ct 2.5. Presumivelmente, sua paixão renovada impediria o marido de continuar vagueando. Mas um marido que não vagueia é um mito, pois o homem é um polígamo genético natural, como a maioria dos animais irracionais. É conforme diz um ditado popular: "Todos os homens são malandros. Todas as mulheres são exibicionistas". Salomão vagabundou com setecentas esposas e trezentas concubinas, o que deve ter sido um recorde. Mas ele não agiu assim somente porque uma de suas mulheres perdera a paixão inicial. Seja como for, é bom que não haja indiferenças no amor, e isso tem algum valor no matrimônio, se não mesmo um valor absoluto. É como certo homem se queixou: "Estou casado, mas não tenho esposa".

AS COMPANHEIRAS DA MULHER RESPONDEM (5.9)

■ 5.9

מַה־דּוֹדֵךְ מִדּוֹד הַיָּפָה בַּנָּשִׁים מַה־דּוֹדֵךְ מִדּוֹד
שֶׁכָּכָה הִשְׁבַּעְתָּנוּ׃

Que é o teu amado mais do que outro amado...? As filhas de Jerusalém (ver a expressão em 1.5; 2.7; 3.5,10) responderam aos apelos da donzela, querendo receber uma identificação sobre o homem a quem deviam procurar. Este versículo é uma espécie de provocador de discurso, que capacitaria a jovem a tornar-se extática e apresentar um enorme elogio a seu homem.

O que tem o teu amado que não têm os amados de outras mulheres? O que o distingue de outros homens? Com que direito tu nos ordenas da maneira que ordenaste? Quando elas chamaram a jovem de "a mais formosa entre as mulheres", ficamos sabendo que elas a conheciam muito bem e sabiam quem era o marido dela. Isso posto, as perguntas que elas lhe dirigiram foram apenas provocadoras de discursos.

Esse tipo de introdução a um discurso que viria em seguida por certo indica que estamos abordando um *cântico de amor* cantado em ocasiões especiais, como os casamentos entre nobres. Há vários participantes. As filhas de Jerusalém formavam o *coro*.

A MULHER RESPONDE COM SEU ELOGIO (5.10-16)

■ 5.10

דּוֹדִי צַח וְאָדוֹם דָּגוּל מֵרְבָבָה׃

O meu amado é alvo e rosado. O capítulo 4 contém o elogio do homem acerca de sua querida esposa; agora temos o elogio da jovem acerca de seu querido. Este elogio segue as mesma linhas daquele, feito pelo homem, com suas metáforas poéticas cheias de figuras dramáticas e exageradas.

"A descrição da juventude, nestes versículos, está cheia de figuras extravagantes, que não devem ser interpretadas tão literalmente. Ou então o sujeito pode ser um deus. O autor sagrado empilhava figuras de linguagem buscando um efeito total para atingir uma beleza estonteante" (Theophile J. Meek, *in loc.*).

Cantares de Salomão é outro livro engraçado, como Eclesiastes. Ninguém pode antecipar que coisa fantástica o autor dirá em seguida.

O mais distinguido entre dez mil. O amante que é o herói deste livro era *radiante e rubicundo* (*Revised Standard Version*), ou "limpo e corado" (NCV). Era o mais distinguido habitante masculino de Jerusalém, e o original hebraico diz "portador do pendão". Ele era quem levava o pendão à testa do cortejo, ou quem liderava o exército ao campo de batalha. Dez mil outros homens o seguiam, todos inferiores a ele. Ele era o capitão, o chefe, o general, o maior e melhor homem. Esse foi o homem que a jovem deixara batendo inutilmente à porta! (Ct 5.1,2). Portanto, é como alguém já disse: "As mulheres são criaturas engraçadas. Hoje não poderiam se importar menos com um homem. Amanhã, estarão batendo à porta dele".

■ 5.11

רֹאשׁוֹ כֶּתֶם פָּז קְוֻצּוֹתָיו תַּלְתַּלִּים שְׁחֹרוֹת כָּעוֹרֵב׃

A sua cabeça é como o ouro mais apurado. O ouro apurado é algo excelente. O ouro é um metal nobre; e aquele homem também era nobre. O ouro é um material valioso; aquele homem também era digno dos maiores encômios. O ouro é procurado por muitos daqueles que valorizam os tesouros; aquele homem era digno de ser buscado, por causa de seu valor inerente. O ouro é um metal excelente; aquele homem também era excelente. Ele era uma pessoa de ouro.

Seus cabelos eram negros como as penas de um corvo. Os hebreus antigos tinham a tez mais ou menos como os árabes modernos. Séculos de perambulações pela Europa (com casamentos mistos) clarearam a pele dos hebreus. Os cabelos negros eram uma característica racial muito bela, da qual os hebreus se orgulhavam. Cf. Ct 4.1, onde se lê que a cor dos cabelos da jovem também era negra. Cabelos ondulados eram os preferidos tanto nos homens como nas mulheres, entre os hebreus. Trata-se de uma característica genética mediante a qual os cabelos são achatados, e não roliços. Os cabelos achatados ficam ondulados ou encaracolados, mas os cabelos roliços permanecem espetados. Os cabelos da donzela eram negros como os pelos de uma cabra; os cabelos do homem eram negros como as penas de um corvo. A bela jovem estava falando em *beleza física*, influenciada como era por sua herança racial.

Certos indivíduos orientais têm a cabeça oblonga, algo conseguido artificialmente, apertando a cabeça do bebê entre duas tábuas de madeira (uma de cada lado) a fim de produzir a distorção. Conheci um caso no qual uma mulher ia casar-se com um homem da mesma raça, de quem ela gostava como ele era, *exceto* pelo fato de que a cabeça dele era redonda. Sua mãe não se tinha dado ao trabalho de achatá-la com as tábuas quando ele ainda era um infante. Assim sendo, os sinais da beleza física variam com a preferência de cada raça.

■ 5.12

עֵינָיו כְּיוֹנִים עַל־אֲפִיקֵי מָיִם רֹחֲצוֹת בֶּחָלָב יֹשְׁבוֹת
עַל־מִלֵּאת׃

Os seus olhos são como os das pombas. O nosso homem, tal como sua amante, tinha *olhos de pomba* (cf. Ct 4.1; ver 1.15, onde comento sobre essa figura). Os gregos apreciavam olhos de pombas, e os árabes, olhos de vacas. O olho é o espelho da alma, sinal de inteligência e simpatia. Parece que as principais ideias são "paz e gentileza".

Presume-se que os olhos da pomba que se banha adquirem um brilho todo especial, e as pombas gostam muito de banhar-se, pelo que, com frequência, exibem lustre extra em seus olhos. Uma metáfora sugeriu a outra. O banho da pomba que aumenta, alegadamente, o lustre de seus olhos, sugere que o branco puro dos olhos do homem fazia com que seus olhos parecessem joias escuras engastadas em um banho de leite, a parte escura no meio, e o branco em redor. Esse contraste apresentava uma bela visão para a jovem.

■ 5.13

לְחָיָו כַּעֲרוּגַת הַבֹּשֶׂם מִגְדְּלוֹת מֶרְקָחִים שִׂפְתוֹתָיו
שׁוֹשַׁנִּים נֹטְפוֹת מוֹר עֹבֵר׃

As suas faces são como um canteiro de bálsamo. As bochechas do homem, com aquele seu aspecto juvenil, eram como deleitosos canteiros de especiarias e flores perfumadas. Não estão em vista aqui o cor e a aparência física, mas o desejo, algo que era delicioso. Em contraste, as bochechas da donzela eram vermelhas de paixão, como se fossem uma romã (Ct 4.3). Nos países do Oriente, alguns homens perfumavam suas barbas! Talvez tenhamos aqui uma alusão a isso e, nesse caso, devemos pensar em um aroma atraente. Adam Clarke acreditava estar especialmente em vista a *barba*, que cobria parte das bochechas, e ele via até mesmo algo de *majestático* em uma barba bem cuidada, referindo-se aos homens europeus, sempre muito bem escanhoados. Mas a cópia de um quadro que o retrata não mostra nenhuma barba! Ver no *Dicionário* o verbete chamado *Barba*, bem como a importância dessa "decoração" para os hebreus.

Os lábios do homem eram como lírios, suaves e bem-feitos. Aos lábios do homem era aplicada a unção de mirra. Isso contrastava com os lábios pintados de vermelho da bela jovem (Ct 4.3). Cf. isso com a frase de Tennyson: "Ele pressionou a inflorescência de seus lábios sobre os meus". "... lábios como lírios, fluindo mirra" (NCV). A NIV diz aqui: "gotejando como mirra", isto é, a unção gotejava. Essas figuras metafóricas exageradas não visam a mente ocidental, mas a mente oriental, com seu gosto pelas hipérboles e pelos exageros, que deve ter sentido o seu impacto.

Os símbolos espirituais e místicos vistos nas palavras deste versículo são, realmente, muitos e variados, e toda a espécie de coisas é vista naquilo que, na realidade, é apenas um cântico de amor, e não um escrito místico a ser decifrado por meio de interpretações alegóricas. Tenho poupado o leitor (conforme penso) de tantos absurdos, ignorando essencialmente essa atividade. Adam Clarke observou, com estranheza, que é um absurdo interpretar uma metáfora com outra metáfora. Quanto à inspiração cristã, você terá de apelar a outra fonte. Há abundância de outras referências bíblicas que podemos examinar quanto a isso, portanto permita que Cantares de Salomão seja exatamente o que é: um cântico erótico de amor; eloquente, mas poeticamente belo, mas não um manual de significados espirituais e místicos que precisam ser descobertos mediante o método alegórico de interpretação. Ver no *Dicionário* o artigo chamado *Interpretação Alegórica*. Ver a seção XII da *Introdução, Interpretação da sua Mensagem*.

■ 5.14

יָדָיו גְּלִילֵי זָהָב מְמֻלָּאִים בַּתַּרְשִׁישׁ מֵעָיו עֶשֶׁת שֵׁן מְעֻלֶּפֶת סַפִּירִים׃

As suas mãos cilindros de ouro, embutidos de jacintos. Os braços (mãos) do homem eram outro ponto de atração de seu corpo, tal como o ouro é um ponto de atração. Cf. o vs. 11, onde a cabeça do homem já fora comparada a esse nobre metal. Aqui, porém, o ouro tinha incrustações de joias. "Suas mãos eram como dobradiças de ouro, cravejadas de joias" (NCV). "Seus braços são colunas de ouro, cravejadas de crisólitas" (NIV). Talvez algo tão trivial como mãos bem formadas, com belas unhas, esteja em vista aqui.

O corpo dele era tão bem formado, colorido e simétrico que podia ser comparado a uma estátua de marfim incrustado de safiras (no hebraico, *lápis-lazúli*). Polido ou suavizado, o marfim pode referir-se ao formato muscular firme do abdome. A palavra hebraica envolvida, na parte aramaica do livro de Daniel, significa *corpo*, mas em outras porções bíblicas estão em pauta os órgãos internos. É possível, contudo, que a jovem se tenha apresentado como alguém capaz de olhar para dentro do corpo do homem; portanto, alguns estudiosos dão aqui *abdome*.

■ 5.15

שׁוֹקָיו עַמּוּדֵי שֵׁשׁ מְיֻסָּדִים עַל־אַדְנֵי־פָז מַרְאֵהוּ כַּלְּבָנוֹן בָּחוּר כָּאֲרָזִים׃

As suas pernas colunas de mármore. Ademais, para a bela jovem, as pernas do homem pareciam colunas de mármore, e os pés dele pareciam bases de ouro. A aparência geral do homem era majestática e impressionante, como os cedros escolhidos do Líbano. Alguns estudiosos veem aqui a *altura* do homem como o aspecto de uma árvore de cedro. "Ele era alto como os cedros imponentes do Líbano" (John S. Deere, *in loc.*).

■ 5.16

חִכּוֹ מַמְתַקִּים וְכֻלּוֹ מַחֲמַדִּים זֶה דוֹדִי וְזֶה רֵעִי בְּנוֹת יְרוּשָׁלִָם׃

O seu falar é muitíssimo doce. A bela donzela termina elogiando a boca de seu amante (o falar), que ela chama de doce, uma boca de falar suave e doce para beijar. Cf. Ct 4.3 quanto aos belos lábios da mulher, e sua fala graciosa. O hebraico literal diz aqui *palato*, um dos instrumentos da fala. Essa palavra hebraica era usada para indicar *a fala propriamente dita* (ver Jó 6.30; 31.30; Pv 5.3). A NCV pensa estarem em pauta os beijos doces.

Ele é totalmente desejável. Isso equivale a dizer que ele era sem defeito, tal como ele havia dito acerca dela (Ct 4.7): "Tu és toda formosa, querida minha, e em ti não há defeito".

O homem que tinha acabado de ser descrito, com todas aquelas metáforas superlativas (embora exageradas), era *ele*, o amante da jovem, aquele que deveria ser procurado e trazido à jovem.

> Jesus, teu amor sem medida por mim
> Nenhum pensamento pode alcançar, nem língua declarar;
> Oh, costura meu coração grato a ti,
> E reina ali sem qualquer rival!
> Teu inteiramente, teu somente, quero viver,
> E entregar-me totalmente a ti.
>
> Paul Gerhardt

Caros leitores, apelo para a interpretação alegórica porque não posso resistir a adicionar esse mais excelente dos hinos neste comentário. Esqueçam a paixão de Cantares por um momento e considerem a devoção singular.

CAPÍTULO SEIS

Não há interrupção entre os capítulos 6 e 7. Esta seção começa em Ct 5.2, onde apresento as notas expositivas de introdução. A nova seção começa em Ct 6.9.

AS ATENDENTES FALAM À BELA JOVEM (6.1)

■ 6.1

אָנָה הָלַךְ דּוֹדֵךְ הַיָּפָה בַּנָּשִׁים אָנָה פָּנָה דוֹדֵךְ וּנְבַקְשֶׁנּוּ עִמָּךְ׃

Para onde foi o teu amado...? A pergunta feita pelas atendentes da jovem introduz uma novo discurso, e é quase certo que esse coro seja o prelúdio de outra parte do cântico romântico que estava sendo entoada. Talvez cânticos como esse fossem cantados nos casamentos de nobres, como parte das celebrações do matrimônio que perduravam por vários dias. Há um paralelo dessa declaração na liturgia de Tamuz (*Cuneiform Texts from Babylonian Tablets*, atualmente guardados no Museu Britânico, parte XV). É provável que ali existam ocasionais empréstimos de fontes informativas pagãs, mas não é nada provável que Cantares de Salomão seja, em qualquer sentido real, uma peça literária cúltica pagã.

Cf. este versículo com Ct 5.9, outra dessas perguntas introdutórias. Ali as jovens atendentes da donzela perguntam o que havia de especial no amado dela. Aqui, porém, elas queriam saber onde deveriam procurá-lo, para que pudessem trazê-lo de volta para sua amada.

A MULHER RESPONDE ÀS AMIGAS (6.2-3)

■ 6.2

דּוֹדִי יָרַד לְגַנּוֹ לַעֲרוּגוֹת הַבֹּשֶׂם לִרְעוֹת בַּגַּנִּים וְלִלְקֹט שׁוֹשַׁנִּים׃

O meu amado desceu ao seu jardim. Consideremos estes dois pontos:

1. Os vss. 2,3 podem indicar que o homem amado tinha ido trabalhar em seu jardim e em lugares onde punha suas ovelhas a pastar, em lugares atraentes, cobertos de lírios e flores de todas as espécies, cheios de especiarias e deleites. Além de pôr a pastar os seus rebanhos, ele recolhia lírios, possivelmente para trazê-los à jovem. Nesse caso, o vs. 3 indica uma comunhão mental e emocional. A separação do casal tinha sido causada por certa tensão emocional, mas agora essa emoção exagerada já fora curada.
2. Ou esses dois versículos nos remetem a Ct 4.12 ss., à própria mulher como um jardim que estivera fechado (pois ela tinha sido virgem), um jardim onde se ocultava uma fonte (prazeres sexuais). Nesse caso, ou na realidade ou em pensamento, o casal estava novamente unido, e os prazeres sexuais (mentalmente ou como um fato) tinham sido renovados após certo período de abstinência.

■ 6.3

אֲנִי לְדוֹדִי וְדוֹדִי לִי הָרֹעֶה בַּשּׁוֹשַׁנִּים׃ ס

Eu sou do meu amado, e o meu amado é meu. A antiga paixão e devoção tinham retornado, e os prazeres do casamento foram renovados, ou em breve o seriam. Os vss. 4 e ss. quase certamente favorecem a segunda dessas duas interpretações, mas apontam para a presença literal. O homem havia regressado.

O HOMEM FALA À MULHER (6.4-9)

■ 6.4

יָפָה אַתְּ רַעְיָתִי כְּתִרְצָה נָאוָה כִּירוּשָׁלִָם אֲיֻמָּה כַּנִּדְגָּלוֹת׃

Formosa és, querida minha, como Tirza, aprazível como Jerusalém. O homem estava de volta a fim de cuidar de seu "jardim", a esposa. O tempo da abstinência havia passado, e a paixão retornara. Tal como sucedera na noite dos desposórios, o homem elogiou a esposa por todas as suas qualidades; portanto, encontramos aqui uma repetição de várias metáforas vistas no capítulo 4, que descreve a noite do casamento. Era uma espécie de "segunda lua de mel". A primeira metáfora de louvor compara a mulher a *Tirza* e a *Jerusalém*, belas e excelentes cidades, lugares onde o amante se sentia em casa e onde encontrava muitos de seus prazeres. Após a separação das dez Tribos (Israel) de Judá e Benjamim (as duas tribos de Judá), *Tirza* tornou-se a capital do reino do norte por quatro reis, Baasa, Elá, Zinri e Onri (1Rs 15.21,33; 16.8,15,23). Quanto a detalhes, ver o artigo sobre esse lugar, no *Dicionário*. Tirza era um lugar aprazível como Jerusalém, um lar longe do lar. Essa cidade era chamada de *perfeição da beleza*, conforme se vê em Lm 2.15. Assim o homem, de volta ao seu *jardim*, estava em casa, como se estivesse em Tirza ou Jerusalém.

Formidável como um exército com bandeiras. Estando perto de seu "jardim" novamente, o homem se deixou enfeitiçar pelos encantos da jovem; ele estava debilitado como se um exército estrangeiro tivesse invadido Jerusalém com todos os seus pendões desfraldados, símbolos de poder. Em outras palavras, os prazeres que ela lhe oferecia novamente o enlouqueceram, como acontecera em sua noite de casamento. A ausência mútua tornara seu coração mais amoroso. As antigas paixões estavam de volta e, naqueles momentos, o homem estava estonteado por causa delas. A menção a Tirza, como é óbvio, situa a escrita do livro de Cantares consideravelmente após a divisão dos reinos, muito tempo depois da época de Salomão, embora se argumente que há porções do livro mais antigas, às quais foram entretecidas outras, formando assim uma nova composição. Seja como for, parece que fazer de Salomão autor do livro de Cantares foi apenas um artifício literário, não uma afirmação de autoria real. Ver a seção II, chamada *Autoria*, na *Introdução* ao livro, quanto a uma ampla discussão sobre o tópico. Tirza aparece aqui como um paralelo de Jerusalém, o que sem dúvida indica que ambas eram capitais, a primeira do reino do norte, e a segunda do reino do sul.

■ **6.5**

הָסֵ֤בִּי עֵינַ֙יִךְ֙ מִנֶּגְדִּ֔י שֶׁ֥הֵם הִרְהִיבֻ֑נִי שַׂעְרֵךְ֙ כְּעֵ֣דֶר הָֽעִזִּ֔ים שֶׁגָּלְשׁ֖וּ מִן־הַגִּלְעָֽד׃

Desvia de mim os teus olhos, porque eles me perturbam. Uma vez mais, a jovem fixara seus *olhar apaixonado* no pobre homem, e isso era mais do que ele podia aguentar. Por essa razão, ele implorou que ela fosse misericordiosa e afastasse o olhar. O homem fora *vencido* (King James Version), *perturbado* (Revised Standard Version e a nossa versão portuguesa) ou *superexcitado* (NCV). Estamos tratando aqui com o amor jovem, quando o olhar sensual de uma mulher é tão poderoso que é semelhante a "um soco que leva a nocaute". O olhar da mulher era *deslumbrante* e *irresistível*.

Ct 6.5b-7 é repetição direta de Ct 4.1b-3. A passagem de Ct 4.3a não é repetida no texto massorético, mas é reiterada na Septuaginta e nas versões do latim antigo, do siríaco e do Hexaplar siríaco.

A passagem de 6.5b diz que os cabelos negros da mulher se pareciam com um rebanho de cabras (de cor negra) de Gileade. Ver isso anotado em Ct 4.1b.

■ **6.6**

שִׁנַּ֙יִךְ֙ כְּעֵ֣דֶר הָֽרְחֵלִ֔ים שֶׁעָל֖וּ מִן־הָרַחְצָ֑ה שֶׁכֻּלָּם֙ מַתְאִימ֔וֹת וְשַׁכֻּלָ֖ה אֵ֥ין בָּהֶֽם׃

São os teus dentes como o rebanho de ovelhas. Os *dentes* dela eram como um *rebanho de ovelhas* (ver Ct 4.2a) e também como ovelhas gêmeas (ver Ct 4.2b).

■ **6.7**

כְּפֶ֤לַח הָֽרִמּוֹן֙ רַקָּתֵ֔ךְ מִבַּ֖עַד לְצַמָּתֵֽךְ׃

As tuas faces, como romã partida. As faces da jovem eram como duas metades de uma romã (ver 4.3b). O comentário sobre os *lábios* dela (4.3a) não é repetido aqui pelo texto massorético, mas é dado em diversas versões, que listo em Ct 6.5b. A adição nas versões provavelmente está em harmonia com o outro texto, e o texto mais curto deve ser o preferido. Ver no *Dicionário* o artigo chamado *Massora (Massorah); Texto Massorético,* e também *Manuscritos Antigos do Antigo Testamento,* que inclui informações sobre como os textos são escolhidos quando aparecem variantes.

■ **6.8**

שִׁשִּׁ֥ים הֵ֙מָּה֙ מְלָכ֔וֹת וּשְׁמֹנִ֖ים פִּֽילַגְשִׁ֑ים וַעֲלָמ֖וֹת אֵ֥ין מִסְפָּֽר׃

Sessenta são as rainhas, oitenta as concubinas. "Pode haver sessenta rainhas e oitenta escravas (concubinas), e tantas jovens que você não poderá contá-las, mas só há uma como minha pomba, minha pomba perfeita" (NCV). A referência, quase certamente, é ao harém de Salomão, quando esse harém ainda não havia atingido o número de mil mulheres: setecentas esposas e trezentas concubinas (ver 1Rs 11.3). Embora o rei tivesse incontáveis mulheres, havia apenas uma bela jovem, com quem as outras mulheres nem se podiam comparar. Qualquer circunstância como essa, no registro histórico do trato de Salomão com suas esposas, faz-se ausente. Essa é outra razão para se duvidar da autoria real do livro de Cantares por Salomão, o que pode ter sido apenas um artifício literário. Ver a seção II, *Autoria*, na *Introdução* ao livro, quanto a uma completa discussão. Ver também as notas sobre o vs. 4 deste mesmo capítulo. Alguns estudiosos (anacronicamente) objetam a fazer de todas essas mulheres parte do harém de Salomão, bem no meio de seus altos elogios à "mulher". Mas isso é compreender o livro de Cantares a partir de nossa moderna mentalidade monógama. "Presumivelmente temos aqui uma descrição do harém de Salomão... embora os números sejam bem mais modestos do que em 1Rs 11.3. É provável que esta última passagem reflita tempos posteriores dessa mesma tradição" (Ellicott, *in loc.*). Ver todas essas mulheres testemunhando a reunião entre o homem e a mulher é uma evasiva cristã da questão. O que poderíamos tomar como *deprimente*, para o autor era um *louvor*: se o homem tinha todas aquelas esposas e concubinas (e sem dúvida havia muitas mulheres bonitas entre elas), a bela jovem derrotava a todas quanto ao encanto, à graça e à atração sexual, pelo que deve ter sido uma pessoa excelente, de fato!

■ **6.9**

אַחַ֥ת הִיא֙ יוֹנָתִ֣י תַמָּתִ֔י אַחַ֥ת הִיא֙ לְאִמָּ֔הּ בָּרָ֥ה הִ֖יא לְיֽוֹלַדְתָּ֑הּ רָא֤וּהָ בָנוֹת֙ וַֽיְאַשְּׁר֔וּהָ מְלָכ֥וֹת וּפִֽילַגְשִׁ֖ים וַֽיְהַלְלֽוּהָ׃ ס

Mas uma só é a minha pomba, a minha imaculada. A *esposa preferida* era a *pomba* do homem, uma metáfora muito repetida para referir-se a ela (Ct 2.14; 5.2), mas também usada pela mulher acerca do seu homem (5.12). Ademais, ela era *perfeita*, ou seja, sem nenhuma falha de nenhuma espécie, o que vemos também em Ct 4.7. Além disso, ela era a "flor" dos filhos de sua mãe, sua *filha mais distinta*. A superioridade dela era reconhecida pelas *filhas* de outras mulheres, as quais se tinham tornado outras esposas de Salomão. Talvez essa referência seja às *filhas de Jerusalém*, as atendentes da bela jovem. E outro tanto reconheciam as rainhas e concubinas (vs. 8) a superioridade da bela donzela. Assim sendo, no harém de Salomão, ela era a *Flor*. Enquanto para a tão distinta mente cristã ser apenas uma das esposas do rei serve de circunstância deprimente, para a mente dos judeus isso era motivo de altos louvores. A bela jovem vencia na competição, o que não era fácil. Mas fazer este versículo servir de elogio à superioridade da monogamia certamente é um anacronismo. Ser a mais bela entre mil outras mulheres certamente não é o mesmo que ser a única.

UMA SÉRIE DE PASSAGENS DESCRITIVAS SOBRE A BELEZA FÍSICA DA NOIVA (6.10—8.4)

O homem nunca desistiu. Seguem-se mais louvores à mulher, e um discurso erótico é o nome do jogo. A reconciliação teve lugar, e seguiram-se sessões apaixonadas de amor, misturadas a metáforas extravagantes que descrevem a mulher.

AS MULHERES LOUVAM A BELA JOVEM (6.10)

■ **6.10**

מִי־זֹאת הַנִּשְׁקָפָה כְּמוֹ־שָׁחַר יָפָה כַלְּבָנָה בָּרָה כַּחַמָּה אֲיֻמָּה כַּנִּדְגָּלוֹת׃ ס

Quem é esta que aparece como a alva do dia...? As *mulheres* deste versículo poderiam ser todas aquelas mencionadas no vs. 9, ou então podemos compreender que as atendentes da singular jovem estavam falando de novo, e, mediante sua canção em coro, introduziam outro discurso, desta vez dirigido ao homem.

Encontramos outra fieira de metáforas. Ninguém se cansava de elogiar essa *mulher ideal*. Ela aparece como o irromper da manhã, que ilumina um novo dia. Era tão bela como os luzeiros celestiais, a lua e o sol, que governam a noite e o dia, respectivamente. Era a governante do dia do rei. Era *formidável* e devia ser respeitada como um exército que marcha em redor da cidade com pendões desfraldados. Ver o vs. 4 deste capítulo. Sua beleza e seus encantos tinham incendiado a cidade inteira, algo que Helena fez, aquela que podia enviar um milhar de navios à guerra, para o que lhe bastava mostrar seu belo rosto. A descrição era como a de uma deusa, e não de uma mulher, conforme os gregos diziam quando impressionados diante de alguma coisa: "É um deus". Portanto, a cidade inteira estava dizendo: "Ela é uma deusa!" Para o povo, ela era como a multidão das estrelas do firmamento:

> Que luz é essa que coa através daquela janela?
> É o Oriente, e Julieta é o sol!
> Levanta-te, belo sol!
>
> Shakespeare, *Romeu e Julieta*

O HOMEM FALA (6.11,12)

■ **6.11**

אֶל־גִּנַּת אֱגוֹז יָרַדְתִּי לִרְאוֹת בְּאִבֵּי הַנָּחַל לִרְאוֹת הֲפָרְחָה הַגֶּפֶן הֵנֵצוּ הָרִמֹּנִים׃

Desci ao jardim das nogueiras, para mirar os renovos do vale. *A Intimidade se Reinicia*. A jovem era agora um pomar repleto de castanhas escolhidas; era como as inflorescências do vale que produzem múltiplos e excelentes frutos. Ela, a guardadora da vinha (Ct 1.6), era agora a vinha do rei, aonde ele podia ir e arrancar as uvas. Ela era como uma plantação de romãs, cujas muitas sementes simbolizavam a fertilidade. Ela já havia sido comparada a um jardim (Ct 4.12 ss.), mas agora era um pomar, um vale de frutos e com um vinhedo. Ela era a origem de intermináveis prazeres e deleites. O homem foi ver se a mulher continuava tão boa como antes, e descobriu que ela estava ainda melhor!

Alguns eruditos fazem deste versículo o discurso da mulher e, nesse caso, ela estava tomada de maior paixão ainda do que o homem.

■ **6.12**

לֹא יָדַעְתִּי נַפְשִׁי שָׂמַתְנִי מַרְכְּבוֹת עַמִּי־נָדִיב׃

Não sei como, imaginei-me no carro do meu nobre povo! "Meu desejo por você me faz sentir como um príncipe em uma carruagem" (NCV), cuja tradução compreende os vss. 11 e 12 como palavras do homem. Ser um príncipe guiando um ótima carruagem como aqueles cavalos escolhidos deve ter sido uma experiência divertida, e assim era estar com aquela extraordinária mulher. O passeio na carruagem, naturalmente, é um eufemismo para o ato de amor. O vs. 12 é obscuro no original hebraico, pelo que tem atraído diversas traduções. A *Revised Standard Version* apresenta a jovem sentada na carruagem, ao lado de seu príncipe, tendo compreendido as palavras dos vss. 11,12 como palavras da mulher. Os dois, em seu ato de amor, eram como um príncipe e sua jovem noiva correndo em sua excelente carruagem. *Diversão* era o vocábulo que descrevia o passeio, pelo que esse mesmo termo é uma boa descrição da renovada sessão de intimidade. A carruagem do rei era o mais veloz veículo da época. Andar na carruagem era uma *experiência emocionante*, e assim isso é aplicado ao amor. Mas ninguém sabe, com certeza, o que o vs. 12 quer dizer.

AS ATENDENTES CHAMAM PELA JOVEM (6.13)

■ **6.13** (na Bíblia hebraica corresponde ao **7.1**)

שׁוּבִי שׁוּבִי הַשּׁוּלַמִּית שׁוּבִי שׁוּבִי וְנֶחֱזֶה־בָּךְ מַה־תֶּחֱזוּ בַּשּׁוּלַמִּית כִּמְחֹלַת הַמַּחֲנָיִם׃

Volta, volta, ó Sulamita, volta, volta, para que nós te contemplemos. O coro das damas chama a mulher e assim introduz outro discurso. Cf. Ct 5.9 e 6.1. Este cântico, ao que tudo indica, era uma canção antifônica de amor, apropriada para ser cantada nos casamentos dos príncipes e dos nobres.

Sulamita. Os eruditos têm dado muitas explicações sobre esta palavra. Dou uma completa explanação sobre a questão no artigo com esse título, no *Dicionário*. Entre os eruditos de nossos dias, há uma quase concordância de que essa palavra é simplesmente a forma feminina de Salomão, a "mulher de Salomão", por assim dizer, a *rainha*, a *esposa* do rei. Esse título, naturalmente, dava a ela grande estatura e respeito entre o povo de Israel.

Dança de Maanaim. Ofereço detalhado artigo sobre essas palavras, no *Dicionário*. Esse era um lugar sagrado na Transjordânia (ver Gn 32.2), e alguns veem aqui uma referência à dança pagã e sagrada, realizada em completo estado de nudez, em honra à deusa da fertilidade. Mas a *Revised Standard Version* toma o original hebraico não como uma localização geográfica, antes o traduz de acordo com o significado das palavras, "uma dança diante de dois exércitos", o que teria sido um evento muito significativo tanto para os exércitos como para as mulheres que diante deles dançaram. Sabemos que era um dança sensual, em consonância com os temas de amor do livro de Cantares, mas o significado exato da dança permanece na dúvida. Que pode haver de mais sensual do que uma dançarina que expõe seu corpo diante de homens? As atendentes da jovem queriam ver a bela jovem dançar para carregar a atmosfera de sensualidade — essa pode ser a ideia do convite feito. "A conexão entre os esportes militares e as danças sempre foi algo bem íntimo do Oriente, e o costume de realizar uma dança das espadas, nos casamentos, pode ser reflexo do antigo costume" (Ellicott, *in loc.*).

CAPÍTULO SETE

Não há interrupção entre os capítulos 6 e 7 deste livro de Cantares. A última sessão começa em Ct 6.10 e termina em Ct 8.4. Ver Ct 6.10 quanto a notas de introdução. Ct 7.1-10 é trecho que dá evidências de amadurecimento no relacionamento do casamento. Os símbolos de amor tornam-se ainda mais ousados e íntimos (se isso é possível!).

O HOMEM FALA À MULHER (7.1-9)

■ **7.1** (na Bíblia hebraica corresponde ao **7.2**)

מַה־יָּפוּ פְעָמַיִךְ בַּנְּעָלִים בַּת־נָדִיב חַמּוּקֵי יְרֵכַיִךְ כְּמוֹ חֲלָאִים מַעֲשֵׂה יְדֵי אָמָּן׃

Que formosos são os teus passos dados de sandálias...! Os homens veem grande beleza nos pés femininos e, quando estes são vistos através de sandálias, isto é, *nus*, a atração ainda é maior. Eu mesmo nunca me deixei atrair pelos pés de uma mulher, mas outros homens dizem que os pés femininos revestem-se de grande beleza. Assim como eram os antigos, outro tanto acontece aos modernos. Existe uma perversão sexual chamada de "fixação dos pés". Alguns homens que vendam calçados são afligidos por essa fixação, por causa de sua loucura pela beleza dos pés femininos. Muito bem, os pés de uma mulher são uma bela cena de ser vista, mas ficar fixo nos pés?...

Os meneios dos teus quadris... Sem dúvida de grande beleza eram os pés da bela donzela. O homem, olhando para a jovem, começou a prestar atenção aos pés dela, e foi *subindo* em seu olhar, sendo essa a maneira normal de um homem apreciar uma mulher, para decidir se ela é bela ou não, e quão sexualmente desejável é. Tal como eram os antigos, assim são os homens modernos. Os olhos de um homem sobem pelas pernas e param por um instante para observar as coxas. Ele olhou longamente as "curvas de suas coxas" (hebraico literal). Essas coxas foram declaradas *redondas* como pedras preciosas, depois de trabalhadas por um artífice joalheiro. Em outras palavras, ela era uma obra de arte. "O formato das pernas dela fizeram-no lembrar a obra atrativa de um mestre artesão" (Jack S. Deere, *in loc.*).

Alguns transportam a figura da dança até Ct 7.13 e imaginam o homem a observar a jovem em sua dança sensual. Que os envergonhados permaneçam longe do livro de Cantares!

■ **7.2** (na Bíblia hebraica corresponde ao **7.3**)

שָׁרְרֵךְ אַגַּן הַסַּהַר אַל־יֶחְסַר הַמָּזֶג בִּטְנֵךְ עֲרֵמַת חִטִּים סוּגָה בַּשּׁוֹשַׁנִּים׃

O teu umbigo é taça redonda, a que não falta bebida. O olhar do homem continuava a *subir*. Agora ele fixou os olhos sobre o umbigo da jovem, notando sua semelhança a uma taça muito bem desenhada, sempre cheia de vinho. O vinho faz lembrar a sensualidade, e era apenas natural que o homem pensasse no umbigo da mulher como se estivesse cheio de vinho, especialmente estando ela a realizar uma espécie de dança que destacava essa área de seu corpo. O corpo da jovem estava intoxicando o homem. Cf. Ct 4.10. O olhar do homem fixou-se por longo tempo sobre a região abdominal da jovem e, enquanto observava, requeimava de paixão. Ele pensou que aquela área se parecia com um montículo de *trigo*, cercado de lírios. Isso, literalmente, é uma metáfora que parece fora de lugar, mas quando nos lembramos de que o trigo era parte da dieta comum dos habitantes da Palestina (ver Dt 32.14; 2Sm 4.6 e 17.28), a metáfora faz sentido. O homem estava faminto pela jovem, tal como os pobres têm fome de trigo. Ela era a bebida e o alimento dele. Quando a possuísse sexualmente, comeria e sorveria tudo de quanto tivesse direito e ficaria satisfeito. Na verdade, o livro de Cantares chega aqui a um ponto extremado e, pessoalmente, não posso ver aqui Cristo e a sua igreja, de forma alguma. Portanto, excetuando alguma menção ocasional, deixo inteiramente de lado a interpretação alegórica.

■ **7.3** (na Bíblia hebraica corresponde ao **7.4**)

שְׁנֵי שָׁדַיִךְ כִּשְׁנֵי עֳפָרִים תָּאֳמֵי צְבִיָּה׃

Os teus dois seios como duas crias, gêmeas de uma gazela. O olhar do homem continuou *subindo* pelo corpo da jovem. E agora, eis que ele vê os seios! Eles eram como gêmeos superlativos, crias gêmeas de uma gazela. O autor não se deu ao trabalho de inventar uma nova metáfora para os seios da jovem, pelo que usou a mesma encontrada em Ct 4.5, onde há notas expositivas a respeito. Cf. Ct 1.13; 4.5; 7.3,7,8; e 8.8,10 quanto à fixação dos homens nos seios das mulheres, como parte da concupiscência sexual. Desenvolvo essa ideia em Ct 1.13 e 4.5, pelo que não tentarei impressionar os leitores com quaisquer outras observações *chocantes*. O trecho de Ct 4.5 adiciona outra linha — "que apascentam entre os lírios". Essas palavras faltam aqui, embora a versão siríaca, para efeito de harmonia, inclua essa observação neste versículo, igualmente.

■ **7.4** (na Bíblia hebraica corresponde ao **7.5**)

צַוָּארֵךְ כְּמִגְדַּל הַשֵּׁן עֵינַיִךְ בְּרֵכוֹת בְּחֶשְׁבּוֹן עַל־שַׁעַר בַּת־רַבִּים אַפֵּךְ כְּמִגְדַּל הַלְּבָנוֹן צוֹפֶה פְּנֵי דַמָּשֶׂק׃

O teu pescoço como torre de marfim. Continuando a erguer seu olhar, o homem viu o belíssimo pescoço da jovem, o qual, para ele, se parecia com uma "torre de marfim". Ao falar sobre o pescoço dela antes, ele o comparou à "torre de Davi" e apresentou uma elaborada metáfora com base nisso. Metais preciosos, joias e marfim (as metáforas comuns do livro de Cantares) nos fazem lembrar do que é precioso.

Prosseguindo em olhar cada vez mais para cima, o homem chegou aos olhos da jovem, sobre os quais ele não podia deixar de falar. Antes eles pareciam ao homem como os olhos gentis e graciosos de uma pomba (Ct 1.15 e 4.1). Agora, entretanto, pareciam com as "piscinas de Hesbom", com água tão pura, tão limpa, que refletiam os céus. A piscina particular que esse homem tinha em mente ficava próxima do portão de Bate-Rabim, lugar atualmente desconhecido. Talvez esse seja o nome de uma porta, mas não da cidade de Jerusalém. Ver no *Dicionário* os artigos chamados *Bate-Rabim* e *Hesbom*. Se está em pauta uma porta, então devia ser uma das portas da cidade de Hesbom.

Continuando a olhar cada vez mais para cima, o homem fixa sua atenção sobre o nariz dela. Era um nariz de rainha, parecido com a *torre do Líbano*. A poderosa torre em questão ajudava a proteger Damasco, pelo que era considerada bela e útil. Adam Clarke (*in loc.*) admitiu que a metáfora do nariz parecido com uma torre o deixava perplexo e sugeriu que talvez houvesse algo de incomum ou belo naquela torre que desconhecemos hoje em dia. Mas um homem, enlouquecido pelo amor, nem sempre precisa inventar metáforas congruentes.

■ **7.5** (na Bíblia hebraica corresponde ao **7.6**)

רֹאשֵׁךְ עָלַיִךְ כַּכַּרְמֶל וְדַלַּת רֹאשֵׁךְ כָּאַרְגָּמָן מֶלֶךְ אָסוּר בָּרְהָטִים׃

A tua cabeça é como o monte Carmelo. O homem, tendo começado a contemplar os pés da donzela, foi subindo e agora terminou seu exame na cabeça. Nela viu uma coroa gloriosa, como se fosse o *cume do Carmelo*, que subia de forma majestática acima das colinas e planícies em derredor. Ela tinha um porte de rainha, confiante e orgulhoso. Quanto à majestade do monte Carmelo, ver Is 35.2 e Jr 46.18. Ademais, a jovem possuía belíssimos cabelos negros (antes retratados como os pelos negros da cabra que desciam pelas colinas de Gileade; Ct 4.1 e 6.5). Seus cabelos eram enredados formando tranças, que amarravam o rei, de modo que ele não podia escapar. Naturalmente, essas tranças eram objetos especiais de beleza. Os homens ficam apaixonados diante dos cabelos longos e flutuantes de uma mulher, e não podem compreender por que elas aparam tanta beleza! Esse é um ponto de beleza feminina que todos os homens apreciam, e os longos e flutuantes cabelos de uma mulher são mais belos aos homens do que a maioria das mulheres sabem ou apreciam. A beleza da jovem era poderosa o bastante para tornar o rei um prisioneiro! Os cabelos da donzela são apresentados como dotados de uma coloração púrpura, ou como se houvesse algo dessa cor trançado neles, emprestando-lhe uma atração adicional. Adam Clarke (*in loc.*) disse aqui: "Fitas ornamentais e joias dessa cor".

■ **7.6** (na Bíblia hebraica corresponde ao **7.7**)

מַה־יָּפִית וּמַה־נָּעַמְתְּ אַהֲבָה בַּתַּעֲנוּגִים׃

Quão formosa, e quão aprazível és, ó amor em delícias! Tendo falado sobre porções particularmente belas do corpo da jovem, o homem agora nos apresenta uma avaliação geral. Ele considerou a jovem extremamente bela e atraente, uma mulher cheia de delícias, e chamou-a de "amor em delícias". És uma "donzela deleitável" (*Revised Standard Version*). "És cheia de deleites" (NCV). O hebraico original diz aqui, literalmente: "Oh! amor, entre coisas que deleitam", o que é retrabalhado pelas versões e traduções modernas, para dar um sentido mais fácil. Ela era uma "filha da delicadeza", isto é, uma "donzela deleitável".

■ **7.7** (na Bíblia hebraica corresponde ao **7.8**)

זֹאת קוֹמָתֵךְ דָּמְתָה לְתָמָר וְשָׁדַיִךְ לְאַשְׁכֹּלוֹת׃

Esse teu porte é semelhante à palmeira. *A Metáfora da Palmeira.* O homem via a palmeira como uma árvore tanto de porte elegante quanto frutífera. Os frutos da tamareira sempre foram considerados deliciosos, como acontece até hoje. O homem, doente de amor, com a mente sobrecarregada de metáforas de amor, naturalmente via nas tâmaras uma semelhança natural com os seios femininos. As tâmaras pendem altas de uma tamareira, tal como os seios de uma mulher, mas não completamente no topo (na cabeça). Os ramos, pendurados do alto da árvore, nos fazem lembrar a cabeça de uma mulher, recoberta de cabelos. A própria palmeira é alta e graciosa, e fez o homem lembrar-se do corpo da mulher. No Oriente, a palmeira graciosa era uma figura comum da beleza feminina. *Tamar*, um nome de mulher, significa *palmeira*. Esse é o nome de três mulheres nas páginas do Antigo Testamento. Ver a respeito no *Dicionário*.

Alguns intérpretes veem aqui *duas metáforas*: a metáfora da graciosa e altiva palmeira, apontando para o corpo feminino; e a metáfora do cacho de uvas, apontando para os seios femininos.

■ **7.8** (na Bíblia hebraica corresponde ao **7.9**)

אָמַ֙רְתִּי֙ אֶעֱלֶ֣ה בְתָמָ֔ר אֹֽחֲזָ֖ה בְּסַנְסִנָּ֑יו וְיִֽהְיוּ־נָ֤א שָׁדַ֙יִךְ֙ כְּאֶשְׁכְּל֣וֹת הַגֶּ֔פֶן וְרֵ֥יחַ אַפֵּ֖ךְ כַּתַּפּוּחִֽים:

Dizia eu: Subirei à palmeira, pegarei em seus ramos. O faminto homem, contemplando aqueles belos frutos, perdeu o autocontrole e logo estava subindo na palmeira, para obter os seus frutos. Provavelmente, o autor tinha passado por essa experiência muitas vezes. Agora isso o fazia lembrar dos prazeres sexuais, e ele teve um desejo avassalador de acariciar os seios de sua amada, pois eram como frutas especiais e sensuais. Os seios dela seriam como frutos gostosos em sua boca, tal como são as tâmaras, e ele os provaria e satisfaria seus anseios amorosos. Estando ele "ali" para essa festa, também provaria os lábios da jovem e, ao fazê-lo, descobriu que os lábios dela eram como maçãs de doce aroma e como vinho fino de beber (vs. 9). Que os envergonhados se mantenham afastados do livro de Cantares!

A dupla metáfora do vs. 7 (tamareira e uvas da vinha) continua aqui. Talvez o autor tenha comparado as uvas às tâmaras, reduzindo as duas frutas a uma só metáfora. Encontramos aqui certa confusão de metáforas, mas o significado é perfeitamente claro!

■ **7.9** (na Bíblia hebraica corresponde ao **7.10**)

וְחִכֵּ֕ךְ כְּיֵ֥ין הַטּ֛וֹב הוֹלֵ֥ךְ לְדוֹדִ֖י לְמֵישָׁרִ֑ים דּוֹבֵ֖ב שִׂפְתֵ֥י יְשֵׁנִֽים:

Os teus beijos são como o bom vinho. O autor já havia comparado o amor em geral ao *vinho*, e agora aplica isso especificamente aos beijos. Ver Ct 1.2,4; 4.10. Esse vinho é como o melhor dos vinhos que desce pela garganta tão suavemente, que satisfaz os lábios, a boca e a garganta com gosto apurado e com agradáveis sensações. Mas os beijos de uma mulher são melhores do que isso.

Escoa. Esta é uma interpretação do original hebraico, o qual, literalmente, diz: "Suavemente" ou "agradavelmente". A última linha do versículo, porém, é difícil de interpretar. Literalmente, diz o texto massorético: "causando os lábios daqueles que estão dormindo a falar". Isso forma um sentido difícil, pelo que há uma emenda que faz o trecho dizer: "meus lábios e dentes" (Septuaginta e versão siríaca), ou "seus lábios e dentes" (Vulgata Latina). O sentido parece ser: *deleitando* os lábios e os dentes, ou qualquer coisa semelhante; ou apenas "fluindo pelos lábios e dentes" (NCV). O texto massorético poderia significar, entretanto: "falas de doce amor", visto que a fala de amor, em meio ao ato sexual, pode ser algo agradável. Além disso, há todos aqueles suspiros que acompanham o ato, e isso poderia estar em vista, pois se trata de uma espécie de linguagem. Nesse caso, a palavra "dormindo", que aparece em algumas traduções, embora não em nossa versão portuguesa, faria referência aos amantes, que estavam na cama, como se dormissem. O leito é o lugar do sono e do sexo, e as duas coisas são combinadas aqui, como se fossem sinônimos.

> Como lábios murmurando no sono deles.
> Foram doces beijos que os ninaram ali.
>
> Shelley

Outro Sentido Possível. Assim como o vinho solta a língua daqueles que o bebem, também o amor solta os lábios dos sonolentos, pelo que eles expressam verbalmente os seus prazeres. Mas, na realidade, ninguém sabe ao certo o que significa a última linha do vs. 9.

A MULHER FALA AO HOMEM (7.10-13)

■ **7.10** (na Bíblia hebraica corresponde ao **7.11**)

אֲנִ֣י לְדוֹדִ֔י וְעָלַ֖י תְּשׁוּקָתֽוֹ: ס

Eu sou do meu amado, e ele tem saudades de mim. Este versículo é um refrão que celebra a *possessão mútua* no ato de amor. Trata-se de um refrão similar aos de Ct 2.16 e 6.3. A mulher declarou que pertencia a seu amante, que ele veio possuí-la e que ela será sempre dele. E então, em vez de dar o lado reverso da moeda — "meu amante é meu" — (tal como nas duas outras referências), ela simplesmente reforçou a primeira linha e observou que o desejo do homem estava fixado nela. Isso afirma mais enfaticamente a realidade da possessão. Esse refrão põe fim ao parágrafo anterior e introduz o parágrafo seguinte. Cf. Gn 3.16, onde o desejo da mulher se volve para o homem. Isso faz parte da maldição a que a mulher ficou sujeita, maldição que aqui, conforme dizem alguns eruditos, foi revertida, pelo menos nesse ponto. O mais provável, entretanto, é que não haja conexão entre o presente versículo e o livro de Gênesis. A NCV exagerou ao traduzir essa frase por: "o desejo dele é *apenas* por mim", pois sabemos que na vida de Salomão houve outras mulheres (Ct 6.8). Mas ser o *objeto principal* dos desejos do homem, em competição com todas aquelas outras mulheres, já era uma grande realização.

■ **7.11** (na Bíblia hebraica corresponde ao **7.12**)

לְכָ֤ה דוֹדִי֙ נֵצֵ֣א הַשָּׂדֶ֔ה נָלִ֖ינָה בַּכְּפָרִֽים:

Vem, ó meu amado, saiamos ao campo. "Na unidade anterior (vss. 1-10), o marido tomou a iniciativa no ato de amor. Mas nesta unidade (vss. 11-13) é a mulher quem toma a iniciativa. Essa é a primeira vez, no livro de Cantares, em que a mulher amada fez um pedido direto e sem ambiguidade em favor do prazer sexual. Previamente, ela tinha expressado seu desejo na terceira pessoa do singular (como exemplos, ver Ct 1.2a e 2.6). Agora, mais segura no amor de seu marido, ela se sentia livre para tomar a iniciativa. Por isso, pediu-lhe que saíssem ao campo, onde poderiam passar a noite juntos" (Jack S. Deere, *in loc.*). Talvez o leitor pense que minha interpretação esteja enfatizando demasiadamente a questão do sexo. Ver o vs. 12, que definidamente faz esse convite ser um avanço sexual. No livro de Cantares, é impossível exagerar a importância do sexo. Naturalmente, fica entendido, do começo ao fim, que o sexo é uma *expressão de amor*. Não obstante, o que está aqui em foco é o amor sensual, e não apenas a apreciação da companhia mútua.

As noites nas aldeias. O original hebraico pode significar aqui "aldeias" ou "flores de hena". A mesma palavra, em Ct 1.14 e 4.13, significa *hena*, e isso parece ter mais peso aqui também. Se estão em pauta as *flores*, é provável que devamos compreender que eles acampariam nos campos ou talvez permanecessem no meio da natureza. Ou poderiam encontrar um dormitório (talvez em uma estalagem) em alguma aldeia próxima. Seja como for, estariam sozinhos, o que contribuiria para o romance.

■ **7.12** (na Bíblia hebraica corresponde ao **7.13**)

נַשְׁכִּ֙ימָה֙ לַכְּרָמִ֔ים נִרְאֶ֞ה אִם פָּֽרְחָ֤ה הַגֶּ֙פֶן֙ פִּתַּ֣ח הַסְּמָדַ֔ר הֵנֵ֖צוּ הָרִמּוֹנִ֑ים שָׁ֛ם אֶתֵּ֥ן אֶת־דֹּדַ֖י לָֽךְ:

Levantemo-nos cedo de manhã para ir às vinhas. Buscando um lugar para ficarem sozinhos, os dois partiriam cedo pela manhã e visitariam suas vinhas, certificando-se de que tudo corria bem. Em seguida, iriam ao pomar e veriam o progresso das árvores frutíferas, mas somente a romã é mencionada por nome. A estação do ano era a primavera, o que fica demonstrado porque as plantas estavam deitando botões. A primavera representava admiravelmente bem o amor jovem dos dois, ainda em seus começos e florescendo. Em alguma parte no meio dos jardins e dos pomares, o casal encontraria um lugar apropriado para o seu ato de amor. Seria ali que a jovem poderia, uma vez mais, dar a seu amante os frutos do jardim. *Ela* era o jardim e a fonte de águas (Ct 4.12-15); o pomar (6.11); a vinha (7.2); o trigo doador de vida (7.2); a tamareira (7.7); e o cacho de uvas (7.7).

■ **7.13** (na Bíblia hebraica corresponde ao **7.14**)

הַֽדּוּדָאִ֣ים נָֽתְנוּ־רֵ֗יחַ וְעַל־פְּתָחֵ֙ינוּ֙ כָּל־מְגָדִ֔ים חֲדָשִׁ֖ים גַּם־יְשָׁנִ֑ים דּוֹדִ֖י צָפַ֥נְתִּי לָֽךְ:

As mandrágoras exalam o seu perfume. Os sinais da primavera eram as vinhas que começavam a dar uvas, as romãs que floresciam e as fragrantes mandrágoras. Essas últimas frutas eram do tamanho de uma maçã e procuradas por suas qualidades afrodisíacas (ver Gn 30.14-16). Às portas deles, pois, havia as melhores espécies de frutas, novas e antigas, e todas tinham sido colhidas para benefício dos amantes. E agora essas frutas se tornaram símbolos de prazeres sensuais que a jovem entregaria a seu amante, porquanto ela era o *jardim* dele (ver as notas sobre o vs. 12). Assim como os frutos literais achavam-se em sua propriedade, fechados pelas paredes e pelas cercas, também a donzela abriria suas portas e permitiria que o homem adentrasse seu jardim. Pode haver aqui uma alusão à decoração das *portas* da cabana dos amantes, com todas as suas variedades de plantas, flores e frutos, que embelezavam o lugar de seu amor, o que era um antigo costume. Isso significa que as portas mencionadas se referem especificamente às portas da cabana onde o casal se entregaria a seus prazeres sensuais. Além disso, a própria dama era a cabana do homem, e a ele abriria as *suas portas,* onde ele encontraria os armazéns de frutos, guardados para seu deleite.

CAPÍTULO OITO

Não há interrupção entre os capítulos 7 e 8. Esta seção tem início em Ct 6.10, onde dou notas de introdução. E a nova seção começa em Ct 8.5.

Nos vss. 1-4, "a querida jovem revelou crescente desejo de desfrutar de intimidade com seu amante-marido e se regozijou ante a multifacetada natureza do relacionamento entre os dois" (Jack S. Deere, *in loc.*).

A MULHER FALA (8.1-4)

■ 8.1

מִי יִתֶּנְךָ כְּאָח לִי יוֹנֵק שְׁדֵי אִמִּי אֶמְצָאֲךָ בַחוּץ אֶשָּׁקְךָ גַּם לֹא־יָבוּזוּ לִי׃

Oxalá fosses como meu irmão. O original hebraico diz aqui, literalmente: "Quem te dará a mim como meu irmão?" Os costumes no antigo Oriente Próximo evitavam toda a demonstração pública de afeto, até mesmo entre marido e mulher, em parte porque isso poderia ser confundido com o jogo da sedução, e em parte porque era considerado uma conduta imprópria. As intimidades eram reservadas para o recesso do lar. Os anglo-saxões demonstram idêntica atitude para com atos íntimos, e a intimidade de qualquer sorte com uma mulher, em público, é considerada uma *fraqueza* que os homens fazem bem em evitar. Mas no Oriente Próximo, era permitida certa intimidade entre irmão e irmã, que não passaria como suspeita de conduta imoral, mesmo pelos mais pudicos. Foi por essa razão que a donzela exprimiu aqui o desejo de que seu marido fosse seu irmão, o que teria permitido grande demonstração de afetos entre os dois. A bela jovem não se sentia satisfeita com os limites impostos às demonstrações de afeto aos quais estava presa pelos costumes da sociedade. Ela não ousava *beijar* o marido em público, pois alguém poderia estar observando e criticaria a conduta imprópria dos dois. Adam Clarke, *in loc.*, supôs que somente um *irmãozinho* poderia ser beijado em público, pois os circunstantes poderiam suspeitar de incesto.

■ 8.2

אֶנְהָגֲךָ אֲבִיאֲךָ אֶל־בֵּית אִמִּי תְּלַמְּדֵנִי אַשְׁקְךָ מִיַּיִן הָרֶקַח מֵעֲסִיס רִמֹּנִי׃

Levar-te-ia e te introduziria na casa de minha mãe. Aqui a jovem assume o papel de *irmã mais velha.* Ela levaria seu irmão, ainda *criança,* à casa da mãe de ambos e ali supriria todas as necessidades dele. Ela agiria como uma mãe para o menino. O termo hebraico aqui traduzido por *levar-te-ia* é *nahag,* usualmente empregado para indicar um superior que guia um inferior. Em Ct 5.1,16, temos os amantes apresentados como amigos. Está em vista o ideal que eles deveriam compartilhar em um relacionamento multifacetado, para tornar esse relacionamento mais amplo e satisfatório. Mas o compartilhar do vinho e do suco da romã por certo era uma figura simbólica sexual, na privacidade do lar, ao mesmo tempo que eles continuavam sendo irmão e irmã, amigos um do outro, conduzindo-se os dois em atos íntimos. Isso é demonstrado como a correta interpretação do vs. 3, em que o casal já se acha no amplexo íntimo. Quanto ao significado deste versículo, cf. Ct 1.2; 5.1 e 7.9. As figuras de alimentos e bebidas são sempre carregadas de sentido sexual no livro de Cantares. Os antigos hebreus preparavam refrescos com várias frutas, e é apenas natural que esses refrescos se tivessem tornado símbolos do amor sensual.

■ 8.3

שְׂמֹאלוֹ תַּחַת רֹאשִׁי וִימִינוֹ תְּחַבְּקֵנִי׃

A sua mão esquerda estaria debaixo da minha cabeça. Este versículo duplica o trecho de Ct 2.6, onde são dadas notas expositivas. O casal, uma vez oculto dos olhares públicos, logo se ocuparia em atos de intimidade, o *abraço* de intimidade sendo aqui usado como eufemismo para o ato sexual.

■ 8.4

הִשְׁבַּעְתִּי אֶתְכֶם בְּנוֹת יְרוּשָׁלִָם מַה־תָּעִירוּ וּמַה־תְּעֹרְרוּ אֶת־הָאַהֲבָה עַד שֶׁתֶּחְפָּץ׃ ס

Este versículo é uma duplicação de Ct 2.7, onde são dadas notas textuais, excetuando o fato de que aqui o juramento feito pelas *gazelas e corças do campo* é deixado de lado. No capítulo 2, sentimentos de amor não deveriam ser despertados, pois ainda era muito cedo para isso. O casal ainda não havia contraído matrimônio. Mas aqui são entregues as rédeas da paixão, e em seguida vemos o homem a dormir, não devendo ser perturbado. O homem tivera uma longa noite de amor; que agora descansasse! Mas alguns estudiosos pensam que o *amor,* no caso presente, é o amor da mulher, e não de seu amante. Nesse caso, a ordem dos acontecimentos é muito parecida com a de Ct 2.7. A Septuaginta, a versão árabe e alguns manuscritos em hebraico adicionam aqui a menção às gazelas e cervas, mas isso faz harmonia com o versículo paralelo, pois o texto mais breve quase sempre é o correto. Ver no *Dicionário* os verbetes intitulados *Massora (Massorah); Texto Massorético* e *Manuscritos Antigos do Antigo Testamento.* O segundo desses dois artigos oferece diretrizes sobre como os textos corretos devem ser escolhidos quando aparecem variantes.

CONCLUSÃO QUE ABORDA A PERMANÊNCIA DO VERDADEIRO AMOR (8.5-14)

O autor sacro oferece agora algumas ideias sobre a natureza e o poder do amor, que lhe emprestam certo "poder de permanência". O vs. 4 apresenta um quadro enigmático do amor, mas segue-se uma explicação a respeito nos vss. 5,6.

As Atendentes da Jovem Falam (8.5a)

■ 8.5

מִי זֹאת עֹלָה מִן־הַמִּדְבָּר מִתְרַפֶּקֶת עַל־דּוֹדָהּ תַּחַת הַתַּפּוּחַ עוֹרַרְתִּיךָ שָׁמָּה חִבְּלַתְךָ אִמֶּךָ שָׁמָּה חִבְּלָה יְלָדַתְךָ׃

(8.5a)
Quem é esta que sobe do deserto, e vem encostada ao seu amado? As companheiras da donzela veem um casal chegando do deserto. A jovem se amparava no homem, num gesto de amor e dependência. O deserto era um símbolo de:

1. Perambulações. Basta que lembremos as provações pelas quais Israel passou ali.
2. Também era símbolo da maldição de Deus, que não permitia que a vegetação transmissora de vida ali crescesse. Ver Jr 22.6 e Jl 2.2.
3. E também era símbolo da maldição de desarmonia que Deus proferiu sobre Adão e Eva, que tendiam à alienação, e não à harmonia. Ver Gn 3.16b.

Mas vemos agora um quadro diferente. Esse casal, o homem ideal e sua esposa ideal, tinham vencido a "experiência do deserto", onde haviam sofrido algumas provações e uma alienação potencial (ver Ct 1.5,6; 2.15; 5.2-7). Vindos ambos do deserto, os encontramos em amorosa comunhão.

A Mulher Fala
(8.5b)
Debaixo da macieira te despertei. A macieira é símbolo do amor. A mãe do homem deu-o à luz à sombra dessa árvore. E foi exatamente ali, desde o princípio, que a mulher esteve presente, reivindicando o recém-nascido como seu, porque ele estava destinado a tornar-se marido dela. A mãe do homem o teve em meio às *dores de*

parto usuais, mas a esposa o tomaria para efeito de *prazer e alegria*. A figura simbólica é aqui vívida e incomum. O infante, que tinha acabado de nascer, foi *despertado* para o amor, desde o momento de seu nascimento. Ele tinha um destino a cumprir que, inexoravelmente, incluía a mulher que se tornaria o amor da sua vida. Assim, a macieira do casamento tornou-se, igualmente, a macieira dos desposórios. Cf. Ct 2.3, onde a maioria das traduções também fala em *maçã*. Ver no *Dicionário* o verbete denominado *Maçã*, quanto a uma tentativa de identificar a fruta em questão.

■ 8.6

שִׂימֵ֨נִי כַֽחוֹתָ֜ם עַל־לִבֶּ֗ךָ כַּֽחוֹתָם֙ עַל־זְרוֹעֶ֔ךָ כִּֽי־עַזָּ֤ה כַמָּ֙וֶת֙ אַהֲבָ֔ה קָשָׁ֥ה כִשְׁא֖וֹל קִנְאָ֑ה רְשָׁפֶ֕יהָ רִשְׁפֵּ֕י אֵ֖שׁ שַׁלְהֶ֥בֶתְיָֽה׃

Põe-me como selo sobre o teu coração. Os vss. 6,7 dão um significado específico ao vs. 5. Se o leitor porventura não compreender a declaração bastante enigmática do vs. 5, a donzela o ajudará a fazer uma ideia melhor do que ela procurava dizer. A mulher queria que o amor dela e de seu marido fosse permanente. Ela queria ser como um selo no coração dele, e um selo em seu braço. "Nos tempos antigos, quando poucos sabiam escrever, a pessoa trazia um *selo* pendurado ao pescoço, pendente sobre o coração (ver Gn 38.18,25), ou então na mão direita (Jr 22.24). Com esse selo, a pessoa produzia a sua assinatura" (O. S. Rankin, *in loc.*). Um selo era usado para indicar a possessão de coisas valiosas. Aquilo que tinha um selo de uma pessoa, era dela.

> Que tua bondade, como uma algema,
> Prenda meu coração vagabundo a ti.
> Pronto a desviar-se, Senhor, assim sinto,
> Disposto a deixar o Deus a quem amo.
> Eis meu coração, toma-o e sela-o!
> Sela-o para tua corte lá no alto!
>
> Robert Robinson

A Força do Amor. O amor é tão forte quanto a morte, que tem o poder de varrer a todos deste mundo, diante da qual nenhum ser humano pode resistir. Por conseguinte, o poder do amor também é irresistível. A morte é um ponto final que põe fim às perambulações e às mudanças. Assim também o amor, quando autêntico, é um ponto final, que prende para sempre. "O amor é tão universal e irresistível quanto a morte, e é tão *exclusivo e possessivo* (no sentido de estar genuinamente preocupado com o ser amado) quanto o *sepulcro (sheol)*, tão *apaixonado* (como o fogo requeimante) e tão *invencível e perseverante* como os dilúvios de muitas águas e rios" (Jack S. Deere, *in loc.*).

Aqui o *sheol* é paralelo à morte, como sinônimo dela. A doutrina do *sheol* passou por uma longa evolução. Ver Pv 5.5, onde traço isso livremente. Ver também no *Dicionário* o artigo chamado *Sheol* e, especialmente, aquele denominado *Hades*.

O amor possessivo é chamado aqui de *ciúme*, e o amor, sob essa forma, é tão *cruel* quanto o sepulcro. Algumas traduções dão *forte paixão*, em vez de ciúme. Esse amor tipo ciúme é como um *fogo todo consumidor*. Diz o hebraico original, literalmente, "vermelho de fogo" e "chama veemente" ou, mais literalmente ainda, "uma chama de Yahweh". Há fogo divino nesse tipo de amor; é como as chamas do céu que desceram à terra. Por que esse tipo de amor foi chamado de *cruel*, permanece um mistério, a menos que isso signifique "cruel para os competidores", que gostariam de destruí-lo. Talvez não haja aqui nenhuma ideia de uma *dor infligida*. Nesse caso, a palavra "cruel" foi usada como um intensificador. Virgílio também chamou o amor de cruel (*Bucolic. Eclog.* 10, vs. 29). A NIV prefere traduzir essa palavra como "que não cede".

> Inexorável como o sheol é a ardente paixão.
>
> Ellicott

> O amor é indestrutível.
> Suas chamas santas crepitam para sempre;
> Do céu ele veio; ao céu retornará.
>
> Southey

■ 8.7

מַ֣יִם רַבִּ֗ים לֹ֤א יֽוּכְלוּ֙ לְכַבּ֣וֹת אֶת־הָֽאַהֲבָ֔ה וּנְהָר֖וֹת לֹ֣א יִשְׁטְפ֑וּהָ אִם־יִתֵּ֨ן אִ֜ישׁ אֶת־כָּל־ה֤וֹן בֵּיתוֹ֙ בָּאַהֲבָ֔ה בּ֖וֹז יָב֥וּזוּ לֽוֹ׃ ס

As muitas águas não poderiam apagar o amor. O amor é tão implacável quanto as águas de uma inundação, quanto um poderoso rio cujas águas são alimentadas por neves que se estão dissolvendo. A água inundante é uma grande força diante da qual coisa alguma pode resistir. Aqueles que foram unidos pelo amor jamais podem separar-se. Nenhuma força na terra é capaz de afastá-los, e nenhuma força no céu haveria de querer fazê-lo. *O amor tem um valor inestimável*. Se alguém tentasse comprar o amor, oferecendo um grande preço, outros se ririam dele, zombando. Não há oferta que ele faça que não possa ser rejeitada. O amor tem de ser genuíno como um tesouro oculto no coração. As riquezas materiais não podem ser comparadas ao amor, nem podem substituí-lo. O amor é dotado de um valor inestimável, quando é autêntico e, como algo dotado de beleza ímpar, nunca pode perecer.

> *Muita água não pode apagar as chamas do amor.*
> *Dilúvios não podem afogá-lo.*
>
> NCV

O Amor é Indestrutível. O amor pode resistir a qualquer *tipo* de ataque. "Nem as adversidades comuns nem as incomuns, mesmo as de natureza mais arruinadora, podem destruir o amor, quando este é verdadeiro e puro" (Adam Clarke, *in loc.*). Embora não possamos comprar o amor, o amor pode ser conquistado. É conquistado quando é livremente dado. Em última análise, o amor vem de Deus, e ele inspira e cultiva o amor em um homem (ver Gl 5.22). O vs. 5 insufla o *destino* na questão do amor. A jovem reivindicou o homem de sua vida quando ele nasceu. Aqueles que acreditam na reencarnação fazem o amor tornar-se parte do entretecido da doutrina. A reencarnação é vista como algo que ignora as barreira da vida e da morte, com a *reentrada* em várias vidas que são apenas outros tantos capítulos que compõem a história de uma vida. Se isso é verdade, então quão acurada é a declaração que diz que o amor não admite adversário, incluindo a morte. O amor é aquele elo que nos reúne em torno do mistério da vida. A *vida era, é e será*, e o amor é o *companheiro* constante da vida. Onde estiver a vida, ali você encontrará o verdadeiro amor. O amor *não obedece ao tempo* nem admite barreiras ou *obstáculos*.

> O amor não se altera com as horas breves e as semanas,
> Mas suporta tudo até a beira da condenação.
> Se isso é um erro, e for provado que estou errado,
> Então nunca mais escreverei, e nem um homem foi
> jamais amado.
>
> Shakespeare

Ver no *Dicionário* o artigo sobre o *Amor*, quanto a comentários e poemas ilustrativos. O amor suporta tudo até a beira da condenação, e na própria *condenação*.

EPÍLOGO: COMO O AMOR COMEÇOU (8.8-14)

Em um breve *retrospecto*: a mulher amada foi protegida por seus irmãos quando era jovem; o primeiro encontro com seu futuro marido; o livro de Cantares conclui afirmando que o primeiro amor continuava tão ardente como no princípio. O primeiro amor era o amor constante.

Vários oradores estão envolvidos nestes versículos, que serão identificados conforme formos avançando.

FALAM OS IRMÃOS DA MULHER (8.8,9)

■ 8.8

אָח֥וֹת לָ֙נוּ֙ קְטַנָּ֔ה וְשָׁדַ֖יִם אֵ֣ין לָ֑הּ מַֽה־נַּעֲשֶׂה֙ לַאֲחֹתֵ֔נוּ בַּיּ֖וֹם שֶׁיְּדֻבַּר־בָּֽהּ׃

Temos uma irmãzinha, que ainda não tem seios. A bela donzela fora antes uma menina. Então não tinha seios; e, se tivesse continuado assim, nenhum homem haveria de querê-la. Seus irmãos não tinham poder para mudar a situação, mas, por meio da natureza, eles (alegadamente) cuidariam da situação (vs. 9). Alguns intérpretes negam (no vs. 9) a alusão à menina sem seios, então uma garota pequena e imatura; mas essa interpretação contraria a clara afirmação do original hebraico no vs. 8.

■ 8.9

אִם־חוֹמָה הִיא נִבְנֶה עָלֶיהָ טִירַת כָּסֶף וְאִם־דֶּלֶת
הִיא נָצוּר עָלֶיהָ לוּחַ אָרֶז׃

Se ela for um muro, edificaremos sobre ele uma torre de prata. Os irmãos da menina se mostrariam zelosos por conseguir um bom casamento para a pequena irmã, e começariam esses esforços quando ela ainda fosse jovem. Mas se ela permanecesse como um muro sem o embelezamento das torres (ou seja, sem seios; vs. 10), então a tarefa deles ficaria tremendamente complicada. As torres de que os irmãos falavam eram seios, e não medidas de proteção que os irmãos da jovem tomariam para garantir a segurança da donzela. Poeticamente, eles se referiam ao trabalho da natureza para desenvolver os seios da menina, como se os seios fossem deles mesmos. Os seios potenciais (no vs. 9) são referidos como uma *torre de prata*. Uma vez mais encontramos a fixação sobre os seios como um importante item no livro de Cantares. Cf. Ct 1.13; 4.5; 7.3,7,8. Mas aqui essa palavra aponta para todos os esforços que seus irmãos fariam para vê-la bem casada, finalmente. Mas a natureza teria de fazer seu trabalho para que correspondesse aos esforços deles em favor da jovem.

Porta. Além de ser como um muro chato, a jovem menina também era como uma porta. Seus irmãos a protegeriam por trás de portas de cedro fechadas, ou seja, por meio de cuidados zelosos. O cedro apontava para algo valioso e altamente desejável. Essa metáfora é um tanto desajeitada, pois a porta seria fechada (barricada?) com tábuas de cedro. Talvez a figura imagine que a porta preciosa seria protegida por tábuas adicionais de defesa, mas é difícil imaginar exatamente o que isso significaria, embora o significado geral seja claro. Ou então, mais provavelmente ainda, a *porta chata* seja o equivalente ao *muro chato,* e sobre essa porta seriam acrescentados relevos decorativos, ou trabalhos decorativos em madeira. Nesse caso, há outra referência aos seios, mas agora mediante outra metáfora. Os relevos decorativos são os seios, que dão à mulher a sua beleza, bem como a habilidade de atrair um marido. A interpretação que diz que o marido dela seria a sua torre (proteção), e também sua barricada, está definidamente fora de lugar aqui.

A MULHER FALA (8.10-12)

■ 8.10

אֲנִי חוֹמָה וְשָׁדַי כַּמִּגְדָּלוֹת אָז הָיִיתִי בְעֵינָיו כְּמוֹצְאֵת
שָׁלוֹם׃ פ

Eu sou um muro, e os meus seios como as suas torres. Este versículo mostra-nos que as *torres de prata* (vs. 8) eram os seios potenciais da menina, dos quais ela precisaria para atrair um marido. Agora, tendo chegado à maturidade, a jovem estava equipada com essas decorações necessárias. Com esse equipamento (e, naturalmente, suas outras qualidades), a mulher se mostrara bem-sucedida em atrair seu querido, o rei Salomão, o que significa que ela havia logrado tremendo êxito. Parte desse sucesso se devia à sua fertilidade. Ela era uma mulher plenamente equipada. Seria esposa e mãe excelente. A natureza tinha realizado um bom trabalho, cumprindo assim as esperanças de seus irmãos.

■ 8.11

כֶּרֶם הָיָה לִשְׁלֹמֹה בְּבַעַל הָמוֹן נָתַן אֶת־הַכֶּרֶם
לַנֹּטְרִים אִישׁ יָבִא בְּפִרְיוֹ אֶלֶף כָּסֶף׃

Teve Salomão uma vinha em Baal-Hamom. Salomão tinha diversas vinhas, mas sua vinha toda especial estava em *Baal-Hamom* (ver a respeito no *Dicionário*). Ele instalou alguns guardas nessa vinha, mediante algum tipo de acordo de participação nos lucros. Quanto à parte que lhe cabia, Salomão deveria receber mil peças de prata, no valor de cerca de 11.350 gramas de prata. Não era uma grande quantia em dinheiro, mas *cada* guarda tinha de trazer esse tanto de lucro. Não estamos informados sobre quanto os trabalhadores obteriam, pois isso nada tem a ver com a aplicação dada no vs. 12. Também não nos é dito qual seria o lucro total de Salomão, mas a ideia inteira do versículo é que o lucro seria considerável. Um cultivo cuidadoso e amoroso da vinha por certo produziria uma boa safra de uvas. Quanto aos *mil siclos* como símbolo de riqueza, ver Is 7.23. Examinando o vs. 12, parece-nos que os trabalhadores receberiam, cada um deles, duzentos siclos pelo trabalho. Isso representa bem pouca recompensa, considerando-se que lhes cabia fazer todo o trabalho, enquanto o proprietário nada fazia além de ocasionalmente supervisionar as coisas. Mas o trabalho de um agricultor nunca foi, como acontece até hoje, muito compensador para o homem que toma conta das terras de outrem.

■ 8.12

כַּרְמִי שֶׁלִּי לְפָנָי הָאֶלֶף לְךָ שְׁלֹמֹה וּמָאתַיִם לְנֹטְרִים
אֶת־פִּרְיוֹ׃

A vinha que me pertence está ao meu dispor. Consideremos os quatro pontos seguintes:

1. O vs. 11 é apenas uma ilustração do que a jovem queria dizer no vs. 12. Encontramos ali outro jardim com outra vinha, muito mais valiosa do que a do versículo anterior. Mas esse segundo jardim é metafórico, pois aponta para a própria jovem sulamita. Cf. a figura com Ct 4.12 ss. Ver também os trechos de Ct 6.11 e 7.7-9, onde a metáfora é expandida. Se esse jardim ou vinha era da jovem, ela era possuidora de si mesma (ver Ct 1.6), no entanto se entregara a seu marido.

2. Ellicott (*in loc.*) vê outro sentido neste versículo: "Deixemos que Salomão conserve e desfrute de suas possessões (seu harém de belezas mercenárias; Ct 6.8), que tanto custavam para obter e manter. Sinto-me mais feliz no amor seguro de minha verdadeira esposa". Mas isso faria o orador ser alguma outra pessoa, contemplando a situação de poligamia de Salomão e preferindo a sua própria monogamia com uma só e verdadeira esposa.

3. Podemos obter ainda outro sentido deste versículo mudando as palavras de Ellicott, "uma só e verdadeira esposa" para "eu, como sua única verdadeira esposa". Nesse caso, a bela jovem comparou-se ao harém do homem e via maior valor em si mesma do que em "todas aquelas outras mulheres". A menção aos *guardas* da vinha correria bem com a segunda interpretação, referindo-se a toda a ajuda que se fazia mister para manter o harém em boa ordem. Se essa *guarda* fazia parte da interpretação de número um, então poderíamos pensar em tudo quanto custava para *manter a jovem,* o que não seria muito em comparação com o lucro que Salomão receberia em tê-la como esposa. Ou então a questão dos guardas é um incidente, dando-nos apenas a informação de que o agricultor receberia cerca de 20% dos lucros, o que, conforme sabemos por referências históricas, era a porcentagem comumente dada a tais trabalhadores rurais. Essa era, igualmente, a taxa de lucros usual no antigo Oriente Próximo. Considerando todos os fatores, fico com a primeira interpretação.

4. Há ainda outra interpretação, semelhante à de número dois. Salomão, do começo ao fim, fora retratado como o marido da bela jovem. Mas agora o *marido verdadeiro,* e não Salomão, para para contemplar sua bendita situação, criada por haver-se casado com a esplêndida donzela. Assim sendo, ele disse: "Guarda tudo quanto tens, ó rico Salomão. Conserva teu harém de grandes belezas. Eu ficarei com minha bela donzela, que é melhor do que qualquer coisa que tens".

O HOMEM FALA COM A MULHER (8.13)

■ 8.13

הַיּוֹשֶׁבֶת בַּגַּנִּים חֲבֵרִים מַקְשִׁיבִים לְקוֹלֵךְ הַשְׁמִיעִינִי׃

Ó tu, que habitas nos jardins. Este versículo é difícil de ser interpretado, e as várias traduções existentes não têm contribuído muito para esclarecê-lo.

1. Este versículo poderia ser uma memória do homem, quanto àqueles tempos em que outros poderiam tornar-se os recebedores potenciais do amor da mulher. Os "companheiros" dele anelavam por ouvir a voz da jovem, na esperança de que ela os favorecesse. Porém, disse o homem que finalmente tornou-se o marido da sulamita: "Deixa-*me* ouvir a tua voz", e não aqueles outros homens que também estavam presente.
2. Ou então o significado seria simplesmente: "Enquanto meus companheiros estão ouvindo, deixa-me ouvir a tua voz". Nesse caso, não haveria nenhuma ideia de competição. O homem, que agora era o marido da bela donzela, não havia perdido o ardente desejo de ouvir a voz da mulher; e, por isso, convidou-a a dirigir-lhe a palavra e, quando ela falava, sempre falava de amor. *Era isso* o que ele queria continuar ouvindo. Seu desejo por ela não havia perdido a intensidade.

A BELA MULHER PROFERE AS PALAVRAS FINAIS (8.14)

■ 8.14

בְּרַח׀ דּוֹדִי וּדְמֵה־לְךָ לִצְבִי אוֹ לְעֹפֶר הָאַיָּלִים עַל הָרֵי בְשָׂמִים׃

Vem depressa, amado meu. A mulher responde ao convite do homem e diz-lhe: "Vem depressa", para que ele se precipitasse para o lado dela, a fim de estarem juntos e compartilharem de outra inevitável sessão de amor. Ele deveria mostrar-se como os rápidos animais que há no campo, como o gamo ou a gazela, e vir correndo, saltando por cima das colinas e dos vales, e terminando a correria na casa dela. Já vimos essas figuras simbólicas em Ct 2.9,17:

Os montes aromáticos. Provavelmente esta é outra figura para os seios dela, tendo nós já visto vários exemplos desse simbolismo. A fixação nos seios perseguiu o casal até o fim, e continua a perseguir homens e mulheres pelo mundo inteiro. Cf. Ct 1.13; 4.5; 7.3,7,8; 8.9,10. As mulheres, na antiguidade, costumavam perfumar seus seios para tornar essa área mais atraente, como se isso fosse necessário! Cf. Ct 4.6, o "monte de mirra".

Por isso deixa o homem pai e mãe, e se une à sua mulher, tornando-se os dois uma só carne.

Gênesis 2.24

"Assim sendo, o poema termina com dois breves versículos que comprimem em si mesmos tudo quanto já tinha sido dito, por muitas vezes, mediante diferentes símbolos: o namoro e o casamento de duas almas felizes" (Ellicott, *in loc.*).

Resistindo à Tentação de Alegorizar o Livro de Cantares. Por todo este comentário, excluindo alguma ocasional exceção, tenho resistido à tentação de alegorizar o livro de Cantares, e isso pelas seguintes razões:

1. No próprio livro de Cantares não há sequer uma indicação de que ele oculte ensinos misteriosos e místicos.
2. Não possuímos autoridade para pensar dessa maneira, exceto a imaginação das mentes humanas.
3. Aqueles que alegorizam o livro de Cantares podem fazer o livro dizer quase qualquer coisa que queiram, promovendo seus credos ou desejos.
4. Aqueles que alegorizam o livro de Cantares geralmente obscurecem o significado real, interpretando erroneamente seus símbolos abertamente eróticos.
5. O livro de Cantares é uma das mais belas peças poéticas jamais escritas e não deveria ser obscurecido em um manual de símbolos místicos.
6. Trata-se de um poema de amor erótico e sensual e nem ao menos impõe as restrições da moderação em um selvagem amor de casal casado. Talvez atue como uma espécie de *endosso* desse tipo de amor, embora isso não aponte, necessariamente, para o endosso divino. Cada indivíduo deverá determinar, para si mesmo, até quais elaborações podem atingir o amor sensual. Que a sua consciência seja o seu manual, e não este poema.
7. Que poesia seja poesia, e que teologia seja teologia. Há abundância de outras fontes onde os crentes do cristianismo podem buscar instrução e inspiração.

Todos nós nascemos para amar. Esse é o princípio da existência, e sua única finalidade.

Benjamim Disraeli

Anotações

Anotações

Anotações

Anotações

Anotações

Anotações

Anotações

Anotações

Sua opinião é importante para nós. Por gentileza envie seus comentários pelo *e-mail* editorial@hagnos.com.br

hagnos

Visite nosso *site*: www.hagnos.com.br

Esta obra foi composta na fonte Georgia 8/9,6 e impressa na Imprensa da Fé.
São Paulo, Brasil.
Outono de 2018.